ORSZÁGH LÁSZLÓ

MAGYAR–ANGOL SZÓTÁR

MÁSODIK KÖTET

L–Zs

KILENCEDIK KIADÁS

AKADÉMIAI KIADÓ · BUDAPEST 1991

A harmadik kiadás főmunkatársai:

MAGAY TAMÁS
LUKÁCSNÉ LANG ILONA

ISBN 963 05 5799 1 I—II. kötet
ISBN 963 05 5801 7 II. kötet

Kiadja az Akadémiai Kiadó, Budapest

Első kiadás: 1963

A kiadásért felelős az Akadémiai Kiadó és Nyomda Vállalat főigazgatója
A szerkesztésért felelős: Zigány Judit
Műszaki szerkesztő: Marton Andor
A fedélterv Hodosi Mária munkája
Terjedelem: 86,5 (A/5) ív
90.19147 Akadémiai Kiadó és Nyomda Vállalat — Felelős vezető: Hazai György

L

1 [l-et, l-je] *n*, the letter l/L

la¹ *int*, *ott van* ~ *!* there it is!; *ezt* ~ *!* this (one) here!

la² [-t, -ja] *n*, *(zene)* *[szolmizációs hangnév]* la(h)

láb [-at, -a] *n*, **1.** *[lábszár]* leg, *[alsó szár]* shin, shank, *[lábfej]* foot *(pl* feet), tootsy *(baby talk)*, trotter *(fam)*, pin *(fam)*, stepper ◆, peg ◆, prop ◆, *[rókáé]* pad; *első* ~ front leg/foot, foreleg, forefoot; *hátsó* ~ hind leg/foot; ~ *alatt van* be in sy's way, be under sy's foot; *eltesz* ~ *alól* do for sy, do sy in, do/make away with sy, dispatch sy; *lába alá néz* look where one treads; ~ *a felmondta a szolgálatot* his legs betrayed him; ~ *a kel vmnek* disappear, get lost, take wings, be (mysteriously) gone, dissolve/melt into thin air *(joc)*; *csinos/jó* ~ *a van* have shapely legs; *pipaszár* ~ *a van* have spindle-shanks, have match/drum-sticks for legs; *úgy kidobja hogy a* ~ *a sem éri a földet* send sy packing, throw sy out (double-quick); *kicsúszik a* ~ *a alól a talaj* lose ground, have the ground cut from under one's feet, be left no leg to stand on; ~ *am elé omlott* he fell at my feet; ~ *hoz !* *(kat)* order arms!; ~ *hoz tett fegyverrel* with arms at the order, with arms at attention; ~ *ához borul* go down on one's knees before/to sy, fall *(v.* throw oneself) at sy's feet; *mind egy lábig* to a man, to the (very) last man; *fél lábon* on one leg; *alig áll a* ~ *án [fáradság-tól]* be ready/fit to drop, be tottering, *(átv)* be scarcely able to hold one's head above water; *tudása gyenge* ~ *on áll* his knowledge is rather flimsy/shaky, his knowledge rests on slender/weak foundations; *milyen* ~ *on állsz vele ?* on what terms are you with him?, how do you get on with him?, how do you stand with him?; *jó* ~ *on áll vkvel* be on good terms with sy, get on well with sy, hit it off well with sy *(fam)*, be/get well in with sy *(fam)*, be in sy's good books *(fam)* ; *maga* ~ *án jár* stand on one's own legs, paddle one's own canoe *(fam)* ; *már meg-áll a maga* ~ *án (átv)* strike out for oneself, be able to look after oneself, strike out for one's interests; *nagy* ~ *on él* live in great/grand style/way, live high/expensively; ~ *on hord ki [betegséget]* not go to bed with an illness; *lábra áll [beteg]* get about again; *nehezen áll* ~ *ra [beteg]* be mending/recovering very slowly, pick up very slowly; ~ *ra kap* gain ground/currency, come into use/vogue, become fashionable; ~ *ra szabott harisnya* fully-fashioned stocking; *zava-romban azt sem tudtam melyik* ~ *amra álljak* I felt like a bull in a china-shop; *kezd saját* ~ *ára állni (átv)* feel one's feet/legs/wings; ~ *ára állít* help/set sy up, set sy on his legs/feet, *(átv)* give sy a leg up, set sy going again; *levesz vkt a* **lábáról** carry sy off his feet, get round sy, talk sy over; *egyik* ~ *áról a másikra áll* keep shifting from foot to foot; *húzza a* **lábát** drag/trail one's leg/foot; *lejárja a* ~ *át* run off one's legs; *lógatja a* ~ *át* idle, rest on one's oars, fold one's hands; *megveti a* ~ *át* plant one's foot/feet firmly, *(átv)* gain footing, get a foothold, strike root; *szedi a* ~ *át (biz)* stir one's stumps, *[odábbáll]* take to

one's heels, show a clean pair of heels; *keresztbe teszi a* ~ *át* cross one's legs; *alig tette/húzta ki a házból a* ~ *át* scarcely had he left the house when, no sooner was he gone (than); *soha többé nem teszem a* ~ *amat a házadba* I'll never set foot in your house again; *be ne tedd többé a* ~ *adat hozzám !* never darken my doors again !; *az ágyban* **lábtól** at the foot of the bed; **lábbal** *tapos/tipor (átv)* tread/trample under foot, trample upon; *fél* ~ *bal a sírban van* have one foot in the grave; *kézzel* ~ *bal tiltakozik vm ellen* oppose sg tooth and nail, resist *(v.* kick against) sg with might and main; *száraz* ~ *bal* with dry feet, without getting wet, dry-foot(ed) *(fam)* **2.** *[bútoré]* leg, *[bútorláb feje]* foot, *[hídé]* pier, pillar. *[oszlopé]* pedestal. *(műsz)* rest, stand, support, leg, *[hegedűn]* bridge; *az ágy* ~ *ánál* at the foot of the bed **3.** *[hegyé]* foot, base; *a falu a hegy* ~ *ánál fekszik* the village lies under the mountain **4.** ~ *on álló gabona/termés* growing corn/crop, standing/uncut corn/crop, *(jog)* emblements *(pl)* ; ~ *on álló fa* standing timber; ~ *on álló faanyag [erdőé]* stumpage **5.** *[hosszmérték, versláb]* foot *(pl* feet); *két* ~ *hosszú vonalzó* a two-foot rule

lábacska *n*, leglet, tootsy(-wootsy) *(baby-talk)*

lábad [-t, -jon] *vi*, *szeme könnybe* ~ *tears come/rise/well (in)to one's eyes, sg brings tears to sy's eyes; *könnybe* ~ *t szemmel* with eyes filled/dimmed with tears

lábadozás *n*, (re)convalescence, returning health

lábadoz|ik [-tam, -ott, -zon, -zék] *vi*, (re)convalesce, be (re)convalescent, be getting better, be in a fair way to recovery, be on the mend, be (already) able to get about

lábadozó [-t; *adv* -an] **I.** *a*, (re)convalescent; ~ *állo-mányban van* = **lábadoz|ik**; ~ *beteg* convalescent patient **II.** *n*, reconvalescent

lábakasztó *n*, *[csónakon]* toestrap

lábal [-t, -jon] *vi*, = **lábol**

lábállás *n*, **1.** *[vívásnál, táncban]* footing **2.** *[lóé]* set of the legs (of horse)

labanc [-ot, -a] *n/a*, **1.** ⟨nickname of pro-Austrian soldiers during the 18th cent. Hungarian wars of independence⟩ **2.** ⟨Hungarian over-zealously loyal to Austria and the Hapsburg dynasty⟩

labancság *n*, pro-Hapsburg policy/mentality/loyalty

lábápolás *n*, pedicure, care of the feet, chiropody, podiatry

lábápoló *n*, pedicurist, chiropodist, podiatrist

lábas¹ [-at] *a*, **1.** having legs/feet, -legged, -footed, *(term)* pedate **2.** *[állványos]* having *(v.* resting on) stand/pier/pillar/support; ~ *ház* house standing/resting on pillars, arcaded house; ~ *híd* bridge resting on pillars/piers; ~ *pajta* hay-barrack

lábas² [-ok, -t, -a] *n*, (braising) pan, stew-pan, *[nyeles]* saucepan, *[nyeles nem fémből]* casserole, *[vízforraló, lábacskákkal]* skillet; *egy* ~ *ra való* a panful

lábasfejű *n*, *(term)* cephalopod

lábasfejűek n. pl, (áll) squids, octopuses, cephalopoda (Cephalopoda)
lábasjószág n, livestock, grazing stock
lábaskezű a, (term) pedimanous
lábaspotrohúak n. pl, [félrovar-rend] campodeids, japygids (Diplura)
lábatian I. a, having/with no leg(s)/foot/feet (ut), legless, footles, (term) apodal, apodous II. n, (term) apod
lábatlankod|ik [-tam, -ott, -jon, -jék] vi, [útban van] be/stand in one's way, be underfoot, be getting in sy's way, [tétlenkedik] hang/mooch about, lounge, loiter; folyton ott ~ik hover/hang about the place
lábazat n, (épit) base(ment), pedestal, socle, plinth, foot(ing), leg; ~on álló pedestalled
lábazat-burkolás n, facing/wainscoting/panelling of the socle/dado
lábáztatás n, soaking (of) the feet
lábbeli n, footgear, footwear, shoeing
lábbelikészítő n, shoemaker, [nagyipari] boot and shoe manufacturer
lábbilincs n, foot-shackles (pl), fetters (pl), anklet
lábboltozat n, arch of the foot/instep
lábcsók n, kiss on the foot
lábcsonk n, (leg)stump
lábcsont n, shin/thigh bone, tibia
labda [..át] n, 1. ball; a ~ játékban (van) (sp) ball in play; a ~ játékon kívül (van) (sp) ball out of play; megszerzi a labdát (sp) seize (on) the ball; üti a labdát hit/strike/bandy the ball 2. (tényk) [zárkioldáshoz] bulb/pneumatic release 3. (cím) roundel, pellet
labdaadogató n, [teniszben] server
labdabelső n, bladder
labdacs [-ot, -a] n, † pill, pilule, ball, pellet; ~ot gyúr (vmből) (make a) pellet, pelletize, ball
labdacsbogarak n. pl, pill beetles (Byrrhidae család)
labdacsere n, (sp) change of ball(s)
labdacskészítés n, pellet(iz)ing, balling
labdafejelés n, (sp) heading, header
labdahordozás n, holding on to the ball
labdaismétlés n, (sp) replay ball
labdajáték n, ball-game
labdakezelés n, handling the ball, ball technique/control
labdakürt n, [autón] bulb horn
labdarózsa n, (növ) guelder-rose, snowball(tree) (Viburnum opulus var. roseum); vad ~ viburnum (V. opulus)
labdarúgás n, (association) football, soccer (jam), footer (jam); utcai ~, ~ a grundon sandlot football
labdarúgó n, footballer, football-player, kick (jam)
labdarúgó-bajnokság n, football championship
labdarúgó-csapat n, football team, eleven
labdarúgó-mérkőzés n, football match
labdarúgó-pálya n, football field/pitch/ground
labdarúgó-sport n, football
labdarúgó-trikó n, football jersey
labdarúgó-világbajnokság n, World Football Championship, Football World's Cup, World Soccer Cup (jam)
labdaszedő(fiú) n, [teniszben] ball-boy, [golfban] caddie
labdatövis n, (növ) globe-thistle, echinops (Echinops)
labdaütő n, [tenisz] racket, [ping-pong, krikett] bat, [hoki] stick, [krokett] mallet, [lacrosse] crosse, [golf] stick, club
labdaverő n, = labdaütő
labdavetés n, [krikettben] bowling
labdavető n, [krikettben] bowler
labdavezetés n, (sp) ball technique, propelling/dribbling the ball
labdázás n, playing at/with ball, playing with a ball

labdáz|ik [-tam, -ott, -zék] vi, 1. throw the ball about, play (at/with) ball 2. (átv ellt) ~ik vkvel be shifty in one's relation with sy, play fast and loose with sy, not play ball with sy, send sy from pillar to post; ~ik az emberekkel keep reshuffling (v. changing around) one's employees/clients
labdázó n, ball-player
labdeszka n, [csónakban] running/step board, footboard
lábdobogás n, tramp(ing) (of footsteps), trample, footfall, [táncban] high kick
lábdunna n, eiderdown (quilt), comfortable (US), comforter
lábemeltyű n, (műsz) foot lever
lábfagyás n, [tünete] frostbitten feet (pl), [fagyott rész] chilblain
lábfájás n, pain(s)/neuralgia in the leg/foot, (orv) pedialgia, podalgia, [feltört lábé] footsoreness, [túlzott testmozgás után] stiffness of the legs, [szarvasmarhánál] footrot
lábfájós a, having pain(s) in one's legs/feet (ut), [feltört lábnál] sorefooted
lábfej n, foot; ~ lógása (orv) foot drop
lábfejfogyasztás n, [kötés folyamán] foot-narrowing
lábfejszij n, [csizmán, cipőn] ankle/foot-strap
lábfejtartó n, [kerékpárpedálon] toe-clip
lábfék n, foot/pedal-brake
lábfekvés n, [magzaté] foot-presentation
lábfeltörés n, foot blister, footsoreness
lábficam(odás) n, dislocation/sprain(ing) of leg/foot
lábfürdő n, foot-bath
lábgörcs n, cramp in the leg/foot
lábgyakorlat n, (sp) leg/foot exercise(s), foot-work
lábgyűrű n, leg-ring, [baromfin] leg-band
lábgyűrűz vt, [madarat] leg-band/ring
lábgyűrűzés n, leg-banding
lábhajtás n, operation (of machine) by pedal(s), treadle/pedal drive, foot-power
lábhajtásos [-at, adv -an] a, driven by foot (ut), pedalled, operated by foot/pedal/treadle (ut)
lábhiba n, [tenisz] foot-fault
lábhüvelyk n, big toe
lábhüvelykujj n, = lábhüvelyk
labiális [-t; adv -an] a/n, (nyelvt) labial; ~ hang labial
labialitás n, (nyelvt) labial quality
labializál [-tam, -t, -jon] vi, (nyelvt) labialize
labiáljátékok n. pl, (zene) [orgonasípok] flue-work
labiálsípszólam n, (zene) [orgonán] octave-stop
lábideg n, nerve of the leg
lábikó [-t, -ja] n, (gyerm) tootsy(-wootsy)
lábikra n, calf (of leg)
labilis [-t; adv -an] a, 1. [tárgy] unstable, unsteady, shaky, rickety, top-heavy, [hajó] crank(-sided), (vegyt) labile; ~ egyensúlyi állapot unstable/labile equilibrium, lability 2. (átv) unstable, unsteady, shaky, precarious
labilitás n, 1. [épületé, hídé] instability, [hajóé] crankiness, (vegyt) lability 2. (átv) unstableness, instability, unsteadiness, shakiness, precariousness; feltételes ~ (pszich) conditional instability
lábindító n, pedal/foot-starter, starter pedal
labiodentális a, (nyelvt) labiodental; ~ mássalhangzó lip-teeth consonant
labionazális a, (nyelvt) labionasal
labioveláris a, (nyelvt) labiovelar
labirint n, = labirintus
labirintcsontkorona n, (műm) labyrinth joint
labirinthal n, (áll) anabas (Anabas scandens)
labirintszerű a, labyrinthian, labyrinthine
labirintus n, 1. maze, labyrinth, meanders (pl) 2. [fülben] labyrinth, internal ear; ~ betegsége labyrinthine disease
labirintus-sérülés n, (orv) labyrinthine lesion

lábító [-t, -ja] *n, [kerékpáron, hangszeren]* pedal, *[szövőszéken, varrógépen]* treadle, treddle, *[emeltyű]* foot lever

lábítós [-at] *a,* ~ *eszterga* pedal-lathe; ~ *excenter* harness cam

lábizom *n,* leg muscle

lábizzadás *n,* sweating of the feet, *(orv)* podyperidrosis

lábjegyzet *n,* foot/bottom-note

lábkapcsolás *n,* foot/pedal-contact

lábkapcsoló *n,* foot/pedal-switch, pedal coupler

lábklónus *n, (orv)* ankle clonus

lábkormány *n,* foot steering, *(rep)* rudder pedal, *[rúdja]* rudder bar, swing-bar

lábkör *n, [fogaskeréken]* root-circle

lábkörzés *n, (sp)* leg circling, *[táncban]* sweep of the leg

lábköszvény *n,* podagra

lábközép *n,* instep, *(orv)* (meta)tarsus, *[madáré]* shank

lábközépcsont *n,* metatarsal bone

lábkulcs *n, [birkózásban]* leg-lock, grapevine

láblénia *n, (nyomd)* down-rule

lábmelegítő *n,* foot-warmer, *[kályha]* foot stove, *[parázzsal fűtött]* foot-pan

lábmérce *n, [cipőboltban]* size-stick

lábmetszet *n,* caesura

lábmosás *n,* foot-washing, *(egyh)* washing (of) the feet

lábmosó *n, [strandon]* footbath

lábmunka *n, (sp)* foot/leg-work

lábnyi [-t] *a,* a/one foot long; **két** ~ **távolság** a distance of two feet

lábnyílás *n, [íróasztalé]* knee-hole

lábnyom *n,* footprint, footmark, (foot)step, mark of a foot, tread, *[állaté]* track, trail; *ld még* **nyom**; *lába nyomába sem léphet vknek* cannot *(v.* is not fit to) hold a candle to sy; *lába nyomát is megcsókolja vknek* worship the ground sy treads on, worship the ground under sy's feet

laboda [..át] *n,* 1. *(növ)* orach(e) *(Atriplex sp.); kerti* ~ garden orache *(A. hortensis)* 2. *[ehető]* spinach

labodaparéj *n,* = **laboda 1.**

lábol [-t, -jon] *vt/vi, [vizet]* tread, ford, *[sáron/iszapon át]* drabble (through the mud), *[vízen át]* wade (through/across)

lábolás *n, [vízé]* treading, fording; wading in/through

lábollózás *n, (sp)* trudgen stroke, scissors kick

labor [-ok, -t, -ja] *n, (biz)* lab

laborál [-t, -jon] *vi, (átv is)* labour

laboráns [-ok, -t, -a] *n,* laboratory technician/assistant/hand

laboratórium [-ot, -a] *n,* laboratory, lab *(fam); üzemi* ~ manufacturing laboratory

laboratóriumi [-ak, -t; *adv* -lag] *a,* laboratory, laboratorial, of *(v.* belonging to) a laboratory *(ut);* ~ *asztal* laboratory bench; ~ *berendezés* laboratory equipment, *(fényk)* processing equipment; ~ *eljárás* laboratory procedure; ~ *gyakorlat [óra]* laboratory (practice); ~ *kísérleti adatok* laboratory findings; ~ *lelet/adat* laboratory evidence; ~ *vizsgálat* laboratory test/analysis

laborberendezés *n,* laboratory equipment, *(fényk)* processing equipment

labor-kémia *n, (orv)* clinical chemistry

lábpáncél *n,* greave(s), jamb(e)au *(fr),* legpiece

lábpárna *n,* foot-cushion, *[zsámoly]* hassock

labradorit [-ot] *n, (ásv)* labradorite

lábravaló *n,* drawers *(pl),* pants *(pl),* unmentionables *(pl)* *(joc)*

lábsatu *n, (műsz)* staple-vice

lábseb *n,* leg/foot wound

lábsérülés *n,* injury of/to the foot/leg

lábsin *n, (orv)* leg-iron

lábszag *n,* smell of sweaty feet

lábszár *n,* leg, *[alsó]* shin, shank, *[állat mellső lábán]* forearm

lábszárcsont *n,* shin(-bone), shank(-bone), tibia

lábszárpáncél *n,* greave(s)

lábszártekercs *n, (kat)* puttees *(pl)*

lábszárvédő *n,* leggings *(pl), [kamásni]* gaiters *(pl),* gamashes *(pl),* spatterdash, *[kerékpárosé]* overall/mackintosh leggings *(pl),* seatless trousers *(pl), [labdarúgóé]* shin-guards *(pl), [krikettjátékosé]* (batting-) pads *(pl),* leg-guards *(pl)*

lábszíj *n, [cipészé]* knee-strap

lábszomszéd *n,* foot-to-foot neighbour

lábszőnyeg *n,* small carpet/rug, *[ágynál]* bed-side rug; *ld még* **lábtörlő**

lábszúrás *n, [vívás]* foot thrust

lábtakaró *n, [ágyon]* coverlet, *[úti]* (travelling) rug, *[kocsiutasnak]* lap robe

lábtámasz *n,* footrest, foothold, footboard, footrail, *[kocsi bakján]* footboard, *[csónakban]* stretcher, footpiece, *[kerékpáron]* footrest, *[cipőtisztítóé]* (shoeshiner's) block

lábtartás *n,* position of legs/feet, *[vívásban, táncban]* footing

lábtartó *n,* = **lábtámasz**

lábtekercs *n, (kat)* puttees *(pl)*

lábtempó *n, (sp)* leg stroke, brog kick

lábtő *n,* = **lábközép**

lábtőcsont *n,* tarsal bone

lábtői [-t] *a,* tarsal

lábtörés *n,* fracture of leg/foot; ~*sel kerül kórházba be* taken to hospital with a broken leg

lábtörlő *n,* hall/door-mat; *ld még* **lábszőnyeg**

lábtörlőrács *n,* foot/door-scraper, scraper-mat

lábtörlővas *n,* = **lábtörlőrács**

lábú [-ak, -t; *adv* -(a)n] *a,* with legs/feet *(ut),* of foot *(ut),* -legged, -footed, -ped(al) *(tud),* -pod(ous) *(tud); cinege* ~ sparrow-legged *(fam);* csámpás ~ club-footed; having crooked/bow legs *(ut); egyenlő* ~ isopod; *fájós/feltört* ~ footsore; *fürge* ~ nimble/swift/fleet-footed, swift/quick/fleet of foot *(ut); görbe* ~ bow/bandy-legged, crump-footed *(fam); hasadt* ~ *(áll)* fissiped; *hosszú* ~ long-legged/shanked, leggy; *hosszú* ~ *ember (biz)* spindle-legs; *könnyű* ~ light-foot(ed)/heeled; *nagy* ~ big-footed, having large feet *(ut),* large of limb *(ut); párnás* ~ with padded feet *(ut); rövid* ~ short-footed/legged, short in the legs *(ut); szép* ~ clean-limbed, with shapely legs *(ut); vastag* ~ thick-legged

lábujj *n,* toe; *nagy* ~ big/great toe

lábujjhegy *n,* tiptoe; ~*en* on tiptoe, on the tips of the toes; ~*en áll* stand on tiptoe, stand on the tips of one's toes; ~*en bemegy a szobába* tiptoe into the room; ~*en jár* tiptoe, walk on tiptoe; ~*en táncol [spiccel]* dance on tiptoe, dance on the points/toes; ~*re áll* rise on tiptoe

lábujjköröm *n,* toe-nail(s)

lábujjú *a,* -toed

lábvédő *n, [motorkerékpáré]* leg-shield, *[motorkerékpárosé]* overall leggings *(pl); ld még* **lábszárvédő**

lábvért *n,* greaves *(pl)*

lábvíz *n,* 1. foot-bath 2. *(átv biz) [leves]* swash, hogwash, dish-water, *[sör]* horse-piss *(vulg)*

lábzárás *n, (sp)* closing the feet

lábzsák *n,* foot-muff, *[kocsiutasnak]* lap robe

lábzsámoly *n,* foot-stool/rest, *[párnás]* hassock

Laci [-t, -ja] *prop,* ⟨diminutive of Ladislas⟩, Laci

lacibetyár *n,* scamp, rascal, son of a gun ✦

lacikonyha *n,* ⟨cook's stall at fair, slap-bang shop⟩

lacipecsenye *n,* barbecue *(US)*

Lackó [-t, -ja] *prop,* = **Laci**

láda [.. át] n, chest, box, *[csomagolásra]* case, packing-case, *[gabonának]* hutch, *[hézagos]* crate, *(kat)* kit-box, foot-locker, *[kulcsos]* locker, *[pénzes]* coffer, *[szénnek]* bin, *[úti]* box, travelling trunk; *tengeri szállításra alkalmas* ~ seaworthy case; *tojásszállító* ~ egg-crate; *vaspántos* ~ case with iron straps/hoops; *üres ládák (ker)* empties *(pl)* ; *ládába csomagol* box, crate, pack in a case
ládadeszka n, box-board
ládafia n, drawer (of chest)
ládagyártó n, case-maker
ládajelzés n, case mark
ládakeret n, crate
ládaméretek n. pl, *(ker)* measurements of cases
ládányi [-t] a, boxful
ládapad n, box-seat
ládaváz n, skeleton case
ládáz [-tam, -ott, -zon] vt, pack/put in chest/box/crate, box, crate, case; *árut* ~ case (up) goods
ládázás n, casing, encasement
ladik [-ot, -ja] n, barge, punt, flat-boat
ládika n, small case/box, *[kulcsos]* locker, casket, *[pénzes]* coffer, *[palántának]* pan; *ékszeres* ~ jewel-case/casket/box
ladikos [-ok, -t, -a] n, boat/wherry-man, waterman, punter
láger [-ek, -t, -e] n, camp
lagúna [.. át] n, lagoon
lagzi [-t, -ja] n, = lakodalom
lágy [-at; adv -an] I. a, 1. *(konkr)* soft, *[formálható]* waxy, pliable, pliant, malleable; ~ *agykéreg/burok* pia mater; ~ *agykérgi* pia-matral, pial; ~ *bőr [élő]* soft/tender skin; ~ *gyümölcs* mellow/ripe fruit; ~ *íny* soft palate, velum; ~ *kenyér* new bread; ~ *negatív* flat negative; ~ *rajzú lencse* soft focus lens, diffused-focus lens; ~ *részek* soft parts, viscera, *[állaté]* entrails; ~ *tojás* soft/half-boiled egg; ~ *víz* soft water 2. *(átv) [akaratgyönge]* soft, weak, yielding, spineless, *[hangsor, zene]* minor, *[időjárás]* soft, mild, balmy, *[olvadásos]* melting, thawy, *[szellő]* soft, gentle, light; ~ *ember* weakling, man with no backbone, spineless man; ~ *hang* soft/gentle/sweet/mellow/silky voice; ~ *hangú* sweet-voiced; ~ *mássalhangzó* soft consonant; ~ *szín* tender colour; ~ *szív* soft/tender heart; ~ *szívű* soft/tender/gentle-hearted II. n, feje ~a fontanel(le); *benőtt már a feje* ~a be no longer a child, be out of one's teens, be no fledg(e)ling/greenhorn, be past one's salad days; *nem esett a feje* ~ára be no fool
lágyacél n, mild/soft steel
lágyalap n, *(műv)* soft-ground etching, vernis mou
lágyan adv, soft(ly), mellowly, sweetly, mildly, gently, lighty
lágybogarak n. pl, *(áll)* leather-winged beetles *(Cantharidae család)*
lágyék [-ot, -a] n, 1. *[vknek véknya]* loin, flank 2. *[has alatti]* groin
lágyékcsatorna n, *(bonct)* inguinal canal
lágyékhajlat n, *(bonct)* folds of the groin
lágyéki [-ak, -t] a, inguinal
lágyékkötő n, loin-cloth
lágyékmirigy n, inguinal gland
lágyéksérv n, *(orv)* inguinal rupture/hernia, bubonocele
lágyéktájék n, inguinal region
lágyéktáji a, inguinal
lágyfekély n, soft sore, *(orv)* chancre, chancroid
lágyfém n, soft metal
lágyforrasz n, soft/smith's solder
lágyít [-ani, -ott, -son] vt, 1. *(ált)* soften, make soft, mollify, mellow, *[bőrt]* supple, soften, *[fémet]* temper, anneal, let down, *[edzett vasat, acélt]* unsteel, *(vegyt)* emolliate, *[képet aláfestéssel]* scumble;

vizet ~ break water 2. *[kedélyt, hangot]* sweeten, *[szívet]* melt 3. *[mássalhangzót]* palatalize
lágyítás n, 1. *(ált)* softening, mollifying, mollification, mellowing, making soft/mellow, *[bőré]* suppling, making soft, *[fémé]* tempering, annealing, *(vegyt)* emollition, *[képé aláfestéssel]* scumbling 2. *[mássalhangzóé]* palatalization
lágyító [-t; adv -an, -lag] a, 1. *(ált)* softening, mollifying, mellowing, *[fémet]* tempering, annealing, *(vegyt)* emolliating, emollient; ~ *anyag* softener, emollient; ~ *előtét (fényk)* diffusing disk; ~ *kemence* annealing furnace 2. *[szívet]* melting
lágyítószer n, *(orv)* emollient, *(vegyt)* demulcent
lágykén n, plastic sulphur
lagymatag [-ot; adv -on] a, tepid, lukewarm, half-hearted
lagymatagon adv, lukewarmly, half-heartedly; ~ *csinál vmt* do sg with (only) half a heart
lagymatagság n, tepidity, tepidness, lukewarmness, half-heartedness
lágymeleg a, lukewarm, tepid
lágyság n, 1. *(konkr)* softness, *[gyümölcsé]* mellowness, ripeness; *bőrének* ~a softness/suppleness of one's skin 2. *(átv) [akaratgyöngeség]* soft/weak/yielding character/nature, *[hangé]* softness, gentleness, sweetness, mellowness, silkiness, *[időjárásé]* mildness, balminess, *[olvadásos időé]* thawing, *[szellőé]* gentleness, lightness, *[szívé]* tenderness; *színek* ~a tenderness of colours
lágyszívűség n, soft-heartedness, tender-heartedness
lágytestű I. a, soft-bodied, *(term)* molluscan, molluscous II. n, *(term)* mollusk, mollusc
lágytojás-főző n, egg-boiler
lágyul [-t, -jon] vi, 1. *(ált)* soften, mellow, grow/become soft(er)/mellow(er), *[bőr]* become supple 2. *[időjárás]* grow/become mild(er), *[fagy felenged]* thaw
lágyulás n, 1. *(ált)* softening, mollifying, mollification, mellowing, growing/becoming soft(er)/mellow(er), *(vegyt)* emollescence, *(orv)* malacia 2. *[időjárásé]* growing/becoming mild(er), *[fagy felengedése]* thawing
lágyulási [-t] a, ~ *pont* softening point
lágyuló [-t] a, hőre ~ thermoplastic
lágyvas n, soft/pure/ductile/mild iron, mild steel
laicizál [-tam, -t, -jon] vi, laicize
laicizálás n, laicization
laikus I. a, 1. *[járatlan]* uninitiated, unexperienced, inexpert, not expert *(ut)*, *[nem hivatásos]* lay, non-professional, unprofessional, not expert *(ut)* ; ~ *bíráskodás* ⟨participation of lay assessors in judicial proceedings⟩, *(kb)* lay *(v.* non-professional) magistracy; ~ *bíró* lay judge; ~ *felfogás* lay opinion 2. *(vall)* lay, secular; ~ *nővér* lay sister; ~ *testvér* lay brother; ~ *vallásosság* home religion II. n, 1. *[járatlan]* uninitiated person, non-professional person, layman, *[műkedvelő]* amateur, dilettante, layman, outsider *(fam)* 2. *(vall)* layman, secular; a ~ok the laity
lajbi [-t, -ja] n, *(nép, †)* waistcoat *(stand.)*, vest (of peasant) *(stand.)*
Lajcsi [-t, -ja] prop, Lew, Lou, Louie
lajhár [-ok, -t, -ja] n, 1. *(áll)* sloth, bradypod *(Bradypus sp.)* ; *kétujjú* ~ unau *(Choloepus didactylus)* ; *háromujjú* ~ ai, three-toed sloth *(B. tridactylus)* 2. *(átv)* sluggard, slothful/indolent person, lazybones *(fam)*
lajhármaki n, *(áll)* slow loris *(Nycticebus coucang)*
lajhármedve n, *(áll)* sloth-bear *(Melursus ursinus)*
Lajos [-ok, -t, -a] prop, Lewis, Louis
lajosarany n, louis (d'or)
lajstrom [-ot, -a] n, list, catalogue, *[hivatalos]* register, roll, record, *(jog)* docket, calendar, file; ~*ba felvesz*

catalogue, register, enrol(l), put on list, post/enter in register, file, place on calendar; ~*ba szed vmt* make a list/catalogue/register/roll of sg, catalogue; ~*ba vétel* registration; ~*ból töröl* deregister; *(rendszeresen)* ~*ot vezet vmről* keep a list/catalogue/register/roll of sg

lajstromkészítés *n*, registering, cataloguing, making a list/catalogue/register/roll

lajstromos [-at] *a*, ~ *szavazás* voting for several members (out of a list), proportional representation, general ticket *(US)*

lajstromoz [-tam, -ott, -zon] *vt/vi*, list, catalogue, (en)-register, enrol(l), put on list, post/enter in list/catalogue/register/roll, tabulate, table, *(jog)* file, enter in files

lajstromozás *n*, making a list/catalogue, cataloguing, registration, filing, *[oklevélé]* enrolment, entry of a document on a roll

lajstromozási [-t] *a*, ~ *kikötő (hajó)* port of registry, home port *(US)*

lajstromozatlan *a*, unlisted, unregistered, unenrolled

lajstromozott [-at] *a*, listed, registered, enrolled

lajstromvezető *n*, 1. registrar, keeper of register 2. = =**listavezető**

lajt [-ot, -ja] *n*, *[fogatolt]* water-cart, *[kézi]* water--barrow

lajtorja [..át] *n*, *(nép)* ladder *(stand.)*

lak [-ot, -a] *n*, † dwelling, lodge, *[nyári]* villa, cottage; *Júlia* ~ Julia/Juliet Villa/Cottage

lakáj [-ok, -t, -a] *n*, 1. *[szolga]* lackey, footman; *libériás* ~ livery servant 2. *(átv elit)* lackey, flunkey

lakájhad *n*, varletry, host of lackeys, flunkeydom

lakájtermészet *n*, *(vk)* flunkey, cringer, toady, groveller, *[tulajdonság]* servility, fawning, obsequiousness

lakályos [-ak, -t; *adv* -an] *a*, comfortable, cosy, commodious, liveable

lakályosság *n*, comfortableness, cosiness, commodiousness

lakás *n*, 1. *[hely]* dwelling, home, residence, lodgement, *[ház]* house, abode *(ref.)*, *(jog)* living quarters *(pl)*, domicile, *[főbérleti]* flat *(GB)*, apartment *(US)* *[albérleti]* lodging(s), *[bérkaszárnyában]* tenement *(US)*; ~ *és ellátás* board and lodging, bed and board; *állandó* ~ fixed abode, *(jog)* fixed/permanent residence/domicile; ~ *kiszolgálással* service flat; *beköltözhető* ~ flat/apartment for immediate possession; *bútorozott* ~ furnished rooms/flat/apartment/ lodging(s), dig(ging)s *(pl) (GB fam)*; *háromszobás* ~ three-room(ed) flat/apartment; *kiadó* ~ rooms/ flat/apartment to let, *[hirdetésben]* accomodation vacant, apartment to rent *(US)*; *másfélszobás* ~ flat with one and a half rooms; *nyomorúságos* ~ wretched hole of a place, dingy/mean abode; *szabad bérű/rendelkezésű* ~ *(kb)* decontrolled flat; *szolgálati* ~ official quarters/residence; *udvari* ~ back apartment; ~ *bérbeadása* house-letting; **lakásán** *fogad vkt* receive sy in one's rooms/home, receive sy at one's flat/place/apartment; ~*án őrzik* be confined to one's (own) rooms; ~*omon* at my place/rooms; **lakásra** *alkalmas* fit for habitation *(ut)*; ~*ára büszke* house-proud; **lakást** *és ellátást ad vknek* provide sy with board and lodging, put sy up; ~*t és ellátást kap vknél* lodge with sy; ~*t bejelent* register (one's stay with the police authorities); ~*t bérel* rent rooms, *[idényre]* take/hire rooms; ~*t berendez* furnish a flat, fit out *(v. do up)* a flat; ~*t felmond [bérlő]* give (one's landlord) notice of leaving, *[bérbe adó]* give (one's tenant) notice to quit; ~*t keres* look (about) for lodgings, go house/hunting; ~*t kiad vknek* let (out) rooms to sy, lease/hire (out) rooms to sy, rent rooms to sy, rent an apartment/flat to sy; ~*t kivesz* take/rent rooms, take/rent a flat/apartment; ~*t*

változtat shift one's lodgings/quarters, *[lakóhelyet]* change one's residence/habitation/address 2. *[tartózkodás]* living, residing, residence, dwelling *(ref)*, habitation *(ref)*, lodgement *(ref)*, *[lakásban]* occupancy, *[átmenetileg]* stay; *Budapesten (való)* ~*om alatt* during my residence in Budapest; *egyhetes itt* ~*om alatt* during my week's stay here

lakásadó *n*, 1. *[személy]* person letting rooms/apartments, *[foglalkozásszerűen]* lodging-house keeper, *[háziúr]* landlord, *[háziasszony]* landlady 2. *[adó]* tax on occupied house, habitation tax

lakásalap *n*, dwelling fund

lakásavatás *n*, housewarming (party), hearthwarming, *[főleg ifjú páré]* infare *(US)*

lakásbejelentés *n*, notification of change of address

lakásbejelentő *n*, *[űrlap]* (police) registration form

lakásbér *n*, = **lakbér**

lakásberendezés *n*, 1. *[bútorzat]* set/suite of furniture 2. *[cselekvés]* furnishing/appointing rooms/flat/ apartment, doing up rooms/flat/apartment, fitting out rooms/flat/apartment, *[szakma]* interior decorating

lakásberendező *n*, interior decorator, (house) decorator, decorative artist

lakásbérlet *n*, lease of premises, lease of living quarters

lakásbérlő *n*, tenant (of house/rooms/flat/apartment), householder, *[albérlő]* lodger

lakáscím *n*, (home) address, private address

lakáscsere *n*, exchange of tenancy/flats/apartments, mutual transfer of flats/apartments

lakásegység *n*, dwelling unit

lakásépítés *n*, home-building, construction of flats/ apartments

lakásépítési *a*, ~ *akció* home-building scheme, housing scheme; ~ *terv* housing programme/scheme; *ld még* **lakásépítő**

lakásépítkezés *n*, *[több/sok lakásé]* building/construction of flats, housing, building of apartment/tenement-houses, house-building

lakásépítő *a*, ~ *akció* housing scheme, home-building scheme; ~ *szövetkezet* building society, building and loan association, housing co-operative, home-building cooperative

lakásfelmondás *n*, *[bérbe adótól]* notice to quit, dispossession notice, *[bérlőtől]* notice (of leaving)

lakáshiány *n*, housing shortage, scarcity/want/shortage/lack/famine of (available) houses/lodgings/flats/ apartments, lack of housing

lakáshirdetés *n*, (classified) advertisement of lodgings/ rooms/apartments/flats, *[mint rovatcím]* flats/rooms to let, flats/rooms wanted

lakáshivatal *n*, Housing Board, housing office, administration of living-quarters, *[háborús időben]* billeting office

lakásigénylés *n*, application/claim for a flat/apartment

lakásinség *n*, = **lakáshiány**

lakásjegyzék *n*, directory (of flats/apartments), city directory

lakáskérdés *n*, housing question/problem

lakáskeresés *n*, search for a dwelling, flat/house-hunting *(fam)*

lakáskiutalás *n*, house/flat allocation/assignment/allotment

lakáskiürítés *n*, vacating (of) rooms/flat/apartment

lakásközvetítés *n*, house/estate agency

lakásközvetítő I. *a*, ~ *hivatal/ügynökség* house/estate agency II. *n*, house/estate agent

lakáskulcs *n*, latch-key; *saját* ~ pass-key

lakásleválasztás *n*, ⟨conversion of part of a flat into a separate flat⟩, subdividing a flat

lakásmegosztás *n*, *[általában]* subdividing of flats, *[egy lakásé]* subdividing a flat

lakáspénz n, allowanċe/bonus for rent/lodging
lakásrendelet n, housing regulations (pl)
lakásstatisztika n, housing statistics
lakásszentelés n, = lakásavatás
lakásszerzés n, getting/finding a(n) flat/apartment
lakásszövetkezet n, = lakásépítő szövetkezet
lakásszükséglet n, housing needs (pl)
lakástermelés n, building of flats/apartments/houses, housing output
lakástervező n, [lakberendező] decorative artist, (house) decorative
lakástextil n, household textile
lakásuzsora n, (kb) (imposition of) excessive rents
lakásügy n, housing, matters of housing (pl)
lakásügyi a, ~ előadó housing official; ~ ügyosztály = = lakáshivatal
lakásügynök n, house agent
lakásügynökség n, house/estate agency
lakásváltoz(tat)ás n, [lakóhelyé] change of domicile/ address/residence, [lakásé] removal
lakásviszonyok n. pl, housing conditions/situation
lakat¹ n, padlock, lock; ~ alá helyez lock up, put under lock and key; ~ alatt tart vmt (átv is) keep sg locked up, keep sg under lock and key; ~ra zár padlock; ~ot tesz a szájára seal one's lips, keep one's lips sealed, button up one's mouth; ~ van a számon my mouth is sealed; ~tal záródó lockfast
lakat² vt, (vkt vhol) make sy (v. force/oblige sy to) live/dwell/lodge swhere
lakatkulcs n, key to padlock
lakatlan a, uninhabited, [terület] unpopulated, unpeopled, [ház] unoccupied, vacant, empty, tenantless, untenanted, [kiürített] vacated, [elhagyatott] desert(ed), abandoned; ~ területek [péld. vadnyugaton] open spaces; ~ város ghost town; ~ná tesz [területet stb.] unpeople
lakatol [-t, -jon] vt, padlock
lakatos [-ok, -t, -a] n, locksmith, fitter, ironworker; vasszerkezeti ~ steel structures fitter
lakatosáru n, hardware, ironwork, ironware, ironmongery, locksmith's wares/goods (pl)
lakatosinas n, locksmith's apprentice
lakatoskalapács n, fitter's/bench hammer
lakatoslegény n, journeyman locksmith
lakatosmester n, master locksmith
lakatosmesterség n, locksmith's trade, locksmithery
lakatosmunka n, metal-work, locksmith's work, ironwork, [művészi] art metal work; lakatosmunkák [épületeken] builder's hardware
lakatosműhely n, locksmith's workshop
lakatosság n, = lakatosmesterség
lakatossegéd n, journeyman locksmith
lakatosszerszám n, locksmith's tool
lakatosüzem n, locksmith's shop, [nagyüzeml] (engine) fitter's shop
lakatszekrény n, [esztergapadon] apron (of lathe carriage)
lakbér n, (house-)rent, [illetmény] allowance/bonus for rent/lodging
lakbéradó n, inhabited house duty, duty on rent(al)
lakbérbevallás n, declaration of rent(al)
lakbéremelés n, rise in rent(s)
lakberendezés n, [bútorzat] furnishings (pl), (suite/set of) furniture, appointment(s)
lakberendezési a, ~ kiállítás (kb) Ideal Home Exhibition (GB); ~ tárgyak (pieces of) furniture
lakberendező n, = lakásberendező
lakbérfizetés n, payment of rent
lakbérhátralék n, arrears of rent (pl), rent in arrears, back rent (US)
lakbérjövedelem n, yield/income from rent, rental
lakbérkönyv n, rent book

lakbérmegállapítás n, fixing of rent(s)
lakbérmentes a, rent-free
lakbérnegyed n, [bér] quarter (of rent), quarter's rent
lakbérpótlék n, 1. [fizetés kiegészítő része] (kb) rent allowance 2. [lakbér többlete] (kb) excess floorspace tax
lakbértartozás n, arrears of rent (pl), rent in arrears, back rent (US)
lakbéruzsora n, (system of) extortionate rent
lakbizonylat n, certificate of domicile
lakcím n, home/postal address; ~e ismeretlen of no address
lakhatási a. ~ engedély [lakóé] permission to reside, permit of stay/sojourn, permit for occupation, [lakásé] certificate of habitability, permit of occupation
lakhatatlan a, un(in)habitable, not fit to live in (ut)
lakhatatlanság n, un(in)habitableness
lakható a, (in)habitable, tenantable, liveable, fit to live in (ut), fit for habitation (ut) ; ~ állapotban tart keep (sg) in habitable repair; ~vá tesz [házat] put (house) into habitable state/repair
lakhatóság n, (in)habitability, habitable state/repair
lakhely n, = lakóhely
lak|ik [-tam, -ott, -jon, -jék] I. vi, 1. live, have one's home, (hiv) reside, dwell (ref.), abide (ref.), (jog) be domiciled, [ideiglenesen, albérletben] lodge, room (US), hang out ◇; hol ~ik? where do you live?; bútorozott szobá(k)ban ~ik live in furnished rooms, be/live/lodge in (furnished) lodgings, live in dig(ging)s (fam) ; vknél ~ik live/lodge with sy, live/ lodge at sy's place, [átmenetileg] stay/stop with sy; vmtől messze ~ik live far from somewhere; Bedford Place huszban ~om I live at number twenty Bedford Place; itt ~unk this is where we live 2. [időzik] stay, sojourn (ref.), [megszáll] stay, stop; szállodában ~ik [átmenetileg] stay/stop at a hotel 3. sok jó tulajdonság ~ik benne he has many good qualities/ points; ld még lakozik 2.
II. vt, inhabit, [lakást] occupy, [bérlőként] tenant
lakjegyzék n, (city) directory, directory of flats/apartments
lakk [-ot, -ja] n, 1. lacquer, shellac, lac, [zománc] enamel, [színtelen] varnish, [sötétvörös] lake, [fekete] japan; teniszhúr ~ gut reviver; ~al bevon japan 2. [körömre] polish, varnish
lakkbenzin n, (vegyt) white spirit
lakkbőr n, patent/japanned/enamelled leather
lakkcipő n, patent(-leather) shoes (pl), [kivágott] dancing-shoes (pl), pumps (pl)
lakkcsizma n, dress-boots (pl), patents (pl) (fam)
lakkdíszmű n, lacwork
lakkfesték n, varnish-colour/paint, lac-dye/varnish, [zománc] enamel paint, [vászonfelület vízhatlanítására] dope, lacquer coating
lakkgumi n, (gum) lac
lakklemosó n, varnish remover
lakkmézga n, (gum)lac, sandarac
lakkmunka n, 1. [eljárás] lacquering, japanning 2. [tárgy] lacquered/japanned work/ware/goods (pl)
lakkolit [-ot] n, (geol) laccolith, laccolite
lakkoz [-tam, -ott, -zon] vt, 1. lacquer, japan, varnish, give (sg) a coat of varnish, shellac, [zománccal] enamel, [körömlakkal] polish 2. (átv ell) paint in glowing colours
lakkozás n, 1. lacquering, japanning, varnishing, [zománccal] enamelling, [körömlakkal] polishing, [réteg] coat of lacquer 2. (átv ellt) painting in glowing colours
lakkozó [-t, -ja] n, lacquerer, japanner, varnisher
lakkozott [-at; adv -an] a, lacquered, japanned, varnished, with a coat of varnish on it (ut), [zománco-

zott] enamelled, [köröm] polished; fehérre ~ ajtók white-enamelled doors; ~ áru lacquer-ware; vörösre ~ körmök nails polished/varnished red

lakkréteg n, lacquer coat, lacquering

lakkszerű a, (orv) laky; ~vé tesz/válik [vér] lake

lakli [-t, -ja] n, (biz) lad, lout

lakmározás n, feasting, banqueting, [eszem-iszom] junket, carousal, bean-feast (fam), beano ❖, blow-out ❖, [zabálás] tuck-in/out (fam)

lakmároz|ik [-tam, -ott, -zon, -zék] vi, eat heartily, feast, banquet, regale, [és iszik] junket, carouse, [zabál] tuck-in (fam), gorge oneself (fam); ~ik vmből eat/feed copiously of sg

lakmusz [-ok, -t, -a] n, litmus, turnsole

lakmuszfesték n, litmus colouring matter

lakmuszpapír n, litmus (test)paper, test-paper, exploration/indicator paper

lakmuszzuzmó n, (növ) tartarean moss, archil, orchil-(-weed), dyer's moss (Roccella tinctoria)

lakó [-t, -ja] I. n, 1. inhabitant, dweller (ref.), [városé] resident, denizen, [intézeté] inmate, [házé adott időben] occupant, occupier, [bérlő] tenant, [albérlő] lodger, roomer (US); a bérház ~i the tenantry; a főváros ~i the inhabitants of the capital; ~kat tart keep lodgers, take in lodgers 2. az erdő ~i (vál) denizens of the forest; a tigris az őserdő ~ja the tiger ranges in the jungles
II. a, living (in a place), dwelling (in) (ref.), inhabiting (a place), [állandóan] resident (of), residing (in), residentiary, [jog] domiciled (at/in), [pillanatnyilag] occupying (a room/house), [bérlakásban] tenanting (a flat), [albérletben] lodging (in/at), [átmenetileg] staying, stopping (at/with) (mind. ut); a faluban ~ emberek the people living in the village, the people inhabiting the village; az első emeleten ~ család the family occupying/on the first floor

lakóbárka n, house-boat

lakóbizottság n, house/tenants' committee

lakocska n, small cottage

lakodalmas [-ok, -t; adv -an] I. a, nuptial, bridal, wedding-; ~ ének marriage/wedding-song; ~ház house in which a wedding is celebrated; ~ nép wedding-party, wedding-guests (pl) II. n, ~ok wedding-party, wedding-guests (pl)

lakodalmi [-ak, -t; adv -an] a, = lakodalmas; ~ ebéd wedding-feast, wedding-breakfast (GB); ~ menet bridal procession; ~ szokások wedding customs, nuptial rites; ~torta wedding-cake, groom's cake (US)

lakodalom [..lmat, ..lma] n, 1. wedding, bridal, nuptials (pl), espousal; lakodalmát üli celebrate one's wedding; nagy lakodalmat csap make a grand/ great wedding; hegyen völgyön ~ carefree wedding-feast, [dáridó] binge 2. (nyomd) doublet

lakóépület n, residential building, [tanyán] farm-house

lakógödör n, (rég) pit-dwelling

lakógyűlés n, ⟨meeting of the tenantry/inmates of a house (v. house tenants) to discuss current affairs⟩

lakóhajó n, house-boat

lakóház n, dwelling/living-house, dwelling, [kúriaszerű] mansion, [bérház] tenement house

lakóházépítés n, building of flats/apartments, residential construction

lakóházépítészet n, domestic architecture

lakóházépítő a, = lakásépítő szövetkezet

lakóháztömb n, block of flats, mansions (pl), apartment-house (US)

lakóhely n, 1. dwelling(-place), home, (place of) residence, (place of) abode, abode (ref.), (local) habitation, inhabitation, (jog) domicile, domiciliation, [szállás] living quarters (pl), lodg(e)ment; ~ joga law of domicil(e), lex domicilii (lat); ~ szerint illeté-

kes bíróság legal jurisdiction of the domicil(e); a bíróság ~ szerint illetékes jurisdiction of the court is made to depend on domicil(e); állandó ~e Budapest domiciled at Budapest; ~et változtat change one's residence, remove, shift one's lodgings/quarters (fam); állandó ~et választ elect domicile; állandó lakhellyel bír reside ordinarily, have fixed abode, be domiciled 2. [állaté, növényé] station, habitat

lakóhelyiség n, living-room

lakójegyzék n, list of tenants

lakókocsi n, (cara)van, house on wheels, trailer

lakókonyha n, kitchen-and-living-room, living/dining--room-kitchen, kitchen-cum-dining-room, kitchen--parlour

lakókönyv n, (concierge's) list of tenants

lakol [-t, -jon] vi, atone, pay, suffer, bear penalty, expiate, smart, (amiert for sg), (vmvel) pay the penalty (of sg), forfeit sg; életével ~ vmért pay for sg with one's life; a gyilkos életével ~t the murderer paid the forfeit of his life; ezért még ~ni fogsz! you shall (v. I will make you) pay/suffer/smart for it!

lakolás n, (vmért) atonement, paying, suffering, smarting, penalty (mind for sg), expiation (of sg)

lakoma [..át] n, rich/copious meal/repast, feast, banquet, [eszem-iszom] junket(-ing), carousal, bean-feast (fam), spread (fam), beano ❖, blow-out ❖, [zabálás] tuck-in (fam); ünnepi ~ festive banquet; lakomát csap (biz) make a good cheer, have a good blow-out, have a good tuck-in

lakomázás n, [eszem-iszom] junketing, carousing

lakomáz|ik [-tam, -ott, -zon, -zék] vi, have a rich/ copious meal/repast, feast, [vm alkalomból] banquet, [eszik-iszik] junket, carouse, make a good cheer, have a good tuck-in (fam)

lakónegyed n, residential district/section/quarter

lakonikus a, laconic

lakonikusan adv, laconically; ~ válaszol answer laconically

lakos [-ok, -t, -a] n, inhabitant, dweller (ref.) [állandó] resident, denizen, (jog) person domiciled (ahol at); a főváros ~ai the inhabitants of the capital; a városnak egymillió ~a van the city has one million inhabitants, the city numbers a million; Baranyai Ferenc budapesti ~ Francis Baranyai(,) a Budapest resident (v. resident in Budapest), Francis Baranyai of Budapest

lakosság n, inhabitants (pl), population, people, citizenry, the people at large; polgári ~civilian population; gazdaságilag aktív ~ economically active population

lakosságcsere n, population exchange

lakosságcsere-egyezmény n, treaty concerning the exchange of population

lakosságcsökkenés n, fall in population

lakosságkitelepítés n, removal/transplantation/evacuation/displacement of population

lakószoba n, living-room, parlour

lakosztály n, suite/set of rooms, apartment(s)

lakótárs n, [házban] person living in the same house, person living under the same roof, housemate, [társbérletben] joint tenant, cotenant, [albérletben] fellow lodger, chamber fellow, [kollégiumban, kaszárnyában] room-mate; ~ak vagyunk [egy lakás-ban/szobában] we room together

lakótelep n, housing estate, colony, settlement, building estate, [gyarmaton] compound

lakótér n, living space

lakóterület n, [városé] dwelling-house area, residential area, [házban] living space

lakótorony n, (épít) keep, donjon

lakott [-at; adv -an] a, inhabited, peopled, populated, (akikkel by), [népes] populous, [ház] occupied

tenanted; ~ *terület* inhabited *(v.* built up) land/area; *sűrűn* ~ densely populated
lakóüreg *n, (rég)* pit-dwelling
lakoz|ik [-tam, -ott, -zon, -zék] *vi,* 1. † = **lakik;** 2. *ki tudja mi ~ik benne?* who knows what he may have in him, who knows what he is going to turn into, who knows what occupies his mind
lakozó [-t] *a,* inherent, inhabiting, occupying; *vkben* ~ *tulajdonságok* qualities inherent in sy; *a bennük* ~ *indulatok* the passions inherently/dwelling in them, the passions animating them
lakrész *n,* section of house/flat
lakta *a, ember nem* ~ *vidék* desolate place, region uninhabited by man
laktanya *n,* barrack(s), army post *(US)*, garrison-; *vasutas* ~ railwaymen's hostel; *laktanyában elhelyez* barrack
laktanyafogság *n,* confinement to barracks *(röv* C.B.*)*
laktanyakészültség *n,* barrack guard, *[szakasz]* barrack-picket
laktanyaőrség *n,* barrack guard
laktanyaparancsnok *n,* barrack-commandant
laktanyarend *n,* barrack-regulations *(pl)*
laktanyaudvar *n,* barrack-yard/square
laktanyaügyelet *n,* barrack-duty
laktanyaügyeletes *n,* soldier on barrack-duty; ~ *tiszt* officer on barrack-duty
laktató [-t; *adv* -an] *a, [étel]* filling, substantial, satisfying
laktáz [-ok, -t] *n, (vegyt)* lactase
laktoflavin [-t] *n,* lactoflavin, ovoflavin
laktogén [-t] *a,* ~ *hormon* lactogenic hormone, prolactin, luteotrophin, mammotrophin
lakton [-ok, -t] *n, (vegyt)* lactone
laktóz [-t] *n, (vegyt)* lactose, sugar of milk, milk--sugar
lakzi [-t, -ja] *n,* = **lakodalom**
lám *int,* 1. (you) see!, well!, behold!, indeed!, lo!, why!, there now!; ~*!* ~*!* well well!; ~ *megmondtam!* haven't I told you *(v.* said so)?, you see I've told you *(v.* said so)! 2. *hadd* ~ *csak!* let me see/consider it!
láma¹ [.. át] *n, (áll)* llama, alpaca *(Lama glama)*
láma² [.. át] *n, [pap]* lama; *dalai* ~ Dalai/Grand Lama
lámagazella *n, (áll)* dibatag *(Ammordorcas sp.).*
lámagyapjúszövet *n,* llama shirting
lámaizmus *n, (vall)* lamaism
lámakolostor *n,* lamasery, lama monastery
La Manche-csatorna (the) English Channel
lámaszőr *n, (tex)* llama hair
lambda [.. át] *n,* lambda; ~ *alakú [varrat]* lambdoid(al)
lambdacizmus *n, (nyelvt)* lambdacism, lallation
lambdavarrat *n, (orv)* lambdoid(al) suture
lambéria [.. át] *n,* panel(ling), wainscot
lambrekin [ek, -t, -je] *n,* lambrequin, drapery for shelf-edge of window
lamé [-t, -ja] *n, (tex)* lamé *(fr)*
lamella [.. át] *n,* lamella, sheet, disc, *[vasmagban]* lamina
lamellás *a,* lamellar, laminar
lamentáció [-t, -ja] *n,* 1. lament(ation), wailing, jeremiad, tale of woe 2. *[szertartás]* tenebrae *(pl)*
lamentál [-t, -jon] *vi,* lament, wail, make complaints *(ami miatt for),* bewail *(ami miatt)* sg
lamentálás *n,* = **lamentáció** 1.
lámpa [.. át] *n,* 1. lamp, lantern; *álló* ~ standard lamp; *asztali* ~ table/desk-lamp; *függő* ~ pendant; *lámpánál* by lamplight, in the lamplight; *eloltja a lámpát* turn out the light, switch off the light; *lámpát gyújt* light a lamp, put/turn on the light, light up; *lámpával kell keresni* it is hard to find;

lámpával sem találni mását he has no equal, we shall never see his match 2. *[jármün]* light; *elülső* ~ headlight, head lamp; *hátsó* ~ rear/tail-light 3. *[rádiócső]* valve
lámpaállvány *n,* lampstand, lamp-bracket
lámpabél *n,* (lamp)wick; *lámpabelet levág* trim a lamp; *lámpabelet megtisztít* retrim a lamp
lámpabél-olló *n,* lamp-scissors *(pl)*
lámpabura *n,* globe, lampshade
lámpacilinder *n,* lamp-chimney
lámpacsavar *n, [petróleumlámpán]* screw regulator
lámpaellenző *n,* = **lámpaernyő**
lámpaellenző-tartó *n,* shade-frame
lámpaernyő *n,* (lamp-)shade, (lamp-)screen
lámpafej *n,* lamp-cap/base
lámpafény *n,* lamplight; ~*nél* by lamplight, in the lamplight; ~*nél olvas* read by lamplight
lámpafoglalat *n,* lamp/bulb socket, bulb holder
lámpagyár *n,* lamp-factory
lámpagyújtás *n,* lighting-up; ~ *ideje* lighting-up time
lámpagyújt(ogat)ó *n,* lamplighter, lighter, lamps *(fam)*
lámpaház *n, (film)* lamp-house
lámpahorog *n, [kocsi oldalán]* lamp-bracket
lámpakamra *n, (vasút)* light-room/cabin/house, *(hajó)* lamp-locker
lámpakar *n, [fali]* lamp-bracket
lámpakezelő *n, (bány)* lamp tender
lámpakocsi *n, (film)* light truck
lámpakorom *n, [festék is]* lamp-black
lámpaláz *n, [színészé, szónoké]* stage-fever/fright, *[rádióban]* mike/microphone fright, *[televízióban]* camera jitters *(pl), [bíróság előtt]* courtroom fright, courtroom jitters *(pl),* ~*a van* have the jitters, *[színpadon]* have (an attack of) stage-fright
lámpaolaj *n,* lamp oil, kerosene *(US), [petróleum]* paraffin(e) oil
lámpaoltás *n, [kaszárnyában]* lights out
lámpaoszlop *n,* lamp-post/standard
lámparaktár *n,* = **lámpakamra**
lámpás¹ *n,* lantern, lamp; ~*sal keres vkt/vmt* search high and low for sy/sg
lámpás² *a, négy*~ *rádió* four-valve wireless set; *hány* ~ *a rádiód* how many valves has your radio?
lámpasapka *n,* lamp cap
lampasz [-ok, -t] *n, [egyenruhán]* ⟨coloured stripes on trousers of uniform⟩
lámpatartály *n,* lamp basin
lámpatartó I. *a,* ~ *helyiség* lamp-cabin II. *n, [jármün]* lamp-bracket/holder
lámpatisztító I. *a,* ~ *kefe* lamp-brush II. *n, (vk)* lamp--trimmer, lamps *(fam), (vm)* lamp cleaner
lámpaüveg *n,* lamp-chimney/glass
lámpavas *n,* ~*ra felhúz vkt* string up sy on a lamp-post
lámpavilág *n,* = **lámpafény**
lámpáz [-tam, -ott, -zon] *vt, [tojást]* candle (egg)
lámpázás *n, [tojásé]* candling
lámpázókészülék *n,* candling apparatus/lamp
lámpázott [-at] *a,* ~ *tojás* candled/tested egg
lámpazsinór *n,* lamp-cord
lampion [-ok, -t, -ja] *n,* lampion, Chinese lantern fairy-lamp
lampionos [-at] *a,* ~ *menet* procession with lanterns
lánc [-ot, -a] *n,* 1. *(ált)* chain, *[áttételé]* chain-belt; *görgős* ~ roller chain; *ízületes* ~ ladder chain; *kis* ~ chainlet; *végtelen* ~ endless chain; *zárt* ~ *(vegy)* closed chain; ~*on lóg* hang on/by/from (a) chain; ~*ra köt* chain (up); *kutyát* ~*ra köt* put a dog on the chain; ~*ra ver vkt* fasten/put sy in chains; put sy in irons; ~*ra verve* in chains/fetters; ~*ról elold [kutyát]* let (dog) loose, unchain; *vmt vmhez* ~*cal odaerősít* chain sg to sg 2. *[rablánc]* chains, bonds

shackles, fetters *(mind pl)*; *letépi a~ait* break/smash one's chains; *~tól megszabadít [rabot]* loose the chains/fetters/shackles (of prisoner), unfetter (prisoner) **3.** *[mérő]* land-chain, surveying/measuring chain, *[mértékegység]* chain(-length) **4.** *(tex)* warp **5.** *[összefüggő sor]*₍chain, range, series, succession; *~ot alkot* form a chain

láncbeállítás *n, (tex)*~warp setting count
láncborona *n,* spike-chain harrow, link harrow
lánccsap *n,* link/chain-pin
lánccsatolás *n,* chain-coupling
lánccséve *n,* bobbin
lánccsévélő(gép) warp winding frame, warp winder
lánccsörg(et)és *n,* rattling/clanking of chains
láncdal *n, (zene)* musical switch song
láncdob *n,* chain-drum/sheave, pulley-drum
láncerősítő *n, (vill)* cascade/chain amplifier
lancetta [..át] *n, (orv)* lancet
láncfék *n,* chain brake, *(hajó)* stopper
láncfeszítő *n,* chain-stretching device, chain-tightener/adjuster
láncfolyamat *n, (fiz)* chain-reaction
láncfonal *n,* warp (thread), chain, (warp)end, *[szövetben]* twist; *~at felvet* draw the warp
láncfonalcséve *n,* twist cop
láncfonalőr *n, [szövőszéken]* warp protector
láncfonalsűrűség *n,* number of threads in the warp
láncfűrész *n,* chain saw, link tooth saw
láncgörbe *n, (mért)* catenary curve
láncgörgő *n,* chain-roller
láncgyűrű *n,* link/loop of chain, chain-loop
lánchajtás *n,* chain-drive/transmission/gearing
lánchajtású [-ak, -t] *a,* chain-driven
lánchatású *a,* warp effect/face
lánchegység *n,* mountain-chain/range, orogenic mountain, cordillera *(US)*
lánchenger *n, (tex)* warp/yarn-beam, weaver's beam, back beam, beamer
lánchengerágy *n, (tex)* beam-bearing
lánchengerprés *n, (tex)* yarn-beam press
lánchíd *n,* chain/suspension-bridge
lánchordta [..át] **I.** *a, (nép)* accursed, rascally **II.** *int,* zounds!
lánchuzal *n,* catenary wire
lancináló *a, ~ fájdalom* fulgurant/lancinating/lightning/shooting pain
láncirezés *n, (tex)* warp/beam-sizing, warp dressing
lánckamra *n, [hajón]* chain-locker/well, guard-locker
lánckapcsolás *n, (vasút)* chain-coupling
lánckerék *n,* chain/sprocket-wheel
lánckereskedelem *n, (kb)* (series of) middlemen, middleman-system
lánckereskedő *n,* chain-trader, middleman
lánckorong *n,* chain-sheave
láckötőgép *n,* warp-loom
lánckövetkeztetés *n,* chain argument/reasoning, syllogism, sorites
láncmeghajtás *n,* chain drive
láncműves *n,* chain-maker
láncocska *n,* small chain, chainlet
láncol [-t, -jon] **I.** *vt,* **1.** *(vmt vmhez/vhova)* chain (sg to sg), join (things) with/by a chain, fasten (sg) with a chain (to sg), *(vkt vmhez)* chain sy to sg **2.** *[magához fűz]* chain/link/bind/tie/attach sy to oneself **II.** *vi, (ker)* do business as middleman, take part in the middleman-system
láncolás *n,* **1.** *(vmt vhova/vmhez)* chaining, joining by means of a chain, fastening with/by chain, *[magához fűzés]* linking, binding, tying, attaching **2.** *(ker)* racketeering, doing business as middleman
láncolat *n,* **1.** *[kapcsolat]* chain, concatenation **2.** *[sor]* train, series, succession, string; *események ~a*

chain/succession/consecution of events; *gondolatok ~a* train of thoughts
láncolatos [-ak, -t; *adv* -an] *a,* **1.** *[összefüggő]* catenary, linked-together/up **2.** *[soroztos]* successive, serial
láncoldalú *a, (tex)* warp effect/face
láncoló [-t, -ja] *n,* = **lánckereskedő**
láncolódik [-tam, -ott, -jon, -jék] *vi, (vmhez)* link up (with), join together (with), be connected (with), be linked up/to(gether)
láncos [-ak, -t; *adv* -an] *a,* **1.** *[lánccal felszerelt]* fitted out/up *(v.* equipped) with chain(s) *(ut),* wearing/having a chain *(ut), [lánchajtásos]* operated by means of chain(s) *(ut), (összet)* chain; *~ bomba* chain-bomb; *~ bot [hangszer]* stick fitted with chains (used by the Regös); *~ golyó* chain-shot/bullet; *~ kút [serleges]* chain-pump; *~ vedermű* Jacob's ladder **2.** *[láncra kötött]* chained up **3.** *~ lobogós* zounds!
láncöltés *n,* chain/looped stitch, warp/crochet-stitch, *[varrógépé]* loop stitch
láncpecek *n,* chain pin/stud
láncreakció *n, (átv is)* chain-reaction; *~k (vegyt)* series of reactions
láncrés *n, [hajón]* hawse-hole
láncszabály *n, (menny)* chain-rule; *id még* **hármasszabály**
láncszabályozó *n, [kerékpáron]* chain-adjuster
láncszakadás *n,* **1.** broken chain **2.** *(tex)* broken warp
láncszem *n,* **1.** *(konkr)* link/loop of chain, chain-link/loop **2.** *[kézimunkában]* looped stitch, warp/crochet--stitch **3.** *(átv) hiányzó ~* missing link; *a következő ~* the next link in the chain; *csak egy ~ a gépezetben* be only a cog in the machinery
láncszigetelő *n,* chain insulator
láncszivattyú *n,* chain-pump
lánctag *n,* (chain) link
lánctalp *n,* caterpillar-track/belt
lánctalpas *a,* caterpillar/creeper type; *~ daru* crawler crane; *~ vontató/traktor* caterpillar tractor, creeper/track type tractor
lánctekercs *n, (tex)* warp ball
lánctört *n, (menny)* continued fraction
láncvédő *n, [kerékpáron]* chain cover/guard, gear-case, casing/housing of chain, *[nagyobb]* chain/gear/crank--case
láncvédő-hüvely *n,* chain housing
láncviszonyszám *n,* chain relative
láncvontatás *n,* chain-towing/towage
landauer [-ek, -t, -je] *n,* landau
landol [-t, -jon] *vi, [repülőgép]* land
landolás *n, [repülőgép]* landing
landsknecht [-et, -je] *n, (tört)* lansquenet
lándzsa [..át] *n,* lance, spear, pike; *~ alakú* lance/spear-shaped, *(növ)* lanciform, lanceolate(d), halbert-shaped, hastate; *~ alakú ív (épít)* lancet arch; *lándzsát tör vk mellett* break a lance in/on sy's behalf, stand up for sy, champion the cause of sy; *lándzsával átszúr* lance, spear; *lándzsával vív* tilt
lándzsaablak *n, (épít)* lancet window
lándzsadöfés *n,* lance/spear-thrust, stab with lance/spear
lándzsafa *n, (növ)* lancewood *(Oxandra lanceolata)*
lándzsahal *n, (áll)* lancelet, amphioxus *(Branchiostoma lanceolatus)*
lándzsahegy *n,* lance/spear-head; *köpüs ~ (rég)* socketed spear-head
lándzsakígyó *n, (áll)* lance-head/snake *(Lanchesis lanceolatus)*
lándzsalevelű *a, (növ)* with lance-shaped leaves *(ut),* with lanciform/lanceolate(d) leaves *(ut)*
lándzsanyél *n,* spear-shaft, shaft-handle of lance/spear, pikestaff

lándzsás I. *a*, 1. *[alakú]* lance/spear-shaped/like, lanced, *[fegyverzetű]* armed with lance(s)/spear(s) *(ut)* 2. *(növ)* lanciform, lanceolar, lanceolate(d), halbert-shaped, hastate; ~ *utifű* rib-grass *(Plantago lanceolata)* II. *n*, lance(r), lanceman, pikeman, pike-bearer, spear(-man)

lándzsaszúrás *n*, 1. lance/spear-thrust, stab/tilt with lance/spear 2. *[seb]* spear-wound

lándzsatörés *n, [bajvívás]* tilt(ing), j(o)usting

lándzsavég *n*, lance/spear head, lance-point

lándzsavetés *n*, throwing the spear/lance

lándzsazászlócska *n*, pennon, pennant

láng [-ot, -ja] *n*, 1. flame, *[fehéres]* blaze, *[lobogó]* flare, *[tűz]* fire; *felcsap a*~ the flame darts/shoots up/ high, the flame flashes out; ~ *nélküli lőpor* flashless powder; *a ~ok martaléka lesz* be consumed/destroyed by fire; ~*ba borít* set fire to, set (sg) on fire, *(átv is)* set (sg) aflame/ablaze, set (sg) in a blaze, kindle; ~*ba borítja az egész világot* set the whole world ablaze; ~*ba borul* take/catch fire, go up in flames; ~*ban áll* be all in flames, be on fire, be in a blaze, be ablaze/ aflame; ~*ban álló* blazing, burning, on fire *(ut)*; *nyílt* ~*on főz vmt* cook sg on an open fire; ~*ra kap* catch fire; ~*ra lobban* take/catch fire, burst/break into flame, go up in flames, kindle, *(átv is)* blaze/ flare up; *újból* ~*ra lobban* rekindle; ~*ra lobbant* set on fire, set aflame/ablaze, kindle; ~*ot fog [anyag]* inflame catch fire, kindle; ~*ot vet* flare/blaze up, shoot flame(s); *nagy* ~*gal ég* go up in a sheet of flame 2. *[lángzó]* burner 3. *[szenvedély]* flame, fire, heat, ardour, *[fellobanó]* flare; *a szenvedély* ~*ja* the flame/fire/heat/ardour of passion; ~*ba borult az arcom* the blood rushed to my face, I was all aglow; ~*ra lobban vk iránt* have an infatuation for sy; ~*ra lobbant* inflame, incense, (en)kindle; ~*ra lobbantja a képzeletet* fire the imagination; ~*ra lobbantja vk szenvedélyét* inflame sy with passion

langaléta [..át] *n, (biz)* a big lout (of a lad), bean-pod

langalló [-t] *n, (műsz)* reverberatory furnace, air/flame-furnace

lángálló *a*, flameproof, heat-resistant, infusible

lángbagoly *n, (áll)* (white-breasted) barn-owl *(Tyto alba)*

lángbetű *n*, flaming character, letter of fire/flame; ~*kkel van beírva a neve vknek* sy's name is written in flaming characters, sy's name is written indelibly

lángbiztos *a*, flameproof

lángcsappantyú *n*, flame-trap

lángcsóva *n*, sheet/burst/jet of flame, brand

lángcső *n, [gőzgépen]* flame/fire-tube, flame-passage, (furnace) flue

lángedzés *n*, flame/torch hardening

lángelme *n*, (man of) genius; *a* ~ *bélyegét magán viselő munka* work that bears the impress of genius

lángelméjű *a*, of a genius *(ut)*, genial, inspired, highly gifted; *ez* ~ *gondolat volt* that was a stroke of genius

Langerhans-sziget *n, (bonct)* pancreatic islet tissue, islet of Langerhans

lángész *n*, = lángelme

lángeszű *a*, = lángelméjű

lángfestési *a*, ~ *vizsgálat (vegyt)* flame-test

lángfogó *n*, fire-guard/trap

lángkemence *n*, flame/flaming furnace, reverberatory furnace, reverberator

lángkicsapódás *n*, *(rep)* flame-out

lánglelkű *a*, ardent, impassioned; ~ *vezér* brilliant leader

lángliszt *n*, pure wheaten flour

lánglyuk *n*, flue

lángmadár *n*, flamingo

lángmentes *a*, flameless

lángnyelv *n*, 1. tongue/burst of flame 2. *(épít)* flamboyant tracery, flame-like tracery

lángnyelvszerű *a*, flamboyant

lángocska *n*, small flame, flamelet

lángol [-t, -jon] *vi*, 1. *[tűz]* flame, be aflame, *[fehéresen]* blaze, be ablaze, *[ég]* be on fire 2. *[arc]* flow, blaze, flame up, kindle; *arca haragtól* ~ sy's face is glowing/ blazing with anger/rage 3. *[szenvedély]* burn, be ardent, *[lelkesedik]* burn (for sy/sg), be consumed with passion (for sy/sg); *bosszú* ~ *vk szívében* burn for revenge

lángolás *n*, 1. *[tűzé]* flaming, blazing, blaze, flaring 2. *[arcé]* glow(ing) blazing, blaze 3. *[szenvedélyé]* burning, ardour

lángoló [-ak, -t; *adv* -an] *a*, 1. *[tűz]* flaming, flamy, blazing, flaring, fiery 2. *[arc]* blazing, glowing 3. *[szenvedély]* burning, ardent; ~ *gyűlölet* flaming hate/hatred; ~ *szemek* blazing eyes; ~ *szenvedély* ardent/consuming passion; ~ *szerelem* ardent/ passionate love; *szerelemtől* ~ *szív* heart aflame/afire with love; *lelkesedéstől* ~ glowing with enthusiasm

lángos [-ok, -t, -a] *n, (kb)* fried dough

lángoszlop *n*, pillar of fire, fiery column

lángpallos *n*, fiery sword/glaive

lángpest *n*, = lángkemence

lángsír *n*, death in flames, fiery death; ~*ban lelték halálukat* they were consumed by fire

lángsugár *n*, fire-spot, jet of flame, *[forrasztólámpáé]* blowpipe flame

lángszínkép *n*, flame-spectrum

lángszínű *a*, flame-coloured

lángszóró *n*, flame-thrower/projector, liquid fire gun

lángtalan *a*, flameless

lángtenger *n*, sea of flames, mass/sheet of flame/light

lángterelő *n*, flame-trap, baffle

lángú [-ak, -t] *a, három* ~ *petróleumtűzhely* three-burner paraffin-stove; *öt* ~ *csillár* chandelier wit five lights, five-light chandelier

langur *n, (áll)* langur *(Semnopithecus entellus)*

languszta(rák) *n, (áll)* lobster, palinurus, (sea) crayfish *(Palinurus sp)*; *kis norvég* ~ Norway lobster *(P cornis)*

lángvágás *n*, autogenous/oxygen cutting

lángvágó(pisztoly) *n*, cutting torch, oxygen lance; ~*val vág* flame-cut

lángvirág *n, (növ)* phlox *(Phlox)*

lángvisszacsapás *n*, flashback

lángvörös *a*, flaming red, flame/fiery-red, red as fire, flame coloured, red as a peony, red as a turkey-cock, red as a boiled lobster; *arca hirtelen* ~ *lett* her face turned crimson, a sudden flush spread over her face; *arca* ~ *volt a dühtől* her face was ablaze with anger

langymeleg *a*, = langyos

langyos [-ak, -t; *adv* -an] *a*, lukewarm, tepid, *[víz]* with the chill off *(ut)*, *[levegő]* genial, mild; ~ *fogadtatás (átv)* lukewarm reception

langyosít [-ani, -ott, -son] *vt*, make lukewarm/tepid, make slightly warm, warm, tepefy, *[vizet]* take the chill off

langyosítás *n*, making lukewarm/tepid, making slightly warm, warming, tepefying, tepefaction, *[vízé]* taking the chill off

langyosodás *n*, growing/becoming lukewarm/tepid, growing/becoming slightly warm, tepefying, tepefaction

langyosod|ik [-ott, -jon, -jék] *vi*, grow/become lukewarm/ tepid, grow/become slightly warm, tepefy

langyosság *n*, lukewarmness, tepidity, tepidness

lanka [..át] *n, [lejtő]* gentle slope, shelving, *[felfelé]* mild acclivity, *[lefelé]* mild declivity, *[dombvidék]* downs *(pl)* lankad [-tam, -(ot)t, -jon] *vi,* **1.** *(ált)* flag, droop, *[bágyad]* grow languid/languorous, *[hév]* damp, cool, *[gyengül]* weaken, grow faint/feeble, *[fogy]* (begin to) fail, give way, slacken, wane; *bátorsága ~* one's courage is failing/flagging; *ereje ~* one's strength is beginning to weaken/fail; *nem ~ sohasem* be unflagging, be never flagging **2.** *[hervad]* wither, wilt

lankadás *n,* **1.** *(ált)* flagging, drooping, *[bágyadtság]* growing languid/languorous, *[gyengülés]* weakening, *[fogyás]* beginning to fail, slackening **2.** *[hervadás]* withering, wilting

lankadatlan *a,* unflagging, never flagging/wearying/ failing, unwearying, undamped; *~ buzgalommal* with unflagging/unremitting/unrelaxing zeal/enthusiasm, with never flagging zeal/enthusiasm

lankadó [-ak, -t; *adv* -an] *a,* **1.** *(ált)* flagging, drooping *[bágyadó]* growing languid/languorous *(ut)*, *[gyengülő]* weakening, growing faint/feeble *(ut)*, *[fogyó]* failing, beginning to fail *(ut)*, giving way *(ut)*, slackening **2.** *[hervadó]* withering, wilting

lankadoz|ik [-tam, -ott, -zon, -zék] *vi,* begin to flag, show signs of flagging

lankadt [-at; *adv* -an] *a,* **1.** *(ált)* flagging, drooping, droopy, *[bágyadt]* languid, languorous, wearied, unstrung, *[gyenge]* faint, feeble, *[kimerült]* exhausted **2.** *[hervadt]* withered, wilted

lankadtság *n,* **1.** *(ált)* flagging, drooping, *[bágyadtság]* languidness, languor, *[fizikai gyengeség]* faintness, *(orv)* lassitude **2.** *[hervadtság]* wilting

lankás I. *a,* *[lejtős]* gently slooping, shelving, *[dombos]* downy; *~ vidék* downs *(pl)* II. *n,* = lanka

lankaszt [-ani, -ott, . .asszon] *vt,* **1.** *(ált)* make flag/ droop, cause to flag/droop, *[fáraszt gyengít]* make languid/faint/feeble, weary, fatigue, enfeeble **2.** *[hervaszt]* wither, wilt

lankasztó [-ak, -t; *adv* -an] *a,* fatiguing, enfeebling; *~ hőség* oppressive heat

lankatag [-ok; *adv* -on, -an] *a,* = lankadó

lanolin [-t, -ja] *n,* lanolin, wool-fat/oil

lanszíroz [-tam, -ott, -zon] *vt,* launch, set (sg/sy) going, *[művészt]* bring out

lanszírozás *n,* launch(ing), setting sg/sy going

lant [-ot, -ja] *n,* **1.** *(zene)* lute, *[régi görög]* lyre; *~ alakú* lute/lyre-shaped, *(növ)* lyrate, lyriform; *~on játszik* play the lute/lyre; *megpengeti a ~ot* touch the strings **2.** *leteszi a ~ot* cease to sing, *(átv)* call it a day; *le a ~tal (biz)* the game is up

lantán [-ok, -t] *n,* *(vegyt)* lanthanum

lantanacserje *n,* *(növ)* lantana *(Lantana)*

lantfa *n,* *(növ)* fiddlewood *(Citharexylum)*

lantfarkú *a,* *~ madár* = lantmadár

lanthal *n,* *(áll)* dragonet, fox-fish *(Callionymus lyra)*

lanthúr *n,* *(zene)* lute-string

lantkészítő *n,* lutist

lantmadár *n,* *(áll)* lyre-bird, menura *(Maenura superba)*

lantol [-t, -jon] *vi/vt,* **1.** *[lanton játszik]* play the lute/ lyre **2.** *[hasal]* *(biz)* gas ◊

lantolás *n,* **1.** *[lanton játszás]* playing the lute/lyre **2.** *[hasalás]* *(biz)* gassing ◊

lantorna [. .át] *n,* **1** *[ablakon]* stomach lining of cattle (formerly used instead of glass) **2.** *(épít)* lantern (on dome)

lantornapapír *n,* parchment-paper

lantos [-ok, -t, -a] I. *a,* **1.** lyric(al); *~ költészet* lyric(al) poetry; *~ költő* lyric(al) poet, lyrist **2.** *(növ)* runcinate; *~ levél* runcinate leaf II. *n,* *[lantjátékos]* lut(an)ist, lute-player, *[középkori dalnok]* minstrel, gleeman, scop, *[kelta]* bard

lantpengetés *n,* playing on the lute

lantpengető *n,* lut(an)ist, lute/player, *(iron)* lutestrummer

lantverő *n,* = lantpengető

lány [-ok, -t, -a] *n,* **1.** girl young/unmarried woman, maid(en) *(ref)*, damsel *(obs)*, *[durvábban]* wench *(obs)*, skirt ◊, *(skót)* lass(ie); *derék ~* she is a decent sort of girl; *fiatal ~* slip of a girl, *[csitri]* teen-ager, (mere) scrub/chit/slip of a girl; *húszéves ~* girl of twenty; *még ~* she is still unmarried, *[még szűz]* she is still a virgin; *nagy ~* full-grown girl; *~ok után szaladgál* be always after women; *azt sem tudta fii-e vagy ~* he didn't know whether he was coming or going, he went into a flat spin *(fam)* **2.** *[vk leánya]* daughter; *a fiatalabbik/kisebbik ~* the younger daughter, the junior miss; *anyja ~a* she is like her mother; *a ~a lehetne* she could be his daughter; *felesége Szabó ~* *[ha egy lányuk volt]* his wife is Szabó's daughter, *[ha több]* his wife is one of the Szabó girls; *~om* *[mint megszólítás]* my dear; *~mnak szólok menyem is értsen belőle* if the cap fits wear it **3.** *[háztartási alkalmazott]* maid, girl

lanyha [. .át; *adv* . .án] *a,* **1.** *[langyos]* lukewarm, tepid, mild **2.** *(átv)* sagging, flagging, half-hearted, *[bágyadt]* languid, languorous, feeble, *[unalmas]* dull, insipid, stale, *[erélytelen]* lax, loose, *[tunya]* slack, inactive, sluggish; *~ érdeklődést tanúsít vm iránt* take languid interest in sg; *~ fogadtatás* a coolish reception **3.** *(ker)* flat, slack, stagnant, dull; *~ árak [tőzsdén]* flat prices; *~ piac* an easy/ flat/bearish/dull/slack market; *az üzleti [forgalom/ élet]* ~ business is slack, business lags

lanyhaság *n,* **1.** half-heartedness, *[bágyadtság]* langour, feebleness, *[unalmasság]* dul(l)ness, *[tunyaság]* slackness, inactivity, sluggishness **2.** *(ker)* stagnation, stagnancy, flatness, bearish tendency

lanyhul [-t, -jon] *vi,* **1.** *[enyhül]* (begin to) grow/become/ get mild, tepefy, break up **2.** *[gyengül]* (begin to) grow/become/get languid/languorous/feeble, ◊languish, lose vigour/intensity, *[tunyává válik]* (begin to) grow/become/get slack/inactive/sluggish, slacken, *[szelidül]* become less rigorous/severe, *[alábbhagy]* relax, *[lazul]* relax, loosen; *~ az igyekezete* slacken/ relax in one's efforts/endeavour(s) **3.** *(ker) [piac]* (begin to) grow/become get stagnant, flatten, slacken, weaken; *~t a (kereskedelmi) forgalom* the trade is off

lanyhulás *n,* **1.** *[enyhülés]* growing/becoming mild, tepefying, breaking up **2.** *[gyengülés]* growing/ becoming languid/languorous/feeble, languishing, *[tunyává válás]* growing/becoming slack/inactive/ sluggish, slackening, *[alábbhagyás]* relaxing, relaxation, *[lazulás]* loosening, *[gazdasági]* depression, recession **3.** *(ker)* growing/becoming stagnant, flattening, slackening

lányka *n,* = leányka

lányos [-at; *adv* -an] *a,* = leányos; *~ ház* (house/home of) family with marriageable daughter(s)

Laosz [-t, -ban] *prop,* Laos

laoszi [-t] *a,* Laotian; *L~ királyság* the Kingdom of Laos

lap [-ot, -ja] *n,* **1.** *(mért)* surface; *görbe ~* curved surface; *sík ~* plane (surface) **2.** *[fémből]* plate, sheet, *[vékony]* foil, lamina, *[kőből, fából]* slab, *[papír]* sheet, leaf; *~okra hasít* laminate; *~okra oszló/hasadó* lamellate, lamellose **3.** *[vmnek lapos része]* flat(ted) surface/side, *[elülső oldala]* face, *[üvegé]* pane, panel, *[tüköré]* face, *[kristályé]* face(t), *[drágakőé]* face(t), table, *[kardé]* flat (of sword), *[asztalé]* top, slab, *[asztalbetét]* leaf, *[fellecsapható]* flap, leaf, *[óráé]* face, dial, *[érme felírásos oldala]* face, obverse, head-side (of coin), *[evezőé]* blade; *~ján áll* stand/lie on its flat side; *~jával fölfelé* face upward **4.** *[könyvé]* page, leaf, *[nagyalakú]* folio, *[főkönyvé]* folio; *a ~ alján* at the foot of the page; *a harmincadik ~on* on page thirty; *a magya* történelem dicsőséges ~ja a glorius page in Hungarian history; az más ~ra tartozik (átv) that's quite another thing/affair/matter, that's quite another cup of tea (fam), that's quite another pair of breeches/shoes (fam), that's a horse of another colour (fam) 5. (zene) ~ról énekel/játszik sing/play/read at sight

lapalapítás n, founding/starting a newspaper/periodical

lapalja n, foot of page

lapatji [-ak, -t] a, ~ jegyzet foot-note (refrence)

lapály [-ok, -t, -a] n, plain, level, lowland, champaign, plain/level/flat/low (open) country/ground, [folyó mentén] bottom(-land) (US)

lapályos [-ak, -t; adv -an] a, [terület] plain, level, flat, low

lapát [-ot, -ja] n, 1. shovel, [öblösebb] scoop, [vízmérő] bail (obs), piggin (obs), [kavarólapát] paddle, [péké] (baker's) peel, oven-peel, [kicsi kenő] spatula; szemetes ~ dust-pan; ~ alakú shovel-shaped, [főleg növ] spatulate; egy ~ra való shovelful; két·három ~tal two or three shovelfuls; ~tal felhány [szenet stb.] shovel/scoop up 2. [evező] oar, [kajakhoz] paddle, [kormányevező v. páros evező] scull, [vízikeréké, turbináé] paddle/float-board, ladle, blade; ~ot vízre! (sp) hold the oars!

lapáttej n, blade (of shovel/scoop)

lapátfog n, buck-tooth

lapátfogú a, buck/toothed

lapáthúr n, [turbinánál] blade chord

lapátka n, small shovel/scoop, spatula, [szeleteléshez] slice, [gyomláló] trowel, spud

lapátkerék n, [hajóé] paddle/blade-wheel, [emelőnj bucket-wheel, [ventillátoré] impeller

lapátkerekes a, ~ gőzhajó paddle/side-wheeler

lapátlábúak n. pl, (áll) heteropoda

lapátnyél n, shank of shovel, [evezőé] loom of an oar

lapátnyi [-ak, -t] a, shovelful, scoopful, spadeful

lapátol [-t, -jon] vt/vi, shovel, scoop, [vizet csónak fenekéről] bail/bale out (a boat); halomba ~ [gabonát stb.] shovel up; szenet ~ shovel coal

lapátolás n, shovelling, scooping, [emelőre] loading

lapátoló [-t, -ja] I. a, shovelling, scooping; ~ gép shovelling machine II. n, shoveller, scooper

lapátos [-at] a, ~ kotró shovel·dredge(r)

lapátostok n, [hal] shovel-nosed sturgeon (Scaphirhynchus sp.)

lapátosztás n, [turbinánál] blade pitch

lapátszarv n, palm, palm(ated)/shovel antler

lapbetiltás n, supression of a newspaper

lapbizományos n, newspaper wholesaler

lapbogarak n. pl, (áll) cucujid beetles (Cucujidae család)

lapcím n, 1. [újságcím] title of (news)paper/journal 2. [cikk cím] headline (of page) caption (US)

lapcsonkítás n, [könyvkötészetben] bleed

láperdő n, fenwood, carr

lapfej n, (nyomd) heading, headline, caption (US)

lápfenék n, boggy/marshy/swampy bottom/ground

lápföld n, [kertészeti] mud, warp, [homokosabb] loam, [komposzt] mould

lápfürdő n, mud-bath

laphám n, (bonct) flattened epithelium

lapicka n, paddle (for beating garments while washing them in running water), dolly

lapidáris [-ak, -t, adv -an] a, lapidary, concise

lapilli [-t] n, (geol) lapilli, rapilli

lapis lazuli lapis lazuli, bluestone

lápisz [-ok, -t, -a] n, common caustic; ld még lapis lazuli

lapít [-ani, -ott, -son] I. vt, [laposra] make/beat flat, flat(ten), [kalapáccsal] hammer down, [lemezzé] laminate, [hengerel] roll, planish II. vi, [rejtőzik]

lie low, lie doggo (fam), efface oneself, [hallgat] keep quiet, play possum (US fam)

lapítás n, 1. [laposra] flatt(en)ing, [lemezé] laminating, [hengerelés] planishing, rolling 2. [hallgatás] keeping quiet, [rejtőzés] lying doggo (fam)

lapító [-t] I. a, 1. ~ kalapács flatting hammer, flattener; ~ mű flatting/rolling-mill/works 2. a csendben ~ ember man lying doggo II. n, (műsz) flatter

lapított [-at; adv -an] a, flattened, [hengerrel] rolled, [lemezzé] laminated, (geol) reduced

lapjárás n, (kárty) run of the cards

lapka n, (műsz) blank, [csak fém] flan, planchet

lapkiadó I. a, ~ vállalat (newspaper) publishing company/house II. n, publisher of (news)paper/periodical/magazine

lapkihordó n, (newspaper) delivery man/boy, newsboy

lapkivágás n, (newspaper) clipping, newspaper, cutting

lapkötés n, lap-joint

Laplace-függvény n, (menny) potential function

lapméter n, = négyzetméter

lapocka n, 1. (bonct) shoulder-blade, scapula, omoplate, (összet orv) scapular; ~ alatti subscapular; a ~ emelkedik the shoulder-blade flares out; kiáll a lapockája his shoulder-blades stick out 2. [marháé ételnek] chuck, [birkáé ételnek] shoulder (of mutton)

lapockacsont n, shoulder-blade, spade/blade-bone, (bonct) scapula, omoplate

lapocska n, 1. small plate/sheet, [kőből] small slab, [feliratos] tablet, [vékony fém] leaf, lamella, [cédula] slip, scrap, [kristályé, drágakőé] facet 2. [újság elit] newspaper of no standing, rag (fam)

lapol [-t, -jon] vt, (műsz) join (up), joint, put together, lap

lapolás n, joining, joint(ing), connection, flat scarf, notching, [fecskefarkú] dovetailing, [horoglapolás] (skew) scarf joint

lapolt [-at; adv -an] a, ~ illesztés lap joint

lapos[1] [-at; adv -an] I. a, 1. flat, [sík] plain, even, [vízszintesen] level, horizontal, [mélyfekvésű] low, [lapított] flatt(en)ed, (épít) depressed, (mért)·oblate; ~ a melle sy's chest is flat, sy's breasts are flat; ~ boltív/boltozat flat arch; ~ cserép plane-tile; ~ csőrű (áll) planirostral; ~ evolúció gradual evolution; ~ fejű flat-head(ed), platycephalic, (tud), platicephalous (tud); ~ fejű szeg clout nail; ~ fenekű csónak/hajó flat-bottomed boat, flatboat, cockle punt; ~ hímzés satin-stitch embroidery; ~ ív (épít) diminished arch; ~ kerék face-wheel; ~ labda low ball; ~ mellű hollow-chested; ~ méret (műsz) flat size; ~ mint a deszka be flat as a board/pancake; ~ orrú flat-nosed, platyr(r)hine (tud), [pisze] snub nosed; ~ orrú majom platy(r)rhine; ~ öltés satin-stitch; ~ pénztárca empty purse; ~ reszelő cant-file; ~ röppálya flat trajectory; ~ sarkú (cipő) low-heeled (shoes); ~ sarok [cipőn] low-heel; ~ tetejű [ház] flat-roofed, with flat roof (ut), [hegy] flat-topped; ~ tető flat roof/deck, deck-roof; ~ ujjú (áll) platydactyloun, ~ ütés [teniszben] low stroke/drive; ~ vidék plain flat land/country; ~ világítás (fényk) front illumination; ~ra formál [fémet] flatten out; ~ra kalapál hammer flat, [szögecsfejet] hammer down, [lemezzé nyújt] hammer out; ~ra ver vkt beat sy hollow, flatten sy out, beat/reduce sy to pulp, beat sy within an inch of his life, whack sy, beat/pound sy into a jelly 2. [unalmas, hitvány] flat, dull, [elcsépelt] platitudinous, platitudinarian, stale, trite, [sekélyes] shallow, [sületlen] insipid, vapid, pointless; ~ kifogás/mentség paltry/lame exuse; ~ stílus uninspired/ineffective/prosaic/prosy style

II. n, 1. = lapostetű; 2. ~akat pislant (vkre) eye sy stealthily/cunningly, [álmos] have lids as heavy as lead

lapos² [-at; *adv* -an] *a*, of ... pages *(ut)*; hány ~ ez a könyv? how many pages has this book?; *500* ~ könyv a book of 500 pages

lápos [-ak-t; *adv* -an] I. *a*, boggy, fenny, marshy, moory, moorish, morassy, morassic, sloughy, swampy, quaggy II. *n*, bog, fen, marsh

ẜaposan *adv*, flatly, dully, plainly

laposcsákány *n*, flatter

laposférgek *n. pl*, *(áll)* flatworms *(Platyhelminthes)*

laposfogó *n*, (flat-nose) pliers *(pl)*

laposhal *n*, *(áll)* halibut *(Hippoglossus sp.)*

laposít [-ani, -ott, -son] *vt*, = lapít I.

laposság *n*, 1. flatness, *[sík]* plainness, evenness, *[vízszintesen]* levelness, *[mélyfekvésű]* lowness 2. *[unalmasság, nívótlanság]* flatness, dullness, *[sületlenség]* insipidity, vapitidy, pointlessness, *[elcsépeltség]* platitude, staleness, triteness, *[sekélyesség]* shallowness, *[stílusé]* prosaism

lapostányér *n*, dinner plate

lapostetű *n*, *(áll)* crab(-louse) *(Phthirus pubis)*

laposvágó, *n*, flat-chisel

laposvas *n*, flat (bar-)iron, strap-iron

laposvassín *n*, plate-rail

laposvéső *n*, flat-chisel

lapoz [-tam, -ott, -zon] *vt/vi*, turn over pages/leaves (of book)

lapozás *n*, turning over the pages/leaves (of book)

lapozgat *vt/vi*, turn over the pages/leaves (of book), thumb (book), leaf (a book) *(US)*

lapozó [-t, -ja] *n*, *(zene)* leaf-turner

lapp [-ot, -ja; *adv* -ul] I. *a*, Lapp(ish) II. *n*, 1. *[ember]* Lapp, Laplander 2. *[nyelv]* Lapp(ish), Lapponic

lappad [-t, -jon] *vi*, begin to go down/flat, begin to subside

lappália [..át] *n*, trifle, mere nothing, flea-bite *(fam)*

lappang [-tam, -ott, -jon] *vi*, 1. *[rejtőzik]* lurk, be/lie hidden; be/lie in hiding; emögött ~ *vm* there is something going on behind the scenes, *[vm ami gyanús]* it sounds a bit fishy to me *(fam)*, *[titkolt szégyen]* there's a skeleton in the cupboard *(fam)* 2. *[kifejezetlenül/jeltelenül jelen van]* be latent, *[szunnyad átv]* be dormant, *[tűz, szenvedély]* smoulder, *[betegség]* incubate; betegség ~vkben be sickening for an illness

lappangás *n*, 1. *[rejtőzés]* lurking, lying hidden, lying in hiding 2. *[látens állapot]* latency, *[tűzé, szenvedélyé]* smouldering, *(orv)* incubation

lappangási [-t] *a*, ~ időszak *(orv)* (period of) incubation, incubation/latent period, period of rest

lappangó [-ak, -t; *adv* -an] *a*, lurking, hidden, latent, dormant, smouldering, potential; ~ állapot *(biol)* latency; ~ betegség latent disease; ~ betegsége van be sickening for an illness *(fam)*; ~ fertőzés latent infection; ~ hő latent heat; ~ jelleg *(biol)* recessive characteristic; ~ kép *[exponált de még nem előhívott]* latent image; ~ kezdet *[betegségé]* insiduous onset; ~ láz larv(at)ed/masked fever: ~ tűz smouldering fire

lappantyú [-t] *n*, *[madár]* goatsucker, goat/fern-owl nightjar *(Capriumulgus e. europaeus)*

lappéldány *n*, copy (of a newspaper/periodical)

Lappföld *prop*, Lapland

laprugó *n*, leaf/plate-spring, laminated spring

lapszám *n*, 1. *[lapok mennyisége]* number of pages 2. *[a szám]* number of page, page number, folio; ~mal ellát page, paginate

lapszámoz *vt/vi*, page, paginate, foliate, folio

lapszámozás *n*, paging, pagination, foliation; ~ nélküli *[kézirat stb.]* unpaged

lapszámozatlan *a*, *[kézirat stb.]* unpaged

lapszámozógép *n*, numbering/paging machine (for ledgers etc.)

lapszél *n*, 1. margin; ~en in/on the margin 2. *[könyv élének gyakran homorú külső széle]* fore edge

lapszélesség *n*, breadth/width of page

lapszéli [-ek, -t] *a*, marginal; ~ jegyzet marginal note, shoulder/side-note

lapszemle *n*, 1. review of the press, press-review 2. *[referáló folyóirat]* abstracting journal

lapszerkesztés *n*, editing of a newspaper

lapszerkesztő *n*, editor of a newspaper

lapszög *n*, *(mért)* plane angle, dihedral (angle), dihedron, *[kristályé]* interfacial angle

lapszus *n*, slip (of the tongue), mistake, lapse, lapsus calami/linguae *(lat)*

laptárs *n*, ahogy egyik ~unk már közölte *[újságban]* as one of our contemporaries has written/said

lapterjesztés *n*, newspaper distribution

lapterjesztő I. *a*, ~ vállalat wholesale newsagents *(pl)* II. *n*, newsman, vendor, agent, (newspaper) boy

lápterület *n*, boggy/marshy/swampy area/country, marshland, moorland

laptika *n*, tilbury, gig

laptöltelék *n*, padding (in newspaper)

láptőzeg *n*, moor-peat

laptudósító *n*, newspaper correspondent

laptulajdonos *n*, proprietor of newspaper

laptükör *n*, *(nyomd)* type-area

lapu [-t, -ja] *n*, *(növ)* great burdock *(Arctium lappa)*

lapul [-t, -jon] *vi*, 1. *[laposodik]* become flat(tened out), *[gumikerék]* become deflated, go flat *(fam)* 2. *falhoz* ~ stand back against the wall, press/flatten oneself against the wall, stand/jam (up) against the wall; földhöz ~ lie low, lie down, *[állat]* crouch 3. *[észrevétlenül marad]* lurk, skulk, lie doggo *(fam)*, play dead, play possum *(US fam)*

lapulás *n*, 1. *[laposodás]* becoming flat, flattening (out), *[gumikeréké]* deflation 2. *[állaté]* crouch(ing) 3. *[észrevétlenül maradás]* lurking, skulking

lapuló *a*, lying low *(ut)*

lapultság *n*, flatness, *(mért)* oblateness

lapvállalat *n*, newspaper (and magazine) publishing house/company

lápvidék *n*, = lápterület

lápvirág *n*, *(kb)* rose on a dunghill, flower of perdition

lapzárta *n*, deadline; ~kor as we go to press; ~ utáni hírek stop-press news

lares [-eket] *n. pl*, *(tört)* lares, household gods

largetto [-t] *a*, *(zene)* larghetto

lárifári [-t] *int*, fiddlesticks!, fiddle-de-dee!, hoity-toity!, bosh!, rubbish!, (stuff and) nonsense!

lárma [..át] *n*, (loud) noise, din, *[kiabálás]* clamour, *[kavarodás]* uproar, hubbub, hurly-burly, row, racket, hullabaloo, rowdyism, *[felháborodásé]* outcry, storm, hue and cry, *[ordítozás, verekedés]* broil, brawl(ing), tussle, row, shindy ⬦, rumpus ⬦, ruckus *(US ⬦)*, *[riadalom]* alarm, *[hűhó]* ado, fuss, stir, hullabaloo, to-do, kick-up, *[víg zenebona]* rag, (sky-)lark(ing), *[rajcsúrozás]* romp(ing); pokoli ~ infernal racket/noise/row, devil of a row, pandemonium; nagy lármát csap *[lármázik]* make a great noise, *[kiabálást]* set up a clamour, *[kavarodást]* create an uproar/disturbance, make a row/racket, racket (about), kick up a row/racket/riot *(fam)*, lift/raise the roof *(fam)*, kick up a shindy ⬦, *[hűhót vmvel]* make a lot of fuss (over sg), kick up a fuss, make much ado (about sg); pokoli lármát csap *(biz)* kick up a hell of a noise, kick up a hell's delight, make a devil of a row, kick up a fearful pandemonium

lármás *a*, noisy, loud, clamorous, *[zajongó]* uproarious, boisterous, rowdy, rackety, riotous, tumultuous, turbulent, *[rajcsúrozó]* rompish, *[örjöngő]* madding; ~ ember noisy person, person having too much bounce; ~ *(szilaj)* játék rompy/rompish game;

~ *jelenet* tumultuous scene; ~ *jókedv* uproarious mirth, high/good spirits *(pl)*; ~ *kisebbség* vociferous/ noisy minority; ~ *társaság* noisy company, rough--house, bear-garden *(fam)*; ~ *utca* noisy street; ~ *üldözés* hue and cry

lármásan *adv,* noisily, loudly, clamorously, boisterously, tumultuously, *(zene)* strepitoso

lármásság *n,* noisiness, clamorousness, *[zajongás]* tumultuousness, riotousness. *[lármás modor]* noisy/ blatant manners *(pl)*

lármázás *n, [zajongás]* making a noise, *[követelés, tiltakozás]* clamour(ing), vociferation *[okvetetlenkedés]* fussing, bustling (about), *[rajcsúrozás]* romping

lármáz|ik [-tam, -ott, -zon, -zék] *vi, [zajong]* make a noise, din, clatter, jangle, *[követel, tiltakozik]* clamour, vociferate, *[okvetetlenkedik]* fuss (about), bustle (about), make a to-do, make a row, kick up a row, *[rajcsúrozik]* romp; *szörnyen ~ik* make a hullabaloo; *mit ~ol?* what are you fussing about?; *ne ~z!* don't make such a noise

lármázó [-t] *a,* nolsy, *[zajongó]* boisterous, rowdy, rackety, *[követelő, tiltakozó]* clamorous, vociferous, vociferant

lárva [...át] *n,* 1. *(biol)* larva, *[rovaré]* grub; ~ *alakú* larviform, larval; *lárvában élő* larvicolous 2. *[álarc]* mask

lárvaélet *n,* larval stage

lárvanemző *a,* larviparous

lárvaszerű [-ek, t] *a,* larval

lárvaszülő *a,* larviparous

laryngális *a,* ~ *zárhang* glottal stop/plosive

lásd *int,* see; ~ *alább* see below, vide infra, ~ *fentebb* see above, vide supra *(röv. v. s.)*; ~ *a túloldalon/ hátlapon* see overleaf, please turn over *(röv. P. T. O)*; *lásd a 6. lapot/lapon* see page 6; ~ *még* compare *(röv* cf., cp.); ~ *(még)... alatt* is the reader is referred to...

laska *n,* 1. *[metélt]* ribbon noodle(s) 2. *[pászka]* azym(e), matzoh, unleavened bread

laskanyújtó *n,* roller, rolling pin

lasponya [..át] *n,* = **naspolya**

lasponyafa *n,* = **naspolyafa**

lassabban *adv,* more slowly, slower, less quickly/ fast; ~*!* not so fast!, *[nyugalom]* gently!, gently does it, take it easy

lassabbodás *n,* = **lassulás**

lassabbod|ik [-tam, -ott, -jon, -jék] *vi,* = **lassul**

lassacskán *adv,* 1. gently, gradually, by degrees, little by little, by and by, bit by bit, inch by inch, by inches, by easy stages, foot by foot; *csak ~!* easy/ gently does it! 2. *[mérsékelten]* moderately, *[úgy-ahogy]* so so, not (too) bad, middling; *(hogy vagy?)* csak úgy ~ only so so, not too bad, middling 3. *[nemsokára]* before/ere long, in (the) course of time, in due course; ~ *én is elballagok* I too will be going soon

lassan *adv,* 1. slowly, slow, *[késlekedve]* dilatorily, tardily, *[megfontoltan]* deliberately, *[ráérősen]* ˙n a leisurely way/manner, taking one's time, *tunyán]* slackly, sluggishly, sullenly, *[hosszadalmasan]* lingeringly, *[óvatosan]* gently, cautiously, ˛without haste, *(zene)* lento, adagio, andante; ~*!* slowly!, not so fast, take it easy! *(jam)*, easy 'up)l *(fam)*; ~ *de biztosan* slowly but surely; ~ *csinál meg vmt* be long in doing sg; ~ *égő* slow--burning; ~ *égő kályha* slow-combustion stove; ~ *fől* simmer gently; ~ *gyógyul [beteg]* be mending slowly, mend slowly, *[seb]* be sluggish/slow in healing; ~ *hajt* go slow, drive slowly; ~ *halad* progress slowly, make a slow progress: ~ *jár* walk/go at a slow pace, *[ráérősen]* walk in a leisurely way;

~ *járj tovább érsz* slow and steady wins the race, (the) more haste (the) less/worse speed, haste makes waste, easy does it; ~ *kötő (műsz)* slow-setting; ~*megy* walk/go at a slow pace, *(átv)* it is a slow process; ~ *ölő méreg* slow/lingering poison; ~ *a testtel!* take it easy!, gently, does it, draw it mild!, easy!, hold!, steady!, not so fast!, turn off the heat, take your time!, pipe down! *(US)*; *hogy vagy? csak úgy ~!* how are you? middling 2. *[csendesen]* softly, gently, low; ~ *beszél [halkan]* speak under one's breath, speak in a low tone/voice, *[vontatottan]* be slow of speech

lassanként *adv,* 1. gently, gradually, by degrees, step by step, little by little, bit by bit, inch by inch, foot by foot; ~ *megunta az utazgatást* he gradually got sick of travelling 2. *[nemsokára]* before/ere long, in (the) course of time, by and by; ~ *talán indulhatnánk* we might as well start, it is time for leaving, slowly we must get ready to start; ~ *elég is lesz!* a little more and that will do!

lassan-lassan *adv,* = **lassanként;** ~ *mégis el fog készülni* it will get done/made by and by

lassít [-ani, -ott, -son] *vt/vi,* 1. *(vk, vm)* slow down/ up, *[sofőr]* ease up *(fam)*: *az autó ~ott* the car was slowing down 2. *[sebességet]* slacken, slow down/ up, brake, decelerate, *(US), [motort]* choke (off), throttle down (engine), *[hajót]* ease (ship), *[hirtelen, hajót]* deaden (ship's way), *[késleltet]* delay, *(műsz, zene)* retard; *tempót ~* reduce speed, *[futó]* slacken pace; *jobb lesz ~ani a tempót* you would better go easy (for a bit); ~*va (zene)* rallentando

lassítás *n,* slowing down/up, slackening, *[késleltetés]* delaying, *(műsz, zene)* retarding, retardation

lassító [-t] *a,* retardative; ~ *berendezés/készülék* retarder, retardation device

lassított [-at; *adv* -an] *a* retarded, slow; ~ *filmfelvétel!* *filmleadás* slow-motion film/picture; ~ *munka taktikája* go-slow tactics

lassú [-(a)k, -t; *adv* lassan] I. *a,* 1. slow, *[késedelmes]* dilatory, tardy, *[elmaradozó]* laggardly, lagging, *[megfontolt]* deliberate, *[ráérős]* leisurely, leisured, *[tunya]* slack, sleepy, sluggish, lazy, dull, *[hosszadalmas]* lingering, *[munka]* laborious, *[piszmogó]* dawdling, *(zene)* lento, adagio, andante; *ez (egy)* ~ *dolog* it is a slow process; ~ *érés [gyümölcsé]* lateness, backwardness, ~ *észjárás* slow/dull apprehension; ~ *észjárású* slow-witted, dull-brained, heavy-headed; ~ *eszű* slow/dull apprehension *(ut)*, slow to understand *(ut)*, slow/dull-witted, slow in the uptake *(ut)*; ~ *eszű ember* slowcoach, dawdler; ~ *felfogású* = **lassú eszű;** ~ *folyású* still/ slow-flowing; ~ *halál* lingering death; ~ *halállal hal meg* die by inches; ~ *járású* slow-moving/ running/paced, slow of pace *(ut)*, *(műsz)* slow--motion; ~ *járatú* low-speed, slow-running; ~ *keringő* hesitation waltz; ~ *kezű* slow of hand *(ut)*; ~ *lefolyású* lengthy, protracted, long-lasting, *(orv)* lingering; ~ *menetben* at slow march, progressing slowly, *(műsz)* in low gear; ~ *menetű* proceeding/ developing/progressing slowly *(ut)*, of slow progress(ion) *(ut)*, *[zene]* slow in pace *(ut)*; ~ *szívműködés* bradycardia; ~ *tétel (zene)* slow movement; ~ *tűz [sütéshez]* gentle/slow/slack oven; ~ *tűzön süt* roast (sg) by a slow fire, simmer, keep (sg) at a simmer, keep (sg) on the simmer; ~ *ütemű (zene, tánc)* in slow tempo/time/rhythm *(ut)*; ~ *víz partot mos (közm)* still waters run deep 2. *[csendes, halk]* low, quiet, soft, gentle; ~ *beszédű* slow of speech *(ut)*, *[halk szavú]* soft-spoken

II. *n, [tánc]* slow dance, *[lassú tétel zenében]* slow movement

lassúbbodás *n,* = **lassulás**

lassúbbod|ik [-ott, -jon, -jék] = lassul
lassúdás n = lassulás
lassúd|ik [-tam, -ott, -jon, -jék] vi, = lassul
lássuk int, let us/me see/consider; ~ csak? let's see!,
let me think; ~ csak hogy is áll a dolog just let's
see how things are, let's have a look at/into the
matter
lassul [-t, -jon] vi, slow down/up, slacken, become
slow(er), lose speed, decelerate
lassulás n, slowing down/up, slackening, losing speed,
deceleration, retardation
lassúság n, slowness, [késlekedés] dilatoriness, tardi-
ness, [megfontoltság] deliberateness, [ráérősség]
leisureliness, leisurely way(s), [hosszadalmasság]
lingering, [tunyaság] slackness, sluggishness,
[piszmogás] dawdling, [értelmi] dullness
lastex [-et] n, lastex
László [-t, -ja] prop, (kb) Ladislas, [néha] Lancelot,
Leslie
lasszó [-t, -ja] n, lasso, lariat; ~val elfog [lovat] lasso,
lariat, rope (horse)
lasszóvetés n, hurling the lasso, lariat-throwing
lasszóz [-tam, -ott, -zon] vt, lasso
lat n, 1. [súlymérték] half an ounce 2. (átv) ~ba esik
have weight, be of consequence/importance; ami
az én szempontomból legsúlyosabban esik latba ...
the point that weighs with me is ...; ~ba veti
erejét put/throw one's power/authority into the
scale(s); minden erejét ~ba veti make desperate
efforts, make a great effort; ~ba veti a befolyását
use one's influence; nálam ez nem nyom sokat a
~ban it does not weigh (much) with me; többet
nyom a ~ban outweigh, outbalance (sg); minden
szavát ~ra teszi weigh/measure one's words well,
weigh every word
lát¹ [-tam, -ott, lásson] vt/vi, 1. see, [szemlél] view;
jól ~ have good eyes, one's (eye)sight is good;
rosszul ~ have weak eyes, not (be able to) see (very)
well, one's eye(sight) is bad (v. is not good); se ~
se hall he neither sees nor hears; kettősen ~ see
double; csak félszemmel ~ see with one eye only;
futólag ~ vmt get/have a glimpse of sg; ~nod kellett
volna you should have seen it; látsz még (olvasni)?
can you still see (to read)?; már nem ~ok I can see
no longer/more, I cannot see any longer/more;
már ~om az autó lámpáit! I can sight the headlights
of the car!; ,,láttam" [okmányon] seen and approved,
O.K. (US) ; akkor hiszem ha~om seeing is believing;
akkor lássam amikor a hátam közepét I don't care
whether I ever see him/it again; nem ~ a szemétől
not to see with one's eyes; nem ~ messzebb az orránál
(be able to) see no further than (the end of) one's
nose; lássuk csak! let us/me see, come now, [vegyük
fontolóra] let us/me consider/think; lásd kivel van
dolgod you shall see who(m) you have to deal (v.
are dealing) with 2. [felfog, ért] see, perceive,
[vmlyennek ítélve] think, find, deem, judge, regard,
consider, [következtetve] conclude, judge; ~om már
mit akarsz (v. mire gondolsz) I see what you mean,
I see what you are driving at; ha jól ~om if I .see
aright, if my eyes don't deceive me; jól ~ja a dol-
gokat take a right view of things; másképp ~ja a
dolgokat see things differently (v. from another angle);
te ezt hogy ~od? what is your opinion of this?;
én ezt így ~om this is how I see it, this is the view
I take of it; én ezt nem így ~om I do not see it in
that light, I do not look upon it in that light; ahogy
én ~om in my view/opinion, as I take/see it; nem
egészen úgy ~ja a dolgokat mint én he does not see
eye to eye with me; nem ~om értelmét I do not see
the meaning/sense/point of it; nem ~om az okát
(hogy) I see no reason (why); semmi értelmét sem

~om (a további erőlködésnek) I do not see the good/
use of (further efforts); egészen másképp kellene ~nod
ezt a kérdést you ought to take a different view of it;
hogyan ~ja ezt az ügyet? what are your views on
the matter?; jónak ~ vmt think (sg) proper/fit,
find/deem (sg) good/adviasble; jónak ~ja (hogy)
think fit (to), think/find it advisable (to); tégy ahogy
jónak ~od do as you please, do as you think fit;
jobbnak ~om hogy ne ... I think it better not (to);
ebből azt kell ~nom (hogy) from this (fact) I have
to conclude (that); ~ja kérem ... you see ...
3. [tapasztal] see, witness; sokat ~ott he has seen a
good deal; sok csatát ~ott he has witnessed many
a battle; jobb napokat ~ott he has seen better days;
sok bajt ~ott he has seen/encountered many hard-
ships, he has gone through many hardships 4. [kép-
zeletben] see, imagine; már halottnak ~ta magát he
already imagined himself dead 5. [találkozik] see,
meet; ezer éve nem ~talak! I haven't seen you for
ages!; gyakran ~juk egymást we often meet, [eljá-
runk egymáshoz] we see a great deal of each other;
színét sem láttam már két hete (vknek/vmnek) I haven't
seen anything (of sy/sg) (for) a fortnight; örülök
hogy ~hatom I am glad/pleased to see you; mikor
~hatlak? when am I going to see you? 6. szívesen ~
welcome; mindig szívesen ~unk you are always
welcome, the latch-string is always out for you
(US fam) ; vendégül ~ vmre entertain (sy to sg);
vkt vmre vendégül ~ treat sy to sg 7. (vmhez) set
(oneself) to sg, fall to sg, see about sg, buckle
down to sg (fam), put one's back into sg (fam);
munkához ~ set/fall to work; láss dolgod után!
see to your work!, go about your business/
task! 8. [vmt lát] álmot ~ have/dream a
dream; hasznát ~ja vmnek benefit by sg, de-
rive profit from sg, turn sg to account, [ta-
nácsnak] put (advice) to use; kárát ~ja vmnek
suffer loss/damage by/through sg, come to grief
by/through sg; napvilágot ~ [titok] come to light,
[könyv] appear, come out; réméket ~ see spirits/
ghosts/bogies; szükséget ~ (vmben) be short of sg,
be in want of sg, have not enough to live (up)on,
be hard up (fam) ; vk világot ~ (go to) travel, see
life, see the world; fától nem ~ja az erdőt he does
not see the wood for the trees; ki ~ott már ilyet?
did you ever see the like of it?, well I never!; mit
~ok? [meglepetésben] what is this (that I see)?
9. (átv) szívébe/lelkébe/veséjébe ~ vknek see through
sy, read sy's thoughts/character; isten ~ja lelkemei!
I call God to witness!, heaven witness! 10. törvényt
~ sit in judg(e)ment 11. [főnévi igenévként] amint
ebből ~ni lehet as can be seen/judged/concluded from
this, as (all) this shows, as is shown by this; azt
szeretném én csak ~ni! come on if you dare!, let
me see you do/try it!, try that one if you dare!;
~ni sem bírom/kívánom I can't bear (even) the sight
of him, I hate the very sight of him; nincs itt mit ~ni
there is nothing to see here, there is nothing worth
seeing here; ld még lásd
lát² n, (ker) sight; ~ra on sight/presentation/demand;
~ra szóló váltó demand bill/draft, cash order, sight-
-draft/bill, draft at sight; ~ra fizetendő payable on
sight/demand/call; öt nappal ~ után fizetendő
payable five days after presentation
látás n, 1. [látóképesség] sight, eyesight, vision;
éles ~ sharp-sightedness; erősen gyengült ~ amblyo-
pia; ~tól vakulásig from daybreak till nightfall,
from morning till night 2. [cselekvés] seeing, view;
első ~ra at first sight/view/appearance, at the first
glance/blush (fam), [kapásból] offhand; ~ból ismer
vkt know sy by sight 3. [művészi] vision
látásbeli a, visual

látásélesség *n*, visual acuity; ~ *csökkenése* diminution of visual acuity

látásgyenge *a*, asthenopic, asthenope

látásgyengeség *n*, asthenopia; *izomeredetű* ~ muscular asthenopia

látáshatár *n*, local horizon

látáshiba *n*, visual defect, pseudoblepsia

látási [-t; *adv*, -lag] *a*, visual, optic(al); ~ *érzékelés* visual sensation; ~ *észlelés* visual perception; ~ *tengely* visual/optical axis; ~ *viszonyok* visibility; *rosszak a* ~ *viszonyok* visibility is poor; ~ *zavar* trouble/disturbance/derangement of vision, defective vision, visual disorder, paropsis

látásmód *n*, way of seeing things, way of looking at things

látáspróba *n*, sight-testing

látásszög *n*, visual/optic angle

látástávolság *n*, distance/range/length of vision/sight, visibility (distance), scope of view, reach of sight, ken, eye-reach *(fam)*, eyeshot *(fam)*, *[hajó]* sighting distance

látású [-ak, -t] *(összet)* sighted; *éles* ~ sharp/keen/quick sighted; *gyenge* ~ dim/weak-sighted, amblyopic

látásvizsgálat *n*, sight-testing

látat *n*, visible/perceptible result/effect; *nincs* ~*ja a munkájának* produce/show no tangible results, work to no avail

látatlan I. *a*, unseen, unexamined, not inspected *(ut)*; ~*ul beleegyezik vmbe* consent to sg without having seen/examined it first II. *n*, ~*ban* unseen, unexamined, not inspected, *[vaktában]* sight unseen, at random, at haphazard, *[kapásból]* off hand; ~*ban vásárol vmt* buy sg without having seen/examined/inspected it first, make a blind bargin, buy a pig in a poke *(fam)*

látcső *n*, *[egycsövű]* telescope, spy-glass; *kétcsövű* ~ field-glass, binocular(s), binocle; *színházi* ~ opera-glass, peeper *(fam)*

látcsövez [-tem, -ett, -zen] *vt*, *(vmt)* look at (sg) through opera/field-glasses

lateiner [-ek, -t, -e] I. *a*, *(kb)* professional, belonging to one of the liberal professions *(ut)*; ~ *pálya* (liberal) profession, learned profession II. *n*, professional; *a* ~*ek* the professional classes

látens [-et; *adv* -en] *a*, latent; ~ *állapot (biol)* latency: ~ *hő* latent heat; ~ *jelleg (biol)* recessive characteristic; ~ *kép (fényk)* latent image

laterális [-ok, -t; *adv* -an] *a*, *[hang]* lateral (sound); ~ *mássalhangzó (nyelvt)* lateral consonant

lateralizáclós [-at] *a*, ~ *próba (orv)* Weber's test

lateralizál [-tam, -jon] *vt*, *[hangot]* lateralize.

laterit [-et, -je] *n*, *(ásv)* laterite

laterna [.. át] *n*, *(épít)* lantern(-light)

laterna magica magic lantern

latex [-et] *n*, latex

láthatár *n*, (local) horizon, sky-line, reach, *[tengeren]* sea line; *tisztul a* ~ the horizon is clearing; *a* ~*on belül van* be within sight; *hajó a* ~*on!* boat ahoy!

láthatárjelző *n*, *(rep)* artificial horizon

láthatatlan I. *a*, invisible, imperceptible (to the eye), *(vm vhonnan)* (sg) that cannot be seen *(v.* looked at) from swhere, lost to view, out of sight; ~ *export* invisible/intangible export; ~ *kép (fényk)* sympathetic image; ~ *sugár (term)* obscure ray; ~ *tinta* invisible/sympathetic/diplomatic ink; ~*ná tesz vmt* make/render sg invisible; ~*ná válik* vanish II. *n*, invisible

láthatatlanság *n*, invisibility, invisibleness

látható I. *a*, visible, perceptible, perceivable, discernible, distinguishable (by sight), *[feltűnő]* conspicuous, prominent, exposed to view *(ut)*, *[nyilvánvaló]* obvious, evident, apparent, manifest, *[kivehető]*

discernible, within sight *(ut)*, apparent, *[kiállításon]* on show *(ut)*; *vhonnan* ~ can be seen from swhere; *jól* ~ distinctly visible; *nem* ~ invisible, out of sight *(ut)*, unviewable, hidden from view *(ut)*; *ritkán* ~ rarely to be seen *(ut)*; *szabad szemmel is* ~ visible to the naked eye (too) *(ut)*; *szabad szemmel nem* ~ imperceptible to the eye *(ut)*; *teljes egészében/terjedelmében* ~ be/stand in full view; ~ *helyen* in/on a conspicuous place/spot; ~ *lesz* come into view/sight, rise to view, appear, *[hajó]* heave into sight; *a jelei jól* ~*k* the signs are well marked; *a kiállításon sok értékes festmény* ~ many valuable paintings are exhibited *(v.* on view) at the exhibition; *ebből* ~ this goes to show (that), it is apparent (that): *amint e tényekből* ~ as it appears from these facts, as these facts show, as (it is) shown by these facts; ~*vá lesz/válik* come in(to) sight/view, rise to view, show itself; ~*vá tesz* expose to view, make visible, visibilize, *[kiállításon]* put on show II. *n*, visible

láthatóan *adv*, visibly, perceptibly, noticeably

láthatóság *n*, visibility, conspicuousness, conspicuity

laticel [-t] *n*, foam/sponge-rubber

latifundium [-ot, -a] *n*, great estate, latifundium

latin [-ok, -t, ja; *adv* -ul] *a/n*, Latin; *késői* ~ low Latin; ~ *betűk* Roman letters/characters; ~ *eredetű szó* word of Latin origin; *a* ~ *nyelv* Latin; ~ *szakos tanár* teacher specializing in Latin

Latin-Amerika *prop*, Latin/Spanish America

latin-amerikai *a*, Latin-American; ~ *Gazdasági Bizottság* Economic Commission for Latin America (ECLA)

latindolgozat *n*, Latin composition

latinista [.. át] *n*, Latinist, Latin scholar

latinizál [-tam, -t, -jon] *vi*, Latinize

latinizálás *n*, Latinization

latinizmus *n*, Latinism, Latin idiom

latinkereszt-alaprajz *n*, *(épít)* Latin cross plan

latinkönyv *n*, Latin book

latinóra *n*, Latin lesson, lesson in Latin

latinos [-at; *adv* -an] I. *a*, Latinistic, latinized, latinate, peculiar to latin *(ut)*, characteristic of Latin *(ut)*; ~ *műveltség* classical education/culture II. *n*, Latinist, Latin scholar

latinosan *adv*, ~ *beszél/ír* Latinize

latinosság *n*, Latinism, Latin idiom/construction

latinság *n*, 1. *[nyelvt]* Latin, Latinity; *ezüstkori* ~ late Latin; *konyhai* ~ dog-Latin; *vulgáris* ~ low Latin 2. *[nép]* the Latins *(pl)*, the Latin people

latintanár *n*, teacher of Latin, Latin teacher/master, *[főiskolán]* professor of Latin

latintanítás *n*, teaching of Latin

latinul *adv*, in Latin; ~ *beszél* speak Latin, Latinize; ~ *nem tudó* Latinless

látjelző *n*, visual signal

látkép *n*, view, panorama, *[kétfelől lezárt]* vista

látkör *n*, = látókör

látlelet *n*, *(jog)* constat; *orvosi* ~ medicolegal constat

látnivaló *n*, sight, show, sg to be seen, *[reklámozott]* showpiece, *[idegenforgalmi]* scenic spot; ~*k megtekintése* sightseeing; *megnézi egy városban a* ~*kat* see the sights of a town, go sightseeing in a town, do a town *(fam)*; *nincs sok* ~ not much to see, not much to look at; *semmi* ~ *nincs* there is nothing to see *(v.* to be seen)

látnok [-ot, -a] *n*, seer, prophet, prophesier, visionary, *[nő]* prophetess

látnoki [-ak, -t; *adv* -an] *a*, prophetic(al); visionary; ~ *képesség* second sight, prophetic faculty

látó [-ak, -t; *adv* -(a)n] I. *a*, 1. seeing, who sees *(ut)*, *(összet)* visual, -sighted, optic(al); *nem* ~ *[= vak]* sigthless 2. *[látnoki képességgel bíró]* ~ *ember/*

asszony seer, clairvoyant(e) *(fr)* **3.** munkához ~ dolgozó person/employee setting to work **II.** *n,* sighted person; *a ~k* the sighted

látóerő *n,* **1.** (eye)sight, vision, faculty of seeing, visual power **2.** *[látnoki]* prophetic power

látóérzék *n,* sense of sight, (eye-)sight

látófa *n, [létra alakú, pusztai emberé]* Indian ladder

látogat *vt/vi,* **1.** *(vk vkt)* visit, pay visit/call (to/on sy), call (on sy); *az orvos a betegeit ~ja* the doctor is calling on his patients **2.** *[tanfolyamot]* attend **3.** *¿gyakran felkeres]* frequent, *[vmt sűrűn/rendszeresen]* haunt; *a mozit egy millió ember ~ja* there are a million cinema-goers a year

látogatás *n,* **1.** *(vknél)* visit, *[rövid]* (social) call, *[cselekvés]* visiting, *[rendszeres gyakori]* frequentation, *[elöljáróé, felügyelőé]* visitation; *etikettszerű/ szertartásos ~* formal call; *rövid ideig tartó ~* flying visit; *udvariassági ~* duty call, call of courtesy; *a kórházban szerdán és pénteken van ~* visitors are allowed in the hospital on Wednesdays and Fridays, hospital visiting-days are on Wednesdays and Fridays; *~ának célja* the purpose of his visit; *vknél ~t tesz* pay sy a visit/call, go and/to see sy, call on sy, call at sy's house; *vknél tisztelgő ~t tesz* pay one's respects to sy, wait (up)on sy *(obs)*; *vknek visszaadja a ~át* return sy's call; *köszönöm a szíves ~t* thank you very much for calling on me; *beszámol a Szovjetunióban tett ~áról* talk of one's visit to the Soviet Union **2.** *[tanfolyamé]* attendance

látogatási *[-ak, -t]* *a,* visiting, calling; *~ engedély* visitor's permit; *~ idő* calling hours *(pl),* calling time, *[kórházban, múzeumban]* visiting hours *(pl);* *~ nap* visiting day; *hányszor van ~ nap? [kórházban]* how often are visitors allowed to come?

látogató *[-t, -ja]* **I.** *n,* visitor, caller, *[hívott]* guest, visitant *(ref.) [vmé gyakran]* frequenter, (regular) attendant; *~i vannak* have people/company; *~ba jön* come to pay a visit, call, come to see (sy); *~ba megy* go to call on sy, go to see sy; *~ban van vknél* be on a visit to sy; *~t vár* expect company **II.** *a,* visiting, calling (on sy); *a betegeit ~ orvos* the doctor visiting his patients

látogatójegy *n,* visiting card, ticket of admission

látogatószoba *n,* sitting-room, visitors/guest room, (best) parlour, drawing-room, *[internátusban stb.]* reception-room

látogatott *[-at; adv -an]* *a,* (much) frequented, well--attended, *[népszerű]* popular, of great resort *(ut);* *erősen ~ hely* place of great resort

látogatottság *n,* frequentation, attendance, popularity; *nagy ~nak örvend* be much frequented, be well--attended

látóhályog *n,* optic vesicle

látóhártya *n, (bonct)* retina

látóhártyagyulladás *n, (orv)* retinitis

látóhártyai *a, (bonct)* retinal

látóhatár *n, =* láthatár

látóideg *n,* optic/visual nerve

látóidegfő *n,* intra-ocular end of the optic nerve

látóidegfő-vizenyő *n,* papilloedema, choked disk

látóideg-gyulladás *n,* optic neuritis

látóideg-sorvadás *n,* optic atrophy; *elsődleges ~* primary optic atrophy

látóka *n, [kukucskáló lyuk]* sight/peep/Judas-hole

látóképesség *n,* (eye)sight, (faculty of) vision, (faculty of) seeing, visual faculty/power, power of vision

látókör *n,* **1.** *[szemé]* field/range of vision, ken; *~ön belül* within sight **2.** *(átv)* horizon, scope, ken; *sphere/range of vision, purview *(ref.);* *széles ~* wide intellectual horizon, breadth of view; *szűk ~* parochialism, constricted outlook, parochial spirit

látókörű *a, széles ~* wide-ranging, open-minded; *széles ~ ember* man of/with a wide intellectual horizon, highly cultured person; *szűk ~* parochial,narrow--mindéd, with a constricted outlook *(ut),* suburban

latol *[-t, -jon]* *vt,* **1.** feel/try weight (of sg), weight/ poise (sg) in hand, heft *(US)* **2.** *(átv)* ponder, weigh (in mind)

latolgat *vt,* ponder, weigh, counterweigh, weigh (sg) in one's mind, turn (sg) over in (one's) mind, balance; *~ja az esélyeket* be considering the pros and cons; *~ egy kérdést* deliberate over/on a question

látomás *n,* vision, apparition, revelation; *a költő ~ai* the poet's visions, the fancies of the poet; *~ai vannak* have visions, be a seer

látomásos *[-ak, -t; adv -an]* *a,* visionary

látómező *n,* field of sight/view/vision, sight, visual field, ken

látonya *[.. át,]* *n, (növ)* elatine *(Elatine)*

látópálya *n, (bonct)* visual pathway

lator *[latrot, latra]* *n,* knave, rascal, rogue, *(bibl)* thief

latorkod|ik *[-tam, -ott, -jon, -jék]* *vi,* play knavish/ rascally trick(s)

latorság *n,* knavery, knavishness, roguery

látósugár *n,* visual ray

látószerv *n,* organ of sight/vision

látószög *n,* optic/visual angle, angle of sight/view/l vision, seeing/looking angle, *(csill)* parallactic angle

látószögelhajlás *n,* parallax

látószögű *a, nagy ~* wide-angle; *nagy ~ lencse/objektív* wide-angle lens

látótávolság *n,* range/distance/length of vision/sight, visual/seeing, distance, (reach of) sight, sight reach, eyereach, *(hajó)* sighting distance; *~ban* within sight/eyeshot; *~on kívül* out of sight

látótengely *n,* optic(al) axis

látótér *n,* field of sight/vision/view, visual field/area; *látóteret meghatároz* determine the visual field

látótérhiány *n, (orv)* hemianopsia

látótérmérő *n, (orv)* perimeter

látóterület *n, =* látótér

látott *[-at]* **I.** *a, szívesen ~ vendég* a welcome guest **II.** *n, ~ak alapján* on the basis of what one has seen

látóvonal *n,* sight-line, line of sight/collimation

látpróba *n, (orv)* sight-testing

látra *adv, =* lát²

látrajz *n,* panorama sketch, eyesketching

latrina *[.. át]* *n,* latrine, privy-midden

látszat *n,* **1.** *[aminek tűnik]* appearance, *[külszín]* semblance, look, (outward) show, surface, outside, *[ürügy]* pretence; *~ és valóság* illusion and reality, the seeming and the real; *más a ~ más a valóság* being and seeming are two different things, reality and appearance are two different things; *a ~ csal* appearances are deceptive; *a ~ ellene szól* appearances are against him; *a ~ kedvéért* for the sake of appearances, for a show; *minden ~ szerint* to/by all appearance(s); *minden ~ ellenére* in spite of (all) appearance(s), contrary to (all) appearance(s); *~ után ítél* judge/go by/from appearances, judge by the outside; *a törvényesség némi ~a* a semblance of legality; *ennek az a ~a volna* this could be construed (as if), this would appear (as if); *az emberségnek csak a ~a van meg a jellemében* his character is but slightly tinctured with humanity; *~ra* in appearance/ semblance, apparently, seemingly, outwardly, to outward seeming, on the face of it, on the surface; *sokat ad a ~ra* he sets great store by appearances; *azt a ~ot kelti (vk hogy)* have the appearance of . . . -ing, make a show/pretence/feint of . . . -ing, pretend/

feign to, make believe to, *(vm)* suggest sg, it gives the semblance of; *fenntartja a ~ot* keep up appearances; *a ~át is kerüli vmnek* avoid even the appearance of sg 2. *[eredmény, hatás]* (visible) effect, result; *meg van a ~ja a munkájának* sy's work has the desired effect, sy's work has tangible results; *nincs meg a ~ja vk munkájának* sy's work produces/ shows no tangible results, sy's work is of no avail

látszatadó *n, (kb)* tax assessed on outward appearances, tax according to outward appearances

látszatbéke *n,* sham peace

látszateredmény *n,* sham result, pretences *(pl)*, eye-wash *(fam)*

látszatháború *n,* phony war

látszatházasság *n, (kb)* marriage in name only

látszatintézkedés *n,* half-measure, measures taken for the sake of appearances *(v.* to keep up appearances *(pl)*

látszatkeltés *n,* make-believe, false representation, pretences) *(pl)*, sham, feigning

látszatkeltő [-t; *adv* -en] *a,* illusory, illusive, making false show/display *(ut)*

látszatmegoldás *n,* specious solution

látszatmunka *n,* eye-service, eye-wash *(fam)*

látszatper *n,* mock trial

látszatüzlet *n,* sham business/transaction

látszatvallásosság *n,* affected religiousness

látszer *n,* optical instrument

látszerész *n,* optician, spectacle-maker, optometrist

látszerüzlet *n,* optician's (shop)

látsz|ik [-ani, -ott, látsszon, látsszék] *vi,* 1. *[látható]* be visible/seen/perceptible/noticeable, be within sight, *[kilátszik, kirajzolódik]* show; *~ik hogy beteg* it is visible that he is ill, he is obviosuly ill, you can see that he is ill; *~ik rajta hogy keveset aludt* you can see from his face that he has not slept enough, you can see by the look of him that he has not slept enough; *~ik rajta hogy gondtalanul él* he has a care-free air; *~ik a szemén hogy sírt* you can see from her eyes that she (has) wept; *~ik már a hajó?* can you see the ship yet?; *az ablakomból jól ~ik a híd* from my window you have a good view of the bridge; *alig ~ik a sebhely a homlokán* the scar on his forehead hardly shows, the scar on his forehead is hardly perceptible/visible 2. *[nyilvánvaló, vélhető]* appear, seem, look; *~ik hogy nem ismeri a kérdést* it appears *(v.* it is quite clear) that he is not familiar with the problem; *amint leveledből ~ik* as it appears from your letter, as your letter shows; *ennek az előnye majd csak később ~ik* its advantage will appear later; *úgy ~ik (hogy)* it appears/seems (that), it would seem (that . .); *úgy ~ik hogy nem* it seems not; *már úgy ~ott (hogy)* it seemed as though; *úgy ~ik elfelejtette* he seems to have forgotten about it; *nekem úgy ~ik (hogy)* it appears/seems to me (that), to my mind (it is); *úgy ~ik igazad van* you appear/seem to be right; *úgy ~ik hogy lemaradt a vonatról* he seems to have missed the train; *úgy ~ik esni fog* it looks like rain 3. *(vmilyennek)* seem, look (like), appear; *becsületes embernek ~ik* he looks/ seems like an honest man; *betegnek ~ik* seem (to be) ill, look ill; *nem ~ik annyinak* she does not look her age; *ez a megoldás jónak ~ik* this solution seems (to be) good, this solution appears to be good; *milyennek ~ott?* how did he look?

látszó [-t; *adv* -an] *a,* 1. *[látható]* visible, perceptible, noticeable, which/that can be seen *(ut)*, *[feltűnöen]* conspicuous, prominent; *alig ~ repedés* hardly noticeable fissure; *a távolban ~ fák* the trees (that can be) seen in the distance 2. *(vmilyennek)* seeming (to be), looking (like), which/that seems/appears to be, which/that looks (like), appearing to be

(mind: ut); igaznak ~ történet story having/bearing the semblance of truth

látszólag *adv,* apparently, seemingly, ostensibly, on the face of it, on the surface, outwardly, to outward seeming; *~ boldog volt* she was seemingly happy; *~ kibékül* patch up a (seeming) reconciliation; *~ minden rendben volt* apparently *(v.* to all appearances) everything was in order, everything seemed to be all right; *~ ezzel a célzattal de valójában . . .* apparently/ostensibly with this purpose but in reality . . .

látszólagos [-ak, -t; *adv* -an] *a,* apparent, seeming, ostensible, *[csalóka]* illusory, illusive; *~ ellenállás (vill)* virtual resistance; *~ ellentmondás* seeming/ apparent contradiction; *~ érték* face value; *~ látóhatár/horizont* apparent/local/visible horizon; *~ mozgás* apparent motion; *~ rím* eye-rhyme; *~ teljesítmény (műsz)* apparent output; *~ vétel (ker)* fictitious purchase

látszög *n,* = látószög

láttamoz [-tam, -ott, -zon] *vt, [okmányt]* sign, countersign, initial, *[pénzutalványt]* endorse, certify, *[útlevelet]* vise, visa

láttamozás *n, [okmányé]* signature, countersigning, signing, initials *(pl)*, *[pénzutalványé]* endorsement, certifying, *[útlevélé]* visa

láttamoztat *vt, (vmt)* have/get (sg) countersigned/ initialled/certified, *[útlevelet]* have/get viséd

láttán *adv, vmnek ~* seeing/beholding sg

láttára *adv, (vmnek)* at the sight (of sg), (on) seeing/ perceiving/beholding/sighting sg; *szemem ~* in my sight, before/under my very eyes

láttat *vt,* display, exhibit, let (sg) be seen

látvány *n,* 1. *(ált)* spectacle, sight, view; *nagyszerű lenyűgöző ~* sight for the gods, awe-inspiring sight; *szánalmas ~t nyújt* be a sory sight, be a pitiable spectacle, *(iron)* cut a sorry/miserable figure; *szörnyű ~ tárult fel előtte* a horrible sight met his gaze; *üdítő ~* a sight for sore eyes, a refreshing sight 2. *[tájé]* prospect, scenery 3. *[jelenet]* scene

látványos [-at; *adv* -an] *a,* spectacular, sightly, eye-filling *(fam), (elit)* showy, *[hely]* scenic; *~ felvonulás* spectacular procession, pageant; *~ színdarab* spectacular play, gorgeously produced play, show-piece

látványosbódé *n,* show-booth; *~k sora* side-shows *(pl)*

látványosság *n,* 1. *[látvány]* spectacle, sight, *[turisztikai]* scenic/beauty spot; *~ok megtekintése* sight-seeing; *megnézi/megtekinti a ~okat* go sightseeing 2. *[felvonulás]* pageant(ry), *[vásári]* show, side-show

latyak [-ot, -ja] *n,* sludge, slush, slosh, slop, mud; *a föld csupa ~* the ground is a sop

latyakos [-at; *adv* -an] *a,* sludgy, slushy, sloshy, sloppy

Laura [.. át] *prop,* Laura

laureátus *a,* laureate

laurinsav *n,* lauric acid

láva [.. át] *n,* lava

lávabomba *n,* volcanic bomb

lávadugó *n,* (lava) plug

lávafolyam *n,* stream/torrent/outflow of lava, lava flow/stream, coulée *(fr)*

lávafolyás *n,* surface flow (of lava)

lávaforrás *n,* goblet of lava

lávagömbök *n. pl,* pseudobombs

lávahamu *n,* lava ash

lávakitörés *n,* eruption

lávakő *n,* lava rock

lávakúp *n,* lava/blowing cone, hornito

lávakupola *n,* lava dome, bulge

lávalepény *n,* sill

lávamező *n*, lava-field, pedregal
lávaömlés *n*, overflow of lava, pouring out of lava, lava flow/stream
lávaréteg *n*, lava bed/sheet
lávató *n*, goblet of lava
lavina [.. át] *n*, 1. avalanche, snow-slide/slip 2. *(átv)* avalanche
lavinaomlás *n*, fall of an avalanche, snow-slip
lavinaszerű *a*, like an avalanche *(ut)*, *(ritk)* avalanchine
lavíroz [-tam, -ott, -zon] I. *vi*, 1. *(hajó)* tack/put/beat about, beat/ply/work to windward, stand off and on 2. *(átv)* tack about, shift, manoeuvre II. *vt*, *(műv)* (supply with a coat of) wash, wash over
lavírozott [-at] *a*, ~ *rajz* washing, tinting (of drawing), ~ *szépia* sepia wash; ~ *tollrajz* pen and wash drawing
lavór [-ok, -t, -ja] *n*, (wash) basin, wash-hand-basin, washdish, washbowl *(US)*
láz [-at, -a] *n*, 1. *[betegé]* fever, *(orv)* pyrexia, fever heat, temperature *(fam)*; *állandó/tartós* ~ continued fever; *dengue* ~ dengue/breakbone fever, Dandy fever; *erős/magas* ~ high/raging fever; *fekete* ~ kala-azar, dum-dum fever; *gyermekágyi* ~ puerperal sepsis, childbed fever; *visszatérő* ~ relapsing/recurrent fever; *a* ~ *csökkenése* decline in the fever; ~*a van* have fever, be in a fever, be feverish, have/run a temperature *(fam)*; *39 fokos* ~*a van* she has 39 degrees (centigrade) of fever; *lemegy a* ~*a* one's fever abates/drops; ~*ában beszel* rave in fever, wander in one's mind as a result of high fever, be delirious as a result of high fever; ~*t mér* take sy's temperature; ~*tól piros* flushed with heat/fever *(ut)* 2. *(átv)* vkt ~*ba hoz/ejt* throw sy into a fever; *az egész falu* ~*ban volt* the whole village was in a (state of) ferment; ~*ban ég* be in a fever; *a munka* ~*ában ég* work feverishly 3. *[divatőrület]* craze; *bélyeggyűjtési* ~ craze for stamp-collecting; *vásárlási* ~ buying spree, shopping craze
laza [.. át] *a*, 1. *(ált)* loose, slack, *[nincs tartása]* flimsy, sleazy, *[talaj]* loose, light, shifting, running, open, *[kőzet]* friable, crumbly; ~ *föld* loose/light soil; ~ *izmok* loose muscles; ~ *kötés* loose/slack knot; ~ *kötésű [sál stb.]* of loose knit *(ut)*; ~ *sodrat (tex)* open twist; ~ *szövésű* flimsy, sleazy *(pej)*; *lazára enged [izmokat]* slacken 2. *[mondatkötés]* loose, incoherent, lax 3. ~ *erkölcs* loose/lax/facile morals *(pl)*; ~ *fegyelem* lax discipline; ~ *norma* loose norm
lazac [-ot, -a] *n*, salmon *(Salmo salar)*, *[fiatal]* parr, pink, brandling; *horgas* ~ Pacific salmon *(Oncorhynchus sp.)*; *kékhátú* ~ blueback salmon *(O. nerka)*; *nemes* ~ Atlantic salmon *(S. salar)*; *isten* ~*a* opah, moon-fish *(Lampris)*
lazacivadék *n*, parr, smolt
lazaclépcső *n*, salmon leap
lazacrózsaszín *n/a*, salmon(-pink), salmon-colour(ed)
lazactenyésztés *n*, salmon-breeding
lazactenyésztő *n*, salmon-breeder
lazacvörös *n/a*, = lazacrózsaszín
lázad [-t, -jon] *vi*, *[vm ellen]* revolt, rebel (against), riot, *[főleg kat]* mutiny
lázadás *n*, revolt, rebellion, riot, rising, sedition, *(kat)* mutiny; *a* ~ *csírája* a leaven of revolt; *a gyarmatok* ~*a* the revolt/rising of the colonies; *nyílt* ~*ban tört ki* rise in open rebellion/revolt; *vkt* ~*ra izgat* incite/induce/urge sy to revolt, egg sy on to revolt; ~*t elfojt* stifle/quell the rebellion/revolt; ~*t szít* incite to a rebellion, stir up a rebellion
lázadó [-t; *adv* -an] I. *a*, revolting, rebellious, riotous, seditious, seditionary, *[főleg kat]* mutinous, *[csak jelzői]* *n*: rebel, mutineering; ~ *ezred* mutinous regiment; *[urak]* the rebel lords; ~ *szellem* rebel-

liousness, the spirit of rebellion II. *n*, rebel, revolter, rioter, seditionist, *(kat)* mutineer
lázadozás *n*, (repeated/continuous) revolt, rebellion, mutiny, mutineering, *[konokság]* refractoriness, *[kapálódzás]* kicking (against sg) *(fam)*
lázadoz|ik [-tam, -ott, -zon, -zék] *vi*, revolt, rebel, mutiny, *[kapálódzik vm ellen]* kick (against sg), *(fam)*, jib, murmur (at sg) *(fam)*; *a jobbik énje* ~*ik vm ellen* sy's better self rises in protest against sg
lázadozó [-t] *a*, rebellious, mutinous, *[konok]* refractory
lázállapoti *a*, intrapyretic
lázálom *n*, 1. *(konkr)* fever-dream, feverish dream, nightmare, 2. *(átv)* hallucination, creation of an overheated brain
lazán *adv*, loosely, slackly; ~ *kötött [sál stb.]* of loose knit *(ut)*; ~ *lóg [kötél]* slack; ~ *szőtt szövet* loose-woven stuff
Lázár [-t, -(j)a] *prop*, Lazarus
lazarista [.. át] *n/a*, Lazarist
lázas [-at; *adv* -an] *a*, 1. *(vk)* feverish, fevered, feverous, febrile, *(tud)* pyretic, pyrerial *[igével]* be down with fever, be feverish, have/run a temperature *(fam)*; ~ *állapot* feverish condition, febrile stage, *(orv)* pyrexia; ~ *állapotban* in febrile condition; ~ *beteg* fever-patient; *a fiam* ~ *beteg* my son has a fever, my son is down with a fever; ~ *homlok* burning forehead 2. *(átv)* ~ *izgalom* fever of excitement, breathless suspense, flutter; ~ *képzelet* fevered imagination; ~ *sietség* hot/feverish haste, rush, hurry-scurry; ~ *tevékenység* feverish activity
lazaság *n*, 1. *[kötésé]* looseness, slackness 2. *[erkölcsi]* looseness, laxity (of morals)
lázasan *adv*, feverishly; ~ *csomagol* pack feverishly; ~ *dolgozik* work at high pressure
lázasság *n*, fever(ishness)
lázbeteg *n*, fever-patient
lázcsillapító *n*, febrifuge, antifebrile, antipyretic, antipyrin(e), fever reducer
lázcsökkenés *n*, reduction/overcoming of fever, lowering/dropping of temperature, *(orv)* defervescense; *lassú* ~*(orv)* lysis
lázellenes *a*, fever-destroying, *(orv)*antifebrile (anti)-pyretic
lázemelkedés *n*, fervescence
lázgörbe *n*, fever/temperature curve
lázhólyag *n*, fever-blister
lázhőmérő *n*, = lázmérő
lazít [-ani, -ott, -son] *vt*, 1. *[kötést]* loosen, slacken, ease 2. *[talajt]* loosen, mellow 3. *[izmot]* relax; *izmait* ~*ja [sportoló]* limber up 4. *[fegyelmet]* relax, loosen
lázít [-ani, -ott, -son] *vt/vi*, instigate rebellion, incite to rebellion, stir up rebellion, incite to disaffection; *embereket vmre* ~ incite/instigate/induce/urge people to sg; *a hadseregben* ~ undermine the morale; *vkt vk ellen* ~ urge/instigate sy to revolt/rebel against sy
lazítás *n*, 1. *[kötésé]* loosening, slackening, easing 2. *[talajé]* loosening, 3. *[izomé]* relaxing, limbering up 4. *[fegyelemé]* relaxing, loosening
lázítás *n*, incitation, incitement, instigation, stirring up, incitement to disaffection
lazító [-t] *a*, 1. *a csavaron* ~ *szerelő* the fitter who is loosening the screw; *a munkafegyelmet* ~ *munkás* worker who sets a bad example, one who endangers/undermines workshop discipline 2. ~ *gyakorlat (sp)* limbering-up exercise
lázító [-ak, -t; *adv* -an] I. *a*, inciting, seditious, seditionary, *[beszéd]* incendiary, inflammatory; ~ *propaganda* inflammatory/subversive/seditious propaganda. II. *n*, inciter, instigator, fomenter of rebellion, seditionist, stirrer up of trouble, fire-brand *(fam)*

lázkiütés n, heat-rash, fever-blister/sore fire-spots *(pl)*
lázlap n, *[kórházi ágyon]* fever/temperature chart bedhead board
lázmentes a, free from/of fever *(ut)*, *(orv)* apyretic
lázmérő n, clinical/fever thermometer; *a~ 36,6-ot mutat* the thermometer records 97,8
lázokozó a, producing fever *(ut)*, *(orv)* pyrogenic
lázong [-ani, -tam, -ott, -jon] vi, **1.** be turbulent/unruly, *ibe* in excitement/agitation, seethe with revolt, turmoil **2.** *(tréf)* have (low) fever
lázongás n, turbulence, unruliness, public disturbance/ excitement, agitation
lázongó [-(a)k, -t; adv -an] **I.** a, turbulent, unruly, boiling/seething with revolt *(ut)* **II.** n, malcontent
lázroham n, fit/attack/access/bout of fever, flush, *[hidegrázással]* fit of ague; *heves ~* a bad go of fever; *ismétlődő ~* recurring paroxysm; *két ~ közötti szünet* intermission
lázrózsa n, fever-spot (of face), hectic redness/flush
lázsömör n, fever-blister
láztábla n, fever/temperature chart
láztalan a, *(orv)* apyretic, *[igével]* have no temperature
láztalanság n, having no temperature, *(orv)* apyrexia
lázterápia n, fever-therapy
lazul [-t, -jon] vi, **1.** *(ált)* (begin to) become loose/slack, loosen, slack(en), *[kötél]* slack, yield **2.** *[fegyelem]* (begin to) relax, (begin to) become lax
lazulás n, **1.** loosening, slackening **2.** *[fegyelemé]* relaxation, relaxing, laxity, looseness
lazúr [-ok, -t, -ja] n, *[festés]* transparent coating, glaze, glazing
lazúrfesték n, transparent paint/colour, glazing colour, scumble
lazurit [-ot] n, = lazúrkő
lazúrkék I. a, azure, sky-blue **II.** n, *[festék]* ultramarine, lazulite-blue, French blue
lazúrkő n, azure-stone, bluestone, lapis lazuli, *[pát]* lazulite, azure/blue-spar
lazúrozás n, glazing, scumbling
lazúrzöld n, *(vegyt)* green bice
lazsál [-t, -jon] vi, *(biz)* go slow, slow (work) down, idle (at work), laze, slack (about), swing the lead, take it easy, adopt a ca'canny policy
lazsálás n, **1.** *(biz)* *[munkában]* slacking **2.** *(kárty)* *[ütéskihagyás, kiengedés]* duck, ducking, dipping
lazsnakol [-t, -jon] vt, = ellazsnakol
le adv/pref, down, *[lépcsőn lefelé]* downstairs, *[felülről lefelé]* downwards, *[hegyről lefelé]* downhill, *[alulra]* below; *letehetem? le!* may I put it down? yes(,) you may; *~ a kalappal!* hats off!; *~ vele!* down with him/it!; *~ az árulókkal!* down with the traitors!
lé [levet, leve] n, **1.** *[folyadék]* liquid, fluid, *[gyümölcsé]* juice, *[sülté]* gravy; *~ nélküli* juiceless; *a hegy leve* the juice of the grape; *levet ereszt* give off juice, exude juice **2.** *minden ~ben kanál* have a finger in every pie, poke one's nose into everything, have an oar in every man's boat, a Paul Pry, busybody, meddler; *ne légy minden ~ben kanál!* stop shoving your oar in!; *vmi hosszú ~re ereszt* enlarge/dilate upon sg, spin a long yarn of/about sg, spin out (a story), make a long story of sg; *vmnek megissza a levét (kb)* have to pay the piper
lead vt, **1.** *[nyújt]* give/reach/hand down, *[továbbít]* pass down, *[letétbe]* deposit, *[pultablaknál]* hand in, *[kézbesít]* deliver; *~ja a böröndöt a csomagtartóból* hand down the suitcase from the rack; *~ja az esernyőjét a ruhatárban* leave one's umbrella in the cloak-room; *~ja a névjegyét vknél* leave one's card on sy; *~ja a szavazatát* vote, cast one's vote; *kéziratot ~ deliver the MS* **2.** *[labdát]* pass (ball), *[lövést]* fire/get off (a shot); *egy sorozat lövést ~ fire* a round **3.** *a tehén ~ja a tejet* the cow milks easily, the cow

does not hold back her milk; *egy hold föld ~ 16 mázsát is* a "hold" may yield as much as 16 quintals **4.** *~ tíz kilót* lose ten kilos **5.** *[sajtóban]* publish, make, public, *[rádió]* broadcast, *[sugároz]* transmit; *telefonon ~ja a hírt* tell the news over the phone; *~ja a napi négy óráját* give/have one's four lessons every/a day
leadás n, **1.** *[lenyújtás]* giving/reaching/handing down, *[továbbítás]* passing down, *[letétbe]* depositing, *[pultablaknál]* handing in, *[kézbesítés]* delivery, delivering; *a szavazat ~a* polling; *kézirat ~ának határideje* deadline for submission of a MS **2.** *(sp)* (long) pass **3.** *[sajtóban]* publishing, publication, *[rádióban]* broadcasting, transmission, send(ing)-out **4.** *10 kiló ~a sok* the loss of ten kilograms is considerable
leadó I. n, **1.** *[levélé]* deliverer **2.** *[távírókészülék]* sender, *[rádió]* broadcasting/transmitting station **II.** a, **1.** *[kézbesítő]* delivering **2.** *[rádió]* sending, broadcasting
leadóállomás n, *[rádió]* broadcasting station, *(távk)* sending(-out) station, emitting/transmitting station
leadogat vt, give/reach/hand down one by one
leadott a, *~ áru* discharged/delivered goods *(pl)*; *a ~ órák* the lessons given, the periods taught; *a ~ szavazatok többsége* majority of all the votes cast
leágazás n, *(műsz)* branching off, forking, Y-branch, branch-circuit, *(vasút)* turn-out, embranchment
leágaz|ik vi, *(műsz)* branch off, fork
leágyaz vi/vt, bed down; *~ a padlóra/földre* make the bed on the floor, make a shakedown
leakaszt vt, **1.** *[szegről]* take down/off (from hook/peg), unhang, unhook, *[vasúti kocsit]* uncouple, disconnect, *[ajtót]* unhinge; *~ja a telefonkagylót* take off the receiver **2.** *vknek ~ egyet (biz)* fetch sy a blow
lealacsonyít vt, abase, debase, bring low/down, pull down, lower, degrade, bring into disrepute, cast discredit (on sy), humiliate, humble; *~ja magát abase/ debase/disgrace/demean/humiliate/humble* oneself, *make oneself cheap (fam); ne alacsonyítsd le magad* you must not cheapen yourself *(fam)*
lealacsonyítás n, abasement, debasement, degradation, humiliation, humbling
lealacsonyító a, debasing, degrading, lowering, derogatory, humiliating, humiliatory, humbling
lealacsonyodás n, (self-)abasement, debasement, degradation
lealacsonyod|ik vi, debase/degrade/demean/lower oneself, stoop (to do sg); *odáig alacsonyodott le (hogy)* he stooped to doing sg, he was not above doing sg
lealáz vt, humiliate, humble, bring low, mortify, degrade, pull down, *[enyhébben]* take sy down a peg or two *(fam)*; *~za magát* abase/demean/humble/ humiliate oneself, *[ócsárolja]* belittle oneself, *[vk előtt]* stoop (to sy), *[csúszik-mászik]* cringe (to/ before sy), *[hízelegve]* fawn (on sy)
lealázás n, humiliation, humbling, mortification, disparagement, degradation
lealázkodás n, humiliation, humbling, degradation (of oneself), (self-)abasement
lealázkod|ik vi, = lealázza magat
lealázó [-ak, -t; adv -an] a, humiliating, humbling, mortifying, degrading; *[vkre nézve]* derogatory (to sy)
lealcáz vt, unmask, expose, show up, reveal
lealdoz|ik vi, set, sink, decline, wane
lealdozóban van 1. *[a nap]* the sun is sinking/setting **2.** *[dicsősége]* his glory is fading, his glory is on the wane
lealjasít vt, debase, degrade, bring down, drag down *(fam)*, *[megront]* corrupt, taint, *[elzülleszt]* debauch, deprave, brutalize

lealjasítás n, debasement, degradation, [megrontás] corruption

lealjasodás n, debasement, degradation; corruption, depravity

lealjasod|ik vi, become debased/degraded, debase/degrade/demean oneself, get into low habits, [lecsúszik, lezüllik] come down; fall off

lealkonyod|ik vi, = leáldozóban van

lealkonyul vi, = leáldozóban van; neki már ~t his sun is set, his day is gone, he's had his day

lealkusz|ik vt, obtain reduction in price by bargaining, beat down price; ~ik 10 forintot vmnek az árából get sg down by 10 forints, knock 10 forints off the price (fam)

leáll vi, 1. [magasabbról] stand below, take up position below, [félreáll] stand off 2. [vízben] még mindig le tudok állni I can still feel the ground under my feet, I can still touch the bottom, I am still within my depth 3. [megáll] stop, halt, [elakad] jam, [forgalom, gép] come to a standstill, [gép] stall, [motor] fail, stop, [nyugvópontra jut] come to a stop/standstill, come to rest, [sztrájkol] strike, go on strike, stop work, leave off work, quit work (US); havazás miatt ~t a forgalom traffic was held up by the snowfall, there was a standstill in traffic caused by (v. owing to) the snowfall; a gyár tegnap ~t the factory ceased to work yesterday, the factory closed down yesterday; három órakor ~tak a munkával they knocked off (work) at three, they stopped working at three; a megtelt cséve önműködően ~ the full pirn (v. complete bobbin) stops automatically 4. [vkvel beszélni] stop (to have a talk with sy)

leállás n, [megállás] stop(page), halt, [elakadás] jamming, [forgalomé, gépé] (coming to a) standstill, [gépé] stalling, running/breaking down, [géphiba miatt] failure, [munkában] stoppage, cessation (of sg)

leállít vt, 1. [földre] let (sg) stand on the floor, put/place/stand (sg) on the floor 2. [megállít] stop, bring to a stop/standstill/halt, [fejlődést] arrest, [forgalmat] stop, suspend (traffic), give red light to, [futball-labdát] trap, stop, kill, [gépet] stop, shut off, [mérkőzést] suspend (match), [mozgalmat] call off, [mozgást] arrest, [félbehagyat] cancel, give/issue orders to stop, [ideiglenesen] suspend, [vkt/vmt utcán feltart] detain, hold up, (vkt) buttonhole (fam), [használatból/forgalomból kivon] withdraw, lay off, put in storage, put out of use, [kikapcsol] switch off, [gyárat] close down, lay off; ~ autót [hosszú időre] lay up a car; ~ja z ellenfelet [labdarúgó] stop an opponent; ~ja a motort stop/stall the engine, shut off the engine

leállítás n, [megállítás] stopping, [fejlődésé] arrest, [forgalomé] stopping, suspension, [mérkőzésé] suspending, [motoré] stopping, stalling, [mozgásé] arrest, [félbehagyás] cancelling, cancellation, [ideiglenesen] suspension, [kikapcsolás] switch(ing) off, [gyáré] closing down

leállított a, ~ beruházás investment stopped

leállóhely n, parking (place)

leánder [-ek, -t, -e] n, (növ) oleander, rose-laurel/bay (Nerium oleander)

leány [-ok, -t, -a] n, = lány

leányág a, of/from the female line (ut), belonging to the female line (ut), (ritk) umbilical; ~ örökös heir(ess) of female line

leányálom n, girl's dream, deb's delight (fam); nem ~ [= csúnya férfi] be no Adonis, not to be a girl's dream

leányanya n, unmarried/girl mother

leányarc n, girlish features (pl), girlish face

leányasszony n, 1. = leányanya; 2. † [leányzó] damsel, damozel

leánybajtárs n, girl-comrade, fellow-girl

leánycserkész n, girl guide, girl scout (US), campfire girl (US)

leányegyesület n, (young) girls' association

leányegyház n, affiliated church; ~ kápolnája chapel of ease, succursal chapel

leányegylet n, = leányegyesület

leányfővel adv, ~ megöregszik grow old as a maiden, grow old unmarried, remain an old maid; ~ úgy képzelte (hogy) in her girlish ignorance/simplicity she imagined/fancied (that)

leánygimnázium n, ⟨grammar/secondary school for girls⟩

leánygyermek n, daughter, female child, girl-child

leányinternátus n, girls' boarding-school

leányintézet n, 1. (ker) branch-establishment, sub-company, affiliated firm/establishment 2. = leányiskola, leányinternátus

leányiskola n, girls' school, she-school (fam), [társadalmi életre előkészítő] finishing school; felsőbb ~ ladies' college

leányka n, 1. little girl/maid(en)/daughter, girlie (fam), damsel (obs), (skót) little lass, lassie 2. [bor] "leányka" wine (of the Badacsony district)

leányképű a, girlish looking

leánykérés n, proposal (of marriage), suit, asking a girl's hand in marriage, proposing (to a girl)

leánykereskedelem n, white slave traffic/trade, white slavery

leánykereskedő n, white slaver, white-slave trader

leánykérő n, 1. suitor, person asking a girl's hand in marriage, [vk nevében] proxy for sy asking a girl's hand in marriage 2. = leánykérés; ~be megy go to make formal proposal of marriage

leánykor n, girlhood; még ~ából ismerem I used to know her before she was married

leánykori a, belonging (v. dating back) to a (woman's) girlhood (ut), belonging to a period of life before her marriage (ut); ~ emlékek memories of girlhood; ~ név = leánynév

leánykökörcsin n, (növ) pulsatilla, pasque flower (Pulsatilla grandis)

leány-középiskola n, secondary/middle school for girls

leánynegyed n, daughter's quarter (of portion of legacy)

leánynév n, 1. [leányé] girl's name 2. [leánykori] maiden name; ~en née

leánynevelés n, female education, education of girls

leánynevelő a, ~ intézet young ladies' (boarding-)school, school for young ladies, young ladies' college, ladies' school

leánynéző n, ~be megy go to look (out) for a wife; ld még háztűznéző

leánynövendék n, girl pupil

leánynyelv n, daughter-language, derivative language

leányos [-ak, -t; adv -an] a, girlish, girl-like, [szemérem] maiden(ly), maidenish, maidenlike, [kényeskedés] missish (fam); ~ ház (house/home of) family with marriageable daughter(s)

leányotthon n, home/hostel for (young) girls

leányőrs n, (pioneer) girl-patrol

leánypajtás n, girl chum, [úttörő] girl pioneer

leányrablás n, abduction of young girl(s)

leányrabló n, abductor of young girl(s)

leányruha n, girl's dress

leányság n, [állapot] maidenhood, girlhood, state of being a maiden, maidenhead (obs); elvesztette a ~át she lost her virginity/innocence

leánysejt n, (növ) daughter cell

leánysereg n, bevy of girls/maidens, [sorban vonuló iskolások] crocodile (fam)

leányszoba *n*, **1.** room for the daughter(s) of a family, girl's room **2.** *[személyzeti]* servant's (bed)room

leányszöktetés *n*, **1.** *[közös akarattal]* elopement, *[házassággal végződő]* runaway match **2.** *[erőszakkal]* abduction of a (young) girl

leányszöktető *n*, man who elopes with a girl, man who runs away with a girl

leánytárs *n*, girl companion/mate

leányunoka *n*, grand-daughter

leányvállalat *n*, *(ker)* affiliated firm, subsidiary company, ancillary undertaking; ~aink our sister members

leányvezető *n*, *[úttörő]* leader (of pioneer girls)

leányzó *n*, maiden, damsel; *semmit sem változtat a~ fekvésén (tréf)* that does not alter the case in the least *(stand.)*

leapad *vi*, **1.** *(ált)* ebb, abate, go down, fall/sink to lower level, subside **2.** *[tömeg]* decrease, diminish, dwindle (away), *[vagyon]* dwindle, shrink

leapadás *n*, **1.** *(ált)* ebb(ing), abatement, going down, fall(ing), subsidence **2.** *[tömegé]* decrease, *[vagyoné]* dwindling (away), waning

leapaszt *vt*, **1.** *(ált)* make (sg) abate/subside, make (sg) go down, make (sg) fall/sink to a lower level **2.** *(átv)* decrease, diminish, *[költségeket]* reduce, cut (down), curtail, deflate

leapasztás *n*, decrease, diminution, *[költségeké]* reduction, cutting (down), curtailing

leápol *vt*, *[lovat]* rub down, *[gépjárművet, motort]* care for, clean, *(kat)* maintain; ~*ja a gépet [nagyobb használat után]* recondition the machine, do routine maintenance work (on)

leáramlás *n*, *[légtömegeké hegyek mögött]* lee; *[egyébként]* downdraft

learat *vt/vi*, **1.** *[földet, gabonát]* reap, *[gabonát]* harvest, gather **2.** *[aratással végez]* do/finish/complete harvesting; *a falunkban már ~tak* harvest is over in our village **3.** *ő aratja le a babért (átv)* it is he who reaps/wins the laurels

learatás *n*, *(vmé)* reaping (of) sg

learatott *[-at]* *a*, ~ *terület* area harvested

leás *vi/vt*, **1.** *[földbe]* dig into the ground, delve *(obs)* **2.** *[elás]* bury, hide in the ground, *[földbe rögzít]* sink, dig hole (for sg)

leásás *n*, **1.** *[földbe]* digging into the ground **2.** *[elásás]* burying, *[földbe rögzítés]* sinking

leáz|ik *vi*, soak off, come off/undone/unstuck by soaking, work loose by soaking

leáztat *vt*, soak off, take off by soaking; ~*ja a bélyeget a borítékról* soak/steam the stamp off the envelope

leáztatás *n*, taking off by soaking

lebabáz|ik *vi*, bring a child into the world, be delivered of a baby

lebaktat *vi*, shuffle/saunter down, descend *(v. go/come/walk down)* with a slow dragging tread

leballag *vi*, = lebaktat

lebámul *vi*, *(vhonnan)* stare/gaze down (from swhere), *(amire* at/on/upon)

lebandukol *vi*, saunter/toddle down

lebarnit *vt*, *[nap]* tan, *[erősen]* bronze

lebarnul *vi*, get sunburnt/tanned/browned

lebasz *[-ott, lebasszon]* *vt*, *(durv)* tick sy off, blow (sy) up, dress sy down, give it sg hot *(mind: fam)*

lebben *[-t, -jen]* *n*, **1.** make a fluttering/flapping/waving movement; *szellő sem ~t* not a breeze was stirring **2.** *[suhan]* flit

lebbencs *[-et, -e]* *n*, ⟨pastry cut into big irregular squares⟩

lebbencsleves *n*, ⟨clear soup with boiled potato and "lebbencs"⟩

lebecsmérel *vt*, disparage, belittle, play down, run down *(fam)*, crab *(fam)*

lebecsmérlés *n*, disparagement, belittling, playing down

lebecsül *vt*, underrate, underestimate, undervalue, disesteem, misjudge, belittle, make/think little/nothing of, play down, *[ócsárol]* undervalue, depreciate, misappreciate, disparage, decry, turn up one's nose (at sy) *(fam);* ~*i a veszélyt* make light of danger, disregard danger; ~*i saját portékáját (átv is)* cry stinking fish

lebecsülendő *a, nem* ~ not negligible, not to be dismissed lightly

lebecsülés *n*, underrating, underestimation, undervaluation, undervaluing, disesteem, *[ócsárolás]* undervaluation, undervaluing, disparagement, depreciation, misappreciation

lebeg *[-tem, -ett, -jen]* *vi*, **1.** *(ált)* float, *[zászló]* wave, stream, flutter, *[felhők]* sail, *[madár egy helyben]* hover, *[pacsírta]* soar, *[egyensúlyban]* be poised, *[függ vm fölött]* hang, be suspended (over sg), impend (over sg), *[tárgy vízen]* float, drift (on), *[hullámzó vízen]* popple; *a beteg élet és halál között* ~ the patient is (hovering) between life and death **2.** *[hang]* vibrate, waver, hover **3.** *(átv) vm nagy cél* ~ *előtte* have a noble object in view, aim at sg great, aim high; *képe mindig a szemem előtt* ~ her image is always before my eyes; *veszély* ~ *a feje fölött* there is danger hanging over sy's head

lebegés *n*, **1.** *(ált)* floating, flo(a)tation, *[zászlóé]* waving, streaming, flutter, *[madáré]* soaring flight, *[madáré egy helyben]* hovering, *[tárgyé egyensúlyban]* poise, *(rep)* soaring flight, *[tárgyé vízen]* floating, flo(a)tation, drifting **2.** *[hangé]* vibration, wavering, hovering **3.** *(vall)* levitation

lebegési *[-t]* *a*, ~ *frekvencia* (Doppler) beat frequency; ~ *csúcsmagasság [helikopternél]* hovering ceiling; ~ *sebesség (rep)* stalling speed, minimum flying speed

lebegő *[-t; adv -en]* *a*, *(ált)* floating, *[zászló]* waving, streaming, *[madár]* hovering, poised, *[vm fölött függő]* hanging, suspended, *[hang]* vibrating, wavering; ~ *állás (épít)* swinging scaffold; ~ *anyag [oldatban]* floating matter/sediment, matter in suspension; ~ *bordák (orv)* floating ribs; ~ *cölöp (épít)* friction/compaction pile; ~ *hordalék* suspended load; ~ *lépcső (épít)* cantilever stairs; ~ *repülés [helikopteré]* hovering flight; *levegő* ~ *szervezetei* aeroplankton.

lebegtet *vt*, *[kendőt]* wave, *[víz]* sway, float, swing, *[szél]* sway, waft, fly, flaunt, flutter, *(távk)* heterodyne

lebegtetés *n*, *[kendőé]* waving, *[vízen]* flotation, *[szélben]* flutter, *(távk)* beat, wobbling, *(bány)* flotation (process)

lebélyegez I. *vt*, stamp, *[postabélyeget]* (date-)cancel, deface, obliterate, *[pénzt]* debase (by stamping lower value on a banknote), *[értékpapírt]* stamp, *[forgalomból kivon]* demonetize **II.** *vi*, *[munkakezdésnél]* clock in, *[végzésnél]* clock out

lebélyegzés *n*, **1.** stamping, *[postabélyegé]* cancelling, cancellation, obliteration, *[pénzé]* debasement, *[értékpapíré]* stamping, *[forgalomból kivonás]* demonetization **2.** *[munkakezdésnél]* clocking in

lebélyegzetlen *a*, *[postabélyeg]* unused. un-cancelled, pre-cancelled

lebélyegzett *[-et; adv -en]* *a*, cancelled, used (stamp)

lebeny *[-ek, -t, -e]* *n*, *[fülé, tüdőé]* lobe, *[kicsi]* lobule, *[lelógó fül]* flap; ~ *közötti* interlobular; *hipofízis mellső* ~ anterior pituitary; *agyalapi mirigy mellső* ~*e* anterior lobe of the pituitary, adenohypophysis; ~*ekből álló* lobular

lebenyeltávolítás *n*, *(orv)* lobectomy

lebenyes *[-ek, -t; adv -en]* *a*, lobate(d), lobar, lobular, lobed; ~ *tüdőgyulladás* lobar pneumonia lebenyke *n*, lobule

lebenyszerű *a*, lobular

lebernyeg [-et, -e] *n*, 1. *[marháé]* dewlap, *[szárnyasé]* lappet, wattle, lobe 2. = leveny; 3. *[kabát]* loose cape/wrap/cloak

lebeszél I. *vt, vkt vmről* ~ argue/reason/persuade/talk sy out of sg, dissuade/persuade sy from sg, divert *(v.* put off) sy from sg, advise sy against (doing) sg; *sikerült* ~*nem tervéről* I managed to talk him out of his plan; ~*tem arról hogy szónoklatot/beszédet tartson* I headed him off from making a speech II. *vi, [telefon]* ~*tek már?* have you finished yet?, are you through? *(US)*

lebeszélés *n*, dissuasion, dissuading

lebetegedés *n*, confinement, delivery, accouchement; ~*ének ideje közeledett* she was near her time

lebeteged|ik *vi*, be confined, lie in, be brought to bed (of baby)

lebetegsz|ik *vi*, = lebetegedik

lebetűz *vt*, 1. *[bélyeget]* cancel, deface, obliterate 2. *[szót]* spell

lebetűzés *n*, 1. *[bélyeget]* cancellation, obliteration 2. *[szót]* spelling

lebiggyeszt *vt*, ~*i az ajkát* pout, purse one's lips

lebilincsel *vt*, 1. enchain, (en)fetter, shackle 2. *(átv)* captivate, hold, win, enthral, fascinate, charm; ~*i a figyelmet* arrest/rivet attention; ~*i a közönséget* hold the audience spellbound

lebilincselő [-t; *adv* -en] *a, (átv)* captivating, enthralling, fascinating; ~ *mosoly* disarming smile; ~ *történet* gripping story

lebillen *vi*, lose balance and fall down *(v.* drop), topple down, tip over, cant, *[mérleg serpenyője]* tilt, sway

lebillent *vt*, overbalance and cause (sg) to fall down, topple down, tip over, cant, turn; *a mérleget* ~*i* weigh down the scale, *(átv is)* turn/tip the scale

lebír *vt*, 1. *[ellenfelet]* vanquish, conquer, defeat, worst 2. *[szenvedélyt, betegséget stb.]* overcome, overpower, surmount, subdue, master, conquer, fight down, get the better of; *nehézséget* ~ get over a difficulty; ~*ták* he was overpowered (by)

lebírál *vt*, criticize harshly/unmercifully, slate, slash, cut to pieces, run down

lebírálás *n*, slating, harsh criticism

lebírhatatlan *a*, invincible, unconquerable, unsurmountable; ~ *nehézség* insuperable difficulty

leblattol *vt, (zene)* read/play at sight

leblendéz *vt*, = leblendol

leblendol [-t, -jon] *vt, (fényk)* stop/diaphragm down, iris in

leblokkol *vt/vi*, 1. *[bélyegzőórán munkakezdéskor]* clock in, *[végzéskor]* clock out 2. *[pénztárgépen]* register (on cash-register)

leblokkolás *n, [pénztárgépen]* registering (on cash--register

lebocsát *vt*, lower, let down, drop, *[vízbe]* sink, *[tolóablakot stb.]* shut down; ~*ja a függönyt [szính]* ring down the curtain

lebocsátás *n*, lowering, dropping, *[vízbe]* sinking, *[tolóablaké stb.]* shutting down

lebocsátkoz|ik *vi*, let oneself down, lower oneself (into)

lebocsátó *a*, ~ *csap* purging cock

lébol [-t, -jon] *vi, (biz)* have an easy time, be in clover

lebolondít *vt*, call (sy) down for nothing, call sy for a lark

lebombáz *vt*, bomb, destroy/plaster with bombs/bombing

lebont *vt*, 1. *[házat]* pull/break/take down, demolish, *[leront]* batter down, *[lerombol]* destroy, raze, *[gépet, gyárat]* dismantle, dismount 2. *[hajat]* undo, let/take down; ~*ja a spárgát [csomagról]* remove *(v.* take off) string by undoing/unfastening 3. *[tervet]* break down; ~*ja a költségvetést* break down the

estimates 4. *[vegyi folyamattal felbont]* decompose, break down/up

lebontás *n*, 1. *[házé]* pulling down, demolition, demolishment, *[gépé, gyáré]* dismounting; ~*ra ítél [házat]* condemn (a house); ~*ra kerülő házak* houses to be demolished/razed 2. *[hajé]* undoing, letting/taking down 3. *[szervezeté, szerves anyagé]* decomposition, disassimilation, breakdown, breakage

lebontó I. *a*, ~ *anyagcsere (biol)* katabolism, dissimilation; ~ *szervezetek* reducers, decomposers II. *n, [munkás, vállalkozó]* house-breaker

lebonyolít *vt*, 1. arrange, settle, *[szervez]* organize, perform, *[folytat, intéz]* carry through, *(ker)* transact, *[üzleti forgalmat]* turn over, *[tisztáz, lezár]* settle, complete, effect(uate), bring to a close, wind up, *[gyorsan]* despatch, *[létrehoz]* bring about, *(jog)* transact, liquidate; *sikeresen* ~ *vmt* bring sg to a successful conclusion; ~ *egy megrendelést* deal with an order; *ügyletet* ~ effect(uate)/complete a deal; *üzletet* ~ transact business, get through a business; *a versenyeket a jövő héten bonyolítják le* the races will take place next week, the races will be held next week 2. *nagy forgalmat bonyolít le [egy vonal]* this is a busy line, this is a line with heavy traffic, *[egy üzlet]* there is a great turn-over here

lebonyolítás *n*, arrangement, settlement, *[szervezés]* organization, performance, *(ker)* transaction, *[tisztázás, lezárás]* completion, winding-up, *(jog)* liquidation; *az ügy mielőbbi* ~*át ígérve* promising to speed up *(v.* expedite) matters, promising an early settlement

lebonyolód|ik *vi, [végbemegy]* pass off, take place, *[lezárul]* get settled, reach completion, come to a close, be got over

leborít *vt*, 1. *(vmvel)* cover sg over/with sg, *(vmt)* overlay (sg) 2. *(vmt vhonnan)* cause (sg) to tip over and fall down

leborotvál *vt*, shave/take off; ~*ja a bajuszát* shave/take off one's moustache; ~*tatja a bajuszát* have one's upper lip shaved, do away with one's moustache

leborul *vi*, 1. *(vhonnan)* overbalance *(v.* tip over) and fall down, tumble down 2. *[vk előtt]* prostrate oneself, throw oneself down, fall on one's knees *(mind* before sy), grovel (before sy) *(pej)*, kowtow (to sy) *(pej)*

leborulás *n*, prostration

lebőg *vi*, □ fail ignominiously *(stand.)*, come a cropper *(fam)*

lebuj [-ok, -t, -a] *n*, low pub/tavern, den, dive; *éjszakai* ~ night-haunt

lebúj|ik *vi*, stoop, crouch (down); *vm alá* ~*ik* creep/ slink under sg

lebukás *n*, 1. *(vhonnan)* tumble, *[lóról]* fall, spill, *[ütés elől]* ducking 2. *[vízbe]* plunge, dive, *[tengeralattjáróé]* submersion 3. *(biz)* arrest *(stand.)*, getting nabbed

lebukfencez|ik *vi*, tumble down head over heels, shin down *(fam)*

lebuk|ik *vi*, 1. *(vhonnan)* tumble down, *[lóról]* fall (from horse), have a fall/tumble/spill, come a cropper/buster/howler/mucker *(fam)*, turn turtle *(fam)*, *[ütés elől]* bob down, duck (one's head) 2. *[vízbe]* plunge, dive, *[hirtelen víz alá]* duck, *[tengeralattjáró]* submerge; *a nap* ~*ik a láthatár alá* the sun dips/ sinks below the horizon 3. *(biz pol)* get the collar, *[rendőrileg]* get/be arrested/caught *(stand.)*, be nabbed ◆ 4. ~*ik magas polcáról* fall from one's high position

lebukott *a*, 1. *a lóról* ~ *lovas* the rider thrown from the horse 2. fallen, defeated; *a* ~ *elnök* the defeated president 3. ~ *tolvaj* thief who has been caught/ nabbed lebuktat *vt*, 1. cause (sg) to tumble down, *[vízbe]* plunge, *[hirtelen lemerít]* duck, dip, douse, submerge 2. *(biz)* have sy collared, have sy arrested *(stand.)*

lebunkóz *vt*, 1. *[leüt]* fell *(v.* knock down) with bludgeon/club/cosh, club, cudgel 2. *(biz) [kritikus]* slate, run down, debunk *(US)*

lebunkózás *n*, 1. *[leütés]* felling *(v.* knocking down) with club/cudgel/bludgeon, clubbing, cudgelling 2. *(biz) [kritikusé]* slating, running down, debunking *(US)*

lebzsel *[-t, -jen]* *vi*, linger, loll, loiter, lounge, loaf, idle *(mind:* about), hover (swhere), mooch about *(fam)* ; *vk körül* ~ hang about sy; *egy asszony szoknyája körül* ~ dangle after/round a woman *(fam)*

lebzselés *n*, lingering, lolling, loitering, lounging, loafing, idling, mooching, hanging *(mind:* about)

léc *[-et, -e]* *n*, 1. lath, batten, slat, stave, spline; *távolságtartó* ~ distance-block; *~ből készült* of lath *(ut)* ; *~cel ellát* lattice 2. *[magasugróé]* cross bar; *egy fokkal feljebb emeli a* ~*et* raise the bar one notch 3. *[síléc]* ski 4. *(bonct)* helix (of the ear)

lécajtó *n*, lath/lattice/plank/board/batten door

lécborítás *n*, lathing, lath-work, *(épít)* facing/coating/casing/covering/lining of laths, lagging

lécel *[-t, -jen]* *vt*, lath, batten (down)

léces *[-ek, -t; adv -en]* *a*, made of laths *(ut)*, covered with laths *(ut)*, fitted out with laths *(ut)*

lécez *[-tem, -ett, -zen]* *vt*, = lécel

lécezet *n*, lathing, lath(-work), lattice(-work), *[cserépfedés alá]* battening, *[vakolat alá]* studding, *[kertészeti]* trellis(-work)

lécfal *n*, lath/lattice(d) partition, *[kertészeti]* trellis

lécgyalu *n*, fillet(ing) plane

lecitin *[-ek, -t]* *n*, lecithin

léckapu *n*, lath/lattice gate

lecke *n*, 1. lesson, home-work, home lessons *(pl)* ; *a* ~ *hétfőre* the lesson for Monday; *leckéje van* have a lesson; *vknek leckét felad* give sy a lesson/task to do, give sy home-work to do, *[csak írásbelit]* give a written task; *felmondja a leckét* say/repeat/recite the lesson; *kikérdezi a leckét* hear the lesson 2. *(átv)* task; *tudja a leckét* know the right answers; *jó* ~ *volt ez neked!* that was a good lesson for/to you!, that was a warning for/to you!

leckeadás *n*, giving (private) lessons, tutoring, coaching, cramming *(fam)*

leckefelmondás *n*, repetition of lesson(s)

leckekönyv *n*, ⟨registration book of university student *(v.* undergraduate)⟩

leckeoldal *n*, *(vall)* south end of the altar, south side, epistle-side

leckeóra *n*, lesson, class, *[főiskolán]* lecture

leckepénz *n*, fee for lesson, *[főiskolán]* registration fee, tuition fees *(pl)*

léckerítés *n*, (wooden) paling, railing, lattice/lath fence, picket fence, espalier, palisade

leckéztet *vt*, censure, lecture, sermonize, read the Riot Act to sy *(fam)*

leckéztetés *n*, *[feleségtől]* curtain-lecture

leckéztető *[-t]* *a*, lecturing, sermonizing

léckötés *n*, binding piece

lécköz *n*, interval between two laths

lécláda *n*, (packing-)crate

lécrács *n*, espalier

lécrekesz *n*, crate, skeleton case

lécroletta *n*, *[ablak-közti]* Venetian blind

lécszerkezet *n*, lathing

léctag *n*, fillet, reeds *(pl)*, *[oszlopfejezeten]* annulet

lécvétel *n*, *[magasugrásnál]* crossing the bar

lecsal *vt*, lure down, entice/induce to come down *(v.* to descend)

lecsap I. *vi*, 1. *[üt]* smite, strike a blow, *[ököllel]* bring/bang one's fist down (upon sy/sg), *[kalapács]* come down (with a blow/bang) 2. *[madár vmre]* swoop/sweep/pounce (up)on sg, *[vadásznyelven]* stoop (on sg), *[emberre átv]* pounce upon sy, bear/come down upon sy, *[megrohan vkt átv is]* rush (upon sy), charge (upon sy), *[ellenségre]* fall on, bear down on (the enemy); ~ *áldozatára [madár]* hawk. at the prey; ~ *rá mint a vércse* swoop down on sy;. *ellenfélre* ~ *[repülő]* dive down on the enemy; *a* *lovasság* ~*ott az ellenségre* the cavalry swept down: upon the enemy; ~*ott rám* he fastened on me (as his prey) 3. ~*ott a villám* a thunderbolt has fallen
II. *vt*, 1. *[ledob]* throw/fling/hurl down/away, slap down, *[vm fedelét]* bang, slam, close with a snap, clap/slam (lid) to *(fam)*, bang down (lid) *(fam)*; ~*ta a kagylót* he slammed the receiver down 2. *[teniszlabdát]* smash, kill 3. *[levág]* strike/lop/cut off, chop off *(fam)*, *[összegből]* take off, knock/rake off *(fam)* 4. *[mércén fölösleget]* strike, *[gabonát az ürmértékben]* strike 5. *[hiv beosztásból]* relieve/ deprive of, dismiss/remove from (post, office), give sy his marching orders *(fam)*, give sy his walking--orders *(US)* 6. *(vegyt) [oldatból szilárd alakban]* precipitate 7. *[nőt vk kezéről]* cut out (sy with a woman)

lecsapás *n*, 1. *(vmre)* swoop(ing), pouncing 2. *[fedélé]* bang 3. *[levágás]* striking/chopping off, *[összegből]* knocking off 4. *(sp)* smash 5. *(vegyt)* precipitation:

lecsapatás *n*, *(vkt)* dismissal, removal

lecsapható *a*, 1. ~ *asztal* flap/drop/folding table; ~ *asztallap* (hinged) flap/leaf of table; ~ *ülés* tip-up seat, flap/bracket-seat, *[autóban]* folding-seat, cricket-seat 2. *(vegyt, fiz)* precipitable

lecsapódás *n*, 1. *[bombáé]* hit, impact 2. *(vegyt)* precipitation, deposit 3. *[páráé]* condensing; *a füst* ~*a* downward drift of smoke

lecsapódik *vi*, 1. *[fedél]* come down with a bang/snap;. get slammed to *(fam)*, slam to *(fam)*, *[ülés]* hinge forward 2. *[bomba]* fall, drop, hit 3. *[üledék]* settle down, *(vegyt)* precipitate, be precipitated,. *[pára]* condense 4. *[füst]* hang

lecsapol *vt*, 1. drain, draw, *[kiszárít]* dry up, *(orv)* drain, tap, puncture, aspirate, deplete, *[kohót]* tap; *gennyet* ~ *release the matter; ~ja a bort a hordóból* draw wine from the cask 2. *[földet művelhetővé tesz]* reclaim (land), *[tavat]* empty

lecsapolás *n*, 1. drainage, draining, *[kiszárítás]* drying up, *(orv)* draining, puncture, *[kohóé]* tapping 2. *[földé]* (land) drainage, draining, reclamation

lecsapolható *a*, drainable, *[föld]* reclaimable

lecsapoló *[-t]* *a*, draining, *(összet.)* drain-; ~ *árok* drain (ditch), drainage ditch; ~ *csap* purging cock; ~ *csatorna* agricultural drain; ~ *cső (orv)* drain, drainage tube, drain-pipe; ~ *készülék (orv)* aspirator; ~ *nyílás [kohászatban]* outlet, tap-hole

lecsapolt *a*, ~ *terület* reclaimed land

lecsapószer *n*, *(vegyt)* precipitant, precipitator.

lecsarnakol *vt*, *(hajót)* unrig, lay up, de-store

lecsarnakolás *n*, unrigging, laying up

lecsatol *vt*, 1. unbuckle, unsling, *[vasúti kocsit]* uncouple, detach, unhook 2. *[területet]* (dis)annex

lecsatolás *n*, 1. unbuckling, *[vasúti kocsié]* uncoupling 2. *[területé]* (dis)annexation, unjoining

lecsavar *vt*, 1. *(vmt vmről)* unscrew, screw off, *[leteker]* unroll, uncoil, unwind, wind off 2. *[villanylámpát]* switch/turn off (light), *[petróleumlámpát]* turn/ screw down (lamp)

lecsavarás *n*, 1. (removing/removal by) unscrewing, *[letekerés]* (removing/removal by) unrolling 2. *[villanylámpát]* switching/turning off, *[petróleumlámpát]* turning/screwing down

lecsavarható *a*, unscrewable, detachable

lecsavarod|ik *vi*, come off (through getting unscrewed), come unscrewed, unscrew, *[letekerődik]* come off (through getting unrolled/uncoiled/unwound), come unrolled, unroll, unwind, *[orsóról stb.]* unreel

lecsendesedés *n*, *[viharé]* subsiding, subsidence, abating, calming down, settling, *[átmeneti]* lull

ecsendesed|ik *vi*, 1. *[vihar]* subside, abate, calm/die down, lull, settle, quiet, still 2. *(vk)* compose (oneself *v.* one's feelings), calm/steady/quiet down, regain one's composure

lecsendesít *vt*, *[haragos embert]* calm, pacify, pacificate, soothe, appease, tranquilize, assuage, stroke sy down *(fam)*, *(kif)* pour oil on troubled waters, smooth sy's ruffled feathers, *[síró gyereket]* quiet, hush, *[ringatással, dúdolással]* lull, *[izgalmat]* allay, *[háborgást, szenvedélyeket]* calm, soothe, quell *(ref.)*

lecsendesítés *n*, *(vkt)* pacification, soothing, appeasement, tranquillization, assuagement

lecsendesül *vi*, = lecsendesedik

lecsendesülés *n*, = lecsendesedés

lecsenget *vi/vt*, 1. *[telefonálás végén]* ring/buzz off 2. *[villamost]* give signal to start, pull bell-cord (to start)

lecsepeg *vi*, fall down in drops, fall down drop by drop, drip (down), *[gyertya viasza]* gutter, *[száradó tárgyról]* drain (away)

lecsepegés *n*, drip(ping), *[száradó tárgyról]* draining

lecsepegtet *vt*, 1. *[folyadékot]* let fall in drops, let fall drop by drop, drip down, drain off 2. *[ruhát]* bespatter (one's/sy's clothes)

lecseppen *vi*, 1. *[egy csepp]* drop down 2. *(átv)* ebből talán nekem is ~ *vm* perhaps I can also fry my bacon at this fire

lecseppent *vt*, 1. let fall in one drop 2. ~*i a ruháját* stain/spot one's suit (with a drop of some liquid)

lecsepül *vt*, *(vkt, vmt)* abuse, disparage, take/run down, vilify, denigrate, *(vkt)* tear sy's character to rags/shreds *(fam)*, *(művet)* flay, slash, slate, pitch into *(fam)*, crab *(fam)*, cut/take to pieces, sit down on good and hard *(US ❖)*

lecsepülés *n*, *(vkt, vmt)* abuse, disparagement, disparaging, running down, slating

lecsepülő [-t] *n*, abuser, disparager, vilifier

lecserél *vt*, replace

lecsévél *vt*, *(tex)* unwind, unspool, unreel

lecsévélőd|ik *vi*, *[fonal]* run down/out

lecsillapít *vt*, = lecsendesít

lecsillapítás *n*, = lecsendesítés

lecsillapod|ik *vi*, 1. *[vihar]* subside, abate, calm/die down, lull, settle, quiet, still 2. *(vk)* compose (oneself *v.* one's feelings), calm/steady/quiet down, regain one's composure

lecsinál *vt*, = lecsúnyít

lecsíp *vt*, 1. pinch/nip off, *[körömmel]* snip off 2. *[pénzből]* curtail, reduce, cut down (sum)

lecsipked *vt*, pinch/nip off (one by one)

lecsiszol *vt*, 1. *[simít]* smooth, *[ledörzsöl]* scrape, scour, *(vmt vhonnan)* smooth away, rub off, wear away/off (by friction), remove (by friction), scrape off/down/out/away, abrade, *[reszelővel]* file off/down 2. *(geol)* degrade 3. *(átv)* polish, file, refine

lecsiszolás *n*, smoothing, rubbing (off), scraping, scouring

lecsiszolód|ik *vi*, 1. become smooth(ed), *(vm vhonnan)* come off (by friction), *[lekopik]* wear off, *[kőzet]* degrade 2. *(átv)* get rubbed off

lecsitít *vt*, = lecsendesít

lecsitul *vi*, = lecsendesedik

lecsó [-t, -ja] *n*, ⟨dish made of stewed onions tomatoes and paprika⟩, letcho

lecsókol *vt*, kiss away

lecsonkol *vt*, *[fát]* stump, poll, pollard

lecsordul *vi*, (begin to) run/trickle down

lecsorgás *n*, trickling down, *[öntőformából]* running/breaking-out

lecsorgat *vt*, let/make (sg) trickle/run down, *[szüréskor]* strain off, *[szárításkor]* drain off

lecsorog *vi*, 1. trickle/run/drop down, *[szüréskor]* strain off 2. *[csónakkal]* go/drop/drift downstream

lecsökken *vi*, decrease, diminish, lessen, grow less, drop off, *[láz]* abate, subside, drop, *[üzleti haszon]* fall off, decline, *[ár]* fall, *[sebesség]* slacken, be reduced, *[vmvé leegyszerűsödik]* reduce itself (to), come down (to), *[készlet]* be running low, run low; *harmincra ~t* it fell/dropped to thirty

lecsökkent *vt*, decrease, diminish, reduce, lower, *[költségeket]* curtail, cut down, retrench, *[arányt]* bring down, *[nyomást]* relieve

lecsöpög *vi/vi*, = lecsepeg

lecsöpögtet *vt*, = lecsepegtet

lecsöppen *vi*, = lecseppen

lecsöppent *vt*, = lecseppent

lecsuk *vt*, 1. *[fedelet]* close (down), shut (down), *[kulccsal]* lock/close/shut up 2. *[börtönbe]* imprison, lock up, confine, run in *(fam)*, cage *(fam)*, put in clink ❖, put into jug ❖

lecsukás *n*, 1. *[fedélé]* closing (down), shutting (down), *[kulccsal]* locking/closing/shutting up 2. *[börtönbe]* locking up, confinement

lecsukat *vt*, *(vkt)* have (sy) locked up, have (sy) sent to prison, have (sy) run in *(fam)*

lecsukl|ik *vi*, *[fej]* drop, sink

lecsukód|ik *vi*, close, shut (down); *szeme ~ott* his eyes closed/drooped

lecsúnyít *vt*, befoul

lecsurgat *vt*, = lecsorgat

lecsurog *vi*, = lecsorog

lecsúszás *n*, 1. sliding (down), slithering (down), gliding (down), *[véletlen]* slipping (down) 2. *[balsiker]* failure, wash-out *(fam)*, *[ranglétrán]* come-down *(fam)*, backsliding *(fam)*

lecsúsz|ik *vi*, 1. *[lesiklik]* slide/slither/glide/slip/go down, *[szánkón]* coast down; *az asztalkendő ~ik az öléből* the napkin slips off sy's knee; *~ik a létrán* shin down the ladder; *~ott a nadrágja* his trousers have fallen/slipped down 2. *[étel, ital]* go down 3. *(átv)* come down (in the world), fail 4. *(vk vmről átv biz)* fail to achieve/reach sg, miss the bus *(fam)*

lecsúszott [-at; *adv* -an] *a*, ~ *ember* a has-been, sy who has gone down in the world

lecsúsztat *vt*, 1. slide down, let slip down, cause (sg) to slip down; *fát a völgybe* ~ slide timber down to the valley 2. *(vkt átv biz)* be the cause of sy's failure *(stand.)*

lecsutakol *vt*, *[lovat]* rub/brush/dress/clean down (a horse), curry

lecsutakolás *n*, rubbing down, rub-down

lecsutkáz [-tam, -ott, -zon] *vt*, *[gyümölcsöt]* remove the stalk (of sg); *zöldbabot* ~ top and tail the green beans

lecsücsül *vi*, sit down

lecsügg *vi*, = lecsüng

lecsüggeszt *vt*, ~*i a fejét* bend/hang one's head

lecsüng *vi*, *[lelóg]* hang down, *(vhonnan)* hang (from), *[hajlik]* droop, *[leér vmeddig]* come down (to), *[vm fölé]* overhang, *[harisnya]* sag

lecsüngő *a*, hanging, *[lehajló]* drooping, *[harisnya]* sagging

ledarál *vt*, 1. grind, *[őröl]* mill; ~*ja a fogakat [a sebességváltón]* chaw up the gears (of a car) 2. *[leckét]* rattle off, *[verset, programot]* reel off, *[beszédet]* run off, *[hangszeren]* grind out (a tune); *sietve/gyorsan ~ja az imáit* rush through one's prayers, patter one's prayers; ~ja a misét gabble off a mass; ~ egy zongoradarabot dash off a piece on the piano

ledarálás n, 1. grinding, [őrölés] milling 2. [leckét] rattling off, [verset, programot] reeling off

ledegradál vt, (biz) degrade

ledér [-ek,-t; adv -en] a, frivolous, licentious, lascivious, dissolute, lax, profligate, libertine; ~ nő light/loose/fast/abandoned woman, gay lady (fam), Jezebel (obs); ~ életet él lead a loose/dissolute/gay life, live fast

ledérség n, frivolousness, frivolity, licentious/dissolute ways (pl), laxity, lechery, profligacy, libertinage

lediktál vt, dictate

lednek [-et, -e] n, (növ) peavine, bitter vetch (Lathyrus sp.); fekete ~ black vetchling (L. niger); gumós ~ earthnut pea, dutch mice (L. tuberosus); réti ~ meadow pea (L. pratensis)

ledob vt, throw down, [lendülettel] fling/hurl down, (vmről) throw off (sg), [mélységbe] precipitate, [bombát] release, drop, spill (bombs), [ló lovast] toss off, disseat; ~ja a kabátját throw/slip/whip/fling off one's coat, doff one's coat (obs); ~ja magát a székre fling oneself onto the chair; ~ta a ló the horse spilled him, he took a toss

ledobál vt, throw down (one by one)

ledobás n, throwing down, [lendülettel] flinging/hurling down, [bombát repülőgépről] release, dropping

ledoktorál vi, take one's doctor's degree

ledolgoz vt, 1. ~za a negyvennyolc órát work one's full forty-eight hours; idejét ~za work out one's time 2. [adósságot, előleget] work off, pay off in labour, clear (a debt) by working, work out (debt); nehezen tudta ~ni a restanciát he found it hard/difficult to work off his backlog; 200 métert ~ott (sp) he has made up 200 metres 3. ~za magáról a hájat work one's fat off

ledolgoztat vt, (vkvel vmt) make sy work off (a debt), make sy pay (a debt) in labour

ledorongol vt, = lecsepül

ledöf vt, stab, poniard (ret.)

ledögl|ik vi, □ hit the hay, doss/lie down

ledől vi, 1. (vm) collapse, tumble/topple aown, fall in/down, come down, give way; nagy robajjal ~ crash down 2. [szunyókálni] take a siesta, doss down ◈, take/have a nap, stretch out (fam), [rövid időre] have forty winks (fam); ~ egy kicsit lie down for a little; ~ a díványra recline on the couch 3. ~t minden korlát all the barriers are down, all the barriers have disappeared; ~nek a hamis bálványok false idols crumble/fall

ledőlés n, 1. collapse, tumbling/toppling down, falling in/down, giving way 2. [szundikálni] taking a nap, lie-down

ledöngöl vt, [földet] ram, pack, stamp, tamp (down earth)

ledöngölés n, ramming, packing, stamping

ledönt vt, 1. [falat] pull/batter/break/throw down, [fát] fell, hew/cut down, [könyvcsomót] push over, topple/tumble down, [szobrot] demolish, hurl down, [vhonnan lever] knock down, [vkt birkózásban] throw (sy) down/over 2. lábáról ~ [vkt betegség] strike down 3. le kell döntenünk az akadályokat (átv) we have to do away with obstacles; ~ vmely bálványt shatter the idol

ledöntés n, [falé] pulling/battering/throwing down, [fáé] felling, hewing down, [könyvcsomóé] toppling/tumbling down, [szoboré] hurling down, [vhonnan leverés] knocking down

ledöntött a, ~ fa felled timber

ledörgöl vt, (vmt vmről) rub off, erase, scrape off/away, [súrolva] scour, [lehorzsol] abrade, graze; vkt törülközővel ~ give sy a rub-down, give sy a scrub

ledörgölés n, (vmt vmről) rubbing off, erasing, erasure, [súrolva] scouring, [lehorzsolás] abrasion, [vkt törülközővel] rub-down, rubbing down; alapos ~ [testé] a brisk rub

ledörgölőd|ik vi, come/wear off by friction/rubbing

ledörzsöl vt, rub/scrape off; ld még ledörgöl

ledörzsölés n, = ledörgölés

ledörzsölőd|ik vi, = ledörgölődik

ledurrant vt, shoot (down)

ledús a, juicy, succulent, full of juice (ut)

ledűl vi, = ledől

leég vi, 1. [ház] burn down, be burnt down, be destroyed/consumed by fire, be reduced to ashes, be gutted (by fire); a gyertya ~ the candle burns itself out; ~ a kályha/tűz the stove/fire has burnt out/down, the fire is dead; a sült ~ett the roast burned; Szabóék ~tek [ti. a házuk] the Szabós have lost everything in the flames, fire has consumed everything the Szabós had, the Szabós have burnt (US) 2. (vm vmről) come off by burning/singeing, get burnt off 3. [bőr] become sunburnt, become tanned 4. (biz) [anyagilag] become stony-broke, become cleaned out, run aground 5. (biz) [pórul jár] fail (stand.), fall flat, come a cropper; nagyon ~ [péld. vmlyen szerepléssel] be shot down in flames

leégés n, 1. [házé] destruction by fire 2. [bőré] burning, tan(ning), sunburn; sunburnt complexion 3. [anyagilag biz] broken fortune, being on the rocks, getting/being short of cash; teljes ~ red ruin 4. [kudarc] wash-out, flop

leéget vt, 1. (vmt vhonnan) burn/singe off, (orv) cauterize 2. [ételt] burn 3. [nap bőrt] burn, brown, tan 4. (biz) [vkt csúffá tesz] take sy down a peg or two, turn the tables on sy

leégett a, 1. [ház] destroyed/consumed by fire (ut), burnt down, gutted by fire (ut) 2. [bőr] sunburnt, tanned 3. [pénztelen biz] stony, (stony-)broke, dead broke, down on one's uppers

leegyszerűsít vt, simplify, (vmre, vmvé) reduce (sg) to, [túlzottan] over-simplify, [stílust] make simpler, iron out, [folyamatot] make simpler, rationalize; túlzottan ~ over-simplify

leegyszerűsítés n, simplifying, simplification; túlzott ~ over-simplification

leegyszerűsöd|ik vi, become simple(r), become simplified, (vmvé) reduce itself (to), come down (to)

leejt vt, 1. drop, let fall, slip, plump 2. ~ egy szemet [kötésben] drop/slip a stitch, cast off 3. le van ejtve vk (átv biz) he can go to hell

leejtés n, dropping

leél vt, [életet] live, spend, pass (life); itt élte le egész életét he lived here all his life

leélez vt, take off the edge/corners of sg, break corner, fettle, batter, [ferdére] chamfer, [gerendát] cant off (an angle), [pengét] edge off

leélezés n, chamfering, [deszkát, talpbőrt] feathering, [gerendát] canting

leellenőriz vt, check (on sg), countercheck

leelőlegez vt, (vmt) have (sg) reserved by paying an advance/deposit

leelőlegezés n, advance

leemel vt, (vhonnan) lift/take/get down from, lift/take off, [kampóról] unhook, [sarokvasról] unhinge, [szemet kötésben] slip(stitch); a kalapját ~i lift/raise/doff one's hat; ~i a telefonkagylót lift off the receiver

leemelés n, lifting/taking down/off, [kötésnél] slipping, casting (of stitch)

leendő [-ek, -t] a, future, prospective, to-be (ut); ~ anya expectant mother, mother-in-waiting; ~ elnök president-elect; ~ férje her future/intended husband, her intended, her husband that is to be; ~ tiszt officer to-be; ~ új életünk our new life to come;

a ~ *vevő* the intending/prospective purchaser/customer; ~ *zeneszerző* composer to-be, future composer
leendőbeli I. *a*, intended II. *n*, intended husband/bride
leénekel *vt*, sing (sg to the end); *lapról* ~ *vmt* sing sg at sight
leenged I. *vt*, 1. *(vkt vhova)* allow sy to go/come down 2. *[redőnyt]* lower, let down, *[(toló)ablakot]* shut down, *[függönyt]* lower, let fall, pull down, *[fátyolt]* lower, pull down, *[vitorlát]* lower, settle, strike (sail), haul down, *[hajat]* let/put down, uncoil, unbind; ~*i a sorompót* shut/close the level-crossing gate; ~*i a vizet a kádból* let the water out of the bath 3. *[ruhát]* let down, *[feltűzött ruhaujjat]* untuck 4. *[árat]* lower, reduce, bring down, *[árból vmennyit]* take off, knock off *(fam)*; *3%-ot* ~ allow 3 p.c.; *mennyit enged le az árából?* what reduction will you make on it? 5. *[hangot]* drop (one's voice)
II. *vi*, *[gumikerék]* become deflated, collapse, go flat/down *(fam)*; ~ *a gumi* the tyre becomes/gets deflated
leengedés *n*, 1. *[redőnyé]* lowering, letting down, *[tolóablaké]* shutting down, shutdown 2. *[ruháé]* letting down 3. *[árból]* lowering, reduction 4. *[gumiabroncsé]* collapse, puncture
leépít *vt*, *[ismerőst]* drop an acquaintance, *[alkalmazottat]* dispense (with sy's services), lay off, *[létszámot]* reduce (staff/personnel), cut down (staff/personnel), cut back *(US)*
leépítés *n*, *[létszámot]* reduction, cutting down, reducing, *[alkalmazottat]* laying off
leér *vi*, 1. *(vmeddig)* come/hang/reach down (to); *a földig* ~ touch the ground 2. *[leérkezik vhova]* get down
leereszkedés *n*, 1. *[kötélen]* letting oneself down, *[hegyről]* descent, coming/going down, *[fáról]* climbing down, *(rep)* alighting 2. *(vkhez)* condescension, patronizing
leereszked|ik *vi*, 1. *[vk kötélen]* let oneself down, *[hegyről]* descend, come/go/climb down cautiously, *[madár]* alight, settle, *[repgép]* descend, *[földre]* land, alight *(ref.)*, *[út]* slope, dip (gently), fall, *[köd]* descend, come down, fall; ~*ik a lejtőn* go down the hill 2. *(vkhez)* condescend (to sy), *[vállveregetően]* patronize (sy); ~*ik vk színvonalára* put oneself on a level with sy, adapt oneself to sy's capacity
leereszkedő *a*, 1. *a magasból* ~ *gép* the airplane coming down *(v.* descending) 2. *(átv)* condescending, patronizing; ~ *modor* patronizing manner
leereszkedően *adv*, ~ *viselkedik* condescend
leereszt I. *vt*, 1. let down, lower, *[függönyt]* let/pull down, lower (curtain), *[színházi függönyt]* drop, ring down (the curtain), *[tolóablakot stb.]* shut down, *[horgonyt]* cast, drop (anchor), *[vitorlát, zászlót]* haul down, *[zászlót félárbocra]* half-mast (flag), *[hajat]* let down, uncoil, *[szempillát, szárnyat]* droop; ~*i a csónakokat [hajóról]* lower the boats; ~*i feltűrt inguljját* roll one's sleeves down, untuck one's sleeves; ~*i a húrt* slacken the string; ~*i karját* lower one's arm; ~*i a mérőónt (hajó)* heave the lead; ~ *vkt egy szakadékon* lower sy down a precipice 2. *[vizet]* drain off, *[zsilippel]* sluice, *[vécén]* flush (down); ~*i a vécét* pull the chain; ~*i a vizet a kazánból* run down the boiler; ~*i a vizet a medencéből* drain the basin/pool 3. *[ruhát]* let down 4. *(vkt vhová)* let sy descend, let sy go/come down 5. *[hangot]* lower, drop, sink (voice)
II. *vi*, *[pneu]* go/be down, be flat/slack, puncture, blow out, flatten; ~ *a gumi* the tyre becomes/gets deflated; *a gumik* ~*ettek* the tyres are down
leeresztés *n*, 1. letting down, lowering 2. *[gumiabroncsé]* going down, flattening, puncture, *[horgonyé]* casting (anchor), *[hajé, ruháé]* letting down 3. *[hangé]* lowering, sinking

leeresztett *a*, ~ *vitorlákkal* under bare poles
leereszthető *a*, ~ *ablak (vasút)* drop-window
leeresztő *a*, ~ *csap* drain/purge-cock; ~ *cső* drain-pipe; ~ *dugó [kádban]* drain-plug; ~ *készülék* hopper; ~ *nyílás* outlet, escape; ~ *szelep* vent/drain valve; ~ *szerkezet* lowering gear; ~ *zsilip* outlet sluice
leérettségiz|ik *vi*, pass the final examination (of the secondary school), graduate (from high-school) *(US)*
leérkezés *n*, arriving, arrival, coming/getting down
leérkez|ik *vi*, *[felülről]* arrive at *(v.* come to) a place (from above), reach a place (from above), come/get down; *felülről még nem érkezett le az utasítás* we have had no official instructions as yet from higher quarters, no instructions have arrived as yet from higher quarters
leerősít *vt*, *(vmhez)* fasten, attach, fix (to sg), peg down
leerőszakol *vt*, *[vmt vknek torkán]* ram sg down sy's throat
leértékel *vt*, 1. *[érdemet]* underrate, undervalue, *[lefitymál]* disparage, belittle, depreciate, undervalue, set a low value (on sg) 2. *[pénzt]* devaluate, devalorize, depreciate, demonetize; ~*i a frankot* depreciate the franc 3. *[árut]* mark down, reduce the price (of sg)
leértékelés *n*, 1. *[érdemé]* underrating, undervaluing, *[lefitymálás]* disparagement, belittlement, undervaluing 2. *[pénzt]* devaluation, devalorization, depreciation, demonetization
leértékelt *a*, ~ *áru* goods at reduced prices *(pl)*, cut-price goods *(pl)*, *[hibás textil]* seconds *(pl)*, degraded goods *(pl)*; ~ *pénz* depreciated money
leesés *n*, falling down, fall, falling from above/overhead, dropping, *[lóról]* spill, tumble, toss, cropper *(fam)*
leesett *a*, ~ *áll* down-dropped jaw
lees|ik *vi*, 1. *(ált)* fall/drop down/off, *[tehetetlenül?]* tumble (down), *[ráerősített vm]* come unstuck, *[lóról]* have a fall/spill/tumble/toss, come a cropper *(fam)*, come/take a purler *(fam)*, *[var]* slough off/away; *nagy robajjal* ~*ik* crash down; ~*ett a földre* it fell to the ground; *nagy kő esett le a szívemről* I have been relieved of great anxieties, a great weight rolled off my mind, a great weight was lifted from my mind, a stone fell from my heart; ~*ett a húszfilléres* the penny has dropped 2. *tegnap* ~*ett az első hó* the first snow fell yesterday 3. *[ár]* fall; ~*tek az árak* prices came down, prices fell 4. ~*ett szem [kötésnél]* dropped *(v.* cast off) stitch 5. *[láz]* abate 6. ~*ett az álla [csodálkozástól]* he was struck all of a heap, his jaw/face fell, you might have knocked him down with a feather, he stood gaping, he stood open-mouthed, he was chap-fallen 7. *vm* ~*ik vknek (biz)* get sg, pick sg up
leesz|ik *vt*, 1. eat away/off, *[csalétket horogról hal]* nibble off 2. ~*i magát* make a hog of oneself, eat messily, get one's food all over one's clothes
leesztergályoz *vt*, 1. *[elkészít]* turn, shape on a lathe 2. *(vmt vmről)* remove by turning
leétet *vt*, *(fémip)* scrape (away), pickle, dip
leétetés *n*, *(fémip)* scraping, pickling, dipping
leevez *vi*, row down-stream, *(vmeddig)* row as far as, row to
lefagy *vi*, 1. *[gyümölcs]* be nipped (by frost), be injured/withered by frost, be frozen (off) 2. ~*ott egy lábujja* his toe was frostbitten/frozen, have a frozen toe, be chilblained
lefagyás *n*, frost-bite, freezing
lefagyott *a*, *[növény, fa]* frost-nipped
lefárad *vi*, take the trouble/pains to go/come down; *fáradjon le kérem az alagsorba* will you please *(v.* pray) come down to the basement

lefarag vt, **1.** whittle down, pare down/off, chisel off, cut away/off, round off (by) cutting (v. with a chisel), shave, [sarkot] chamfer; ~ vésővel [márványt] chip; egy hüvelyknyit ~ a botból cut an inch off the stick **2.** [pénzösszeget] whittle/cut down, curtail, cheese-pare (fam), cut back (US) **3.** [modortalanságot] smooth out (coarseness), polish (manners)

lefaragás n, **1.** whittling (down), paring/chiselling/cutting off, shaving (off), [követ] chipping **2.** [pénzösszegé] whittling/cutting down, restriction, reduction

lefáraszt vt, (vkt vhová) trouble/bother sy (by asking him) to come/go down

lefátyoloz vt, veil, cover with a veil, draw a veil over sg

lefátyolozott a, veiled, with a veil drawn over it (ut)

lefattyaz vt, **1.** (növ) sucker **2.** [leszid] abuse (violently), revile

lefecskendez vt, sprinkle (with water), douse, throw water (over sy)

lefed vt, **1.** cover, put cover/lid (over/on sg) **2.** lencsét ~ (fényk) cap the objective

lefedés n, covering (up)

lefedez vt, (átv) cover; áruval jól ~i magát (ker) lay in plentiful/sufficient stock

lefegyverez [-tem, -ett, -zen] vt, disarm, deprive of arms, unarm; mosolya lefegyverzett her smile disarmed me

lefegyverezés n, disarming, disarmament

lefegyverzés n, = lefegyverezés

lefejez vt, **1.** behead, cut/strike (sy's) head off, decapitate, detruncate, guillotine, decollate (ref.), chop (sy's) head off (fam) ; ~ték he perished on the block, he was beheaded **2.** ~i a répát top (v. cut off) the heads of beet, head beets

lefejezés n, beheading, decapitation, detruncation, decollation (ref.)

lefejl|ik vi, come/peel/drop off, be stripped

lefejlő a, ~ görbe vonal (menny) involute

lefejt vt, **1.** [hámoz] peel/strip off, [bőrt] take off, skin, rip, [leválasztható vmt] detach, (menny) [vonalat, felületet] develop **2.** [ruháról vmt] unpick, take off by unstitching **3.** [bort hordóba] tun, draw/rack off, [palackba] bottle, decant **4.** (bány) extract, fall **5.** csévét ~ wind off, unwind

lefejtés n, **1.** [hámozás] peeling/stripping off, [bőrt] taking off, [leválasztás] detaching **2.** [bort] tunning, drawing/racking off, [palackba] bottling, bottle-filling, decanting, decantation **3.** (bány) extraction, working

lefékez I. vt **1.** [járművet vezetője] brake, apply the brakes, put on the brake(s) (suddenly), clap/jam on the brake(s), arrest, [lánccal/sarufékkel kereket/taligát] drag, [megállít] stop, pull up; ~ autót apply the brakes (of a car), brake down; a vonat hirtelen ~ett the train suddenly slowed down **2.** (átv) slow down, restrain, retard (sg) in its motion, reduce/damp the motion, check (the rise of sg)
II. vi, [önmagát] slow down, slacken

lefékezés n, **1.** [járművet vezetője] (sudden) application of the brake, braking, jamming on the brake, arresting, [megállítás] pulling up **2.** (átv) slackening, slowing down, retardation

lefeksz|ik vi, **1.** (vmre) lie down, have a lie down, [aludni] go to bed, get into bed, bed, turn in (fam), go to roost (fam), get between the sheets (fam), knock off (fam), repose (oneself) (ref.) ; nem fekszik le [este] stay/sit up; ~ik vmre lie down on sg; korán szokott lefeküdni keep good/early hours; későn szokott lefeküdni keep late hours; hánykor szoktál lefeküdni? what's your bed-time? **2.** ~ik vkvel go to bed with sy; mindenkinek ~ik [nőről] she is a regular tart **3.** [nem áll ellen] take (sg) lying down

4. [gabona stb.] lodge, be lodged, be beaten down, be blown over, be laid down

lefektet vt, **1.** (vmt) lay/put down (sg on its flat side), [gyereket] put/send/get to bed, see off to bed, bed, [és elaltat] put to sleep, pack off to bed (fam) **2.** [gabonát] lodge, lay, beat down, flatten **3.** [vezetéket] lay down **4.** [alapelvet] posit, pose; ~i a feltételeket determine the conditions; szabályt ~ make a rule, lay down a rule; írásban ~ vmt commit sg to writing, put sg in writing; a szerződés 5. cikkelye ~i hogy Article 5 of the treaty lays it down that

lefektetés n, **1.** [sineké, csöveké] laying, lay-in **2.** irányelvek ~e laying down of rules/principles

lefekvés n, (vmre) lying down, [aludni] going to bed; nem sokkal ~ után shortly after going to bed; ~ ideje bed-time

le-fel adv, up and down; ~ járkál a szobában walk up and down the room

lefelé adv, down(wards), [emeletről] downstairs, [hegyről] downhill, [vonaton fővárosból vidékre] down the line; fejjel ~ upside/head down; ~ fordít vmt turn sg upside down; ~ halad a folyón [a folyás irányában] go down the river; ~ megy (átv) be on the down-grade; mennek az árak ~ prices are falling; ~ néz look downwards; ~ úszik swim/go/drift with the stream, swim/go/drift downstream; a folyón ~ down the river; vonóhúzás ~ (zene) down bow!; ~ hajlítás (orv) plantarflexion

lefelel vi, már ~tél? [vizsgán] have you had/passed your oral/test/interview?, have you done your oral? (fam)

lefeleltet vt, [vizsgáztat] examine orally

lefényképez vt, photograph, take a photo(graph) picture (akit of sy), [amatőr] snap, take a snapshot (of)

lefényképeztet vt, have (sy/sg) photographed; ~i magát have one's photo(graph) taken

lefesl|ik vi, come undone/unfastened/loose/off (by getting unsewn/unstitched/untied/unstuck)

lefest vt, **1.** paint (a portrait/picture of sy/sg), depict, picture, portray (ref.), limn (obs) **2.** [szavakkal] depict, portray, paint, sketch, give a portrait (of sy), hit off (vmlyennek) represent (as); vkt alaposan ~ run (sy) down; saját igazi valójában fest le vkt paint sy in his proper/true colours

lefestés n, **1.** painting (a portrait/picture of sy/sg) **2.** [szavakkal] portraying, portrayal, depiction

lefestet vt, ~i magát have one's portrait painted

lefésül vt, comb down, [simára] sleek, [leenged] let down, uncoil; ~t haj hair worn sleek/uncoiled, hair let down

lefeszít vt, force (sg) to come off, wrench off

lefetyel [-t, -jen] vi/vt, **1.** [kutya] lap (sg up) **2.** [fecseg] jabber, prate, gabble

leffentyű [-t, -je] n, flap(-end), [nyergen] skirt

lefilmez vt, film, shoot

lefirkant vt, put/jot down, [verset, cikket] toss/write/dash off; ~ néhány sort dash off a few lines, scribble a few lines

lefityeg vi, hang down loosely/limp, dangle limply

lefitymál vt, belittle, slight, pooh-pooh, disparage, cry down, despise, turn up one's nose at (sg) (fam), debunk (fam), sniff at (sg), pshaw at (sg), contemn (ref.), misprize (ref.), scorn (ref.) ; ~ vkt sneer at sy

lefitymálás n, disparagement, contempt, scorn, sneer

lefizet vt, **1.** [összeget] pay down/in, deposit (money/sum) **2.** [megveszteget] bribe, buy (over/out)

lefizetés n, **1.** [pénzösszegé] payment; első ~ down payment; egy összeg ~e ellenében in consideration of the payment of a sum; ~re vásárló vevő (ker) credit customer, charge customer (US) **2.** [megvesztegetés] bribery

lefog vt, **1.** [erőszakkal] hold/keep down, [ellenfelet] hold down, [erősen megmarkol] hold fast, clench; ~ja vk karjait pin sy's arms to his sides; alig tudták ~ni they could hardly hold him down; fogjátok le! hold him down! **2.** [bűnöst] arrest, seize, apprehend, run in (fam), put in clink ◇, nab◇ **3.** [halott szemét] close **4.** [bért] retain, withhold, hold, back, stop, [összegből vmennyit] keep back, withhold **5.** [játékost sp] cover, mark, [ökölvívásban] clinch

lefogad vt/vi, bet, wager, put a bet on; ~om (hogy) I'll bet (that), I'll bet my boots (that) (fam)

lefogás n, [ökölvívás] clinch

lefogat vt, have sy arrested

lefoglal vt, **1.** [helyet] reserve, engage, secure (seat), bag (fam), grab ◇, [szính] reserve, book (seat), [hotelszobát] take, book (room); foglald le nekem ezt a helyet secure that seat for me; nincs ~va it is unoccupied **2.** [figyelmet] engross, occupy, arrest, rivet (attention), [munka vkt] absorb, engross (sy), take up (sy's time), [vkt társaságban magának] corner sy; táncot ~ put down one's name for a dance; idejét apró-cseprő ügyek foglalták le his time was taken up with trifles; a szótárírás minden időmet ~ja dictionary-making takes up all my time **3.** [ingatlant] seize, attach, [ingóságot] distrain (upon), distress, arrest, [követelést harmadik személynél] garnish, [zár alá vesz] levy, [bíróilag zárol] sequester, sequestrate, [hajót] seize, embargo (a ship), [elkoboz] confiscate, sequester, impound, [közcélra igénybe vesz] requisition, [fizetést] stop, (kat) put a garnish(ee) (on sy's pay)

lefoglalás n, **1.** [helyé] reserving, reservation, securing, booking, engaging **2.** [ingatlané] seizure, attachment, [ingóságé] distraint, distrainment, [követelésé harmadik személynél] garnish(ing), [zár alá vétel] levy, [bíróilag] sequestration, arrestation, arrest, [elkobzás] confiscation, sequestration, [közcélra igénybevétel] requisition(ing), [hajóé] seizure, embargo, [fizetést] stopping (sy's wages/salary); házkutatás és ~ joga right of search and seizure; követelés ~a attachment of debts/garnish(ing)

lefoglalási a, ~ végzés order of attachment

lefoglalhatatlan a, not subject to seizure/attachment (ut), not attachable/distrainable (ut)

lefoglalhatatlanság n, immunity from seizure/attachment/distraint

lefoglalható a, seizable, attachable, distrainable, arrestable, subject to seizure/attachment (ut)

lefoglalhatóság n, liability to seizure/attachment/distraint

lefoglalóz [-tam, -ott, -zon] vt, pay a deposit (on sg), give earnest-money (to sy for sg), earnest

lefoglalt a, **1.** [hely] reserved, booked, engaged **2.** (jog) attached, sequestered; ~ áru seizure; ~ bútor furniture under distraint; ~ föld extended land; ~ javak goods seized

lefogy vi, **1.** (vk) lose weight/flesh, grow thin/lean, waste away, emaciate; hat kilót ~tam I have lost six kilograms **2.** [fonal] run down

lefogyás n, (vké) growing thin/lean, loss of weight, emaciation, wasting away

lefogyaszt vt, **1.** (vkt) make/render thin, [betegség] bring down, [erősen] emaciate; ~ja magát get down fatness, slim, reduce one's weight, [étrenddel] banting-ize, bant (joc), [sportolással] train down **2.** [kötésben szemeket] take in, decrease

lefojt vt, **1.** [töltést] plug (cartridge), tamp (a charge), [tüzet] smother, [tüzet olvasztókemencében] damp down **2.** [mustot] stum **3.** [indulatot] bottle up

lefokoz vt, **1.** degrade, (kat) reduce (sy) to the ranks, reduce (sy) to a lower rank, reduce (sy) in rank, down-grade, demote (US), [matróz'] disrate; ~ták

he lost his stripes **2.** ~za az igényeit abate/lower one's pretensions, be content with less

lefokozás n, degradation, (kat) reduction to lower rank, reduction to the ranks, demotion (US), [matrózé] disrating

lefolyás n, **1.** [vízé] outflow, flow(ing), downflow, discharge, drain(ing), trickling down/away, (műsz) flow, run-off, (geol) flowage; nincs ~a víznek the water has no outlet **2.** [eseményeké] course, process, procession, [gyűlésé] proceedings (pl), [alakulás] progress, [kimenetel] issue, [betegségé] course, development, process; egy betegségnek megvan a (szabályos) ~a a disease will run its course; enyhe ~ú vörheny mild form of scarlet fever

lefolyásos a, [terület] with an outlet (ut)

lefolyástalan a, (földr) without an outlet (ut)

lefolyat vt, [vizet] run/drain off (water), (vmről) drain (sg)

lefoly|ik vi, **1.** [felülről] flow, run, trickle, course (down), [vmről elfolyik] flow, trickle, drain (away) **2.** (vhogy) take a ... course, (gyűlés) pass off, [betegség] run/take its course; a per még nem folyt le the suit is still pending; az ülés botrány nélkül folyt le the session passed off without scandal; [tüntetés stb.] rendzavarás nélkül folyt le the crowd was orderly; a vizsgálat hamarosan ~ik the investigation will soon take place, the investigation will soon be carried out **3.** [idő] elapse, pass, slip away, flow past, roll/slip/fly/glide by, wear on; sok víz ~ik még a Dunán much water will have to flow past/under the bridges before ..., we'll have to live to see it, there is many a slip ('twixt the cup and the lip)

lefolyó I. n, outlet, water gang, runnel, [mosdókagylón] plug-hole, sink, [túlfolyó] waste-pipe; utcai ~ side-channel II. a, [esemény] taking place (ut), [víz] running/flowing down (ut)

lefolyócsatorna n, gutter, [tetőről] (water) spout, leader, [árok] drain

lefolyócső n, outlet-tube, drain/descent/waste-pipe, leader, [házé] house drain

lefolyógödör n, well-drain

lefolyólyuk n, sink, plug/sink-hole

lefolyt [-at] a, az itt ~ események the events that took place here (v. that were here enacted); a most ~ hetek the weeks that have passed, the past/recent weeks

lefolytat vt, [tárgyalásokat] conduct (negotiations), [pert vk ellen] take/institute proceedings (against sy), take/bring an action (against sy), [vizsgálatot] make, conduct (an investigation), hold, institute, conduct (an inquiry), [kísérletet] carry out (an experiment)

lefolytatás n, várnunk kell a vizsgálat ~áig we'll have to wait until the investigation is over

lefonnyad vi, wither, get shrunk/shrivelled, wilt (and fall down/off)

lefordít vt, **1.** [tárgyat] turn down, turn upside down **2.** [más nyelvre] translate, do/make a translation of, render, turn, put, do (mind: into); vmt angolról magyarra~ translate sg from English into Hungarian; le kellett fordítania a szöveget franciára és angolra he had to put the text into French and English

lefordítás n, translating, translation, putting into

lefordíthatatlan a, untranslatable, untranslated, that cannot (v. can hardly) be rendered (into ..) (ut)

lefordítható a, translatable

lefordíthatóság n, translatableness

lefordított a, [szöveg] translated, rendered (into a language)

lefordul vi, **1.** (vmről) fall from/off (sg), tumble down (from sg); holtan fordul le a székről drop/fall from one's chair dead; már majd ~ok a lábamról I am ready to drop **2.** [útról] turn off, leave (road); ~t az országútról he left the highway

leforgás n, egy év ~a alatt in the space of a year; öt hét ~a alatt within five weeks; öt hét ~a után after the lapse of five weeks

leforgat vt, **1.** [tárgyakat] turn upside down **2.** [filmet] show (a picture)

leforgatás n, [filmé] projection, showing (of a picture)

leforog vi, [idő] elapse, fly past, slip away

leforraszt vt, seal (up) (by soldering)

leforráz vt, **1.** [forró vízzel] scald, pour boiling water (over sg), [teát] infuse, brew (tea); ~hatom a teát? shall I make the tea? **2.** ~za a lábát scald one's leg **3.** ~ vkt (átv) throw cold water on sy's enthusiasm; ez a hír nagyon ~ta he was completely stunned/ dumbfounded by the (v. this piece of) news; ~va ment el (biz) he left rather crestfallen

leforrázás n, scalding, infusing, (orv) scald

lefoszl|ik vi, come off (in shreds/flakes/parings)

lefoszt vt, take off (in shreds/flakes/parings), [vm héját] husk (sg), peel, shell

lefosztódás n, (orv) exfoliation

lefotografál vt, = **lefényképez**

lefőd vt, = **lefed**

le-föl = adv, **le-fel**

leföldel vt, (vill) earth, place at ground potential

lefölöz vt, **1.** [tejet] skim, cream (milk), [géppel] separate (the milk), (koh) skim off **2.** [hasznot vmből] take the best part, take the cream of sg, cream off, skim the cream off (sg); ~i a sikert cash in on (sy's) success

lefölözés n, **1.** [tejé] skimming, creaming, [géppel] separating **2.** [haszoné] skimming, creaming, levy, rake-off

lefölözött a, ~ tej skim(med)/separated milk, skim-milk

lefőz vt, **1.** [folyékony anyagot] boil down **2.** (vkt) (biz) outdo, best (sy), go one better, [versenytársat] outvie, [teljesítményt] cap; alaposan ~ vkt make/put/run rings round sy

lefőzés n, (tex) boiling

lefőzőkazán n, (tex) scouring boiler, (boiling) kier

lefricskáz vt, (vmt vmről) fillip off, [hamut, porszemet] flick (off), [piszkot ruháról] brush away

lefröcsköl vt, vkt vízzel ~ sprinkle sy with water, sprinkle water on sy; sárral ~ (be)spatter with mud, splash mud on

lefú vt, = **lefúj**

lefúj vt, **1.** [port] blow off, whiff away/off; a szél ~ja vknek a kalapját the wind blows sy's hat off, sy's hat is blown away by the wind **2.** [oszoltat kat] sound the dismiss; légiriadót ~ sound the "all clear" **3.** [meghívást] cancel, [ledllit] put a stop to, [játékot sp] stop (the play), put the stopper on (fam), [sztrájkot, támadást, mérkőzést] call off

lefújás n, = **lefúvás**

lefullaszt vt, [motort] throttle down (engine)

lefúr vi, bore (deep into the ground)

lefut **I.** vi, **1.** (vk) run down, come/go running down, [emeletről] run downstairs, [hegyről] run downhill; ~ vk elé a kapuba run (down) to the gate to meet sy **2.** (sp) run/dribble down the field/wing (v.'towards the goal) **3.** [patak] rush down **4.** ~ott egy szem a harisnyámon a stitch has run in my stocking; harisnya amin nem fut le a szem ladderproof stocking(s), run/snag-proof stocking(s) **5.** a darab ~ott (szinh biz) the play is over **6.** [futónövény] trail, droop over
II. vt, [távolságot] run, cover (a distance), do (a distance) running; versenyt ~ run a race; három kört fut le [versenyben] do three laps; a versenyt vasárnap futják le the race will be run (off) on Sunday

lefutás n, **1.** running down, [emeletről] running downstairs, [hegyről] running downhill **2.** [futball] running/dribbling down the field/wing, running to-

wards the goal, fast raid; a szélsők ~a dash by the forwards; az első kör ~a után the first lap being done/ completed/covered, after the first lap **3.** [harisnyán szemé] ladder, run

lefutó a, **1.** [víz] running/rushing down (ut) **2.** [levél, száron] decurrent **3.** ~ szem [harisnyán] ladder, runner, run (in stocking) (US)

lefúvás n, **1.** [légiriadó végén] (signal of) "all clear", [,,oszolj", kat] (buglecall to) dismiss **2.** [meghívásé] cancelling

lefúvat vt, [riadót] order to sound the "all clear", [gyülekezőt] order to sound the dismiss

lefügg vi, hang down, dangle, (vmről) hang from

lefüggő a, hanging down (ut), dangling, (vmről) hanging from (ut); vmnek a ~ része flap

lefüggönyöz vt, (vmt) curtain (off), draw a curtain (over sg)

lefüggönyzetlen a, uncurtained

lefüggönyzött [-et; adv -en] a, curtained

lefülel vt, (biz) collar, run to earth, nab

lefülelés n, (biz) collaring, nabbing

lefűrészel vt, saw off

leg- pref of superlative, most, -st

lég [-et, lege] n, air, atmosphere, (összet.) air-, aerial, atmospheric, pneumatic; vmt ~be röpít blow up sg, blow sg sky-high; ~ből kapott hírek baseless rumours/ news/fabrications, reports entirely without foundation (in fact); ~ből kapott történet idle story; az egész történet teljesen ~ből kapott his story is an entire fabrication

légabroncs n, pneumatic tyre/tire

legáció [-t, -ja] n, legation

légajtó n, (bány) air-gate

légakna n, air-shaft/pit/duct, ventilating shaft, outtake,

legalább adv, at (the) least, leastways; leges~ at the very least; ~ 80 éves he is 80 if a day, he is 80 if anything; ~ egy órai idő at least an hour's time; ennyit ~ megtehetnél you might at least do that much; ~ próbáld meg you can but try; ha ~ igaz volna! if only it were true!, I wish it were true!

legalábbis adv, at (the) least, leastways, to say the least (of it); ~ tíz mérföld ten miles at the (very) least; ~ így gondolom I think/expect so(,) anyway; én ~ sohasem tenném I for one would never do so; ~ én nem tudok róla I at least know nothing about it/him

legális [-ak, -t; adv -an] a, legal, lawful; ~ szervezet legally existing organization

legalitás n, legality, lawfulness

legalizál [-t, -jon] vt, legalize

legalja n, **1.** (vmnek) the very bottom, the lowest/ deepest part/spot (of sg), [üledék] dregs (pl), lees (pl); a láda legalján at the very botton of the box **2.** (átv) dregs (pl), refuse, scum, trash; a társadalom~ the scum/dregs of society, the lowest strata of society

légálló a, air-tight/proof, hermetic(ally sealed)

legalsó a, lowest, bottom, lowermost, bottommost, nethermost, undermost, (átv) fundamental; ~ ár rock-bottom price; ~ lépcsőfok bottom stair; ~ polc bottom shelf; ~(bb) rendű vm sg of the lowest order/kind

legalul adv, down below, lowest down; a ládában ~ at the very bottom of the box

legallyaz vt, prune, trim, lop off/away (branches of tree)

legallyazás n, pruning, trimming

legallyazó n, [munkás és eszköz] pruner, [eszköz] pruning-hook/knife, trimming-axe

légáram n, **1.** = **légáramlás; 2.** (műsz) air current/flow, draught; erős ~ blast

légáramlás n, [szabadban] breeze, air current/flow, current/rush of air, [meteorológiai] atmospheric motion, [huzat] draught; meleg ~ stir of warm wind

légáramlat n, = **légáramlás**
légáramsebesség n, wind velocity
légáteresztés n, permeability to air, air permeability
légáteresztő a, permeable to air (ut)
legato [-t, -ja] adv/n, (zene) legato
legátus n, legate
legazemberez [-tem, -ett, -zen] vt, call (sy) a villain/ scoundrel/blackguard/knave, blackguard
legázol vt, 1. [összetapos] trample (sg) down, trample upon (sg), tread (sg) underfoot 2. [ellenállást] break/ride/run down, ride roughshod over (sg), override, overrun, squash (fam)
légbeli a, in/of the air (ut), aerial, atmospheric (tud)
legbelseje n, (vmnek) in(ner)most/central part/spot (of sg), the very centre/core/heart (of sg); a hegy legbelsejében in the very bowels of the mountain
legbelső a, in(ner)most, core, (most) central, most inward/remote, furthest in (ut), [lélekben] most intimate/private/secret
légbuborék n, air-bubble, [festésen] blister, [öntvényben] blowhole, honeycomb, [üvegben, vízben] bleb, [vízszintezőben] air-level, [vízben levő tárgyban] air-bell, [objektíven] air bubble (in the lens); ~ keletkezése formation of bubble
légcsákány n, pneumatic pick
légcsap n, air-cock/tap/faucet
légcsappantyú n, air-valve
légcsatorna n, (műsz) ventilating course, ventilation shaft, (fémip) air-gate, (bány) airway, (növ) air-passage/duct
légcsavar n, [húzó] (air-)screw, [hajtó] propeller, prop (fam); háromszárnyú ~ three-bladed propeller; változtatható emelkedésű ~ variable-pitch propeller
légcsavaragy n, propeller-boss
légcsavarkör n, circle of propeller
légcsavarkupak n, propeller-dome
légcsavarszárny n, blade/vane of propeller, propeller-blade
légcsavarszél n, slipstream, propeller race
legcsekélyebb a, ld **csekély**
légcsere n, ventilation
légcső n, windpipe, (orv) trachea, throttle (f(m), weasand (obs), (összet.) tracheal
légcsőféreg n, madarak légcsőférge gape-worm (Syngamus trachealis)
légcsőférgesség n, [baromfié] the gapes
légcsőhurut n, (orv) trach(e)itis, tracheal catarrh, croup, rattles (pl) (fam), cold on the chest, chest cold
légcsőmetszés n, (orv) tracheotomy
légcsöves a, (term) trachean
légdaganat n, pneumatocele
légdob n, air-drum
légecset n, aerograph
légegyensúlytan n, aerostatics
legel [-t, -jen] vi, graze, browse, (de)pasture, grass; kienged ~ni turn out to grass
legeleje n, (vmnek) foremost/front part (of sg), the very front (of sg); a regény ~ the first pages of the novel, the opening of the novel; a század legelején at the (very) beginning of the century, in the early years of the century
legelés n, grazing, browsing
legelész [-tem, -ett, .. sszen] vi, graze, browse, pasture (slowly and peacefully), feed
legelésző [-t] a, grazing, browsing, pasturing
légelhárítás n, anti-aircraft defence
légelhárító [-t] a, anti-aircraft; ~ ágyú anti-aircraft gun, ack-ack gun (fam); ~ tüzérség anti-aircraft artillery; ~ üteg anti-aircraft battery
légellenállás n, air/atmospheric resistance, resistance of air, (air-)drag, [lövedékkel szemben] resistance of the

air to the projectile, drag on the projectile, [aerodinamikában] wind resistance
legelő [-t, -je; adv -en] I. a, grazing, browsing, pasturing II. n, pasture, grazing/pasture/range lands (pl), pasture/grazing ground, pasturage, [birkáknak] sheep-run, [kisebb] sheep-walk; sovány ~ poor grazing land; juhokat ~re hajt put sheep to pasture, turn sheep out to grass
legelőbb adv, first of all, first and foremost, in the first place
legelőbér n, (jog) agistment
legelőgazdálkodás n, váltó ~ rotational grazing
legelőhasználat n, use of pasture
legelőjellegű a, ~ gazdálkodás ley-farming
legelőjog n, common of pasturage, grazing-rights (pl), right of pasture/herbage
legelőkezelés n, range management
legelöl adv, in (the very) front, first (in position); ~ a menetben in the van of the procession; a sorban ~ first in the row/queue, at the head of the row
legelőre adv, to(wards) the (very) front
legelőször adv, first(ly), at first, first of all, (for) the (very) first time, [legelsőként] (as) first; ~ is first of all, first and foremost; ~ is lássuk ezt az ügyet! first of all let's look into this affair!; ~ is (,) ez nem igaz it isn't true (,) to begin with, in the first place it isn't true; amikor ~ jöttem ide when I first came here, when I came here for the first time; ki érkezett ~? who came first?, who was the first to arrive?
legelőszörre adv, straightway, right away, at once
legelőterület n, grazing/pasture/range lands (pl)
legelső a, (the very) first, foremost, principal, uppermost, paramount, prime, primary, primordial; a ~ tette az volt (hogy) the first thing he did was (to); a ~ vonattal utána utazom I'll take the first/next train and follow him; vkt a ~ helyen javasol recommend sy in/for the first place; kérdezze meg a ~ embert... ask the next person you meet
legelsősorban a, in the first place, first (of all), first and foremost, above all, primarily, principally
légelszívó a, ~ berendezés air-exhauster
legeltet vt/vi, 1. graze, (de)pasture, [lovat] turn (a horse) out to grass 2. ~i a szemét vmn feast one's eyes on sg, let one's glance rest on sg
legeltetés n, grazing, pasturing, pasturage, feeding; részleges ~ sectional grazing; szakaszos ~ on and off grazing
legeltetési a, ~ jog grazing-rights (pl), common of pasture/pasturage, right of pasture/herbage, (de-)pasturage
légelzárás n, [lakásban] draught prevention
légelzáró I. a, ~ ajtó/retesz strangler; ~ csap air cock; ~ tömítés [huzat ellen] draught-excluder II. n, air trap
légelzáródás n, air-lock, [öntvényben] air-pocket
légembólia n, air embolism, aeroembolism, the bends (pl) (US)
legenda [.. át] n, legend; legendák keringtek róla legends were told of him
legendagyűjtemény n, legend(a)ry
legendairó n, legendarian, legendary
legendairodalom n, (vall) hagiography
legendárium [-ot, -a] n, legend(a)ry
legendás a, legendary, fabulous, fabled, mythical; kezd ~ alak lenni belőle by degrees he is growing into an epic character (v. a legend v. a legendary figure), a legend is growing around/about him
legendáskönyv n, legendary, book of legends
legendaszerű a, legendary, fabulous, mythical
legény [-ek, -t] n, 1. [fiatal ember] young man, lad, [nőtlen] bachelor, unmarried man; falusi ~ek village lads; még mindig ~? is he still single? 2. nag

~ swaggerer, swanker; *ne légy olyan nagy* ~ come down a peg or two, come off the high horse; ~ *a gáton* show oneself a man, show mettle, be a man of pluck, tough lad/fellow; ~ *a talpán* quite a lad, plucky fellow 3. *[iparosságéd]* journeyman 4. *(kat)* batman

legénybúcsú n, ⟨bridegroom's farewell party (on the eve of his marriage)⟩

legényegylet n, journeymen's association, young men's club

legényélet n, 1. *[életmód]* bachelor's/single life 2. *[állapot]* bachelordom, bachelorhood, *[igével]* live as a bachelor, keep bachelor's hall *(fam)*, (keep) bach *(US)*

legényember n, bachelor, celibate

legényes [-et; *adv* -en] a, manly,*[viselkedés]* free and easy, jaunty, perky, plucky; ~*en félrecsapja a kalapját* cock one's hat jauntily, be wearing one's hat at a rakish angle

legényke n, laddie, *[kisfiú]* little chap/fellow

legénykedés n, bravado, bluster, *[játékszerű]* horse-play, *[hencegés]* swagger(ing), swank(ing), bounce, side

legényked|ik [-tem, -ett, -jen, -jék] vi, 1. *[henceg]* do sg out of bravado, bluster, swagger, swank 2. *[legényéletet él]* live as a bachelor, be a bachelor, be (still) unmarried, bach *(US)* 3. *[iparban]* work as a journeyman

legénykor n, bachelorhood, unmarried young-manhood

legénykori a, bachelor(-), of one's bachelorhood *(ut)*, of one's bachelor days *(ut)*

legénylakás n, bachelor quarters/rooms/chambers *(pl)*, bachelor digs *(pl)* *(fam)*

legénység n, 1. lads *(pl)* 2. *(kut)* men *(of the rank and file)* *(pl)*, troops *(pl)*, *[hajóé]* crew, the lower deck, *(sp)* team; *repülőgép* ~*e* air-crew

legénységi [-ek, -t] a, of the rank and file *(ut);* ~ *állományú (kat)* serving in the ranks *(ut)*, enlisted *(US);* ~ *szállás/kvártély* crew space; ~ *szoba* barrack-room; ~ *sorból lép elő (tisztté)* rise from the ranks

legénysor n, *(nép)* unmarried young man('s estate); ~*ba kerül* reach young man's estate

legényszállás n, unmarried men's quarters *(pl)*, home for unmarried men

legénytoll n, down, fluff

legépel vt, type (a manuscript)

legépelés n, typing, typewriting

légerőtan n, aerodynamics

legesleg- *pref,* (intensifying the meaning of adjectives and adverbs); ~*alább* at the very least; ~*jobb* the very best, the best of all; ~*rosszabbul* worst of all

légfegyver n, air-gun

légfék n, air/atmospheric/pneumatic/vacuum/servo brake

legfeljebb adv, at (the very) most, at best, at/on the worst/outside/farthest, not more than; ~ *egy évig* for a year at longest/most, for not more than a year; ~ *húszan leszünk* there won't be more than twenty of us, we shall be twenty at the most; ~ *40 éves* he can't be more than forty, he is forty at the most; ~ *elkésünk* we'll be late (,) that's all

legfelső a, highest, uppermost, top(most), *[hatóság]* supreme, sovereign; ~ *bíróság* supreme court (of judicature), court of highest instance, *[Londonban]* The High Court of Justice; *a* ~ *emelet* the uppermost floor; *a* ~ *fiókban* in the top drawer; ~ *parancsnokság* *[jelleg]* supreme command, *[intézmény]* general headquarters *(pl)*

legfelsőbb a, supreme; ~ *fok* highest degree, *(jog)* last/ultimate resort, highest instance; ~ *kézirat* rescript, *[királyságban]* royal rescript; L~ *Tanács [Szovjetunióé]* Supreme Council of the USSR

legfelül adv, uppermost, topmost, on top, at the top (of sg), atop, above

legfinomabb a, superfine, superexcellent, ultra-fine; ~ *vágat* superfine cut

legfontosabb I. a, most important, principal, main, chief, leading; *a* ~ *árucikkek* staple commodities; ~ *élelmiszerek* essential foodstuffs; *a* ~ *ipar(ág)* staple industry; ~ *kérdés* key-question; *a munka* ~ *részét B vállalta /végezte* the chief labour was undertaken by B; ~ *szempont az (hogy)* the (main) thing is (that), the important point is, it is essential (that) II. n, chief/principal/main thing, the main/important point; *a* ~ *a dolgokban az hogy...* the main thing is that..., it is of the greatest importance in this matter that..., the bottom of the business is...; *a* ~ *az legyen hogy* it should be of cardinal importance that/to...; *nála a munka a* ~ work is paramount (to everything) with her; *a* ~*at elfelejti* she forgets the main thing

legtöbb a, 1. *[legfontosabb]* most important, greatest, supreme, chief, main, principal, cardinal, capital; ~ *bánata vknek* sy's greatest sorrow; ~ *ideje már (hogy)* it is high time (to/that); *vmnek u* ~ *jelentősége* the primary importance of sg; ~ *szenvedély* ruling/ master passion 2. *[hatóság]* supreme, high, sovereign; ~ *államügyész* Chief Public Prosecutor, Supreme Prosecutor; ~ *államügyészség* Chief Prosecutor's Office; *a* ~ *hadvezér* generalissimo, commander-in-chief *(röv* C-in-C); *a* ~ *lény* the Supreme Being

legtőképp adv, = legfőképpen

legfőképpen adv, chiefly, mainly, principally, particularly, especially, most of all, above all (things); ~ *arra vigyázz (hogy)* be specially careful (to)

legfrissebb a, latest; *a* ~ *hírek* latest news/intelligence, news hot from the press *(fam);* ~ *szám [időszaki kiadványé]* current number/issue

légfúró n, *(bány)* plugger, air drifter

légfúvó I. a, ~ *berendezés* blast apparatus; ~ *gép* blowing-machine, blast-engine II. n, blower

légfürdő n, airbath

légfűtés n, hot-air heating, heating by hot air

légfűtéses a, hot-air heated

léggát n, *(bány)* ventilation dam

léggömb n, balloon, *[gyermeké]* toy/air-balloon; *kísérleti* ~ trial-balloon, pilot balloon, *(átv)* try-on; *kísérleti* ~*öt ereszt fel (átv)* fly a kite, put out feelers; *kötött* ~ captive/kite-balloon; *megfigyelő* ~ observation balloon; *műszeres* ~ registering balloon; *záró* ~ barrage balloon; *ld még* **léghajó**

léggömbárus n, toy-balloon seller

léggömbfigyelő n, balloonist

léggömbkosár n, nacelle, car/basket of balloon

léggömbzár n, balloon/air barrage, anti-aircraft barrage, balloon-apron

léggyökér n, *(növ)* air/aerial clinging root, crampon(s)

léghajó n, airship, balloon, lighter-than-air craft, aerostat, *[német]* Zepp(elin); *kormányozható* ~ dirigible (airship); ~ *tartókötele* handling guy

léghajókosár n, nacelle, gondola/car of airship

léghajópark n, balloon park

léghajós n, aeronaut, pilot/navigator of airship, balloonist

léghajóút n, air-trip (by airship), aeronautic voyage

léghajózás n, aeronautics, aerial navigation, aeronavigation, ballooning, aerostation *(tud)*

léghajózástan n, aeronautics

léghajtásos [-at] a, air-driven/propelled

léghalmaz n, anticyclone

leghátsó a, = leghátulsó

leghátul adv, farthest/right back/behind, *[fiókban]* at the very back (of the drawer), right at the back (of the drawer), *[hátsó végén vmnek]* at the end/rear (of sg), in the rearward, *(hajó)* aftmost; ~ *menetel/ megy* bring up the rear

leghátulsó *a,* hind(er)most, rearmost; ~ *sor* last row, rear rank

léghevítő *n,* air heater, cowper's stove

léghólyag *n,* **1.** bubble (of air), *[öntvényben]* blowhole, honeycomb, air-hole, *[festésben]* blister **2.** *(növ)* utricle **3.** *(áll)* air sac, *[algáké]* aerocyst

leghorn [-ok, -t] *a, [baromfifajta]* Leghorn (fowl)

léghőmérő *n, (fiz)* air thermometer, atmospheric thermometer

léghőmérséklet *n,* temperature of air

léghullám *n,* air wave

léghuzam *n,* = **léghuzat**

léghuzat *n,* **1.** draught, draft *(US);* ~*ban van* be in the draught, be exposed to the draught **2.** *(műsz)* air-current/draft; *mesterséges* ~ forced/artificial draught

léghuzatos *a,* draughty

léghuzatosság *n,* draughtiness

léghuzat-szabályozó *n,* draught-regulator

léghűtés *n,* air-cooling/conditioning, airflow cooling

léghűtéses *a,* air-cooled/conditioned; ~ *transzformátor* self-cooled transformer

léghűtő *n,* air-cooler, radiator, air-cooling apparatus

légi [-ek, -t] *a,* aerial, of/in the air *(ut), [légnyomásos]* pneumatic, *(összet.)* air-; ~ *akrobatika* air-acrobatics; ~ *bázis* air base; ~ *bemutató* air display; ~ *bomba* aerial bomb; ~ *cél* aerial target, air-objective; *mozgó* ~ *cél* airborne moving target; ~ *csomagposta* air parcel post; ~ *erőd* flying fortress, *[nagy]* super-fortress;~ *expressz áruforgalom* express freight air service; ~ *expresszcsomag* air-express package; ~ *fegyver* air arm; ~ *felderítés* air reconnaissance; ~ *felvétel* air/aerial photograph; ~ *fényképezés* air/ aerial photography, aerophotography; ~ *fényképező-gép* aerial camera; ~ *fényképmérés* aerophotometry; ~ *folyosó* air-lift; ~ *forgalom* air/aerial transport/ traffic; ~ *fölény/fennsőbbség* mastery of the air, supremacy in the air, air superiority/supremacy; ~ *főparancsnokság* Air Command *(US);* ~ *fuvar* air freight; ~ *fuvarlevél* air bill of lading, air (trans-portation) waybill, airway bill; ~ *háború* aerial warfare, air-war/battle; ~ *haderő* air force; ~*hadosz-tály* airborne division; ~ *hadviselés* aerial warfare; ~ *hálózat* network/system of air-lines; ~ *harc* aerial combat, air fight/combat, air-to-air combat, *[két vadászgépé]* dogfight; ~ *helyzet* air conditions *(pl);* ~ *híd* air-lift/bridge, aerial ferry; ~ *hidfő* airhead; ~ *járat* air-line, skyways *(pl);* ~ *jármű* aircraft, aerostat *(tud);* ~ *kalóz* air-pirate; ~ *kikötő* air-port/ station, aerodrome, airdrome *(US);* ~ *kötelék* flying unit, aircraft formation, formation of aeroplanes; ~ *közlekedés* air transport/navigation; ~ *közlekedési hálózat* airway system; ~ *közlekedési/szállítási törvény* air law; ~ *küldemény* aircraft shipment/consignment; *ex-pressz*~*küldemény (ker)* airplane/aircraft express ship-ment/consignment; ~*küldemény feladóvevénye* air con-signment note/receipt; ~ *megfigyelés* air-observation; ~ *parádéfünnep(ség)* air-display, air pageant; ~ *riasztás* air-warning; ~ *szállítás* air/aerial transport, carriage/transport by air, airborne transport; ~*szemle [díszszemlén stb.]* fly-past; ~ *szolgálat* air service; ~*támaszpont* air base; ~ *támogatás (kat)* air support; ~ *taxi* taxiplane; ~ *terápia* aerotherapeutics; ~ *térkép* air-map; ~ *térképezés* air/aerial survey, photo-grammetry; ~ *tevékenység* air activity; ~ *uralom* superiority in the air; ~ *út [útvonal]* air-route, air line, airway, air track, *[utazás]* air-trip, flight; ~ *úton* by air/plane, by air-mail; ~ *úton szállít* transport by/via air; ~ *úton szállítható* airportable; ~ *úton való szállítás* air transport/conveyance;

~ *úton továbbított (kat)* airborne; ~*utaskisérő* stew-ard; ~ *utaskisérőnő* stewardess; ~ *ütközet* aerial combat, air-fight; ~*vonal* flight, airline; ~ *zár* air--barrage, aerial barrage

légiakna *n,* aerial mine, (land) mine thrown from air-craft

légibeteg *a,* air-sick

légibetegség *n,* air/aerial/flying sickness

légibomba *n,* aerial bomb

légibombázás *n,* air-bombing

légierő *n,* air force

légierőd *n,* flying fortress, *[nagy]* superfortress

légies [-ek, -t; *adv* -en] *a,* (light and) airy, aerial, ethereal, unsubstantial, airy-fairy, fairy; ~*sé finomul* etherealize

légiesség *n,* airiness, aeriality, ethereal/aerial/unsub-stantial character (of sg)

légifelvétel *n, [fénykép]* air/aerial photo(graph)

légiflotta *n,* air-fleet

légiforgalmi *a,* aerial; ~ *társaság* air line company; *polgári* ~ *egyezmény* civil air agreement; ~ *gócpont* flying-centre; ~ *hálózat* airway system, airline net-work

légimarsall *n,* Air Marshal

leginkább *adv,* most(ly), for the most part, (most) generally, (most) usually, most of all, chiefly, mainly, particularly, principally, especially, above all (things); *ami a* ~ *lekötött* what fascinated me more than anything; *amire a* ~ *vágyom* what I desire most

légió [-t, -ja] *n,* **1.** legion **2.** *(átv)* host, swarm

légionárius *n,* **1.** *[római]* legionary (soldier) **2.** *[idegen-légióbeli]* soldier of the Foreign Legion

légiós *a,* ~ *tábor (rég)* legionary camp

légiposta *n,* air-mail/post; *légipostával* by air, by air--mail

légiposta-boriték *n,* air-mail envelope

légiposta-csomag *n,* air-mail parcel

légipostai *a,* ~ *bérmentesítés* air-mail postage; ~ *díj* air fee; ~ *szolgálat* air-mail service

légipostapapír *n,* air-mail, manifold, thin bank

légiriadó *n,* (air-raid) warning, air alarm, alert, *[hang-jele]* raid-warning; ~*t lefúj* sound the "all--clear"

légiszállítási *a,* ~ *díjszabás* air rates *(pl)*

légiszony *n, (orv)* aerophobia, dyspnoea

légitámadás *n,* air-raid, aerial/air attack, air assault/ offensive

légitér *n,* air-space; ~ *megsértése* violation of air-space

legitim [-et; *adv* -en] *a,* legitimate, lawful

legitimál [-t, -jon] *vt,* legitimate, legitimatize

legitimálás *n,* legitimation

legitimista [.. át] *a/n,* legitimist, royalist, monarchist

legitimitás *n,* legitimacy

legitimizmus *n,* legitimism, royalist policy

légitorpedó *n,* aerial torpedo, air-torpedo

légivadász *n, (áll)* demoiselle *(Agrion, Calopteryx)*

légiveszély *n,* danger of air-raid, air-danger, *[rádión bemondva]* enemy aircraft approaching; ~ *elmúlt* all clear

légjárat *n, (bány)* down-cast

legjava I. *a, [legjobb]* very best, best possible, choicest; *a* ~ *gyümölcs* the choicest fruit **II.** *n, (vmnek)* choice (of sg), flower (of sg), the best part (of sg), quin-tessence (of sg), the pick of the bunch *(fam); ez aztán a* ~*!* that caps all!; *a falu* ~ *[minőségileg]* the élite of the village, *[mennyiségileg]* the greater/best part of the village; *elmulasztottad a legjavát* you have missed the best of it

légjavítás *n,* air-conditioning

legjobb I. *a,* best; *a leges*~ far and away the best; *a lehető* ~ the best possible; *a* ~ *anya a világon* the best mother that ever was; *ez egyik* ~ *cég* one

of the best firms going; *a ~ egészségnek örvend* be in the best of health; *a ~ esetben* at (the) (very) best; *a ~ formában van (sp)* be at the top of one's form, *(átv)* be at one's best; *a ~ időben* at the proper time; *~ minőségű* top(-grade) quality, best-grade, Al, A-one; *erre a ~ mód az (hogy)* the best course to take is (to), the most effective method of doing it is (to); *a ~ szándékkal tettem* I did it for the best, I did it with the best intention; *~ tehetségem szerint jártam el* I did my best, I did it to the best of my ability; *~ tudásom szerint* to the best of my knowledge; *a ~ úton halad (vm felé)* be in a fair way (to succeed); *a ~ viszonyban vagyunk* we are the best of friends, we are on excellent terms, we are on the best of terms
II. *n, ez a ~* that is the best (of all), nothing can beat/touch it *(fam)* ; *a ~ ha...* the best thing to do is..., one may/might as well... ; *az volna a ~ ha* the best plan/thing would be; *talán az volt a ~ hogy így történt* perhaps it all happened for the best; *a ~ az egészben az (hogy)* what is the best of it is (that), the cream of the jest/joke is..
legjobban *adv*, (the) best (of all), most; *a ~ Jancsit szeretem!* I like Johnny best, give me Johnny every time! ; *a ~ Ferit szerette* Frank was his favourite, she loved Frank best, he liked Frank best; *a ~ az lep meg (hogy)* what strikes me most is (that), what strikes me above all is (that); *a ~ teszed ha nem szólsz bele* you had better/rather not interfere; *nekem ez tetszik a ~* that is the one I prefer, that is the one I like most/best; *ön tudja a ~* you know best
légkábel *n*, aerial/overhead cable, *(rep)* lift-wire
légkalapács *n*, pneumatic hammer, compressed-air hammer
légkamra *n*, air-chamber/cell/lock, *(hajó)* buoyancy chamber
legkedvezőbb *a*, optimum, the best; *a ~ esetben* at the best
legkésőbb *adv*, at (the) latest, not later than; *a ~ érkezők* those arriving last, those to arrive last
legkevésbé *adv*, (the) least (...of all); *a ~ sem* not at all, by no means, not in the least/slightest (degree), not by a long way, in no way, not a bit of it *(fam)*, the devil a bit *(fam)* ; *a ~ sem kívánok (vmt tenni)* by no means do I wish to.., I would not dream of (doing sg)
legkevesebb *a*, least, fewest, smallest/slightest/minimum quantity (of sg); *ez a ~ amit tehetsz* it is the least you can do
legkisebb *a*, smallest, slightest, least; *~ gyerek* youngest child, last-born child; *~ halálos adag* minimal lethal dose; *a ~ kétség sem* not the slightest doubt; *a ~ kihívásra* on/at the slightest provocation; *~ közös többszörös* least common multiple; *a ~ mértékben sem* not a little, not in the slightest (degree); *~ négyzetek módszere (menny)* least square method; *a~ sebességgel* at the lowest speed
legkivált *adv*, particularly, especially, principally, above all (things)
légkompresszor *n*, air-engine
légkondicionálás *n*, air-conditioning
légköbméter *n*, cubic metre of air; *beépített ~* cubic space
légköbméter-költségvetés *n*, cubing
légkör *n*, *(átv is)* atmosphere, *(átv)* climate; *kedvező ~ favourable* atmosphere; *szellemi ~* climate of thought, mental/spiritual atmosphere; *a tárgyalások baráti ~ben folytak le* the negotiations were carried on in a friendly atmosphere; *nem bírta az ottani ~t* he could not stand the atmosphere there
légköri *a*, atmospherical, meteoric, atmogenic; *~ behatások* atmospheric/meteoric agents; *nagyméretű ~ moz-*

gás large-scale atmospheric motion; *~ nyomás* atmospheric pressure, *[mértékegységenként]* atmosphere; *~ villamosság* atmospheric electricity; *~ viszonyok* atmospheric conditions; *~ zavarok* bump, statics, atmospherics, *[rádió]* static(s), sferics
légkörkutatás *n*, aerology
légkörtan *n*, meteorology, aerology, physics of the atmosphere
légkörtani *a*, meteorological
légkörzés *n*, *[meteorológiában]* circulation; *általános ~* general circulation
legközelebb *adv*, **1.** *[térben vmhez]* nearest (to sg), *[közvetlenül]* next (to sg) **2.** *[időben]* next (time), very shortly/soon; *~ itt* our next program(me), next to be shown
legközelebbi *a*, **1.** *[térben]* nearest, *[közvetlen]* next; *a ~ város* the next town **2.** *[időben]* next; *a ~ alkalommal* next, the next time; *a ~ jövőben* in the very near future; *~ levelemben* in my next; *a ~ teendő az hogy...* the next thing is to... **3.** *~ hozzátartozó* next of kin
légkúra *a*, *(orv)* air-cure, fresh air treatment, open treatment
léglökés *n*, (air) blast, puff of air, *(hajó)* flurry
léglökéses [-et] *a*, *(rep)* jet-propelled/propulsion, jet-, rocket-; *~ bombázó* jet bomber; *~ mo.or* jet-engine; *~ repülőgép* jet-plane; *~ vadászrepülőgép* jet fighter
léglyuk *n*, *(rep)* air pocket
legmagasabb *a*, highest, *[ember]* tallest, *[tetőző]* culminating; *~ ár* top/maximum price; *a ~ csúcs* topmost peak; *a ~ fokot éri el* reach the highest/ utmost degree; *~ szintű értekezlet* top level conference
légmatrac *n*, air bed
légmell *n*, *(orv)* pneumothorax
légmellkezelés *n*, pneumothorax
legmélye *a*, *(vmnek)* the depths (of sg) *(pl)*, the very bottom (of sg); *szívem legmélyén* in the depths of my heart, in my heart of hearts; *vmnek a legmélyére hatol* get to the core/bottom of sg
legmélyebb **I.** *a*, bottommost, nethermost, inmost; *az ember ~ érzelmei* one's inmost feelings; *a ~ kétségbeesésben* in the depths of despair **II.** *n*, *a ~re süllyed* touch the bottom
légmentes *a*, airtight, airproof, airfast, gas-proof, (wind) tight, hermetic, impervious to air *(ut)* ; *~ elzárás* hermetic sealing
légmentesen *adv*, hermetically, airtight; *~ elzárt* hermetically sealed, tight/close-shut *(fam)*
légmentesség *n*, airtightness, tightness
légmérés *n*, aerometry
légmérő *n*, aerometer, air-poise
legmesszebb *adv*, ultimate, farthest
legmesszebbi [-ek, -t] *a*, farthest, ultimate
légmotor *n*, air-engine
légmozgás *n*, air motion
légmozgástan *n*, aerodynamics
legnagyobb *a*, biggest, largest, greatest, grandest; *a ~ dicséret hangján beszél (vkről)* speak in superlatives; *~ gyerek(e vknek)* eldest child, first-born child; *~ kedvezmeny elve* most favoured nation clause; *a ~ könnyűséggel* with the utmost ease; *~ közös osztó* greatest/highest common factor; *a ~ mértékben* to the greatest extent, to the highest pitch/ degree; *a ~ örömmel* with the greatest/utmost pleasure; *~ rémületemre* to my (unspeakable) horror; *~ rendben* in perfect order/shape, all shipshape, in proper trim, without hitch; *megengedett ~ sebesség* maximum permitted speed, never-exceed speed; *~ sebességgel* at top speed; *~ terhelés* maximum load
legnagyobbrészt *a*, mostly, for the most part
légnedvesítő *n*, humidifier

légnedvesség n, humidity
légnedvességmérés n, hygrometry
légnedvességmérési a, hygrometric(al)
légnedvességmérő n, hygrometer, psychrometer
legnehezebb a, ~ tüzérség heavy siege artillery
légnemű I. a, gaseous, aerial, aeriform II. n, a ~ek gases
légnyereg n, (geol) air saddle
légnyílás n, 1. (műsz) vent(-hole), air-hole/gap, [autóhűtőn] louver, louvre 2. (term) [rovaré] stigma
légnyomás n, 1. air/atmospheric(al) pressure; alacsony~ [időjárástani] depression 2. [bombarobbanáskor] blast (of explosion), shell-shock; vkt ~ ér suffer from a blast, be hurt by the blast, be shell-shocked, be shocked from blast; ~t kapott a fronton he was shell--shocked in battle
légnyomáscsökkenés n, air-depression, decompression
'légnyomási a, ~ gradiens gradient of pressure; ~ közép-pont centre of pressure; ~ térkép pressure chart
légnyomásíró n, barograph, recording barometer
légnyomásmérő n, barometer, air/weather gauge, (weather-)glass (fam), [pneumatiké] tyre-gauge
légnyomásos [-ak, -t; adv -an] a, pneumatic
légnyomásváltozás n, ~ irányzata barometric tendency
légnyomásváltozás-jelző n, statoscope
légó [-t] I. a, = légoltalmi; II. n, = légoltalom
légoltalmi a, civil defence; ~ gyakorlat civil defence preparation/practice; ~ intézkedések air-raid precau-tions; ~ óvóhely air-raid shelter; ~ papír black (out) paper (for blacking out windows); ~ parancsnok air-raid warden, civil defence (preparations) officer; ~ pince = óvóhely; ~ riadó (air-)raid warning, [időtartama] alert
légoltalom n, anti-aircraft defence, civil defence (v. air-raid) preparations/precautions (pl)
legombol vt, 1. [gombbal megerősít] button down/on 2. [kigombol] unbutton 3. □ ~ vkről 20 forintot tap/touch sy for 20 forints
legombolyít vt, reel/wind/spool off, unreel, unwind, uncoil, unspool, pay out (cable/rope)
legombolyítás n, reeling/winding off, unspooling, un-coiling, unwinding
legombolyító n, unreel(ing-machine), unwinder
legombolyod|ik vi, wind off, unwind, [orsóról stb.] unreel, uncoil
légópince n, (underground) shelter
legorombít [-ani, -ott, -son] vt, (vkt) abuse (sy), hurl invectives at (sy), fly at the face of (sy)
légós [-ok, -t, -a] I. a, = légoltalmi; II. n, air-raid warden
légoszlop n, column of air, air column
legott(an) adv, (all) at once, immediately, instantly, forthwith, on the spot
légóz [-ott, -zon] vi, serve as air-raid warden
legömbölyít vt, round (sg) off, chamfer, [élt, szögletet stb.] break corner
legömbölyítés n, rounding off, chamfering, [külső fal-saroké] bull's nose
legömbölyített [-et; adv, -en] a, round(ed-off), cham-fered; ~ perem/szél rounded edge; ~ sarkú/szögletű round-cornered
legyöngyölít vt, [térképet] unroll, [huzalt] wind off, unwind, unreel, uncoil, pay out, [burkolatot] roll off
legyöngyölőd|ik vi, [térkép] come unrolled, unroll, [huzal] come unwound, wind off, unwind
legörbít vt, bend/curve down, [szeg kiálló hegyét kala-páccsal leveri] clinch (a nail)
legörbül vi, bend/curve down, [súly alatt] sag
legördít vt, roll down
legördül vi, roll down; a függöny ~ the curtain drops/falls, the curtain is rung down; könnyek gördültek le (az) arcán tears rolled down her cheeks

legörnyed vi, stoop, bend down, [teher alatt] be bent/bowed/weighed down
légörvény n, air eddy/vortex, atmospheric vortex, turbulence, whirl, bump
légpangás n, (bány) dead air
légpárna n, 1. air-cushion/pillow, invalid ring 2. (műsz) air-cushion/buffer, pneumatic spring
légpárnás a, ~ jármű hovercraft; ~ ütköző air-buffer
légpórus n, (biol) air-pore
légpuska n, air-gun
légrés n, 1. (műsz) vent(-hole), air-hole/gap 2. (növ) stomate, stoma
légrészecske n, air parcel/particle
légréteg n, layer/stratum of air, air-layer/stratum
légritkítás n, rarefaction of air, depression
légritkításmérő n, vacuum-gauge
légritkító n, vacuum/air-pump
légritkulat n, atmospheric depression
légroham n, puff/gust/blast of wind, blast, rush of air
legrosszabb a, worst; az a ~ (hogy) the worst of it is (that); a ~ esetben is even at the very worst, even if the worst comes to the worst; az osztály ~ tanulója bottom boy of the class; el van készülve a ~ra be prepared for the worst, anticipate the worst; a ~tól kell tartani he has to fear the worst
legrosszabbkor adv, most inopportunely, at the worst possible moment
legrosszabbul adv, worst; a ~ jár get the worst of it
légsebesség n, air velocity/speed
légsúly n, (sp) bantam weight
légsúlymérő n, barometer, (weather-)glass
légsúrlódás n, (műsz) windage
légsűrítés n, compression of air
légsűrítő n, (air) compressor
légsűrűség n, density of (the) air
légsűrűségmérő n, aerometer, densimeter
légszabályozó I. a, = készülék air-conditioner II. n, (bány) regulator
légszárítógép n, air drying machine; forró ~ hot flue, hot flue/air dryer
légszárított a, air-dried
legszebb a, ~ benne az hogy the beauty of it is that
légszekrény n, (hajó) buoyancy tank/bag, [mentőcsó-naké] air tank
legszéle n, [asztalé] extreme edge, [szakadéké] verge, [városé] outskirts (pl)
légszelep n, air-valve/cock, atmospheric valve, [féké, kazáné] clack-valve
legszélső a, extreme, farthest, utmost, outermost
légszérelés n, (bány) dry separation/concentration
légszesz n, = gáz
légszigetelés n, air-tightness
légszigetelő a, ~ hézag (épít) air-drain; ~ szalag [ajtón, ablakon] weather-strip
legszigorúbban adv, most severly, with the utmost rigour
légszivattyú n, vacum/air-pump, pneumatic pump, (bány) air ejector
légszívó n, air-exhauster, aspirator
légszomj n, (orv) air-thirst/hunger, shortness of breath, breathlessness, anhelation, dyspn(o)ea
légszűrő n, air-filter/cleaner, [motoron] dust remover, [más gépen] air-intake screen
légtan n, aerography
légtartály n, vacum/air tank, [mozdonyon] air-reser-voir/drum, [torpedón] air-chamber
légtartány n, = légtartály
légtávlat n, aerial perspective
legtávolabb adv, farthest, furthest, furthermost, outer-most, (átv) ultimate
légtelenít [-eni, -ett, -sen] vt, (vmt) exhaust/expel air (from sg), de-aerate

légtelenítés *n*, de-aeration, elimination of air
légtelenítő [-t] *a*, ~ *szelep* air/purging valve; ~ *tömlő* purging hose
légtelenség *n*, *(orv)* atelectasis
légtér *n*, 1. air-space; *Magyarország légtere* the air-space of Hungary; *megsértették Magyarország légterét* Hungary's air-space has been violated 2. *[szobáé]* cubic capacity
légtérfogat *n*, air volume/capacity
legteteje *n*, the (very) top, topmost part, *[hegyé]* peak
légtisztítás *n*, air-cleaning
légtisztító I. *a*, ~ *berendezés* air-conditioning/purifying plant II. *n*, air-cleaner, *(orv)* antimephitic
légtorna *n*, *[artistdé]* aerial acrobatics/gymnastics, trapeze act/turn/work
légtornász *n*, acrobat, trapeze artiste, aerialist
légtorok *n*, 1. *(rep)* air-scoop 2. *[karburátoré]* choke tube
legtovább *adv*, *[térben]* farthest, furthest, the longest way, *[időben]* longest, (for) the longest time
legtöbb I. *a*, most, the greatest number/quantity/part (of sg), maximum; *a* ~ *ember* most men/people; *a* ~ *esetben* in most cases, in the greatest number of cases, for the most part II. *n*, *ez a* ~ *amit megtehet* that's the utmost he can do; ~*et ígér (ker)* bid highest; *a* ~*et ígérő* the highest bidder
legtöbben *adv*, *a* ~ most people, the (vast) majority of people; *a* ~ *úgy vélik hogy* ... the greater number are of the opinion
legtöbbnyire *adv*, mostly, for the most part, generally, as a rule, in most cases, most often, as often as not, more often than not
legtöbbször *adv*, = legtöbbnyire
légtölcsér *n*, *(rep)* air-pocket, *[meteorológiában]* spout
légtömeg *n*, air-mass, mass of air; ~*ek átalakulása* air-mass transformation; *meleg* ~*ek áramlanak dél felől* warm air is coming in from the south; ~*en belüli felhők* clouds of homogeneous air-masses; ~*en belüli zápor* air-mass shower
légtömlő *n*, air-pipe/tube, air hose, *[pneu]* pneumatic (tyre); *belső* ~ inner tube
légtömlős *a*, pneumatic; ~ *csónak* air raft
légtükrözés *n*, mirage
leguán [-ok, -t, -ja] *n*, *(áll)* iguana, collared lizard *(Iguana sp.)*
leguggol *vi*, crouch (down), sit/squat (down) on one's heels/haunches
leguggolás *n*, crouching, squatting (down)
legújabb *a*, newest, latest, recent; *ez a* ~ that is the latest, *[divatban]* it's all the go *(fam)*; ~ *divat* latest fashion; ~ *hírek* the latest news/advice/intelligence, recent news, news hot from the press, stop press news; *a* ~ *időkig* until recent times, until recently; *a* ~ *kor története* modern/contemporary history, history of our days; ~ *szám [folyóiraté]* current number/issue
legurul *vt*, roll down
legurul *vi*, roll down, go/come down rolling
légutak *n. pl*, *(orv)* respiratory tracts, breathing/respiratory passages, air passages
léguti *a*, *(orv)* respiratory; ~ *fertőzés* respiratory infection
legutóbb *adv*, 1. *[nemrég]* recently, lately, latterly, of late, newly, the other day 2. *[utoljára]* last
legutóbbi *a*, recent, latest, last, *[legújabb]* newest; ~ *években* in the last few years, of late (years), in recent years; *egészen a* ~ *időkig* until quite recently; ~ *levelemben (ker)* in my last
legutoljára *adv*, last (off all), in the last place, *[végül]* at last, finally, *[utolszor]* for the last time
legutolsó *a*, (very) last, last of all, latest, *[lefelé]* bottom, *[felfelé]* top; ~ *ár* lowest price, rock-bottom

price, bedrock price *(US)*; ~ *divat szerint* according to the latest fashion, in the height of fashion; *a* ~*ház* the furthermost/last house; *a* ~*hírek* latest/recent news; *a* ~ *pillanatban* at the last moment
legutolszor *adv*, for the last time
légüdítés *n*, air-conditioning
légüdítő *a*, ~ *berendezés* air-conditioning plant
légügy *n*, *(kb)* aviation, air affairs *(pl)*, aeronautical affairs *(pl)*
légügyi *a*, air-, of air/aviation *(ut)*, aeronautic(al); ~ *attasé* air attaché; ~ *egyezmény* agreement for air services; ~ *miniszter* Air Secretary, Secretary for Air, *(kat)* Secretary of the Air Force; ~ *minisztérium* Air Ministry
légűr *n*, void, vacuum, *(rep)* air-hole/pocket
légüreg *n*, *(orv, épít)* air-cell
légüres *a*, airless, (de)void of air *(ut)*; ~ *kamra* evacuated chamber; ~ *tér* void, vacuum
légvágat *n*, *(bány)* wind-way, out-take
légválasztó *n*, *(bány)* brattice
légvárak *n. pl*, castles in Spain, castles in the air, air-castles; ~*at épít* build castles in the air, build castles in Spain, day-dream, be an escapist; ~*akat építő* castle-builder, air-monger
légvédelem *n*, anti-aircraft defence, air defence, air-raid precautions/protection; *helyi* ~ local defence
légvédelmi *a*, anti-aircraft; ~ *(gép)ágyú* anti-aircraft gun *(röv.* A.A. gun), ack-ack gun *(fam)*, aero-gun *(fam)*, archie ◈; ~ *fényszóró* anti-aircraft searchlight; ~ *figyelő* plane-spotter; ~ *intézkedések* air-raid precautions/protection; ~ *lőelemképző* adjusting apparatus for A. A. gun, anti-aircraft firing instruction gear; ~ *óvóhely* air-raid shelter; ~ *óv(ó)intézkedések* air-raid precautions; ~ *tüzérség* anti-aircraft artillery *(röv* A. A. Art.)
legvége *n*, *(vmnek)* extremity, very extreme end (of sg), *[hegyes]* point, tip; *a menet* ~ *is elérte a teret* even the rear *(v.* tail-end) of the procession reached the square; *az asztal legvégén* at the foot/bottom of of the table
legvégső *a*, (very) last, extreme, ultimate, final; *a* ~ *esetben* in the last resort, in the extreme; ~ *határok* utmost limits; *a* ~*re (is) el van készülve* be prepared for the worst
legvégül *adv*, at the (very) end, in the end, at last, last (of all), lastly, finally, ultimately; ~ *úgy döntött (hogy)* finally he decided (to)
légvezeték *n*, air passage/duct/channel, ventilation shaft, *[drót]* aerial/open/overhead wire/cable, aerial conductor/line
légvezetés *n*, *(orv)* air conduction
légvonal *n*, bee-line, crow-flight; ~*ban 10 kilométer* 10 kilometres as the crow flies, 10 air kilometres
légvonat *n*, draught, (air-)draft
légvonat-elzáró *n*, weather-strip
légvonatos [-ak, -t; *adv* -an] *a*, draughty
légzáró *a*, airtight, hermetic(al)
légzés *n*, breathing, respiration; *amforás* ~ *(orv)* bottle sound, amphoric respiration; *érdes* ~ *(orv)* harsh breathing; *mesterséges* ~ artificial respiration; *nehéz* ~ hard/difficult breathing, *(orv)* dyspnoea; *rekeszi* ~ diaphragmatic respiration
légzési [-ek, -t; *adv* -en] *a*, breathing, respiratory; ~ *gyakorlatok* breathing/respiratory exercises; *bronchiális* ~ *hang (orv)* bronchial sound; ~ *nehézségek* shortness of breath; ~ *nehézségei vannak* have difficulty in breathing; ~ *zavarok (orv)* respiratory troubles/disturbances, dyspnoea
légzésmérés *n*, spirometry
légzésmérő *n*, spirometer
légzésszünet *n*, *(orv)* apn(o)ea
légzésvolumen *n*, *(orv)* volume of breathed air

légző [-t] a, respiratory, respirative
légzőcső n, breather-pipe
légzőkészülék n, breathing/respiratory apparatus, (orv) respirator; mesterséges ~ insufflator
légzőmozgás n, respiratory movement, movement of respiration
légzőnyílás n, 1. (bány) aspirating mouth 2. (növ) stomate, stoma; ~hoz tartozó stomatal
légzőrendszer n, respiratory system; a ~ betegségei diseases of the respiratory system; a ~ rosszindulatú daganata malignant neoplasm of respiratory system
légzősisak n, breathing helmet
légzőszerv n, breathing/respiratory organ(s)
légzőutak n. pl, respiratory tracts, air-passages
légzőüreg n, [növ levélben] respiratory cavity, lacune, [gázcserenyíllásé] substomatal chamber
légzsák n, 1. air pocket 2. = szélzsák; 3. (áll) [medúzákon] pneumatocyst
légzsilip n, (hajó) air-lock
légy¹ (imperative of lenni) be; ~ olyan szíves ... (will you) be so kind (as) to ..., would you mind ...
légy² [legyet, legye] n, 1. (house) fly (Musca sp.); kék dongó~blow-fly (Calliphora crythrocephala); közönséges/házi ~ house-fly (M. domestica); márciusi ~ March fly, bibio (Bibio Marci); szemtelen mint a piaci ~ as cheeky as a cock-sparrow; még a ~ döngését is hallani lehetett volna you could have heard a pin drop; legyek után kap [hal] leap at flies; még a ~nek sem árt he would not hurt a fly; legyeket hesseget flap away the flies; egy csapásra két legyet üt kill two birds with one stone; bekapja a legyet swallow the bait 2. [puskán] = célgömb
legyaláz vt, abuse
legyalul tv, 1. [simára] plane, make even, smooth 2. [vmt vmről] plane off/away (sg from sg)
legyalulás n, planing off/away
legyárt vt, produce, ready, complete
legyártás n, production, readying
légybangó n, (növ) fly orchid (Listera muscifera)
légycsapó n, 1. fly-killer/whisk/swatter/flap(per), flap 2. Vénusz ~ja (növ) catch-fly, Venus's fly--trap (Dionea)
legyen (imperative of lenni) be; ~ itt nyolcra (will you) be here by eight; hadd ~ ez az enyém let that be mine, let me have it; ~ szíves velem tudatni be good enough to let me know; ne ~ több! it should/must not be more; ~ úgy! so be it; ~ világosság! let there be light!
legyengít vt, weaken, make (sy/sg) weak, enfeeble, debilitate, [betegség] bring low, bring/pull down
legyengítés n, weakening, debilitation, enfeeblement
legyengül vi, grow/become weak(er)/weakened/feeble(r), [betegségtől] be brought low, be pulled down (by disease)
legyengülés n, weakening
legyeskedés n, [vk körül] dancing attendance (on sy), [nők körül] gallantry, philandering
legyesked|ik [-tem, -ett, -jen, -jék] vi, [vk körül] dance attendance (on sy), [nő körül] philander; folyton a nők körül ~ik he is always chasing/after the skirts, he is always philandering (with women)
legyez [-tem, -ett, -zen] vt, fan; ~i magát fan oneself
legyezés n, fanning
legyezget vt, 1. fan (continually/gently); ~i magát fan oneself; enyhe szellő ~te a homlokát a light breeze fanned her brows 2. vk hiúságát ~i flatter/feed sy's vanity
legyező [-t, -je] n, fan; ~ alakú fan-shaped, (term) flabellate, flabelliform
legyezőboltozat n, (épít) fan/palm vaulting

legyezőfű n, (növ) meadowsweet (Filipendula sp.); réti ~ common meadowsweet (F. ulmaria = Spiraea ulmaria)
legyezőív n, (épít) trumpet arch
legyezőpálma n, (növ) Bourbon/fan palm (Latania sp., Livistona sp.)
legyezőpliszé n, fan-pleat
legyezőredő n, (geol) fan fold
legyezőshal n, (áll) blackfish (Dallia pectoralis)
legyezőszerűen adv, fan-wise, in the shape/form of a fan
legyezővirágzat n, rhipidium
légyfélék n. pl, muscidae
légyfogó I. a, ~ papír fly-paper II. n, 1. fly-trap/catcher 2. (növ) fly-catcher
légyfogófű n, (növ) catch-fly, Venus's fly-trap, dionaea (Dionaea muscipula)
lágyháló n, [lovakon] fly-net
legyilkol vt, murder (in cold blood), kill/bump off, [tömegesen] massacre, slaughter, butcher
legyilkolás n, murder(ing), [tömegesen] massacre, slaughter, butchery
legyint [-eni, -ett, -sen] I. vi, wave one's hand, motion gently (with the hand); bánatosan ~ make a discouraged gesture, wave one's hand sadly II. vt, flip, flick; vkt nyakon ~ box sy's ears (quite lightly), flick sy on the neck
legyintés n, wave of the hand, [érintés] light/gentle touch/stroking, pat, [fricska] flip, flick
légyirtás n, destruction of flies
légyirtó n, [por] fly-powder
légykapó n, [madár] flycatcher (Musicapa sp.); kormos ~ pied flycatcher (M. h. hypoleuca); örvös ~ collared flycatcher (M. albicollis); szürke ~ spotted flycatcher (M. s. striata)
légyköpés n, fly-blow/speck
légyköpéses [-et, adv -en] a, fly-blown/specked
légykukac n, grub
légyméreg n, fly poison
légyott [-ot, -ja] n, date, rendezvous, tryst (obs), [titkos szerelmi] assignation; ~ot ad vknek arrange a rendezvous with sy, make a date with sy, date sy, tryst sy (obs)
légyölő galóca [gomba] fly agaric (Amanita muscaria)
legyőz vt, 1. [ellenfelet] defeat, conquer, vanquish, overcome, overthrow, overpower, worst, subdue, subjugate, get the better/best (of sy), get (the upper hand of sy), triumph (over sy), get the victory (over sy), get (sy) under, bear down, smite (obs), best (fam), lick (fam), whop (fam); ~i az ellenállást bear down (v. overcome) resistance; vkt saját fegyverével ~(átv) hoist sy with his own petard; ~ vkt [szellemileg] be one too many for sy (fam) 2. (sp) beat, outplay, score off, [birkózásban] lay (sy) low, throw, floor, down (fam), [klasszikülönbséggel] outclass; a külföldi labdarúgó-csapatot 5:2-re győzték le the foreign team was defeated 5—2 3. [nehézséget, indulatot stb.] overcome, conquer, master, subdue, fight down, get the better of, overrule, overpower, overpass, [kíváncsiságot] withstand; ~i büszkeségét put one's pride in one's pocket (fam), pocket one's pride (fam); ~i az előítéletet combat (v. live down) prejudice; az igazság ~i a hamisságot truth prevails over falsehood; minden akadályt ~ surmount every obstacle; ~i önmagát get the better of oneself, triumph over oneself
legyőzés n, 1. [ellenfelet] defeat(ing), conquering, conquest, victory (over sy), subdual, subjugation 2. (sp) beating 3. [nehézséget, indulatot] overcoming, mastering
legyőzetés n, defeat, being overcome/defeated

legyőzetlen a, undefeated, unbowed, unvanquished

legyőzhetetlen a, 1. [ember] invincible, unconquerable, inconquerable 2. [nehézség] insurmountable, unsurmountable, insuperable

legyőzhetetlenség n, invincibility, invincibleness, unconquerableness

legyőzhető a, [nehézség] surmountable, superable

legyőzött [-et; adv -en] I. a, [ellenfél] defeated, vanquished, subdued, beaten, [nehézség, akadály] surmounted II. n, loser, the defeated/vanquished; jaj a ~eknek woe to the vanquished

légypapír n, fly-paper, catch-'em-alive-o (fam)

légypete n, [húson] fly-blow

légypiszkos a, fly-blown/specked

légypiszok n, fly-speck/mark/spot/blow

légytelenítés n, deflying

legyűr vt, 1. [ingujjat] turn/roll down, [zoknit] roll down 2. [legyőz] overcome, subdue, get the better (of sy), get the upper hand (of sy), [birkózásban] lay (sy) low, throw, floor, down (fam); ~i ellenfelét get one's opponent under 3. [nehézséget] overcome, surmount, [haragot] smother, [kíváncsiságot] withstand 4. [ételt] get down (food)

legyűrés n, [ingujjat] 1. turning/rolling down 2. [legyőzés] overcoming, subduing

léha [..át] a, frivolous, light(-minded), flighty, [beszéd] empty, idle, trifling, [életmód] shallow, loose, dissolute

lehaboz vt, [levest] skim

lehagy vt, outrun, outstrip, outdistance, [egy körrel] lap, [másik járművet] outspeed; ~ vkt get ahead of sy; versenytársat ~ outrace a competitor, leave a competitor standing; két körrel ~ták he was outrun by two laps

lehajigál vt, throw/fling down (one by one v. repeatedly)

lehajít vt, throw/fling/hurl down

lehajlás n, bending, bowing (down), (downward) bend, curve, inclination; mágnestű ~a dip of the magnetic needle

lehajlásmérő n, inclinometer, dip ga(u)ge

lehajlik vi, bend/bow down, incline, slope, slant; feje ~ik her head droops/sinks

lehajlít vt, bend, bow, curve (down)

lehajol vi, bend, bow down, stoop, duck, dodge, [vm fölé] lean (over sg)

lehajt[1] I. vt, [állatot] drive (animals) down II. vi, (vhova) [járművel] drive (down to)

lehajt[2] vt, 1. [alkatrészt] bend down, [gallért] turn down, [zoknit] fold/roll back/down, [vm fedelét] shut down 2. a fejét ~ja lower/bow/incline one's head; ~ja a fejét a kezére repose one's head on one's hand, lay one's head on one's arm; nincs hova ~sa a fejét have no place (v. have nowhere) to lay one's head, be homeless 3. [italt] gulp down, drink right off, swig/toss/tip off (fam)

lehajtás n, bend(ing down), lowering, [ingujjat] turning/rolling down, [zoknit] folding back

lehajtható a, folding, [járműtető] collapsible, [szék] lift-up; ~ asztal folding table, fly-table; ~ kémény (hajó) hinged funnel; ~ (pót)ülés let-down seat

lehajtott a, turned down/in; ~ gallér turn-down collar, low/rolling collar

lehalkít vt, deaden, soften, damp, subdue, tone down, [hangfogóval] mute, [rádiót] tune down; ~ja a hangját lower/muffle one's voice

lehalkul vi, become faint/muffled/lowered, die/fade away

lehallatszik vi, can be heard as far down as.., be audible as far down as ..

lehallgat vt, 1. más telefonbeszélgetését ~ja tap/milk sy's wire, listen in to (v. tap/intercept) sy else's (telephone) conversation 2. [új hangfelvételt] play back

lehallgatás n, 1. .[mások telefonbeszélgetését] tapping the wires, interception (of a telephone message) 2. [friss magnetofon-felvételt] play-back

lehallgatóállomás n, listening-post

lehallgatóasztal n, [hangosfilmnél] reader desk, sound film editing machine

lehallgatóbillentyű n, listening key

lehallgatófülke n, control/listening box

lehallgatóhelyiség n, [rádióstúdióban] listening room

lehallgatókészülék n, listening apparatus, aural detector, detectophone

lehallgatóterem n, (film) monitor room

lehámlás n, scaling, peeling (off) flaking (off), (tud) desquamation, exfoliation

lehámlaszt vt, [bőrt] cause (skin) to peel, (tud) desquamate

lehámlik vi, peel (off), scale, (tud) exfoliate, [var] slough off/away

lehámoz vt, 1. [gyümölcsöt] peel off, skin, pare, [borsót] shell, [burgonyát] peel off, [diót] hull, husk, [fa kérgét] peel off (bark of a tree), decorticate, strip 2. ~za magáról a kabátját (biz) peel off one's coat

léhán adv, frivolously, dissolutely

lehangol vt, 1. [hangszert] untune, put out of tune, tune to a lower pitch 2. [hír vkt] depress, dispirit, distress, deject, put (sy) out of humour, cast (sy) down, hip (fam)

lehangolás n, 1. [hangszert] untuning 2. (átv) making (sy) dejected/depressed, putting (sy) out of humour, [állapot] depression, gloom

lehangoló a, (átv) depressing, painful, dismal, distressing, gloomy; ~ idő cheerless weather

lehangolódik vi, 1. (vk) become depressed/downcast, be put out of humour 2. a zongora ~ott the piano is out of tune, the piano is flat

lehangolt [-at; adv -an] a, 1. [hangszer] untuned, out of tune (ut) 2. (átv) depressed, dejected, down-hearted, cast down (ut), downcast, low spirited, gloomy, (kif) feeling low, feel despondent, sg weighs on his mind, down in the mouth (fam), damped (fam), having the hump (ut) (fam), in the dumps (fam), hipped (fam), hippish (fam), [vm miatt] sore (over sg), disgruntled (over sg) (US); nagyon ~ have a fit of the blues (fam); ~nak látszik look blue (fam)

lehangoltság n, [személyé] dejection, ill-temper, depression, despondency, gloom(ing)

lehánt vt, peel off, [fakérget] strip (bark off tree), decorticate, disbark, [rizs hüvelyes héját] husk, hull, shell, [kukoricacsövet] shuck (US)

lehántol vt, decorticate; ld még lehánt

lehány vt, 1. (vhonnan vmt) throw/hurl/fling down (one by one quickly); ~ja a szenet a kocsiról dump/ shovel coal from the lorry 2. [ruhát stb.] throw/ fling/shuffle off; ~ja magáról a ruháját throw/fling one's clothes off, shuffle out of one's clothes 3. [leokád] vomit on (sg)

lehanyatlás n, 1. [feje] droop(ing) 2. (átv) decline, decadence, decay

lehanyatlik vi, 1. (vhonnan) tumble down, fall off, [feje] droop (suddenly) 2. (átv) decline, decay, come down; dicsősége kezd ~ani sy's glory is on the wane

leharap vt, bite/snap off, [csalétket horogról hal] nibble off; nem harapom le az orrát! I won't snap your head off!; ~ja a fejét (átv) snap sy's head off; (azért) ne harapd le a fejemet don't bite my head/nose off

leharcolt [-at; adv -an] a, battle-weary

lehasad vi, split/tear off, be torn off

léhaság n, frivolity, frivolousness, shallowness, idleness, flightiness

lehasal vi, lie down flat (v. drop down) on one's stomach

lehasít vt, split/tear/rip/chop off, sliver, exfoliate

léháskodás *n,* frivolous behaviour

léháskod|ik [-tam, -ott, -jon, -ják] *vi,* behave, frivolously, take things easily

lehasznált *a,* well-worn, *(kit)* much the worse for wear, shabby *(fam)*

lehat *vi,* be perceptible (as far down as . . .), penetrate, reach (down to . . .), *[hang]* carry (down to . . .)

lehatol *vi,* penetrate (down to . . .)

lehazud|ik *vt, (vmt)* deny, cover (sg) with a lie; *még a csillagot is ~ja az égről* lie in one's throat, swear black is white, swear the stars out of the sky

lehéjaz *vt,* strip, decorticate

Lehel [-t, -je] *prop,* ⟨masculine name⟩, Lehel

lehel [-t, -jen] *vt/vi,* breathe, *[erősen]·* blow, puff, *(vmt)* exhale, give out, emit, respire, *[szavakat]* breathe, *(vmre)* blow (gently) (upon sg); *az utolsókat ~i* breathe one's last, be at one's last gasp; *lelket ~ vkbe* breathe life/courage into sy

lehelet *n,* breath(ing), *[erős]* blow, puff, *(orv)* halitus, *[tükrön]* blur (of breath on mirror); *a hidegben meglátszik a ~* you can see your breath in the air; *utolsó ~ [haldoklóé]* parting breath; *utolsó ~éig* to one's last breath/gasp, to the last ditch; *a tavasz ~e betöltötte a levegőt* spring pervaded the air

leheletfinom *a,* = lehelletfinomságú

leheletfinomságú *a,* as light as air *(ut)*, ethereal, *[anyag]* diaphanous; *~ érintés* feather touch

leheletnyi [-t] *a, (vmből)* a touch/smack (of sg)

leheletszerű *a,* as light as air/feather *(ut)*, ethereal

leheletvizsgálat *n,* breath test

lehelyez *vt,* put down, place, deposit

lehengered|ik *vi,* (overbalance and) roll down

lehengerel *vt,* 1. *[utat]* roll down (with roller) 2. *[ellenfelet]* bowl over, crush, have an overwhelming success, squash *(fam)*, *[fölényesen nyer]* outplay (sy); *lehengerli az ellenfelet [csapat]* outplay the other side; *minden ellenállást ~* steam-roller all opposition *(fam)*

lehengerget *vt,* send (sg) rolling down

lehengerlés *n,* 1. *[utat]* rolling 2. *[ellenfelet]* bowling over, crushing, squashing *(fam)*

lehernyóz *vt, [fát]* clear (tree) of caterpillars

lehervad *vi,* wither, wilt, fade (and droop), *[virág]* die/wither down

lehervaszt *vt,* wither (up), wilt, *[színt]* make (colour) fade

lehet *vi,* 1. be possible, *(vk, vm)* (sy/sg) may/can be . .; *ki ~ az?* who can/may/might that be?; *legfeljebb 30 éves ~* he cannot be more than thirty; *már nagyon öreg ~* he must be very old; *jobb már nem is ~(ne)* it can't/couldn't be better, all one could wish for; *még baj ~ belőle!* (some) evil may come of it!, you had better look out; *ahogy/amennyire csak ~* as far as possible; *mihelyt ~* as soon as possible; *az ~* that may be, that is possible; *az nem ~!* it is impossible, it is out of the question!; *~ is meg nem is* it is as likely as not; *~ (hogy)* it is possible/likely (that), it may/might be (that), *[határozószókkal]* maybe, perhaps, possibly, haply *(ref.)*, perchance *(ref.)*, *[vm . rossz]* it is to be feared (that); *~ hogy igazad van* you may be right, may be you are right; *~ hogy igaz ~ hogy nem* it may or may not be true, perhaps so(,) perhaps not; *~ hogy késni fog* he is likely to be late; *~ hogy neked nem fog tetszeni/ízleni* you may not like it; *~ hogy az utcán vesztette el* he might have dropped it in the street; *hogy ~ (az) (hogy) ?* how is it (possible) (that)?; *hány óra ~?* what can be the time?, I wonder what the time is; *hogyan ~ ez?* how can that be?; *~ róla szó* I don't care if (I do); *akarsz még egy pohár konyakot?* *~ róla szó* want another

glass of cognac? I don't mind 2. *[segédigeként]* may, can; *[kopogtatásra] ~!* come in!; *itt nem ~ játszani!* you may/must not play here!; *nem ~ letagadni* there's no denying it; *nem ~ el nem hinni* it cannot be disbelieved; *nem ~ nem nevetni rajta* one cannot help laughing at it; *nem ~ett munkát kapni!* szerezni there was no work to be had; *azt is ~ne mondani hogy* one might as well say; *arcáról le ~ett olvasni* it was written all over his face, it could be read from his face; *amint ~ett is gondolni* as was to be expected; *a kérdést nehezen ~ megoldani* the problem is difficult/hard to solve; *az én hajamat nem ~ dauerolni* my hair wont take a perm; *mit ~ tudni ?* you never can tell, who knows?, there is no telling (what can happen)

lehetetlen I. *a,* 1. impossible; *(ez) ~!* (it's) impossible!, it can't be (possible/true)!, it can't possibly be, (it's) out of question, *[megdöbbenve]* not really!, you don't mean it!; *ez teljesen ~!* it is quite impossible, it's out of the question; *mind megette? ~!* he has eaten it all? never!; *nálunk ez ~* it cannot happen here; *ezt ~ megcsinálni* it cannot be done; *~ őt nem szeretni* one can't help loving her; *~ hogy ne látta volna* he cannot but have seen it; *~ hogy ne sikerüljön* you/he cannot but succeed 2. *[képtelen]* impossible, absurd, preposterous, *[viselet]* extravagant; *~ alak* (an) impossible creature, (s)he is simply impossible, a hard case; *(mondhatom) ~ alak vagy!* you are impossible!; *~ dolgot kíván vktől* expect sy to perform impossibilities; *~ helyzet* awkward situation, fix *(fam)*; *~ helyzetbe hozza magát* get oneself into a fix/scrape *(fam)*, tie oneself up into knots *(fam)*; *fizikailag ~* physically impossible; *~ időben* at an unearthly hour; *~ kalap* outrageous hat *(fam)*; *egész ~ kalap volt a fején* his hat looked like nothing on earth; *~ szoknya* impossible skirt; *~ vállalkozás* impossible undertaking, wildgoose chase; *vmt ~nek tart* hold sg to be impossible; *~né tesz* make (sg) impossible, paralyse, hamstring (sy), *[társadalmilag]* make (sy) impossible, wreck (sy), ruin (sy's) reputation

II. *n, a ~* the impossible; *~re vállalkozik* attempt impossibilities, attempt the impossible; *~t kíván* cry for the moon, *(vktől)* expect sy to perform impossibilities; *megkísérli a ~t* attempt the impossible; *véghez viszi a ~t* do the impossible; square the circle

lehetetlenség *n,* 1. impossibility, impossible; *teljes ~* blank impossibility; *~ (hogy)* it is impossible (that); *~et akar* want impossible things, ask for the moon and stars *(fam)*; *a ~gel határos* next to impossible, verging on the impossible 2. *a ~ esete (nyelvt)* unreal condition

lehetetlenül *adv,* impossibly; *~ viselkedik* make a nuisance of oneself, behave impossibly; *~ van öltözve* be impossibly dressed

lehetetlenülés *n, (jog)* subsequent impossibility, impossibility of performance; *gazdasági ~* (economic) impossibility of performance

lehető [-t] **I.** *a,* possible; *a ~ leggyorsabban* as quick as possible; *a ~ legjobb* (it is) the best possible/conceivable; *a ~ legjobb megoldás* the best solution possible; *a ~ legnagyobb örömmel* with the utmost pleasure; *a ~ legszívesebben* with the utmost pleasure; *minden ~ módon* by all possible means; *minden ~ részletet elmond/megad* give all possible details; *vmt ~vé tesz* render/make sg possible, allow (of), permit (of), enable; *~vé teszi a munka folytatását* enable the work to be resumed

II. *n, minden ~t elkövet hogy* . . . do one's utmost to . . .; *elkövetett minden ~t (hogy)* he left no stone unturned (to), he did his (level) best; *minden*

~t megteszek I will do everything in my prower, I will do my best, I will do my all *(fam)*

lehetőleg *adv*, possibly, if possible, as far/much as possible; ~ *mielőbb* as soon as possible, at (sy's) earliest convenience

lehetőség *n*, 1. possibility, eventuality; *kétféle* ~ *között habozik* hesitate between two courses; *nagyobb a* ~*e annak hogy* chances are greater that...; *megvan a* ~*e annak hogy* there is a chance/possibility that 2. *[érvényesülési]* chance, break, opening, *[célszerűségi]* feasibility, practicability, *[technikai]* facility, potential, potentiality; *mozgási* ~ *(átv)* margin, elbow-room, freedom of action; *a* ~ *szerint*, *a* ~*hez mérten* as far as possible; ~ *nyílik* an opportunity presents itself; *ha csak egy* ~ *is van rá* should there be the slightest hope of it, if there is but one chance; *nincs más* ~*e* have no alternative; *egy helyzet (további)* ~*ei* the potentialities of a situation; *új* ~*ekre mutat rá, új* ~*eket nyit meg* open (up) new vistas, open up a new prospect (to sy); ~*et ad/nyújt vmre* afford possibility/chance, render/make sg possible, allow (of), permit (of); ~*et ad/nyújt vknek vm megtételére* provide an opportunity for sy to do sg; *élni kell a* ~*gel* one should grasp the opportunity, one should improve the occasion 3. *a* ~ *határain belül* within the bounds/range of possibility; ~ *határain túl van* be beyond the bounds of possibility 4. *a* ~ *esete (nyelvt)* potential condition

lehetséges [-et; *adv* -en] *a*, 1. possible, *[valószínű]* probable, likely, *[megvalósítható]* feasible, practicable, *[esetlegesen]* potential; *ha/amennyiben* ~ if possible; *könnyen* ~ it is not at all unlikely; *minden* ~ anything can happen, the sky is the limit *(fam)*; *nagyon* ~ very/most likely, it looks like (lt); *vmt* ~*nek tart* think sg possible; ~ *hogy* ... it may/might be that...; *hogy* ~ *az hogy?* how is it that?, how can it be (possible) that?, how can that be?, how does it happen that...?; *hát ez is* ~? is that possible? can that be true 2. ~ *jelölt* possible (candidate); ~*sé tesz* make/render possible, potentiate

lehetségesség *n*, possibility, *[esetlegesség]* potentiality

lehever I. *vt*, *(vmt)* press/flatten (sg) by lying on it II. *vi*, *(vmre)* lie down (on sg), stretch oneself out (at full length)

leheveredés *n*, lie-down

leheveredik *vi*, lie down at full length, stretch oneself (out) at full length

lehí *vt*, = **lehív**

lehidal [-t, -jon] *vt*, crush (sg) (by lying on it)

lehiggad *vi*, 1. *[folyadék]* settle 2. *[fiatal ember]* settle/steady down (after having sown one's wild oats), *[dühös ember]* calm down, compose oneself, regain one's composure

lehiggadás *n*, 1. *[folyadéké]* settling down 2. *[fiatal emberé]* settling down, *[dühös emberé]* calming down

ehív *vt*, 1. *(vkt vhová)* call down, ask (sy to come) down 2. *[összeget]* call (in) (: sam), *[megrendelést]* call in 3. *[kártya]* play (a card); ~*ta az összes aduját* played (out) all his trumps

lehívás *n*, *[árué]* demand of delivery; ~*ra (ker)* on demand, subject to buyer's call

lehívásos *a*, ~ *rendelés* order on call

lehívat *vt*, *(vkt vhonnan)* send (up) for (sy), have (sy) down, order down (from)

lehívható *a*, *[pénzösszeg]* callable

lehord *vt*, 1. *(vmt)* carry/bring down (piecemeal), *[hegyet, falat]* raze, *[épületet]* demolish, pull down, *[folyó]* wash away 2. *(vrt)* cold, upbraid, rate, tell/tick (sy) off *(fam)*, blow (sy) up *(fam)*, dress (sy) down *(fam)*, bawl (sy) out *(US)*, (be)rate (sy); *vkt jól* ~ give sy a good scolding, give sy a good

dressing down, give sy a good blowing up, give sy a good talking-to, give sy what for, haul sy over the coals *(mind fam)*, give it hot to sy◆, give sy the devil ◆, tear sy off a strip ◆, give sy a good ragging *(US fam)*

lehordás *n*, 1. *(vmt)* carrying down 2. *(vkt)* scolding, dressing down *(fam)*

lehorgaszt *vt*, ~*ja a fejét* hang/sink one's head, bend/keep down one's head, *(ritk)* droop one's head; *lehorgasztott fővel* with bowed head, with his tail between his legs

lehorgonyoz *vi*, cast/drop anchor, anchor, bring ship to anchor, moor ship, berth; *le van horgonyozva* she rides at anchor; *lehorgonyzott hajó* ship riding at anchor, ship lying at her berth

lehorgonyzás *n*, casting anchor, anchoring, anchorage, mooring

lehorzsol *vt*, *[bőrt]* abrade, bruise, graze, gall, scrape off (skin), *[testrészt]* excoriate, skin, bark *(fam)*

lehorzsolás *n*, *[bőré]* abrasion, bruise, galling

lehorzsolódás *n*, = **lehorzsolás**

lehorzsolódik *vi* *[bőr]* be/get grazed/abraded, come off by rubbing/grazing, be/get barked *(fam)*

lehoz *vt*, 1. bring/fetch down; ~*ná a csillagokat is az égről* he would do anything for her 2. *[származtat]* derive (sg from), trace (sg) back (to) 3. *[hírlapi cikket]* publish, put into newspaper, insert in newspaper

lehozás *n*, bringing/fetching down

lehozat *vt*, cause (sg) to be brought/fetched down, send up for (sg), have down (sg)

lehörpint *vt*, drink off (at a draught), toss/swig off *(fam)*, toss back, *(fam)*, gulp down *(fam)*

lehugyoz *vt*, *(durv)* *(vmt)* piss on, make water on (sg)

lehull *vi*, 1. fall (down), drop, fall to the ground; *a fa levelei* ~*ottak* the tree shed its leaves; *frissen* ~*ott [hó, levél stb.]* new-fallen; ~*ott levelek* fallen leaves 2. ~*t a szeméről a hályog* the scales have fallen from his eyes, that was an eye-opener (for him) *(fam)*; ~*ott az álarc* the mask is off

lehullás *n*, fall, *[hóé stb.]* downfall, *[növényi szervé]* abscission; *levelek* ~*a* shedding of leaves

lehullat *vt*, let (sg) fall, drop; *a fa* ~*ja a leveleit* the tree loses/sheds its leaves

lehulló *a*, *(növ)* falling off *(ut)*; *korán* ~ falling off very early *(ut)*, caducous, fugacious

lehuny [-t, -jon] *vt*, ~*ja a szemét* close one's eyes; *nem hunytam le a szemem egész éjjel* I could not get a wink of sleep all night, I did not have a wink of sleep all night, I have not slept a wink all night

lehunyt *szemmel* with eyes closed, with one's eyes shut

lehuppan *vi*, (p)lump/flop down

lehurcol *vt*, carry down (by force v. with difficulty), drag down

lehurcolkodik *vi*, *[földszintre]* move (to the ground-floor); ~*ik vidékre* (re)move to the country, go to live in the country

lehurrog *vt*, *[javaslatot]* decry, cry/run down, *[szónokot]* shout/howl/clamour down, boo, hoot, receive with angry shouts; *alighogy beszélni kezdett* ~*ták* he had scarcely begun his speech when he was hooted down

lehúsol [-t, -jon] *vt*, *[bőriparban]* flesh, break, scrape (hide)

lehúz *vt*, 1. pull down, *[ablakot]* let down, *[függönyt vmre]* draw (curtain/blind) (over sg), lower; *a redőny le van húzva [ablakon]* the blind is down, *[kirakaton]* the shutters are put up; *(végleg)* ~*za a redőnyt (átv)* give up one's business, close shop, close out one's business *(US)*; *az ágat* ~*za a gümölcs* the branch is weighted down by the fruit; ~*za a lázat* lower the fever 2. *(vmt vmről)* pull/strip off (sg from sy), *[állat bőrét]* skin, flay (animal); ~za a cipőjét take off one's shoes; ~za a csizmáját take/pull off one's (top-)boots, *[vk másnak]* unboot (sy); ~za a kesztyűjét take off one's gloves, unglove (one's hand); ~za a gyűrűjét slip/get off one's ring; ~zák a kutyák the dogs catch hold of him (and pull him down) 3. *[megver]* *(isk)* haze (and beat) (freshmen etc.) 4. ~za a bőrt vkről *(átv)* skin/fleece/ strip sy 5. *[bort]* draw (wine), *[palackba]* bottle, rack (off) (wine) 6. *[nyomda]* strike/run off (a copy), pull, take proofs of, proof, *[sztereotlpet]* impress 7. *[összegből]* deduct, abate, take off (sum from total), *[bérből]* keep back (sum from wages) withhold (sum from wages) 8. *[kritikus]* slate, slash, run down, flay, damn 9. *[szövegből töröl]* erase, strike out, cancel 10. *(vkt sp)* pull away from (sy), lap (sy), leave (sy) far behind 11. ~ egy pofont □ give sy a smack in the face; egy nagyot ~ vknek knock sy into the middle of next week

lehúzás *n*, 1. pulling down, *(vmé vmről)* pulling off, *[cipőé, ruháé]* taking off, *[állat bőréé]* skinning, *(tex)* *[csévék leszedése]* doffing 2. *[megverés]* hazing (by beating) 3. *[boré]* drawing 4. *(nyomd)* striking off, *(fényk)* printing (out) 5. *[összegből]* deduction, *[bérből]* withholding (of sum) 6. *[kritikusé]* slating, slashing 7. *[szövegből törlés]* cancellation

lehúzód|ik *vi*, 1. *[lejjebb megy]* go/move down 2. *[elrejtőzködik]* take cover/shelter, *[félrehúzódik]* draw/stand/step aside, withdraw 3. *[víz vmről]* retreat 4. *[betegség]* extend/spread/go/move down

lehúzógép *n*, *(nyomd)* proofing press

lehúzógyémánt *n*, *[csiszolókoronghoz]* diamond grinding tool

lehúzókép *n*, transfer picture, decalcomania

lehúzókés *n*, ductor knife

lehúzópapír *n*, *(nyomd)* duplicating-paper

lehúzóprés *n*, *(nyomd)* proof-planer

lehűl *vi*, 1. cool (down), grow/get/turn cold(er)/cool(er)/ chilly, *[időjárás]* freshen; ~t a levegő it has turned cold, it is getting colder 2. *[lelkesedés]* cool off, dampen

lehűlés *n*, cooling down/off, fall in temperature, *[átmeneti]* cold snap

lehűt *vt*, 1. *(ált)* cool (down), chill, *[üdít]* freshen, *[erősen]* refrigerate, *[olvadt fémet]* quench; ~i a levegőt *[zivatar]* clear the air 2. *[lelkesedést]* cool, dash, damp (ardour); ~i vk lelkesedését throw cold water on sy's ardour/enthusiasm *(fam)*, throw a wet blanket on sy's ardour/enthusiasm *(fam)*; ~i a társaság hangulatát cast a chill upon a company *(fam)*, strike a damp into a company *(fam)*

lehűtés *n*, cooling (down), chilling, *[erősen]* refrigeration

lehűtő *n*, idler, loafer, ne'er-do-well, lazybones, good-for-nothing

leigáz *[-tam, -ott, -zon]* *vt*, subjugate, subdue, conquer, bring (nation) into subjection, subject, enslave, reduce (nation) to slavery, oppress, bring under, bring to heel

leigázás *n*, subjugation, subjection, subdual, conquest, enslavement, oppression

leigázható *a*, subjugable

leigázó *[-t,]* I. *a*, enslaving, oppressive II. *n*, subjugator, subduer, oppressor

leigazol *vt*, játékost ~ sign on a player, sign a player on

leigazolás *n*, versenyzők amatőrségének ~a checking the eligibility of competitors

leigazoltat *vt*, identify (sy), ask (sy) to produce his identity card *(v. papers)*, ask for (sy's) proof of identity

leigázott *[-at;* adv -an] *a*, subdued, oppressed; downtrodden; ~ ország conquered/subjugated country, country held subject

leigázottság *n*, subjection, subjugation, thraldom

leimádkoz|ik *vt*, 1. *[imát]* say *(v.* rattle off) one's prayer(s) 2. *[bűnt]* expiate (sins) by prayers 3. *a* szenteket is ~ná az égből *(átv biz)* she is excessively pious

leinformálható *a*, well spoken of *(ut)*, with good record/ references *(ut)*

leint I. *vt*, 1. *[zenekart]* stop, check (orchestra) 2. *(vkt)* warn (sy) (by gesture/glance) not to do sg, warn (sy) (by gesture/glance) to desist, tick (sy) off, bring (sy) to heel *(fam)*, put (sy) into his place *(fam)* 3. *(kárty)* *[licitben, szín folytatásában]* sign off II. *vi*, beckon, nod, motion

leintés *n*, (imperative) warning (gesture) to desist

leír I. *vt*, 1. *(ált)* write/set/put/jot/stick down, put down on paper, commit to writing/paper, record, *[másol]* copy (out), transcribe, *[okiratot]* engross; ~ egy számot/számjegyet put down a number; írd le mielőtt elfelejted write it down before you forget it 2. *[részletesen]* describe, *[pontosan]* define, *[ábrázol]* delineate, paint, portray, picture; azt szóval nem lehet ~ni no words can describe it 3. *[útvonalat, pályát és mért]* describe; az út kanyart ír le the road curves/ sweeps (round sg); három kört ír le *[versenyben]* do three lapos 4. *[összeget]* write off, deduct (sum from account), *[értékből]* write down, *[leltárból]* write off; *[tartozást]* cancel; veszteséget ~ write off as a loss" II. *vi*, *[hatóság]* address a rescript/demand (to . . .)

leírás *n*, 1. *[folyamat, ált]* writing down, *[másolás]* copying, *[okiraté]* engrossment 2. *[részletesen]* description, *[ábrázolás]* delineation, portrayal 3. *[követelésből]* writing off, write-off, deduction, debit entry, *[tartozásé]* cancellation; értékcsökkenési depreciation allowance, allowance for depreciation; évenkénti ~ *[elhasználódás/avulás címén könyvelésben]* annual depreciation

leírási *a*, ~ hányad *[könyvvitelben]* amortization ratio; ~ kulcs depreciation rate

leírat *n*, ordinance, rescript

leírat *vt*, *(vmt)* have sg written down, have sg copied out; legyen szíves írassa ezt le négy példányban have this typed in four copies (,) please

leírhatatlan *a*, indescribable, beyond description *(ut)*, inenarrable, *(elit)* mondscript, that beggars/defies description *(ut) (fam)*; ~ fájdalom/bánat nameless/ inexpressible grief; ~ külsejű nondescript, *(kif)* it looks like nothing on earth

leíró I. *a*, 1. descriptive; ~ állattan zoography; ~ állattani zoographic; ~ költészet descriptive poetry; ~ növénytan phytography, descriptive botany; ~ nyelvtan descriptive/presentational grammar 2. a nevét ~ ember man writing/signing his name II. *n*, copier, copyist, transcriber, *[írógépen]* copy-typist, *[író]* portrayer

leíróiroda *n*, copy-typists' (agency)

leisz|ik *vt*, 1. *(vmennyit)* drink off 2. leissza magát *(vmvel)* get drunk/besotted (on sg), drink oneself drunk, overdrink oneself; a sárga földig leissza magát get as drunk as a lord

leitat *vt*, 1. *(vkt)* make (sy) drunk, drink sy under the table, liquor sy up *(fam)*, tipsify *(fam)* 2. *[írást]* blot (the ink)

leitatás *n*, 1. *(vkt)* making (sy) drunk, tipsification *(fam)* 2. *[írást]* blotting

leiterjakab *[-ot, -ja]* *n*, *(kb)* (translation) howler, gross mistranslation

lejár I. *vi*, 1. *[eljárogat]* come/go (regularly/frequently) down to, visit frequently 2. *[levehető]* be detachable/removable, come off 3. *[szerkezet]* run down, *[film, papír]* become outdated 4. *[határidő]* expire, lapse, fall due, *[szabadság]* end, terminate, draw to its/a close/end, *[igazolvány]* expire, be no longer

valid, *[váltó]* expire, fall/become due, mature, lapse, become forfeited, *[bérlet]* fall due, run out; *az idő* ~ the sands are running out; *az idő* ~*t* time is up; *ideje* ~*t* his race.is run; *mandátuma* ~*t* he exhausted his mandate; *szabadsága* ~*t* his holiday is over, his leave is up; *a váltó jövő hónap 1-én jár le* the bill falls due on the 1st of next month
II. *vt.* **1.** *[letapos]* tread/trample down; ~*ja a lábát*, run one's legs off, leave no stone unturned; ~*ta: a cipője sarkát* his shoes are down-at-heel, wear down one's shoes at the heel **2.** *[bő ebédet]* walk off; ~*ja az ebédjét* he walks to settle his dinner **3.** ~*ja magát (átv)* go out of fashion, be discredited
lejárás *n*, **1.** *[lejárat]* way/passage/exit/shaft leading down **2.** *[gépé]* running down
lejárat[1] *vt,* **1.** *[szerkezetet]* cause (sg) to run down **2** ~*ja magát* discredit oneself, fall into discredit, ruin/abuse one's reputation, make a fool of oneself *(fam)*
lejárat[2] *n,* **1.** = lejárás 1., lejáró II.; **2.** *[határidőé]* end/termination of time allowed (for sg), *[kölcsöné, váltóé]* expiry, expiration, maturity, falling due, term, lapse, forfeiture; ~ *napja* due-date, day/date of payment/expiry/maturity; ~ *előtt* prior to maturity; ~ *előtt fizet* anticipate a payment; ~ *előtt fizet vissza* repay before the expiration of the period; ~*kor* when due, upon expiration, at/on maturity; ~*kor fizetendő* cash at maturity; ~*ig* till due; *hosszú* ~*ra* at a long date; *rövid* ~*ra* at a short date; ~*tól számított 8 nap múlva* eight days after maturity; ~*tal* upon expiration
lejáratás *n, [önmagáé]* bringing discredit upon oneself
lejárati *a,* **1.** ~ *lépcső* descending stair **2.** ~ *napló/jegyzék (ker)* bills payable book, bill diary
lejáratú *[-ak, -t]* *a, rövid* ~ *váltó* short-dated bill; *hosszú* ~ *[váltó]* at long sight *(ut), [hitel, politika]* long-term/dated/range; *három havi* ~ *váltó* bill at three months
lejáró **I.** *a,* **1.** *[szerkezet]* running/slowing down *(ut)* **2.** *[igazolvány]* expiring, *(ker)* falling due *(ut)* **3.** *vidékre* ~ *ember* person going often to the country **II.** *n,* **1.** way, passage, exit, shaft (leading down), *[hajón]* hatch(way), *[töltésről]* ramp, *[földalattié]* (underground) entrance, subway, *[szennyvízcsatornába]* man-hole **2.** *vm* ~*ban van* sg is about to expire
lejárt *a,* **1.** *[szerkezet]* run-down, that ran down *(ut)* ; ~ *film* out-of-date film **2.** *[jegy]* no longer valid *(ut), [szerződés]* lapsed, *[utalvány]* out-of-date, *[váltó]* expired, forfeited, mature, overdue, past due *(ut), [határidő]* expired; *rég* ~ overdue; *egy hónapja* ~ a month overdue; *le nem járt* unexpired; ~ *hajófuvarlevél* stale Bill of Lading; ~ *jegy* ticket no longer available; ~ *kölcsönzés* overdue book; ~ *követelés/igény* stale claim
lejárta *[.. át] n, a határidő* ~ *előtt* before expiry, before the end of the time allowed; *a váltó* ~ *után* after the date (of maturity) of the bill
lejátszás *n, [zeneműé]* performance (of piece of music), *[mérkőzésé, hanglemezé]* playing, *[új felvételé]* playback
lejátsz|ik *vt,* **1.** play, *[csak színművet]* perform, act, *[új hangfelvételt]* play back; *ez a lemez már nagyon le van játszva* this record is worn out **2.** ~*otta a piros ászt (kárty)* he played *(v.* came out with) the red ace
lejátszód|ik *vi,* take place, pass off, be enacted
lejátszófej *n,* (phonograph) pick-up, *[lemezjátszón]* pick-up head
lejbli *[-t, -je] n, [női]* blouse-slip, blouse underslip
lejegyez *vt,* **1.** take/make a note (of sg), put/jot/mark/set down, get down on paper, *[diktálást]* take down, *[dallamot]* write/take down (tune); *gyorsírással* ~

vmt take/put down (sg) in shorthand **2.** *[kölcsönt]* subscribe (to loan); *a kölcsönt 24 óra alatt* ~*ték* the loan was subscribed to in 24 hours
lejegyzés *n,* **1.** writing/taking down **2.** *[kölcsönt]* subscription
lejelentkezés *n,* report on arrival
lejelentkez|ik *vi, (vknél)* report (oneself) to sy (on arrival)
lejjebb *adv,* lower (down), below, deeper, on/to a lower level, farther/further down *[könyvben, írásban]* hereafter; ~ *adja [árban]* cut the price; *majd adja még* ~ *[árucikket olcsóbban]* he will bring the price down, *[kevésbé lesz rátarti/fölényes]* he will come down a peg or two; ~ *enged [függönyt]* let (curtain) down, *[árat]* lower, cut (price); ~ *ereszkedik (rep)* lose height; *három házzal* ~ *lakik* live three houses farther; ~ *mennek az árak* prices are falling; *lásd* ~ see below, vide infra *(lat)*
lejön *vi,* **1.** *(vk vhonnan)* come/get down, descend, *[lépcsőn]* come downstairs, come down the steps, *[hegyről]* come downhill **2.** *(vm vmről)* come/get off, detach (from); *a festék kezd* ~*ni* the paint is wearing off, the paint is starting to come off **3.** *az összegből ennyi* ~ so much is to be deduc(t)ed from, so much is taken/struck off the total **4.** *ez a cikk holnap jön le (biz)* this article/item will be published/printed in tomorrow's paper; *nem jött le még a rendelet?* has the decree not been received yet?
lejövet **I.** *n,* = lejövetel; **II.** *adv,* coming down, on one's way down
lejövetel *n,* descent, coming down, arrival (from above)
lejsztni *[-t, -je] n, [cipőn]* heel-cap
lejt *[-eni, -ett, -sen] vt/vi,* **1.** *(vm)* slope, slant, incline (downwards), dip, tilt; pitch *[enyhén]* shelve, *[hegyoldal]* descend, *[talaj stb.]* decline, *[fal, töltes felfelé keskenyedve]* batter; *vm felé* ~ be inclined/leaning towards sg **2.** *[táncban]* dance with easy grace, *[táncot]* dance, perform (dance) **3.** *[vers]* go, run, scan
lejtakna *n, (bány)* inclined mother gate, dip-head, slope
lejtés *n,* **1.** *[helyzet]* slope, slant, inclination, *[fok]* slope, pitch, grade, (falling) gradient, inclination, droop, tilt(ing), *[nézőtéré]* rake, *(épít)* batter, ...% ~*sel lejt* has a gradient of ... per cent; *szelid* ~*ű* gently sloping **2.** *[táncban]* (graceful) dancing **3.** *[versé]* cadence; lilt, run
lejtésmentes *a,* having no inclination *(ut)*, aclinal
lejtésmutató *n, [vasúti tábla]* gradient-board
lejtésszög *n,* angle/slope of gradient
lejtez *[-tem, -ett, -zen] vt, (műsz)* take the level (of sg), survey, contour, *[földet]* level, even up (ground)
lejtmenet *n,* descent, *[motorral]* down-hill riding
lejtmérés *n,* survey of fall
lejtmérő *n; [eszköz]* (de)clinometer, *(épít)* bevel-square, *(geol)* gradienter
lejtő *[-t, -je]* **I.** *n,* **I.** *[hegyé]* (downward) slope, incline, inclination, gradient, dip, versant, declivity, declension, chute, *(geol)* hang, *[útépítésnél]* descent, *[közlekedő]* ramp, sloping approach; *meredek* ~ sharp descent, steep gradient; *szárazföldi* ~ *(geol)* continental slope; *lemegy a* ~*n* go down the slope **2.** *[egyszerű gép]* inclined plane **3.** ~*re kerül [ügy]* be in a bad way, *[ember]* go to the bad/dogs, go downhill, be on the downward path, walk the primrose path; *a* ~*n nincs megállás* once on the slippery slope(,) there is no holding back, there is no stopping the rot
II. *a,* sloping, inclining; *szelíden* ~ *lankák* gently undulating hills/downs
lejtőirány *n,* droop, slope
lejtős *[-ek, -et; adv -en] a,* sloping, slanting, inclined,

inclining, decliv(it)ous, *[enyhén]* shelving; ~ *fal (éplt)* escarp; ~ *út* road on the slope

lejtősít [-ett, -sen] *vt,* slope, *(éplt)* scarp

lejtősödés *n,* slope, sloping

lejtősöd|ik [-ött, -jön, -jék] *vi,* slope, slant, dip (down), incline, decline, shelve, (begin to) become sloping/ shelving

lejtősség *n,* slope, inclination, incline, slant, pitch, gradient, rake, declension, dip, proneness; ~ *szöge* gradient

lejtőszög *n,* angle of slope

lejtőtörmelék *n, (geol)* regolith, mantle rock, scree, talus

lejtővasút *n,* inclined railway

lejut *vi, (vhova)* (manage to) get down to.., (manage to) get down as far as...

lék [-et, -e] *n, [hajón]* leak, *[jégen]* ice-hole, hole cut in ice; ~*et kap* (spring a) leak, bilge, *[hordó]* start; ~*et betöm* stop a leak; ~*et üt a hajón* hole a ship

lekacsoz *vt,* cut the shoots/tendrils off (sg)

lekáderez *vt,* = káderez

lekalapál *vt, [szegecset]* hammer down

lekanalaz *vt,* skim off

lekanalazás *n,* skimming

lekanyarít *vt,* cut off (slice)

lekanyarod|ik *vi, [út, vk útról]* turn off, *[út lejelé]* follow the slope (of a hill)

lekanyarog *vi, [út]* wind downwards, *[folyó]* meander (down)

lekap *vt,* **1.** *(vmt)* remove, take/whip down/off (hurriedly), snatch off; ~*ta a sapkáját* he whipped off his cap, off goes his cap **2.** ~*ja a fejét* duck one's head **3.** *[ételt]* burn, get burnt, catch (in the pan); ~*ott a nap* get (lightly/painfully) sunburnt **4.** *(fényk)* snap, take a snap(shot) (of sy), *[gyorsan lerajzol]* touch off **5.** *(vkt biz)* tell sy off, give sy a good talking-to, take (sy) to task, wig (sy) ◈; *alaposan* ~*ják* get hauled over the coals; ~ *vkt tíz körméről* give sy what for

lekapar *vt,* scratch, scrape (down/off), *[halpikkelyt]* scale (fish), *[mázt]* rub off, *(orv) [csontot]* scalp

lekapcsol *vt,* **1.** *(vmhez)* fasten down with clasp/ buckle **2.** *(vmről)* remove by unclasping/unbuckling, *[vasúti kocsit]* uncouple, slip, disconnect, switch off (railway truck) **3.** *(vill)* switch off, disconnect, decouple **4.** *[területet]* (dis)annex **5.** *(vkt)* seize, catch, *[tolvajt „munka" közben]* nab ◈ **6.** ~*t tőle száz forintot (átv biz)* tapped him for a hundred forints

lekapcsolás *n,* **1.** *(vmről)* (removal by) unclasping, *[vasúti kocsit]* uncoupling, disconnecting **2.** *[területet]* (dis)annexation

lekaszabol *vt,* cut down, sabre, mow, *[tömegesen]* massacre (with sword), put to the sword

lekaszál *vt,* **1.** scythe, *[füvet]* mow, *[gabonát]* reap **2.** *[ellenséget]* mow down, smite hip and thigh *(ref.)*

lekaszálás *n, [füvet]* mowing, *[gabonát]* reaping

lékbiztos *a,* leak-proof

lekefél *vt,* brush down, *(vmt vmről)* brush off

lékel [-t, -jen] *vt, (vmt)* cut hole (in sg), *(orv)* trepan, trephine

lékelés *n,* cutting hole (in sg), *(orv)* trepanning, trephining, trepanation

lékelő [-t, -je] *n, [orv, műszer]* trepan, trephine

leken *vt,* **1.** *[hajat]* smarm ◈ **2.** ~ *vknek egyet* (v. *egy pofont) (biz)* fetch/give sy a blow (in the face), land sy one in the face, give sy a bash on the face, fetch sy a wipe ◈, clip sy's ears ◈ **3.** ~ *egy cikket (biz)* dash/knock off an article

lekenyerez [-tem, -ett, -zen] *vt, (vkt)* appease, oblige, win (sy) (by some favour), give a sop to Cerberus

lekenyerezés *n,* appeasement

lekér *vt. [táncosnőt]* cut in (on a dancing couple)

lekéredzked|ik *vi,* ask to be allowed (to go) down

lekerekít *vt,* **1.** *(vmt)* round (sg) off, make round, *[sarkot]* chamfer **2.** *[összeget]* reduce to make a round sum, cut/bring down to a round sum

lekerekítés *n,* rounding(-off), *(menny)* scaling-down

lekerekített [-et; *adv* -en] *a, [levélcsúcs]* rounded (leaf apex); ~ *hegy (geol)* subdued mountain; ~ *sarkú!* szögletű round-cornered

lekerget *vt,* drive/chase down/away (from sg)

lekérgez *vt, [fát]* (dis)bark, decorticate

lekerül *vi,* **1.** *[lejut]* get down **2.** *[leveszik]* be removed, be taken down; ~ *a napirendről* be struck (off) from the agenda, be shelved

lekésés *n,* coming late (for sg), missing (sg)

lekés|ik *vi, (vmről)* come/arrive/be late (for sg), miss (sg); ~*ik a vonatról* miss/lose the train

lekever *vt,* □ ~ *egy pofont vknek* box sy's ears *(stand.)*

lekezel **I.** *vi, (vkvel)* shake hands (with sy) **II.** *vt,* **1.** *(vkt)* treat (sy) in an off-hand manner, be condescending (towards sy), condescend (to), give (sy) the cold shoulder, treat (sy) slightingly, put on airs with (sy) **2.** *[jegyeket]* inspect/clip/punch (all) tickets

lekiált *vi, (vhonnan)* shout down (from above)

lekicsinyel *vt,* belittle, make little/light (of sg), minimize, minify, pooh-pooh, set at naught, depreciate, disparage, underrate, scorn, disdain, turn up one's nose (at sg) *(fam)*

lekicsinyít *vt,* make (sg) smaller, reduce, reproduce on smaller scale, scale down

lekicsinylés *n,* pooh-poohing, depreciation, scorn, disparagement, disdain

lekicsinylő *a,* disparaging, disdainful

lekicsinylően *adv,* disparagingly, disdainfully, lightly; ~ *beszél vkről* speak lightly/slightingly of sy

lekísér *vt,* see/take/accompany/escort (sy) down, *[vendéget]* go downstairs to see off (guest)

lekívánkoz|ik *vi,* desire to go/get down; ~*ik róla a bunda* he feels like stripping off his fur-coat, his fur-coat wishes itself off

lekókad *vi,* **1.** droop, wither/wilt down **2.** ~ *a kedve (biz)* be crestfallen

lekollokvál *vi,* ⟨ pass one's examination(s) at the end of the term (at university) ⟩

lekonkurrál *vt, (vkt)* out-compete/do (sy), outrival (sy)

lekontyolta, ~ *tető (éplt)* half-hipped roof, gambrel roof

lekonyít *vt,* hang, bend down, droop, sink

lekonyul *vi,* bend down, droop, flag, sag

lekonyuló [-ak, -t] *a, [virág]* cernous, drooping, decumbent

lekopás *n,* **1.** wearing off, abrasion **2.** *(nyelvt)* disappearance (of a sound)

lekopaszt *vt,* **1.** denude, bare, *[fát]* pluck off (leaves/ fruit of tree), strip (tree of its leaves/fruit), *[baromfit]* pluck, deplume **2.** *(vkt átv biz)* fleece (sy), skin (sy)

lekopasztás *n,* **1.** denudation, *[fát]* plucking *[baromfit]* plucking, deplumation **2.** *(vkt átv biz)* fleecing

lekop|ik *vi,* **1.** wear off/down, *[ruha]* become threadbare; ~*ik róla a nyári szín* lose colour; ~*ott róla az aranyozás* it has lost its gilt **2.** *(nyelvt) [szóvégi hang]* disappear **3.** □ *kopj le rólam!* leave me alone *(stand.),* skedaddle!, scram!, cheese it!

lekopíroz *vt,* copy, *(csak átv)* imitate

lekopírozás *n,* copying, *(csak átv)* imitation

lekopog *vt,* **1.** *[írógépen]* type, typewrite; ~ *egy levelet* pound out a letter on the typewriter, run off a letter on the typewriter **2.** *[zenekart]* give signal (to orchestra) to stop **3.** *[babonából]* touch/knock wood

lekopogtat *vt, [morzejelzést]* tap off

lekoptat *vt,* wear off/away/down, abrade, fray, *[cipő: talpát]* wear out, scuff, *[vm hegyét/élét]* blunt (point/ edge of sg)

lekottáz vi/vt, write/take/note down (tune)

lekottázás n, writing/taking/noting down, scoring

lekozmásit vt, scorch (while cooking), catch (in the pan), burn, *[tejet]* bishop *(GB)*

lekozmásod|ik [-ott, -jon] vi, catch in the pan; get burned, *(kif)* the bishop has put his foot in it *(joc)*

leköltöz|ik vi, *[alacsonyabb emeletre]* move (to lower storey), *[vidékre]* (re)move to, go to live in (the country)

lekönyököl vi, *(vmre)* lean on one's elbow(s) (on sg)

lekönyvel vt, *(ker)* book down

leköp vt/vi, I. vi,*(vhonnan)* spit (down from above) II. vt, *(vkt)* spit (on sy); *le se köpi* hold in supreme contempt

leköröz vt, *(sp)* lap (sy), leave (sy) behind, make rings/circles round (sy), outrun (sy) by one lap; *két körrel ~ték* he was outrun by two laps

leköszön vi, 1. resign, retire, withdraw, give up one's job, *(hiv)* send/hand in one's resignation, tender one's resignation; *hivataláról ~* abdicate, resign one's post/office, demit one's office, throw up one's job *(fam)* ; *katonatiszt rangjáról ~* resign one's commission; *a képviselő ~* the member of parliament vacates/resigns his seat; *az uralkodó ~t* the ruler/king/monarch abdicated his crown 2. *~ az ablakból* greet from the window

leköszönés n, resignation, *[hivatalról]* abdication, vacating of office

leköszönt [-et] a, *[tlsztviselő]* who has resigned *(ut)*, *[uralkodó]* abdicated (monarch), ex-; *a ~ kormány* the out-going ministry, the retiring ministry

leköszörül vt, *[simára]* grind/rub/polish down, *(vmt vmről)* grind (sg) off, remove by grinding

leköt vt, 1. bind, tie/fasten down, *[csomagot]* tie/fasten up, *[vk szemét]* blindfold (sy), *[eret]* tie, bind, strangulate, ligature, ligate 2. *[árut]* contract, make an advance contract for an order, secure (an) option on (goods), *[zálogul]* pledge, *[küldeményt, pénzt]* block, *[ingatlant]* mortgage, *(vkt)* engage, enlist, *[szerződéssel]* bind (sy by contract); *le van kötve* be under contract; *~i a pénzét* tie up one's money (in sg); *~i magát vm mellett (átv)* commit oneself to (an action), pin oneself down to sg; *nem akarja a lányt ~ni* he does not want to tie the girl down 3. *[figyelmet]* hold, arrest, rivet, captivate, engross, engage, absorb (attention); *~i a hallgatóság figyelmét* hold an audience (spellbound) 4. *[munka]* occupy, absorb, engross, take (up) all time (of sy); *alaposan ~ vkt [munkával]* keep sy well employed; *munkája teljesen ~i* his work absorbs him; *igen le vagyok kötve [elfoglalt]* I am very busy 5. *[ellenséget]* contain, immobilize, bog/pin down, *[sakkfigurát]* pin 6. *[kézimunkában sort]* knit 7. *[futóhomokot, port stb.]* bind 8. *(vegyt)* absorb, neutralize, fix

lekötelez vt, oblige, put/lay (sy) under an obligation, put (sy) in one's debt; *vkt vmvel ~* oblige sy by (.. ing); *nagyon ~ne ha . . .* I would be much obliged to you if ..., you would oblige me very much by ...; I should esteem it a favour if you would kindly ...; *le van ~knek kötelezve* be indebted to sy (for sg), owe a debt of gratitude to sy, owe sy a good turn *(fam)* ; *le vagyok kötelezve az előbb említett állásfoglalás mellett* I am committed to the policy aforementioned

lekötelezés n, obligation

lekötelezett [-et; adv -en] I. a, obliged (to sy), indebted (to sy for sg), beholden (to sy) *(mind ut)* ; II. n, *~je vknek* be under an obligation to sy, be obliged to sy; *~iévé tesz vkt* lay/put sy under an obligation

lekötelezettség n, *[vkvel szemben]* obligation (to), indebtedness (to)

lekötelező a, obliging, *[modor]* civil, engaging

lekötés n, 1. fastening down, binding, tying (up), *(orv)* strangulation, ligature, ligation 2. *[árué]* giving (sg) as security, *[zálogul]* pledging *(sg)*, *[pénzé]* lock up, *(vké)* engaging (sy), engagement (of sy) 3. *vk figyelmének ~e* holding sy's attention 4. *[kézimunkában]* knitting 5. *(vegyt)* fixing, fixation, adsorption 6. *por ~e [úttesten]* binding of the dust

lekötő a, *(vegyt)* fixing, fixative; *~ szer* fixing agent, fixative

lekötött a, 1. *[elfoglalt]* very busy, much occupied, absorbed/lost in one's work *(ut)* 2. *~ betét* fixed deposit; *~ tőke* locked-up capital, lock-up *(fam)*

lekötöttség n, absorbing/engrossing occupation

lekötöz vt, tie down, bind (up); *~i vk karjait* pin sy's arms to his sides

leközlés n, *[cikké]* publication (of article), putting (article) in a paper; *,,lapjukban való szíves ~re"* for favour of publication in your columns

leközöl vt, publish, put (article) in a paper

leközölhetetlen a, unpublishable

lekritizál vt, *(vmt)* criticize (sg) adversely, slate *(fam)*, run down *(fam)*, cut (sg) to pieces *(fam)*, flay *(fam)*

lektor [-ok, -t, -a] n, 1. *[egyetemen]* instructor, language master 2. *[könyvkiadónál]* (publisher's) reader, literary adviser

lektorál [-t, -jon] vt, *[kéziratot kiadóvállalati lektor]* read, vet, *[nyelvileg javítgatva]* revise (stylistically)

lektorálás n, reading, vetting, *[stiláris]* stylistic revision

lektorátus n, 1. *(egyetemen kb)* language department, foreign languages department 2. *[kiadónál]* reader's department

lektorság n, *[egyetemi]* instructorship

lekuksol vi, stoop, squat

lekuporodás n, crouch, squat

lekuporod|ik vi, crouch (down), squat (down), cower

lekushad vi, lie low

lekúsz|ik vi, climb/creep down

leküld vt, 1. send down 2. *~ vkt a pályáról (sp)* send/order sy off the field

leküldés n, sending down, *[postán]* dispatch(ing)

leküzd vt, 1. overcome, master, conquer, fight down, get the better of, *[csak akadályt]* surmount (obstacle), *[nehézséget így is]* get over (difficulty); *[betegséget]* fight off, combat, *[szenvedélyt]* vanquish, overpower; *~i a fertőzést* combat infection; *~ minden nehézséget* fight through all difficulties; *~ egy rossz szokást* overcome a bad habit 2. *~i magát* get the better of oneself, triumph over oneself

leküzdés n, fighting down, *[akaddlyt]* surmounting

leküzdhetetlen a, invincible, inconquerable, *[akadály]* insurmountable, insuperable (obstacle), *[nehézség]* insoluble (difficulty); *~ ellenszenv* rooted aversion; *~ vágyat érez (hogy)* feel an irresistible impulse (to)

leküzdhetetlenség n, insurmountability

leküzdhető a, surmountable

leküzdött [-et; adv -en] a, surmounted

lekvár [-ok, -t, -ja] n, jam, preserve(s), *[citrom, narancs]* marmalade; *~t készít vmből* make sg into jam, jam sg

lekvárkészítő n, jam-maker

lekváros [-ok, -t; adv -an] a, with jam *(ut)* ; *~ kenyér* bread and jam; *~ tekercs (kb)* Swiss roll; *~ üveg* jam-jar/pot

lel [-t, -jen] vt, 1. *[talál]* (happen to) find, hit/come/light (up)on (sg), come across (sg); *ha abban ~i örömét (hogy)* if he takes pleasure in . . . ing, if he derives pleasure from .. ing; *nem ~i helyét vhol* seem/look lost, feel out of it; *vknek hűlt helyét ~i* find sy gone; *ki korán kel aranyat ~* the early bird catches the worm 2. *ugyan mi ~te?* what has come over him?, what has taken him?, what has got into him lately?, what's up with him now? *(fam)*, what's bitten him? *(fam)* 3. ~*i a hideg* be taken with a shivering fit

lelakatol *vt*, padlock, lock (up)

lelakatolás *n*, padlocking, locking, locking-up

lelak|ik *vt*, *[vmlyen beruházást a bérlő a lakbérbe beszámíttatja]* receive rent rebate in return for . . .

leláncol *vt*, fasten/tie with chain, enchain, chain (up)

leláncolás *n*, chaining (up), enchainment *(ref.)*

lelankad *vi*, = lankad

lelapít *vt*, flatten (down), beat/make flat, level, *[fémet]* flatten out, flat, *[szegecset]* hammer down

lelappad [-t, -jon] *vi*, *[daganat]* (begin to) subside, (begin) go down, (begin to) become deflated

lelapul *vi*, 1. *[gömbölyded tárgy]* (begin to) flat(en out), *[gumikerék]* go flat 2. *[vk földre]* lie down flat (on the ground), squat (down), crouch down

lelassít I. *vt*, *[jármű]* slow down/up, *[gépkocsivezető]* throttle down, ease up II. *vt*, *[mozgást]* slacken, *[késleltet]* retard; ~*ja lépteit* slacken the pace

lelassítás *n*, slowing down/up

lelassul *vi*, slow (down/up), slacken (speed)

lelát *vi*, *(vmeddig)* be able to see (as far down as . .), *(vmre)* have a view (over sg)

lelátó *n*, (grand)stand, *[fedetlen]* bleachers *(pl)* *(US)*

lelátogat I. *vi*, *[vidékre]* make a trip to, journey to II. *vt*, *[viziteket teljesít]* pay (courtesy/duty) calls on

leledz|ik [-eni, -tem, -ett, -zen, -zék] *vi*, *[helyzetben]* be in a . . . situation, find oneself in a . . . situation; *tévedésben* ~*ik* be mistaken, labour under a misapprehension/delusion

lelegel *vt*, graze (up), eat (grass etc) completely, eat off, crop, (de)pasture, feed off/down

lelegelés *n*, grazing (up)

lélegzés *n*, breathing, respiration; *mesterséges* ~ artificial respiration; *nehéz* ~ hard/labouring breathing, dispnoea; *orron át (való)* ~ nasal respiration; *szájon át való* ~ oral respiration

lélegzési [-t] *a*, ~ *gyakorlat* (deep-)breathing exercises *(pl)* ~ *nehézség* hampered respiration

lélegzésmérés *n*, spirometry

lélegzésmérő *n*, spirometer

lélegzet *n*, breath, breather *(fam)*; ~*hez jut* get one's wind, get/catch/recover one's breath, *(átv)* win a breathing space; *egy* ~*re* (all) in the same breath, in one and the same breath, at a breath; ~*et vesz* take/fetch/draw (a) breath, breathe; *mély* ~*et vesz* take a deep inspiration/breath; ~*et vett* he drew a breath; *nem kapott* ~*et* his breath failed him; ~*ét visszaíartja* hold one's breath

lélegzetelállító *n*, breath-taking

lélegzetszünet *n*, *(zene)* breath pause

lélegzetű *a*, *hosszú* ~ long-winded; *rövid* ~ short--winded

lélegzetvétel *n*, *[egy]* breath, *[belégzés]* inhalation, *[légzés]* breathing, respiration; *utolsó* ~ *[haldoklóé]* parting breath

lélegzetvételíró *n*, spirograph

lélegzetvisszafojtva *adv*, with bated breath, holding one's breath

lélegz|ik [-eni, lélegeztem, -zettem, -ett, lélegezzen, lélegezzék] *vi*, breathe, draw/take breath, respire; *nehezen* ~*ik* have difficulty in breathing; *orron át* ~*ik* breathe through the nose; *utolsót* ~*ik* surrender the breath

lélegző [-t, -je] I. *a*, breathing, *[szerv]* respirative, respiratory (organ); *nehezen* ~ hard-breathing, broken-winded II. *n*, = **lélegzőkészülék**

lélegzőcső *n*, *[gépben]* breather

lélegzőjárat *n*, *[halaké]* air-duct

lélegzőkészülék *n*, breathing apparatus, *(kat, orv)* respirator

élegzőnyílás *n*, breathing-hole

lélegzőszerv *n*, breathing/respiratory organ(s)

lélek [lelket, lelke] *n*, soul, spirit,*[lényege/mozgatója vmnek]* (life and) soul, moving/leading spirit, prime mover (of sg), *[jellem, lelkivilág]* human nature *[lelkiismeret]* conscience, mind, heart, the inner man, *[művészi előadásban]* feeling; *gonosz* ~ evil spirit, *[az ördög]* the Evil One, the devil/fiend; *(vk) jó* ~ (sy) is (such) a good soul; ~ *nélküli* soulless, uninspired, spiritless, listless, mindless; *egy (árva)* ~ *sem volt ott* not a (living) soul was there; *600* ~ (population of) 600 souls; *vkbe hálni jár a* ~ (seem to) be on one's last pins; *nem visz rá a* ~ *(hogy)* I have not the heart/conscience to (do sg), I can't find it in my heart to (do sg); ~ *az ajtón se be se ki!* let no one leave or enter the room!; *a* ~ *kész de a test erőtelen* the spirit is willing but the flesh is weak; *lelkem! [kedveskedve]* my dear one!, dearest (heart)!, *[fölényesen]* my good woman; *lelkem mélyén* in my heart of hearts; *lelkem mélyén örültem* I was inwardly pleased; *lelkem mélyéből* from the bottom of my soul; *se testem se lelkem nem kívánja (vmt)* I am against it with body and soul, *(vkt)* he is my pet aversion; *lelke vmnek* the life and soul of sg, the moving spirit of sg; *ő a csapat lelke (sp)* he is the pivot of the team; *a társaság lelke* the life and soul of the company; *lelke mélyéig álnok/ alattomos* false to the core; *lelke rajta!* it's his funeral, on his head be it!; **lélekbe** *markoló* moving touching, *[fájdalmasan]* heart-gripping/rending; *lelkébe lát vknek* see through sy; *lelkébe vés* imprint on the memory/mind; **lélekben** spiritually, mentally; ~*ben jelen/veled leszek* I shall be with you in (the) spirit; *lelkemből beszélsz* you speak words of gold, what you say is music to my ears; *lelkemből sajnálom* I am heartily sorry, I am sorry from the depths of my soul; *lelkéből szereti* love deeply, be dearly fond of sy, be attached to sy; *könnyít a lelkén* unburden/relieve one's mind, make a clean breast of it; *az ő lelkén szárad* the blame falls/lies on him, *könnyebb a lelkének (ha)* his soul will be easier (if), he gets a kick out of doing it, he feels better if he can do it, he takes a perverse delight in doing it; **lelkemre!** (up)on my word (of honour)!, upon my soul/conscience!; *lelkére beszél vknek* appeal to sy's better self/feelings; *vmt vknek lelkére köt* make it sy's duty/task to (do sg), inculcate sg upon sy; *lelkére vesz vmt* take/lay sg to heart; *lelkére veszi a sértést* feel an insult keenly; *nem kell annyira a lelkedre venned* don't take it so much to heart; *lelket önt vkbe* raise sy's spirits, breathe courage into sy, put sy in good heart, give new life to sy, put new life/heart into sy, buck (sy) up again *(fam)*, put stomach into sy *(fam)*; *ez majd új lelket önt beléd* that'll raise your spirits again, that'll set you right *(fam)*; *lelket lehel vkbe* breathe courage into sy; *lelket ver vkbe* put heart into sy, make sy sit up; *vkben a remény tartja a lelket* hope buoys sy up, hope upholds sy, hope keeps his spirit up; *isten látja lelkemet!* God is my witness; *kiadja/ kileheli a lelkét* breathe one's last, give up the ghost *(obs)*; *a lelkét is kisírja* cry/sob one's heart out; *vm nyomja/terheli a lelkét vknek* have sg on one's mind/ conscience, sg is weighing/lying on sy's mind/conscience; *ha a lelkét kiteszi sem* . . do as he may . ., (do sg) till one is blue in the face *(fam)*; *lélekkel játszik [művész]* play with feeling, play with one's soul in it; *nyugodt* ~*kel (megtesz/állít vmt)* (do/state sg) in good conscience/faith; *szívvel* ~*kel* with all one's (heart and) soul, body and soul; *egy szívvel* ~*kel* unanimously, with one accord

lélekbúvár *n*, psycholgist

lélekelemzés *n*, psychoanalysis; ~*t végez* psychoanalyse

lélekelemző I. *a*, psychoanalytic(al) II. *n*, psychoanalyst lélekemelő a, elevating, uplifting, (solemnly) impressive, imposing

lélekhalászat n, fishing for souls, proselytizing, lamb-snatching (joc), soul grabbing (fam)

lélekharang n, deathbell, passing/minute/funeral bell, soul-bell; ~ szava (death) knell; megcsendíti a ~ot toll/ring the bell, sound a knell

lélekidézés n, necromancy, conjuring up of souls

lélekidomár n, † tamer of souls

lélekismerő n, psychologist

lélekjelenlét n, presence of mind, composure, recollectedness; megőrzi a lélekjelenlétét keep one's presence of mind, keep one's wits about one: elveszti ~ét lose one's presence of mind

lélekmardosás n, qualm(s)/pang(s)/twinge(s) of conscience, remorse, compunction

lélekmelegítő n, 1. [ital] pick-me-up 2. [szvetter] sweater

lélekmérgezés n, poisoning of the mind, evil propaganda, corruption of youth (through false ideologies)

lélekölő a, soul-killing, deadening the mind (ut), stupefying; ~ munka fag(ging work), drudgery

lélekrajz n, psychography

lélekromboló a, depraving, demoralizing

lélekszakadva adv, out of breath, breathless(ly), puffed (fam), blown (fam); ~ fut run at breakneck speed, hare (fam)

lélekszám n, number of inhabitants

lélekszámú a, of/with a ... population (ut), ... populated; kis ~ with/of a small population (ut)

lélektan n, psychology, psychics, mental science; ~nal foglalkozik psychologize

lélektani [-ak, -t; adv -lag] a, psychological; ~ kutatás psychological research, psychics; ~ pillanat psychological moment

lélektanilag adv, psychologically; ~ magyaráz/tárgyal psychologize

lélektelen a, soulless, spiritless, listless, lifeless, toneless inanimate, dull, cut and dried; ~ munka/foglalkozás routine-business; ~ nevetés shallow laugh

lélektelenül adv, soullessly, spiritlessly, listlessly, half-heartedly; ~ dolgozik work like a robot/automaton; ~ ismétel repeat vacuously

léleküdítő a, soul-refreshing, stimulating, cheering

lélekvándorlás n, transmigration of souls, metempsychosis

lélekvesztő n, (kb) light boat (likely to capsize)

lelemény n, invention, inventiveness, ingenuity, resource; a történet az ő ~e the story is (all) his invention

leleményes [-et; adv -en] a, inventive, ingenious, resourceful, adroit, clever (fam); ~ ember man of resource, man fertile in expedients, (kif) he is never at a loss, he is a good contriver

leleményesség n, inventiveness, ingenuity, resource-(fulness), cleverness (fam), gumption (fam); semmi ~ nincs ebben a fickóban he is a helpless sort of chap

lelenc [-et, -e] n, † foundling, waif; ~be ad farm out (a child)

lelencház n, foundlings' hospital/home

lelép I. vi, 1. step down/off, [járműről] alight 2. [szereplés színteréről] retire, withdraw, stand down, make one's exit, [munkahelyről] check out, [máshonnan] leave II. vt, 1. [ellenfelet] crush, squash (opponent) (fam) 2. [lépéssel mér] pace

lelépés n, 1. (vhonnan) stepping down/off 2. [szereplés színhelyéről] retirement, withdrawal 3. [ellenfelet] crushing, squashing (fam) 4. ~ ellenében átadja a lakást transfer a/the flat against key/money

lelépési a, ~ díj premium, [lakásért] key/money

leleplez vt, 1. [szobrot] unveil 2. (átv ált) expose, unmask, lay open/bare, uncover, reveal, [bűnözőt]

detect, [csalást] lay bare, muck-rake (US), [csalót stb.] denounce, [érzelmet stb.] uncover, [sötét üzelmeket] expose (sg), [titkot, célt stb.] unveil, disclose, reveal, (kif) tell the plain truth of sg, [csak vmt] bring (sg) to light; ~ vmt vk előtt open the eyes of sy to sg; ~ vkt expose sy, show sy up (fam), prick the bubble ◈; ~i magát show one's true character

leleplezés n, 1. [szoboré] unveiling 2. (átv) exposure, detection, denunciation, disclosure, show-up (fam), showing up (fam); egy összeesküvés ~e disclosure/ revelation of a plot; a titok ~e disclosure of the secret

leleplező|dik [-ött, -jön, -jék] vi, become gradually exposed/detected

lelépő a, [igazgató] retiring (director), [kormány] outgoing (government); ~ őrség (kat) old guard; a ~ tagot nem lehet nyomban újraválasztani the retiring member shall not be eligible for immediate re-election

leléptet vt, (sp) disqualify

leles vi, peep down

lelés n, find(ing), discovery

lelet n, 1. finding, (rég) find; őskori ~ fossil 2. (orv) medical certificate/report, diagnosis, finding, laboratory findings (pl) 3. [adómulasztásról] report on tax-evasion 4. [talált tárgy] waif, [kincs] cache, (treasure-)trove

leletanyag n, (műv) material of finds, available finds (pl), [sírból] grave goods (mind pl), grave furniture

leletnely n, place of finding

leletjegyzőkönyv n, 1. (rég) statement/account/list of findings, material found 2. (orv) medical report of injuries sustained

leletleírás n, (rég) description of finds

leletmentés n, (rég) rescue excavation

levelez¹ vt, (növ) defoliate

levelez² vt, arrange/settle through correspondence

lelibeg vi, float down

lelkendez [-tem, -ett, -zen] vi, rhapsodize, (vmn, vmért) go into raptures (over sg), grow excited (over sg), enthuse (over sg) (fam)

lelkendezés n, burst of enthusiasm, transport of delight

lelkendező [-ek, -t] a, enthusiastic

lelkendezve adv, breathless, out of breath

lelkes [-ek, -t; adv -en] a, 1. [lény] animate 2. (átv) enthusiastic, keen, ardent, impassioned, zealous, zestful, fervent, [beszéd] spirited, animated (talk), [közönség] enthusiastic, eager (public); ~ éljenzés/ ünneplés ovation, loud/hearty/rousing cheers (pl); néhány ~ ember a handful of enthusiasts; ~ fogadtatásra talál meet with a warm reception; ~ hazafi hot patriot; ~ híve/tisztelője vknek sy's fervent/warm admirer, votary of sy, staunch supporter of sy; ~ követője vknek sy's ardent/devoted follower, votary of sy; ~ sakkozó chess-enthusiast/fan, keen chess-player; ~ sportember keen sportsman, [igével] be keen on sports/games; ~ szurkoló (big) sports fan; ~ tanulmányozója vmnek eager student of sg; ~ taps warm/rapturous applause

lelkesedés n, enthusiasm, ardour, zeal, fervour, eagerness; ~ nélkül unenthusiastically, half-heartedly; csupa ~ be full of enthusiasm, be as keen as mustard (fam); őszinte ~ whole-hearted enthusiasm; ~ hiánya nonchalance; nagy volt a ~ feeling ran very high (fam); ~sel tölt el vkt infuse sy with ardour

lelkesed|ik [-tem, -ett, -jen, -jék] vi, (vmért) be(come) enthusiastic (about sg), burn (for sg), he passionately fond (of sg), enthuse (about/over sg) (fam), be keen (on sg) (fam); hamar/könnyen ~ik he is easily moved to enthusiasm; nem ~ik érte he is not enthusiastic about it

lelkesen adv, enthusiastically, eagerly; ~ beszél vmről rhapsodize/enthuse over sg; ~ dolgozik work with enthusiasm/zeal, work like blazes *(fam)*; ~ szónokol hold forth with impassioned eloquence; ~ tanulmányoz vmt be an eager student of sg; ~ ünnepel give sy an ovation

lelkesít [-eni, -ett, -sen] *vt*, animate, inspire, fire (sy) with enthusiasm (for sg), rouse (sy) to enthusiasm, excite, inflame, fire, *(vkt vmre)* incite (sy to do sg), encourage (sy to do sg), *[sp vkt/csapatot]* root for (sy/team), *[csapatokat szónok]* harangue; ~i vk jó példája take one's inspiration from sy

lelkesítés *n*, rousing, encouragement, inspiration

lelkesítő [-ek, -t; *adv* -en] *a*, animating, inspiring, rousing, encouraging, soul-stirring; ~ hír news that warms the heart

lelkesség *n*, (glow of) enthusiasm, ardour, eagerness, keenness

lelkesül [-t, -jön] *vi*, = **lelkesedik**

lelkesült [-et] *a*, enthusiastic, elated

lelkesültség *n*, (glow/burst of) enthusiasm, elation, exaltation

lelkész [-ek, -t, -e] *n*, clergyman, (parish-)priest, churchman, ecclesiastic, *[protestáns]* pastor, minister, *[anglikán]* parson, rector, vicar, *[intézményé]* chaplain; *tábori* ~ army chaplain, padre *(fam)*; ~hez illő parsonic(al); *lelkésszel rendelkező [község]* parsoned

lelkészi [-ek, -t, *adv* -leg] *a*, clergyman's, priestly, *[protestáns]* pastoral, ministerial, *[anglikán]* parsonic(al); ~ hivatal priestly office, ministry, *[helyiség]* vestry

lelkészkedés *n*, clergyman's functions, ministry, ministration, service in (holy) orders

lelkészked|ik [-tem, -ett, -jen, -jék] *vi*, function as clergyman, be in (holy) orders

lelkészlakás *n*, residence of clergyman, presbytery, *[protestáns]* rectory, vicarage, parsonage

lelkészség *n*, priesthood, *[protestáns]* ministry, *[anglikán]* rectorate, rectorship

lelketlen *a*, heartless, unfeeling, callous, soulles, *[erősebb]* inhuman, barbarous, brutal, *[könyörtelen]* ruthless, cruel, pitiless, *[lelkiismeretlen]* unscrupulous, unconscionable; ~ szülők unnatural/heartless parents, hard-hearted parents

lelketlenség *n*, heartlessness, callousness, *[erősebb]* inhumanity, barbarity, barbarousness, brutality, *[könyörtelenség]* ruthlessness, cruelty, *[lelkiismeretlenség]* unscrupulousness

lelki [-ek, -t; *adv* -leg] **I.** *a*, spiritual, mental, psychic(al), inner, inward; ~ adottság frame of mind; ~ alkat mentality, spiritual/mental constitution, spiritual/inner life; ~ beteg *[ember]* mentally ill (person), brain-sick (person), psychopathic (person) *(tud)*, ~ betegség mental sickness, psychic disease; ~ egyensúly poise of mind, (mental) equilibrium; ~ élet inner life; ~ eredetű *(orv)* psychogenic; ~ fájdalmat okoz vknek hurt sy's feelings; ~ folyamat mental process; ~ fröccs *(biz)* pi-jaw ◈, sermon *(fam)*, homily *(fam)*; ~ gondozás cure of souls; *(orv)* ~ gyógymód psychotherapy; ~ harc mental struggle; ~ hasadás split personality; ~ izgalom agony; ~ jelenség spiritual/psychical phenomenon; ~ kín anguish, agony, tribulation; ~ nagyság greatness/loftiness of mind, moral greatness; ~ nyugalom peace/tranquillity of mind, composure; ~ nyugalmat tanúsít csapással szemben bear up against/under misfortune, keep a stiff upper lip *(fam)* a legnagyobb ~ nyugalommal *(tesz/ mond vmt)* (do/say sg) in cold blood; ~ rokon soulmate, kindred/congenial spirit/soul; ~ rokonság spiritual affinity, congeniality; ~ sötétség obscurantism; ~ szegény poor in spirit; *boldogok a* ~ szegények blessed are the poor in spirit; ~ szemei előtt in his mind's eye, before one's inward eye; ~ tusa

mental/inner struggle; ~ üdv(össég), salvation; ~ vakság blindness, cecity; ~ vezető (spiritual) director/ leader ~ vigasz consolation, solace, spiritual comfort **II.** *n*, ~ek the spiritual aspects

lelkiállapot *n*, state/frame of mind, mood, morale

lelkiatya *n*, (father-)confessor, spiritual director/adviser, ghostly father

lelkierő *n*, strength of mind, moral strength, strength (in adversity), fortitude

lelkifurdalás *n*, = **lelkiismeret-furdalás**

lelkigyakorlat *n*, spiritual/religious exercises *(pl)*, *[magányos]* retreat

lelkigyakorlatos *a*, ~ ház retreat house

lelkiismeret *n*, conscience, the inner man; ~ dolga matter/point of conscience; a ~ hangja/szava the voice/dictates of conscience, the still small voice *(fam)*; a ~ ítélőszéke the bar of conscience; *nyugtalan a* ~e be uneasy in one's mind; *rossz a* ~e have a guilty/bad/burdened conscience; *tiszta a* ~e have a clean/clear/good/easy conscience; ~e felébredt his conscience woke; ~e nem engedi have scruples about doing sg, it goes against sy's conscience (to do sg), it goes against the grain, (to do sg); ~ em megnyugtatása végett for the acquittal of my conscience; könnyít a ~én unburden one's conscience/soul; *vm vk* ~én marad sg lies on sy's soul/heart, sg lies at sy's door; ~ ének megnyugtatására for conscience' sake, to satisfy one's conscience; *vmt vk* ~ére bíz leave sg to sy's conscience; *elaltatja a* ~ét silence one's conscience; *elhallgattatja/megnyugtatja a* ~ét compromise with one's own conscience; *megvizsgálja a* ~ét examine one's conscience, search one's heart, make one's soul *(fam)*; *vm nyomja a* ~ét vknek sg is weighing/lying on sy's mind/conscience, have sg on one's conscience; *jó/tiszta* ~tel with/in good conscience, in good faith

lelkiismeretbeli *a*, conscience-, of conscience *(ut)*

lelkiismeretes *a*, conscientious, *[aggályosan]* scrupulous, meticulous; *túlzottan* ~ over-scrupulous; *nem vm* ~ *(ember)* he is not over-scrupulous; ~ munka an honest piece of work, thorough work; *pontos és* ~ munkát végzett he has done good work, he worked conscientiously, his work was thorough and conscientious

lelkiismeretesség *n*, conscientiousness, *[aggályosan]* scrupulousness

lelkiismeret-furdalás *n*, pang(s)/qualm(s)/twinge(s)/ prick(s) of conscience, guilty conscience, remorse, compunction; *bizonyos fokú* ~ fogta el he felt a kind of compunction; *a legcsekélyebb* ~ nélkül megtesz vmt have no qualms about doing sg; ~ai vannak have a bad/burdened/guilty conscience, feel some qualms of conscience, feel remorse, be tortured by remorse, be pricked by one's conscience *(fam)*, be conscience-stricken *(fam)*

lelkiismereti [-ek, -t] *a*, of conscience *(ut)*; ~ aggály scrupulousness, conscientious scruple, qualm of conscience; ~ aggályai vannak have scruples, *[a háború ellen]* be a conscientious objector; ~ kérdés a case for conscience, a question/matter/point of conscience; ~ kérdést csinál vmből have scruples about (doing) sg, make scruple to do sg; ~ kérdést csinál abból hogy ... make it a matter of conscience to ...; ~ szabadság liberty of conscience

lelkiismeretlen *a*, conscienceless, unconscientious, unprincipled, unconscionable, unscrupulous, *[igével]* have no conscience; ~ ember man of no scruples

lelkiismeretlenség *n*, unconscientiousness, lack of conscience, unscrupulousness, *[hanyagság]* carelessness, slackness, negligence

lelkiismeret-vizsgálat *n*, self-examination/communion, introspection, heart-searching; ~ot tart search one's heart, examine one's conscience, introvert one's mind/thoughts, *[gyónás előtt]* make one's soul *(fam)*

lelkileg *adv,* spiritually, psych(olog)ically, mentally, in mind *(ut)* ; *vm vkt ~ megtör* sg breaks sy's spirit

lelkipásztor *n,* pastor, minister

lelkipásztori *a,* pastoral, ministerial

lelkipásztorkodás *n,* pastorate

lelkipásztorkodástan *n,* pastoral theology

lelkipásztorkod|ik *vi,* function as pastor

lelkipásztorság *n,* cure (of souls)

lelkiség *n,* 1. spirituality, mentality, (state of) mind 2. spiritualness

lelkivilág *n,* mentality, frame of mind, inner world/life

lelkű [ek, -t; *adv* -en] *a,* -souled, with/of a .. soul *(ut),* -minded, of . . . mind *(ut)* ; *durva ~ [kegyetlen]* callous, hard-hearted, *[érzéketlen]* coarse--grained; *gonosz ~* evil-minded; *nemes ~* noble--minded, large-hearted

lelkület *n,* disposition, temper(ament), constitution, character, nature, cast of mind, spiritual complexion; *aljas ~ű* mean-souled

lelocsol *vt,* sprinkle, throw/sprinkle water over (sy/sg), sprinkle/douse with water

lelóg *vi,* hang (down), flag, *[megereszkedve]* droop, sag

lelógó *a,* hanging, sagging; *~ ajak* pendulous lips; *~ fül* pendulous ears, lop-ears *(pl)* ; *~ fülű* lop--eared

lelohad *vi,* 1. *[daganat]* go down, subside, detumesce 2. *[tűz]* (begin to) go out, (begin to) die down, sink, get low, 3. *[lelkesedés]* abate, cool off; *haragja (apránként) ~t* his anger worked itself out

lelohadás *n,* 1 *[daganat]* subsiding, subsidence, detumescence 2. *[tüzé]* dying down, sinking, 3. *[lelkesedésé]* abating, cooling off

lelohaszt *vt,* 1. *[daganatot]* reduce, bring down (swelling), *[felszúrva]* puncture 2. *[buzgalmat]* cool, dash, damp, deflate (sy's enthusiasm), *[reményeket]* throw cold water on (sy's hopes)

lelombozás *n, (növ)* defoliation

lelop *vt,* 1. *(konkr)* steal, pilfer, filch (sg. by taking down/off) 2. *[más művét]* steal, plagiarize, *(isk)* crib

lelopódz|ik *vi,* steal down, come/go down stealthily/furtively, descend stealthily/furtively

lelovagol I. *vi, (vhova)* go down (to . . .) on horseback, ride down II. *vt, [lovat]* exhaust one's horse

lelő¹ *vt,* 1. shoot/bring down, *(vmt vhonnan)* shoot away/off, *[repülő madarat]* tumble down (a bird), pick/bump off *(fam)* ; *~ttek két bombázót* two bombers were brought/shot down, they downed two bombers 2. *[átv vk elől]* steal a march on sy 3. *[viccet]* murder

lelő² [-t, -je] *n,* discoverer

lelőhely *n,* 1. provenance, *(áll, növ)* locality, station, *(ásv)* quarry, place of occurrence, *(bány)* layer, *(rég)* findspot, site, place of discovery 2. *(átv)* store/treasure-house

lelőhely-bibliográfia *n,* finding-list

lelőhely-jegyzék *n, [könyvtári]* census

lelök *vt, (vhonnan)* push/shove/thrust/knock down *(v.* off from), detrude; *~i a könyvet az asztalról* knock the book off the table

lelökörülmények *n. pl, (rég)* circumstances of discovery

lelövés *n,* shooting down

lelővöldöz *vt,* shoot down one by one, pick off one by one

leltár *n,* 1. inventory, *(ker)* stock-list, list (of stores), schedule (of stores); *átadási ~* outgoing inventory; *holt ~ (mezőg)* dead stock; *nyitó ~ (ker)* opening/beginning inventory; *~ba vesz vmt* enter sg in an inventory *(v.* stock-list); *~t készít vmről.* take *(v.* draw up) an inventory of sg, *(ker)* take stock of sg 2. = **leltározás**

leltárfelvétel *n, (ker)* stock-taking

leltári [-ak, -t; *adv* -lag] *a,* inventory-, of inventory *(ut)* ; *~ kiárusítás* stock-taking/clearing sales, preinventory clearances; *~ napló [könyvtárban]* accession register/book, stock-book; *~ szám* inventory number, *[könyvtárban]* accession number; *~ tárgy* stock piece, article/item (in an inventory), object itemized, item of inventory

leltárkönyv *n, (*book of) inventory, stock-book, balance--sheet book

leltároz [-tam, -ott, -zon] *vt/vi,* inventory, inventorize, take *(v.* draw up) an inventory (of sg), take stock

leltározás *n,* taking an inventory, stock-taking; *~ miatt zárva* closed for stock-taking

leltározási *a, ~ árleszállítás* stock-taking reduction

lemacskáz [-tam, -ott, -zon] *vi, (hajó)* (cast/drop) anchor, come to anchor

lemagáz *vt,* ⟨address sy as "maga" (with an intention to offend)⟩

lemálház *vt/vi,* unload (pack-animal)

lemállás *n,* coming/wearing/crumbling off, *[felé, festéké]* peeling (off)

lemáll|ik *vi,* come/wear/crumble off, *[fal, festék]* peel/scale/flake off

lemar *vt, [sav]* remove by corrosion, eat/gnaw off/away

lemarad *vi,* 1. *[csoporttól]* remain/drop/fall/lag behind, *[szándékosan]* lag behind, hang back, *(kat)* fall out 2. *[futó]* lose/give ground, be outstripped, *[versenyen]* be down the course, tall away; *két körrel ~t* he was outrun by two laps 3. *[tanulásban stb.]* slip/fall behind, *[fejlődésben, termelésben]* be backward, be not up to the mark; *~ a tervteljesítésben* fall below plan, be past schedule; *~t a munkával* he is behindhand with his work 4. *(vk vmről)* come/be late for sg, miss sg, *[vk vhol tartósan]* stay behind; *~ a vonatról* miss the train; *erről ~tam!* I've missed this chance, I've lost this opportunity, I've let slip this opportunity; *erősen le van maradva* he has a considerable leeway to make up; *ő sem akar ~ni* he is not wanting to be outdone either 5. *[csomag]* be left behind

lemaradás *n,* lag, backwardness (in sg), failure to do/achieve/fulfil (sg); underfulfilment, shortfall, *[munkával]* backlog, arrears *(pl),* arrearage, *[időbeli teljesítménye]* time-lag; *~ a tervteljesítésben* underfulfilment, falling below the plan; *vonatról való ~* missing the train; *~a van* be behind with one's work; *behozza ~át a munkában* make up arrears of work

lemaradoz|ik *vi,* fall/lag/drag behind

lemaradt [-at; *adv* -an] *a, ~ áru (ker)* shut-out, shutout *(US)*

lemarat *vt, [vegyszerrel]* remove with corrosive(s), *[fémet]* scrape, scour, pickle, dip, *(nyomd)* etch/. corrode off

lemaratás *n, (fémip)* scraping, scouring, pickling, dipping

lemarház [-tam, -ott, -zon] *vt, (kb)* call sy a silly ass/fool

lemaróanyag *n,* (paint) remover

lemásol *vt,* 1. copy, make a copy (of sg), *[részletet]* write/copy out, *[letisztáz]* transcribe, *[okiratot]* engross, *[rajzot]* trace off; *újra ~* recopy, rewrite, copy (sg) (over) again 2. *[stílust]* imitate, copy, *[más művét]* plagiarize, *(isk)* crib

lemásolás *n,* copying, *[letisztázás]* transcription, *[okiraté]* engrossment, *(isk)* cribbing

lemász|ik *vi,* climb/crawl/creep/scramble/clamber down, *(vmről:* off); *~ik a fáról* come down from the tree

lemázsál *vt,* weigh

lemberdzsek [-et, -je] *n*, lumber-jack/jacket, battle jacket

lemegy *vi*, 1. go down, descend, *[lépcsőn]* go downstairs, *[hegyről]* go downhill; *nem megy le a torkomon* that won't go down my throat 2. ~ *vidékre* leave for the country, repair/resort to the country, betake oneself to the country 3. *[árvíz, láz]* abate, subside, drop, *[dagály]* ebb, *[hőmérő]* fall, *[árak]* fall, come down; *végösszegből* ~ *20 forint* 20 forints are to be deducted from the total, 20 forints are taken/struck off the total; *lement a kenyér ára* bread is down 4. *[nap]* go down, set, sink; *lement a hold* the moon went down; *lement a nap* the sun is down, the sun has set 5. *[felületi réteg]* come off; *ez a folt szappannal sem megy le* this stain won't come off/out even with soap, this stain cannot be taken off even with soap, not even soap can take off this stain 6. *[elmúlik]* pass, be over

lemelegsz|ik *vi*, = lekívánkozik

lemélyít *vt*, *(vmt)* deepen, excavate, dig down, (counter)sink; *fúrást* ~ *(geol)* drill/bore a hole/well

lemenet 1. *n*, way/passage down II. *adv*, on one's way down, going down

lemenetel *n*, descent, going down

lemenő I. *a*, *a* ~ *nap* the setting sun; ~ *ági rokon* descendant; ~ *ágon (jog)* in the descending line II. *n*, 1. *(vké)* descendant 2. *a nap* ~*ben van* the sun is sinking/setting

lemer *vt*, skim off

lemér *vt*, 1. *(ált)* measure, *[szövetet]* measure off; *térképen távolságot* ~ mark off a distance on the map 2. *[mérlegen]* weigh, balance 3. *[becslésszerűen megállapít]* gauge, appraise, assess; ~*i vknek a képességeit* take sy's gauge

lemérés *n*, measuring, *[mérlegen]* weighing, *[képességet]* appraisal, assessment

lemérhetetlen *a*, imponderable

lemérhetetlenség *n*, imponderability

lemérhető *a*, ponderable; *le nem mérhető* imponderable

lemerít *vt*, plunge, immerse, submerge, sink, duck, douse, *[pillanatra]* dip

lemerítés *n*, plunge, immersion, dousing, *[pillanatra]* dipping

lemerül *vi*, plunge, dive, sink, duck, *[tengeralattjáró]* submerge, sub *(fam)*

lemerülés *n*, plunging, diving, *[tengeralattjáróé]* submersion

lemerült [-et; *adv* -en] *a*, submerged

lemészárlás *n*, butchery, slaughter(ing), massacre

lemészárol [-t, -jon] *vt*, butcher, slaughter, murder, *[csak embereket]* massacre, put to the sword

lemetél *vt*, cut (off) one by one

lemetsz *vt*, cut/chop off, nip *[nyisszant]* snip, *(orv)* excise

lemetszés *n*, cutting/chopping off, nip(ping), abscission, section, *(orv)* excision

lemetszett [-et] *a*, ~ *darab* snip, segment

lemez [-ek, -t, -e] *n*, 1. *[vastag fém]* plate, *[vékonyabb]* sheet, lamina, lamella, *[kőlap]* slab, *[épít]* strip, sheet-, plate-; ~ *alakú* laminiform, lamellar; *csatlakozó* ~ fish-plate; *csavaralátét* ~ washer; *hengerelt* ~ mill plate; ~*ekre hasít/fűrészel/választ* laminate; ~*ekre oszló/hasadó* lamellate, lamellose; ~*t marat/gravíroz* etch a plate; ~*t önt* pour plate; ~*zel beborít* plate, laminate; ~*zé nyújt [fémet]* laminate 2. *(fényk)* plate, *[hang]* record, disk 3. *(nyomd)* printing-plate, stereotype plate 4. *(növ)* lamina, lamella

lemezacél *n*, rolled steel, steel-plate

lemezadapter *n*, *(fényk)* plate back

lemezanyag *n*, plate-matter

lemezáru *n*, sheeting, sheet-iron and steel-plate goods *(pl)*, plates(,) sheets and foils *(pl)*

lemezárugyár *n*, sheet-iron works

lemezbuga *n*, sheet-billet

lemezburkolat *n*, (lining) sheeting, plating, coat (of metal), *[furnér]* veneer

lemezcsavar *n*, tinner-screw

lemezecske *n*, leaf, lamella

lemezegyengető *n*, plate dresser, *(nyomd)* planisher

lemezel [-t, -jen] *vt*, *[fémet]* plate, laminate, (metal), *[fával]* veneer, *(nyomd)* stereotype

lemezelés *n*, plating, laminating

lemezelt [-et] *a*, plated, *(vill)* laminated; ~ *edény* plated ware; ~ *fatábla* plywood

lemezes [-ek, -t; *adv* -en] *a*, in sheet(s)/plate(s) *(ut)*, *[szerkezetű]* foliated, *(term)* lamellate(d), lamellar, laminar, *[alakú]* lamelliform; ~ *csillám (ásv)* sheet-mica; ~ *fényképezőgép* plate camera; ~ *gomba* lamellate(d)/gilled fungus; ~ *kőzet* laminated/lamiable/flaggy stone; ~ *lábú* phyllopod(ous); ~ *lőpor* flaky gunpowder; ~ *szén (bány)* board coal; ~ *szerkezetű (növ)* leaf-like structure; ~ *zár (fényk)* bladed shutter; ~*sé tesz* laminate

lemezescsápú *a/n*, *(áll)* lamellicorn *(Lamellicornes)*

lemezesen *adv*, ~ *foszlik* laminate, flake off; ~ *hasad* split into plates

lemezeslábú *a/n*, phyllopod

lemezfelvétel *n*, *[hanglemezre]* recording

lemezfordító *n*, *[gramofoné]* turnover, record changer

lemezgyár *n*, = lemezárugyár

lemezgyártás *n*, plate-rolling/manufacture

lemezhajlító *a*, ~ *gép* plate-bending machine

lemezhártya *n*, flake, membrane

lemezhengerlés *n*, sheeting, sheet rolling

lemezhengermű *n*, sheet/plate mill

lemezipari *a*, ~ *dolgozó* sheet-metal worker

lemezjátszó *n*, record-plyer, *[tányér]* turntable, *[hangszedő]* gramophone pick-up

lemezjátszós *a*, ~ *rádió* radiogramophone, radiogram *(fam)*

lemezkazetta *n*, *(fényk)* plate-holder, dark slide

lemezke *n*, leaf, lamella

lemezkovács *n*, tinsmith, *[gyárban]* roller

lemezlakatos *n*, body-ironer

lemezmoszat *n*, *(növ)* laminaria *(Laminaria)*

lemezolló *n*, metal plate shears *(pl)*, tinsmith's/angle shears *(pl)*

lemezöntésű [-t] *a*, *(nyomd)* stereotype(d)

lemezpapír *n*, card/paste-board

lemezpénz *n*, *(rég)* bracteate

lemezrugó *n*, leaf/plate-spring, laminated spring

lemezszárító *n*, *(fényk)* *[állvány]* plate-rack

lemeztányér *n*, *[lemezjátszóé]* turntable

lemeztáptalaj *n*, *(orv)* plate medium

lemeztartó *n*, *[doboz]* case for records, *[korong]* turntable

lemeztelenít [-eni, -ett, -sen] *vt*, (lay) bare, strip, denude; *drótot* ~ strip the end of wire

lemeztű *n*, gramophone needle

lemezvágó *a*, ~ *gép* shearing machine; ~ *készülék [hanglemezt]* disk recorder; ~ *olló* plate-shears *(pl)*

lemezváltó I. *a*, ~ *zsák (fényk)* changing bag II. *n*, *[gramofoné]* record changer

lemezvas *n*, rolled/sheet/plate iron

leminősít *vt*, downgrade, grade down

leminősítés *n*, downgrading

leminősített *a*, ~ *áru (ker)* degraded goods *(pl)*

lemintáz *vt*, 1. model mould, make a model/mould (of sg), *[másol]* copy, make a copy (of sg) 2. *[eszményképnek tekint]* model oneself (on sy)

lemma [..at] *n*, *(nyelvt)* lemma, entry-head

lemming [-et] *n*, *(áll)* lemming *(Lemmus sp.)*; *északamerikai* ~ North American lemming *(L. trimucronatus)*; *pusztai* ~ mole vole *(Ellobius talpinus)* lemocskol *vt*, 1. = lepiszkol; 2. *[szidalmaz]* abuse, berate, denigrate

lemond I. *vi*, 1. *(vmről)* give, up, renounce; ~ *vmről [mint reménytelenről]* despair of (doing) sg, give sg up (as lost), give sg up as beyond recovery, give sg up as gone beyond recall, give sg up as a bad job, *[írásban]* sign away, *[vk javára]* renounce sg (on sy's behalf *v.* in sy's favour), resign sg (to sy), *[áldozatként]* forego, do without, stint oneself in, deny oneself, *[élvezetről]* renounce, give up, forego, give (sg) the go-by *(fam)*, *[reményről]* give up, abandon, surrender (hope), give way to (despair, grief), lose (courage), *[szokásról]* renounce, give up, forego, forsake, give sg the go-by *(fam)*; *nehezen tudnék ~ani erről* I could not easily dispense with it, I could not easily do without it; *erről már végleg ~hatsz* you'd better give it up as/for lost; *az orvos ~ a betegről* the doctor gives up a patient; *~tak a beteg életéről* the patient was given up; ~ *a dohányzásról* give up smoking, renounce/stop smoking; ~ *elveiről* make a surrender of one's principles; *esküvel ~ vmről* abjure/forswear sg; *igényről* ~ waive/withdraw/abandon/renounce a claim, disclaim sg; ~ *a jelölésről* withdraw one's candidature; ~ *vmlyen jogról* renounce/surrender/waive/disclaim a right; ~ *a képviselőségről* resign, stand down, vacate one's seat; ~ *egy követelésről* renounce, release a claim, give up a claim; ~ *egy behajthatatlan követelésről* write off a bad debt; *örökségről* ~ refuse/renounce an inheritance; ~ *a rangjáról [katonatiszt]* resign one's commission, send in one's papers; ~ *vmlyen tervről* give up the idea of sg, drop the idea of doing sg, renounce a project, desist from doing sg, throw up the sponge *(fam)*; *~ott a házeladás tervéről* he put aside his plan of selling his house; ~ *egy tisztségről* resign/relinquish a post, give up post/appointment, quit an office; lay down an office, send in one's resignation; ~ *a trónról* abdicate/renounce the throne 2. ~ *vkről* give sy up, lose all hope in/of sy, despair of sy 3. *a kormány ~ott* the Cabinet has resigned
II. *vt, [megállapodást]* cancel, declare (sg) off, call/cry off *(fam)*, *[mérkőzést]* call off, scratch; *~ja az előfizetést* withdraw one's subscription; *~ja a meghívást* excuse oneself from going, refuse an invitation, cancel/withdraw one's acceptance of an invitation, say not to be able to come after all *(fam)*, cry off *(fam)*; *~ja a rendelést* countermand/revoke an order; *le kellett mondani a versenyt* the race had to be called off

lemondás *n*, 1. *[állásról önként]* demission, *[betegről]* giving up, *[élvezetről]* renouncement, giving up, foregoing (of), *[igényről]* waiver, withdrawal, abandonment, disclaimer, disclamation, *[jogról]* renouncement, surrender, waiver, disclaimer, *[jogról esküvel]* abjuration, *[követelésről]* renouncement, giving up, *[örökségről]* renouncement, *[tisztségről]* resignation, relinquishment, *[tróneról]* abdication, renunciation, *[vmről, vkről mint reménytelenről]* giving up, despairing of; *beadja ~át* tender one's resignation, hand/send in one's resignation, *[miniszter]* return the seals, *(kat)* send in one's papers 2. *[beletörődő]* resignation, submission, submissivness; ~ *volt a hangjában* there was a tone of resignation in his voice 3. *[áldozat]* (self-)abnegation, self-denial/sacrifice 4. *[találkozót, megbeszélést]* cancelling, calling off, call-off, *[rendelést]* countermand(ing), counter-order, withdrawal

lemondási *a*, ~ *okirat (jog)* deed/instrument of abdication

lemondat *vt, (vkt)* make (sy) resign/abdicate, force (sy) to resign/abdicate, *[uralkodót]* depose (monarch)

lemondatás *n*, deposal, deprivation, deprival

lemondó [-ak, -t; *adv* -an] *a*, 1. *[kormány]* out-going (ministry), *[tisztviselő]* resigning (official), *[uralkodó]* abdicating (monarch) 2. *[beletörödő]* resigned, submissive; *~an legyint* wave one's hand in/with resignation, wave one's hand resignedly, make a resigned gesture, make a gesture of resignation

lemondólevél *n*, letter of renunciation/resignation; *[már elfogadott meghívásra]* letter cancelling/withdrawing acceptance of invitation, *[felkérésre]* letter of refusal, *[meghívásra]* letter to say one cannot come

lemondott *a*, ...who has resigned *(ut)*, ex-, *[uralkodó]* abdicated (monarch)

lemorzsol *vt*, 1. *[kukoricát]* shell (corn) 2. *[imát]* drone, rattle/reel off (prayers); ~ *egy könnycseppet* dash away a tear 3. *(geol)* degrade

lemorzsolódás *n*, 1. *[létszámé]* falling away/off, *[tanulóké]* dropping out (of students) 2. *[áraké]* falling off, ease-off 3. *(geol)* degradation, downcutting

lemorzsolód|ik *vi*, 1. *[árfolyam]* sag, fall/ease off 2. *[létszám]* fall away/off/out, *[tanulóké]* drop out/away (of school)

lemos *vt*, 1. wash down, *[sebet]* wash, bathe, *[vmt vhonnan]* wash (sg) away/off; *vkt szivaccsal* ~ give sy a sponge-down; *szivaccsal ~sa magát* sponge oneself 2. *~sa a gyalázatot* wash out a disgrace; *vérrel mos le sértést* wash out an insult in blood

lemosakod|ik *vi*, have a (thorough) wash, wash (oneself) from top to toe

lemosás *n*, 1. wash(ing), *[testé]* ablution, *[az egész testé]* sponge-bath; ~ *szivaccsal* sponge-down 2. *[újra festendő felületé]* cleaning

lemosd|ik *vi*, = lemosakodik

lemoshatatlan *a*, 1. *[folt]* (stain) that will not wash off/out *(ut)* 2. *(átv)* indelible

lemosókrém *n*, *[kozmetikai]* cleansing cream

lemosolyog *vi/vt*, 1. *[szerencse]* smile (up)on sy 2. *gányosan* ~ *vkt/vmt* sneer at sy/sg, smile contemptuously at sy/sg, deride sy/sg

lemosószer *n*, lotion, *(orv)* wash

lemozdonyoz [-tam, -ott, -zon] *vt, [ágyut]* unlimber (gun)

leművel *vt, [ásványkincset]* exploit; *bányát* ~ rob a mine

len [-ek, -t, -je] *n*, *(növ, tex)* flax (Linum usitatissimum), *(összet.)* flaxen, linen; *áztatott* ~ water-retted flax; *harmatáztatott* ~ dew-retted flax; *tilolt* ~ scutched flax; *~t nyű* pull the flax

lenagyol *vt*, rough off

Lénárd [-ot, -ja] *prop*, Leonard

lénáru *n*, linen (goods)

lenáztatás *n*, steeping, retting, rotting (of flax)

lenáztató *n*, 1. *[hely]* retting-pit/ground, rettery 2. *[személy, munkás]* retter

lenbatiszt *n*, lawn; *~ból való* of lawn *(ut)*, lawny

lencérna *n*, linen thread

lencse [.. ét] *n*, 1. *(növ)* lentil(s) *(Lens culinaris)*; ~ *alakú* lentiform, lenticular; *egy tál lencséért* for a mess of pottage 2. *[bőrön]* freckle, mole, *(bonct)* naevus, *[arcon]* beaty-spot 3. *[üveg]* lens; *T-bevonatú* ~ coated/bloomed lens, hard coated lens; *lencsét leblendéz* stop down a lens; *lencsét (le)csiszol* grind (down) a lens 4. *[szemé]* crystalline lens 5. *(geol)* lens, lentil, pocket

lencseárnyékoló *n*, *(fényk)* lens-shade

lencsecsiszolás *n*, lens-polishing/grinding

lencsefoglalat *n*, lens holder/mount; *cserélhető* ~ lens adapter

lencsefőzelék *n*, (dish of) lentils *(pl)*

lencseleves *n*, lentil soup

lencsemag *n*, *(bonct)* lenticular nucleus

lencsenyílás n, (fényk) lens-aperture; viszonylagos/ relatív ~ relative aperture of a lens

lencseragasztószer n, Canada balsam

lencserendszer n, system of lenses, optical system, [egybeépített] lens cell

lencsés a, 1. [étel] with lentils (ut) 2. [üveg] with/of ... lenses (ut); ~ távcső/messzelátó refracting telescope 3. (geol) lenticular

lencsesorozat n, = lencserendszer

lencseszem n, (növ) lentil grain, one lentil

lencseüveg n, lens-glass

lencsevédő n, (fényk) [sapka] lens-cap, [ernyő] lens-hood/shade

lendamaszt n, linen damask

lendít [-ett, -sen] vt, 1. (konkr) swing, sling, fling, hoist, [kart] raise, stretch, throw out/up, sweep 2. (vkn átv) give (sy) a lift, push (sy) on, (vmn átv) give a stimulus/impetus/impulse (to sg), better, bring (sg) forward, promote, set/bring in motion; ez nem sokat ~ a dolgon it is not of much use/help, that doesn't help much

lendítés n, 1. (konkr) swing(ing), fling, [karé] raising, sweep 2. (átv) impulse, impulsion, stimulus, impetus

lendítő [-t; adv -en] a, impulsive, stimulating, promoting; karját magasba ~ raising high his arm (ut)

lendítőerő n, driving/propelling force, force of impulse

lendítőkaros a, ~ gép lever-engine

lendítőkerék n, fly/balance-wheel, flyer, [órában] fly, balance(-wheel)

lendítőkerekes a, ~ indítóberendezés impulse starter

lendkerék n, = lendítőkerék

lendül [-t, -jön] vi, 1. (begin to) swing, swing/sweep forwards/upwards, rush (forward), come into motion 2. mozgásba/munkába ~ get going, spring into vigorous action, get/set in motion; támadásba ~ charge, start attack, be roused to attack; nagyot ~t az ipar industry made great strides

lendület n, 1. [karé] sweep, swing, [mozgó tárgyé] swing, impetus, impulsion, momentum, [ugróé] spring, leap, dash, bound, dart 2. [cselekvésre] impetus, impulsion, impulse, momentum, [emberben] energy, vigour, zest, force, dash, drive, verve, élan (fr), sweep, animation, liveliness, spirit, go (fam), zip (fam), snap (fam); csupa ~ vk be full of zest/go, have plenty of go; kezdeti ~ initial velocity, impetus; a fejlődés ~e the rate of progress; a gyors fejlődés ~e the rapidity of progress/advance; elragadja a saját ~e overrun oneself; ~be jön gather momentum, be getting under way, get going, hit one's stride, get into one's stride, spring into vigorous action, find/feel one's legs (fam); ~be hoz vmt give an impetus/impulse to sg; ~et ad vmnek give sg momentum, give sg a stimulus, give an impulse to sg; ~et vesz run up, swing 3. [költői] verve, gusto, buoyancy, [műalkotásban] sweep, movement, spirit, [szónoki] dynamism, [zenében] lilt; ~ nélküli [stílus] spiritless 4. [harcolóké] dash, [támadásé] sting

lendületes [-et; adv -en] a, impetuous, buoyant, having dash (ut), energetic, vigorous, animated, lively, dynamical, full of go (ut) (fam), [ember] brisk, full of go/pep (fam) (ut), [fejlődés] rapid, [kézírás, betű] bold, [mű előadása] spirited, dynamical, [stílus] racy, [szónoklat, vers] stirring; ~ és erőteljes stílus sweeping and owerful style; ~ vonal [képen stb.] sweeping line

lendületesség n, impetuousness, vigorousness, vivacity, liveliness

lendületű a, nagy ~ sweeping

lenéz I. vi, [fentről vkre] look down at/on, [kútba] peer into (well) II. vt, (vkt, vmt) look down (up)on, despise, contemn, disdain, scorn, be scornful of,

hold (sg) in disdain, have a contempt for (sy), hodr (sy) in contempt, turn up one's nose at (fam), look down the nose at/on (fam)'

lenézés n, contempt, disdain, scorn

lenézett a, despised, scorned

lenéző a, contemptuous, disdainful, scornful, sniffy (fam)

lenfélék n. pl, the flax family, Linaceae (tud)

lenfonal n, linen yarn

lenfonás n, spinning of flax, flax spinning

lenfonógyár n, flax-mill

lenföld n, flax-field

leng [-eni, -tem, -ett, -jen] vi, (ált) swing, [faág]' sway, [csónak] rock, [inga] swing, oscillate, (ritk) vibrate, [zászló] wave, stream, float, fly, flow, flutter; haja ~ a szélben her hair is fluttering in the breeze/wind; szellő ~ a víz felett there is a light breeze over the water

lenge [..ét] a, 1. very light, ethereal, [ruha] very light and loose (dress), [szövet] flimsy; ~ magyarban (kb) in undress, in one's pants; ~ öltözetű (too) lightly dressed/clad 2. [nád] flexible, pliable

lengedez [-tem, -ett, -zen] vi, [faág] sway (about), [zászló] flutter, flap, [szellő] stir, blow gently

lengedező [-ek, -t; adv -en] a, [faág] swaying, [zászló] fluttering, [szellő] gently blowing

lengedi [-t, -je] n, † dactyl (stand.)

lengereben n, (tex) ripple(r), hackle

lengerebenező n, [személy] flax-hackler/rippler

lengés n, 1. (ált) swing(ing), [egyszeri] sweep, [faágé] sway, [csónaké] rocking, [műszer mutatójáé, ingáé] swinging, oscillating, (ritk) vibration, [tengelyé] float, [zászlóé] waving; inga ~ swing of the pendulum, flutter 2. [nyújtón] swinging (on the horizontal bar)

lengéscsillapítás n, vibration damping, amortization, shock absorption

lengeség n, [ruháé] lightness, looseness, [nádé] flexibility, pliability

lengéshossz n, sweep (of pendulum), amplitude of oscillation (tua)

lengésmérő n, oscillograph, (hajó) wobble meter

lengésszám n, (fiz) number of oscillations

lenget vt, [karját] swing, [szél ágakat] sway, [vk zászlót] flourish, wave, [zászlót a szél] flutter, ruffle, [kalapot] flourish; zsebkendőt ~ wave/flutter a handkerchief

lengetés n, [kart] swing(ing), [zászlót] waving, flutter(ing)

lengő [-ek, -t; adv -n] a, [inga] swinging, vibrating, vibratory, oscillating, oscillatory, [zászló] waving, wavy, flowing, streaming, floating; ~ zászlókkal with colours flying

lengőajtó n, swing-door, double-acting door

lengőállás n, (műsz) swinging scaffold

lengőállvány n, (épít) hinge pedestal, (műsz) swinging frame

lengőcsapágy n, floating/rocker bearing

lengőcséve n, (távk) swinging/moving coil, [hangszóróban] voice coil

lengőeke n, swing-plough

lengőfűrész n, alternating/reciprocating saw

lengőgyűrű n, flying/swinging rings (pl)

lengőhenger n, oscillating cylinder

lengőkalapács n, pendulum-hammer

lengőkar n, swinging/reciprocating/rocking lever/arm, balance- beam/bob, pivoted arm, rocker, [gramofoné]' tone arm floater; szabályozó ~ balancer

lengőkötél n, swinging rope

lengőláb n, [műkorcsolyában] free foot

lengőmágnes n, moving magnet

lengőmozgás n, swinging/rocking motion
lengőnyújtó n, (flying) trapeze
lengőpöröly n, tilt hammer
lengőrosta n, (bány) shaker screen, (mezőg) reciprocating sieve, winnow, winnowing-machine/mill, fanner
lengőszelep n, swinging/rocking valve
lengőszita n, = lengőrosta
lengőtekercs n, moving coil
lengőtengely n, swinging/floating axle, rocking-shaft
lengőtengelyes a, ~ autó car equipped with swinging axles, car equipped with independently sprung wheels
lengőtrapéz n, flying trapeze
lengőütés n, [bokszban] swing(ing blow)
lengyel [-ek, -t, -e; adv -ül] I. a, Polish; L~ Népköztársaság People's Republic of Poland II. n, [ember] Pole, [nyelv] Polish
lengyeles [-et] a, Polish
lengyelfürt n, (orv) trichoma, Polish plait, plica polonica
lengyelke n. (zene) polonaise
Lengyelország prop, Poland
lengyelseg n, [nép] the Polish people, the Poles, [jelleg] Polish origin/character, [nyelvtudás] (knowledge of) Polish
lenhaj n, flaxen hair
lenhajú a, flaxen-haired
lénia [..át] n, ruler, (nyomd) rule, parallels (pl)
léniáz [-tam, -ott, -zon] vt, rule
Leningrád [-ot, -ban] prop, Leningrad
lenini [-ek, -t] a, Lenin's, of Lenin (ut)
leninista [..át] a/n, Leninist
leninizmus n, Leninism; a ~ a marxizmus továbbfejlesztése Leninism is a further development of Marxism
lenipar n, linen industry
Lenke [..ét] prop, ⟨feminine name⟩, Lenke
lenkék a, flax-blue
lenkóc n, flax-tow
lenmag n, flax-seed, linseed
lenmagliszt n, linseed meal
lenmaglisztes a, ~ borogatás linseed poultice
lenmagolaj n, = lenolaj
lenmagpogácsa n, linseed-cake
lenművelés n, growing/cultivation of flax
lenn adv, below, beneath, down, downstairs, underneath, under, in/at a lower place, underfoot
lenni vi, be; ~ vagy nem ~ to be or not to be; ld még van, lesz
lenolaj n, linseed oil
lenőtt [-et] a, ~ nyelv (orv) tongue-tie
lenövés n, (orv, növ) adhesion, accretion
lenrost n, flax/linen fibre
lenszalag n, linen tape
lenszínű a, flaxen, flaxy
lenszőke a, flaxen-coloured/haired
lenszövet n, flax. cloth
lenszövő n, linen weaver
lent adv, = lenn
lentermelés n, flax growing/cultivation
lentermő a, [talaj] (soil) suitable to grow flax (in) (ut), [vidék] (district) where flax is grown (ui)
lenti [-ek, -t] a, 1. [hely] lower, (sg) below, (lakó) (sy) downstairs 2. [lejjebb említett] mentioned below (ut)
lentiló n, flax-brake, swingle
lentilolás n, flax breaking, swingling
lentörő I. a, ~ gép flax-breaking machine II. n, flax-brake/breaker
lenvászon n, (flaxen) linen, linen cloth
lény [-ek, -t, -e] n, being, [néha elít] creature, individual, person; emberi ~ a human being; vknek a ~e sy's nature/temper/character; egész ~e fellázadt arra a gondolatra all his being revolted at the idea

lenyakaz vt, behead, cut (sy's) head off, decapitate (ref.), decollate (ref.), chop (sy's) head off (fam), [nyaktilóval] guillotine
lenyakazás n, beheading, decapitation (ref.) decollation (ref.), [nyaktilóval] guillotining
lenyal vt, 1. lick (off) 2. ~ja a haját plaster down one's hair; le van nyalva a haja his hair is flattened down upon his head; lenyalt hajjal with hair plastered down
lenyargal vi, hurry down, [lovon] ride down in a hurry
lényeg [-et, -e] n, essence, substance, essentiality, essentials (pl), [fontos mozzanata vmnek] (main) point, main part (of sg), basis, the long and the short (of sg), [fő jellege] nature, (essential) character, life-blood, [veleje] gist, pith, nucleus, sum, matter, [sűrített kivonata] (quint)essence, (fil) essence, substantiality; az a ~ hogy ... the (main) point/ thing is that/to, it boils down to this (fam), the long and short of it is; ez itt a ~ that's the point!; a forma és a ~ (fil) form and matter; beszédének ~e the essence/body of his speech; bűntény ~e (jog) essence of a crime; a dolog ~e az, hogy the root/crux/essence/ fact of the matter is that; a kérdés ~e the gist (v. main point) of a question/issue; az ügy ~e the sum and substance of the matter; vmnek a ~ébe hatol get to the core of sg (fam); ~ében essentially, fundamentally, practically, at the bottom; ~ében erről van szó here is the point, that's the point (fam), that's what it boils down to (fam); ~ében ugyanaz practically the same; ~ében nem érinti it is not affected in essentials (by sg); a dolgok ~éből következik it is in the nature of things; vmt kiforgat a ~éből deprive sg of its true/ essential character, misrepresent the essence of sg; a ~hez ragaszkodik fasten on to essentials; hozzátartozik a dolog ~éhez it is the very essence of the thing, it is an integral part of it, it is of vital importance (that); maradj a ~nél stick/keep to the essentials; ez nem változtat a ~en that makes no difference; ~re tér get/come to the point, [hozzászóló] speak to the point, get down to brass-tacks (fam), get to the bottom of sg (fam), get to business (fam); azonnal a ~re tér come/go straight to the point; a kérdés ~ére válaszol answer to the point; nem érinti a ~et be beside the mark, miss the (main) point; röviden és csak a ~et! be short and to the point!
lényegbeni [-ek, -t] a, essential, basic, root-, bottomlényegbevágó a, vital, all-important, of primary/prime/ vital importance (ut), [különbség] material, essential (difference); nem ~ unessential
lényeges [-et; adv -en] I. a, substantial, essential, momentous, (all-)important, vital, of primary/vital/ prime importance (ut), of great consequence (ut), material, [alapvető] fundamental, intrinsic(al), [nélkülözhetetlen] integral, indispensable; ez nem ~ it is not of primary importance, it is non-essential, it is of no consequence, it is of little amount, that's neither here nor there, it doesn't matter a scrap (fam); nem ez a ~ that is not the point; ~ érv weighty argument; ~kérdés a question of importance, a (very) material question; ~ mozzanat salient feature; ~ változás considerable/material/significant change
   II. n, a ~re szorítkozik stick to the relevant facts, stick to essentials; nem mondott semmi ~et he said nothing of importance
lényegesen adv, essentially, substantially, considerably, materially, [érzékelhetően] perceptibly; ~ megjavul improve considerably; ~ jobb a többinél considerably better than the rest, much the best, by far the best
lényegesség n. essentiality, substantiality
lényegi [-ek, -t; adv -leg] a, ~ különbség difference of substance

lényegileg *adv*, essentially, substantially, by nature, at the bottom *(fam)*

lényegtelen *a*, unessential, inessential, non-essential, unsubstantial, unimportant, insignificant, of no import(ance)/account/consequence/consideration *(ut)*, that carries no weight *(ut)*, immaterial, inconsequential, *[nem a lényegre vonatkozó]* beside the mark/point *(ut)*, irrelevant, irrelative; ~ *(hogy hogyan...)* no matter (how ...); *vmt* ~*nek tekint* make light of sg; ~ *veszteség* trifling/trivial loss

lényegtelenség *n*, irrelevance, inconsequence, immateriality, triviality

lenyel *vt*, 1. swallow (down), get/take down, *[egyszerre]* gulp down, *[mohón]* devour, bolt, gobble (up), ingest *(tud)*, ingurgitate *(tud)*; *egyszerre nyel le vmt* swallow sg at one mouthful, make one mouthful of sg 2. *(átv)* swallow (sg), stomach (sg), lumpit, *[rendreutasítást]* take (a snub); *szó nélkül* ~*i* take sg lying down *(fam)*, grin and bear it *(fam)*; *ezt nem nyeli le* it does not go down with him; ~*i a békát* swallow the bitter pill, take one's medicine *(fam)*; ~*i a keserű pirulát* swallow the pill, bite on the bullet, submit to the humiliation; ~*i a könnyeit* gulp down/back one's sobs/tears; ~*i a sértést* pocket the insult, take the insult lying down, pocket/swallow the affront, sit down under the insult

lenyelés *n*, swallowing, *[egyszerre]* gulping down, *[mohó]* devouring, deglutition *(tud)*, ingurgitation *(tud)*

lenyelhető *a*, swallowable, stomachable

lenyergel *vt/vi*, unsaddle, off-saddle, saddle off

lenyes *vt*, 1. *(vt vmről)* cut off/away (sg from sg), clip, pare off, *[ágat]* lop/prune off/away, trim, truncate, stump; *farkot* ~ *[lóét, kutyáét]* bobtail 2. ~*i vk hibáit* iron out sy's faults

lenyesés *n*, cutting off, clipping, paring, *[faágé]* lopping/pruning off/away

lenyilaz *vt*, kill with arrow(s)

lenyír *vt*, cut (with scissors/shears), cut/shear off, trim, clip, *[rövidre]* crop, *[szakállt]* take off

lenyírás *n*, cutting, trimming, clipping, *[fűnyíró géppel]* mowing

lenyirat *vt*, ~*ja a haját* have/get one's hair cut, have/get a hair-cut

lenyírt *[-at; adv -an]* *a*, ~ *gyapjú* shorn wool, wool crop, shearlings *(pl)*; *tövig* ~ close-cut/cropped

lenyisszant *vt*, snip/snap off; ~*ja vk fejét* chop sy's head off

lenyisszent *vt*, = lenyisszant

lenyom *vt*, 1. press down, depress, *[hajlít]* bend down, *[súlyával]* weight down, *[laposra]* flatten (down), *[vkt erővel]* hold/get/put (sy) down, *[székbe vkt]* thrust down, *[hegedűhúrt]* stop (down); *a víz alá* ~ duck, submerge; ~*ja a mérleget*, ~*ja a mérleg serpenyőjét (átv is)* turn the scale; ~*ja a pedált* press the pedal down, step on the pedal, depress the pedal 2. *(nyomd)* print (off), pull, take proofs (of sg); *újra* ~ reprint 3. *[étet]* choke down 4. ~*ja az árakat* depress prices, force/beat/bring prices down; ~*ja a lázat* abate the fever 5. *[kedélybelileg]* depress

lenyomás *n*, 1. pressing (down), depression 2. *(nyomd)* printing

lenyomaszt *vt*, depress, weigh down/upon, press down

lenyomat[1] *vt*, *[nyomdailag vmt]* have (sg) printed (off)

lenyomat[2] *n*, 1. *[vm nyoma]* mark, print, imprint, impression, press-work 2. *(nyomd)* copy, impress (copy), *[nem végleges]* proof, *[rézmetszeté]* proof; *új* ~ reprint, reimpression, reissue 3. *[fogról]* impression; *vmről* ~*ot készít* take an impression of sg, *[réz stremlékről]* take a (brass) rubbing 4. *(rég)* imprint

lenyomkod *vt*, keep pressing down

lenyomód|ik *vi*, 1. *[súly alatt]* get/be pressed/weighed

down 2. *[nyomot hagy]* leave an impression/print/stamp/mark

lenyomoz *vt*, investigate, inquire (into sg), check, *[és megtalál]* track down, *[vk múltját]* reckon (sy) up, screen (sy), check up on (sy) *(US)*

lenyomtat *vt*, 1. *[súllyal]* press/weigh down, *[levelet]* put letter-weight on (letter) 2. *(nyomd)* print (off)

lenyugsz|ik *vi*, 1. *[égitest]* set, sink, go down/under 2. *[ember]* go to bed, retire for the night

lenyugvás *n*, 1. *[emberé]* retirement 2. *[napé]* setting, going down

lenyugvó *a*, ~ *nap* setting/westering sun

lenyújt *vt*, hand/reach down

lenyúl *vi*, *(vmért)* reach down (one's hand) (for sg), *[hegedű nyakán]* shift

lenyúlás *n*, *(vmért)* reaching down (for sg)

lenyúl|ik *vi*, stretch, reach (down), *[felülről]* hang/come down

lenyúz *vt*, 1. *[bőrt]* strip/pull off (skin), flay, skin, scalp; ~*za a héját/kérgét (vmnek)* scale off (the bark of sg) 2. *[felhorzsol]* excoriate, bruise

lenyúzás *n*, 1. skinning, stripping off (of skin), flaying 2. *[felhorzsolás]* excoriation

lenyűgöz *[-tem, -ött, -zön]* *vt*, fascinate, keep/hold (sy) spell-bound, have a hold on, captivate, bewitch, enthral, entrance, charm; ~*i a közönséget [színész]* hold the stage

lenyűgöző *[-ek, -t; adv -en]* *a*, fascinating, captivating, enthralling, imposing; ~ *látvány* entrancing/compelling/imposing spectacle; ~ *szépség* prodigy of beauty; ~ *szónok* spellbinder *(US)*; ~*en hat vkre* exert irresistible influence upon sy, put a charm/spell on sy

Leó *[-t, -ja]* *prop*, Leo(n)

leokád *vt*, *(durv)* *(vmt)* vomit/spew/puke upon (sg), be sick on *(stand.)*

leold *vt*, 1. undo/untie/unbind/unknot/loosen and take off; *láncról* ~ unchain 2. *(vegyt)* dissolve

leoldód|ik *vi*, 1. get/come undone/untied (and come off) 2. *(vegyt)* dissolve, melt off

leólmoz *vt*, seal, affix leads to, affix lead stamp/seal to

leolt *vt*, *[lámpát]* put out (light), *[gázt]* turn off (gas), *[villanyt]* switch off (electric light); ~*ott lámpákkal* with (all the) lights out

leolvad *vi*, 1. *(vm vmről)* melt away, thaw 2. *[összeg]* melt, shrink, diminish, dwindle *(amennyivé: to)*

leolvas *vt*, 1. *[szöveget, kottát]* read (off) 2. *[műszert]* read (off), take the reading, *[gázórát]* meter (the gas) 3. *vmt* ~ *vknek az arcáról* read sg in sy's eyes, read sg written in/on sy's face 4. *[pénzt]* count down

leolvasás *n*, reading, read-off

leolvasási *a*, ~ *érzékenység (műsz)* sensitivity of reading; ~ *hiba* error in reading

leolvasóberendezés *n*, *[mikrofilm]* microfilm reader

leolvaszt *vt*, melt (and remove), *[hűtőszekrényt]* defrost

leolvasztás *n*, melting, *[hűtőszekrényt]* defrosting

leomlás *n*, *[falé]* falling in, collapse, *[házé]* tumbling down, *[partfalé]* caving-in, *[szikláé]* fall, *(geol)* collapse

leomlaszt *vt*, batter/pull/knock down, demolish, cause (sg) to fall in, cause (sg) to tumble down, cause (sg) to collapse/crumble

leoml|ik *vi*, 1. *[fal]* fall in, collapse, founder, *[föld, homok]* collapse, *[függöny]* hang/come down (in folds), *[haj]* fall, flow (down), hang down, *[ház]* tumble down, crumble, *[part]* cave in, *[ruha]* hang/come down (in folds), drape, *[víz]* cascade, fall in cascades; *nagy robajjal* ~*ik* crash down 2. *[vk vk előtt]* prostrate oneself (before sy), fall on one's knees

leomló *a*, *[ház]* crumbling, *[ruha]* draping, *[haj]* falling, flowing

leoninus *[-ok, -t]* *n*, leonine hexameter

leónoz *vt*, seal (off) with tin

leopárd [-ot, -ja] n, leopárd (Felis pardus). [nőstény] leopardess; havasi ~ ounce, snow leopard/panther (F. uncia)
leoperál vt, (vmt) remove (sg) by ablation/operation
leoperálás n, ablation
leordít vt, roar (down), howl (down), yell (down)
leoson vi, sneak/slip down
leosztályoz vt, 1. (isk) (kb) grade, classify 2. (ker) class, grade, assort
leosztás n, (kárty) hand
leóvakodik vi, slip cautiously down
leöblít vt, 1. rinse, swill, (orv) [sebet] wash; kezeit ~i rinse one's hands 2. [ételt borral] wash down (with wine); egy pint sörrel öblíti le az ebédjét rinse one's dinner down with a pint of ale 3. [vécét] flush
leöblítés n, rinsing, rinse, swill(ing): felületi ~ (földr) surface runoff
leöblöget vt, rinse/flush/swill down
leöl vt, kill, [áldozati állatot] immolate, sacrifice, [kísérletit] sacrifice, [disznót] stick, [marhát] slaughter, butcher
leöldös vt, kill (indiscriminately), butcher, [embereket] slaughter, massacre
leölés n, killing, [áldozati állaté] immolation, [marháé] slaughter(ing), [kísérleti állaté] sacrifice
leömlik vi, flow/run/stream/gush down
leönt vt, 1. [abroszt] stain (tablecloth with liquid), spill sg on (tablecloth), [felesleget] discharge (overflow), pour off, [felüiről] pour down, [vkt vízzel] throw (water over sy), douse (sy), [vizet vmről] drain off (water) 2. [ételt mártással] pour sauce/gravy over (food) 3. ~ italt gulp/lap down a drink
leöntő n, [konyhai szennyvíznek] sink
leöntöz vt, sprinkle
leőröl vt, (vmt) grind, mill (whole quantity of sg)
leözönlik vi, [tömeg] crowd down
lep [-tem, -ett, -jen] vt, cover, [legyek vmt] swarm over, [növényzet] overgrow, [rétegszerűen] overlay, overspread
lép¹ [-tem, -ett, -jen] I. vt, aprókat ~ take mincing steps, [gyerek] toddle; egyet ~ take a step; nagyokat ~ stride, stalk (along)
II. vi, 1. step, tread, take a step/pace; egyszerre ~ keep in step; az emelvényre ~ mount the dais; lábára ~ vknek tread on sy's foot/toes; vkhez ~ step to sy, come/draw near sy 2. [sakkban] play (a piece), move (a piece), make a move (with a piece); ki ~? whose move is it?; ön ~ it is for you to move 3. vk helyébe ~ replace sy; állásba ~ enter office; egyezségre ~ make a composition/compromise, contract a deal, make an agreement (with); házasságra ~ vkvel contract a marriage with sy, be married (to); vk jogaiba ~ assume the rights of sy; holnap ~ hatvanadik évébe she enters on her sixtieth year tomorrow; 27. évébe ~ turn 20; magasabb osztályba ~ (isk) go up (a form); felsőbb osztályba ~het may pass to next form, he has got his remove (fam); nyomába se ~het cannot be compared to, cannot hold a candle to, be not a patch upon (fam); összeköttetésbe ~ get into connection (with), communicate (with), enter into relations (with), contact (sy); rossz útra ~ go to the bad, walk the primrose path; színi pályára ~ go on the stage; szövetségre ~ vkvel contract/conclude an alliance with sy; trónra ~ mount/ascend the throne, (vk után) succeed (sy) on the throne
lép² [-et, -e] n, (bonct) spleen, milt, (összet) splenetic
lép³ [-et, -e] n, [csalétek] bird-lime; ~re csal take in, ensnare, lure into a snare, decoy; ~re megy be caught in the trap, fall into the trap, (let oneself) be taken in (fam), be had (fam), be done brown ✧, fall for it (fam), swallow/take the bait, nibble

at the bait, rise to the bait/fly (fam), take the hook (fam), swallow hook(,) line and sinker (fam), be inveigled (fam)
lép⁴ [-et, -e] n, [méhé] honeycomb, (ritk) comb
lepaktál vi, (vkvel) enter into collusion (with sy), have (underhand) dealings with sy
leparancsol vt, (vhonnan) order down (from)
lepárlás n, distillation, (di)stilling, decoction; szakaszos/ jrakcionált ~ differential/fractional distillation
lepárló [-t] I. a, distillatory II. n, [berendezés] distiller, still, distillator, distillation plant, distilling apparatus, rectifier
lepárlóüzem n, distillery
lepárol vt, distill, still, decoct, steam out, (átv is)t boil evaporate down; szakaszosan ~ [ásványolaja]/ fractionate
lepárolás n, = lepárlás
lepasszol I. vi, 1. (kárty) pass, say no bid 2. (vk átv) come down (in the world) II. vt, [labdát] pass (ball) along
lepattan vi, 1. [máz] split/crack/chip off, [gomb] fall/fly off, [golyó] glance off/aside, [labda] rebound 2. [lóról] jump (down), spring down (from horse)
lepattint vt, split/crack off
lepattog vi, 1. [egy darabka] splint/crack/chip off, [festék] flake off 2. [puskagolyó, dobott kő vmről] spring back, rebound, recochet 3. [fakéreg] exfoliate
lepattogzás n, [festék] flaking/peeling off, scaling [zománc] chipping, [festményen, lakkozáson, mázas cserépen] crackle, (orv, növ) exfoliation
lepattogzik vi, [zománc, festék] chip off, flake (away/ off), come off in flakes, scale (off), [vakolat, fal] peel (off), [írezőanyag] crack
lépbetegség n, splenic disease, lienopathy
lepcses [-ek, -t; adv -en] a, mouthing (obscenities), slatternly, untidy
lépcső [-t, -je] n, 1. [fok] step, stair, [sor] stair(s), flight of stair/steps, [korláttal együtt] staircase, stairway (US), [kapu előtt] door-step, [jármüé] footboard, side-step, [autón] running board, [oromfalé] corbel steps (pl); egykarú ~ single-flight stairs (pl); hátsó ~ backstairs (pl); kétkarú ~ two-flight stairs (pl); lejárati ~ (hajó) companion-ladder; felmegy a ~n go upstairs, go up the steps, climb the stairs; lemegy a ~n go downstairs, descend; vigyázat ~! mind the step! 2. (átv) scale 3. [harci] echelon 4. [rakétáé] step, stage
lépcsődeszka n, step-board, [villamoskocsin] tram-board
lépcsőfellépő n, stair tread, riser
lépcsőfok n, 1. step, stair, stairstep, tread (of a stair), grade; kezdő ~ stair foot; ~ magassága riser, rise of stairs; ~okkal ellát step 2. (átv) step, stage, stepping-stone
lépcsőforduló n, landing (on stairs)
lépcsőgyámfal n, string-wall
lépcsőház n, staircase, stairhall, stairway, [hajóban] companion-way
lépcsőházi a, ~ percvilágítás time-switch
lépcsőima n, (egyh) introit, gradual
lépcsőkanyarulat n, winding of staircase
lépcsőkar n, flight of stairs, stairway; egyenes ~ straight stairs (pl); íves ~ winding stairs (pl)
lépcsőkarfa n, hand-rail, banister(s), baluster(s)
lépcsőkonzol n, stair bracket
lépcsőkorlát n, banister(s), stair-rail(ing), [külső] balustrade
lépcsőlap n, tread; ~ mélysége go of stairs, run
lépcsőoldal n, string-board
lépcsőpihenő n, (stair) landing, stair-head; közbenső ~ half(space) landing
lépcsőpofa n, notch/string-board

lépcső-próba *n, (orv)* exercise tolerance test (for angina pectoris)

lépcsős *[-et; adv -en] a,* stepped, staired, graded, *(bány)* staggered; *két ~ in* two stages *(ut); ~ kapcsoló* step switch; *~ létra* pair/set of steps; *~ oromzat* stepped gable, corbie steps *(pl); ~ rakéta* step rocket; *három~ rakéta* three-stage rocket; *több~ rakéta* multistage rocket; *~ rostély (koh)* step-grate; *~ szíjtárcsa* stepped cone/pulley; *~ törés (geol)* step fault; *~ transzformátor (vill)* step transformer; *~ vetődés (geol)* step fault

lépcsősen *adv, ~ elrendez* step, scale, stagger, set off, *(kat)* echelon; *~ változó* alternating, staggering, stepped, zigzag

lépcsősor *n,* flight of stairs/steps, steps *(pl)*

lépcsőszámla *n, (ker)* equated account

lépcsőszárny *n,* flight (of steps)

lépcsőszegély *n,* wall-string

lépcsőtorony *n,* stair turret

lépcsőz *[-tem, -ött, -zön] vt,* = lépcsősen *elrendez*

lépcsőzés *n,* stepping off/up, echelon(ing), grading

lépcsőzet *n,* terrace, set-off, steps *(pl), [oltáron gyertyatartóknak, vázáknak]* gradin(e)

lépcsőzetes *[-et; adv -en] a,* 1. stepped, in tiers *(ut),* tiered, terraced, set off, step-like; *~ dugattyú* stepped piston; *~ hajtómű* stepped gear; *~ padsor* gradin(e) 2. *(kat)* echeloned; *~ felállításban* in echelon 3. *(átv)* gradual, staggered; *~ díjszabás* differential/ graduated/sliding tariff

lépcsőzetesen *adv,* stepwise, step-like, in tiers, tier upon tier, staggered, gradually; *vmt ~ kiképez* terrace sg; *~ emelkedő* rising in tiers *(ut)*

lépcsőzetesség *n,* 1. arrangement in tiers/terraces, *(geol)* gradation 2. *(átv)* staggering, gradualness

lépdegél *[-t, -jen] vi,* pace, amble (along/about), take mincing steps

lépdel *[-t, -jen] vi,* pace, tread; *peckesen ~* strut, stalk, stride

lepecsétel *vt,* 1. *[bezár, levelet]* seal (up) 2. *[bélyegzőt rányom] [aktákat]* (official) seal (to sg), *[okmányt]* (en)stamp 3. *[levélbélyeget érvénytelenít]* cancel, deface

lepecsételés *n,* 1. sealing 2. *[okmányt]* stamping 3. *[bélyeget]* cancelling

lepecsételt *[-et; adv -en] a,* 1. *[bezárt]* sealed (up), under seal *(ut)* 2. *[okmány]* stamped 3. *[bélyeg]* cancelled

lepedék *[-et, -e] n, (orv)* fur, saburra

lepedékes *[-et; adv -en] a,* furred, coated, saburral *(tud); ~ lesz* fur (up); *~ nyelv* furred/coated/ unclean/dirty tongue

lepedékmentes *a, ~ nyelv* clean tongue

lepedő *[-t, -je] n,* 1. (bed-)sheet, sheeting; *vizes ~ (orv)* pack(ing-)sheet, cold pack; *vkre ráhúzzák a vizes ~t* make sy responsible for sg (with unpleasant consequences for him) 2. *[mozivászon]* screen

lepedővászon *n,* sheeting

lépeget *vi, [gyorsan]* trot, *[kimérten]* pace, *[kényelmesen]* amble (along/about)

lépegető *[-t] a, ~ exkavátor* walking excavator

lepel *[leplet, leple] n,* 1. veil; *hulljon le a ~!* let it be unveiled!, unveil the statue!, I now unveil the statue!; *lehullt a ~* the secret is out; *vmnek a leple alatt* under cover/colour of sg; *az éj leple alatt* under cover/favour of (the) night, under the cloud of night, under screen of night *(fam); lerántja a leplet vkről* = leleplez *vkt* 2. *halotti ~* winding-sheet, shroud, cerement(s), cerecloth *(obs), [koporsón]* pall 3. *barátság leple alatt (átv biz)* under the mask of friendship 4. *(növ)* perigone; *~ külső köre* falls *(pl)*

lepellevél *n, (növ)* tepal

lepelpikkely *n, (növ)* lodicule

lépeltávolítás *n, (orv)* splenectomy, splenotomy

lependék *[-et, -e] n, (növ)* pterodium, winged fruit

lepénzel *vt,* bribe, square *(fam),* grease/oil sy's palm *(fam)*

lepénzelt *a, ~ sajtó* mercenary/reptile press

lepény *n, (kb)* girdle-cake, *[töltött]* tart, pie

lepényfa *n, (növ)* honeylocust *(Gleditschia sp.)*

lepényhal *n,* dab, fluke, flat-fish, pleuronectid *(Pleuronectes sp.)*

lepénylesö *n, (biz, tréf)* potato-box/trap, tater-trap

lepénysütőminta *n, (rég)* crustullum form

leperdül *vi,* roll off

lepereg *vi,* 1. *[homok]* run down, *[folyadék]* run/trickle off, *[vakolat]* peel off, *[könny]* run/trickle down 2. *[film]* be reeled off, unfold, be shown 3. *~ róla minden (szidás)* run/trickle off him like water off a duck's back, have the skin of an elephant; *~ róla [hatástalanul]* roll off his back 4. *[idő]* elapse, pass (away), go/slip by, *[esemény]* pass off

leperget *vt,* 1. *[filmet]* show; *gondolatban ~te maga előtt a múltat* his thoughts ranged over the past 2. *[fonalat]* unreel, reel/wind/spool off

lepergetés *n, [filmet]* showing

leperzsel *vt,* 1. singe (off) 2. *[nap]* parch, scorch, shrive (up)

lépes *a, ~ méz* comb-honey, honey in the comb

lépés *n,* 1. (foot) step, *[járásmód]* step, tread, *[távolság]* step, pace, *[hosszú]* stride, *[ló járásmódja]* pace, amble; *csak egy ~ ide* it is only a few steps away; *egy ~ előre két ~ hátra* one step forward two steps back; *tíz ~ távolságban* ten paces off; *~ben* **at (a) foot pace,** at a walking pace, at an easy pace; *~ben megy [jármű]* go at (a) walking pace, *[ló]* pace, amble; *~hez igazodik* fall into step; *~re fog [lovat]* rein in; *~ről ~re* step by step, gradually, foot by foot, inch by inch, by inches, by (slow) degrees; *megbontja a ~t* break step; *~t tart* keep pace/step, be in step; *~t tart ~t* be out of step; *~t tart*! march at attention! ; *~t könnyíts!* *(kat)* break step! ; *~t vált* change step/feet; *egy ~t sem tud tenni* be unable to walk a step; *gyors ~ekkel* with rapid strides 2. *(átv)* step(s), measures *(pl) ; úgy jött ki a ~* things worked out like that; *első ~e az volt hogy* his first step/act was (to ...); *döntő ~re szánja rá magát* bring oneself to a decisive step; *megteszi az első ~t* make the first move; *megteszi a szükséges ~eket* take the necessary steps; *~t tart vkvel* keep level/up with sy, draw up with sy; *~t tart a korral* keep/be abreast with/of the times, move with the times; *~t tart az aktuális eseményekkel* keep abreast of current events; *~eket tesz vkért* take steps/measures on sy's behalf, *[vm ügyben]* move; *~eket tesz/foganatosít vm ellen* direct measures against sg; *közösen tettek ~t* they took joint action; *nem is tudom (,) hogy milyen ~eket tegyek* I do not know what line of action to take; *figyeli vk ~eit* keep watch on sy's movements/doings; *vigyázza vknek minden ~ét* shadow sy 3. *[sakk]* move; *kezdő ~* opening (move); *rossz ~* wrong move; *kié a következő ~?* whose move is it? 4. *[nadrágon]* crotch, fork 5. *trónra ~* succession to the throne; *kormányra ~* accession to power; *felsőbb osztályba ~ (isk)* remove; *a házba ~ekor* on entering the house

lépéshossz *n,* step, stride, (length of) pace

lépésmérő *n,* pedometer, passometer, odometer, odograph

lépésmutató *n,* pedometer

lépésnyi *[-t] a, 30 ~re* 30 paces/yards off, *[hord]* (carry) 30 yards; *néhány/két ~re volt tőlünk* he was within a couple of paces of us

lépésszámoló *n,* = lépésmérő

lépéstartás *n,* keeping in step, *(kat)* marching at attention

lépésváltás n, half-pace
lépesvessző n, lime-twig
lépfájás n, (orv) splenalgia
lépfene n, splenic/carbuncular fever, (orv) anthrax, woolsorter's/ragpicker's/tanner's diease
lépfenés a, anthracic
lépgyulladás n, splenitis, lienitis
lépgyulladásos a, splenitic
lépihen vi, retire/go to rest, lie down, [éjszakára] go to bed; ~ a diványon recline on the couch
lepikkelyez [-tem, -ett, -zen] vt, [halat] scale, flake, clean
lepikkelyezés n, scaling, cleaning
lepillant vi, cast a glance (down at sg), [kútba] peep (into/down a well)
lepingál vt, paint, (átv) paint in its true colours
lepipál vt, (biz) (vkt) outdo (stand.), beat (stand.), steal a march (on sy) (stand.), knock spots (off sy), shine down, [versenytársat] outvie; alaposan ~ vmt/vkt make/put/run rings round sg/sy; ezt nehéz lesz ~ni you will not beat that in a hurry
lepirit vt, 1. [ételt] brown, fry 2. = lepirongat
lepirongat vt, scold/reprimand/lecture/sermonize sy, blow sy up (fam), give sy a good dressing-down (fam), give sy a good talking to (fam)
lepirul vi, [étel] brown
lepisil vt, piss (on sg)
lepislant vi, glance/glimpse/look down
lepiszkál vt, work off
lepiszkít vt, (be)foul
lepiszkol vt, 1. (vmt) (be)foul (sg) 2. (vkt) abuse, run (sy) down
lepisszeg vt, [színészt, szónokot] hiss, boo, hoot, howl down
lepittyed [-t, -jen] vi, ~ az ajka his mouth quivers
lepke n, butterfly, papilio, [éjjeli] moth (Lepidoptera-rend); almafarontó ~ leopard moth (Zeuzera pyrina); araszoló ~ geometer moth, phalaena (Geometra sp); búcsújáró ~ processionary moth (Cnethocampa processionea); éjjeli ~ nocturnal/night butterfly, moth (Phalaena sp.); fecskefarkú ~ swallow-tail butterfly (Papilio machaon); gyapjas ~ gipsy-moth (Lymantria dispar); halálfejű/haláljejes ~ death's-head hawk (Acherontia atropos); kénes ~ pale clouded yellow (Colias hyale); nagy színjátszó ~. purple emperor (Apatura iris); a pőszméte araszoló lepkéje mag pie moth (Abraxas grossulariata); lepkét jog catch butterflies
lepkebáb n, chrysalis
lépked [-tem, -ett, -jen] vi, pace, [kényelmesen] amble (about/along), [gyorsan] trot; peckesen ~ strut, stride, stalk
lépkedő [-t, -je] n, [hernyótalp korongja] pedrail; ld még lépegető
lepkefélék n. pl, lepidoptera
lepkefogó n, butterfly-net/ring
lepkegyűjtemény n, collection of butterflies
lepkegyűjtő n, butterfly-catcher, moth-hunter, lepidopterist
lepkeháló n, butterfly net/ring
lepkekutató n, lepidopterist
lepkesúly n, (sp) flyweight
lepkész¹ vi, = lepkészik
lepkész² [-ek, -t, -e] n, lepidopterist
lepkészet n, lepidopterology
lepkészik [-tem, -ett, ..sszen] vt, catch/study butterflies, hunt moths
lepkeszúnyogok n. pl, moth flies (Psycholodidae-család)
leplez [-tem, -ett, -zen] vt, 1. [érzelmeket, szándékot] conceal, hide, dissemble, dissimulate, disguise, veil, mask, cloak, camouflage, [testi hibát] hide, cover up (defect), [bűnöst] screen; ~i érzelmeit disguise one's

feelings; ~i vk hibáit screen sy's faults; ~i örömét hide one's joy 2. [üteget] cover, screen, mask, camouflage
leplezés n, 1. [folyamata] concealment, hiding, covering (up), dissembling, dissimulation, veiling, screening, camouflage 2. [formája] cover, [ürügy] pretext; vm ~éül as a cloak for sg
leplezetlen a, open, plain, outright, avowed, unconcealed, undisguised, manifest, straightforward; ~ hazugság bald lie; ~ igazság the naked/plain truth; ~ örömmel with undisguised pleasure
leplezetlenség n, baldness, nakedness
leplezetlenül adv, openly, outright, frankly, without reserve; ~ csinál vmt do sg unmasked
leplezett [-et; adv -en] a, 1. [érzelem, szándék] concealed, veiled, hidden, disguised 2. [üteg] screened, camouflaged
leplombál vt, [ládát stb.] seal
lépmetszés n, (orv) splenotomy
lepocskondiáz [-tam, -ott, -zon] vt, (vkt) run (sy) down, decry; ~zák egymást they are mud-slinging; ld még leránt 3.
lepontoz vt, 1. [pontszámát megállapítja] give (sy) points, score 2. [igazságtalanul] mark (sy) down, fail (sy) with points, under-award, grade down
leporelló [-t, -ja] n, concertina picture-book, folding album, panorama book
leporol vt, dust (off)
leporolás n, dusting
lepotyog vi, fall/drop/plunk down one by one
lepottyan vi, drop/fall/tumble/topple/plunk/slump down
lepottyant vt, let drop/fall, plunk, plump, flump (sg) down
lepörköl vt, singe, scorch, burn
lepra [..át] n, 1. leprosy 2. □ [autó] old tin can, flivver, jalopy (mind: US)
leprás I. a, leprous, lepered II. n, leper
lepráskórház n, leper-hospital, leprosarium, lazar-house (obs)
lepraspecialista n, leprologist
lepratan n, leprology
lepratelep n, leprosarium, leper-colony
leprésel vt, [virágot] press (flower)
leprióral vt, screen (sy), reckon (sy) up, check up on (sy) (US)
lepróbáz|ik vi, [cserkész] pass a test
lépsejt n, [méheké] alveole
lépsejtszerű a, alveolate
lépsérv n, (orv) splenocele
léptek [-et, léptei] n. pl, (foot) steps, treads, [hangja] footfall(s); ~et hallok I hear footsteps/footfalls; lépteit vk felé irányítja direct/bend one's steps towards sy; meglassítja lépteit slacken one's pace; lassú ~kel with slow steps; hosszú ~kel halad take long strides; nagy léptekkel halad (átv) make good progress; óvatos ~kel közeledik approach with cautious tread
lépték [-et, -e] n, scale; kicsinyített ~ben on a small scale; nagyított ~ben on a large scale; ~ben rajzol draw to scale
léptékes [-et] a, scaled; ~ vonalzó scale rule
léptékhű a, true-to-scale
lépten-nyomon adv, at every step/turn/moment, at all times and in all places
léptet vi, 1. ride at (a) foot/slow-pace 2. életbe ~ put into force, [törvényt] enact;‡ hatályba ~ put into force, enforce, (jog) validate, enact (a law)
léptű [-t] a, könnyű ~ light-footed; lassú ~ slow-paced
lepucol vt, clean, cleanse, make clean
lepuffant vt, shoot/bring down, tumble down (a bird), pick off, (vkt) bump (sy) off
lepuskáz vt, (isk) crib (exercise); ~za vk dolgozatát crib sy's exercise, crib an exercise from sy

lepusztít *vt, [földet]* erode, denude
lepusztul *vi, (geol)* erode, undergo erosion, be denuded
lepusztulás *n, (geol)* erosion, *[növénytakaróé]* denudation
lépvessző *n,* lime-twig
leradíroz *vt,* erase
lerág *vt,* gnaw off/away, *[növényt]* nibble off, browse, *[csontot]* pick (bone); *~ja a körmét* bite one's nails; *~ott csontok* gnawed bones
leragad *vi,* 1. stick; *már majd ~ a szeme* have one's eyes heavy with sleep, have lids as heavy as lead, hardly be able to keep one's eyes open, sleep seals his eyes 2. *[sárban]* get stuck/bogged, *[homokban]* sink, be sucked down
leragaszt *vt,* stick (down), *[ragasztóval]* gum down, paste, glue (sg to sg), *[levelet]* seal, fasten down, do up (letter)
lerágcsál *vt,* gnaw away/off
leragyog *vi,* shine, glare (down)
lerajzol *vt,* 1. *(konkr)* draw, sketch, *[fő vonásokban]* outline, *[gyorsan]* touch off 2. *[átmásol]* trace 3. *[szóval, rajzzal]* delineate, depict, portray, picture, limn, *[írásban]* describe, represent
lerak *vt,* 1. *[letesz, lehelyez]* put/set/lay/place down, deposit, *[terhet]* unburden, *[kocsirakományt]* unload, disload, unlade (sg from truck), *[lezúílt]* dump, *[törmeléket, szemetet]* shoot, *[tojásokat, petéket]* lay, deposit (eggs); *aknát ~* lay a mine; *~ja a fegyvert* lay down arms, surrender; *~ja szemüvegét* take off one's eyeglass, unhook one's glasses 2. *[iratokat]* file, pigeon-hole (documents); *~ja az ügydarabot* file a paper/document 3. *~ja vmnek az alapjait* lay the foundations of sg; *~ja a szocializmus alapjait* lay the foundations of socialism 4. *vizsgát ~* pass an examination 5. *[folyó üledéket]* deposit, throw down 6. *[pliszíroz]* pleat
lerakás *n, [letevés]* putting/setting down, depositing, *[kocsirakományé]* unloading, *[lezúíltás]* dumping, *[szemét stb.]* shooting, *[aknát]* laying
lerakat[1] *vt, (vkvel vmt)* make (sy) put down (sg), *[rakományt]* have (sg) unloaded
lerakat[2] *n,* depot, store(house), warehouse, magazine, depository, repository, stockist's
lerakodás *n, [kocsiról]* unloading, unlading, dumping
lerakódás *n,* 1. *[üledék]* sediment, settlings *(pl)*, *[kemény]* (in)crustation, *[csatornában]* lodgement, *[borospalackban]* crust 2. *(geol)* deposit, alluvium, silt; *alluviális ~* alluvial deposit; *folyami ~* river deposits *(pl)* 3. *(vegyt)* deposit, foots *(pl)* 4. *(orv)* accumulated matter 5. *[folyamat]* settling, deposition
lerakódásos [-at] *a, (geol)* alluvial
lerakod|ik *vi, [kocsiról]* unload
lerakód|ik *vi, [üledék]* settle, be deposited, form a deposit, *[bor alján]* be thrown down, *[vízkő]* fur, scale
lerakodóhely *n,* unloading place/area, dumping ground/place, dump, *[salaknak]* slag-heap/tip
lerakosgat *vt, (vhonnan)* take down one by one, clear away
lerakott *a, ~ szoknya* pleated skirt
leráncigál *vt, (kb)* tug at while dragging down, drag down jerkily, *(vmt vkről)* strip (sg off sy) jerkily
lerándul *vi,* 1. *(vhová)* make/take an excursion to, take a trip to, take an outing to 2. *(sp)* sprain one's leg
lerángat *vt,* pull/tug/jerk down
leránt *vt,* 1. *(vmt)* pull/strip off (violently), snatch and pull off/down, whip off; *~ja vkről a takarót* jerk the bedclothes off sy 2. *~ja a leplet (átv)* expose, unmask, lay open/bare, uncover, detect, denounce, reveal 3. *(vkt biz)* slate, give it sy hot, run (sy) down, blow (sy) up, *[művet biz]* decry, slate,

slash, flay, run/cry (sg) down, cut (sg) to pieces cut up, *[előadást]* pull (performance) to pieces; *alaposan ~ vkt* tear sy's character to rags/shreds; *~ a sárga földig vkt/vmt* pull sy/sg to pieces
lerántás *n, [iroa. művet]* slating, slashing, cutting-up
leráspolyoz *vt,* file/rasp/grate off
leráz *vt,* 1. *[gyümölcsöt]* shake down (fruit), *[port vmről]* shake (dust off sg); *~za lábáról az út porát* shake off the dust from one's feet 2. *(átv)* brush/throw/shuffle off, *[nyűgöt]* extricate oneself from, *[terhes kellemetlen dolgot]* work off; *~za bilincseit/béklyóit* break from one's bonds, burst one's bonds; *~za a felelősséget* decline responsibility, pass the buck ◇; *~za (magáról) az igát* shake off a yoke, slip the collar; *~za mint kutya a vizet* it glances off him like water of a ducks back 3. *~ magáról vkt* shake/brush/put sy off, get rid of sy, rid oneself of sy, give sy the brush-off; *~ vkt a nyakáról* get sy off one's hands, send a person about his business; *~za magáról az üldözőit* fling off one's pursuers; *nem lehet ~ni ezt az embert* that fellow is a sticker, it is impossible to shake off that man, it is impossible to get rid of that man, he is an old man of the sea *(fam)*; *engem nem fog többet ~ni a nyakáról* I will not be put off any longer; *nem hagyja magát ~ni* he will not take "no" for an answer
lerázás *n,* shaking off, riddance
lereagál *vt,* act out (emotional difficulties), abreact
lereagálás *n,* abreaction, psychocatharsis
leredőnyözött *a, [ház, ajtó, ablak]* shuttered
lerekeszel [-t, -jen] *vt, [lencsét]* diaphragm/stop/settle down, iris in
lerendel *vt,* 1. *(vkt vhova)* order (sy) to go/come down (to...) 2. *[árut]* cancel/revoke/countermand (previous) order
lerendelés *n, (ker)* countermanding, cancelling
lereped *vi,* crack/burst/split off, *[kő]* exfoliate
lerepeszt *vt,* crack/burst/split off
lerepül *vi,* 1. *[kalap]* blow off 2. *(vk biz)* tumble down, come clattering/tumbling down, *[lóról biz]* come a cropper, take a header
lerészegedés *n,* getting drunk/intoxicated, drunkenness, intoxication *(ref.)*
lerészeged|ik [-tem, -ett, -jen] *vi,* get drunk/intoxicated, *[enyhébb szóval]* get tipsy/tight
lerészegít *vt,* make drunk, besot, intoxicate *(ref.),* inebriate *(ref.)*
lerészegsz|ik [.. gedtem,.. gedett,.... gedjen.., .. gedjék] *vi, = lerészegedik*
lerészegül [-t, -jön] *vt, = lerészegedik*
lereszel *vt,* file (down/off), *[durvább reszelővel]* rasp (down/off)
lereszelés *n,* filing, *[durvább reszelővel]* rasping
lereteszel *vt, = elreteszel*
lereteszelés *n,* bolting, barring, locking
lerí [-tt, -(j)jon] *vi, ~ róla a butaság* stupidity is written on his face, stupidity is written all over his face, stupidity shows in his face; *~ arcáról a bünössége* his face proclaims his guilt *(fam)*; *~ róla a gyülölet* he is oozing hatred *(fam)*; *~ róla a szegénység* cry poverty *(fam)*
leró *vt, [tartozást]* discharge, pay off, settle, liquidate (debt), *[kötelezettséget]* fulfil, discharge, carry out (obligation); *azzal rója le háláját (hogy)* show/give proof of one's gratitude (by...ing)
lerogy *vi,* 1. *[székbe]* sink, flop/drop into (a chair) *(fam)*, *[ájultan összeesik]* collapse 2. *[építmény]* fall in, collapse/break/tumble down, give way
lerogyás *n, [ájult ember]* collapse
lerohad *vi,* 1. *= lerothad;* 2. *[jármü]* conk out
lerohan I. *vi,* run/rush/hurry/shoot down, come running down, *[lépcsőn]* run/rush downstairs, tear down-

stairs (fam), [hegyről] run downhill; ~ a domb-
ról run/tear down the hill II. vt, (vkt) rush (sy),
bowl (sy) over, sweep (sy) off his feet, [országot
ellenség] overrun (country)
lerohanás n, 1. (vhová) running down 2. [erődé]
storming 3. [labdajáték] fast break, [vívás] flash,
flèche (fr)
lerókáz vt, (vmt) vomit on, be sick on spew/puke on
(sg) (fam)
lerombol vt, 1. [épületet] pull/knock/throw/take/ batter/
break/beat/tear down, demolish, lay low/flat, [várost]
lay in ruins, [gyárat] dismantle, [bomba] destroy;
földig ~ raze, level (sg) to the ground 2. (átv)
destroy, ruin, [elért eredményt] undo, [reményt] dash
lerombolás n, 1. [épületet] pulling down, demolition,
[földig] razing, [gyárat] dismantling 2. (átv)
destruction, [elért eredményt] undoing
leromlás n, 1. [értékbeli] deterioration, depreciation,
debasement, [anyagi] impoverishment; teljes anyagi
~ ruin, wreck of fortunes, come-down 2. [testi,
eredmény] debility, impaired/impoverished/weak/
poor/broken health, (orv) cachexy, [folyamata]
getting badly run down, debilitation, wasting,
failing health 3. (növ) degeneration
leroml|ik vi, 1. [értékben] become deteriorated/debased,
deteriorate, become worse/inferior/poor(er) in quality,
decline (in value), depreciate, [anyagilag] be/get
impoverished, be/get reduced to poverty, come down,
become poor(er) 2. vk ~ott [testileg] be in poor/weak
health, be in poor shape (fam), [betegségtől] be
broken/worn (by illness), (orv) be cachectic, [strapá-
ban] be run down; ~ott egészség bad/impoverished
health
lerongyolód|ik [-ott, -jon] vi, [ember] become ragged/
tattered/shabby; le van rongyolódva be in rags
lerongyolódott [-at; adv -an] a, [ember] ragged, tat-
tered, shabby, out-at-the-elbows, out/down at
heel (ut)
lerongyolt [-at; adv -an] a, [ruha] ragged, tattered,
in rags/tatters (ut), in rags and tatters (ut), worn
out, threadbare
leront I. vi, (vhonnan) rush down, run dashing/racing
down II. vt, [értéket, minőséget] debase, depreciate,
deteriorate, impoverish; ~ja vm értékét vitiate the
value of sg; ~ja értékét a sok hiba its value is vitiated
by the many errors; ~ja a hatást spoil/mar the
effect; a harmadik felvonás ~ja a darab hatását
the third act forms an anticlimax (fam)
leroskad vi, sink (down), subside; ~ egy karosszékbe
sink/drop/flop into an armchair; ~ vminek a súlya
alatt bend/sink beneathe the burden of sg
lerothad vi, rot off, come/fall off (by putrefaction/
decay)
lerovás n, [tartozásé] settlement, payment, discharge,
clearance (of debt)
lerovatlan [-ok, -t] a, [adó] unpaid, in arrears (ut),
[tartozás] uncleared, unpaid
lerögzít vt, 1. [tárgyat] fix (sg) in position, immobilize,
(vmt vhova) fix (sg to sg), fasten (sg to sg), [karót]
make fast, (épít) anchor 2. (átv) fix, settle, establish,
pin down
lerögzítés n, fixing, fastening, (épít) anchorage
leröpít vt, let fly down
leröpül vi, = lerepül
lerövidít vt, make (sg) short(er), shorten, short-cut,
[szöveget] abridge, abbreviate, digest, curtail, cut
down; ~i az eljárást short-circuit the process
leruccan [-t, -jon] vi, (vhova) take a trip/jaunt (down
to...); ~ vidékre pop down to the country
leruccanás n, trip (to the country)
lerúg vt, 1. [cipőt] kick/slip off; ~ja magáról a takarót
kick off the blanket; ~ egy patkót [ló] cast/throw a

shoe 2. [labdarúgót] hack sy's shins; ~ták [a labda-
rúgót] he was/got crocked, he was/got injured by
kicking
les¹ [-tem, -ett, lessen] vt/vi, 1. (vkt) watch (sy),
spy (upon sy), keep an eye (on sy), [kulcslyukon]
peep (through keyhole) 2. (vkre) watch (for sy), be
on the watch (for sy), be on the look-out (for sy),
[rossz szándékkal] lie in wait (for sy), waylay (sy)
3. ~i az alkalmat watch (for) one's opportunity;
~i a kedvező pillanatot vmre be on the outlook for sg;
~i vk kívánságát be at sy's beck and call; ~i vknek
a szavait hang on sy's lips/words; azt bizony ~heti!
he's not likely to get it, he can sing/whistle for it, he
may whistle for it, he can wait for ever for that,
he can wait till the day of judgement; ~heted amíg...
that's out of all likelihood, you can wait for it till...
it will be a long time before...
les² [-ek, -t, -e] n, 1. [vadra] stalking, [emberre]
ambush, ambuscade, lying in wait (for sy), [hely]
hiding/lurking place, (kat) ambush, [vadászaton]
stand; ~be áll take cover, hide oneself and await/
watch sg; ~be állít (vkt) post (sy); ~ben áll, ~en
van (vmre/vkre) be/lie in ambush (for sy/sg), lie
in wait (for sg/sy), be on the watch (for sy/sg),
ambush (sy), keep a lookout (for sy/sg); ~ben állás
lying in wait; ~ben van (kárty) hold one's hand;
vkt ~ből lelő snipe sy, pick sy off (fam); ~ből
támad ambush, ambuscade 2. (sp) offside; ~en
áll [futballban] stand/be off side; ~en álló játékos
player off side
lesajnál vt, show contempt for (sg), sniff at (sg)
lesállás n, 1. (kat) ambush 2. [labdarúgásban] offside
lesántikál vi, hobble down
lesántít vt, lame, hobble, founder, [lovat] founder
lesántul [-t, -jon] vi, become/get lame, get a limp,
[ló] founder
lesántulás n, lameness, getting lame
lesarkít vt, 1. [fényt] polarize 2. [falsarkot] splay,
edge, bevel, chamfer
lesározott a, ~ padló (rég) smeared floor
lesegít vt, 1. (vkt) help (sy) down, lend (sy) a hand,
help (sy) get down/off 2. ~i vkről a kabátot help sy
off with his coat
leselkedés n, spying (upon sy), snooping, peeping,
(kat) ambushing
leselked|ik [-tem, -ett, -jen, -jék] vi, (vkre) watch
(for sy), be on the watch (for sy), look out (for sy),
lie in wait (for sy), (vk után) spy (upon sy), keep
watch (on sy's movements/doings), [vm környékén]
lurk (about sg), [kulcslyukon] peep (through keyhole);
vkre vm veszély ~ik there is danger ahead for sy,
sy is endangered by sg
leselkedő [-t; adv, -en] a, peeping, lurking
leseper vt, = lesöpör
lesés n, [figyelés] watching, [lesben állás] lying in wait/
ambush (for...), look-out, lurking, [kukucskálás]
peeping
lesétál vi, walk down, take a walk (down to...),
saunter, stroll (down)
leshatár n, offside line
leshely n, cover, hiding/lurking-place, (kat) ambush,
ambuscade, [vadászé] hide
leslet vi, hasten/ hurry down, go/come down in a hurry
lesikál vt, scrub/scour down, [főzőedényt] clean; jól ~ja
az asztalt give the table a good scrub
lesiklás n, 1. [sível] run/shoot down, downhill, [mű-
lesiklás] slalom (race) 2. [meteorológiai] subsidence,
downgliding
lesikl|ik vi, 1. slide/slip down, [repgép] glide (down),
[lejtőn kerékpár/szán] coast, [vmről hirtelen] slip off
(sg) 2. [meteorológiában] subside
lesikló a, ~ front subsidence front

lesimít vt, 1. [simává/egyenletessé tesz] smooth/level/ press down, smooth off, make (sg) smooth/level/ even; [készítményt] finish, level/screed off, [fénye-sítve] gloss, polish, surface, [vakolatot] clean down, [gabonát az űrmértékben] strike 2. [hajat] sleek, [pomádéval] smarm, [bőrt] sleek, slick, [papírt stb.] glaze, flatten (down, out),[varrást] press down, flatten; ~ja a haját give one's hair a smooth; gumihengerrel ~ja a képet (fényk) roll down the paper with a squeegee
lesimítás n, smoothing, levelling
lesimul vi, become smooth/level/even
lesipuskás n, 1. [vadorzó] poacher 2. (átv) sniper
lesír vt, (vmt) get sg by persistent begging, get sg by dint of constant complaining
leskelődés n, = leselkedés
leskelőd|ik [-tem, -ött, -jön, -jék] vi, = leselkedik
leskiccel vt, sketch, [ceruzával] pencil
lesodor vt, brush/carry/sweep off/away, [víz] wash away/off
lesomfordál vi, = lesompolyog
lesompolyog vi, slink, sneak (down), come down steal-thily, [félszegen] come down sheepishly
lesorvad vi, waste/wither away
lesorvadás n, wasting/withering away
lesorvaszt vt, waste/wither away
lesoványít vt, (make) thin, emaciate, macerate
lesoványodás n, growing thin, loss of flesh/weight, thinning, [nagy fokú] wasting away, emaciation, maceration
lesoványod|ik vi, grow thin, lose flesh/weight, fall away in flesh, [nagymértékben] waste away, grow emaciated; le van soványodva look thin/haggard
lesoványodott [-at] a, fleshless, wasted, emaciat-ed; ~ arc emaciated/haggard face, sunken cheeks (pl); ~ test scraggy/gaunt/skinny/lean body
lesóz vt, (vmt) salt down
lesőlyuk n, [színházi függönyön] spy-hole
lesöpör vt, sweep, (vmt vmről) sweep/brush/whisk (sg) off/away/down; lesöpri a morzsákat kabátjáról whisk crumbs off one's coat; ~te magáról a rágal-makat brush away slanderous remarks
lesötétít vt/vi, lower the blinds, draw down the blinds, put out the lights, darken (room)
lespórol vt, (vmt) economize by eliminating (sg), save on (sg)
lespriccel vt, (vmvel) sprinkle, splash (sg over sy v. sy with sg)
lesrófol vt, 1. [eltávolít] unscrew 2. [megerősít] fasten with screws 3. [árat] beat down
les-szabály n, (sp) offside-rule
lestaktika n, (sp) positional play
lestoppol vt, 1. [versenyidőt] time (race), keep time (of sg) 2. [helyet] reserve (seat) 3. [labdát] seize, stop (ball) 4. [vkt letartóztat] nab ◇
lestrapál vt, (biz) 1. [cipőt] wear (shoes) down/out 2. (vkt) overstrain, over-fatigue, overwork, over-weary, tire (sy) out; ~ja magát overwork oneself, get run down
lestyán [-ok, -t] n, (növ) lovage (Leisticum officinale)
lesugárz|ik vi, shine down, radiate (from above); ~ik róla az öröm he is beaming/radiant with joy, joy shines in his face
lesuhan vi, glide/slide down (noiselessly)
lesújt I. vi, 1. [villám vhova] fall 2. [ököl asztalra] bring/bang down (one's fist on table)
   II. vt, 1. [villám vkt] strike down, kill 2. [vkt ököllel] knock/strike down, smite down (ref), floor (fam) 3. (átv) cast/weigh down, dismay, stagger, ap-pal, overwhelm, grieve (sy) (most) deeply, break sy's heart, cut (sy) to the quick/heart, crush, depress, distress, oppress; mélyen ~ott deeply afflicted

lesújtó a, [hír] staggering, appalling, crushing, over-whelming; ~ bírálat devastating criticism; ~ pillan-tás withering look, look of scorn; ~ vélemény(e van vmről) his opinion is perfectly devastating, pass scathing remarks; ~ vkre nézve disastrous for sy; válasza ~ volt his answer was a crusher (fam)
lesújtott [-at] a, heart-stricken/struck, sick at heart (ut), woebegone (ref)
lesulykol vt, ram
lesuny vt, ~ja a fejét make oneself small, duck/hang/ droop one's head, have a hangdog look; ~ja a fülét [ló] lay back its ears
lesúrol vt, scrub, scour, [főzőedényt] clean
lesúrolás n, scrubbing, scouring
lesurran vi, hurry/scurry down
lesül vi, 1. [ember] get sunburnt/tanned/brown(ed)/ bronzed, brown; nem sül le az arcáról a bőr he has the cheek (of .....ing) 2. [hús] be/get burnt 3. [növény] be/get burnt (up), get scorched
lesülés n, [bőré] browning, [eredménye] sunburn, (sun-)tan
lesült a, [ember] sunburnt, brown(ed), tanned, bronzed
lesüllyed vi, 1. sink (down), [tengeralattjáró] submerge 2. [föld] sink/cave/fall in, subside into a hollow, form a hollow, [házalapozás] sink, settle (down), subside 3. [grafikon görbéje] sink, fall, droop, drop 4. (orv) [méh] drop 5. (átv) be debased, degenerate
lesüllyedés n, 1. sinking, [földé] sinking/caving/falling in 2. [eredménye] hollow, depression, subsidence 3. [erkölcsi] debasement, degeneration
lesüllyeszt vt, sink (down), lower, [víz alá] submerge, [kábelt] lay
lesüllyesztés n, sinking (down), [víz alá] submersion
lesüpped vi, [talaj] sink/cave/fall in, (geol) work down
lesüt vt/vi, 1. [nap földre] shine down 2. [nap bőrt] brown, tan, bronze, burn 3. [vajat] run (butter), [ételt] brown 4. ~i a szemét cast down one's eyes, sink/lower/droop one's eyes; ~ött szemmel with downcast/dropped eyes
lesütteti magát get a sun-tan
lesz [lenni, lett, legyen] vi, 1. will be; ~ ami ~! the future will look after itself, come what may!, it makes no odds, it's a toss-up, it's a hit or miss; mi ~? what next?; mi ~ vele? what will become of him?; mi ~ veled? what will become of you?, what about you?, what now?; mi ~ velünk? what will become of us?, what's to become of us?, what are we to do?; úgy ~ ahogy én mondom/akarom what I say goes; ez jó ~? will that (one) do?; ez jó ~ nekem that will do (for) me; jó~ek így? will I do?; ennyi elég is ~ that will do!, so/that much will suffice (ref); ott ~ az! it must be there; ott ~ünk we shall/will come (along); ott ~ünk azonnal we'll be soon there/ over; jó ~ sietni you'd better hurry up!; mindjárt dél ~ it will be soon noon/midday; holnapra eső ~ it will rain tomorrow, there will be a rain tomorrow; holnap ~ egy éve hogy it will be a year tomorrow; ha időm ~ if I have time, if I find the time; hány órakor ~ a gyűlés? at what time will the meeting take place?; csengetnek(,) ez a postás ~ there's a ring(,) it must be the postman; rajta ~ek (hogy) I'll do my best (to), I'll see (to it) (that sg is done); gyereke ~ she is going to have a baby; ~ még szőlő lágy kenyérrel don't worry (,) things will turn out for the better; hova lett? where is it?, where has it got to?; semmi sem lett belőle it's all come to nothing, nothing came of it, it resulted in nothing; ha Annus nem lett volna (akkor .....) were it not for Annie ...; amikor én már nem ~ek when I am (dead and) gone; bár ne is lennék I wish I were dead; hát akkor legyen 100 forint shall we say 100 forints?; legyen 4 óra [időpont megbeszélésnél] let's make it

four (o'clock) 2. *majd* ~ *neked!* you will get what for! 3. *(vmvé)* become (sg), *(vmlyen)* become, get, grow, *[vallásra tér]* turn (sg); *jó orvos* ~ *belőle* he will make a good doctor; *kovács lett belőle* he has set up as a blacksmith, he has become a blacksmith; *közmondás* ~ *belőle* pass into a proverb; *profi lett* he turned pro(fessional); *tanár lett belőle* he took up teaching; *jóképű fiatalember lett belőle* he has grown into a fine young man; *milyen szép lány lett belőle* what a pretty girl she has turned out; *sohase* ~ *belőle író* he would never make an author; *hová lett?*, *mi lett belőle?* what has become of him?

leszab *vt*, *[darabot vmből]* cut off (piece of/from sg)

leszabadít *vt*, *[hajót zátonyról]* heave/float/get off, refloat, set afloat

leszabadítás *n*, *(hajó)* heaving/floating off, refloating

leszabadul *vi*, *[hajó zátonyról]* be refloated

leszabás *n*, cutting out

leszaggat *vt*, 1. tear/rip/rend off (in shreds) 2. *[virágot]* pluck (flowers)

leszáguld *vi*, shoot/hurry down

leszakad *vi*, 1. *[gomb]* get torn off, come off/away, fly off, *[ág]* break/snap off; ~ *róla a ruha* be out-at--elbows 2. *már majd* ~ *a lábam* I am too tired to stand, my feet are too tired to hold me; *majd* ~ *a a derekam* my back is breaking, *[fáradtságtól]* I am tired to death 3. *[kötél]* break; *a hajó* ~ *a kötélről* the ship breaks adrift 4. *[építmény]* give way, come (crashing) down, fall in, collapse, break/tumble down, founder 5. *[csoporttól]* fall behind, drop to the rear, lose touch/contact (with)

leszakadás *n*, *[építményé]* breaking down, collapse

leszakadoz|ik *vi*, *(vm)* come/tear off (in shreds), *(vk)* fall behind, drop to the rear; ~ *nak a gombok* the buttons fall off (one by one)

leszakaszt *vt*, *[virágot]* pick, pluck, cull

leszakít *vt*, tear down, *(vmt vmről)* tear (sg from/off sg), rend (sg off/away sg), *[hirtelen]* rip (sg off sg), *[virágot]* pluck, pick (flower); ~ *ja ifjúsága virágait* gather the roses of youth

leszakítás *n*, *[virágot]* plucking, picking

leszakítható *a*, ~ *rész [csekken]* detachable slip/page

leszalad *vi*, 1. *(vk)* run down; ~ *a lépcsőn* run downstairs, come running down the stairs/steps; ~ *a hegyről* run downhill, run down the hill 2. *[hőmérő]* fall 3. ~ *a szem a harisnyáján* her stocking has/opens a run/ladder, a stitch has run in her stocking; *nem szalad le a szem* the stocking is runproof

leszaladás *n*, running down, *[harisnyán, hálón]* run

leszaladó *a*, ~ *szem [harisnyán]* runner, ladder

leszalaszt *vt*, *(vkt vmért)* send (sy) down (to fetch sg post-haste)

leszáll *vi*, 1. *[madár ágra]* (a)light, settle, perch (on twig), *[szárnyas vad]* take cover, *[repgép]* land, alight, down, make a landing, *[repgép rövid időre]* put/touch down; *útközben sehol sem szállt le [repülőről]* he made a non-stop flight 2. *[mélybe]* descend, go down, *[vízbe vk]* go under (water), dive (below/into water), *[vízbe vm]* sink/go down (to the bottom) 3. *[vm fentről]* fall (down), drop, come down 4. *[fal, alapozás]* sink down, subside, give way, settle (down) 5. *[vk járműről]* get/step off/down, alight, *[lóról]* dismount, alight (from horse), get down from, get off (horse), light, *[hajóról]* disembark, go ashore (from ship), *[létráról]* come down; ~ *a magas lóról* come off the high horse, unmount the high horse, come down a peg (or two) *(fam)*, pipe down *(fam)*; *szállj le rólam* stop/chuck it, get out of may hair, let me alone, come off it *(US)* 6. *[nap]* set, sink, go down, dip, *[köd]* descend, fall, come/shut down, *[levegőtömeg, levegőrészecske]* descend; ~ *az éjszaka* night is falling, night is setting/closing in, evening

falls 7. *[ár]* come down, fall, drop 8. *[üledék]* settle, fall (to the bottom)

leszállás *n*, 1. *[repgépé]* landing, alighting; ~ *nélkül teszi meg az utat (repülőgép)* make a non-stop flight; ~ *nélküli repülés* continuous flight; *repülőgépet* ~ *ra kényszerít* (force) down an aeroplane 2. *[mélybe]* descent, *[vízbe]* dive 3. *[járműről]* alighting, getting off, *[lóról]* dismounting, alighting 4. *[üledéké]* settling, deposition (of sediment) 5. *magzat* ~ *a [szülészetben]* descent

leszállási *a*, ~ *előrejelzés [repgép számára]* landing forecast; ~ *engedély* landing permit; ~ *fény* landing flare; ~ *tilalom* landing ban (for aeroplanes)

leszállásjelző *a*, ~ *fény* landing light

leszállít *vt*, 1. *[vkt vhonnan leszállásra felszólít]* make/order/force (sy) to get down/off, *[lóról]* dismount, *[erőszakkal]* unseat, unhorse; *vkt* ~ *a magas lóról (átv)* take sy down a peg (or two), take/knock the stuff(ing)/starch out of : sy 2. *[vkt járművön lefelé szállít]* carry/convey/bring/take (sy) down (to) 3. *[árakat]* reduce, lower, bring/mark/put/cut down, lessen, abate, depress, slash (prices), *[fizetést]* reduce, curtail, cut down (salary), cut back *(US)*, *[büntetést]* mitigate (punishment), *[pontértéket]* downpoint, *[díjtételt]* lower; ~ *ják az adót* taxes are reduced/cut; ~ *ja egy árucikk árát* grant/make a reduction on an article; ~ *ja az igényeit* moderate one's demands, lower one's claims, abate one's pretensions; ~ *ják a korhatárt* the age-limit is lowered; ~ *ják a munkaidőt* working-hours are reduced 4. *[árut]* deliver, ship (the goods as ordered), *[postáz]* send off, dispatch 5. *[hangmagasságot]* depress

leszállítás *n*, 1. *[áraké]* reduction, lowering, cut(ting) (in/of prices), *[béré]* cut (in wages), *[adóé]* reduction, diminution, *[büntetésé]* mitigation (of punishment) 2. *[árué]* delivery, deliverance, dispatch (of goods), *(vhova)* conveyance, transport, carriage (of sg down to)

leszállítási *a*, ~ *idő (ker)* delivery time

leszállított [-at] *a*, 1. *[ár]* reduced, cut *(US)*; *mélyen* ~ *árak* greatly reduced prices, knock-down prices; ~ *áron ad* sell (sg) at a discount; ~ *áron való eladás* clearance/reduction sale, selling off; *vmt* ~ *áron vásárol* buy sg on the cheap; ~ *helyárak* (seats at) reduced prices 2. *[áru]* delivered; *a tegnap* ~ *áru* the goods delivered yesterday *(pl)*

leszálló I. *a*, descending, downward, *[repülőgép]* landing; ~ *ág [görbéé]* descending branch, *(bonct)* descending limb; ~ *légáramlat* downward current II. *n*, 1. *[utas]* passenger wanting to get off, passenger getting off 2. *[kisebb megálló]* stop, *[nagyobb]* stage, station

leszállóakna *n*, *[csatornába]* manhole, *(bány)* shaft

leszállóhely *n*, 1. *(ált)* stop(ping place), stage, station 2. *(rep)* landing-ground; *rendszeres* ~ *[állandó légi útvonalon]* air-stop

leszállópálya *n*, landing-strip/track, (air)strip, runway

leszállósebesség *n*, landing speed

leszállta [..át] *n*, *az éj leszálltával* at nightfall

leszamaraz *vt*, *(vkt)* call (sy) a silly ass, call (sy) a fool/blockhead

leszámít *vt*, 1. *[összegből]* reduce, deduct, make deduction, discount, abate, reckon off, take off (from sum), knock off *(fam)* 2. *ha ezt* ~ *juk* apart from this, not taking it into account/consideration, if we disregard this, leaving it out of consideration, making an allowance for . . .

leszámítás *n*, reduction, deduction

leszámítód|ik *vi*, be deducted, be counted out/off

leszámítol *vt*, discount

leszámítolás *n*, discount; ~ *ra benyújt* put/send in for discount; *váltót* ~ *ra kínál* tender bills

leszámítolási [-t] *a*, of discount *(ut)*; ~ *díj* discount charge; ~ *kamatláb* discount rate, bank rate (of discount), price of money

leszámítolható *a*, discountable; ~ *váltó* eligible/negotiable bill; *nem* ~ non-eligible

leszámítolhatóság *n*, eligibility

leszámítoló [-t, -ja] *n*, discounter, discount-broker

leszámítolóbank *n*, discount(ing)-bank

leszámlál *vt*, *[pénzt asztalra]* count down

leszámol *vt/vi*, 1. *[elszámol]* settle/balance one's account, *[kölcsönösen]* clear one's account, *(átv is)* get one's accounts in order, square one's accounts 2. *[pénzt asztalra]* count down, *[emberek létszámát]* tell off 3. *(vkvel átv)* get even/square/equal (with sy), come even (with sy), settle the bill (with sy), settle an account (with sy), square accounts (with sy), finish with sy, quit scores (with sy) *(fam)*; ~ *vkvel régi sérelmekért* pay off old scores; ~*ni valója van vkvel* have a bone/crow to pick with sy 4. ~ *az élettel* have nothing to expect from life, be resigned to one's lot; *mindennel* ~*t* he has nothing more to hope for; *hogy végleg* ~*junk ezzel* to make an end of it 5. = leszámít, levon *[összegből]*

leszámolás *n*, 1. *[elszámolás]* settling, settlement (of account), clearing (of scores), reckoning, pay-off *(US)*; *kölcsönös* ~ clearing; *a* ~ *napja (ker)* contango/ticket day, *[tőzsdén]* settling/account-day 2. show-down, *[sérelemért stb.]* reckoning; *a* ~ *napja* show-down, day of judgement/reckoning/accounting/payment, payoff *(US)*

leszapul *vt*, *(biz)* run (sy) down

leszar *vt*, *(durv)* *le vagy szarva!* you be blowed!; *le van szarva!* he can go to hell! *(fam)*

leszárad *vi*, wither and fall off

leszárít *vt*, wipe (sg) dry, *[vart sebről]* desiccate; ~*otta magát a törülközővel* wiped himself dry with the towel

leszármazás *n*, *(vké)* descent, lineage, genealogy, pedigree, extraction, *[szóé]* derivation, *(növ)*. descent with modification, evolution; *egyenes ági* ~ lineal descent

leszármazási *a*, genealogical, of descent *(ut)*; ~ *táblázat* genealogical tree/table, family-tree

leszármazáskutató *n*, genealogist

leszármazástan *n*, *[egyedé]* genealogy, *[fajoké]* phylogeny

leszármazású *a*, of . . . .origin/descent *(ut)*; *ismeretlen* ~ of unknown origin *(ut)*, secret pedigreed; *ismert* ~ of known origin *(ut)*, open pedigreed

leszármaz|ik *vi*, descend, *(vktől)* be descended (from), take descent (from), *[szó]* derive (from)

leszármazott [-at, -ja] *n*, descendant, scion *(ref.)*; *vk* ~*jai* sy's progeny/issue/posterity/descendants; ~ *nélküli (jog)* heirless; ~*ak hiánya* failure of issue; ~*ak híján* in default of issue; ~*ak hátrahagyása nélkül hal meg* die without lineal descendants

leszármaztat *vt*, deduce, trace (sy's origin back to . . .), *[szót]* derive

leszármaztatás *n*, *(vmből)* derivation (from); *függvény* ~*a [más függvényből]* derivation of a function

leszármaztatható *a*, deducible, derivable

leszavaz *vt/vi*, 1. *[szavazatát leadja]* (cast one's) vote; ~ *a kommunisták mellett* vote Communist 2. *[indítványt]* vote/turn down, reject (motion) by majority of votes, *[kormányt]* outvote, defeat (ministry), *[törvényjavaslatot]* throw out (a bill); ~*ták* be in minority, be voted down, *(GB kif)* the noes have it

leszavazás *n*, 1. *[szavazatleadás]* voting 2. *[indítványt]* voting down, *[kormányt]* outvoting

leszázalékol *vt*, *(kb)* pension sy off

leszbikus *a*, Lesbian

leszboszi [-ak, -t; *adv* -an] *a*, Lesbian; ~ *szerelem* Lesbianism, tribadism, Sapphism, Sapphic vice

leszed *vt*, 1. *[virágot]* pick, pluck, *[termést]* gather in, *[almát stb.]* harvest; ~*i a fa gyümölcseit* pick/gather the fruit of a tree, rob a tree of its fruit 2. *[felül levő tárgyat]* take/get down, *(vmt vmről)* take (sg off sg), get (sg off sg), remove, *(vmt vkről)* strip (sy of sg), *[kisebb tárgyat vkről]* pick (sg off sy), *[függönyt stb.]* unhang, *[csévét fonógépről]* doff; ~*i az áramot (vill)* collect the current; ~*i az asztalt* clear the table, clear away, remove the cloth 3. *[habot, salakot]* scum, *[javát vmnek]* skim (sg); ~*i a tejfölt (átv is)* skim the cream off, *(átv)* take the cream of sg, take the best part of sg; ~*i vkről a keresztvizet* say everything that is bad about sy, take the hide from sy 4. *[lelő]* bring/shoot down, *[egyenként]* pick off, *[légelhárítás]* bring down; ~ *egy repülőgépet* down/earth an aeroplane

leszedeget *vt*, take down one by one, pick off

leszedés *n*, 1. *[virágot]* picking, plucking, *[termést]* gathering in 2. *(vmt vmről)* removal, removing 3. *[lefölözés]* skimming

leszedetlen *a*, *[gyümölcs]* unpicked, ungathered, *[virág]* unplucked, *[asztal]* uncleared

leszédül *vi*, fall/tumble down (owing to dizziness)

leszeg *vt*, 1. *[kenyeret]* slice off (piece of bread) 2. *[vm szélét]* hem (edge of sg) 3. ~*i a fejét* hang down one's head, bend/bow one's head; *a ló* ~*i a fejét* the horse arches its neck

leszegényed|ik [-tem, -ett, -jen, -jék] *vi*, be/get impoverished, be reduced to poverty

leszegényít *vt*, impoverish

leszegez *vt*, 1. *[ládát]* nail down (lid) 2. *(átv)* = leszögez

leszegezés *n*, 1. *[ládát]* nailing (down) 2. *(átv)* = leszögezés

leszegőd|ik *vi*, = beszegődik

leszegődtet *vt*, = beszegődtet

leszel *vt*, slice/cut/chop off

leszélez *vt*, *[fát]* edge, narrow down; *deszkát* ~ square the edge of a board

leszerel I. *vt*, 1. *[gyárat]* dismantle (factory), *[gépet stb.]* disassemble, dismount, *[alkatrészt]* remove, detach, *[hajót, árbocot]* dismantle, unrig, strip, *[hajót]* lay up, pay off (ship), *[saját kiöregedett hajót]* put (a ship) out of commission, *[ajtót, ablakot]* unhang, *(vmt vmről)* strip (sg of/off sg), take down 2. *(kat)* discharge, demobilize, muster out, *[haderőt]* demobilize, disband, demob (forces) *(fam)* 3. *(vkt átv)* get round (sy), have one's way with (sy), put (sy) off 4. *[támadást]* check, stop, thwart (attack), take the wind out of sy's sails, *[labdarúgót]* tackle, take off/away (sy's ball), break up (sy's. dribble)

II. *vi*, *(kat)* be/get discharged/demobilized, get one's discharge, get demobbed *(fam)*, *[ország]* disarm

leszerelés *n*, 1. *[gyáré]* dismantling, *[gépé]* disassembly, dismounting, *[alkatrészé]* removal, detachment, *[hajóé]* dismantlement, stripping, laying up, paying off, putting out of commission 2. *(kat)* discharge, demobilization, disarmament, demobbing *(fam)*; *általános és teljes* ~ general and complete disarmament; *ellenőrzött* ~ controlled disarmament

leszerelési *a*, ~ *bizottság* Disarmament Commission; *tízhatalmi* ~ *bizottság* Ten-National Committee on Disarmament; ~ *jutalom (kat)* gratuity (given on honourable discharge); ~ *konferencia* disarmament conference

leszerelhető *a*, *[alkatrész]* removable, detachable

leszerelt [-et] *a*, ~ *katona* discharged/demobilized/demobbed soldier, ex-service man

leszerepel *vi*, be a wash-out, cut a sorry/poor figure

leszerszámoz *vt*, unharness

leszerződés *n*, engagement, signing on

leszerződ|ik *vi*, sign on, take service (with sy), *[színész]* sign a contract (with theatre)

leszerződtet *vt*, engage, employ, sign (sy) on/up, take (sy) in one's service

leszí *vi*, = leszív

leszid *vt*, scold, chide, (be)rate, rebuke, *[erősen]* abuse, revile, pitch into *(fam)*, give (sy) a good dressing-down, give (sy) a good talking to *(fam)*, give (sy) a good tongue-lashing *(fam)*, go on at (sy) *(fam)*, call (sy) down *(US fam)*

leszidás *n*, scolding, chiding, rebuke, dressing-down

leszigorlatoz|ik *vi*, ⟨pass university examination(s)· called "szigorlat"⟩

leszíjaz *vt*, strap, fasten with strap(s), thong

leszív *vt*, draw in/down/off, suck in, *[vk dohányfüstöt]* inhale

leszivárog *vi*, infiltrate, percolate, seep into/through

leszívócső *n*, exhaust-pipe

leszokás *n*, *(vmről)* loss of habit (of ... ing), disuse

leszok|ik *vi*, *(vmről)* get/fall out of the habit of (doing sg), break oneself of the habit of (doing sg), outgrow a habit (of doing sg), leave/knock off (doing), get/fall out of the way of (doing sg), give up (doing), forsake; ~ik a dohányzásról give up smoking; *szokjon le róla* you'll have to grow out of (doing) it

leszoktat *vt*, *(vkt vmről)* disaccustom (sy to sg), wean (sy from/of a habit), break (sy) of the habit (of doing sg), get (sy) out of the habit (of doing sg), make (sy) leave off (sg), cure (sy) of (sg)

leszoktatás *n*, making (sy) leave off (doing sg), making (sy) give up (doing sg)

leszól I. *vi*, *[fentről]* speak/shout down, call out (to sy below) **II.** *vt*, *(vkt)* speak ill/disparagingly (of sy), disparage, run (sy) down, cry down, malign, decry, dispraise, depreciate, denigrate *(ref.)*, crab *(fam)*, debunk ◊

leszólás *n*, *(vkt)* disparagement, running down, decrial, dispraise, depreciation, denigration *(ref.)*

leszolgál *vi*, **1.** *[időt]* serve one's time, work out one's time, *(kat)* do *(v.* put in) one's (term of) military service; ~ta az idejét *[újonc, tanonc]* his time is up **2.** *[tartozást]* work off (debt)

leszólít *vt*, *(vkt)* accost, make passes at; ~ egy férfit *[utcai nő]* pick up a man; ~ egy nőt accost a woman

leszólítás *n*, accosting, *[utcán való ismerkedés alkalmával]* picking-up

leszop *vt*, **1.** ~ja magát *(biz)* get drunk/tipsy **2.** *(vmről vmt)* lick off

leszór *vt*, spread/scatter/strew/sprinkle from above

leszorít *vt*, **1.** *[tárgyat]* press/hold/tie/pin down, *[eret]* strangulate; ~ja vk karjait pin sy's arms to his sides **2.** *(vkt vhonnan)* push/shove (sy) off/away, elbow (sy) out of a place, freeze (sy) out; ~ a járdáról vkt crowd sy off the pavement **3.** *[árat]* bring/cut/beat down, depress, depreciate

leszorítás *n*, **1.** *[tárgyé]* pressing/holding/tying down, *[éré]* strangulation **2.** *[áré]* bringing down

leszórókocsi *n*, *(műsz)* tipper, dumper

leszorul *vi*, *(vk vhonnan)* be pushed (off/away)

leszögez *vt*, **1.** = leszegez; **2.** *[tényt]* (put on) record, note, establish, point out, *[elvet, szabályt]* lay down, posit; ~i álláspontját make one's point of view (about sg) unmistakably clear, state one's point, pin oneself down to sg, nail one's colours to the mast; ~em *(hogy)* I wish to make it clear (that), I want to put it on record (that), let it be distinctly understood (that); ~i alapelvként lay it down as an absolute rule; *a Legfelső Bíróság ~te hogy* it was adjudged by the Supreme Court that ...

leszögezés *n*, **1.** = leszegezés; **2.** *[tényé]* recording (of fact)

leszök|ik *vi*, steal down, escape, run away

leszúr *vt*, **1.** *(vkt)* stab (sy to death), run (sy) through with a knife/dagger, *[tőrrel]* dirk, dagger; *disznót* ~ stick/kill a pig **2.** *[karót]* stick **3.** ~ húsz forintot *(biz)* come down with twenty forints, stump/cough up twenty forints ◈, plank down twenty forints ◈, fork up/out with twenty forints, disgorge twenty forints

leszúrás *n*, stabbing (sy to death)

leszurkol *vt*, *(pénzt)* = leszúr 3.

leszúrókés *n*, *(műsz)* parting-tool

leszűkít *vt*, **1.** *[ált]* narrow down **2.** *(fényk)* diaphragm down (a lens), stop (down) **3.** *(átv)* narrow down

leszűkítés *n*, narrowing (down)

leszűr *vt*, **1.** *[folyadékot]* filter, strain, *(vegyt)* leach, clarify, purge, *[leöntve]* pour off, decant **2.** *ebből azt a tanulságot szűri le (hogy)* from this he draws the conclusion (that)

leszűrés *n*, filtering, straining, *(vegyt)* clarifying

leszüretel *vt/vi*, vintage, *[szőlőt]* gather (the grapes), *[almát stb.]* harvest

lét *[-et, -e]* *n*, **1.** existence, (state of) being, life; *az emberi* ~ the life of man; ~ *és tudat* existence and consciousness; *küzdelem a* ~ért struggle/fight for life; *vmt* ~re *hoz* accomplish sg, call sg into being, *[találkozást]* bring about (meeting) **2.** *Lillafüreden* ~emkor during my stay/sojourn at L., while (I was staying/stopping) at L.; *ld még* **létére**

letagad *vt*, deny (truth, fact); *nem lehet* ~ni it cannot be denied/gainsaid, there is no denying/gainsaying/ disguising the fact, there is no getting away from the fact

letagadás *n*, negation, denial

letagadhatatlan *a*, undeniable; ~ tények facts that cannot be gainsaid

letagadtatja magát *(vknek)* be not at home (to sy)

letaglóz *vt* **1.** *[marhát]* pole-axe, fell, knock down, slaughter **2.** *a hír* ~ta he was overcome, he was badly shaken, the news overcame him completely, the news got him down completely

letaglózás *n*, felling, pole-axing

letakar *vt*, cover (up), lay cover over (sg), blanket, overspread with, bespread, *[szemfedővel]* enshroud, *[rejt]* hide, conceal

letakarít *vt*, **1.** clear away **2.** *[asztalt]* clear (table)

letakarod|ik *vi*, pack off

letalál *vi*, find one's way down

létalap *n*, **1.** *(átv)* reason for the existence (of sg), reason/justification of (sg)·. **2.** *[anyagi]* (means of) living, financial basis

letámolyog *vi*, come tottering/staggering/faltering down

letántorog *vi*, = letámolyog

letapaszt *vt*, plaster

letapogat *vt*, feel, *(távk)* scan

letapogatás *n*, *(távk)* scanning, electrical/electronic scanning

letapogatható *a*, *(távk)* scannable

letapogató *n*, *(távk)* scanner

letapos *vt*, tread/trample/stamp down, tread/trample (sg) underfoot; ~sa a füvet stamp the grass flat; ~sa a cipője sarkát wear one's heels down

letaposott *a*, *[fű stb.]* downtrodden; ~ sarok worn-down heel

letargia *[.. át]* *n*, lethargy

letargiás *a*, lethargic(al)

letargikus *a*, lethargic(al); ~sá tesz make lethargic, lethargize

letárgyal *vt*, *[kérdést]* discuss exhaustively, thresh/ argue out (matter), talk (matter) over, go into details (of question/matter), *[végleg]* settle (affair), *[bíróság ügyet]* hear (suit, case); *az országgyűlés* ~ta *a költségvetést* Parliament has voted the Estimates, Parliament has passed the Finance Bill

letárgyalás *n, [kérdése]* discussion, *[végleg]* settling, settlement, *[bírósági ügyé]* hearing

letarol *[-t, -jon] vt,* **1.** *[lepusztít]* devastate, lay waste, ravage, make havoc of, play havoc with, *[fát]* strip, denude (tree of leaves), *[szél vetést]* blow/beat down, lay flat, lodge, *[erdőt]* cut/hew down, clear; *a sáskák ~ták a vidéket/országot* the locusts ate the country **2.** *[jég]* make havoc with, destroy, cut up, *[fagy és átv]* blast, blight, *(geol)* abrade **3.** *[hasznot]* pocket

letarolás *n,* devastation, laying waste, *[fát]* stripping, denudation, *[erdőt]* cutting down, *(földr)* abrasion, degradation, *(átv)* blasting

letarolt *[-at; adv -an] a,* devastated, ravaged, *[fa]* stripped, denuded, *[erdő]* cut down, cleared, *(geol)* abraded, *(átv)* blasted, blighted; *~ hegy* denuded mountain; *~ glaciális síkság (földr)* ice scoured plain; *~ síkság [az ellenálló kőzetig]* stripped plain

letart *vt,* hold/keep (sg) down

letartóztat *vt,* arrest, take into custody, place/put under arrest, detain, *[bűnözőt]* apprehend, seize, *(jog)* attach, *[előzetesen]* commit for trial, confine under remand, run/do in *(fam),* take up *(fam)*

letartóztatás *n,* arrest(ation), detention, *[bűnözőt]* apprehension, seizing, seizure, *[tolvajt]* taking, *(jog)* attachment; *előzetes ~* remand, imprisonment on suspicion; *előzetes~ba helyez* commit sy (to prison); *előzetes ~ban* in custody, committed for trial; *előzetes ~ban tart* keep sy under remand; *újbóli ~* re-attachment; *sok ~ történt* many people were arrested; *~ban* under arrest, detained; *vk előzetes ~át elrendeli* commit sy (to prison)

letartóztatási *[-t] a, ~ intézet* place of detention; *~ parancs* committal order, warrant for arrest, mittimus; *bírósági ~ parancs* bench warrant; *~ parancsot bocsát ki* issue a warrant for (sy's) arrest

letartóztatott *[-at, -ja] I. n,* detenue, detainee, person in detention, *[ítélet után]* prisoner **II.** *a,* under arrest *(ut),* kept in custody *(ut),* held incommunicado *(ut); ~ személy* person arrested

letaszít *vt,* **1.** push, shove, thrust, throw down/off, topple, hurl/shove down, detrude, *[mélybe]* precipitate; *lóról ~* unhorse **2.** *trónról ~* dethrone, depose, drive from throne

letáviratoz *vi/vt,* **1.** *[hogy jöjjön le]* wire down, call sy down by a wire **2.** *[hogy ne jöjjön]* wire (to) sy not to come, *[hogy ne tegyen vmt]* call/put off by wire, wire refusal/cancellation

létbizonytalanság *n,* uncertainty/precariousness of existence

letegez *vt,* ⟨address sy by the intimate form of "te" (instead of the more formal "ön" or "maga")⟩, thou sy *(GB obs),* address sy as "thou" *(GB obs), [sértően] (kb)* address sy with undue familiarity

letegezés *n, [sértően] (kb)* addressing sy with undue familiarity; *ld még* **tegezés**

leteker *vi,* unwind, uncoil, *[orsóról]* unreel, unroll, reel/wind/spool off

letekeredik *vi,* (be)come unwound, unwind, unreel, unroll, *[kígyó]* uncoil

letekint *vi,* look down, cast a glance down

létel *[-ek, -t, -e] n,* existence

letelefonál I. *vi, (vknek)* telephone (to sy below) **II.** *vt, (vmt)* cancel (sg by telephone)

letelepedés *n,* settling, settlement, establishing (oneself swhere), establishment, home-making

letelepedési *[-t] a, ~ engedély* permission to reside; *~ jog* right of domicile

letelepedett *[-et] a,* settled

letelepedik *vi,* **1.** *[állandó lakhelyen]* settle (down),

establish oneself (swhere), *[egyén]* make one's home/abode (swhere), set up house, take up one's residence/abode (swhere), go to live (swhere), pitch one's tent *(fam),* perch *(fam),* locate *(US); vidéken telepedik le* establish oneself in the country **2.** *[karosszékbe]* settle/plant/install/seat oneself (in armchair), sit down, plank oneself down, *[madár]* perch; *~ik a padra* plank oneself down on a seat

letelepít *vt,* settle, *[gyarmaton]* plant; *~ vkt egy országban* resettle sy in a country

letelepítés *n, [népé]* settling, settlement

letelepszik *vi,* = **letelepedik**

letelepül *vi,* = **letelepedik**

letelepülés *n,* = **letelepedés**

letelés *n,* = **letelte**

letelik *vi, [határidő, bérleti idő]* come to (an) end, expire, lapse, run out, *[szabadság]* come to (an) end, draw to (its) close, terminate, *[idő]* elapse, pass, be up, slip away; *~t az idő* time is up

lételmélet *n,* ontology

lételméleti *a,* ontological

letelte *[. . ét] n, ~ vmnek* end, expiry, expiration, lapse, termination (of sg); *egy hét leteltével* after a week (has elapsed/passed)

letenye *[. . ét] n, † =* litánia

letép *vt,* tear/rip/rend off/away, rive, *[virágot]* pluck, pick off, *[gyapotot, babot stb.]* snap, *[láncot]* break, smash, shatter, *[szelvényt]* detach (slip); *~i láncait/ bilincseit* break one's chains, burst one's fetters

leteper *vt,* get (sy) down, lay (sy) low, throw, floor, down, (send to) grass, wrestle *(US)*

letér *vi,* **1.** *[útról]* turn aside/off, step aside, deviate, swerve, diverge (from), leave (road, track); *~ az útjáról* change one's course, *[hajó]* fetch a compass/ circuit; *nem tér le az útjáról* keep one's course; *nem tér le az út közepéről* keep the middle of the road; *az autó ~t a főútvonalról* the car turned off the main road **2.** *~ a helyes útról (átv)* go wrong, swerve from the right path, leave the straight and narrow path, stray, slide, be off the rails; *~ a járt útról* go off the beaten track; *az aranyalapról ~* go/come off the gold standard

létérdek *n,* vital/prime interest

letérdel *vi,* kneel down, go/get down on one's knees, drop/fall on one's knees; *térdelj le!* on your marrows! *(fam)*

letérdepel *vi,* = **letérdel**

létére *n, öreg ~* old as he is, (al)though he is old, though old; *nő ~* is although/albeit a woman; *férfi ~ sírva fakadt* though a man he burst into tears

leteremt *vt, (vkt)* give (sy) a good dressing-down, give it (sy) hot, blow (sy) up; *alaposan ~ik* get hauled over the coals

letérés *n,* deviation (from road)

leterhel *vt,* discharge of load

leterít *vi,* **1.** *[földre vmt]* spread/lay out (sg on the floor); *kártyáit ~i* show one's hand **2.** *(vmt vmvel)* cover with/over, lay (sg over sg); *~i az asztalt* spread the table **3.** *[vadat]* bring down, kill, bag, *(vkt)* knock/ strike (sy) down, prostrate, lay low, fell (sy) to the ground, *[ütéssel]* lay out (cold), down, *[birkózásban]* throw, floor; *egy ökölcsapással ~ vkt* lay sy flat with a blow; *egy golyó ~ette* a bullet laid him low; *az ütés ~ette* the blow sent him sprawling

letérít *vt, (vkt)* lead/throw (sy) out of his way, drive out of his course, lead astray

leterítés *n,* **1.** *(kárty)* lay-down, showdown *(US)* **2.** *[birkózásban]* throw, flooring

létesít *[-eni, -ett,-sen] vt,* institute, establish, set up, found, create, build, bring/call into life/existence/ being; *hadsereget ~* form/raise an army; *kapcsolatot ~* establish contact, set up (a) connection; *sport* *pályát* ~ lay (out) a sports ground; *üzemet* ~ set up a plant

létesítés *n*, instituting, institution, establishing, establishment, foundation

létesítmény *n*, establishment, institution, scheme, *[beruházási objektum]* project

letessékel *vt*, show sy out, *[villamosról]* ask sy to leave

létesül [-t, -jön] *vi*, be instituted/established,come into being/existence

letesz I. *vt*, **1.** *(vmt vhová)* put/set/lay/place down, deposit, *[biztos helyre]* reposit; *alapkövet* ~ *[épületét]* lay the foundation-stone; *~i a fegyvert* lay down one's arms, surrender, capitulate; *~i a garast* take one's turn (at speaking); *most én tettem le a garast* it is my say now, it is my turn to speak; *~i a Ház asztalára [javaslatot]* table *(v.* bring in) a motion/ bill; *~i a lantot [költő]* cease to sing, lay/put down his harp, lay aside his lyre, hang up one's fiddle *(fam)*, *[dolgozó]* call it a day; *~i a telefonkagylót* replace the receiver, hang up the receiver, put down the receiver; *tegye le valahová/bárhová* put/stick it down anywhere **2.** *[megőrzésre]* deposit, leave (sg with sy), lodge (sg swhere), *[ruhatárban]* leave (sg in cloak-room); *vknek a kezébe teszi le a döntést* leave the decision to sy **3.** *[ruhát]* take off, get out of; *~i a reverendát* unfrock oneself **4.** *[gyászt]* get out (of mourning), *[hivatalt]* quit, demit (office), resign (one's post); *szolgálatot ~i (kat)* stand down **5.** *[terhet]* lay down, disburden oneself of, ease oneself of (burden) **6.** *[vkt az autóból]* drop; ~ *vkt a lakásánál* set sy down at his house, drop sy at his house/door *(fam)*; *~i a gépet [pilóta]* touch down, land the aeroplane **7.** *[birkózót kétvállra]* throw (on two shoulders), floor (a wrestler) **8.** *[vkt hivatalából]* dismiss, discharge, remove (sy from office), *[királyt]* depose, dethrone; *állásából ~i [tisztviselőt]* displace **9.** *[vizsgát]* pass, get through (examination); *ragyogóan tette le a vizsgáját* he did brilliantly at his examination **10.** *esküt* ~ take an oath, swear, *[bíróság előtt]* be sworn in; *~i a szerzetesi fogadalmat* make one's profession (as a monk) **11.** □ *[leszól]* run (sy) down, slate, slash, cut (sg) to pieces
II. *vi*, *[ötletről]* abandon, drop, give up, *[reményről, betegről]* give up, resign, *[szokásról]* leave off, *[tervről]* renounce

letét [-et, -e] *n*, **1.** deposit, *[áru]* consignment, *[bizományba adás]* consignation, *[megőrzés]* lodging, lodgement, safe-custody, custodianship *(US)*; *bírói* ~ judicial deposit, payment into Court; *közös* ~ joint deposit; *zárolt* ~ barred deposit; *~je van a bankban* have a bank deposit; *vmt ~be helyez* deposit/depose/lodge sg, entrust sy with sg; *értékpapírt ~be helyez* deposit securities in safe-custody; *~be helyezi a pénzt a bankba* lodge money in the bank; *~be helyezés* lodgement, lodging, deposition, depositing, bailment; *bírói ~be helyezés* depositary; *~be helyező [személy]* depositor; *~ben on deposit, [áru]* on/in trust; *biztos ~ben* in safe custody **2.** *(zene)* *[énekkari]* harmonization, *[zenekari]* orchestration

letétbank *n*, bank of deposit

letétel *n*, **1.** *[hivatalé]* resignation, withdrawal (from office), vacating, quitting **2.** *[hivatalról]* dismissal, removal (from office), *[trónról]* deposition, dethronement (of king) **3.** *[őrzésre]* deposition, lodgement, consignation

letétemény *n*, deposit (money)

letéteményes [-ek, -t, -e] *n*, depositee, depositary, consignatary, trustee, bailee, *[titoké]* repository

letetet *vt*, ~ *vkvel vmt* make (sy) put down (sg); *vizsgát* ~ make (sy) sit for an examination

letéti [-ek; *adv* -leg] *a*, of deposit(s) *(ut)*; ~ *bank* bank of/for deposits; ~ *hely* lodgement office; ~ *jegy*

---

deposit ticket/slip, *[áruról]* warehouse receipt; ~ *könyvtár* deposit library, sub-branch *(US)*; ~ *összeg* deposit; ~ *számla* deposit account; ~ *szerződés* contract of deposit; ~ *ügylet* deposit transaction

letétjegy *n*, = letéti *jegy*

letétnyugta *n*, certificate of deposit, receipt for deposit

letétpénztár *n*, deposit department

letétszámla *n*, deposit account

letéved *vi*, *[útról]* lose one's way, *(átv is)* go astray

letevés *n*, putting/setting/laying down

letevő I. *a*, a vizsgát ~ *diák* student passing the examination **II.** *n*, *(ker)* depositor, bailor

létezés *n*, existence, being, reality, *[fennmaradás]* subsistence; *nem* ~ non-existence

létezik [-tem, -ett, -zen, -zék] *vi*, **1.** exist, be (in existence), subsist, be extant, *[él]* live, be alive; *már nem ~ik* be no more; *ez csak az ő fantáziájában ~ik* this exists only in his imagination **2.** *az nem ~ik!* it can't be true!, it is out of the question!, nonsense!, it's impossible/absurd, there ain't no such thing *(fam)*

létező [-t; *adv* -en] **I.** *a*, existing, existent, extant, subsisting, subsistent, *[élő]* living, *[ismert, számontartott]* available, concrete; *nem* ~ non-existent; *már* ~ *jogok* rights already in existence; *a* ~ *legjobb* the best ever/possible **II.** *n*, sg that exists

létfeltétel *n*, condition of existence, vital condition, sine qua non *(lat)*

létfenntartás *n*, existence, subsistence, livelihood, *(ritk)* sustenance, sustainment; *a* ~ *eszközei* the means of life; *a* ~ *költségei* the cost of living

létfenntartási *a*, ~ *index* cost of living index; ~ *költség* cost of living; *megdrágult/megnövekedett* ~ *költségek* advanced cost of living; ~ *ösztön* instinct of self-preservation

létfontosságú *a*, of vital importance *(ut)*, vital; ~ *szükséglet* prime necessity

létforma *n*, *(fil)* mode (of existence)

létharc *n*, struggle for life/existence, struggle to assert oneself

létige *n*, the verb "to be", the copulative/substantive verb, verb denoting being

letilt *vt*, **1.** *[fizetést]* attach, garnish, suspend, stop (payment), *[csekket]* stop (payment of cheque), *[követelést]* levy (attachment); *~ja vknek a bérét* stop sy's wages; ~ *ja vknek a nyugdíját* suppress sy's pension **2.** *[vm működést]* prohibit, forbid, inhibit, ban, lay under a ban, turn thumbs down on (sy) *(fam)*

letiltás *n*, **1.** *[fizetést]* stoppage, suspension (of payment), attachment (of debts), garnishment; *[fizetési* ~ stoppage of payment, garnishing order **2.** *[működést]* prohibition, banning, inhibition, forbiddance, forbidding

letiltó I. *a*, stopping, forbidding, attaching, garnishing; ~ *parancs* writ of inhibition **II.** *n*, garnisher

letipor *vt*, **1.** *[lábbal]* tread/trample (sg) under foot, tread/trample down **2.** *(átv is)* crush

letiport [-at; *adv* -an] *a*, *(átv)* downtrodden

letiprás *n*, **1.** *[lábbal]* treading/trampling down **2.** *(átv is)* crushing

letisztáz *vt*, make/write a fair copy (of sg), copy (sg) fair, write out, *[gyorsított szöveget]* transcribe, write out in longhand, *[okmányt]* engross

letisztázás *n*, making/writing a fair copy (of sg), *[okmányé]* engrossment

letisztít *vt*, clean (ott), cleanse, wipe/wash/scrub/brush clean, remove dirt (from), make clean, *[port vmről]* dust (sg), *[baromfit]* pluck, *[falat]* scrape, *[fémfelületet]* scour, *[rozsdát]* rub off, *[téglafalat]* clean down

letisztítás *n*, cleaning, cleansing, *[portól]* dusting, *[falé]* scraping, *(fémip)* scouring

letisztított *a, [baromfi]* plucked
letisztogat *vt,* clean (off), *[burgonyát/répát konyhailag]* scrape
letisztul *vi, [folyadék]* clear, settle
létjogosultság *n,* reason for the existence (of sg), grounds *(pl),* justification (of sg)
létkérdés *n,* a question/matter of life and death, question of vital/primary/basic importance; ~ *számomra* it is a matter of life or death for me
létminimum *n,* (minimum) subsistence level, bare necessities *(pl),* minimum of existence, *[kereset]* living/subsistence wage; *csak a ~ot keresi meg* earn a bare living
létminimum-fizetés *n,* living/subsistence wage
létmód *n, (fil)* mode (of existence)
létok *n,* reason for the existence (of sg)
letol *vt,* 1. *(vmit)* push/shove down/off, *[ruhadarabot]* take/pull/let down; ~*ja a nadrágját* drop one's slacks, pull down one's trousers 2. *(vkit biz)* haul (sy) over the coals, give it (sy) hot, dress (sy) down, give (sy) a tongue-lashing, give (sy) a dressing-down, tick (sy) off, give (sy) the devil, take a piece out of (sy); *jól* ~*ták* he got a good ragging
letolás *n,* 1. *(vmé)* pushing/shoving down/off 2. *(vkt biz)* tongue-lashing, dressing-down, ragging
letollaz [-tam, -ott, -zon] *vt,* deplume, *[baromfit]* pluck
letompít *vt,* 1. *[éles tárgyat]* blunt, take the edge/point (off sg), round off, break corner (of) 2. *[hangot]* deaden, damp, muffle, mute, soften, stifle, *[fényt, színt]* subdue, soften, tone/tame down, dim out; ~*ja a fényt* turn the light low 3. *(csak átv)* soft pedal, play down, *[elbeszélést]* water down (story)
letompítás *n,* 1. *[éles tárgye]* blunting 2. *[hangé]* damping, *[fényé, színé]* subduing, softening 3. *(csak átv)* soft-pedalling
letompul *vi,* 1. *[él]* become blunted, loose its edge/point 2. *[hang]* become deadened, damp/tone down, *[fény]* weaken, *[szín]* fade, soften
letorkol *vt,* rebuff, rebuke, shout down, snub, shunt (sy) up *(fam)*
letottyan *vi,* lump down
letölt *vt,* ~*i fogházbüntetését* do/serve one's prison sentence; ~*i az idejét [rab]* work out one's time
letör *vt,* 1. *(konkr)* break down, *(vmről)* break off/away, *[hirtelen]* snap off, *[hegyét]* break, blunt (point of sg), *[kukoricacsövet szárról]* snap (corn/maize); ~ *egy darab süteményt* break off a piece of cake; ~*i a kancsó fülét* knock the handle off the jug; ~*i vknek a szarvait* take sy down a peg (or two), cut sy's comb; *majd* ~*öm a szarvát* I'll take the conceit out of him; ~*öm a derekad!* I shall give you what for!, I shall break your back! 2. *[puskát]* break open (a gun) 3. *[lázadást]* break/put down, crush, quell, suppress, *[hajlamot]* check, keep under, *[buzgalmat, bátorságot]* damp; ~ *minden ellenállást* break down all opposition; ~*i vknek a gőgjét/büszkeségét* humble sy's pride, pull down sy's pride; ~*i a hatalmaskodókat* put down the mighty; ~*i a sztrájkot* break a strike 4. *[árat]* knock down 5. *[elcsüggeszt]* dispirit, depress, cast down, *[hír vkt]* break, crush, cast (sy) down, *[bánat, öregség, betegség vkt]* break (sy), *[kimerít]* exhaust, sap (sy's) strength, *[utazás vkt]* break, exhaust; ~*te a hír* he was cast down *(v.* deeply grieved) by the news
letördel *vt,* break off (one) by one
letöredez|ik *vi,* break and come off (in fragments/chips), *[kő]* crumble (away)
letörés *n,* 1. *(konkr)* breaking/snapping off 2. *[lázadást]* breaking down, suppression, *[hatalmat, dölyföt]* humbling, putting down 3. *[testi, lelki]* break down, *[lelki]* collapse

letör|ik *vi,* 1. *(konkr)* break down/off, come off/away chip; ~*ik a karom* my arms are breaking (under the load) 2. *[vk testileg/lelkileg]* break down, *[lelkileg]* collapse, *[atléta, ló]* lose one's form 3. *[anyagilag]* go broke, go to ruin, crack down; *anyagilag teljesen le van törve* be stony/dead broke
letörlés *n,* 1. *[tárgyat]* wiping, *[port]* dusting, *[szárazra]* drying 2. *[írást]* obliteration
letörleszt *vt, [tartozást]* pay off, liquidate, extinguish, amortize, discharge (debt); *áruval* ~ pay debt in goods/kind
letörlesztés *n,* paying off, liquidation, extinction, amortization (of debt)
letöröl *vt,* 1. *[tárgyat]* wipe (sg clean), *[nedveset]* dry, *[porosat]* dust, *[piszkot]* wipe off/away, *[könnyet]* wipe/dash away, dry; *letörli homlokát [zsebkendővel]* mop one's brow; *töröld le a táblát!* erase the blackboard! 2. *[írást]* wipe out, obliterate, blot *(ref.)*
letörölhetetlen *a, [folt, tinta]* indelible, ineffaceable
letörölhetetlenség *n,* indelibility, ineffaceability
letörölhető *a,* effaceable
letört *a, (átv)* broken-down, done-up, pulled down low-spirited, in low spirits *(ut),* heavy-hearted, lethargic(al); *nagyon* ~ he is absolutely done up, he is pulled/broken down
létra [..át] *n,* 1. ladder, scale *(obs), [önálló]* step-ladder, pair of steps; *forgatható* ~ turnable ladder; *felmegy a létrán* go up the ladder, ascend/mount the ladder; *létrát nekitámaszt a falnak* lean a ladder against the wall 2. *(tex)* guide-bar
létraállvány *n,* scaffolding
létrafok *n,* rung, round, stave, spoke (of ladder), *[lapos]* step (of step-ladder)
letranszformál *vt,* step down (the current/voltage)
letranszformálás *n,* step-down transformation
létrás [-at] *a,* ~ *kotró* ladder dredge; ~ *tűzoltókocsi* ladder truck
létrehív *vt,* call into life, establish, bring into being
létrehoz *vt, [intézményt]* bring/call into existence/being, establish, set up, found, *[folyamatot]* originate, institute, effect, bring about, breed, induce, give rise to (sg), occasion, *[kapcsolatot]* form, establish, *[művet]* create, produce, accomplish, *[semmiből]* create (out of nothing), *[találkozást]* bring about; *kiegyezést hoz létre* effect a settlement; *utódokat hoz létre* reproduce itself
létrehozás *n, [intézményt]* establishment, setting up, founding, foundation, bringing into existence, *[folyamatot]* origination, effectuation, bringing about, *[kapcsolatot]* formation, *[művet]* creation, production, accomplishment, *[találkozást]* bringing about
létrehozatal *n,* = **létrehozás**
létrehozó *n,* originator, founder, creator
létrejön *vi,* come into being, come/spring into existence, be established/instituted, originate, *[esemény]* happen, take place, come about, *[mű]* be born/created, *[hatás]* be produced; *nem jön létre* not to come off; *megállapodás jött létre* an agreement has been reached/concluded, an agreement has been arrived at; *létrejött az összeköttetés* communication was effected; *az üzlet létrejött* the deal has gone through
létrejötte *n,* ~ *vmnek* coming into existence, establishment, creation, accomplishment, formation, institution, conclusion
létrejövetel *n,* = **létrejötte** *vmnek*
letromfol [-t, -jon] *vt, (biz) (kb)* retort (in vulgar fashion), turn the tables (on sy), give tit for tat, make (sy) shut up, score off
letromfolás *n,* scoring off (sy)
létszám *n,* (appointed) number (of people on the staff of an office etc.), *[alkalmazottaké]* staff, *[részt-*

vevőké] participation rate, *(kat)* strength, effective (force); *állományi* ~ number of permanent staff, staff number; *békebeli* ~ peace-establishment/footing; *hadi* ~ war-footing/strength; *teljes* ~ full force (of men); *a* ~ *teljes!* we are full up, we are at full strength, the strength is complete; *betelt a* ~ the list is closed; ~ *feletti* supernumerary, redundant, super *(fam); nagy* ~*ban* in great strength; *teljes* ~*ban* with nobody missing/absent, in full numbers/complement/force, (we are) full up, (we are) at full strength, *(kat)* at full establishment; *csökkenti a* ~*ot* reduce the working force; *nagy* ~*mal van jelen* be present in great strength

létszámcsökkenés *n*, staff decrease

létszámcsökkentés *n*, work force reduction, reduction in the working force, reducing of numbers/personnel, staff cut/retrenchment, lay-off, cutaway *(US), (kat)* reduction of forces/strength (of unit)

létszámellátás *n*, staff provision, labour, supply

létszámemelés *n*, raising/increase of strength/force/numbers, addition to numbers, staff increase

létszámjegyzék *n*, muster-roll

létszámjelentés *n*, = létszámkimutatás

létszám-kiegészítés *n*, bringing numbers up to (full) strength

létszámkimutatás *n*, (daily/weekly) return of strength, muster-roll

létszámú *a, kis/csekély* ~ few/small in number *(ut); nagy* ~ numerous, strong in numbers *(ut); teljes* ~ up to strength *(ut); hatvanas* ~ társaság a company sixty persons strong

létszükséglet *n*, prime necessities *(pl)*, essentials of life *(pl); legfőbb* ~ life's prime want

lett [-et, -je; *adv* -ül] I. *a*, Lettish, Latvian, *(összet)* Letto-; *L*~ *Szovjet Szocialista Köztársaság* Latvian Soviet Socialist Republic II. *n,[ember]*Lett, *[nyelv]* Lettish, Lettic

léttelen *a*, non-existent

Lettország *prop*, Latvia

lettországi *a*, Lettonian, Latvian

letud *vt, [munkát]* get done with, have it off one's hands, *[adósságot]* work off; *pénzbírsággal* ~*ta* he was quit for a fine; *tudjuk le a gondját* let's get this over with!

letusol *vt*, douche, take a shower-bath

letűnés *n*, disappearance, vanishing, *[rendszeré, hatalmasságé]* passing

letűnik *vi, [eltűnik]* disappear, vanish, pass out of sight; *hamar* ~*t a színpadról (átv)* he soon disappeared from the public eye 2. *[nap]* go down, set, sink, dip (below horizon); ~*ik a csillaga* his star is waning, his star is on the wane

letűnőben van *(vk átv)* he has seen his best days, he has had his day, he is on the decline/downgrade

letűnt [-et; *adv* -en] *a*, vanished, past; *egy* ~ *világ* a bygone world

letűnte [.. ét] *n*, = letűnés

letűr *vt*, turn/roll/pull down, *[kötényt]* let down; ~*i feltűrt ingujját* roll one's sleeves down

letűz I. *vt*, 1. *(vmt vhova)* pin sg down; *karót földbe* ~ stick/run/drive/plant stake into earth 2. *[levarr]* stitch down 3. *[hajat]* pin, fasten II. *vi, [nap]*beat/shine/blaze down

letűzdel *vt*, pin (sg) down, *[levarr]* stitch (down)

letűzés *n*, 1. *[karót]* sticking down 2. *[levarrás]*stitching

létveszély *n*, precariousness of existence, danger of life/extinction, mortal danger

leugrál *vi*, jump/leap down/off repeatedly *(v.* one after the other)

leugrás *n*, jump, leap (from above), down leap

leugraszt *vt*, make jump down

leugrat *vi*, make jump down

leugr|ik *vi*, 1. jump/leap/spring down/off, take a jump/leap (down into); ~*ott a lováról* he jumped from/off his horse 2. ~*ik vidékre* take a flying visit to the country, run/pop down to the country

leukémia [.. át] *n, (orv)* leucemia, leukemia

leukocitózis [-ok, -t] *n, (orv)* leucocytosis

leukóma [.. át] *n, (orv)* leucoma, albugo

leukoplaszt [-ot, -ja] *n*, adhesive plaster/tape, sticking-plaster, elastoplast

leukotómia [.. át] *n, praefrontális* ~ prefrontal leucotomy

leúsz|ik *vi/vt, (vm)* swim/float down, *[távot]* cover (distance) swimming

leúsztat *vt*, swim down

leutánoz *vt*, imitate, *[modelt]* pirate

leutaz *vt*, 1. *[távolságot]* do, cover 2. *[jegyet]* use (up)

leutaz|ik *vi, (vhova)* make a journey down to, take a trip down to, *[autón, kocsin]* drive down

leül I. *vi*, 1. sit down, seat oneself, take a seat/chair, plank oneself down *(fam);* ~ *az asztalhoz* sit (down) to the table, *[étkezéshez]* sit to table; ~ *egy karosszékbe* sit (down) in an armchair; *üljön le kérem! [udvariasan]* will you sit down please, take your seat, pray be seated *(obs); na üljön le egy kicsit!* do sit down, won't you sit down?; *majd* ~*t meglepetésében* he sat down in astonishment/surprise 2. *[üledék]* go down (to bottom), subside, settle (down) II. *vt, [büntetést]* serve one's sentence, do one's time/stretch *(fam)*, work out one's time *(fam)*

leülepedés *n*, settling, *(geol)* deposition, *[folyómederben]* silt(ing)

leülepedett [-et] *a*, residuary, residual, settled

leüleped|ik *vi, [üledék]* go/sink/fall down (to the bottom), settle (down), subside, precipitate, depose, *[bor stb. szállítás után]* resettle

leülepít [-eni, -ett, -sen] *vt, (műsz)* precipitate, *(vegyt)* depose

leültet *vt*, 1. seat, make (sy) sit down, *[udvariasságból]* ask (sy) to take a seat, offer (sy) a seat, *[iskolás gyereket aki nem tudja a leckét]* floor 2. ~*ték [börtönbe]* he was shoved in(to) clink

leültetés *n*, seating

leüt *vt*, 1. *(vkt)* knock/strike down, lay out/low, fell, knock (sy) off his feet/pins, down (sy), stretch (sy) out (on the ground); ~ *a lábáról vkt [betegség]* get sy down; ~*i vknek a derekát (konkr)* break sy's back, *(átv)* give sy a good beating; ~*ötte a lányt a kezemről* he cut me out with my girl 2. *(vmt)* knock/strike/beat down, *(vmről)* knock/strike off, *[állatot vágóhidon]* slaughter, *[vmből kis darabot]* snap (sg off sg), *[lesodor]* brush/sweep off/away; ~*i vk fejét* chop/strike sy's head off; ~*i a kancsó fülét* knock the handle off the jug 3. *[árverezőn]* knock down, adjudicate 4. *[hangot zongorán]* strike (a note); ~ *egy betűt az írógépen* type a/one letter 5. *[sakkban]* take/6. *[teniszben labdát]* smash (ba'l) 7. *[összegből]* take knock off (sum)

leütés *n*, 1. *(vkt, vmt)* striking/knocking down, *(vmt vmről)* striking/knocking off 2. *[írógépen]* stroke; *soronként 50* ~ 50 letters to the line 3. *[teniszben]* smash; *ld még lecsapás*

leüzen *vi*, send word down to sy, send a message down to sy

Léva [.. át, .. án, .. ára] *prop*, Levice (town in Czechoslovakia)

levág I. *vt*, 1. *(ált)* cut, *(vmt vmről)* cut off/away/down, sever, part off, *[hirtelen]* chop off, *[ollóval hirtelen]* snip off, *[ágat]* lop off/away, hew away, *[fa koronáját]* pollard, *[állat farkát]* dock, *[fülét]* crop, *[fejet]* strike/chop off, smite off *(ref.), [hajat]* cut, crop (sy's hair), *[ruhát rövidebbre]* cut down (one's dress), *[ollóval egyenletesre]* clip, trim, *[szeleteket]* slice, *[szelvényt]* detach (coupon), *[szénát]* cut, *[termést]* reap, *[végtagot orv]* amputate, excise, *[csontot]* resect; ~*ja a körmét* pare/cut one's nail; *a villamos ~ta a lábát* the tram cut off sy's foot/leg 2. *[állatot]* slaughter, butcher, kill, *[áldozatit]* immolate, *[kísérletit]* sacrifice, *[disznót]* stick (pig), *[ökröt]* fell (ox) 3. *[embert]* kill, slay, hew down 4. *[vmt lecsap]* throw/cast/fling/hurl down, *[vkt földre]* floor, throw; ~*ja magát* throw oneself down 5. *[művet kritikus biz]* cut to pieces, cut up, slash, *[művészt kritikus]* flay, slate 6. *(biz) nagy dumát vág le vknek* pitch a long yarn to sy 7. □ *[vkt vmely összeg erejéig]* sting (sy for sg); ~*ott rólam egy ötöst* I was stung for a fiver; *öt dollárra ~ vkt* shake sy down for five dollars *(US)*

II. *vi,* ~ *az útról* go off the road; ~*tunk a városba vivő rövidebb útra* we took a short cut to the town

levágás *n,* 1. *(vmt vmről)* cutting off/down/away, *[hirtelen]* chopping off, *[ágat]* lopping, *[állat farkát]* docking, *[fület]* cropping, *[hajat]* cutting, cropping, *[ruhát rövidebbre]* cutting down, *[ollóval egyenletesre]* clipping, trimming, *[végtagot orv]* amputation, ablation, excision 2. *[állatot]* slaughtering, killing; ~*ra szánt marha* cattle marked for slaughter 3. *[út rövidítése]* short cut

levágat *vt,* have (sg) cut; ~*ja a haját* have/get one's hair cut, have/get a hair-cut, *[kopaszra]* have one's hair cropped close

levagdal *vt,* cut/chop/lop off one by one, *(műsz)* trim off

levágódlik *vi, [földre]* fall (full length), throw oneself down, *[könyörögve]* prostrate oneself (before sy)

levágott *a,* ~ *darab* paring, trimming, cutting, cut-offs *(pl),* crop

levakar *vt,* 1. scrape down, *(vmt vmről)* scrape away/off/out (from sg), rub/scratch off, *[felirást]* erase, *[halat]* scale, *[dörzsöléssel]* abrade 2. *(bőrip)* flesh 3. *nem lehet (vkt) vhonnan ~ni (biz)* he sticks like a limpet

levakarás *n,* scraping down, rubbing/scratching off, *[felirást]* erasion

levválás *n,* coming off, coming unstuck, detachment, separation, disjunction, *[meglazulás]* coming loose, *[festésé]* peeling off, *[növényi szervé]* abscission

leválási *a,* ~ *pont (rep)* burble point; ~ *réteg (növ)* absciss(ion)/separation layer; ~ *szög (rep)* stalling angle

leválaszt *vt,* 1. *(ált)* detach, unstick, demount, separate, sever, disjoin(t), disconnect 2. *[lakást]* cut/divide/partition off (rooms); *fallal* ~ wall off

leválasztás *n,* 1. detachment, separation, severance, disjunction 2. *[lakást]* dividing/cutting off rooms

leválasztható *a,* detachable, demountable, separable

leválik *vi,* 1. *(ált)* come/break/work off, break away, come unstuck, become detached, separate, *[meglazul]* loosen, come/work/get loose, *[ragasztott dolog]* come unstuck, *[festés]* peel/scale/flake off, come off in flakes, *[kő rétegesen]* spall, *[var]* slough off/away 2. *[vk csoportból]* break loose/away (from group)

levált *vt,* 1. *[állásból]* replace, relieve (of his office) 2. *[felvált]* relieve, take over from, take (sy's) place, *(kat)* relieve, *[őrszemet]* withdraw

leváltás *n,* 1. *[állásból]* replacement, dismissal 2. *[felváltás]* relief, relay, taking over from, *(kat)* relief, relieving, *(bány)* parting

leváltható *a, [alkalmazott]* displaceable

leváltott *a,* ~ *őrség* relieved/former guard

Levante *[.. ét] prop,* the Levant

levantei *[-ek, -t] a/n,* Levantine, Levant

levarr *vt,* sew/stitch down/up

levarrás *n,* sewing/stitching down/up

levasal *vt, [gallért]* iron (down), *[varrást]* flatten, press down (seam)

levedlett *a,* ~ *bőr/szőr/agancs* slough; ~ *bőr [kígyóé]* spoils *(pl)*

levedlik *vi,* slough off, throw/cast its skin

levegő *[-t, -je] n,* 1. air; *balzsamos* ~ benign air; *rossz a* ~ *[a szobában]* it is stuffy/fuggy/frowsty/putrid here; *tiszta a* ~ *(átv)* the coast is clear; ~ *után kapkod* gasp/pant for breath; ~*be bámul* stare absent-mindedly; ~*be beszél* talk wildly/idly, talk at random, talk without rhyme or reason, talk through one's hat *(fam)* ; ~*be dob* toss in(to) the air, fling up; *a* ~*oe lő* shoot in the air; ~*be repül* blow up, be blown up, *[lőporraktár]* explode; *a* ~*ben* up in the air, in mid-air; *a* ~*ben lóg [szó van róla]* it has been in the air, *[nem komoly]* has no foundation; ~*ben úszó/lebegő* flying, fly-away; *a* ~*ből él* live by one's wits, live on air; ~*ből lő labdát* punt; ~*höz jut* get air; ~*nek vesz (vkt)* ignore (sy); *a szabad* ~*n* in the fresh/open air, under the open sky; ~*re megy* take the air; *friss* ~*t szív* have a breath of fresh air, have a breather, take/enjoy (the) fresh air; *menjünk egy kis friss* ~*t szívni* let us go for a breath of fresh air, let us go for a breather; *nem kapok* ~*t* I feel like choking; *csak rontja a* ~*t (átv)* he's a good-for-nothing; *ne rontsd itt a* ~*t* you had better clear out 2. *(átv)* atmosphere; *vm van a* ~*ben* there is sg in the air/wind, there is sg brewing/afoot 3. *[írásműé]* atmosphere

levegőadagoló *n, [orgonán]* feeder

levegőáram *n,* air stream/flow

levegőátvitel *n, [időjárástanban]* air transport

levegő-befúvás *n,* air insufflation

levegőcsap *n,* air-cock

levegődaganat *n,* pneumatocele

levegőég *n,* † azure *(stand.),* blue *(stand.)*

levegőellenállás *n,* atmospheric resistance, resistant power of the air

levegőfogyasztás *n,* air consumption

levegőgyülem *n, bőr alatti* ~ *(orv)* pneumatocele

levegőhiány *n,* rarefaction/lack of air

levegőhűtő *n,* air-radiator

levegőigényes *a,* aerobian

levegőkenyér *n,* diabetic bread

levegőkúra *n,* aerotherapeutics, air-cure

levegőmell *n,(orv)* pneumothorax

levegőmennyiség *n,* volume of air

levegőnyelés *n, (orv)* aerophagy, aerophagia

levegőnyelv *n,* air tongue; *hideg* ~ cold tongue

levegőraktározó *a,* ~ *szövet (növ)* aerenchyme

levegőréteg *n,* layer/stratum of air, atmospheric stratum

levegőrúgás *n, (sp)* kick in the air, fluke

levegős *[-et; adv -en] a,* 1. airy, breezy, exposed to the air *(ut),* that has plenty of air *(ut)* ; ~ *festmény* light and airy picture 2. *[nyomtatott oldal]* spaced- (out) page

levegősség *n,* 1. airiness 2. *[nyomtatott oldalé]* good spacing

levegőszabályozás *n,* air-conditioning

levegőszabályozó *n,* air-conditioning installation/plant/apparatus/equipment

levegőszelep *n,* blow-gun

levegőszűrő *n,* air-strainer

levegőtartó *a,* ~ *alapszövet (növ)* aerenchyme

levegőtávlat *n,* aerial perspective

levegőtávlati *a,* ~ *fátyol (fényk)* atmospheric veiling of distance

levegőtlen *a,* airless, *[szoba]* stuffy, close, ill ventilated, muggy, fuggy, frowzy, frowsty *(fam)*

levegőváltozás *n,* change of air; ~*ra van szüksége* need a change of air; *az orvos* ~*t ajánlott neki* the doctor ordered him a change of air

levegővizelés n, (o.v) pneumaturia
levegőzés n, airing, taking the air, outing
levegőz|ik [-tem, -ött, -zön, -zék] vi, take an airing, take the air, enjoy the (fresh) air, air oneself; *kimegy ~ni* (go to) take an airing, go for a blow, stroll out for a breather
levehető a, removable, detachable, separable; *nem ~* undetachable
levél[1] [levelet, levele] n. *[fán]* leaf; *levelek [lombozat]* foliage; *~ alakú* leaf-shaped/like, foliate(d), foliaceous, phylloid; *~ feletti* suprafoliar; *alsó levelek* radical leaves; *egyoldalas ~* unifacial leaf; *hármas ~* trifoliate leaf; *keskeny hosszú ~* linear leaf; *kétoldalas ~* bifacial leaf; *kifejlődött ~* mature leaf; *másodlagos ~* leaflet; *nyeles [nem ülő] ~* petioled leaf; *összetett ~* leaf compound; *összetett ~ egy levélkével* unifoliate leaf; *összetett ~ egy levélke--párral* unijugate leaf; *háromszorosan összetett ~* ternate leaf decompound; *kétszeresen összetett ~* two-pinnate leaf decompound; *tenyeresen összetett ~* leaf compound trifoliate palmate; *többszörösen összetett ~* leaf decompound; *páratlanul szárnyalt ~* odd-pinnate leaf compound; *párosan szárnyalt ~* even-pinnate leaf compound; *ülő ~* sessile leaf; *víz alatti ~* submerged leaf; *víz feletti ~* aerial leaf; *~ alapszövete* mesophyll; *~ fonákja* abaxial surface (of a leaf); *~ közepe* midrib, midvein; *~ színe* adaxial surface (of a leaf); *~ se rezdül* there is not a breath of wind/air; *levelekben gazdag* leafy; *levelet fejleszt/hajt* put forth leaves; *leveleit hullatja* lose/shed its leaves
levél[2] [levelet, levele] n, 1. *[irott]* letter, *(hiv, tréf)* missive, epistle, *[rövid]* note, chit *(fam)*, *[diplomáciában]* dispatch; *beérkező ~* incoming letter; *honosító ~* letters/certificate of naturalization; *sürgető ~ [adóshoz]* dunning letter; *a ~ cimzése* direction of the letter; *~ megy* letter follows; *érkező levelek* incoming mail; *kimenő levelek* outgoing mail; *becses levele (ker)* your favour/letter; *f. hó 10-én kelt levelük* your letter *(v. yours)* of the 10th inst,; *~ben* by letter/mail/post; *külön ~ben* under separate cover; *~re válaszol* answer a letter; *levelére válaszolva* in reply to your letter...; *a levelére vonatkozóan* in/with reference to your letter; *elintézi a leveleket* do *(v. attend to)* the correspondence; *levelet vált* exchange letters; *megkaptam becses levelét* I am in receipt of your letter/favour; *ami a ~ét illeti* in/with reference to your letter; *Csordás úr leveleivel [borítékon]* (in) care of Mr. Csordás, c/o Mr. Csordás 2. *[könyvé]* leaf 3. *[tészta]* paste rolled out thin 4. *egy ~ tű* needle-book
levélalak n, *~ban [irott mű]* in letter-form *(ut)*, epistolary
levélalap n, *(növ)* leaf base; *átnőtt ~* perfoliate leaf base; *összenőtt ~* connate leaf base; *szárölelő ~* amplexicaul leaf base
levélállás n, *(növ)* phyllotaxis, phyllotaxy, leaf arrangement; *átellenes ~* opposite phyllotaxis; *keresztben átellenes ~* decussate opposite phyllotaxis; *örvös ~* whorled phyllotaxis; *szórt ~* alternate phyllotaxis
levélalom n, leaf-litter
levélaraszoló n, őszi ~ *[lepke]* large thorn *(Ennomos autumnaria)*
levélbell a, by letter/mail *(ut)* ; *~ kapcsolat* correspondence
levélbélyeg n, (postage-)stamp
levélbogár n, *(áll)* leaf/tortoise-beetle *(Chrysomelidae család)*
levélbolha n, *(áll)* jumping plant louse (and sucker) *(Psyllina-csoport)* ; *foltozott szárnyú ~* flea-louse *(Psylla piri)*

levélbontó n, letter-opener
levélboríték n, envelope, cover(ing) (of letter); *önzáró ~* self-sealing envelope, adhesive envelope
levélcím n, (post(-)office) address, direction (of letter)
levélcsíptető n, paper-clip
levélcsoportosító n, *[útirány szerint]* letter sorter
levélcsúcs n, *(növ)* leaf apex
levéldarázs n, *(áll)* saw-fly *(Tenthredinidae-család)*
leveldisz n, *(műv)* foliage, leaf-like ornaments *(pl)*, leafage, leaf-work, fleuron, *[gótikus]* finial
leveldíszes a, foliaged
leveldugvány n, leaf-cutting
levelecske n, = levélke[1]
leveledzés n, *[növényen]* foliation
leveledz|ik [-ett, leveleddzék, leveleddzen] vi, leat, break into leaf
levelenként adv, leaf by leaf, one leaf after the other
levelér n, *(növ)* leaf vein; *hosszanti ~* longitudinal leaf vein; *oldal ~* lateral vein (of leaf); *levélerek közötti terület* intervenial area; *levélerek összenövése* anastomosing of leaf veins
levelezet n, *(növ)* venation, nervation; *hálózatos ~* reticulate venation; *párhuzamos ~* parallel/striate venation; *recés ~* closed venation; *szárnyalt ~* pinnate venation; *tenyeres/ujjas ~* palmate venation
leveles[1] [-et; adv -en] a, *[ág]* leafy, leaved, leaf-covered, in leaves *(ut)*, in the leaf *(ut)*, *(növ)* foliose, foliaged, foliar, *[kőzet]* foliated, laminated, lamellated, lamellar (rock); *~ dohány* tobacco in leaves, leaf-tobacco; *~ oszlopfő* foliage capital; *~ szerkezetű [szikla, kőzet]* foliaceous
leveles[2] [-et; adv -en] a, 1. *~ láda [családi]* muniments chest, family archives/correspondence, *[utcán]* mailbox, postbox, letter-box, pillar-box *(GB)* 2. *~ tészta* flaky pastry, puff-paste/pastry 3. *~ gyomor (áll)* third stomach (of ruminant)
leveles|ik [-ett, -jen, -jék] vi, (come into) leaf
levelesség n, *[kőzeté]* foliation
leveletlen a, leafless, aphyllous *(tud)*
levélevő a/n, *(áll)* phyllophagous, phyllophagan
levelez[1] [-tem, -ett, -zen] vt, *[növény leveleit]* pluck leaf by leaf
levelez[2] [-tem, -ett, -zen] vi, write letters (to), *(vkvel)* correspond (with sy), be in *(v. have)* correspondence (with sy), carry on correspondence, *(ker)* do the correspondence; *~nek egymással* they write to each other, they are in correspondence, they communicate by letter, they hear regularly from one another
levelezés n, correspondence, communication, *(vké)* letters (of sy) *(pl)*; *~ben állnak* they are in correspondence, they communicate by letter; *~be lép vkvel* start/open correspondence with sy, begin to write to; *elintézi a ~t* do *(v. attend to)* the correspondence
levelezési [-t] a, *~ osztály* correspondence department
levelező [-t, -je] I. n, 1. correspondent, *[sajtó]* press--correspondent; *idegennyelvű ~ (ker)* (foreign) corresponding secretary, (foreign) correspondence clerk; *üzemi ~* shop correspondent 2. *[segédkönyv]* letter-writer, epistolary guide/manual
　　II. a, correspondence; *~ bank (ker)* correspondent; *~ gyorsírás* commercial shorthand; *~ hallgató* correspondence student; *~ könyvtár* correspondence library; *~ oktatás* correspondence course; *~ tag* corresponding member; *~ tagozat* correspondence course/department/school; *[tudományos társaságban] ~ tagság* associateship; *~ tanfolyam* correspondence course; *~ társ (biz)* pen-pal
levelezőkönyv n, *[irodai]* letter book
levelezőlap n, postcard, (postal) card, postal; *zárt ~* letter-card; *~ hívásra házhoz jövök (kb)* calling on request
levelezőnő n, (female) correspondence clerk

levélfa *n, (növ)* philodendron *(Philodendron sp.)*
levélfakadás *n,* frondescence
levélfeladás *n,* posting of letter(s)
levélfoltosság *n, (növ)* leaf-blight
levélforgalom *n,* letter-post *(GB),* first-class mail *(US)*
levélgerinc *n, (növ)* rachis
levélgyufa *n,* matchbook
levélgyűjtő-szekrény *n,* = levélszekrény
levélhamisítvány *n,* spurious letter
levélhártya *n, (növ)* ligule, ligula; *levélhártyával ellátott* ligulate
levélhónalj *n, (növ)* axil
levélhónalji *a,* ~ *rügy* axillary bud
levélhordó *n,* postman, letter/mail-carrier, mailman *(US)*
levélhullás *n,* defoliation, shedding/fall of leaves, *(átv)* autumn, fall *(US)*
levélhüvely *n, (növ)* leaf sheath
levelibéka *n,* (European) tree-frog *(Hyla a. arborea)*
levélileg *adv,* by letter/mail/post
levélírás *n,* correspondence, letter-writing
levélíró *n,* letter-writer, correspondent; *rossz* ~ *vagyok* I am a bad correspondent *(v.* letter writer), I am very bad/remiss about writing letters
levélkaktusz *n, (növ)* epiphyllum *(Epiphyllum)*
levélkapocs *n,* letter-clip
levélkaraj *n, (növ)* leaf lobe
levélkártya *n,* correspondence card
levélke¹ *n, (növ)* leaflet, leaf-section, foliole
levélke² *n, [írott]* short letter, note, scribble *(fam),* chit(ty) *(fam)*
levélkepár *n, (növ)* (leaflet) jugum
levélképződés *n,* leafing
levélkéreg-szövet *n, (növ)* mesophyll
levélkézbesítés *n,* delivery (of letters), distribution (of letters)
levélkézbesítő *n,* = levélhordó
levélkezdemény *n, (növ)* leaf primordium
levélkoszorú *n,* wreath of leaves, *[rajzdísz]* foliage
levélköz *n, [szőlőtőkén]* interleaf
levélközépér *n, (növ)* midrib
levélkürt *n, (növ)* ochréa
levéllábu *a, (áll)* phyllopod(ous)
levéllemez *n, (növ)* leaf-blade, lamina (of leaf)
levélmásolat *n,* copy of a letter, *[másológépen készített]* press-copy
levélmásolókönyv *n,* letter book
levélmérleg *n,* letter-balance/weigher, letter-scales *(pl)*
levélminta *n,* specimen letter
levélmozaik *n, (növ)* leaf mosaic
levélmozgás *n, aktív* ~ *(növ)* leaf movement; *passzív* ~ leaf rolling
levélnehezék *n,* letter/paper-weight
levélnövény *n,* leaf-plant, foliage plant
levélnyél *n, (növ)* leaf-stalk, petiole *(tud); ellaposodott* ~ flattened petiole
levélnyeles *a, (növ)* petiolate, petioled
levélnyélszerű *a, (növ)* petiolar
levélnyílás *n, [száron]* leaf gap
levélnyitó *n,* mail/letter-opener
levélnyom *n, (növ)* leaf trace
levélnyomó *n,* = levélnehezék
levélpapír *n,* letter/note/writing-paper, *(ált)* stationery; *finom* ~ bank-paper
levélpapírblokk *n,* letter-pad
evélpapírdoboz *n,* paper-case
levélpenész *n, (növ)* leaf-mould
levélpikkely *n, (növ)* spikelet
levélportó *n,* letter postage
levélposta *n,* mail, letter-post, first-class matter *(US)*:

levélpostával küld send by letter-post, send by first-class mail *(US)*
levélpostai *a,* ~ *díjszabás* rates of postage *(pl)*
levélragya *n, (növ)* leaf mildew
levélregény *n,* epistolary novel, novel written in the form of (a series of) letters
levélrendező *n,* letter-file/sorter, (envelope-)file
levélrés *n, (növ)* stoma
levélréses *a, (növ)* stomate, stomatal
levélripacs *n, (növ)* cicatrice
levélrozsda *n, (növ)* leaf-rust/blight
levélrügy *n, (növ)* leaf-bud, foliage bud; *húsos* ~ bulbil
levélsáska *n, (áll)* leaf-insect, walking-leaf *(Phyllium sp.)*
levélsodró *a,* ~ *lepke* leaf-roller moth, tortrix *(tud)*
levélsodródás *n, [burgonyán]* leaf-roll
levélstílus *n,* style of letter-writing, epistolary style
levélszár *n,* leaf-stalk, *[összetett leveleken]* rachis
levélszekrény *n,* 1. *[utcai]* letter-box, mailbox, post-box, pillar-box *(GB)* 2. *[lakásajtón]* letter-box, mailbox, *[ennek nyílása]* slit, slot
levélszerű *a, (növ)* leaf-like, foliaceous *(tud)*
levéltár *n,* archive(s), records *(pl),* the Rolls *(GB) (pl), [helyiség kastélyban]* muniment room; *kolostori* ~ cartulary; *országos* ~ National Archives, Public Record Office *(GB)*
levéltárca *n,* letter-case, pocket-book, *[pénztárca]* wallet, note/bill-case, billfold *(US)*
levéltári *[-ak, -t] adv -lag] a,* archival; ~ *anyag* archivalia *(pl);* ~ *igazgató* Director of Record Office, director/keeper of the archive; ~ *kutatások* archival researches; ~ *raktár* repository (in archives)
levéltáros *[-ok, -t, -a] n,* archivist, keeper of records, recorder
levéltárügy *n,* archivism
levéltávirat *n,* night letter, letter telegram, lettergram
levéltelen *a, (növ)* leafless, bare (bough), aphyllous *(tud)*
levéltelenít *[-eni, -ett, -sen] vt,* strip (tree) of leaves, strip off leaves (from tree), defoliate, denudate
levéltetű *n, (áll)* tree/plant-louse, green-fly aphis *(tud) (Aphidina-csoport)*
levéltitok *n,* secrecy/privacy of correspondence, sanctity of the mails *(US);* ~ *megsértése* violation of the secrecy of correspondence
levelű *[-ek, -t] a,* -leaved; *apró* ~ tenuifolious; *behajló* ~ curvifoliate; *fodros* ~ crispifoliate; *hegyes* ~ spike-leaved; *hosszú* ~ long-leaved; *húsos* ~ succulent; *keskeny* ~ angustifoliate; *likacsos* ~ porophyllous; *rendellenesen elhelyezett* ~ anomophyllous; *vált* ~ eleutherophyllous
levélüszög *n, (növ)* leaf smut
levélváltás *n,* exchange of letters, correspondence (with)
levélvivő *n,* bearer (of a letter), letter-bearer
levélzáradék *n,* conclusion (of letter), concluding/finishing sentence(s), *(ker)* complimentary close
levélzáró *a,* ~ *formula* = levélzáradék
levélzet *n,* leaves *(pl),* leafage, foliage
levélzöld I. *n,* chlorophyll II. *a,* leaf-green
lévén *adv, egyedül* ~ *kényelembe helyezkedett* being alone he made himself comfortable; *nem* ~ *fegyvere* not having/carrying weapons, being without weapons; *több tárgy nem* ~ *az ülést bezárom* if/since there is no further business I declare the meeting/sitting/session closed
levendula *[... át] n, (növ)* lavender *(Lavandula sp.); szagos/francia* ~ common/spike lavender, aspic *(L. angustifolia); levendulát rak [fehérnemű közé]* lay (up) in lavender; *levendulával szagosít* lavender
levendulaillat *n,* lavender scent

levendulakék a, lavender blue
levendulaolaj n, spike-oil; oil of lavender, aspic oil
levendulaszínű a, lavender(-blue)
levendulavíz n, lavender-water
levente [.. ét] n, 1. [középkorban] knight, champion, paladin, [nőé] cavalier 2.〈member of a para--military youth organization in Hungary (between 1928—1944)〉
Levente [.. ét] prop, 〈masculine name〉, Levente
leventeoktató n, instructor in/of the "levente" organization
lever vt, 1. [vmt földbe] drive (sg into earth, [karót, cölöpöt] knock down, plant, stick 2. [szeget] hammer in/down, [szeg kiálló hegyét] clinch (a nail) 3. [tárgyat véletlenül] knock down/off/over, [vmt szándékosan] mutilate, knock down, [gyümölcsöt fáról] knock down, [lécet atléta] knock off (the bar); ~i a falat knock the plaster off the wall; ~i a cigarettája hamuját knock the ashes off one's cigarette, knock off the ashes; ~i a port a könyvről dust the books, blow the dust from the book; ~i a könyvet az asztalról knock the book off the table 4. [földet ledöngöl] stamp 5. [gabonát az eső] beat down, lay flat; a szél ~i a füstöt the wind beats back the smoke 6. [árat] beat down, knock down (fam) (prices) 7. [ellenfelet] beat, defeat, floor, lick (fam), [felkelést] beat/put down, suppress, repress, quell (revolt) 8. [betegség vkt] debilitate, enfeeble, exhaust; ~te a lábáról [betegség] put her out of action/circulation 9. [kedélyileg] depress, deject, dispirit, cast down, pull down (fam), [buzgalmat, bátorságot] damp(en); ~te a hír he was cast down by the news, he was depressed by the news, he was deeply grieved by the news
leverés n, 1. [vmt földbe] driving in(to . . .) 2. [tárgyat] knocking down/off, beating down 3. [ellenfelet] beating, defeating, licking, [felkelést] suppression, repression
leveretés n, defeat
leverő [-ek, -t; adv -en, -leg] a, [hír] depressing, crushing, dispiriting, distressing
leverődik [-ött, -jön, -jék] vi, [füst] be beaten back/down, be blowing downwards, (kif) the chimney flushes the smoke
leverőleg adv, vkre ~ hat have a depressing effect on sy
levert [-et; adv -en] a, 1. cast down, downcast, depressed, dejected, despondent, dispirited, low-spirited, spiritless, distressed, down-hearted, heavy-hearted, feeling blue (ut) (fam), sick at heart (ut), out of heart (ut), down in the mouth (ut), mopish, crestfallen, woebegone (obs) 2. szél által ~ gyümölcs windfalls (pl)
levertség n, depression, dejection, low/poor spirits (pl), lowness (of spirits), spiritlessness, despondency, down-heartedness, (a fit of) the blues (fam), woebegoneness (obs)
leves [-ek, -t, -e; adv -en] I. n, soup, [húsléből sűrű] broth, [gulyásszerű] pottage; hátra van még a fekete ~ the worst is yet (to come); megeszi a ~t drink the soup; nem eszik a ~t olyan forrón (ahogy főzik) (közm) his/their bark is worse than his/their bite II. a, juicy, succulent
levés¹ vt, (vmt) chisel sg off
levés² n, (vmvé) process of becoming (sg), (gradual) growth, development (into sg)
leveses [-et; adv -en] a, = leves II.
levesesfazék n, [amiben húslevest főznek] stock-pot
leveseskanál n, table/soup-spoon, [merő] soup-ladle
levesesség n, = levesség
levesestál n, (soup-)tureen
levesestányér n, soup-plate

leveshús n, meat for making broth, soup meat, meat for soup, [kifőtt] boiled beef
levesízesítő n, soup flavouring
leveskocka n, bouillon/soup cube, compressed soup--tablet
leveskonzerv n, canned soup, [poralakban] dehydrated soup
levesmerő a, ~ kanál soup-ladle
levesosztó n, soup-kitchen
levespor n, desiccated/dehydrated soup
levesség n, [gyümölcsé stb.] juiciness, succulenca
levesszűrő n, soup-strainer
levesteknős n, (áll) green turtle (Chelonia mydas)
levestészta n, vermicelli, noodles for soup
leveszöldség n, greens/vegetables for (putting in) soup (pl)
levesz vt, 1. (ált) take/get down, unfix, (vmről) take off, remove, [kampóról] unhook, unsling, [ajtót, ablakot, függönyt] unhang, [övet] unbuckle, [ruhát, kalapot] take/pull off, [kalapot] doff; ~i az abroszt remove the cloth; ~i a cipőjét take/pull off one's shoes, remove one's shoes; ~i a doboz fedelét uncover the box; ~i a kabátját take off one's coat/jacket; ~i a kalapját take/put off one's hat, raise/lift/doff one's hat, bare one's head, uncover oneseh; kalapját nem veszi le remain/stand covered; ~ egy könyvet a felső polcról take down (v. reach) a book from the top shelf; ~i a kötést [sebről] remove the bandage 2. [szerrel] remove, [piszkot] get (dirt) off 3. [szakállt, bajuszt] shave off 4. gázt ~ shut off 5. ~ egy számot (isk) bring down a figure 6. ~i a labdát (sp) trap the ball from mid--air 7. [lefényképez] snap, take a photo(graph)/picture (of sy/sg), photograph (sy/sg), snapshot 8. (átv) vkt ~ a lábáról get round sy, carry/take sy off his feet/legs, bowl sy over; ~ vmt a napirendről strike off the agenda, shelve; ~i a kezét vkről have done with sy, withdraw one's assistance/protection from sy; ~i a terhet vkről disburden sy, relieve sy of sg; levettek a fizetéséből his pay/salary has been reduced; nem tudja levenni a szemét vmről he cannot take his eyes off sg; nem vette le a szemét róla his eyes never left her; nem vette le a szemét az ajtóról his eyes were glued on the door; a darabot levették a műsorról [idő előtt] the play was withdrawn
levet vt, 1.[ruhadarabot] take/put/get off, doff, remove, [húzva] pull off, [vm kapcsosat] unbuckle, [csizmát] unboot (one's feet), [kesztyűt] unglove (one's hand); ~i a cipőjét take/pull off one's shoes, remove one's shoes; ~i a kabátját take off one's coat/jacket; ~i a kalapját take/put off one's hat, raise/lift/doff one's hat, bear one's head, uncover oneself; ~i a ruháját take off one's clothes, divest oneself of one's clothes; három napig nem vetettük le a ruhánkat we did not have our clothes off for three days; ~i az álarcot (átv is) throw off all disguise, unmask (oneself), throw/put off the mask, drop the mask 2. ~i a bőrét throw/cast its skin, the skin sloughs 3. [dob] throw/hurl/cast/fling down, [mélybe] precipitate, [ló lovasát] throw, toss (rider); ~i magát a díványra throw oneself on the sofa; ~i magát vk elé prostrate oneself before sy; ~i magát a szakadékba throw oneself (v. jump down) into the abyss 4. [rossz szokást] throw/break off (bad habit), get out of (bad habit); ~i az előítéleteket slough/discard one's prejudices; ~i feleimet put off one's fears
levétel n, taking down/off, removing, removal; (műv) ~ a keresztről Descent/Deposition from the Cross
levetet vt, 1. (vmt vhonnan) have sg taken down/off 2. ~i a szakállát have one's beard shaved 3. ~i magát have one's photo(graph) taken

levetett [-et] *a*, ~ *bőr [kígyóé]* shedding, slough, sloughed-off skin, cast skin; ~ *ruhák [ócska]* cast--off clothing, second-hand clothes, left-off clothes, cast-offs *(fam)*
levetít *vt*, 1. *[filmet]* show, project (film) 2. *(mért)* project
levetköz [-tem, -ött, -zön] *vt*, = levet 4.
levetkőzés *n*, undressing, stripping
levetköz|ik *vi*, undress, take off (all) one's clothes, *[sietve]* throw off one's clothes, strip, divest oneself of one's clothes *(ref.)*, unclothe *(ref.)*, disrobe *(ref.)*; *egészen ~ik* strip to the skin/buff; *egy bizonyos merevséget nem tudott ~ni* he could never shake off his stiffness of manner
levetkőztet *vt*, undress, strip, unrobe *(ref.)*, disrobe *(ref.)*, uncover *(ref.)*, unclothe *(ref.)*, divest (sy) of his clothes *(ref.)*, *[rabló]* strip (sy) stark
levetkőztetés *n*, undressing, stripping, divestment *(ref.)*
levett *a*, ~ *kalappal* hat in hand, uncovered, bareheaded
levezekel *vt*, expiate, atone, make up/amends for, clear one's name/conscience by penance done, live down *(fam); ~i bűneit* purge away/out one's sins
levezekelhető *a*, expiable, atonable
levezeklés *n*, expiation, atonement
levezet I. *vt*, 1. *(vkt)* lead/conduct (sy) down 2. *[vizet]* carry away/off, discharge, *[csatornával]* drain 3. *[indulatot]* vent (passion), work off (one's temper); *ez ~te a feszültséget* it cleared the air; *felesleges energiáját ~i* let/blow off steam; *~i idegességét* find an outlet for one's nervous activity 4. *[ülést]* preside over, conduct, be in the chair, be chairman of, *[szülést]* assist (at birth), conduct (a delivery), *[mérkőzést]* (act as) referee, conduct (a match) 5. *(vmt vmből, átv)* trace (sg) back (to sg), deduce, *[logikai úton]* deduce, infer, educe, *[szót származtat]* derive (word), *[tételt]* deduce, evolve, *(menny) [formulát]* obtain (a formula), work out (a formula)
II. *vi*, *[út vhova]* lead (down to/into)
levezetés *n*, 1. *(vké)* leading down 2. *[vízé]* carrying off/away, *[csatornával]* draining, drainage, outlet 3. *[ülésé]* chairmanship, *[szülésé]* assistance (at delivery), *[mérkőzésé]* refereeing 4. *(vmé, vmből, átv)* deduction, derivation, *[logikai úton]* deduction, inference, eduction, *[tételé]* deduction, *[mennyiségtani]* demonstration
levezetési *a*, ~ *áram* leakage current
levezető I. *a*, 1. leading down *(ut)*, *(biol)* deferent; *a szülést ~ orvos* the doctor assisting at the birth; *a hegyről ~ út* the path leading down the mountain--side 2. *(műsz) ~ árok* drain; ~ *csatorna* conduit, waste-pipe, drain-canal, penstock, leat, gully, *(átv)* safety-valve; ~ *cső* exhaust/waste/discharge pipe, *[esőgyűjtő]* rain-water pipe, down pipe, down--comer, *[földben]* drain, *[falban]* drain-pipe, *(orv)* drain(age-tube), *(vegyt)* leading tube; ~ *nyílás* outlet 3. *(átv)* deductive
II. *n*, *(fölös) energia ~je* outlet for one's energy
leviatán [-ok, -t] *n*, Leviathan
levilágít *vi*, *[fényforrás]* cast/send (its) light down, *(vk vhova)* direct/throw light down
levirátus *n*, *(tört)* levirate
levisz I. *vt*, 1. *(vmt)* carry/take down, *(vkt)* take/lead down/to, *(autóval)* drive down; *vkt ~ a Balatonra* take/drive sy down to Lake Balaton; *~ik a kultúrát a faluba (átv)* bring culture to the village 2. *[víz]* carry/bring/bear/wash/drift down, *[szél]* blow off; *a bomba levitte a tetőt* the bomb tore/swept away the roof; *a szél levitte a kalapját* the wind blew off his hat 3. *[piszkot]* get off, take out, remove (dirt) 4. ~ *vkt a szőnyegre (sp)* bring sy down on the mat
II. *vi*, *[út vhova]* lead down (to/into)

levita [...át] *n*, *(bibl)* Levite
levitáció [-t, -ja] *n*, levitation
levitai [-ak, -t] *a*, *(bibl)* Levitical
levitel *n*, conveyance down
levitézlett [-et; *adv* -en] *a*, discredited, come down in the world *(ut); ~ ember* sy who has had his day, a has-been, a used-to-be
levizel *vt*, piss (on sg)
levizitel *vi*, *(vknél)* pay (sy) a courtesy call
levizsgázás *n*, passing one's examination
levizsgáz|ik *vi*, 1. pass one's examination, get through one's examination 2. *alaposan ~ott! (iron)* we've had enough of him!, it's a fine exhibition!
levizsgáztat *vt*, examine (sy in sg); *~ja a motort* have the engine examined/inspected/checked
levlap *n*, *(biz)* = levelezőlap
levon *vt*, 1. *[összeget]* subtract, deduct, take off, discount, *[fizetésből]* keep back, withhold, stop, deduct (from salary), dock off *(fam); öt százalékot ~* strike off five p. c., *(ker)* allow five p. c.; *~va a térítéseket* minus/less contributions, contributions deducted; *nyolcból ~va három marad öt* eight minus three leaves five; *ez nem von le semmit sem az ő érdeméből* that does not detract from his merit 2. *tanulságot ~* draw a lesson (from sg); *következtetést ~* draw an inference, conclude, reach a conclusion 3. = lehúz; *zászlót ~* haul down the colours, lower the colour/flag
levonaloz *vt*, rule off
levonandó *a*, to be deducted *(ut); a ~ összeg száz forint* the sum to be deducted is a hundred forints
levonás *n*, 1. *[folyamata összegből]* deduction, subtraction, *[levont összege]* sum kept back, discount; *~ával after deducting ...; 6% ~ával* less six p.c.; *fizetés ~ nélkül (ker)* net cash/payment; *vmlyen ~ eszközlése után* after allowing for ....; *adók ~a után* after taxes; *az összes költségek ~a után* all charges borne 2. *(fényk)* printing (out)
levonat *n*, *(nyomd)* proof(sheet), pull(ing), impression; *imprimálható/tiszta ~* clean sheet; *rossz ~* foul proof; *utolsó ~* press-proof; *~ot készít* proof
levonókép *n*, transfer(-picture), decalcomania
levonókötél *n*, *(hajó)* inhaul(er)
levonszol *vt*, drag/pull/haul down
levonul *vi*, march down, go/come down in procession, *[magasból]* descend; ~ *az őrségről* come off duty; *az ár ~t* the flood has passed/subsided; *a csapat ~t a pályáról* the team (has) left the field
levő [-t; *adv* -en] *a*, *(vhol)* being, that is/are, *[létező]* existing, that exist(s) *(mind ut)*, *[vhol fekvő]* situaced, located, to be found *(mind ut); az asztalon ~(t)* the one on the table; *a birtokomban ~ okmányok* the documents in my possession; *a nálam ~ pénz* all the money on me; *jókarban ~ autó* a car in good repair
levulóz [-ot] *n*, *(vegyt)* levulose, fructose, fruit-sugar
lexéma [...át] *n*, *(nyelvt)* lexeme, lexicographical unit
lexikális [-ok, -t; *adv* -an] *a*, 1. encyclop(a)edic(al) 2. *(nyelvt)* lexical
lexikalizálód|ik [-ott, -jon] *vi*, *(nyelvt)* become lexical
lexikográfia [...át] *n*, lexicography, lexigraphy
lexikográfus *n*, 1. *[szótáríró]* lexicographer, lexicographist 2. *[ismerettár-író]* encyclop(a)edist
lexikológia [...át] *n*, lexicology, word-lore
lexikológus *n*, lexicologist
lexikon [-ok, -t, -ja] *n*, (en)cyclop(a)edia; *ez az ember valóságos ~* he is a walking/living encyclopaedia
leydeni *a*, ~ *palack* Leyden jar
lezajlás *n*, passing; *vm ~a után* after sg was over
lezajl|ik *vi*, pass off, blow over, take place, be enacted; *a láznak le kell zajlani* the fever must run its course

lezár vt, 1. [kulccsal] lock up, secure, shut up/down, [doboz fedelét] fasten down; csavarral ~ [doboz fedelét, koporsófedelet] screw down; ~ja a házát lock up) 's house 2. [üveget] cork; vaspánttal ~ iron--hoop 3. [levelet] close, seal (up), do up, fasten 4. ~ja a szemét [halott] close one's eyes (forever); ~ja vknek a szemét [halottét] close sy's eyes in death 5. [vkt börtönbe] put in prison, shut in, lock up, run in (fam) 6. [útvonalat] close (for traffic), [fertőzött területet] quarantine 7. [vizet, gázt stb.] shut off; ~ja a fűtést turn off the heating 8. [számadást, listát] close (account, list), [számlát, üzleti könyvet] balance, close, make up 9. [vitát] end, finish, conclude, [végleg] have done with (fam), [ügyet] close, settle, [bírói eljárást] determine; a maga részéről ~ta az ügyet declare/regard the affair (as) closed; és ezzel a dolog le van zárva and that settles it/that

lezárás n, 1. [kulccsal] locking, [ajtót, épületet stb.] lock(ing)-up, [tárgyat, fedelet] shutting down, shut-down 2. [levelet] closing, sealing 3. [utcát] closing, [fertőzött területet] quarantine 4. [vizé, gázé stb.] shutting off, (távk) cut-off 5. [számadásé] closing 6. [vitáé] conclusion, wind-up, [ügyé] closing, settling

lezáró a, ~ anticiklon [időjárási] clocking anticyclone

lezáród|ik vi, [tárgy, fedél stb.] shut down, [szem] close, [ügy] close, end, terminate, conclude; egy korszak záródott le an era came to an end

lezárt a, closed (down), [zárral] locked, [levél] sealed, [ügy] concluded; a vita ~nak tekintendő the issue shall be regarded as closed

lezárul vi, = lezáródik

lézeng [-eni, -tem, -ett, -jen] vi, 1. [lődörög] linger, loiter, loaf, lounge, idle, dawdle, saunter (mind about is) 2. [tengődik] vegetate, drag on/out (on~'s existence); már alig ~ be on one's last legs

lézengés n, 1. [lődörgés] loitering, loafing, saunter(ing) (about) 2. [tengődés] vegetative existence

lézengő [-ek, -t; adv -en] a, loitering, loafing, saunter-ing; ~ alak loafer, saunterer

lezúdít vt, dump, [követet] hurl down, [vizet] pour/dash down

lezúdul vi, [eső] pour, come down in torrents, fall in torrents, [víztömeg] rush/dash down, [lavina] crash down

lezuhan vi, 1. (átt) fall/tumble/topple down, precipitate, [súlyosan] flop down, plump, [robajjal] thud/crash down, come down with a bang, [csörömpölve] come clattering down, [lóról] fall from, tumble off, have a fall/spill, come a cropper (fam), [repgép] crash (to earth), crack up, [lavina] crash down; ~ a szakadékba fall down a precipice 2. [ár] fall, drop 3. [grafikon] go into a sharp dive

lezuhanás n, fall (down), downfall, [repgépé] crash, smash-up

lezuhanyoz vi, have/take a shower(-bath)

lezüllés n, 1. [intézményé] downfall, deterioration, decadence, ruin 2. [erkölcsöké] corruption, depravity, depravation (of morals)

lezülleszt vt, 1. [intézményt] bring down, deteriorate 2. [erkölcsileg] corrupt, deprave, (kat) demoralize, undermine/destroy discipline/morale (of troops)

lezüll|ik vi, 1. [intézmény] deteriorate, decay 2. [erkölcsök] grow lax/loose, become corrupt(ed), (kat) become demoralized, lose morale 3. (vk) come down in the world, take the primrose path/way, go to the dogs, [vk öltözetében] become shabby/slovenly/ragged

lezüllött a, 1. [intézmény] deteriorated 2. [erkölcs] corrupt(ed), (kat) demoralized 3. [öltözetű] shabby, down-at-heel

lezsíroz vt, 1. [motort] grease 2. [levest] skim the fat off (the soup)

lezsírozás n, [motort] greasing

lián [-ok, -t, -ja] n, (növ) liana, liane

liánszerű a, lianeous, vinelike

liász [-ok, -t, -a] (geol) I. n, Lias, Liassic, II. a, Liassic

liászkorbeli a, (geol) liassic

liba [..át] n, 1. (áll) goose (pl geese) (Anser); fiatal ~ green goose; úgy kívan mint a ~ be dog--tired 2. (átv) buta ~ silly/stupid goose; falusi/vidéki ~ country cousin

libaaprólék n, goose-giblets (pl)

libabőr n, (átv) goose (flesh), goose-skin, [borzongás] creepy-crawly feeling, the creeps (pl), (orv) anserine skin, horripilation

libabőrös a, [igével] fell creepy; ~ lesz vmtől becomes covered with goose-flesh (from cold or fear), sg gives him the creeps; ~sé tesz horripilate

libacomb n, goose leg

libácska n, gosling, (átv is) little goose, goosey(-gander)

libafalka n, flock/gaggle of geese

libahús n, goose-flesh

libalegelő n, pasture for geese

libamáj n, goose-liver

libamájpástétom n, goose-liver paste, pâté de foie gras (fr)

libamell n, breast of a goose

Libanon [-t, -ban] prop, Lebanon

libanoni [-ak, -t] I. a, (of) Lebanon, Lebanese; L~ Köztársaság Lebanese Republic II. n, Lebanese

libanyak n, goose-neck

libaól n, goosery, goose-pen

libapásztor n, gooseherd, gozzard; ~ leány goose-girl

libapimpó n, (növ) silver-weed (Potentilla anserina)

libasor n, single/Indian file; ~ban in single file/rank, in Indian file, one by one, all in a row (fam); ~ban megy go in single/Indian file

libatop [-ot, -ja] n, (növ) goose-foot, pigweed (Chenopodium sp.); fehér ~ white goose-foot, fat hen (Ch. album)

libatojás n, goose-egg

libatoll n, goose feather, [íráshoz] quill pen

libaúsztató n, duck-pond

libazsír n, goose fat/grease/dripping

liböben [-t, -jen] vi, = lebben

libeg [-tem, -ett, -jen] vi, 1. [felfüggesztve] dangle, hang loose, [vm szélben] flap, flutter, flicker, float, stream, wave, [faág] sway 2. [madár egyhelyben] hover, poise 3. [láng] flicker, waver, quiver

libegés n, flutter(ing), flicker, floating, flapping

libeg-lobog vi, [láng] flicker, waver, quiver, [függöny] flap, [szalag] flutter, wave, [haj] stream

libella [..át] n, bubble glass/level, (spirit-)level, liquid level, air-level

libella-üvegcső n, level tube

liberális [-ok, -t; adv -en] I. a, 1. [párti] liberal; ~ párt Liberal Party, the Whigs (GB obs) 2. (átv) large/broad/open-minded, unorthodox, catholic, (kif) have broad views; ~ felfogás/gondolkodás large views (pl), breadth of view II. n, liberal

liberalizmus n, 1. liberalism; gazdasági ~ economic liberalism, free-tradeism 2. (vké) liberality, open mind, breadth of mind/view, broad-mindedness, largeness of mind

libéria [..át] n, livery

Libéria [..át, ...ában] prop, Liberia

libériai [-ak, -t] a, Liberian; L~ Köztársaság Republic of Liberia

libériás a, liveried, in livery (ut), livery; ~ inas liveried servant/footman, livery man (obs)

Líbia [...át, ..ában] prop, Libya

líbiai [-ak, -t] *a/n*, Libyan
Líbiai-sivatag *prop*, Libyan Desert
libido [-t, -ja] *n, (orv)* libido, instinctual energy
libidós [-at] *a*, libidinal
libikóka [..át] *n*, see-saw
libráció [-t, -ja] *n, (csill)* libration
librettista [...át] *n*, librettist
libretto [-t, -ja] *n*, libretto, book (of opera)
libuc [-ot, -a] *n, (áll, nép)* lapwing *(Vanellus vanellus)*
libuska *n, (átv is)* gosling, goose *(fam)*, [csacsi fiatal nő]* naive young woman
licenc [-et, -e] *n*, licence, license
liceum [-ot, -a] *n*, ⟨secondary school for girls⟩
liceumi [-ak, -t] *a*, pertaining to a "liceum" *(ut)*, of a "liceum" *(ut)*
lichen [-t, -e] *n, (orv)* lichen
lichenszerű *a, (orv)* lichenous
lichthóf [-ot, -ja] *n, [világító udvar]* air-shaft, (light) well (of house)
licit [-et, -je] *n, (kárty)* auction, bid, bidding, call, declaration; *éles* ~ decisive/sharp bidding; *fokozatos* ~ *[bridzsben]* approach; *rövid* ~ short bidding; *le van zárva a* ~ the bidding is closed; *emeli a* ~*et* raise the bid; *fenntartja a* ~*et* keep the bidding alive/open
licitál [-t, -jon] *vi*, 1. *[árverésen]* bid 2. *(kárty)* call, bid, declare (the bid); *nem* ~ leave the call for one's partner; *újra* ~ recall; *te* ~*sz* your bid (partner)
licitálás *n, (kárty)* auction, bidding
licitálható *a, (kárty)* biddable
licitáló [-t, -ja] *n, (kárty)* bidder, declarer
licitverseny *n, (kárty)* bidding competition
licium [-ot, -a] *n, (növ)* box-thorn, Africain tea tree *(Lycium sp.)*
lid [-et] *a, (zene)* Lydian; ~ *hangsor* Lydian mode
lidérc [-et, -e] *n*, 1. nightmare, incubus, (hob)goblin 2. = lidércfény
lidérces [-et; *adv* -en] *a*, 1. *[nyomasztó]* nightmarish 2. *[csalóka]* illusory
lidércfény *n*, will-o'-the-wisp, Jack-o'-lantern, ignis fatuus *(lat)*, friar's lantern, night/marsh-fire
lidércnyomás *n*, nightmare, incubus, obsession, night-terrors *(pl)*
lidércnyomásos [-at; *adv* -an] *a*, nightmarish, obsessional
Lidi [-t, -je] *prop*, Lydia, Liddie
Lídia [..át] *prop*, = Lidi
lidit [-et] *n, (ásv)* lydite, Lydian stone
lientéria [..át] *n, (orv)* lientery
lienterikus *a, (orv)* lienteric
lift [-et, -je] *n*, lift, elevator *(US)*; ~ *nélküli ház* walk-up *(US)*; *a* ~ *elakadt* the lift has/got stuck; *a* ~ *nem működik* the lift is not working, the elevator is not running, the elevator is out of order
liftakna *n*, lift/elevator shaft/well, well-hole
liftes [-ek, -t, -e] *n*, lift attendant/boy/man, elevator-boy *(US)*
lifteslány *n*, lift-girl
liftfülke *n, [személyeknek]* car, *[árunak]* cage
liftkezelő *n*, = liftes
liftpénz *n*, lift-charge (for use of lift)
liga [..át] *n*, 1. league 2. *[labdarúgó]* division of the football league
ligabajnokság *n*, league championship
ligatura [..át] *n*, 1. *(nyomd)* ligature, tied letters *(pl)* 2. *[zenei kötőív]* ligature, bind
liget [-et, -e] *n*, grove, shrubbery, bosk(et), copse, gardens *(pl)*, *[nagy kiterjedésű]* open woodland, parkland
ligeterdő *n*, gallery forest, gallery, fringing forest, narrow forest along watercourses
ligetszépe *n, (növ)* evening primrose, tree-primrose *(Oenothera biennis)*

lignin [-ek, -t] *n*, lignin(e), lignone, lignose
lignit [-et, -je] *n*, lignite, brown coal, moor-coal
lignittelep *n*, lignite bed
ligula [... át] *n, (term)* ligula, ligule, strap
liheg [-tem, -ett, -jen] *vi*, 1. pant, gasp (for breath), puff (and blow), wheeze, be scant of breath, be out of breath, breathe noisily, *[ló]* heave; *nagyokat* ~*ett és fújt* he puffed and huffed 2. *bosszút* ~ be mad for revenge, breathe out/forth vengeance
lihegés *n*, pant(ing), gasp(ing), noisy breathing, wheeze
lik [-at, -a] *n*, = lyuk
likacs [-ot, -a] *n*, small hole, *[bőrön]* pore, *[csontban foramen, [lélegzésre]* spiracle
likacsmentes *a*, imporous
likacsmentesség *n*, imporosity
likacsos [-ak, -(a)t; *adv* -an] *a*, porous, poriferous, foraminous, spongy, honeycombed, *(műsz)* meshed, *(bány)* meshy; ~ *tégla* air-brick, porous brick
likacsosság *n*, porosity, porousness
likőr [-ök, -t, -je] *n*, liqueur
likőrgyár *n*, liqueur-factory
likőrös [-ek, (e)t; *adv*-en] *a*, *[készítmény]* with liqueur *(ut)*, *(összet)* liqueur-; ~ *cukor(ka)* brandy-ball
likőröskészlet *n*, liqueur-stand
likőröspohár *n*, liqueur-glass, pony
likőrösszekrényke *n*, cellaret
liktor [-ok, -t, -a] *n, (tört)* lictor
likvid [-et] *a*, ~ *tőke* liquid capital; *nem* ~ *[tőke]* illiquid
likvida [..át] *n, (nyelvt)* liquid (sound)
likvidál [-t, -jon] *vt/vi*, 1. *[cég]* liquidate, wind up (firm) 2. *(pol)* liquidate, purge
likvidálás *n, [cégé]* liquidation, winding up (of firm)
likvidátor *n*, liquidator, official assignor
likviditás *n*, liquidity
likviditási [-t] *a*, ~ *arány* current ratio *(US)*; ~ *sorrend* liquidity preference
lila [..át; *adv*..án] *n/a*, *[sötétbíbor]* purple, *[világosbíbor]* mauve, *[rózsaszínes]* heliotrope, *[ibolyaszínű]* violet(-coloured), *[orgonaszínű]* lilac(-coloured)
lilás [-ak, -(a)t; *adv* -an] *a*, purplish, violescent, violaceous, tending towards mauve/lilac *(ut)*
lile [..ét] *n, (áll)* plover *(Charadrius sp.)*; *havasi* ~ dotterel *(Ch. morinellus)*; *kis* ~ little ringed plover *(Ch. dubius curonicus)*; *parti* ~ ringed plover *(Ch. h. hiaticula)*; *széki* ~ Kentish plover *(Ch. a. alexandrinus)*; *ujjas* ~ grey plover *(Squatarola s. squatarola)*
Lili [-t, -je] *prop*, Lil(ian)
lilik [-et, -je] *n, (áll)* white-fronted goose *(Anser albifrons)*; *kis* ~ lesser white-fronted goose *(A. erythropus)*
liliom [-ot, -a] *n*, 1. *(növ)* lily *(Lilium sp.)*; *büdös* ~ stinking iris, gladdon *(I. foetidissima)*; *fehér* ~ white/madonna/Ascension lily *(L. candidum)*; *hagymás* ~ bulbil/orange lily *(L. bulbiferum)*; *kockás* ~ fritillary *(Fritillaria meleagris)*; *sárga* ~ yellow day lily *(Hemeroeallis sp.)*; *fehér mint a* ~ lily-white 2. *[címerben]* fleur-de-lis, flower-de-luce 3. *tengeri* ~*ok (áll)* sea lilies, feather stars *(Crinoidea)*
liliomarc *n*, lily-white complexion
liliomfa *n, (növ)* magnolia *(Magnolia sp.)*
liliomfehér *a*, lily-white; ~ *kéz* lily hand
liliomféle *a*, liliaceous
liliomfélék *n. pl*, liliaceae
liliomos [-at; *adv* -an]. *a*, 1. (decorated) with lilies *(ut)* 2. *(címer)* fleury lilied 3. *a* ~ *királyfi* Saint Emery (Prince of the Árpád dynasty)
liliomszál *n*, (one single) lily
liliomtiprás *n*, rape/violation of a young girl
liliomtipró *n*, man guilty of ravishing a young girl
liliputi [-ak, -t; *adv* -an] *a/n*, Lilliputian

Lilla [.. át] *prop*, Lilian
limbus *n, (vall)* limbo
limesz [-ek, -t] *n, (menny)* limit
limfa [.. átj *n, (bonct, biol)* lymph
limfatikus *a, (bonct)* lymphatic
limfatizmus *n, (orv)* lymphatism
limfocita [.. át] *n, (bonct)* lymphocyte
limfocitózis *n, (orv)* lymphocytosis
limlom [-ot, -ja] *n*, odds and ends *(pl)*, lumber, rubbish, trash, trumpery, frippery, bric-à-brac, junk *(US)*; ~ *árusítás* rummage/jumble sale; ~ *bolt* jumble shop/sale
limnológia [.. át] *n*, limnology
limonádé [-t, -ja] *n*, 1. lemonade, lemon-quash, lemon soda 2. *(átv)* rose-water, milk-and-water, *(elit)* mush, *[olvasmány]* slipslop, *[irod. műről, jelzőként]* corny
limonit [-ot, -ja] *n, (ásv)* limonite, brown h(a)ematite, bog-iron(ore)
Lina [.. át] *prop*, Lina, Linny, Carrie, Carry
lincsel [-t, -jen] *vt*, lynch
lincselés *n*, lynching, lynch/mob law, Jim Crow justice
lincselő [-t, -je] *n*, lyncher
lineáris [-ak, -t; *adv* -an] *a*, linear, lineal
lingár [-ok, -t] *n, (nép)* lout of a lad
link [-et; *adv* -ül] *a, (biz)* fishy, shifty; ~ *ember/dolog* humbug; ~ *ürügy* thin/rotten excuse; ~ *alak* good--for-nothing, crook
Linka *prop*, = Lina
linkel [-l, -jen] *vi/vt, (biz)* bluff, talk humbug/big, humbug, gas ❖
Linné-rendszer *n*, Linn(a)ean system, system of Linné/Linnaeus
linóleum [-ot, -a] *n*, linoleum, oilcloth, lino *(fam)*
linóleummetszet *n*, lino-cut
linólcumpadló *n*, floor-cloth
linóleumszőnyeg·*n*, linoleum (carpet), (linoleum) floor--covering
linolsav *n, (vegyt)* linoleic acid
linon [-t, -ja] *n, (tex)* French/Silesian lawn
linotype [-et, -je] *n, (nyomd)* linotype, lino *(fam)*
linotype-szedőgép *n*, linotype (composing machine)
linzer [-ek, -t, -je] *n, [tészta]* shortcake, *[torta]* linzer
lipáz [-ok, -t, -a] *n, (vegyt, orv)* lipase
Lipcse [.. ét, .. ében] *prop*, Leipzig, Leipzic
lipicai [-ak, -t, -ja] *n, [ló]* Lippizan (horse)
lipoid [-ot] *a/n, (biol)* lipoid, lipid
lipoid-gazdag *a*, rich in lipids *(ut)*
lipóma [.. át] *n, (orv)* lipoma
Lipót [-ot, -ja] *prop*, Leopold
Lipótmező *prop, (kb)* Colney Hatch, Hanwell, Bedlam; *neki a ~n a helye* he ought to be in Colney Hatch
liptói [-t] *a*, ~ *túró* ⟨curd cheese (made of ewe's milk)⟩
liquida [.. át] *n*, = likvida
líra¹ [.. át] *n*, 1. *[görög lant]* lyre 2. *[lírai költészet]* lyric(al) poetry 3. *[érzelmesség]* poetic emotion, lyricism 4. = áramszedő
lira² [.. át] *n, [pénznem]* lira
lírai [-ak, -t; *adv* -an] *a*, lyric(al); ~ *hév/hangulat* lyri(ci)sm; ~ *költő* = lírikus; ~ *vers* lyric(al poem)
líraiság *n*, lyri(ci)sm
lírikus I. *a*, lyric(al) II. *n*, lyrical poet, lyri(ci)st
lista [.. át] *n*, list, roll, register, catalogue, roster, *(pol)* ticket; *a ~ elején* at the head of the list; *listába foglalt* listed; *listára vesz* list; *a fekete listán van* be on the black-list, be in sy's black books
listafa *n*, dimension timber
listakapcsolás *n*, joint list
listavezető *a/n*, (person) at the head of the poll/list *(ut)*, *[igével]* head the poll
Lisszabon [-t, -ban] *prop*, Lisbon, Lisboa
lisszaboni [-ak, -t] *a*, Lisbon, Lisboeta

liszt [-et, -je] *n*, flour, *[durvább]* meal, *[középfinom]* middlings; *darás* ~ (meal) groats *(pl)*; ~*ben meg-forgat* flour; ~*tel behint* dredge (with flour)
lisztatka *n, (áll)* meal-mite *(Tyroglyphus farinae)*
lisztbogár *n*, meal/flour-beetle, yellow mealworm beetle. tenebrio *(Tenebrio molitor)*; *szarvas* ~ broad-horned flour-beetle *(Gnathocerus cornutus)*
lisztcsomó *n*, lump of flour
lisztes [-ek, -t; *adv* -en] *a*, floury, mealy, farinaceous, farinose, *[arc]* covered with flour *(ut)*, *(összet)* flour-
liszteske [.. ét] *n, (áll)* whitefly *(Aleurodes = Aley-rodes sp.)*
lisztesláda *n*, flour-bin, meal-chest/tub
liszteszsák *n*, flour-bag
lisztfinomságú *a*, flourfine; ~*ra őröl* grind flourfine
lisztharmat *n*, powdery mildew
lisztharmatos *a*, mildewed, mildewy
liszthintő *n*, flour/box-dredge(r), dredger
liszthozam *n*, flour yield
lisztilonca *n, (áll)* common meal tabby *(Pyralis fari-nalis)*
lisztjegy *n*, flour-ration (card)
lisztkukac *n*, meal-mite, flourworm
lisztláng *n*, pure wheaten flour, whites *(pl)*
lisztmentő-bogár *n, (áll)* cadelle *(Tenebrioides mauri-tanicus)*
lisztmoly *n*, flour-moth
lisztosztályozó *n*, bolter, sifter, bolting machine
lisztszerű *a*, mealy, farinaceous, farinose
lisztszita *n*, flour sieve
liszttermék *n*, flour product, cereal
litánia [.. át] *n*, 1. *(vall)* litany 2. *[átv panaszokból]* long list (of complaints)
liter [-ek, -t, -je] *n*, litre, liter *(US)*, *[megközelítő GB űrmérték]* quart (=1·136 l)
literátus *a*, lettered, well-read, literate
literes [-ek, -t; *adv* -en] *a*, holding/containing a litre *(ut)*; ~ *üveg* one-litre bottle/flask
lithargyrum [-ot, -a] *n, (vegyt)* litharge
litium [-ot, -a] *n, (vegyt)* lithium
litiumcsillám *n*, lepidolite
litium(hidr)oxid *n*, lithia
litografál [-t, -jon] *vi/vt*, lithograph
litografált [-at] *a*, lithographed
litográfia [.. át] *n*, 1. *[eljárás]* lithography 2. *[nyo-mat]* lithograph
litográfiai [-ak, -t] *a*, lithographic
litográfpala *n*, lithographic stone
litográfus *n*, lithographer, litographic writer
litoszféra *n, (geol)* lithosphere
liturgia [.. át] *n*, liturgy
liturgikus *a*, liturgic(al)
liturgista [.. át] *n*, liturgist
litván [-ok, -t, -ja; *adv* -ul] *a/n*, Lithuanian; *L~ Szovjet Szocialista Köztársaság* Lithuanian Soviet Socialist Republic
Litvánia [.. át, .. ában] *prop*, Lithuania
lityi [-t, -je] *n, (biz)* litre *(stand.)*
liverpooli [-ak, -t] *a/n*, Liverpudlian, of Liverpool *(ut)*
Lívia [.. át] *prop*, ⟨feminine name⟩, *(kb)* Olivia
Livorno [-ot, -ban] *prop*, Leghorn
lizéna [.. át] *n, (épít)* pilaster strip, lesene
lizin [-ek, -t] *n, (vegyt)* lysine
lizinka [.. át] *n, (növ)* loosestrife, yellow pimpernel *(Lysimachia)*
lizol [-ok, -t] *n, (orv)* lysol
ló [lovat, lova] *n*, 1. horse *(Equus caballus)*; *angol telivér* ~ English full-blooded/thoroughbred horse; *arabs telivér* ~ Arabian thoroughbred horse; *belovagolt* ~ trained horse, wayed horse; *be nem lovagolt* ~ untrained horse; *ha* ~ *nincs a szamár is jó* half a loaf is better than no bread; *dolgozik mint egy* ~ be a glut-

ton for work, work like a nigger; *a ~nak négy lába van mégis megbotlik* it is a good horse that never stumbles; *lovon* on horseback; *lovon jár* ride, go on horseback; *lovon ül* be/sit on horseback, be in the saddle; *~ra ül* mount, mount a horse, mount (up)on a horse, get on a horse, take horse; *felül a magas ~ra* mount/ride the high horse, be uppish; *mindent egy ~ra tesz fel* put all one's eggs in one basket, lump one's all on a horse *(fam)* ; *rossz ~ra tesz* put one's money on the wrong horse; *~ra ültet* horse (sy), mount (sy); *~ra!* to horse!; *~ról leszáll* dismount, get off a horse; *~ra termett ember* born horseman; *leszállt a magas ~ról* come down a peg or two, lower one's sails; *lovat ad vk alá (átv)* aid and abet sy, pour oil on the fire, encourage sy; *lovat betőr/belovagol* break a horse; *lovat felszerszámoz* harness a horse, *[fejére] halter (up)*, put a halter on horse; *lovat kocsiba (be)fog* harness a horse to a carriage, horse a carriage; *lovat jártat* exercise a horse; *nem ezt a lovat akartam* it's quite different from what I expected, it's quite different from what I bargained for, that's not what I bargained for; *~vá tesz* deceive, fool, dupe, gull, hoax, humbug, diddle, bamboozle *(fam)*, take/let (sy) in *(fam)*, make a fool of *(fam)*, play a trick upon *(fam)*, kid *(fam)* ; *~val ellát* horse 2. *[sakk]* knight 3. *[tornaszer]* (vaulting-)horse, wooden horse

lóállás *n*, stall, box (in stable)
lóállítás *n*, purchase/registration of remount horses
lóállomány *n*, stock of horses, horse-stock, horsing
lóalom *n*, horse-litter
lóápolás *n*, grooming (of horses)
lóápoló *n*, groom, stableman, stable-boy
lob [-ot, -ja] *n, (orv)* inflammation
lóbab *n, (növ)* horse/broad-bean *(Vicia faba)*
lóbagócs *n, (áll)* horse bot fly *(Gasterophilus intestinalis)*
lóbál [-t, -jon] *vt*, swing, *[összevissza]* sway, *[kissé]* dangle, *[vmt feltűnően]* flourish, *[fenyegetően]* brandish, *[ringatva]* rock; *~ja a lábát* let one's legs swing
lóbálódz|ik [-tam, -ott, -ddzék, -ddzon] *vi*, swing, dangle
lobban [-t, -jon] *vi*, 1. *[láng]* flare (up), blaze (up), *[fény]* flash; *lángra ~* flare/blaze up, burst into flames, go up in flames, catch/take fire, ignite 2. *haragra ~* lose one's temper, fly into a passion, flare up *(fam)*, get into a wax *(fam)*, get waxy *(fam)* ; *szerelemre ~ vk iránt* fall in love with sy, lose one's heart to sy
lobbanás *n*, flaring (up), flash(ing)
lobbanási [-t] *a, ~ hőfok* inflammation temperature
lobbanáspont *n*, flash(ing)-point, ignition point
lobbanékony [-at; *adv* -an] *a*, 1. *(vm)* (in)flammable, ignitable, combustible 2. *(vk)* irascible, irritable, inflammable, hot/quick/short-tempered, easily excited/angered, swift to anger *(ut)*, choleric, peppery *(fam)*, touchy *(fam)*, hasty *(fam)* ; *~ természet* quick temper
lobbanékonyság *n*, 1. *(vmé)* inflammability, ignitability, combustibility 2. *(vké)* irascibility, irascibleness, quickness of temper, short temper
lobbant [-ani, -ott, -son] *vt*, 1. *lángra ~* inflame, ignite, set on fire, set ablaze 2. *[szenvedélyt]* inflame, kindle, rouse, stir up (passion) 3. *szemére ~ vknek vmt* cast sg into sy's teeth, reproach sy with sg, reprimand sy
lobbantyú [-t] *n, [lőfegyveré]* lock tile, percussion-lock
lobbot vet blaze/flare up, burst into flames
lobélia [.. át] *n, (növ)* lobelia *(Lobelia inflata)*
l bellenes *a*, antiphlogistic
lóbetegség *n*, horse-sickness, disease of horses
lobog [-tam, -ott, -jon] *vi*, 1. *[láng]* flame, blaze, be ablaze, flare, *[láng ugrálva]* quiver, flicker, waver 2.

[zászló] wave, flutter, flap, float, stream, *[vitorla]* shake, shiver, *[haj]* wave, stream, ripple; *hosszú haja ~ a szélben* her long hair is streaming in the wind 3. *~ benne a buzgóság (átv)* be very enthusiastic/ardent
lobogás *n*, 1. *[tűzé]* flaming, blazing, blaze, flaring, *[tűzé ugrálva]* flicker(ing) 2. *[zászlóé]* waving, flutter(ing), flapping, streaming
lobogó [-t, -ja; *adv* -an] I. *a*, 1. *[tűz]* flaming, blazing, ablaze *(ut)*, flaring, flickering; *~ forró* piping hot 2. *[zászló]* waving, fluttering, streaming, flapping 3. *[szenvedély]* burning (passion) II. *n*, flag, standard, banner, ensign, colours *(pl)*, *[kopján]* pennon; *nemzetiszínű ~* the national colours *(pl)*; *magyar ~ alatt közlekedik (hajó)* sail under Hungarian colours; *~t kitűz/felhúz (hajó)* fly a flag
lobogódisz *n*, bunting; *~ben a város* the city is gay with bunting
lobogóhal *n, (áll)* ribbonfish *(Trachypterus taenia)*
lobogós [-at; *adv* -an] *a*, (decked) with flags
lobogtat *vt, [kendőt]* wave, *[zászlót]* flutter, *[vmt diadalmasan]* flourish
lobogtatás *n, [kendőt]* waving, *[zászlót]* flutter, *[vmt diadalmasan]* flourish(ing)
lobos [-at; *adv* -an] *a, [betegség]* inflammatory, *[szerv]* inflamed
lobosodás *n*, inflammation
lóbőr *n*, horse-hide; *húzza a ~t (biz)* be snoring loudly/aloud *(stand)*
lóca [.. át] *n*, bench
locativus [-t] *n, (nyelvt)* locative
lócitrom *n*, ball of horse-dung, horse-droppings *(pl)*
loccsan [-t, -jon] *vi*, splash, plash, plop, swash, *(vmre)* spill, slop (òn/over sg), *[hullám]* lap
loccsanás *n*, splash, plash, plop, swash, *[hullámé partnál]* lap
loccsant [-ani, -ott, -son] *vt*, splash, swash; *vmre ~ vmt* spill sg on/over sg
lócsér {-ek, -t, -e] *n, (áll)* Caspian tern *(Hydroprogne caspia)*
locsifecsi [-t] I. *a*, gossipy, garrulous, loquacious II. *n*, chatterer, chatterbox
lócsimbe *n, (áll)* forest/horse-fly, tick *(Hippobosca equina)*
lócsiszár *n*, horse-dealer/coper/trader, coper
locska *a*, talkative, loquacious, garrulous, gossipy
locskafecske *a*, = **locsifecsi**
locsog [-tam, -ott, -jon] *vi*, 1. *[partnál víz]* lap, plash, swash, purl 2. *(vk)* chatter, prate, prattle, patter, gossip, tattle, twaddle, gab(ble), babble, blab(ber), cackle, clack, clatter, *[ostobán]* jabber, drivel, talk drivelling nonsense; *összevissza ~* maunder (on)
locsogás *n*, 1. *[folyadéké]* plash(ing), lap(ping), swash 2. *[fecsegés]* chatter(ing), patter, gabble, babble, mere/idle/endless talk, (tittle-)tattle, twaddle, prate, gossiping, cackle, prattle, *[ostoba]* drivel, jabber, verbiage, claptrap; *elég legyen ebből a ~ból!* cut your cackle!
locsogó [-ak, -t; *adv* -an] I. *a*, chattering, prating, prattling, gossiping, tattling, twaddling, babbling II. *n*, chatterer, chatterbox, prattler, tattler, twaddler, babbler
locsol [-t, -jon] *vt/vi*, 1. sprinkle (water on sg), sprinkle (sg), spray (sg), dabble; *virágot ~* water flowers 2. *[sültet zsírral]* baste
locsolás *n*, sprinkling, spraying, watering
locsoló [-t, -ja] *n, [öntözőkanna]* watering-can, *[készülék, személy]* sprinkler
locsolókocsi *n*, watering-cart
locspocs [-ot, -a] *n*, slush, sludge, squashy mud, mire; *~ idő* inclement/rotten/slushy weather
lódarázs *n*, hornet, wasp-fly *(Vespa crabo)*

lóden [-ek, -t, -ja] *n*, loden (cloth)
lódenkabát *n*, loden coat
lóding [-ot, -ja] *n*, † gunpowder-pouch *(stand)*
lódít [-ani, -ott, -son] I. *vt*, *[egyet vmn]* give a push/ toss/hoist, jerk, sling (sg) up II. *vi*, *[füllent]* fib, tell a fib, talk big, talk through one's hat, draw the long bow, taradiddle *(fam)*, pile it on ◇
lódítás *n*, 1. *(vmt)* toss, hoist, jerk 2. *[füllentés]* (tall) story, fib(bing), a piece of bounce, taradiddle *(fam)*
lódobogás *n*, stamping/trampling of hooves, pit-a-pat of horse's hoofs, clatter of hooves, thud, clip-clop, clip-pety-clap, rataplan
lódoktor *n*, horse-doctor, vet
lódul [-t, -jon] *vi*, swing (once); ~*j!* clear/get out!, off you go!, off/out with you!, get a move on!, look sharp!, hop it! ◇, scram! ◇, heat it! ◇
lóedző *n*, horse-trainer
lóellátás *n*, *(kat)* remount service
lóerejű *a*, = lóerős
lóerő *n*, horse-power *(röv* h.p.)
lóeróóra *n*, horse-power hour
lóerős *a*, öt~ five horse-power; negyven ~ autó a forty horse-power car, a car of forty horse-power
lófark *n*, 1. horse-tail 2. *[hajviselet]* pony-tail
lófarkas *a*, ~ zászló (Pasha's) standard with horsetails
lófark-frizura *n*, pony-tail (hair-do)
lófej *n*, horse's head; egy ~*jel* győz win by a head
lófejes *a*, ~ tambura *[népi hangszer]* horse-headed cittern
lófejű *a*, having/with an equine head/face *(ut)*
lófelülvizsgálat *n*, inspection of remount (horses)
lófog *n*, tush, horse's canine
lófogat *n*, team of horses
lófogatú [-ak, -t] *a*, horse-drawn
lófogú [-ak, -t] *a*, big-toothed; ~ kukorica *(növ)* dent corn *(Zea mays indentata Bailey)*
lófőszékely *n*, ⟨Székely nobleman (an obsolete rank of Székely nobility)⟩
lófrál [-t, -jon] *vi*, loiter, loaf, stroll, laze *(mind* about)
lófuttatás *n*, horse-racing, race-meeting
lófuttató *n*, horse-racer
lóg [-tam, -ott, -jon] *vi*, 1. *(konkr)* hang (down), be suspended (from), *[falon]* hang (on wall), *[mennye-zeten]* hang, be suspended (from ceiling), *[lengve]* dangle, swing, rock, *[padlóig]* come down (to the floor); térdéig ~ be falling to his knees; a villamoson fürtökben ~nak az utasok there are people hanging on the tram by their eyebrows, masses of people are hanging on the tram wherever they get a foot-hold; még ~ni fog (biz) he'll come to the hemp, he'll swing 2. *levegőben* ~ it is in the air, *[nem komoly]* it has no foundation; vm ~ a leve-gőben there's sg in the wind; ~ a lába az eső-nek it looks like rain 3. *[fogról]* be loose 4. ~ a nyelve *[vké fáradtságtól]* be near the end of one's tether, be done/knocked up, *[kutyáé]* hang/ loll out its tongue; ~ az orra have the blues, be out of spirits, be downhearted 5. *[iskolából]* play (the) truant, play (the) wag ◇, *[kat szolgálat alól]* skrim-shank, shirk, *[munka alól]* skulk, swing the lead ◇, goldbrick ◇, *[gyárból üzemidő alatt]* be an absentee 6. *[céltalanul kószál]* loaf (about), loaf around *(US)*
ló ganéj *n*, horse-dung
logaritmikus *a*, logarithmic; ~ derivált relative deriva-tive
logaritmus *n*, logarithm; természetes (v. Napier-féle) ~ natural logarithm, Napierian logarithm; a ~ nume-rusa antilogarithm; ~t keres take (v. look up) the logarithm
logaritmusrendszer *n*, logarithmic system
logaritmustábla *n*, logarithmic table, table of logarithms; ötjegyű ~ five-figure logarithm tables

logarléc *n*, slide-rule
lógás *n*, 1. *(konkr)* hanging, suspension, dangling 2. *(isk)* truancy, *[munkából]* skulking, skrimshank-ing, goldbricking *(US)*, *[üzemi]* absenteeism 3. *[lődörgés]* loafing
lógat I. *vt*, hang, swing, dangle; ~*ja a fejét* hang one's head; ~*ja a lábát* let one's legs swing, *(átv)* idle, lounge about, kick one's heels; ~*ja a nyelvét [kutya]* hang/loll out its tongue; orrát ~*va* crestfallen, with his tail between his legs, in low spirits II. *vi/vt*, lódít II.
lógáz [-tam, ott, -zon] *vt*, dangle
lógereblye *n*, horse-rake, steel rake
lógesztenye-cserebogár *n*, *(áll)* field maybeetle *(Melolontha hippocastani)*
loggia [..át] *n*, loggia
logika *n*, logic
logikai [-ak, -t] *adv* -lag] *a*, logical; ~ összefüggés logical sequence; ~ sorrend logical order; ~ szükség-szerűség logical necessity
logikatanár *n*, logician
logikátlan *a*, illogical, inconsequent(ial), inconsistent
logikátlanság *n*, illogicality, inconsequence
logikus I. *a*, logical, consequent; nem ~ illogical, incon-sequent, inconsequential, inconsistent; ~ érvelés logical/close reasoning II. *n*, logician
logikusan *adv*, logically; ~ felépített closely reasoned
lógó [-t] I. *a*, 1. *(konkr)* hanging, dangling, pendent, *(orv)* pendulous; ~ fülű flop-eared; ~ hasú *[ló]* low-bellied; ~ orral be crestfallen, with his tail between his legs 2. *[iskolából]* playing (the) truant *(ut)*, playing (the) wag ◇ *(ut)*, *(kat)* shirking, swinging the lead *(ut)*, *[főnévvel]* absentee II. *n*, = lógós
lógós [-ok, -t, -a; *adv* -an] I. *a*, 1. hanging, swinging, *[fog]* loose (tooth) 2. ~ ló *(nép)* relay/trace horse, side-horse II. *n*, 1. *[iskolából]* truant, *(kat)* shirker, skrimshanker, goldbrick *(US)*, Cuthbert ◇, lead-swinger ◇ 2. *[létszám feletti]* supernumerary, hanger-on 3. = lógós ló
lohad [-t, -jon] *vi*, *[daganat]* (begin to) subside, go-down
lóhajtó *n*, driver (of horse-drawn vehicle)
lóhalálában *adv*, at a break-neck pace/speed, post-haste, hurry-scurry, hot-footed, with the greatest possible haste, tearing along, (at) full tilt; ~ nyargal ride full tilt, ride post-haste, ride hell for leather *(fam)*
lóhangya *n*, óriás ~ *(áll)* Herculean ant *(Camponotus herculeanus)*
lohaszt [-ani, -ott, ..asszon] *vt*, reduce, bring down
lóhát *n*, ~on on horseback, mounted, riding a horse; ~on megy ride, go on horseback; ~ról beszél ride the high horse
lóhere *n*, *(növ)* trefoil, clover, trifolium *(Trifolium)*; alexandriai/egyiptomi ~ Egyptian clover *(T. alexand-rinum)*; fehér ~ white/Dutch clover *(T. repens)*; réti ~ low hop clover *(T. procumbens)*; vörös ~ red/ purple/crimson clover *(T. pratense)*; zörgő ~ hop clover, shamrock *(T. strepens)*
lóhereablak *n*, trefoil, quarterfoil
lóhereföld *n*, clover-field
lóhere-gubósormányos *n*, *(áll)* clover leaf weevil *(Pyhtonomus nigrirostris)*
lóhereív *n*, *(épít)* trefoil arch
lóherelevél *n*, clover-leaf
lóheremag *n*, clover-seed
lóhereső *n*, lemon salt
lóhereszövő *n*, *(áll)* *[lepke]* grass eggar *(Lasiocampa trifolii)*
lóhimlő *n*, horse-pox
lohol [-t, -jon] *vi*, trot/hurry along
lóhossz *n*, length; ~*al győz* win by a length

lóhús n, horse-flesh/meat
lóhúsevés n, hippophagy
lóhúsfa n, (növ) horseflesh mahogany (Robinia panacoco)
lóhússzék n, horse-butchery
lóidomítás n, horse-training
lóidomító n, horse-trainer/breaker/master, rough-rider
lóismeret n, hippology
lóistálló n, stable
lóitató n, horse-pond, [utcai] watering-place/trough (for horses)
lojális [-ak, -t; adv -an] a, loyal, faithful, honest, fair, [barát] true (friend), (kif) be true to one's salt
lojálisan adv, loyally, honestly, fair(ly), truly; ~ cselekszik act on the straight/level
lojalitás n, loyalty, fidelity, trueness
lokál [-ok, -t, -ja] n, night-club, all-night resort (US)
lokálakkreditív n, (pénz, ker) local (letter of) credit
lokálgarancia n, (ker pénz) local guarantee
lokális [-ok, -t; adv -an] a, local
lokalizáció [-t] n, localization, [ingeré] (sense of) locality
lokalizál [-t, -jon] vi, localize
lokalizálás n, localization
lokalizálható a, localizable
lokálpatrióta n, parochialist, provincialist, sy who is filled with local patriotism, [igével] he is full off local patriotism
lokálpatriotizmus n, parochialism, localism, local patriotism, parochial spirit, provincialism, sectionalism (US)
lókapa n, horse-hoe
lókaparó n, = lóvakaró
lókedvelés n, horsiness, addiction to horses
lókedvelő I. a, horsy II. n, horse-fan(cier)/lover
lókefe n, horse/dandy-brush; géphajtású ~ groomer
lókereskedő n, horse-dealer, (horse-)coper
lókiállítás n, horse-show
lokni [-t, -ja] n, ringlet, curl, lock
loko-áru n, (ker) spot (goods)
lokomobil [-ok, -t, -ja] n, (trans)portable steam-engine, traction engine, locomobile
lokomobil-kazán n, portable boiler
lokomotív [-ot, -ja] n, locomotive (engine), steam--engine, (railway) engine, loco (fam)
lókörömfű n, (növ, nép) horse/colt's/bull/foal-foot, horsehoe (Tussilago farfara)
lókötés n, horse-stealing
lókötő n, 1. [lótolvaj] horse-thief/stealer 2.(átv) impostor, rogue, scamp, scoundrel, rascal
lókupec n, horse-dealer/coper/trader, coper
lóláb n, 1. [szatíré] horse's hind leg, [ördögé] cloven hoof; kilátszik a ~ the cloven hoof is showing, show/display the cloven hoof 2. (orv) club-foot, pes equinus
lólábú a, (orv) club-footed
lólengés n, (sp) pommeled horse
loligó [-t] n, [lábasfejű állat] squid (Loligo)
lólopás n, horse-theft
lom [-ot, -ja] n, lumber, odds and ends (pl); ld még limlom
lomb [-ot, -ja] n, foliage, leaves (pl), leafage; a ~ok alatt under the leafy boughs; hullatja ~ját shed its leaves, defoliate
lombalom n, (növ) litter
lombard¹ [-ot] a, Lombard, Lombardic
lombard² [-ot, -ja] n, = lombardkölcsön
lombardhitel n, (ker) advance on security, loan on collateral security
Lombardia [.. át, .. ában] prop, Lombardy
lombardiai [-ak, -t] a, Lombard; ~ ritmus (zene) Scotch snap

lombardíroz [-tam, -ott, -zon] vt, 1. [kölcsönt ad] advance on security 2. [letesz] deposit as security
lombardkölcsön n, collateral loan, loan against collateral security, loan on stock-exchange securities, Lombard loan
lombardüzlet n, loan against collateral security, collateral security, collateral loan business
lombdísz n, foliage, leaves (pl), leaf-work
lomberdő n, broad-leaved forest, leafy/deciduous forest
lombfa n, deciduous tree, [vágott] leaf-wood
lombfakadás n, leafing, foliation, frondescence
lombföld n, garden/vegetable mould
lombfűrész n, bow/scroll/jig-saw, fret-saw; lombfűrésszel kivág fret-saw
lombfűrészel vt, fret-saw
lombfűrészelés n, fret-sawing
lombfűrészmunka n, fret(-saw)-work, scroll-working (US)
lombfüzér n, garland/festoon of leaves
lombhullás n, fall(ing) of the leaves, fall of the leaf, (növ) defoliation, abscission of leaves; hervadásos ~ abscission of leaves due to withering
lombhullató [-t; adv -an] a, deciduous; ~ fa deciduous tree
lombik [-ot, -ja] n, test-tube, retort, (balloon-)flask, receiver, alembic (obs); hosszú nyakú ~ boiling flask
lombkorona n, foliage, foliature, leafage, frondage, frondescence, leafy crown (of tree)
lombkoronaszint n, [erdészetben] tree stratum
lombkoszorú n, wreath/crown of leaves
lomblevél n, foliage-leaf
lomblevelű a, deciduous, broad leaved
lombos [-at; adv -an] a, leafy, in leaf (ut), leaved, foliaged, foliose, frondiferous, deciduous; ~ fa tree in leaf
lombosodás n, foliation, leafing, frondescence
lombosod|ik [-ott, -jon, -jék] vi, come/break into leaf, put forth leaves, leaf
lombosodó [-ak, -t; adv -an] a, coming into leaf (ut), frondescent
lombozat n, foliage, foliature, leaves (pl), leafage, frondescence, frondage
lombsátor n, [fáké] (dense) foliage, leafage, canopy, leafy bower/boughs, high leafy covering (in woodlands), [mesterséges] arbour (made of fresh-cut leaf boughs)
lombsuttogás n, rustling of leaves
lombszíneződés n, discoloration of leaves in autumn, autumn colours/colouring/hues/tints
lombtakarmány n, leaf-fodder
lombtalan a, leafless, bare
lombtalanítás n, defoliation
lómészáros n, horse-butcher
lómészárszék n, horse-butchery
lomha [.. át] a, sluggish, inactive, indolent, inert, slothful, lazy, slack, lumpish, torpid, [test] clumsy, awkward, hulking, unwieldly, heavy (body), [folyó] sluggish, sullen
lomhaság n, sluggishness, inactivity, sloth(fulness), inertness, torpidity
lompos [-at; adv -an] a, 1. [haj, szőr] shaggy, unkempt, untrimmed 2. [személy] slovenly, slatternly, sluttish, untidy; ~ külső slovenliness; ~ nő sloven, slattern, slut 3. [stílus] slovenly, loose, slipshod
lomposság n, 1 [hajé, szőré] shagginess 2. [személyé] slovenliness, sluttishness, [nő öltözkedésében] dowdiness
lomtalanít [-ani, -ott, -son] vt, clear out, clear (sg) of rubbish/junk, remove lumber (from an attic to reduce risk from incendiary bombs)
lomtalanítás n, clearing (of the attics), junk-clearance

lomtár n, lumber/box-room, glory-hole *(fam)*, *(átv)* limbo; ~ba kerül pass into the limbo of things outworn
lónátha n, farcy, staggers
lonc [-ot -a] n, *(növ)* honeysuckle *(Lonciera) kerti/ búbos ~* common honeysuckle, woodbine *(L. periclymenum)*
Lonci [-t, -ja] prop, ⟨diminutive of Ilona⟩, *(kb)* Nell, Nelly
lonclepke n, *(áll)* kék ~ white admiral *(Limenitis camilla)*
loncsos [-at; adv -an] a, sluttish, draggletailed
londiner [-ek, -e] n, callboy, boots
London [-t, -ban] prop, London
londoni [-ak, -t; adv -an] I. a, of London *(ut)*, *(összet)* London; ~ *ember/lakos* Londoner; ~ *polgár* citizen of London II. n, Londoner, *[ha tájszólást beszél]* cockney
lónemesítés n, breeding of horses, improving the breed of horses
longa [-át] n, *[menzurális hangjegyérték]* long
lonzs [-ot, -a] n, lunge, longe, lunging-rein
lónyom n, hoof-print, horse's tracks *(pl)*
lóorvoslás n, hippopathology
lóöszvér n, hinny
lop [-tam, -ott, -jon] vt/vi, 1. steal, thieve, *[és elvisz]* make away with, purloin; bag, *[apróságot]* pilfer, filch, pick, *[hivatásszerűen]* be a thief, *[állatot]* rustle, lift *(fam)*, collar *(fam)*, pinch ◇, mooch ◇, swipe *(US)*; ne ~*j!* *(bibl)* thou shalt not steal! ; csókot ~ steal a kiss; ~ *mint a szarka [emberről]* steal/thieve like a magpie 2. ~*ja a napot* idle/fritter/ dawdle away one's time, loaf, slack/laze about, dilly-dally 3. *(kárty)* trump, ruff 4. ~ *egy szerzőtől* crib from an author
lopakodás n, stealth
lopakod|ik [-tam, -ott, -jon, -jék] vi, *(vhova)* go *(swhere)* stealthily; *szobába* ~*ik* glide/creep/steal into a room; ~*va* stealthily, by stealthy step
lópáncél n, bard(e), armour for a horse
lopás n, 1. stealing, *(jog)* theft, larceny, larcenous action, *[rendszeres]* thieving, thievery; apró ~ petty larceny/theft; betöréses ~ burglary, housebreaking; bolti ~ shop-lifting; szabad ~ *[igével]* have the pickings; ~ *büntette* grand larceny/theft 2. *(kárty)* trump(ing), ruff
lópatkó n, horseshoe
lóperje n, *(növ nép)* cat's-tail, phleum *(Phleum pratense)*
lópetrezselyem n, *(növ)* horse-parsley *(Smyrnium olusatrum)*
lopkod [-tam, -ott, -jon] vt/vi, steal repeatedly, go on stealing/pilfering/pinching things, commit thefts/ larcenies, pilfer
lopkodás n, picking and stealing
lopó [-t, -ja] n, *[lopótökből]* gourd, calabash, sucker, *[üvegből]* wine-taster, sampling-tube, plunging-siphon, (liquor) thief
lopódz|ik [-tam, -ott, -zon, -zék] vi, steal, creep (along), slink, go stealthily/furtively, go on the sly, *(vmbe)* steal, creep, glide, worm one's way (into sg)
lópokróc n, horse-blanket/rug/cloth
lopótök n, *(növ)* (bottle-)gourd, calabash *(Lagenaria vulgaris)*
lopótök-fa n, *(növ)* gourd-tree *(Cucurbita lagenuria)*
lopott [-at] a, stolen; ~ *áru* stolen goods, hot goods *(US)*; ~ *holmit rejteget* secrete stolen goods; ~ *pillantás* furtive glance
lopva adv, stealthily, surreptitiously, furtively, by stealth, on the sly, *[csak titokban]* secretly; vmt ~ megnéz cast a furtive look at, look surreptitiously at, steal a glance at; ~ *(tovább)megy* steal along

lórakomány n, horse-load
Lóránt [-ot, -ja] prop, Roland
lord [-ot, -ja] n, lord; L~ok Háza House of Lords, the Upper House of the British Parliament
lordkancellár n, Lord Chancellor
lordmajor [-ok, -t, -ja] n, Lord Mayor
lordózis [-ok, -t, -a] n, *(orv)* lordosis; fokozott ~ exaggerated lordosis
lordózisos [-at] a, *(orv)* lordotic
lóré [-t, -ja] n, *[vasúti]* flatcar, *[kisvasúti]* trolley
lóri [-t, -ja] n, *(áll)* loris *(Loris sp.)* ; karcsú ~ slender loris *(L. tardigradus)*
lórimajom n, = lóri
lóripapagáj n, poll-parrot, polly *(fam)*
lornyon [-ok, -t, -ja] n, lorgnette, starers *(pl) (fam)*
lórom [-ot] n, *(növ)* dock *(Rumex sp.)* ; vízi ~ water-dock *(R. aquaticus)*
lórum [-ot, -ja] n, ⟨a simple card-game⟩
Los Angeles [-t, -ben] prop, Los Angeles
Los Angeles-i [-ek, -t] a, Los Angeles, (Los) Angeleno
Losono [ot, -on, -ra] prop, Lučenec (town in Czechoslovakia)
lósorozás n, registration of remount horses
lósóska n, *(növ)* patience-dock *(Rumex patientia)*
lósömör n, thrush
lósport n, equestrian sport
lószakértő n, judge of horses, judge of horse-flesh, horse expert
lószerszám n, (set of) harness, horse-furniture, tackle, gear, saddlery, accoutrements of the horse *(obs)*, *[igen díszes]* caparison *(obs)*
lószerszámgyártás n, saddlery
lószerszámkamra n, harness/saddle-room, saddlery
lószerszámveret n, trappings *(pl)*
lószőr n, horsehair; ~ *matrac* (horse-)hair mattress; ~ *szita* hair-sieve; ~ *szövet* horsehair cloth/fabric; ~ *vánkos* horse-hair cushion/pad; ~ *vászon* hair-cloth, hair canvas
lószúnyog n, *(áll)* crane-fly *(Tipula sp.)*
lótakaró n, horse-cloth, *[pokróc]* horse-rug/blanket, *[díszes]* horsing *(obs)*, caparison *(obs)*
lótáp n, forage, fodder, provender (for horses)
lótápilletmény n, fodder allowance
Lotaringia [.. át] prop, Lorraine
lotaringiai [-ak, -t] a, Lorrainese
lótás-futás n, running about, bustle, commotion, stir, tumult, come-and-go
lótej n, mare's milk
lótenyésztés n, horse-breeding
lótenyésztő n, horse-breeder
lótetű n, *(áll)* mole cricket *(Gryllotalpa vulgaris)*
lót-fut [lótott-futott, lósson-fusson] vi, run/rush about, run/rush to and fro, bustle/flutter about, come and go; mindig ~ be always on the run
Lotharingia [..át, .. ában] prop, = Lotaringia
lóti-futi [-ak, -t; adv -an] a, bustling
lótolvaj n, horse-thief/stealer, horse-rustler *(US)*
lótrágya n, horse dung/manure, stable-litter
lótréner n, horse-trainer
lottó [-t, -ja] n, 1. *[régi típusú tombolás]* lotto 2. *[új típusú]* number lottery; ezer forintot nyert a ~n he won a thousand forint in the state lottery
lottóház n, ⟨house of flats/apartments that can be won as prizes in the state lottery⟩
lottónyeremény n, lottery prize
lottószám n, lottery number
lottószelvény n, lottery ticket
lottózás n, playing the state lottery
lottóz|ik [-tam, -ott, -zon, -zék] vi, play in the state lottery, invest in the lottery, do the lottery *(fam)*

ottózó [-t] n, 1. [személy] pools-punter 2. [hely] policy (US)
lótusz [-ok, -t, -a] n, (növ) lotus (Lotus)
lótuszoszloptő n, (épít) lotus flower capital, lotus bud capital
lótükör n, [bőr] horse butt, crop
lotyó [-t, -ja] n, harlot, trollop, trull, slut, doxy ◆
lotyog [-ott, -jon] vi, 1. [folyadék] gurgle, bubble, cluck, [partnál víz] lap 2. = locsog 2.
lottyadt [-at; adv -an] a, 1. [gyümölcs] damaged, squashy 2. [bőr] flabby, flaccid, sagging, limp
lottyan [-t, -jon] vi, plop, make a splashing sound, (vmre) slop, splash, spill (on/over sg)
lottyant [-ani, -ott, -son] vt, (vmre) splash (on/over sg), spill (on/over sg)
lóugrás n, 1. [sakkban] the knight's move/progress; ~ szerint (átv) unaccountably, at random, incalculably, unpredictably, in a zigzag line, illogically, at jumping stones 2. [torna] horse-vaulting
lóúsztató n, horsepond
lovacska n, little horse, nag, gee-gee (baby-talk), [játék] horsey
lovacskáz|ik [-tam, -ott, -zon, -zék] vi, play at horses, give a child a flying-angel
lovag [-ot, -ja] n, 1. [középkorban] knight, paladin (obs); félelem és gáncs nélküli ~ knight without fear and without reproach; páncélos ~ok knights in armour; vkt ~gá üt/avat dub/create sy a knight, confer knighthood on sy, knight sy; ~gá ütés knighting, conferring of knighthood, creation of a knight, accolade, dubbing 2. [nőé] gallant, cavalier, admirer; Robi a ~ja Bob is her steady
lovaghal n, (áll) horseman (Epuetus lanceolatus)
lovagi [-ak, -t; adv -an] a, knightly; ~ eposz court epic; ~ jelleg knightliness; ~ költészet court(ly) poetry; ~ rang knighthood; ~ szolgálat knightly service, knight-service, knight errantry; ~ torna tournament, tourney, [lándzsával] joust, tilt(ing); ~ tornán részt vesz joust
lovagias [-at; adv -an] a, 1. [ember] chivalrous, knightly 2. [nőkkel] gallant (to/towards women) 3. ~ ügy affair of honour; ~ útra terel demand satisfaction, demand that honour be satisfied, fling down the gauntlet, challenge sy to a duel
lovagiasság n, 1. (ált) chivalrousness, chivalry; a ~nak eleget tettek honour is satisfied 2. [nőkkel] gallantry
lovagiatlan a, 1. [ember] unchivalrous, wanting in chivalry (ut) 2. [nőkkel] ungallant
lovagiatlanság n, unchivalrousness, lack of chivalry
lovagjáték n, = lovagi torna
lovagkereszt n, knight's cross
lovagkor n, age of chivalry/romance
lovaglás n, [lóing, [művészete] horsemanship, equitation, [egyszeri] ride
lovagló [-t] a, riding
lovaglóakadály n, obstacle, jump, [sövény] hedge, [kerítés] fence, [árok] ditch
lovaglócsizma n, riding-boots (pl)
lovaglóiskola n, riding-school, manège
lovaglókabát n, riding-coat
lovaglókesztyű n, riding-glove/gauntlet
lovaglóművészet n, horsemanship, equitation, manège
lovaglónadrág n, riding-breeches (pl), jodhpurs (pl)
lovaglóostor n, riding-whip, horsewhip, (hunting-)crop
lovaglóöltöny n, riding-suit
lovaglópálca n, (riding-)switch, riding-whip/rod, (hunting-)crop, cane
lovaglóruha n, riding-costume/suit, [női] riding-habit
lovaglósapka n, riding-cap
lovaglótanár n, riding-master
lovaglótér n riding-ground/ring

lovaglóút n, bridle-path/road, [erdőben] ride
lovaglóülésben adv, astride, astraddle, straddle-legs strideways (US); ~ ül straddle
lóvágóhíd n, knacker's yard, knackery
lovagol [-t, -jon] vi/vt, 1. ride, ride a horse, sit/go on horseback, [rendszeresen] be a horseman, go in for riding; férfimódra ~ ride astride/astraddle; női módra ~ ride side-saddle; ~ a széken sit astride on a chair, sit straddle-legs on a chair; arra ~ride along/by; jól ~ ride well, sit firm on horseback; rosszul ~ ride like a tailor (fam); sebesen ~ ride hard; versenyt ~ ride a race; Kincsem(,) ~ja Halász Kincsem with Halász up; ~ni tudás horsemanship 2. semmiségeken ~ be a stickler for trifles, be splitting hairs, strain at a gnat; mindig ugyanazon ~ be always harping on the same string; dühbe ~ta magát he worked himself into a rage
lovagolható a, [ló] rideable
lovagoltat vt, térdén ~ja a kisfiút dance/dandle the boy on one's knee, bounce the boy on one's knees (in a horsey manner), ride a cock-horse to Banbury Cross
lovagregény n, romance(-novel), tale of chivalry; kalandos ~ cape and cloak/sword novel
lovagrend n, order of knighthood; német ~ Teutonic Order, Teutonic Knights (pl)
lovagság n, knighthood, chivalry
lovagterem n, hall of the knights
lovagvár n, knight's castle, baronial/feudal castle
lovagvilág n, the age of chivalry
lóvakaró n, curry-comb, horse-duster, sweating-iron
loval [-t, -jon] vt, vkt vmre ~ egg/incite/urge sy to do sg; vkt vk ellen ~ set sy against sy
lóváltás n, relay (of horses)
lóváltóhely n, relay station, stage, posting house
lovarda [.. át] n, riding-school/hall, manège
lovaregylet n, jockey club
lovarnő n, equestrienne, horsewoman
lovas [-ok, -t, -a] I. a, mounted on horseback (ut), (összet) equestrian, (kat) mounted, cavalry; ~ bemutató horse-show, (trick-)riding display/demonstration, display/exhibition of horsemanship, rodeo (US); ~ felvonulás cavalcade; ~ hadosztály mounted/cavalry division, horse division (fam); ~ harcos mounted warrior; ~ járőr mounted patrol; ~ katona horse-soldier, cavalry-man, trooper; ~ kocsi horse(d) carriage, horse-drawn vehicle, [konflis] victoria, cab, [kétkerekű] gig, dog-cart, tilbury, hansom; ~ küldönc mounted orderly, dispatch-rider; ~ nép equestrian people, nation of (born) horsemen; ~ póló polo, [egy játékegysége] chukker; ~ posta dispatch-rider; ~ rendőr mounted policeman; ~ rendőrség mounted police; ~ szobor equestrian statue; ~ tengerész (tréf) horse marine; ~ testőrség the (Royal) Horse Guards (pl); ~ tüzérség horse-artillery
II. n, 1. rider, horseman, horsewoman, equestrian, equestrienne, mounted man/woman, man/woman on horseback, [versenylóé] jockey; könnyű ~ light--horseman; nagy ~ a hard rider 2. [kartotéklapon] tab, (file-)signal, flag 3. [mérlegkaron] balance rider
lóvásár n, horse-market/fair
lóvásártér n, horse-mart, show-ring
lovascsapat n, troop of mounted men, troop of men on horseback, [díszfelvonuláson] cavalcade, (kat) mounted troop, troop of cavalry, cavalry troop
lovasdandár n, mounted/cavalry brigade, horse brigade (fam)
lovasisten n, [keleti] (rég) mounted god, god on horseback
lovasít [-ani, -ott, -son] vt, mount

lovasított [-at] a, ~ gyalogság mounted infantry
lovasjáték n, tilt(ing-match), tournament, carrousel
lovaskapitány n, cavalry captain
lovasművészet n, horsemanship, jockeyism, jockeyship
lovasnő n, equestrienne, horsewoman
lovasroham n, cavalry charge
lovasság n, cavalry, horse (fam); ~ és gyalogság horse and foot; könnyű ~ light cavalry, light horse (fam)
lovassági [-ak, -t] a, cavalry, of cavalry (ut), horse (fam), of horse (ut) (fam); nehéz ~ kard heavy cavalry sword, sabre; ~ ló troop-horse
lovassúly n, gyűrű alakú ~ok [mérlegen] circular slide weights
lovasszázad n, cavalry troop/company, squadron
lovastiszt n, cavalry officer
lóvasút n, horse tramway, horse(-car) tram, horse-car (US), [bányában] carts drawn by pit-ponies (pl)
lovasverseny n, display/exhibition of horsemanship, riding demonstration
lovász [-ok, -t, -a] n, stud-groom, groom, stableman, stableboy, [vendéglől] hostler (obs), [fullajtár] outrider
lovászlegény n, stable-boy/lad, groom
lovászmester n, [udvari cím] equerry; fő~ Master of the Horse
lóvátétel n, fooling, dupery, hoax, humbugging, bamboozlement
lóvé n, □ rhino, oof, dibs (pl)
lóverseny n, horse-race, [többfutamos] race-meeting, the races (pl); ~re jár go to the races
lóversenyeredmények n. pl, sporting results
lóversenyez|ik vi, go to the races
lóversenyfogadás n. [cselekedet] betting at horse-races, backing a horse, [tétje] bet
lóversenyfogadó n, bettor (at horse-races)
lóversenyistálló n, racing stable
lóversenyjáró n, race-goer, turfman, turfite (fam)
lóversenynap n, race-meeting day
lóversenypálya n, race-course, the turf, race/racing-track (US), (tört) hippodrome
lóversenyprogram n, race-card
lóversenyrovat n, betting-news (pl)
lóversenytér n, race-course, the turf
lóversenyzés n, (horse-)racing
lóvért n, (rég) bard(e)
lóvonat n, horse-drawn train
lóvontatás n, horse-traction
lóvontatású [-ak, -t] a, horse-drawn
lő [-tt, -jön] vi/vt, 1. shoot, [fegyvert elsüt] fire, let off (fire-arm), [ágyúval] shell, [vadat] shoot, bring down, kill; jól ~ be a good shot; két elefántot ~ttem I shot two elephants, two elephants fell to my gun; semmit sem ~tt he came home empty-handed, he came home with an empty bag; ~ni kezd open fire; ~ni fognak (rá ha ..) he will be met by gunfire (if) 2. [labdát] shoot (the ball); gólt ~ shoot/kick a goal, [csapat] score (goal); levegőből ~ punt 3. ~ttek az állásomnak! (biz) there goes my job!; annak már ~ttek (biz) the game is up, it's all up 4. [közösül] □ copulate (stand.), fuck
lőállás n, shooting-stand/station, rifle range, [testtartás] firing position; ~ba hoz bring (a gun) to the firing position
lőállvány n, practice mounting (at rifle range)
lőcs [-öt, -e] n, stake brace, car-stake
Lőcse [.. ét, .. én] prop, Levoča (town in Czechoslovakia)
lőcsláb n, bow/bandy-legs (pl)
lőcslábú a, bow/bandy-legged
lődörgés n, loafing/sauntering/lounging/mooching about
lődörgő [-ek, -t] a, loafing, sauntering, mooching

lődörög [-tem, .. rgött, -jön] vi, loaf/saunter/loiter/mooch/hang about
lődöz [-tem, -özz, -zön] vi, shoot away, (vmre) shoot, fire (at sg repeatedly or at random), shoot aimlessly, [vadra] take a pot-shot (at sg)
lőelem n, element(s) of shooting; ~ek ballistic elements
lőelemképző n, fire control equipment; légvédelmi ~ anti-aircraft firing instruction gear
lőfegyver n, fire-arm, gun; kézi ~ small arms (pl)
lőgyakorlat n, target-practice, shooting test, musketry instruction, [tüzérségi] gunnery practice, practice-firing
lőgyakorlati a, ~ céltábla experimental target
lőgyapot n, gun/collodion/nitro-cotton, pyroxylin
lőgyapotos a, pyroxylic
lőgyorsaság n, rapidity of fire
lőhelyzet n, firing position
lőiskola n, musketry instruction, school of musketry, rifle range
lök [-tem, -ött, -jön] vt/vi, give (sg) a push/shove, [durván] thrust, knock, [kisebb tárgyat könnyedén] fling, toss, [földre] throw, cast, [biliárdban] strike, [hirtelen] jerk, jab, [könyökkel] jog, nudge, poke (in the ribs), [mélybe] hurl (down); vkt a folyóba ~ knock/push/shove sy into the river; súlyt ~ (sp) put the weight; te ~sz! you in play!
lökdös [-tem, -ött, -sön] vt/vi, keep jerking/pushing, [rázós jármű] jolt, [tolongásban vkt] jostle, hustle, elbow (sy), [orrával, fejével állat] nuzzle; ne ~sön! don't push (me)!
lökdösés n, jostle, hustle, elbowing, shouldering
lökdösőd|ik [-tem, -ött, -jön, -jék] vi, jostle, hustle, push roughly, shove, elbow, shoulder
lökdösődő [-t] n, jerker, hustler
lökés n, 1. (konkr) push, shove, [durvább] toss, thrust, butt, [hirtelen] jerk, dash, [könyökkel] nudge, dig, poke, [ütődésnél] shock, jolt, jog, bump, impact, percussion, [földrengésnél] tremor, [szívé] beat, throb, [hevesebb] leap, jump, [biliárdban] break, stroke, [áramé] (current) surge, [puskáé] kick, [súlyemelésben] clean and jerk, shouldering and uplifting, [mint mozgás] jerk; a ~ ereje/súlya brunt, shock, heave 2. (átv) inpetus, impulse, impulsion; ~t ad vmnek give sg a push/fillip, put one's shoulder to the wheel, get the thing moving/going (again) (fam), put some life into the thing (fam), give sg a boost (fam); ~t kap gather impetus
lökéscsillapító n, shock-absorber, anti-bounce, [hidraulikus] dashpot
lökésesség n, [szélé] gustiness
lökésgátló n, shock-absorber
lökéshárító n, (vasút) counterbuff
lökéshullám n, (rep) shock/percussion wave
lökési [-t] a, ~ ellenállás impact resistance, resistance to impact
lökésszerű a, jerky, abrupt, spasmodic, [rengés] sussultatory, sussultorial; ~ indulás jolt
lökésszerűen adv, [halad] by/in jerks, jerki(ng)ly
löket n, [dugattyúé] stroke (of piston)
lökethossz n, length of stroke, travel, clearance
löketszám n, number of strokes (of piston)
lökettérfogat n, piston displacement, piston swept volume
lökhajtás n, jet/reaction-propulsion
lökhajtásos [-at; adv -an] a, jet/reaction-propelled; ~ bombázó jet bomber; ~ korszak jet age; ~ repülőgép jet-plane; ~ géppel szállít jet
lökhárító n, bumper, (spring) buffer, fender, anti-bounce clip, anti-rattler, shock absorber; hátsó ~ rear-guard; pneumatikus ~ air-buffer
lökiképzés n, musketry instruction/training
lökőerő n, percussive/impulsive force

löktárcsa n, (vasút) buffer
lőlap n, range-card
lőmester n, (bány) mine-igniter, hole man, chargeman, blaster, (shot-)firer
lőncs [-öt, -e] n, lunch(eon)
lőncsöl [-t, -jön] vi/vt, have/take lunch
lőpad n, banquette, shooting mat
lőpor n, (gun)powder, cordite
lőporgyár n, gunpowder factory, powder-mill
lőporgyártás n, manufacture of (gun)powder
lőporkamra n, powder-magazine/house
lőpormalom n, powder-mill
lőporos a, (filled) with powder (ut), (összet) powder-; ~ hordó powder-cask/barrel/keg
lőporraktár n, powder-magazine/house
lőporszaru n, powder-horn
lőportár n, powder-magazine/house
lőportartó n, powder-flask/horn
lőportorony n, tower for storing gun-powder, powder-magazine
lőportöltet n, powder charge
lőportülök n, flask
lőporzacskó n, powder pouch/bag
lőporzúzó n, powder-mill
lőre [..ét] n, 1. second/after-wine 2. (elit) low/weak/washy wine, hog-wash (fam), wish-wash (fam), wishy-washy stuff (fam), lap (fam)
lőrés n, loop-hole, crenelle, embrasure, [lefelé] machicolation, [hajón] porthole
lőrésablak n, (épít) loop, loop-light
lőréses [-ek, -t] a, crenellated
Lőrinc [-et, -e] prop, Lawrence, Laurence
lösz [-ök, -t, -e] n, loess, aeolian/yellow soil
löszbaba n, (geol) loess doll, loess kindchen (ném)
lőszer n, ammunition, munition(s), ammo ◈; ~rel való ellátás ammunition supply
lőszerellátás n, ammunition supply, munitionment
lőszeres [-ek, -t] a, ammunition
lőszerfelvételező-hely n, ammunition refilling/supply point
lőszerfülke n, ammunition pit
lőszergyár n, ammunition-factory/works, munition-factory
lőszergyártás n, manufacture of ammunition
lőszerkamra n, ammunition-magazine
lőszerkészlet n, supplies of ammunition (pl)
lőszerkocsi n, ammunition-wag(g)on/car/box, artillery wag(g)on, [ágyúhoz kapcsolva] caisson
lőszeroszlop n, ammunition column
lőszerraktár n, ammunition-magazine, magazine, [elosztó] ammunition dump
lőszerrejtegetés n, illegal possession of ammunition, concealment of ammunition
lőszerszállítmány n, ammunition transport
lőszerszállító a, ~ részleg ammunition detail
lőszerutánpótlás n, replenishment of ammunition, ammunition supply
lőszervonat n, ammunition train
lösztalaj n, loess
lőtáblázat n, firing table, range-table
lőtávol n, = lőtávolság
lőtávolság n, range (of gun), gunshot, gun-reach, rifle-shot/range, [kívánt] distance for shooting; közvetlen ~ point-blank range; tényleges ~ effective range; ~ban within range, within rifle-shot; nagy ~ban at long range; ~on belül within range; ~on kívül out of range
lőtér n, rifle-range, shooting/experimental range, shooting ground, musketry camp
őtt [-ett; adv -en] a, 1. ~ seb bullet/missile wound, (gun-)shot wound 2. ~ vad (shot) game
ötyög [-tem, -ött, -jön] vi, 1. [géprész meglazul] have

play, move freely, [erősen] wobble 2. [ruha vkn] hang loosely (on sy), be too big for sy, [bő szárú nadrág] flap, [petyhüdt bőr] sag, be flabby/flaccid/limp, hang loosely 3. [folyadék vmben] toss/shake about (in sg) 4. [vk lóg biz] loaf/loiter about
lötyögés n, 1. [géprészé] wobble, wobbling 2. [bő szárú nadrágé] flapping 3. [folyadéké] tossing (about) 4. [lógás vké biz] loafing (about), loitering (about)
lötyögő [-ek, -t; adv -en] a, = lötyögős
lötyögős [-et; adv -en] a, 1. [meglazult] shaky, wobbling 2. [ruha] baggy, [nadrág] loose-fitting, slack 3. [bőr] sagging, flabby ,flaccid, limp, slack
lötyögtet vt, shake about
lötty [-öt, -e] n, wash, [leves, bor, kávé] thin/washy/watery soup/wine/coffee, slipslop (fam), slops (pl) (fam), (cat-)lap (fam), dish-water/wash (fam), hogwash (fam), wish-wash (fam), wishy-washy stuff (fam)
löttyedt [-et; adv -en] a, = lottyadt
löttyen [-t, -jen] vi, [víz vmre] spill (on sg), slop (on sg)
löttyent vt, spill, shed, pour out
lövedék [-et, -e] n, projectile, shot, missile (bomb-)shell, bullet; irányított ~ guided missile, bat; kétfokozatú irányított ~ bumper missile; légvédelmi irányított ~ anti-aircraft missile; világító ~ tracer bullet/shell; ~et élesít arm a projectile, insert a fuse in a shell
lövedékbecsapódás n, projectile impact
lövedékcsúcs n, head of shot, nose, ogival head, [robbanó töltettel] warhead
lövedékgyújtó n, fusee
lövedékköpeny n, bullet jacket
lövedékmozgás n, motion of projectiles
lövedékmozgástan n, ballistics
lövedékmozgástani a, ballistic
lövedékpálya n, trajectory (of projectile)
lövedékraktár n, shell park
löveg [-et, -e] n, gun, cannon, piece of ordnance; támogató ~ek accompanying artillery; egy ~et beállít bring a gun into firing position
lövegaljazat n, gun mounting
lövegállás n, [süllyesztett] gun pit, [kiépített] gun emplacement/platform, artillery emplacement, emplacement; rejtett ~ position defilade
lövegcső n, barrel (of gun)
lövegfedélzet n, gun deck
lövegharc n, artillery combat/action
lövegirányzék n, artillery level, gunsight
lövegirányzó n, gun-layer
lövegkezelő a, ~ legénység gun crew
lövegmozdony n, limber
lövegszabályzat n, (artillery) gun-book
lövegtalp n, gun-carriage
lövegtűz n, gun/artillery-fire
lövegzár n, breech-block, gun-breech mechanism, gun-lock
lövell [-t, -jen] I. vi, [folyadék] spirt (out), spurt (out), squirt II. vt, 1. [folyadékot] spirt (out), spurt (out), squirt, ejaculate 2. [füstöt] puff, discharge, emit, eject (suddenly), [ismételten] dartle 3. [sugarat nap] shoot, dart (beams), flash; fénysugarat ~ vmre throw rays of light upon sg; mérges tekintetet ~t felé she shot/flashed a glance of hatred at her; szeme villámokat ~t his eyes flashed
lövellés n, 1. [folyadéké] squirt, ejaculation 2. [füsté] (sudden) discharge 3. [sugáré] shot
lövellt [-et] a, ~ beton gunite
lövés n, 1. [többszöri] shooting, firing, [egy] snot, round, [hangja] report (of gun), [ágyúval] shelling, [vaktában] pot-shot; minden ~ talált every shot did execution; ~re készen ready to fire; egy sorozat ~t lead fire a round 2. [futball] shot

lövési [-t] a, ~ tilalom (vad) closed season/time
lövéssorozat n, burst
lövész [-ek, -t, -e] n, marksman, [jelzővel] shot, (kat) rifleman, fusilier, tirailleur, [kiváló] sharpshooter, rifle-shot
lövészalakulat n, rifle-corps
lövészárok n, trench, ditch, dug-out, [hosszú] entrenchment; a lövészárokba száll go into the trenches; lövészárkot ás dig a trench, (en)trench
lövészárokháború n, trench warfare
lövészegylet n, rifle-association/club
lövészet n, shooting, firing, marksmanship, (kat) musketry (practice), [tüzérségi] gunnery (practice)
lövészgödör n, rifle/shelter-pit, gunpit, foxhole (US)
lövésztársaság n, rifle-association
lövészünnepély n, rifle/shooting-match/meeting/contest, a shoot
lövet[1] vt, [várost] have a town shelled/bombarded, give order to bombard/shell (town), (vkre) give order to shoot/fire (at sy)
lövet[2] n, = lövés 1.
-lövetű [-ek, -t] a, -shooter; hat~ jegyver six-shooter
lövettyű [-t, -je] n, (műsz) injector, ejector
lövonal n, line of fire, firing line
lövő [-t, -je] I. n, shooter, marksman, [jó] good shot, sharpshooter II. a, (vmre) shooting, firing (at sg) (ut)
lövőház n, shooting/rifle-range
lövőhely n, = lövőház
lövölde [..ét] n, shooting/rifle-range, [vásári] shooting--gallery
lövöldöz [-tem, -ött, -zön] vi/vt, [vadra] shoot aimlessly, blaze away (at game) pot, (kat) snipe at the enemy
lövöldözés n, (kat) fusillade, rifle-fire, [céltalan] (wild/aimless) firing
lövőszög n, [lubdajátékban] shooting angle
lövővonal n, firing line
lubickol [-t, -jon] vi, paddle, dabble, splash; ~ a vízben splash about in the water
lubickolás n, paddling, dabbling, splashing
lubickoló [-t, -ja] n, [medence parkban] paddling-pool
lucaszék n, 〈 stool slowly made from the 13th to the 24th December for superstitious purposes on Christmas-night 〉
lucázás n, [népzene] 〈folk custom on St. Lucy's day accompanied by singing (fertility charms festival)〉
lucerna [..át] n, (növ) medic, medick (Medicago); takarmány ~ lucerne, alfalfa (M. sativa)
lucernás I. a, of/with lucern(e)/alfalfa II. n, lucern(e)/alfalfa-field
lucernatermelés n, lucerne growing
lucfenyő n, (növ) spruce (Picea); fehér ~ white spruce (P. alba); közönséges ~ Norway spruce (P. abies)
lucfenyőcincér n, (áll) spruce longhorn (Tetropium loridum)
lucfenyőszurok n, white resin
Lucifer [-ek, -t, -je] n, Lucifer
lucskos [-at; adv -an] a, 1. [út] slushy, sludgy, sloppy, slimy, miry, [idő] wet, dirty, [ruhadarab] ringing/soaking wet, [esőtől] drenched (with rain), [izzadságtól] bathed in perspiration (ut), streaming with perspiration (ut) 2. ~ káposzta boiled cabbage with meat
lucskosság n, slushiness, wetness
lucsok [lucskot, lucska] n, sluch, sludge, slime
lúd [ludat, -ja] n, goose (pl geese) (Anser sp., Branta sp.); kanadai ~ Canada goose (B. canadensis); örvös ~ darkbreasted brent goose (B. bernicla); szibériai ~ guinea-goose (A. rubrirostris); tőkés/szürke ~ grey goose (A. cinerea); vetési ~ bean goose (A. fabalis); ha már ~ legyen kövér (kb)

take/make a good one while you are at/about it, as well be hung for a sheep as a lamb, if we have the cake(,) let's have it all/right; sok ~ disznót győz (kb) even the strongest can be overpowered by numbers, even the strongest must fall to the crowd
lúdanyó n, ~ meséi Mother Goose stories
ludas [-ok, -t] a, (vmben) have a finger in the pie
ludaskása n, (kb) boiled millet with goose-giblets
lúdbőr n, goose-flesh/skin
lúdbőrös a, = libabőrös
lúdbőrz|ik [-ött, .. rözzön] vt, = libabőrös lesz
lúdcomb n, goose-leg
lúdgége n, shell-shaped pastry
lúdláb n, webbed foot of goose, goose-foot
Ludolph-féle a, ~ szám (menny) Ludolphian number
ludovikás n, 〈 Hungarian army officer trained in the „Ludovika" military academy before 1945 〉
lúdtalp n, flat/splay-foot, fallen arch(es), (orv) pronation
lúdtalpas a, = lúdtalpú
lúdtalpbetét n, arch-support, (orthopaedic) instep--raiser, insole, foot-easer
lúdtalpú [-ak, -t] a, flat/splay-footed
lúdtoll n, [írásra] quill (pen), goose-pen/quill
luesz [-ek, -t, -e] n, lues, syphilis
lueszes [-ek, -t; adv -en] a, luetic, syphilitic
luetikus a, luetic, syphilitic
luffa [.. át] n, loofah
luftballon n, (toy) balloon, air-balloon
lúg [-ot, -ja] n, lye, lie, strong caustic, (vegyt) alkali, lixivium, base
lúgálló a, alkali/lye resisting
lúgállóság n, alkali/lye resistance
lugas [-ok, -t, -a] n, bower, arbour, (épít) trellis, [rácsozata] trellis-work, [fedett] pergola; ~sal körülvesz embower
lúgfürdő n, alkaline bath/liquid
lúgkő n, caustic soda/stone, (vegyt) sodium hydrate/hydroxide
lúgkőmérgezés n, alkali poisoning, caustic soda poisoning, alkaline intoxication
lúgkőoldat n, caustic soda solution
lúgmérgezés n, = lúgkőmérgezés
lúgos [-at; adv -an] a, alkaline, lixivial, basic, [enyhén] alkalescent; ~ festék (orv) basic stain; ~ kémhatású fürdő (tex) alkaline bath; ~ marás colliquation; ~ vegyhatás alkaline reaction; ~sá válik become alkaline
lúgosít [-ani, -ott, -son] vt, alkalize, alkalify, alkalinize
lúgosító [-t] a, ~ anyag alkali
lúgosodás n, alkalescence, alkalescency
lúgosság n, alkalinity, basic capacity
lúgoz [-tam, -ott, -zon] vt, 1. [kilúgoz] leach, lixiviate, [szennyest] wash (linen) in lye, pour on the lye 2. [ércet] extract
lúgozás n, [kilúgozás] lixiviation, [szennyest] washing (of linen) in lye
lúgsó n, alkali
lúgtermelés n, alkali formation
lúgzókád n, lye vat, bucking kier, [mosáshoz] soda--water tub, [érchez] dissolving tub
Lujza [.. át] prop, Louisa, Louise
luk [-at, -a] n, = lyuk
Lukács [-ot, -a] prop, Lucas, Luke
lukas [-ak, -t; adv -an] a, = lyukas
Lukrécia [.. át] prop, Lucretia, Lucrece
lukulluszi lakoma Lucullan repast, Epicurean banquet
lumbálpunkció [-t, -ja] n, lumbar/spinal puncture/tap
lumen [-ek, -t, -e] n, 1. (fiz) lumen 2. nem nagy ~ he won't set the Thames on fire, he is no genius, he isn't brilliant
lumineszcencia n, luminescence
lumineszkál vi, luminesce

lumineszkáló [-ak, -t; *adv* -an] *a*, luminescent
lumma [.. át] *n*, *[madár]* guillemot *(Uria sp.); közönséges* ~ common/foolish guillemot *(U. lomvia)*
lump [-ot, -ja] *n*, reveller, carouser, debauchee, dissipated fellow, roisterer, racketeer
lumpenproletár *n*, disreputable tatterdemalion/ragamuffin
lumpenproletariátus *n*, disreputable tatterdemalions/ragamuffins *(pl)*, lumpenproletariat
lumpol [-t, -jon] *vi*, carouse, have a good blow-out, he/go on the spree, have a debauch, be on the binge ◈, make whoopee ◈, have a rare old beano ◈, go on the burst/bust ◈, *[rendszeresen]* frequent night haunts
lumpolás *n*, drinking-bout, spree, revelry, binge ◈, beano ◈, buster ◈
lunda [.. át] *n*, *[madár]* southern puffin *(Fratercula arctica grabae); sarki* ~ puffin *(F. sp.)*
lupa [.. át] *n*, 1. magnifying-glass, magnifier, loupe 2. *(koh)* ball, loop
lupakemence *n*, *(koh)* balling-furnace
lupatűz *n*, *(koh)* bloomery(-fire)
lupe [.. ét] *n*, = **lupa 1.**
lupus *n*, *(orv)* lupus, wolf
lupus in fabula talk of the devil (and he will appear)
lurkó [-t, -ja] *n*, imp, urchin, slyboots, little rogue/rascal
lusta [.. át] *a*, *[munkára]* lazy, idle, slothful, work-shy, indolent, shiftless, *[mozgásban]* sluggish, sleepy, tardy, *[felkelésben]* lie-abed, *[észjárás]* dull, sluggish, torpid; ~ *ember* sluggard, laggard, lazy-bones/boots; ~ *disznó/kutya* slacker
lustálkodás *n*, idling, slacking
lustálkod|ik [-tam, -ott, -jon, -jék] *vi*, idle (away one's time), live in idleness, take one's ease, laze, loll about; *a karosszékben* ~*ik* he's lolling in the armchair
lustán *adv*, idly, lazily; ~ *működik [zár] (fények)* rot
lustaság *n*, laziness, idleness, sloth(fulness), sluggishness, tardiness; ~ *az ördög párnája* idleness is the root of all evil, Satan finds some mischief for idle hands to do
lustít [-ani, -ott, -son] *vt*, (tend to) make lazy
lustul [-t, -jon] *vi*, (begin/tend to) grow lazy
lutheranizmus *n*, Lutheranism
lutheránus *a/n*, 1. Lutheran 2. *(átv elít)* hesitating, equivocating
lutheránusság *n*, Lutheranism
lutri [-t, -ja] *n*, lottery, *[kisebb]* numbers pool; *tiszta* ~*!* it's a toss-up; *kihúzta a* ~*t* he has had it, he has got it in the neck
lutriz|ik [-tam -ott, -zon, -zék] *vi*, play/put in the lottery
luvoldal *n*, *(hajó)* weather-side/board, luff

lux [-ot] *n*, *(fiz)* lux
Luxemburg [-ot, -ban] *prop*, Luxemburg
luxemburgi [-ak, -t] I. *a*, Luxemburgian, of Luxemburg *(ut)* II. *n*, Luxemburger, native of Luxemburg
luxmérő *n*, *(fiz)* lux-meter
luxus *n*, luxury, luxuriousness, sumptuousness; *nagy* ~*ban él* live in (the lap of) luxury, luxuriate, live in clover *(fam); megengedi magának azt a* ~*t hogy* indulge in (the luxury of) doing sg
luxusadó *n*, luxury tax
luxusállat *n*, pet
luxusáru *n*, fancy goods *(pl)*
luxusautó *n*, luxury/saloon car, pleasure-car
luxusautóbusz *n*, motor saloon coach, parlor coach *(US)*
luxusbőr *n*, fancy leather
luxuscikk *n*, luxury (article), fancy goods *(pl)*
luxuskabin *n*, *(hajó)* state-room/cabin
luxuskiadás *n*, 1. *(nyomd)* edition de luxe *(fr)*, bibliophil(e) edition 2. *[felesleges pénzköltés]* expenditure of/on luxuries
luxuskocsi *n*, 1. = **luxusautó;** 2. *(vasút)* palace-car
luxuskötés *n*, *[könyvé]* extra binding
luxuslakás *n*, luxury flat/dwelling
luxusos [-at; *adv* -an] *a*, luxurious, luxury, de luxe *(fr) (ut)*, sumptuous
luxusszálló *n*, palace
luxusvonat *n*, luxury train, Pullman-car express
luzitáni [-t] *a*, *(geol)* Lusitanian
lüke [.. ét] *a*, dotty, barmy, moonstruck, cracked, crack-brained
lüktet *vi*, 1. *[szív]* beat (strongly/rapidly), pulsate, pulse *(amitől* with), palpitate, flutter, throb, *[seb]* throb, pulsate; ~ *a halántéka* his head is pumping; *láztól* ~*ett a halántéka* his temples were throbbing with fever, his head was pumping with fever; ~ *az ujjam* my finger is throbbing 2. *[élet]* throb.
lüktetés *n*, beat(ing), pulsation, pulse, throb(bing), palpitation
lüktetésmérő *n*, *(orv)* pulsimeter
lüktető [-ek, -t; *adv* -en] *a*, 1. pulsating, pulsatory, pulsatile, throbbing, palpitating; ~ *fájdalom* throbbing/lancinating/twinging pain 2. ~ *áram* pulsating/pulsatory current; ~ *feszültség* pulsating voltage; ~ *gerjesztés* pulse excitation; ~ *hullám* pulsating wave; ~ *hullámmal való adás* pulsatory wave transmission 3. ~ *élet* feverish activity, bustle, hectic life; ~ *(forgalmú) város* throbbing city
lüszter [-ek, -t, -e] *n*, (silk) lustrine, lutestring, cotton lustre
lyd [-et] *n*, *(zene [hangnem]* Lydian mode
lymphocita [.. át] *n*, *(bonct)* lymphocyte

LY

lyuggat vt, make holes (in), pierce, perforate
lyuggatás n, perforation
lyuggató [-t, -ja] **I.** a, perforative **II.** n, perforator, [kalauzé] ticket-punch, [fúró] drill
lyuk [-at, -a] n, **1.** (konkr) hole, [nyílás] aperture, opening, gap, mouth, [cipőzsinórnak] eye, [kéménye] orifice, [fúrt] boring, bore(-hole), [szúrt] puncture, perforation, [rovarokozta] prick, (orv) foramen, [biliárdnál] pocket, [fuvolán] stop, [fúvóshangszeren] ventage, [szellőztetésre] vent; csupa ~ a zoknim my socks are full of holes; a tű ~a the eye of a needle; ~ba bújik hide in hole; ~ba lök/taszít [biliárdgolyót] pocket; ~at betöm stop (up) a gap, (átv) supply a need/want; ~at fúr make/burrow/ bore a hole (in sg), hole, pierce; ~at üt vmbe knock a hole in/through sg, poke a hole in sg; ~at vág vmn peck a hole in sg; ~at beszél a hasába make sy believe that day is night, make sy believe that black is white, talk sy's head off, talk the leg off (sy), talk the hind leg off a donkey **2.** [kenyérben, sajtban] eye **3.** [egéré, vakondoké, nyúlé] hole, [rókáé, borzé] earth, burrow; ~ba bújik go to earth **4.** [rossz lakás] (rotten) hole (of a place), den, hovel
lyukacsos [-at; adv -an] a, full of holes (ut), [szerkezetű] porous, (orv) foraminous, (term) fenestrated
lyukacsosság n, porousness, porosity, (term) fenestration
lyukad [-t,-jon] vi, (begin/tend to) get holed, [harisnya] (begin to) wear into holes
lyukadás n, perforation
lyukas [-at; adv -an] a, **1.** holed, holey, with holes (in it) (ut), [autógumi] punctured, flat (tyre), [cipő] leaky, in holes (ut), [hordó] leaky, [sajt] eyey; ~ a cipője his boots let in water; ~ fog decayed/ hollow tooth; ~ a keze (átv) he is butter-fingered; ~ a könyöke [kabátnak stb.] be out at elbows; ~ kulcs piped key; ~ lesz [fog] get cavities; ~ mint a szita/ rosta (biz) be as full of holes as a sieve; egy ~ vasa sincs (biz) he is (stony) broke, he is out of funds, he has not got a penny to bless himself with, he hasn't got a feather to fly with, he has not got a red cent (US); ~ra koptat wear holes in sg **2.** ~ óra (isk)

free period/hour, an hour off, a break of an hour (in between classes)
lyukaskezű a, butter-fingered
lyukaszt [-ani, -ott. . . asszon] vt/vi, make a hole (in sg), hole sg, [hirtelen] pierce, puncture, [sűrű sorban] perforate, [jegyet] punch, clip
lyukasztás n, **1.** making hole(s), holing, [sűrű sorban] perforation, [hirtelen] piercing, [jegyé] punching, clipping, blanking **2.** [helye] punch-mark
lyukasztásos [-at] a, ~ kártya/lap punched card
lyukasztó [-t, -ja] **I.** a, puncturing, perforative **II.** n, (quill) punch, puncher, perforator, [kalauzé] ticket- -punch, [asztalosé] gimlet, auger
lyukasztóár n, puncher, piercel
lyukasztófűrész n, piercing/compass saw, key-hole saw
lyukasztógép n, punch(ing-machine), puncturing machine, general/paper punch, hole puncher, perforator
lyukasztószerszám n, = lyukasztó
lyukasztóvas n, pinking-iron, long borer, piercer, pricker
lyukbőség n, mesh
lyukfúró n, (bit-)brace, gimlet, auger, [ár] bradawl
lyukfűrész n, compass/piercing/keyhole-saw
lyukjelző n, centre punch
lyukkaliber n, plug-gauge
lyukkártya n, punch(ed) card
lyukkártya-feldolgozás n, [adatoké lyukkártyákkal] evaluation by punched card system, [maguknak a kártyáknak a feldolgozása] processing of punched cards
lyukkártya-rendszer n, punched card system
lyukkártyás a, ~ adatfeldolgozás data processing by punched card system
lyukkör n, centre circle [csőkarimán] pitch circle
lyukmélyítés n, (bány) subdrilling
lyuksimítás n, counter-boring
lyuktágítás n, counter-boring
lyuktágító n, reamer(-bit), finishing-bit, countersink
lyukütő n, piercer
lyukvágó n, hollow punch, countersink
lyukvéső n, (mortise) chisel, cutting punch, boring-cutter

M

m [m-et, m-je] *n*, m, the letter m/M; *kis m-mel ír* wrire with small m; *nagy M-mel ír* write with capital **M**

ma [mát] **I.** *adv*, to-day, today, *[jelenleg]* at present, at the present time, *[manapság]* nowadays; ~ *reggel* this morning; ~ *délben* to-day at noon, to-day noon *(US);* ~ *délután* to-day afternoon; ~ *este* this evening, to-night; ~ *éjjel* to-night, *[mára virradó]* last night; ~ *egy hete* this day last week, a week ago to-day; ~ *nekem holnap neked* to-day me(,) to-morrow thee; ~ *itt holnap ott* here today and gone tomorrow **II.** *n*, to-day, today, the/this present time, the present day, our days *(pl);* *nem tudni mit hoz a ~* who knows what the day has in store (for us); ~ *iprilis 12-én* today on the twelfth of April; *mához egy hétre* this day week, to-day week, a week hence; *mához egy évre* this time next year, a year from now; *mára elég (lesz)* let's call it a day; *máról holnapra [hirtelen]* overnight, *[nehezen élve]* from hand to mouth; *máról holnapra él* lead a hand-to-mouth existence; *mától fogva* from this day (forward, forth), from now on; *mától számítva/kezdve* reckoning from to-day

macedon [-ok, -t, -ja; *adv* -ul] *a/n*, Macedonian

Macedónia [.. át, .. ában] *prop*, Macedonia

macerál [-t, -jon] *vt*, 1. vex, tease, torment, pester, harass, *[vmt kézzel]* finger, squeeze 2. *(műsz)* = áztat

macerálás *n*, 1. teasing, pestering, harassing 2. *(műsz)* = áztatás

macesz [-ek, -t, -e] *n*, unleavened bread, matzos, matzoth

machináció [-t, -ja] *n*, scheming, machination, plot, intrigue, intriguing, goings-on *(pl)*, engineering *(fam)*, jiggery-pokery *(fam)*

machinál [-t, -jon] *ví*, scheme, machinate, plot, intrigue

Mach-szám *n*, *(rep)* M-number, Mach number

mackó [-t, -ja] *n*, 1. *[állat]* bear's cub 2. *[mesékben]* Bruin, Master Bruin 3. *[játék]* Teddy bear 4. *[gyermekruha]* = **mackóruha**

mackóruha *n*, sports top and trousers *(pl)*, overalls *(pl)*, *[gyermeké]* romper, legging suit

maccs [-ot, -a; *adv* -ul] *n*, ~*ban* marad not to take a single trick; ~*ot csinál* take all the tricks

mácsik [-ot, -ja] *n*, ribbon vermicelli, thin noodle(s)

macska *n*, 1. *(áll)* cat *(Felis sp.)*, *(tud összet)* feline; *him* ~ he-cat, tom cat; *kis/kölyök* ~ kitten; *nőstény* ~ she-cat; *vén* ~ grimalkin; *pettyes* ~ fishing cat *(F. viverrinus);* *perzsa* ~ Persian cat; *sziámi* ~ Siamese; *játszik vele mint* ~ *az egérrel* play cat-and-mouse with sy; *kerülgeti mint* ~ *a forró kását* beat about the bush; *vigye el a* ~*!* the devil take it/him/ her! 2. *[összecsomósodott por]* fug, flue, fluff

macskaasztal *n*, side-table (laid for children)

macskabagoly *n*, *(áll)* tawny owl, howlet *(Strix aluco)*

macskabajusz *n*, *(kb)* handlebar moustache

macskabolha *n*, cat flea *(Ctenocephalides felis)*

macskacápa *n*, *(áll)* dog-fish *(Scyllium sp.)*

macskaeledel *n*, cat's-meat

macskafaj *n*, cat-tribe/family, feline family, *(tud)* felidae *(lat pl)*

macskafark *n*, *(növ)* cat's tail *(Equisetum arvense)*

macskafejes *a*, ~ *kövezet* cobblestone pavement

macskaféle *(áll)* **I.** *a*, feline **II.** *n*, felid, feline; *macskafélék* felidae *(lat)*

macskagyökér(fű) *n*, *(növ)* catnip, all-heal, valerian(a) *(Valeriana celtica/officinalis)*

macskajaj *n*, hangover, (that) morning after feeling, crapulence

macskajajos [-at; *adv* -an] *a*, hangoverish, seedy, crapulent, mouldy ◈

macskakaparás *n*, *[írás]* scrawl, scribble, scratchy/ crabbed/cramed writing

macskakarmolás *n*, (cat's) scratch

macskakő *n*, *[útburkoláshoz stb.]* flag(stone), cobble stone, cobstone

macskakölyök *n*, kit(ten)

macskakörmök *n. pl*, inverted commas, quotation/ ditto marks, quotes *(fam)*, cat's claws *(fam)*

macskaló *n*, small horse, pony

macskalyuk *n*, hole (for cat in door)

macskamedve *n*, *(áll)* bear cat, cat bear, panda *(Ailurus fulgens és Ailuropoda melanoleuca)*

macskamenta *n*, *(növ)* catnip, nep *(Nepeta sp.);* *illatos* ~ cat's wort, catmint *(N. cataria)*

macskaméz *n*, *(nép)* = **mézga**

macskamosdás *n*, ~*t csinál (biz)* give oneself a lick and a promise

macskanyávogás *n*, (cat's) mewing, miaowing, caterwauling

macskanyelv *n*, *[csokoládé]* langue-de-chat *(fr)*, *[sütemény]* finger biscuit

macskanyúl *n*, *(áll)* mountain chinchilla *(Lagidium peruanum)*

macskaszem *n*, 1. *[emberé]* cat's/green(ish) eye(s) 2. *(ásv)* cat's/tiger eye, star-stone 3. *(növ)* hen-bit *(Lamium amplexicaule)* 4. *[járművön]* (red) reareflector, bull's-eye

macskaszemű *a*, cat-eyed

macskaszerű *a*, = **macskatermészetű**; ~ *kecsesség* feline grace

macskaszerűség *n*, felinity

macskaszőrtetű *n*, *(áll)* biting cat louse *(Felicola subrostrata)*

macskatermészetű *a*, *(vk)* catlike, catty, cattish, kittenish, feline *(ref.)*

macskaugrás *n*, *egy* ~*nyira* a stone's cast/throw; ~*nyira van innen* it's only a hop(,) skip(,) and a jump

macskazene *n*, caterwauling, mock serenade, tin-kettle music, catcall, charivari, Dutch-concert, shivaree *(US)*, callithump *(US);* *macskazenét ad vknek* give sy a mock serenade, catcall sy

mácsonya [.. át] n, (növ) teasel (Dipsacus fullonum)
Madagaszkár [-t, -on] prop, Madagascar
madám [-ot, -ja] n, (vál) [szülésznő] midwife, [néha] (hospital) nurse
madár [madarat, madara] n, bird, (ritk) fowl; átvonuló ~ migratory bird; fiatal ~ fledgling; ~ak királya king of birds; mit keresel itt ahol a~se jár? what are you doing in this out-of-the-way place?; madarat lehetne fogatni vele be happy as a lark, be merry as a sandboy; madarat tolláról embert barátjáról birds of a feather flock together, a man is known by the company he keeps; csúf ~ az amely saját fészkébe piszkít it is an ill bird that fouls its own nest; madarak és fák napja Bird and Arbour Day
madaracska n, little bird, birdie (baby talk)
madarász I. vi, [-tam, -ott, .. sszon] go bird-catching, catch/trap birds II. n, [-ok, -t, -a] fowler, bird--catcher; M~ Henrik Henry the Fowler
madarászás n, fowling, [síppal, léppel] bird-catching/ snaring
madarászháló n, fowler's net, bird-net
madarász|ik [-tam, -ott, .. ásszék, .. ásszon] vi, fowl
madarászpók n, (áll) bird-spider (Mygale)
madárberkenye n, (növ) rowan, mountain ash (Sorbus aucuparia)
madárcsali n, decoy
madárcsalogató n, [síp] bird-call/whistle
madárcsapda n, = madárfogó
madárcseresznye n, (növ) bird-cherry, gean, mazzard (Prunus avium)
madárcsicsergés n, = madárcsiripelés
madárcsiripelés n, twittering, chirping
madárcsőr n, bill
madárcsüd n, spur (of cock)
madárdal n, = madárének
madáreledel n, = madáreleség
madáreleség n, bird-seed
madárének n, singing, song, warbling (of birds), bird--call, wood-notes (pl) (ref.)
madárenyv n, bird-lime
madáretető n, feeding-table, [tölcséres] feeding-hopper
madárétkű [-ek, -t] a, little eater
madárfaj n, bird species
madárfarok n, bird's tail
madárfauna n, avifauna
madárfészek n, bird's nest, bird-nest; a fiúk ~ keresésére indultak boys have gone nesting; madárfészket kiszed bird-nest, nest
madárfióka n, young bird, nestling, fledgling; csupasz ~ naked nestling; pelyhes ~ squab
madárfogás n, [tornában] bird's grasp, claw grip
madárfogó n, 1. trap, snare (for birds), bird-snarer; ~ lép bird-lime 2. = madarász II.
madárfütty n, = madárének
madárgyűrűző n, birdbander
madárháló n, bird-net, fowler's net
madárhang n, = madárének
madárhangú a, chirpy, with a chirpy voice (ut)
madárház n, large bird-cage, aviary, shelter, pigeon cote
madárhúr n, (növ) goose-grass, cerastium (Cerastium sp.)
madárhúsú a, thin, lean
madárijesztő n, (átv is) scarecrow; olyan mint egy ~ she looks a regular guy, she is a fright, she is a veritable scarecrow
madáritató n, bird-font, birdbath
madárjós n, augur
madárjóslás n, augury, (tud) ornithomancy
madárjóslat n, augury
madárka n, little bird, birdling, birdie (baby talk)
madárkalitka n, bird-cage, [nagy] aviary

madárkereskedés n, 1. [üzlet] bird-shop 2. [szakma] bird-selling
madárkereskedő n, bird-seller/fancier
madárkeserűfű n, (növ) knot-grass, pigweed (Polygonum aviculare)
madárköles n, (növ) panic (Panicum avium)
madárköltözés n, migration of birds
madárláb n, bird's/fowl's leg/foot
madárlátta [.. át] a, ~ kenyér ⟨bread brought home from work in the fields (v. from journey/excursion)⟩
madárlép n, bird-lime, [vessző] lime-twig, snare; ~pel fog madarat lime (birds)
madármegfigyelés n, bird-watching
madármegfigyelő n, bird-watcher
madárnyelv n, 1. language of birds 2. (átv) cant
madárodú n, nesting box
madárpiszok n, droppings (of birds) (pl)
madárraj n, (a) flock/congregation/flush/flight of birds
madárrepülés n, flight of birds
madársaláta n, corn salad, lamb's lettuce
madársereg n, bevy, flight (of birds)
madársíp n, bird-call
madársóska n, wood-sorrel, (tud) oxalis (Oxalis)
madársörét n, bird/fowling/dust-shot, small shot, mustard-seed (shot)
madárszakértő n, bird-fancier
madárszerű a, birdlike
madárszó n, bird-call
madártan n, bird-lore, ornithology
madártani a, ornithological
madártávlat n, bird's-eye view, aerial perspective
madártej n, 1. (növ) star of Bethlehem, (tud) ornithogalum (Ornithogalum umbellatum) 2. [étel] floating islands (pl) (US)
madártenyésztő n, bird-fancier
madártetű n, (áll) bird-lice (Mallophaga)
madártojás n, bird's egg
madártojástan n, (áll) oology
madártoll n, bird's feather, [szára] quill
madártrágya n, dung of birds, droppings of birds (pl), bird-guano
madárvédelem n, protection of birds
madárvilág n, avifauna
madárvonulás n, migration/passage of birds
madárzene n, bird music
madeira [.. át] n, 1. [hímzés] eyelet embroidery, Madeira, broderie anglaise (fr), [anyag] eyelet embroidered cotton/batiste, open-work 2. [bor] Madeira (wine)
mádi a, ott van ahol a ~ zsidó he has boxed the compass
madonna [.. át] n, Madonna
madonnaarc n, sweet innocent face
madonnakép n, = Madonna
madonnaszobor n, madonna
Madrid [-ot, -ban] prop, Madrid
madrigál [-ok, -t, -ja] n, madrigal
madrigálszerű a, madrigalesque
madzag [-ot, -(j)a] n, string, twine, [csomagoláshoz] pack-thread
maffia [.. át] n, mafia, cabal, junto
mafla [.. át] I. a, stupid, thickheaded, sheepish, doltish, boobyish, [külsőre] awkward, lumpish, hulking II. n, simpleton, thickhead, blockhead, dolt, booby, noodle, tomfool, numskull, muff, mug, mutt (US)
maflaság n, (piece of) stupidity, dullness, lumpishness sheepishness
mafláskod|ik [-tam, -ott, -jon, -jék] vi, tomfool
mag [-ot, -ja, -va] n, 1. (ált) seed, [apró szem] grain, [csontos] stone, kernel, [almáé, körtéé, narancsé] pip, [szőlőé, barackéj] stone; fedett ~ covered seed, csupasz ~ naked seed; tápszövettel rendelkező ~ albumi-

nous seed; *tápszövettel nem rendelkező* ~ exalbuminous seed; ~ *nélküli [gyümölcs]* seedless; *~ba megy* go/run to seed, *[saláta]* bolt; *~nak hagy [növényt]* let (plant) go/run to seed, *[vetőmagnak]* keep (corn) for sowing; *~ról* from seed; *~ról nőtt palánta* seedling; *~gal bevetett parcella/melegágy* seed plot 2. *[atomé, sejté]* nucleus, *(összet)* nuclear; *az üstökös ~ja* the nucleus of a comet 3. *(műsz)* core (of mould); *belső* ~ *[geofizikában]* inner core 4. *[emberi]* seed, *(orv)* semen, sperm; *~va szakad* die childless, die without progeny/issue/children 5. *(átv)* seed; *elveti/ elhinti vmnek a magvát* sow the seeds of sg 6. *[vm lényege]* kernel, pith, gist, core, heart, the main point; *egy beszéd ~va* the body/essence of a speech; *az ügy ~va* the heart of the matter

mag- *(fiz)* nuclear; *ld még* **nukleáris**

maga [-m, -d, magunk, -tok, maguk, magát, magáé] 1. *n. refl, (én) ~m* (I) myself; *(te) ~d* (you) yourself; *(ő)* ~ (he) himself, (she) herself, *(vm)* (sg) itself, *[az ember ált]* oneself; *(mi) magunk* (we) ourselves; *magunk között (szólva)* (just) between ourselves, between you and me; *(ti) ~tok* (you) yourselves; *(ők) maguk* they themselves; ~ *mögött hagy* leave behind, outdistance, outrun, outpace, *[gyaloglásban]* outmarch, *(átv)* supersede, surpass; ~ *után von vmt* involve/entail sg, carry with it, lead to, result in, imply, bring in its wake, bring (sg) about, produce (sg) as a consequence; ~ *után vonszol* drag along with one; *~m részéről* as for myself; *a* ~ *helyén* in the right place; ~ *a gondolat* the mere thought; ~ *a kedvesség* be the perfection of kindness; ~ *készítette* self-made; *a* ~ *módján* in his way; ~ *nemében páratlan/egyedülálló* unique, unlike anything else; ~ *a nyájasság* be the perfection of kindness; *~a puszta tény (hogy)* the mere fact (in) itself (that); ~ *tervezte* self-devised; ~ *a tökély* pink/prime of perfection; ~ *a király sem* not even the king (himself); *ő ~ sem* hiszi he does not believe it himself; *magába foglal* include, take up, contain, embrace, comprise, comprehend, embody; *mindent magába foglaló* all-comprehensive; *magába fojt* restrain, keep to oneself, hold back, bottle up *(fam)*; *magába fojtja haragját* restrain one's temper, bottle up one's anger; *magába mélyed* commune with oneself, be lost in one's thoughts, sink in oneself, *[sötéten]* be in a brown study; *magába mélyedő* introverted, introspective; *magába száll* retire within oneself, commune with oneself, examine oneself, make one's soul *(fam)*, *[bűnbánóan]* repent, feel remorse, be contrite; *magába szállás* introversion, self-communion, *[bűnbánó]* contrition, penitence; *magába szí* imbibe, soak in, absorb, *(átv)* be imbued with, *[levegőt]* inhale, breathe in; *magába zár [sír halottat]* entomb; *magába zárkózik* withdraw into oneself; **magában** *[egyedül]* alone, apart, *[magában véve]* in itself, *(szính)* aside, *[férfi szereplő]* solus; *magában áll* stand/be alone, stand by itself, *[eset]* be unique; *magában álló* solitary, lonely, single, *[eset]* unique, unparalleled, *[ház]* isolated, detached; *magában beszél* speak/talk to oneself, soliloquize, monologize; *azt mondtam ~mban hogy* . . . I said to myself that...; *magában bosszankodott* he fumed inwardly; *magában foglal* include, contain, comprise, comprehend, cover, encompass, incorporate, *[következményt]* involve, imply; *mindent magában foglaló* all-comprehensive; *mindent magukban foglaló árak* inclusive terms; *az ár magában foglalja* ... prices include; ...*gondolta magában*—he said/thought to himself; *valamennyi kapitalista állam magában hordja saját pusztulásának csíráját* all capitalistic countries carry in themselves the seeds of their own decay; *magában nevet* laugh/chuckle to oneself

laugh inwardly; *magamban* in my mind, to myself; **magából** *kikelve* beside oneself, in a rage/fury; *magából a tálból* straight out of the dish *(v.* off the plate); *nem ereszt* **magához** *senkit* won't see anybody, be difficult of access/approach, be inaccessible; *magához kéret vkt* send for sy, ask sy to come, *[erősebb]* summon sy; *magához ragadja a hatalmat* seize power; *magához tér [ájult]* recover/regain consciousness *(v.* one's senses), come to life/oneself, come to/round *(fam)*, *[gyengeségből]* rally, pull oneself together, recover/gather strength; *ámulatból magához tér* recover from one's astonishment/surprise, get over one's astonishment/surprise; *magához térít* recall sy to life, bring/get sy round; *egy pohár bor magához fogja téríteni* a glass of wine will pull him round; *nem tudok magamhoz térni a meglepetéstől!* *(biz)* I'm lost of astonishment!, I can't get over it!; *van magához való esze* he knows where his advantage lies, he knows on which side his bread is buttered; *magához vesz (vmt)* take (sg) to/with one(self), *[ételt]* take (food), *[gyermeket]* adopt; **magán** *a hegyen* on the hill itself; *magán kívül [= kívüle]* besides him; *ld még* **magánkívül**; *magán tart [ruhadarabot]* keep on; *uralkodik magán* keep one's temper, keep oneself under control, control one's feelings, keep down one's anger/impatience; **magának** *árt* do oneself harm, prejudice one's own interests; *magadnak köszönheted* you have brought it on yourself, you were asking for it; *magának él* live a lonely/retired life. live in seclusion; *~nak élő/ való* retiring, unsociable; *vesz magának vmt* buy sg for oneself; **magánál** *tart [igazolványt]* have (identity card) on/about/witу one(self); *magánál van* be conscious; *nincs magánál* be unconscious, be in a swoon; **magára** *hagy vkt* leave sy to oneself, *[bajban]* forsake, desert, abandon (sy), leave in the lurch, leave to one's own devices/resources; *magára hagyatva* left to oneself, unaided, *[bajban]* left with no one (to help), forsaken; *magára haragít vkt ld* **haragít**; *magára kapja az ingét* slip into one's shirt; *magára marad [egyedül]* be left alone, be lonely, *[nézetével]* find no support; *magára maradt* left alone *(ut)*, deprived of adherents *(ut)*, deserted, abandoned; *magára maradt véleményével* he no longer finds anyone to agree with him; *magára talál* find oneself, find one's feet, *[hivatásilag]* find one's vocation; *magára vállal vmt* take (it) upon oneself to do sg, take charge of sg, *[felelősséget]* undertake; *~dra vess* blame no one but yourself; *magára vesz* take upon oneself, *[felelősséget]* assume, undertake, shoulder (responsibility), *[célzást]* regard (allusion) as referring to oneself, take (remark) personally, take the hint, *[munkát]* shoulder (task), buckle down to, take on, stand into the breach, *[ruhát]* put on; *magára von [figyelmet]* attract (attention), *[haragot]* incur (displeasure); *magára vonja az ég haragját* draw down wrath from heaven; *magára zárja az ajtót* lock/shut oneself up/in; *folyton* **magáról** *beszél* he keeps on (talking about himself; *megfeledkezett magáról* he forgot himself; *felakasztja* **magát** *hang* oneself; *engem ~mat* myself, me personally; *megkapja a magáét* get one's due; *jól megkapia a magáét (biz)* he has got it in the neck, he has got what he deserved, he's had it ◈; *megmondja a magáét* speak one's mind, *(vknek)* tell (sy) a few home truths; *megteszi a magáét* do one's best/duty/share/ utmost/bit, do one's (level) best, do all within one's power; **magától** *[beavatkozás nélkül]* of itself/ oneself, of one's own accord, automatically; *magától értetődik* it goes without saying, it stands to reason (that), it's only too obvious/natural; *magától értetődő* self-evident, obvious, natural; *magától értetődő dolog* it is an understood thing; *magától értetődő dolog számára* it comes natural to him; *magától értetődőnek vesz vmt* take sg for granted; *magától működő* automatic(al), self-acting, working of itself *(ut)*; *magától nyíló és csukódó ajtó* door that opens and shuts (by) itself; **magáévá** *tesz [nézeteket]* make ... one's own, accept, identify oneself with, concur (in), agree (with), *[tudást]* appropriate, *[ügyet]* take up, embrace, espouse, adopt (a cause); *magáévá teszi vknek az ügyét* take up sy's cause; *nem teszem a magamévá* I do not subscribe to it; *magunkévá tesszük a bíróság döntését* we will abide by the court's ruling; **magával** *ragad [hallgatóságot stb.]* enrapture, stir, grip (the audience); *magával ragadó* fascinating, gripping, rousing, heart-stirring; *magával ragadó szónok* speaker who sweeps his audience along with him; *magával ragadta az érzelem* his emotions ran away with him; *magával ragadta hallgatóit* he carried his audience with him; *magával visz (vmt)* take sg along, *(vkt)* take sy with one, *[erőszakkal]* carry away, carry sy off *(fam)*; *nem bír magával* be unable to control/restrain oneself

II. *a, refl. [birtokos]* (one's) own, proper; *a ~ dolga* his own affair/business; *ki-ki törődjék a ~ dolgával* everybody should mind his own business; *a ~ erejéből lett naggyá* he is a self-made man; *a ~ lábán jár* be independent, stand on one's own legs/feet; *tégy mindent a ~ helyére* put everything in its right/proper place; *a ~ ura* one's own master

III. *adv. refl. [egyedül]* alone, (all) by oneself, unaided, without help; *majd megcsinálom (saját) ~m* I will do it myself; *~m főzők (magamra)* I do my own cooking; *~ varrja a ruháit* make one's own dresses

IV. *n. pron, [ön]* you

magába I. *adv. refl, ld* maga I.; II. *adv. pron, [önbe]* in you; *~ helyezte minden bizalmát* he put all his trust/confidence in you

magában I. *adv. refl, ld* maga I.; II. *adv. pron, [önben]* in you; *~ megbízom* I trust you

magabíró *a,* vigorous, capable, active, *[erőben]* robust, able-bodied, hale and hearty, *[anyagilag]* well-to-do

magabízás *n,* self-reliance/confidence

magabízó [-ak, -t; *adv* -an] *a,* self-confident/reliant

magabiztos *a,* sure of oneself *(ut)*, self-confident, *(elit)* cocksure; *~ mosoly* confident smile; *~ modor* confident manner; *nagyon ~* be full of confidence

magabiztosság *n,* (self-)confidence, (self-)assurance, *(elit)* cocksureness

magából I. *adv. refl, ld* maga I.; II. *adv. pron, [önből]* *~ jó orvos lesz* you will make a good doctor

magácska *n. pron, (kb)* you (dear)

magad *n/a/adv. refl, ld* maga I-III.

magáé [-t] I. *a/n. refl,* 1. *[sajátja]* sy's own 2. *ez Miskáé ~* it belongs to Mike (himself), it is Mike's own II. *a/n, [őné]* yours; *az én könyvem csak fűzött(,)* *a M~ kötött* my book is stitched only(,) yours is bound

magafajta *a. refl, ~ ember* a man of his east/kidney; *magamfajta* like me, such as I, of my stamp/cast, my equals, of my own level *(ut)*; *nem magamfajta* he is not my sort; *a magamfajta (szegény) emberek* the likes of me, men like myself

magaféle *a. refl,* = magafajta

magágy *n,* seed-bed

magahitt *a,* self-satisfied/important, humptious, conceited, *(elit)* cocksure

magához I. *adv. refl. ld* maga I.; II. *adv. pron* *[önhöz]* to you; *ld még* maga I.

magajáró *a,* = magánjáró

magakelletés *n,* coquetry

magakorabeli *a,* of/about his/her own age *(ut)*

magakorú *a,* of the same age *(ut)*

magam *n/a/adv. refl, ld* **maga**

magamaga *n/a/adv. refl,* he himself, she herself; *magamagát* = magát; *magamagától* = **magától**

magamutogatás *n,* exhibitionism

magamutogató *n,* exhibitionist

magán *adv. refl, ld* **maga** I.

magán- *a, (összet)* 1. private, personal, proprietary 2. *[nem hivatalos]* unofficial

magánadósság *n,* private/personal debt

magának I. *adv. refl, ld* maga I.; II. *adv. pron. [önnek]* (to) you

magánál I. *adv. refl, ld* maga I.; II. *adv. pron, [önnél]* 1. *~ találkozzunk* let us meet at your place 2. *~ van a könyv?* have you the book?, have you brought the book along (with you)?; *ld még* maga I.

magánalkalmazott *n,* employee (of private firm/office)

magánautó *n,* private car

magánautós *n,* owner-driver

magánbank *n,* private bank

magánbeszéd *n,* soliloquy, monologue

magánbeszélgetés *n,* private talk/conversation/interview

magánbeteg *n,* private patient

magánbirtok *n,* private property

magáncég *n,* private firm

magáncél *n,* personal aim/end, private motive; *~ra* for personal use, for private purposes

magándetektív *n,* private detective/investigator/eye, sherlock *(fam), [üzemé]* house detective

magánegyesség *n,* private settlement

magánélet *n,* private/personal life, privacy, privateness, intimity; *a ~ben* in private life, in private

magánember *n,* private person/individual/citizen; *~ként jár el* act as a private individual, act unofficially

magánénekes *n,* soloist

magánépítkezés *n,* ⟨ building operation carried out for private person/firm ⟩

magánépület *n,* private building

magánérdek *n,* private/individual interest, by-interest

magánértesülés *n,* inside information, inside dope *(fam)*

magánfél *n,* (private) client

magánforgalom *n,* private trade, private dealings *(pl), [tőzsdei]* curb(-stone) market

magángazdálkodás *n,* individual/private farming

magángazdaság *n,* 1. *(mezőg)* private farm/plot, farm run by a private person, individual farm 2. *[vállalkozás]* private economy/enterprise

magángépkocsi *n,* private car

magángyakorlat *n,* private practice; *~ot kezd* set up in private practice

magángyűjtemény *n,* private collection

magánhangzó *n,* vowel (sound), vocal; *egyszerű ~* monophthong; *~k közötti* intervocalic; *~ utáni* postvocalic

magánhangzói *a,* vocal

magánhangzó-illeszkedés *n,* vocalic/vowel harmony

magánhangzó-ismétlés *n,* assonance

magánhangzó-nyújtás *n,* lengthening of vowel(s)

magánhangzó-összevonás *n,* synaloepha

magánhangzó-rendszer *n,* vocalism, system of vowels, vowel system

magánhangzó-rövidülés *n,* shortening of vowel(s)

magánhangzós *a,* vocalic

magánhangzósít [-ani, -ott, -son] *vt,* vowelize, vocalize

magánhangzósulás *n,* vocalization

magánhangzó-változás *n,* vowel mutation

magánhasználat *n,* private/personal use; *~ra* for personal use, *[feliratként]* private

magánház *n,* private/house/residence

magánhitel *n*, personal/private credit

magánhivatalnok *n*, employee/clerk of (private) office/firm

magánindítvány *n*, *[büntetőjogban] (kb)* private prosecution, information; ~*ra indult büntetőeljárás* private criminal action; ~*ra üldözendő bűncselekmények* offences that can be sued for by a private person

magánipar *n*, privately owned industry, capitalist industry

magániskola *n*, private school

magánjáró *a*, self-propelled, locomotive, automotive; ~ *gőzkazán* locomobile, automobile portable engine

magánjelenet *n*, monologue, soliloquy

magánjellegű *a*, private, *[közlés]* (information) for one's private ear, confidential

magánjog *n*, private/civil law; *nemzetközi* ~ private international law; *a* ~ *szerint* by/in/under civil law

magánjogász *n*, specialist of *(v.* expert in) civil law

magánjogi *a*, (of, in) civil law *(ut)* ; ~ *sérelem* private wrong; ~ *szerződés* contract

magánkéz *n*, ~*ben van* be privately owned, be in private hands; ~*ből* by private contract/treaty

magánkezdeményezés *n*, individual/private initiative

magánkihallgatás *n*, 1. *(ált)* private interview/hearing 2. *[uralkodónál]* private audience; *vkt* ~*on fogad* receive sy in private, give/grant sy a private interview/audience/hearing

magánkisiparos *n*, private artisan

magánkívül *adv*, 1. *[dühtől]*. beside oneself (with), exasperated, in a rage, furious; ~ *van a félelemtől* wild with fear; ~ *volt izgalmában* she was quite beside herself with excitement 2. *[örömtől]* transported, overjoyed, wild (with delight), beside oneself (with joy) 3. *[eszméletlenül]* unconscious(ly)

magánkórház *n*, voluntary hospital

magánkönyvtár *n*, private library

magánkörülmények *n. pl*, private/personal circumstances/conditions/reasons

magánközlemény *n*, (piece of) private communication/correspondence

magánlakás *n*, private rooms *(pl)*, dwelling, appartment

magánlaksértés *n*, disturbance of domestic peace and security, violation of the privacy of sy's house/home, illegal entry (of a dwelling), home violation, breach of domicile

magánlátogatás *n*, private visit/call, *[hivatali közegé]* visit in unprofessional capacity

magánlecke *n*, private lesson

magánlépcső *n*, private staircase

magánlevél *n*, private letter

magánlevéltár *n*, private archives *(pl)*

magánnyomozó *n*, private detective/investigator

magánokirat *n*, private record/paper/agreement/document/deed, simple contract; ~ *alapján* by private contract

magánoktatás *n*, private instruction/tuition

magánolvasmány *n*, home reading, leisure-time reading

magánóra *n*, private lesson; *magánórákat ad vknek* give private lessons to sy, tutor/coach sy, give sy private coaching, take pupils *(US)*, *[abból él]* eke out a living *(v.* live) of tutoring; *magánórákat vesz vktől* coach with sy, get private coaching from sy

magánóraadás *n*, private tutorship/coaching

magános [-ok, -t; *adv* -an] I. *a*, 1. *[különálló]* isolated, detached 2. *[elhagyatott]* solitary, lonely, lonesome, lone 3. *[félreeső]* secluded II. *n*, private person/individual; *ld még* magányos

magánosan *adv*, 1. *[elkülönülve]* isolated, detached(ly); ~ *álló épület* isolated/detached building 2. *[elhagyatottan]* solitary, solitarily; ~ *él* live a solitary life, live alone, live by oneself

magánosság *n*, 1. *[elkülönülés]* isolation, detachment 2. *[elhagyatottság]* loneliness

magánpalota *n*, town house; *kisebb* ~ private house

magán-parasztgazdaság *n*, individual peasant economy/farm(ing)

magánpecsét *n*, privy seal

magánpénztár *n*, *[uralkodóé]* privy purse

magánpraxis *n*, private practice; ~*t folytat* receive private patients/clientèle; ~*t kezd* set up in private practice

magánrepülőgép *n*, private aeroplane, aeroyacht

magánszám *n*, *[ének, zene]* solo (recital)

magánszektor *n*, private (enterprise) sector, individualist sector

magánszemély *n*, private person/individual

magánszereplő *n*, soloist

magánszólam *n*, solo

magánszorgalom *n*, individual initiative; ~*ból* spontaneously, on one's own, without prompting

magántanár *n*, *(kb)* honorary lecturer; *egyetemi* ~ privat-docent

magántáncos *n*, solo dancer, soloist

magántanítás *n*, private tutorship/tuition

magántanító *n*, private teacher/tutor, family tutor, coach, *(kissé iron)* crammer *(fam)*

magántanulás *n*, private/home study, private education, reading/working for one's examination

magántanuló *n*, private pupil/student

magántársaság *n*, private company

magántermészetű *a*, private, of a private nature/character *(ut)*

magánterület *n*, private (property)

magántisztviselő *n*, clerk/employee of private office/firm

magántitkár *n*, private secretary

magántőke *n*, private capital

magántulajdon *n*, 1. *[viszony]* private ownership; ~*ban levő* privately owned, in private ownership; ~*on alapuló társadalom* society based on private ownership 2. *[tárgyak]* private property; ~ *sérthetetlensége* inviolability of private property

magántulajdonviszony *n*, private ownership

magánút *n*, 1. private road 2. ~*on* privately, through private channels; *vkt* ~*on előkészít [vizsgára]* give private coaching to sy, coach sy privately

magánügy *n*, private/personal affair/business/matter; ~*ben tilos a bemenet* no admittance except on business

magánvád *n*, civil proceedings/action, private prosecution; ~*at emel (vknél)* institute a private prosecution, lay/lodge an information (with sy)

magánvádló *n*, civil suitor/plaintiff/demandant, private prosecutor; *fő* ~ *(kb)* principal (private) plaintiff

magánvagyon *n*, private means/property/estate

magánvállalat *n*, private enterprise/company/firm/establishment

magánvállalkozás *n*, private undertaking/enterprise/establishment

magánvállalkozó *n*, private contractor

magánvaló I. *a*, absolute, in itself *(ut)* II. *n*, thing (as it is) in itself, noumenon

magánvasút *n*, private(ly. owned) railway company

magánvégrendelet *n*, holograph(ic) will; *írásbeli* ~ written private will

magánvélemény *n*, private/personal opinion

magánvizsga *n*, private exam(ination)

magánzárka *n*, 1. *[hely]* cell 2. *[büntetésnem]* solitary confinement

magánzó [-t, -ja] *n*, person of independent *(v.* with private) means, person of leisure, man of means, rentier *(fr)*

magánzónő *n*, woman of independent *(v.* with private) means, homemaker *(US)*

magány n, solitude, loneliness, isolation, seclusion; kóros félelem ~től monophobia

magányos [-at; adv -an] a, 1. [egyedül élő, elhagyatott] solitary, lone(ly), single, lonesome, [hely, életmód] sequestered, retired; ~ életet él lead a single/secluded/recluse life, drive lonely plough (ref.); ~ küzdelem single-handed battle; ~ nő unattached/single woman; ~ pusztaság lone waste 2. [különálló] isolated 3. [félreeső] secluded, sequestered, remote, unfrequented; ~ hely a secluded spot, solitude

magányosan adv, solitarily, singly, alone, retiredly

magányosság n, 1. [elhagyatottság] solitude, loneliness 2. [elvonultság] seclusion, retirement, retiredness, retreat, privacy

magára I. adv. refl, ld maga I.; II. adv. pron, [önre] to you; ld még maga I.

magáról I. adv. refl, ld maga I.; II. adv. pron, [önről] of you; ld még maga I.

magas [-ok, -(a)t; adv -an] I. a, 1. (konkr.) [tárgy] high, lofty, [ember, oszlop] tall, [szirt] towering (cliff, [árboc] taut; túl ~ too high, overhigh; milyen ~ ön? how tall are you?; ő láb ~ (vk) he is six feet tall, he stands six feet high; húsz méter ~ twenty metres high, twenty metres in height; ~ antenna overhead aerial; ~ dombormű high relief, alto-relievo; ~ farú/tatú [hajó] high-sterned (ship); ~ figyelőhely elevated stand, ~ gallér stand-up collar; ~ hátú szék high-backed chair; ~ház tall house; ~ homlokú with a high forehead (ut) ~ köd high fog; ~ növésű/termetű high-grown; ~ nyak [ruhán] high collar, [pulóveron] crew neck; ~ nyakú [ruha] high-necked; ~ sarkú cipő high heeled shoes (pl); ~ szárú cipő (lacing) boot(s), (high-)ankle boot(s), high shoes (US); ~ szárú csizma top-boot(s), Wellingtons (pl), riding boot(s); ~ termetű tall; ~ törzsű [fa] long-boled (tree) 2. (átv) [állás, rang] high, exalted, eminent, distinguished (position, rank, station), great (distinction), [személyiség] exalted, great, important (person), [fennkölt] lofty, elevated, exalted; ~ állás eminent position; ~ állásban/rangban levő high-positioned; ~ állásban van de in high office; ~ állású in high place (ut), of exalted position (ut), [tisztviselő] high-ranking, highly-placed (official); az árak ~ak prices are up, prices run high; ~ áron at a high price; ~ áron kel el fetch/command a high price; ~ érzékenységű (fényk) = nagy fényérzékenységű; ~ fekvésbe megy át [hegedűn] shift (in playing the violin); ~ fekvésű high, elevated, high-seated; ~ fizetés high salary; ~ fokú high-class, exalted, superior, of a high degree (ut); ~ hang high note/voice/tone; ~ hangú high voiced/toned; ~ hangú magánhangzó front vowel; ~ hangú változat palatal variant; ~ helyen [társadalmilag] in a high place/position; ~ igényű = igényes; ~ kor advanced age; ~ kort ér meg live/reach great age, live to a hoary old age; ~ korú of (an) advanced age (ut); ~ láz high temperature/fever; ~ lovon ül (átv) ride one's high horse, get on one's high horse, put on the high-and-mighty; ~ műveltségű highly educated/cultured; ~ nyomású = nagy nyomású; a ~ porta the Sublime Porte; ~ rangú high-ranking, exalted, of exalted rank (ut), of high station (ut), [tiszt] (officer) of high rank; ~ rangú tisztviselők higher officials, high-ranking officials, high rankers (fam); ~ szárnyalás [stílusé] elevated/exalted style, [képzeleté] high flight (of imagination); ~ személyi(ség) person of (high) rank, a ~ szerződő felek the high contracting parties; ~ színvonalú high-class/level/standard, exquisite, excellent, of high quality (ut); ~ szintű of high-level (ut); ~ tápértékű of high nutritive value (ut); ~ termelékenység great productivity, high capacity; ~ vérnyomás high blood pressure, hyper-

tension, hypertonia; ez nekem ~! (biz) that's all Greek/Hebrew to me, it outstrips my understanding, it passes my comprehension, it is beyond my comprehension, it is beyond me, that beats me

II. n, **magasba** néz look (high) up; ~ba nyúlik stand out high, rise high; ~ba nyúló towering, rising high (ut), high-reaching; ~ba tör aspire high, have high aspirations, aim higher, wish to rise, attempt to soar; ~ba üt [labdát teniszben] lob; a **magasban** high above/up in the air; **magasra** emel raise/lift high; ~ra emeli/tartja a zászlót (átv) keep the flag flying; ~ra néz/tör (átv) aspire high, attempt to rise (in life); ~ra nő she is growing tall; ~ra tart [árat] ask a high price for sg, keep the price high/up; ~ra törő ember ambitious person, high-flying person (fam); ~ra viszi hivatásában rise high in one's profession; a szenvedélyek ~ra csapnak feelings run high

magasabb [-at; adv -an] a, 1. (konkr.) higher, taller, loftier; ~ vknél be taller than sy, top sy in height 2. [réteg] upper 3. (átv) more exalted, higher, [mennyiségileg] above sg, [minőségileg] superior (to ...); ~ mennyiségtan higher/advanced mathematics; ~ rangban van vknél rank above sy; ~ rangra emel raise to higher position, advance, aggrandize; ~ rangú superior, higher ranking, senior; ~ rendű állatok the higher animals; ~ rendű növények higher plants; ~ társadalmi osztályok the higher classes

magasabbrendűség n, superiority, (fil) transcendence

magasan adv, high, lofty; jó ~ high up in the air; ~ áll vm fölött stand high above sg, (over)top sg, tower over sg, (átv) surpass/exceed sg; ~ énekel sing high; ~ fekvő high-level; ~ hordja a fejét carry/hold one's head high; ~ lakik live high up

magasépítés n, building above ground, surface/overground construction, architectural engineering

magasépítmény n, superstructure

magasépítő-ipar n, overground construction

magasfeszültség n, = nagyfeszültség

magasfeszültségű a, = nagyfeszültségű

magasföldszint n, = félemelet

magasfrekvencia n, = nagyfrekvencia

magasfrekvenciájú a, = nagyfrekvenciájú

magashegyi a, alpine, high-altitude; ~ klíma alpine climate; ld még magaslati

magashegység n, (chain/range of) high mountains

magashímzés n, raised embroidery, raised satin-stitch

magasiskola n, 1. (sp) haute école (fr) 2. (átv) perfect example/model

magasít [-ani, -ott, -son] vt/vi, 1. raise, heighten, make (sg) high(er), increase the height (of sg) 2. [magasabbnak mutat vkt] make (sy) look taller, (vmt) make (sg) look higher, add to the height (of sy/sg)

magasítás n, raising, heightening, increasing the height (of sg)

magasított [-at; adv -an] a, stilted; ~ ív stilted/surmounted arch

magaslat n, 1. (konkr.) height, elevation, hill, high ground/place/region, rise, eminence, altitude(s); ~on levő high-level; ~ra épített ház house built on high ground 2. (átv) a helyzet ~án van prove/be equal to the task, be up to a job (fam), be on the ball (fam); a helyzet ~ára emelkedik rise to the occasion/emergency

magaslati [-ak, -t; adv -an] a, high-altitude, alpine; ~ betegség mountain sickness; ~ hely hill/mountain station, mountain-resort; ~ kúra high-altitude treatment/cure; ~ levegő mountain-air; ~ üdülőhely mountain resort

magaslégkör-kutatás n, aerology

magaslégkörtan n, aerology

magasles n, high-stand

magasl|ik [-ani, -ott] *vi*, rise, project, jut out, be prominent, *[szikla]* tower, overhang, *[vm fölött]* tower (above/over sg), overhang, overlook, overtop *(mind sg)*

magasnyomás *n*, *(nyomd)* relief printing; *több színű* ~ chromotypography

magasnyomó *n*, typographer

magasnyomtatás *n*, letter-press printing

magasod|ik [-tam, -ott, -jon, -jék] *vi*, 1. become/grow high(er)/tall(er), *[magasban látható]* show/appear on high 2. = **magaslik**

magasolvasztó *n*, blast furnace

magasrendű *a*, high-class, of high quality *(ut)*, exquisite, highly refined

magasrepülés *n*, high altitude flight/flying

magasröptű *a*, high-soaring/flying, elevated, lofty, highbrow *(fam)*

magasság *n*, 1. *[mérhető]* height, *[ívelő pályáé]* elevation, *[tengerszint feletti]* altitude, *(mért, csill)* altitude, *[vízé]* depth; *a háromszög* ~*a* the altitude of the triangle; *körszelet* ~*a* sagitta; *a tenger szintje feletti* ~ altitude above sea level; *nagy* ~*ban* very high above, high in the sky, at a great height, at high altitude; *ugyanabban a* ~*ban* at the same height/ level, level with sg; *egy* ~*ban vmvel* abreast of sg, level with sg; *3000 méter* ~*ban repült* he was flying at 3000 metres; *a hajó Aberdeen* ~*ában süllyedt el* the ship sank off Aberdeen; *nagy* ~*ból végrehajtott bombázás* high-level bombing; *megméri vk* ~*át take the height of sy 2. *[igen magas volta vmnek]* loftiness, *[termeté]* tallness, *[áré stb.]* highness 3. *[zenei]* pitch 4. ~*od* your eminence

magassági [-t] *a*, height-, altitude-; ~ *felmérés* survey of heights; ~ *hőmérséklet* temperature aloft, upper temperature; ~ *kormány* horizontal rudder, elevator (control), elevating plane; ~ *lépték/fokozat* scale of height; ~ *pont [földmérésben]* point; ~ *rekord* record height, altitude record; ~ *szabályozás* altitude control; ~ *vonal* contour(-line)

magasságíró *n*, altigraph

magasságmeghatározás *n*, = **magasságmérés**

magasságmérés *n*, altimetry

magasságmérő *n*, altimeter, altitude meter/indicator, *[író]* altigraph, *(rep)* height gauge, *[barométer]* orometer, *(geod)* hypsometer; ~ *beállítása* altimeter setting

magasságos [-at; *adv* -an] *a*, *a* ~ *(Isten)* the Most High (God)

magasságvonal *n*, contour(-line)

Magas-Tátra *prop*, *(földr)* High Tatra

magasugrás *n*, high-jump

magasugró *n*, high-jumper

magasvasút *n*, elevated/overhead railway, elevated railroad *(US)*, L-train *(US)*

magaszabályozó *n*, automatic regulator/adjuster

magaszőrű [-ek, -t] *a*. *pron*, of one's stamp *(ut)*, of the same kidney *(ut)*; *ld még* **magasfajta**

magasztal [-t, -jon] *vt*, praise (highly), sound the praises (of sy), extol, glorify, laud *(ref.)*, exalt *(ref.)*, eulogize *(ref.)*, *[hízelgően]* adulate, panegyrize, crack/cry up *(fam)*; *vkt az egekig* ~ praise/extol/ exalt/laud sy to the skies, overpraise sy, overpitch one's praise of sy *(fam)*

magasztalás *n*, (high) praise, glorification, glorifying, extolling, laud(ation) *(ref.)*, eulogy *(ref.)*, *[hízelgően]* adulation, *[szónoklatban, írásban]* panegyric, encomium, *[áruról/műalkotásról túlzott]* puff; *vknek/ vmnek a* ~*ára* in praise of sy/sg

magasztaló [-(a)k, -t, -ja; *adv* -an] I. *a*, praiseful, of praise *(ut)*, laudatory, eulogistic *(ref.)*, adulatory *(ref.)*, panegyrical *(ref.)*, encomiastic *(ref.)*; ~ *beszéd* panegyric, eulogy, laudatory speech/oration;

~ *beszédet tart* panegyrize; ~ *hangon beszél vkről* speak in glowing terms of sy; ~ *költemény* laudatory/ adulatory poem II. *n*, praiser, lauder *(ref.)*, eulogist *(ref.)*, adulator *(ref.)*, panegyrist *(ref.)*, encomiast *(ref.)*, extoller *(ref.)*

magasztos [-at; *adv* -an] *a*, exalted, elevated, high--toned, lofty, noble, sublime, *[fenséges]* august, majestic, *[ünnepélyes]* solemn, dignified

magasztosan *adv*, sublimely, augustly, loftily

magasztosság *n*, elevation, loftiness, sublimity, sublimeness, grandeur, augustness, majesty, solemnity

magát I. *n*. *refl*, *ld* **maga** I.; II. *n. pron*, *[önt]* you; *ld még* **maga** I.

magatartás *n*, attitude, conduct, behaviour, bearing, deportment *(ref.)*, comportment *(ref.)*, demeanour *(ref.)*, mien *(ref.)*, *[tömegé]* temper; ~ *vkvel szemben* behaviour to/toward(s) sy; *helytelen* ~ unseemly conduct, misconduct; *higgadt* ~ coolness, calmness; *katonás* ~ soldierly bearing; *vmlyen* ~*t tanúsít* behave in a way; *határozott* ~*t tanúsít* present/show a bold front; ~*t vesz fel* posturize; *megváltoztatja* ~*át* alter one's course

magatehetetlen *a*, helpless, crippled

magateremtette *a*, self-created

magatok *n/a. adv. pron*, *[önök]* you, yourselves; *ld még* **ön**[1]

magától I. *adv. refl. ld* **maga** I.;II. *adv. pron*. *[öntől]* from you; *ld még* **maga** I.

magaunt *a*, world-weary, tired of life/oneself *(ut)*, blasé *(fr)*

magauntság *n*, world-weariness

magával I. *adv. refl. ld* **maga** I.; II. *adv. pron*, *[önnel]* with you; *ld még* **maga** I.

magaviselet *n*, conduct, behaviour, demeanour; *jó* ~ good conduct, orderliness

magaviseletű [-ek, -t; *adv* -en] *a*, -behaved, behaving; *jó* ~ well-behaved/conducted; *a legjobb* ~ *fiú* the best-behaved boy in the class; *rossz* ~ ill-behaved, badly behaved

magáz [-tam, -ott, -zon] *vt*, ⟨ address sy as "maga" ⟩

magazáró *n*, self-closing, closing automatically *(ut)*, (equipped) with an automatic closing apparatus *(ut)*

magázás *n*, ⟨ use of the formal "maga" ⟩

magazin [-ok, -t, -ja] *n*, 1. *[folyóirat]* illustrated magazine/periodical 2. *[raktár](kat)* store, magazine

magbél *n*, kernel

magbuga *n*, receptacle

magburgonya *n*, seed-potatoes *(pl)*

magburok *n*, (in)tegumentum, perisperm, testa *(pl)*, seed-vessel/case/coat, pericarp, *[gyapoté, lené]* bolt

magcirok *n*, *(növ)* sorgo, sorghum *(Sorghum vulgare)*

magcsákó *n*, *(növ)* dryas *(Dryas octopetala)* ·

magcsávázás *n*, seed treatment

Magda [.. át] *prop*, = **Magdolna**

Magdi [-t, -ja] *prop*, Mag(gie)

Magdolna [.. át] *prop*, Magdalen

magdudorzsinor *n*, *(növ)* funile, funiculus *(funiculus)*

Magdus *prop*, = **Magdi**

magelevátor *n*, *[kombájnnál]* grain-carrier

Magellán-szoros *n*, *(földr)* Straits of Magellan *(pl)*

magenergia *n*, nuclear energy

magevő *a*, seed-eater, *(tud)* granivorous

magfa *n*, staddle, nurse-tree, mother tree

magfehérje *n*, 1. *(vegyt)* nucleoprotein, nuclein 2. *(növ)* belső ~ endosperme, albumen

magfesték *n*, nuclear stain

magfizika *n*, nuclear physics, nucleonics

magfizikai *a*, nuclear

magfolyadék *n*, *(biol)* seminal fluid

magfolyás *n*, spermatorrhoea

magfotoeffektus *n*, photodisintegration

magfúró n, core-drill, trepan
maghántoló a, ~ gép seed-huller
maghártya n, pellicle, [cseresznyéé, szőlőé] episperm
maghasadás n, nuclear/atomic fission; ~ra alkalmas/képes fissionable
magház n, 1. [virágé] ovary, [tok] receptacle, capsule; ~ rekeszei chambers of ovary, loculi of ovary 2. [almafélék gyümölcséé] core
maghéj n, seed-coat, testa (pl), husk, [csontos] shell
maghordó a, graniferous
mágia [.. át] n, magic, black art, wizardry
mágikus a, magic(al), witching; ~ erő magic power, spell
magiszák n, (növ) madwort (Asperugo procumbens)
magiszter [-ek, -t, -e] n, master
magisztrális [-ok, -t; adv -an] a, magistral, magisterial
magisztrátus n, magistracy, body of magistrates
magkamra n, (geol) magma chamber
magkémia n, nuclear chemistry
magkereskedelem n, seed-trade
magkereskedés n, 1. [szakma] seed-trade 2. [üzlet] seed-shop, seedman's shop
magkereskedő n, seedsman, [nő] seedswoman
magkeret n, core frame
magkészítő n, (műsz) core-maker
magkezdemény n, ovule, ovulum, seed bud; termés két magkezdeménnyel biovulate fruit
magkifejtő a, ~ gép sheller
magkísérlet n, nuclear test
magkő n, (rég) nucleus (lat)
magköpeny n, (növ) aril
magléc n, placenta
maglepel n, aril, seed-coat
magló [-t, -ja] n, ⟨pig kept for breeding purposes⟩
máglya [..át] n, 1. bonfire, pile of faggots/logs, [halotti] (funeral-)pile/pyre, [kivégzéshez] stake, [inkvizíciós] auto-da-fé; máglyán eléget (vkt) burn (sy) at the stake, (vmt) commit (sg) to the flames, burn (sg); vkt máglyára ítél condemn sy to the stake (v. to death by fire v. to be burnt alive) 2. [tűzhalál] death-fire
máglyahalál n, punishment of death by burning, the stake, [eretnekekê] auto-da-fé; ~ra ítél vkt commit sy to the flames; ~t szenvedett burnt at the stake
máglyarakás n, 1. [cselekvés] making of a bonfire/pyre, [eredménye] bonfire, pile of faggots 2. [étel] jam pudding
máglyaszerű a, pily
máglyatűz n, flame(s) of bonfire
máglyáz [-tam, -ott, -zon] vt, [fát] stack, pile (wood)
máglyázás n, stacking, piling
magma [.. át] n, (geol) magma, mother
magmás [-at; adv -an] a, (geol) magmatic, igneous
magmatikus a, (geol) magmatic
magmavíz n, (geol) juvenile water
magminta n, (geol) core sample
mágnás n, magnate, grandee, aristocrat, (GB) lord, nobleman, peer
magnemesítő a, ~ telep seminary
mágnes [-ek, -t, -e] n, magnet, [természetes] loadstone, lodestone, magnetite, (natural) magnet, [motorban] magneto; a ~ nem gyújt the magneto won't fire; ~ vonzza a vasat magnet attracts iron
mágnesacél n, magnetic steel
mágneses [-et; adv -en] a, magnetic, magneto; ~ akna magnetic mine; ~ áram magnetic current; ~ áramlás magnetic flux; ~ átmásolás [magnetofon] magnetic printing, ghosting; ~ egyenlítő magnetic equator; ~ elhajlás magnetic declination/deviation; ~ ellenállás magnetic resistance; ~ eltérés magnetic deviation/variation; ~ erő magnetic force, magnetism; ~ erősítő magnetic amplifier; ~ erőtér magnetic

field; ~ erővonalsűrűség magnetic intensity; ~ észak magnetic north; ~ feszültség magnetomotive-force; ~ fluxus magnetic flux; ~ gerjesztés magnetic induction; ~ görbe magnetization curve; ~ gyújtás magneto ignition; ~ hangszóró magnetic speaker; ~ hatásnak ellenálló antimagnetic; ~ indukció magnetic induction; ~ inklináció magnetic inclination; ~ intenzitás magnetic force, magnetic field strength; ~ irány magnetic bearing; ~ kisülés magnetic discharge; ~ kör magnetic circuit; ~ lehajlás magnetic inclination/dip; ~ mező/tér magnetic field; nem ~ non-magnetic; ~ obszervatórium [geofizikában] (geo)magnetic observatory; ~ nyalábolás magnetic focussing; ~ sarok magnetic pole; ~ sarkítás magnetic polarization; ~ szalag magnetic tape; ~ taszítás magnetic repulsion; ~ tekercs magnet coil; ~ tér magnetic field; ~ törlőfej [magnetofonon] magnetic erasing head; ~ variáció [geofizikában] magnetic variation; ~ vezetőképesség permeance, permeation; ~ vihar magnetic storm; ~ vonzás magnetic attraction; ~ zavar magnetic perturbation/disturbance; ~sé válik be magnetized
mágnesesség n, magnetism
mágnesez [-tem, -ett, -zen] vt, magnetize
mágnesezés n, magnetization, magnetizing
mágnesezhető a, magnetizable; nem ~ acél non-magnetic steel
mágnesező [-t, -je] I. a, magnetizing II. n, magnetizer; ~ közeg magnetic agent
mágnesfegyverzet n, anchor, armature
mágneskő n, loadstone, lodestone
mágnesmag n, magnetic core
mágnespatkó n, horseshoe magnet
mágnesrúd n, magnetic bar, bar-magnet
mágnessark n, magnetic pole
mágnesség n, magnetism
mágnességmérő n, magnetometer
mágnestekercs n, magnetic coil
mágnestelenít vt, demagnetize
mágnestű n, magnetic needle; ~ elhajlása magnetic declination/deviation, declination/deviation of magnetic needle
mágnesvas n, loadstone, lodestone, magnetite, magnetic iron ore
magnetikus a, magnetic
magnetit [-et, -je] n, (ásv) magnetite
magnetizál [-t, -jon] vt, magnetize
magnetizmus n, magnetism
magnetofon [-ok,.-t, -ja] n, [szalagos] tape recorder; acélszalagos ~ steel-tape recorder; huzalos ~ wire recorder
magnetofonfelvétel n, tape recording
magnetofonoz|ik [-tam, -ott, -zon, -zék] vi, have/work a tape-recorder, tape (fam)
magnetofonszalag n, magnetic/recording tape, tape (of tape-recorder); ~ra felvesz tape
magnetron [-ok, -t, -ja] n, magnetron
magnézia [.. át] n, magnesia, magnesium oxide
magnezit [-et, -je] n, magnesite; égetett ~ burnt magnesite
magnézium [-ot, -a] n, magnesium
magnéziumfény n, magnesium-light, (fényk) flash-light
magnéziumkarbonát n, magnesia
magnéziumlámpa n, magnesium-lamp, (fényk) flash-lamp
magnéziumoxid n, magnesia, magnesium oxid
magnéziumszulfát n, magnesium sulphate, sulphate of magnesia, [házi gyógyszerként] Epsom salt(s)
magnó [-t, -ja] n, (biz) = **magnetofon**
magnólia [.. át] n, (növ) magnolia (Magnolia grandiflora)

magnószalag *n*, recording/magnetic tape, tape (of tape recorder)

magnóz|ik [-tam, -ott, -zon, -zék] *vi*, = magnetofonoz|ik

magnövény *n*, plant run to seed, seed-plant/bearer

magnyugalom *n*, (*növ*) dormancy of seeds

Magóg [-ot] *prop*, (*tört*) Magog

magol [-t, -jon] *vi/vt*, (*biz*) swot (up), sap, cram, mug, con, bone up (US); vizsgára ~ cram/grind 'or an exam; ~ egy tárgyat mug at a subject; földrajzt ~ he is swotting/boning up his geography

magolaj *n*, seed oil

magolás *n*, (*biz*) grinding, swot(ting), cram(ming), conning

magoló [-t, -ja] *n*, (*biz*) swot, sap, mug

magonc [-ot, -a] *n*, (*növ*) seedling(-plant)

magorsó *n*, (*növ*) central/nuclear spindle

magos[1] [-at; *adv* -an] *a*, having/bearing seeds/grains (*ut*); ld még magvas 1.

magos[2] [-at; *adv* -an] *a*, = magas

magosztályozás *n*, (*növ*) seed-sorting

magót [-ot, -ja] *n*, [majom] Barbary ape (Macacus sylvanus)

magoz [-tam, -ott, -zon] *vt*, take out (*v*. remove) the seeds/pips of/from (fruit), core, stone

magozó [-t, -ja] *n*, fruit-stoner

magömlés *n*, [nem közösüléskor] pollution, spermatism, [közösüléskor] emission/discharge of semen, seminal emission, ejaculation; éjszakai ~ nocturnal emission; véres ~ haematospermia, haemospermia

magreakció *n*, (*fiz*) nuclear reaction

magrejtős [-et] *a*, † (*növ*) angiospermal, angiospermous

magrészecske *n*, (*fiz*) nucleon

magrosta *n*, [cséplőgépen] grain sieve

magrugó *n*, (*növ*) ecballium (Ecballium electerium)

magrügy *n*, ovule, ovulum, seed bud; ~ nyílása micropyle

magrügybél *n*, (*növ*) nucellus; ~ alapja chalaza

magsarjasztó I. *a*, (*növ*) placentary II. *n*, placenta; ~k elhelyezkedése placentation

magsugárzás *n*, (*fiz*) nuclear radiation

magszakadás *n*, [családtörténetileg] extinction of a family

magszámláló *n*, [atomfizikai műszer] counter of nuclei

magszár *n*, (*növ*) seedstalk

magszem *n*, (*növ*) grain

magszóródás *n*, (*növ*) semination

magtakaró *n*, = magburok

magtalan *a*, 1. [személy] barren, sterile, childless, infecund, without issue (*ut*) 2. (*növ*) seedless, (*biol*) aspermous 3. [gyümölcs] stoneless, pipless 4. (*átv*) barren

magtalanít [-ani, -ott, -son] *vt*, 1.(*ált*) sterilize, [férfit, hím állatot] castrate, [nőstényt] spay 2. [gyapotot] clean, gin (cotton), [kendert, lent] ripple, dress

magtalanság *n*, 1. [emberé] sterility, (*orv*) aspermia, aspermatism 2. (*növ*) aspermatism

magtár *n*, granary, barn

magtávolság *n*, (*fiz*) nuclear distance

magtechnika *n*, (*fiz*) nucleonics

magtermelés *n*, (*mezőg*) seed growing

magtermés *n*, (*növ*) seed-crop

magtermő *a*, (*növ*) seminiferous, graniferous

magtisztító *n*, grain/seed-cleaner/dresser

magtok *n*, (*növ*) pod, shell, seed-vessel/case, capsule, [almaféléké] core, [cseresznyéé, szőlőé] episperm, (*növ*) pericarp, ovary

magtörő *n*, [pinty] nutbreaker, nutcracker (Nucifrage caryocatactes)

maguk *n/a/adv. refl*, ld maga

magunk *n/a/adv, refl*, ld maga

mágus *n*, magus, magician, sorcerer; *a* ~ok the mag

magutókezelés *n*, (*növ*) afterripening

magvas [-at; *adv* -an] *a*, 1. [gyümölcs] having/with stone/pip(s) (*ut*) 2. [növény] having/bearing/containing seeds/grains (*ut*), seedy 3. [sejt] nucleated (cell) 4. [átv tömör] concise, terse, [velős] pithy, pregnant, substantial

magvasság *n*, 1. [gyümölcsé] seediness 2. (*átv*) conciseness, terseness, pithiness

magvaszakadás *n*, [családé] extinction (of family)

magvaszakadt [-at] *a*, extinct

magvaváló *a*, free-stone; ~ barack free-stone peach; nem ~ cling-stone; nem ~ barack cling-stone peach

magvetés *n*, (seed) sowing

magvető *n*, 1. (*konkr*.) (seed-)sower, seedsman 2. (*átv vmé*) disseminator, spreader (of sg)

magzat *n*, 1. [utód] descendant, offspring, issue, progeny, scion, child 2. [méhmagzat] embryo, f(o)etus; elhajtja ~át procure (an) abortion, bring on a miscarriage

magzatburok *n*, caul, [középső] chorion

magzatdarabolás *n*, (*orv*) embryotomy

magzatelhajtás *n*, (procured) abortion, miscarriage, aborticide, feticide; ~ bűntette criminal abortion; ~ büntetése punishment of abortion; ~t követ el procure (an) abortion, bring on a miscarriage

magzatelhajtó I. *a*, [szer] abortifacient, abortive, ecbolic II. *n*, 1. [magzatelhajtás tettese] illegal aborter, abortionist 2. [szer] abortive, abortifacient, ecbolic, aborticide

magzatfejlődéstan *n*, embryology

magzatfekvés *n*, (*biol*) presentation (of the f(o)etus)

magzatfordítás *n*, [szülészetben] version (of the f(o)etus)

magzatforgás *n*, [szülészetben] rotation (of f(o)etus)

magzatgyilkos *n*, f(o)eticide

magzatgyilkosság *n*, f(o)eticide

magzati [-ak, -t] *a*, embryonic, f(o)etal, fetal

magzatlepény *n*, placenta

magzatmozgás *n*, [első] quickening

magzatölés *n*, f(o)eticide

magzatszurok *n*, meconium

magzatűző [-t] *a/n*, = magzatelhajtó I. és II.

magzatvíz *n*, (*biol*) amniotic fluid, forewaters (*pl*)

magzl|ik [-ani, -ott, .. gozzon, .. gozzék] *vi*, go/run to seed, [saláta] bolt

magzúzó *n*, grain-crushing mill

magyalfabogyó *n*, holly berry

magyaltölgy *n*, (*növ*) holm-oak, green oak (Quercu. ilex)

magyar [-ok, -t, -ja; *adv* -ul [I. *a*, Hungarian, Magyar; ~ ajkú Hungarian-speaking, of Hungarian speech (*ut*); nem ~ ajkú non-Hungarian-speaking, (be) not of Hungarian speech; a ~ állam the Hungarian State; ~ állampolgár Hungarian citizen, a native of Hungary, of Hungarian nationality (*ut*); M~ Államvasútak Hungarian State Railways; ~ áru Hungarian product/make, product of Hungary; ~ címer coat of arms of Hungary; a ~ csapat the Hungarian team/side; M~ Dolgozók Pártja (*tört*) Hungarian Working People's Party; ~ ember a Hungarian/Magyar; ~ érzelmű Hungarian at heart (*ut*); ~ ételek Hungarian dishes; M~ Forradalmi Munkás-Paraszt Kormány Hungarian Revolutionary Worker-Peasant Government; M~ Szabad Szakszervezetek Országos Szövetsége Confederation of Free Hungarian Trade Unions; ~ király King of Hungary; ~ konyha Hungarian cuisine/cooking; ~ korona Hungarian crown, crown of Hungary; M~ Külkereskedelmi Bank Rt Hungarian Foreign Trading Bank Ltd.; az ország nem ~ lakossága the non-Hungarian inhabitants of the country; ~ nemzeti ... Hungarian national ...; a ~ nép the Hungarian people; ~ népi *tánc* Hungarian popular/folk/national dance; *M~ Népköztársaság* Hungarian People's Republic; ~ *nevű* with a Hungarian/Magyar name *(ut)*; ~ *nóta* Hungarian folk song; *M~ Nők Országos Tanácsa* National Council of Hungarian Women; ~ *nyelv* Hungarian, Magyar (language); ~ *nyelvű* Hungarian/Magyar speaking *(ut)*; ~ *nyelvű folyóirat* Hungarian periodical, periodical appearing/published in Hungarian; ~ *óra* (lesson in) Hungarian; *M~ Szocialista Munkáspárt* Hungarian Socialist Workers' Party; ~ *szótár* Hungarian dictionary; ~ *tanár* master/teacher/professor of Hungarian; *M~ Távirati Iroda* Hungarian Telegraphic Agency; ~ *történelem* Hungarian history, history of Hungary; *M~Tudományos Akadémia* Hungarian Academy of Sciences; ~ *ügy* Hungarian cause, cause of Hungary; *~—angol szakos hallgató* student specializing in Hungarian and English (philology, literature), student of Hungarian and English; *M~—angol szótár* Hungarian-English dictionary II. *n,* 1. *[ember]* Hungarian, Magyar; *a ~ok* the Hungarians/Magyars; ~ *vagyok* I am (a) Hungarian; *amerikás ~* Hungarian returned from America (after long stay there); *~t a ~nak!* Hungarian (things) for the Hungarians, buy Hungarian (goods); *ez kell a ~nak!* *(biz)* that's the real thing! 2. *[nyelv]* Hungarian; *~ból fordít* translate from Hungarian; *~ra fordít* translate/render into Hungarian; *~t ad elő* lecture on Hungarian literature/language

magyarán *adv,* square(ly), straightforwardly, frankly, roundly, openly, without mincing matters/words, bluntly, flat, in plain English; ~ *megmond vmt* make no bones about sg, speak from one's heart; ~ *mondva* frankly spoken, not to put too fine a point on it

magyaráz [-tam, -ott, -zon] *vt,* explain, *[kifejt]* expound, *[értelmezve]* interpret, *[szöveget jegyzetekkel]* annotate, gloss (text), *[eseményt, szöveget]* comment (upon event/text), *[idegen szöveget elemezve]* construe, *[vmt indokol]* account (for sg); *vmt élénken ~nak* sg provokes *(v.* gives rise to) brisk comments/discussion; *vmt jóra ~* put the right construction on sg, take sg in good part, interpret sg favourably; *vmt rosszra ~* put the wrong construction on sg, take sg in bad part, interpret sg unfavourably; *rosszul/tévesen ~* misinterpret; *azzal ~ (hogy)* he explains *(v.* accounts for) it (by) saying (that), he gives (it) the following explanation; *félre lehet ~ni* it is capable of misinterpretation; *~za a bizonyítványát* he is trying to explain away his conduct, he tries to give a favourable explanation of the misfortunes that befell him; *ezt a tant sokféleképpen ~zák* there are many different representations of this doctrine

magyarázás *n,* explaining, explanation, explication, *[szemléltető]* demonstration

magyarázat *n* explanation, explication, *[értelmezve]* elucidation, interpretation, *[eseményhez, szöveghez]* comment(ary), annotation, gloss, construction, *[indok, ok]* reason, motive, *[jogi]* explanatory statement; *~okba kezd/bocsátkozik* enter into explanations; *még sok minden szorul ~ra* there is still much to be accounted for; *nem szorul ~ra* comment is needless, that speaks for itself; *elfogadja a ~ot* rest satisfied with an explanation; *ez némi ~ot kíván* that will take some explaining; *~ot fűz vmhez* comment on sg, *[folyamatosan]* keep up a running commentary on sg; *~ot kér* call sy to account, ask for *(v.* ask to be given) an explanation; *~okkal ellát [szöveget]* comment (up)on (text), annotate (text), add (explanatory) notes (on text); *~képpen* by way of explanation/illustration, to furnish illustration

magyarázatlan *n,* unexplained, unaccounted for *(ut)*

magyarázatos [-at; *adv* -an] *a,* annotated; ~ *bibliográfia* annotated bibliography; ~ *kiadás* annotated edition

magyarázgat *vt,* (try to) explain, keep explaining, *[szépítgetve]* explain away

magyarázható *a,* 1. explainable, explicable, interpretable 2. *[menthető]* excusable, pardonable

magyarázkodás *n,* explanation (of one's conduct), excuse (for one's conduct), apologies (for one's conduct) *(pl)*; *~ba bocsátkozik* launch out into explanations

magyarázkod|ik [-tam, -ott, -jon, -jék] *vi,* explain oneself, account for one's conduct, *[mentegetőzve]* excuse oneself, apologize; *~ni kezd* enter into explanations

magyarázó [-t, -ja; *adv* -an, -lag] I. *a,* explanatory, explanative, interpretative, elucidatory, explicative, illustrative; ~ *jegyzet* explanatory note/comment, annotation(s), gloss, *[főleg klasszikus szöveghez]* scholium, *[ábrához]* caption; ~ *jogszabály* declaratory statute; ~ *kommentár* commentary; ~ *mondat* circumstantial/incidental clause; ~ *szótár* explanatory dictionary; ~ *szöveg* explanatory text; *szöveget ~ jegyzetekkel ellát* comment on a text II. *n, [rendszeré]* exponent, *[szövegé]* commentator, annotator, interpreter, *[régi/klasszikus szövegé]* scholiast, *[bibliáé]* exegete, exegetist

magyarázólag *adv,* explanatively, by way of explanation, commenting upon

magyarbarát *a,* Hungarophil(e), pro-Hungarian

magyarbarátság *n,* pro-Hungarian sympathies *(pl)*

magyarellenes *a,* anti-Hungarian

magyarfaló *a,* Hungarophobe, Magyarphobe

magyarhitű [-ek, -t] *a,* Calvinistic

magyarít [-ani, -ott, -son] *vt,* 1. translate/render into Hungarian 2. ⟨replace (borrowed foreign word) by a Magyar equivalent⟩

magyarító [-t] *a,* ~ *szótár* ⟨dictionary of borrowed foreign words and their Magyar equivalents (with a view to help replacing foreign words by Magyar ones)⟩

magyarkodás *n,* ⟨(exaggerated/sham) profession of one's being a true Hungarian⟩

magyarkod|ik [-tam, -ott, -jon, -jék] *vi,* ⟨pose as a true Hungarian/Magyar, make a distasteful/false/unnecessary show of one's being Hungarian, affect/display qualities supposed to be characteristically Hungarian⟩

magyarkodó [-ak, -t; *adv* -an] *a,* ⟨posing as a true Hungarian, affecting/displaying qualities supposed to be characteristically Hungarian *(mind ut)*, would-be Hungarian/Magyar⟩

Magyarország *prop,* Hungary; *~on* in Hungary

magyarországi *a,* of/from/in Hungary *(ut)*, Hungarian, Magyar

magyaros [-at; *adv* -an] *a,* (characteristically) Hungarian, sham-Hungarian *(pej)*; ~ *étel* Hungarian dish

magyarosan *adv,* 1. in (true) Hungarian/Magyar manner/fashion/style; ~ *beszél* speak idiomatic Hungarian, speak (a really) good Hungarian 2. *[idegen nyelvet]* speak (a foreign language) with a Hungarian accent

magyarosít [-ani, -ott, -son] *vt/vi,* Magyarize, Hungarianize, change one's name for a Magyar one

magyarosítás *n,* Magyarization, adoption of a Hungarian(-sounding) name

magyarosított [-at; *adv* -an] *a,* Magyarized; ~ *név* Magyarized name

magyarosodás *n,* (gradual) Magyarization, adoption of Magyar ways/customs/habits

magyarosod|ik [-tam, -ott, -jon, -jék] *vi,* become (gradually) Magyarized, adopt Hungarian ways

magyarosság n, **1.** (ált) Hungarian characteristics/peculiarities (pl) **2.** [beszédé] Hungarian flavour, [kiejtésé] Hungarian accent **3.** [magyaros szólás] Hungarian idiom, Hungarianism

magyarruhás a, in a Hungarian costume (ut)

magyarság n, **1.** Hungarians (collectively) (pl), Magyars (pl), the Hungarian people/nation **2.** (vké) Hungarian nationality **3.** [nyelvi, stiláris] Hungarian; jó ~ good/correct/pure Hungarian (speech, style)

magyarságtudomány n, (kb) scientific study of the Hungarian/Magyar people), Hungarology

Magyar—Szovjet a, ~ Baráti Társaság Hungarian--Soviet Friendship Society

magyartalan a, un-Hungarian/Magyar, [beszéd] bad Hungarian (speech); ~ kifejezés barbarism, an un--Hungarian phrase/expression

magyartalanság n, un-Hungarian/Magyar characteristics/peculiarities (pl), [nyelvi] barbarism

magyarul adv, (in) Hungarian; ~ beszél speak Hungarian; beszélj ~! (átv) speak clearly/understandably; ~ ír [tud írni] write Hungarian, [író] write in Hungarian; ~ tanul learn Hungarian; ~ tud know/speak Hungarian

mahagóni [-t, -ja] a/n, mahogany

mahagónifa n, **1.** [élő] mahogany-tree (Swietenia) **2.** [feldolgozott] mahogany(-wood)

maharadzsa [.. át] n, maharaja(h), [felesége] máha-ranee

maholnap adv, sooner or later, some time/day or other, before long

mahomet a, nagy ~ ember (biz) a great/big/hulking fellow/creature

mahónia [.. át] n, (növ) barberry (Mahonia sp., Berberis sp.)

mai [-ak, -t] a, **1.** [a mai napon történt, a mai nappal kapcsolatos] today's, this day's, of today (ut), of this day (ut); a ~ lap today's paper; a ~ napig up to the present, up to now, to this day/date, so far, as yet; a ~ napon today, (on) this day; ~ naptól számítva calculated/reckoned from today **2.** [mostani] of today (ut), present-day, of the present day (ut), of our days/time (ut), [állapot] present, actual (state); ~ érték present value; nem vagyok ~ gyerek I was not born yesterday; nem ~ csirke [nőről] she is no chicken; a ~ időkben in our days/time, nowadays; a ~ Angliában in contemporary England, in the England of today; a ~ világban in these days, nowadays, as things go, as things are at present, in the world of today **3.** [korszerű] up-to-date, modern; a ~ irodalom modern/contemporary literature

máig adv, up to this day/time, up to now, up to the present, hitherto, so far; ~ sem találtam meg I haven't found it so far

máj [-at, -a] I. n, **1.** [szerv] liver; ~ fölötti suprahepatic; nem tesz jót a ~nak be inimical to the liver **2.** hamis a ~a/zuzája (átv, biz) know a thing or two, be a knowing one, be a deep one, [nőről] she is a sly minx; fekete ~ú (átv) black-hearted; jót tett a ~amnak (átv) I was tickled pink (v. to death), I was pleased as Punch (when I heard of it) II. a, liver-, (orv) hepatic

majális [-ok, -t, -a] n, picnic (and dance) in May

májas [-at; adv -an] I. a, **1.** made of/with liver (ut), liver(-); ~ gombóc liver dumplings (pl); ~ hurka liverwurst, white sausage/pudding, hog's pudding **2.** □ [betegről] liverish II. n, = ~ hurka

májbab n, liverbean

májbaj n, liver disease/complaint/trouble, disorder of the liver, a disordered liver, (orv) hepatic disease, hepatopathia, hepatism

májbajos a, suffering from liver complaint/troubl, (ut), having a disordered liver (ut), liverish (fam) (orv) hepatopath

májbeteg a, = **májbajos**

májbetegség n, = **májbaj**

majd¹ adv, **1.** [egyszer, valamikor] some time/day (in the future), [hamarosan] soon, before long, [később, aztán] then, later (on), presently, [idejében] in time, [halogató válasz] presently, [gyakran nem fordítjuk külön szóval, minthogy értelmét a jövő idő úgyis kifejezi] ; ~ adok én neki! (biz) I'll give him something to think about, I'll give him what for, I'll make him sit up; mi lesz ~ akkor ha... what's going to happen if...; ~ csak akkor only then, not until then; ~ egyszer some day or other; ezt én ~ elintézem I'll settle/arrange it, I will see to it; ez a fiú ~ elvezet this boy will take you there; ~ valahogy megcsinálom I shall manage it somehow; ~ ha fagy! tomorrow come never, when the sun shines upon a rainy day; ~ meglátjuk/elválik time will show; ~ teszek róla I will see to that **2.** ~ ez(,) ~ az now this(,) now that; szétnézett (,) ~ így szólt ... he looked about/round(,) then said ...; ~ az egyik kezdett el sírni(,) majd a másik now/first one began to cry(,) now/then the other

majd² adv, = **majdnem**; úgy fáj a fejem hogy ~ szétmegy! my head is splitting, I have a splitting headache

májdaganat n, hepatic tumor/abscess

majdan adv, some day/time; ld még majd¹ **1.**

majdani [-ak, -t] a, future, to come/be (ut)

majdhogy adv, [magyar tagadó mondatban] (very) nearly, almost, all but, [utánuk angolban állító mondat]

majdnem adv, almost, (very) nearly, all but, wellnigh, fairly, next to, within an inch, [igével] come near (to sg), [csak melléknév előtt] practically, as good as; ~ agyonütött it came near to killing me; ~ belehalt a sebébe he all but died of his wound; ~ biztosan most likely; ~ egy óra hosszat várt he waited for the best part of an hour; ~ emberfölötti erőfeszítés all but superhuman effort; ~ kész vagyok a munkámmal I am nearly through with my work, I am about to finish my work, my work is nearing completion; ~ kilenc óra van it is nearly nine o'clock, it is close (up)on nine o'clock; ~ mind almost all, pretty well all; ~ mindig nearly always, mostly; ~ semmi next to nothing, practically nothing, as good as nothing, hardly/scarcely anything, almost nothing (US); ~ tíz near upon ten; már ~... be about (to do sg), be going (to do sg), be on the point of (doing sg); a vonat már ~ elindult amikor ... the train was about/going to leave when ...

májfolt n, liver-spot, blotch, mottle (on skin), (tud) lentigo, chloasma

májfoltos a, having liver-spot(s) (ut), blotched,mottled, (tud) lentiginous; ~ arcbőrű mottle-faced

májfunkció n, liver function

májfunkciós [-t] a, ~ próba liver function test

májfű n, (növ) liverwort, hepatica (Anemone hepatica)

májgaluska n, = **májgombóc**

májgombóc n, liver dumplings (pl)

májgombócleves n, liver ball/dumpling soup

májgyulladás n, hepatitis; járványos/fertőző ~ infectious/spirochetal/epidemic/serum jaundice/hepatitis, catarrhal jaundice, Weil's disease

májgyulladásos a, [beteg] hepatic; ~ gyomorhurut gastro-hepatitis

májkivonat n, liver-extract

májkökörcsin n, (növ) liverwort, hepatica (Anemonu· hepatica)

májlob n, hepatitis

májmétely n, [állaté] liver-rot, [kórokozója] liver fluke (Fascicila hepatica)

májmetszés n, (orv) hepatotomy

májmoh(a) n, (növ) scale-moss, hepatic moss (Hepaticae-osztály)

majmol [-t, -jon] vt, ape, monkey, mimic, imitate/ copy slavishly; vkt ~ play the sedulous ape to sy

majmolás n, aping, (slavish) imitation, mimicry

majmoló [-t, -ja; adv -an] I. a, apish, imitative, (vkt, vmt) aping, imitating (sy/sg slavishly) (ut) II. n, aper, (slavish) imitator

májműködés n, hepatic function, function of the liver

májműtét n, hepatotomy

Majna [..át] prop, [folyó] Main

Majna-Frankfurt [-ot, -ban] prop, Frankfort-on-the--Main

májnagyobbodás n, hypertrophy of the liver

majolika n, majolica, maiolica

majom [majmot, majma] I. n, 1. (áll) monkey (Simia), [emberszabású] ape; csuklyás ~ capuchin monkey (Cebus sp.); kutyafejű ~ cynocephalus (Cynocephalus); nagyorrú ~ proboscis monkey (Nasalis larvatus); skarlátarcú ~ bald nakari monkey(Cacajao calvus); hím/kan ~ dog-ape; úgy örül mint ~ a farkának be as happy as a dog with two tails, be as pleased as Punch 2. [emberről] monkey, ape, [divatbáb] fop, swell, dude (US fam) II. a, simian, monkey

majomábrázat n, monkey face, simian face/features (pl), simian cast of countenance, apelike countenance

majomember n, ape man; jávai ~ anthropopithecus (Pithecantropus erectus)

majomház n, [állatkertben] monkey-house, apery

majomkenyér n, (növ) monkey-bread

majomkenyérfa n, (növ) monkey-bread tree, baobab- (-tree) (Adansonia digitata)

majomkirály n, [gyerekre] mischievous little monkey

majomkodás n, monkey trick, monkeying, apish antics (pl)

majomkod|ik [-tam, -ott, -jon, -jék] vi, play the monkey

majomparádé n, (mischievous) little monkey, jacka- napes

majompincsi n, griffon

majomság n, [cselekedet] piece of foolishness

majomszármazás n, descent of man from monkeys/ apes

majomszeretet n, dotage, foolish affection (of parents for children), coddling; ~tel szeret vkt, ~tel csügg vkn dote (up)on sy

majomszerű a, apish, simian, ape-like, monkeyish

majomsziget n, [bálban] stag-line

majomszínház n, monkey show, (átv) buffoonery

majomügyesség n, simian nimbleness

majonéz [-ek, -t, -e] n, mayonnaise; ~ mártás [salátá- hoz] salad-dressing

major [-ok, -t, -ja] n, farm, farmstead, grange, manor

majoranna [..át] n, (növ) marjoram (Majorana sp.); kerti ~ sweet marjoram (M. hortensis)

majorátus n, entailed property, estate in tail, majorat

majoreszkó [-t, -ja] n, eldest son (future inheritor of an estate in tail)

majoritás n, [szavazaté stb.] plurality, majority

majoros [-ok, -t, -a] n, (tenant-)farmer, granger

majorság n, 1. [baromfi] poultry 2. = major

majorsági [-ak] a, ~ gazdálkodás [középkori tört] seigniorial domestic economy

májpástétom n, liver paste

májrák n, cancer of the liver

májsejt n, liver-cell

májsérv n, liver rupture, (tud) hepatocele

májszemcsésedés n, hepato-cirrhosis

májszínű a, livery, liver-coloured

majszol [-t, -jon] vt, 1. [lassan eszik] munch, nibble, peck; csokoládét ~ munch a bar of chocolate 2. [fogatlanul] mumble; kenyérhéjat ~ mumble on a crust

majszolás n, 1. [lassú evés] nibble, munching 2. [fogatlanul] mumbling

majszolgat vt, (vmt) nibble away (at)

majszter [-ek, -t, -e] n, (biz) master (stand.)

május n, (the month of) May; ~ elseje May Day; ~ elsejei felvonulás May Day parade/procession; ~ másodika the second of May; ~ 9-én on 9th May, on May 9th; ~ végén at the end of May; ~ban, ~ folyamán in (the course/month of) May

májusfa n, may-pole, festooned tree

májusi [-ak, -t; adv -an] a, May, of/in May (ut); ~ eső May rain; ~ eső aranyat ér (kb) April showers bring May flowers

májvértolulás n, engorged liver

májzsugor(odás) n, atrophy/cirrhosis of the liver, alcoholic cirrhosis, atrophied/contracted liver

mák [-ot, -ja] n, 1. (növ) poppy (Papaver); kerti ~ garden-poppy (P. somniferum) 2. [kifejtett] poppy- -seed

makacs [-ot; adv -ul] a, 1. [ember] stubborn, obsti- nate, headstrong, self-willed, wilful, unyielding, inflexible, obdurate, tenacious, recalcitrant, opin- ionated, unsubmissive, pertinacious, perverse, stiff- -necked, mulish (fam), pig/bull-headed (fam), cussed (US), ornery (US), [tulajdonság] stubborn, dogged, persistent; ~ ellenállást tanúsít make/offer a stout/dogged resistance; ~ ellenfél stout opponent 2. ~ betegség confirmed disease; ~ láz obstinate/ stubborn/persistent fever; ~ nátha a lasting cold

makacskodás n, (capricious) stubbornness, obstinacy, mulishness (fam)

makacskod|ik [-tam, -ott, -jon, -jék] vi, show (perverse) obstinacy, be stubborn/obstinate

makacsság n, 1. stubbornness, obstinacy, obduracy, tenaciousness, pertinacity, pertinaciousness, wil- fulness, perverseness, persistence, persistency (in doing sg), recalcitrance, doggedness, mulishness (fam), pig/bull-headedness (fam), cussedness (US) 2. (jog) default

makacssági [-ak, -t] a, ~ ítélet (jog) judgment by default

makacsul adv, stubbornly, obstinately, pertinaciously, perversely, obdurately, mulishly (fam), [kitartóan] doggedly; ~ ellenáll offer a stiff resistance; ~ kitart amellett (hogy) persist in maintaining (that), main- tain persistently (that), insist on...-ing; ~ kitart a véleménye mellett, ~ ragaszkodik véleményéhez persist in one's opinion, stick to one's opinion dog- gedly, stick to one's guns (fam); ~ tagad vmt deny sg stoutly/doggedly; ~ tartja magát a hír there is a persistent rumour (that), the rumour persists that..., there persists a rumour that..., it is persistently rumoured that...

makadám [-ot, -ja] I. a, macadamized II. n, macadam; ~mal burkol macadamize

makadámoz [-tam, -ott, -zon] vt, macadamize

makadámozás n, macadamization, macadamizing

makadámút n, macadam(ized) road, [kátrányozott] tar-macadam, tarmac, metal road

makákó [-t, -ja] n, (áll) macaque (Macacus)

makáma [..át] n, rhymed prose

makaróni[1] [-t, -ja] n, [étel] macaroni

makaróni[2] [-t] a, ~ stílusú macaronic

makaróni-költészet n, macaronics (pl)

makaronikus a, macaronic

makett [-et, -je] n, maquette, clay model, mock-up

makettfelvétel n, (film) miniature/model work

mákfej n, poppy-head
mákfélék n. pl, (növ) papaveraceae
mákgubó n, poppy-head, capsule (of poppy)
maki [-t, -ja] n, (áll) lemur (Daubentonia sp., Micro-
coebus sp., Lemur sp.); szerecsen ~ black lemur
(L. macaco); véznaujjú ~ aye-aye (D. madagascari-
ensis)
makimajom n, = maki
makk [-ot, -ja] n, 1. acorn, [mint disznóeleség] mast;
~ alakú acorn-shaped, glandiform; éhes disznó ~al
álmodik (kb) what you badly need is always at
the back of your mind; ~on hízlalt acorned, mast-
-fed 2. [hímvesszőé] corona penis, glans, bulb of
the penis 3. [kárty) club(s)
makkdisznó n, (kárty) ace of clubs
makkegészséges a, fit as a fiddle, in the pink of health,
as sound as a bell (mind: ut)
makkevő a, acorn-eating
makkgyulladás n, (orv) balanitis
makk-kávé n, acorn-coffee
makkol [-t, -jon] vi, feed on mast
makkolás n, masting, (jog) pannage
makkoltat vt, mast, feed (swine) on mast
makkoltatás n, masting, beech-mast, (jog) pannage
makkoltatási [-t] a, ~ jog pannage
makkos [-ok, -t, -a] a, (növ) acorned, cupuliferous
makkszedés n, acorn-harvest
makktermés n, acorn(-crop)
makktermő a, acorn-bearing, (tud) glandiferous,
balaniferous
máknedv n, poppy juice, opium
makog [-tam, -ott, -jon] vi/vt, 1. [nyúl] squeal,
squeak, [majom] gibber 2. (átv) mumble, mutter,
falter (out), stammer, gibber
makogás n, 1. [nyúlé] squeal(ing), [majomé] gibber
2. (átv) mumbling, mumble, mutter(ing), stammer-
(ing), gibber(ing)
mákolaj n, poppy oil
mákony [-ok, -t, -a] n, opium
mákonyos [-at; adv -an] a, containing opium (ut),
opiated, opiate (ref.)
mákos [-at; adv -an] a, containing (v. prepared/dusted
with) poppy(-seed) (ut), (összet) poppy-seed; ~
béles (cake filled with ground poppy(-seed));
~ kalács poppy-seed cake; ~ metélt/tészta ⟨vermicelli
dusted with ground poppy(-seeds) and sugar⟩;
~ patkó poppy-seed roll (in shape of horseshoe),
⟨croissant filled with ground poppy-seed and sugar⟩;
~ rétes ⟨thin flaky pastry filled with ground poppy-
(-seed)⟩
mákoz [-tam, -ott, -zon] vt, [süteményt] dust/fill
(cake) with ground poppy(-seed)
makra [. . át] n, = makrapipa
makracsuka n, (áll) skipper (Scombresox saurus)
makrahal n, (áll) mackerel (Caraux sp.); fattyú ~
scad, horse mackerel (C. trachurus)
nakrancos [-at; adv -an] a, recalcitrant, refractory,
[gyerek] unmanageable, disobedient, unruly; A M~
Hölgy The Taming of the Shrew; ~ ló buck-jumper
makrancoskod|ik [-tam, -ott, -jon, -jék] vi, 1. recalci-
trate, be unruly, kick against the pricks (fam), cut
up rusty (fam) 2. [ló] jib
makrancosság n, unruliness, recalcitrance, refractori-
ness
makrapipa n, short clay pipe, cutty, nose-warmer ◈
makréla n, = makrahal
makrocita [. . át] n, (bonct) macrocyte
makrokefál [-ok, -t] a, large-headed, (term) macro-
cephalic, macrocephalous
makrokefália [. . át] n, (bonct) macrocephaly
makrokozmosz [-ok, -t, -a] n, macrocosm
makrospóra n, (növ) macrospore

makroszinoptikus a, ~ helyzet [időjárási] large-scale
weather situation
makroszkópikus a, macroscopic, gross, (fiz) mega-
scopic; ~ küllem gross appearance
mákszem n, (grain of) poppy-seed; annyi mint a ~
as numerous as the sands on the sea-shore
mákszemnyi [-ek, -t; adv -en] a, 1. [nagyon kicsi]
very tiny, Lilliputian, wee; ~ sem not a bit; egész
éjjel egy ~t sem aludtam (biz) I haven't slept a wink
all night 2. (vmből) a grain/speck (of sg), [elvont
főnévvel] a touch/little (of . . .)
máktok n, poppy-head
makulál [-t, -jon] vt, (nyomd) use for waste (paper)
send for pulping, send to be pulped
makulányi [-ak, -t] a, = mákszemnyi
makulátlan a, spotless, blotless, stainless, immaculate,
flawless, speckless, without blemish (ut), free
from mortal taint (ut) (ref.); ~ jellem character
without spot or stain; ~ név name without blemish
makulátlanság n, spotlessness, stainlessness, immacu-
lateness, flawlessness
makulatúra [. . át] n, mackle, spoilt/mackled sheets
(pl), waste paper, bogus paper
mákvirág n, 1. (flower of opium) poppy 2. díszes)
gyönyörűséges ~ bad lot/egg, scapegrace, [gyerekre]
little rascal/scamp
mál [-ak, -t, -ja] n, † fur
malac [-ot, -a] I. n, 1. (young) pig, piglet, pigling,
gruntling, squeaker (fam), piggy(-wiggy) (baby talk),
[egy kocától több] farrow, [szopós] (sucking) pig 2.
[emberről] pig, (gyermekről] (little) pig 3. [paca]
blot (of ink), smudge II. a, indecent, [történet]
broad, smutty, naughty, saucy, blue (story)
malacbanda n, third-rate (v. tupenny-ha'penny)
gipsy-band
malacfarkú a, pigtailed
malacfarok n, [fonalvezető szem] wire thread guide
malachit [-ot, -ja] n, (ásv) malachite
malachitzöld a, malachite/Hungarian/Olympian/Tyro-
lese green
malackodás n, [beszédben] indecent/lewd/smutty/foul/
naughty talk/jokes/stories (pl), ribaldry, bawdry
malackod|ik [-tam, -ott, -jon, -jék] vi, 1. [beszédben]
tell indecent/smutty/naughty/broad jokes/stories
2. = leeszi magát
malacláb n, [mint étel] pettitoes (pl)
malaclopó n, (biz) (man's) cape (stand.)
malacozás n, farrow(ing)
malacoz|ik [-ott, -zon, -zék] vi, pig, farrow
malacpecsenye n, roast pig/pork
malacság n, [beszéd] smut, naughty/smutty/broad
story/joke, scurrility, ribaldry; ~okat mond indulge
in scurrilities
malacszerű a, pig-like
malagabor n, Malaga (wine)
malagaszőlő n, Malaga grapes (pl)
maláj [-ok, -t, a; adv -ul] a/n, Malay(an); M~ Szövetség
Federation of Malaya
Malájföld prop, Malaya
maláji [-ak, -t; adv -ul] a, Malay(an), [ember, nyelv]
Malay; ~ tőr creese, criss
Maláji-szigetek prop. pl Malay(si)a, the Malay
Archipelago
malária [. . át] n, malaria, [mocsárláz] marsh/swamp-
-fever, paludism, ague, intermittent fever; maláriát
okozó [éghajlat] malarial, aguish (climate)
maláriás I. a, [tünet] malarial, malarian, malarious
(symptom), [ember] suffering from malaria (ut);
~ láz malarial fever II. n, person suffering from
malaria
maláriaszúnyog n, (áll) malaria mosquito (Anophales
sp.)

maláriazóna n, fever zone

malaszt [-ot, -ja] n, 1. (vall) divine grace/aid/favour; isteni ~ the grace of God 2. írott ~ marad remain a dead letter

malasztos [-at; adv -an] a, (átv) uplifting, inspired, [beszéd] unctuous

maláta [..át] n, malt

malátacukor n, 1. (vegyt) maltose 2. [cukorka] malted bonbon, cough-lozenge

malátacsíráztató n, malt-house

malátagyár n, malt-house, malting

malátagyári a, ~ munkás maltster, maltman

malátakávé n, malt-coffee

malátakivonat n, malt-extract, extract of malt

malátapörkölő n, malt-kiln

malátás a, malt(ed)

malátasör n, malt-liquor/drink/beer

malátaszárító n, oast-house

malátaszérű n, malt-floor

malátatörköly n, draff

malátáz [-tam, -ott, -zon] vt, [árpát] malt (barley)

malátázás n, malting

malátázó [-t, -ja] n, 1. [munkás] maltman, maltster 2. [hely] malt-house

Malaysia [..át] prop, Malaysia

málé[1] [-t; adv -n] a, 1. [esetlen] lumpish, loutish, awkward, clumsy 2. [mafla] sheepish, dull, stupid, boobyish

málé² [-t, -ja] n, [étel] polenta, corn-cake/mush, hoecake (US)

máléság n, 1. [esetlenség] lumpishness, loutishness, clumsiness 2. [maflaság] sheepishness, dullness, stupidity

máléskod|ik [-tam, -ott, -jon, -jék] vi, stand gaping, waste one's time stupidly

málészájú a, gaping, stupid, boobyish, sheepish

Malgas [-t, -ban] prop, Malgas

malgasi [-ak, -t] a, Mal(a)gasy

málha [..át] n, luggage, baggage (US), [katonáé] kit, [állaton] pack

málhadarab n, article of luggage

málhafeladás n, registration of luggage, baggage checking (US), [kiírás] booking-office for luggage

málhakocsi n, 1. (vasút) luggage-van, fourgon, baggage-car (US) 2. [kat szekér] baggage-waggon

málhanyereg n, packsaddle

málharaktár n, goods/freight shed, [ruhatár] left-luggage office, cloak room (GB), baggage-room, check room (US)

málhás a, pack-, baggage; ~ állat pack-animal, beast of burden; ~ kocsi = málhakocsi; ~ kosár pannier; ~ ló pack-horse, baggage horse, (kat) bat-horse; ~ öszvér pack-mule; ~ szekér luggage-cart, baggage-waggon (US)

málhaszíj n, cloak strap

málhavonat n, (kat) supply train, impedimenta (pl)

málház [-tam, -ott, -zon] I. vt, 1. [lovat] pack (horse), load (horse) with pack(s) 2.[megmér] weigh II. vi, pack/load up

málházás n, 1. [lóé] packing, loading (up) 2. [megmérés] weighing

málházó [-t, -ja] n, 1. [hely] = málharaktár; 2. [ember] goods-guard/porter

Mali [-t, -ban] prop, Mali; ~ köztársaság Mali Republic

mali [-ak, -t] a, Mali(an)

malícia [..át] n, malice, maliciousness, spite(fulness), ill-nature/will, malignity, nastiness

maliciózus a, malicious, spiteful, ill-natured, malignant, nasty

maligánfok n,⟨(kb) alcohol-content of wine in volume per cent⟩

málingó [-t, -ja] n, (nép) = sárgarigó

mállad [-t, -jon] vi, (begin to) crumble, become crumbly/friable/brittle

málladék [-ot, -ja] n, (crumbled/disintegrated) remnants/debris of sg, (geol) detritus

málladékos [-at; adv -an] a, [kőzet] detrited, detrital

málladéktakaró n, (földr) regolith

mállás n, crumbling, disintegration, exfoliation, flaking off, (geol) decay, weathering; ~i maradék decomposed residuum

mállaszt [-ani, -ott, mállasszon] vt, render friable, (cause to) crumble, disintegrate, [rétegesen] flake, exfoliate, split, (geol) decay

mállékony [-at; adv -an] a, friable, crumbly, flaking off easily (ut)

máll|ik [-ani, -ott, -jon, -jék] vi, crumble, become crumbly/friable/brittle, disintegrate, exfoliate, [kő] flake, decrepitate, decay

malmos [-ok, -t, -a] n, miller, mill-owner, grist-miller

malmoz|ik [-tam, -ott, -zon, -zék] vi, 1. play (at) merils, play nine-men's morris 2. [ujjával] twiddle/ turn one's thumbs

málna [..át] n, (növ) raspberry (Rubus idaeus); törpe ~ mountain-bramble (R. chamaemorus); málnát szed berry

málnabogyó n, (berry of) raspberry

málnabokor n, raspberry bush

málnaecet n, raspberry vinegar

málnalé n, raspberry-juice

málnás I. a, (prepared) with raspberries (ut), raspberry- II. n, raspberry-field

málnaszörp n, raspberry-juice, raspberry-flavoured syrup

malom [malmot, malma] n, 1. (flour-)mill, grist mill (US), [nagy] flour-milling works, merchant mill, [kézi hajtású] quern 2. (átv) ~ alatti politika/politizálás parish-pump politics; ~ alatti politikus pot-house politician, cracker-barrel politician (US); más ~ban őrölünk we are not talking of the same thing, we mean two different things by that, we are at cross-purposes; vk malmára hajtja a vizet play into the hands of sy, bring grist to sy's mill; az én malmomra hajtja a vizet it is to my advantage; isten malmai lassan őrölnek though the mills of God grind slowly yet they grind exceeding(ly) small 3. [játék] merils (pl), nine-men's morris; malmot csinál make a mill/row

malomárok n, mill-race/course/stream

malomcsappanó n, mili-clack

malomellenőr n, inspector/superviser of (flour-)mills

malomépítő n, millwright

malomgarat n, mill-hopper

malomgát n, mill-dam

malomipar n, milling industry, flour-milling

malomjáték n, merils (pl), nine-men's morris

malomjog n, right to work a mill

malomkerék n, mill-wheel

malomkerékzörej n, (orv) bruit de moulin (fr)

malomkő n, millstone; alsó ~ bedder, fuller, nether millstone; felső ~ runner, grinder, upper millstone; két ~ között (átv) between the upper and the nether millstone, between the devil and the deep (sea)

malompatak n, mill-brook

malompor n, mill-dust

malomrosta n, bolter, sifter, bolting-machine

malomszita n, bolter, sifter, bolting-machine

malomtó n, mill-pond

malomtulajdonos n, mill-owner, flour-factor

malomütköző n, mili-clack

malomvám n, milling dues (pl), multure

malomvitorla n, wing, sail (of windmill)

malomzúgás n, hum of mill

malomzsilip n, mill-sluice

malőr [-ök, -t, -je] n, mishap, accident
Malpighi-test n, (bonct) Malpighian/renal corpuscle
Málta [.. át, .. án] prop, Malta
máltai [-ak, -t] a/n, Maltese; ~ kereszt Maltese cross; ~ láz brucellosis, undulant fever, mediterranean fever, Gibraltar/Malta fever; ~ lovag Knight of Malta, Hospitaller; ~ lovagrend Knights of Saint John of Jerusalem (pl), Knights of Malta (pl), Military Order of Malta
máltaláz n, brucellosis, undulant fever, Gibraltar/Malta/mediterranean fever
maltáz [-ok, -t] n, (vegyt) maltase
malter [-ek, -t, -e] n, mortar, [vakolat] (coat/coating of) plaster
malterkeverő n, bricklayer's man, [gép is] mortar mixer
malteroskanál n, trowel
malterréteg n, (épit) bed/coat of mortar
maltertörmelék n, debris of plaster-work
malthusi [-ak, -t] a, Malthusian
malthusianizmus n, Malthusianism
malthusiánus a/n, Malthusian
Malvin [-ok, -t, -ja] prop, Malvina
mályva [.. át] n, (növ) mallow, hollyhock (Malva); fehér ~ althea (Althea); erdei ~ wood mallow (M. silvestris)
mályvafélék n. pl, malvaceae
mályvarózsa n, (növ) hollyhock, rose mallow (Althaea rosea)
mályvaszín n, mauve
mályvaszínű a, mauve, pinkish-purple
mama [.. át] n, mother, Mam(m)a, Mammy, Mum(my), Ma; ~ kedvence mother's pet/darling; Smith ~ Mother Smith; a mamám my Mammy, ma, (isk) the mater
máma adv, = ma
mamácska n/int, dear little/old mother/mam(m)a, Mammy, Mum(my)
mamaliga [.. át] n, = puliszka
mameluk [-ot, -ja] n, 1. mameluke 2. (biz) [magyar politikában] staunch supporter of the government
mamlasz [-ok, -t; adv -ul] I. a, simple(-minded); ld még mafla, málé; II. n, simpleton, calf, noodle, pudding-head, tom-noddy, numskull
mammon [-t, -ja] n, mammon, Mammon
mammut [-ot, -ja] I. n, (áll) mammoth (Mammuthus primigenius) II. a, mammoth
mammutbirtok n, mammoth estate
mammutfenyő n, (növ) mammoth tree, giant redwood, big-tree, wellingtonia (Sequoia sp. = Wellingtonia sp.); partvidéki ~ Californian evergreen redwood tree (S. sempervirens)
mammutfizetés n, enormously high salary, colossal pay/salary
mammutjövedelem n, excessive income
mammutvállalat n, gigantic enterprise/concern
mámor [-ok, -t, -a] n, 1. (ált) intoxication, [könnyü] dizziness, giddiness, swimming of the head 2. [szesztől] drunkenness, inebriation, tipsiness (fam) 3. [örömtől] rapture, ecstasy, [tomboló] frenzy; győzelmi ~ flush of victory; győzelmi ~ban flushed with victory
mámorít [-ani, -ott, -son] vt, = mámorosít
mámorító a, = mámorosító
mámorka n, (növ) empetrum (Empetrum)
mámoros [-ak; adv -an] a, 1. (ált) intoxicated 2. [szesztől] inebriated, drunk, tipsy (fam), in liquor (ut), tight ◇; ~ fővel in liquor, the worse for liquor/drink; ~sá tesz inebriate, (átv is) intoxicate 3. [sikertől] drunk (with success) (ut), intoxicated (with/by success) (ut), flushed (with victory) (ut), [öröm] rapturous, ecstatic (joy), frenzied, delirious,

[örömtől] (en)raptured, in raptures (ut), deliriously happy (ut), [tomboló] mad (with joy) (ut) ; ~ az örömtől be in an ecstasy of joy, be deliriously happy
mámorosít [-ani, -ott, -son] vt, intoxicate, inebriate, make drunk
mámorosító [-ak, -t; adv, -an] a, 1. (ált) intoxicating, inebriating 2. [ital] heady 3. [öröm] rapturous, ecstatic (joy)
mámorosodik [-tam, -ott, -jon, -jék] vi, (begin to) become intoxicated/inebriated (amitől with), (begin to) get drunk
mamuska n/int, = mamácska
mamusz [-ok, -t, -a] n, felt slipper(s)
manapság adv, nowadays, in these days, as things go, as things are at present, at the present time, in these/our days
manátusz [-ok, -t, -a] n, (áll) manatee, sea-cow (Trichechus manatus)
manchesteri [-ek, -t] a/n, Mancunian
Manci [-t, -ja] prop, Magde, Maggie, Peggy, Peg, Greta, Daisy, Mamie (US)
mancs [-ot, -a] n, paw
mandarin[1] [-ok, -t, -ja] n, [kínai] mandarin; Csodálatos M~ the Miraculous Mandarin
mandarin[2] [-ok, -t, -ja] n, (növ) mandarin, tangerine (Citrus nobilis var. deliciosa)
mandarinsárga a/n, [festék, szín] mandarine
mandátum [-ot, -a] n, mandate, [képviselői] seat (in Parliament)
mandátumvesztés n, unseating (of Member of Parliament), loss of constituency; X-et ~re ítélték Mr. X was unseated
mandátumvizsgáló a, ~ bizottság [parlamenti] mandates committee, [nemzetközi szervezeteknél] Credentials Committee
mandiner [-ek, -t, -a] n, cushion (of billiard table); ~re játszik [biliárdban] cushion; ~ről off the cushion
mandinerlökés n, stroke off the cushion
mandolin [-ok, -t, -ja] n, mandolin(e)
mandolinjátékos n, mandolinist
mandolinkíséret n, ~tel énekel sing to the mandoline
mandorlaalak n, [pecsété] vesica form
mandorlapecsét n, vesica seal
mandragóra [..át] n, (növ) mandrake, devil's apple (Mandragora officinarum v. officinalis)
mandrill [-ok, -t, -ja] n, (áll) [pávián-faj] mandrill (Mandrillus sphinx)
mandula [..át] n, 1. [gyümölcs] almond; édes ~ sweet almond(s); égetett ~ roasted/burnt almond(s); keserű ~ bitter almond(s); őrölt ~ ground almond(s); mandulát hámoz blanch almonds 2. [szerv] tonsil; kiveszi vk manduláját cut out (v. remove/excise/dissect) sy's tonsils; mandulát kihámoz amputate the tonsils
mandulacsípő n, (orv) tonsil compressor
mandulafa n, (növ) almond-tree (Amygdalus)
mandulafélék n. pl, amygdalaceae
mandulafenyő n, parasol/stone/umbrella pine (Pinus pinea)
mandulagyulladás n, tonsilitis; tüszős ~ follicular/lacunar tonsilitis
mandulakacs n, tonsil guillotine, tonsillotome
mandulakivétel n, removal of tonsils, (tud) tonsillectomy, tonsillotomy
mandulakő n, amygdaloid
mandulalob n, = mandulagyulladás
mandulaműtét n, tonsillectomy, tonsillotomy
mandulaolaj n, almond-oil
mandulaoperáció n, = mandulaműtét
mandulás I. a, (prepared) with almonds (ut), almond-; ~ sütemény almond-cake, macaroon II. n, almond grove

mandulasav *n*, amygdalic acid
mandulaszappan *n*, almond soap
mandulaszemű *a*, almond/slit-eyed
mandulaszerű *a*, 1. *(növ)* amygdaline, amygdalic 2. *(ásv)* amygdaloid
mandulatej *n*, milk of almonds, orgeat (syrup)
mandulatiló *n*, = mandulavágó *kés*
mandulavágású [-ak, -t] *a*, ~ *szem* slit/almond eyes *(pl)*, almond-shaped eyes *(pl)*
mandulavágó *a*, ~ *kés* tonsil guillotine, tonsillotome
mandulavirág *n*, almond blossom
mandzsetta [..át] *n*, cuff, *[rávarrott]* wristband (of shirt-sleeve)
mandzsettagomb *n*, wrist/cuff/sleeve-link(s)
mandzsu [-t, -ja; *adv* -ul] *a/n*, Manchurian
Mandzsúria [..át, ..ában] *prop*, Manchuria
mandzsu—tungúz *a/n*, Tungus-Manchu
maneken [-ek, -t, -je] *n*, mannequin, model
mangalica [..át] *n*, ⟨breed of pigs with curly bristles⟩, "mangalica" pig
mangán [-ok, -t, -ja] *n*, manganese
mangánacél *n*, manganese steel
mangánbánya *n*, manganese mine
mangánérc *n*, manganese (ore)
manganit [-ot, -ja] *n*, *(ásv)* manganite, gray manganese ore
mangánsav *n*, manganic acid
mangántartalmú [-ak, -t] *a*, manganic, manganiferous
mangánvas *n*, manganese iron
mangó [-t, -ja] *n*, *(áll)* banded mongoose *(Mungos mungo)*
mangófa *n*, *(növ)* mango(-tree) *(Mangifera)*
mángol [-t, -jon] *vt/vi* = mángorol
mangold [-ot, -ja] *n*, *(növ)* chard *(Beta vulgaris cicla)*
mángorlás *n*, mangling, calendering, pressing
mángorló [-t, -ja] *n*, mangle, (rolling) calender, press
mángorlódeszka *n*, mangling board
mángorlófa *n*, roller (of mangle)
mángorlógép *n*, *(műsz)* calender, pressing machine
mángorlóhenger *n*, pressing roller
mángorol [-t, -jon] *vt/vi*, mangle, press, *(műsz)* calender
manguszta [..át] *n*, *(áll)* négyujjú ~ suricate *(Suricata tetradactyla)*
mánia [..ák] *n*, mania, crank, craze *(fam)*, bug *(US)*; bélyeggyűjtési ~ craze for stamp-collecting
mániákus I. *a*, maniac(al) II. *n*, 1. maniac 2. *[vmnek gyűjtője/kedvelője]* fiend, fan
mániás *a/n*, = mánlákus
manifesztál [t, -jon] *vt*, manifest
manifesztálás *n*, manifestation
manifesztum [-ot, -a] *n*, manifesto, proclamation
manikűr [-ök, -t, -je] *n*, manicure, care of the hands
manikűrkészlet *n*, manicure set, trim-set, nail-set *(US)*
manikűrolló *n*, cuticle scissors/shears *(pl)*
manikűrös [-ök, -t, -e] *n*, manicurist
manikűröz [-tem, -ött, -zön] *vt/vi*, manicure, *[magának]* trim one's nails
manikűrözés *n*, manicure, manicuring
Manila [..át, ..ában] *prop*, Manila
manilakender *n*, *(növ)* abaca, Manila hemp *(Musa textilis)*
manipuláció [-t, -ja] *n*, (unsavoury) manipulations *(pl)*, underhand practice(s); választási ~ gerrymander(ing)
manipulál [-t, -jon] *vi*, 1. *(elít)* have shady dealings, work underhand, scheme, plot, manoeuvre, manipulate, pull the wires, wangle ◆ 2. *(nem elít)* manipulate, handle, deal with
manipulálás *n*, 1. *(elít)* manipulation, scheming, plotting, wangling ◆ 2. *(nem elít)* manipulating, handling, dealing with

manipuláns [-ok, -t, -a] I. *n*, *(elít)* wire-puller II. *a*, ~ őrmester quartermaster-sergeant
manipulus *n*, *[miséző pap karján]* maniple, fanon
manírizmus *n*, *(műv)* mannerism
mankó[1] [-t, -ja] *n*, crutch(es), prop *(fam)*, peg *(fam)*
mankó[2] [-t, -ja] *n*, = pénztárhiány
mankópénz *n*, *[pénztári hiányok pótlására]* risk-money
mankós [-at; *adv* -an] *a*, ~ *bot* crutch-handled walking--stick; ~ emelő/fogantyú crutch (type) handle
manna [..át] *n*, manna
mannalevél *n*, *(növ)* laminaria *(Laminaria)*
manó [-t, -ja] *n*, 1. mischievious sprite, imp, (hob-)goblin, troll, gnome, leprechaun, elf, pixie, pixy; ~*k* the little/good people; *vigye el a* ~*!* the devil take him!, confound him; *a* ~*ba!* hang it! 2. *ájtatos* ~ *(áll)* praying mantis/mantid, praying-insect *(Mantis religiosa)*
Manó [-t, -ja] *prop*, Emmanuel, Manuel
manométer *n*, manometer, pressure/steam-gauge, pressure-tester, compressometer
manometrikus *a*, manometric(al)
manőver [-ek, -t, -e] *n*, manoeuvre, scheme, intrigue
manőverez [-tem, -ett, -zen] *vi*, manoeuvre, contrive, scheme
mans [-ok, -t, -a] *n*, *[bridzsben]* invulnerable, not vulnerable
manserő *n*, *[bridzsben]* game
mantil [-ok, -t, -ja] *n*, mantlet
mantissza [..át] *n*, mantissa
manuál [-t, -ja] *n*, *[hangszeré]* manual, finger-board
manufaktúra [..át] *n*, manufacture
manzárd [-ot, -ja] *n*, mansard, garret, attic
manzárdablak *n*, dormer(-window), attic/garret/gable--window
manzárdemelet *n*, mansard
manzárdlakás *n*, lodgings/room in a garret/attic/mansard
manzárdszoba *n*, attic/garret/mansard room
manzárdtető *n*, mansard/garret roof
Manyi [-t] *prop*, Marge, Maggie, Peggy, Peg, Daisy, Maisie, Meg, Greta
manysi [-ak, -t] *a/n*, = vogul
maori [-t] *a/n*, Maori
mappa [..át] *n*, 1. *[írószeré]* writing-pad, portfolio, *[itatóssal]* blotting-pad/book 2. *[térkép]* map, *[tengerészeké]* (sea-)chart
mar[1] [-t, -jon] *vt*, 1. *[állat]* bite 2. *[sav]* bite, corrode, pit, eat away, *[rozsda]* fret, *(műsz)* mill; ~*ja a nyelvet* it burns one's tongue 3. *(átv)* malign, vilify, speak evil of; ~*ják egymást* they fight like Kilkenny cats; *aki bírja* ~*ja* everybody for himself and the devil take the hindmost, might is right
mar[2] [-t, -ja] *n*, *[lóé]* withers *(pl)*
már *adv*, already, *[megelőzőleg]* before, previously, *[kérdésben]* already, yet, *[kérdésben valaha/egy-általán]* ever, *[tagadásban]* any more; *dolgozol* ~*?* are you working already?; *igen* ~ *dolgozom* yes I'm at work already, yes I'm working already; ~ *nem dolgozom* I do not work any more, I am not working any more; *vacsoráztál* ~*?* have you had your supper yet?; ~ *tíz órakor* as early as ten o'clock, already at ten; ~ *akkor* even then, even at that time, as early as that; *én* ~ *akkor* even at that time I, *[inkább]* I'd rather/better; ~ *akkor is* as early as that, even then; ~ *ma elkezdem* I will begin this very day; ~ *kezdettől fogva* from the outset, from the (very) first; ~ *rég meg kellett volna csinálni* it ought to have been done before now; ~ *az V. században is* as early as the fifth *(v. 5th century)*; ~ *1900-ban* as far back as 1900; ~ *a kortársak is felfigyeltek rá* even in his own day/time he aroused attention; ~ *csak kettő van* only two are left; ~ *csak tíz perc!* only ten minutes

left/more!; ~ csak azért is for the very reason, if only because; ~ amennyire so far as; ~ nem no longer/ more, not now; ~ nem jó it is not good any more; ~ nem él he is no' more, he is dead, he has passed away; ez ~ a múlté that is a thing of the past; ~ találkoztunk we have met before, we have already met; ~ éppen menni akartam I was (just) going/about to leave; ~ megint again; ~ megint itt vannak they have come again, they are here again, here they are again; ~ megjött? has he come yet?; ~ meg kellett volna érkeznünk we should have arrived by this time; ~ megyek! I'm coming/going; ~ itt sem vagyok (biz) I am off, off I am; ~ most [= nem máskor] just now, here and now, right now (US fam); most ~ tehát tudod so now you know; a ház ~ nem áll the house is (standing) no more; ~ nem találta meg he could no longer find it, he could nbt find it any more; ~ régen nem él he has been long dead; ~ nem a régi he is no longer what he was (v. used to be), he is no longer his former/old self; ~ nincs... there's no more..., [nem maradt] nothing has been left; [nyomósításként] no ülj ~ le! do sit down!; ez ~ mégis sok! (biz) that's carrying it a bit too far, that's a bit thick/stiff, that's coming it rather strong; ez ~ így van (well) that's how it is, that's that; az emberek ~ ilyenek that's the way people are; látott ~ ilyet! (biz) have you ever seen/heard such a thing!, well I never! ~ késő itt's too late; hát ~ te is? not you too! mára adv, 1. [a mai napra] for to-day; ~ elég! that's enough (v. let that be enough) for today, let's call it a day 2. [legkésőbb máig] by today
marabu [-t, -ja] n, (áll) marabou(-stork), adjutant- -crane (Leptoptilus)
marad [-t, -jon] vi, 1. [vm állapotban] remain, rest, (nyomd) stet (lat); adósa ~ vknek remain in sy's debt, remain sy's debtor, remain under an obligation to sy; árván ~ be left an orphan, be(come) orphaned; a dolog nem ~hat annyiban the matter will not rest/stop there, the matter cannot (v. must not) stop there; eldöntetlen ~ remain (v. be left) undecided/unsettled/pending, remain to be decided/ settled; életben ~ survive; ennyiben ~unk we'll leave it at that, let us abide by this resolution, that's that; ez nem ~hat ennyiben! something must be done about it!, we must do something about it!, it cannot (v. must not) go on like that, it cannot (v. must not) remain like that; hű ~ vmhez remain faithful/loyal to sg; ~tam alázatos szolgája [levél befejezéseként] I am/remain your most obedient servant; ~tam alázatos tisztelője... I subscribe myself your humble servant...; ~ok kiváló tiszte- lettel I remain yours respectfully/truly; köztünk ~jon l this is strictly between ourselves (v. you and me), mum's the word (fam)!; ~j csöndben! be quiet!; magára ~ be left alone, be left to one's own devices; minden ~ a régiben everything remains unchanged, there will be no changes; nyugton ~ keep/be calm/ still; ~hass! stop (that nonsense)!; ülve/helyén ~ keep one's seat, remain sitting/seated 2. (vhol) stay, re- main, rest, tarry, make a stay, stop (swhere), abide; ágyban ~ stay in bed; helyén ~ [blúz stb.] stay put, stay tucked in; hol ~ hát ilyen soká? where can he stay/be so long?, what can keep him so long?; hol ~tál ilyen soká? where have you been so long?; hol is ~tunk? where did we leave off?, where were we?; itt nem ~hat (mivel) he cannot stay (for); ott ~ stay there/put; otthon ~ stay at home; tisztében ~t 1950-ig he continued in that/his office until 1950; vm mellett ~ stick, adhere (to sg), abide (by sg); ~junk a tárgynál let's stick to the point/subject; vm mögött ~ be inferior to sg, be no match for sg, come short of sg; vk mögött ~ be left behind by sy,

be outdistanced by sy, be inferior to sy; semmiben sem ~sz mögöttük you are every whit as good as they 3. (vkre) be left to, fall to (sy's lot/share), devolve upon (sy), [feladat] fall to (sy to do sg); a birtok örököseire ~t the estate passed to his heirs; az utókorra ~ [hagyomány] go down to posterity; a római jog ebben az alakjában ~t ránk Roman law has come down to us in that form 4. (vmeddig) ~j egy kicsit stay a while; (itt) tud ~ni vasárnap/ hétfőig? can you stay over Sunday?; sokáig ~t a könyvtárban he stayed for quite a while in the library 5. (vmennyi) be left over, remain; ~ kettő meg hét az kilenc [számolásban] I carry two (v. remain two) plus seven make nine; semmi sem ~t nothing was left (of it), nothing remained; nyolcból levonva három ~ öt eight minus three leaves five; öt a tizenegyben megvan kétszer és még ~ egy five into eleven goes twice and one over; nem ~t más mint nothing was left (to me) but...; egy vasam sem ~t (biz) I haven't got a (pretty) penny left, I'm stone/stony broke
maradandó [-ak, -t; adv -an] I. a, lasting, that will last (ut), enduring, permanent, (per)durable, abiding, imperishable, dateless; ~ értékű of abiding/ standing value (ut); ~ emlék imperishable/fadeless memory; ~ értékű könyv a book of lasting/permanent value; ~ gáz persistent gas; ~ változások irrevocable changes II. n, ~t alkot mint tudós make one's mark as a scholar
maradandóság n, durability, lastingness
maradás n, (vké vhol) stay(ing), sojourn; nincs ~a [= mozgékony] be always on the go, be restless, fidget, [nyugtalan] feel uneasy; nincs ~a vktől be pestered/plagued by sy; ~ra bir vkt make sy stay, per- suade sy to stay
maradék [-ot, -a] I. n, 1. remainder, rest, [kevés] remnant(s), residue, remains (pl) 2. [étel] leavings (pl), scraps (of meal) (pl), leftovers (pl) 3. [rak- tári] leftovers (pl), surplus stock, returns (pl), [szövetvégből] remnants (pl), fag-ends (pl), [ruha- varrásnál] remaining bits (pl), pieces that are over; ~ ok odds and ends, riff-raff, oddments, bits and pieces 4. [számtani kivonásnál] residuum, remainder, [összeadásnál] carry over, [számlán] balance (of account); ~ nélkül = maradéktalanul; ~ nélkül osztható exactly divisible, aliquot; ~ nélküli osztás clear-cut division 5. † [ivadék] scion, decendant, offspring, progeny, issue
II. a, residuary, remaining, left (ut); ~ áru = maradék I. 3.; ~ erejével with his remaining strength; ~ érték residual value; ~ készlet surplus stock, left-overs (pl); ~ összeg [számtani kivonás- nál] remainder, residuum; ~ tartozás debit balance; ~ üledék (geol) residual deposit
maradékáruház n, remnant shop
maradékárusítás n, remnant/bargain sale, closing-down sale, clearance (sale), reduced goods (pl)
maradéktalan a, full, complete, total, entire, whole, absolute
maradéktalanul adv, fully, entirely, wholly, com- pletely, to the full; ~ megfizet pay in full
maradhatatlan a, ~ ember restless person, (kif) he's here today and gone tomorrow
maradi [-ak, -t; adv -an] a, 1. [eszme] old-fashioned, outmoded (notion) 2. (vk) backward, retrograde (person), person behind the times (ut), hidebound (person), stick-in-the-mud (fam); ~ ember back number (US), standpatter (US)
maradiság n, backwardness, old-fashioned notions/ ideas (pl), orthodoxy
maradó [-t; adv -an] a, (vmből) residual; postán ~ küldemény to be called for, poste restante, general delivery (US)

maradoz [-tam, -ott, -zon] vi, fall/lag behind
maradvány n, 1. [mennyiségi] residue, residuum, remnant, rest, remainder, leftover, surplus, [számlán] balance (in hand), surplus 2. [pusztulás után] remains (pl) 3. [régi dolgoké] relic, survival (of times past), vestiges (pl), hangover (of/from sg) (US fam), holdover, [szépségé] traces (of beauty); betegség ~ai after-effects (pl) (of illness); római kori ~ a Roman remain; letűnt korok/idők ~ai records of past ages; a háború előtti idők ~a relic(t) of pre-war days 4. (vk) földi ~ai mortal remains (of sy)
maradványfaj n, (biol) relic species, relictum
marakodás n, quarrel(ling), (átv) bickering, squabbling, wrangling, squabble, wrangle, [kutyáké] fight
marakod|ik [-tam, -ott, -jon, -jék] vi, quarrel, bicker, squabble, wrangle, [kutyák] fight (amin: over)
Máramarossziget [-et, -en, -re] prop, Sighet (town in Rumania)
marás n, 1. [állaté] bite 2. [savé] biting/corrosive/ caustic effect 3. (műsz) milling, cutting
maraszt [-ani, -ott, .. asszon] vt, (vál) = marasztal 1.
marasztal [-t, -jon] vt, 1. (vkt) detain, ask/press/ entreat (sy) to stay (on, longer) 2. (jog) perköltségekben ~ order to pay costs, put to expense; ld még elmarasztal
marasztalás n, 1. repeated entreaties (to sy) to stay on/ longer; enged a ~nak give in and stay 2. (jog) condemnation; ld még elmarasztalás
marasztaló [-ak, -t; adv -an] a, 1. [házigazda] entreating (sy) to stay on/longer (ut) 2. (jog) condemnatory; ~ ítélet judgment given against sy
marat vt, 1. [savval] corrode, [rézkarcot] etch, [textilfestésben] discharge 2. (műsz) mill
maratás n, 1. [savval] corrosion, [rézkarcé] etching, [kliséé] caustic process 2. (műsz) milling work
marató [-t; adv -an] I. a, 1. [eljárás] corrosive, etching, caustic (process), (tex) discharge (printing) 2. (műsz) milling (process) II. n, [szer] corrosive
maratoni [-ak, -t] a, ~ futás Marathon race; ~ futó Marathon runner
maratott [-at; adv -an] a, ~ nyomás (tex) discharge print
márc [-ot, -a] n, hydromel
marcangol [-t, -jon] vt, 1. (konkr.) lacerate, [állat] maul, tear to pieces/bits, [késsel] mangle, hack, slash, gash 2. [kín] gnaw, torment, torture; vknek a szívét ~ja rend sy's heart
marcangolás n, 1. (konkr.) laceration, mauling 2. (átv) torments (pl)
Marcel [-t, -ja] prop, Marcellus
Marci prop, (kb) Martin, Mart; él mint ~ Hevesen live like a fighting cock, live in clover
marcipán [-ok, -t, -ja] n, marchpane, marzipan
március [-ok, -t, -a] n, March; ~ idusán on the Ides of March; ~ elején early in March; ~ 3-án on 3rd March, on March 3rd
márciusi [-ak, -t; adv -an] a, of/in March (ut), March
marcona [.. át] a, grim(-visaged), martial, [arc] forbidding (face); ~ vonások rugged features
marconaság n, grimness, martial air
Marcsa [.. át] prop, Marion, Moll(y), Poll(y)
mardos [-tam, -ott, -son] vt, [kín] gnaw (at), torment, torture, consume, rack, [vk lelkét] prey (upon sy's mind), [lelkiismeretfurdalás] prick, sting; ~sa az aggodalom be devoured by anxiety; ~sa a bűntudat be seized with compunction; ~sa a lelkiismerete be smitten with remorse, be in the throes of remorse, his conscience stings him; az önvád ~sa feel pricks/ qualms of conscience, his conscience pricks him; ~ a tudat (hogy) it frets me to know (that)
mardosás n, gnawing, [lelkifurdalásé] remorse, qualm(s), pricks, pang(s) (of conscience)

mardosó [-ak, -t; adv -an] a, (átv) gnawing, tormenting, torturing; ~ éhség stings of hunger; ~ lelkiismeretfurdalás biting remorse
marék [-ot] n, 1. = marok; 2. = maréknyi
maréknyi [-t] a, handful
márga [.. át] n, marl
márgabánya n, marl-pit
márgaföld n, marly soil
márgakő n, marlite
margaréta [.. át] n, (növ) daisy, yellow ox-eye (daisy), corn marigold, [kerti] marguerite (Chrysanthemum leucanthemum)
margarin [-ok, -t, -ja] n, margarine, marge (fam)
márgás a, marly; ~ agyag marly clay; ~ föld marly soil
márgáz [-tam, -ott, -zon] vt, [talajt] marl (soil)
Margit [-ot, -ja] prop, Margaret, Margery, Marjorie, May; ld még Manci
Margit-híd prop, Margaret Bridge (in Budapest)
Margitka prop, Madge, Maggie, Peggy, Peg
Margitsziget prop, Margaret Island (in Budapest)
margitszigeti a, of/on Margaret Island (ut)
margitvirág n, (növ) chrysanthemum (Chrysanthemum sp.); réti ~ oxeye daisy (C. leucanthemum)
margó [-t, -ja] n, margin; ~n in/on the margin; ~t hagy leave a margin; keskeny ~jú with a narrow margin (ut)
Margó [-t] prop, Margot, Meg
margóbeállító n, [írógépen] margin stop
margókiváltó n, [írógépen] margin release key
margós [-ak, -t; adv -an] a, marginate(d), margined
marha [.. át] I. n, 1. (át) cattle, live-stock, ox (pl oxen), neat (obs) 2. [étel] beef 3. † [vagyon] wealth, goods and chattels (pl) 4. [ember] blockhead, fathead, thick head, ass; emeletes ~ egregious ass II. a, [személy, dolog] stupid, idiotic, imbecile; ~ ötlet what an idiotic idea! III. adv, [fokozó értelemben] nagy ~ ember a big hulking fellow
marhaállás n, stock-yard
marhaállomány n, cattle/live-stock, grazing stock, stock of cattle
marhabagócs n, (áll) ox warble fly (Hypoderma bovis)
marhabél n, ox-gut
marhaboksz n, chrome-side leather
marhabögöly n, (áll) large horse bee/fly, breeze, (nép) cleg(g) (Tabanus bovinus)
marhabőr n, oxhide, neat's-leather, cowhide; nyers ~ rawhide
marhacsapás n, cattle-track
marhacsorda n, herd, drove (of cattle)
marhadoktor n, (biz) vet
marhafaggyú n, beef-tallow/fat, suet (of cattle)
marhafaj n, bovine family/kind
marhafartő n, edge/aitch-bone, rump(-steak), round of beef
marhafélék n. pl, bovines, (tud) Bovidae
marhafilé n, fillet of steak, undercut/tenderloin of beef, sirloin
marhaganaj n, cow-dung
marhahajcsár n, (cattle-)drover, cattleman, cow-hand, cow-boy (US), bullwhacker (US), cow-puncher ◆
marhahús n, beef, red/brown meat; főtt ~ boiled beef; sült ~ roast beef
marhahúskivonat n, beef extract
marhahúskonzerv n, canned/bully/corned beef
marhahúsleves n, beef-tea/broth, clear soup, bouillon (fr), consommé (fr)
marhaistálló n, cow-house/shed, cattle-shed, neathouse
marhaitató n, watering place (for cattle), drinking-trough
marhajárás n, = marhacsapás
marhakáposzta n, (növ) field kale, marrow-stem kale, tronchuda, collard (Brassica oleracea var. acephala)

marhakereskedő *n*, cattle-dealer, live-stock dealer, drover

marhakivitel *n*, cattle export

marhakocsi *n*, cattle-truck, stock-car

marhakorlát *n*, stock-yard

marhakupec *n*, drover, cattle-dealer, live-stock dealer

marhalegelő *n*, pasture, grazing-ground (for cattle), cattle-run

marhalevél *n*, cattle licence, cattle ownership papers *(pl)*

marhamunka *n*, heavy work, drudgery

marhanyelv *n*, ox-tongue, neat's tongue

marhapásztor *n*, cowherd, cowman, herdsman, neat--herd, *[lovas]* cow-boy *(US)*

marharakodó *n*, loading platform (for live-stock)

marharépa *n*, (cattle-)turnip

marhaság *n*, nonsense, imbecility, rubbish *(fam)*, rot ◊; ~ot mond talk rot/rubbish

marhasó *n*, cattle-salt

marhasült *n*, roast beef, fillet steak, beef-steak

marhaszegy *n*, brisket

marhaszelet *n*, beef-steak

marhatartás *n*, cattle-breeding

marhatenyésztés *n*, stock-raising/farming, cattle-breeding

marhatenyésztő *n*, stock-raiser/farmer, cattle-breeder

marhatetű *n*, *(áll)* *[nagy]* short-nosed ox louse *(Haematopinus eurysternus)*

marhatolvaj *n*, cattle-lifter, cattle-rustler *(US)*

marhavágás *n*, slaughtering (of cattle)

marhavagon *n*, cattle-truck, box/stock-car

marhavásár *n*, cattle-market

marhavész *n*, cattle-plague, rinderpest, epizootic disease

marház [-tam, -ott, -zon] *vt*, *(vkt)* call (sy) a silly ass

mari [-t, -ja] *a/n*, = cseremisz

Mari [-t, -ja] *prop*, Mary, Moll(y), Poll(y), May

Mári [-t, -ja] *prop*, = Mari

Mária [.. át] *prop*, Mary, Maria; ~ halála *(műv)* Dormition of the Virgin; ~ mennybevitele *(műv)* the Assumption (of the Blessed Virgin); ~ Terézia Maria Theresa; ~ Terézia arany Levant dollar, Maria Theresa thaler

Mária-kápolna *n*, Lady Chapel

Mária-kép *n*, image of the Holy Virgin, Madonna

Marianna [.. át] *prop*, Marianna, Marian

Mária-oltár *n*, Lady-altar

máriás I. *a*, ~ huncut rascal, scoundrel II. *n*, 1. *(kárty)* ⟨game of cards in which "Marriage" is of primary importance⟩, *(kb)* bezique, pinockle, brisque 2. *[pénzdarab]* ⟨old Hungarian silver coin⟩

máriatövis *n*, *(növ)* lady's thistle *(Silybum Marianum)*

máriaüveg *n*, mica, isinglass, Muscovy glass *(obs)*

Marica [.. át] *prop*, = Marika

Marika *prop*, Moll(y), Poll(y), May

mariníroz [-tam, -ott, -zon] *vt*, pickle, marinade, souse

marionett [-et, -je] *n*, *(átv is)* marionette, (mere) puppet

Maris [-t, -a] *prop*, Moll(y), Poll(y), May

máris *adv*, 1. *[azonnal]* at once, immediately, forthwith, presently 2. *[már most]* already, just/even now, right now *(US fam)*

Mariska *prop*, Moll(y), Poll(y), May

marj [-at, -a] *n*, = mar²

marjul [-t, -jon] *vi*, = kimarjul

Márk [-ot] *prop*, Mark

márka *n*, 1. *[védjegy]* trade mark/name, brand 2. *[gyártmány]* make, brand 3. *(pénz)* mark

márkanév *n*, trade-name

markáns [-at; *adv* -an] *a*, *[vonások]* strikingly marked, sharp; ~ arcú sharp-featured; ~ profilja van be hatchet-faced, have an aquiline profile; ~ vonások

strongly marked features, rugged/pronounced/strong features

márkás *a*, a good brand (of sg), of quality *(ut)*, quality; ~ áru goods of standard quality, branded article, branded goods *(pl)*, proprietory article; ~ autó quality car; ~ bor choice/vintage wine

márkáz [-tam, -ott, -zon] *vt*, trademark, brand (article), standardize, grade

márkázás *n*, branding (of article for trade)

markazit [-ot] *n*, *(ásv)* marcasite, Jew's-stone

markecol [-t, -jon] *vt*, roll sy

márki [-t, -ja] *n*, marquis, marquess

márkiné *n*, marchioness, marquise *(fr)*

markíroz [-tam, -ott, -zon] *vt*, pretend (to), make a show of

markol [-t, -jon] *vi/vt*, grasp, grip, clutch, seize, grab, lay/take/catch hold (of sg); erősen ~ keep a firm hold (on sg), hold sg tight; aki sokat ~ keveset fog he who grasps much holds little, grasp all(,) lose all; vk szívébe ~ cut sy to the heart/quick, rend sy's heart

markolás *n*, grip, grasp

markolász [-tam, -ott, .. ásszon] *vt/vi*, keep gripping/ grasping, *[vk torkát]* try to throttle

markolat *n*, *[kardé]* hilt, grasp, *[pisztolyé]* grip; ~ig (up) to the hilt

markolatgomb *n*, pommel

markolatkosár *n*, (hilt-)guard, basket(-hilt), barrette

markolatszíj *n*, frog

markoló [-t, -ja; *adv* -an] I. *a*, 1. ~ exkavátor excavator, steam navvy, automatic grab(ber), dredger, gripper 2. szívbe ~ heart rending II. *n*, grab, gripper, clamshell, crampoons, dredger

markolódaru *n*, bucket/grab-crane

markológép *n*, (grabber-)dredger, excavator, bagger, steam navvy, automatic grab(ber), *(bány)* skip

markolókanál *n*, *[kotrón]* bucket

markolóveder *n*, bucket

markomann [-ok, -t] I. *a*, Marcomannian II. *n*, Marcomanni *(pl)*

markos [-at; *adv* -an] *a*, 1. muscular, robust, well--knit/set; ~ legény brawny/strong lad, strapping/ lusty fellow, husky *(US)* 2. 15 ~ ló horse 15 hands high

markotányos [-ok, -t, -a] *n*, sutler, canteen-keeper

markotányosnő *n*, suttling wench, camp-follower

markőr [-ök, -t, -je] *n*, scorer, (billiard-)marker

Márkus *prop*, Mark

marlit [-ot, -ja] *n*, *(ásv)* marlite

már-már *adv*, almost, (very) nearly, *(kif)* be on the point/verge of . . .ing, be going to . . ., be within an inch of; ~ a célnál van be near the end/goal; ~ azt hitte. . . he was (just) about to think . . .; ~ utolért he had almost overtaken me

marmelád [-ot, -ja] *n*, preserve(s), jam, *[narancsból, citromból]* marmalade

marmonkanna *n*, jerry can

mármost *adv*, now/well then, therefore, this being granted, granting this

marmota [.. át] *n*, *(áll)* marmot *(Marmota sp.)*; erdei ~ woodchuck *(M. monax)*

márna [.. át] *n*, *(áll)* barbel *(Barbus fluviatilis)*

maró [-ak, -t; *adv* -an] *a*, 1. *(vegyt)* corrosive, corroding, caustic 2. *[megjegyzés]* biting, cutting, caustic, scathing, mordant, stinging, acrimonious, *[krjtika]* lashing, sarcastic, incisive, *[szatíra]* keen-edged, sharp; ~ gúny sarcasm, scathing irony, withering sarcasm; ~ stílus biting/cutting words, words that tell, devastating style

maródi [-ak, -t; *adv* -an] *a/n*, 1. invalid, sick, ill 2. *(kat)* disabled, on the sick-list *(ut)*; ~t jelent report sick

marófej *n*, cutter(-head)

marófúró n, *(műsz)* countersink, fraise, milling-cutter/tool, *(orv)* burr(-drill)

marógép n, milling cutter/machine; *univerzális* ~ universal milling machine, *[kliséhez]* etching machine

marok [markot, marka] n, **1.** (hollow of the) hand; *egy* ~*(nyi)* handful; *erős marka van* have a strong grip; *markába csap vknek* shake hands with sy (as a sign of agreement over sg); *markába nevet* laugh in/up one's sleeve, laugh in one's beard, chuckle at/over sg; *vknek vmt a markába nyom* hand sg to sy, thrust sg in sy's hand; *tíz shillinget nyom vknek a markába* thrust/poke ten shillings into sy's hand; *markába szorít vmt* hold sg in the hollow of one's hand, grab sg, grip sg tight; *markában tart vkt* have a stranglehold on sy, have sy in one's power/hands, have the grab on sy; ~*ra fog vmt* grasp/grip sg, close one's fingers around sg; *köpi a markát* [= *nagyban készülődik vmre]* go about in a big way, make a (lot of) song and dance about doing sg, sharpen one's tools, oil up, *[munka előtt]* spit in/on one's hand; *100 forint üti a markát* be given 100 forints, get a windfall of 100 forints; *szűk* ~*kul mér* give with a sparing hand, be close-fisted/handed **2.** *[mennyiség]* a handful (of . . .) **3.** *[gabona]* swath, loose sheaf **4.** *[lómérték]* hand

marókák n. *pl, [rovarfajták]* tumbling flower beetles *Mordellidae család)*

marokén [-ok, -t, -ja] a/n, *[bőr]* morocco (leather), *(tex)* marocain

Marokkó [-t, -ban] *prop,* Morocco

marokkó [-t, -ja] n, = **marokkójáték**

marokkói [-ak, -t] a/n, Moroccan; *M~ Királyság* Kingdom of Morocco

marokkójáték n, spillikin

marokkörző n, (side-)caliper(s)

maroknyi [-ak, -t; *adv* -an] a, handful (of), palmful (of), fistful (of)

marokrakó-arató gép *(mezőg)* reaper, reaping-machine

marokszámra *adv,* by the handful, in the handfuls

marokszedés n, sheaving, laying in swaths

marokszedő n, swath-layer, harvester, sheaf-binder, binder of sheaves, picker, stripper

marokverő n, = **marokszedő**

marólúg n, caustic lye/potash

marónátron n, = **marólúg**

maróni [-t, -ja] n, chestnut, marron

marónyomás n, *(tex)* discharging method of printing

maróorsó n, milling/cutter spindle

Maros [-t, -ban, -on] *prop,* Mures(h), Maros

marós [-ok, -t, -a] n, miller (hand)

marósít [-ani, -ott, -son] *vt,* causticize, make caustic

marósság n, causticity

Marosvásárhely [-et, -en/t, -re] *prop,* Targu Mures (town in Rumania)

marószer n, corrosive, corrodent, caustic (agent), mordant

marószerszám n, *(műsz)* milling tool/cutter

marószóda n, caustic soda, superalkali, natron

marószublimát n, perchloride of mercury

maróvíz n, bleaching *(v.* potassium-chloride) water

márpedig *conj,* but, however, nevertheless, still, (and) yet; *ha jön* — *jönnie kell* if he comes —and come he must

mars I. n, [-ot, -a] march **II.** *int,* away with you, be/buzz off, take yourself off, get/clear out (of here), out with you, beat it *(US),* scram *(US)*

Mars [-ot, -a, -on] *prop,* Mars

marsall [-ok, -t, -ja] n, marshal, *(GB)* field-marshal

marsallbot n, fieldmarshal's baton

marsbeli [-ek, -t] a/n, Martian

marslakó n, Martian

marsol [-t, -jon] *vi,* (be on the) march

marsruta [. . át] n, marching orders *(pl),* route; *kötött marsrutája van* have one's work cut out (for one), have strict orders

mart [-ot, -ja] n, = **part**

márt [-ani, -ott, -son] *vt,* **1.** *(vmbe)* immerse, plunge (sg into sg), *[kissé]* dip **2.** *[vízbe]* douse, duck, souse, *[teljesen]* submerge, *[áztat]* soak, steep, dunk *(US)* **3.** *gyertyát* ~ dip candles

Márta [. . át] *prop,* Martha

martalék [-ot, -a] n, prey, booty; *lángok* ~*a lesz* become the prey of flames

martalóc [-ot, -a] n, marauder, freebooter, filibuster, robber, looter, reaver *(obs), [kalóz]* buccaneer, pirate, *[útonálló]* highwayman

martalóckod|ik [-tam, -ott, -jon] *vi,* maraud, freeboot, filibuster

mártás n, **1.** *(vmbe)* immersion, plunging, dip(ping), *[áztatás]* soaking, steeping **2.** *[húshoz]* sauce, gravy

mártáskanál n, gravy ladle

mártásoscsésze n, gravy/sauce-boat

martilapu n, *(növ)* colt's/horse/bull/foal-foot, horseshoe *(Tussilago farfara)*

martinacél n, Martin-steel, open-hearth iron/steel; *hengerelt* ~ rolled open-hearth steel

martinacélmű n, open-hearth steelworks

martinász [-ok, -t, -a] n, open-hearth furnaceman, smelter

martineljárás n, Martin *(v.* open-hearth) process

martinkemence n, open-hearth furnace, blast-furnace

mártír [-ok, -t, -ja] n, martyr; ~*ként meghalt* martyred; ~*t csinál vkből* make a martyr of sy, martyrize sy; ~*t csinál magából* make a martyr of oneself

mártírhalál n, martyr's death; ~*t halt* martyred

mártírium [-ot, -a] n, = **mártíromság**

mártíromság n, martyrdom, martyrization

mártófürdő n, dip

mártogat I. *vt,* dip (repeatedly), *[kenyeret]* dip, sop **II.** *vi,* **1.** dip/sop/steep bread in sauce *(v.* biscuit in wine), dunk *(US)* **2.** *[táncban]* ⟨crouch and rise to full length (repeatedly)⟩

mártogatás n, dipping (of bread etc. in sauce)

mártogatós [-t, -a] n, ⟨figure of dance in which the dancers crouch and rise to full height (repeatedly)⟩

mártógyurma n, plain chocolate (for frosting)

Márton [-ok, -t, -ja] *prop,* Martin

Mártuska *prop,* Martie, Marty, Patsy, Patty

márvány n, **1.** marble; ~*ba vés* carve in/on marble, emmarble **2.** *[jelzőként]* marmoreal, marmorean; ~ *burkolatú [terem]* marbled

márványasztal n, marble table, table with marble top

márványbánya n, marble quarry

márványberakásos a, inlaid with marble *(ut),* marble-inlaid

márványcsiszoló n, marble-polisher

márványfaragás n, marble cutting

márványfaragó n, marble-mason/cutter, marbler

márványfejtés n, quarrying of marble

márványkeménységű [-ek, -t; *adv* -en] a, hard as marble *(ut)*

márványkép n, marble statue/image

márványkő n, marble

márványkőzet n, marble rock

márványlap n, marble slab

márványmunka n, marble work

márványműves n, marbler

márványos [-ak, -t; *adv* -an] a, marbly, marmoreal *(ref.),* marmorean *(ref.) ;* ~ *metszésű [könyv]* marble-edged (book)

márványoszlop n, marble column/pillar

márványoz [-tam, -ott, -zon] *vt, [papírt]* marble, *[faburkolatot, papírt stb.]* marble, mottle márványozás n, [könyvkötőé] marbling, (épít) marmoration

márványozott [-at; adv -an] a, marbled, mottled, marble-edged

márványpapír n, marble(d) paper

márványszappan n, mottled soap

márványszerű a, marbly, marmoreal (ref.), marmorean (ref.)

márványszobor n, marble statue; márványszobrok marbles

márványtábla n, marble slab, [emléktábla] marble tablet

Márvány-tenger prop, the sea of Marmora

márványtömb n, block of marble

márványutánzat n, imitation marble

marxi [-ak, -t] a, Marxian, Marxist

marxi—lenini a, Marxist-Leninist

marxista [.. át] I. a, Marxian, Marxist; nem ~ filozófia non-Marxist philosophy II. n, Marxist

marxista—leninista I. a, Marxist-Leninist; ~ világnézet Marxist-Leninist conception of the world II. n, Marxist-Leninist

marxizmus n, Marx(ian)ism; alkotó ~ creative Marxism

marxizmus—leninizmus n, Marxism-Leninism

más [-ok, -t, -a; adv -képpen] I. a pron, other, different; egész ~ dolog another/different matter/thing, a horse of different colour; ha nincs ~ dolga if he is not otherwise engaged; ~ elbírálás alá esik it is specially dealt with; ~ ember (he is) a reformed character/man; ~ helyütt elsewhere, in another place, [csak könyvben] in other passages/parts; ~ hitű/vallású of another religion/faith/creed/denomination (ut); ~ idők ~ emberek other days other ways, manners change with the times; most ~ időket élünk times have changed; ~ jellegű of different character (ut); ez ~ lapra tartozik that's quite another kettle of fish; ~ megoldás an other solution, a different solution; ~ néven otherwise (called), alias; Samuel Clemens ~ néven Mark Twain S. C. otherwise M. T.; ~ ruhát vesz fel change one's clothes; ~ szavakkal in other words; ~ szóval in other terms/words, [vagyis] that is to say, it means that. . .; ~ színű of another/different colour (ut); ~ vonatkozásban/tekintetben in another connection; az én helyzetem ~ my position is different; ő egészen ~ mint a bátyja he is quite unlike (v. different from) his elder brother

II. n, pron, (vk) somebody/someone else, [kérdésben] anybody/anyone else, (vm) something else, [kérdésben] anything else, [más dolog] another/different matter/thing, something else; ez ~ that's different, that's something else; az már ~ ! that makes a difference!, that alters (v. puts a new construction on) the matter; ez egészen ~! that makes all the difference, that's quite a different matter, that's quite another (v. a very different) story, that's quite another pair of shoes/sleeves/trousers (fam), that's a horse of another colour (fam); a két eset merőben ~ the two cases are quite unlike; ~ok others, other people; bárki ~ anybody/anyone else; mi ~? what else?; minden ~ everything else; semmi ~ nothing else; senki ~ nobody else, no one else; sok ~ much else; valaki ~ someone/somebody else; és még sok ~ and many more besides; ~ mint vk/vm unlike to sy/sg; nincs ~ hátra mint there is nothing else left (v. to be done) but, you might as well. . ., there's nothing for it but; nincs ~ hátra engedelmeskedni kell there is nothing for it but to obey; ~(ok) után indul (átv) go by others, follow other people; ~ beszélni és ~ cselekedni talking is one thing(,) doing is another; ~ kárára/hátrányára to the detriment of another; mondja ezt ~nak! tell that to the marines!; ~ jogán in the right of another; ~on jár az esze his

mind is wandering, he is thinking of sg else, he is miles away; ~okra tekintettel nem levő inconsiderate; beszéljünk ~ról let's speak about something else, let's change the subject; egész ~t something quite different, quite a different matter/case; adjon vm ~t give me sg else; nem tehet ~t mint . . . have no choice but to. . .; mi ~t tehettem volna . . . I could not do other than . . ., I could do no other than . . .; hogy ~t ne mondjak not to say anything else; „~sal beszél” [telefon] (line, number) engaged, line's busy (US)

mása[1] [.. át] n, 1. [vk mása] (sy's) alter ego, second self, double (fam), counterpart (fam) 2. [vm mása] copy, duplicate, replica, reproduction, [párja] match fellow, pendant, opposite number; a család a társadalom kicsiny ~ the family is society in miniature; élő ~ az anyjának she is the picture of her mother; nincs ~ there is nothing like it, it is unique in its kind, it is unparalleled/unequalled/matchless, (vknek) he is second to none, there's none like him

mása[2] [.. át] n, [méhlepény] afterbirth

másállapot n, pregnancy, gravidity; ~ban van be pregnant, be with child, be big with child (obs), be in an interesting condition (fam), be in the family way (fam)

másállapotos a, pregnant

masamód [-ot, -ja] n, milliner

másé [-t] a/n, pron, somebody/someone else's, that of somebody/someone else (ut); ez az enyém (,) az ~ this is mine that belongs to sy else; ne vedd el a ~ét don't take what is another's (v. belongs to somebody else)

másfajta a, another/different kind/sort/species/type (of . . .), other, different; ~ ember man of a different stamp, a different kind of man

másfél num. a/n, one and a half; ~ méter one/a metre and a half; ~ óra one/an hour and a half; ~ penny three halfpence, penny-ha'penny

másfelé adv. pron, the other way, in another direction, [máshová] elsewhere, somewhere else, [félre] away, aside; ~ fordul turn aside, [útról] turn off; ~ néz look the other way (v. in another direction), look away

másféle a, pron, (of) another (v. different) kind/sort/type (ut), other, different, [elütő] dissimilar, of (quite) different mould/cast (ut)

másféleképpen adv. pron, 1. [irány] from another (v. a different) direction 2. [viszont] on the other hand, in another connection, then again

másféleség n, dissimilitude, inconformity

másfelől adv, moreover, on the other hand

másfélszer adv, ~ akkora one and a half times as big, half as big again; ~ annyi half as much again, bigger by half

másfélszeres a, one and a half times as great, (menny) sesqualter; ~ nagyításban enlarged to one and a half times size

másforma a. pron, [alakra] of another (v. different) shape/form; ld még másfajta, másféle

másformán adv. pron, otherwise (than)

máshogyan adv. pron, = másképpen

máshol adv. pron, elsewhere, somewhere else, in another (v. some other) place, otherwhere (ref.); gondolatai ~ járnak his thoughts are elsewhere; sehol ~ nowhere else; ~ termett (növény) allochtonous (plant)

máshonnan adv. pron, from elsewhere, from somewhere else, from another (v. other) place

máshova adv. pron, elsewhere, somewhere else, to another (v. some other) place; nincs ~ mennem I have no other place to go to; ~ néz look the other way

másik [-at, -a] a/n. pron, another; a ~ the other (one); a ~ kettő the other two; a ~ nem the opposite sex; a ~ szem the fellow eye; egyik is(,) ~ is both; egyik *olyan mint a*~ they are alike, one is like the other; *egyik így mondja(,)* ~ *úgy* one says this(,) the other that; *egyikünk ott maradt(,)* a ~*unk tovább ment* one of us stayed there(,) the other went on; *egyik a* ~*nak adja a kilincset* they follow on each other's heels; *egyik napról a* ~*ra él* live from hand to mouth; *egyik napról a* ~*ra megváltozott az idő* the weather has changed overnight; *egyik a* ~ *után* one after the other, *[sorban]* one behind the other, in Indian file, *[egyesével]* one by one; *egyik csapás a* ~ *után érte* he suffered blow after blow; *(nem tudom) melyik* ~ (I don't know) which is which, I can't tell one from the other; *az érem* ~ *oldala (átv is)* the reverse of the medal; *a ház az utca* ~ *oldalán van* the house is on the other side of the street

masina [.. át] *n*, 1. machine, *[mozdony]* engine, *[cséplőgép]* threshing-machine 2. † *[gyufa]* match(es)
masinéria [.. át] *n*, machinery, machine, mechanism
masiniszta [.. át] *n*, engine-driver, locoman *(fam)*
masíroz [-tam, -ott, -zon] *vi*, march
masírozás *n*, march(ing)
másít [-ani, -ott, -son] *vt, (vmn)* change, alter, modify (sg)
maskara [.. át] *n*, 1. *[jelmez]* fancy dress, masquerade 2. *[nevetséges öltözet]* mummery, grotesque/ridiculous clothes *(pl)*; *vm maskarába öltözik* rig oneself out as... 3. *[emberre]* guy
maskarabál *n*, masked ball, fancy(-dress) ball
másként *adv. pron*, = **másképpen**
másképpen *adv. pron*, otherwise, *[nem így]* differently, in another *(v.* different) manner/way, *[egyébként]* in other respects, in another connection; *ha* ~ *állna a helyzet* should it be otherwise; ~ *dönt* alter/change one's mind; *én* ~ *gondolkozom mint*... I think differently from..., I am of a different opinion/mind from/to...; *én ezt* ~ *látom* I don't see it in that light; ~ *kezd beszélni* he changes his tune; ~ *nem is lehet* it must be so, it can't be otherwise; *hogyan* ~*?* how else?
máskor *adv. pron*, another time, at some other time/date, on another occasion, *[majd később]* later on, *[legközelebb]* next time; *mint* ~ as usual/before, as at other times
máskorra *adv. pron*, for another time/date/occasion, for next time; ~ *hagy/halaszt* postpone, put off, adjourn, defer, delay (sg), reserve for another occasion
máskülönben *adv. pron*, otherwise, (or) else, if not, failing which
máslás *n*, second wine, after/rape-wine
másli [-t, -ja] *n*, 1. bow, ribbon 2. *[folyókanyar]* ox-bow
más-más *a/n. pron*, other, different, various, several
másmilyen *a. pron*, = **más**
másnap I. *adv, pron*, next day, (on) the following day, (on) the day after, on the morrow *(ref.)*; ~ *reggel* next morning II. *n*, the next/following day, the morrow *(ref.)*; *minden* ~ every other/second day
másnapi *a. pron*, of the next/following day *(ut)*, next day's
másnaponként *adv*, every other/second day
másnapos *a*, 1. *[étel]* left from the day before *(ut)*; ~ *szakáll* a second day's growth of beard 2. *[ivás után]* chippy, morning-afterish, crapulent; ~ *érzés* hangover
másnaposság *n, [részegség]* hangover, hot coppers *(pl)*, chippy feeling, bad head (after a spree), crapulence
másnemű *a. pron*, of another *(v.* different) kind/sort/type/sex, dissimilar, heterogeneous, heterosexual
másneműség *n*, difference in/of kind/sort/type/sex, dissimilarity, heterogeneousness, heterogeneity, heterosexuality

masni [-t, -ja] *n*, = **másli**
másod [-ot, -a, -ja] I. *num. a*, 1. *(összet)* second, sub- 2. *[al-]* vice- II. *num. n*, *(zene)* second; *kis* ~ *[hangköz]* minor second; *nagy* ~ *[hangköz]* major second; ~ *hangközök* conjunct/conjoint degrees
másodállás *n*, secondary employment
másodelnök *n*, vice-president/chairman
másodéves *a, (isk)* second-year (student, man), sophomore *(US)*
másodfok *n*, second degree, *(jog)* second instance
másodfokú *a*, 1. of the second degree *(ut)*; ~ *égés* burn of second degree; ~ *ítélet* judgment of the appeal court; ~ *unokatestvér* second cousin 2. *(menny)* ~ *egyenlet* quadratic equation, equation of the second degree; ~ *görbe* curve of the second order; ~ *kvintszext akkord (zene)* added sixth
másodfőzet *n*, recoction
másodfű csikó two-year old colt/foal
másodhangköz *n*, = **másod** II.
másodhangsúlyos *a*, of/with secondary stress *(ut)*
másodhegedűs *n*, second violinist; *nem szeret* ~ *lenni (átv)* he does not like to play second fiddle
másodhetes mozi second-run theatre/cinema
második [-at, -a] I. *num. a*, 1. second, (number) two *(ut)*; *a* ~ the second, *[kettő közül]* the other, the latter...; ~ *emelet* second floor, third floor *(US)*; ~ *díj* second prize; ~ *fejezet* (the) second chapter, *[címként]* Chapter Two; ~ *fekvés [hegedűn]* half--shift; ~ *félidő (sp)* the second half; ~ *fok [skálában]* supertonic; ~ *hatvány* second power; *a* ~ *ház* the first house but one; ~ *házassága* his second marriage; ~ *hegedű* second violin; *helyezést ér el (sp)* take second place; ~ *helyezett* runner-up; ~ *kiadás* second edition; ~ *kihívó (kárty)* younger hand; ~ *legjobb* second-best; *a műsor* ~ *száma* the second number of the performance; ~ *személy* second person; *az ország* ~ *legnagyobb városa* the second largest city of the country; ~ *szólam (zene)* second; *jobbra a* ~ *ajtó* the second door to the right; *minden* ~ *héten* every other/second week, every two weeks, on alternate weeks; ~ *Béla* Béla the Second, Béla II. 2. ~ *én* alter ego, one's other self, other/second self/ego; *ez egy* ~ *Newton* he is a second *(v.* another) Newton II. *num. n*, 1. second; *május* ~*a [kimondva]* the second of May, *[írásban]* May 2., May 2nd, 2 May, 2nd May; ~*nak* in the second place 2. *[osztály isk]* second form/class, *[vonaton]* second (class); *a* ~*on lakik* live on the second floor, live two stairs up, live on the third floor *(US)*; ~*on utazik* travel second (-class)
másodikként *adv*, in the second place
másodikos [-ok, -t, -a] I. *a*, (pupil) of the second form/class II. *n*, second form pupil/child (of a Hungarian school), pupil of the second class/form
másodízben *adv*, a second time, for the second time
másodkántor *n, (egyh)* subchanter
másodkapitány *n, (first)* mate, first officer
másodkarnagy *n*, associate conductor
másodkézből *adv*, (at) second-hand; ~ *vesz* buy/obtain second-hand
másodkezes *n*, surety for a surety
másodkori *a, (geol)* mesozoic
másodlagos [-at; *adv* -an] *a*, secondary, subsidiary; ~ *bibliográfia* secondary bibliography; ~ *felhasználás* secondary use; ~ *fontosságú* of minor importance *(ut)*; ~ *forrás secondary source*; ~ *front secondary front*; ~ *iparág* secondary industry; ~ *járulékok [vérbaj]* secondaries *(pl)*; ~ *jelentés [szóé]* connotation; ~ *kőzet* subsequent rock; ~ *nemi jelleg* secondary sex characteristics *(pl)*; ~ *palásodás (geol)* pseudo-schistosity; ~ *származékszó* subderivative; ~ *szerep* secondary/intermediate part; ~ *szín [két alapszínből*

keverve] secondary colour; ~ tünet/szimptóma/jelenség epiphenomenon
másodlagosan adv, secondarily
másodlagosság n, secondariness,
másodlat n, duplicate (copy); ld még másolat
másodmagával adv, he/she and another (one), he/she and sy else
másodnaponként adv, every other/second day, every two days, on alternate days; ~ jön come on alternate days
másodnövény n, second crop, after-crop
másodosztályú a, second class, [minőség így is] second--best, second-rate/choice/quality; ~ jegy second--class ticket; ~ ló plater
másodörökös n, second in succession, heir appointed in succession to another or failing another
másodparancsnok n, second in command
másodpéldány n, 1. duplicate (copy), counterpart, duplicate document, indenture; ~i állít ki indent, draw up (document) in exact duplicate 2. [műalkotás] replica, replication
másodperc n, second; egy ~ ezredrésze alatt in a split second; ~ töredékében in a fraction of a second; ~re pontos be dead on time (fam)
másodpercenként adv, every second; ~ 20 méter 20 metres per/a second
másodpercmérő n, time check
másodpercmutató n, second(s) hand; központi ~ sweep second hand
másodpercnyi a, [idő] as econd's (time); ~ pontossággal (punctual) to the second, (he was) dead on time (fam)
másodpilóta n, (rep) relief pilot, co-pilot
másodrangú a, second-rate/class/best/fiddle, inferior (to. . .); ~ hegedűs second-rank violinist; ~ szerep subordinate part; ~ út secondary road
másodrendű a, = másodrangú; ~ áru seconds (pl), goods of second grade/quality (pl); ~ bolygó secondary planet; ~ kérdés side issue; ~ költő minor poet; ~ szerepekben lép fel be a utility man; ~ útvonal secondary line; ~ vádlott accused of the second order
másodrendűen adv, subordinately
másodsorban adv, secondly, in the second place, subordinately
másodszor adv, 1. [másodízben] (for) the second time 2. [másodsorban] secondly, in the second place 3. [zenében ismétlés] second time, bis, dacapo
másodszori a, second, repeated a (v. for the) second time (ut) ; ~ átfestés second coat (of paint); ~ figyelmeztetésre at the second warning; ~ tanúkihallgatás re-examination
másodszülött I. a, younger, second; ~ fiú younger son II. n, younger/second child
másodtermék n, afterproduct
másodtermésű a, ~ burgonya second-crop potato
másodtiszt n, [hajón] second officer
másodtitkár n, second secretary
másodunokatestvér n, second cousin
másodvágás n, aftercrop
másodváltó n, (pénz) second of exchange
másodvetés n, after-seed
másodvirágzás n, 1. (konkr) second efflorescence/flowering/blossoming, reflorescence, second growth 2. (átv) rejuvenescence
másodvitorlamester n, boatswain's mate (first class)
másol [-t, -jon] vt, 1. copy, make/take a copy (of sg), [szöveget] copy, transcribe, [okiratot] engross, [stílust] copy, imitate, (vkt) model (oneself on sy) 2. [szobrot, képet] copy, make (a) replica, reproduce, [hártyapapírra] trace 3. (fény) print, take a print from a negative
másolás n, 1. copying, transcription, [okiraté] engrossment, [stílusé] copying, imitation 2. [szoboré, képé]

copying, reproducing, reproduction, [hártyapapírra] tracing 3. (fényk) printing
másolási [-ak, -t] a, ~ díj copyist's fee; ~ hiba clerical error
másolat n, 1. copy, duplicate (copy), tracing 2. (jog) transcript(ion), engrossment, [okiraté] counterpart, tally, [betűhű] facsimile, exact copy; gépelt ~ carbon copy; hiteles(ített) ~ certified/authenticated/exemplified/attested copy, exemplification; hiteles ~ot állít ki okiratról make a copy of a deed; a ~ hiteléül I certify this a true copy, certified/true copy; hivatalos ~ transcript, office copy; „a ~ eredetivel teljesen megegyezik" examined copy; ~ot készít vmről make/take a copy of sg, reproduce/duplicate sg; csinálj róla ~ot make it out in triplicate; ~ot vesz/készít egy levélről take a copy of a letter 3. [műalkotásé] replica, reproduction, replication; ez a kép csak ~ this picture is only a copy 4. (fényk) print, (músz) pressing; fekete--fehér ~ black-and-white print
másolati [-ak, -t] a, (ker) ~ könyv invoice book
másoló [-t, -ja] I. a, copying; ~ üveglap tracer II. n, copier, [leíró] copyist, transcriber, [gépíró] copy--typist, [rajzé] tracer
másolóberendezés n, copying attachment
másológép n, copying-machine/press, duplicator, profiling machine, (fényk) printing-machine/box; körforgó ~ (nyomd) rotograph
másolókeret n, (fényk) printing-frame, plate-sheath
másolókönyv n, (ker) letter book
másolópapír n, 1. carbon/transfer paper, [pauszpapír] tracing-paper, onionskin 2. (fényk) contact paper, printing-out paper
másolóprés n, copying-press
másolószűrő n, (fényk) printing filter
másolótinta n, copying ink
másrészről adv. pron, on the other hand, then again, [egyébként] otherwise, in other respects, from another aspect
másrészt adv. pron, = másrészről
mássalhangzó n, consonant; prepalatális ~ blade--(and-)point consonant; zöngés ~ voiced consonant; ~ utáni post-consonantal
mássalhangzó-diftongus n, = affrikáta
mássalhangzó-eltolódás n, consonant shift, provection
mássalhangzó-hasonulás n, assimilation of consonants
mássalhangzó-rendszer n, consonantism, system of consonants, consonantal system
mássalhangzós a, consonantal
mássalhangzó-torlódás n, combination of consonants, consonant group/cluster
mássalhangzó-változás n, consonant shift
mászor adv. pron, another time, on another occasion
másutt adv. pron, elsewhere, somewhere else, in/at another place, otherwhere (ref.); akárhol ~ anywhere else; sehol ~ nowhere else; ~ van lekötve have another attachment
másvalaki n. pron, somebody/someone else, [kérdésben] anybody/anyone else
másvalami n. pron, something else, [kérdésben] anything else
másvilág n, the other world, the beyond, the hereafter; vkt a ~ra küld (biz) send sy to kingdom come, dispatch sy, do for/in sy; a ~ról from beyond the grave
mászás n, 1. climb(ing), [falra] scaling 2. [csúszva] crawling, [négykézláb] creeping, [fáradt járás] dragging walk/gait 3. [hegymászás] climb(ing)
maszat n, stain, dirt, dirty mark, soil, smear, splotch, smudge, smut, mess, (nyomd) slur, mackle, pick, black, [nyomtatványon] blur, smear
maszatol [-t, -jon] vt, 1. stain, dirty, soil, smudge, smear, mess 2. [nyomtatványt] blur, smear, (nyomd) mackle

maszatolás n, 1. staining, smearing, smudging 2. [nyomtatványt] blurring, smearing

maszatolódlik [-tam, -ott, -jon, -jék] vi, 1. become/get stained/dirty/soiled/smeared 2. [nyomás] give a blurred impression, (nyomd) mackle

maszatos [-at; adv -an] a, 1. stained, dirty, soiled, smeared, smudged 2. [nyomás] blurred, (nyomd) mackled (print)

maszatosság n, 1. smeariness, smudginess 2.(nyomd) blur

maszek a/n, (biz) self-employed (person), ‹person working as a private craftsman or tradesman›; ~ alapon pivately, on one's own; ~ alapon dolgozik work on one's own, be self-employed

mászlik [-tam, -ott, másszon, másszék] vi/vt, 1. climb, [falra] scale (wall), [kötélen] swarm (up a rope), climb (rope), [létrára] mount (ladder) 2. [csúszik] crawl, [négykézláb] creep, [nehézkesen] drag oneself along, [nehézkesen felfelé] clamber (up) 3. [hegyet] climb, ascend (hill); hegye(ke)t ~ik climb mountains, mountaineer

maszk [-ot, -ja] n, mask, (fényk) printing mask, [színész] make-up, [vívóé] face-guard; halotti ~ death-mask

mászkál [-t, -jon] vi, 1. [bogár] crawl, [kisgyerek földön] creep about, scramble 2. [vk céltalanul] ramble, stroll, roam, loaf, loiter, saunter (mind: about), [utcán] prowl, hang (about the streets); mit ~ itt? what are you loitering about here?

maszkíroz [-tam, -ott, -zon] vt, mask, [színészt] make up (actor); ~za magát make up (one's face)

maszkírozás n, masking, make-up

maszlag [-ot, -ja] n, 1. (növ) thorn-apple, jimson weed, stramony, stinkweed (US fam), (tud) datura (Datura stramonium) 2. [bódítószer belőle] stramonium 3. (átv) eye-wash, bluff, humbug, dope

maszlagol [-t, -jon] vi, bluff, hoax, humbug, talk hooey (US ◆)

maszlagos [-at; adv -an] a, ~ nadragulya (növ) deadly nightshade, great morel, (tud) belladonna (Atropa belladonna)

mászó [-t; adv -an] a, climbing, [nehézkesen mozgó] dragging oneself (v. trailing) along (ut)

mászókötél n, climbing rope

mászópózna n, = mászórúd

mászórúd n, climbing pole

mászóvas n, climbers (pl), [távíróoszlopra] grappler

massza [.. át] n, mass, [tésztaféléé] dough, paste, [papíré] pulp

masszaszauga [.. át] n, (áll) [láncos csörgőkígyó] massasauga (Sistrurus catenatus)

masszázs [-ok, -t, -a] n, massage, kneading; simogató ~ gentle stroking massage, effleurage; vibrációs ~ vibrotherapeutics; víz alatti ~ underwater massage

masszé [-t, -ja] n, [biliárdban] massé

masszíroz [-tam, -ott, -zon] vt, massage, knead

masszírozás n, = masszázs

masszírozó [-t, -ja] n, masseur, kneader, [nő] masseuse

masszírozónő n, masseuse

masszív [-at; adv -an] a, massive, solid, bulky, massy (ref.); ~ arany aurum mosaicum; ~ kőzet massive rock

masszívan adv, massively

masszívság n, massiveness

masszívum [-ot] n, (geol) massif (fr)

masszőr [-ök, -t, -je] n, = masszírozó

masztikál [-tam, -t, -jon] vi, 1. masticate, manducate, chew 2. (műsz) masticate, knead

masztix [-ot, -a] n, mastic

masztixfa n, (növ) lentiscus, lentisk (Pistacia lentiscus)

masztodon [-ok, -t, -ja] n, mastodon

maszturbáció [-t, -ja] n, masturbation

maszturbál [-tam, -t, -jon] vi, masturbate

matador [-ok, -t, -ja] n, matador

matamata [.. át] n, [teknős faj] matamata (Chelys fimbriata)

matat vi, rummage, putter, potter, (vmben) forage

Máté [-t, -ja] prop, Matthew

matek [-ot, -ja] n, (isk biz) maths, math (US)

matematika n, mathematics; magasabb ~ higher mathematics

matematikai [-ak, -t; adv -lag] a, mathematical; ~ fizika physico-mathematics; ~ iskola mathematical school (of economics); ~ képlet/kifejezés algebraical expression; ~ művelet mathematical operation; ~ pontosság mathematical accuracy; nagy ~ tehetség a genius for mathematics

matematikai-fizikai a, physico-mathematical

matematikus n, mathematician

Máté-passió n, [Bachtól] Saint Matthew Passion

matéria [.. át] n, 1. (konkr) matter, substance, [vmé, szöveté stb.] material 2. [téma] subject, topic, theme

materiális [-at; adv -an] a, 1. [testi] material, corporeal 2. [pénzzel kapcsolatosan] financial, pecuniary

materialista [.. át] I. a, materialistic; ~ történelemszemlélet materialist conception/view of history II. n, materialist

materialistaellenes a, anti-materialistic

materializál [-tam, -t, -jon] vi, materialize

materializálódás n, materialization

materializmus n, materialism; dialektikus ~ dialectical materialism; történelmi ~ historical materialism

matézis [-t, -e] n, mathematics

Matild [-ot, -ja] prop, Matilda, (bec) Maud, Tilda

matiné [-t, -ja] n, morning performance/concert

mátka n, fiancée, betrothed (ref.), (sy's) intended (fam); (gyűrűs) mátkája his affianced wife

mátkapár n, the betrothed, the engaged couple, [esküvőn] the bride and bridegroom

mátkaság n, time of engagement, betrothal

matlaszé [-t, -ja] n, matelassé (fr)

Mátra [.. át, .. ában, .. ába] prop, Mátra (range of mountains in Northern Hungary)

matrac [-ot, -a] n, (overlay) mattress

matracgrádli n, mattress ticking

matrachuzat n, ticking, bedtick

matrackészítő n, mattress-maker

matracos [-at; adv -an] a, with mattresses (ut)

matriárka n, matriarch

matriarkális [-at; adv -an] a, matriarchal

matriarkátus n, matriarchy

matrica [.. át] n, 1. matrix, (nyomd) (type) mould, stereo, counterdie, die-cast, mat 2. [levonókép] transfer (picture)

matricaprés n, moulding press

matricaráma n, diecase

matricáz [-tam, -ott, -zon] vt/vi, (nyomd) stereotype

matrikula [.. át] n, register

matring [-ot, -ja] n, skein of yarn; összegabalyodott ~ entangled hank; ~ról csévél wind from hanks; ~ot kiüt shake the hank; ~ot megfeszít stretch the hank

matringoló [-t, -ja] n, [gép, munkás] wool-winder, reeler, [csak gép] winding-frame

matrix [-ot, -a] n, 1. (menny) matrix 2. (biol) matrix

matróna [.. át] n, old lady, matron

matróz [-ok, -t, -a] n, sailor, mariner, (hiv) seaman, shipman (obs), [csak hadi] rating, bluejacket (fam), tar (fam), leatherneck (fam), salt (fam), [GB három legénységi fokozata] ordinary seaman, able-bodied seaman, leading seaman; ~ként szolgál sail/ serve before the mast; ~nak megy (biz) go sailoring

matrózblúz n, sailor/middy blouse, jumper, [gyermeké] middy (blouse)

matrózcsajka n, kid
matrózdal n, (sea-)chant(e)y, shanty
matrózélet n, sailoring, sailor's life
matrózgallér n, sailor collar
matrózkék a, navy-blue
matrózlegény n, seaman, rating (GB)
matrózruha n, 1. [matrózé] sailor's clothes (pl), slops (pl fam) 2. [gyermeké] sailor-suit
matrózsapka n, sailor hat, [ellenzős] naval cap
matróztánc n, sailor('s) dance, hornpipe; ~ot jár dance hornpipes
matrózúszás n, overarm side-stroke, hand-over-hand stroke
matrózzubbony n, pea-jacket, sailor's jersey
matrózzsold n, sailor's pay
matt¹ [-ot; adv -an] a, 1. [fém] mat, unpolished, dull, unglazed 2. [szín] dull, dead, flat, lustreless (colour), non-reflecting 3. (fényk) [papír] unglazed (paper), dull(-finish); ~ fényű kikészítés (tex) dull finish; ~ üveg blind/clouded glass
matt² [-ot, -ja] I. int, [sakk] mate! II. n, [sakk] (check)mate; ~ot ad vknek checkmate sy; ~ három lépésben mate in three (moves)
mattíroz [-tam, -ott, -zon] vt, delustre, mat, [üveget] frost
mattírozás n, (műsz) matting
mattüveg n, 1. blind/clouded glass 2. (fényk) focusing screen
matúra [.. át] n, = érettségi
maturál [-t, -jon] vi, = érettségizik
maturáns [-ok, -t, -a] n, = érettségiző
Matuzsálem [-et, -e] prop, Methuselah, Methusalem (fam)
matuzsálemi a, ~ kort ér meg attain the age of Methuselah
Mátyás [-t, -a] prop, Matthias, Matthew; ~ király King Matthias
mátyásmadár n, (áll) jay (Garrulus glandarius)
Matyi [-t, -ja] prop, Mat, Matty
matyó [-t, -ja] a/n, ⟨Hungarian peasant living in or near Mezőkövesd⟩; ~ hímzés "matyó" embroidery
Mauritania [.. át, .. ában] prop, Mauritania
mauritaniai [-ak, -t] a/n, Mauritanian
mauzóleum [-ot, -a] n, mausoleum
maxima [.. át] n, maxim, wise saw
maximál [-t, -jon] vt, [vm árát] fix the maximum price (of sg), set ceiling (on the price of sg)
maximálás n, fixing of maximum price(s)
maximális [-at; adv -an] a, maximum, greatest/highest possible, utmost, top; ~ ár maximum/ceiling price; ~ árszint price ceiling; ~ megterhelés maximum load, (hajó) maximum tonnage, [villamosság] peak load; ~ profit maximum profit; ~ sebességgel at full/top speed; ~ teljesítmény peak/maximum output
maximalista [.. át] a/n, maximalist, [nem elit] perfectionist
maximalizmus n, maximalism, perfectionism
maximált a, ~ árak fixed (maximum) prices
maximum [-ot, -a] I. n, maximum, high(est point), peak, summit II. adv, (at the) maximum, at the highest, most, on the outside
máz [-at, -a] n, 1. (konkr) glaze, gloss, [cserépen] glaze, glazing, [fénymáz] varnish, polish, [tortán] icing, frosting; sivatagi ~ (geol) desert varnish; ~ alatti festék underglaze paint 2. [modorbeli] polish, varnish 3. (cím) tincture, [fém] metal, [szín] colour
mázalapanyag n, [kőedényárukhoz] (plasterer's) putty
mázas [-at; adv -an] a, [edény] glazed; ~ cserépedény/kerámia glazed pottery/ware/faience/crockery; ~ tégla glazed tile; ~ köcsög earthenware pot, terrine

mázatlan a, ~ edény unvarnished/unglazed pottery/ware; ~ porcelán unglazed porcelain, biscuit ware, bisque
mázfesték n, varnish, enamel
mázli [-t, -ja] n, □ bit/stroke of luck, fluke; micsoda ~ja van! lucky beggar!, his luck is in!; ~val nyer win by a fluke
mázlis [-at; adv -an] a, □ lucky, flukey
mázlista [..át] n, □ lucky beggar/dog
mazna [.. át] a, sickly, puny, weak
mazochista [.. át] a/n, mazochist
mazochizmus n, mazochism
mázol [-t, -jon] vt/vi, 1. [mázoló] paint, wash, give (sg) a coat of paint, [feliratokat] daub, (vmt vmre) smear (sg with sg); „vigyázat ~va!" "wet paint!", "fresh paint!" (US) 2. (ellt) daub; ~ja magát paint one's face
mázolás n, 1. [folyamat] painting, washing, a coat of paint, daub(ing) 2. [eredménye] = mázolmány
mázolmány n, daub, daubery
mázoló [-t, -ja] n, 1. [szobafestő] (house-)painter, decorator, industrial painter, [címtáblafestő] sign-writer 2. [rossz festő] daub(st)er
mázolóecset n, (industrial painter's) paint-brush
mázolómunkás n, (house-)painter
mázos [-at; adv -an] a, = mázas
mazurka n, mazurka
mázsa [.. át] n, 1. [súly 100 kg] quintal, metric centner, (kb) two hundredweight. [50 kg] centner, [angol 45,36 kg] cental 2. [mérleg] weighing machine, [járműveknek] weigh(ing)-bridge
mázsabér n, weighing dues (pl), weighage
mázsahivatal n, weigh-house
mázsál [-t, -jon] vt, weigh, balance
mázsálás n, weighing, scaling
mázsáló [-t, -ja] n, 1. [hely] weigh-house, public/platform scales (pl), [lóvers.] weighing-enclosure 2. [ember] weigher, weighman, scalesman
mázsálómester n, = mázsáló 2.
mázsamester n, weigher, weighman, scalesman
mázsányi [-ak, -t; adv -an] a, weighing a quintal/centner (ut), (vmből) a quintal/centner (of sg)
mázsás a, 1. weighing a quintal/centner (ut), of a quintal/centner's weight (ut) 2. (átv) crushing (weight); ~ súllyal nehezedik rá he is crushed by the weight of it, he is weighed down by sg
mazsola [.. át] n, 1. (konkr) raisin, currant, sultana, plum 2. (átv) best/better part, cream (of sg)
mazsolás a, plummy
mazsolaszerű a, plummy
mazsolaszőlő n, (grapes for) raisins (pl)
meander [-ek, -t, -ja] n, meander, key-fret; görög ~ díszítés Greek key pattern, Greek border
meanderminta n, (rég) meandering pattern
mecénás n, patron (of art), backer, Maecenas
mecénáskodik [-tam, -ott, -jon, -jék] vi, patronize art
mecénásság n, art patronage
mechanika n, 1. mechanics; alkalmazott ~ applied mechanics 2. (vmé) mechanism, [hangszereknél] (key-)action
mechanikai [-t; adv -lag] a, mechanical; ~ hőegyenérték mechanical equivalent of heat; ~ műszerész mechanical instrument maker; ~ kalapács (koh) power-hammer
mechanikus I. a, 1. [gépi] mechanical; ~ vezérlés mechanical control 2. (átv) [cselekvés] unconscious, involuntary (action); ~ ingerlékenység mechanical irritability 3. [filozófia] mechanistic II. n, mechanic(ian), artificer, engine-man
mechanisztikus a, [világnézet] mechanistic
mechanizál [-t, -jon] vt, mechanize, make a machine (of sg)

mechanizált a, push-button (US)
mechanizmus n, 1. [szerkezet] mechanism, machinery, gadget; gazdasági ~ system of economic motivators 2. [zongoráé] key-action
mechanoterápia n, (orv) mechanotherapy
mécs [-et, -e] n, lamp, night-light, [olaj] floating wick
mécsbél n, wick (of night-light)
meccs [-et, -e] n, match
meccsjátszma n, [teniszben] matchplay
meccslabda n, (sp) match-ball, [teniszben] match--point
meccslátogató I. a, match-going II. n, match-goer/ enthusiast
meccsprogram n, score-card, [újságban] a mai ~ today's football events (pl)
Mecsek [-et, -ben, -be, -re] prop, Mecsek (mountain in Southern Hungary)
mécses [-ek, -t, -e] n, 1. = mécs, [római] lucerna (lat) 2. eltörött a ~ (the child) began to weep
mecset n, mosque, mosk
mecsettorony n, minaret
mécsvilág n, (poor, dim) light of floating wick-light
mécsvirág n, (növ) ragged robin, Lychnis (Lychnis Coscuculi)
méd [-et, -je] a/n, (tört) Mede
medália [.. át] n, medal
medallon [-ok, -t, -ja] n, locket, medallion
Medárd [-ot, -ja] prop, Medardus
Medárd-nap n, June 8th [angol időjárási megfelelője St. Swithin's day, július 15]
meddig adv, inter, 1. [térben] how far; ~ érjen a ruha? what length please? 2. [időben] how long?, till when?, up to what date?; ~ fog még tartani? how much longer will it last?; mit gondolsz ~ fog tartani ez a gyűlés/összejövetel how long do you think this meeting will take?; ~ maradhatsz? till when can you stay?; ~ szándékszol maradni? how long do you think of staying?; ~ tart a szabadsága? how long does your leave last?
meddő [-t; adv -en] I. a, 1. [állat] barren, sterile, [föld] unproductive, infertile, unfruitful, lean; ~ érc refuse ore; ~ kőzet (bány) dead rock, spoil, sterile mass (of ore) 2. [elme] arid, jejune, dreary (mind), [munka, erőfeszítés stb.] unproductive, unfruitful, fruitless, effectless, [törekvés] ineffective, vain, abortive (effort), [vita] sterile (dispute); ~ áram idle/reactive current; ~ erőlködés/igyekezet fruitless effort; ~ teljesítmény (vill) reactive power; ~ vállalkozás (biz) wild-goose chase; ~nek bizonyul prove abortive
II. n, (bány) gangue, waste-rock, dead rock, spoil, matrix, veinstone
meddőhányó n, spoil-bank, waste stockpile, rock--debris, pit-heap
meddőpillér n, rock pillar
meddőség n, 1. (konkr.) barrenness, sterility, aridity, improductivity, infertility 2. (átv.) ineffectiveness, abortiveness, [elméé] jejunity, idleness
meddőtörmelék n, (bány) goaf
meddőválogató n, (bány) crow-picker
medence [.. ét] n, 1. (ált) basin, [konyhai] bowl 2. [folyóé] (drainage) basin, catchment(-basin/area of river) 3. [úszó] (bathing-)pond, (swimming-)pool; hajójavító ~ docking basin 4. [vízgyűjtő] reservoir, tank, (bány) bed, (földr, geol) hollow, (geol) recess 5. (orv) pelvis, (összet) pelvic; férfias ~ android pelvis; hasadt ~ split; pelvis, pelvis fissa; lapos ~ flat pelvis; minden irányban szűk ~ generally contracted pelvis; rachitises ~ rachitic pelvis; spondylolisthesises ~ spondylolisthetic pelvis; szakralizált ~ assimilation pelvis; szkoliózisos ~ scoliotic pelvis; szűk ~ contracted pelvis

medencebélés n, hearth-lining
medencebemenet n, (bonct) pelvic inlet, brim of pelvis
medencecsont n, hip-bone, (orv) ilium
medencecsonttörés n, pelvic fracture
medencedőlés n, (bonct) pelvic inclination
medencekimenet n, (bonct) pelvic outlet
medencekitöltés n, (geol) basin filling
medencekörző n, pelvimeter
medencemérés n, pelvimetry
medencemérő n, [műszer] pelvimeter
medenceöv n, pelvic girdle
medencesíkok n. pl, pelvic planes
medenceszerű a, basin-like, like a basin (ut)
medenceszűkület n, (bonct) pelvic contraction
medenceüreg n, (bonct) pelvic cavity
meder [medret, medre] n, 1. (konkr.) bed, channel; visszatér a medrébe [folyó] retreat/recede/return to its bed, ebb, be back between its banks 2. (átv) channel; a kívánt ~ben in the desired channel; a tárgyalások jó ~ben folynak the negotiations are proceeding favourably
mederfelvétel n, (épít) river surveys (pl)
mederfenék n, bottom (of river bed)
medernyílás n, span (of river bed)
mederpillér n, river pier
mediális [-at; adv -an] a, (nyelvt) ~ igealak middle voice
mediáns [-ok, -t, -a] n, (zene) mediant
medicina [.. át] n, (biz) physic, medicament, medicine
medicinlabda n, (sp) medicine-ball
medika n, medical student (girl), med (fam)
medikus n, medical student, med (fam)
medináféreg n, (orv) Guinea-worm (Filaria/Dracunculus medinensis)
médió [-t, -ja] n, mid-month
meditáció [-t, -ja] n, meditation, contemplation
meditál [-t, -jon] vi, meditate, muse, contemplate, ponder, speculate on/upon/about sg
mediterrán [-t] a, [éghajlat stb.] Mediterranean
médium [-ot, -a] n, medium, psychic
meduza [.. át] n, (áll) medusa, jelly-fish (Medusa); füles ~ aurelia (Aurelia aurita)
meduzafej n, head of Medusa, (átv) horrifying person/ sight
medve [.. ét] n, 1. (áll) bear (Ursus sp.); barna~brown bear (U. arctos); örvös ~ bear of Tibet (Selenarctos tibetanus); szürke ~ grizzly (U. horribilis) 2. lássuk a medvét! let us get down to business, let's get down to brass tacks; ne igyál előre a ~ bőrére don't count your chickens before they are hatched, first catch your hare then cook it, don't sell the skin before you have killed the bear 3. (csill) Nagy Medve (csill) Great Bear, Charles's Wain 4. vén tengeri ~ old salt 5. (koh) pig, loop, sow
medveállatka n, (áll) water-bear (Tardigrada)
medvebarlang n, bear's den/lair
medvebocs n, bear's cub, bear-whelp
medvebőr n, bearskin
medvecukor n, black liquorice, licorice
medvefóka n, 1. (áll) sea bear, fur seal (Otaria ursina) 2. [prémje] sealskin
medvefű n, (növ) melilot (Melilotus sp.)
medvefül n, (növ) bear's-ear (Primula auricula)
medvehagyma n, (növ) bear's onion, wild garlic, ramson (Allium ursinum)
medvehecc n, bear-fight
medvekarom n, [kövek stb. emelésére] (hoisting) scissors (pl), sling-dog
medveketrec n, bear-garden
medveköröm n, (növ) bear's-breech (Acanthus mollis)
medveköröm-féle a, (növ) acanthoid
medvelapu n, (növ) masterwort (Imperatoria ostruthium)

medvelepke n, (áll) garden tiger/tigermoth, buff (Arctia caja) : (fehér) ~ fall webworm (Hyphantria cunea)

medvemajom n, (áll) ursine guereza (Colobus polycomos)

medvemaki n, (áll) angwantibo (Arctocebus calabarensis)

Medveőrző n, [csillagkép] the Herdsman

medvepávián n, (áll) chacma baboon (Papio porcarius)

medveszáj n, (növ) antirrhinum (Antirrhinum)

medveszőlő n, (növ, orv) bearberry (Arctostaphylos uva ursi)

medvetalp n, 1. bear's paw 2. (növ) pigweed (Heracleum spondylium)

medvetalpfű n, (növ) brank-ursine (Heracleum spondylium sibiricum)

medvetánc n, bear's dance, dance of a performing bear

medvetáncoltató n, bear-leader

medvevadászat n, bear-hunt(ing)

medveverem n, bear-garden/pit

Mefisztó [-t, -ja] prop, Mephistopheles

mefisztói [-ak, -t; adv -an] a, Mephistophelian, Mephistophelean

meg conj/pref, 1. [felsorolásban] and; ez ~ az this and that; kettő ~ kettő az négy two and/plus two make/is/are four; hat ~ kilenc add 6 to 9 2. [nyomatékul] én ~ nem érek rá as for myself I have no time to...; te ~ mire vársz? and what are you waiting for? 3. megírtad? ~! have you written it? yes(,) I have

még adv, 1. [kérdő és kijelentő mondatokban] still, [tagadó mondatokban] yet; ~ gyerek be still/but a child; ~ csak egy szót! (just) one word more!; ~ csak ma only/but (v. as late as) today; ~ eddig so far, as yet; ~ él he is still alive; ~ inkább still (more); ~ kevésbé still less; ~ meglevő extant; ~ mindig still; ~ mindig alszik he is still asleep; most ~ still ; ~ nem not yet, [eddig] not so far; ~ tegnap is but/only yesterday, as lately/recently as yesterday; ez ~ nem minden (and) that's not all!; ~ semmi sem történt as yet nothing has happened; ~ soha(sem) never yet; (eddig) ~ soha sem hallottam... I have never yet heard...; ilyet ~ nem hallottam! I never heard the like!; nincs ~ egy ilyen ember there's none (v. not another) like him; ~ a negyvenen innen van be on the right side of forty; ~ 3 hónapig for three months to come; ezt ~ ma délután el fogom olvasni I'll read it this very afternoon; meddig fog ~ tartani? how much longer will it last?; ~ pedig [elsorolásban] namely, that is (to say), to wit 2. ~ egy one more; ~ egyszer once again/more; ~ ki? who else (besides)?; és ~ sok más and many more besides; ~ elvégzendő feladadok jobs yet to be done; ~ néhány some more, a few more; ~ hozzá in addition to; és ~ hozzá and what is more; ~ mit nem! not in the least!, not a bit/whit/jot!, by no means!, what an idea!; akarsz ~ vmt mondani? have you anything more to say?; vegyél ~ [kínálás] have some more; parancsolj ~ (egy kis) teát have some more tea; kérek ~ (egy kis) kenyeret! some more bread please!; ~ egy keveset a little more; ~ több any more; van ~? is there any more?; ~ mivel szolgálhatok? next thing please?, what next please? 3. [még... is] even; ~ akkor is ha even if; ~ e pillanatban is, ~ most is even now; ~ akkor sem not even; ~ ők is even they (themselves); ~ ha eljön is even if he comes, even if/though he came; ~ ha feltételezzük is even supposing that...; ~ ha igaz volna sem... not even if it were true; ~ ha mondta is... (even) if he did say so; ~ ha olyan jó is however good it is (v. may be), good as it is (v. may be); ~ ha tudtam volna is even though I had known; ~ így is even so; ~ inkább even

more; ~ csak nem is láttam soha I never even saw it; ~ csak nem is biccentett without so much as nodding; ~ Budapesten sem not even in Budapest

megabrakol I. vt, [lovat] fodder (horse), give (horse) its portion of fodder II. vi [ló] consume/eat its portion of fodder

megacélosod|ik vi, become/get/grow as hard as steel

megacéloz vt, (átv is) steel, harden, (átv is) inure; ~za akaratát steel oneself, steel one's heart

megaciklus n, megacycle

megad vt, 1. [kérdést, fizetést, segélyt stb.] grant (request, salary etc.), [kiváltságként] concede, [vkt megillető vmt] render, accord; vknek vmt ~ grant sy sg, grant sg to sy, [ami megilleti] give sy his due; ~ja vknek a kegyelemlövést put sy out of pain; ~ja az útirányt (hajó) lay the course; ~ja a végszót vknek give sy his cue; mindent ~ neki he lets him have everything; nem ad meg withhold, refuse (sy sg); nem adták meg az engedélyt permission was withheld; meg kell adni (hogy) it must be admitted (that), admittedly..., I must say..., there is no getting round it, there is no getting away from it; meg kell neki adni hogy we must give him credit for, he must be admitted (to be); neki nem adatott meg he was not destined to; ~ja vknek ami megilleti give sy his due; ~ja az okát (vmnek) give the reason (for); ~ja az utasítást give (out) the order; ~ja vknek a végtisztességet pay the/last honours 2. [pénzt vknek] repay (sy), refund (to), pay back (sy's money), [kölcsönt] return (loan), [adósságot] pay off, discharge, clear (debt); add meg a pénzemet give me my money; ezért ~ok 10 forintot is I will give even 10 forints for it; ~ta a pénzemet he has repaid me, he has paid back my money; ~ta az árát (átv) he paid dearly for it; ~ja ostobaságának az árát pay for one's folly; ennek még ~od az árát! you shall smart/pay for this! 3. [adatféléket] give, supply (information), [címet] tell (address), indicate (measurements), [árat] name, state, quote (prices), [hangot] give (tune), prescribe, allot (task), [vm tárgyat] set (subject); árat ~ fix/indicate/quote a price; ~ja a hangot intone, intonate, strike the note; ~ja a zenekarnak a hangot give the orchestra the pitch; adja meg az egyes tételeket! give the items! 4. jól ~ta neki! he gave him a piece/bit of his mind!, he gave it to him hot, he told him off 5. ~ja magát surrender, yield (oneself prisoner), give in, succumb, lay down arms, throw up the sponge/cards (fam), throw in his hand (fam), knuckle down (fam), strike the flag (fam), (akinek: to sy), [feltételekkel] capitulate, surrender (on terms), come to terms; harc nélkül ~ja magát (biz) lie down under a defeat, take a defeat lying down; vknek kényére-kedvére ~ja magát fling oneself upon sy's mercy; ~ta magát sorsának he submitted to his fate/lot

megadás n, 1. (vmé) grant(ing), concession (of sg) 2. [pénzé] repayment, return (of money) 3. surrender, capitulation; feltétel nélküli ~ unconditional surrender; ~ra kényszerít bring to terms 4. [beletörődés] resignation, submission, submissiveness, meekness of spirit; ~sal viselte sorsát he met his fate with resignation, he bore his lot patiently

megadható a, accordable, grantable such as can be granted (ut)

megadin n, (fiz) megadyne

megadóan adv, resignedly, with resignation

megadott [-at; adv -an] a, 1. [engedélyezett] granted 2. [megjelölt] indicated, given; a ~ órában/időpontban at the hour indicated; ~ időn belül in a given/determined time; egy ~ ponton/helyen at a given point; ~ szám (menny) denominate number

megadóztat vt, lay/put/levy/impose a tax (on sg), tax (sg)

megadőztatás n, laying a tax (on sg), taxing, taxation
megadőztatható a, taxable, assessable, rateable, leviable
megadőztathatóság n, taxability, taxableness
megaerg n, (fiz) megaerg
megafarád n, (vill) megafarad
megafon [-ok, -t, -ja] n, megaphone, loud-speaker, speaker unit, bullphone (US); ~ok public address system
megagitál vt, win sy over (to ...), persuade, bring sy round (to sg); a tömegek ~ása the winning over of the masses; meg akarsz agitálni? do you want to persuade me?, are you trying to convert me?
megagyabugyál vt, = elagyabugyál
megágyaz vi, make the bed(s), turn down the bed
megahertz n, megacycle per second
megajándékoz vt, (vmvel) present (sy with sg), present (sg to sy), give (sg to sy) as a present, make sy a present (of sg); vkt ~ vmvel present sy with sg; ~ vkt bizalmával give sy one's confidence
megajándékozás n, donation, presentation
megajándékozott [-at, -ja] n, (jog) beneficiary, recipient, grantee, donce, presentee
megajánl vt, 1. [felajánl] offer, pledge; ~ok 100 forintot put me down for 100 forints 2. [országgyűlés vmi] vote
megajánlás n, offer(ing)
megakad vi, 1. [szerkezet] stop, [alkatrész] jam, become wedged, get stuck, [lövedék vmben] lodge against, get lodged in sg, (vmben) catch, get caught (by/in sg), [lába] get entangled (in sg); a halszálka ~t a torkán the fish-bone stuck in his throat 2. [sárban] stick, get stuck 3. [szavaló] get stuck, [gyakran] stumble (over one's words), [beszédben] come to a halt; egy pillanatra ~t a beszélgetés there was a lull in the conversation 4. ~ vmn a szeme one's eyes fasten/alight on sg, one's attention is (v. one's eyes are) arrested by sg, sg strikes/arrests/catches one's eyes 5. [forgalom] botleneck, jam
megakadályoz vt, 1. (vkt) hinder, detain, prevent, keep back, (de)bar, (akit amiben sy from doing sg), [mozgásban] impede, hamper, clog, trammel, arrest (motion of sg); ~ vkt vmnek megtételében prevent sy from doing sg, prevent/keep/stop sy from doing sg, inhibit sy from doing sg 2. [tervet] cross, thwart, ba(u)lk, counteract, check, stimy (fam), stymie (plan) (fam), [házasságot] prevent, [ellenhatással] counteract, [elhárítva] avert, ward off
megakadályozás n, prevention, hindrance, obstruction, staying, impeding, impeachment
megakadályozhatatlan a, unpreventable, unhinderable
megakadályozhatatlanul adv, unhinderably, unpreventably
megakadályozható a, preventable, preventible, hinderable, impedible
megakadályozó [-t, -ja] n, prohibiter, preventer
megakadás n, [beszédben] halt, stopping, [géprészé, szelepé] jamming, (vmben) catching, [lövedék] lodging, sticking, [mozgásban] stoppage
megakaszt vt, 1. stop, check, block, [gátol] hinder, impede, [mozgást, tárgyalást] bring sg to a standstill, arrest, cut off, stay the progress of, throw obstacles in the way of, stimy (fam), stymie (fam); ~ja a halaaást block progress; fejlődésben ~ check the growth 2. [szerkezetei, forgalma!] jam, stop (machinery), paralyze, blockade (traffic) (US) 3. [vkt beszédben] interrupt (sy), stop (sy) short, [javaslatot] block (measure)
megakasztás n, stop(ping), block(ing), locking, check-(ing), stoppage, arrest, jamming, interruption
megalakít vt, form, organize, frame, bring together, establish, found, [bizottságot] set up, institute (committee), [kormányt] form

megalakítás n, forming, formation, constituting, establishing, [bizottságé, testületé] institution
megalakul vi, be formed/framed/instituted/constituted/established, be set up
megalakulás n, forming, formation, coming into existence
megalapít vt, found, establish, [ker társaságot] float, start, launch, ground (company), set (company) going/up (v. on foot), [újságot] start (newspaper)
megalapítás n, founding, foundation, establishing, establishment, starting, floating, launching
megalapoz vt, 1. (konkr.) lay the foundation (of sy), [útépítésnél] bed, bottom 2. (átv) establish, [érvvel, bizonyítékkal] substantiate, adduce argument(s)/ proof(s) in favour of sg; ~za vknek a hírnevét bring sy's name into repute; hírnevét fordításai alapozták meg his fame rests upon his translations, he first made his name with his (good) translations; ~za igényét make good one's claim; ~ egy vádat substantiate a charge
megalapozás n, 1. [cselekvés] laying the foundation (of sg) 2. [eredmény] foundation(s), basis, ground-work, [úté] road-bed 3. (átv) establishment; vm ~ára in support of sg; gazdasági döntések ~a foundation of economic decisions
megalapozatlan a, unfounded
megalapozatlanság n, groundlessness
megalapozó a, foundational
megalapozott [-at; adv -an] a, grounded, established; ~ állami tartozások consolidated/funded public debts; jól ~ well-founded/established; jól ~ hitel established credit; ~ határozat solid consideration; ~ védelem solid defence
megalapozottság n, 1. [építményé] massiveness 2. (átv) sound foundations (pl), thorough preparation, [panaszé, követelésé stb.] cogency, [érvé] grounding; egy (peres) ügy ~a the merits of a case
megaláz vt, humiliate, humble, abase, mortify, bring (sy) low, take (sy) down (a peg or two) (fam); büszkeségében ~ vkt pull down a person's pride
megalázás n, humiliation, humbling, abasement, mortification, set/come/take down (fam)
megalázkodás n, self-abasement, subservience, [vk előtt] cringing, fawning, grovelling (before sy); ~ra kényszerít vkt humble sy, make sy eat humble pie
megalázkod|ik vi, humble/abase/humiliate oneself, [vk előtt] cringe (to), fawn (on, upon), grovel (before, to), eat humble pie (fam), lick the dust (fam), kiss the rod (fam), kowtow (to sy) (fam), lick sy's boots (fam), grovel/crawl to/before sy (fam); ~ik vk előtt bend/bow the knee to/before sy
megalázó [-ak, -t; adv -an] a, humiliating, humbling, degrading
megalázottság n, (state of) humiliation, abjection
megaláztatás n, humiliation, indignity, degradation; ~t szenved suffer an affront
megáld vt, 1. [pap] bless, pronounce/give blessing (on sg), [házasságot] solemnize (marriage); meg van áldva vele (iron) be afflicted with (sy, sg); házasságát az ég egy fiúval áldotta meg he was happy in a son, he was blessed with a son; az isten áldjon meg! God bless you!, [felháborodva] for Heaven's sake! 2. [vkt vmlyen képességgel] bless, endow, endue (sy with sg); rendkívüli szépséggel ~va endowed with great beauty
megáldoz|ik vi, communicate, receive (the sacrament at) Holy Communion, partake of the sacrament, take (Holy) Communion
megáldoztat vt, administer Holy Communion (to sy)
megalit [-ot, -ja] n. megalith
megalitikus a, [kultúra] heliolithic, megalithic
megalkot vt, create, [törvényt] frame, make (law),

[bizottságot] form, set up (committee), [alkotmányt] write (constitution)

megalkusz|ik vi, 1. (vkvel) come to an agreement, come to terms, make/strike a bargain (with sy), 2. (átv) compromise, (vmvel) put up (with sg) (fam); ~ik a helyzettel make the best of a bad job, resign oneself to the inevitable, [átmenetileg] temporize; ~ik lelkiismeretével compromise with one's conscience

megalkuvás n, (átv) compromise, opportunism (pej), time-serving (pej), temporization (pej), (doctrine of) expedience (pej); ~ politikája policy of appeasing, policy of appeasement; meg nem alkuvás intransigence, uncompromising attitude, steadfastness; ~t nem ismer be uncompromising/strict/intransigent/ adamant

megalkuvó [-ak, -t; adv -an] I. a, (átv) compromising; ~ ember = megalkuvó II.; ~ politika opportunism, policy of compromise; meg nem alkuvó intransigent, uncompromising, steadfast, unyielding II. n, compromiser, opportunist, time-server, temporizer

megáll I. vi, 1. stop, come to a stop/standstill, [egy időre] halt, pause, come to a halt, make a halt/pause, [hirtelen] stop short/suddenly/dead, [szél] stop, cease, subside, [szív] (heart) stops beating, [munka] come to a standstill; állj meg! stop there!, hold (on)!; ~j csak! wait a bit/minute!, stop a moment!, let me see!, [fenyegetés] wait till I catch you!, let me catch you!; ~junk csak now let us see/consider, just a minute; ~t az eső it has stopped raining; minden ~t things came to a full stop 2. [hajó vhol] put in (at), call, touch (at), [jármű] pull/draw up, (kat) halt, [rendszeresen] stop, call (at station), [gép] stop, cease to move/work, come to a stop, stall, become inoperative; ~t az órám my watch has stopped; a taxi ~t a ház előtt the cab stopped (v. pulled up) in front of the house; a vonat minden állomásnál ~ the train calls at every station 3. [beszédben] stop short, break off, (make) a pause (in a speech), [nem megy tovább vmben] keep/stick to (sg), abide by (sg) 4. ~t az eszem my mind went blank, I was completely nonplussed, I was at my wit's end; ~ az ember esze! I give it up!, well I never!; nem áll meg benne a szó he can't keep a secret, he is a sieve; ~t a szívverése his heart missed a beat 5. [támaszték nélkül] stand up, [tárgy] stay put; szilárdan ~ take a firm stand; ez az elmélet nem áll meg this theory lacks ground, this theory does not hold water (fam); ~ a maga lábán (átv) be capable of holding one's own, stand on one's own feet, provide for oneself; ~ a vád the charge is substantiated

II. vt, 1. ~ja helyét cope with sg, hold out/on, hold one's own, stand fast, stand the test/proof, keep one's feet, [ellenféllel szemben] stand/hold/keep/stand one's ground; jól ~ja a helyét az életben he knows how to keep his end up, he is keeping his end up, he holds his own; a nehéz helyzetben jól ~ta a helyét in a trying situation he gave a good account of himself 2. alig tudja ~ni hogy ne . . . he can hardly refrain from . . . . -ing; nem állja meg hogy ne . . . he can't help (v. refrain from) . . . -ing, he cannot forbear to; nem állja meg szó nélkül he can't refrain/resist from a comment (v. butting in with a comment); nem tudom ~ni nevetés nélkül I cannot help laughing, I cannot keep from laughing; nem tudja ~ni hogy szójátékot ne csináljon he cannot resist a pun 3. a kutya ~ja a vadat the dog sets

megalapít vt, 1. (dlt) establish, verify, ascertain, make certain, state, [szöveget] establish (text), [tényként] lay/set down (sg as) a fact, state, establish; előre ~ pre-establish; már amennyire meg tudom állapítani as far as I can tell/see; nehéz ~ani it is hard/difficult to say; tényt ~ establish the fact 2. [kimutat] find (out),

point out (that), prove; ~ották (hogy) it has been found (that) 3. [meghatároz] determine, fix, settle, decide, [árat] fix, settle (price), [vm árát] cost (sg), [előre] determine/fix in advance, predestinate, foreordain, [eredményt] register, record, [feltételként] lay down, stipulate (terms, that . . .), [helyet] locate, lodge, [időpontot] fix, appoint, set (date), time, [követelést] establish, verify (claim), [következtetéssel vmből] infer, conclude, judge (from sg), [mérleget] settle (balance sheet); ~ja a határt draw a line; ~ja a károkat assess the damages; árat állapít meg vmre [hatóság] impose price on sg; ~ja a gyártmányok közvetlen normaidő-szükségletét assess the prime standard time of products, impose norms on manufacturing time; személyazonosságot ~ establish identity; 4. [betegséget] diagnose; hiperaciditást állapított meg az orvos the doctor found hyperacidity 5. [bíróság vmt] rule, [törvény vm büntetést] decree (penalty)

megállapítás n, 1. (dlt) establishing, establishment, ascertainment, statement 2. [meghatározás] fixing, registering, [feltételként] stipulation, [következtetéssel] inference, conclusion, [időponté, helyé] assignation, [tényé] establishment, [előre] fixing in advance, predestination, estimate, [követelésé] establishing, verification; a ~ok the finds/findings; hivatalos ~ official statement; ~t nyert (hogy) it was found/ proved/ascertained (that) 3. [betegségé] diagnosis 4. (jog) ~ra irányuló kereset declaratory action, action for a declaration, suit for (the) establishment (of a right)

megállapítási [-ak, -t] a, ~ perben hozott ítélet declaration, declaratory judgment

megállapíthatatlan a, undefined, indeterminable, unascertainable, unprovable

megállapítható a, 1. ascertainable, verifiable, determinable, provable, statable, observable; ~ (hogy) it can be laid down as a fact (that), it can be ascertained/proved (that); nehezen ~ difficult to determine (ut); nem ~ untraceable 2. [betegség] diagnosable

megállapító [-t] a, ~ ítélet declaratory judg(e)ment/ decree, declaration

megállapított [-at; adv -an] a, established, verified, ascertained, proved, determined, fixed, appointed, diagnosed, stipulated; ~ áron at the price appointed; ~ súly established weight; meg nem állapított unascertained

megállapodás n, 1. agreement, compact, [nemzetközi pol] convention, [ünnepélyes] covenant, (ker) bargain, [okmány címében] articles of agreement (pl); elvi ~ agreement in principle; ellenkező ~ agreement to the contrary; ellenkező ~ hiányában unless otherwise agreed; érvénytelen/semmis ~ void agreement; hallgatólagos ~ tacit agreement; írásbeli ~ agreement in writing; kormányközi ~ inter-governmental agreement; kölcsönös ~ reciprocal/mutual agreement: közjegyző előtt kötött ~ notarized agreement; szóbeli ~ verbal agreement; termelők közötti (kartell) ~ agreement between producers; ~ aláírása/ megkötése execution of agreement; ~ felmondása/ hatálytalanítása cancellation of the agreement; ~ hiányában failing agreement; ~ novációja revival agreement; ~ pontjai articles of agreement; ~ ratifikálása ratification of an agreement; ~ teljesítése fulfilment/execution of agreement; a ~ kiköti hogy... the agreement provides/stipulates that . . .; a ~ a következő(képpen szól) the agreement goes as follows; ~ értelmében/szerint by (v. as per) agreement, according to (v. in keeping with the) agreement; ár ~ szerint price by arrangement; ~ szerinti feltételek conditions agreed upon; ~ útján by way of agreement; ~ útján (kikötött) stipulated by agreement; ~ nem jött létre an agreement was not arrived at (v. reached);

a ~hoz tartja magát abide by the agreement; ~nak eleget tesz meet/fulfil/perform an agreement; ~ra jut vkvel come to an agreement/understanding (v. to terms) with sy, close with sy, strike a bargain with sy, arrive at an agreement with sy; ~t felmond denounce an agreement; ~t hatálytalanit invalidate/nullify an agreement; ~t hoz létre bring about an agreement; ~t irásba foglal commit an agreement to writing, put down an agreement (in writing) (fam) ; ~t köt vkvel make/conclude an agreement with sy, enter into an agreement, come to an arrangement with sy; megszegi a ~t violate/break the agreement; tartja magát a ~hoz abide by an agreement; ~tól visszalép cancel/ denounce an agreement 2. [megszilárdulás] (átv is) consolidation, strengthening, (átv) calming down, settling

megállapodásszerű a, contractual, contracted, by (v. as per) agreement

megállapod|ik [-tam, -ott, -jon, -jék] vi, 1. (vkvel vmről) agree, settle, make/conclude an agreement, come to an understanding/agreement (v. terms), reach an understanding, strike a bargain (with sy on/about v. as to sg), fix things up (fam), (vkvel vmben) arrange (with sy about sg); határidőben ~ik fix terms; vkvel időpontban ~ik make an appointment with sy for ..., fix time with sy; ebben ~tak this was agreed upon; ~tak abban (hogy) it was agreed/arranged (that), they decided upon (sg), it was resolved that; kölcsönösen ~tak abban hogy it is mutually agreed that; ~tunk hogy délben találkozunk we arranged to meet at noon; nem ebben állapodtam meg (biz) I didn't bargain for that 2. [megszilárdul] grow firm, become stable/ steady, settle, set, (átv) settle, calm down, [helyzet] clear up, [vélemény] consolidate 3. (vk vhol) stop, halt, [megtelepszik] settle (down), set up

megállapodott [-at; adv -an] a, fixed, settled, conventional; ~ ember staid/sedate man; ~ vélemény received/prevailing opinion

megállás n, stop(ing), stoppage, halt, cease, standstill, let-up (US), [beszéd közben] break, interruption, pause, pausing, [beszédben] breaking off, [járműé stb.] stand; ~ nélkül [halad] without stopping (v. a stop), incessantly, non-stop, at a stretch, [szünet nélkül] without a break/intermission; rövid ~ short stop/ pause; ~t parancsol order/call a halt

megállít vt, 1. stop, bring to a stop, halt, [hirtelen] check, stop (sy) short/dead, bring up short, [akadályozva] arrest 2. [járművet] pull/hold up (vehicle), [lovat] rein/pull up, [hajót] bring to, [vonatot] flag (a train), [gépet] bring to a standstill, [vkt utcán] stop, accost; a járda mellett állította meg az autóját he pulled up his car to the curb 3. [munkában, beszédben] interrupt, [beszédben] cut (sy) short 4. [mozgalom terjedését] contain

megállítás n, 1. stopping, stoppage, [akadályozva] arrest(ing), halt, check 2. [járműé] pulling/holding up (vehicle), [gépé] stopping, stalling, [kikapcsolva] switching/shutting off 3. [munkában, beszédben] interruption

megállíthatatlan a, unstoppable, uncheckable, not to be checked (ut), stemless

megállíthatatlanul adv, irresistibly, inevitably

megállj int, stop there!, hold on/hard!, [fenyegetőleg] (just) wait till I catch you!; ~t kiált call a halt

megálló(hely) n, stopping-place, stop(-point), halt, halting-place, [kisebb vasúti] way-station (US); feltételes ~ request stop

megálmod|ik vt, dream about (sg) beforehand, have a prophetic dream about (sg)

megaloblaszt [-ot, -ja] n, (orv) megaloblast

megalocita [.. át] n, (biol) megalocyte

megalománia n, megalomania, monomania

megalomániás a/n, megalomaniac

megalsz|ik vi, 1. [tej] curdle, clot, curd, set, [vér] cake, clot, congeal, coagulate 2. (vk vhol) put up for the night

megaltat vt, [tejet] curdle, set (milk)

megalvad vi, [vér] cake, clot, congeal, coagulate, solidify

megalvadás n, [véré] clotting, congealing, coagulating, coagulation, solidifying

megalvadási a, ~ folyamat (vegyt) process of setting

megalvadt a, curdy, clotted, coagulated

megalvás n, [tejé] curdling, clotting, setting

megalvaszt vt, [vért] congeal, coagulate, solidify

megalvasztás n, congelaltion, coagulation, solidification

megalvasztható a, solidifiable, congealable

megannyi a, as/so many, a great number of, lots of; mint ~ like so many...

mégannyi I. a, (vál) ever so much, however much; legyen bár ~ pénze should he have ever so much money II. ha ~t igér is however much he should promise; ~szor however often, however many times

megapad vi, go down, abate, ebb, [vm száma] fall off, decrease, [jövedelem] lessen, diminish

megáporodás n, [levegőé] going stale/stuffy/musty/fusty, [italé] flattening

megáporod|ik vi, stale, [levegő] become stuffy/musty/ fusty, (ritk) foul, [ital] go/become/get flat

megaprehendál vi, (vmért) take offence/umbrage (at sg), take (sg) ill, be in a huff (about sg)

megárad vi, swell, rise, flood, overflow, overswell

megáradás n, swelling, rising, spate

megáradt a, swollen, flooded

megaranyoz vt, 1. [tárgyat] gild, engild; kétszeresen ~ double-gild 2. ~za vk öregségét brighten/enliven (v. light up) sy's old age

megaranyozás n, gilding, gold-plating

megáraszt vt, swell, flood, cause (river) to rise, make river overflow its banks

megáraz vt, price, attach price-tags (onto)

megárt vi, 1. (vknek, vmnek) do (sy, sg) harm, be hurtful/injurious/prejudicial (to), [vm romlandónak] damage, spoil, [jó hírnek] damage (reputation), cast a slur on, cast aspersions on, reflect on (sy's honour); jóból is ~ a sok too much is as bad as nothing at all, enough is as good as a feast, one can have too much of a good thing; nem fog neked ~ani it won't harm you, it will do you good 2. [gyomornak] disagree (with stomach); a hús ~ott nekem the meat desagreed with me; ~ott neki az ital he was the worse for drink

megás vt, 1. (konkr.) dig; ~sa az árkot dig (out) a trench 2. (átv) ~sa vk sirját be the undoing/death of sy

megaszal vt, dry, desiccate, [napon] sun-dry

megaszalódás n, becoming dry, parching

megaszalód|ik vi, become dry, parch

megaszkóp [-ot, -ja] n, (fiz) megascope

megaszkopikus a, (fiz) megascopic

megátalkod|ik [-tam, -ott, -jon, -jék] vi, 1. (ált) get stubborn/obstinate 2. (vmben) persist stubbornly/ obstinately/doggedly (in sg)

megátalkodott [-at; adv -an] a, 1. [bűnöző] confirmed, hardened, obdurate, [javíthatatlan] incorrigible; ~ bűnös impenitent/obdurate sinner, he is old in sin (fam) ; ~ bűnöző hardened criminal 2. [makacs] stubborn, obstinate, dogged, perverse, pertinacious, mulish (fam), pig-headed (fam), cussed (US fam)

megátalkodottan adv, 1. [bűnözőről] obdurately, impenitently 2. [makacsul] obstinately, doggedly, stubbornly, pertinaciously

megátalkodottság n, 1. [bűnözőé] obduracy, impenitence 2. [makacsság] stubbornness, obstinacy, doggedness, perverseness, mulishness (fam), cussedness *(US fam)*; ~*ában odáig megy (hogy)* he is obdurate/mulish enough to

megátkoz *vt,* curse, damn, swear at, *(kif)* call down curses (upon sy/sg)

megátkozás *n,* cursing, damning, swearing (at sy)

megatonna *n,* megaton

megavasodás *n,* growing/becoming rancid, souring

megavasod|ik *vi,* grow/get/become rancid

megavolt *n,* megavolt

megawatt *n,* megawatt

megázás *n,* drenching, getting wet/soaked

megáz|ik *vi, (vk)* get wet, *(vm)* become wet, *[bőrig]* get wet through, get wet/soaked to the skin

megáztat *vt, [bőrt]* soak, steep, drench (skin), *[papírt]* wet, damp (paper)

megbabáz|ik *vi,* give birth to a baby, be delivered (of a baby)

megbabonáz *vt,* 1. *[varázsló]* bewitch, bedevil, mesmerize, hoodoo *(US), (kif)* cast/put a spell (upon/on sy) 2. *(átv)* entrance, fascinate, enchant, *[szerelmest]* captivate, infatuate; ~*va (átv)* bound by a spell

megbabonázás *n,* 1. *[varázslóé]* bewitchment 2. *(átv)* fascination, infatuation

megbabonázott *a,* bewitched, under a spell *(ut),* spell-bound

megbámul *vt,* gaze, stare (at), fasten sy's eyes (on), *[csodálkozva]* gape, stare (at sg), look on in wonder (at sy/sg), *[tisztelettel]* admire; ~ *vkt* give sy a stare

megbán *vt, [bűnt]* repent (of sin), *[hibát]* regret, be sorry (for mistake), *[keservesen]* rue; ~*ja (hogy)* regret (that), regret *(v.* be sorry for) having done sg, be sorry to have done sg; *majd* ~*od később* you'll regret (it) *(v.* you'll be sorry) later on, he'll live to repent it; *ezt még* ~*od!* you shall rue it!, you will live/come to rue/regret it!, you will rue the day!; *nem bánod meg* you will not be sorry, you will not regret it

megbánás *n,* repentance, regret, sorrow, ruefulness *(obs), [bűnbánat]* contrition, compunction; ~*t mutat* show repentance; *semmi* ~*t nem mutat* show no (signs of) repentance/regret

megbánt *vt,* offend, hurt/injure/wound sy's feelings, wrong, give offence/umbrage, *[erősen]* insult, affront (sy), cause offence (to sy); *nem akartunk* ~*ani* no offence meant; *nagyon sajnálom hogy* ~*ottalak(,) igazán nem akartam* I am very sorry I hurt you I never meant to; ~*va érzi magát* be/feel aggrieved, be/feel huffed *(fam)*

megbántás *n,* (giving) offence, injury, wrong, insult, affront, giving umbrage

megbántódás *n,* taking offence/umbrage, resentment

megbántód|ik [-tam, -ott, -jon, -jék] *vi,* be offended, *(vmn)* take offence/umbrage (at sg), take exception (to sg), take sg in bad part

megbántott [-at; *adv* -an] *a,* offended; ~ *hiúság* wounded pride

megbarátkozás *n,* forming *(v.* striking up) a friendship, making friends, becoming intimate, familiarization

megbarátkoz|ik *vi, (vkvel)* form *(v.* strike up) a friendship (with sy), make friends (with), become intimate (with sy), pal up (with) *(fam),* get solid (with) *(fam), (vmvel)* familiarize oneself (with), make oneself familiar (with sg), accustom oneself (to sg), grow familiar with sg; ~ *a körülményekkel* acquaint oneself with the circumstances, adapt oneself to the circumstances

megbarnít *vt,* 1. *(ált)* brown 2. *[nap]* tan

megbarnul *vi,* 1. *(ált)* (become) brown, *[haj]* become dark, *[levél]* rust 2. *[naptól]* tan, become tanned, sunburn, bronze

megbarnulás *n,* 1. *(ált)* browning, *[levélé]* rusting 2. *[naptól]* (sun-)tan

megbasz|ik *vt, (duro)* fuck (sy)

megbátorod|ik = felbátorodik

megbecstelelenít [-eni, -ett, -sen] *vt,* 1. *[szüzet]* deflower, *(ált)* rape, ravish, violate, dishonour 2. *(átv)* disgrace, defile, violate

megbecstelenítés *n,* 1. *[szüzet]* deflowering, *(ált)* rape, violation, ravishment 2. *(átv)* defilement, violation

megbecstelenítő *adv,* dishonourable, ignominious

megbecsül *vt,* 1. *[értékel· vkt]* esteem, appreciate, honour, respect, value, prize (highly), rate highly, think highly of, hold in high esteem, have a high opinion of, feel respect for, have/show (a great) regard for; *nagyon* ~ *vmt* set great/high value on sg, set high price on sg, set great store by sg; *férje nem tudja* ~*ni* she threw herself away on him 2. *[vm értéket]* estimate, value, appraise, evaluate, make valuation of, size sg up, *[kárt]* assess (damage) 3. ~*i magát [munkahelyen]* prove worthy of sy's confidence/ favour *(v.* one's post), *(ált)* behave oneself/properly, count one's blessings *(fam)*

megbecsülés *n,* 1. (high) esteem, appreciation, honour, respect, regard, high/favourable opinion; *minden iránta érzett* ~*em ellenére* with all my respect for him; ~*ben részesül* receive/meet with recognition; *nagy tudása végül* ~*re talált* his great learning has at last been recognized; *nagy* ~*t mutat vk iránt* profess a great esteem for sy 2. estimation, valuing, appraising, assessment

megbecsülhetetlen *a,* priceless, inestimable, invaluable, above/without price *(ut)*; ~ *jótét(emény)* inestimable benefit

megbecsült *a,* valued, honoured, well-thought-of; *meg nem becsült* unappreciated 2. ~ *föld* extended land

megbékél [-t, -jen] *vi,* become appeased/reconciled, calm/cool down, set one's heart at rest; ~ *vmvel* resign one's mind to sg, reconcile oneself to sg, be/ become reconciled to sg

megbékélés *n,* calming down, reconciliation

megbékéltet *vt,* = megbékít

megbékít *vt,* 1. *[kiengesztel]* calm (down), pacify, conciliate, *[lekenyerezve]* appease, propitiate *(ref.)* 2. *(vkvel)* reconcile (to sy), *(vmvel)* accustom (to sg)

megbékítés *n,* pacification, conciliation, reconcilement, *[lekenyerezéssel]* appeasement, propitiation *(ref.)*

megbéklyóz *vt,* 1. *(vkt)* shackle, fetter 2. *[lovat]* hobble

megbékül *vi,* 1. *[kiengesztelődik]* become appeased calm down 2. *(vkvel)* be(come) reconciled (to sy), *(vmvel)* accustom oneself (to sg); ~ *sorsával* reconcile oneself to one's fate

megbékülés *n,* appeasement, appeasing, reconcilement

megbélyegez *vt,* 1. *[tüzes vassal]* brand 2. *(átv)* brand, stigmatize (as), denounce, condemn, *[sajtóban]* hit, rap *(US)*

megbélyegzés *n,* branding, denunciation, denouncement, denouncing, stigmatization

megbélyegzett [-et; *adv* -en] *a,* branded, stigmatized (as . . .) *(ut),* denounced

megbélyegző *a, [adat, tett]* ignominious, dishonourable, degrading, *[más]* defamatory, denunciatory

megbénít *vt,* 1. *(konkr.)* paralyse, paralyze, disable, maim, palsy, immobilize, *[lovat]* hock 2. *(átv)* paralyse, paralyze, disable, lame, maim, hamstring, palsy *(obs),* incapacitate, cripple, benumb *(fam)*; ~*ja a forgalmat* stop the traffic; *ipart/iparágat* ~ cripple an industry

megbénítás *n,* paralysing, laming, maiming, incapacitating, immobilization

megbénul *vi,* 1. *(konkr.)* be/become paralysed/lamed 2. *(átv)* be/become paralysed/lamed/incapacitated/ crippled

megbénulás *n,* 1. *(konkr.)* becoming paralysed, paralysis 2. *(átv)* paralysation, disablement, stagnation

megbérmál *vt*, confirm
megbeszél *vt*, 1. talk (sg) over, *[megvitat]* discuss, debate, *[helyzetet]* review, *[vkvel vmt]* have a talk (with sy about sg), confer, converse (with sy about sg), *[tervet]* arrange (plan), plan (scheme); *beszéljük meg először a dolgot* let us first talk the matter over 2. *[megegyeznek időpontra]* fix (time), make an appointment (for . . .), *[másra nézve]* come to an agreement (with sy on/about sg *v.* as to sg), settle/ agree with sy as to sg; *~tünk egy jelrendszert* we had concerted a code of signals; *ahogy ~ték* as (was) agreed, as arranged; *előre ~t* prearranged, preconcerted, put up *(pej)*; *a ~t helyen* in the appointed place, in the place agreed upon; *ahogy ~tük kedden találkoztunk* we met on Tuesday as arranged; *találkozót beszéltünk meg délre* we arranged to meet at noon
megbeszélés *n*, 1. talk, discussion, conference, consultation, disputation; *~e van vkvel* have a talk/conference with sy; *Benke elvtársnak éppen ~e van vkvel* Comrade Benke is in conference with sy; *~t folytat vkvel* have a talk with sy; *bizalmas ~t folytat vkvel* be closeted with sy 2. *(hiv)* interview; *személyes ~* personal interview 3. *[diplomáciai]* conversation 4. *[megegyezés]* arrangement, agreement, appointment; *~ szerint by appointment; ~ alapján/szerint találkozik vkvel* meet sy by appointment
megbeszélt *a*, ld megbeszél 2.
megbetegedés *n*, 1. *(ált)* illness, sickness, disease, malady *(ref.)*, *[könnyű]* indisposition; *belgyógyászati ~* medical disease; *foglalkozási ~* occupational disease; *reumatológiai ~* rheumatological condition/ disease; *sebészi ~* surgical disease 2. *[szervé]* disorder, trouble, affection; *mozgásszervi ~* locomotor disorder/disease 3. *[előforduló eset]* case; *~ gyakorisága* morbidity rate
megbetegedési *a*, *~ arányszám* morbidity/incidence rate
megbeteged|ik *vi*, = megbetegszik
megbetegsz|ik [. . gedni, . . gedtem, . . gedett, . . gedjen, . . gedjék] *vi*, 1. *[ember]* fall/get *(v.* be taken) ill, fall sick, sicken; *influenzában megbetegedett* he fell ill with influenza, be/came down with the 'flu *(fam)* 2. *[szerv]* become disordered
megbiccent *vt*, *~i a fejét* give a nod, nod (approval/ greeting)
megbicsakl|ik *vi*, 1. *[testrész]* be/get sprained 2. *~ott a hangja* his voice faltered; *~ott a nyelve* he stumbled over the word
megbicsakolja magát get obstinate/pigheaded/mulish, turn rusty *(fam)*, cut up rusty *(fam)*
megbicskáz *vt*, knife
megbilincsel *vt*, shackle, fetter, put (sy) in chains/irons, *[kezén]* handcuff, manacle, pinion
megbillen *vi*, lose balance, tilt, tip, topple, overbalance
megbillent *vt*, tilt, tip, topple, overbalance, *[mérleget]* turn (the scale); *~i a kalapját* tip/touch one's hat
megbír I. *vt*, bear, be able to support/carry II. *vi*, 1. *(vkvel)* cope (with sy), be a match (for sy), be equal (to sy) 2. *[nehézségekkel]* bear, endure, put up with (hardship)
megbírál *vt*, criticize, pass judg(e)ment (on sg), review, judge
megbirkóz|ik *vi*, *(vkvel, vmvel)* wrestle (with sy/sg) successfully, *[ellenféllel]* overcome, get the better *(v.* upper hand) of (opponent), *[ellenállással]* bear down (resistance), *[kérdéssel]* tackle (problem), *[nehézséggel]* overcome, cope with (difficulty), *[akadállyal]* surmount (obstacle); *meg tud vele birkózni* have the measure of sg, be equal to (the occasion); *nem tud a feladattal ~ni* be unequal to the task; *~ik egy helyzettel* cope with a situation; *nem tudok a levelezéssel ~ni* I can't (possibly) cope with all the correspondence;

meg tud ~ni még egy süteménnyel? (biz) can you manage another cake?
megbírságol *vt*, fine, impose a fine on, mulct, penalize
megbírságolandó *a*, finable
megbírságolás *n*, fining, fine
megbírságolható *a*, finable
megbíz *vt*, 1. *(vkt vmvel)* charge, (en)trust (sy with sg *v.* with doing sg), commission (sy to do sg), put (sy) in charge (of sg), *[utasít]* instruct (sy to do sg); *~ vkt a bevásárlással* ask sy to do one's/the shopping 2. *[képviselettel]* commission, delegate, depute (sy to do sg), give sy a mandate (to do sg)
megbízás *n*, 1. *(ált)* commission, charge, assignment, instructions *(pl)*, authority, *[apró]* errand; *~a van arra hogy vmt tegyen* have it in one's commission to do sg; *~ból* as deputy/proxy, *(ker)* per procuration, *(röv per proc.)*, for sy; *vk~ából* on behalf of sy, on sy's authority; *X úr ~ából jövök* I come on behalf of Mr X; *vknek a ~ásból jár el* act on sy's authority, act by procuration; *kiadó ~ából írott könyv* book commissioned by publisher; *~ához híven* in conformity with one's instructions; *vknek ~t ad* charge sy with a commission, lay a charge on sy; *apró ~okat teljesít* go/run (on) errands, run messages; *~t kap vmre* be commissioned to do sg 2. *[képviseleti]* mandate, delegation, delegacy; *~ átruházása* subdelegation; *~ visszavonása* revocation (of agency); *~ nélküli ügyvivő* agent of necessity; *~ nélküli ügyvitel* agency of necessity; *rendkívüli ~* special embassy 3. *(ker)* order; *eladási ~* selling order; *vételi ~* order to buy; *~t teljesít* effect an order
megbízási [-t] *a*, *~ szerződés* contract of agency
megbízatás *n*, = megbízás
megbízhatatlan *a*, *[ember, adat]* unreliable, not to be relied (up)on *(ut)*, not to be credited *(ut)*, *(vk)* untrustworthy, not be trusted *(ut)*, undependable, inconstant, inconsistent, *[erősen elit]* fickle, shifty, slippery, *[adat]* doubtful, uncertain, unconfirmed; *~ emlékezet* unretentive/leaky memory
megbízhatatlanság *n*, unreliability, untrustworthiness, unstableness, fickleness
megbízható *a*, 1. *[ember]* reliable, to be relied on *(ut)*, *(vk)* trustworthy, dependable, *[barát]* trusty, true, staunch (friend); *~ cég* trustworthy firm; *~ módon* reliably; *~ tanú* reliable witness; *nem ~* he is not to be trusted/believed, he is undependable 2. *[adat]* certain, confirmed, correct, reliable, authentic; *egészen ~* perfectly reliable, *[kipróbáltan]* of tried integrity *(ut)*; *~ értesülés* authoritative information; *~ forrásból tudom* I have it on good authority, I have it straight from the horse's mouth *(fam)*, I have it from a trustworthy/creditable source, I have it on the highest authority
megbízhatóan *adv*, reliably, trustworthíly, dependably, trustily, truly, staunchly
megbízhatóság *n*, 1. *[emberé]* reliability, trustworthiness, trustfulness, dependableness, dependability, soundness 2. *[adaté]* authenticity, *[állításé]* veracity, fidelity, truth
megbízhatósági *a*, *~ próba (műsz)* endurance test; *~ határ* confidence limit; *~ verseny (sp)* endurance test
megbíz|ik *vi*, *(vkben, vmben)* trust (sy, sg), put trust (in sg), rely (on sy), depend (on sy), confide (in sy/sg), have faith (in sy/sg), place one's reliance/trust (in/on sy/sg), place/repose confidence (in sy/sg), believe (in sy/sg); *teljesen ~om benne* I have every confidence in him, I bank on him; *vmben vakon ~ik* trust sy unreservedly; *benne nem lehet ~ni* he is not to be trusted, you cannot rely/depend on him
megbízó[1] [-t, -ja] *n*, employer, *[ügyvedé]* client, *(ker)* consigner

megbízó² a, (vkben) confiding (in sy) (ut), having faith/ confidence (in sy) (ut)

megbízólevél n, 1. (ker) letter of commission, [ügyvédi] power of attorney, proxy, letters of procuration (pl), warrant 2. [diplomatáé] credentials (pl), letter of credence; átadja megbízólevelét present his credentials (v. letter of credence); ~ átadása presentation of credentials 3. [képviselőé] mandate

megbizonyosod|ik [-tam, -ott, -jon, -jék] vi, [vm felől] make sure/certain (of), ascertain, find out; ~tam felőle hogy... I have satisfied myself that

megbízott [-at, -ja] I. a, (vmvel) in charge (of sg) (ut), commissioned/authorized (to do sg) (ut), accredited, delegate, commissioned; egyetemi ~ előadó chargé des cours, (assistant) lecturer, (temporary) lecturer; ~ igazgató [iskolai] acting headmaster
II. n, 1. (pol) deputy, commissary, emissary, [gyűlésen] delegate, representative; üzemi ~ shop steward 2. [diplomáciai] representative, [tárgyalásokkal] negotiator 3. (jog) delegate, substitute, [vagyonkezelő] fiduciary, procurator 4. (ker) agent, proxy

megbízotti [-t] a, delegatory, procuratorial

megbíztat vt, encourage

megbizserget vt, titillate, tickle, stimulate, animate, quicken, stir (up)

megbocsát vt/vi, 1. forgive, (vknek) forgive, pardon, indulge, excuse (sy), (vmt) overlook, condone (ref.), let off (fam), pass by (fam); nem bocsát meg neki refuse to forgive sy, keep (up) a grudge against sy; bocsáss meg! excuse me!, I'm sorry!, beg your pardon!, I apologize; kérem(,) bocsásson meg! please(,) forgive me!; bocsáss meg egy pillanatra I must beg you to excuse me for a moment; bocsássa meg késésemet excuse my being late; bocsásson meg a zavarásért excuse (me) for disturbing you; isten bocsássa meg neki! God forgive him!, God have mercy on him!; ez egyszer még ~ok (de) I let you off this time (but) 2. (vall) [bűnt] remit (sin)

megbocsátás n, forgiveness, pardon, remission, remittal, indulgence, [házastársi vétkességé] condonation (of a matrimonial offence)

megbocsáthatatlan a, unforgivable, unpardonable, inexcusable, irremissible, inexpiable

megbocsátható a, pardonable, forgivable, excusable, remissible

megbocsáthatóan adv, pardonably, forgivably, excusably

megbocsáthatóság n, pardonableness, excusability, forgivability, remissibility

megbocsátó [-t; adv -an] a, forgiving, lenient, remissful, placable; meg nem bocsátó unforgiving

megbódul vi, become dizzy/giddy

megbokrosodás n, [lóé] jibbing, bolting, shying, balking

megbokrosod|ik vi, [ló] bolt, rear, run away, shy, plunge, jib, balk

megboldogult [-at, -ja] a/n, defunct, deceased, [csak melléknévként] late; a ~ak the saints departed

megbolondít vi, 1. drive (sy) mad, madden, distract, [megőrjít] drive (sy) crazy 2. (átv) infatuate, turn sy's head/brain; ~ vkt egy eszmével infatuate sy with an idea; ez az asszony ~otta that woman has turned his head

megbolondul vi, 1. go mad/crazy/queer, run mad, lose one's senses/wits/reason, go off one's head, go out of one's mind, go dippy ◈; ~tál? are you nuts?; ~t ez a kályha this stove is behaving very queerly/badly 2. majd ~ vkért be crazy about sy, have a passion for sy

megbolydul [-t, -jon] vi, (begin to) swarm, burst into activity, come into a commotion

megbolydulás n, burst of activity, upheaval, commotion

megbolygat vt, disarrange, upset, throw sg into confusion, derange, meddle/interfere/temper with

megbolygatás n, disarrangement, upsetting, confusion, derangement

megbombáz vt, [várost stb.] bomb, plaster with bombs

megboml|ik vi, 1. [agy] become unbalanced/unnormal, [fegyelem] loosen, get loose, slacken, [idegrendszer] break down, (vk) become (mentally) deranged, become demented, go all to pieces (fam), break down (fam) 2. [rend] loosen, get loose, slacken, [rendszer] break down, [sor] break (up), [kötés] come undone

megbont vt, 1. [egyensúlyt] upset (balance) 2. [egységet] disrupt, disunit, break up/down (unity), [falat] open a gap (in wall), [kötést] undo (stitches), [rakományt] break bulk, [összefüggő sort] disjoin, disunite, disintegrate, break (up); ~ja egy család békéjét disunite a family; ~ja a lépést break step; ~ja a sort break rank 3. [rendet] disturb (peace), [rendszert] disorganize, upset

megbontás n, 1. [egyensúlyé] upset(ting) 2. [egységé] disjunction, disintegration, breaking (up), undoing, dislodgement (of stones), disturbance 3. [rendet] disturbance (of peace), [rendszert] disorganization, upset(ting)

megbonthatatlan a, ~ egység indissolube union/unity; everlasting unity

megborjadz|ik vi, calve

megboronál vt, harrow, drag

megborotvál vt, shave, give (sy) a shave

megborotválás n, shaving

megborotválkoz|ik vi, shave (oneself), [borbélynál] get shaved, get/have a shave

megborsoz vt, 1. (konkr) pepper, season (sg) with pepper 2. [adomát] spice (anectode)

megborzad vi, (vmtől) be horrified/shocked (at sg v. to see/hear sg), [remegve] shudder (at v. to think of), get/have the creeps (fam)

megborzaszt vt, horrify, shock, make (sy) shudder, give (sy) the shudders/creeps (fam), make sy's flesh creep (fam), make sy's hair stand on end (fam)

megborzong vi, 1. [hidegtől] shiver (from/with cold), have the shivers 2. [félelemtől, undortól] shudder (with horror/disgust); ~ott a félelemtől a thrill of fear fluttered through her, a shudder passed over her (body); ~tam a chill came over me

megborzongat vt, give sy the creeps (v. a thrill), thrill

megboszorkányoz [-tam, -ott, -zon] vt, enchant, bewitch

megbosszul vt, (vkt, vmt) avenge, revenge (sy, sg), have one's revenge, [sértést] repay, requite (insult), take vengeance (on sy for sg), revenge oneself (on/ upon sy for sg), take it out of sy (fam), pay sy out (fam); vm ~ja magát there is a (heavy) penalty/ price to be paid (for sg), sg brings its own punishment; nemtörődömsége csúnyán ~ta magát his indolence played him back; ez még ~ja magát this may (prove to) be sy's/your's undoing

megbosszulás n, vengeance, revenge, requital

megbosszulatlan a, unrevenged, unavenged, unrepaid

megbotlás n, stumbling, slip(ping)

megbotl|ik vi, stumble, slip up, trip (amiben over/ against); ~ a lába one's foot slips, (vmben) one's foot is caught (in sg); a lónak négy lába van és mégis ~ik it is a good horse that never stumbles; ~ik a nyelve make a slip of the tongue, trip, stumble in one's speech

megbotoz vt, cane, cudgel, thrash, drub, beat/thrash with a stick

megbotozás n, cudgelling, thrashing, drubbing

megbotránkozás n, indignation, disgust, shock, scandal, horrification *(fam)*; mindenki ~*ára* to the disgust of everybody; *általános* ~*t okozott* caused a general uproar

megbotránkoz|ik *vi, (vmn)* be scandalized/shocked (at sg), be(come) indignant (at sg), take offence (at sg), cry shame *(fam)*

megbotránkoztat *vt,* scandalize, shock, disgust, make (sy) indignant, rouse indignation (in sy), give offence

megbotránkoztató *a,* scandalous, shameful, shocking, offensive

megbök *vt,* **1.** *[megtaszít]* push (gently), jog, give (sy, sg) a slight push **2.** *[hegyes tárggyal]* prick, prod, *[könyökkel]* nudge, *[állat szarvval]* butt

megbőrösöd|ik [-ött, -jön, -jék] *vi, [tej]* skin over

megbőszül *vi,* grow furious

megbúbol *vt,* **1.** *[kakas tyúkot]* tread (hen) **2.** *[vk gyereket]* clout on the head (playfully), pummel the head (gently)

megbúj|ik *vi,* **1.** hide, lie in hiding, take cover, cover, skulk, *[nyúl]* squat **2.** *[leselkedve]* lurk, lie in wait **3.** *[odasimul]* keep/lie close

megbukás *n,* = bukás 2., 3.

megbuk|ik *vi,* **1.** *[elgondolás]* fail, miscarry, fall through, break down, go wrong, be a flop, not work, prove abortive, come to nothing/grief, *(kif)* meet with a failure; *a javaslat* ~*ott* the suggestion/motion was turned down *(v.* thrown out *v.* rejected) **2.** *[jelölt választáson]* fail, be rejected/blackballed/unsuccessful, be turned down **3.** *[vizsgán]* fail, flop (in/at an examination), fail/tumble through, be/get ploughed/plucked *(fam);* ~*ott fizikából* he failed his physics, he got stuck in physics, he came down in physics, he came a cropper in physics *(fam)* **4.** *[kormány]* fail, be overthrown, be thrown out, *(kif)* be turned out of office; *a liberálisok* ~*tak a választásokon* the Liberals are out **5.** fail, go bankrupt, become bankrupt/insolvent, *[cég]* fail to meet one's liabilities, crack up *(fam)* **6.** *[színdarab]* fail, be a failure/fiasco, be a (dead) frost *(fam),* be a flop *(fam), [csúfosan]* fall flat; *a darab csúfosan* ~*ott* the play was a complete failure, it was a flop **7.** *(kárty)* go down

megbukott *a, a* ~ *kormány* the defeated government, *[finoman]* the outgoing government

megbuktat *vt,* **1.** *[elgondolást, tervet]* wreck, frustrate (plan), *(kif)* bring about the failure (of a plan) **2.** *[jelöltet választáson]* reject, blackball, turn down *(fam)* **3.** *[vizsgán]* reject, refuse, floor, fail *(fam),* plough *(fam),* pluck *(fam)* **4.** *[kormányt]* overthrow, overturn, *(kif)* bring about the fall (of a government), turn (government) out of office, *[leszavazással]* outvote, *[rendszert]* subvert (system) **5.** *[pénzügyileg]* bankrupt, ruin **6.** *[színdarabot]* bring about the failure (of play), *[közönség]* hoot (play) off the stage, *[kritika]* slash (play) **7.** *(kárty) [felvételt]* defeat, set (the contract) **8.** *[kancsót, vedret]* dip

megbuktatás *n,* **1.** *[választáson]* rejection, blackballing **2.** *[vizsgán]* refusal (to pass) **3.** *[kormányt]* overthrow, *[rendszert]* subversion **4.** *[kancsóé, vedré stb.]* dip

megbutul *vi,* become/grow stupid/dull

megbúv|ik [-ott, -jon] *vi,* = megbújik; ~*ik a sarokban* ensconce oneself in a corner

meghúvó *a, erdőben* ~ *lak* small villa hidden in a wood; *völgyben* ~ *kis falu* a small village nestling in a valley

megbüdösöd|ik *vi,* begin to stink, grow fetid, develop a foul smell, become smelly/stinky *(fam), [és rothad]* putrefy

megbűnhődés *n, (vmért)* expiation, atonement, penalty (for sg)

megbűnhőd|ik *vi, (vmért)* expiate, atone, suffer, pay, smart (for), pay (the) penalty (for); *alaposan* ~*tem gondatlanságomért* I have been sadly punished for my carelessness

megbüntet *vt,* punish, penalize *(ref.),* bring to book, *[gyereket]* chastise, discipline, scourge, *[pénzzel]* fine; ~ *vkt gaztettéért* requite sy for his perfidy

megbüntetés *n,* punishing, punishment, penalizing, penalization, chastisement, retribution

megbűvöl *vt,* bewitch, charm *(obs), (kif)* cast a spell over, put a spell/charm upon, lay/hold (sg) under a spell, *(átv)* charm, enchant, enrapture, captivate, fascinate, *(kif)* hold (sy) spellbound

megcáfol *vt,* **1.** *[érvekkel]* refute, confute, *[tévedést]* disprove, prove (sg) wrong, *[vádat]* repel, rebut, repudiate **2.** *[hírt]* contradict, deny, give the lie (direct to sg), belie, gainsay; ~ *állítást* contravene a statement; *határozottan* ~ *egy állítást* give a flat contradiction to a statement; *nem lehet* ~*ni* there's no contradicting it

megcáfolás *n,* **1.** *[érvekkel]* refutation, confutation, *[tévedésé]* disproving, *[vádat]* repudiation, rebuttal, refutal **2.** *[híré]* denial, contradiction

megcáfolhatatlan *a,* irrefutable, indisputable, undeniable, unanswerable, unconfuted, irrefragable *(ref.),* sound, irrebuttable; ~ *vélelem* irrebuttable/conclusive presumption

megcáfolhatatlanság *n,* irrefutability, indisputability, soundness

megcáfolható *a,* refutable, confutable, rebuttable

megcéloz *vt,* **1.** *(vmt)* aim (sg at sg), take aim (at sg), draw a bead (on), point (gun at sg); ~*za a labdát (sp)* address the ball **2.** *[célzóberendezéssel]* take a sight (on sg), sight (sg), level (at sg), train (on sg)

megcenzúráz *vt,* censor, blue-pencil *(fam)*

megcibál *vt, (vmt)* tug, pluck, twitch (at sg), pull (sg); ~*ja a fülét vknek* pull sy's ears, tweak sy's ears

megcicerél *vt,* tread

megciceréz *vt,* = megcicerél

megcímez *vt,* address, *[levelet]* write address (on letter), *[címkével]* label

megcímkéz *vt, [árut]* docket, label

megcímezetlen *a, [levél]* unaddressed, undirected (letter)

megcímzett *a,* addressed, labelled; ~ *válaszboríték* self-addressed envelope

megcinkel *vt, [kártyákat]* bevel, mark, fake, nick, pack (the cards)

megcírógat *vt,* caress, stroke, fondle, pat

megcukroz *vt,* **1.** *[ételt]* sugar, sweeten, *[meghintve]* sprinkle/powder/dust/dredge (sg) with sugar, frost **2.** *(átv)* sugar, sweeten

megcukrozás *n,* sugaring, sprinkling/dredging with sugar, frosting

megcsáklyáz *vt, [hajót]* grapple, hook, accost (ship)

megcsal *vt,* **1.** *(ált)* deceive, delude, cheat, break faith with, *[ravaszul]* beguile, *[gonoszul]* betray **2.** *[házastársat]* deceive, be unfaithful/false (to ...); ~*ja férjét* be unfaithful/false to one's husband, deceive one's husband, cuckold one's husband *(fam)* **3.** *[anyagilag megkárosít]* cheat, swindle, defraud, bilk, impose/put upon

megcsalás *n,* **1.** *(ált)* deceit, deception, delusion, betrayal **2.** *[házastársé]* (conjugal) unfaithfulness, infidelity **3.** *[anyagilag]* cheating, swindling, imposture

megcsalatkozik *vi,* be disappointed/disillusioned

megcsalt [-ak, -t] *a,* ~ *férj* injured husband, cuckold *(fam)*

megcsap *vt,* **1.** *[ostorral]* whip, swish, cut, *[könnyedén]* flick, flap **2.** *[hang fület]* strike, smite (ear), *[szag orrot]* assail (nostrils); *vmnek a szaga* ~*ja az orrot* get a whiff of sg **3.** *[elcsen]* □ filch, pinch, nab, hook; ~*ták az órámat* my watch has flown

megcsapat vt, have (sy) whipped/flogged
megcsapol vt, **1.** *[hordót]* tap, broach, set (cask) abroach, spile **2.** *[beteget]* tap, aspirate, puncture, deplete **3.** *[fát]* hack, milk, sap (tree) **4.** *(vill)* tap **5.** *[gerenádt]* mortise, tenon **6.** *(koh)* draw off (the metal), tap
megcsapolás n, **1.** *[hordóé]* tapping, broaching **2.** *[beteget]* tapping, puncturation, puncturing, aspiration **3.** *[fáé]* hacking, milking, sapping (of tree) **4.** *(vill)* tap **5.** *[gerendát]* mortising **6.** *(koh)* drawing, discharge, tapping, casting
megcsappan vi, diminish, decrease, grow less, *[érdeklődés]* wane, *[buzgóság]* abate, *[kereslet]* slacken, *[haszon]* fall off, decline, *[bevétel]* fall/drop off/away, twiddle
megcsavar vt, **1.** *[vízcsapot]* turn, *[csavaros dolgot]* screw, twist, give sg a twist, *[vk fülét]* tweak **2.** *[teniszlabdát]* swerve
megcseleked|ik vt, do, commit *(pej)*
megcsendesed|ik vi, **1.** *[féktelen ember]* settle/sober down, *[érzelemkitörésből]* calm/quiet down **2.** *[lárma]* die down, *[szél]* drop, *[eső is]* subside, abate
megcsendít vt, sound, tinkle, tang, ring, toll (bell)
megcsendül vi, **1.** *(átv)* ring, peal, toll, *[halálharang]* knell, *[csengő]* tinkle **2.** *[üllő]* clang
megcserél vt, = felcserél
megcsiklandoz vt, **1.** tickle **2.** *(átv)* titillate
megcsiklandozás n, **1.** tickling **2.** *(átv)* titillation
megcsikordul vi, grate, *[ajtó, kerék]* grind, creak
megcsikóz|ik [-ott, -zon, -zék] vi, foal
megcsillagoz vt, mark with an asterisk
megcsilláml|ik vi, = megcsillan
megcsillan vi, flash, glitter; *kardja ~t a napfényben* his sword flashed in the sun; *~ előtte a remény* hope is dawning for him, he has a flash of hope; *~t a szeme az örömtől* his eyes sparkled with joy, a flash of joy came into his eyes; *könny csillant meg a szemében* tears shone in her eyes
megcsillant vt, = megcsillogtat
megcsillogtat vt, *~ vmt vk előtt* lure sy with bright p rospects, hold out bright prospects *(v. a sparkling future)* to sy
megcsinál vt, **1.** *[elkészít]* do, make, finish (off), get (sg) ready, ready, *[ételt]* prepare, cook, *[orvosságot]* make up, dispense, fill up (prescription) *(US)*, *[számlát]* make out; *ezt meg kell csinálni* it must be done; *csinálja meg gyorsan!* rush it *(fam)*, get it done quickly, do it quickly; *csinálja meg vagdalt húsnak* do it into chopped meat; *~ta a reggelit* she got breakfast ready, she prepared the breakfast **2.** *[feladatot, tennivalót]* do, make, *[tervezetet]* prepare, work out; *~ta a történelmi (vizsga)dolgozatot* he did the paper in history; *~tad a házi feladatot?* have your done your home-work?; *~ta a szerencséjét* he has made his fortune; *ezt még valahogy meg tudom csinálni* I can manage/swing it somehow **3.** *[rendbe hoz]* mend, *[szerkezetet]* repair; *~ja a frizuráját* do one's hair; *újra ~* remake, do/make sg again **4.** *[rajtakap]* catch sy *(in the act)*, *(gúny) ezt jól ~tad!* you've made a fine mess of it!
megcsinálás n, doing, making, preparing
megcsináltat vt, I shall get/have this work done at once, I shall ask sy to do it; *~vkvelvmt* get sy to do sg
megcsíp vt, **1.** *[ujjával]* pinch, nip, *[fület]* tweak **2.** *[élősdi]* bite, *[csalán, darázs, méh]* sting **3.** *[fagy]* nip; *~te a fagy [bogyós gyümölcsről]* be nipped by the frost, *[gyümölcsfa virágárót májusban]* get/be damaged by frost; *a dér ~te a leveleket* frost has bitten the leaves **4.** *[rajtakap]* catch sy *(in the act)*, catch sy at sg, catch sy redhanded, *[elfog]* catch, collar, pinch; *csak mégegyszer csípjelek meg!* just let me catch you again!; *~ték* the police collared him; *most ~telek!* I have caught you!

megcsípdes vt, = megcsípked
megcsípked vt, *[lányokat]* keep *(v. be fond of)* pinching (the girls)
megcsodál vt, admire, gaze at, *[bambán]* stare stupidly (at), cast sheepish eyes at
megcsókol vt, give sy a kiss, kiss sy; *~ja vk kezét* kiss sy's hand
megcsomósodás n, clotting, curdling, coagulation
megcsomósod|ik vi, clot, curdle, coagulate
megcsomósodott a, balled, clotted, curdled, coagulated
megcsonkít vt, **1.** *(ált)* mutilate, maim, cripple, mangle, stump, truncate, *[szobrot, pénzérmét]* deface **2.** *[országot]* dismember, carve up **3.** *[szöveget]* mangle, detruncate, *[erkölcsi célzattal]* bowdlerize, *[kéziratot]* cut about/down
megcsonkítás n, **1.** *(ált)* mutilation, maiming, crippling, truncation **2.** *[országé]* dismemberment **3.** *[szövegé]* mangling, detruncation, *[erkölcsi célzattal]* bowdlerization
megcsonkított a, mutilated, maimed, crippled, truncated, dismembered, *[fa]* stubbed
megcsonkul vi, get mutilated/maimed/crippled/truncated
megcsontosodás n, ossification, incrustation
megcsontosod|ik vi, **1.** *(ált)* ossify, become ossified **2.** *(átv)* harden, be confirmed (in sg)
megcsontosodott a, **1.** ossified **2.** *(átv)* confirmed, inveterate, hardened; *~ agglegény* confirmed bachelor; *~ reakciós* a confirmed reactionary
megcsorbít vt, vk jogát *~ja* encroach (up)on sy's rights
megcsóvál vt, **1.** *[fejét]* shake **2.** *[farkat]* wag
megcsökönyösöd|ik [-tem, -ött, -jön, -jék] vi, get recalcitrant/stubborn/obstinate/headstrong. get/put one's back up
megcsömörlés n, surfeit, satiation, nausea *(fam)*
megcsömörl|ik [-ött, . .röljön, . .röljék] vi, *(vmtől)* grow disgusted with, grow sick of, become sated (with), have a surfeit (of), be surfeited (with), surfeit, take a dislike (to), conceive an aversion (for to), get fed up *(fam)*, get cheesed off ◆; *alaposan ~ött* he felt thoroughly qualmish/disgusted; *a gyönyöröktől ~ött* surfeited with pleasure
megcsömörlött a, surfeited, disgusted, fed-up
megcsörren vi, clank
megcsörrent vt, clank
megcsúfol vt, vkt vm *~* fare ill in consequence of sg, come a cropper *(over sg) (fam)*, *[tettével vmt]* make a mockery (of sg), profane (sg)
megcsúfolás n, minden emberi érzés *~a* outrage/insult against humanity, mockery of (all) human feelings, offense to (our sense of) common decency, *(kif)* it makes mock of human feeling(s)
megcsukl|ik vi, *~ a hangja* his voice falters
megcsúnyul vi, grow ugly/plain, lose one's (good) looks
megcsúszás n, slip(ping), skidding, *[jármű]* skid, sideslip
megcsúsz|ik vi, miss/lose one's foothold/footing, slip (up), have a slide, *[jármű]* skid, side-slip, slither *(fam)*; *~ott a jégen* he slid on the ice and fell
megcsutakol vt, rub/wisp down/over
megcsutakolás n, rubbing/wisping down
megcsúzliz vt, catapult
megdádáz [-tam, -ott, -zon] vt, *(gyerm)* spank *(fam)*
megdagad vi, **1.** *(ált)* swell; *a folyó ~t* the river has risen **2.** *[tészta]* rise **3.** *(orv)* tumefy
megdagadás n, **1.** *(ált)* swelling **2.** *[tészta]* rise **3.** *(orv)* tumefaction, intumescence
megdagaszt vt, **1.** swell, bloat; *az eső ~otta a folyót* the rain has swollen the river **2.** *[tésztát]* knead, work; *~ja a tésztát* work the dough

megdarál *vt*, **1.** grind, mill **2.** *[kávét]* grind **3.** *[húst]* chop, mince

megdermed *vi*, **1.** *[hidegtől vk]* be (be)numbed with cold; *majd ~ a hidegtől (biz)* be perished with cold **2.** *[folyadék]* congeal, curdle, jellify, set **3.** *[ijedségtől]* become petrified/paralyzed/numb(ed) with fear/terror; *~ a félelemtől* be stark with fear; *~ a vér az ereimben* my blood turns, my blood runs cold

megdermedés *n*, **1.** *[hidegtől]* numbness **2.** *[folyadéké]* congelation, congealment, jellification, curdling, setting **3.** *[félelemtől]* stupefaction, petrification, stupor

megdermeszt [-eni, -ett, .. esszen] *vt*, **1.** *[hidegtől]* chill, benumb **2.** *[meglepetéstől]* stupefy, petrify, paralyze

megdézsmál *vt*, rifle, pilfer, tap *(US)*; *~ja a pénztárfiókot* tap the till

megdézsmálás *n*, pilferage, pilfering, tapping

megdézsmálhatatlan *a*, pilfer-proof

megdicsér *vt*, *(vkt vmért)* praise (sy for sg), speak in praise (of sy), extol(l), laud (sy), eulogize, crack (sy) up *(fam)*

megdicsőít *vt*, *(vall)* glorify

megdicsőül *vi*, be glorified (after one's death), *(vall)* become one of the blessed

megdicsőülés *n*, apotheosis, transfiguration, glorification

megdicsőült [-et] *a*, **1.** *[nagy halottról]* late, departed, **2.** *a ~ lelkek* the glorified/blessed spirits; *a ~ szentek* the saints in glory

megdinsztel *vt*, = dinsztel

megdob *vt*, **1.** *(vkt vmvel)* throw, cast, hurl, shy (sg at sy); *kővel ~ vkt* fling a stone at sy **2.** *[célba talál]* hit (sy with sg), *[kővel]* pelt (sy with a stone)

megdobál *vt*, *(vkt vmvel)* pelt/shy/throw things (at sy); *kővel ~ vkt* pelt stones at sy

megdobban *vi*, give a throb; *~t a szíve [örömében]* his heart gave a leap, his heart throbbed; *még most is ~ a szívem ha rágondolok* the (very) thought of it still makes my heart throb

megdobbant *vt*, *[vk szívét]* make one's heart throb/flutter, set one's heart beating/throbbing, put one's heart in a flutter

megdobogtat *vt*, *[szívet]* = megdobbant

megdohosodik [-ott, -jon, -jék] *vi*, mildew, go/turn mouldy, *[levegő]* stale

megdolgoz *vt*, **1.** *(konkr.)* work upon **2.** *(vkt)* work on sy, *[vádlottat]* pump, put (sy) through it, grill (sy) *(US)*, *[tanút]* tamper with (witness)

megdolgozik *vi*, *(vmért)* work hard (for sg), slave, labour, drudge (for sg); *~ott érte* he rightly deserved it

megdolgoztat *vt*, *(vkt)* make sy work, give sy (plenty of) work to do, keep sy busy, put sy through his paces; *jól ~ vkt* have sy hard worked; *alaposan ~ja személyzetét* he works his staff to death, he makes them work like niggers; *alaposan ~ták érte* he was given a run for his money

megdorgál *vt*, reprimand, rebuke, reprove, take (sy) to task, lecture, sermonize, read (sy) a lecture *(fam)*, haul (sy) over the coals *(fam)*, give (sy) a good talking-to *(fam)*, dress down *(fam)*; *keményen ~ vkt* pick/take sy up sharply; *tanárunk szigorúan ~t bennünket* our teacher came down on us severely

megdorgálás *n*, reprimand, rebuke, reprove, talking-to *(fam)*, sound rating *(fam)*

megdöbben [-t, -jen] *vi*, *(vmtől)* start (at sg), be shocked/appalled (with sg), be startled/amazed/astonished at, be taken aback, be put out (by sg), recoil (from sg), be dumbfounded, stand aghast, be struck all of a heap *(fam)*, be flabbergasted *(fam)*; *~tem erre a gondolatra* I was startled at the thought/idea

megdöbbenés *n*, shock, consternation, start, amazement, astonishment, confusion, stupefaction; *~ének ad*

kifejezést vm felett express one's amazement at sg, give expression to one's consternation; *nagy ~ére* to his great astonishment/amazement; *~sel hallottam* I was shocked to hear (that); *általános ~t keltett* it caused general consternation

megdöbbent I. *vt*, [-eni, -ett, -sen] shock, appal, horrify, startle, astound, take aback, dismay, stun, stagger, dumbfound *(fam)*, flabbergast *(fam)*, strike all of a heap *(fam)*; *a hír ~ett* I was stunned by the news **II.** *a*, [-ett; *adv* -en] shocked, appalled, *[erősen]* horrified, dismayed, stunned, struck with consternation *(ut)*, standing aghast *(ut)*, dumbfounded *(fam)*, flabbergasted *(fam)*

megdöbbentő [-t; *adv* -en] *a*, shocking, appalling, startling, staggering, stunning *(fam)*, crushing *(fam)*; *~ dolog/látvány* a shocker; *~ hasonlatosság* startling/striking resemblance; *~ hír* a startling news; *~ látvány* agonizing/shocking sight; *~ számok* staggering sums; *~ visszaesés* appalling drop/recession/slump

megdöf *vt*, *[karddal]* lunge/thrust at, stab, *[szarvval]* toss, horn, *[bika]* gore

megdöglik *vi*, **1.** *[állat]* die, perish **2.** *dögöljek meg ha...* strike me blind/dead/pink if . . .

megdögönyöz *vt*, **1.** *[elver]* thrash, pummel **2.** *[masszíroz]* knead, massage

megdögönyözés *n*, **1.** *[elverés]* thrashing, pummelling **2.** *[masszírozás]* kneading, massage

megdől *vi*, **1.** *[gabona]* be lodged, be beaten down, be blown over, be laid flat **2.** *(hajó)* lurch, heel (over) **3.** *(átv)* prove a failure, fail, come to nought, fall through, prove false/untenable, fall to the ground; *így ~t az a feltevés (hogy)* thus the theory is ruled out *(v.* proved false) (that); *a szerződés ~ ha ...* the contract fails if . . .; *ha az ítélet később ~ (jog)* if the judgment is later reversed **4.** *[hatalom, uralom]* collapse, be overthrown **5.** *[rekord]* fall; *két csúcseredmény dőlt meg* two records fell

megdőlés *n*, **1.** *[gabonáé]* lodging **2.** *(hajó)* lurching **3.** *(átv)* failing, falling through, coming to nought, proving false/untenable; *biztosítási kötvényé ~e* forfeiture of a policy; *a hagyomány ~e az öröklési jogban* the lapse of a legacy in the law of wills **4.** *[hatalomé, uralomé]* collapse, fell, destruction

megdömöcköl [-t, -jön] *vt*, = megdögönyöz

megdönget *vt*, batter at, bang

megdönt *vt*, **1.** *[gabonát]* lodge, lay, beat down, flatten; *az eső ~ötte a gabonát* the rain has beaten down the corn **2.** *[hajót]* careen, heel (over), cant, *[hordót]* stoop, tilt; *~ egy hordót* give a cask a tilt **3.** *[reményt, tervet, szándékot]* disappoint, frustrate, *[rekordot]* beat, break, cut (record), *[normát]* shatter, *[állítást, érvet]* refute, disprove, confute, demolish, *[bírósági precedenst]* overrule, *[tervet]* defeat; *~ érvelést* knock holes in an argument; *~i a csúcsot/rekordot* beat/break the record; *~i vk rekordját* win the record from sy **4.** *[hatalmat, uralmat]* overthrow, subvert

megdöntés *n*, **1.** *[gabonáé]* lodging, laying, beating down **2.** *[hajóé]* careening, *[hordóé]* stoop(ing) tilt(ing) **3.** *[érvé]* refutal, confutation, *[bírói precedensé]* overruling, *[rekordé]* breaking, beating (of record) **4.** overthrow, subversion

megdönthetetlen *a*, unbroken

megdönthetetlen *a*, **1.** *[alibi]* irrefutable (alibi), *[bizonyíték]* incontestable, incontrovertible (evidence); *~ bizonyíték* cast-iron proof **2.** *[érvelés]* irrefutable, unanswerable (argumentation); *~ vélelem* irrebuttable/conclusive presumption

megdönthető *a*, könnyen *~* easy to disprove/refute/confute; *~ vélelem* rebuttable presumption

megdördül *vi*, *[ágyú, mennydörgés]* begin to roar/boom/thunder megdörgöl vt, = megdörzsöl

megdörzsöl vt, rub; ~i a szemét rub one's eyes

megdrágít vt, [árut] make sg dearer, raise (v. send up) the price of sg, [költségeket] increase the cost of sg

megdrágítás n, rise/advance/increase in price/cost

megdrágul vi, get dearer, become more expensive, go up, advance/increase/rise in price

megdrótoz vt, (mend/repair with) wire

megdúcol vt, stay, prop up

megdupláz vt, double; ~ tétet [veszteség után] double one's stake

megduplázás n, doubling

megduplázód|ik vi, [népesség stb.] double

megduzzad vi, swell, become swollen/inflated, increase in volume (slightly), tumefy, (bány) [talp] heave

megduzzadás n, swelling, inflating, inflation, tumefaction, [vízé] swelling, surging (of flood waters)

megduzzadt a, 1. (növ) gibbous 2. [folyó stb.] overswollen; ~ víz proud waters (pl)

megduzzaszt vt, swell, inflate, [rizst] puff

megduzzasztás n, swelling, inflation

megdühít vt, enrage, infuriate, make sy furious, irritate, work sy up (fam), get one's goat (fam)

megdühöd|ik [-tem, -ött, -jön, -jék] vi, become enraged/furious, lose one's temper, fly into a passion/rage, allow oneself to be carried away, work oneself up (v. into a rage), see red (fam), grow wild (fam), get one's quills up ◆

megdűl vi, = megdől

megebédel vi, (have/take one's) lunch, [este] have one's dinner, dine

megebédeltet vt, entertain/treat sy to lunch/dinner

megecetesedés n, acescency

megecetesedett a, [bor] sour

megecetesed|ik [-ett, -jen, -jék] vi, acetify, turn/become acid/sour, sour, [szeszes ital] fox; ~ik a bor the wine turns acid/sour

megédesed|ik vi, sweeten

megédesít vt, sweeten, [cukorral] sugar, (átv) dulcify (ref.)

megédesítés n, sweetening, dulcification

megedz vt, 1. [vasat, acélt] harden, chill 2. (vkt vmre) inure sy (to sg); ez majd ~i az izmaidat this will harden your muscles 3. (átv) harden, indurate; harcban ~ett csapatok troops seasoned by battle

megedzés n, 1. [vasat, acélt] hardening, chilling 2. (vkt) inuring (of sy to sg) 3. (átv) hardening, induration, seasoning

megedződés n, = megedzés

megedződ|ik vi, 1. [vas, acél] (become) harden(ed), be chilled 2. (átv) become inured to (doing) sg, harden, indurate; ~ik vmvel szemben get hardened against sg; az élet viharaiban ~ött schooled in adversity

megég vi, 1. (ált) burn, be burnt; ~ett a tésztám the fire has caught my cakes 2. (orv) [testfelület] incur burnings

megéget vt, burn, [vasalóval] singe, scorch, [máglyán] burn sy alive (at the stake), [csontot] calcine, carbonize, [fát] char; ~i az ujját burn one's fingers (over sg), (csak átv) singe one's wings/feathers; ~i a nyelvét burn/scald/blister one's tongue

megegyezés n, 1. [egyetértés] agreement, harmony, concord, consensus, [kölcsönös] accord, [államok közt] entente; ~ áll fenn arra nézve hogy an agreement exists that . . . , it is understood that . . . 2. [megállapodás] contract, agreement, compact, [kiegyezés] compromise; barátságos/békés ~ amicable arrangement/settlement; (kölcsönös) ~en alapuló consensual; közös ~ alapján by mutual/common consent/assent, by agreement; (közös) ~ szerint as per agreement, as agreed (up)on, as stipulated; ~ sze-

rinti feltételek conditions agreed upon; közös ~en alapuló based on common consent/agreement (ut), consentaneous, consensual; (közös) ~re jut arrive at an understanding, reach a general agreement, come to a composition; közös ~sel by mutual consent, by general compact 3. [egyformaság] congruence, consonance, conformity, tallying, squaring, [megfelelés] correspondence 4. (nyelvt) agreement, concord

megegyezésszerű a, conventional

megegyez|ik vi, 1. [vkvel vmben v. vmre nézve] agree (on sg), come to terms with sy, be in agreement with sy (concerning sg), arrive at an agreement with sy, come to an understanding with sy, effect a compromise, fix things up (with sy) (fam), [árban] make/ strike a bargain, agree (up)on the price; ~tek abban hogy they are agreed (to do sg); ~tünk? agreed?, is it a bargain?; ~tünk! agreed, it's a bargain, all right!, O. K. (US); ebben ~tünk this was agreed upon; ~tek az árakat illetően they have agreed about the prices 2. [egyező vmvel] correspond to, agree/ tally/coincide/concur with, be in accordance/keeping with, be conformable, conform to, [tervvel elmélettel] fit/strike/fall/chime in with, chime (v. be consistent) with; ~ik a tapasztalattal (fiz, menny) agree with the experiments/observation, be in (good, excellent) agreement with the experiment(al results) (v. observation); ~ik terveimmel it suits my book; a fordítás az eredeti szöveggel mindenben ~ik the foregoing is a true and correct translation of the (original) text 3. (nyelvt) agree (with), be in concord (with) 4. [hitelezőkkel] compound (with one's creditors); szerződésileg ~tek (hogy) it was agreed/stipulated (that) 5. [összeférnek] ~nek egymással they get on (v. rub along) (very) well together, they agree together; nem egyeznek meg egymással they get on badly with each other, [házastársak] they lead a cat-and--dog life

megegyező a, corresponding/conformable/true to (ut), in agreement/accordance/compliance with (ut), concurrent, harmonious, concordant, agreeing, consistent, consonant (mind: with és ut); az eredetivel ~ másolat copy corresponding to the original

megegyszer adv, once again/more, over again; ~ annyi as much/many again; ~ nem not any more; ~ átél live over again; ~ lemásol copy again, recopy

megéhez|ik vi, get/feel/grow hungry, [kínzóan] feel the gnawings of hunger

megehül [-t, -jön] vi, = megéhezik

megejt vt, 1. [leányt] seduce, get with child, get (a girl) into trouble 2. [választást] hold, [vizsgálatot] hold (an inquiry), make (investigations), inquire (into an affair), [számadást] work out (accounts) 3. [megigéz] seduce, charm, entice

megejtő [-t; adv -en] I. a, [ember, modor] captivating, winsome, enthralling, fascinating, charming II. n, seducer, debaucher

megékel vt, wedge, quoin

megél I. vt, (vmt) live to see sg; hisz ő annyi mindent ~t már! he has been through so much

II. vi, [eleget keres] earn/make/get/gain one s living, earn a livelihood, make both ends meet, keep the pot boiling, get along, [valahogy] live sparely, scrape along, keep body and soul together, (vmből) live/subsist on sg; éppen hogy ~ he can hardly make both ends meet (v. keep body and soul together), he can hardly keep his head above water; miből fogsz ~ni? what will you live on?; az embernek csak meg kell élnie [valahogy] a man must live; ~ kenyéren és vizen get by on bread and water; ~ a jövedelméből live within one's purse; a jég hátán is ~ subsist anywhere; nehezen él meg rub along somehow, lead a precarious existence, eke out a livelihood; *nem tud ~ni a fizetéséből* he cannot manage on his salary/pay, he can't live on his salary, his salary is not enough to make both ends meet; *nekem is meg kell élnem vmből* I too have a living to make; *ígéretekből nem lehet ~ni (kb)* fine words butter no parsnips

megéldegél *vi*, coast along

megelégedés *n*, content(ment), contentedness, *(vmvel)* satisfaction, approval; *~ére* to one's satisfaction; *~ére szolgál vknek vm* be satisfied with sg; *~ét fejezi ki* express one's satisfaction; *kifejezi ~ét vm fölött* express one's satisfaction at/with sg; *~sel tölt el* satisfy sy

megelégedett *a, [eredménnyel]* satisfied, *[élettel ált]* content(ed), pleased; *~ arckifejezés* a pleased expression (of countenance); *igen ~* pleased as Punch, highly satisfied; *~nek látszik* look cheerful

megelégedettség *n,* = **megelégedés**

megeléged|ik [-tem, -ett, -jen, -jék] *vi,* 1. *(vmvel)* be/ rest satisfied/content(ed) with, content oneself with, put up with *(fam) ; ~ik azzal (hogy)* he confines himself (to), he contents himself (with doing sg); *azzal kell megelégednünk amit kapunk* we must put up with what we get 2. *meg van elégedve vmvel* be pleased/satisfied with sg; *hogy van ~ve a munkájával ?* how do you feel about your job?; *hogy vagy megelégedve vele ?* how do you like him/it?, are you satisfied with him/it?; *meg van elégedve önmagával* congratulate oneself, be self-satisfied, be pleased/satisfied (with oneself), pat oneself on the back *(fam) ; meg vagyok elégedve* I am content

megelégel [-t, -jen] *vt,* have enough of, be sick/tired of, be fed up with *(fam) ; ~te* he cannot stand/stomach it any longer; *~ve a veszekedést* tired of dispute

megelégsz|ik [.. gedni, .. gedtem, .. gedett, .. gedjen, .. gedjék] *vi,* = **megelégedik**

megélénkít *vt,* animate, quicken, (en)liven

megélénkül *vi,* 1. *[ember, társalgás]* quicken, brisk up, come to life, become lively/animated/excited; *~t tevékenység* renewed activity 2. *[vknek arca]* brighten/light up 3. *[forgalom]* become lively; *a tőzsdei forgalom ~* transactions are looking up; *~t a ház* people were astir *(v. stirring)* in the house, the house was astir

megélénkülés *n,* 1. *(ált)* animation, briskness, vivacity 2. liveliness, bustle, *[tőzsdei]* buoyancy (of the market)

megélés *n, ~ esetére való biztosítás* endowment insurance

megélesít *vt,* sharpen, edge, reset, whet, *[szerszámot]* put an edge to (a tool), put a new edge to (a tool), *[borotvát]* strop, *[fűrészt]* set

megelevenedés *n,* 1. = **megélénkülés**; 2. *[újjáéledés]* revival, return to life, coming to life again

megelevened|ik *vi,* 1. = **megélénkül** 1.; 2. *[újjáéled]* revive, come to life again

megelevenít *vi,* 1. = **megélénkít**; 2. revive, put new life into, restore sy to life, vivify

megelevenítés *n, [rajzfilmnél]* animation

megelevenítő [-t; *adv* -en] *a,* evocative

megelevenül [-t, -jön] *vi,* = **megélénkül** 1.

megélhetés *n,* living, subsistence, sustenance, livelihood; *nehéz a ~* times are hard, *(hiv)* the cost of living is very high; *biztos ~* safe job; *~ nélkül* without (any) means of living/subsistence; *~t szerez/ teremt* pick up a living

megélhetési [-ek, -t] *a, ~ eszközök* means of support; *~ forrás* source of livelihood; *~ gondok* bread-and-butter worries; *~ gondjai vannak* he doesn't know how *(v.* he finds it difficult) to make both ends meet, he doesn't know how to keep the wolf from the door *(v.* keep his head above water), he doesn't know how to keep body and soul together; *~ költségek* cost of living; *magasabb ~ költségek* increased cost of living; *~ lehetőség* means of subsistence

megéljenez *vt,* (give sy a) cheer, give sy an ovation, applaud, *[megjelenéskor]* greet sy with cheers

megellenez *vt, (kárty)* double

megell|ik *vi, (ált)* bring forth young, litter, teem *(obs), [kecske, juh]* yean, kid, *[disznó]* farrow, *[farkas]* cub, *[kutya]* pup, whelp, *[tehén]* calf, *[ló]* foal, *[macska]* kitten. *[fóka, tigris, oroszlán]* whelp, *[szarvas]* fawn

megelőz *vt,* 1. *[balesetet]* avert, *[betegséget, veszélyt]* prevent, ward/stave off; *~i a bajt* meet trouble halfway; *járványt ~* prevent an epidemic 2. *(vkt, vmt)* precede, go/come before, get swhere before *(v.* ahead of) sy, *(śp)* leave behind, outdistance, overtake, outrun, *[lovaglásban]* outride, *[gyaloglásban]* outwalk, *[versenytársat]* outdistance, outpace; *~telek* I got here before you; *~vkt/vmt* get ahead of sy/sg, give sy/sg the go-by; *vkt/vmt ~ve* ahead of sy/ sg; *~i a versenytársait* outmatch, get the start of, steal a march on, beat *(mind* one's rivals) 3. *[csak jármű]* overtake, pass, draw ahead of, *[másik hajót]* outsail 4. *(átv)* outrival, outstrip, *[rangban, sorrendben]* precede, take precedence of; *~i a többi dolgot/ügyet* it takes precedence of all others; *korát ~ve* ahead of his age/time 5. *[várt eseményt]* forestall, anticipate; *~ ellenvetést* foreclose an objection; *~tél!* you were too quick for me, you thought of it first 6. *[vmlyen jog]* have priority over (sg)

megelőzés *n,* 1. *[baleseté, veszélyé]* prevention, warding/ staving off 2. *[rangban, sorrendben]* precedence 3. *(vké átv)* outstripping 4. *(orv)* prevention, prophylaxis

megelőzhető *a,* preventable, preventible

megelőző *a,* 1. *(ált)* preceding, previous, former, anterior (to), antecedent, earlier, foregoing 2. *(orv)* preventive, prophylactic; *~ háború* preventive war; *~ intézkedés(ek)* preventive measures; *(ip) ~ karbantartás* preventive maintenance

megelőzően *adv,* prior/preparatory/previous to, previously, antecedently

megelőzőleg *adv,* = **megelőzően**

megemberel [-t, -jen] *vt, ~i magát [lustáról, fukarról]* make an effort, pull oneself together

megemberesed|ik [-tem, -ett, -jen, -jék] *vi,* grow into *(v.* become) a man, come to man's estate

megemel *vt,* 1. *[erőfeszítéssel]* raise (with effort), lift up (weight), heave, *[súlyt becsülve]* heft *(US), [kalapot]* raise, lift (one's hat to sy) 2. *~i magát* overstrain oneself by lifting 3. *[kártyát]* cut 4. *[teljesítményt]* augment, increase, step up

megemelint *vt, ~i a kalapját* lift/raise one's hat just a little to sy

megemelt *a, ~ terv* augmented plan

megemészt *vt,* 1. *[ételt]* digest; *meg nem emésztett* indigested; *a követ is ~i* have a digestion like an ostrich; *a disznóhúst nem emészti meg a gyomrom* pork does not agree with me, I cannot digest pork 2. *[szellemileg]* digest, assimilate, absorb, take in *(fam) ; nehéz ~eni* hard to put up with

megemésztés *n, (átv is)* digestion

megemésztetlen *a,* undigested, unassimilated

megemészthetetlen *a,* indigestible, stodgy, heavy

megemésztő *a,* digestible

megemleget *vt, ezt még ~ed!* you shall smart for it!, I will serve you out!; *ezt a napot ~ed amíg csak élsz* you will rue the day as long as you live; *sokáig ~i* it will take him a long time to forget *(v.* get over) it

megemlékezés *n,* 1. commemoration 2. *[nekrológ]* obituary (notice)

megemlékezésül *adv,* as a memorial of, in commemoration of

megemlékez|ik vi, 1. *[halottról, eseményről]* commemorate (sy/sg) 2. *[megemlít]* refer/allude to, mention 3. *végrendeletében megemlékezik vkről* remember sy in one's will

megemlít vt, 1. mention, make mention of, refer/allude to, *[óvatosan]* broach (a subject); ~ *egy tényt* refer to a fact, make reference to a fact; *nem említ meg vmt* make no mention of sg; *meg kell említenem* mention must be made (of sg) 2. *[idéz]* quote, cite

megemlítés n, 1. *(vmé, vké)* reference, mention 2. *[idézés]* citation, quotation

megemlíthető a, mentionable

megénekel vt, sing (of)

megénekelt [-et] a, famous in song *(ut)*

megenged vt, 1. *(vknek vmt)* allow/permit sy sg, give sy leave/permission/assent, admit, *(hiv)* authorize/empower sy *(mind:* to do sg), indulge sy in sg; *ez nincs ~ve* this is not allowed/permitted; *ezt nem lehet/szabad ~ni* it is not to be suffered; ~ *magának [élvezetet, szórakozást]* allow oneself (the pleasure of) sg, indulge in; *sokat enged meg magának* take a good many liberties, allow oneself too much, presume too much, make bold to do sg; *azt hiszi hogy mindent ~het magának* he thinks he can do anything he likes, he thinks everything becomes him, he thinks he is above/beyond the law; *~heti magának* he can afford it; *nem engedhetem meg* I can't afford it, I can't run to it, it does not lie within my means; *a becsületem nem engedheti meg (hogy)* it would not be consistent with my honour (to); *amint a körülmények ~ik* as soon as circumstances allow/permit it; *ha az időjárás ~i* weather permitting; *~i magának azt a luxust hogy* indulge in (the luxury of) (doing) sg; *nem engedhetem meg magamnak az ilyen luxust (biz)* I can't go such luxuries; *~ték hogy tízig kimaradjon* she was granted to stay out till ten; *minden meg van engedve [küzdelemben]* no holds are barred 2. *[udvariassági forma]* ~i *[felszólítólag]* excuse me!, allow me!, *[kérdőleg]* may I?; *engedje meg (hogy)* allow me (to), let me . . . ; *~i hogy rágyujtsak?* do you mind if I smoke?, you don't mind my smoking?, do you object to my smoking?; *~né kérem hogy kinyissam az ablakot?* do you mind if I open the window?; *engedje meg hogy felhívjam a figyelmét . . .* I take the liberty of drawing your attention to . . . 3. *[álltást elfogad]* admit/grant sg (as a fact), concede; *~em hogy (így van)* I grant that (you may be right), admitting/supposing that it is so, I am ready to admit (that things stand like this); *~em de* agreed but, all right but; *meg kell engedni hogy* it must be admitted/granted that; *engedje meg hogy ellentmondjak önnek* you will permit me to differ from you; *feltéve de meg nem engedve* supposing but not granted/admitting (that)

megengedés n, permission, grant, admission, admittance

megengedett [-et; adv -en] a, 1. allowable, permissible, admissible; ~ *feszültség* permissible *(v.* safe-working) voltage; ~ *határ* permissible limit; ~ *kopás* admissible wear; ~ *(meg)terhelés* permissible/safe/admissible*/* bearable/working load; ~ *nyomás (műsz)* safe pressure; ~ *sebesség* regulation speed, speed allowance 2. *[törvényes]* legitimate, lawful, licit, above--board; *teljesen* ~ *dolog* it is entirely in order (that); *meg nem engedett* illicit, illegal, illegitimate, unadmitted, unlawful, unauthorized, forbidden, *(sp)* foul

megengedhetetlen a, inadmissible, unpardonable, improper, not to be tolerated *(ut)*

megengedhetetlenség n, inadmissibility

megengedhető a, permissible, allowable, admissible,

sufferable, not fordibben/improper *(ut); barátok között egy kis szabadosság* ~ certain degree of freedom is allowable among/between friends; ~ *terhelés (műsz)* rating/working load/capacity; *meg nem engedhető [kérés]* inadmissible, unwarrantable, *[viselkedés]* improper, indecent

megengedhetőség n, permissibility, allowableness, admissibility

megengedő a, permissive, concessive; ~ *mellékmondat* clause of concession, concessive clause

megengesztel vt, conciliate, appease, pacify, mollify, propitiate, *[gyereket]* hush, lull, soothe

megengesztelés n, pacification, mollification, conciliation, propitiation, appeasement, *[gyereket]* lulling, soothing

megengesztelődés n, (re)conciliation, appeasement

megengesztelődik [-tem, -ött, -jön, -jék] vi, become conciliated/appeased/reconciled, relent

megenni vt, ld **megesz**

megenyhít vt, *[fájdalmat]* soothe, allay, relieve, lighten, assuage, mitigate, ease, dull

megenyhül vi, 1. *(vk)* become/get friendlier, warm up, be calmed/appeased/soothed/pacified 2. *[fájdalom]* abate, subside, grow less, calm down, be soothed/allayed/mitigated/dulled/assuaged 3. *[hang]* soften, grow softer 4. *[időjárás]* grow milder, soften, give; *~t a hideg* it has become/turned a little less cold, the cold spell has eased off a little; *~t az idő* the thaw is setting in

megépít vt, build, erect, set up

megépítés n, building, construction, erection, setting up

megépítetlen a, unbuilt

megépítő n, constructor, builder

megépül vi, (will) be finished/erected, be set up

megér[1] vt, *[él addig]* live to see; *nem fogjuk ~ni* we shan't live to see it; *a beteg nem éri meg a holnapot* the patient will not live through the night *(v.* will not last until the morning); *nem éri meg a jövő évet* he will never live another year; *sokat megért már* he has seen a good deal of the world, he has been through so much; *száz évet is* ~ he will live to be a hundred; *nagy kort ér meg* live to an old age; *még a végén ~jük hogy* we shall come to see . . . ; *a könyv ~te a tizedik kiadást* the book ran into its tenth edition, the book has been reprinted for the ninth time

megér[2] vt, *[értékben]* be worth; *~i? (biz)* is it worth it?; *ezer forintot testvérek között is* ~ it's a real bargain for/at a thousand forints; *~i az árát* be worth the money, it is good value for the/its money; *~i a fáradságot* be worth (one's) while, it is well worth trying, worth powder and shot *(fam); nem éri meg a pénzt/fáradságot* it *(v.* the game) is not worth the money/trouble/candle; *te is ~ed a pénzed (iron)* and a nice sort of chap you are

megérdeklőd|ik vt, *(vmt)* enquire *(v.* make enquiries) about sg

megérdemel vt, deserve, earn; *ahogy megérdemled* as you deserve; *~te!* it served him right!, he has asked for it!, he had it coming to him; *nem érdemli meg a fizetését* be not worth one's salt

megérdemelt [-et; adv -en] a, well-deserved/earned, due, *(vm)* sy's deserts *(pl); ~ büntetés* condign punishment; ~ *győzelem* deserved victory; ~ *jutalom* due reward, desert; ~ *siker* merited success; *meg nem érdemelt* undeserved, unmerited, undue, *[igazságtalan]* unjust, *[pénz]* unearned

megérdemelten adv, deservedly, meritedly

megered vi, 1. *[eső]* begin to rain, start raining 2. *[könny]* begin to flow, start flowing, *[vér]* begin to bleed, start bleeding; *~tek a könnyei* he burst into tears; ~t az orrvére his nose started bleeding; ~ a vére [sebből] his blood spurted/spirted/gushed (forth) 3. (átv) ~t a nyelve he was beginning to find his tongue, he became talkative, his tongue was beginning to wag (fam), his tongue was unloosed (fam); ~t a szó belőle he thawed (fam) 4. [mag] germinate, [oltás] take effect, [palánta] take root, begin to grow, [szemzés] catch; ~t it has caught; az oltás nem eredt meg the vaccine has not taken

megeredés n, [oltásé] take, [palántáé] establishment

megeredeztet vt,[dugványt] propagate (plants) by cuttings, [növényt] dig in, root

megérés n, 1. [folyamat] ripening, maturing 2. [eredményé ált] maturity, [kelésé] maturation

megereszkedés n, 1. sagging 2. [sóé stb.] getting/becoming wet/humid 3. [fáé] warp, yield 4. [kötélé, rugóé] slackening 5. [fémé] buckle, [falé] bulge

megereszkedett [-et] a, [autógumi] flattened, [kötél] slack

megereszked|ik vi, 1. sag, go lopsided/awry 2. [só stb.] get/become wet/humid 3. [fa] warp 4. [kötél, rugó] slack(en), [autógumi] flatten 5. [fém] buckle, [fal] bulge, protrude, subside

megereszt vt, 1. [lazít] slacken, relax, loosen, [szíjat, kötelet] ease, slacken, loose, let go/out, [vitorlát] let/loose out, unfurl; ~i a kantárszárat/gyeplőt give a horse its head, give a horse the reins, slacken/loosen the reins; ~i a nadrágszíjat [ebéd után] let out a reef/hole 2. [levelet, küldeményt] dispatch 3. [csapot] turn on, [csavaranyát] ease off; ~i a gőzt blow off (steam) 4. [kohászatban] temper, anneal 5. (átv) give full play/vent (to sg), give green light (US); ~ egy káromkodást let/rap out an oath; ~ egy tréfát crack a joke, indulge in a joke/pleasantry

megeresztés n, [kohászatban] drawing the temper, tempering

megeresztett [-et] a, 1. ~ kantárszárral (ride) full tilt, at full speed 2. (koh) tempered

megérez vt, 1. feel, become conscious/sensible (of sg), [előre] have a presentiment/foreboding (of sg), [ösztönösen] scent, sense, smell, nose, suspect; megérzi vk jelenlétét [anélkül hogy látná] feel the presence of sy; megérzi a veszélyt have a presentiment/feeling of danger 2. [vmnek hatását] be affected/influenced by (sg), register (sg)

megerg n, (fiz) megaerg

megér|ik vi, 1. ripen, mature, come to maturity, [gyümölcs] grow ripe, [bor stb.] mellow, season 2. [kelés, tályog] come/gather to a head, maturate; a furunkulus/kelés ~ik the core points 3. (átv) be(come) just ready/fit/suitable/ripe for sg, gather head, [sikerül] come to fruition; ~ett vmre be (just) ripe/ready/fit for sg; ~ett az akasztófára be fit for the gallows; a dolog ~ett a döntésre the matter is ripe for decision

megérint vt, touch (lightly), brush, dab, tap; ~i a víz felszínét skim the surface of the water

megérintés n, light/gentle touch, [vizet] skimming (of water)

megérintett a, ~ báb [sakkban] pièce touchée (fr)

megérinthetetlen a, untouchable

megerjed vi, ferment, work (fam)

megerjeszt vt, ferment, cause fermentation

megérkezés n, arrival, entry, advent (ref,); ~éig pending his arrival; ~kor on arrival

megérkez|ik vi, arrive [országba v. nagyvárosba in, kisebb helyre at], come, turn up (fam), [áru/jelentés vkhez] reach sy, [levél vkhez] come to (sy's) hand, [vonat] come/be in, [repgép vhová] fly in, land, [vk utazásról] be back from; szerencsésen ~ik arrive

safely/duly (v. in due course), arrive safe and sound (fam); amint ~ik the minute he arrives; ~tünk! here we are, we are there, we have arrived; ~ik rendeltetési helyére reach destination; a vonatnak kettőkor kell ~ni the train is due at two; levele ma érkezett meg hozzám your letter reached me to-day

megérlel vt, 1. (ált) ripen, mature, mellow, season 2. [kelést] bring (an abscess) to a head, maturate 3. (átv) ripen, bring/carry to fruition; ez érlelte meg bennem a döntést that decided me; az esemény ~te benne a tervet the incident brought the plan to a head

megérlelőd|ik vi, 1. (ált) ripen, mature, [bor] mellow, season, [gyümölcs] grow ripe 2. [kelés] come to a head 3. (átv) become ready/fit/suitable/ripe for sg, gather head

megerőltet vt, 1. (vkt) overwork, (over)strain, [gyermeket] overtask, [lovat] override, overdrive, (vmt) strain; ~i a hangját force one's voice; ~i a szemét strain/try one's eyes 2. ~i magát overtax one's strength, work too hard, overdo it, make an extra effort, go out of one's way (to do sg); nem erőlteti meg magát he does not over-exert/work himself, he spares himself, he takes it/things easy; nem erőlteti meg magát pénzügyileg he does not come down very handsomely

megerőltetés n, exertion, effort, [szellemi] mental strain; ~ nélkül effortlessly; minden nagyobb ~ nélkül meg tudja tenni he will take it in his stride, he can do it without (extra) effort

megerőltető [-t; adv -en] a, exerting, exhausting, exacting, trying, requiring effort (ut), strenuous, fagging (fam)

megerősít vt, 1. (vmt vmhez) fix, fasten, clamp (sg to sg), [kötelet] make fast, [ékkel] wedge, [kapoccsal] brace, tie, truss, [támasztással] prop up, shore 2. [erősebbé tesz] (vmt) strengthen, reinforce, (vkt) brace (sy) up, [idegrendszert] tone up 3. (átv) [határozatot, ítéletet] affirm, confirm, [vmnek alapjait átv] consolidate, [állítást, vallomást] bear out, corroborate, [alsóbírósági ítéletet] uphold, confirm (verdict of lower court), [okmányt] endorse, sanction, [kapcsolatokat] solidify (links), [barátságot] cement, [vkt gyanújában] verify (sy's suspicions); esküvel ~ vallomást/nyilatkozatot swear an affidavit; ez csak ~ette elhatározásában this has only fortified/steeled/strengthened his resolution; a hírt nem erősítették meg the report has not been confirmed so far; ~ vkt véleményében confirm sy in his opinion; a kivétel ~i a szabályt the exception proves the rule 4. [várat] fortify, [helyőrséget] reinforce 5. [színt, hangot, hatást] intensify, reinforce

megerősítés n, 1. [megrögzítés] fastening, fixing, clamping, propping (up) 2.[erősebbé tétel] strengthening, bracing, truss, reinforcement, reinforcing 3. fortification 4. (átv) confirmation, corroboration, affirmation, ratification; a hír ~re szorul the news/report has yet to be confirmed; ~t nyer be confirmed 5. [színé, hangé, hatásé] intensification, reinforcement

megerősítetlen a, 1. [tárgy] loose, unattached 2. (kat) unfortified 3. [hír] unconfirmed

megerősített [-et; adv -en] a, 1. [tárgy] fixed, secure(a), set; ~ szövet [tex] reinforced fabric 2. (kat) fortified; ~ állás fortified position; ~ város fortified town 3. meg nem erősített [hír stb.] unconfirmed, unsupported

megerősíthető a, fixable

megerősítő a, confirmative; ~ helyzet reinforcing state of affairs; ~ okmány instrument of ratification; ~ okmányok kicserélése exchange of ratifications

megerősödés n, strengthening, (pol) consolidation

megerősöd|ik vi, 1. become/wax/grow stronger, strengthen, gather/gain (v. grow in) strength, recuperate; ~ött benne az érzés the feeling grew upon him (that) 2. [nő] put on weight, loose one's figure/slimness
megerőszakol vt, [nőt] ravish, rape, force, outrage (ref.), do wrong to (ref.)
megerőszakolás n, ravishment, rape, outrage (ref.)
megért vt 1. (vmt) understand, comprehend, conceive, perceive, realize, penetrate, digest, seize, apprehend, make out, follow, get (fam), catch (fam), get the hang of (fam), (kit) it comes home to (v. dawns on) him (fam), [vmnek a lényegét] get the hang/gist of sg, see the point of sg, [célzást] take the hint, [érvelést, jelentést] grasp (argument, meaning); első szóra ~ catch on at once; én ~em az angolt de nem tudok beszélni I understand English but I can't speak it; azt még ~em (hogy) I have nothing to say against it (if), well and good (if), it's all very well (that); nem érti meg a tréfát he doesn't get a joke, he cannot take/see a joke; nem tudom ~eni I cannot make head or tail of it, I can't make any sense of it, I can make nothing of it, I am at a loss to understand it, I cannot account for it; nem tudom ~eni mire gondol I can't imagine what he is thinking of/about; ~em ha ez nem tetszik neki I can understand his not liking it; ~ette? is that clear?, (you) get me?, have you understood it?, got it (fam)?; értsen meg jól get this straight (US); ebből ~ette (hogy) this made it clear to him (that); végre ~ette (at long last) the penny has dropped, at last he caught on; ~ettem (I've got it) all right!, that's quite clear now, very well!, right oh! ◈, O. K. ◈, right you are! ◈; ~i az idők szavát read the signs of the times; ~i vmnek a fontosságát grasp the importance of sg; hogy jól ~sük ezt a részt... to arrive at a right understanding of this passage...; ezt nem vagyok képes ~eni it passes my comprehension, it is above/beyond my comprehension 2. jól ~ik egymást they are on good/friendly (v. the best possible) terms (with each other), they get on very well (together), they understand each other; nem értik meg egymást (átv) they don't quite hit it off, they don't get on well together, they don't pull together (fam); nem értjük meg egymást we have different points of view (in everything), we don't see eye to eye, [szerelemben] we don't seem to agree somehow, we are not meant for (v. suited to) each other; értsük meg egymást! let us come to an understanding, let us clearly understand each other, [mérgesen vitában] this must be made clear!
megértés n, 1. [felfogás] understanding, comprehension (ref.), apprehension (ref.), (fil) intellection, perception; könnyebb ~ végett for facilitating comprehension, to make it easier to understand, to put it more simply 2. [megbocsátás] understanding, good--will, benevolence, indulgence, sympathy; kölcsönös ~ mutual understanding; kellő ~sel van/viseltetik vk iránt he seems to have (v. exercises) the necessary good-will in his case, he seems to have the necessary good-will as far as he is concerned; meg nem értés incomprehension, lack of understanding/ interest/appreciation; több ~t vártam tőle I expected more sympathy/understanding (v. good-will) from him
megértet vt, (vkvel vmt) bring/drive sg home to sy, make sy understand sg, give sy to understand that, make it clear to sy that...; ~i vkvel hogy convey to sy that; ~i magát make oneself understood, [zajban] make oneself heard
megértett [-et] a, understood, comprehended; meg nem értett misunderstood, [asszony] unappreciated
megérthető a, 1. understandable, comprehendible,

conceivable, perceivable, apprehensible, intelligible, penetrable; meg nem érthető incomprehensible, inconceivable, past comprehension (ut), inexplicable 2. [beszéd, hang] audible
megértő a, sympathetic, considerate, understanding, tolerant, liberal; ~ pillantás sympathetic look, a look/flash of sympathy/understanding; meg nem értő unsympathetic, inconsiderate, impatient, unappreciative
megértőn adv, appreciatively
megérzékít vt, render perceptible/tangible, materialize
megérzés n, 1. [jövőé] anticipation 2. [ösztönös] intuition, [kellemetlené] presentiment, forewarning, foreboding, apprehension, misgiving, hunch (US fam)
megérz|ik vi, 1. (vkn vm) have the air of, have sg written all over sy 2. (vmn vm) suggest of, have a suggestion of, smell/taste/savour of
megérződ|ik vi, = megérz|ik
megeshető a, (fil) contingent
meges|ik vi, 1. [megtörténik] happen, occur, come to pass, transpire, take place; ~ik az ilyesmi such things will happen; ~ néha hogy it happens sometimes that; ~ik a legjobb családokban is it may happen in the best of families 2. (vkvel vm) sg befalls sy, sy meets with sg; ~ik vele hogy még a lakcímét is elfelejti sometimes he would forget even his address 3. ~ik a szíve vkn be sorry for sy, feel pity/compassion for sy, be moved to pity for sy, take pity on sy 4. [leány] lose one's honour, be seduced, be got with child, be got into trouble
megesket vt, 1. [esküt kivesz] make sy swear/vow/ pledge, swear sy to sg, put sy on oath, [tisztviselőt] swear sy in; ~i az esküdteket swear (in) the jurors; ~te a titoktartásra she swore/pledged him to secrecy 2. [házaspárt] join in marriage/matrimony, unite in wedlock
megesketés n, administration of the oath
megesküsz|ik vi, 1. take the oath, swear; ~ik mindenre ami szent swear by all that is holy; ~ik a Szentírásra swear on the Bible, (nép) kiss the Book 2. [házasságot köt] get married (to sy)
megesz vt, 1. (vkt) eat (up), swallow; ne egyél meg azért! don't snap my head off!; nem esz meg! he won't eat you!; nem eszi meg a farkas|kutya a telet (kb) there is always/generally some hard/cold/icy/ frosty weather before the winter is out/over 2. ~i a méreg be consumed with anger; ~i a piszok be unkempt and dirty 3. [rozsda] erode, corrode 4. (átv) use up, swallow; ez a vállalkozás sok pénzt ~ this business/enterprise consumes masses of money 5. megette a fene gone to blazes
megesz|ik vi, 1. (vmt) eat (up); ~ik az mindent he will eat everything; ~i a levest drink the soup; megetted már a levest? have you finished your soup yet?; ~em a kalapom ha... (biz) I'll eat my hat if... 2. egye meg amit főzött (kb) as you make your bed you must lie on it
megesztergál vt, = megesztergályoz
megesztergályoz vt, traverse (a piece) on the lathe
megetet vt, 1. [állatot, gyereket, beteget] feed, [csak lovat] bait 2. [csak embert] give sy food, give sy to eat
megétet vt, (give sy) poison
megfagy vi, 1. [folyadék] freeze, glaciate, congeal 2. [élőlény] freeze to death, perish/die with cold, [testrész] freeze, become frozen; majd ~ok! I am dying/perished with cold, I am chilled to the bone/ marrow, I am cold through and through, I'm freezing (fam) 3. a vér ~ott ereimben erre a látványra my blood froze (v. ran cold in my veins) at the sight of it, the sight made my blood freeze

megfagyás n, 1. *[folyadéké]* freezing (over), glaciation, congelation 2. *[élőlény]* freeze, freezing, *(orv)* chill, *[testrészé, növényé]* frost-bite
megfagyaszt vt, 1. freeze, congeal, coagulate, jellify 2. ~*otta a véremet* it made my blood (run) cold, it froze the blood in my veins; ~*ja a vért ereiben* it curdled my blood
megfagyasztás n, freezing, chilling, congelation, jellification
megfaggyúz vt, 1. *(konkr.)* tallow, grease 2. *ezt faggyúzd meg!* *(átv)* what do you say to this?
megfájdul vi, begin to hurt/ache, become painful; ~*t a feje* she has got a headache; ~*t tőle a fejem* it gave me a headache
megfakít vt, fade, decolour, discolour, take the colour out of sg, decolo(u)rize
megfakul vi, 1. *[szín]* fade, lose colour, bleach, *[festék]* flatten, dull, *[felület]* lose its polish, tarnish, *[tükör]* grow dull/dim 2. *[dicsőség, szépség, emlék]* dim, grow dim
megfakulás n, 1. *[színe, hangé]* fading, flattening, *[színé]* bleaching, tarnish 2. *[dicsőségé, szépségé, emléké]* dimming, dulling, growing dim
megfaragvt, 1. *(ált)* notch, carve 2. *[ceruzát]* sharpen, point (pencil) 3. *[követ]* cut, hew, *[durván]* rough-hew, scabble
megfaragás n, 1. *(ált)* notching, carving 2. *[ceruzát]* sharpening (of pencil) 3. *[követ]* cutting, hewing, *[durván]* roughing, scabbling
megfarol vi, skid, side-slip, swerve, deviate
megfarolás n, skid(ding), side-slip, swerve
megfázás n, (common) cold, chill, *(orv)* coryza, nasal catarrh
megfáz|ik vi, catch (a) cold, take cold, get a chill/cold
megfedd [-tem,-ett,-jen] vt, reprimand, rebuke, reprove, take to task, reproach, reprehend, scold, talk to *(fam)*, call/haul sy over the coals *(fam)*
megfeddés n, reprimand, rebuke, reproof, scolding, talking-to *(fam)*, rating *(fam)*
megfegyelmez vt, bring (sy) under discipline
megfehéredés n, whitening, *(tex)* bleaching
megfehéred|ik vi, become/turn white, whiten, *(tex)* bleach; *már egészen* ~*ett a haja* her hair has turned white/hoary
megfehérít vi, make white, whiten, *(tex)* bleach
megfehérítés n, = megfehéredés
megfej vt, 1. *[állatot]* milk, do the milking 2. □ *(átv)* bleed, fleece, skin
megfejel vt, *[cipőt]* toe, (re)vamp, new-front, *[harisnyát]* (re)foot, renew, *[szeget, gombostűt]* head
megfejés n, 1. *[tehéné]* milking 2. *(átv)* fleecing
megfejt vt, 1. (re)solve, explain, puzzle/work out *(fam)* ; ~ *problémát/kérdést* solve/enucleate a problem 2. *[rejtjelet]* decode, decipher, *[ismeretlen rejtjelet]* break, crack (a code) 3. *[titkot]* find out, unravel
megfejtés n, 1. *[cselekményé]* solving, puzzling out, *[rejtjelet]* decoding, deciphering 2. *[eredménye]* solution, explanation, *[problémáé]* resolution, *[talányé, álomé stb.]* reading; *írás* ~*e* transliteration 3. *[rejtvényé]* answer, clue
megfejtetlen a, 1. unsolved, unexplained, unaccounted for *(ut)* 2. *[szöveg]* undeciphered
megfejthetetlen a, 1. insoluble, insolvable, unsolvable, inexplicable, unfathomable, inscrutable, *[probléma]* irresolvable, inexplorable, inextricable, indissoluble 2. *[szöveg]* indecipherable, undecipherable, *[titkosírás]* unbreakable
megfejthető a, 1. solvable, explicable, extricable 2. *[rejtjel]* decipherable
megfejthetőség n, solubility, solvability explicability
megfejtő n, 1. *(ált)* solver, *[rejtvényé]* guesser; *a helyes* ~*k jutalomban részesülnek* all who have found the

right solution will get a prize 2. *[titoké, talányé]* decipherer, *[rejtjelé]* decoder
megfeketedés n, blackening
megfeketed|ik vi, blacken, become/grow/turn black
megfékez vt, 1. *[betegséget]* arrest, check (disease), *[járványt]* stem (epidemic), *[lovat]* bridle, master, *[állatot]* tame, *[támadást]* stop, check, slow up (attack), *[tűzvészt]* subdue, overcome (a fire); ~*i a rakoncátlankodó lovat* hold a restive horse 2. *[embert]* reduce/constrain sy to obedience, tame, *[mozgalmat]* stop, stifle 3. *[szenvedélyt]* curb, master, control, restrain, subdue, bridle; ~*i a szenvedélyeit* put a curb on one's passions
megfékezés n, 1. *(ált)* checking, *[járványt]* stemming, *[lovat]* mastering, *[támadást]* stopping, checking, slowing up, *[tűzvészt]* overcoming, subdual 2. *[embert]* taming, *[mozgalmat]* stopping, stifling, *[népet]* submission, subdual 3. *[szenvedélyt]* curb(ing), mastering, control(ling), restraining, bridling
megfékezhetetlen a, 1. *[állat]* untam(e)able, unmanageable 2. *[indulat]* ungovernable, uncontrollable
megfékezhető a, 1. capable of being tamed *(ut)*, tam(e)able, manageable 2. *[indulat]* controllable, governable
megfeksz|ik vt, 1. *(ált)* press/lie on, stick/adhere closely to; *ünnepi csend fekszi meg a vidéket* a solemn silence hangs/broods over the region 2. ~ *a gyomrát vknek* lie heavy on one's stomach
megfeledkez|ik [-tem, -ett, -zen, -zék] vi, 1. *(vkről, vmről)* forget sy/sg, *(vmről)* skip, be unmindful of; ~*tem róla* I forgot about it, it passed out of my mind, I did not think of it; *ugye (biztosan) nem feledkezel meg róla?* you won't forget(,) will you?; ~*ik az ígéretéről* fail in one's promise to sy; *teljesen* ~*ik vmről* forget sg, be entirely/totally oblivious of sg; *mind erről teljesen* ~*tem* all this has entirely slipped from my mind; ~*ik a kötelességéről* be unmindful of one's duty; *nem feledkezik meg vmről* bear/keep sg in mind, not forget to, have an eye on 2. ~*ik magáról* forget oneself, lose one's self-control
megfelel vi, 1. *[válaszol]* answer/reply (to) sy, respond, *[gyorsan]* make a retort to, retort to, answer sy pat, give sy a clincher *(fam)* ; *jól* ~ *vknek* give sy a smart answer, score sy off, leave sy without a leg to stand on, *[enyhébben]* return an answer to, reply to, be quick to reply 2. *[vmlyen célra]* be suitable for, be equal to, come up to, meet (the case), *[csak vm]* suit, fit, answer, agree/comply with (purpose), *[leírásnak]* answer (description), *[szerződésnek]* fulfil (terms of contract/treaty); ~ *a célnak* it answers/serves the purpose, it will do/serve, suffice for a purpose, it fills the bill *(fam)* ; *nem felel meg a célnak* be inadequate to a purpose; *ez pontosan* ~ *a célomnak* that suits my purpose exactly; *nem felelt meg a feladatnak* was not equal/up to the task; ~ *az ízlésnek* meets the taste; ~ *a követelményeknek* suit/meet/fill the requirements/specifications, stand all demands, be up to standard/mark (in every way), come up to scratch *(fam)* ; *követelményeknek nem felel meg (vk)* he does not come up to requirements, *[dolog]* it does not meet *(v.* it falls short of) the requirements; ~ *a kor követelményeinek* meet the exigencies of the time; *nem felel meg nékem* it does not suit me; *az elmélet nem felel meg a tényeknek* the theory does not square with the facts; *nem felel meg terveimnek/szándékomnak* it does not suit my book; *nem felel meg a valóságnak* it does not correspond to the facts; ~ *a várakozásnak* be equal to expectation(s), come/live up to expectations; *nem felel meg a várakozásnak* fall short of expectations; *ez éppen* ~ that just suits me; *ez így nagyon* ~ this is a great convenience; *ez*

nekem (nagyon jól) ~ it suits me (very well); *tökéletesen* ~ *nekem* it suits me down to the ground, that will do beautifully/nicely; *ahogy önnek a legjobban* ~ suit your own convenience; *amikor önnek a legjobban* ~ any time that suits you best; *ha így* ~ *önnek* if this is convenient to you; *ez a hely* ~ *nekem* this place agrees with me; ~ *az idő?* will that time suit you?; *ez a kalap* ~ this hat will do **3.** *[vm megegyezik vmvel]* correspond/amount to, parallel (sg), equal, be the equivalent of; ...*font magyar pénzben*~... *forintnak* £2 is the equivalent of ... forints in Hungarian currency **4.** *a vizsgán* ~ pass the examination

megfelelés *n*, **1.** *[megegyezés vmvel]* correspondence, correlation, analogy, conformity, agreement, *(tud)* homology, *(mért)* congruence **2.** ~ *esetén* if suitable/convenient

megfelelő [-ek, -t; *adv* -en] **I.** *a*, **1.** *[alkalmas]* convenient, suitable for/to, suited to, adequate, satisfactory, decent, answering, likely, right, respective, correct, due, *[megkívánt]* appropriate, (be)fitting, required, adequate, proper, seemly, proportionate, apposite; *nem* ~ unsuitable, inadequate, unfit, out of character *(ut)*, inappropriate, *[alkalmatlan]* inconvenient, *[személy]* ineligible, unfit, unapt, inadequate, *[időben]* untimely; ~ *áron* at a fair price; ~ *arányban* in due proportion; ~ *elismervény/nyugta ellenében* upon (giving) a due receipt; *a* ~ *embert a* ~ *helyre* the right/proper man in the right/proper place; *nincs nála* ~*bb ember* he is as likely as any man, there is not a better man than he; ~ *fedezet* appropriate security; *a* ~ *helyen* in the right place; ~ *időben/időpontban* in due season/time; ~ *idő múlva/múltával* in due course, by the lapse of a reasonable time; ~ *intézkedéseket foganatosítottak* appropriate action has been taken; *a dolgok* ~ *irányban haladnak* things are going on sound lines; ~ *jutalom* adequate remuneration; ~ *kezelés* proper/appropriate treatment; ~ *lehetőségeket teremt* secure/provide adequate facilities; *ez a megoldás* ~ *volna nekem* this arrangement would suit me; ~ *munkakör* suitable position; ~ *ok nélkül* without reasonable excuse; *a* ~ *rész* the appropriate part; *a témának* ~ *stílus* style appropriate to the subject **2.** *[egymás között]* corresponding; ~ *szögek* congruent/corresponding angles; *nem* ~ incongruent **3.** *vmnek* ~ in compliance/accordance with, tallying/parallel with; *az igazságnak* ~ *vallomás/állítás* statement in accordance with truth; *nem* ~ *a mintának* does not tally samples, does not match samples **II.** *n*, equivalent; *ennek a szónak nincs magyar* ~*je* this word has no equivalent in Hungarian

megfelelően *adv*, **1.** *[jól]* satisfactorily, suitably, (be)fittingly; ~ *működik* work well/satisfactorily **2.** *(vmnek)* in accordance/conformity/compliance with, according to, corresponding/agreeing with, in pursuance of; *ennek* ~ accordingly, in compliance with it; *elveinek* ~ *él* live out one's precepts, live up to one's principles; *feltételeknek* ~ subject to the conditions; *kívánságának* ~ according to one's desire(s)/wish(es); *rendelkezésének* ~ *(ker)* in obedience to your orders, in compliance with your orders; *a 4. cikkben foglalt rendelkezéseknek* ~ in accordance with the provisions of Article 4; *az 1957. évi törvénynek* ~ pursuant to the Act of 1957; *a törvényes követelményeknek* ~ in full conformity with the statutory requirements

megfelelőség *n*, **1.** suitability, appropriateness, adequacy **2.** *(mért)* congruence, congruity

megfélemlít [-eni. -ett, -sen] *vt*, intimidate, frighten, scare, cow, terrify, terrorize, bully, overawe. overbear, browbeat, bulldoze *(US)*

megfélemlítés *n*, intimidation, terrorization, bullying; ~*t célzó* intimidatory, intimidating

megfélemlítési [-t] *a*, ~ *módszer* system of intimidation; ~ *taktika* bull-at-a-gate tactics

megfélemlíthetetlen *a*, undauntable, unfearing *(ref.)*, insensible to fear *(ut)*

megfélemlítő [-t; *adv* -en] *a*, intimidating

megfelez *vt*, halve, cut in half, share/divide in(to) two, go fifty-fifty, go halves (with sy); ~*i a különbözetet* split the difference; *felezzük meg!* let's go halves

megfellebbez *vt*, *[ítéletet]* appeal (against a sentence); *ha az ítéletet* ~*ték* when the sentence is appealed against

megfellebbezés *n*, appeal

megfellebbezhetetlen *a*, inappellable, non-appealable, final, irrevocable

megfellebbezhetetlenség *n*, finality

megfellebbezhetetlenül *adv*, without appeal

megfellebbezhető *a*, appealable

megfen *vt*, sharpen, give an edge to, *[kést]* grind, set/ put an edge on, *[borotvát]* strop, hone, set, *[kaszát]* whet; *szerszámot* ~ stone (down) a tool

megfenekel *vt*, **1.** *[hordót]* bottom, head up, fit a bottom to a cask, *[széket]* cane (chair) **2.** *(átv)* = **elfenekel**

megfeneklés *n*, **1.** *[hajóé]* stranding, grounding, running aground, foundering, beaching, *[kocsié]* sinking/ sticking into mud/quicksand/mire **2.** *[tervé]* miscarriage, failure, falling through

megfeneklett [-et; *adv* -en] *a*, **1.** *[hajó]* stranded, beached *(fam)*, foundered, *[kocsi]* sunk/stuck in the mud/quicksand/mire *(ut)*; ~ *hajó* ship fast aground **2.** ~ *vállalkozás* venture that has miscarried *(v.* proved abortive), venture that has fallen through *(v.* come to nothing)

megfenekl|ik [-eni, -ett, ..keljen, ..keljék] *vi*, **1.** *[hajó]* ground, run aground/ashore, be stranded, strand, founder, beach, be beached, *[szekér]* get stuck (in mud), sink/stick into the mud/quicksand/ mire, bog down **2.** *[terv]* fail, miscarry, fall through, be stymied

megfenés *n*, sharpening, whetting, giving edge to sg, grinding, setting/putting an edge on, *[borotváé]* setting, stropping, honing

megfenyeget *vt*, *(vmvel)* threaten/menace sy with sg; ~*te az ujjával* she wagged/shook her finger at him

megfenyít *vt*, punish, chastise, castigate, correct

megfenyítés *n*, punishment, chastisement, castigation

megfér *vi*, **1.** *(vkvel)* get on/along, agree, be on good terms, harmonize *(mind:* with); *jól* ~*nek* they hit it off (well), they get on well together; *nem férnek meg egymással* they don't agree with each other, they can't get on; *nehéz* ~*ni vele* she is difficult to get on *(v.* to do) with; *nem lehet* ~*ni vele* there is no living *(v.* getting on) with him **2.** *(vmben)* there is room/place for; *heten is* ~*nek* there is room for seven

megfércel *vt*, tack, baste

megférfiasod|ik *vi*, grow into a man, become manly

megférfiatlanít *vt*, **1.** emasculate **2.** castrate

megférgesed|ik [-ett, -jen, -jék] *vi*, become worm-eaten, canker, *(tud)* vermiculate

megfertőz *vt*, **1.** *[anyagot]* contaminate, pollute, defile; ~*ött rakomány (ker)* tainted cargo **2.** *[élőlényt]* infect **3.** *[levegőt]* poison, make mephitic **4.** *(átv)* defile, taint, stain, poison

megfertőzés *n*, **1.** *[anyagot]* contamination, defilement, pollution, defiling **2.** *[élőlényt]* infection **3.** *[levegőt]* poisoning **4.** *(átv)* defiling, tainting, poisoning

megfest *vt*, **1.** colour, tinge, *(tex is)* dye, *(orv)* stain **2.** *[képet]* paint; ~*i vknek az arcképét* take sy's portrait; *erőteljesen ~ett kép* boldly painted picture; *~tette a felesége arcképét* he had his wife's portrait painted

megfésül *vt,* 1. *[hajat]* comb/do one's hair; *~i a haját* give one's hair a comb 2. *[kéziratot]* = **átfésül**

megfésülködlik *vi,* comb (oneself), do one's hair

megfeszít *vt,* 1. *[húrt, kötelet]* stretch, tighten, tauten, render/make tense, tense, *[izmot]* flex, extend, tighten, strain, *[íjat]* bend/string/draw a bow, *[rugót]* wind up; *~ dobot* brace (the skin of) a drum; *vitorlákat ~* brace up the sails; *nincs ~ve [kötél]* hang slack 2. *[keresztre]* crucify 3. *(átv) minden erejét ~i (hogy)* do one's ut(ter)most/best to achieve sg, exert oneself to the utmost, strain every nerve, go all out for sg, use every effort to, try one's hardest, do one's damnedest *(fam)*

megfeszítés *n,* 1. *[húré, kötélé]* stretching, tightening, bending, *[izomé]* flexing, extending, tightening, straining, *[íjé]* bending/drawing a bow, *[rugóé]* winding 2. crucifixion 3. *erejének minden ~ével azon van (hogy)* devote all one's energies to; *erejének végső ~ével* by a crowning/final effort

megfeszített [-et] I. *a, [kötél, izom]* strained, tightened, constrained, taut(ened), *[figyelem]* intense, keen; *~ erővel dolgozik* work hard/strenuously, hammer away (at sg) *(fam)* ; *~ izmokkal* with muscles tense; *~ munka* strenuous work, desperately hard work, concentrated work II. *n, a ~* the crucified

megfészkeli magát *[betegség]* become deeply-rooted, take root

megfeszül *vi,* 1. *[anyag]* tighten, become taut, stretch, *[ruha]* fit close, be tight-fitting 2. *ha ~sz sem tudod ezt elvégezni* you may strain till you are blue in the face but you won't do it

megfeszülés *n,* stretching

megfiadzlik *vi,* 1. = **megellik;** 2. *(tréf) [pénz]* bear/ carry interest

megfiatalít *vt,* 1. *[gyógykezelés]* rejuvenate, restore to youth, make sy young again 2. *[ruha vkt]* make sy look younger; *ez a ruha 10 évvel fiatalítja meg* this gown makes her look 10 years younger

megfiatalítás *n,* rejuvenation, restoration to youth, rejuvenescence

megfiatalodás *n,* growing young, rejuvenescence, rejuvenation, regaining one's youth

megfiatalodlik *vi,* grow young again, grow younger again, be restored to youth, get/look younger

megfigyel *vt,* 1. *(ált)* observe, note, notice, *[jelenséget]* observe, study, *(vkt, vmt)* watch, keep stock of, have/keep one's eye on, keep under observation, keep one's eye peeled for sy/sg *(US fam)* ; *meg nem figyelhető* unobservable; *figyelje meg (hogy)* you will observe/note (that) 2. *[rendőrileg]* shadow, tail, track, trail (sy)

megfigyelés *n,* 1. *(ált)* observation, study, watching; *közvetlen ~ után festett (műv)* he painted from direct observation; *~ek sorozata* series of observations 2. *[rendőri]* shadowing, tracking, police supervision, *[ellenőrző jellegű]* surveillance; *~ alatt áll (beteg)* be under observation, *[rendőrileg]* be under police supervision, be under surveillance

megfigyelhetetlen *a,* unobservable

megfigyelhető *a,* observable, noticeable, perceptible, discernible

megfigyelhetőség *n,* observability, perceptibility

megfigyelő I. *a,* observing, watching, observational; *~ eljárás* observational method; *a csempészeket ~ ember . . .* the man watching the bootleggers . . . II. *n,* observer, spectator, *[légvédelmi]* plane--spotter; *jó ~* keen observer, observant mind; *rossz ~* man of no observation; *az ENSZ-hez kiküldött ~ (pol)* observer at the UNO

megfigyelőállomás *n,* 1. *(kat)* look-out, observation/ spotting post 2. *(tud)* observatory

megfigyelőléggömb *n, (kat)* war-balloon

megfilmesít [-eni, -ett, -sen] *vt,* film, screen, adapt for/to the screen/film, put on the screen, picturize

megfilmesíthető *a,* filmable, screenable

megfizet *vt/vi,* 1. *(vmt)* pay (for); *~i az okozott kárt* pay for the damage(s) 2. *(vkt)* pay sy off, remunerate; *~ik (érte)* he is paid for it; *~i vknek a fáradozásait* pay sy for his trouble 3. *[adósságot]* pay back, repay, discharge, settle (one's debt), satisfy, acquit oneself (of a debt), *[költséget]* defray, bear the cost/expense of sg, *[számlát]* settle, clear, liquidate, *[tartozást]* repay, refund; *~ adósságot* redeem a debt; *~i tartozásait* pay one's dues 4. *[megveszteget]* corrupt, bribe, buy (over), oil/grease sy's palm/hand 5. *(átv) [kiegyenlít]* give as good as one gets, get even with sy, pay back in one's own coin, be quits with sy, put it across sy; *~ vmért* pay dearly for sg, pay the penalty of sg; *drágán fizetett meg érte* he paid for it up to the hilt; *drágán fizet még meg ezért nekem!* he shall pay dear for that, I'll make him pay dearly for it, I'll make it smart for it; *hogyan fizessem meg a jóságát?* how can/shall I repay your goodness/kindness?

megfizetés *n, [adósságé, számláé]* payment, discharge, settlement, liquidation, repayment, refunding, redeeming, redemption; *a tartásdíj meg nem fizetése* failure to pay alimony

megfizethetetlen *a,* 1. *(ált)* impayable, unpayable, *[ár]* prohibitive 2. *(átv)* priceless, inestimable, invaluable, above/beyond/without price *(ut)*

megfizettet *vi, (vkt)* make sy pay dear, (try to) make one pay through the nose

megfog *vt,* 1. *[kézzel]* seize, catch, hold, handle, take/ lay/catch/get/clap hold of, *[marokra]* grip, grab, clutch, grasp, *[vmnél fogva]* take by, *[állatot]* catch, trap, entrap, ensnare, *[ismerőst az utcán]* waylay, buttonhole (sy in the street) *(fam)*, *[üldözöttet]* catch, seize, arrest, apprehend, stop, lay hands on, collar; *fogják meg!* stop him!, stop thief!; *fogd meg! [kutyához]* at him!, go for him!; *most ~tál!* you have me here!, there you have me!, you got me this time!; *most ~talak!* now I have caught you, *[hazugságon]* now I have found you out; *~tam! I* got him!, I've got my man; *csak még egyszer fogjalak meg!* just let me catch you at it again!; *~ja az eke szarvát* put/set one's hand to the plough; *rossz oldaláról fogja meg a dolgot (biz)* get/have hold of the wrong end of the stick; *nem lehet ~ni [tárgyat]* offers no hold/grasp/grip, have no handle, have nothing to catch hold of, *(átv vkt)* you cannot pin him down, you cannot catch him 2. *[szerszám]* bite, grip, hold, *[festék]* stain, come off on sg; *a szalag ~ta a ruháját* the colour of the ribbon has come off on her dress; *~ja a rozsda* get rusty 3. *[megért]* grasp, catch, *[ügyet valahogy]* tackle, set/go about (sg), manage sg; *~ vkt vm elvégzésére (biz)* hook sy in for sg

megfogad *vt,* 1. *(vkt)* engage, take on, enlist, put sy on the pay-roll *(US)* 2. *(vmt)* engage/pledge (oneself) to do sg, (make/take a) vow; *~tam magamban I* resolved *(v.* made up my mind) to; *fogadd meg a tanácsomat!* take my tip/advice; *~ja a tanácsot* obey, take/heed sy's advice/hint, listen to sy's advice/opinion; *~om a tanácsait* I shall do as you suggest 3. *(sp) ~ egy lovat* put money on a horse, lay a wager; *öt forttal ~ egy lovat* lay five pounds on a horse

megfogadás *n,* 1. *(vké)* engagement, appointment 2. promise, vow

megfogadtat *vt,* induce sy to make a vow, draw/elicit/ exact a promise/vow from

megfogalmaz *vt*, draft, draw up, pen, word, formulate, compose, put into words/shape, *[cikket]* work up, *[okmányt]* make up, engross, *[utasítást]* block out, indite *(joc)*; *így fogalmazza meg álláspontját* he expressed his opinion in the following words, he gave voice to his opinion in the following words, he put his views into the following words; *jól ~ott mondatokban* in well-worded phrases

megfogalmazás *n*, drafting, drawing up, wording, formulation, composing, composition, shaping, phrasing; *a következő ~ban* conceived as follows

megfogalmazható *a*, that can be formulated/worded *(ut)*, that can be put into words *(ut)*; *nehezen ~ kérés* request difficult to put into words

megfogamzás *n*, **1.** *[állaté, emberé]* conception, conceiving **2.** *(növ)* taking/striking root, rooting **3.** *[oltásé]* taking effect **4.** *[gondolaté]* conception, shaping (of an idea, a plan)

megfogamz|ik *vi*, **1.** *[élőlény]* be conceived **2.** *[növény]* take/strike root **3.** *[oltás]* take (effect) **4.** *[gondolat, terv]* conceive, form(ulate) (idea, plan)

megfogan *vi*, *(vál)* **1.** = **megfogamzik 1.,2.,3.; 2.** *[szellemi alkotás]* be conceived/composed; *az átok ~* the curse works, the curse begins to take effect

megfogás *n*, **1.** seizing, prehension, gripping, seizure, taking/catching hold, catch(ing), holding, grip, grasp, clasp, clench **2.** *[üldözötté]* capture, apprehension, *[vadé]* entrapping, ensnaring **3.** *[szájjal]* seizing, snatching (up)

megfogaz *vt*, *(műsz)* cog, tooth, ratch

megfogdos *vt*, **1.** *(vmt)* feel (by touch), keep feeling/ fingering/touching **2.** *[nőt]* paw, cuddle

megfoghatatlan *a*, **1.** that cannot be grasped/caught/ held, difficult to catch *(ut)*, *[személy]* elusive **2.** *(átv)* inconceivable, unthinkable, unfathomable, incomprehensible, inexplicable, unintelligible

megfoghatatlanság *n*, inconceivability, incomprehensibility, elusiveness, inexplicability

megfoghatatlanul *adv*, inconceivably, unfathomably, incomprehensibly, inexplicably

megfogható *a*, **1.** seizable, palpable, touchable, tangible; *a ~ világ* the natural world; *nehezen ~* slippery, elusive, fugitive, evasive **2.** *[ésszel]* comprehensible, conceivable, understandable, thinkable, imaginable, intelligible

megfoghatóság *n*, **1.** palpability, palpableness, tangibility, tangibleness **2.** comprehensibility, conceivableness, intelligibility

megfogódz|ik *vi*, grip, clutch hold of sg, cling (on) to, hold/hang on to, clutch/grab at, keep tight hold of

megfogy *vi*, = **megfogyatkozik**

megfogyatkozás *n*, diminishing, lessening, decrease, falling/dropping off, *[vagyoné]* decay

megfogyatkoz|ik *vi*, **1.** diminish, lessen, grow less, decrease, fall/drop off, get depleted, *[vagyon]* decay, ebb away, *[testsúlyra]* lose weight, grow thinner; *[számban] ~va bár* (though) reduced in numbers **2.** *[készlet]* run low

megfojt *vt*, **1.** *[kézzel]* throttle, burke, *[kötéllel]* strangle, strangulate, *[nyakvassal]* gar(r)otte, *[párnával]* smother **2.** *[füst]* suffocate, choke, smother (to death), stifle, *[gáz]* asphyxiate, gas **3.** *[vízben]* drown; *~aná egy kanál vízben* hate sy like poison

megfojtás *n*, **1.** *[kézzel]* throttling, *[kötéllel]* strangulation, strangling, suffocation, *[párnával]* smothering **2.** *[gázzal]* asphyxiation, gassing **3.** *[vízben]* drowning

megfoltosodás *n*, *[papírosé]* foxing

megfoltosod|ik *vi*, *[papíros]* fox; *ez a lap erősen/csúnyán ~ott* this page is badly foxed

megfoltoz *vt*, *[cipőt]* cobble, mend, tap, patch, *[ruhát]* mend, patch (up), piece (up), stitch up, put a patch on (sg); *~za ruháit* mend up one's clothes

megfoltozás *n*, mend(ing), patching (up), piecing (up)

megfoltozható *a*, mendable

megfolyamod|ik *vt*, *[állást]* apply for (a post)

megfon *vt*, *[fonalat]* spin, *[hajat, szalmát]* plait, *[selymet]* throw, *[kosarat]* weave, *[füzért]* wreathe

megfontol *vt*, weight, balance, meditate, think over, ponder, consider, deliberate, reflect (up)on, turn over in one's mind, contemplate, put on one's thinking cap *(fam)*; *~ja szavait* weigh/measure one's words; *alaposabban ~va* on thinking it over, on second thoughts; *előre ~* premeditate; *újból/ ismételten ~ [kérdést]* reconsider (a question)

megfontolandó *a*, be worth considering, be worthy to be considered; *ez ~* this requires consideration

megfontolás *n*, reflection, consideration, meditation, deliberation, cogitation, thinking (over); *~ alapján* on examination/consideration; *alapos ~ után* on thinking it over, after due consideration, after/upon mature consideration; *hasonló ~ alapján* upon similar consideration; *hosszas ~ után* on reflection, after due deliberation, after much thought, upon more advice; *~ nélkül beszél* speak without fore-thought/thinking; *~ nélküli* impulsive; *~ tárgyává tesz* ponder over a question

megfontolási *a*, *~ idő* time for consideration/reflection

megfontolatlan *a*, **1.** *[ember]* thoughtless, inconsiderate **2.** *[szavak, cselekedet]* ill-considered, unconsidered, rash

megfontolatlanság *n*, thoughtlessness, inconsideration, indiscretion, rashness

megfontolt *[-at; adv -an]* *a*, **1.** carefully thought out, deliberate, well-judged/advised, thoughtful, sedate, *[ember]* staid, sober-minded, level-headed, steady-going, judicious, *[vélemény]* considered; *jól ~ válasz* a careful answer **2.** *előre ~t (jog)* wilful, deliberate, premeditated, aforethought; *előre ~ szándékkal* with/of malice aforethought/prepense; *előre meg nem fontolt* unpremeditated; *előre meg nem fontolt szándékból elkövetett emberölés* second-degree murder *(US)*; *meg nem fontolt* = **meggondolatlan**

megfontoltan *adv*, prudently, collectedly, coolly, sagely; *~ beszél* weight one's words; *~ cselekszik* act circumspectly/prudently, act with due consideration, mind one's p's and q's *(fam)*

megfontoltság *n*, **1.** level-headedness, staidness, discretion, deliberateness, thoughtfulness, prudence, sageness, sedateness **2.** *(jog)* premeditation

megfonnyad *vi*, wither/shrivel (up), dry up, shrink, parch, lose freshness/bloom/vigour

megfordít *vt*, **1.** *(ált)* turn (over, round, about, back), revolve, slew/slue round, *[fil tételt, optikai képet]* reverse, invert; *~ja a kulcsot a zárban* turn the key in the lock; *kétszer fordítja meg a kulcsot a zárban* double-lock (the door); *~ egy tételt (fil)* convert a proposition **2.** *[hajót]* about, bring/tack a ship about, *[járművet]* turn, swing round **3.** *[mozgást, sorrendet, áramot]* reverse; *~ hangzatot (zene)* invert a chord

megfordítás *n*, **1.** *(ált)* turning (round, over), reversal, inversion, slew-round, *[fil tételt, optikai képet]* reversing, inversion; *ítélet ~a (fil)* conversion of a proposition **2.** *[hajót]* tacking about, *[járművet]* turning, swinging round **3.** *[mozgást, sorrendé, áramé]* reversal, inversion, *(nyelvt)* inversion, *[törté]* inversion (of a fraction); *hangzat ~a (zene)* inversion of chord

megfordíthatatlan *a*, irreversible, non-reversible

megfordítható *a*, reversible, invertible, *(menny)* reciprocal

megfordíthatóság *n*, reversibility

megfordított *a*, **1.** reverse, converse, inverse, reversed, inverted, *(menny)* reciprocal, versed **2.** *[fejjel lefelé]* upside down

megfordítva *adv*, **1.** *[fejtetőre állítva, konkr.]* upside down, the wrong way up **2.** *[hátulja elöl]* hind(er)

part foremost *(fam)*, hind(er) side before *(fam)*, wrong side foremost *(fam)* **3.** *(átv)* the other way round
megfordul *vi*, **1.** *(ált)* turn (round, over, about, back), *[vk hirtelen]* whip/swing/spin round, turn short, *[vk után]* turn, face round, look back, *[ágyban]* roll over; *egy óra alatt ~* be back (again) in an hour; *a dolog azon fordul meg* it turns/depends/hinges upon ..., the key to the matter is ...; *~ a sírjában* turn in one's grave; *ettől ~ a sírjában* enough to make him turn in his grave; *a kocka ~t* the tables are turned, the tide has turned, the shoe is on the other foot; *~t a szerencséje* his luck has turned **2.** *[autó]* turn/swing round, *[hajó]* turn round, veer, change course, go/come/tack about, put about, *[lovas]* turn one's horse('s head), *[gyalogos visszamenve]* retrace one's steps, face round; *meg sem lehet ~ni a szobájában* there's not room to swing a cat in the study **3.** *[szél]* shift/work round, haul, *[időjárás]* be turning, change **4.** *(vk vhol)* *[társaságban]* mix (in society *v.* with people), move (in society), *[megjelenik]* turn up, make one's appearance, put in an appearance, *[helyen]* visit, *[gyakran]* frequent, haunt; *itt mindenféle ember ~* all sorts of people call here; *sokszor ~tam náluk* I've been in and out of their house a good deal; *sok vendég fordul meg náluk* they entertain a great deal; *sok pénz ~ a kezén* he handles a lot of money **5.** *a dolog azon fordul meg hogy* the matter depends/hangs/turns/hinges on; *~ vm az agyában* it occurs to him, various plans run through his mind, he turns it over in his mind; *~t a fejemben* it occured to me, it has struck me, I've already thought of it **6.** *[közvélemény]* swing over, swing back, veer (about)
megfordulás *n*, **1.** turn(ing), face-about, facing about, turning round/about/back **2.** *[járműé]* sweeping/turning round, cornering, slewing/swinging round, *[hajóé]* tacking, going about, *[hátra]* half-turn, *[hirtelen]* turning short, *[autóé]* slew/spin-round, *[lóé]* whip(ping) round **3.** *[szélé]* turning, shifting, changing **4.** *(műsz)* revolution **5.** *[nézeté]* veering, swing-over, swing-back, *[szerencséé]* sudden change (of fortune)
megforgat *vt*, **1.** turn over and over, revolve, rotate, *[kardot]* brandish; *~ta a botját a feje fölött* he whirled his stick round his head; *~ja a kést a szívében* turn the knife in the wound; *~ja a kulcsot a zárban* turn the key in the lock **2.** *[szénát]* turn, ted, toss (hay) **3.** *[földet]* turn over/up, plough up **4.** *[morzsában, lisztben stb.]* roll in **5.** *[megtáncoltat]* dance a few turns with (a girl/woman)
megforgatás *n*, **1.** turning over and over, revolving, rotating, *[kardé]* brandishing **2.** *[szénáé]* tedding, tossing, turning (of hay) **3.** *[földé]* turning over/up, ploughing up **4.** *[morzsában stb.]* rolling (in)
megformál *vt*, form, frame, mould, put/get into shape, fashion, work (on, out)
megformálás *n*, shaping, working, fashioning, modelling, moulding, formation, forming
megformuláz *vt*, *[gondolatot]* formulate, express in a formula, *[iratot]* draw up (in due form), formulate (document)
megforraszt *vt*, solder
megfoszt *vt*, **1.** *(vmtől)* deprive, divest, despoil, strip, rob, bereave *(ref.)* *(mind* of), *[birtoktól]* dispossess, eject, oust; *kenyerétől ~* take the bread out of sy's mouth; *reményétől ~* dash/frustrate the hopes (of sy); *szépségétől ~* strip of one's beauty; *~ árbocaitól [hajót]* dismast (a ship); *~ja a fát gyümölcsétől* rob a tree of its fruit; *~ja magát vmitől* divest oneself of sy **2.** *[állampolgárságától]* denationalize, *[állástól]* remove (from office), depose, discharge, dismiss, *[szavazójogtól]* disfranchise, *[tiszti rangtól]* reduce of the ranks ,*[tróntól]* dethrone; *~ (vkt) előjogoktól*

disprivilege (sy); *~ vkt hivatalától* divest sy of his office; *~ cselekvőképességtől/jogképességtől* incapacitate; *~ vkt vmlyen jogától* debar sy a right
megfosztás *n*, **1.** *(vmtől)* deprivation, deprival, stripping, dismissal, divestiture, *[birtoktól]* dispossession, eviction, *[reménytől]* frustration (of hopes) **2.** *[állampolgárságtól]* denationalization, *[állástól]* dismissal, *[szavazójogtól]* disfranchisement, *[katonai rangtól]* degradation, *[tróntól]* dethronement
megfő *vi*, cook, boil, be done to a turn, *[lassan]* simmer; *lassan/nehezen fő meg* take a lot of cooking
megfölösödlik *[-ött, -jön, -jék]* *vi*, skim over
megfőz *vt/vi*, **1.** cook, boil, *[lassan]* simmer; *majd én ~ők (biz)* I'll do the cooking **2.** *(vkt)* gain/win sy over, gain sy's sympathy, *[vk szívét]* make a conquest of sy, infatuate sy's heart; *~te a nőt (biz)* he made her dead stuck on him
megfőzés *n*, **1.** cooking, boiling, *[lassan]* simmering; *előzetes ~* pre-cooking, parboiling **2.** *(vkt)* winning over, gaining sy's sympathy
megfőzhetetlen *a*, uncookable
megfricskáz *vt*, rap sy on the nose, fillip/flick/flip with the finger; *~za vk fülét* flip sy on the ear, flip (at) sy's ear
megfröccsent *vt*, *[alkohollal]* lace, *[vízzel]* sprinkle
megfröcsköl *vt*, (be)spatter, splash
megfúj *vt*, **1.** *[trombitát]* sound **2.** *[ételt is]* blow
megfúl *vi*, = **megfullad**
megfullad *vi*, suffocate, stifle, *[vízben]* drown, get drowned, *[fojtogatástól, kötéltől]* get strangled/strangulated, *[gégén akadt vmtől]* choke, *[levegő híján]* asphyxiate; *rögtön ~ok* I feel like choking
megfulladás *n*, suffocation, death by drowning, *[levegő híján]* asphyxiation, choking
megfullaszt *vt*, suffocate, choke, stifle, drown, smother, asphyxiate, strangle
megfúr *vt*, **1.** drill, bore, perforate, pierce, hole, bore/ make a hole/opening in, *[hajót]* scuttle **2.** *[tárgyalást, tervet]* torpedo; *vkt ~ (biz)* attack treacherously/ surreptitiously, stab in the back, knife, *[hivatalból kipiszkál]* oust (sy from his office), edge out (of a job), put a knife into sy, crack sy's credit
megfut **I.** *vi*, **1.** *[elfut]* run away, flee, fly, take to one's heels, show a clean pair of heels, take to flight, beat a (hasty) retreat, beat/leg it *(fam)*, turn tail *(fam)* **2.** *(vasút)* *[kocsi tolatásnál]* run back **II.** *vt*, *[távot]* run, cover (distance)
megfutamít *[-ani, -ott, -son]* *vt*, put to flight, get on the run, rout; *~ja az ellenséget* send the enemy flying, put the enemy to flight/rout
megfutamodás *n*, **1.** flight, running away, escape (from battle etc.), rout **2.** *(átv)* desertion
megfutamodlik *[-tam, -ott, -jon]* *vi*, = **megfut I.**
megfutás *n*, *(vasút)* *[tolatásnál]* run-back, running back, *[motoré]* runaway
megfuttat *vt*, (make) run, *[lovat]* trot out
megfürdet *vt*, bath, give a bath to, bathe, *[megmerít vmben]* dip, steep, soak, drench, souse
megfürdlik *vi*, **1.** *[szabadban]* bathe, *[kádban]* take/ have a bath **2.** *itt állok megfürödve! (biz)* a lot of good it has done me, I'm left high and dry, and I am where I was, and all my efforts were in vain
megfüröszt *vt*, = **megfürdet**
megfüstöl *vt*, **1.** *(ált)* fumigate **2.** *[húst]* smoke, cure, smoke-cure
megfüstölés *n*, **1.** *(ált)* fumigation **2.** *[húsé]* smoking, curing
megfűszerez *vt*, season, spice, flavour *(mind:* with)
meggabalyodlik *vi*, *(biz)* go crazy, go off one's head, go potty, go off one's chump
meggátol *vt*, *(vkt vmben)* hinder, (de)bar, prevent, impede, keep sy from (doing sg), foreclose, preclude,

inhibit, *[vkt mozgásában]* encumber, *(vmt)* impede, stop, check, *[járvány terjedését]* stem; ~ *vkt vm megtételében (jog)* inhibit sy from doing sg

meggazdagodás *n*, growing rich, enrichment, enriching; *a ~ titka* the secret of how to grow rich, the secret of how to make a fortune

meggazdagod|ik *vi*, grow/get rich, make a fortune, come to wealth, enrich oneself, make money, make one's pile *(fam)*, feather one's nest *(fam)*, *[hirtelen]* strike oil, make money hand over fist

meggazdagsz|ik *vi*, = meggazdagodik

meggebed *vi*, 1. *[állat]* perish, die, *[ember]* drop down dead 2. *ha ~sz akkor sem!* not on your life!

meggémberedés *n*, 1. numbness 2. *[téli álomban]* torpor

meggémberedett *a*, numb(ed), torpid; *hidegtől ~ kéz* hands insensible from cold, hands numb with cold

meggémbered|ik *vi*, 1. grow numb, be numbed/torpified 2. *[hidegtől]* grow stiff with cold

meggondol *vt*, 1. think sg over, consider, reflect (up)on, weigh, ponder, turn sg over in one's mind, deliberate; *gondold meg!* think it over!, do consider!, mind you!; *kétszer is ~ja mielőtt* think twice before (doing sg); *gondold meg (jól)!* think it over!; *gondoljuk csak meg* let us consider; *ezt jól meg kell gondolni* this requires reflection, it is worth thinking over; *ha jól ~om* all things considered, when you come to think of it, on the whole; *jobban ~va* on second consideration, on second thought, now that I think of it; *majd ~om* I'll see about it; *mindent ~va* taking all things into consideration, on thinking it over, everything considered, on (further, mature) consideration/reflection, on second thoughts, after due/careful consideration 2. *~ja magát* change one's mind, alter one's opinion, think better of sg, go back on a decision, reconsider sg *(v.* one's opinion), have another think

meggondolandó [-t; *adv* -an] *a*, *[igével]* it is worth considering, it requires consideration *(v.* thinking over), *(kif)* think before you leap

meggondolás *n*, 1. reflection, thought, consideration; *azon a ~on alapul a vélemény* the opinion is based on the reasoning (that); ~ *nélkül* without thinking, hastily, thoughtlessly; ~ *nélkül cselekszik* act rashly/inconsiderately/carelessly, act without thinking/forethought *(v.* due consideration); ~ *tárgyává tesz* give consideration to, take sg into consideration/account; *érett ~ után* after due/careful/close/mature consideration/reflection; *hosszas ~ után* on mature reflection, after long deliberation 2. *[indítóok]* reason, motive; *~ok* reflections; *azon ~ból kiindulva* upon... consideration, assuming that, starting from the assumption, with the consideration in mind that...

meggondolási *a*, ~ *idő* time for consideration, respite, time to think matters over

meggondolatlan *a*, 1. *[beszéá]* foolish, *[szavak]* rash, unguarded, hasty; ~ *megjegyzés* careless/injudicious remark 2. *[cselekedet]* ill-considered/advised, unconsidered, thoughtless, rash, hasty, precipitate, *[ember]* careless, unthinking, inconsiderate, hasty, rash, foolhardy, unreflecting, flighty, scatter/hare--brained, harum-scarum, *[főnévvel]* hothead

meggondolatlanság *n*, 1. *[tulajdonság]* thoughtlessness, heedlessness, precipitation, hotheadedness, inconsideration, want of consideration, rashness 2. *[tett]* thoughtless action, inprudent act, piece of carelessness

meggondolatlanul *adv*, without due reflection, unthinkingly, rashly, heedlessly; ~ *beszél* speak without forethought; ~ *viselkedik* be guilty of an indiscretion

meggondolkoztató *a*, giving food for thought *(ut)*

meggondolt [-at; *adv* -an] *a*, 1. *[cselekedet, vélemény]* deliberate, considered, *[válasz]* careful, well-weigh(t)-

ed/considered 2. *[ember]* thoughtful, staid, serious-minded, level-headed, grave, sedate, steady, circumspect

meggondoltan *adv*, prudentially, sedately, calmly, without hurry, deliberately

meggondoltság *n*, deliberateness, deliberation, staidness, circumspection, circumspectness, prudence, carefulness

meggörbed *vi*, bend, stoop, *[súly alatt gerenda]* give, sag

meggörbít *vt*, crook, make crooked, bend, (in)curve, arch, incurvate, *[felszínt]* camber, *[macska hátát]* hump

meggörbítés *n*, (in)flexion, bending

meggörbül *vi*, bend, crook, curl, grow/become crooked/bent, arch, incurvate, *[súly alatt]* sag, *[gerenda]* yield, *[vetemedik]* warp, buckle, *[kerék, rúd]* warp, bend, *[hátgerinc]* be(come) incurved, get a stoop; *egy hajszála sem fog ~ni* not a hair of his head shall be hurt

meggörbülés *n*, bending, *[teher alatt]* sagging, *[gerendáé]* yield, *[vetemedés]* warping

meggörnyed *vi*, become bent/bowed, (have a) stoop, bend (double), double over; *~ve jár* walk with a stoop

meggörnyeszt *vt*, *[hátat, vállat]* bow, hunch

meggratulál *vt*, congratulate (sy on sg)

meggyaláz *vt*, 1. *(ált)* outrage, insult, disgrace, dishonour, bring disgrace/dishonour (up)on, *[hírnevet]* cast aspersions *(v.* a slur) (on sy's reputation), stain, tarnish, sully, besmirch, *[szentélyt]* desecrate 2. *[nőt]* defile, violate, deflower, ravish, rape

meggyalázás *n*, 1. *(ált)* outrage, flagrant insult (against), tarnishing, disgrace, shame, opprobrium, infamy, sullying 2. *[nőt]* defilement, violation, defloration, ravishing, rape, desecration

meggyalázó *a*, disgraceful, deflamatory, outragous, ignominious

meggyalázott [-at; *adv* -an] *a*, dishonoured, disgraced, violated

meggyalul *vt*, plane

meggyantáz resin, rosin (violin bow), rub with rosin

meggyanúsít *vt*, cast suspicion on, inculpate, incriminate, suspect (sy of sg)

meggyanúsítás *n*, suspicion, incrimination

meggyászol *vt*, 1. *(ált)* mourn, grieve, lament (for) 2. *[gyászt ölt]* go into mourning/black (for sy), *[gyászt visel]* wear (in) mourning, wear weeds

meggyengít *vt*, weaken, enfeeble, debilitate, enervate, impair, sap

meggyengítés *n*, weakening, enfeebling, debilitating, enervation

meggyengül *vi*, grow/become weak(er)/feeble(r), lose one's strength

meggyengülés *n*, weakening, losing one's strength

meggyérül *vi*, become scarce/rarefied, rarefy

meggyilkol *vt*, murder, assassinate, do in *(fam)*, bump off *(US)*

meggyógyít *vt*, heal, cure, restore (sy) to health, make better/well, bring (sy) back to health, recuperate, pull round/through *(fam)*

meggyógyítás *n*, curing, healing, making better/well

meggyógyítható *a*, healable, curable, recuperable, recoverable

meggyógyul *vi*, 1. *[beteg]* recover, *[beteg]* recuperate, recover/regain one's health, come through (an illness), get over an illness, be restored to health, get well again, pull through/round *(fam)*; *már ~t és kijár* he is up and (ab)out again; *gyógyulj meg!* get better! 2. *[seb]* heal; *a tüdeje ~t* his lung healed

meggyógyulás *n*, 1. recovery, recuperation 2. *[sebé]* healing

meggyomroz *vt*, give sy a bellyful (of drubbing), give sy a drubbing in the stomach

meggyón vi/vt, confess (one's sins), go to confession, (vknek) confess oneself (to)

meggyóntat vt, confess, hear sy's confession, shrive (obs)

meggyorsít vt, accelerate, precipitate, quicken, speed up, lend wing to, step on it ◇ step on the gas ◇, [végrehajtást] hasten, expedite, give impetus to, hurry on; ~ja lépteit increase/hasten/mend/quicken one's pace, hurry on, get a hustle on (US fam)

meggyorsítás n, acceleration, precipitation, [munkáé] hastening, speed(ing)-up, pushing forward

meggyorsul vi, accelerate, precipitate, become faster, gather momentum/speed/pace, gain impetus, quicken, pick up speed

meggyorsulás n, acceleration, precipitation, gathering momentum/speed, quickening

meggyökeresedés n, 1. (növ) rooting, taking root 2. (átv) inveteracy

meggyökeresedett [-et; adv -en] a, deep-rooted/seated, (átv) inveterate, deeply rooted, ingrown, ineradicable, [betegség] intractable; ~ gyűlölet riveted hatred; ~ szokások ingrained habits

meggyökeresed|ik vi, = meggyökerezik

meggyökerezett [-et; adv -en] a, = meggyökeresedett

meggyökerezettség n, (deep-)rootedness, inveteracy

meggyökerez|ik vi, 1. take/strike root 2. (átv) become established/indurate/inveterate (v. deeply rooted), take hold

meggyökereztet vt, 1. [növényt] help to strike root 2. (átv) establish

meggyötör vt, torture, torment, rack, keel-haul, excruciate, mortify

meggyőz vt, 1. (vmről) convince of, persuade of 2. (vkt) talk/win sy round/over, gain over, carry one's point; ~ vmről vkt bring/drive sg home to sy; ~ vkt arról hogy... satisfy sy that...

meggyőzés n, conviction, persuasion

meggyőzhetetlen a, inconvincible, not to be convinced/persuaded (ut), (kif) he turns a deaf ear to

meggyőzhető a, (vmről) persuadable (of), persuasible (of), convincible, open to conviction (ut); nehezen ~ hard of belief, hard to convince; szép szóval ~ amenable to reason

meggyőző a, convincing, satisfying, persuasive, [nyomatékos] cogent, [ékesszólás] persuasive, [érv] stringent, conclusive, [indok] potent; ~ bizonyíték strong evidence, substantial proof, prima facie evidence; ~ hangon/módon convincingly; ~ történet probable story; ez nem ~ unconvincing, inconclusive, (kif) it does not carry conviction; ~ amit ön mond there is force in what you say

meggyőződés n, conviction, persuasion, belief, certitude; belső ~ deep-seated conviction; szilárd ~ settled/firm belief/conviction, firmly anchored faith; ~ nélkül half-heartedly, in a half-hearted manner; ~e ellenére against one's will; az a ~e (hogy) be convinced (that); jobb ~e ellenére against his better judgement; jobb ~e ellenére cselekszik act against one's convictions; abban a szent ~ben in the firm belief; ~ből from conviction; ~ből tesz act from conviction, act up to one's convictions; erre vonatkozóan az a ~e his conviction on that point is...; a ~ ereje/mélysége the intensity of conviction; ~sel whole-heartedly, firmly, convincingly

meggyőződéses [-et; adv -en] a, convinced, out-and-out, professed, to the core (ut); ... hive hearty sup porter of ...; ~ marxista a professed Marxist; ~ republikánus honest-to-goodness republican; ~ szocialista a declared Socialist

meggyőződ|ik [-tem, -ött, -jön, -jék] vi, (vmről) be convinced/persuaded of, convince oneself of, make sure/certain of, ascertain, find out; legyen ~ve you

may rely/depend upon it; meg lehet győződve (vmről) you may rest assured; meg vagyok róla győződve it is my belief, I am convinced, I am sure/persuaded/ positive/certain/satisfied, I firmly believe, I have satisfied myself (that); meg vagyok győződve ártatlanságáról I am convinced of his innocence; meg vagyok győződve becsületességéről I am persuaded of his honesty; meg van győződve róla hogy győzni fog confident of winning, confident that he will win; meg van győződve a sikerről have great confidence of success; győződjön meg saját maga judge for yourself; győződj meg a saját szemeddel (is) see for yourself

meggyőzően adv, convincingly, persuasively; ~ bebizonyít vmt vknek prove sg to sy's satisfaction; nem hat ~ ring false

meggyújt vt, 1. [cigarettát, lámpát, pipát, tüzet] light, set light to, put a match to, [gyújtózsinórt] prime, [gyufát] strike a match, [öngyújtót] flick (on); ~ja a gyertyát light the candle 2. [felgyújt] set fire to, set alight/ablaze/aflame, set on fire, kindle (ref.), inflame (ref.), ignite (ref.) 3. [villanyt] switch/turn/put on; ~ja a gázt [tűzhelyen] turn on the gas, put the gas on; ~ja a lámpát put on the light; a lámpa meg van gyújtva the light is on/lit

meggyújtás n, 1. [cigarettáé] lighting, [fáé stb.] kindling, [tüzelőanyogé stb.] inflammation 2. [felgyújtás] setting fire to, setting ablaze/aflame, setting on fire 3. [villanyé, gázé] switching/turning/putting on

meggyullad vi, catch/take fire, [gyufa] strike, [lángra kap] burst into flame, blaze/flare up, ignite, kindle, inflame; ~t benne a szesz he died of spontaneous combustion

meggyulladás n, catching/taking fire, inflammation, ignition; meg nem gyulladás non-inflammation

meggyullaszt [-ani, -ott, ...sszon] vt, = meggyújt

meggyúr vt, 1. [tésztát] knead (thoroughly) 2. (vkt) massage 3. ~ vkt (biz átv) work (up)on sy, win sy over

meggyűl|ik vi, 1. (orv) fester, suppurate, gather, come/gather to a head, form into an abscess, ulcerate 2. (átv) ~ik a baja vkvel have trouble with sy, get into trouble with sy, get into a scrape with sy; velem gyűlik meg a baja (ha) he will be up against me (if, unless), he will catch it from me (if, unless) (fam) 3. = felgyülemlik

meggyűlöl vt, come/begin to hate/detest, take/conceive a strong hatred/aversion for (v. dislike to) (sy, sg)

meggyűlöltet vt, bring/cast odium upon (sy), make (sy) hated; ~i magát vkvel draw upon one the hatred of sy

meggyűlt a, festered, suppurated, gathered, ulcerated; ~ ujj gathered finger

meggyűrőd|ik vi, = összegyűrődik

meggyűrűz [-ött, -zön] vt, [madarat] ring, put rings on

meghabarod|ik vi, 1. [zavarba jön] get confused/ flurried/flustered/perplexed/nonplussed 2. [elme] become deranged/unbalanced/unhinged

megháborít vt, 1. [zavar] trouble, disturb, [boldogságot] spoil, mar 2. [vk elméjét] derange, unhinge, unsettle

megháborod|ik [-tam, -ott, -jon, -jék] vi, lose one's reason, become insane/deranged

megháborodott a, deranged, unbalanced, unhinged

meghág vt, [mén] cover, horse, serve, [bika] cover, [kutya] line, [ló] tup

meghágat vt, have (a mare) covered/served; ~ja a tehenet put bull to cow

meghagy vt, 1. [vmely állapotban] keep, leave (in a certain state), [polgári állásban kat] defer, declare sy "not avaible" for military service 2. (vknek vmt) let sy keep sg, [félretesz] save (for) 3. [hátra-

hagy] have sg left over, have sg to spare, *[érintetlenül]* leave sg untouched, *[máskorra]* leave sg over 4. *[utasít]* bid, enjoin, direct, order, charge (sy with), commission/instruct sy (to do sg), call upon 5. *azt meg kell hagyni hogy* ... it cannot be denied/gainsaid that, it must be acknowledged that, there is no denying it that, it must be granted (that), that much I will say for them ...

meghagyás *n*, 1. *polgári foglalkozásban való ~ (kat)* retention in reserved occupation, draft deferment 2. injunction, charge, order, enjoinment, commission, summons *(pl)*, behest, *[írásbeli]* warrant; *fizetési ~* order for payment, order to pay, payment summons

meghagyott *a*, left over, remaining, remnant; *~ étel* leftover(s), remnant(s) of food

meghajigál *vt*, pelt (with), pellet

meghajlás *n*, 1. *[köszöntés]* bow, bowing, inclination of the head, bob *(fam)*, *[bók]* curts(e)y, obeisance, *[behódolás]* submission; *kimért/merev ~* stiff bow; *mély ~* profound bow 2. *[tárgyé]* bending, yielding, sagging

meghajl|ik *vi*, 1. bend, become bent/twisted, curve, stoop, double over, buckle, *[vk/vm vmlyen teher alatt]* sag (under weight) 2. *[vm előtt]* bow (before sy/sg), bow/submit to (circumstances), incline oneself; *~ vk akarata előtt* bend to sy's will; *~ik a tények előtt* acknowledge the evidence of facts; *~ik a túlerő előtt* yield to superior numbers

meghajlít *vt*, bend, bow, turn, curve, inflect, crankle, buckle, warp

meghajlítás *n*, bending, bowing, inflexion, inflection, flexion

meghajol *vi*, bow, make an obeisance, *[nő bókol]* drop a curtsey, *[alázatoskodva]* ko(w)tow; *mélyen ~ vk előtt* make a deep/low bow to sy; *~ vk érvei előtt* bow/yield to sy's arguments

meghajszol *vt*, *[üldöz]* pursue, follow hot on the track of

meghajt[1] *vt*, *[fejet]* bend, bow, incline, *[térdet]* bend, *[zászlót]* lower the colours, dip the flag; *~ja magát* (make one's) bow, make obeisance, *[nő]* curtsey, *[vm előtt átv]* bow to, submit to

meghajt[2] *vt*, 1. *[lovat]* overdrive, override 2. *[kereket]* drive, *[gépet]* actuate 3. *(orv)* purge, scour, open *(v.* clear out) the bowels 4. *[erdőt]* beat (a wood)

meghajtás[1] *n*, bend(ing), bow(ing), lowering, inclination

meghajtás[2] *n*, 1. *(műsz)* drive, driving, propulsion; *felső ~* overhead drive 2. *(orv)* purging

meghajtású *a*, *motor ~* motor-driven; *rugós ~* spring--driven

meghajtó *a*, *(műsz)* driving; *~ erő* driving/operating/ motive power/force; *~ kerék* driving gear; *~ lánc* driving chain; *~ tárcsa* operating/driving disc; *~ tengely* driving axle/shaft, wheel-drive shaft; *ld még* hajtó összetételei

meghajtómű *n*, driving gear

meghal *vi*, 1. die, pass away, decease; *~t he* died, he met his death, he is gone; *fiatalon hal meg* die young, come to an untimely end; *sose halunk meg!* away with fear!; *inkább ~ok* I will sooner die; *vértanúként hal meg* die a martyr; *~t és eltemették* dead and buried; *munka közben hal meg* die at the oar *(fam)*, die in harness *(fam)*; *és még ma is élnek ha meg nem haltak* and they lived happily ever after 2. *majd ~ vmért (biz)* be dying for sg, have a rage for sg, be crazy for sg; *~ bánatában* die of a broken heart, die of grief; *majd ~ az éhségtől (biz)* be faint/dying with hunger; *majd ~ nevettében (biz)* die with laughter; *meg kell halni a nevetéstől* it would make a cat laugh; *~t a világ számára* dead to the world; *ha olvas ~t számára a világ* when he is reading he is lost to the world

meghál *vi*, stay/sojourn overnight (somewhere), take a night's lodging, put up for the night at, pass/spend the night at

meghalad *vt*, 1. *[térben]* surpass, be greater/higher than, *[magasságban]* (over)top, stand taller than; *számbelileg ~* outnumber, exceed in number 2. *(átv)* exceed, transcend, be/go beyond, outdo, *[színvonalat]* rise above, be superior to; *minden képzeletet ~* be beyond comprehension, it defies imagination; *~ja erejét* it is beyond his power/means/strength, it is beyond him, it is too much for him; *~ja az anyagi erejét* be beyond one's purse; *az ár nem haladhatja meg ezt az összeget* the price must not exceed this sum; *ez ~ja hatáskörömet* that is beyond/ outside my scope; *~ja képességeimet* it is too much for me, it is above/beyond me, it passes *(v.* is above/ beyond) my comprehension, it licks me *(fam)*; *~ja a hallgatóság értelmi színvonalát [előadás stb.]* be over the heads of the audience; *~ja a várakozást* it is more than was expected, it is beyond expectation

meghaladó *a*, *korát ~ (átv)* ahead of one's time *(ut)*, *[gyerekről]* old for one's years *(ut)*

meghaladott *a*, *~ álláspont* exploded/discredited idea/ theory, view-point that has had its day

meghálál *vt*, make return (for), show one's gratitude (for), acknowledge, reciprocate

meghalás *n*, dying, decease, passing away, demise *(ref.)*, becoming extinct

meghálás *n*, night-lodging, overnight stay, putting up overnight

meghall *vt*, 1. *[füllel]* hear 2. *[véletlenül]* overhear 3. *[megtud]* come to know/learn of, hear of, get to know, come to one's knowledge/ears, get wind of; *~ egy hírt* hear a piece of news

meghallgat *vt*, 1. *(vkt)* listen to, hear, *[vk mondanivalóját]* give sy a hearing, give an ear *(v.* ears) to 2.*[kérést]* grant (request), answer (prayer), fulfil; *hallgasson meg!* give me a hearing, listen to me; *nem akarja ~ni* turn a deaf ear to 3. *(orv)* examine by auscultation, auscult, sound

meghallgatás *n*, 1. hearing, audience; *~a nélkül elítél vkt* condemn sy without a hearing; *~ra talál* gain a hearing; *~t kér* ask to be allowed to speak, ask for an audience; *~t nyer vknél* gain sy's ear 2. *[színészé, énekesé stb.]* audition

meghallható *a*, hearable, audible

meghamisít *vt*, 1. *[ált]* falsify, tamper with 2. *[élelmiszert]* adulterate, doctor, sophisticate; *ezt a bort ~ották* this wine has been loaded 3. *[írást, okmányt]* forge, fake *(fam)*, *[igazságot]* distort, *[hírt, tényt, történelmet]* garble, *[jelentést, szöveget]* doctor, cook, garble, fake, *[számeredményeket]* cook, monkey with, doctor; *~ja az igazságot* twist the truth; *~ja a választás eredményét* doctor election returns

meghamisítás *n*, 1. *[ált]* falsification, tampering (with) 2. *[élelmiszeré]* adulteration, doctoring, sophistication 3. *[írást, okmányt]* forging, faking *(fam)*, *[igazságé]* distortion, *[híré, tényé, történelemé]* garbling, *[eredményeké]* cooking, monkeying, doctoring

meghamisítható *a*, falsifiable

meghámoz *vt*, *[gyümölcsöt, zöldséget]* peel, skin, *[zöldséget, burgonyát]* pare; *könnyű ~ni* it peels easily

meghámozás *n*, peeling, paring, skinning

meghamvaz *vt*, *(vall)* bestrew sy with ashes, scatter ashes over sy

meghangol *vt*, tune (up)

meghánt *vt*, 1. *[fát]* (strip the) bark (off), *[rizst]* husk 2. *[lő patáját]* pare

meghány *vt*, = **meghány-vet**

meghány-vet [meghányta-vetette] *vt*, 1. *[magában]* turn sg over (and over) in one's mind, debate with oneself, put on one's thinking cap *(fam)*, chew sg over *(fam)* 2. *[mással]* examine minutely the pros and cons, go over (a matter) again and again; *meghánytuk-vetettük a dolgot* we laid/put our heads together

megharagit [-ani, -ott, -son] *vt*, (rouse sy's) anger, irritate, annoy, make (sy) angry, get sy's temper up, put (sy) in a passion, incense *(ref.)*, rile ⟡

megharagsz|ik *vi*, grow/get angry/annoyed/furious, take offence, get sore *(fam)*, get into a wax *(fam)*, *(vkre)* get angry/annoyed with sy, fall out with sy, get sore at sy

megharap *vt*, bite, snap (at); *a kutya ~ta a lábamat* the dog bit my leg, the dog bit me in the leg

megharcol *vi/vt*, *(vmvel)* fight with; *harcunkat ~tuk* we have fought our fight, we have done our part

megháromszoroz *vt*, treble, triple, (increase) threefold

megháromszorozódás *n*, trebling, tripling

megháromszorozód|ik [-ott, -jon, -jék] *vi*, treble, triple, (increase) threefold

megharsan *vi*, sound, *[mennydörgés]* rumble

meghártyásod|ik *vi*, 1. *[tej]* skim/film over 2. *[víz]* cat-ice appears, ice-over

meghasad *vi*, 1. tear, split, crack, burst, shatter, fissure, rupture, *[felhő]* burst, break, *[hasadék]* open up, *[szövet stb.]* rend 2. majd *~ a szíve* it breaks one's heart, one's heart almost breaks; *majdnem ~t a szíve a sírástól* she cried fit to break her heart

meghasadoz|ik *vi*, tear/burst/split in many parts, crack on several points, disrupt

meghasonlás *n*, quarrel, disunion, discord, dissension, disagreement, disruption, strife, division, *[környezettel]* maladjustment, *[testületben]* domestic discord, dissension

meghasonl|ik [-ani, -ott, .. noljon] *vi*, *(vkvel)* quarrel with, fall out with, break with, be at variance with (sy about sg), *[önmagával]* come into conflict *(v.* be at variance) with oneself; *~anak egymással* be at odds, come to loggerheads

meghasonlott [-at; *adv* -an] *a*, disunited, at variance, maladjusted, *[nemzet]* divided against itself, *[lélek]* unbalanced, rent with inner conflict *(ut)*

meghat *vt*, touch, move, affect, pierce, penetrate, reduce sy to sg; *vkt a könnyekig ~* move/reduce sy to tears; *nem hatja meg* be unimpressed/unmoved/untouched by, be cold to; *meg volt hatva* he was touched/moved

meghatalmaz [-tam, -ott, -zon] *vt*, 1. *(vkt vmre)* authorize, empower, invest (sy) with authority, furnish (sy) with full powers, give (sy) authority to do sg, *(jog)* confer powers of attorney on 2. *[követet]* accredit to

meghatalmazás *n*, 1. *(ált)* procuration, mandate, proxy, warrant, *(vmre)* authority, authorization, power, *[követi]* credentials *(pl)*, letter of credence 2. *[ügyvédi]* (legal) retainer, letter/power of attorney, powers *(pl)*; *~ nélkül* unauthorized; *a ~ tényénél fogva* by commission; *~ból jár el* act by procuration; *általános ~ [ügyvédi]* general power of attorney; *helyettesítési ~* power of substitution; *írásbeli ~* authorization in writing; *~t ad vknek* confer powers of attorney on sy, authorize

meghatalmazó [-t] I. *a*, authoritative, empowering; *~ levél* letter of attorney/procuration II. *n*, principal, mandator; *~ és meghatalmazott* principal and agent

meghatalmazott [-at, -ja, *adv* -an] I. *a*, authorized, of authority *(ut)*, empowered, *[diplomáciában]* accredited; *~ miniszter* minister plenipotentiary II. 1. *n*, 1. procurator, proxy, attorney, authorized agent, mandatory, mandatary, representative, delegate, commissioner, trustee; *általános~* general agent; *a ~am [ügyvéd]* he holds my power of attorney,

he stands proxy for me; *~ útján* by proxy 2. *[követ]* plenipotentiary; *~ak értekezlete* conference of plenipotentiaries

meghatároz *vt*, 1. *[értéket,fajtát,területet]* determine 2. *[fogalmat]* define, *[hatáskört]* circumscribe, *[irányvonalat]* lay down 3. *[helyet]* locate, position, fix, localize; *~za (hajó) helyzetét* fix one's position 4. *[időpontot, tervet]* fix, settle, *[napot]* appoint 5. *[növényt]* classify, identify, *[új jelenséget]* write systematic description of 6. *[műalkotást]* identify, *[vmnek szerzőjét]* establish (authorship) 7. *(vegyt) [adagot mennyiségileg]* determine (quantity), *[folyadékot]* titrate; *~za az x értékét (menny)* give x a value 8. *[vmt közelebbről]* specify, determine specifically, *[minőséget]* determine, condition, *[munkamódszert]* decide upon, *[törvényben]* stipulate, lay down; *árat ~* fix/name/quote a price; *~za az ember napi teljesítőképességét* limit the amount of work a man may do in a day; *~za a tengervíz sótartalmát* determine the salt in sea water; *a társadalmi lét határozza meg a tudatot* it is men's social being that determines their consciousness 9. *(orv)* diagnose

meghatározás *n*, 1. *[értéké, területé]* determination, *[faji]* determination of species 2. *[fogalomé, szótári]* definition; *elvi ~* abstract definition 3. *[időponté, tervé]* fixing, settling, appointing, settlement, *[helyé]* location 4. *[növényé]* classification, identification 5. *[műalkotásé]* identification, *[műemlék szerzőségé]* attribution 6. *(orv)* diagnosis; *vérzési idő ~a* bleeding time test 7. *(vegyt)* quantity determination, determination assay, *[folyadéké]* titration, *[adagolásé]* dosimetry 8. *[közelebbi]* specification, *[hatásköré]* circumscription 9. *(jog)* stipulation

meghatározatlan *a*, undefined, undetermined

meghatározhatatlan *a*, indefinable, undefinable, undeterminable, unascertainable, vague, elusive, *[érzés]* difficult to describe *(ut)*, uncertain, *[szín]* nondescript; *~ vágy* wistfulness

meghatározhatatlanság *n*, indefinability

meghatározható *a*, 1. definable, determinable 2. *[betegség]* diagnosable

meghatározó *a*, *(nyelvt) [névmás, mellékmondat]* determinative; *~ tényező/elem* determinant

meghatározott *a*, definite, well-defined, determined, precise, *[cél]* specific, particular, limited, *[irány, szám, idő]* given, *[nap]* fixed, settled, appointed; *~ árú (ker)* with fixed prices *(ut)*; *~ esetekben* in definite/certain cases; *~ helyen* in a specific/particular place; *~ időpontban/időben* at a definite hour, at a stated time; *~ időközökben* at stated intervals; *~ időre* by a certain date, for a definite/fixed time/ period; *~ időre vagy örökre* for a specific time or forever *(US)*; *~ irány (hajó)* laid course; *~ keretek között* within a set scope; *~ méret* specified dimension; *~ napon írt mindig* he used to write on a certain day; *~ üzleti órák* stated hours of business; *meg nem határozott* inexplicit

megható [-t; *adv* -an] *a*, touching, moving, affecting, pathetic, soul/heart-stirring

meghatód|ik [-tam, -ott, -jon, -jék] *vi*, be touched/ affected/moved; *~ik a látványtól* be overcome by a spectacle; *nem hatódik meg vmn* be untouched by sg

meghatott [-at; *adv* -an] *a*, touched, affected, moved

meghatottság *n*, emotion

meghátrál *vi*, 1. move/step/draw/fall back, retire, give ground/way, yield ground 2. *(csak átv)* flinch, back out/down, retreat, ba(u)lk (at sg), recoil (from), shrink (from), quail (from), blench (from); *~ vmnek a megtétele elől* stick at doing sg; *~ a nehézség elől* stick at a difficulty

meghátrálás *n*, 1. *(konkr)* falling back, retreat, scuttling (from a position), climbing/backing down 2.

(csak átv) retreat,recoil(ing) (from),shrinking (from), quailing (from), flinching (from), ba(u)lking (at), blenching (from)

meghatszoroz *vt,* sextuple

meghatszorozód|ik *vi,* sextuple

meghatva *adv,* touched, affected, moved, with feeling; *könnyekig* ~ moved to tears

meghatványoz *vt, [erőt]* multiply

meghatványozód|ik *vi,* be multiplied, multiply

megházasít *vt,* marry, wed, *[férfit]* marry

megházasod|ik *vi,* marry, get married, take a wife; *újra* ~*ik* re-marry, marry again *(v.* a second time); *nem házasodik meg* remain unmarried/single; ~*tak* they got married

meghazudtol *vt, (vkt)* give/return the lie to, belie, *(vmt)* deny, contradict, confute; *az események* ~*ták aggodalmainkat* events proved our fears to be unfounded

meghazudtolás *n,* confutation

meghegyez *vt,* 1. point, spike, sharpen 2. *[ceruzát]* sharpen, *[újra]* re-sharpen

meghegyezés *n,* 1. pointing, spiking, sharpening 2. *[ceruzáé]* sharpening, *[újra]* re-sharpening

meghempereg *vi, (vmben)* roll/tumble about (in sg), roll over and over (in sg), *[sárban]* welter, wallow

meghemperget *vt, (vmben)* roll about (in sg), roll over and over (in sg)

meghempergetés *n, (vmben)* rolling (in sg)

meghengerel *vt,* roll (down), *(műsz)* calender

meghengerget *vt,* roll, trundle, tumble

meghétszerez [-tem, -ett, -zen] *vt,* septuple

meghétszereződ|ik [-ött, -jék, -jön] *vi,* septuple

meghi *vt,* = **meghív**

meghibásodás *n, [járműé]* breakdown, *[gépé]* failure

meghibásod|ik [-tam, -ott, -jon, -jék] *vi, (ált)* develop a fault, *[jármű]* break down, drop out (of service), *[gép]* get out of order/gear

meghibásodott *a, [szerkezet]* out of order/gear *(ut)*

meghibban [-t, -jon] *vi,* go mad, become unbalanced/ unhinged, go off one's head, go dotty ◇, go off one's nut/onion ◇, go queer ◇

meghibbant *a,* not quite right in one's head *(ut),* slightly cracked, weak in the upper storey *(ut),* potty *(fam), (kif)* have a tile/screw loose; ~ *elméjű* of a deranged/unhinged mind *(ut)*

meghideged|ik *vi, [idő]* grow/become/turn cold(er)/ chilly

meghiggad *vi,* 1. *[indulat]* become appeased, calm down, grow quiet 2. *[fiatalember]* sober/settle down

meghígít *vt,* = **felhígít**

meghint *vt,* 1. sprinkle/powder/dust/dredge/bestrew sg with sg; ~ *vmt cukorral* sprinkle/powder/dust/ dredge sg with sugar, sugar sg 2. *(egyh)* asperge, sprinkle

meghintés *n,* powdering, dusting, sprinkling, *[folyadékkal]* aspersion, spraying

meghirdet *vt,* 1. *[előadást]* announce, call 2. *[pályázatot]* invite tenders/applications, advertise 3. *[házasságot]* put up the banns

meghiszem azt I should rather think so, I dare say, don't I know it!

meghitelez *vt,* credit a sum to sy, credit sy with a sum, give sy credit, enter/put a sum to sy's credit, open credit in favo(u)r of sy

meghitelezés *n,* 1. *[okmány]* letter of credit; *alap* ~ original letter of credit; *átruházható* ~ transferable letter of credit; *feltételhez nem kötött* ~ clean letter of credit; *igazolt* ~ confirmed letter of credit; *kereskedelmi* ~ commercial letter of credit; *látra szóló* ~ sight letter of credit; *megosztható* ~ divisible letter of credit; *megújuló/feltöltődő/rulírozó* ~ revolving letter of credit; *preavízós* ~ letter of credit with

previous notice; *részleges* ~ partial letter of credit; *visszavonható* ~ revocable letter of credit; *visszavonhatatlan* ~ irrevocable letter of credit; ~*re pénzt' vesz fel,* ~*t bevált* draw against a letter of credit; ~*t felhasznál* utilize a letter of credit; ~*t helyesbít' módosít* amend/modify a letter of credit; ~*t meghosszabbít* extend a letter of credit; ~*t nyit* establish/ open a letter of credit; ~*t visszavon* revoke a letter of credit; *a* ~ *kimerült* the letter of credit has been exhausted; *a* ~ *lejárt* the letter of credit has expired 2. issue of a letter of credit, opening of credit in favo(u)r of sy

meghitelezett *a, (pénz)* ~ *fél* accreditee

meghiteltet *vt,* † administer the oath to sy, put sy on oath

meghitt [-et; *adv* -en] *a,* intimate, familiar, confidential, internal; ~ *barát* bosom/particular/close/intimate friend; ~ *beszélgetés* heart-to-heart talk; ~ *sarok* cosy/snug corner; ~ *viszonyban áll/van vkvel* be on terms of great familiarity *(v.* intimacy) with sy

meghitten *adv,* intimately

meghittség *n,* intimacy, familiarity, *[kapcsolaté, cselekedeté]* immediacy

meghiúsít [-ani, -ott,-son] *vt,* 1. *(ált)* frustrate, baffle, ba(u)lk, foil, mar, nip, thwart, blight, bring to nought, shatter, defeat, prevent, countermine; *vk reményeit* ~*ja* dash/shatter/blast sy's hopes 2. *[tervet]* upset, disconcert, wreck, bring about the failure (of a plan), queer sy's pitch, spike sy's guns, upset sy's apple-cart; ~*ja vknek a terveit* cross/balk sy's plans, interfere with sy, interfere in sy's affairs, counter sy's designs

meghiúsítás *n,* 1. frustration, destruction, thwarting, shattering, disconcertion 2. *[tervé]* overthrow, upsetting, wrecking

meghiúsul [-t, -jon] *vi,* fail, miscarry, prove abortive, fall through, fall to the ground, come to grief/nothing/naught, be frustrated/thwarted/undone; *tervei/ számításai* ~*tak* his plans/calculations have miscarried/misfired

meghiúsulás *n,* frustration, failure

meghiúsult *a, [cselekvés]* frustrated, *[remény]* shattered, withered

meghív *vt,* 1. *(vmre)* invite, *[vacsorára]* invite, ask (sy to dinner), *[teára]* invite (for tea); *ma estére már meg vagyok hívva* I'am already engaged/booked for this evening; *tisztelettel* ~*om vacsorára okt 25-ére* Mr. L. Ország requests the pleasure/honour of your company to dinner on 25 October (at 6 p.m.) 2. *[állásra, tanszékre]* appoint sy

meghívás *n,* 1. invitation, *[telefonbeszélgetésre]* avis d'appel call; *állandó* ~*a van* have a standing invitation; *eleget tesz a* ~*nak* accept the invitation, keep an appointment; ~*t kap ebédre* get/receive an invitation to lunch 2. *[állásra, tanszékre]* appointment by invitation

meghívásos *a,* 1. ~ *telefonbeszélgetés* personal call, person to person call, avis d'appel call 2. ~ *mérkőzés* invitational/challenge competition/match

meghívat *vt,* have/get invited

meghívó I. *a,* inviting II. *n,* invitation (card)

meghívott I. *a,* invited, asked; ~ *előadó [egyetemen]* (temporary) lecturer, charge de cours *(fr)* ; ~ *vendég [klubban]* non-member II. *n, a* ~*ak* the guests

meghíz|ik *vi,* become/grow/get fat/stout/corpulent/ chubby/pudgy, put on weight/flesh, gain weight, *[állat]* fatten

meghizlal *vt,* fatten

meghódít *vt,* 1. *(vmt)* conquer, overcome, subdue, vanquish, *[rohammal]* take by storm, *[területet]* occupy, take possession (of), take in(to) possession; ~*ja a piacot* capture the market 2. *(vkt)* make a conquest of sy('s heart), gain sy's sympathy/esteem, win sy's heart, captivate, *[népet]* subjugate

meghódítás *n,* 1. *[területé]* conquest, occupation, annexation, *[váré]* taking 2. *[népé]* subjection 3. *(vké)* conquest

meghódol *vi,* yield (to sy), strike/lower one's flag, give in, surrender (to)

meghódolás *n,* 1. submission, surrender 2. *[hódolat]* paying/rendering homage

meghógolyóz *vt,* snowball

meghólyagosod||ik *vi, [bőr, festék]* blister

meghomályosod||ik *vi,* 1. darken, get/grow/become dark/obscure/faint/dim 2. *[látás, hírnév]* dim

meghonosít *vt,* 1. *(áll, növ)* acclimat(iz)e, naturalize, domesticate 2. *[divatot, szokást]* introduce, establish, make fashionable, bring into fashion/usage, *[idegen szót]* naturalize, domesticate, *[módszert]* adopt; ~ *szokást* bring a custom into honour

meghonosítás *n,* 1. *(áll, növ)* acclimatization, naturalization, domestication 2. *[divaté, szokásé]* introduction, making fashionable, bringing into fashion/usage, *[idegen szóé]* naturalization, domestication

meghonosító *[-t, -ja] n,* introducer

meghonosodás *n,* 1. acclimat(iz)ation, naturalization 2. *[divaté, szokásé]* introduction, coming into fashion/usage, gaining ground, *[idegen szóé]* naturalization, domestication

meghonosod||ik *[-tam, -ott, -jon, -jék] vi,* 1. *(áll, növ)* become/get acclimat(iz)ed, naturalize 2. *[divat, szokás]* become implanted, come into vogue, get fashionable, gain ground, *[szokás]* take (on), strike root, *[szó]* be domesticated, become current, come into usage; *a szó ~ott* the word has come to stay; *számos angol sportmûszó ~ott a francia nyelvben* many English sporting terms have been naturalized in French

meghonosodott *a,* 1. *(áll, növ)* acclimatized, domesticated, naturalized 2. *[divat, szokás]* established; ~ *jövevényszó* naturalized foreign word, loan-word; *a nyelvünkben ~ idegen szavak* foreign words that come to stay in our language

meghord *vt,* 1. *[tartályt]* fill (container) 2. *földet vmvel* ~ spread sg on the land, spread the land with sg

meghordoz *vt, [körülhordoz]* carry about/round (with oneself), *[végighurcol]* drag along (with oneself)

meghorzsol *vt,* graze, bruise, chafe, scratch, fray

meghosszabbít *vt,* 1. *[tárgyat]* lengthen, elongate, make longer, *[rövid tárgyat]* piece out, extend, add a piece to 2. *[ruhát]* lengthen, let down 3. *[(határ)időt]* extend, prolong, *[előfizetést]* renew, *[váltót]* prolong, *[útlevelet]* extend (passport); ~ *érvényességét* extend validity; ~*ja a határidőt* prolong/extend the time-limit; *kölcsönzést* ~ renew a loan, extend a loan; *megegyezést* ~ prolong the agreement

meghosszabbítás *n,* 1. *[tárgyat]* lengthening, elongation, extension 2. *[ruhát]* lengthening, letting down 3. *[időé]* prolongation, extension, stretching (out), continuation, *[előfizetésé]* renewal, *[játékidőé]* extra time

meghosszabbítható *a,* prolongable, extendible, continuable

meghosszabbod||ik *vi,* get/become/grow longer, lengthen, elongate, *[térben]* extend

meghoz *vt,* 1. *(vmt)* bring (in), *(vkt)* bring along, *[elvittet, kölcsönadottat]* return, bring back 2. *[érte menve]* fetch 3. *[termést]* provide, yield, produce, supply; ~*za gyümölcsét* bear/yield fruit, produce good results 4. *[eredményt]* produce, bring about, *[következményt]* entail, involve 5. *[döntést]* come to (decision); ~*za ítéletét* pass judgement

meghozat *vt,* have sg brought/delivered/sent, *[árut]* order

méghozzá *conj,* in fact, moreover, actually, even, what is more; ~ *saját költségükre* and all at their own expense too; ~ *rosszul is csinálta* and moreover he did it badly, and he did it badly at that

meghökken *[-t, -jen] vi,* be taken aback, start (at), stand perplexed, be disconcerted, be seized/taken by surprise, be nonplussed/confounded/stupefied/amazed/astounded, be put out, be thunderstruck, be struck all of a heap, get rattled

meghökkenés *n,* amazement, astonishment, confusion, stupefaction, perplexity

meghökkent I. *vt,* *[-eni, -ett, -sen]* take aback, nonplus, disconcert, amaze, astonish, perplex, put sy out of countenance, discountenance, bewilder, startle, stagger, stupefy, astound, dumbfound, take away sy's breath, give a pause (to sy), strike all of a heap, flabbergast *(fam)*, flummox *(fam)*; *ez ~ett* that gave me a jump **II.** *[-et; adv -en] a,* astounded, perplexed, thunderstruck

meghökkentés *n,* disconcertment, disconcertion, amazement, astonishment, perplexity, bewilderment, stupefaction, flabbergastation *(fam)*

meghökkentő *a,* amazing, astounding, astonishing, perplexing, staggering, flabbergasting *(fam)*

meghőköl *vi,* start, give a jump, *(vmtől)* be/get frightened/scared (of/at sy/sg), take fright/alarm, recoil (in horror)

meghőmérőz *vt,* = hőmérőz

meghunyászkodás *n,* submissiveness

meghunyászkod||ik *vi,* come to heel, quail, humble oneself, sing small, draw in one's horns, come down a peg or two; ~*ik vk előtt* cringe, humble/humiliate oneself (before sy), submit (to sy), yield (to sy), give in (to sy), strike/lower one's flag *(fam)*, eat humble pie

meghunyászkodó *[-t; adv -an] a,* submissive, servile, cringing, humble, *[álnok, sunyi]* sly, crafty, shifty

meghurcol *vt,* drag about, *(vkt átv)* calumniate, slander, vilify, revile, defame, drag sy's name through the mire/mud

meghurcolás *n,* denigration, blackening, calumny, slander, vilification, *[rágalomhadjárat]* character assassination, assassination of character(s) *(US)*

meghúz *vt,* 1. pull, give sg a pull, *[harangot]* ring, peal, sound, chime (the bells), *[csengőt]* pull, ring (the bell), *[vk fülét/orrát]* tweak, *[gyeplőt]* pull in, *[kötelet]* stretch, strain, *[hajókötelet kézzel]* haul in, *[evezőt]* pull, tug (at the oar), *[végtagot]* strain; ~*za a haját* pull sy's hair; ~*za a ravaszt [fegyveren]* pull the trigger; ~*za a vécét* flush the toilet; *nincs* ~*va [kötél]* hang slack 2. *[csavart]* screw up, tighten, drive in; *jól* ~ *anyacsavart* screw up a nut spanner-tight; *erősen* ~*za a fékeket* jam on the brakes 3. *[vkt betegség]* pull down, exhaust, make thin 4. *[szöveget]* abridge, epitomize, cut (down), digest, *[darabot, jelenetet]* John-Audley; ~ *egy cikket* make cuts in an article, blue-pencil an article 5. *[vonalat, tervet]* draw, trace, *[vonalat, kört]* strike, *[határt]* run, *(menny)* describe; ~ *néhány vonalat* trace a few lines 6. ~*za magát* draw back, withdraw, sing small, *(vhol)* crouch/huddle somewhere, hide, lead a retired/secluded life, skulk *(pej)* 7. *húzd meg az üveget* take it from the neck, take a swig

meghúzható *a,* traceable

meghúzód||ik *vi, [vm mögött]* hide/conceal oneself behind sg, lurk *(v. be hidden)* behind sg, *[vk mögött]* take cover/shelter behind sy; *valami ~ik emögött* there's something fishy about it

meghűl *vi,* catch (a) cold, take cold, catch a chill/cold; ~*t* have a cold, be suffering from a cold/chill; *könnyen* ~ take/catch cold easily; *erősen* ~*t* he has a bad cold meghűlés n, (common) cold, chill, cold on the chest, chest cold; erős ~ heavy cold; ~sel fekszik be down with a cold

meghűléses a, ~ betegség chill, cold

meghűlyül vi, 1. become an idiot, get soft-headed/witted, go ditty ◈, go off one's nut/onion ◈, go off one's chump ◈ 2. mi az ~tél? are you crazy?

meghűlyülés n, getting soft-headed/witted

meghűt vt, ~i magát = meghűl

meghűvösödlik vi, freshen, grow/turn colder/cooler, become/grow cool, be getting cool

megidéz vt, 1. summon, cite, [terheltként] issue a writ against sy, have a writ issued against sy, serve a writ on sy, [tanúnak] call/summon as witness, call in testimony, serve sy with a writ/summons, [bírság terhe alatt] subpoena, [törvény elé] summon before the court/tribunal/judge, [gyűlésre] convene before (assembly, meeting); ~ egy vádlottat summon a defendant to attend 2. [szellemeket] call, conjure up, evoke, exorcize

megidézés n, 1. citation, (writ of) summons, [tanúé, bírság terhe alatt] subpoena 2. [folyamat] serving of a writ/summons/process

megidézett [-et; adv -en] a, 1. ~ fél summoned party/person; a ~ személynek meg kell jelennie a person on whom the writ is served must appear 2. ~ szellem called up spirit

megidéztet vt, ~ vkt take out a summons against sy

megifjít [-ani, -ott, -son] vt, rejuvenate, restore sy to youth, make sy young again, regenerate

megifjítás n, rejuvenation, making sy young again, regeneration

megifjodás n, rejuvenescence, regeneration, a new lease of life, reversion to youth(fulness)

megifjodlik [-tam, -ott, -jon, -jék] vi, = megifjul

megifjul [-t, -jon] vi, be rejuvenated, rejuvenate, grow/become young again, be restored to youth, get younger, take a new lease of life, renew one's youth

megigazgat vt, [ruhát] put one's clothes straight, set/put in order, (re)arrange, [hajat] arrange/do/tidy one's hair, put every hair back into its place

megigazít vt, 1. (ált) put/set right/straight 2. [ruhát] adjust, (re)arrange, set in order, [szabó] fit (a garment); ~ja a nyakkendőjét set one's tie straight, straighten one's tie 3. [órát] set, regulate; ~ja az órdját set one's watch right

megigazító hit (vall) justifying faith

megigazítás n, 1. (ált) putting/setting right/straight 2. [ruhát] (re)adjustment, (re)arranging, setting (in order), fitting 3. [óráé] setting, regulating

megigazul [-t, -jon] vi, 1. (vall) be justified, be washed of one's sins 2. (ritk) grow better, mend one's ways, turn over a new leaf

megigazulás n, (vall) justification; hit által való ~ justification by faith

megigér vt, promise, engage to, pledge, make a promise, guarantee, plight (ref.)

megigérés n, promise, assurance, pledge

megigéz vt, bewitch, enchant, fascinate, charm, delight, enrapture, captivate, cast/put a spell (up)on/over sy, turn sy's head, [hipnotizál] hypnotize, mesmerize, put under a spell, charm; szépségétől ~ve smitten with her beauty

megigézés n, fascination, charm, spell

megigézett a, bewitched, enraptured, spell-bound, elf-struck

megiható a, drinkable, fit to drink (ut), fit to be drunk (ut)

megihlet vt, inspire, give inspiration to sg, prompt sy (to action)

megijed vi, (vmtől) be/get frightened/scared (of/at sg), take fright/alarm (at/of sg), shy (at sg), get cold feet

(fam); nem ijed meg vmtől reck but little of sg; nem ijed meg az árnyékától he is not easily scared; ne ijedj meg don't worry, fear not; nem kell megijedned you needn't jump!; jobb félni mint ~ni prevention is better than cure

megijedés n, fright, alarm

megijedt a, frightened, alarmed

megijeszt vt, frighten, throw into a fright, scare, startle, give sy a start, alarm, terrify, make sy afraid, inspire with fear, cow, daunt, affright; nagyon ~ vkt scare sy to death, frighten/scare sy out of his wits, put sy into a blue funk (fam); nagyon ~ettél you gave me such a turn (fam)

megillet vt, 1. [kézzel] touch (gently) 2. [jár vknek] be due to, be the due of; jog szerint ~ vkt be sy's legal due; annak akit ~ to whom it may concern

megillető a, 1. [rész] rightful, due, [eljárás] fit, proper; vkt ~ rész sy's share 2. az őt ~ helyre in his due place

megilletődés n, (deep and silent) emotion, awe

megilletődlik [-tem, -ött, -jön, -jék] vi, be moved/touched/affected; ~ött csend dead/breathless/hushed silence; ~tem komoly szavaira I was awed by his solemn words

megindít vt, 1. [mozgásba hoz] start, set in motion, set going, get sg to go 2. [motort] start (up); autót ~ throw the car into gear; gramofont ~ put on the gramophone 3. [háborút] start, declare (war), open (hostilities), [mozgalmat] start, begin, commence, launch, [újságot] start (newspaper), [választási hadjáratot] launch (electoral compaign), [vállalatot] float, institute, promote (a company); ~ vmt bring/call sg into action, put/set sg in action 4. [nyomozást] hold, conduct, institute, set up (inquiry), inquire into sg; eljárást/pört ~ vk ellen bring an action/suit against sy, start/take/institute legal proceedings against sy, take legal action against sy; vitát ~ open a debate 5. [meghat] affect, touch, move; mélyen ~ affect/move deeply/profoundly, stir, agitate; vm nem indítja meg be untouched by sg

megindítás n, 1. [mozgásba hozás] setting in motion 2. [motoré] starting (up) 3. [háborúé] starting (a war), declaration (of war), opening of hostilities, [mozgalomé] launching 4. [eljárásé] institution (of proceedings)

megindíthatatlan a, immovable

megindító I. a, moving, touching, affecting, soul/heart-stirring, [szánalmas] pitiful II. n, promoter, originator

megindokol vt, motivate, state the reason for, render a reason for, justify, give the grounds for; alaposan ~t kijelentés/állítás a reasoned statement

megindokolás n, exposition of motives, justification, grounds (pl)

megindul vi, 1. [elkezdődik] begin, commence 2. [gép, jármű] start (off), begin to move, set off, get under way, get going/moving, move off, come into action, [vonat] start 3. [jég] break up 4. (vk) start, set out, go off/away, march/move off, leave, depart 5. a bírói eljárás ~t ellene legal proceedings were instituted against him, an action was instituted against him; ~t a vizsgálat an inquiry was instituted, investigations were begun 6. [meghatódik] be moved/touched; ~ a látványtól be overcome by a spectacle; nem indul meg vmn be untouched by sg

megindulás n, 1. [elkezdődés] commencement, beginning, outset, start 2. [gépé, járműé] start(ing), moving off, departure 3. [jég] breaking up 4. [személyé] starting, departure, setting out 5. a bírói eljárás ~a after legal proceedings had been instituted against him

megindult [-at; adv -an] a, moved, touched, agitated; ~ szavakkal ecsetel describe in moving words

megindultság *n*, (deep) emotion; ~*tól remegő hang* voice touched with emotion

megingat *vt*, **1.** *(vkt)* shake, make (sy) falter, cause (sy) to waver **2.** *(vmt)* shake, stagger; ~ *vkt elhatározásában* shake/undermine sy's resolution/conviction

megingathatatlan *a*, **1.** unshakable, immovable, solid, firm **2.** *(csak átv)* immutable, *[személy]* resolute, constant, steadfast, unyielding, inflexible, *[szándék]* unswerving, *[bátorság]* unflinching, unwavering, *[hit]* steadfast, unshakable, firm as a rock *(ut)*, *[hűség]* unswerving, *[barátság]* inviolable; ~ *bátorság* unfaltering courage

méginkább *adv*, all the more, even more so, *[dacból]* out of spite

meginog *vi*, **1.** *[személy]* be unsteady (on one's legs), stagger, reel; *alapjaiban* ~ be shaken to its foundations **2.** *(vk átv)* vacillate, waver, falter; ~ *vknek a helyzete* sy's position turns out to be insecure/shaky; ~ *elhatározásában* waver in one's resolution; *megingott a trónja* his throne is tottering

megint¹ *vt*, warn, caution, admonish, reprimand, reprove mildly

megint² *adv*, again, once more, afresh, anew; ~ *itt vagyok* here I am again; ~ *ő az aki* it is again he who; *mi van már* ~*?* what is the matter again?; *már* ~ *itt vagy?* are you here again?; *már* ~ *a régi nóta!* here we go again!; *már* ~ *kezdi* she is at it again

meginterjuvol [-t, -jon] *vt*, interview sy

meginterpellál *vt*, **1.** *(ált)* call upon, challenge **2.** *[képviselőházban]* (put a) question (to a minister), interpellate

megintés *n*, warning, admonition, remonstrance, reprimand

meginvitál *vt*, invite, ask (sy to come)

megír *vt*, **1.** *(vmt)* write (down), compose, set down in writing, pen, record, *[szöveget, okmányt]* draw up, draft, word; *amint azt levelemben* ~*tam* as I said in my letter; *meg van írva hogy . . .* it is written that ..., *így volt* ~*va a sors könyvében* it was in the books (for sy); *úgy volt* ~*va hogy ő . . .* he was destined to ...; *hol van az* ~*va(,) hogy [ezt vagy azt tegyem]* why should (I do it if I don't want to?), who on earth says that I should . . . **2.** *(vknek vmt)* write sy about sg, *[befejezi]* finish writing **3.** *[árut]* mark, put a mark on sg, ticket, *[árral]* price, *[poggyászként]* label

megírás *n*, **1.** *[levélé, könyvé, színdarabé]* writing, composition, *[szövegé, okmányé]* drawing up, wording **2.** *[árué]* marking, putting a mark on sg, ticketing, *[árral]* pricing, *[poggyászé]* labelling

megirigyel *vt*, *(vkt vmt)* grow/become envious of (sg, sy)

mégis *conj*, yet, nevertheless, notwithstanding, still, after all, for all that, all/just the same; *de azért* ~ all the same, nevertheless; *de azért* ~ *bosszantó* it is annoying all the same; *a megbízás azonban* ~ *végetér* but the agency is none the less terminated; ~ *megcsinálta* he did it nevertheless, nevertheless he did it; ~ *ő az* it is he all the same, it is he for all that; *és* ~ all the same, nevertheless, for all that, still, yet; *mindenki azt mondta hogy tévedtem de* ~ *igazam volt* everyone said that I was wrong but I was right after all; *és ha* ~ *így lenne?* supposing it were so; *és* ~ *mozog . . .* and yet it does move ..., *eppur si muove ...*

mégiscsak *conj*, after all, and yet; ~ *nekem volt igazam* I was right after all; *ld még* **mégis**

megismer *vt*, **1.** *[felismer vkt]* recognize, know/spot sy, tell; ~ *vkt járásáról* recognize/know/tell sy by his walk/gait; *nem ismer meg?* don't you know me?; *vkt szándékosan nem ismer meg* cut sy (dead), give sy the cut direct **2.** *[megismerkedik]* get/become acquainted with sy/sg, come/get to know sy; *örülök*

hogy ~*hetem (önt)* pleased/glad to meet you; *amikor* ~*te őt* when she came to know him; *jobban* ~ *vkt* get to know sy

megismerés *n*, **1.** *[felismerés]* recognition **2.** *(vké, vmé)* knowledge (of sy/sg), getting/becoming acquainted with (sy, sg) **3.** *(fil)* cognition, cognizance; *tudományos* ~ scientific cognition

megismerési *a*, ~ *folyamatok* cognitive processes

megismerhetetlen *a*, unknowable, unfathomable, unrecognizable

megismerhető *a*, **1.** recognizable, distinguishable **2.** *(fil)* knowable, cognizable, cognoscible

megismerhetőség *n*, cognizability

megismerkedés *n*, *(vkvel, vmvel)* making the acquaintance of, getting acquainted with, getting to know (sy)

megismerked|ik *vi*, **1.** *(vkvel)* get/become acquainted (with sy), make sy's acquaintance, be introduced to *(sy)*, strike up an acquaintance with (sy) *(fam)*, pick acquaintance with (sy) *(fam)*, get to know sy *(fam)* **2.** *(vmvel)* get acquainted with, familiarize oneself with, make oneself familiar with; ~*ik az üzlet minden részletével* learn the details of business

megismerő *a*, *(fil)* cognitive

megismertet *vt*, **1.** *(vkvel, vmvel)* acquaint (with), make acquainted with, introduce to **2.** *(vmvel)* familiarize with

megismétel *vt*, **1.** repeat **2.** *[többször]* reiterate, say/do sg over (and over) again, *[eljárást]* duplicate the process; *ígéretet* ~ renew a promise **3.** *[előadóművész]* (give an) encore, *[dalt]* encore, sing again, sing twice over, *[részletet a hangfelvevő]* play back **4.** *[osztályt]* stay in a form a second year

megismételhető *a*, repeatable, renewable, reproducible; *meg nem ismételhető* irreproducible

megismételtet *vt*, **1.** have sg repeated (over again) **2.** *[művészi előadást]* encore

megismétlés *n*, repeating, repetition, reduplication, iteration

megismétlődés *n*, repetition, *[betegségé]* recurrence (of a disease)

megismétlőd|ik *vi*, repeat itself, happen/occur again, *[betegség]* recur; *ez nem fog* ~*ni* this won't happen again

megismétlődő *a*, reiterative, recurring

megisz|ik *vt*, drink, *[mohón]* gulp down, swallow, *[nagy kortyokban]* quaff; ~*ik vkvel egy pohár bort* take a glass of wine with sy, crack a bottle with sy; *ennek megissza a levét* he will smart for it, it will cost him dear; *de meginnék egy csésze kávét* I could do with a cup of coffee; *szívesen meginnék egy pohár sört* I wouldn't say no to a glass of beer

megiszonyod|ik *vi*, *(vmtől, vktől)* conceive a horror of, take an aversion to/for

megitat *vt*, **1.** *(vkt)* give sy a drink, *[jószágot]* water **2.** *(vkvel, vmt)* make sy drink (sg)

megitatás *n*, giving sy a drink, *[jószágé]* watering

megítél *vt*, **1.** *(vmt ált)* judge *(aminek alapján by)*, form an opinion (of), form a judgement of, *[helyzetet]* take in (the situation); *helyesen ítéli meg* value sg correctly, be right in one's judg(e)ment; *rosszul ítéli meg* misjudge, be mistaken in one's judg(e)ment of; *hogyan ítéli meg ezt az ügyet?* what are your views on the matter? **2.** *(vknek vmt)* adjudge, adjudicate, award, allot to **3.** *[bűnöst]* sit in judgement on

megítélés *n*, **1.** judg(e)ment, estimation; ~*em szerint* in my opinion/view/judg(e)ment, according to my judg(e)ment; ~*e szerint helyes hogy . . .* deem it *(v. think)* proper to; ~*ére bízom hogy* I leave it to you whether, I leave it to your discretion **2.** *[bírói]* awarding, adjudication; *a bíróság józan* ~*ére tartozik* it will remain a matter for the reasonable determination of the court, it is entirely at the reasonable discretion of the court 3. *[jutalomé, díjé]* awarding

megittasodás *n*, 1. intoxication, inebriation 2. *[elragadtatás]* ecstasy (of joy), elation, delirious enthusiasm

megittasod|ik [-tam, -ott, -jon] *vi*, = megittasul

megittasodott [-at; *adv* -an] *a*, = megittasult

megittasul [-t, -jon] *vi*, become intoxicated *(amitől* by/with), be elated *(amitől* with)

megittasult [-at; *adv* -an] *a*, intoxicated (by, with), elated (with)

megizen *vt*, = megüzen

megízesít *vt*, flavour, spice

megízlel *vt*, 1. *[ételt, italt]* taste (with/on the tongue), try, sample 2. *(átv)* experience, have a taste of sg

megízlelés *n*, tasting, gustation *(ref.)*

megizmosít *vt*, make strong/robust/muscular, strengthen, harden

megizmosodás *n*, 1. getting strong/robust/muscular 2. *(átv)* strengthening, invigoration

megizmosod|ik *vi*, 1. get/become/grow strong/robust/muscular, develop muscles 2. *(átv)* become stronger, gain strength, grow vigorous/strong

megizzad *vi*, perspire, sweat, be covered with perspiration; ~ *bele míg* he will have a hell of a time until ..., he will bathe in perspiration before

megizzadás *n*, perspiration, sweating (on account of sg)

megizzaszt *vt*, make (sy) sweat; *jól* ~*ottak* I was made to work like a nigger

megizzít *vt*, make incandescent, bring to red heat

megjár *vt/vi*, 1. *(vmt)* travel through/in, go, cover (a certain distance), traverse (a piece of country) 2. *[rosszul jár vmvel]* make a bad bargain (with sg); ~*ja vkvel* be cheated, be taken in, have bad experiences (with); *alaposan* ~*ta ezzel az emberrel* this man got the better of him, he had bad luck with this fellow; ~*ta* he's had it 3. *[tűrhető]* ~*ja* passable, tolerable, pretty good, not so bad; *ez még* ~*ja* that just makes it, that is passable, it might be worse, it might/would pass in a crowd; *az még csak* ~*ja hogy takarékoskodik(,) de azt már nem tűröm hogy kilenckor leoltja a villanyt* I don't grudge his economizing but I won't stand his switching off the lights at nine

megjárat *vt*, 1. make sy walk 2. *(átv vkt)* play sy a trick; *jól* ~*ták velem* I was made a perfect fool of, I was nicely led up the garden path

megjártat *vt*, *[lovat]* walk, pace, air (horse)

megjátszás *n*, 1. *[szerepé]* acting, playing 2. *[színlelés]* pretending 3. *[kártyáb]* play

megjátsz|ik *vt*, 1. *[szerepet]* act, play, personate, *[cselekvést]* go through the motions of sg 2. *[színlel]* pretend, affect, sham, feign, make a feint of doing sg; *megjátssza a beteget* pretend illness, pretend to be ill; *megjátssza a hülyét* play the idiot/fool; *megjátssza a királyt* play at being a king; *megjátssza a mártírt* make a victim/martyr of oneself; *megjátssza a nagyurat* lord it 3. *[lovat]* back, *[tétet]* stake, *[partit]* play one's hand well; ~*ik egy lehetőséget* gamble on a (rather distant) possibility

megjavít *vt*, 1. improve (upon), (make) better, ameliorate, *[minőségileg]* improve, *[fizetést]* raise, *[látást szemüveg]* improve (sy's sight), *[pénzügyeket]* reorganize 2. *[földet]* (a)meliorate, improve, enrich 3. *[vmt helyrehoz]* put sg right, *[egészséget]* restore, *[viselkedést]* reform, (a)mend, *[viszonyt két fél között]* improve (relations between two parties) 4. *[gépet kijavít]* repair, overhaul, *[eszközt]* fix, *[harisnyát]* darn, mend, *[ruhát]* repair, mend, *[újjáalakít]* reform, remodel; ~*ja a törött kereket* accommodate a broken wheel 5. *[rekordot]* break, smash (record)

megjavítás *n*, 1. improvement, betterment, amelioration 2. *[földé]* enrichment, amelioration, reclamation 3. *[gépé]* repair(ing), *[épületé]* reparation 4. *[ruháé]* mending, darning 5. *[helyrehozás]* correction, amendment, *[pénzügyeké]* reorganization 6. *[rekordé]* breaking, smashing (of record)

megjavítható *a*, 1. improvable 2. *[gép]* repairable 3. *[föld]* reclaimable 4. *[ruha]* mendable

megjavul *vi*, 1. *(ált)* improve, get/become better, *[időjárás]* improve, change for the better; *egészségi állapota* ~*t* his health improved, his health is on the way to recovery 2. *[vk erkölcsileg]* mend (one's ways), reform, turn over a new leaf, amend one's way/life, correct oneself, *[bűnöző]* go straight; *sohasem késő* ~*ni* never too late to mend

megjavulás *n*, 1. amelioration, improvement, betterment, reformation 2. *[földé]* reclamation, amelioration

megjegecesed|ik *vi*, become crystallized, crystallize

megjegyez *vt*, 1. *[megjelöl]* mark *(amivel* with) 2. ~ *magának vmt* record, note, make/take note/reference of, make a mental note of, *[betanul]* commit to memory; *ezt megjegyzem magamnak* I'll chalk that up against you; *jegyezze meg jól* keep that in mind, remember it well; *jegyezze meg magának* keep it for yourself, mind/mark you; *megjegyzendő (hogy)* (it is) to be noted (that), it is worth mentioning (that) 3. *[megjegyzést tesz]* remark, pass a remark on, comment on, observe, put in; *meg kell jegyeznünk* it is to be remarked/observed, we have to point out, it should also be noted that ...; *szabadjon* ~*nem hogy* I beg to observe/remark/state that, permit me to remark; *ha szabad* ~*nem* if I may say so; *erre azt jegyezte meg (hogy)* thereupon he remarked (that); *helyesen jegyezte meg* he very aptly remarked

megjegyeznivaló *n*, *nincs semmi* ~*m* have no comment to make/offer, no comment *(fam)*

megjegyzés *n*, remark, observation, note, comment, *[kiegészítő]* rider; ~*re méltó* noteworthy, remarkable, worth mentioning/noting *(v.* pointing out) *(ut)*, worthy of attention *(ut)*; *a* ~*eire nem vagyok kíváncsi (biz)* you may keep your remarks to yourself!; ~ *nélkül hagy* let pass/go unchallenged, let sg pass without remark; ~*t tesz vmre* make/pass/offer a remark on sg, make comment upon sg, comment on sg; *egyetlen* ~*t sem tett* he did not make a single observation; *csípős* ~ acid remark; *tapintatlan* ~*t tesz* drop a brick *(fam)*; *a* ~ *talált* the thrust went home, the thrust reached its mark

megjelenés *n*, 1. *(vké vhol)* appearance, presence, *[előadáson]* attendance, *[belépés]* entry; ~ *estélyi ruhában [meghívón]* in evening dress; *meg nem jelenés* non-appearance, non-attendance; *meg nem jelenés esetén* in case of default *(v.* non-appearance); *Anglia* ~*e a színen* the entry of England on the scene; ~*ét kérjük* your presence is requested (at) 2. *[növénytakaróé]* physiognomy, *[növényé]* habit, *[magzaté szülésnél]* presentation 3. *[könyvé]* publication, *[új árucikké]* coming out, appearance, *(nyomd) [mint felirat a kolofonoldalon]* date of publication, published; ~ *éve* imprint date 4. *[külső]* (outward) appearance, exterior, bearing, look, carriage, the outer man, presence, *[dologé]* aspect; *jó* ~*e van* look distinguished, cut a handsome figure, be a man of good address, make a good impression, have a good appearance

megjelenési *a*, ~ *forma* outward form/shape, *(áll, növ)* habit, habitus; ~ *adatok (nyomd)* imprint

megjelenésű [-ek, -t] *a*, -looking, of a ... bearing/figure/appearance *(ut)*; *jó* ~ of smart appearance, have a good appearance; *kitűnő* ~ *ember* (be) a fine figure of a man megjelen|ik [-t, -jen] *vi*, 1. *(dlt)* appear, *[személy]* make one's appearance/entry, show/turn/pop up, appear on the scene, come, show oneself, attend sg, *(vknél)* call (on sy), turn up (at sy's home), *[szellem]* materialize, appear, *[mint vm]* appear/figure as, *[színész]* appear, come on; ~*ik vk előtt* appear *(v.* present oneself) before sy; *bíróság előtt* ~*ik* come before the *(v.* appear in) court, come up before the bench; *időnként* ~*ik* appear periodically, turn up from time to time; *személyesen* ~*ik* put in an appearance, appear in person; *pontosan* ~*ik a megbeszélt helyen és időben* keep an appointment; *személyesen kell* ~*ni [hivatalos közeg előtt]* .... must attend in person; *újra* ~*ik* reappear, *[betegség]* recur; *ekkor váratlanul* ~*l* at this moment he unexpectedly arrived *(v.* turned up *v.* dropped in) 2. *[csillag]* come out, appear, *[hajó, szárazföld]* heave/come in sight 3. *[könyv]* be published/issued, come out, *[újra]* be republished, reprinted, *[újság]* appear; *most jelent meg* just out/published; *öt kiadás jelent meg belőle* the book ran into five editions; *a könyv* ~*t* the book is out

megjelenít [-eni, -ett, -sen] *vt*, 1. *[ábrázol]* represent, reproduce, depict, visualize, describe graphically 2. *[felidéz]* conjure up, evoke, *[szellemet]* raise

megjelenítés *n*, 1. *[ábrázolás]* representation, visualization 2. *[felidézés]* evocation, conjuring up, *[szellemé]* raising (of spirits)

megjelenítő *a*, evocative

megjelenő [-t] *a*, 1. appearing, attending 2. *[könyv]* be forthcoming, coming out *(ut)*, about to be published *(ut)*

megjelent[1] *vt*, *(vknek vmt)* report (sg to sy), announce (sg)

megjelent[2] [-et] I. *a*, 1. appeared, present *(ut)* 2. *[könyv]* published *(ut)*, issued *(ut)*, come out *(ut)* II. *n*, *a* ~*ek* those present/attending

megjelentet *vt*, *[könyvet, cikket]* publish, bring out, issue

megjelentetés *n*, *[műé]* giving forth, publishing

megjelez *vt*, = megjelöl

megjelöl *vt*, 1. *[jellel]* indicate, denote, mark, *[árut]* brand, mark, stamp, *[megpipálva]* tick off, *[fát útjelzésre]* blaze, *[kereszttel]* cross, *[címkével]* label, ticket, *[tervrajzban]* scribe; *árutételeket* ~ keep tally of goods; ~*i az utat* show sy the way; ~ *neveket névsorban* check off names on a list 2. *[árral]* price; *helytelenül/tévesen/hibásan jelöl meg* misdescribe 3. *(átv)* lay down, point out, designate, denominate, name, *[jogcímet, jogigényt]* describe; ~ *egy időpontot* assign an hour; ~ *egy napot* fix/appoint/ name a day/date; ~*i egy idézet forrását* locate a quotation; *külön/pontosabban/közelebbről* ~ specify, state precisely, define, determine 4. ~ *magának vmt* record/note sg, make/take note/reference of sg, make a mental note of sg

megjelölés *n*, 1. *[jellel]* marking, application of a mark, ticking off, labelling, ticketing, branding, marking, stamping, labelling, *[kiejtésé]* notation, indication 2. *[tulajdonság]* indication 3. *(átv)* designation, denotation, indication, pointing out

megjelölt *a*, 1. *[jellel]* indicated, denoted, marked, *[címkével]* labelled 2. described, specified, stated, designated; ~ *időpontban* at a stated time; *az ingatlanon a* ~*ön kivül nincs más teher* the property has no incumbrances except as specified

megjósol *vt*, 1. *(dlt vmt)* predict, foretell, prophesy, prognosticate, presage, foresee, *[bajt]* forebode 2. *[időjárást]* forecast, foretell

megjóslás *n*, 1. *(dlt)* prediction, predicting, telling beforehand, foretelling, prophesying, prognosticating, *[bajé]* foreboding 2. *[időjárásé]* forecast

megjósolható *a*, predictable, foretellable, prophesiable, prognosticable

megjön *vi*, 1. *[megérkezik]* come, arrive, *[vonat, hajó, posta]* be in, *[vhonnan visszajön]* come back, return; *megjött már?* has he arrived?, is he here?, has he turned up yet?; *az egyetemi hallgatók még nem jöttek meg [szabadságról]* the undergraduates are not yet in residence 2. *mindennek* ~ *az ideje* everything in its time; *megjött a tél* winter is here; *mindennek* ~ *az ideje (közm)* everything has its day 3. *megjött az esze a fiatalembernek* he has sown his wild oats, *[észre tért]* he has become wiser, he knows better; *ettől majd* ~ *a kedve/bátorsága* it will put some stomach into him; *újra* ~ *a szava* find one's speech 4. *megjött a vendége (biz)* have friends to stay

megjövendöl *vt*, = megjósol

megjövendölés *n*, = megjóslás

megjövendölhető *a*, = megjósolható

megjuhászít [-ani, -ott, -son] *vt*, *[személyt]* pacify, calm, *[lekenyerezve]* appease, *[állatot]* tame, *[gyermeket]* make tractable

megjuhászodás *n*, softening, getting milder, taming

megjuhászod|ik [-tam, -ott, -jon, -jék] *vi*, soften/tame down, become tame

megjutalmaz *vt*, *(vmért)* reward (sy for sg), *[szolgálatért]* recompense (sy for sg), requite sg, remunerate sy (for his service)

megjutalmazandó *a*, remunerable, recompensable

megjutalmazás *n*, reward, recompense, remuneration, requital

megjutalmazható *a*, remunerable, recompensable

megjutalmazott I. *a*, *búsásan* ~ well requited; *rosszul* ~ ill requited II. *n*, ~*ak névsora* list of awards

megkábelez *vt*, cable

megkacagtat *vt*, make sy laugh

megkalapál *vt*, hammer

megkap *vt*, 1. *[megfog]* catch, seize, catch/take/lay hold of, grasp; ~*ja a labdát (sp)* obtain the ball 2. *[elnyer]* get, obtain, secure, gain, come into possession of, *[ösztöndíjat]* win, *[levelet]* receive, be in receipt of; ~*hatnám?* may I have it (for my own)?; ~*ja az állást* get/secure the job; ~*ja az egyenlet differenciálhányadosát* obtain the differential of an equation; ~*ja a felmondást* be discharged/dismissed, get the sack *(fam)*; ~*tam levelét* I got your letter, I am in receipt of your letter, your letter came to hand; *mihelyt* ~*tam a levelét* as soon as I received your letter, upon receiving *(v.* receipt of) your letter; *a levelet vasárnap kapta meg* the letter reached him on Sunday; *szíves sorait* ~*tam* I am in receipt of your favour; ~*ja a segédlevelet* take up *(v.* be out of) one's indentures; ~*ja a választ* obtain/receive the answer/reply; ~*ta a nőt* she got her, she became his; ~*ja amit akart* have one's wish 3. *[képzeletet]* catch, fascinate, hold; ~*ja a figyelmet* catch/strike/draw the eye 4. *[betegséget]* contract, catch, get, develope (a disease); ~*tam tőle a náthát* he has given me his cold 5. *[tűz]* singe, *[ruhát vasaló]* scorch 6. ~*ja a magáét (átv)* get hauled over the coals, get one's gruel ◆, get it in the neck ◆, he has had it ◆; ~*ja vktől a magáét* catch it from sy; *most* ~*od a magadét* you are in for it; ~*tad a magadét* you have had it, it serves you right, you got what you deserved

megkapál *vt*, hoe

megkapar *vt*, scrape, scratch

megkaparint *vt*, snatch, grasp, grab, seize, lay/catch/ take/grip/get hold of, lay hands on sg, bag *(fam)*; *igyekszik vmt* ~*ani* make a clutch at sg; ~*ja a labdát (sp)* smother the ball; ~*ja magának a legjobb helyeket* bag the best seats

megkapaszkodás *n*, hold, grasp, grip, handhold

megkapaszkod|ik *vi, (vmben)* clutch (at), cling (to), grip, grab (at), hang (on), *(vmbe)* claw (at); *a fuldokló minden szalmaszálban ~ik* a drowning man catches at every straw

megkapható *a,* acquirable, obtainable

megkapó [-t; *adv* -an] *a,* engaging, fetching, catching, fascinating, impressive, awe-inspiring, *[jelenet]* gripping, touching, moving, thrilling, stirring (scene), *[hasonlatosság]* striking, startling (resemblance)

megkarcol *vt,* scratch, scrape, graze, *[jelölve]* nick, notch, score, *[védőoltáskor]* needle; *~ja magát graze/* scratch oneself

megkarcolás *n,* scratch(ing), scraping, grazing, *[jelölve]* nicking, notching, scoring, *[védőoltáskor]* needling

megkardlapoz *vt,* strike with the flat of a sword

megkarikáz *vt,* mark with a ring

megkarmol *vt,* claw, scratch, scrape

megkárosit *vt,* 1. *[kárt okoz vknek]* wrong, harm, do sy wrong/harm, injure/hurt sy's interests 2. *[anyagilag]* defraud, inflict a loss (on), cause loss (to), damage

megkárosítás *n,* 1. prejudice, detriment, wrong 2. *[anyagi]* damage, cheating, defrauding 3. *[erkölcsi]* injury

megkárosul *vi, (vk)* suffer/sustain damage/loss/injury

megkaróz *vt,* prop, stake

megkártyáz *vt, (vmt)* wangle; *~ egy halvány lehetőséget* chance one's arm; *ezt jól meg kell kártyázni* we've got to wangle it

megkásásod|ik *vt,* become pulpy, *[gyümölcs]* become overripe/sleepy, blet, *[jég]* become slushy/soft

megkatéterez *vt,* catheterize

megkavar *vt,* 1. *[folyadékot]* stir, give sg a stir 2. *(vkt vm biz)* perplex, embarrass

megkavicsol *vt, [utat]* strew with pebbles, (cover with) gravel, *[pályatestet]* fill in (railroad bed) with ballast

megkedvel *vt, (vkt, vmt)* take a liking to, come to like, take to, grow/become fond of, acquire/develop a taste for, *(csak vkt)* become attached to, take a fancy to, take sy into one's favour, cotton (on) to sy; *kezdem ~ni* I am getting sort of attached to them

megkedveltet *vt, (vmt vkvel)* make sy like sg, endear sg to sy, make sy take a fancy to, popularize, make sy popular with sy, *[tárgyat]* encourage sy's taste for; *~i magát vkvel* win sy's love/sympathies/graces/ favour/liking, ingratiate oneself with sy, win favour with *(sy),* gain the good graces of sy

megkefél *vt,* 1. brush, clean with a brush, give sg a brush 2. *[lovat]* brush down 3. *(durv)* fuck, roll

megkegyelmez *vt,* 1. *(vknek ált)* pardon (sy), spare (sy), grant a pardon (to sy), have mercy on (sy), *[közkegyelemben részesit]* (grant) amnesty (to sy); *most az egyszer még ~ek neked* I will let you off this time/ once 2. *[halálbüntetést enyhít]* reprieve, commute (sentence), *(kat)* give quarter to; *~ vk életének* spare the life of sy

megkegyelmezés *n,* 1. *(ált)* pardon, amnesty, act of grace 2. reprieve, commutation (of death sentence), quarter

megkékül *vi,* become/turn blue

megkel *vi, [tészta]* rise; *a tészta nem kel meg* the dough does not rise

megkeleszt *vt, [tésztát]* raise, leaven; *~i a tésztát* raise the dough

megkeményedés *n,* 1. *(ált)* hardening, solidification, solidifying, setting, chilling, induration, toughening 2. *(orv)* hardness, callousness, sclerosis, *[szöveteké, fekélyé]* induration, *[csonté, porcogóé]* eburnation

megkeményedési *a, ~ folyamat (vegyt)* process of setting

megkeményedett *a,* 1. *[anyag]* hardened, settled, caked 2. *(orv)* sclerotic, *[fekély]* indurated

megkeményed|ik *vi,* 1. become/grow hard/solid/tough, solidify, consolidate, stiffen, settle, cake, *[habarcs]* bind, (get) set, *[cement]* (get) set, *[öntvény]* harden, indurate, become indurated, chill, *[lekvár]* go sugary, *[talaj, izom]* harden 2. *(átv)* *[szív]* grow hard, harden, become callous, *[megedződik]* harden, toughen, be steeled 3. *(orv)* indurate

megkeményít *vt,* 1. *(ált)* make hard, harden, *[testet, anyagot]* indurate 2. *[öntvényt]* chill, stiffen, make stiff 3. *~i lelkét/szívét* indurate/harden/steel sy's heart

megkeményítés *n,* hardening, induration

megkeménysz|ik *vi,* = megkeményedik

megken *vt,* 1. (be)smear, *[zsírral]* grease, *[olajjal]* (rub with) oil, *(műsz)* lubricate, *(orv)* plaster, rub with salve, *[tojással]* glaze, *[bört, cipőt]* dub; *vajjal ~* spread butter on, spread bread with butter 2. *(átv) ~ vkt* bribe/square sy, oil/grease sy's palm 3. *minden hájjal ~t ember* he has got his wits about him, he knows a thing or two, he knows what is what, he is a deep one, he is a knowing card, there are no flies on him, he is an artful dodger *(pej),* he is slippery as an eel *(pej)*

megkenés *n,* 1. *[gépé]* greasing, oiling, lubrication, *(orv)* inunction, rubbing (with oil) 2. *(vall)* anointing 3. *(átv vkt)* bribing, oiling/greasing sy's palm

megkenez *n,* (impregnate/fumigate/treat with) sulphur, *[gyufát]* dip in sulphur, *[gyapjút]* sulphurate, *[bort]* stum

megkér *vt,* 1. *(vktől vmt)* demand sg from sy, ask sy for sg; *~i az árát vmnek* charge a high price for sg; *~i a pénzét* he wants his money back 2. *~i a kezét* propose (marriage) (to a girl), woo, ask/seek sy's hand in marriage, sue for the hand of, make offer of marriage, pop the question *(fam)* 3. *(vkt vmre)* request/ask/ summon/require *(v.* call upon) sy to do sg; *~ vkt arra (hogy)* ask/beg sy to (do sg), *[komolyan]* beseech/ entreat sy to

megkérd *vt,* = megkérdez

megkérdez *vt, (vkt)* ask/question sy, ask sy a question, put a question to sy, *[tanácsot kér]* consult, ask the advice/opinion of sy, *(vmt)* ask/query *(v.* inquire about) sg; *ha nem tudom(,) ~em* when I don't know I inquire; *~i vknek a nevét* inquire sy's name

megkérdezés *n,* inquiry, question, asking, questioning, *[tanúé]* interrogation, examination, *[orvosé]* consultation; *az ő ~e nélkül* without consulting him, over his head

megkérdőjelez *vt,* query

megkeres *vt,* 1. search/look/hunt/seek for, try to find, *[szót szótárban]* look up; *~néd Éva cipőjét?* will you find Eve's shoes for her *(v.* Eve her shoes)? 2. *[folyamodik]* petition, appeal (to), apply (to), *[utasít]* require/summon sy to do sg 3. *[pénzt]* earn, make; *~i a rezsit/kiadásait* break even, recover one's outlay, get back one's outlay; *~i ami a megélhetéshez kell* gain/earn one's living, earn/get/gain/ make a livelihood

megkérés *n,* proposal of marriage, asking of hand in marriage

megkeresés *n,* 1. quest, search, pursuit 2. *(jog)* request, suit, petition, *[bírói tanúkihallgatásra]* letter of request, letters rogatory *(pl)*; ... *megkeresésére* at the suit of...; *~t intéz vkhez* petition to sy, address oneself by means of a letter of request to sy; *~t teljesít* give effect to the letter of request

megkereső *a, (jog) ~ fél* applicant, claimant; *~ hatóság* authority by whom the request was sent; *~ levél* letter of request, letters rogatory *(pl)*

megkeresztel *vt,* baptize, christen, name, *[hajót]* christen, baptize, *[bort]* water, baptize *(fam)*

megkeresztelés *n,* baptism, christening, *[vízbemártással]* immersion megkeresztelkedés n, (reception of) baptism

megkeresztelked|ik [-tem, -ett, -jen, -jék] vi, be baptized/christened, receive baptism, christianize

megkéret vt, 1. ~i a kölcsönadott pénzt send for the money lent 2. [lányt] have sy asked in marriage, send sy to make a formal proposal (to a girl) on one's behalf

megkérgesedés n, 1. [folyamata] incrustment, induration, [bőré] hardening, toughening 2. [eredménye] callosity, callus

megkérgesedett a, crusted (over)

megkérgesed|ik [-ett, -jen, -jék] vi, 1. grow hard/horny/ tough, become incrusted, crust, become covered with crust, indurate, [bőr] harden, [seb] scab, crust, [fa] develop bark 2. (átv) become/grow callous/ hard

megkerget vt, 1. (vkt) chase, run/make after sy, make sy run 2. [állatot] (give it a good) chase, hunt, follow hot on the track of 3. [ellenséget] chase

megkergetés n, pursuit, chase

megkergül vi, 1. [állat] get the staggers/gid/sturdy 2. (vk átv) get/grow/become mad/crazy/cracked, be demented, go dotty ◊, haywire (US)

megkergült [-et] a, ~ szerelmes demented lover

megkerít vt, 1. hunt up/down, get hold of, get, find, track down, run to earth 2. [nőt] seduce, procure 3. [vadat] beat up the game, head back the game

megkerítés n, [elveszett tárgyé] recovery, finding, regaining, retrieving

megkerül I. vi, be found, turn up (again); az elveszett könyv ~t the lost book has turned up
II. vt, 1. [járva] go/walk/come round, go about, [nagy ivben] sweep round, [körbe jár] compass, [hegyfokot] double, sail round, [várost] by-pass, (kat) outflank, turn the flank of 2. [akadályt] get/go round, pass round, evade; ~t az akadályt go round an obstacle; ~ egy nehézséget turn a difficulty 3. (átv) [kérdést, törvényt] elude, evade, circumvent, snirk, dodge (fam), side-step (fam), [feljebbvalót] by-pass; ~i a törvényt circumvent the law, get round the law; ~ve a Szovjet javaslat lényegét by circumventing the essence of the Soviet proposal

megkerülés n, 1. [elveszett tárgyé] turning up (again) 2. [járva] going round, [hegyfoké] doubling, sailing round, [városé] by-passing, (kat) outflanking 3. [akadályé] getting/going round, passing round, evading, avoidance 4. (átv) [kérdésé, törvényé] eluding, evading, evasion, circumvention, shirking, dodging (fam), [feljebbvalóé] by-passing; ez ~e a kérdésnek this is evading the question; vk ~ével ad utasításokat/parancsokat [személyzetnek stb.] give orders over sy's head

megkerülhető a, [kijátszható] evadable, eludible

megkerülő a, ~ mozdulat turning/enclosing/outflanking movement

megkérvényez vt, petition, apply for, make an application for

megkérvényezés n, petition, application

megkései vt, (wound with a) knife

megkesered|ik [-ett, -jen, -jék] vi, turn bitter

megkeserít vt, 1. (make) bitter 2. (átv) embitter, sour, fill with bitterness, exasperate; ~i vk életét poison/ embitter sy's life, worry sy to death, plague sy's life out; ~ette fiatalságát cast a cloud upon his youth; ~ette örömünket it has damped/overshadowed our joy

megkeserül [-t, -jön] vt, repent/rue/regret sg bitterly; ezt még ~öd you will regret (v. be sorry for) this, you'll smart/pay for this, you shall rue it

megkésés n, delay, lateness, being late/overdue

megkésett [-et; adv -en] a, late, overdue

megkés|ik vi, be/arrive late, turn up late, be behind time

megkeskenyedés n, narrowing

megkeskenyed|ik vi, (grow) narrow, [vége felé] taper

megkészit vt, = elkészít

megkétszerez [-tem, -ett, -zen] vt, (re)double; ~ett erőfeszítéssel with redoubled effort

megkétszerezés n, [számé stb.] (re)doubling

megkétszereződ|ik [-tem, -ött, -jön, -jék] vi, (re)double

megkettőz vt, 1. [tétet] (re)double, duplicate 2. (nyelvt) double, reduplicate 3. ~i a figyelmét renew one's attention; ~i lépteit quicken/mend one's pace

megkettőzés n, (re)doubling

megkettőződ|ik [-tem, ött, -jön, -jék] vi, (re)double

megkettőzött a, (re)duplicate, duplex

megkettőztet vt, (re)double, reduplicate, ingeminate

megkettőztetés n, (re)duplication

megkever vt, 1. [folyadékot] stir, [összekever] mix, mingle, blend 2. (kárty) shuffle 3. (vkt átv) perplex, throw into confusion

megkeverés n, 1. [folyadéké] stirring 2. [összekeverés] mixing, mingling, blending 3. (vké átv) perplexing, throwing into confusion

megkevesbed|ik vi, diminish, decrease, grow less, lessen, reduce, [haszon] fall off, decline

megkevesbit vt, lessen, diminish, reduce, shorten

megkezd vt, 1. (ált) begin (with) sg, commence, start, make a beginning (to), [borosüveget] open, [cipőt] cut into, make the first cut in, [futballmérkőzést] kick off, [hordót] broach, [kérdéstaglalását] broach (a subject), start examining (a question), [utazást] start (v. set out) (on a journey), [vállalkozást] embark on, enter upon, set up, set out upon, inaugurate, initiate, [vitát] open (the debate); ~i szereplését/pályafutását make one's début; ~i szolgálatát/hivatalát take office, assume one's duties 2. [ellenségeskedést] open (hostilities), [harcot] begin (the fight), engage (in a combat), [tüzelést] open (fire) 3. [új korszakot] usher in (a new era), inaugurate

megkezdés n, 1. beginning, commencement, start, [hordóé] broaching, [kérdés taglalásáé] broaching (á subject), [munkáé] getting down to, setting about, [utazásé] starting, setting out (on a journey), [vállalkozásé] embarking/entering upon, setting up, inauguration, initiation, [vitáé] opening, lead-off; az előadás ~e the beginning of the performance; az iskolaév ~e the beginning of the school year, the reopening of school 2. [ellenségeskedésé] opening (of hostilities), [harcé] beginning (of fight), [tüzelésé] opening (of fire); a hadműveletek ~e opening of hostilities 3. [új korszaké] ushering in (a new era), inauguration

megkezdődés n, beginning, commencement, start(ing)

megkezdőd|ik vi, 1. begin, start, commence, open, be opened; az előadás ~ött the performance/show is on; az előadás már ~ött the show has been onfor some time; ~ött a gyártása it is coming into production; újra ~ik reopen 2.[ellenségeskedés] open, be opened

megkímél vt, 1. [vk életét] spare sy, have mercy on sy, give quarter to sy 2. [vkt vmitől] save/spare sy sg, spare/save sy the trouble of doing sg; sok bajtól kimélte meg saved him a lot of trouble; ~ vkt vmnek a költségétől save sy the expense of...; ~ vkt egy ilyen kínos/kellemetlen helyzettől spare sy the awkwardness of such a situation; ~ attól a vesződségtől hogy he saved me the trouble of (doing sg) 3. [kíméletesen bánik vkvel] treat sy with consideration, deal tactfully/ gently with sy, have regard for sy, handle someone with kid-gloves

megkínál vt, (vmvel) offer sy sg; hellyel kínál meg vkt ask sy to take a seat (v. sit down); ~hatom egy csésze teával? may I offer you a cup of tea?; ~hatom még egy szelet hússal? may I help you to some more meat?

megkínlód|ik vi, alaposan ~tam vele it was a hard job (to tackle), it has cost me a lot of trouble

megkínoz *vt*, torment, torture, rack, *[vallatáskor]* put sy to the torture, put sy through the third degree *(US)*

megkínzott [·at; *adv* -an] *a*, tormented, tortured, lacerated

megkisebbed|ik *vi*, diminish, lessen, grow less, become smaller, *[összehúzódik]* contract

megkisebbít *vt*, make smaller/shorter, reduce, lessen, diminish, *[ruhát]* take in

megkísérel [-t, -jen] *vt*, try, attempt, try one's hand at, make an attempt at, essay, have a go/shot/try at, *[merészen]* risk, take a chance, venture; ~ *minden tőle telhetőt* try one's hardest; *kíséreljük meg !* let's have a go (at it)!; *megkísérli az ellenállást* attempt resistance; *megkísérli a lehetetlent* attempt impossibilities, attempt the impossible; *majd én megkísérlem I will* make the attempt; *újból* ~ reattempt

megkísérelt [-et] *a*, ~ *kézbesítés* attempted service; *meg nem kísérelt* unattempted

megkísért *vt*, 1. = megkísérel; 2. *[csábít]* tempt, lead into temptation

megkísértés *n*, temptation

megkíván *vt*, 1. *(vk vmt)* desire/want sg, wish (for), be desirous of, have a desire/longing for, hanker after, *[nőt]* desire, covet, lust after, *[erősen]* yearn/long/ crave for sg, be eager for sg, be keen on obtaining; ~*om az engedelmességet* I intend to be obeyed, I will be obeyed; ~*ja a másét* be covetous of another's property; *szenvedélyesen* ~ *egy nőt* lust after a woman 2. *(vm vmt)* demand, require, need, call for, necessitate; ~*tatik* is required

megkívánás *n*, desire, wish, *[nőé]* covetous desire, lust, concupiscence, cupidity, *[erős]* yearning, longing, *[terhes nőknél szokatlan táplálékot]* pica

megkívánt *a*, required, requested, called for *(ut)*

megkockáztat *vt*, 1. risk, venture, chance, hazard, take/ run a risk, take a chance, take the off chance (of), *[szerencsejátéknál]* stake; *vmt* ~*va* at the risk of, staking sg on sg 2. *[megjegyzést]* advance, put forward, venture, hazard; *észrevételt/megjegyzést* ~ venture/hazard a remark

megkocsikáztat *vt*, take sy (out) for a drive/ride, give sy a ride, tool sy (along) *(fam)*

megkocsonyásít *vt*, jellify, set, gelatinize

megkocsonyásítás *n*, jellification, setting, gelatinization, gelation

megkocsonyásodás *n*, jellification, gelation, setting

megkocsonyásod|ik *vi*, jellify, jelly, gelate, set, *(vegyt)* gel

megkomolyodás *n*, settling/sobering down

megkomolyod|ik [-tam, -ott, -jon, -ték] *vi*, become wiser/steady, become more serious, sober/settle down (after having sown one's wild oats)

megkomponál *vt*, compose

megkondít [-ani, -ott, -son] *vt*, *[harangot]* ring, toll; ~*ja a harangokat* set the bells ringing, ring the chimes; ~*ja a lélekharangot* toll the knell, sound the last post

megkondul [-t, -jon] *vi*, ring, (begin to) toll, peal

megkongat *vt*, *[megkondít]* ring, toll, *[kongat]* make sg give a hollow/cavernous sound; ~*ja felette a (halál)-harangot (átv)* sound the knell of sy ...

megkonstruál *vt*, 1. *(ált)* make, construct, build, erect 2. *[gépet megtervez]* design 3. *[összeállít]* assemble, put together, *[elméletet]* build up, frame 4. *[mondatot]* construct, construe

megkontráz *vt*, *(kárty)* double

megkontreminál *vt*, countermine, counterplot, devise counterplot against, frustrate (by counterplot)

megkopás *n*, 1. *[gépé]* wear (and tear) 2. *(geol)* wearing away, erosion

megkopaszt [-ani, -ott, -jon] *vi*, 1. make sy lose his hair 2. *[fát kérgétől]* strip, *[levelétől]* thin out, strip

megkopaszodás *n*, baldness, becoming/growing bald, *(orv)* alopecia, fox-mange *(joc)*

megkopaszod|ik *vi*, 1. *[ember]* get/grow/become bald, lose one's hair 2. *[madár]* moult, lose its feathers, *[fa]* lose its leaves

megkopaszt *vt*, 1. *[szárnyast]* pluck, deplume, *[birkát]* fleece, shear 2. *(átv vkt)* fleece, strip, skin sy, milk *(fam)* ; ~ *egy balekot (biz)* pluck a pigeon

megkopasztás *n*, 1. *[szárnyast]* plucking, deplumation, *[birkát]* fleecing, shearing 2. *(átv)* plucking, stripping, fleecing, skinning

megkop|ik *vi*, 1. *[ruha]* show signs of wear, become/ grow shabby/threadbare, *[kötél]* fray, get/grow/ become frayed 2. *[ember]* wear out, be weather- -beaten

megkoplal *vt*, stint oneself for, pinch (and scrape) for

megkopogtat *vt*, 1. *[ajtót]* knock, tap, rap, thump (at/ on the door) 2. *(orv)* sound (by percussion), percuss; ~*ja a beteg mellét* sound/percuss the chest of the patient

megkopott *a*, 1. *[ember]* shabby, seedy, out-at-elbows, *[ruha]* shabby, threadbare, worn-out, *[kifényesedett]* shiny 2. *(átv)* hackneyed, stale, threadbare, trivial, trite, worn-out/away

megkoppant *vt*, 1. give a (single) knock/tap (on, at) 2. *[gyertyát]* snuff

megkorbácsol *vt*, (horse)whip, flog, scourge, trounce, strap, lash, flagellate, *[tengerészetben]* cat

megkorbácsolás *n*, whipping, flogging, strapping, (the penalty of) the lash, flagellation

megkorhad *vi*, *[fa]* rot, *(átv)* decay

megkoronáz *vt*, 1. *[uralkodót]* crown, enthrone; ~*tatja magát* have oneself crowned 2. *(átv)* *[betetőz]* crown, cap, give the finishing touch to, consummate, top off/up

megkoronázás *n*, coronation, enthronement

megkóstol *vt*, taste, try, sample, *[eszik egy keveset]* take a little of sg, peck at; ~ *egy ételt* try a dish

megkoszorúz *vt*, crown with wreath/garland, wreathe, garland, bind with a wreath; *sírt* ~ lay flowers/ wreath on a grave; *babérral* ~ wreathe with laurels, laurel

megkoszosod|ik *vi*, 1. *[koszt kap]* get/grow/become scabby/mangy 2. *[piszkos lesz]* grow/become filthy/ dirty/soiled

megkotl|ik *vi*, go broody

megkotor *vt*, scrape, scratch, *[tüzet]* stir, poke (up), stoke, mend (the fire)

megkótyagosod|ik [-tam, -ott, -jon, -jék] *vi*, become intoxicated; ~*ott a dicsőségtől* success has turned *(v.* gone to) his head, became over-conceited; ~*ik az italtól* become tipsy/intoxicated; ~*ik vk szépségétől* become dazzled with/by sy's beauty

megkottyan *vi*, *[butykos]* emit a bubbling sound; *meg sem kottyan neki [olyan kevés]* it is a drop in the bucket, *[olyan könnyű]* he makes short work of it, it is a child's play *(v.* nothing) for/to him, he could do it on his head, he thinks nothing of it

megkovásodott *a*, ~ *fa* silicified wood

megkozmásod|ik [-ott, -jon, -jék] *vi*, catch (in the pan); *az étel* ~*ott* the food has caught

megkozmetikáz [-tam, -ott, -zon] *vt*, *(átv)* touch up, lift the face of, *[elszámolásokat]* fudge

megkölykez|ik *vi*, bring forth, drop, throw (its young), *[kutya]* pup(py), whelp, *[macska]* have kittens, kitten, *[vad]* cub, have cubs, whelp

megkönnyebbed|ik *vi*, 1. *(konkr)* become/grow lighter/ easier 2. *(átv)* be relieved (of one's cares), breathe freely again

megkönnyebbít [-eni, -ett, -sen] *vt*, 1. *[terhet]* lighten 2. *[lelkiismeretét]* soothe, comfort, ease, get sg off one's chest, *[szívet]* disburden, unburden, open

megkönnyebbül *vi*, 1. feel relief/relieved, relax, *[beteg]* feel/be better 2.*[székel]* ease/relieve one's bowels, relieve nature

megkönnyebbülés *n,* relief, alleviation, easement; ~*t okoz* relieve

megkönnyebbülten *adv*, ~ *sóhajt fel* fetch/breathe a sigh of relief

megkönnyez *vt*, weep/cry for (sy), bewail (sy), shed tears (for/over sy), *[halottat]* mourn for (sy)

megkönnyít *vt*, 1. *[terhet]* ease, lighten, make lighter 2. *[vk helyzetét/feladatát]* facilitate, make easier

megkönnyítés *n*, 1. lightening, easing 2. *(átv)* facilitation, easing, making easier

megkönnyített *a*, ~ *feltételekkel* on easy terms

megkönnyíthető *a*, *[szenvedés]* relievable

megkönnyítő [-t] *a*, relieving

megkönnyül [-t] *a*, *[teher, súly]* lighten

megkönyörül *vi*, *(vkn)* have/take pity/compassion on, be compassionate to/toward(s), have mercy on, give quarter to; *könyörülj meg rajtam* be merciful to me, have pity upon me

megkönyörülés *n*, pity, compassion, commiseration, quarter, mercy

megköp *vt*, 1. *[légy húst]* = beköp; 2.~*i a markát* spit in one's hand

megköpölyöz *vt,* = köpölyöz

megköpül *vt*, churn, make butter (of cream)

megkörnyékez *vt*, 1. try to win the confidence of sy, try to get near sy 2. *[megveszteget]* try to bribe sy

megkörnyékezhető *a*, accessible, accostable

megköszön *vt*, thank sy, give thanks to sy, return thanks, express one's thanks *(mind:* for sg); *azt nem fogod* ~*ni* you shall pay for it, I will make you suffer/ smart for it, I will pay you out for it; *köszönje meg nevemben!* give him my best thanks

megköszönés *n*, thanks *(pl)*, expression of gratefulness, thanking

megköszörül *vt*, *[kaszát]* whet, *[kést]* sharpen, set/put an edge on, grind, *[fűrészt, borotvát]* set, hone

megköt *vt*, 1. *(ált)* bind, fasten, tie (up), *[csomagot spárgával]* tie/do up with string, *[csomót]* (tie a) knot, *[csónakot]* moor, *[hajókötelet]* belay, *[kereket]* scotch, lock, skid, spoke, *[vk kezét-lábát]* bind sy hand and foot, pinion sy, *[kötéllel]* cord, *[lánccal]* chain (up), *[kutyát]* tie/chain up, *[lovat]* tether, *[nyakkendőt]* tie, knot 2. *[harisnyát]* knit 3. *[anyagot]* cause to cohere, *(vegyt)* fix, *[cement]* harden, become/get hard, *[malterral]* bind, *[falat vassal]* tie (down) 4. *[békét]* make peace with, sign (peace treaty), *[biztosítást]* effect *(v.* take out) an insurance policy, *[egyezményt, megállapodást]* conclude, close (agreement) (with sy), come to terms (with sy). *[szerződést]* conclude, make *(v.* enter into) (contract), *[szövetséget]* conclude, form (an alliance), *[üzletet]* strike, close (bargain), conclude, perfect, effect (sale, transaction), transact (business); *fogadást* ~ lay a wager, make a bet 5. *[vkt egy körülmény]* bind, tie down, check, restrain, fence in, *[magát átv]* be obstinate/stubborn, persist in *(v.* cling to) an opinion, be wedded to an opinion, persist stubbornly in doing sg, be obstinately set/bent on (doing) sg; *meg van kötve a keze* have one's hands tied, be bound hand and foot

megkötés *n*, 1. *[csomóé]* binding, fastening, tying 2. *[cementé]* hardening, *[malterral]* binding 3. *[békée, szerződésé]* conclusion, *[szövetségé]* forming (of alliance), *[üzleté]* concluding, effecting, transacting (business), *[feltételé]* obligation, stipulation, *[megszorítás]* limitation; ~ *és feloldozás hatalma/joga* the power to bind and to loose; *azzal a* ~*sel* with the obligation/proviso (to)

megkötött *a*, 1. *[csomó]* bound, fastened, tied 2. *[szerződés]* concluded 3. *[üzlet]* effected, perfected; *a* ~

üzletek után 5% jutalék five per cent commission on effected sales

megkötöttség *n*, constraint, *[kötelezettség]* obligation

megkötöz *vt*, bind, fasten, tie (up), *[embert akasztás előtt]* truss, *[hajókötelet]* reeve; ~*i vk kezét* bind sy's hands; *kezét-lábát* ~*i vknek* bind sy hand and foot, pinion sy

megkötözés *n*, binding, fastening, tying (up)

megkötözött [-et; *adv* -en] *a*, bound, fastened, stringed, fettered, pinioned

megköveredlik [-tem, -ett, -jen, -jék] *vi*, = meghízik

megkövesedés *n*, petrifaction, petrification, fossilization, lithification

megkövesedési *a*, petrifactive

megkövesedett [-et; *adv* -en] *a*, petrous, petrified, fossil, lithoid; ~ *fa* wood-stone; ~ *maradvány* fossil record

megkövesedlik [-ett, -jen, -jék] *vi*, petrify, lapidify, turn/harden into stone, fossilize, lithify, *[némely forrás vizében]* become encrusted with lime

megkövesít [-eni, -ett, -sen] *vt*, petrify, lapidify, turn into stone, fossilize

megkövesítő [-t] *a*, petrifactive

megköveszt [-eni, -ett, -sen] *vt*, *[szalonnát]* parboil, preboil

megkövet *vt*, *(vkt)* make amends *(v.* due apology) to sy, beg sy's pardon, apologize to sy; ~*em alássan* saving your presence

megkövetel *vt*, 1. *(vk)* demand, exact, require, insist (up)on; *ezt* ~*em* this is an order!, I mean/expect to be obeyed, I insist on obedience; ~*i hogy* he insists on (sy doing sg); ~*ik tőlem hogy megtegyem* it is required of me to do it 2. *(vm)* require, demand, necessitate, call for; *a körülmények* ~*ik* the circumstances demand it

megkövetés *n*, apology, amends *(pl)*, *[ünnepélyes]* amende honorable *(fr)*

megkövez *vt*, stone (to death), lapidate. *(ref.);* ~ *vkt* pelt sy with stones, throw/cast stones at sy

megkövezés *n*, stoning (to death), lapidation *(ref.)*

megkövül *vi*, 1. *(konkr)* turn into stone, petrify, fossilize, lithify, harden into stone 2. *(átv)* ~ *a félelemtől* be paralysed with terror; *a bámulattól* ~*t* stupefied/petrified with astonishment

megkövülés *n*, petrifaction, fossilation, fossilization

megkövült *a*, petrified, fossilized; ~ *dogma* petrified/ fossilized doctrine

megközelít *vt*, 1. *[közelébe megy]* approach, (come) near, come close to, draw near/nigh, come nearer to, advance towards, *[futó]* gain on 2. *(vkt átv)* get at, gain access to, approach (sy), *[vesztegetési ajánlattal]* try to bribe 3. *[minőségileg]* be nearly as (good, bad) as, be comparable to, be practically the same as, *[mennyiségileg]* approximate, come close/up to; *meg sem közelíti* be no match for, be far from, be no patch on, it's nothing to touch that one *(fam);* jelentéke- *nyen* ~ go a long way towards sy/sg, run sy/sg close; *az arckép meg sem közelíti az eredetit* the portrait does not come near the original

megközelítés *n*, approach, access, drawing near(er)/ nigh, advance, approximation; *legjobb* ~*ként* as the closest approximation

megközelíthetetlen *a*, 1. *(vk, vm)* inaccessible, unapproachable, un-get-at-able *(fam)*, un-come-at-able *(fam);* ~ *számomra* it is beyond my reach, it is out of my reach 2. *[erkölcsileg]* incorruptible 3. *(kat)* unattackable

megközelíthetetlenség *n*, inaccessibility, unapproachableness, integrity

megközelíthető *a*, accessible, approachable, *(átv)* amenable; *vk számára* within sy's reach; *könnyen* ~ *hely* place easy of access; *nehezen* ~ *hely* place difficult of access

megközelíthetőség *n*, accessibility, approachableness, approachability

megközelítő [-ek, -t; *adv* -en, -leg] *a*, (ap)proximate, approximating, *[hasonló]* akin *(ut)*, similar (to), *[számítás, becslés]* approximative, rough; *ezek csak ~ adatok* these figures are only a rough estimate; *~ becslés* rough estimate/guess

megközelítőleg *adv*, approximately, at a rough guess/ estimate, roughly; *~ egyidősek* they are much the same *(v.* of an) age

megkrétáz *vt*, (mark with) chalk, *[dákot]* chalk

megkritizál *vt*, *(ált)* criticize, *[írásban]* write a criticism/ review of sg, *[kedvezőtlenül]* censure, pass censure on, find fault with, throw/cast stones/aspersions at, *[szigorúan]* criticize severely/unmercifully, pull to pieces, pick holes in *(fam)*, cut up *(fam)*, run down *(fam)*

megkritizálás *n*, criticism, critique, censure

megkukacosod|ik [-ott, -jon, -jék] *vi*, get/become grubby/maggoty/maggotish, get full of maggots, *[gyümölcs]* become/get worm-eaten

megkukul [-t, -jon] *vi*, 1. *[megnémul]* get/become dumb/mute, button up *(fam)* 2. *[meghülyül]* get cracked, go off one's chump/head

megkuporgat *vt*, *[pénzt]* scrape together

megkurtít *vt*, 1. *(ált)* shorten, make shorter, abridge, curtail, cut down, *[beszédet]* slash 2. *[hajat]* cut short, crop close, bob, clip, trim, *[lépcsősen]* shingle, *[állat farkát]* dock, *[kutya fülét]* round, crop; *~ja a ló farkát* bob a horse's tail

megkurtítás *n*, 1. *(ált)* shortening, curtailment, slashing, *[jogokat]* curtailment, *[szöveget]* abridg(e)ment 2. *[hajé]* cutting short, cropping close, bobbing, clipping, trimming, *[állat farkáé]* docking, dockage, *[kutya füléé]* rounding, cropping

megküld *vt*, 1. *[levelet, csomagot]* send (off), forward, get off, dispatch, expedite 2. *[pénzt]* remit

megküldés *n*, 1. *[levélé, csomagé]* sending, forward--ing, dispatch(ing), expedition 2. *[pénzé]* remittance

megkülönböztet *vt*, 1. *[két dolgot egymástól]* distinguish, discriminate, discern (two things), *(vmt vmtől]* tell, distinguish, discern, discriminate, know (sg from sg), tell apart, *[vm vmt vmtől]* mark out, mark sg off from, *[hátrányosan]* discriminate against, prejudice, *[különbséget kiemel]* draw/make a distinction between, contrast; *meg tudja különböztetni a jót a rossztól* can tell good and bad apart; *nem tudom ~ni* I do not know which is which; *nehéz ~ni őket* it is difficult to tell them apart 2. *[különbséget tesz]* differentiate, *[hátrányosan]* discriminate, make a distinction 3. *[vkt kitüntet]* confer a distinction on

megkülönböztetés *n*, distinction, differentiation, discernment, *[főleg hátrányos]* discrimination (against), prejudice; *finom ~* subtle distinction; *a szociális és gazdasági síkon megnyilvánuló ~* social and economic discrimination; *~ nélküli* indiscriminating

megkülönböztetési *a*, *~ képtelenség* inability to differentiate

megkülönböztetésül *adv*, *(vmtől)* in contradistinction to..., as distinct/distinguished from..., as constrasted with sg

megkülönböztetett *a*, *~ figyelemmel/udvariassággal bánt vele* he paid her marked attentions; *~ tisztelettel [nem levél végén]* with particular deference, *[levél végén]* most respectfully yours, yours truly

megkülönböztethetetlen *a*, indistinguishable, undistinguishable, undiscernible, indiscriminable

megkülönböztethető *a*, discernible, distinguishable, differentiable, distinct

megkülönböztető [-ek, -t; *adv* -en] *a*, distinctive, characteristic, *[hátrányosan]* discriminating; *~ jel* distinguishing sign, distinctive mark, earmark; *~ vonás* special feature

megküzd *vi*, 1. *(vmért)* fight/struggle for; *nagyon meg kellett érte küzdenie* he had to endure much hardship in/while reaching his aim; *~ a sikerért* fight one's way to success 2. *(vkvel)* fight (with), measure/pit oneself against, try/measure one's strength against, measure swords with, *[birkózik]* wrestle with, *[konkurrenciával]* compete (with sy), fight sy in a competition; *küzdjünk meg érte* let's fight it out 3. *[nehézségekkel]* tackle, brave, breast, be confronted with (difficulties), buffet (storms), cope with, fight, face, contend/struggle/fight/compete with/against, *(kif)* take the bull by the horns; *derekasan ~ött a bajnoki címért* he won his title in a man-to-man fight; *~ a betegséggel* combat *(v.* contend/wrestle with) disease; *~ a helyzet nehézségeivel* face out a situation; *~ a hullámokkal* buffet (with) the waves; *~ a(z) elemekkel/vészekkel* brave/defy the elements

meglágyít *vt*, 1. *[anyagot]* soften, mellow 2. *[hízelgéssel vkt]* wheedle, mollify; *~ja vk szívét* move sy to pity/ mercy, soften/melt sy's heart; *könnyek nem lágyítják meg a szívét* tears will not move him (to pity); *a szánakozás ~otta a szívét* his heart melted with pity; *könyörgése ~otta szívét* he yielded to her entreaties, he yielded in response to her entreaties

meglágyítás *n*, *[szívé]* mollification

meglágyul *vi*, 1. *[anyag]* soften, become/grow soft, mellow, *[acél]* lose its temper 2. *[hang]* grow softer; *~ a szíve* be swayed/moved/touched (by sg), relent

meglak|ik I. *vt*, *(vmt)* inhibit, dwell/live in, occupy **II.** *vi*, *(vhol)* live (somewhere), reside (in), dwell, stay, have one's house/domicile at

meglakol *vi*, *(vmért)* expiate (sg), atone/pay/smart for, pay the penalty of, be chastised/punished/penalized for (sg); *alaposan ~ érte* pay for it up to the hilt, have to suffer a lot for it; *ezért még ~! he shall pay for this!, I'll make him pay for this!

meglakolás *n*, expiation, receiving punishment, *(vall)* atonement

megláncol *vt*, 1. *(ált)* chain up, enchain *(ref.)* 2. *[megbilincsel]* put in chains/irons, fetter; *kutyát ~* put a dog on the chain, chain up a dog

meglangyosít *vt*, take the chill off sg

meglapul *vi*, 1. *[lapossá válik]* become flat *(v.* flattened out), flatten 2. *[elbújik]* lie flat/low/doggo, lurk, skulk, cower, hide out of the way, *[nyúl]* hide, squat

meglapulás *n*, *[elbújás]* lying flat/low/doggo, lurking, skulking, hiding, cringe

meglassít *vt*, 1. slacken, slow down/up; *~ja lépteit* slacken one's pace 2. *[fejlődést]* retard, delay; *~ja a termelést* put a check on production

meglassítás *n*, slackening, slowing up/down

meglassudás *n*, = **meglassulás**

meglassud|ik *vi*, = **meglassul**

meglassul *vi*, slacken, slow up/down, decelerate, let up

meglassulás *n*, slackening, slowing up/down, deceleration

meglasszóz *vt*, lasso

meglát *vt*, 1. *[megpillant]* catch sight *(v.* a glimpse) of, set eyes on, sight, descry *(ref.)*, spy *(obs)*, spot *(fam)*, behold *(ref.)*; *~ni és megszeretni egy pillanat műve volt* it was a case of love at first sight 2. *[észrevesz]* perceive, notice, observe, distinguish; *~tam rajta hogy sírt* I noticed that she had wept; *(előre) ~ta a nehézségeket* he foresaw the difficulties 3. *majd (még) ~juk* that remains to be seen, we shall see, just wait and see, live and learn, time will show; *majd ~juk hogy/vajon...* it remains to be seen whether...

meglátás *n*, 1. *[megpillantás]* sight, glimpse, sighting, noticing 2. *[észrevétel]* perception, observation, noticing, realization; *költői ~* intuition; *mély ~* deep insight; *jó ~ai vannak* he has an observing mind

meglátogat *vt*, 1. *(vkt)* pay (sy) a visit/call, visit, call on (sy), go and see (sy), make a call on, *[rövid időre]* pay sy a flying visit, drop/look in (on sy), pop in *(fam)*, *[ellenőrzőleg]* inspect, *[orvos beteget]* visit, attend, *[múzeumot stb.]* visit; *látogass meg* come (round) and see me; *meg foglak látogatni* I'll look you up; *látogass meg holnap* come and see me to-morrow *(fam)* 2. *(bibl)* *[Isten vkt]* visit (sy)

meglátogatás *n*, 1. visit(ing), call, *[ellenőrző]* inspection 2. *(bibl)* visitation

meglátsz|ik *vi*, appear, *[észrevehető]* show, look, seem. *[nyilvánvaló]* be evident/noticeable/manifest/palpable/discernible; *~ik rajta hogy beteg volt* his past illness is still showing, you can see he was ill; *~ik rajta a sok munka* the work was telling on him; *~ik rajta hogy 70 éves* he looks every one of his seventy years; *nem látszik meg rajta a kor* he doesn't look/show his age; *a folt meg fog látszani* the stain will show; *~ik a lehelet [hidegben]* one can see one's breath

meglazít *vt*, 1. *(ált)* loosen, ease, slacken, relax, *[csavart]* loosen, unclamp, unscrew, ease, *[talajt]* loosen, break up, make loose/spongy, *[kifeszített kötelet]* relax, loose, slacken, *[kötelet]* unstretch, *[rugót]* weaken, release, relax 2. *[erkölcsöket]* relax

meglazítás *n*, 1. *(ált)* loosening, easing, slackening, *[csavaré]* unclamping, unscrewing, *[talajé]* breaking up, *[kötélé]* relaxing, relaxation 2. *[erkölcsöké]* relaxing, relaxation

meglazul *vi*, 1. *(ált)* slacken, give way, *[csavar]* get/become/come/work loose, *[odaerősített csomag]* shift, *[kötél]* sag, loosen, *[talaj]* get/become loose/spongy 2. *[erkölcs]* grow lax/loose, *[fegyelem]* relax, slacken

meglazulás *n*, 1. *(ált)* getting/coming loose, slackening, shifting, *[kötélé]* sagging, loosening, *[talajé]* breaking up 2. *[erkölcsé, fegyelemé]* looseness, laxity

meglazult [-at] *a*, *~ fog* loose tooth

meglazsnakol [-t, -jon] *vt*, give (sy) a sound beating/thrashing/licking, lather ◇, lam ◇

meglebben *vi*, flutter

meglebbent *vt*, flutter, *[játylat]* raise, lift (up)

meglécez *vt*, lath

megleckéztet *vt*, *(vkt)* reprimand, sermonize, lecture, read sy a lesson *(fam)*, dress sy down *(fam)*, take sy to task *(fam)*, give sy a talking-to *(fam)*, give sy a piece of one's mind *(fam)*, haul/call sy over the coals *(fam)*, expostulate/remonstrate with sy *(fam)*; *alaposan ~ vkt (biz)* give it (to) sy hot

megleckéztetés *n*, reprimand, admonition, rebuke, reproof, talking-to *(fam)*, lecture *(fam)*

meglegyint *vt*, touch/stroke lightly, *[arcot]* pat, slap lightly

meglehet I. *adv*, maybe, possibly, perhaps; *~!* possibly! ; *~ (hogy)* (it) may be (that), it is quite possible/probable (that), as like as not II. *vi*, *~ vm nélkül is* can manage/do without sg, dispense with sg

meglehetős [-et; *adv* -en] *a*, passable, tolerable, pretty, goodish, sizable, fairish, not so bad *(fam)*, fair (to middling), so-so; *egy ~ összeg még megmaradt neki* he has a handsome amount left, a passable sum is left (to him); *~ gyakran (biz)* as often as not, more often than not

meglehetősen *adv*, 1 rather, fairly, quite, passably, pretty, tolerably, more or less, enough *(ut)*; *~ gyakran* pretty often; *~ hosszú* longish, fairly long; *~ hosszú ideig* a good while; *~ jó* pretty/fairly good, respectable, goodish, middling; *~ jól* pretty/fairly well; *~ jól beszél angolul* he speaks English fairly well, his English is pretty good; *~ későn* rather/

somewhat late, latish; *~ kicsi* fairly small, smallish; *~ merev* stiffish; *~ nagy* sizable, fairly large; *~ messze van* it is a good way off; *~ sokan* a fair number; *~ tiszta* cleanish, fairly/tolerably clean 2. *[,,hogy vagy?"* kérdésre] passably, tolerably, pretty/fairly well, so-so

meglékel *vt*, 1. *[hordót]* tap, broach, *[dinnyét]* plug, cut open 2. *[hajót]* scuttle 3. *(orv)* trepan, trephine

meglékelés *n*, 1. *[hordóé]* tapping, *[dinnyéé]* plugging, cutting open 2. *[hajóé]* scuttling 3. *(orv)* trepanning, trepanation, trephining

meglel *vt*, find, *[véletlenül]* discover, hit/come/happen upon, come across; *minden zsák ~i a maga foltját* every Jack gets his Jill

megleletez [-tem, -ett, -zen] *vt*, fine, prosecute (for non-payment of stamp-duty), impose a fine for (an unsufficiently stamped document)

meglendül *vi*, begin to swing/sway, start swinging/swaying

meglenget *vt*, wave

meglenni *vi*, exist, be at/on hand; *nem tud nélküle ~* he cannot do without him, he cannot dispense with him; *nem tudnak ~ egymással* they do not get on well/together, they do not hit it off, they do not pull together; *ezzel meglennénk* we are through with it, that's done! ; *ld. még* meglesz, megvan

meglep *vt*, 1. *[rajtakap]* (take by) surprise, come upon sy/sg unexpectedly, catch sy napping/unawares, *(vkt vkvel)* catch sy in the act; *~te az esső útközben* he was caught in the rain on the way; *~te az éjjel* night overtook him 2. *[meglepetést okoz]* surprise, astonish, *[nagy mértékben]* stupefy, astound; *ez őt ~te* he was surprised at it, it took his breath away, he was taken aback (by it); *nem lepne meg ha* I should not be surprised if; *nem lep meg egy ilyen embertől* that's what one would expect from such a person; *~ne ha visszajönne* I should be surprised if he came back 3. *(vkt vmvel)* surprise sy with sg, spring a surprise on sy, *[kellemetlen dologgal]* spring sg on sy; *~i magát egy új öltönnyel* indulge in a new suit 4. *[ellep]* infest, invade, overrun

meglép *vi*, = meglóg

meglepés *n*, surprise, surprisal

meglépés *n*, = meglógás

meglepetés *n*, 1. surprise, surprisal, astonishment, amazement; *ez aztán ~!* what a surprise! ; *~ érte őket* they were surprised; *milyen nagy volt a ~e mikor...* how great was his astonishment/surprise when..., he had the surprise of his life when...; *~ében* in his surprise; *~ként ért* it came as a surprise to me; *nagy ~emre* to my great surprise, much to my surprise/astonishment, to my utter astonishment; *~t készít vknek* prepare a surprise (in store) for sy; *~t mutat* show/manifest/exhibit one's surprise; *~t szerez vknek* give sy a surprise; *nem tud hová lenni* (v. *magához térni) a ~től* he cannot get over it, he is lost in astonishment 2. *[ajándék]* present, gift, *[csomag]* surprise packet; *egy kis ~t hoztam* I have brought you a little gift

meglepésszerű [-t; *adv* -en] *a*, 1. = meglepő; 2. *[váratlan]* sudden, unexpected, surprising; *~ cselekedet* surprise/snap act; *~ látogatás* surprise visit; *~ támadás* surprise attack; *~en elfoglal egy várost* take a town by surprise

meglepő [-ek, -t; *adv* -an] *a*, surprising, astonishing, bewildering, astounding, amazing, startling; *ez ~!* that surprises me!, it makes one think (v. sit up), would you believe it!, you don't say!, well(,) I wonder! ; *~ hasonlóság* startling/striking resemblence; *~ hír* a startling news; *annál ~bb ez* this is the more surprising as...; *ez a leg~bb amit hallottam* this beats everything; *nincs semmi ~*

benne it is not surprising at all, there is nothing unusual in it, it is just as one would expect (it to be); *nem ~ hogy* no wonder (that)

meglepődés *n*, astonishment, surprise, wonder, amazement

meglepőd|ik [-tem, -ött, -jön, -jék] *vi*, *(vmn)* be astonished/surprised at, show/register surprise, be taken aback; *nagyon ~ött* he stood in astonishment, he was quite astounded *(v.* taken aback); *nem nagyon lepődött meg rajta* he was not greatly surprised/astonished at it, it was not much of a surprise for/to him, he accepted it rather as a matter of fact

meglepődve *adv*, in surprise/astonishment/amazement, surprisedly

meglepően *adv*, surprisingly, astonishingly, amazingly; *~ hasonló* strikingly similar

megles *vt*, 1. *[kiles]* watch sy, spy upon sy 2. *[vár]* lie in wait for, be on the look-out for, *[utcán, hogy megszólíthassa]* waylay

meglesz *vi*, 1. *~ünk nélküle is* we shall do/manage without him, we can dispense with him; *majd csak ~ünk* we shall rub through somehow 2. *holnapra ~ [holnapra elkészül/elintézem]* it will be ready/done by tomorrow; *négy héten belül ~* it will be a matter of four weeks; *ld még* **meglenni, megvan**

meglét *n*, existence, being; *vm ~e óta* since its coming into being/force

meglett [-et; *adv* -en] *a*, adult, grown-up, mature; *~ férfi* a mature man; *~ korú* of middle age *(ut)*

meglevelesed|ik *vi*, put forth *(v.* run to) leaves, put on foliage, leaf, foliate

meglevelez *vt*, settle by correspondence

meglevő [-t] *a*, existing, extant, in hand *(ut)*, at sy's disposal *(ut)*, available, disposable, real, *[áru]* in stock; *~ készletek* supplies on hand; *régebben ~* pre-existent/existing

meglibabőröztet *vt*, make sy's flesh creep, make sy have goose-flesh

meglibben *vi*, = **meglebben**

meglibbent *vt*, = **meglebbent**

meglincsel *vt*, lynch

meglisztez [-tem, -ett, -en] *vt*, flour

meglóbál *vt*, 1. *[farkát kutya]* wag, *[ló]* whisk about 2. *~ja a karját* wave/toss one's arm (in the air); *~ja a kardot* brandish/wield one's sword

meglobogtat *vt*, *[zsebkendőt, zászlót]* flourish, wave, *[újságot]* hold up, wave about, *[szél hajat]* ruffle, wave

meglobogtatás *n*, flourish(ing), waving

meglocsol *vt*, 1. *(ált)* spatter, dash/splash water on, *[ruhát]* sprinkle with water, *[sültet zsírral]* baste 2. *[utcát, növényt]* water, *[gyepet]* sprinkle, spray, besprinkle *(ref.)*, *[csővel]* syringe

meglocsolás *n*, 1. *(ált)* spattering, dashing/splashing water on, *[ruháé]* sprinkling with water, *[sülté zsírral]* basting 2. *[utcáé, növényé]* watering, *[gyepé]* sprinkling, spraying

meglódít *vt*, set swinging, jerk, *[meglök]* give a push to, *[megráz]* jolt

meglódul *vi*, begin to swing, *[megrázkódik]* be tossed/shaken/jolted

meglóg *vi*, *(biz)* decamp, abscond, take oneself off, take French leave, give sy the slip, slip away, make a getaway *(fam)*, be/clear/march/nip off *(fam)*, clear out *(fam)*, cut along *(fam)*, get out of the rain *(fam)*, cut one's stick *(fam)*, make tracks *(fam)*, lam ❖, hop/hook/leg it ❖, sling/take one's hook ❖, walk one's chalk ❖, (do a) bunk ❖, scram ❖, vamoose (*US* ❖), shemozzle (*US* ❖), skedaddle (*US* ❖), skip off (*US* ❖), *[katonaságtól]* desert ❖, go A.W.O.L. ❖; *~ vmivel* run away with sg, go off with sg; *~ a pénzzel* make/walk off with the cash,

romp with the dibs; *legjobb lesz ~ni* there's nothing for it but to run; *~ott a jómadár* the bird has/is flown

meglógás *n*, flight, running away, absconding, going away secretly, (taking a) French leave, *[katonaságtól]* desertion

meglop *vt*, *(vkt)* steal from sy, rob sy (of sg)

meglottyad [-t, -jon] *vi*, *[gyümölcs]* get/grow/become sloppy/damaged, *[tészta]* become spongy/unappetizing

meglovagol *vt*, 1. *[lovat]* mount, ride, bestride 2. *(vmt átv)* make the most of, turn sg to good use

meglovasít *vt*, *(tréf)* collar, nip, filch, scrounge, pilfer

meglő *vt*, 1. shoot, wound (by shooting) (sy), *[agyon]* kill by shooting, shoot dead 2. *meg vagyok löve* □ I am in a nice pickle, I am done for, I am in a scrape/fix, I have had it

meglök *vt*, *(vkt)* knock against, run against/into, jostle, shock, collide with, bump into/against, *[figyelmeztetésként]* nudge, jog, *(vmt)* push, shove, thrust, give sg a push/shove

megmacskásod|ik [-tam, -ott, -jon, -jék] *vi*, *[a lába]* go to sleep

megmagyaráz *vt*, *(ált)* explain, explicate, *[mélyebben]* expound, interpret, elucidate, *[példákkal]* demonstrate, illustrate, *[kérdést]* illuminate, clear, *[részletesen]* unfold, give details of, *[magyarázattal szolgál]* explain, account for; *mindjárt ~om* I shall explain it to you at once; *nem tudom magamnak ~ni* I cannot understand why, I cannot explain it even to myself; *ez ~za* this explains *(v.* accounts for) it; *ez mindent ~* that explains matters; *~za vknek hogy mi a kötelessége* point out to sy his duty

megmagyarázás *n*, exposition, explanation, elucidation, interpretation

megmagyarázhatatlan *a*, inexplicable, unexplainable, unaccountable, undecipherable, uninterpretable

megmagyarázhatatlanul *adv*, inexplicably, unexplainably, unaccountably, undecipherably

megmagyarázható *a*, explainable, explicable

megmagyarosít *vt*, Magyarize, Hungarize

megmagyarosítás *n*, Magyarization, Hungarization

megmagyarosodás *n*, (gradual) Magyarization, becoming Magyarized

megmagyarosod|ik *vt*, get/become Magyarized, become a Hungarian

megmakacsod|ik *vi*, be/remain obstinate/stubborn, persist in *(v.* cling to *v.* be wedded to) an opinion, persist (stubbornly) in doing sg, dig one's heel in *(fam)*, dig in one's toes *(fam)*

megmakacsolja magát turn rusty, cut up rusty; *ld még* **megmakacsodik**

megmakacsolás *n*, balking

megmalacoz|ik *vi*, farrow, pig

megmámorosít [-ani, -ott, -son] *vt*, 1. *(konkr)* *[kissé]* make tipsy, *[nagyon]* intoxicate, inebriate, make drunk 2. *(átv)* impassion, elate, exalt, intoxicate, inebriate, exhilarate, enrapture

megmámorosodás *n*, 1. tipsiness, intoxication, inebriation 2. *(átv)* rapture, exhilaration, excitement, ecstasy (of joy), elation, delirious enthusiasm

megmámorosod|ik [-tam, -ott, -jon, -jék] *vi*, 1. *(konkr)* *[kissé]* get/become tipsy, *[nagyon]* get/become intoxicated/inebriated/drunk, get fuddled 2. *(átv)* *~ik az örömtől* be drunk/elated with joy

megmángorol *vt*, calender, press, roll, *[ruhát]* mangle

megmar *vt*, *[kutya]* bite, *[kígyó]* sting, *[folyadék]* bite, *[vkt szavával]* slander, backbite, vilify

megmarad *vi*, 1. *(vhol)* stay, remain; *nem tud egyhelyben ~ni* be unable to keep still *(v.* to stay put); *~ állásban* continue in one's office, hold/keep one's job; *kegyeiben ~* keep in favour with, remain in sy's good books; *nem marad meg benne semmi [étel]* he cannot hold his food *(v.* keep his food down), *[rábízott titok]* be the real human sieve/colander 2. *[fennmarad]* abide, survive, last, endure; *akik ~tak* the survivors; *csupán három ember maradt meg* only three men survived; *emléke ~* his memory will live on; *a hagyomány ~t* (the) tradition has come down *(v.* been handed down) to us; *a hó ~* the snow is settling; *a hó nem maradt meg* the snow did not lie; *a szép idő ~* the fine weather is holding 3. *(vmből)* be left, remain (over); *ez maradt meg a házból* that is what remained *(v.* was left) of the house; *~ a helye/nyoma (átv is)* leave a scar; *hát csak ennyi maradt meg a nagy tervből?* is that all your great ambition has boiled down to?; *a láz ~t* the fever has continued 4. *(vm mellett)* persist in, stick/keep/adhere to, stand firm to, abide by, hold out, hang on; *maradjunk meg a megállapodásnál* let us abide by that; *~ elhatározásánál* persist in *(v.* abide by *v.* stick to) one's decision/resolve, stick to one's guns *(fam)*; *~ követelésénél* insist on one's claim; *~ meggyőződésénél* remain convinced, adhere to one's opinion, maintain one's opinion, be staunch in one's convictions; *~ a tényeknél* stick to facts; *semmi mellett sem tud ~ni* he cannot settle with anything 5. *(vmnek)* remain, abide *(ref.)*; *~ agglegénynek* stay bachelor, remain single; *~t annak aki volt* he has remained his old self, he is still what he used to be; *~tak barátoknak* they stayed/remained friends, they kept up their friendship

megmaradás *n;* 1. *(vhol)* remaining, stay 2. *[fennmaradás]* survival, continuance, endurance, lastingness, permanence 3. *[vm mellett]* persistence (in), insistence (on), adherence (by); *az energia ~a* (the law of the) conservation of energy; *az anyag ~a* the indestructibility of matter

megmaradó *a,* remaining, residuary, residual, remanent *(ritk), [étel]* left (over)

megmarás *n,* biting, bite

megmarkol *vt,* grip, grab, clutch, seize, grasp, clasp, lay/take/catch hold of, capture; *~ta a karját* he seized him by the arm; *keményebben ~ vmt* tighten one's grip round/on sg

megmarkolás *n,* seizure, handgrip, gripping, capture

megmarkolható *a,* handy, convenient to grip/grab *(ut),* seizable, *(átv)* palpable, tangible, concrete

megmárt *vt,* dip, *(áztat)* soak, steep, souse; *~ja magát [ember]* have a dip

megmártás *n,* dipping

megmártogat *vt,* = **megmárt**

megmártózás *n,* dip

megmártóz|ik *vi,* have a dip

megmásít *vt, [megváltoztat]* modify, alter, change, qualify, *[teljesen]* transform, reverse, transmogrify *(joc), [bejegyzést]* rectify, *[önkényesen, hamisításképpen]* falsify, tamper with, garble, *[értelmet]* pervert, *[tényeket]* distort, misrepresent, colour, give a garbled account/version of, twist (the truth), gloss over; *~ja szándékát/tervét* change one's mind, think better of it; *~ja állaspontját* shift one's ground; *folyton ~ja elhatározását (biz)* chop and change

megmásítás *n,* modification, alteration, change, rectification, falsification *(pej),* garbling *(pej), [tényeké]* misrepresentation, misinterpretation, distortion, perversion

megmásíthatatlan *a,* unalterable, irreversible, irrevocable; *~ elhatározás* decision past recall, irrevocable decision; *~ szándék* unswerving determination/purpose; *szándékát ~nak nyilvánítja* nail one's colours to the mast, burn one's boats

megmásíthatatlanság *n,* irrevocability, irreversibility, finality

megmásíthatatlanul *adv,* irrevocably, irreversibly, finally

megmásítható *a,* revocable

megmásul [-t, -jon] *vi,* be transformed, metamorphose, change, turn (into), change one's appearance, undergo a change

megmászás *n,* scaling, climbing, clambering, ascension, ascent, mounting, escalade

megmászhatatlan *a,* unclimbable, inaccessible, unapproachable, inviolable, *[kerítés]* climbproof

megmászhatatlanság *n, [hegycsúcsé]* inviolacy

megmászható *a,* scalable, climbable, accessible, ascendable *(ritk)*

megmász|ik *vt,* 1. *[falat]* scale, climb, *[hegyet]* climb/clamber (up) sg, ascend, make the ascent of, *[létrát]* mount, *[erődítményt]* escalade, *[kötelet]* swarm up (a rope) 2. *[gyümölcsöt rovar]* the bug/wasp has been at the fruit, it is contaminated by

megmasszíroz *vt,* massage, rub down

megmattol [-t, -jon] *vt,* 1. *[sakk]* mate 2. *(átv)* check-mate, defeat, bring to heel

megmázsál *vt,* weigh, scale

meg-megáll *vi,* stop, pause, come to a stop/standstill from time to time *(v.* now and then); *~t és hallgatózott* he would stop short *(v.* in his tracks) and listen time and again *(v.* again and again *v.* time after time)

meg-megszakít *vt, [történetet]* punctuate a story (by/ with sg); *~va* by fits and starts, by snatches

megmelegedés *n,* 1. heating, warming, temperature rise, *[gépé]* running hot, *[kötélé]* chafing 2. *[emberé]* getting warm/hot, warming (up)

megmeleged|ik *vi,* get/become warm/hot, *[gép stb.]* heat, run hot, (get) overheat(ed); *~ett a tűznél* he had a warm *(v.* warmed himself) by the fire

megmelegít *vt,* 1. *(ált)* warm (up), heat, *[újra]* reheat 2. *[ételt]* warm up

megmelegsz|ik *vi,* = **megmelegedik**

megmelleszt *vt, [libát]* pluck, quill

megmeneked|ik [-tem,-ett,-jen,-jék] *vi,* = **megmenekül**

megmenekül *vi,* 1. *(vhonnan, vmből)* escape, make one's escape, be saved from, get (safely) out of, come through, extricate oneself from; *betegségtől ~* survive, get over (illness); *~ viharból* weather the storm; *akik ~tek* the survivors; *ép bőrrel ~ (biz)* save one's bacon, come out of it *(v.* get off *v.* come through) with a whole skin, come out of it unscathed *(v.* safe and sound); *a legsúlyosabb helyzetből is ~* he always comes out on top, he wriggles out of the tightest corners 2. *(vmtől)* escape sg, evade, avoid, be spared/saved sg; *~ a büntetéstől* go unpunished; *a bünhődéstől nem fogsz ~ni* your sins will find you out; *ettől nem lehet ~ni* there is no escaping *(v.* escape from) it; *~ az akasztófától* cheat the gallows; *ez egyszer ~tem, hajszálon múlt hogy ~tem* I escaped by/with the skin of my teeth, it was a narrow/ hairbreadth thing/escape *(v.* a narrow squeak), it was a close shave/call 3. *(vktől)* escape sy, get rid of, get/slip (clear) away from; *csakhogy ~tem tőle!* it's a mercy to be rid of him, good riddance! ; *~tünk attól hogy találkozni legyünk kénytelenek velük* we managed to steer clear of them, we mercifully escaped meeting them; *~ üldözőitől* elude/ baffle pursuit *(v.* one's pursuers), throw one's pursuers off the scent

megmenekülés *n, escape, [megmentés által] rescue,* saving; *szerencsés ~* narrow escape, close call/ shave; *a ~ végső lehetősége* last refuge, sheet-anchor

megmenekvés *n,* = **megmenekülés**

megment *vt,* 1. *(vmt)* save, rescue, *[hajót, vagyontárgyat]* salve, salvage; *~i a becsületét* save one's

honour/face; ~*i a bőrét* save one's skin; „*mentsétek meg lelkeinket!*" save our souls *(röv* S.O.S.) **2.** *(vkt vmtől)* save/rescue/deliver/extricate sy from sg; *az orvosok nem tudták* ~*eni* the doctors could not save him; ~ *vkt az életnek* save sy, bring sy round/through, pull sy through; ~*i (saját) életét* escape safe and sound, save one's life/bacon, *[más életét]* save sy's life; ~ *vkt a haláltól* deliver sy from death; ~ *vkt az életnek* restore sy to life; *tűzből* ~ snatch from the fire; *ez mentette meg barátomat* that was the salvation of my friend **3.** *(átv)* preserve/ protect sy from, keep sy (safe) from, spare/save sy sg; *ez* ~*ette egy csomó kiadástól* that saved him a lot of expense; ~*i a helyzetet* save the situation; ~*i a külszínt* save/preserve appearances
megmentés *n,* (life-)saving, rescue, deliverance, *[hajóé, árué]* salvage, salving, salvation
megmenthető *a,* rescuable, saveable
megmentő I. *a,* saving, ensuring safety, salvatory *(ritk)* II. *n,* **1.** rescuer, (life-)saver, saviour, pre-server, deliverer; *ez az orvosság volt a* ~*m* that medicine was the saving/salvation of me; *a haza* ~*je* the saviour of our/the country **2.** *[hajót, árut]* salvor
megmer *vt,* dip, immerse
megmér *vt,* **1.** *[hosszt, mennyiséget]* measure, gauge, take the measurements of, *[űrtartalmat]* gauge, *[földet]* measure up, survey, *[szövetet]* measure off, *[mérőszalaggal]* tape, *[mélységet]* take the sounding, plumb; ~*i vm magasságát* take the height of sg; *térképen távolságot* ~ mark off a distance on the map **2.** *[hőmérsékletet]* take the/one's temperature; ~*i vk pulzusát* feel sy's pulse **3.** *[súlyra]* weigh, scale; ~*i a (test)súlyát* take the weight of, weigh (oneself); ~*ettél és könnyűnek találtattál* thou art weighed in the scales and found wanting; ~*i magát* take one's weight, weigh oneself, *[sportoló]* weigh in; *jó bőven* ~ give sy good weight; *aztán jól mérje meg* give me full/good measure; *szűken mér meg* give sy short weight
megmered *vi,* get/become stiff, *(átv is)* stiffen; ~ *a hidegtől* be stiff/numb with cold
megméredzked|ik *vi, [súlyra]* get weighed, weigh oneself (on weighing machine), check/take one's weight, *(sp)* weigh in
megmérés *n,* **1.** measuring, measurement, gauging **2.** *[súllyal]* weighing, *(ker)* bulking
megmerevedés *n,* **1.** stiffening, *(átv is)* rigidity, *[hidegtől]* numbness; *a front* ~*e* stabilizing of the front, lull **2.** *[lágy anyagé]* solidification, coagula-tion, congelation **3.** *(orv)* catalepsy, *[merevgörcstől]* tetanization, *[halál után]* rigor mortis *(lat)*
megmerevedett *a,* **1.** rigid, sclerotic, sclerosed, anchy-lotic, *[arc]* (hard) set, *[testrész]* stiff; ~ *hulla* rigid corpse; ~ *izom* stiffened muscle; ~ *kület* stiff joint **2.** *[arc]* stereotyped; ~ *mosoly* set smile
megmereved|ik *vi,* **1.** *(konkr)* grow stiff, stiffen, grow/become rigid, *[lágy anyag]* fix, set, congeal, solidify, coagulate, *[izom]* grow/become tense, tighten, *[ízület]* anchylose **2.** *(átv)* stiffen, *[szokás]* grow/become rigid; ~*ik a hidegtől* be stiff/numb with cold; ~*ik a rémülettől* be numbed/petrified with terror
megmerevedő *a,* stiffening
megmerevít *vt,* **1.** *(konkr)* stiffen **2.** *[kötelet]* tighten, tauten, make tense **3.** *[merevgörcs izmot]* tetanize, *[ízületet]* anchylose **4.** *(átv)* indurate, steel, make obdurate, stiffen
megmerevítés *n,* **1.** *(ált)* stiffening **2.** *[kötelet]* tauten-ing **3.** *[izomé]* tetanization
megmerevített *a,* stiffened
megmerevül *vi,* = **megmerevedik**

megmérgesed|ik [-tem, -ett, -jen, -jék] *vi,* get/become angry/enraged/infuriated/wrathful/irate/ireful, fly/get into a rage/passion, lose one's temper, flare/ bridle/bristle up, get one's monkey/dander up *(fam)*
megmérgesít *vt,* drive sy wild/mad, ruffle, nettle, aggravate, put/get/set sy's back up *(fam),* put sy's monkey/dander up *(fam)*
megmérgez *vt,* **1.** *[méreggel]* poison, *[gázzal]* gas, *[levegőt]* infect, impest, taint, pollute, contaminate (air, atmosphere); ~*i magát* poison oneself, take poison **2.** *(átv)* envenom, embitter, poison, *[lelket]* corrupt, deprave
megmérgezés *n,* **1.** *[méreggel]* poisoning, *(orv)* intoxi-cation **2.** *[léleké]* poisoning, corruption, depravation (of the mind/soul)
megmérhető *a,* measurable, mensurable, ponderable, weighable
megmerít *vt,* plunge, immerse, submerge in, lower into, *[tele]* dip (up) (water etc.) to the brim; ~*i magát* merge oneself; *vödröt* ~ draw a bucketful (of water)
megmerítés *n, [alá]* plunging, (im)mersion, submer-sion, *[tele]* filling up by dipping, dipping up (a glassful etc. of sg), making brimful by dipping
megmérkőz|ik *vi, (vkvel)* measure/try/match one's strength with/against (sy), try conclusions with, measure swords with, pit oneself *(v.* one's strength) against, *(átv)* cope/contend with, come/get to grips; *nem tud a feladattal* ~*ni* he is not equal to the task
megmerül *vi,* plunge/dip into, immerse, *[tárgy]* become immersed
megmerülés *n,* dip, (im)mersion
megmételyez *vt,* **1.** *(konkr)* infect, taint, pollute, canker, defile, vitiate, poison **2.** *[erkölcsileg]* corrupt, *[gondolkodást, lelket]* empoison, envenom
megmetsz *vt, [fadarabot]* make an incision, make a cut/notch/nick/jag in sg, *[ágat]* lop, *[fát]* prune, trim, cut back, *[sövényt]* clip, trim, *[szőlőt]* dress
megmintáz *vt,* **1.** *[anyagot]* model, mould, shape, form, pattern, *[szobrász vkt]* sculp(ture), represent in sculpture, make a statue/bust of, carve in stone/ marble; *arcot* ~ *agyagból* mould a face in *(v.* out of) clay **2.** *(ker)* sample, draw samples; ~*ott ajánlat (ker)* sampled offer
megmintázás *n,* **1.** *(ált)* modelling, moulding, sculpture **2.** *(tex, ker)* sampling, *[minták]* samples *(pl),* illustra-tions *(pl)*
megmoccan *vi,* budge, stir, bestir oneself, move, *[külső behatásra]* flinch, wince, quail; *meg ne moccan-jon!* don't move!, stay put!; *aki* ~ *lelövöm* I'll put a bullet through anyone who moves/budges; *ha* ~ *lövök!* if you stir I will shoot; *ha* ~*sz a halál fia vagy* move but a finger and you are a dead man; *meg se moccant* he never budged, he sat/stood perfectly still, he didn't move an inch/eyelid
megmohosod|ik *vi,* get/grow/become mossy, become overgrown with moss, gather moss
megmolyosod|ik *vi, [ruha]* get moth-eaten
megmond *vt,* say, tell; ~*ja hogy hány óra* tell the time; ~ *egy árat* name/quote a price; ~*ja a nevét* give one's name; *ezt két szóval is meg lehet* ~*ani* it can be summed up in two words; ~*ja a véleményét vmről* tell one's opinion *(v.* what one thinks) of sg, speak one's mind; *hadd mondjam meg én is a véleményemet* let me get a word in, let me give my version; *nem* ~*tam?* there you are!, didn't I say so!, didn't I tell you so?; *nem* ~*tam hogy eljön?* didn't I say that he would come; *ugye* ~*tam!* I told you so!; ~*om mit tégy* I'll tell you what; *nem tudom hogyan mondjam meg* I do not know how to put it; *mondd meg* tell me, fire away *(fam), [áruld el]* speak up

jól (magyarán) megmondja neki tell sy a few home truths, tell/score sy off, give sy a piece of one's mind, tell sy where to get off *(US)* ; *~lak! (isk biz)* I'll tell on you! *~lak apádnak (biz)* I'll tell your father of you; *~jam?* shall I tell you?; *ezzel már ~tuk (hogy)* this implies *(v.* this is tantamount to saying) (that), which is to say that. . .; *amit mondtam ~tam (biz)* I'll stand no nonsense; *~om úgy ahogy van* I don't make any bones about it; *igenis nyíltan ~om* I do not mind telling you

megmondható *a*, that can be said, utterable, expressible; *csak a jó Isten a ~ja* God only knows (and he does not care), Heaven knows, God wot

megmondogat *vt*, repeat, say over and over again, reiterate; *jól ~ vknek* tell sy a few home truths, give sy a piece of one's mind

megmorog *vt, [kutya]* snarl/growl at

megmos *vt*, wash, clean(se), *[csővezetéket, aranymosó]* sluice; *~sa a kezét* wash one's hands; *~sa a fejét vknek (átv)* haul over the coals, give sy a good dressing-down *(v.* talking to), give it to someone, rate, (read a) lecture, blow someone up, call sy down *(US)* ; *~sa a haját* give his hair a good wash

megmosakod|ik *vi*, = **megmosdik**

megmosás *n, [testé stb.]* wash(ing), *[ablaké stb.]* cleaning, *[dörzsöléssel]* scrubbing

megmosdat *vt*, (give a) wash

megmosd|ik *vi*, wash oneself, have a wash, perform one's ablutions *(joc)*

megmosolyog *vt*, smile at/upon; *az ajánlatot ~ták* the offer only provoked a smile

megmotoz *vt*, search, go through sy's pockets, subject (sy) to manual search, frisk ◊

megmotozás *n*, = **motozás**

megmozdít *vt*, move, shift, stir; *a kisujját se mozdította meg* he did not stir/lift a finger

megmozdítás *n*, moving, shifting

megmozdíthatatlan *a, (átv is)* immovable, solid, firm, *(átv)* resolute, steadfast, unyielding

megmozdíthatatlanság *n*, immovability, firmness, resoluteness

megmozdíthatatlanul *adv*, immovably, firmly, resolutely

megmozdítható *a*, mobile, movable, *[személy]* unstable, inconstant

megmozdul *vi*, 1. *(ált)* move, stir, make a motion/move, get going *(fam)*, get on the move *(fam)*, *[átv folyamatról]* get under way, *[átv személyről]* bestir oneself, *[tagadó mondatokban]* budge, *[vmlyen irányban/céllal]* make a move/motion to do sg; *mozdulj már meg (tréf biz)* stir your stumps/bones, look sharp/alive, get a move on; *~ benne a lelkiismeret* his conscience (was) awakened/stirred/roused, hear the voice/dictates of one's conscience; *az egész hivatalos gépezet ~t* the whole machinery of government was set in motion; *az egész nemzet ~t* the nation as a whole was roused to action; *~t a föld* there was a land-slip/slide *(v.* earthquake); *meg se mozdult egész este* he sat tight *(v.* didn't stir) all through the evening 2. *[elmozdul]* shift 3. *[magzat]* quicken

megmozdulás *n*, 1. stir, movement, motion, shifting, getting on the move *(v.* under way), start 2. *(átv)* (collective) action, move(ment), *[szervezetlen]* commotion, outbreak, *[tüntetésszerű]* demonstration, manifestation, *[felkelés]* rising; *forradalmi ~ revolutionary action*

megmozgat *vt*, 1. *(ált)* move, stir, agitate, set in motion/action, set going, *[képzeletet]* quicken; *minden követ ~* move heaven and earth, leave no stone unturned, try one's utmost, bring every influence to bear (on sg), go (all) out for sg; *~ja a tömegeket* rouse the masses 2. *[elmozdít]* shift, budge

megmukkan *vi*, open one's mouth; *egész idő alatt meg se mukkant* he didn't (so much as) open his mouth, he did not utter a word/syllable all the time, *[gőgből]* he hadn't a word to throw at a dog; *meg ne mukkanj!* mum's the word!, don't you breathe a syllable!; *meg sem tudott mukkanni* words failed him, he was tongue-tied *(v.* speechless), he lost his tongue, *[tudatlanságból]* he proved no scholar on the subject, it was all Greek to him; *meg se mer mukkanni* he doesn't find courage to speak, fear/shyness strikes him dumb

megmunkál *vt*, 1. *[anyagot]* work, *[fémet gépen]* machine, *[gyártási eljárással]* process, *[formáz]* shape, fashion, mould, form, *[esztergán]* turn, *[marón]* mill, *[követ]* dress, *[durván]* rough 2. *[kimunkál]* refine, elaborate, *[végső kidolgozással]* finish, face, *[feldolgoz]* convert 3. dress; ld még **megművel**

megmunkálás *n*, 1. *[anyagot]* working, *[fémet gépen]* machining, *[formázás]* shaping, moulding, fashioning, forming, *[gyártási eljárással]* processing, *[esztergán]* turning, *[marón]* milling, *[követ, fát]* dressing, *[durván]* roughing, *[deszkáé]* surface-planing; *elsődleges ~* primary processing 2. *[kimunkálás]* refining, elaboration, *[végső kidolgozással]* finish(ing) (off), facing 3. *[áru kidolgozottsága]* finish, workmanship 4. = **megművelés**

megmunkálási *a, ~ érték [árucikké]* labour content

megmunkálatlan *a*, 1. *[anyag]* unworked, unwrought, unprocessed, unfinished, rough, (c)rude, in the rough *(ut)*, *[bánya]* unwrought 2. *[kert]* uncultivated, wild 3. *[elme]* uncultured, uncultivated, unrefined, untutored

megmunkálható *a*, 1. *[anyag]* workable, tractable, kindly, docile, *[fém]* machinable 2. = **megművelhető**

megmunkálhatóság *n*, workability, tractability, docility, kindliness

megmunkált [-at] *a*, 1. *[fa]* worked (timber), *[fém]* wrought (iron), *[fa, márvány stb.]* fashioned (marble), *[munkadarab]* finished (piece, article), *[anyag]* processed; *kézzel ~* handwrought 2. = **-megművelt**

megmutat *vt*, 1. show, display, exhibit, present; *mutassa meg nekem* show me, let me see (it); *~ja egy hely nevezetességeit/látványosságait* show the sights of a place; *~ja a jegyét* produce/present one's ticket; *~ja magát valahol* show one's face somewhere; *~ja vmnek a titkát* let sy in on *(v.* into) the secret of sg; *~ja a várost idegeneknek* show strangers round the town; *~tak nekem néhány mintát* I was shown some patterns; *mutasd meg mit tudsz!* do your stuff! 2. *[rámutat]* point sg out, point to sg, call/draw attention to, *[dolog, jelek]* indicate, betoken, *[műszer]* indicate, register; *~ja hol a hiba* lay/put one's finger on the flaw; *~ja az utat* show/indicate sy the way 3. *[bizonyít, tanúskodik]* demonstrate, prove, establish, show; *majd ~om neki* I will teach him, I will make him sit up, I will show him what (stuff) I am made of, I'll settle his hash; *~ja kicsoda, ~ja igazi arcát* show *(v.* come out in) one's true colours; *~ja a bátorságát* show/display one's courage; *~ja valódi énjét* display one's genuine character; *~ja érzelmeit* show/reveal one's feelings

megmutatás *n*, 1. showing, demonstration, presentation 2. *[rámutatás]* pointing out, calling/drawing attention to 3. *[bizonyítás, tanúskodás]* demonstration, establishment

megmutatkoz|ik *vi*, appear, show/present/manifest oneself/itself, become visible, be revealed, come out; *~ik a hatása* its effect is making itself felt; *ez a hajlama már korán ~ott* he evinced this taste at an early age

megmutogat vt, show, point out (in succession/detail); ~ja neki a várost show sy the sights, show sy (round) the town; ~ mindent a házban take sy over a house, do the honours of the house (to sy)

megműt [-eni, -ött, -sön] vt, operate upon (surgically)

megművel vt, [földet] cultivate, farm, till, work (the land), [növényt] cultivate

megművelés n, [földé] cultivation, farming, tillage, tilling, working, [növényé] cultivation, culture

megműveletlen a, [föld] untilled, uncultivated, fallow, [bevetetlen] unsown, [kert] uncultivated, unweeded, wild

megművelhetetlen a, untillable, uncultivable, inarable, irreclaimable

megművelhető a, [föld] cultivable, arable, tillable

megművelt a, ~ terület cultivated area/district

megnadrágol vt, spank, smack sy's bottom, belabour, give sy a hiding/thrashing, thrash, thwack, whack, drub, trim (one's jacket), [nádpálcával] cane, [veszszővel] birch

megnagyít vt, 1. (ált) enlarge, increase (in size), aggrandize, lengthen, [tágít] extend, expand, widen, dilate 2. (átv) exaggerate, magnify, aggrandize 3. [nagyítóval] magnify

megnagyítás n, 1. (ált) enlargemet, extension, increase (in size) 2. (átv) aggrandizement, exaggeration 3. [mikroszkópé] magnification, magnifying power

megnagyobbít vt, 1. (ált) enlarge, extend, make larger, increase, augment, add to, swell 2. [hírnevet stb.] enhance, aggrandize

megnagyobbítás n, (ált) enlargement, extension

megnagyobbodás n, enlargement, growth, aggrandizement, (orv) hypertrophy, intumescence

megnagyobbod|ik vi, 1. enlarge, grow larger, expand, extend, swell, increase, grow, [ruha] stretch, (orv) hypertrophy, intumesce 2. [nehézség, mennyiség] augment, increase

megnáthásod|ik [-tam, -ott, -jon, -jék] vi, catch/ develop (a) cold (in the head), get the snuffles (fam), (orv) contract coryza

megnedvesed|ik [-ett, -jen, -jék] vi, 1. [dolog] wet, moisten, become wet/damp/moist/humid 2. [személy] get wet 3. [szem] water, get suffused/misty (with tears)

megnedvesít vt, 1. wet, moisten, damp(en), dabble, (tud) humidify, [harmat] bedew 2. [vasaláshoz] sprinkle, damp, [vásznat] steep

megnedvesítés n, 1. moistening, damping, wetting, (tud) humidification 2. [vásznat] steeping, [vasaláshoz] sprinkling

megnégyszerez vt, quadruplicate

megnégyszerezés n, quadruplication

megnégyszereződ|ik vi, quadruple

megnehezed|ik vi, 1. [súlyban] grow/become heavy 2. (átv) grow/become (more) difficult/thorny, [helyzet] be aggravated; közben ~ett a dolog in the meantime new difficulties have arisen(v. cropped up), we have come up against an obstacle (v. obstacles)

megnehezít vt, 1. (konkr) make heavy/heavier, increase the weight of 2. (átv) render/make more difficult, throw difficulties in the way of, make/ raise difficulties, [helyzetet] aggravate, [eljárást] encumber; ~i vknek az életét (biz) make it/things lively/warm for sy

megnehezítés n, 1. (konkr) making heavy/heavier 2. (átv) rendering more difficult, making/raising difficulties, aggravating

megneheztel vi, (vkre·vmért) be offended with sy, take sg ill/amiss, (come to) harbour resentment against sy, owe sy a grudge, have a rod in pickle for sy

megnemesed|ik vi, improve, be ennobled

megnemesít vt, 1. (tört) grant/confer nobility (on) 2. (átv) refine, raise, better, ennoble, improve

megnemesítés n, refinement, betterment

megnémít vt, make/strike dumb, deprive of (the power of) speech, [elhallgattat] strike dumb, silence, reduce to silence, dumbfound; a megrázkódtatás ~otta the shock robbed him of speech

megnemtámadási a, ~ szerződés non-agression pact; ~ szerződést köt vkvel conclude a non-aggression pact with sy

megnémul vi, 1. become mute/dumb, be struck dumb, lose the power of speech 2. (átv) be silenced, be reduced to silence, become speechless, [harang] cease to sound

megnémulás n, loss of speech, dumbness, muteness, (orv) aphasia, aphasy

megneszel [-t, -jen] vt, 1. [vadat] scent, smell (out), nose out 2. (átv) get wind of, [veszedelmet] scent, smell, suspect (danger), smell a rat (fam) ; nem akarom hogy ~jék I do not want them to get wind of it

megnevel vt, 1. (vkt) train/instruct/educate sy, polish sy up (fam), knock the corners off sy (fam), lick sy into shape (fam), rub the rough corners off sy (fam) 2. [állatot] train

megnevelés n, training, instructing, educating

megnevettet vt, make sy laugh, raise a laugh; az egész asztalt ~te he set the table in a roar

megnevez vt, 1. (ált) name, (de)nominate, designate; előre ~ prenominate; ~i forrásait give one's sources, give chapter and verse (fam) ; ~i magát tell/give one's name, introduce oneself (by name); nevezze meg a jelenlevőket name those present!; ~i tanúit constitute/appoint/summon one's witnesses; egy jólismert személy aki nem akarja ~ni magát a well-known person(,) who wants to be nameless/anonymous; kérem/kérjük alul/lent ~ni please state below 2. [közelebbről] specify, [felismerve] identify; közelebbről meg nem nevezett unspecified 3. [napot, időpontot] fix, appoint

megnevezés n, naming, denomination, designation, appellation, appointment

megnevezéstan n, (nyelvt) onomatology

megnevezetlen a, unnamed

megnevezett [-et; adv -en] a, named, described, specified, whose name was given (ut) ; fentebb ~ aforenamed, (afore)said, aforementioned, above-mentioned

megnevezhetetlen a, unnamable, not to be named (ut), nameless

megnevező a/n, (nyelvt) nominative, denoting

megnéz vt, (have a) look at, regard, inspect, eye, view, examine; erősen ~ gaze/stare at; nézd meg magad (is) see for yourself; ~hetem? may I have a look?; ~i a vidéket/környéket have/take a look round the country; Londonban mindent ~ett he saw everything in L., he did L. (fam) ; alaposan/jól ~ take a good/long/ close look at, scrutinize, scan; jobban ~ve upon closer view; ~i a menetrendet consult the time-table; ~i magát a tükörben look at oneself in the mirror; ~i az órát look at the time; ~i a darabot go to see the play/ performance, do a show ◈; ~i a szótárban look it up in the dictionary; majd ~em I will see (if); nézd meg magad is see for yourself; nagyon meg kell nézni one must consider/examine/investigate this matter very carefully, think twice about/before doing it, needs looking into; no nézze meg az ember! what insolence/ cheek!, well(,) I never!, what next!, this is the limit!

megnézeget vt, keep looking at, look over and over again

megnézés n, looking at, seeing, examination, [alapos] view, scrutiny, [városé] sight-seeing

megnézhető a, accessible/open to the public (ut); ~

reggel 9—12 óra között open to the public between 9—12 a.m.

megnéznivaló *a,* sight-worthy

megnő *vi,* 1. *[ember]* grow up/tall/bigger; *hogy ~tt!* how (tall) he has grown; *majd ka ~sz* when you are grown up, when you are old enough; *úgy ~tt hogy nem lehetett ráismerni* he had grown out of all knowledge 2. *[növény]* shoot/sprout up, grow, shoot, spindle, *[haj, köröm]* grow 3. *[befolyás]* increase

megnősít *vt,* make a man marry sy, make a man take sy as a wife

megnősül *vi,* marry, get married, take a wife (unto oneself) *(obs),* wed, change one's condition *(joc),* get spliced *(joc); nem nősült meg* he never married, remain unmarried

megnövekedés *n,* 1. growth, extension 2. increase

megnövekedlik *vi,* 1. *[nagyságra]* grow, shoot up 2. *[terjedelemben]* increase

megnöveksz|ik *vi,* = **megnövekedik**

megnövel *vt,* 1. increase, add to, augment, enlarge, *[hírnevet]* enhance, *[fájdalmat]* aggravate, *[érdeklődést vm iránt]* heighten, *[befolyást, hatáskört stb.]* widen, expand 2. *[fordulatszámot]* gear up

megnövelés *n,* augmentation, enlargement, *[fájdalomé]* aggravation, *[befolyásé, hatásköré stb.]* widening, expansion

megnövés *n,* growing, growth

megnöveszt *vt,* (make sg) grow; *~i a bajuszát* he grows a moustache

megnyakasod|ik *vi,* get recalcitrant/stubborn/obstinate/headstrong, get/put one's back up

megnyal *vt,* lick, *[vkt kutya]* give sy a lick; *~ja a szája szélét* smack one's lips, lick one's chops *(fam); a vén kecske is ~ja a sót!* the gay old dog!

megnyalás *n,* lick

megnyálaz *vt,* lick, moisten (with spittle), wet

megnyálazás *n,* licking, moistening (with spittle), wetting

megnyaldos *vt,* = **megnyalogat**

megnyálkásod|ik *vi,* become/get slimy

megnyalogat *vt,* lick

megnyer *vt,* 1. *[háborút, versenyt, játszmát stb.]* win, carry off; *~i a bajnokságot* win the championship, grasp the crown *(fam); négy játszmát ~t* he took four games 2. *[díjat]* obtain, get, win 3. *~i a pert vk ellen* win a case/lawsuit against sy, succeed in one's action 4. *(átv)* win/carry over, prevail upon, captivate, charm, *[hízelgéssel]* cajole; *~ vkt vm számára* bring/win sy over/round to; *~ egy ügynek vkt* win sy over to a cause; *~i vk kegyét* obtain/win sy's favour, ingratiate oneself with sy; *~i vk tetszését/pártfogását* gain sy's favour, get into favour with sy, hit one's fancy *(fam); ~i vknek a szívét* conquer/win sy's heart; *vkt igyekszik ~ni* woo sy, set one's cap at sy

megnyerés *n,* *[háborút, versenyt, játszmát]* 1. winning, gain, carrying off, obtaining 2. *[peré]* decision in favour of sy 3. *(átv)* winning/carrying over, captivating; *harc a katonaság ~éért* drive to win over the troops

megnyergel *vt,* 1. *[lovat]* saddle 2. *(átv)* impose on sy, become master of, make the best (use) of sg

megnyerő *a,* *[modor, külső]* winning, pleasing, prepossessing, taking, engaging, endearing, captivating, winsome, attractive, ingratiating; *~ arcú* pleasant-faced; *~ modor* an ingratiating/engaging manner

megnyes *vt,* *[fát]* prune, trim, dress, *[ágakat]* lop (off, away), *[sövényt]* clip, hack, *[szakállt]* trim

megnyesés *n,* *[fát]* pruning, dressing, lopping, *[sövényt]* clipping 2. *[szakállt]* trimming

megnyikkan [-t, -jon] *vi,* (emit a) squeak, squeal; *meg se nyikkan [nem beszél]* he does not say a word *(v.*

utter a sound), he keeps mum *(v.* very quiet), *[félelmében]* he does not dare to open his lips

megnyilatkozás *n,* manifestation, *[érzelmeké, tulajdonságé]* display, *bizalmas ~* passages of confidence *(pl)*

megnyilatkoz|ik *vi,* appear, manifest itself, become manifest; *a gondolat a nyelven keresztül nyilatkozik meg* thought externalizes itself in language; *őszintén ~ott* he opened his heart/mind (to sy)

megnyilaz *vt,* *[lovat]* prick (a horse)

megnyilazás *n,* *[pata megsértése]* prick

megnyíl|ik *vi,* open, *[idény]* begin, commence, *[út, híd]* be opened to traffic; *~ik a lába alatt a föld* he felt the ground give way beneath his feet; *a jogosultság nem nyílik meg mindaddig amíg . . .* the entitlement does not accrue until. . .; *~tak az ég csatornái* the clouds melted into rain, the windows of heaven opened *(fam); széles távlatok nyíltak meg* wide vistas opened up; *a Felszabadulással új korszak nyílt meg Magyarország történetében* with the liberation a new era was inaugurated in the history of Hungary

megnyilvánul *vi,* appear, show/manifest itself

megnyilvánulás *n,* manifestation

megnyilvánulási *a,* *~ lehetőség* outlet; *~ forma* outward form/shape

megnyír *vt,* *[hajat]* cut, clip, *[lovat]* clip, *[birkát]* shear, fleece, *[gyepet]* mow, clip; *nullás géppel ~* give sy a close crop

megnyírás *n,* cutting (the hair), clipping, *[lovat]* clipping, *[birkát]* shearing, fleecing, *[gyepet]* mowing

megnyíratkoz|ik *vi,* have one's hair cut, have a hair-cut; *meg kellene nyiratkoznod* what you need is a haircut, your hair wants cutting

megnyírbál *vt,* 1. *(konkr)* clip, cut (down) 2. *(átv)* cut (down), curtail, *[cikket, könyvet]* prune (away, down) *(fam), [beszédet]* slash, *[pénzösszeget]* whittle, dock (off); *vknek szárnyait ~ja* clip sy's wings

megnyírbálás *n,* 1. *(konkr)* clipping, cutting (down) 2. *(átv)* cutting (down), curtailment, *[összegé]* slashing, whittling down *(fam),* dockage *(fam)*

megnyit *vt,* 1. *(ált)* open (up), throw open; *üzletét ~ja* open one's shop 2. *[ülést]* open (the meeting/session), *[tárgyalást, új korszakot stb.]* initiate, *[ünnepélyesen]* inaugurate, *[táncot]* lead (dance); *az ülést ~om* I declare the session open, the meeting is open; *~ja a vitát* open the debate 3. *[koponyát, hasüreget]* cut open, *[sebet, kelést]* cut open, lance, prick 4. *(átv)* open (up), *[hitellevelet, akkreditívet]* open, establish; *vmnek a forrását ~ja* tap *(v.* open up) the source of sg; *új perspektívát nyit meg* open (up) new prospects *(pl); ~ja szívét vknek* open one's heart to sy

megnyitás *n,* 1. *[kiállításé stb.]* opening, inauguration, initiation, *[üzleté]* establishing, establishment, setting up; *hivatalos ~* formal opening; *a ~nál* at the opening 2. *(orv)* cutting open, lancing 3. *[folyószámláé]* opening, *[hitellevélé, akkreditívé]* establishment

megnyitó I. *a,* opening, inaugural, introductory; *~ beszéd* opening speech, inaugural address; *~ ülés* opening/inaugural session II. *n,* = **megnyitó beszéd**

megnyolcszoroz *vt,* octuple

megnyolcszorozód|ik *vi,* octuple

megnyom *vt,* 1. *[gombot]* press, push (button), *[csengőt]* ring (bell), *[ravaszt]* pull (trigger); *~ja a tollat (konkr)* press on one's pen, *[írásban]* write in no uncertain terms 2. *minden szót ~* stress/emphasize every word 3. *(átv) ~ja a dolgot* press the matter; *~ja a tempót* press on with the work, *(sp)* step on the gas, accelerate 4. *[a nagy ebéd] ~ia a gyomromat* (the rich dinner) weighs on my stomach

megnyomkod *vt,* press/squeeze several times *(v.* repeatedly); *óvatosan ~* dab lightly megnyomogat *vt,* = megnyomkod

megnyomorgat *vt,* **1.** *(ált)* torment, plague, pester, harry, afflict **2.** *[hitelezők]* dun

megnyomorít *vt,* **1.** *(konkr)* maim, cripple, *[betegség]* disable **2.** *(átv)* ruin, spoil, deface

megnyomorod|ik [-ott, -jon, -jék] *vi,* become maimed/ crippled/disabled, become a cripple/invalid

megnyugsz|ik *vi,* **1.** *[tenger]* calm down, *[izgatottság]* quiet down, ease, subside **2.** *[személy]* relax, calm down, regain one's composure, *[harag után]* cool down; *nyugodj meg!* compose yourself! , set your heart at rest!, set your mind at ease! **3.** ~*ik vmben* resign oneself to, acquiesce in sg, submit to, rest satisfied with, *[ítéletben]* acquiesce (in the sentence)

megnyugtat *vt,* set at rest, calm, soothe, put/set sy at his ease, set sy's mind/heart at rest, lay sy's fears, ease, still, settle, tranquillize, lull, satisfy, pacify, stroke sy down *(fam)*, *[vkt vm felől]* reassure sy about sg, *[síró gyermeket]* quiet, hush; ~*ja a kedélyeket* pacify/soothe/calm public opinion; ~*ja a lelkiismeretét* compound with one's conscience

megnyugtatás *n,* reassurance, calming, soothing, putting sy at ease, pacifying, pacification, tranquillization; *lelkiismerete* ~*ául* to satisfy one's conscience, for one's conscience's sake, (do sg) to salve/soothe one's conscience; *vk* ~*ára szolgál* be a reassurance to sy

megnyugtató [-t; *adv* -an] *a, [jelenség, hír]* reassuring, heartening, comforting, satisfying, *[pihentető]* restful, reposeful; ~ *hatás* soothing/calming effect; *ez igazán/fölöttébb/nagyon* ~ that is a great satisfaction; *nagyon* ~ *hogy hallom* I am much relieved to hear; ~ *az a tudat hogy.* . . it is a satisfaction to know that. . .

megnyugtatóan *adv,* reassuringly, comfortingly, satisfyingly, satisfactorily; ~ *bebizonyít vmt vknek* prove sg to sy's satisfaction

megnyugtatott [-at] *a,* ~ *acél* dead/killed steel

megnyugvás *n,* calming down, satisfaction, *[idegeké]* settling, *(vmben)* resignation, submission, acquiescence; *nagy* ~*ára* to his great satisfaction/relief; ~*sal tölt el* satisfy

megnyújt *vt,* **1.** *[tárgyat]* extend, stretch (out), distend, draw, make sg longer, *[magánhangzót]* lengthen; ~*ja a lépést (sp)* lengthen the stride **2.** *[határidőt]* prolong, protract, extend, lengthen

megnyújtás *n,* **1.** *[tárgyat]* extension, stretching (out), elongation, drawing **2.** *[határidőt]* prolongation, protraction, lengthening

megnyúlás *n,* **1.** *(ált)* extension, lengthening **2.** *[ruháé]* stretching **3.** *[fémé]* elongation

megnyúl|ik *vi,* stretch, lengthen, grow/become longer, elongate, become distended, string out; ~*t az arca* he made a long face, his face/countenance fell

megnyúlósod|ik [-ott, -jon, -jék] *vi, [tészta]* get flabby, become/turn ropy

megnyúlt [-at; *adv* -an] *a,* stretched (out), elongate(d), lengthened, expanded, oblong, *[arc]* pinched, drawn (face); ~ *kilégzés (orv)* prolonged expiration

megnyúz *vt,* **1.** *[állatot]* flay, pelt, skin **2.** *(átv)* fleece, flay

megnyúzás *n,* **1.** *[állatot]* flaying, pelting, skinning **2.** *(átv)* fleecing

megodvasod|ik *vi,* **1.** *[fa]* become hollow, rot **2.** *[fog]* decay, grow carious, get hollow

megokol *vt,* justify, warrant, state/give/render the/a reason(s) for, motivate, offer reasons for, *[igényt]* substantiate; ~*ja cselekedetét/tettét* give reasons for doing sg; *alaposan* ~*t esetekben* in well-founded/ grounded cases

megokolás *n,* motivation, justification, reason(s) (for), grounds *(pl)*, *[törvényé]* preamble (of an act/law), *[ítéleté]* grounds (of a judgement)

megokolatlan *a,* unmotivated, groundless, unjustifiable, unwarranted, unsubstantiated, ungrounded

megokolható *a,* justifiable, warrantable

megokolt *a,* justified, warranted, (well-)grounded/ founded

megokosít [-ani, -ott, -son] *vt,* make (sy) wiser/reasonable/prudent, sober (sy), *[felvilágosít]* enlighten (sy)

megokosod|ik *vi,* become prudent/wise, come to one's senses

megolajoz *vt,* **1.** *[gépet]* oil, lubricate, grease **2.** *[ételt]* dress with oil

megolajozás *n,* **1.** *[gépé]* oiling, lubrication, greasing **2.** *[ételé]* dressing with oil

megold *vt,* **1.** *[csomót]* untie, undo, loose(n), unloose(n), unbind, unfasten, unravel, disentangle, *[ruhát]* undo, unfasten, loose, *[övet]* unbind **2.** *(átv) [problémát, egyenletet]* solve, work out, *[kérdést]* solve, settle, *[feladatot]* tackle, *[helyzetet]* disentangle, *[rejtvényt]* clear up, unravel, puzzle out, untangle, resolve; ~ *egy számtanpéldát* work out a sum; *a probléma amit meg kell oldania* the problem he has to solve, the problem facing him; *nehéz feladatot* ~ fulfil/ accomplish (*v.* carry out) a difficult task; ~ *egy kérdést* dispose of a question; *van egy ötletem ami* ~*ja ezt a kérdést* I have sg that would meet the case **3.** ~*ja vk nyelvét* loose(n) sy's tongue; *az ital* ~*otta a nyelvét* his tongue was loosened by drink

megoldás *n,* **1.** *[csomóé]* untying, undoing, loosening, unbinding, unfastening **2.** *[problémáé, egyenleté]* solving, *[kérdésé]* solving, settling, unravelling, *[feladaté]* accomplishment, tackling, *[rejtvényé]* solving, clearing up, unravelling, resolving, *[példáé, feladványé, rejtvényé, mint eredmény]* answer, solution, key; *ez nem jó* ~ that won't do, that is not a good solution; *(a) jobb* ~ the better course (to take); *ideiglenes* ~*ok* temporary devices; *kétféle* ~ *között habozik* hesitate between two courses; *nincs más* ~ *mint...* there is no choice but...; *a kérdés* ~*a* answer to a/the question; *egy nehézség* ~*a* disposal of a difficulty; *a számtanpélda* ~*a* solution of the problem; ~*t talál vmre* find/get a solution to sg; *jobb* ~*t talál vmre* hit upon a better way of doing sg; *a dráma* ~*át készíti elő* lead up to the final event of the drama; *legvégső* ~*ként* in the last resort, as a last resource

megoldatlan *a,* **1.** *[feladat]* unaccomplished **2.** *[probléma, rejtély]* unsolved

megoldhatatlan *a, [probléma]* insoluble, insolvable, unsolvable, inextricable; ~ *helyzet* deadlock, impasse, insoluble situation; ~ *nehézségek* inextricable difficulties

megoldható *a, [probléma]* solvable, resoluble, resolvable, answerable

megoldhatóság *n, [problémáé]* (re)solvability, solubility

megoldód|ik *vi,* **1.** *[csomó]* come undone **2.** *(átv)* be solved, be cleared up, work out **3.** ~*ik a nyelve* find one's tongue; *az italtól* ~*ott a nyelve* his tongue was loosed by drink

megoldott [-at] *a,* **1.** *[csomó, öv]* unbound **2.** *[kérdés]* (re)solved, settled, cleared

megoldoz *vt,* = megold; *akinek a sarúszíját sem méltó* ~*ni* whose latchet he is not worthy to unloose

megolt *vt,* **1.** *[meszet]* slake, slack **2.** *[tejet]* curdle (with rennet)

megoltalmaz *vt,* **1.** *(vmtől)* protect, shelter, shield (from), guard (against/from) **2.** *(vmt)* defend, stand up for, harbour

megoltalmazás *n,* **1.** *(vmtől)* protection, shelter(ing), shielding/screening from **2.** *(vmt)* defending, standing up for, harbouring

megolvad *vi,* **1.** *(ált)* melt, liquefy **2.** *[fém]* melt down, fuse **3.** *[hó, jég]* thaw, *[gyertya]* gutter, run

megolvadás n, 1. (ált) melting, liquefaction 2. [fémé] melting down, fusion 3. [hóé, jégé] thawing, [gyertyáé] guttering, running

megolvas vt, count, reckon (up), compute, number, [pénzt] count, [szavazatot] tell

megolvasás n, [pénzt] counting, reckoning, numbering, [szavazatot] telling

megolvaszt vt, 1. (ált) melt, liquefy, [havat, jégfelületet] thaw 2. [fémet] melt down, flux, [ércet] smelt

megolvasztás n, 1. (ált) melting (down), liquefaction, [havat, jégfelületet] thawing 2. [fémet] melting down, [ércet] smelting

megolvasztható a, meltable, liquefiable

mégolyan a, ha ~ ... no matter how/what, even if, however, should it be ever so...

megoperál vt, operate (upon), perform an operation; tegnap ~ták yesterday he underwent an operation

megoperálható a, operable

megorrol vi, (vmért) take (sg) amiss/ill/badly, take offence (at sg), be/feel huffed, take the huff

megorront [-ani, -ott, -son] vt, smell/nose/find/pry out (a secret), scent, smell, suspect

megostoroz vt, whip, flog, lash, scourge

megostorozás n, whipping, flogging, lashing, scourging

megostromlás n, siege, assault, attack, onslaught, onset, storming

megostromol vt, 1. [erődöt] lay siege to, besiege, make an assault on, storm, take by storm/force 2. ~ják a pénztárt jegyekért storm the box-office for tickets

megoszlás n, division, distribution, repartition; nemek szerinti ~ breakdown by sex; import-export kereskedelem ~a pattern/structure of import-export trade; szavazatok egyenlő ~a equal distribution of votes

megoszl|ik vi, be divided/distributed; a vélemények ~anak opinions vary/differ

megoszt vt, 1. [több személy közt] divide (among); ~ kiadásokat divide the expenses; a munkások sorait ~ja split the ranks of the workers 2. (vmt vkvel) share with, give a share (in sg); ~ vkvel szobát/kabint double up; az utolsó fillérjét is ~aná he would share his last penny

megosztás n, dividing, division, sharing

megoszthatatlan a, indivisible, (jog) joint

megosztható a, divisible

megosztott a, divided, shared (in common); ~ bánat common grief; a ~ ország the divided kingdom/country; ~ szólamok (zene) divisi (pl) ; ~ tűz (kat) indirect fire

megosztozás n, division, mutual sharing (amiben in)

megosztoz|ik vi, ~ vmn vkvel share sg with sy, go halves/shares in sg with sy, go fifty-fifty with sy (fam) ; ~ik a hasznon share the profits (between), go halves in the profits, split the profits; ~ a zsákmányon share the booty

megosztva adv, distributively, separately, divided, apart

megóv vt, 1. (vkt vmtől) preserve/protect/safeguard sy from sg, (vmt) secure; ~ja a látszatot save/preserve appearances, keep up appearances; ~ja a családi tűzhelyek biztonságát keep the home-fires burning 2. [zsüri határozatát] protest against, lodge a protest with (sy concerning sg) 3. (sp) lodge a complaint, protest

megóvás n, 1. preservation, protection, safeguarding, safe-keeping 2. (sp) protest

megóvatol vt, [váltót] protest (a bill); ~t váltó protested bill

megóvatolás n, protest (of a bill)

megóvó I. a, preservative, preventive, protective II. n, 1. [szer] preservative 2. [hely szőrme stb. számára] deep-freezing store(s), [értéktárgyak számára] strong-room

megozsonnál vi, = meguzsonnázik

megöklöz vt, box, pommel, pummel, use (v. strike/beat with) one's fists, punch sy, knock sy about

megöl vt, 1. [embert] kill, murder, put to death, take the life of, slay, do for (fam), dispatch (fam), put away (fam), do in ◆, [orvul] assassinate, [tőrrel, késsel] stab (sy) dead, [karddal] put to the sword, [lőfegyverrel] shoot (sy) dead; ~i magát kill oneself, commit suicide, destroy oneself 2. [állatot] kill, slay, slaughter, [kísérletit] sacrifice, [sebesült lovat] destroy 3. (átv) a bánat die of grief; majd ~i a kíváncsiság be devoured by curiosity 4. ~i a viccet take the point out of an anecdote/joke, murder a story; [teniszben] ~i a labdát kill the ball

megölel vt, embrace, put/fold one's arms round sy, fling one's arm around sy's neck, clasp/enfold sy/sg in one's arms, [erősen] hug; ~ték egymást they embraced

megölelés n, embrace, embracing, hug, [kitüntetés adásánál] accolade

megölelget vt, keep embracing, embrace repeatedly

megölés n, killing, murder, slaying to death, [orvul] assassination

megömlési a, ~ hőfok fusion temperature

megömleszt vt, fuse, melt

megömlesztés n, fusing, melting

megönt vt, [ágyút, harangot] cast, found

megöntés n, [ágyút harangot] casting, founding

megöntöz vt, 1. [növényt, utcát] water, [gyepet] sprinkle, spray, [termőföldet] irrigate 2. [zsírral] baste 3. [torkot] wet one's whistle (fam)

megöntözés n, 1. [növényt, utcát] watering, [gyepet] sprinkling, spraying, [termőföldet] irrigation 2. [zsírral] basting

megöregedés n, growing old, ag(e)ing, senescence

megöreged|ik vi, ~ megöregszik

megöregít vt, age, make (look) older

megöregsz|ik vi, get/grow/become old, [külső látszatra] age, look old; ~ik vm hivatalban grow old in harness, turn grey in service

megőriz vt, 1. (konkr) preserve, (safe)guard, shield, keep, retain, hold 2. [emlékezetében] keep, retaing treasure, bear (in mind); a látszatot megőrzi save/preserve (v. keep up) appearances; megőrzi az emlékét keep the remembrance; emlék melyet holta napjáig ~ a memory that he will carry with him to the grave; megőrzi hidegvérét remain cool, keep a level head, keep one's temper/head/countenance, keep one's hair/shirt on (fam) ; megőrzi komolyságát keep one's countenance, keep a stiff face/lip (fam) ; megőrzi méltóságát preserve one's dignity 3. [állapotot] maintain

megőrjít [-eni, -ett, -sen] vt, madden, drive sy mad/crazy (v. to distraction), derange, dement, craze, drive sy out of his senses, drive sy nuts (fam) ; ~esz! (biz) you'll drive/send me out of my mind!

megőrlés n, grinding, milling

megörökít [-eni, -ett, -sen] vt, 1. [halhatatlanná tesz] eternize, immortalize, render immortal, [szokást] perpetuate, [írásban], record; ~i vk emlékét immortalize sy's memory 2. (átv) take a snap/photograph of sy, photograph, paint sy, make a portrait of sy; ~ett pillanat arrested moment

megörökítés n, perpetuance, immortalization, recording

megörökítő [-t, -je] n, perpetuator, immortalizer (of)

megörököl vt, inherit

megőröl vt, 1. [gabonát] grind, mill, [kávét] grind, [papírfélét] pulp 2. (átv) megőrli az idegeket it gets/grates on one's nerves, jar one's nerves

megörül vi, (vmnek) rejoice at, be glad of, be delighted at/with sg, be pleased with, be joyful about; ~ egy hírnek welcome a piece of news

megőrül *vi*, go/become mad/crazy, lose one's mind/wits, become lunatic/insane/demented/deranged, go out of one's mind/head, take leave of one's senses *(fam)*, go off one's head *(fam)*; ~*tél?* are you crazy?, are you out of your mind?; *majd ~ök a bosszúságtól ha arra gondolok...* it makes/drives me wild to think that...; *majd ~ vmért* be mad about/after/on/upon sg; *(majd) ~ a zenéért* be mad about music, have a rage for music

megőrülés *n*, becoming mad, madness, derangement, lunacy

megörvendeztet *vt*, delight, please, gladden, rejoice, cheer, give pleasure to, gratify, warm the cockles of one's heart

megőrzés *n*, 1. *(konkr)* preservation, conservation, guarding, shielding, keeping, *[gondozva]* care (of sg), maintenance, custody, *[raktárban]* storage, putting away; ~*re átadott/átvett* on trust; ~*re van nála vm* hold sg on/in trust; ~*re* (v. ~ *végett) átad* give sg to sy in safe-keeping/custody, entrust sy with sg, commit/ consign sg to sy's care, place/deliver sg into sy's charge for safeguarding 2. *[emlékezeti]* retaining 3. *[állapoté]* maintenance; *a béke ~e* the maintenance of peace

megőrzési *a, (ker)* ~ *díj* storage fee

megőrző I. *a*, preserving, preservative, retaining, retentive II. *n*, preserver, *[értéket]* safe, *[kerékpárt]* storage place

megőrzőhely *n*, repository, depository, *[értéket]* safe

megőrzőképesség *n*, retentiveness

megőszít *vt, [hajat]* make grey/white, whiten

megőszül *vi*, turn/become grey/hoary, go/grow grey, grizzle *(fam)* ; *kezd ~ni* be touched/sprinkled with grey; *becsületben őszült meg* he turned grey in honourable service; *munkában ~* grow grey/old in harness

megőszülés *n*, turning/growing grey

megötszöröz *vt*, quintuple, increase fivefold, multiply by five

megötszöröződ|ik [-ött, -jön, -jék] *vi*, increase fivefold, quintuple

megözvegyül [-t, -jön] *vi*, become widowed, *[férfi]* become a widower, *[nő]* become a widow

megözvegyült [-et; *adv* -en] *a*, widowed

megpálcáz [-tam, -ott, -zon] *vt*, cane, birch

megpályáz *vt, [állást]* apply/compete/solicit/tender for, offer oneself as a candidate (for a post)

megpaprikáz *vt*, 1. *(konkr)* season sg with (Hungarian) red pepper 2. *[elbeszélést]* give spice to

megparancsol *vt*, order, direct (sy to do sg), give orders for, command, charge sy

megpaskol *vt*, tap, rap, pat, slap, smack

megpatkol *vt*, (rough-)shoe, calk

megpatkolás *n*, shoeing, calking

megpattan *vi, [üveg stb.]* burst, crack, split, break, *[hosszanti irányban]* cleave, *[ér]* burst, break

megpecsétel *vt*, 1. *[levelet]* seal 2. *[barátságot, szövetséget]* confirm, cement, consolidate, *[ünnepélyesen]* solemnize; *vérével ~i* seal with one's blood; *a sorsa meg van pecsételve* his fate/destiny is sealed

megpecsételés *n*, 1. *[levelet]* sealing 2. *[barátságot, szövetséget]* confirmation, cementing, consolidation, *[ünnepélyes]* solemnization

mégpedig *conj*, namely, in particular; ~ *azért (hogy)* for the simple reason (that); ~ *gyorsan* and that quickly

megpelyhesed|ik *vi*, become downy (v. covered with down), *[állat]* become fluffy, be covered with fluff

megpendít *vt*, 1. *[húrt]* touch (a chord), pluck (the strings), *[hangszert]* strike (up), play, sound 2. *[eszmét]* launch, suggest, *[kérdést]* raise, moot, bring up, *[témát]* broach; ~ *egy gondolatot* raise an issue

megpendítés *n*, 1. *[húrt]* touching, *[hangszert]* striking (up), playing, sounding 2. *[eszmét]* launching, suggesting, raising, bringing up, broaching

megpendül *vi, [hangszer]* sound, ring, clank, clang, *[húr]* twang

megpenészedés *n*, mildew, mould, mouldiness, mustiness

megpenészed|ik *vi*, mildew, mould, go mouldy; ~*ik egy hivatalban* mould in an office

megpenget *vt*, make vibrate, *[hangszert]* sound, pluck, play, touch, twang

megperdít *vt*, twirl, whirl, spin (a top), make sy turn round

megperdül *vi*, 1. *(ált)* turn round (and round), whirl, twirl 2. *[felfüggesztett tárgy]* spin, *[szélkakas]* pivot, pirouette 3. *[táncosnő]* (perform a) pirouette

megpermetez *vt, [növényt, utcát]* water, *[gyepet]* sprinkle, spray

megperzsel *vt*, singe, burn, scorch; ~*i szárnyait (biz)* singe one's wings

megperzselőd|ik [-tem, -ött, -jön] *vi*, get/become singed/burnt/scorched, singe, scorch

megpeticionál *vt, (vm)* address a petition to sy asking for the annulment of sg, ask for the invalidation of sg, *[választást]* serve a writ on the returning officer, demand a scrutiny

megpezsdít *vt*, inflame, rouse; ~*i vk vérét* enliven sy, exhilarate sy

megpezsdül *vi*, ~ *a vére* feel a sudden impulse/urge (to do sg), be roused (to do sg) by sg

megpihen *vi*, 1. rest, repose, take a/some rest, relax, take/have some relaxation 2. *[emlékezés, gondolat]* dwell on

megpihenés *n*, rest, repose, relacation

megpihentet *vt*, (set at) rest

megpillant *vt*, sight, catch sight (v. a glimpse) of, set eyes on, glimpse *(US)*, clap eyes on *(fam)*, behold *(ref.)*

megpillantás *n*, glimpse, sight, view, glance; *vmnek* ~*ára* at (the) sight of

megpipál *vt, [listán]* check/tick/mark/prick off (items on a list), check-mark, mark with a tick; ~ *egy nevet* make a check opposite a name

megpirit *vt, [húst]* brown, *[kenyeret]* toast, *[kávét, mandulát, mogyorót]* roast, *[cukrot]* caramelize

megpirítás *n, [húst]* browing, *[kenyeret]* toasting, *[kávét, mandulát]* roasting, *[cukoré]* caramalization

megpirongat *vt, (vmért)* scold, reprimand, lecture, reprove, sermonize (sy for/on), take (sy) to task, blow (sy) up *(fam)*, give (sy) a good dressing-down (v. a talking to) *(fam)*, upbraid *(ref.)*

megpirongatás *n*, reprimand, scolding, lecture *(fam)*, good dressing-down (v. talking to) *(fam)*

megpirosod|ik *vi*, redden, become/turn/go red

megpirul *vi, [hús]* (turn) brown, *[kenyér]* toast, *[kávé]* brown

megpirulás *n, [húsé]* browning, turning brown, *[kenyéré]* toasting, *[kávéé]* browning

megpislant *vt*, 1. = megpillant; 2.*[odapislant]* have/ give a furtive glimpse at, cast a furtive glance at

megpiszkál *vt*, 1. *[tüzet]* stir, poke (up), give the fire a stir 2. *[átv múltat]* rake up (past), *[kérdést]* investigate, look into (matter)

megplombál *vt, [fogat]* stop, fill (tooth); ~*t fog stopped/ filled tooth

megpofoz *vt*, slap/smack/clout sy's face, box sy's ears; *meg tudtam volna pofozni magamat (amiért)* I could have kicked myself (for), I felt like kicking myself (for)

megpontoz *vt, (műsz) [fúrandó lyukat]* centre(-dot)

megporcosod|ik *vi*, become cartilaginous, turn to cartilage, *(tud)* chondrify megporhanyít *vt*, 1. *[vadhúst]* hang, *[nyers hús]* make (meat) tender 2. *[főzeléket]* soften 3. *[tésztát]* shorten (paste)

megporhanyítás *n*, 1. *[vadhúst]* hanging, *[nyers hús]* making tender 2. *[főzeléket]* softening 3. *[tésztát]* shortening

megporhanyósod|ik *vi*, 1. *[nyers hús]* become tender (with hanging) 2. *[talaj]* become crumbly/friable

megporosod|ik *vi*, grow/get dusty, gather dust

megportóz [-tam, -ott, -zon] *vt*, surcharge (a letter); ~*va érkezett* (the letter) arrived postage due

megportózás *n*, extra postage, surcharge (on a letter)

megporzás *n*, pollination

megposhad *vi*, 1. *(ált)* putrify, become putrid, decompose, decay 2. *[étel]* spoil, decay, go bad, grow musty, *[ital]* stale, go flat/stale 3. *[víz]* stagnate, grow foul

megposhaszt *vt*, 1. *(ált)* putrify, decompose, spoil by exposure to the air 2. *[táplálékot]* taint, make stale, *[italt]* stale 3. *[vizet]* make foul/stagnant

megpödör *vt*, 1. *(ált)* twist 2.*[bajuszt]* twirl, twiddle 3.*[cigarettát]* roll

megpök *vt*, = megköp

megpörget *vt*, 1. *(vkt)* whirl, twirl, spin round 2. *(vmt)* spin

megpörköl *vt*, 1. *[tűz, nap, vasaló]* scorch, singe, burn 2. *[kávét]* roast 3. *(műsz)* *[ércet]* roast, calcine 4. *[odaéget]* burn

megpörkölőd|ik *vi*, get scorched/singed/burnt roasted

megprésel *vt*, (com)press

megprezentál [-t, -jon] *vt*, *(vkt vmvel)* make sy a present of sg, present sy with sg, give sg to somebody as *(v.* by way of) a present

megpróbál *vt*, 1. try, have a try/go/shot/shy/bash/fling/ whack (at sg) *(fam)*, make a shot (at sg) *(fam)*, *[megkísérel]* attempt, essay, undertake; *vom hátha sikerül* I'll chance my hand; *azért mégis* ~*hatnád* you can but *(v.* ought to) try; *próbáld meg!* have a turn/go! ; *csak próbáld meg! [fenyegetően]* you just try (and see what you' ll get); *meg ne merd próbálni!* don't you dare!; *még egyszer* ~ try again, give it another try 2. *[kipróbál]* test, give sg a try, *[próbára tesz]* put to the test, tempt *(obs)*, *[próbát tesz]* make the test 3. *[ruhát]* try on

megpróbálkoz|ik *vi*, *(vmvel)* make a trial with sg, try one's hand/skill at sg, make an attempt at doing sg, have a try/shot/bash at doing sg *(fam)*, take a fling at sg *(fam)*

megpróbáltatás *n*, trial, affliction, *[súlyos]* ordeal, tribulation, cross *(fam)*; ~*on keresztülmegy* be sorely tried, meet with sad trials, go/pass through the mill *(fam)*

megpucol I. *vt*, clean, *[fényesítéssel]* polish II. *vi*, ◊ give sy the slip, cut one's stick, hop/hook/leg it, funk out; *ld még* meglóg

megpudvásod|ik *vi*, 1. *[fás lesz]* become ligneous 2. *[korhad]* decay, rot

megpuffad [-tam, -t, -jon] *vi*, = felfúvódik

megpuhít *vt*, 1. soften, unstiffen, take the stiffness out, *[bőrt]* supple 2. *(átv vkt)* get round sy, soften sy (up), *[hízelgéssel, kedveskedéssel]* coax, wheedle, cajole

megpuhítás *n*, 1. *(konkr)* softening, 2. *(átv vkt)* coaxing, wheedling, softening, cajolement, cajolery

megpuhul *vi*, 1. *(konkr)* soften, grow soft, *[hús]* become tender, *[bőr]* become supple 2. *(átv)* soften, weaken

megpukkad *vi*, 1. *[éggömb]* burst, split; *annyit evett majd* ~*t* he ate till he was (nearly) fit/ready to burst 2. *(átv) majd* ~ *az irigységtől* be eaten up with envy; *mérgében* ~ be mad/bursting with rage/anger; *majd* ~ *nevettében* split (one's sides) with laughter,

be bursting *(v.* ready to burst) with laughter; *meg kell tőle pukkadni* a perfect scream

megpukkaszt *vt*, *(vmt)* burst, *[átv személyt]* make sy burst with anger, annoy/worry sy to death *(v.* until he was ready to burst), make envious

megpumpol *vt*, tap/touch sy (for money)

megpumpolás *n*, tapping, touching

megpúposod|ik [-tam, -ott, -jon, -jék] *vi*, become hunchbacked/humpbacked

megpuszil [-t, -jon] *vt*, = megpusziz

megpusziz [-tam, -ott, -zon] *vt*, give (sy) a peck *(v.* a little kiss)

megrabol *vt*, *(vk vmtől)* rob/despoil/deprive/strip sy of sg

megrág *vt*, 1. *[ételt vk]* chew, *(vm)* gnaw, *(tud)* masticate, manducate 2. *[féreg]* eat into, *[egér]* nibble 3. *(átv) jól* ~*ja a dolgot* ruminate/cogitate about/over/on sg, ponder (on) sg, weigh sg, think sg over, brood over sg, turn the matter over in one's mind, examine sg minutely; ~*ja minden szavát* weigh/mince one's words carefully, think carefully before speaking

megragad I. *vt*, 1. seize, grasp, catch, grab, lay/take catch/grip/clap/get hold of, snatch, clutch, lay hands on, grapple, pounce on, possess (oneself of) collar, *[karommal]* claw at sg, seize hold of sg/sg with one's claws, clutch, grip; *vmt két kézzel* ~ clutch sg with both hands; ~*ja vk kezét* grasp sy's hand 2. *(szellemileg)* apprehend; ~*ja az alkalmat* take/ seize/grasp/embrace/welcome *(v.* snatch at) the opportunity, avail oneself of the occasion/opportunity, take time by the forelock, improve the occasion, jump at the opportunity *(fam)*; ~*om az alkalmat hogy* I take the opportunity to; *meg kell ragadni az alkalmat* it is a case of now or never; ~*ja figyelmét* catch one's attention, catch/strike/draw the eye; ~*ja a képzeletét* hit one's fancy; *minden eszközt* ~ use every means, miss no opportunity, leave no stone unturned 3. *(átv)* captivate, fascinate, transport, enrapture, thrill, *[megindít]* affect, touch, move II. *vi*, *(vmhez)* stick, adhere, cleave (to); *vm mindig* ~ *[a rágalomból]* if you throw mud enough some of it will stick; *jól* ~*t* it stuck fast

megragadás *n*, 1. hold, grasp, grip, clutch, grab(bing), seizing, prehension *(ref.)* 2. *[értelmi]* apprehension

megragadó [-ak, -t; *adv*-an] *a*, *(átv)* moving, thrilling, stirring, poignant, fascinating, touching, affecting, striking, captivating, arresting, *[beszéd]* rousing (speech)

megrágalmaz *vt*, calumniate, slander, libel, disparage, malign, asperse, traduce, fling/throw dirt/mud/ insinuations at

megrágalmazás *n*, calumniation, slander(ing), libel(ling), aspersion, traducement, disparagement

megrágás *n*, 1. *(konkr)* mastication, masticating, manducation, chewing, gnawing 2. *(átv)* deliberation, rumination, ruminating, pondering

megragaszt *vt*, 1. *(ált)* paste/glue/stick on/to, *[törött tárgyat]* paste/glue together again, restick, repaste, glue up 2. *[tömlőt]* seal (a puncture)

megragasztás *n*, 1. *(ált)* sticking, gluing, pasting, sticking together (again), gluing up (of broken pieces) 2. *[tömlőt]* sealing

megrajzol *vt*, draw, sketch (out), design, make a sketch, picture, portray, *[szavakkal]* describe, delineate, outline, illustrate, depict in words

megrajzolás *n*, drawing, designing, sketching, portrayal

megrak *vt*, 1. *(vmt ált)* load, pile on, burden (with), weight, lade, stock, pack 2. *[kocsit, hajót]* load (up), charge, *[hajót]* freight, steeve; *katonasággal* ~ *(biz)* occupy with soldiers, crowd/fill with troops, garrison a stronghold 3. ~*ja a tüzet* feed/stoke *(v.* make up) the fire 4. *[megver]* give (sy) a thrashing/beating/hiding, l(e)ather (sy) ◈, *[gyereket]* spank (a child)

megrakás *n*, loading-up, packing, *[hajóé]* lading

megrakodás *n*, loading-up, *[hajóé]* lading, shipping (of cargo)

megrakod|ik *vi*, *(vmvel)* take a cargo, load (oneself up), be freighted/loaded/laded

megrakott *a*, loaded, laden, fraught *(ref.)*; *ételtel* ~ *asztal* groaning boards *(pl)* *(joc)*

megráncigál *vt*, pull (about), tug (at)

megráncosodás *n*, shrivelling, wrinkling

megráncosod|ik *vi*, shrivel, wrinkle (up), become lined/wrinkled, *[alma]* shrivel up

megrándít *vt*, *[bokát stb.]* sprain, strain, crick, (w)rick, wrench, twist; *~ja a vállát [nemtörődés jeléül]* shrug one's shoulders

megrándul *vi*, 1. *[láb stb.]* sprain/twist/wrench one's ankle, be/get sprained 2. *[arcizom]* contract (features), wince, flinch; *egy arcizma sem rándult meg* he did not move a muscle, he did not betray the least emotion, he never batted an eyelid/eyelash

megrándulás *n*, 1. *[bokáé stb.]* sprain, wrench, twist, strain 2. *[arcé]* contraction (of the features), wincing, flinching

megrángat *vt*, *(vmt)* jerk, pluck, tug (at sg); *~ja vk kabátujját* pluck sy by the sleeve

megránt *vt*, jerk, pluck, pull on, tug at, give a tug/pull (to), heave, wrest, yank *(US)*

megrántás *n*, pull, jerk, tug, yank *(US)*

megráz *vt*, 1. shake, jolt, jar; *jól ~ vmt* give sg a good shaking; *~za a csengőt* ring the bell; *~za a kockát* rattle the dice 2. *~za az áram* get an electric shock 3. *[lelkileg]* shake sy, be shaken/staggered by, bowl sy over *(fam)*, give sy (quite) a turn *(fam)*; *rendkívül ~ vkt* give sy the shock of his lifetime

megrázkód|ik *vi*, 1. *(vk)* shake oneself, (give a) start/jump, shudder, shiver, have a shock 2. *[tárgy]* shake

megrázkódtat *vt*, 1. *(konkr)* shake, 2. *(átv)* (give a) shock, stagger, startle, make (sy) jump/shudder, convulse, shatter

megrázkódtatás *n*, shock, jar, commotion; *lelki ~* mental shock

megrázó [-ak, -t] *adv* -an] *a*, staggering, upsetting, bewildering; *~ jelenet* harrowing/agonizing *(v.* soul-stirring) spectacle/scene

megrebben *vi*, 1. *[szemhéj]* flicker, wince, flinch 2. *[moccan]* budge, stir, move

megreccsen *vi*, make a cracking sound, crackle, creak, squeak

megreformál [-t, -jon] *vt*, reform, amend

megreformálás *n*, reformation, amendment

megregg̃eliz|ik *vi*, (have one's) breakfast

megreguláz *vt*, 1. *(vmt)* bring under regulation 2. *(vkt)* put sy in his place, reduce sy to obedience, bring sy to heel

megreked *vi*, 1. *[jármű]* stick, be(come) stuck, *[csónak]* stick fast, *[gépkocsi]* break down, come to a standstill, *[hóban, jégben, torlódásban]* jam, get jammed, *[homokban]* stick/sink in the sand, bog down, *[ingoványban, mocsárban]* be bogged, *[sárban]* stick in the mud/mire 2. *(ügy)* come to a deadlock/standstill, get stuck (somewhere), be stymied; *~ a régiben (vk)* stay in the old rut 3. *[cső]* become blocked/choked

megrekedés *n*, 1. *[járművé]* breakdown, *(műsz)* sticking 2. *[ügyé]* stagnation, stagnancy

megrekedt *a*, 1. stuck, at a standstill, got stuck/blocked 2. *[levegő]* close, stuffy, *[víz]* stagnant

megrekken [-t, -jen] *vi*, *[levegő]* stagnate, become close/sultry

megreklamál *vt*, complain, lodge a complaint, urge a settlement *(v.* an answer)

megreklamálás *n*, complaint, urging

megrekontráz *vt*, *(kárty)* *[bemondást, lapot, licitet]* redouble

megremeg *vi*, 1. quiver, tremble, shake, quake, shiver, shudder, *(kif)* a tremor passes through sy 2. *[belé]* shake/quiver/tremble/quake with, shudder from/with, palpitate with

megremegés *n*, quiver(ing), shiver(ing), shudder(ing), tremor, palpitation

megrémít *vt*, terrify, scare, strike terror into sy's heart, horrify, appal, affright *(ref.)*, dismay *(ref.)*

megrémítés *n*, horrification, intimidation

megrémül *vi*, *(vmtől)* take fright (at), be terrified/frightened/scared (of), be struck with terror (at), become panic-stricken, be terror-struck/stricken, grow alarmed (at)

megrémülés *n*, fright, alarm, dismay, horrification

megrémült *a*, frightened (out of one's wits), scared, terrified, terror-stricken/struck, panic-stricken, aghast *(ut)*

megrendel *vt*, *(vmt)* order, give an order *(v.* a commission) for, place an order with, bespeak *(ref.)*; *~ vmt vknél* give sy an order for sg, order sg from sy, *[könyvet előre]* subscribe (for)

megrendelés *n*, order, ordering, *[tengerentúli]* indent; *első ~* first/opening/initial order; *hátralékos ~* back order; *megismételt ~* repeat order; *próba ~* trial order; *~ szerint* in accordance with *(v.* as per) commission/order(s); *~ (vissza)igazolása (ker)* confirmation/acknowledg(e)ment of order; *~nek eleget tesz* carry out *(v.* execute) an order; *~re* to order; *~ére és számlájára* by order and for account of; *~t előjegyez/felvesz* book/enter an order; *~eket gyűjt* collect *(v.* canvass for) orders; *a ~t megteszi* place an order (with); *~t teljesít* fill/execute an order; *~t töröl/storníroz* annul/cancel/countermand an order

megrendelés-állomány *n*, orders on hand

megrendelési *a*, *~ könyv* order-book

megrendelő I. *a*, of order *(ut)* II. *n*, *(ker)* customer, one who orders, party passing the order

megrendelőkönyv *n*, order-book

megrendelőlap *n*, order-form/sheet/blank

megrendelőlevél *n*, mail-order, order sheet, *[tengerentúli]* indent

megrendelt [-et] *a*, ordered, commissioned, bespoken *(ref.)*; *~ mosoly* feigned/forced smile, smile to order; *~ könnyek* crocodile tears

megrendez *vt*, 1. *[hangversenyt, ünnepélyt]* arrange, organize, get up (a concert, entertainment) 2. *[jelenetet]* stage 3. *[vm tisztességtelent]* frame/trump up

megrendezett *a*, *~ dolog (elit)* put-up job; *~ komédia* stage-managed affair, trumped-up charge, frame up *(US)*; *előre ~* preconcerted; *jól ~* well arranged

megrendít [-eni, -ett, -sen] *vt*, shatter, stagger, *[érzelmileg]* affect, move, touch, *[vknek hitét/véleményét]* shake, unsettle, upset (sy's faith/opinion); *~ette a hír* he was staggered *(v.* much moved/disturbed) by the news, he showed deep concern at the news, it was a blow to him to hear that

megrendíthetetlen *a*, unshak(e)able, immovable, firm, *[személy]* resolute, steadfast, constant, sta(u)nch, unyielding, *[szándék]* unswerving, *[bátorság]* unflinching, unwavering

megrendítő [-t] *adv* -en] *a*, staggering, shocking, *[szerencsétlenség]* tragical, fatal

megrendszabályoz [-tam, -ott, -zon] *vt*, = megreguláz

megrendszabályozás *n*, 1. *[személyé]* reducing of sy to obedience, bringing sy to heel 2. *[dologé]* regulation, reorganization, bringing under regulation

megrendül [-t, -jön] *vi*, 1. *(konkr)* shake, flinch, waver 2. *(átv)* be shocked (at, by), be shaken/moved/overwhelmed (by); ~t az egészsége his health is impaired/broken/shattered; nem rendül meg vmn be untouched by sg

megrendülés *n*, 1. *(konkr)* shaking, shock, violent motion 2. *(átv)* shock, (violent) emotion, perturbation, agitation, commotion, [egészségé] impairment

megrendült [-et; adv -en] *a*, [egészség] impaired, broken, shattered; ~ egészségének helyreállítása céljából to recover/restore his impaired/broken health

megrendültség *n*, shock, feeling/state of deep commotion/agitation/perturbation/emotion

megreparál *vt*, repair, mend, [gépet] overhaul, [hajót] refit

megreped *vi*, 1. [kemény tárgy] split, crack, [csont, szikla] fissure, [lágy anyag] burst, split, [ín, ér] rupture 2. [szövet] tear, rend 3. [szív] rend, break

megrepedés *n*, 1. [kemény tárgyé] splitting, cracking, [csonté, szikláé] fissure, [lágy anyagé] bursting, splitting, [íné, éré] rupture 2. [szöveté] tear(ing), rent 3. [szívé] heart-break

megrepedezés *n*, crackle

megrepedez|ik *vi*, crack(le), become crackled, fissure, [cement] craze, [bőr] crack, chap, [fa] cranny, [fal, szikla stb.] fissure, [máz, porcelán] craze, crackle

megrepeszt *vt*, 1. [kemény tárgyat] crack, fissure, [lágy anyagot] burst, split, [eret] rupture 2. [szövetet] rend 3. [szívet] rend, break

megrepetál *vt*, 1. *(ált)* do sg once more/again, repeat (doing) sg 2. [osztályt] stay in form/grade (for) a second year 3. [fogást] have a second helping; ~tam a fogást I had two helpings, I had a second helping

megrészegedés *n*, 1. *(konkr)* intoxication, inebriation, tipsiness, 2. *(átv)* ecstasy, delirious enthusiasm, rapture, (kif) be up in the clouds

megrészeged|ik [-tem, -ett, -jen, -jék] *vi*, become intoxicated/inebriated, get drunk/tipsy/fuddled, have a drop too much *(fam)*

megrészegít [-eni, -ett, -sen] *vt*, 1. *(konkr)* intoxicate, inebriate, foil, make drunk/tipsy, go to one's head 2. *(átv)* intoxicate, impassion, exalt

megrészegszik *vi*, = **megrészegedik**

megreszel *vt*, [fémet, körmöt] file, [fát] rasp, [sajtot stb.] grate

megreszkettet *vt*, make sy/sg quiver/tremble/quake/shudder/shiver/shake, [földet] shake, quake, [levegőt] disturb, shake (the air), [mennydörgés, kiáltás] pierce, rend (the air); ~ a gondolat it gives me the shivers/creeps to think of it

megreszkíroz *vt*, risk, venture, chance (it), try one's luck (at), have a bash (at sg), chance one's arm *(fam)*

megretten [-t, -jen] *vi*, take fright, get alarmed, (vmtől) get frightened/scared (of, at), become panic-stricken (v. fear-ridden); ~ a nehézségtől crane at the difficulty

megrettent [-eni, -ett, -sen] I. *vt*, frighten, scare, startle, alarm, horrify II. *a*, [-et; adv -en] frightened, scared, startled, appalled, horrified

megrezdül *vi*, (begin to) tremble, shiver, vibrate, [falevél] tremble, stir, quiver; ~ a szempillája bat the eyes; szempillája sem rezdült meg he never batted an eyelid/eyelash

megrezegtet *vt*, = **megrezget**

megrezget *vt*, (make) vibrate, tremble, stir, quiver

megrezzen *vi*, 1. [tárgy] vibrate 2. [személy] (give a) start, give a jump, quiver, shudder, wince 3. [szív] flutter, throb, bound, leap

megrezzent *vt*, 1. [tárgyat] (make) vibrate 2. *(átv)* startle, thrill, move, make flutter/tremble/shiver

megriad *vi*, start, be/get startled/frightened/scared (away), take fright/alarm, (vmtől) take fright at

megriadás *n*, start, fright, alarm, dismay

megriaszt *vt*, frighten, startle, terrify, scare

megríkat *vt*, make sy cry/weep, bring tears to sy's eyes

megritkít *vt*, 1. *(ált)* rarefy, thin, out [levegőt, gázt] rarefy [folyadékot, mártást] thin 2. [erdőt] thin, clear, depopulate, [halállományt] unstock 3. (nyomd) lead, space, white out.

megritkítás *n*, 1. [levegőé, gázé] rarefaction, [folyadéké, mártásé] thinning 2. [erdőé] thinning (out), clearing, depopulation, [halállományé] unstocking 3. (nyomd) spacing, leading

megritkul *vi*, 1. [levegő] rarefy, become rarefied/scarce 2. [haj, növény] (become) thin, [házak sora] become few and far between, [látogatás] become less frequent, [versenyzők sora] tail away/off

megró *vt*, (vkt vmért) blame, reprimand, rebuke, reprove, censure (sy for sg), take (sy) to task (for sg) (fam), [hivatalosan] reprimand, [kormányt] pass censure on

megroggyan [-t, -jon] *vi*, bend (under a strain), sink (under a burden), become bent (with age), give way, yield, sag, [bokszoló] become groggy; térdei ~tak his knees bent (v. gave way) beneath him

megrohad *vi*, rot, decay, putrify, become rotten/putrid, go bad, (become) corrupt

megrohadás *n*, rotting, decay(ing), putrification, going bad

megrohamoz *vt*, 1. [hadsereg] attack, assail, assault, descend on, rush, mob, [állást] storm, make an assault on, rush (a position), [ellenséget, tömeget] charge 2. *(átv)* beset, (vkt) (make a) rush at (sy), make a dead set at (sy) (fam), (vmt) (have a) rush for (sg), make a dash at/for; ~ták a bankot there was a run on the bank

megrohamozás *n*, [katonai] assault, attack, charge, aggression, invasion, onslaught, onset, onrush

megrohan *vt*, 1. *(kat)* = **megrohamoz**; 2. ~ták az üzleteket/bankokat there was a run on the shops/banks

megrohanás *n*, = **megrohamozás**

megrohaszt *vt*, putrefy, rot, decompose, corrupt

megróható *a*, blamable, blameworthy, to blame (ut), **megrojtosod|ik** *vi*, fray (out), become frayed

megrokkan *vi*, 1. become disabled/invalíd (v. broken in health), [kortól] become worn out (v. broken-down), [testrész] become crippled 2. [ló] become broken-down

megromlás *n*, 1. *(ált)* deterioration, deteriorating, vitiation, change for the worse, [ételé] deterioration, going bad, tainting, putrefaction, [levegőé] fouling, contamination, tainting 2. [egészségé] impairment, [fogé] decay, cariousness, cariosity, [látásé, emlékezeté] failure 3. [erkölcsé, ízlésé] deterioration, perversion, corruption, vitiation, depravation, [kat fegyelemé] demoralization

megroml|ik *vi*, 1. *(ált)* change/alter for the worse, deteriorate 2. [szerves anyag] decompose, rot, decay, perish, [étel] go bad, spoil, get spoiled, deteriorate, taint, become tainted/stale/musty, [ital] go flat/stale, [hús] become tainted, [tojás] addle, [levegő] become contaminated/tainted/foul 3. [egészség] break, be becoming worse, be suffering/ailing, [fog] rot decay, grow carious, [látás, emlékezet] be failing/going; ~ott az egészsége his health has declined/deteriorated 4. [erkölcs] become depraved/corrupt(ed)/degraded 5. [helyzet] worsen, grow worse, [üzletmenet] get worse megromlott a, 1. [áru] spoilt, damaged, [étel] tainted, spoilt, [hús] high, tainted, putrid, [tojás] rotten, addled, [ital] flat 2. [szerves anyag] decomposed, [levegő] stale, foul, bad, contaminated 3. [egészség] impaired, failing, [fog] decayed, carious, [látás, emlékezés] failing 4. [erkölcs] corrupt, depraved, [ízlés] vitiated, corrupt 5. [helyzet] worsened, deteriorated

megrongál vt, 1. [tárgyat] spoil, (do) damage (to), mar, injure, [gépet, házat, vagyont] dilapidate, wreck, ruin, [szándékosan] sabotage, do wilful damage to, [műemléket] deface, mutilate 2. [egészséget] impair, undermine

megrongálás n, 1. [tárgyat] spoiling, damaging, injuring, [gépet, vagyont] wrecking, ruining, [műemléket] defacing, mutilation 2. [egészséget] impairment, undermining

megrongálatlan a, undamaged

megrongálód|ik vi, 1. [tárgy] spoil, get spoiled/damaged 2. [gép, ház, vagyon] get damaged/dilapidated/ruined/wrecked 3. [egészség] become undermined/impaired

megront vt, 1. spoil, mar, ruin, damage, [levegőt] contaminate, taint, make foul, [egészséget] impair, undermine 2. [varázslással] bewitch, cast a spell over, put a spell on, lay sy under a spell, practise magic on, hoodoo 3. [erkölcsileg] corrupt, demoralize, outrage, pervert, deprave, vitiate, debauch, warp, debase, [érzést] pervert, [gondolkodást, lelket] empoison, pollute 4. [leányt] seduce, debauch, ruin, dishonour, deflower

megrontás n, 1. [erkölcsileg] perversion, demoralization, depravation, corruption, debauch(ery) 2. [leányé] seducement, seduction, defloration 3. [varázslattal] malefice, evil spell, bewitchment

megrontó I. a, vitiating, contaminating, [erkölcsileg] perverting, corrupting, depraving, spoiling II. n, depraver, corrupter, perverter; a jókedv ~ja spoil-sport, wet blanket

megropogtat vt, (make) crack

megroppan vi, crack, break

megroppant vt, crack, break; a derekát ~ja crick one's back

megroskad vi, break down, sink (under a burden), give way, bend (under strain), become bent (with age), [ház, bútor stb.] become ramshackle

megrostál vt, 1. [átszitál] sift, riddle, pass (sg) through a sieve, screen 2. (átv) sort out, screen, [árut stb. minőség szerint] grade

megrostálás n, 1. [átszitálás] sifting, riddling, [széné, kavicsé] screening 2. (átv) sorting out, screening, [árué stb. minőség szerint] grading

megrosszabbod|ik vi, worsen, deteriorate, become/grow worse

megrothad vi, = megrohad

megrothaszt vt, = megrohaszt

megrovás n, blame, censure, scolding, rebuke, reproof, reprehension, dressing/set-down (fam), reprimand; bírói ~ court admonition; ~ban részesít reprimand, censure, [testület] pass a vote of censure on sy

megrozsdásít [-ani, -ott, -son] vt, rust, make rusty, corrode

megrozsdásodás n, rusting, corrosion, rustiness, process of becoming rusty

megrozsdásod|ik vi, 1. rust (up), get rusty/corroded 2. [növény] mildew

megrögzít vt, fix, make (sg) firm/fast, fasten, immobilize, make secure, [törött tagot] secure against motion

megrögződ|ik [-tem, -ött, -jön, -jék] vi, harden, set, take root, become inveterate, [szokás] (habit) grow on one, become addicted to, become a part of one, ossify

megrögzött [-et; adv -en] a, settled, confirmed, habitual, (ellt) inveterate, obdurate, irreclaimable, [bűnös] impenitent, unrepentant, [szokás, ellenszenv] deep-rooted, ingrained; ~ agglegény confirmed (old) bachelor; ~ bűnös habitual/confirmed criminal, an old lag (fam), (vall) unrepenting/impenitent sinner; ~ előítélet ingrown prejudice; ~ hazudozó habitual (v. out-and-out) liar; ~ iszákos/alkoholista habitual/confirmed drunkard; ~ szokás ingrained habit

megrögzöttség n, inveteracy, obduracy, impenitence, inveterate character

megrökönyödés n, recoiling (with/in amazement), stupefaction, consternation, bewilderment, disconcertment

megrökönyöd|ik [-tem, -ött, -jön, -jék] vi, stand dumbfounded/aghast, be taken aback, get/be bewildered, be stupefied/perplexed, be filled with consternation, be struck all of a heap (fam)

megröntgenez [-tem, -ett, -zen] vt, X-ray, radiograph

megröntgenezés n, X-raying, radiographic (v. X-ray) examination

megrövidít vt, 1. (konkr) shorten, make shorter, cut short, reduce the length of, curtail, [könyvet stb.] abridge, digest, cut down, epitomize, [szót] abbreviate, [lépést] take shorter steps, [szoknyát] take up 2. [utat] take a short cut 3. [megkárosít] wrong sy (of), defraud sy (of), injure; ~ vkt jogaiban encroach/ infringe upon sy's rights, derogate from a right, prevent the exercise of a right

megrövidítés n, 1. (konkr) shortening, reducing in length, abridging, abbreviation, cutting short, [könyvé stb.] abridging, abridgement, epitome, epitomizing, digest, summary 2. [útban] short cut 3. [megkárosítás] curtailing, wronging, defrauding, [jogban] encroachment, infringement (of sy's rights)

megrövidül vi, 1. (konkr) become/get/grow shorter, shorten, (tex) be curtailed 2. [megkárosodik] be wronged of

megrövidülés n, 1. (konkr) shortening, growing shorter, [hosszúságé] reducing, [szövegé] abridging, abridgment, curtailment (fam), [napoké] drawing-in 2. (jog) injury, wrong, tort

megrúg vt, kick, [futballban lábat] hack (sy's shins)

megruház vt, ◈ (vkt) give sy a good thrashing/hiding, beat sy up

megrútul vi, grow ugly/plain, lose one's good looks

megrühesed|ik [-tem, -ett, -jen, -jék] vi, become scabby/mangy, get the itch

megsajdít vt, 1. ~ja a szívét make sy heart-sick, bring one's heart to one's mouth, grip the heart of sy 2. = megsejt

megsajdul [-t, -jon] vi, twinge, feel a pang, have a throbbing pain

megsajnál vt, (vkt) pity sy, feel pity for sy, take pity on sy, feel sorry for sy, (vmért) commiserate sy for sg, compassionate sy

megsántul [-t, -jon] vi, 1. (vk) grow/go/fall lame; csak a fejét, hogy meg ne sántuljon (kb) pitch into him!, go to it!, give it them! 2. [ló] founder

megsarcol vt, lay under contribution, hold to ransom, (vkt) (exact a) ransom (from)

megsarcolás n, holding to ransom, ransoming, extortion (fam), fleecing (fam)

megsárgít vt, (colour/turn) yellow, sallow

megsárgul vi, become/grow/turn yellow, fade, [falevél] wither, [papiros] fox; ez a lap erősen/csúnyán ~t this page is badly foxed

megsarkal vt, [cipőt, harisnyát] re-heel

megsarkantyúz vt, spur, set/put/clap spurs to, prick, rowel; ~za lovát dig one's spurs into one's horse, extend one's horse ◈

megsavanyít *vt*, sour, make/turn sour, *[tejet]* turn, *(vegyt)* acidify

megsavanyodás *n*, souring, turning sour, *[boré]* turning (acid *v.* into vinegar)

megsavanyod|ik *vi*, **1.** (turn/go) sour, *[bor]* fox, turn foxy/acid/sour *(v.* into vinegar), *[tej]* turn (sour), become sourish/sharp **2.** *[átv személy]* sour, be soured by

megsavósodás *n*, **1.** *[tejé]* deposition of whey **2.** *[véré]* deposition of serum, becoming/turning serous/wheyey

megsavósod|ik *vi*, **1.** *[tej]* deposit whey **2.** *[vér]* become wheyey, deposit serum, become/turn serous

mégse *conj*, = mégsem

megsebesít [-eni, -ett, -sen] *vt*, **1.** *[csatában]* wound, inflict a wound upon, *[karon, szárnyon]* wing, scotch *(obs)* **2.** *[balesetben]* injure **3.** *[átv és kisebb]* hurt

megsebesíthető *a*, vulnerable

megsebesül [-t, -jön] *vi*, **1.** *[csatában]* be wounded **2.** *[balesetben]* get injured; *halálosan* ~ be fatally wounded/injured, be wounded unto death **3.** *[átv és kisebb]* be hurt

megsebesülés *n*, = sebesülés

megsebez [-tem, -ett, -zen] *vt*, = megsebesít; *megsebzi a szerelem nyila* be struck by Cupid's dart

megsebezhetetlen *a*, invulnerable

megsebezhető *a*, vulnerable

megsegít *vt*, help, assist, aid (sy), come to the assistance (of), be of assistance (to), stand by, set sy up, give sy a leg up *(fam)*

megsegítés *n*, help, assistance, aid; *vk* ~*ére megy* go to sy's relief

megsejdít *vt*, = megsejt

megsejt *vt*, have a presentiment/notion/feeling, guess, divine, surmise, *[rosszat]* suspect, forebode, get wind of *(fam)*, feel sg come, feel sg in the air *(fam)*, have a hunch (that) *(fam)*

megsejtés *n*, presentiment, foreboding, forewarning, premonition

mégsem *conj*, not ... after all, still not; ~ *hiszi el* he does not believe it after all, he still does not believe it

megsemmisít [-eni, -ett, -sen] *vt*, **1.** *[elpusztít]* annihilate, destroy, *[teljesen]* reduce to nothing, wipe out, obliterate, eliminate, exterminate, eradicate, *[vm alkotást]* undo, destroy **2.** *[szerződést]* cancel, nullify, declare null and void, invalidate, *[megállapodást, házasságot, végrendeletet]* annul, *[bíróság ítéletét]* annul, reverse, repeal, quash, set aside, override **3.** *[választást]* invalidate **4.** *[könyvet]* pulp, destroy **5.** *(átv)* blight, crush, dash, blast, shatter **6.** *kölcsönösen* ~*ik egymást* neutralize each other, *(menny)* they mutually cancel each other out

megsemmisítés *n*, **1.** *[elpusztítás]* annihilation, destruction, eradication, extermination, liquidation, *[műé stb.]* undoing; *az ellenség* ~*e* destruction of the enemy **2.** *(jog)* annulment, repeal, quashing, cancellation, nullification, invalidation, rendering void

megsemmisítő [-t; *adv* -en] *a*, **1.** *[elpusztító]* annihilating, destroying, *[vereség]* crushing; ~ *többség* overwhelming majority **2.** *(jog)* annulling, quashing, .. of annulment *(ut)* **3.** *(átv)* devastating, smashing, disastrous; ~ *hatása van* have a disastrous effect; ~ *tekintet* withering look, crushing glance

megsemmisül [-t, -jön] *vi*, be destroyed/annihilated, *come to nothing/nought, dissolve, melt into thin air,* be reduced to nothing; ~*ten áll* be dumbfounded/paralysed/prostrate, be dead beat; *a bánattól* ~*ve* prostrate with grief

megsemmisülés *n*, annihilation, destruction, *[élő szervezeté]* dissolution, *[reményé]* extinction

megsepröz *vt*, whip, flog, (beat with a) switch

megserétez [-tem, -ett, -zen] *vt*, pepper/riddle with small shot

megsért *vt*, **1.** *[testileg]* injure, hurt, damage **2.** *(vkt átv)* affront, insult, offend (sy), wrong (sy), give offence (to sy), hurt/wound sy's feelings, *[megjegyzéssel]* pique, huff; ~*ették* he received an affront, he feels insulted/piqued; *mélyen* ~ sting/cut sy to the quick, touch sy on the raw; ~*i vk érzékenységét* outrage sy's delicacy; ~*i az illendőséget* commit improprieties; *ez a megjegyzés mélyen* ~*ette* he was greatly nettled at this remark, this remark/thrust went home; *nem tudom mivel sérthettem meg* I wonder what I may have done to offend her; *nem akartam önt* ~*eni* I intended no insult, I did not intend to insult you, (I meant) no offence, no offence was meant; *senkit sem akart* ~*eni* he didn't want to disoblige/displease anybody; *ha meg nem sértem (önt)* saving your presence, if I may say/do so (without causing hurt *v.* without hurting you); *ha* ~*ettelek volna* ... if I have offended against you in word or deed **3.** *[törvényt]* infringe, violate, transgress, break (the law), offend against, do vislence to, *[jogokat]* prejudice (rights)

megsértés *n*, **1.** *[testi]* wound, injury, cut, lesion **2.** *(átv)* offence, insult **3.** *[törvényé]* infringement, violation (of the law); *bírói szék* ~*e* contempt of court

megsértődés *n*, resentment, taking offence, umbrage, being hurt, huff *(fam)*

megsértőd|ik [-tem, -ött, -jön, -jék] *vi*, *(vmtől, vmn)* be offended (at/by/with sg), get hurt, take sg ill/amiss, take offence/umbrage (at sg), take exception to sg, take sg in bad part, get the huff *(fam)*, get peeved/sore *(fam)*, be miffed at/with *(fam)*, get shirty (about sg) ◈; *könnyen* ~*ik* be thin-skinned, be easily offended, be touchy/te(t)chy; ~*ött a megjegyzésemen* he took exception to my remark, he took offence at my words; *nem sértődött meg ezen* he took it in good part; *sose sértődik meg* he never takes anything amiss

megsérül *vi*, **1.** *(vk)* be wounded/injured/hurt/mauled, sustain injury, receive a wound; *nem sérült meg* he did not hurt himself **2.** *(vm)* become/get damaged

megsétáltat *vt*, take (out) for a walk, promenade

megsikál *vt*, rub, scour, polish, scrub

megsiketít [-eni, -ett, -sen] *vt*, *[átmenetileg]* deafen, make deaf

megsiketül [-t, -jön] *vi*, = megsüketül

megsimít *vt*, stroke, pat, caress; ~*otta a guta (biz)* he got a touch of apoplexy, he had a light stroke

megsimogat *vt*, caress, fondle, stroke; *tekintetével* ~ look fondly/caressingly at sy

megsínyli [.. lette] *vt*, suffer on account of, be a sufferer (by), be a victim (of), be hard hit (by), be all the worse (for), sustain loss/damage (through)

megsirat *vt*, mourn for, weep for/over, cry over, bewail *(ref.)*, bemoan *(ref.)*

megskalpol [-t, -jon] *vt*, scalp

megskalpolás *n*, scalping

megsodor *vt*, **1.** *[cigarettát, tésztát]* roll **2.** *[bajuszt]* twirl, twiddle (one's moustache), *[szálat]* twist, twine, spin

megsokall *vt*, have enough (of), get fed up (with), be sick (of)

megsokasít *vt*, **1.** *[számszerűleg]* multiply *[szaporít]* proliferate, propagate **2.** *[mennyiségileg]* augment, increase

megsokasod|ik *vi*, **1.** *[szaporodik, burjánzik]* proliferate, pullulate, *[számszerűleg]* multiply **2.** *[mennyiségileg]* augment, grow, increase

megsokszoroz *vt*, multiply, proliferate

megsokszorozás *n*, multiplication, proliferation

megsokszorozható *a*, multipliable

megsokszorozódás *n*, multiplying, multiplication

megsokszorozód|ik *vi*, be multiplied, multiply
megsoványít *vt*, make/render (sy) thin(ner), make (sy) lose weight, *[betegség]* emaciate
megsoványod|ik *vi*, grow thin, lose weight
megsóz *vt*, salt, add salt to, put salt in/on, sprinkle with salt *(obs)*
megsózás *n*, salting
megsötéted|ik *vi*, 1. *(ált)* grow dark(er), become/grow obscure/dim 2. *[szín]* darken, deepen
megsötétít [-eni, -ett, -sen] *vt, [szint]* deepen/darken the colour of sg
megspékel *vt*, 1. *(konkr)* lard 2. *(átv)* interlard, garnish; *idézetekkel ~ve* (inter)larded/sprinkled with quotations
megspórol *vt*, save, economize, spare
megspórolás *n*, saving, economy, sparing
megstilizál *vt*, put into the/a proper (written) form, draw up a final version, put into a suitable language, rewrite, draft, indite *(joc)*
megstoppol *vt*, darn, mend
megstoppolás *n*, darning, mending
megsúg *vt*, *(vknek vmt)* whisper (sg) in sy's ear, *[elárul]* tell (sy sg) confidentially *(v.* in confidence); *~om neked* just between us, between you and me
megsuhogtat *vt*, brandish, flourish, shake, wave
megsulykol *vt*, 1. (beat with a) beetle 2. *[cölöpöt]* ram
megsúrol *vt*, scour, scrub
megsüketít [-eni, -ett, -sen] *vt, [átmenetileg]* deafen, make deaf
megsüketül [-t, -jön] *vi*, become deaf; *balfülére ~* become deaf in the left ear
megsül *vi*, 1. *[hús]* roast, get roasted 2. *[kenyér, tésztaféle]* get baked 3. *[vm a melegtől]* get scorched, be parched; *meg lehet sülni ebben a szobában* it is broiling hot in this room, it is scorching hot here, one is roasted alive
megsüllyed *vi*, *[jármű]* become stuck, bog down, sink in
megsürget *vt*, urge, press for, ask repeatedly for
megsürgetés *n*, urging, pressing, repeated request
megsürgönyöz *vt*, (send a) wire, *[tengerentúlra]* cable
megsűr(üs)ít *vt*, *(vegyt)* condense, concentrate, *[főzésnél]* thicken
megsűrűsödés *n*, *(vegyt)* condensation, concentration, *[főzésnél]* thickening
megsűrűsöd|ik *vi*, *(vegyt)* become concentrated/condensed, *[főzésnél]* thicken, become thick, *[krém, mártás]* stiffen
megsüt *vt*, 1. *[húst]* roast 2. *[kenyeret]* bake 3. *(biz)süsd meg!* hand it all!, confound it!; *süsd meg a tudományodat!* hang it all!, confound it!, nuts!, shut up!
megsüvegel [-t, -jen] *vt*, take off *(v.* doff/lift) one's hat to, uncover to (sy)
megsüvegelés *n*, taking off one's hat (to sy)
megszab *vt*, fix, determine, stipulate, specify, lay down, prescribe, *[határidőt]* fix (date), grant, allow (so many days); *~ja vmnek az árát* fix the price of sg, name/quote the price; *árhatárt ~* fix a limit; *~ja a feltételeket* dictate/fix the terms; *a törvény ~ja annak feltételeit miként...* the law governs the conditions under which ...; *~ja vknek a fizetését vmben* fix sy's salary (at ...); *~ja magának a teendőket* map out a course of action
megszabadít *vt*, 1. *(vmből)* free, liberate, release, deliver (from) 2. *(vmtől)* rid, relieve (of), take sg off sy's bands, *[gátló akadálytól]* disengage, *[gondtól]* ease ,from care), *[terhektől]* unburden, disencumber (of load), *[kötelezettségtől]* relieve (of obligation), exempt, exonerate (from); *~ vkt a bizonytalanságtól* put sy out of suspense; *szabadíts meg a gonosztól* deliver us from evil; *~ott a pénztárcámtól* he relieved me of my purse 3. *[megkötöttet]* unbind, unloose(n); *bilincsekül ~* unshackle, unfetter 4. *[veszélytől]* rescue

megszabadítás *n*, 1. *(vmből)* liberation, deliverance, release, setting free, freeing 2. *(vmtől)* riddance, release, *[kötelezettségtől]* release, exemption, exoneration 3. *[veszélyből]* rescue
megszabadító I. *a*, liberating II. *n*, liberator, deliverer, rescuer
megszabadul *vi*, 1. *(vktől)* rid oneself of, get rid of, shake off, get clear/free of; *~ ellenfelétől* dispose of an opponent; *nem lehet ~ni tőle* you cannot shake him off, you cannot get rid of him, he's the old man of the sea; *örülök hogy ~tam tőle* (a) good riddance!, I am glad to see the back of him; *elég nehéz volt ~ni a hullától* the disposal of the corpse presented some difficulty 2. *(vmtől)* throw off, get rid of, rid oneself of, *[gondtól, tehertől]* be set free, be discharged, be delivered (from), be quit' (of); *~ az előítéletektől* liberate one's mind of prejudice, shake oneself free of all bias; *~ kötelékeitől* free oneself from one's bonds; *~ kötelezettségeitől* free oneself from one's obligations; *~ rossz szokástól* throw off a bad habit, break with a bad habit, get out of a bad habit
megszabadulás *n*, liberation, deliverance, delivery, rescue, release, *[alkalmatlan személytől/tárgytól]* riddance, disposal
megszabás *n*, 1. *[áré, értéké, időponté]* fixing 2. *[feltételeké]* dictation (of terms) 3. *[célé]* determination 4. *[utasítás]* instruction, prescription
megszabott *a*, fixed, determined, *[kívánt]* required; *~ ár* fixed price; *~ feladat* prescribed task; *~ feltételek* terms/conditions agreed upon, terms/conditions stipulated; *~ határidőn belül* within a specified time, within a set term; *~ idő* appointed time, fixed term/date; *a ~ időben* in due time, at the time appointed, at a fixed/stated time; *~ mennyiség* prescribed quantity; *a ~ módon* in the prescribed way/form
megszaggat *vt*, *[ruhát]* rend one's garments
megszaglász *vt*, 1. *[kutya]* sniff/snuffle at, nuzzle, smell (out) 2. = megszagol 2.
megszagol *vt*, 1. *(konkr)* smell, sniff (at sg), take a smell (at sg) 2. *(átv)* scent (sg), smell/nose/pry (sg) out, discover, detect (sg), guess at (sg), get wind of (sg)
megszakad *vi*, 1. *(ált)* break (off), *[telefonösszeköttetés]* be cut off, be disconnected, *[fal]* come to an end 2. *(vkben vm)* crack, snap, *[ín, ér]* rupture; *majd ~ a nagy erőlködésben* break one's back, work tooth and nail; *majd ~ a munkában* work one's head off, work one's fingers to the bone; *majd ~ nevettében* be convulsed/bursting with laughter, split one's sides with laughter; *nem szakad meg a munkában* he does not kill/hurt himself over the job; *~ a szíve* break one's heart over sg, *[bánatában]* die of a broken heart; *~ a szívem* my heart is broken, I'm heart--broken; *a szíve majd ~t* her heart was ready to burst 3. *[folyamat]* be interrupted, be cut/broken off, break off, *[hirtelen]* come to a stop; *az elbeszélés ~* the thread of one's discourse/narrative is broken; *a jóviszony ~t* good relations were severed; *a tárgyalások ~tak* the negotiations were broken off
megszakadás *n*, 1. *[iné, éré]* rupture 2. *[folyamaté]* break, interruption, breaking/cutting off, intermission, discontinuance, suspension; *folytonosság ~a* break of continuity 3. *~ig dolgozik* work to cracking/ breaking point
megszakít *vt*, 1. *(ált)* break, interrupt, be broken/interrupted by; *szót ~ [sor végén]* cut a word 2. *[beszélgetést]* interrupt, break off (a conversation), chip in *[fam]*, *[más szavait]* cut short 3. *[áramot]* break/ switch off (the current), *[távbeszélő összeköttetést]* cut (off) telephone (communication);*a telefonösszeköttetés még [mindig] meg van szakítva* telephone communications are (still) severed 4. *[kapcsolatot]* break with sy, *[összeköttetést, tárgyalást]* break off, cease, discon-

tinue (relations, negotiations), sever (communications); *érintkezést* ~ break contact; *minden összeköttetést/érintkezést* ~ *vkvel* break off all relations with sy; ~*ja a diplomáciai viszonyt* break off *(v.* sever) diplomatic relations (with) **5.** *[utazást]* break off (a journey)

megszakítás *n*, **1.** *[folyamaté]* break, pause, interruption; *terhesség* ~*a* the interruption of gravidity; ~ *nélkül* unceasingly, without a break, uninterruptedly, without intermission/cease, straight/right on end; ~ *nélküli* uninterrupted, unbroken, pauseless, non-stop; ~ *nélküli utazás* continuous journey, non-stop journey; ~*okkal* intermittently, on and off; ~*sal dolgozik* work by/in snatches; *kisebb-nagyobb* ~*okkal* by fits and starts **2.** *[áramé]* switching off, *[áramköré, telefonösszeköttetésé]* disconnecting, disconnection **3.** *[kapcsolaté]* breaking off, severance, disconnection, rupture, *(jog)* *[peré]* discontinuance **4.** *[szolgálati időé]* broken time

megszakítatlan *a*, unbroken, uninterrupted

megszakító I. *a*, ~ *készülék/berendezés (műsz)* switch, contact-breaker, circuit-breaker, interceptor, cut-out; ~ *kapcsoló* disjunctor; ~ *rugó* break-spring **II.** *n*, = **megszakító** *készülék/berendezés*

megszakított [-at; *adv* -an] *a*, interrupted, disconnected, intermittent, snatchy, cut off, *[forgalom]* stopped, suspended (traffic)

megszalad *vi*, **1.** *(vk)* break into a run, take to one's heels, flee, run away, *[ellenség]* retreat, *(vk vmvel)* run away with **2.** *(vm)* run away, slip, *[kocsi]* skid

megszalaszt *vt*, start, make sy run, send sy flying, *[ellenséget]* put (the enemy) to flight/rout

megszáll I. *vi*, *[szállóban]* put up, stay, stop (at a hotel), *[másutt]* take up quarters, lodge, room (at sy's house), stay (with sy); *az ,,Arany Blkdhoz" címzett szállodában/vendégfogadóban száll meg* put up at the sign of the Golden Bull **II.** *vt*, **1.** *(kat)* occupy, take possession of, keep occupied, hold **2.** *(átv)* seize, possess, *[vkt félelem]* be overcome/struck (with fear); ~*ta az ördög* be possessed by/of the devil

megszállás *n*, **1.** *(ált)* taking up quarters, accommodation, *[szállóban]* putting up, stay (at a(n) hotel), lodging, rooming **2.** *(kat)* occupation, taking possession (of a country), holding a country/district

megszállási [-t] *a*, ~ *költségek* occupation costs; ~ *statútum* occupation stature

megszálló I. *a*, occupying, of occupation *(ut);* ~ *hadsereg* occupation army, army of occupation; ~ *hatalom* occupying power; ~ *hatóságok* military authority in occupation **II.** *n*, occupier, occupant; *a* ~*k csizmatalpa alatt nyög* be under the heels of the invader

megszállott [-at; *adv* -an] **I.** *a*, **1.** *[terület]* occupied (territory) **2.** *(átv)* obsessed, possessed, *[eszmétől]* infatuated, fanatic; *az ördögtől* ~ possessed by the devil **II.** *n*, *[személy]* fanatic, person possessed/obsessed with an idea, energumen; *egy gondolat* ~*ja* obsessed/possessed with an idea, *[igével]* ride an idea to death, have a bee in one's bonnet

megszállottság *n*, *(átv)* obsession, possession, possessedness

megszalonnáz *vt*, *[spékel]* lard, *[rárakva]* lard (with bacon)

megszámít *vt*, charge; *drágán számít meg vmt* overcharge, charge exorbitant prices, make sy pay through the nose

megszámlál *vt*, count, *[szavazatokat]* count, tell; ~*ja a népességet* take a census of the population; *napjaink meg vannak számlálva* our days are few/numbered, *[mozgalomról, intézményről]* it is living on borrowed time

megszámlálás *n*, count(ing), telling, *[népességé]* census

megszámlálhatatlan *a*, innumerable, countless, uncountable, numberless; ~ *sok hibát követ el* his blunders/mistakes are countless *(v.* beyond number)

megszámlálható *a*, numberable, countable

megszámol *vt*, count, *[szavazatokat]* tell

megszámolás *n*, counting

megszámolhatatlan *a*, = **megszámlálhatatlan**

megszámolható *a*, = **megszámlálható**

megszámoz *vt*, number; ~*za egy könyv lapjait* page/paginate a book; *meg van számozva* be numbered

megszámozás *n*, numbering, *[könyvé]* paging (of a oook), pagination

megszán *vt*, pity, be moved to compassion, feel pity for, commiserate (with) sy

megszánás *n*, compassion, pity, commiseration

megszánt *vt*, till, plough, plow *(US)*

megszaporáz *vt*, *[lépést]* hasten one's steps, quicken one's pace

megszaporít *vt*, **1.** *[növel]* augment, increase, enlarge, add to, *[számbelileg]* multiply, propagate, *[folyadékot]* dilute **2.** *[párosodás útján]* proliferate, reproduce, propagate

megszaporod|ik *vi*, **1.** *(ált)* increase, grow, accrue, multiply, propagate **2.** *[párosodás útján]* proliferate; ~*tunk [család]* we have a child, we have an addition to my family, *[iroda stb.]* there are new arrivals

megszappanoz *vt*, soap, *[borotválkozásnál]* lather (before shaving)

megszapul *vt*, **1.** *[ruhát]* wash (in lye), wash and toil, *[padlót stb.]* scrub, scour, swill **2.** = **megszól** *(vkt)*

megszárad *vi*, (become) dry, *[fa]* become seasoned

megszáradás *n*, drying, *[fáé]* seasoning

megszárít *vt*, dry, *[kemencében]* kiln, dry

megszárítás *n*, drying

megszárnyaz [-ott, -zon] *vt*, *[madarat lövéssel]* wing

megszárogat *vt*, = **megszárít**

megszavaz *vt*, **1.** *[indítványt]* adopt, carry (motion) **2.** *[kölcsönt, hitelt]* vote, grant (loan, credit) **3.** *[törvényjavaslatot]* vote for, pass, carry (bill); *meg van szavazva* (it is) carried, the ayes have it *(GB)*

megszavazás *n*, *[törvényjavaslaté]* passing, passage (of the bill) *(US)*

megszavaztat *vt*, put/submit sg to a/the vote, poll, *[a képviselőházat]* divide (the House); *törvényjavaslatot* ~ get a bill through Parliament, *[sebtében, erőszakkal]* railroad a bill, rush a bill through

megszázszoroz [-tam, -ott, -zon] *vt*, multiply by a hundred, make a hundred times more/bigger, increase one/a hundred times

megszázszorozód|ik [-ott, -jon, -jék] *vi*, increase a hundredfold *(v.* a hundred times), centuple, centuplicate

megszed *vt*, **1.** *[gyümölcsöt]* gather, pick, pluck, *[fáról]* pluck off, pick (tree); *egy kosarat* ~ fill a basket with sg **2.** ~*i magát* feather one's nest, make one's pile, line one's pocket, strike it rich

megszédít *vt*, **1.** *[ütés]* stun, daze, shock, paralyze, *[magasság]* make dizzy/giddy **2.** *(átv)* turn sy's head, confuse, deceive, bewilder, unsteady, bamboozle *(fam);* *ne hagyd magad* ~*eni!* don't let yourself be talked/inveighed into it, don't let them wheedle you into it, don't let them slip you any of that bunk

megszédítés *n*, = **szédítés**

megszédül *vi*, be (come) dizzy, feel giddy, be vertiginous, have vertigo; ~*i a dicsőségtől/sikertől* success has turned his head, he was giddy with success

megszeg *vt*, **1.** *[törvényt, esküt, ígéretet]* break, commit a breach of (law, contract, faith), *[szerződést]* violate, *[parancsot, szabályt]* contravene, *[törvényt]* violate, transgress, infringe (on); ~*i a böjtöt* break one's fast; ~*i a szavát* go back on one's word, dishonour/

break one's word 2. *[kenyeret]* cut into *(v.* make the first cut in) (a loaf), break (a loaf)

megszegel *vt,* nail sg (up/down to), fasten/close/shut sg with nails, clinch, nog, peg, *[léccel]* batten

megszegés *n,* 1. *[törvényt, esküt, ígéretet]* breach, infringement, *[szerződést]* violation, *[parancsot]* contravention, transgression, infraction; *bűnös a törvény ~ében* be guilty of disobeying the law; *a törvény ~ével* in violation of the law 2. *[kenyéré]* cutting into *(v.* breaking) a loaf

megszegetlen *a, [kenyér]* uncut

megszegez *vt,* = megszegel

megszeghetetlen *a,* inviolable

megszeghető *a,* violable

megszégyenít *[-eni, -ett, -sen]* *vt,* 1. put sy to shame/ confusion, shame, make (sy) ashamed of sg, abash, embarrass, put out of countenance, put to the blush, make sy feel shabby/stupid, humiliate/humble/ mortify sy, bring sy low 2. *[átv túlszárnyal]* surpass, eclipse, outdo, exceed, excel, outstrip, transcend, throw into the shade

megszégyenítés *n,* shaming, humiliation, abashment, embarrassment

megszégyenítő *[-t; adv -en]* *a,* humiliating, dishonourable, ignominious, mortifying, reflecting shame on sy *(ut),* disgraceful, shameful, discreditable, opprobrious, contumelious

megszégyenül *[-t]* *vi,* suffer humiliation, be humiliated

megszégyenülten *adv, ~ távozik* retire overwhelmed/ overcome with shame, retire with his tail between his legs *(fam),* slink away *(fam)*

megszel *vt,* cut into, make the first cut

megszelídít *vt,* 1. *[állatot]* tame, domesticate 2. *[embert]* make tractable/docile/submissive, win over sy 3. *[kifejezést]* palliate

megszelídítés *n,* 1. *[állatot]* taming, domestication 2. *[embert]* making tractable/docile/submissive

megszelídíthetetlen *a,* untam(e)able, unsubmissive, intractable, stubborn, indomitable

megszelídíthető *a,* tam(e)able, capable of being tamed/ subdued *(ut)*

megszelídíthetőség *n,* tamability, tamableness

megszelídül *vi,* 1. *[ember]* soften, melt, tame down, become docile/submissive/tractable 2. *[állat]* grow tame, be domesticated 3. *[szenvedély]* die away

megszelídülés *n,* taming down, domestication

megszemélyesít *vt,* 1. *[ált]* personify, personate, personalize 2. *[színész]* act, impersonate, interpret, play (the part of), assume (the character of), represent

megszemélyesítés *n,* 1. *[ált]* personification, personalization, impersonation 2. *(csak szính)* acting, rendering

megszemélyesítő *[-t, -je]* *n,* 1. *(ált)* personi*f*icator, embodiment 2. *(szính)* (im)personator

megszemlél *vt,* look at, examine, scan, view, survey, review, have a view of, *[csapatokat]* inspect; *~i a csapatokat* make/take muster of troops

megszemlélés *n,* looking over, review, scrutiny, inspection, survey

megszenesedés *n,* carbonization

megszenesedett *[-et; adv -en]* *a,* charred, carbonized; *~ holttest* charred remains of a body

megszenesed|ik *vi,* carbonify, carbonize, char, *[megpörkölődik]* scorch, *[fa]* be(come) charred/carbonized, *[más]* be burnt to cinder, burn to ashes

megszenesít *vt,* carbonize, char

megszentel *vt, [lelkileg]* hallow, sanctify, make holy, *[tárgyat]* consecrate; *az Úr napját ~i* observe/keep the Sabbath; *~i föld* hallowed/holy ground

megszentelés *n, [lelkileg]* hallowing, sanctification, *[tárgyat]* consecration; *az Úr napjának a ~e* observation/keeping of the sabbath

megszentelő *[-t]* *a,* sanctifying, making holy *(ut);* *~ kegyelem* justifying/saving grace

megszentelt *a,* consecrated, sanctified, hallowed, holy; *~ föld* hallowed ground; *~ kenyér* holy bread

megszentségtelenít *[-eni, -ett, -sen]* *vt,* profane, pollute, defile, debase, *[sírt]* violate, *[templomot]* desecrate, deconsecrate

megszentségtelenítés *n,* profanation, desecration, pollution, violation, debasement

megszenved *vi/vt,* 1. *(vmért)* toil, labour, drudge (to deserve sg), endure (pain etc.) to obtain/achieve sg 2. *[azért amit tett]* atone for, make up/amends for, expiate, pay the penalty of

megszépít *vt,* embellish, beautify, adorn, *(vkt)* improve the looks of, make prettier *(v.* better looking), *[elbeszélést]* improve upon, embroider (the story)

megszeplősít *vt,* 1. *[leányt]* bring shame upon, deflower, defile, ravish, do wrong *(fam)* 2. *[nevet, emléket]* tarnish, sully, dishonour

megszeplősöd|ik *[-tem, -ött, -jön, -jék]* *vi,* get freckles, become freckled, freckle, develop freckles

megszeppen *[-t, -jen]* *vi,* be/get frightened/scared of/at, take fright/alarm

megszépül *vi,* grow more handsome/beautiful, improve in appearance/looks, grow in beauty

megszépülés *n,* improvement (in looks), embellishment, becoming (more) beautiful

megszeret *vt,* 1. *(vkt)* become attached to, become fond of, conceive an affection for, take a liking to, take (fancy) to 2. *(vmt)* come to like; *~te a kávét/ kávézást* acquire a taste for coffee 3. *[szerelemmel]* fall in love with, become enamoured of, fall for, cotton (on) to sy *(fam);* *mindjárt ~tem* I took to him at once; *meglátni és ~ni egy pillanat műve volt* it was a case of love at first sight

megszerettet *vt,* endear; *~i magát* win sy's affection/ love, make oneself popular with *(v.* liked by), *[kissé ellt]* ingratiate oneself with

megszerez *vt,* 1. get, obtain, acquire, procure, win, gain, get hold of, take possession of, possess oneself of, secure, *[erőszakkal]* seize, *[tud. fokozatot]* earn, win, *[pénzért]* purchase, buy; *megszerzi a labdát (sp)* obtain the ball; *ezeket a cikkeket még mindig nehéz volt ~ni* such articles were still very hard to come by; *évek nehéz munkájával drágán megszerzett siker* success dearly purchased by years of toil 2. *[vmvel megtetéz]* give sg into the bargain, add, give for la-gn(i)appe *(US),* give baker's dozen *(GB)*

megszerezhetetlen *a,* unobtainable, unprocurable, unpurchasable, inaccessible, ungainable; *~ számomra* it is beyond my reach, it is out of my reach

megszerezhető *a,* obtainable, procurable, attainable, purchasable, gainable, acquirable

megszerkeszt *vi,* 1. *[szöveget]* draw up, formulate, frame, draft, word, write, *[jegyzőkönyvet]* draw up, *[levelet]* write, pen, indite *(obs);* *jól ~ett színdarab* well constructed play; *rosszul ~ett mondat* sentence that does not construe 2. *[geometriai értelemben]* describe, draw; *~i egy egyenlet görbéjét* plot the graph of an equation 3. *[gépet]* construct, design

megszerkesztés *n,* 1. *[szövegé]* drawing up, formulation, drafting, wording, writing, framing, composition, *[írásműé, kiadványé]* editing 2. *[gépé]* construction, designing

megszervez *vt,* organize, institute, *[mulatságot, versenyt]* get up, arrange, *[vm rosszat]* engineer, scheme, devise; *~i a munkásokat* form workmen into a trade union

megszervezés *n,* organization, organizing, arranging

megszervezhető *a,* organizable

megszervezhetőség *n,* organizability

megszervezked|ik *vi,* organize itself, get organized

megszervező n, organizer, institutor

megszerzés n, acquisition, acquiring, obtainment, securing, getting, obtaining, procuring, procurement, *[vétel útján]* purchase; *vmnek a ~e nagy nehézségbe ütközik* sg is almost/practically unobtainable, it is very difficult to get (hold of)

megszerző n, acquirer, purchaser, transferee, grantee

megszid vt, scold, chide, take to task, reprimand, reprove, upbraid, take up sharply, (be)rate, lecture, rebuke, slate, dress down *(fam)*, haul/call over the coals *(fam)*; *alaposan ~ vkt* give sy a good talking-to

megszidás n, scolding, chiding, rating, dressing down

megszigonyoz vt, harpoon

megszigorít vt, 1. *(ált)* make/render more severe/ rigorous, increase the severity of 2. *[büntetést]* aggravate, increase, augment, *[rendszabályt]* screw/ tighten up, take sterner/stronger measures, become stricter; *~ja az ellenőrzést* tighten control

megszigorítás n, 1. *(ált)* increasing the severity of 2. *[büntetést]* increase of penalty, aggravating, taking sterner *(v.* more stringent) measures, tightening up, becoming stricter *(v.* more rigorous)

megszikkad vi, dry up, desiccate, become/go dry

megszilárdít [-ani, -ott, -son] vt, 1. *(konkr)* strengthen, steady, stabilize, make firm, fix, *(épít)* brace, reinforce 2. *(átv)* strengthen, steady, stabilize, consolidate, confirm, cement, settle; *a fegyelem ~ja a jellemet* discipline steadies the character; *a rendet ~ja* establish order

megszilárdítás n, 1. strengthening, steadying, *(épít)* bracing 2. *(átv)* strengthening, steadying, consolidation, stabilization, confirmation, fortification; *a termelőszövetkezetek anyagi és szervezeti ~a* financial and organizational consolidation of production co-operatives

megszilárdul vi, 1. *[anyag]* set, solidify, harden, concrete 2. *(átv)* be firmly established, steady (down), be strengthened/stabilized, become consolidated, take/strike root, *[ellenállás]* stiffen, *[egészség]* improve, *[piac]* improve, steady, *[ár]* stiffen, firm up; *az árak ~nak* prices are steadying

megszilárdulás n, 1. *(ált)* growing/becoming stronger/ firmer, *[anyagé]* turning/growing firm, hardening, stiffening, *[cseppfolyós anyagé]* solidification, solidifying, setting 2. *(átv)* stabilization, firm establishment, consolidation, stiffening

megszimatol vt, 1. *[kutya]* scent, smell, nose (out) 2. *[odaszagol]* sniff at 3. *[veszélyt]* smell, scent, suspect, *[neszét veszi]* get wind of

megszínesed|ik vt, colour, stain, tint, assume a colour/ tinge, *[arc]* flush, incarnadine *(ref.)*

megszitál vt, sift, screen, (pass through a) sieve, try, *[lisztet]* bolt

megsziv vt, 1. *[cigarettát stb.]* take a pull/puff (at) 2. *[pióca]* attaches itself (to), stick (to sy/sg)

megszivlel [-t, -jen] vt, lay sg to (one's) heart, keep/bear in mind, pay attention to, pay/give heed to, follow, act upon (advice); *~i vk tanácsát* listen to counsel, follow a person's counsel, follow *(v.* act upon) sy's advice; *szívleld meg ezt a tanulságot!* take that lesson to heart!

megszivlelendő [-t; adv -en] a, well worth taking into consideration *(ut)*, worth considering *(v.* keeping in mind), noteworthy, worthy of notice

megszivlelés n, taking sg to heart, *[tanácsé]* carrying out, practical application (of advice)

megszokás n, 1. custom, usage, use, habit, practice, wont, *[kábítószeré]* inurement; *~ dolga* it is just a matter of habit; *a ~ hatalma* the force of habit; *~ból* from *(v.* out of) (mere) habit, by sheer force of habit, as a matter of routine 2. *(vhol)* acclimatization, *(vmhez)* habituation (to), inurement (to),

[*vmhez hozzászokottság állapota, főleg orv]* assuetude

megszok|ik vt, 1. *(vkt, vmt)* get/become used/accustomed/inured (to), become habituated (to), get into the habit (of), grow familiar (with), *[időjárást]* get seasoned to, *[lakóhelyet]* become/get acclimatized to; *mi már ~tuk* we are accustomed/ used/inured to it, it is nothing new to us; *nem szokta meg a forró égövet* he is unaccustomed to the hot climate 2. *[szokásává válik]* acquire/start the habit of, grow/get into the habit of, fall into the way of (doing sg), *[szokásból tesz]* be in the habit *(v.* make a habit) of doing sg, be given to, be one's practice, be wont to; *~ta hogy* be accustomed to, be in the habit of (doing sg), be wont to; *~tam a korai felkelést* I am accustomed to rise early

II. vi, *(vhol)* become acclimatized, get used to, settle down; *vagy ~ik vagy megszökik* it's a question of sink or swim, it will either make you or break you, root hog or die

megszokott a, 1. *(vkt, vmt)* accustomed (to) 2. *[szokásszerű]* habitual, customary, usual, wonted, regular, everyday, routine, familiar, common, commonplace, ordinary; *~ dolog* routine matter, *(kif)* it is (all) in the day's work; *~ kifejezés* stock phrase;-*~tá válik* become usual/everyday/customary, *[már nem újszerű]* wear off, the newness has worn off, it is not new/strange any more, *[élvezet]* pall

megszokottság n, familiarity, familiar *(v.* well-known) character/aspect (of sg), regularity, custom, habit, routine

megszoktat vt, accustom, habituate, train, inure, make used/accustomed to *(v.* familiar with), get sy inured to *(v.* into the habit of)

megszól vt, *(vkt)* speak ill/badly of, disparage, run down, traduce

megszólal vi, 1. *(vk)* begin to speak, start speaking, open one's mouth; *mintha ~na* speaking likeness; *szólaljon meg már valaki (biz)* somebody say something 2. *[telefon]* (begin to) ring, *[kis csengő]* tinkle, *[harang]* toll, *[hangszer]* give forth *(v.* emit) sound 3. *[madár]* begin to sing

megszólalás n, speaking; *~ig hasonló* bear a striking/ speaking resemblance/likeness to, be a living/spitting image of sy, be the dead spit of sy *(fam)*; *a ~ig hasonlit az apjához* be a living image of his father, be the dead spit of his father *(fam)*, be a dead ringer for his father *(fam US)*; *~ig hű arckép* lifelike portrait, a speaking likeness, near portrait *(US)*

megszólaltat vt, 1. *(vkt)* make speak 2. *[hangszert]* sound, *[csengőt]* ring, tinkle, clang; *~ja a szirénát* blow/sound the siren

megszólás n, scandal-mongering, backbiting, piece of slander, disparagement, running down

megszolgál vt, 1. earn by service, work for, *[kiérdemel]* earn fairly, merit; *~t a bérért* deserve one's wages 2. *[meghálál]* repay, requite

megszolgált a, (well-)earned

megszólít vt, speak to, address, accost, approach, hail, apostrophize, *[őrszem vkt]* challenge

megszólítás n, 1. *[szóval]* address, approaches *(pl)*, accosting, *[költői, szónoki]* apostrophe; *~ával tüntet ki* honour/favour sy by speaking to *(v.* addressing) him *(v.* with a word) 2. *[levélben]* salutation. greeting

megszólító [-t] a, *(nyelvt)* ~ eset vocative case

megszomjaz|ik vi, become/get thirsty, be dry *(fam)*, be athirst *(ref.)*

megszomorít vt, grieve, sadden, make sad/mourn(ful)/ miserable, cast down, distress, pain, afflict, cause (sy) sorrow/anguish/agony

megszomorod|ik *vi,* = elszomorodik; ~*ott szívvel* heart--broken, bereaved, afflicted
megszop [-tam, -ott, -jon] *vt,* (give sg a) suck
megszoptat *vt,* suckle, give breast/suck to, feed at breast, breast-feed
megszoptatás *n,* = szoptatás
megszór *vt, (vmvel)* sprinkle, powder, dust, dredge with sg
megszórás *n,* sprinkling, powdering, dusting, dredging
megszorít *vt,* 1. *[csomót, csavart]* screw up, tighten, *[anyacsavart]* screw up, *[rugót]* load, *[hordóabroncsot]* drive (on) (barrel hoop); *erősen* ~*ja a féket* jam on the brakes 2. *[kezet]* shake hands with, press sy's hand, clasp sy's hand; ~*ja a ló véknyát* grip a horse close 3. *[korlátoz]* limit, restrict, restrain, confine within limits, retrench, stint, check, *[kiadásokat]* reduce, curtail, cut down, retrench (one's expenses/expenditure) 4. *(vkt átv)* corner sy, drive sy to the wall *(v.* into a corner), demand "yes" or "no" *(v.* an answer) from sy
megszorítás *n,* 1. *[csavaré]* securing, tightening, screwing up/fast/tight 2. *(átv)* restriction, restraint, pressure, constraint, *[hatásköré, kiadásé]* limitation, reduction, *[költségé]* cutting down, curtailment, reduction, *[feltétel]* stipulation, condition; *bizonyos* ~*okkal* with reservations; ~ *nélkül* without reserve
megszorítható *a,* restrainable
megszorító *a,* restrictive, qualificatory; ~ *rendelkezéseket hoztak/iktattak törvénybe* restrictive measures were enacted; ~ *záradék* restrictive clause
megszoroz *vt,* multiply (with, by); *két egymással megszorzott szám* two numbers multiplied into each other
megszorul *vi,* 1. *[tárgy]* get stuck/wedged, be caught/jammed, stick, be stuck, jam 2. *[levegő]* stagnate, get stuffy 3. *[pénzben]* be lacking (in), lack (for), be in financial difficulties/straits, be short *(v.* in need) of money, be out of cash, be in needy/reduced/embarrassed/straitened circumstances
megszorulás *n,* 1. *[tárgyé]* jamming, choking up, compression, tightness, pressing together 2. *[pénzügyi]* want, financial embarrassment/straits/difficulties
megszorult [-at] *a,* 1. *[ember]* driven in a corner *(ut)* 2. *[anyagilag]* in financial difficulties *(ut),* in straitened/reduced/embarrassed circumstances *(ut),* needy, in narrow/difficult circumstances *(ut),* in want *(ut)*
megsző *vt,* weave
megszögel *vt,* = megszegel
megszökés *n,* 1. *[vk/vm elől]* running away, absconding, decamping, slipping/fleeing/getting away 2. *[fogolyé]* escape, flight, 3. *(kat)* desertion 4. *[szerelmeseké]* elopement
megszök|ik *vi,* 1. *(ált)* flee, fly, take to flight, bolt, make/skip off, run/break/get away, decamp, take to one's heels *(fam),* give leg bail *(fam),* show a clean pair of heels *(fam),* skedaddle *(fam)* 2. *(kat)* desert, defect, *[hajóról]* jump ship, *[börtönből]* escape, make one's escape, *[cellából, pányváról stb.]* break free/loose, *[társaságból]* slip out/away/off, take French leave; ~*ik a börtönből* break gaol/prison; ~*ik az iskolából* run away from school 3. *[adósság elől]* abscond, levant, bilk, welsh ◊, *[lakbérfizetés elől]* shoot the moon 4. *[nő férfivel]* elope (with sy)
megszőkít *vt,* dye/bleach blond
megszökött *a,* runaway, escaped, escaping; ~ *szerelmesek* the elopers
megszöktet *vt,* 1. *(ált)* run away/off with 2. *[nőt]* abduct, elope with 3. *[foglyot]* help to escape *(v.* break gaol), *[zsarolás céljából]* kidnap, abduct
megszöktetés *n,* 1. *(ált)* running away with 2. *[nőt]*

abduction, elopement 3. *[foglyot]* helping to run away *(v.* to escape), *[zsarolás céljából]* kidnapping
megszőkül [-t, -jön] *vi,* get/turn blond
megszőrösöd|ik *vi,* get/become hairy, get/grow hair
megszövegez *vt,* draft, draw up, formulate, frame, lay/set down, word, write, indite *(obs); az alant* ~*ett alakban* in the form hereinafter set forth
megszövegezés *n,* drafting, drawing up, wording, formulation, inditing *(obs); szerződések* ~*e* drafting of treaties
megszúr *vt,* 1. *(ált)* puncture 2. *[késsel/tőrrel vkt]* stab, wound sy with a thrust, *[gombostűvel, tüskével]* prick, sting, *[karddal]* stab, wound sy with a sword (-thrust) 3. *[rovar]* sting, bite, nip, prick
megszúrás *n,* 1. *[késsel, fegyverrel]* stab, *[vívásban]* thrust 2. *[rovar]* sting, prick, bite
megszurkál *vt,* 1. *(ált)* perforate, puncture several times 2. *[embert]* inflict numerous stab-wounds *(v.* thrust) (on)
megszűkít *vt,* 1. *(ált, konkr)* (make) narrow(er), straiten, contract, *[csövet]* waist, *[ruhát]* take in (garment) 2. *[korlátoz átv]* tighten (up)
megszűkül *vi,* (become, grow) narrow(er), narrow off
megszül *vt,* 1. *(konkr)* bear, give birth to (child), produce (a child) 2. *(átv vht)* bring sg into the world
megszülés *n,* bearing, delivery, bringing forth
megszületés *n,* 1. *(konkr)* birth 2. *(átv)* rise, springing up, beginning, coming to life; *egy gondolat/eszme* ~*e* the birth of an idea
megszületetlen [-t] *a,* unborn, *[magzati állapotban]* embryonic
megszület|ik *vi,* 1. *(konkr)* be born, come *(v.* be brought) into the world 2. *(átv)* originate, (a)rise, be born, spring up, come to life, come into being/existence; *a gondolat az ő fejében született meg* the plan originated with him
megszűnés *n,* 1. *(ált)* cessation, ceasing, stopping, discontinuance 2. *[fizetésé]* suspension, stoppage, stopping (of payment) 3. *[jogé, kötelemé]* extinguishment, *[szerződésé]* expiration, expiry, termination, ending, *[peré]* termination 4. *[fájdalomé]* ease (from pain), ceasing/alleviation/allaying/assuaging (of pain) 5. *[szokásé]* falling into disuse/desuetude 6. *[üzleté]* liquidation, closing-down, *[cégé, vállalaté]* winding-up
megszűn|ik *vi,* 1. *[vmt csinálni]* stop, leave off, have done with, cease (to do sg), discontinue; *szünj meg! (biz)* not so much of it!, chuck it! 2. *[véget ér]* end, come to an end, be no more, cease to exist, hold off 3. *[vihar, eső]* cease stop 4. *[cég, vállalat]* liquidate, close down, wind up, *[újság]* cease publication, *[társaság]* terminate, be dissolved; *ez az üzlet* ~*ik* this shop is closing down
megszünt [-et; *adv* -en] *a, [cim, hivatal]* extinct, *[társaság]* defunct (company), *[feliratként]* closed indefinitely; ~ *per/eljárás* abated action/proceedings
megszünte [. .ét] *n, (vmnek)* cessation, ceasing, discontinuance, *[ellenségeskedésé, fizetésé]* suspension, curtailing, *[üzleti kapcsolaté]* termination
megszüntet *vt,* 1. *(ált)* stop, terminate, put a stop to, cease, discontinue, put an end to, bring sg to an end, do away with 2. *[eljárást]* quash, abate, stop (proceedings), quash an action, *[ellenségeskedést]* suspend, curtail (hostilities), *[intézkedést]* terminate, revoke, annul, repeal, abolish, abrogate, rescind, cancel, scrap, stay, *[korlátozásokat]* lift (controles), *[munkát]* stop (working), knock off (work) *(fam),* *[munkaviszonyt]* discontinue (employment), *[ostromot]* raise (the siege), *[összeköttetést]* sever, break off (relations), *[pert]* discontinue, *[rendeletet]* terminate, revoke, repeal, abolish, abrogate, rescind, cancel,

scrap, stay, *[sztrájkot]* call off, suspend; ~*i az eljárást* dismiss a charge; *visszaéléseket* ~ redress abuses **3.** *[fájdalmat]* soothe, allay, alleviate, assuage **4.** *[fizetést]* stop, suspend, discontinue (payment) **5.** *[forgalmat]* stop, suspend (traffic), *[hajózást]* discontinue (shipping-service) **6.** *[társaságot]* dissolve (firm, society), *[üzletet]* liquidate, give up, close down (business), *[vállalatot]* wind up (company), *[vonatjáratot]* take off (a train)

megszüntetés *n*, **1.** *(ált)* stopping, termination, cessation, ceasing, discontinuance **2.** *[eljárásé]* nonsuit, suspension, abandonment (of proceedings), *[engedélyé]* cancellation, *[intézkedésé]* annulment, stay, abrogation, termination, abolition, abolishment, *[korlátozásoké]* lifting (of controls), *[kötelezettségé]* cancellation, *[ostromé]* raising (of siege), *[összeköttetésé]* breaking (off) (a) connection, rupture/discontinuance of relations, *[peré]* discontinuance, *[rendeleté]* abrogation, *[sztrájké]* calling off (a strike), *[törvényé]* abrogation; *feltétel* ~*e* abolition of a reserve **3.** *[fájdalomé]* soothing, allaying, alleviation, assuagement **4.** *[fizetésé]* suspension, stopping (of payment) **5.** *[forgalomé]* stop(page), cessation, break **6.** *[cégé, üzleté]* liquidation, closing-down, *[intézményé]* dissolution

megszűr *vt*, **1.** *[folyadékot]* filter, strain, leach, percolate **2.** *[fényt]* soften, subdue, *[színes üveggel]* filter

megszűrés *n*, **1.** *[folyadékot]* filtrage, filtering, straining, percolation **2.** *[fényt]* softening, subduing, *[színes üveggel]* filtering

megszürkít *vt*, grizzle, paint/tint with grey, grey

megszürkül *vi*, grey, turn/become grey

megtagad *vt*, **1.** *(vktől vmt)* refuse, deny (sy sg), give the no (to) *(fam)*, *[magától vmt]* (be)grudge/deny/stint oneself; *ha* ~*ják tőlem* if I am denied/refused; *áruátvételt* ~ refuse to take delivery; ~*ja vk bebocsátását* refuse sy admittance; *parancsot* ~ refuse compliance with an order; *nem tagadja meg tőle* he doesn't grudge him, he does not stint/refuse/deny sy sg **2.** *(vkt)* disown, deny; *családja* ~*ta* he was cast off by his family **3.** *(vmt)* repudiate, *[cselekedetet]* disavow, *[engedelmességet]* refuse, *[hitet]* deny, abjure, renounce, *[ígéretet]* disavow, deny, *[korábbi álláspontot]* recant, retract, go back upon, eat one's words, *[szerződséget]* disclaim (authorship); *parancsot* ~ refuse compliance with an order

megtagadás *n*, **1.** *(vktől)* refusal, denial; *vízum* ~*a* non-granting *(v.* refusal) of visa; *engedelmesség* ~*a (kat)* insubordination **2.** *(vké)* disowning, disavowal, repudiation **3.** *(vmt)* repudiation, *[cselekedet]* disavowal, *[tané, hité]* abnegation, recantation, renunciation, renouncement, *[eskü alatt]* forswearing; *a teljesítés* ~*a* repudiation of performance

megtágít *vt*, **1.** *[cipőt, kesztyűt]* stretch **2.** *[lyukat]* enlarge, *[csövet]* open out, expand, *[edénynyílást]* widen/open out **3.** *[ami feszül]* slacken, relax, loosen

megtágul *vi*, **1.** *[cipő, kesztyű]* stretch **2.** *[ami feszül]* get loose, slacken, become slack, relax **3.** *(átv)* widen/broaden out, expand

megtakarít *vt*, **1.** *[pénzt]* save (up), put/lay by (money), put away *(v.* on one side) **2.** *[időt, energiát]* save, spare, economize; *pénzt takarít meg vmn* save money by sg

megtakarítás *n*, **1.** *[folyamata]* saving, putting by, economy **2.** *[eredménye]* savings *(pl)*; *nagy* ~*t ér el* save a(n) essential/considerable sum of money

megtakarított [-at] *a*, saved; ~ *összeg/pénz* savings *(pl)*, money laid by/aside, nest-egg *(fam)*, scrapings *(pl) (fam)*, money in one's stockings *(v.* under the pillow) *(fam)*

megtalál *vt*, **1.** *[keresés után]* find; ~*ja a kesztyű párját* find the fellow of a glove; ~*ja amit keres* find what one is looking for, hit/chance/light upon the right thing; *nehéz* ~*ni* it takes a lot of finding; ~*ja a módját* find one's way, find ways and means **2.** *[véletlenül]* discover, hit/come/light upon, come across, meet by accident; ~*ja a helyes utat* hit the right path; ~*ja a helyes megoldást* hit (up)on the right solution **3.** ~*ja a számítását (vmben)* break even, find one's account (in sg); *nem fogja* ~*ni a számítását* he will be a loser by it, it will turn out a bad job for him

megtalálás *n*, **1.** *[keresve]* find(ing), recovery **2.** *[véletlenül]* discovery

megtalálhatatlan *a*, undiscoverable, not to be found *(ut)*, untraceable

megtalálható *a*, findable, to be found *(ut)*, that can be found *(ut)*; *könnyen* ~ easy to find, *[igével]* it can be easily found; *mindenütt* ~ it is found everywhere

megtaláló [-t, -ja] *n*, finder; *a becsületes* ~ *jutalomban részesül* reward will be paid to the finder (of sg), finder will be rewarded

megtalpal *vt*, (re)sole, *[dupla talppal]* clump

megtalpalás *n*, (re)soling

megtáltosodik [-tam, -ott, -jon, -jék] *vi*, ⟨grow/become suddenly very efficient⟩

megtámad *vt*, **1.** *[vkt utcán]* attack, assault, set upon, go against, pitch into **2.** *(kat)* attack, make an assault on, assail, fall on, engage, charge (against), storm, *[országot]* invade **3.** *[vkt szóban/írásban]* attack, assault, run down, go for, lash out against, hit, rap, *[perrel]* contest, enter/bring a(n) action/suit against, *[jogcímet]* contest, controvert, *[ítéletet]* appeal against, *[végrendeletet]* contest, *[érvet]* oppose, controvert, *[véleményt]* attack, impugn, combat, make war on; ~ *végrendeletet* attack/contest/avoid a will; ~ *szerződést [bíróság előtt]* impugn/avoid a contract, have the contract avoided **4.** *[sav vmt]* corrode, eat/bite into, attack, *(orv)* affect, attack, *[napfény vm anyagot]* damage; *a bal tüdő van* ~*va* the left lung is (becoming) affected; *rendszerint a gyomor is meg van támadva* the stomach is usually involved

megtámadás *n*, **1.** *(konkr)* attack, onslaught, onset, onrush, assault, aggression; *meg nem támadás* non-aggression **2.** *[állításé]* impugnment, contestation, *[szerződésé]* impugnment, action for avoidance (of contract)

megtámadási *a*, ~ *alap (jog)* cause of impugnment; ~ *határidő [szerződésnél]* term for avoidance; ~ *jog* right to attack/impugn; ~ *kereset* action for avoidance

megtámadhatatlan *a*, unassailable, invulnerable, unexceptionable, incontestable, unimpugnable, indisputable, indefeasible, unquestionable, undeniable, indubitable, *[jellem]* beyond suspicion/reproach *(ut)*, airtight *(fam)*

megtámadhatatlanság *n*, invulnerability, indefeasibility

megtámadható *a*, **1.** *(kat)* assailable, vulnerable **2.** *(átv)* assailable, defeasible, voidable, contestable, debatable, questionable, disputable, controvertible, vulnerable; *meg nem támadható (jog)* unimpugnable, unquestionable, indisputable, incontrovertible, *[helyzet]* unassailable

megtámadhatóság *n*, contestableness

megtámadó I. *a*, assailing, assaulting, molesting, attacking, contesting **II.** *n*, **1.** *(ált)* assailant, attacker **2.** *(kat)* invader, aggressor

megtámadott [-at] *a*, **1.** attacked; *meg nem támadott* unattacked **2.** *[testrész]* affected; *a* ~ *részek* the affected parts

megtámadtatás *n*, unprovoked assault/attack/molestation/onslaught megtámaszkod|ik *vi*, lean/rest on/against, support oneself against/upon

megtámaszt *vt*, 1. *(konkr)* support, chock, *(épít)* stay, buttress, prop/shore up 2. *(átv)* support, *[állítást]* back up *(fam)*, uphold *(fam)*, *[tételt]* buttress up, support

megtámasztás *n*, supporting, *(épít)* propping (up), shoring (up), staying, buttressing, counter-bracing

megtámasztási *a*, ~ *pont* point of support

megtanácskoz|ik *vt*, consult sy about sg, talk the matter over, discuss sg, have a talk with sy about sg

megtáncoltat *vt*, 1. *[leányt]* dance with sy 2. *(átv)* lead sy a dance make things warm/hot for sy

megtanít *vt*, 1. *(ált)* teach, show how to do sg, instruct in, put sy up to sg; ~ *vkt vmre* familiarize sy with sg 2. *[illemre]* teach sy a lesson of/in politeness, teach sy manners *(v. how to behave)*; majd én ~*lak (biz)* I'll teach you (manners), I'll take you down a peg or two, I'll show you what is what, I'll give you what for

megtaníthatatlan *a*, unteach(e)able

megtanítható *a*, teach(e)able, amenable to teaching *(ut)*

megtántorít [-ani, -ott, -son] *vt*, 1. *(konkr)* sway, make sy reel/lurch, stagger 2. *(átv)* shake, unsettle (with temptations), *[kötelességében]* seduce, entice, (from one's duty), *[fenyegetés, veszély]* deter

megtántorodás *n*, stagger(ing), reel(ing), sway(ing), lurch(ing)

megtántorod|ik [-tam, -ott, -jon, -jék] *vi*, 1. *(konkr)* stagger, sway, reel, totter 2. *(átv)* *[bizonytalanná válik]* falter, waver, vacillate, shilly-shally *(fam)*, waver, yield/succumb (to temptation)

megtanul *vt*, *(ált)* learn, *[vmnek a kezelését]* master (the use of sg), *[nyelvet]* acquire (the knowledge of), learn, *[könyv nélkül]* learn/get by heart, commit to memory, memorize, *[egyedül]* teach oneself (sg), *(vmt vktől)* learn sg from sy; ~ *magyarul* learn Hungarian, *[gyorsan]* pick up Hungarian; ~ *olvasni* learn to read, learn reading; jól ~*ta a leckét (átv, iron)* he knows all the answers; ~*ja vmnek a csínját-bínját* get one's hand in

megtanulás *n*, learning, acquisition, mastery

megtanulhatatlan *a*, unlearnable

megtanulható *a*, that may/can be learnt *(ut)*, learnable, studiable

megtapad *vi*, *(vhol vmn)* stick, adhere, cling, cleave (to), hold, stay affixed

megtapaszt *vt*, 1. *[falat]* mud (wall) 2. *[összeragaszt]* glue up, paste/gum/stick together

megtapasztal *vt*, experience (sg), go and see (for oneself)

megtapint *vt*, 1. *(ált)* feel, touch, examine by feeling/touch, finger 2. *(orv)* palpate

megtapintás *n*, 1. *(ált)* feeling, touching, fingering 2. *(orv)* palpation

megtapintható *a*, tangible

megtapinthatóság *n*, tangibility

megtapogat *vt*, ld még megtapint

megtapogatás *n*, 1. *(ált)* feeling, touching, fingering 2. *(orv)* manual examination

megtapos *vt*, tread/trample underfoot, stamp on

megtapsol *vt*, 1. *(konkr)* applaud, clap, receive with applause, acclaim (with applause/clapping), give sy a clap/hand 2. *(átv)* approve, cheer

megtárcsáz *vt*, harrow (with a disk-harrow)

megtárgyal *vt*, discuss, debate, talk it *(v. the matter)* over, handle, thrash out, deal with, treat of, tackle, negotiate, *(vkvel)* deliberate/speak with (sy over sg), take counsel (with sy); szeretném az ügyeket alaposan ~*ni önnel* I want to talk things out with you

megtárgyalás *n*, discussion, debate, examination, deliberation, handling/dealing with

megtart *vt*, 1. *[birtokában]* keep, maintain, uphold retain, *[magának]* keep in one's possession, *(kat)* hold, remain master of; ~*hatom?* may I keep it?, may I have it for my own?; csak tartsa meg a többit!' keep the change! 2. *[előadást]* give, deliver *(lecture)*, read (paper), hold (conference), *[esküvőt]* celebrate, *[gyűlést]* have, hold; az előadást mégis ~*ották* nevertheless *(v. all the same)* the performance took place; a mérkőzést nem tartották meg the match was called off; a mérkőzést nem lehetett ~*ani* the match could not take place *(v. be played)* 3. *[figyelmet]* keep, uphold, *[határidőt]* keep (time, term), observe (the appointed time), be punctual, be exact (as to time), *[ígéretét]* keep (one's promise/word *v.* faith with sy), fulfil (promise), be true to, abide by, stick to (one's word), *[szabályt]* abide by, conform to, comply with, observe, maintain, keep, adhere to, *[szokást]* observe, *[sajátot]* keep up, remain by (one's habit of...), *[törvényt]* abide by, conform to, comply with, observe, maintain, keep, adhere to, *[ünnepet]* observe; ígéretét nem tartja meg go back on one's word, not keep one's promise, play fast and loose; ~*ja a szavát* keep one's promise, stand to one's word; az utasításokat pontosan meg kell tartani the instructions must be carefully adhered to 4. *[vmt emlékezetében]* keep in mind, remember, keep a living memory of; tartson meg jó emlékezetében keep a good recollection of me

megtartás *n*, 1. *[birtokában]* keeping, maintenance, upholding, retention 2. *[előadásé]* giving, delivering, *[esküvőé]* taking place, celebration 3. *[ünnepé, törvényé]* keeping, observation, observing, observance; meg nem tartás non-observance, *[törvényé]* disregard, *[ígéreté]* non-adherence (to a promise), failure to keep (a promise); a szabályok ~*ával* amenably to the rules

megtartási *a*, ~ *jog* lien, right of detention/retention

megtartóztat *vt*, ~*ja magát vmtől* abstain/refrain from doing sg, forbear, desist, withhold/restrain/control/ contain oneself, hold oneself in/back

megtaszít *vt*, push, shove, thrust, jostle, hustle, *[könyökkel]* nudge, *[oldalról]* give sy a dig in the ribs

megtáviratoz *vt*, wire, cable, telegram, telegraph

megteáz|ik *vi*, have/take/drink one's tea

megtébolyít [-ani, -ott, -son] *vt*, madden, drive (sy) mad/crazy

megtébolyod|ik [-tam, -ott, -jon, -jék] *vi*, be(come) insane, lose one's reason, become demented/deranged, go out of one's mind, go crazy *(v. off one's head)*, go dotty *(fam)*, go off one's chump *(fam)*

megtébolyodott *a*, demented, distracted, unhinged

megtehet *vt*, ld megtesz

megtekint *vt*, inspect, take a view (of), view, examine, observe, take/have a look at, *(hiv)* inspect, *[szakértő]* survey; ~*hetem?* may I have I a look?; ~*i a látnivalókat* see the sights, go sightseeing; ~*i a vidéket/környéket* have/take a look round the country; ~*i a látványosságokat* see the sights, go sightseeing, lionize *(fam)*; két nap alatt ~*ette Londont (biz)* he did L. in two days

megtekintés *n*, sight, (ocular) inspection, viewing, survey; *(szíves)* ~*re* on approval; ~*re érdemes:* sight-worthy; ~*re adott áru (ker)* goods on approbation; ~*re küld [árut]* send on approbation, approval, *[iratot]* send for (kind) consideration

megtekintési *a*, *(ker)* ~ *és mintavételi engedély* inspecting order; ~ *jog* right of inspection

megtekinthető *a*, (be) open for public inspection, accessible/open to the public *(ut)*, on show *(ut)*, *[kifüggesztve]* on view, posted

megtelefonál *vt*, ~ *vmt vknek* (tele)phone sy about sg, ring/call sy up about sg, ring and tell sy sg

megtelegrafál *vt*, = megtáviratoz
megtelepedés *n*, 1. *(ált)* settlement, establishment, taking up one's abode, settling down, *(jog)* choice/ election of domicile 2. *(növ)* eccesis, establishment
megteleped|ik *vi*, establish oneself, take up one's abode (in a place), settle down
megtelepsz|ik *vi*, = megtelepedik
megtelepül *vi*, = megtelepedik
megtel|ik *vi*, 1. *(ált)* fill (up), become full; ~*t a pohár* the cup is full, the cup runs over 2. *(vmvel)* is being filled with, fill with; ~*ik a szíve bánattal* grow heavy-hearted *(v.* sad at heart); ~*t a szeme könnyel* his eyes filled with *(v.* became full of) tears
megtelt *a*, full; *a kocsi* ~ the car(riage) is full up
megtép *vt*, 1. *(ált)* tear, pluck at, strip, shred, rip 2. *[ruhát]* rend 3. *[sors]* maltreat, mishandle
megtépáz *vt*, 1. *(konkr)* rumple, ruffle, tousle, *[nők egymást]* tear each other's hair 2. *(átv)* maltreat, handle roughly, manhandle
megtér *vi*, 1. *[visszaérkezik]* return, come back; ~ *őseihez* be gathered to one's fathers, sleep with one's fathers 2. *[jobb útra]* reform oneself, take oneself in hand, repent, get religion *(fam)* 3. *[vm hitre]* be(come) converted (to a faith)
megterem I. *vt*, bear (fruit), yield, produce, grow II. *vi*, grow, prosper, thrive, flourish
megteremt *vt*, create, produce, bring/call into being, call into existence, form, originate, *[összeköttetést]* establish, build up (connection)
megteremtés *n*, creation, origination, formation, production
megtérés *n*, 1. *(vhonnan)* return, going/coming back 2. *(vall)* conversion; ~*e előtt* in his unregenerate days
megterhel *vt*, 1. *[rakománnyal]* charge (with), weight, load, lade, pack, burden, freight, *[túlságosan]* overload, (over)burden, overweight, *[hajót, léggömböt]* ballast; ~*i a gyomrot* lie heavy on the stomach; ~*i a gyomrát* overcharge one's stomach 2. *(vkt átv)* inconvenience, trouble, saddle, task, tax, overtax, overstrain, *[agyat felesleges dologgal]* clog, burden 3. *[számlát egy összeggel]* debit, enter/pass/carry to the debit of, charge (an account with), *[birtokot]* encumber, *[jelzáloggal]* mortgage; ~ *földingatlant* impose a charge on the land; *a postaköltséggel a vevőt terheli meg* charge the postage to the customer
megterhelés *n*, 1. *[súllyal]* load, burden, lading, stress, weight, (application of) load; *a ~sel arányos súrlódás* friction in proportional to the load 2. *[jelzáloggal]* mortgage (on the property), *[adóssággal]* encumbrance, *[számlán]* debit(-entry) 3. *[átv vk számára]* burden, encumbrance, tax
megterhelhetőség *n*, loadability
megterhelt *a*, 1. *[adóssággal]* encumbered, embarrassed, burdened (with debts) 2. *[gyomor]* glutted, satiated, surfeited (stomach)
megterít *vi/vt*, lay the cloth, lay/set the table
megtérít *vt*, 1. *[vm hitre]* convert (to), christianize, evangelize, *[erkölcsileg]* reform, *[véleményre, felfogásra]* bring/win over, bring round (to an opinion) 2. *[pénzt]* refund, reimburse, redeem, repay, pay back, recompense, restore; ~*i vknek a költségeit/ kiadásait* reimburse sy (for) his costs 3. *[kárt]* compensate (for), pay (for the damage), make good, repair (damage), make up to sy for sg; ~*i vk kárát/ veszteségét* recoup sy (for) his losses
megtérítendő *a*, refundable, repayable
megtérítés *n*, 1. *[erkölcsi]* reforming, *(vall)* conversion 2. *[pénzt]* compensation, reimbursement, refunding, indemnity, remuneration, satisfaction, restitution, redemption; ~ *ellenében/fejében* for compensation; *a költségek ~ére ítél* order to pay costs, cast in the costs

megtéríthető *a*, *[pénz]* refundable, *[kár]* reparable
megtermékenyít *vt*, 1. *(konkr)* fecundate, fertilize, bring fertility to, make fertile/fruitful, fructify, impregnate, inseminate, *(növ)* pollinate, pollinize, pollenize 2. *(átv)* make fruitful, enrich
megtermékenyítés *n*, fecundation, fertilization, impregnation, insemination, implantation, *(növ)* pollination; *idegen* ~ cross-fertilization; *kettős* ~ double fertilization; *mesterséges* ~ artificial insemination
megtermékenyítetlen *a*, unimpregnated
megtermékenyített [-et] *a*, impregnated; ~ *tojás* fertile egg
megtermékenyíthető *a*, impregnable
megtermékenyítő [-t; *adv* -en] *a*, fertile, impregnatory, sexiferous, *[eső]* fruitful
megtermékenyül [-t, -jön] *vi*, 1. *(ált)* become fertile, get fruitful 2. *[nő]* conceive, become pregnant
megtermékenyülés *n*, fecundation, fertilization, fructification, impregnation
megtermel *vt*, produce, manufacture
megtermeszt *vt*, grow (crops)
megtermett *a*, *jól* ~ *[ember, férfi]* robust, sturdy, well--built/knit, hulking, *[nő]* strapping, sturdy, buxom, hefty
megtért [-et] *a/n*, *[más hitre]* convert(ed), *[bűnös]* repentant, penitent, contrite
megtérül *vi*, *[vknek a pénze]* get one's money back, be refunded/repaid/reimbursed; *kiadásaim* ~*tek* I recovered my expenditure/expenses, I cleared my costs; *a kár* ~*t* the demage/outlay was recovered, the damage has been compensated
megtérülés *n*, refund, returns *(pl)*
megtérülési *a*, ~ *idő (közg)* index/rate of return
megtérülő [-t] *a*, *[befektetés]* remunerative
megtervez *vt*, plan, draw up, project, work/sketch out, *(épít, műsz)* design, *[kertet]* lay out
megtervezés *n*, planning, designing
megtestesed|ik *vi*, fill out, grow bigger, become corpulent, stout, run to fat, put on flesh/weight, develop a corporation *(fam)*
megtestesít [-eni, -ett, -sen] *vt*, *[eszmét, fogalmat]* incarnate, embody, personify, impersonate, materialize, invest with a body, make corporeal, corporealize, encarnalize, embody
megtestesítés *n*, embodiment, personification, personalization, acme, impersonation, materialization, incorporation
megtestesül [-t, -jön] *vi*, become incarnate/embodied, take/assume shape, materialize, *(vmben)* be incarnated in
megtestesülés *n*, incarnation, embodiment, personification, impersonation
megtestesült [-et; *adv* -en] *a*, embodied *(ut)*; *maga a* ~ *egészség* (be the) picture of health; *maga a ~ becsületesség* (be the) soul of honour; *(maga a)* ~ *jóság* (be the) embodiment of human kindness, be kindness itself; *maga a* ~ *ördög* (be the) devil incarnate, (be the) very devil; *maga a ~ pontosság* (be the) soul of punctuality
megtesz *vt*, 1. *(vmt)* do, perform, make, achieve, accomplish, bring about, effect, carry out; *mindent megtenne értem* he would do anything for me; ~*i a magáét* do one's share/part/duty/bit/stuff, *[hatása mutatkozik]* make itself felt, tell upon sg, begin to tell; ~ *minden tőle telhetőt* do one's utmost/hardest/ best/damnedest, do everything possible, make/bend every effort, do everything in one's power, spare no effort, leave no stone unturned, go all lengths *(v.* any length); ~*i a szükséges lépéseket* take the necessary steps; *megtehet* can/may do, be able to do, have power to do, *[pénzügyileg]* afford; *megtehetné ha akarná* he could if he would, he could afford/do it; *megtehe-*

ted hogy you are at liberty to, you are free to, it's entirely up to you whether, you may if you like; *amit ma megtehetsz ne halaszd holnapra* lost time is never found again *(v.* can never be retrieved), do not put off till the morrow what can be done today; *nem tesz(i) meg* he fails/refuses/omits to do sg, he won't do it, he refrains/desists from doing sg; *meg kell tenned* you have got to do it, you must do it **2.** *(vmnek)* make sy sg, appoint sy (to) sg, declare sy sg, choose sy (for) sg; *vkt képviselőnek ~* appoint sy representative; *vkt ügynöknek ~* appoint sy agent **3.** *[utat]* cover, travel, do, go, make, traverse; *hosszú utat tett meg* he has come a long way; *az utat 4 óra alatt tette meg* he made/covered the distance in four hours; *gyalog tíz perc alatt ~i* you can walk it in ten minutes; *az egész távolságot ~i három óra alatt he* will make the whole distance in three hours; *az út egy részét repülővel tette meg* he flew part of the way; *óránként 100 km-t tesz meg* do/go 100 kilometres an/per hour **4.** *[lovat]* back, bet on, punt, *(kárty)* stake, lay, punt; *~i a bankot* go banco (against the bank); *~ egy lovat* back/lay a horse, put money on a horse **5.** *ez is ~i* that will do *(v.* suit him); *(az) egyszerű étel is ~i nekem* plain food will do for me

megtétel *n,* accomplishment, performance, carrying out, achievement, completion, attainment, realization, consummation

megtetéz *vt,* **1.** *(konkr)* heap (sg on sg), pile on top of, fill to overflowing *(v.* to the brim), overload **2.** *(átv) a sérelmet gúnnyal ~i* add insult to injury

megtetsz|ik *vi, (vknek vk)* be taken with sy, take a fancy to sy, *(vknek vk/vm)* fall for, take a liking to/for, sy/sg wins sy's approval, sy/sg hits sy's fancy; *első látásra ~ettek egymásnak* they took a liking to each other at first sight, they clicked *(fam),* they fell for each other on *(v.* at first) sight *(fam) ; rögtön ~ett nekem* I fell for her at once

megtetvesedés *n,* invermination

megtetvesed|ik [-tem, -ett, -jen, -jék] *vi,* get lousy

megtéved *vi,* **1.** *[számításban]* go wrong, err, lose one's way, go astray **2.** *[súlyosan erkölcsileg]* swerve, diverge (from the path of duty), let oneself be seduced, take the wrong turn(ing), fall into sin

megtéveszt *vt, (vm)* deceive, delude, lead sy astray, mislead, put on the wrong track, baffle, make sy lose his bearings, *[rossz szándékkal]* make false representations to, hoodwink, impose upon, pull wool over sy's eyes, play a trick on sy, lead sy up the garden path *(fam) ; ~ették önt* you have been abused; *nem szabad hogy megtévesszen minket* we should not be led astray *(v.* deceived) by

megtévesztés *n,* deceit, delusion, deception, fraud, imposition, misrepresentation, mystification, *(kárty)* psychic; *a ~ig jól utánoz vkt* hit sy off to a T; *~ig hasonlít nővérére* you can't tell her from her sister

megtévesztő [-t; *adv* -en] *a,* delusive, deceptive, deceitful, deceiving, misleading, false, fallacious, specious, illusive, seductive; *~ érvek* trumpery arguments; *~ hasonlóság* striking/bewildering resemblance; *~ hasonlóság van a két nővér közt* you can't tell her from her sister; *~ módon* deceptively

megtilol *vt,* strip, scutch, swingle (hemp, flax)

megtilt *vt,* forbid, *(akinek amit* sy sg), prohibit (sy from doing sg), ban, proscribe, taboo, veto, *(jog)* interdict; *~tom hogy hozzányúlj* I forbid you to lay a finger on him; *~om hogy megtedd!* I defy you to do so

megtiltás *n,* forbidding, forbiddance, prohibition, ban, veto, interdiction

megtipor *vt,* = **megtapos**

megtisztálkod|ik *vi,* wash/tidy oneself, have a wash (and brush up), refresh oneself

megtisztel *vt, (vkt vmvel)* honour (sy with sg), do sy

the pleasure/honour of, esteem, favour, grace, raise to distinction; *~ vkt a bizalmával* honour sy with one's confidence; *~t azzal hogy velem vacsorázott* he did me the pleasure of dining with me; *~i a gyűlést jelenlétével* grace the meeting with one's presence; *Mr. Jones ~t egy dal elénekléséével* Mr. Jones obliged with a song; *tiszteljen meg bennünket társaságával* oblige us with your company; *~ve érezzük magunkat* we are honoured

megtisztelés *n,* distinction, honour, esteem

megtisztelő *a,* honouring, gracing, complimentary, flattering, honourable; *~ kötelesség* honourable duty; *~ megrendelésük birtokában* favoured with your order

megtiszteltetés *n,* honour, distinction, privilege; *nagy ~nek tekint vmt* consider/deem sg great honour, feel it a privilege, be proud of sg, consider sg an honour, look upon sg as a privilege

megtisztít *vt,* **1.** *(ált)* (make) clean, *[beleket]* loosen/free/clear the bowels, *[belektől vmt]* disembowel, gut, clean (fish), draw (fowl), *[csirkét tollaktól]* pluck, *[gyapotot]* gin, *[gyümölcsöt]* peel, pare, clean, pick, shell, husk, *[halat]* clear, gut, *[pikkelytől]* scale, *[zöldséget]* peel, pare, top and tail, clean, pick, shell, husk **2.** *[edényt]* scour, clean(se), *[fémtárgyat]* furbish, burnish, grind, clean/rub/polish up, *[kazánt]* scale, *[kikötőt]* unsilt, flush, scour, clear, *[kutat]* clean out (a well) **3.** *[folyadékot]* clarify, clear, purify, filter, *[gázt]* clear, purify, filter, *[levegőt]* purify, condition, cleanse, sweeten, *[vért]* depurate, clear, *(vegyt)* isolate, *[vizet]* purify, filter, sweeten **4.** *[ellenségtől]* mop up, clear (the trenches after an attack), *[pártot]* purge, *[utcát rendőrség]* clear **5.** *[erkölcsileg]* purify, refine, purge, *[irodalmi művet]* expurgate, bowdlerize, *[ízlésben]* purify, refine, purge

megtisztítás *n,* **1.** *(ált)* clean(s)ing, clearing, *[belektől]* drawing, gutting, *[tollaktól]* plucking, *[pikkelyektől]* scaling, *[gyümölcsöt, zöldséget]* peeling, paring, cleaning, picking, shelling, husking, *[gyapotot]* ginning **2.** *[edényt]* scouring, scrubbing, *[fémtárgyat]* furbishing, grinding, polishing **3.** *[folyadékot]* clarifying, clearing, purifying, filtering, *[gázt]* clearing, purifying, filtering, *[levegőt]* purifying, (air)conditioning, cleansing, sweetening, *[vért]* depuration, *(vegyt)* isolation, *[vizet]* purifying, filtering, sweetening **4.** *[ellenségtől]* mopping up, clearing, *[pártot]* purging **5.** *[erkölcsileg]* purifying, purification, purging, *[irodalmi művet]* expurgation, bowdlerization

megtisztító *a,* purificatory

megtisztogat *vt,* = **megtisztít**

megtisztul *vi,* **1.** *(konkr)* clean(se), (become) clear, be clean(s)ed, clarify, settle **2.** *(átv)* purify; *~ bűneitől* purge out one's sins

megtisztulás *n,* **1.** *(konkr)* clarification, clarifying, cleansing, purging, purgation, clearing **2.** *(átv)* purification, purifying

megtizedel [-t, -jen] *vt,* decimate, thin (out); *a járvány ~te a lakosságot* the plague took its tithe of the people

megtizedelés *n,* decimation

megtízszerez [-tem, -ett, -zen] *vt,* decuple, increase/multiply tenfold, increase/multiply by ten *(v.* ten times)

megtízszereződ|ik [-ött, -jön, -jék] *vi,* decuple, increase/multiply tenfold

megtoj|ik *vi/vt,* lay (eggs); *a tyúkok ~tak* all hens have laid their eggs for the day

megtol *vt,* (give a) push

megtold *vt,* **1.** *(ált)* add (sg to sg), piece (on), lengtnen, make longer; *~ja az igazságot* overstep the truth; *~ történetet* lengthen out a story **2.** *[falat]* heighten, raise (the height of wall) megtoldás n, 1. [folyamat] lengthening, extension 2. [toldalék] complement, [épületé] addition (to a building)

megtollasod|ik vi, 1. [madár] grow/get feathers, become fledged/teathered 2. (átv) feather one's nest, make one's pile

megtompul vi, = eltompul

megtorlás n, reprisal, revenge, vengeance, retorsion, requital, retribution, retaliation, getting one's own back, getting even with, (pol) sanction, (jog) penalty as a retaliation against, by way of reprisal, vindicatory/punitive sanction; ~ jogával él exercise/claim the right of reprisal; nem lesz ~ there shall be no victimization; ~sal él make reprisal(s)

megtorlásul adv, in retaliation, by way of retaliation

megtorlatlan a, unrevenged, unavenged, unpunished

megtorló [-t, -ja] I. a, repressive, retaliatory, revengeful, retributive, (jog) vindicatory, punitive; ~ intézkedés vindicatory/punitive sanction; ~ expedíció (kat) punitive expedition; ~ igazságszolgáltatás vindicatory/punitive justice; szigorú ~ intézkedéseket tesz take rigorous retaliatory measures/steps/sanctions II. n, avenger, revenger, retributor

megtorlód|ik vi, become blocked/chocked, get jammed, jam up, [forgalom] become congested

megtorol [-t, -jon] vt, avenge, requite, retaliate, retort, revenge (oneself for), punish, return, take revenge for; megesküdött hogy ~ja a sértést he swore to avenge the insult; ezt még megtorlom I will get even with him

megtorpan [-t, -jon] vi, stop short/dead, come to a sudden stop/halt/standstill, [rémülettől] start back, recoil, [ló] rear, shy; ~ nehézség/akadály előtt (biz) balk at a difficulty

megtorpanás n, stopping short, coming to a sudden stop/standstill, recoiling, balking

megtorpedóz [-tam, -ott, -zon] vt 1. (konkr) torpedo 2. (átv) wreck, torpedo

megtorpedózás n, torpedoing

megtöbbszöröz vt multiply

megtölt vt, 1. (ált) fill (up), [újra] refill/replenish with 2. [akkumulátort] (re)charge 3. [pipát] fill, [puskát] charge, load, [tartályt] fill (up), replenish, restock, [üzletet áruval] stock, store up (shop with goods) 4. [töltelékkel] stuff, [lekvárral] fill, [hézagot] fill in

megtöltés n, 1. (ált) filling (up) 2. [akkumulátoré] charging 3. [puskáé] loading, charging, [tartályé] filling (up), replenishing, restocking, [üzleté áruval] stocking, storing up (with goods)

megtöm vt, 1. (ált) stuff; jól ~ött pénztárca a well-lined purse 2.[magát vm étellel] stodge/stuff oneself with, gorge, glut, tuck in 3. [pipát] fill, [szekrényt] cram, pack tight, fill to capacity 4. [baromfit] cram (poultry) 5. [agyat] cram, stuff

megtömés n, stuffing, padding, cramming, packing, megtömköd vt, fill slowly/leisurely

megtöpped [-t, -jen] vi, [gyümölcs] shrivel, wither, wrinkle, shrink, become sleepy

megtör vt, 1. (ált) break, crack, crush, [gyümölcsöt] bruise 2. [anyagot apróra] pound, crush, mill,[porrá] pulverize 3. [fénysugarat] refract, bend, deflect 4. (vkt) break (in spirit), bring to heel, humble, subdue, crush, make to submit, [vkt bánat/csapás] crush, break, [ellenállást] bear down (v. crush) (opposition, resistance), [gőgöt] lower, bring down, break (sy's pride); ~i vknek az ellenállását break sy's resistance; lassanként ~i az ellenség ellenállását wear down the enemy's resistance 5. [csendet] break, wake; ~i a jeget (átv) break the ice; ~i a varázst break a charm

megtörés n, 1. [anyagé] rupture, breaking, breakage, discontinuance, pounding 2. (fiz) (re)fraction,

bending, deflection 3. [ellenállásé] crushing, quenching, quelling, breaking 4. [csendé] breaking 5. [boré] flattening, casse

megtör|ik vi, 1. (konkr) break, be broken, bruise, [jég] break (up) 2. [vk vallatásnál] crack (under questioning); kedélyük nem tört meg their spirit did not break; vm ~ik vk ellenállásán break under the opposition/resistance of sy 3. [vk szeme] grow dim 4. [fénysugár] deflect, suffer refraction 5. [bor] flatten (out), deaden

megtöröd|ik vi, 1. [ruha] get crushed 2. [gyümölcs] get bruised

megtöröl vt, 1. (ált) wipe 2. [nedveset] dry, [szemet] dry, dab, [kendővel vmt így is] pass a kerchief over sg 3. [portalanít] dust

megtört a, 1. (ált) broken 2. [fénysugár] refracted 3. [szem] lack-lustre, [halálosan] dying (eyes), [ember] broken (down), done for (ut), down and out (ut), [agg] worn out, broken down (with age), [hang, szív] broken, grief-stricken; ~ hangon in a broken voice; ~ szívvel broken-heartedly; fájdalomtól ~ szívvel with feelings of (the) deepest grief, heart-broken with/from sorrow, broken-hearted with grief, crushed with grief, with grief-stricken heart; testileg és szellemileg ~ shattered in mind and body; ~ szívű hitvese his inconsolable widow 4. ~ bor cloudy wine 5. [címer] brisé

megtörténés n, happening, occurrence, coming to pass, taking place (of an event)

megtörtén|ik vi, 1. (ált) happen, chance, occur, come about, come to pass, take place, (vkvel) befall (sy); ~hetik (hogy) it may happen/occur/chance/be (that); gyakran ~ik be a frequent occurrence, happen often/frequently; ha ilyesmi ~nék should it occur (v. so happen v. come to pass), in case of, in the event of, if it comes to that; könnyen ~het it is not at all unlikely; ez nem fog ~ni this won't happen; ami ~t ~t what is done cannot be undone

megtörtént [-et] I. a, done, established, made, [valóságos] real, taken from real life (ut); ez ~ dolog it is an accomplished/established fact; egy ~ történet a true story, a story from real life; meg nem történt undone; meg nem történtnek tekint vmt consider sg as cancelled/invalid, consider sg null and void; kérem tekintse meg nem történtnek please consider it as if nothing had happened II. n, ~e után after (this event)..., when done

megtörül [-t, -jön] vt, = megtöröl

megtörülköz|ik vi, dry/towel oneself, rub oneself down

megtrágyáz vt, manure, dung, soil, muck, dress

megtrágyázás n, manuring, dressing

megtréfál vt, play a (practical) joke (on), play pranks/ tricks on sy, [csúnyán] play sy a nasty trick, (isk) haze, rag

megtud vt, come/get to know, hear, be informed/ acquainted of, become aware of, find out; ~ta it came to his knowledge; ~ja a hírt hear a piece of news; ha ezt ő ~ja if it should come to his ears; tudja meg (hogy) I would have you know (that); mikor tudtad meg? when did you hear of it?; mindent ~ott he found out (v. discovered) everything, everything came to his knowledge; nemsokára ~játok it will not be long before you know; sok mindent ~unk belőle it tells us a good deal (about sg)

megtudakol vt, inquire/ask about/after, seek information, make enquiries about

megtúrósod|ik [-ott, -jon, -jék] vi, clot, curdle

megtűr vt, tolerate, suffer, bear, endure, put up with, abide, [hallgatólagosan] allow tacitly, [szemet hunyva] wink (at), close one's eyes to, look the other way; éppen csak ~nek I am here on sufferance; nem tűr meg kivételt it allows of no exception

megtűrés n, sufferance, toleration
megtűz vt, 1. [tűvel] pin (on), fix, fasten (with a pin) 2. [varrógéppel] stitch (on), [steppel] quilt
megtűzdel vt, 1. [tűvel] pin, stitch 2. [szalonnával] lard, [gombával] stuff (with truffles) 3. [idézetekkel] interlard, intersperse, sprinkle (with quotations)
megtűzdelés n, 1. [tűvel] pinning, stitching 2. [szalonnával] (inter)larding 3. [idézetekkel] interlarding, interspersing, sprinkling
megtűzés n, 1. [tűvel] pinning, fixing with a pin, fastening 2. [varrógéppel] stitching, [steppelés] quilting
megtüzesedés n, heating, getting red-hot (v. incandescent)
megtüzesed|ik [-ett, -jen, -jék] vi, (begin to) glow, get/become red-hot, incandesce
megtüzesít vt, make red-hot, bring (metal) to a red heat, heat a metal red-hot, incandesce
megtüzesítés n, making red-hot (v. incandescent)
megugat vt, bark at; a kutya sem ugatja meg nobody takes (any) notice of him; a kutya sem ugatta meg he passed out unnoticed
megugrat vt, 1. (konkr) make sy/sg jump 2. (átv) play a (practical) joke on, play sy a (nasty) trick
megugr|ik vi, 1. [megszökik] flee, run away, decamp, vanish, bolt, abscond, skedaddle (fam), make off (fam), take to (one's) heels (fam), make one's get--away (fam), show a clean pair of heels (fam), [pénzzel] make off (with the cash) 2. (sp) [a mezőnytől] cut down (the field) 3. [ló] rear
megújhodás n, renewal, regeneration, revival, re--creation, rebirth, renascence
megújhod|ik [-tam, -ott, -jon, -jék] vi, renew, regenerate, take (on) a new lease of life, revive, be born again, [romjaiból] rise again from its ashes
megújhodott [-at] a, ~ jellem he is a reformed character
megújít vt, 1. [bérletet, ígéretet, szerződést, szövetséget] renew (lease, promise, contract, alliance), [rendelést] repeat (order), [kötelezvényt, jótállást] enlarge; az eredeti feltételekkel ~ja a bérletet renew the lease on the original term 2. [ruhatárat] renovate (wardrobe) 3. [átalakítva] reform
megújítás n, 1. [bérleté, szerződésé] renewal, renovation 2. [reformszerű] reform(ation), repeat 3. [szokásé] revival
megújítható a, renewable
megújító I. a, regenerative, regenerating, reformatory II. n, regenerator, restorer, reformer
megújráz vt, give an encore, repeat, [éneket] sing/ recite (sg) twice over
megújráztat vt, encore, [harmadszor] call for (v. get) a second encore
megújul vi, 1. (ált) renew, be renewed/refreshed, regenerate, return, come back 2. [természet] revive, [esemény] recur, happen again, [panasz] be repeated; ~ a hold there is a new moon 3. [remény] revive
megújulás n, 1. (ált) renewal, renascence, regeneration 2. [természeté] revival, [eseményé] recurring, repeating, repetition 3. [lázé, rohamé] recurrence, breaking out again 4. [eseményé] revival
megújuló [-t] a, renewed; ~ hitel (pénz, ker) revolving credit
megun vt, get bored (with), become/grow/get tired/ weary of, lose interest in sg, get/be sick of (fam), get fed up with (fam), have enough of (fam), sicken of (fam); ~ta az életet be weary of life; lassanként ~ta az utazást he gradually got sick of travelling
megunás n, tiring, weariness
megunat vt, tire, weary, make sy dislike sg, make sy be fed up with
megundorodás n, disgust, distaste, loathing, dislike, nausea

megundorod|ik vi, (vmtől) grow disgusted with, conceive a distaste/loathing for, take a dislike to, be put off sg, get sick of sg, take disgust at sg, nauseate, (vktől) come to loathe/hate/dislike (sy); ~ik a hústól be put off meat
meguntat vt, = megunat
megúsz|ik vt, [vmt éppen hogy] have a narrow escape/ squeak, (kif) it was a close shave, it was a near touch/go (fam) ; ~ta a dolgot he got away with it, he carried it off; büntetlenül ~ik (vmt) get off scot-free; dorgálással ~ta he was let off (v. dismissed) with a caution; olcsón megússza get off cheap/lightly; pénzbüntetéssel ~ta he got off with a fine, he was quit for a fine (fam)
megutál vt, conceive a distaste/loathing for, come to loathe/hate, take a dislike/loathing/aversion to; mindenki meg fog utálni (biz) you'll get yourself disliked
megutáltat vt, make sy loathe sg, fill a person with loathing for sg
meguzsonnáz|ik vi, [délelőtt] have elevenses, [délután] have tea
megül¹ I. vi, 1. (vhol) keep one's seat, remain sitting; csendben ~ sit still 2. [vendég] take root, have come to stay, stay an endless time II. vt, [lovat] ride, bestride, have a good seat, [nem esik le] keep one's seat; biztosan ~ [lovat] sit close; jól ~i a lovat sit a horse well; szőrén üli meg a lovat ride bareback
megül² vt, [lakodalmat, ünnepet] celebrate, hold, keep, (vall) keep, observe; ~i vk születésnapját celebrate sy's birthday
megüleped|ik vi, settle, (vegyt) form a deposit
megülés n, celebration, solemnization, festival
megülhető a, [ló] rideable
megültet vt, [tyúkot] set (a hen)
megünnepel vt, celebrate, commemorate, solemnize, [vall ünnepet] observe, keep; ezt az alkalmat meg fogjuk ünnepelni (biz) we'll make this an occasion
megünneplés n, celebration, commermoration, solemnization, observance, keeping
megüresedés n, vacancy, vacating, vacation, unfilled/ free place
megüresed|ik vi, 1. [ház, lakás] become tenantless, [tárgy] become empty 2. [állás] fall vacant, become unoccupied
megürül vi, = megüresedik
megüszkösöd|ik vi, [növény] mildew, canker
megüt vt, 1. strike, hit, knock, rap, slam, smite (ref.), [tenyérrel] slap, [labdát] hit; ~ egy akkordot [zongorán] strike a chord; ~i a fejét bump one's head (against) sg; ~i a lábát hurt one's foot, [kőben] stub one's toe; ~i magát hurt oneself, fall against sg; nem ütötte meg magát he did not hurt himself 2.~i az áram be struck by the electric current, [halálra] be electrocuted 3. (átv) ~i a bokáját burn one's fingers (over sg), come to grief; ~ vmlyen hangot (átv) strike a note/chord; rossz hangot üt meg touch the wrong chord; vm ~i a fülét sg strikes/catches/ smites sy's ear 4. ~ötte a guta he had a stroke (v. an attack) of apoplexy, he had a(n apoplectic) stroke; ~i a guta (átv) be furious; azt hittem ~ a guta I was ready to burst 5. ~i a mértéket meet requirements, (kat) be standard measure, be eligibe for military service, be up to the mark (fam), come up to standard/scratch (fam), pass muster (fam); nem üti meg a kellő mértéket do not come up (v. rise) to requirements, fall/come short of sg 6. (kárty) take (trick), trump (card); ~i a bankot go banco; ~i a főnyereményt draw the first prize in the lottery, (átv) hit the jackpot ❖; majd ha ~őm a főnyereményt when my ship comes home
megütközés n, 1. [két csapaté] encounter, engagement,

combat, passage of arms 2. *(átv)* indignation, annoyance; ~*t kelt* create a scandal, scandalize/shock sy; *általános* ~*t keltett* created general uproar; ~*sel hallottam* I was shocked to hear

megütköz|ik *vi,* 1. *[ellenséggel]* encounter, have a brush (with the enemy), give/join/offer battle 2. *(átv vmn)* be shocked/scandalized by/at, be(come) indignant at; *meg sem ütközött rajta* he was not even surprised

megütőd|ik *vi,* 1. *(vmben]* knock/hit bump/bang *(v.* come up) against 2. *(vmn)* = **megütközik** 2.

megütöget *vt,* pat, dab

megüvegesedés *n,* vitrification, vitrifaction

megüvegesed|ik [-ett, -jen, -jék] *vi,* vitrify; ~*ik a szeme* his eyes become glassy/glazed

megüvegesít [-eni, -ett, -sen] *vt,* vitrify

megüzen *vt,* 1. *[üzenetet]* send/leave word (through/ with sy), *(vknek hogy)* send sy word that, notify sy that, let sy know sg, inform of sg 2. *[háborút]* declare (war on)

megüzenés *n,* 1. *[üzeneté]* message, sending/leaving word, notifying 2. *[háborúé]* declaration (of war)

megvacsorál [-t, -jon] *vi,* = **megvacsorázik**

megvacsoráltat *vt,* = **megvacsoráztat**

megvacsoráz|ik *vi,* have dinner/supper, dine, sup, take/eat/get one's dinner/supper

megvacsoráztat *vt,* stand/give sy a dinner/supper, sup sy

megvadít *vt,* 1. *(ált)* make wild/savage, *[állatot]* startle, fighten, make shy/wild 2. *(átv)* enrage, make sy see red, infuriate, make sy furious, drive sy wild

megvádol *vt, (vmvel)* accuse (of), charge, tax (with), indict, impeach (for), incriminate

megvádolás *n,* accusing, accusation, indictment, incrimination, inculpation

megvadul *vi,* 1. *(ált)* get/turn/grow/become wild/ savage/fierce, see red, go mad (with rage), get/fly into a rage/temper 2. *[ló]* bolt, shy, run away

megvadult [-at; *adv* -an] *a,* 1. *(ált)* wild, riotous 2. *[ló]* runaway

megvág *vt,* 1. *(ált)* cut; ~*ta az állát borotválkozáskor* he cut his chin while/when shaving 2. *[felapróz]* chop (up), hash, mince, *[testet késsel]* gash 3. *[üt]* tap, smack, slap, hit, *[lovat]* lash, cut (with a whip) 4. □ ~ *vkt 5 forintra* tap/sting/touch sy for 5 forints, shake sy down for 5 forints

megvágás *n,* 1. *(ált)* cutting 2. □ tapping, stinging, touching, squeezing, fleecing

megvagyonosod|ik *vi,* grow rich, make a fortune, accumulate wealth, make one's pile *(fam)*, rake in the shekels/pelf *(fam)*

megvajaz *vt,* butter, spread with butter

megvakar *vt,* 1. *[viszkető testrészt]* scrape, scratch; ~*ja magát* scratch oneself; ~*ja a fejét* give one's head a scratch 2. *[lovat]* curry, rub down

megvakít *vt,* 1. *(konkr)* (make sy) blind, put/gouge sy's eyes out 2. *(átv)* blind, dazzle, delude

megvakítás *n,* blinding, putting out sy's eyes

megvakul *vi,* go blind, lose one's (eye)sight; *bal szemére* ~ go blind in the left eye

megvakulás *n,* loss of (eye)sight

megválás *n,* separation/parting from, *(vmtől)* parting with, severance, coming apart

megválaszol *vt,* reply (to a letter), (return an) answer, respond

megválaszolatlan *a,* unanswered, unacknowledged

megválaszolatlanul *adv,* ~ *hagy [levelet]* leave unanswered, fail to answer (to) (a letter)

megválaszolhatatlan *a,* unanswerable

megválaszt *vt,* 1. *(ált)* elect, choose; *rosszul választja meg az időpontot* choose/select the wrong *(v.* a bad)

time, *[látogatásra]* come at an inconvenient hour *(v.* an inauspicious moment) 2. *[képviselővé]* return, elect, *[újra]* re-elect, *[közfelkiáltással]* acclaim sy, elect by acclamation; *biztosan* ~*ják* he is sure to get in *(fam)*; ~*ották a jelöltünket* our candidate is in

megválasztás *n,* election, *(pol)* return

megválasztott *a,* ~ *király [koronázás előtt]* king-elect; *újonnan* ~ newly-elected

megvál|ik *vi,* 1. *(vktől]* separete/part from, part company (with), *(vmtől)* part with, relinquish sg, divest oneself of sg 2. *[állástól]* vacate (office), resign, give up (appointment)

megvall *vt,* admit, confess, avow, own (up), acknowledge; ~*om nem sokat értek hozzá* I confess *(v.* I must say) I don't know much about it; *az igazat* ~*va* to tell the truth, truth to tell, as a matter of fact, if the truth be .... , really and truly, in point of fact

megvállasod|ik [-tam, -ott, -jon, -jék] *vi,* become broad-shouldered

megválogat *vt,* choose, select, pick; ~*ja szavait* pick one's words

megválogatás *n,* choice, selection, choosing, picking

megvalósít [-ani, -ott, -son] *vt,* 1. *(ált)* realize, attain, carry through, carry into effect, effectuate, bring to pass, work out, bring into being, materialize, accomplish, discharge, perform, perfect, *[ígéretét]* fulfil, *[célt]* effect, carry out, succeed in (purpose) 2.*[gyakorlatilag]* put into practice, *[tervet]* carry out, execute, bring into being, translate from blueprint into fact, come through on (a program) *(US)*, *[javaslatot]* place (proposal) into operation, *[politikát]* implement, realize

megvalósítás *n,* 1. *(ált)* realization 2. *[gyakorlatilag]* implementation, *[tervé]* carrying out *(v.* into effect*)*, *[célé]* attainment, *[szándéké]* execution; *pénzügyi* ~ financial effectuation

megvalósíthatatlan *a,* unrealizable, impracticable, unattainable, unachievable, unaccomplishable, impossible of attainment *(ut)*; ~ *vállalkozás* wild--goose chase

megvalósítható *a,* realizable, workable, practicable, feasible, viable; *könnyen* ~ easy of attainment; *nehezen* ~ *dolog* difficult of accomplishment; *nem* ~ unrealizable

megvalósíthatóság *n,* practicability, practicableness, workability, feasibility, viability

megvalósul [-t, -jon] *vi,* 1. *(ált)* be realized/attained, materialize, come to fruition, go through; *nem valósult meg* it failed to materialize, it did not come about 2. *[álom, jóslás]* come true, become real

megvalósulás *n,* realization

megvált *vt,* 1. *[pénzzel]* redeem, buy off, *[szolgáltatásokat]* commute 2. *[jegyet]* buy, take, *[előre is]* book (ticket) 3. *(vall)* redeem

megváltás *n,* 1. *[kölcsönt]* redemption, amortization, paying off, liquidation (of loan); ~ *nélkül* without compensation 2. *[jegyé]* buying, taking, *[előre is]* booking (of ticket); *a jegyek* ~*a kötelező* admission with tickets only 3. *(vall)* redemption; ~*t keres vmben (átv)* seek salvation in sg; ~ *volt neki a halál* death was a (veritable) deliverance to/for him, death proved his redemption, he was redeemed by death

megváltási *a,* ~ *eljárás* expropriation procedure/ proceeding

megváltható *a,* 1. *[pénzzel]* redeemable, convertible, transformable in 2. *a jegyek előre* ~*k* places/seats can be booked in advance 3. *(vall)* redeemable. *[bűn]* atonable

megváltó I. *a,* saving, redeeming II. *n,* saver, *(vall)* Saviour, Redeemer

megváltozás *n,* change, transformation, alteration, variation, transition, (trans)mutation, modification

megváltozhatatlan *a,* irrevocable, immovable, unalterable, irreformable, inalterable, immutable
megváltoz|ik *vi,* vary, change, be transformed/different, shift, undergo/suffer a change, alter, be modified, turn, change about, *[jellem jobbra]* turn over a new leaf, improve, change for the better, *[rosszabbra]* change for the worse, deteriorate; *az időjárás ~ik* there is a break/change in the weather, the weather is changing; *ha az időjárás ~ik* if there is a break in the weather; *munkához való viszonya gyökeresen ~ott* his relation to his job/work has undergone a complete change; *nagyon ~ott* a great change had come over him; *a szin ~ik* the scene shifts
megváltoztat *vt,* 1. *(ált)* change, alter, vary, variegate, diversify, transform, modify, make different, make/effect a change in, *[álláspontot]* change/shift one's ground, *[elhatározását]* change one's mind, reverse one's decision, think against (v. better of sg), *[ítéletet]* vary (a decision), reverse (one's) judg(e)ment, set aside, alter, revise, *[büntetést]* commute (punishment), *[nevét]* change (one's name), *[szerződést]* modify, rectify, vary, alter (contract); *~ja lakóhelyét/lakását* change one's residence; *~ja a szándékát* alter/change one's mind; *~ja a tervet* change/alter/amend a plan/project; *~ja véleményét* change/shift one's opinion 2. *(vmvé)* turn (v. be transformed) into 3. *[folyás irányát/medrét]* shift (its course) 4. *(kárty) [licitet]* shift
megváltoztatás *n,* 1. *(ált)* change, alteration, modification, *[ítéleté]* reversal (of judg(e)ment), commutation (of sentence/punishment), *[törvényé]* amendment (of bill) 2. *(vmvé)* transformation, transmutation (into)
megváltoztathatatlan *a,* invariable, unalterable, unchangeable, immutable, *[elhatározás]* (decision) past recall *(ut)*
megváltoztathatatlanul *adv,* invariably, immutably
megváltoztatható *a,* changeable, alterable, modifiable, convertible, subject to alteration/revision *(ut)*, *[ítélet, rendelet]* reversible; *meg nem változtatható* unchangeable, unalterable, irrefrangible
megvámol [-t, -jon] *vt,* impose/levy a duty on
megvámolandó [-t; *adv* -an] *a,* = vámköteles
megvámolás *n,* clearance, collection/receipt of duties; *~ alá esik* dutiable, subject to payment of duty
megvan *vi,* 1. *[létezik]* exist, be, live, subsist, be extant, be in existence; *~ a biztos megélhetése* be provided for; *~ neki* he has (got) it; *minden ok ~ arra* there is every reason to/for; *még ~ minden* everything is still on hand, nothing is lost so far; *az a könyv ~ nekem* I have got this book; *ebben a könyvben minden ~ this* book comprises all, everything is to be found in this book; *~ még a pénzed?* have you still (got) your money?; *~ hozzá a szükséges pénz/összeg)* he has the money required; *~ benne az a jó tulajdonság* he has (got) the good quality of; *~ a lehetőség* the possibility of/for sg is given, there is a possibility of, it is possible (to); *~ rá a lehetőség* it can be done; *~ minden eshetőség* it is highly probable, there are chances for; *~ a remény hogy életben marad* there is hope that he may survive; *mindennek ~ az ideje (közm)* everything has its day 2. *[kész]* ready, finished, have/be done, have done with sg; *ez hamar ~* it'll be done/finished/ready in no time (v. in a jiffy);*~ egy óra alatt* it will be done in an hour; *most ~ a baj* there now(,) I was sure it would happen, now we're in trouble (v. the soup); *reggelre meglett a gyerek* by dawn/morning the child was born; *elviszem és ~!* I'll take it and that's that! ; *~ jó 50 éves* be well in the fifties, be on the wrong side of fifty, he is fifty if (he is) a day 3. *~ vm nélkül* go/do (v make shift) without, dispense with; *meg-*

leszek nélküle I can do without him, I can dispense with his services; *valahogy majd csak megleszünk* we shall manage somehow (or other) 4. *hogy van? csak megvagyok [egészségileg]* how are you? I am tolerably well, *[anyagilag]* how is business? not so bad; *~ vhogy* be tolerably well, be so-so, be (fair to) middling; *valahogy majd csak megleszek (biz)* I'll manage somehow, I'll get by, I'll get along/on as best I can; *eddig megvoltunk vhogy* up to now we have managed to rub along 5. *[megfér] jól ~nak egymással* get on well together, be on good terms 6. *[amit kerestünk] ~!* here it is!, got it! ; *nincs meg* it cannot be found, it is not to be found, it simply isn't *(fam)* 7. *hányszor van meg a kettő a kilencben?* how many times does two go into nine?; *négyszer van meg és még marad egy* two goes into nine four times and one over
megvár *vt,* 1. *(ált)* wait for, *[előadást stb.]* wait till sg is over, await *(ref.)* 2. *[állomáson vkt]* go to meet (sy on/at the station); *~ja a végét* see out; *~ja míg a másik elmegy/eltávozik* sit sy out; *~ja az újév beköszöntét* see the New Year in
megvárakoztat *vt,* make sy wait, keep sy waiting, let sy cool/kick his heels *(fam)* ; *~tunk?* have we kept you waiting?
megvárás *n,* wait(ing), expectation
megvárható *a, szemfelszedés ~* ladder-repair while you wait
megvarr *vt,* sew, stitch
megvarrás *n,* sewing, stitching
megvasal *vt,* 1. *(ált)* fit/mount with iron, iron 2. *[lovat]* shoe, *[lábbelit]* stud, hobnail 3. *[tárgyat]* bind with a ring/ferrule, band, hoop, *[ajtót]* fit (the locks and hinges to) a door, *[gerendát]* truss, *[kereket]* tyre, shoe (a wheel), *[botot]* put a ferrule (on a stick) 4. *(vkt)* iron, put in irons 5. *[fehérneműt]* iron (out)
megvasalás *n,* 1. *[keréké, cölöpé]* shoeing, fitting with iron, providing with iron fittings 2. *[lóé]* shoeing 3. *[abroncsozva]* binding, hooping 4. *[emberé]* putting in irons
megvasalt *a,* iron-shod/ended/bound
megvásárlás *n,* purchase, buying
megvásárol *vt,* 1. *(vmt)* purchase, buy, acquire 2. *(vkt)* buy off, bribe
megvásárolható *a,* 1. *[áru]* on/for sale *(ut)*, purchasable, buyable, marketable, to be bought *(ut)*, to be had *(ut)* 2. *[ember, sajtó]* venal, bribable, mercenary, corruptible, open to bribery
megvásárolhatóság *n, [ember]* venality, corruptibility
megvastagít *vt,* 1. *(ált)* thicken, make thick(er) 2. *[mártást]* thicken, give body to (a sauce)
megvastagodás *n,* thickening, becoming, thick, swelling, becoming swollen
megvastagod|ik *vi,* 1. *(ált)* thicken, become thick 2. *(vk)* grow stout/fat(ter)
megvastagsz|ik *vi,* = megvastagodik
megvéd *vt,* 1. *(ált)* defend 2. *(vmtől)* protect, secure, safeguard, preserve (from), guard against/from, keep safe, shield (from), screen, *[széltől]* screen, protect, shelter; *~i a fejét az ütésektől* fence one's head from/against blows 3. *(vkt átv)* undertake sy's defence, champion sy's cause, take up the cudgels for sy *(fam)*, stick/stand up for sy *(fam)* 4. *[bajnokságot]* defend, maintain, (up)hold (championship), *[érdeket]* safeguard (interests), *[hírnevét, jogait]* vindicate, maintain, uphold, *[viszontagságtól]* shelter from, *[veszélytől]* protect, preserve (from danger) *~i a diplomamunkáját* defend one's thesis; *~i hazáját* save one's country
megvédelmez *vt,* = megvéd
megvédelmezés *n,* defence, protection, preservation, safeguarding, vindication

megvédés n, = megvédelmezés; a diploma/diplomamunka ~e defence of a thesis

megvédhetetlen a, indefensible

megvédhető a, 1. (ált) defensible 2. [álláspont] tenable

megvédhetőség n, 1. (ált) defensibility 2. [állásponté] tenability

megvedl|ik vi, 1. (áll) shed/cast its coat, [hüllő] slough, cast its slough/skin 2. [madár] moult

megvehetetlen a, 1. [dolog] unpurchasable, unacquirable, [ember] incorruptible, unbribable 2. [erődítmény] impregnable, inexpugnable, storm-proof, not to be taken, (kif) not to be had for love or money

megvehető a, = megvásárolható

megvékonyít vt, make thinner, fine/thin down, [ruha alakot] make one look slender, slim, slenderize (US)

megvékonyod|ik vi, = elvékonyodik

megvendégel [-t, -jen] vt, entertain, feast, treat (sy to sg), stand sy a treat, [bőségesen] regale, [vendéglőben] stand sy (a dinner/drink); ~ vkt ebédre dine sy, give a dinner to sy, treat sy to a dinner

megvendégelés n, treat, hospitable reception/entertainment, regaling

megvénhed|ik [-tem, -ett, -jen, -jék] vi, get/grow old, fall into decrepitude, become week and feeble from (old age), deteriorate/sink into old age, get decrepit

megvénül vi, grow old, age, (kif) his years begin to tell on him, the effects of age show on him

megvénülés n, ageing, growing old/decrepit, deteriorating/sinking into old age

megver vt, 1. (konkr) beat, thrash, belabour, lay it on, pummel, trounce, give sy a drubbing/trouncing, mishandle, manhandle, beat up, [enyhén] spank, [szíjjal] leather, wallop, [korbáccsal] lash, flog, beat, (horse)whip, give sy a whipping/flogging, [pálcával] birch, cane 2. [ellenséget] defeat, vanquish, overcome, beat, rout, conquer 3. (sp) defeat; 2:1-re ~ [teniszben] defeat 2 matches to 1 4. szemmel ~ bewitch with evil eye, cast an evil eye upon; X a szemével ~te X put an evil spell on him

megvereget vt, pat, tap, clap, slap, [állát] chuck; ~i a vállát pat sy on the back, give sy a pat on the back

megveregetés n, pat(ting), tap(ping), clap(ping), slapping

megvereked|ik vi, 1. (ált) fight with/against 2. [párbajban] fight a duel

megvereksz|ik vi = megverekedik

megverés n, 1. (konkr) thrashing, hiding, beating, whipping, trouncing, [gyereké] spanking, walloping, leathering 2. (kat) beating, defeat(ing) 3. [szemmel] casting a spell

megvérez vt, stain with blood

megversel vt, versify, put into verse, make verses (v. a verse) of, berhyme

megvesz¹ [megvenni] vt, 1. buy, purchase, acquire; ~ vmt vkn make sy pay (for sg), obtain/enforce payment (for sg) 2. (kat) take, carry by assault) 3. ~i az isten hidege be almost frozen to death, be dying with/of cold, be chilled to the bone/marrow

megvesz² [megveszni] vi, 1. [állat] go mad, get rabid, develop hydrophobia/rabies 2. majd ~ vmért be excessively fond of sy, dote upon sg; majd ~ vkért be enamoured of sy, be madly in love with sy, be infatuated with sy

megvész [megveszni] vi, = megvesz²

megveszekedett [-et; adv -en] a, cursed; nincs egy ~ vasa sem be penniless, not (to) have a penny (to bless oneself with), not to have a penny to one's name (v. in the world)

megveszeked|ik vi, =megvesz²; ha ~ik akkor sem not on his life, not if he drops dead

megvesz|ik vi, = megvesz²

megvesszőz [-tem, -ött, -zön] vt, (horse)whip, flog, thrash, leather, [gyermeket] birch, switch, cane

megvesszőzés n, flogging, thrashing, leathering, [gyermeket] birching, switching, caning

megveszteget vt, bribe, corrupt, buy over/off, [tanút] suborn, grease/oil sy's palm (fam); hagyja magát ~ni take a bribe, take bribes, give oneself over to bribery, succumb to bribes

megvesztegetés n, bribing, bribery, corruption, [tanúé] suborning, subornation

megvesztegethetetlen a, incorruptible, unbribable, clean-handed, proof against corruption (ut); ~ ember man of integrity

megvesztegethetetlenség n,. incorruptibility, integrity

megvesztegethető a, bribable, corrupt(ible), venal, inured/accessible/open to bribery (ut), [igével] take a bribe, take bribes

megvesztegethetőség n, bribability, corruptibility, corruptness, venality

megvesztegető I. a, 1. (konkr) bribing, corrupting, suborning 2. (átv) seductive, tempting, alluring, fascinating, engaging, taking, attractive, captivating II. n, briber, suborner, corrupter

megvet vt, 1. despise, scorn, hold in contempt, disdain, contemn, look down upon, spurn, [mélységesen] hold in sovereign contempt; nem veti meg a lopást sem he is not above stealing; nem vet meg egy pohár sört he is not averse to a glass of beer 2. [ágyat] make the bed 3. ~i vmnek az alapját lay the foundation of, break ground for, prepare the way for; ~i a lábát gain/get a footing/foothold, dig one's toes in, gain a footing, take a firm stand, obtain a firm plant (on the ground)

megvétel n, 1. (ált) purchase, acquisition, acquirement, acquiring, buying 2. (kat) taking, capture, [városé] taking possession (v. capturing) of (town)

megvetemedés n, [fáé] warp(ing), buckling, bend(ing)/ twisting out of shape, deflection, deformation

megvetemed|ik vi, warp, buckle, wind, spring, give, bend, sag

megvetendő [-t; adv -en] a, despicable, contemptible; nem ~ not to be disdained/despised (ut), not to be sneezed/sniffed at (ut)

megvetés n, detestation, contempt, scorn, disdain; ~re méltó detestable, despicable, contemptible; ~sel illet despise, show contempt for (sy), treat with contempt/scorn

megvetett [-et; adv -en] a, 1. (átv) despised, disdained, held in contempt (ut) 2. [ágy] open (bed)

megvetőz vt, veto

megvető [-t; adv-en] a, contemptuous, scornful, disdainful, slighting

megvetően adv, contemptuously, scornfully, disdainfully, slightingly; ~ beszél vkről speak disparagingly/ slightingly of sy

megvezekel vi, expiate, atone for, pay the penalty of, make amends/reparation for; ~ bűneiért pay the penalty for one's sins

megví vi/vt, = megvív I—II.

megviccel vt, (vtk) play a (practical) joke on sy, play a trick on sy

megvigasztal vt, console, solace, comfort, bring comfort to sy, soothe, alleviate the grief of, cheer (sy) up; tőle telhetőleg ~ta he comforted her as he could

megvigasztalható a, consolable

megvigasztalód|ik vi, be consoled/comforted, get over sg, cheer up, take comfort

megvilágít vt, 1. (konkr) light (up), illuminate, give light (to), irradiate 2. (átv) enlighten, illumine, [kérdést] throw light upon, elucidate, clarify, clear up, [példával] illustrate; ~ja (politikai) magatartását/álláspontját define one's position; ~ja az ügye throw light on the matter; *kellően* ~ put/set in its proper light, throw a strong light upon **3.** *(fény)* make an exposure

megvilágítás *n*, **1.** *(konkr)* lighting, illumination; *kettős* ~ *(szính)* cross-lighting **2.** *(fény)* exposure, exposition; *előzetes* ~ pre-exposure, previous exposure; *kettős* ~ double exposure **3.** *(átv)* aspect, light, *[kérdésé]* elucidation, *[példával]* illustration; *jó* ~*ba helyez* put in a good light; *helyes* ~*ba helyezi a tényeket* set the facts in their true light/perspective; *kedvező* ~*ba helyez vmt* put sg in a favourable light; *kedvezőtlen* ~*ba kerül* be seen at a disadvantage; *más* ~*ba helyez* put the matter in another *(v. a new)* light; *új* ~*ba helyez* throw (a) new light upon; *éles* ~*ba helyez* highlight *(US)* ; *új* ~*ban* in a new light; *jó* ~*ban lát* look at sg in a favourable light

megvilágítási *a*, *(fény)* ~ *görbe [negatívnál]* characteristic curve; ~ *idő* exposure-time, time of exposure; ~ *idő megállapítása* exposure calculation/determination; ~ *táblázat* exposure table; ~ *terjedelem* exposure latitude; ~ *trükk* exposure trick

megvilágításmérő *n*, photometer, exposure meter; *optikai* ~ optical exposure meter

megvilágítatlan *a*, **1.** *[utca]* unlighted **2.** *[kérdés]* unelucidated, to be cleared up *(ut)* **3.** *(fény)* unexposed; ~ *film* filmstock, raw-film

megvilágosít *vt*, **1.** *(konkr)* light, illuminate, irradiate **2.** *(átv)* enlighten, illumine, illuminate, clarify, elucidate, throw/shed light on, clear up, *[vk elméjét]* instruct (sy)

megvilágosodik *vi*, **1.** *(konkr)* light/brighten up, *[hajnal van]* dawn, day is dawning **2.** *[kérdés]* clear up, become clear, *[elme]* become enlightened; ~*ik előttem* I begin to see clearly/daylight, it is dawning upon me; *egyszerre* ~*ott előttem* in a flash *(v.* all at once) it became clear to me

megvillan *vi*, flash, flare up; ~*t agyában* it flashed through his mind, it suddenly occurred to him, it became apparent to him

megvillanyoz *vt*, electrify

megvillogtat *vt*, flash, make glitter/sparkle/gleam/shine, *[kardot]* brandish

megvirágosodik [-ott, -jon, -jék] *vi*, **1.** = kivirágzik **2.** *[bor]* become ropy, mould, grow/turn mouldy, develop mildew/specks

megvirrad *vi*, dawn, day/it is dawning, day is breaking, day begins to break, the dawn is here

megvisel *vt*, **1.** *(vkt vm)* try, wear sy out, weaken, debilitate, wear down, fag out, bring down, reduce, tell on sy; ~*i a sok munka* the work was telling on him; *ez a csapás nagyon* ~*te* he has been sorely tried by this set-back, this calamity has taken a great deal out of him; *ez* ~*te idegeit* this told upon his nerves **2.** *(vm vmt)* wear (down), *[egészséget]* shatter, *[szemet]* strain, *[idegeket]* tell (on one's nerves); ~*te az idő* it shows the ravages of time

megviselt *a*, **1.** worn, tired, affected, hard-bitten, *[arc]* worn/tired/drawn face, *[ember]* worn out, tired, run down, *[gondtól]* care-worn, *[időtől]* time-worn, *[próbára tett]* (severely, sorely) tried **2.** *[ruha]* the worse for wear *(ut)*, threadbare, worn out, shabby, seedy, that has seen better days *(ut)*, that had its day *(ut)*, *[épület]* weather-beaten

megvisz *vt*, **1.** *[hírt]* carry, take (news), inform, acquaint, give notice/intelligence of **2.** *[tárgyat]* carry, convey, take (sg swhere), take along with

megvitat *vt*, discuss, debate, talk sg over, deliberate, argue (out), reason/thrash out

megvitatás *n*, discussion, debate, deliberation, reasoning, argumentation

megvív I. *vi*, fight, *(vkvel)* cross-measure swords with sy, *[párbajban]* (fight a) duel **II.** *vt*, **1.** *[várat]*

take, carry, occupy; ~*ja a harcát* fight it out **2.** *[sportmérkőzést]* fight

megvívás *n*, *[váré]* seizing, capture, *[városé]* taking possession of

megvívhatatlan *a*, storm-proof, impregnable, inexpugnable, untouchable

megvizesedik [-tem, -ett, -jen, -jék] *vi*, moisten, become wet/moist/damp, dampen

megvizesít [-eni, -ett, -sen] *vt*, moisten, wet, water, damp, *[fehérneműt vasalás előtt]* damp, sprinkle

megvizesítés *n*, moistening, damping, wetting, watering

megvizez *vt*, **1.** wet, moisten, damp, *[fehérneműt vasalás előtt]* damp, sprinkle **2.** *[bort]* water down, adulterate, *[tejet]* water

megvizitál *vt*, inspect, examine, view, scrutinize, look/go over, *[zsebeket, poggyászt]* search, go through

megvizsgál *vt*, **1.** *(ált)* examine, test, sift, scrutinize, (have a) look at, explore, investigate inquire **2.** *[szakértőként]* survey, *[valódiság tekintetében]* verify, check, *[üzleti könyvet]* audit, examine, *[számadást]* audit, inspect, scrutinize, verify, go through (the accounts); „~*tuk és helyesnek találtuk*" "examined and found correct" **3.** *[kérdést]* look/go into, consider, *[ügyet]* look/go into, examine, *[hivatalosan]* inspect; *alaposan* ~ examine closely, make a thorough examination of, probe to the bottom; *jobban* ~*va* on close/closer inspection; ~*ja lelkiismeretét* examine one's conscience, *(gyerm)* make one's soul, *miután* ~*tuk* after a careful examination **4.** *[poggyászt]* examine, search, go through (luggage, baggage) **5.** *(vegyt)* analyse, *[nemesfémet]* assay

megvizsgálás *n*, **1.** *(ált)* examination, sifting, overhaul(ing), test, inspection; ~ *alapján* on examination **2.** *[szakértői]* survey(ing), *[valódiság tekintetében]* verification, checking, control(ling), *[üzleti könyvet]* auditing, examination **3.** *[kérdésé]* investigation, considering, consideration, inquiry, scrutiny, searching **4.** *[poggyászé]* inspection, searching **5.** *(vegyt)*, analysis, assaying

megvizsgáltat *vt*, have examined; ~*ja magát* see a doctor, have oneself examined, get examined

megvon *vt*, **1.** *[megfoszt, elvesz]* withdraw, deprive of, cut off, take away (sg from sy), *[engedélyt]* cancel, revoke, *[választójogot]* disfranchise (sy); ~*ja vktől a nyugdíját* stop/withhold sy's pension; *nem von meg magától semmit* do oneself well; ~*ja szájától a falatot* stint/pinch oneself (in/with food); *semmit se vont meg tőle* she had begrudged him nothing; ~*ja vktől a fejadagot* dock sy of his ration; ~*ja vktől a szót* order/ask sy to sit down, *[képviselőházban]* silence, call to order **2.** *[határt]* draw, lay/mark/map out; ~*ja a határt* lay out the boundary (lines), *(átv)* set a limit, draw a line

megvonaglik *vi*, *[izom]* have a spasm/contraction (of the muscles), *[száj, arc]* quiver, flinch, wince

megvonalaz *vt*, rule, line

megvonalazás *n*, ruling, lineation

megvonaloz *vt*, = megvonalaz

megvonás *n*, **1.** withdrawal, deprival, *[adagé, fizetésé]* stopping, *[ételé, dohányzásé]* cutting off, deprivation **2.** *[vonalé]* marking/laying/setting out, tracing, drawing

megvörösít *vt*, redden, make red/scarlet

megvörösödik *vi*, redden, go/turn red/russet/scarlet/crimson, *[levél]* rust, redden

megzabál I. *vt*, devour, wolf, swallow/gulp down **II.** *vi*, overeat/stuff oneself, glut, *(áll)* overfeed

megzaboláz *vt*, **1.** *[lovat]* bridle, tame, break in, master **2.** *[gyermeket]* make tractable, *[erőszakosat]* curb (the impetuous), *[lázadót]* subdue, put down, keep a tight hand over (recalcitrants), *[nyelvet]* curb, bridle, govern (one's tongue), *[szemtelent]* bridle, control (the forward), *[tűzvészt]* subdue, put down 3. *[érzelmet]* curb, restrain, control, check, *[falánkságot]* control (unruly appetites), *[igényt, kívánságot]* restrain (desires), *[szenvedélyt]*, control, subdue (passions)

megzabolázás n, 1. *(konkr)* taming 2. *(átv)* curbing, control(ling), mastery

megzajdul vi, begin to rumble/hum, *[tömeg]* give a sudden angry noise, break into a roar

megzálogol vt, *[zálogba vesz]* distrain, seize sg as a pledge/security, take in pawn, *[tilosban bitang állatot]* impound

megzápul [-t, -jon] vi, rot, grow/go rotten/bad, decay, putrefy, addle, get addled (egg)

megzavar vt, 1. *[állóvizet]* muddy, *[folyadékot]* make cloudy/thick/muddly 2. *[cselekvést]* interfere with, *[csendet]* break (in upon), *[nyugalmat]* trouble, disturb, *[gyűlést]* trouble, disturb, *[kényelemben, munkában]*, disturb, trouble, interrupt, *[szervezetet]* disorganize, *[tervet]* upset (plan), queer the pitch (for sy); *vk boldogságát ~ja* cloud sy's happiness; *~ja a közrendet* break/disturb the peace 3. *[érzelmileg vkt]* perturb, upset, discompose, confuse, confound, fluster, make uneasy, put out (sy), stir, embarrass, nonplus, *[ellenfelet]* cause *(v. throw into)* confusion, *[elmét]* cloud (one's intellect), unsettle, derange

megzavarás n, 1. *[folyadékot]* making cloudy/thick/muddy 2. *(átv)* derangement, disarrangement, perturbation, causing confusion, putting out of countenance, mortification, abashment, trouble, troubling, disturbance, disorganization, upsetting, *[rendé]* throwing into disorder, breach (of order/peace)

megzavarhatatlan a, imperturbable

megzavarhatatlanság n, imperturbability

megzavarhatatlanul adv, imperturbably

megzavarodás n, 1. *[folyadéké]* getting muddy, *[boré]* ropiness 2. *(átv)* jumbling, abashment, confusion (of ideas), embarrassment, discomposure, perplexity, bewilderment, puzzle

megzavarod|ik [-ott, -jon, -jék] vi, 1. *[víz]* get muddy, become turbid, *[bor]* turn/get cloudy 2. *(átv)* show perturbation, falter, *[szónok stb.]* get confused/flurried/flustered/perplexed/nonplussed, be troubled/distracted *(v. out of one's mind)* 3. *[elme]* become deranged/unbalanced/unhinged; *~ott elme* deranged/unbalanced/unhinged mind, *(jog)* non compos mentis *(lat)*

megzavarosod|ik [-ott, -jon, -jék] vi, grow muddy/thick, become turbid, *[bor]* get cloudy

megzendít vt, (begin/cause to) sound, *[fúvós hangszert]* blow

megzendül vi, (re)sound, ring, reverberate, *[fém]* ring, clang, clank, *[húr]* twang; *~t az ég* sudden thunder burst upon our ears, there was a peal of thunder

megzenésít [-eni, -ett, -sen] vt, set (words) to music, musicalize, melodize; *~ette* music by

megzenésítés n, setting to music

megzökken vi, jolt, jerk, jar, give a jump/start

megzöldül vt, 1. *(átt)* go/turn green 2. *[fém]* become covered with verdigris

megzördül vi, click, rattle, give a clicking/rattling noise/sound, *[bilincs]* clank, *[kulcs]* jingle, *[lánc]* rattle, *[száraz levél]* crackle, *[zár]* click

megzörget vt, clatter, rattle, *[aprópénzt]* chink; *~i az ablakot* knock at the window

megzörren vi, give a clicking/clanging/clanking sound, *[levél]* rustle

megzörrent vt, make crackle/rustle/click/rattle, *[ablakot, szél]* rattle

megzsarol vt, (levy) blackmail, rent/bleed sy *(fam)*

megzsarolás n, blackmail(ing), extortion

megzsibbad vi, grow numb, *[láb]* go to sleep *(fam)*; *~t (a lábam)* (my foot) has gone to sleep, I have pins and needles (in my legs)

megzsinegel vt, strangle, throttle, choke

megzsíroz vt, 1. *(ált)* grease, smear (with vaseline/lard) 2. *[gépet]* grease, oil, lubricate 3. *[cipőt, használati tárgyat]* dub 4. *[kenyeret]* smear, spread (bread with dripping)

megy [menni, megyek, ment, menjen] vi, 1. *(vhova, vmn, vhogy)* go, move, march, pass, travel, *(vhová)* betake oneself to, proceed/repair/resort/go to *(v. make for)* a place, bend one's steps towards, wend one's way (to), head for, *(vkért, vmért)* (go and) fetch sy/sg, go in search of sy, *(vkhez)* call upon sy, call at sy's house/place, go and see sy, *(vk után)* go after/behind sy, follow sy, *(vkvel)* walk/go with sy, accompany sy, go along with sy; *mennem kell* I must away/go; *érte megy* go to/and get it, go for it, fetch it; *majd érted ~ek [autóval]* I will pick you up (at your house); *Budapestre ~* go to Budapest; *vidékre ~* go to the country; *Londonba mész?* are you going to L.?, are you for L.?; *autón ~* motor, go by car; *biciklin ~* ride (on) a bycicle; *gyalog ~* go on foot, walk, ride/go on Shank's mare; *kocsin ~* drive, go in a carriage/cab; *lépésben ~ [ember, jármű]* go/ride at a foot/walking pace, *[ló]* pace; *lovon ~* ride (on horseback); *vasúton ~* go/travel by train/rail; *villamoson ~* take the *(v.* go by) tram, tram it; *már ~ek* coming!, I'm just coming; *menj(en) orvoshoz!* see the doctor (at once); *sokat ~ünk ide-oda* we go out a great deal; *menj az ördögbe!* go to the deuce/devil; *menjen!* go away, get along with you!; *nem mész innen!* get you gone!, take yourself off!, clear out!, cut along!, be off! 2. *[közl. eszköz, út]* go, *[hajó]* steam, sail, *[vonat, kocsi]* move, travel, go, *[jármű menetrendszerűen]* run; *az út lefelé ~* the road descends, the road goes/slopes downwards *(v.* goes downhill); *az út a folyó mellett) mentén ~* the road runs along the river 3. *[tárgy vmre/vmbe/vmhez]* ez a cipő nem ~ a lábamra these shoes won't go on my feet; *fejébe ~ a bor* wine goes/flies to one's head; *lábába ~ egy tövis* run a thorn *(v.* have a thorn run) into one's foot; *vm a szemébe ~* sg has got/gone into his eye; *zöld pulóver nem ~ kék szoknyához* a blue skirt wouldn't take *(v.* go with) a green pullover 4. *(átv)* annyira ~ hogy carry sg so far that; *tudom(,) hogyan ~ az ilyesmi!* I know how these things go/happen; *hát itt meg mi ~!* what's going on here?; *életre-halálra ~* it's a life--and-death struggle, it's a matter of life and death; *ez nem ~ a fejébe* be above one's comprehension, one can't get that into his head, that's more than one can fathom, be beyond one's understanding; *ugyan menjen!* come now!, you don't say so!, you don't mean it!, nonsense!, tell that to the (horse) marines 5. *[sors, siker, eredmény] hogy ~ a sora?* how goes the world with you?, how is the world treating you?, how are things going?, how are you getting on?, how is the world using you? *(US)*, how goes it? *(US)*; *jól ~* go well, it's a success, it has taken/caught on, prosper, thrive, be in a good way of business, be successful in business, *(vknek)* be doing well; *jól ~ az üzlete* his business is booming; *rosszul ~ neki* be in bad circumstances, be doing badly, it goes hard with him; *amíg jól mennek a dolgok* while the going is good; *ha minden jól ~* should everything go/pass off well; *eleinte nagyszerűen ment* at first everything went on swimmingly, it came out trumps at first; *ez nem ~ (biz)* it can't be done, it is impossible, nothing doing, no good, no soap *(US ◈)*; *semmire sem ~*

vele he can't obtain/get an answer, he can't achieve any result, he doesn't get anywhere with sy, beat the air, plough the sands; *sokra ~* get on/there, achieve (some) success, succeed; *sokra mégy vele!* *(biz)* a fat lot of use that will be to you!; *~ a dolog?* can you manage it?, going strong?; *már évek óta így ~* this has gone on for years; *még soha ilyen jól nem ment nekünk* we never had it so good; *kitűnően ~ a munka neki* he is getting on famously with his work; *~ vhogy* I am well *(v.* all right) as times/things go; *veszendőbe ~* be wasted, run (to) waste, be spoiled, be squandered away; *jog ez mennil* you'll manage it all right! (don't you worry), it will fill the bill **6.** *[szindarab, állandóan]* it fills the bill; *milyen darab ~?* what plays are on, what is on (at the theatre) just now?; *mi ~ (a moziban)?* *(biz)* what's on!; *mi ~ a színházban?* what are they playing?, what's on to-day?; *a darab ötvenszer ment* the play had a run of fifty nights, the play ran fifty nights; *a (szín)darab nem ~* the play does not draw **7.** *[hivatás, vmnek]* *férjhez ~* marry, accept as a husband, enter into wedlock with, wed; *katonának ~* enlist, become *(v.* go for) a soldier; *tanárnak ~* go in for teaching, become a teacher **8.** *[mennyiség]* *évente ezrekre ~ a beküldött könyvek száma* the number of books sent in totals up to *(v.* amounts to) thousands a year; **ld** *még* **gyerünk**

megye [.. ét] *n,* county, shire *(GB),* *[magyar néha]* comitat, *[Franciaországban]* prefecture, *(egyh)* diocese
megyebeli [-ek, -t] *a,* county-, of the county *(ut)*
megyegyűlés *n,* meeting of the county council
megyehatár *n,* county boundary
megyeháza *n,* county hall
megyei [-ek, -t] *a,* county-, of county *(ut)* ; *~ adó* local rates *(pl)* ; *~ bíróság* county court; *~ jogú város* town of county rank; *~ könyvtár* regional library, county library *(GB)* ; *~ pártbizottság* county party committee; *~ székhely* county seat; *~ tanács* county council; *~ tanácsház* county hall; *~ tanácsos* county councillor; *~ út* secondary road
megyéspüspök *n,* diocesan (bishop)
megyeszékhely *n,* county seat/town, chief town of a county, shire-town
meggy [-et, -e] *n,* morello, sour-cherry
meggyes [-ek, -t; *adv*-en] **I.** *a,* of/with morello (cherry) *(ut),* cherried **II.** *n,* morello cherry-orchard
meggyesrétes *n, (kb)* flaked pastry roll filled with morello (cherries)
meggyfa *n,* morello tree, sour cherry-tree
meggyfabot *n,* cherry(-wood) walking-stick
meggylé *n,* sour-cherry juice
meggylikőr *n,* marashino, morello *(v.* sour cherry) brandy
meggypálinka *n,* morello cherry-brandy/cordial, kirsch (wasser)
meggypiros *a,* cherry-red
meggyszín *n,* cherry-red
meggyszínű *a,* cherry-red
meggyvörös *a,* cherry-red
megy-mendegél [ment-mendegélt, menjen-mendegéljen] *vi,* jog/trot along, go at a jog/trot
méh¹ [-et, -e] *n, (áll)* (hive/honey-)bee *(Apis),* *[dolgozó, munkás]* working-bee, worker, *[here]* drone; *erdei ~* carpenter-bee *(Xylocopa)*
méh² [-et, -e] *n,* **1.** *[testrész]* womb, *(tud)* uterus; *~ bemetszése/felmetszése* hysterotomy; *~ visszahúzódása* involution of the womb; *~ébe fogad* conceive; *~en hordoz* carry in one's womb; *~en kívüli terhesség* extrauterine/abdominal gestation/pregnancy, ectopic gestation, eccyesis, ectopic pregnancy; *~ének gyümölcse* the fruit of her womb **2.** *a föld ~e (átv)*

bowels of the earth; *az idők ~e* the womb of time; *~ébe zár* enwomb
méhalkatúak *n. pl, (áll)* (honey) bees *(Apoidea-csoport)*
méhanya *n, (áll)* queen-bee /
méhbaj *n, (orv)* uterine disease
méhbelhártya *n, (bonct)* endometrium
méhbelhártya-gyulladás *n, (orv)* endometritis
méhbetegség *n,* = **méhbaj**
méhcsalád *n,* colony of bees; *kirajzó ~* cast
méhcsípés *n,* bee-sting, sting of a bee
méhdaganat *n, (orv)* hysterocele, uterine tumour, *[jóindulatú]* uterine fibroma, fibrous tumour of the uterus, *[rosszindulatú]* uterine carcinoma
méhecske *n,* little/young bee
méhelőreesés *n, (orv)* anteflexion of the uterus, anteversion, uterine prolapse, prolapsus/falling of the womb/uterus
méhes [-ek, -t, -e] *n,* apiary, shed for hives, row of hives
méhész [-ek, -t, -e] *n,* bee-keeper/master, apiarist, apiculturist
méhészálarc *n,* bee-veil, face screen
méhészborz *n, (áll)* ratel *(Mellivora ratel)*
méhészet *n,* bee-keeping/rearing/farm, apiculture, apiary
méhészeti [-ek, -t; *adv* -leg] *a,* apiarian, apicultural
méhészgazda *n,* = **méhész**
méhészkedés *n,* keeping of bees, bee-rearing/keeping/ farming, apiculture
méhészked|ik [-tem, -ett, -jen, -jék] *vi,* keep bees
méhészkedő [-t, -je] **I.** *a,* apiarian, bee-keeping **II.** *n,* apiarist, hiver, bee-keeper
méhészsüveg *n,* = **méhészálarc**
mehetnék *n, ~je van* feel like going, have a good mind to go, have wanderlust, be itching to go, have the go-fever *(v.* an urge to go)
méhevő *a/n,* apivorous, bee-eater
méhfájás *n, (orv)* hysteralgia, metrodynia, metralgia, uteralgia
méhfarkas *n, (áll)* bee-beetle *(Philantus),* *[lárvája]* bee-wolf
méhfecskendő *n, (orv)* womb-syringe
méhfélék *n. pl, (áll)* bee-tribe, *(tud)* apidae, honey-bees *(Apidae család)*
méhfelmetszés *n, (orv)* hysterotomy
méhfű *n, (növ)* balm-mint, melissa, honey-flower *(Melissa officinalis)*
méhfüstölő *n,* fumigator, smoking-apparatus
méhgörcs *n, (orv)* uterine spasm, spasm of the womb, metralgia, uteralgia
méhgyulladás *n, (orv)* uteritis, metritis, hysteritis, inflammation of the womb
méhgyűrű *n, (orv)* pessary
méhhátradőlés *n, (orv)* retroversion of the uterus
méhhüvely *n, (bonct)* vagina, elytron
méhhüvelyi [-ek, -t] *a, (bonct)* utero-vaginal
méhizom *n, (bonct)* myometrium
méhkaparás *n, (orv)* curettage, curage, erasion; *~t végez* curette the womb
méhkaptár *n,* beehive
méhkas *n,* **1.** *(konkr)* beehive, *[szalmából]* bee-skep; *egy ~ terméke* hiveful **2.** *(átv)* hive
méhkashűtő *n,* multitubular radiator
méhkenyér *n, [méhészetben]* beebread
méhkiírtás *n, (orv)* metrectomy, hysterectomy, uterectomy
méhkirálynő *n,* queen-bee
méhkürt *n, (bonct)* salpinx, Fallopian tube, oviduct
méhkürtgyulladás *n, (orv)* salpingitis
méhkürti [-ek, -t] *a, (bonct)* tubal
méhkürtmetszés *n, (orv)* salpingectomy

méhkürtterhesség n, (orv) tubal pregnancy
méhlepény n, (bonct) afterbirth, (tud) placenta, [burkokkal együtt] secundine; ~ nélküli (áll) implacental
méhlepényesek n. pl, (áll) placentalia
méhlepénygyulladás n, (orv) placentitis
méhmagzat n, child in womb, (tud) f(o)etus, embryo, (jog) nasciturus (lat), unborn child, en/in ventre sa mère (fr)
méhmetszés n, (orv) metrotomy
méhnyak n, (bonct) cervix/neck of uterus, (uterine) cervix
méhnyálkahártya n, (bonct) endometrium
méhnyálkahártya-gyulladás n, (orv) endometritis
méhpempő n, royal jelly
méh-petefészki a, (bonct) utero-ovarian
méhraj n, cluster/swarm of bees
méhrajzás n, drive/swarming (of bees)
méhrák n, (orv) uterine cancer, cancer of the uterus, carcinoma of the uterus/womb
méhrepedés n, (orv) uterine laceration
méhsejt n, (áll) alveole, alveolus, cell (of honeycomb)
méhsejthűtő n, honeycomb radiator
méhsejtlemez n, expanded metal
méhsejtszerű a, (term) faveolate
méhsejttekercs n, (vill) honeycomb coil
méhsérv n, (orv) metrocele
méhsör n, bragget, hydromel
méhsüllyedés n, (orv) descent of the uterus
méhszáj n, (bonct) orifice of the uterus, (tud) os uteri, cervical os/orifice
méhszalagok n. pl, ligaments of the uterus
méhszonda n, (orv) uterine sound
méhszúrás n, = méhcsípés
méhszurok n, (áll) bee glue, (tud) propolis
méhtenyésztés n, bee-keeping/rearing, rearing of bees, apiculture
méhtenyésztő n, bee-keeper/master, apiarist, apiculturist
méhtükör n, (orv) uterine mirror, (tud) speculum matrices, metroscope
méhvérzés n, (orv) placental apoplexy, uterine haemorrhage, flooding (from the uterus), bleeding of the uterus, (tud) metrorrhagia
méhviasz n, beeswax
mekeg [-tem, -ett, -jen] vi, bleat, baa, maa
mekegés n, bleating, maaing (of goat)
mekegő [-t] a, ~ hang feeble and quavering/tremulous voice
mekkora [.. át] I. a/n, inter, 1. [kérdés] how large/big?; ~ az erdő? what is the extent of the forest? 2. [méret] what size? 3. [megállapítás] what (an . . .); ~ szamár! what a fool he is!; ~ tornya van! what a big tower it has got! II. n. rel, mekkorát ugrottál! how far you leapt!; mekkorát nőtt ez a gyerek! how much that child has grown!
méla [.. át] a, dreamy, musing, wistful, pensive; ~ tekintet dreamy/dreaming/musing look; ~ undor mild disgust
mélabú n, mournfulness, melancholy, despondency, gloom
mélabús a, melancholic, mournful, despondent, gloomy, moody
melafír [-ok, -t, -ja] n, (geol) melaphyre
melák [-ot; adv -ul] a, [ember] clumsy, awkward, gangling, loosely built; ~ ember muff, booby
mélakór n, = mélabú
Melanézia [.. át, .. ában] prop, Melanesia
melanéziai [-ak, -t] a, (földr) Melanesian
melanin [-ok, -t, -ja] n, (biol) melanin
melanizmus n, (orv) melanism
melankólia [.. át] n, = mélabú
melankolikus a, melancholic, gloomy

melanózis [-ok, -t, -a] n, (orv) melanosis
melasz [-ok, -t, -a] n, [nyerscukoré] molasses, [finomított cukoré] treacle
méláz [-tam, -ott, -zon] vi, muse (on), ponder over, dream of one thing and another, indulge in day-dreaming
mélázás n, musing, day-dreaming
Melbourne [-t, -ben] prop, Melbourne
meleg [-et; adv -en] I. a, 1. (konkr) warm, hot; nagyon ~ hot; ~ van it is warm/hot; szörnyű ~ volt the day was baking/scorching hot; ~ forrás hot/thermal spring/waters; ~ front [időjárási] warm front; ~ fürdő warm/hot bath; ~ ruha warm clothes (pl): ~ szoba a warm/hot room; ~ talaj early soil; ~ víz hot water 2. [érzés, üdvözlet] ardent, cordial, warm, hearty; ~ érzés warm/cordial/affectionate/hearty feelings; ~ fogadtatás warm/cordial reception/welcome; ~ hangú friendly, cordial; ~ otthon cosy/smug home; ~ szín soft colour; ~ szív warm heart, warmth of affection; ~ üdvözlet cordial/hearty greeting II. n, 1. (konkr) heat warm weather; a nagy ~ the great heat; a nap ~e the heat of the sun; a nagy ~ idején during the hot season 2. ~e van be/feel warm; ~em van I am hot/warm; nem bírom a ~et I cannot stand heat; vm ~et eszik eat warm food, have a hot meal 3. (átv) azon ~ében straight away, immediately, instantly, forthwith, on the spot, there and then, then and there, [elmondta] he served it up piping hot; szívem egész ~ével most/right heartily, with all my heart, from the bottom of my heart
melegágy n, 1. (konkr) forcing-bed, forcing frame, hotbed, [mélyített] forcing pit; ~ban nevelés forcing 2. (átv) a korrupció ~a hotbed of corruption; a reakció az antiszemitizmus ~a reaction is the bed-mate of anti-semitism
melegágyi [-ak, -t] a, of hotbed (ut), hothouse-; ~ növény hothouse plant
melegágytábla n, (mezőg) panel
melegálló a, thermostable, heat-proof
meleged|ik [-tem, -ett, -jen, -jék] vi, warm, get/become warm/hot, heat, [napon] bask (in the sun), [fürdő-víz] be getting warm, [motor, csapágy] run hot, be (over)heating
melegedő [-t, -je] I. a, warming, heating, [napon] basking II. n, [jégpályán] warming room, [jótékonysági] heated public rest room
melegegység n, calorie, calory, caloric/thermal unit
melegen adv, 1. (konkr) warmly; ~ marad keep hot; ~ öltözik dress/clothe warmly, wear warm clothes, keep oneself warm, be warmly clad; ~ tálal serve up hot; ~ tart keep sg warm 2. (átv) warmly, cordially; ~ ajánl (re)commend warmly/cordially/confidently (v. with all one's heart); ~ fogad give sy a hearty/warm welcome/reception, bid welcome; ~ üdvözöl greet sy warmly; ~ üdvözlöm [levélben] kind regards (to your family from . . .) 3. (műsz) ~ hengerel hot-roll; ~ sajtol hot-press
melegérzet n, sensation of heat
melegháború n, hot/shooting/warm war
melegház n, green/hot/glass/forcing-house, conservatory, greenery
melegházi a, hothouse; ~ főzelék/zöldség forced vegetables; ~ növény hothouse plant, stove plants (GB); ~ termés forcing crop
meleghengerlés n, hot rolling
melegít [-eni, -ett, -sen] vt, 1. (ált) warm, heat 2. [ételt újból] warm up; ~ett étel warmed-up dish/food
melegítés n, warming, heating, calefaction
melegítő [-t, -je] I. a, warming, heating; ~ készülék [ételhez] chafing-dish, dish warmer, [ágyba villany] electric (warming-)pad II. n, 1. warmer, [ágyban] hot-water bottle, bed-warmer, warming-pan,

[villany] electric **(warming-)pad,** *[ételé]* chafing-
-dish, *[villany]* electric dish-warmer, *[teáskannáé]*
tea-cosy/cozy **2.** *[atlétáé]* sweat-shirt/suit, training-
-suit, sports tops and trousers *(pl)*
melegkonyha *n, (kb)* kitchen for preparing hot dishes/
food
melegpadló *n,* warm flooring
melegrepedés *n, [fában, földben]* heat-death
melegség *n,* **1.** *[meleg]* warmth **2.** *(átv)* fervour, ar-
dour, *[fogadtatásé]* heartiness, cordiality
melegsz|ik [.. gedni, .. gedtem, .. gedett, .. gedjen,
.. gedjék] *vi,* = **melegedik**
melegszívű *a,* warm-hearted
melegtároló *n,* heat accumulator
melegtartó *a,* that keeps/preserves the heat/warmth
(ut), thermostable
melegtörékeny *a, [vas]* hot-short
melegvérű *a,* warm-blooded, *(tud)* haematothermal
melegvérűek *n. pl, (áll)* haematotherma
melegveszteség *n,* loss/escape of heat
melegvezető *a,* heat-conveying/conducting/conductor
melegvizes *a,* ~ *palack [ágymelegítésre]* hot-water
bottle
melegvíz-forrás *n,* hot/thermal spring
melegvíz-fűtés *n,* hot-water heating
melegvíz-radiátor *n,* hot-water radiator
melegvíz-szolgáltatás *n,* hot-water supply
melegvíz-tartály *n,* boiler
melegvíz-tároló *n,* hot-water container
melegvíz-vezeték *n,* hot-water conduct/system
melence [.. ét] *n, (táj)* basin
melenget *vt,* **1.** *(konkr)* (keep) warm, warm up **2.**
(átv) foment; *kígyót* ~ *keblén* cherish a viper *(v.*
nourish a snake) in one's bosom
Melinda [.. át] *prop,* Melinda
melizma [.. át] *n, (zene)* melism, melismata
mell [-et, -e] *n,* **1.** *(ált)* chest, breast, bosom; ~*ben bő*
[ruha] too wide/full round the chest; ~*ig érő* breast-
-deep/high; ~*ig érő szakálla van* his beard falls on
his chest, his beard is/reaches to his chest, his beard
is breast long; ~*re szív [füstöt]* inhale deeply (smoke),
(átv) take to heart, take (sg) too seriously; *nem kell*
~*re szívni !* (biz) keep your chin up !, take it easy !, do
not make a song about it; ~*ére húzódik* it is attacking
(v. spreading to) his chest; ~*ét veri* be tapping one's
breast, *[henceg]* throw a chest, brag, *[bűnbánóan]*
cry peccavi, have a fit of (maudlin) repentance; *kitárt*
~*el* with bare(d) breast **2.** *[csak nőí]* bust;
a ~*ét el kellett távolítani [rákműtétben]* she had to
have mammectomy
mellállvány *n, (fényk)* breast tripod
mellbaj *n,* chest trouble/complaint, (pulmonary) con-
sumption, pectoral disease
mellbajos **I.** *a,* consumptive, tubercular, phthisical
II. *n,* chest-patient, *(kif)* his/her lungs are affected/
weak, he/she has trouble with his/her lungs
mellbetegség *n,* = **mellbaj**
mellbimbó *n,* nipple, pap, teat, tit, *(tud)* mamilla
mellbőség *n,* chest measurement, *[nőnél]* bust measure-
(ment); ~*e 95 cm* chest measurement 37 inches
mellcsokor *n,* frill, ruffle, jabot
mellcsont *n,* **1.** breast-bone, *(tud)* sternum; ~ *alatti*
substernal; ~ *felső része* episternum **2.** *[madáré]*
carina, *[csirkéé jósláskor]* merrythought, wish(ing)-
-bone
mellcsonti [-ak, -t] *a,* sternal, pertaining to the ster-
num *(ut)*
melldísz *n, (vall)* pectoral breast-plate (of Jewish high
priest), *(rég)* pectoral ornament
melldöngetés *n,* chest-pounding/thumping, bragging,
boastfulness
mellé *post,* **1.** to, next to, beside, by, close to,

at one's side, quite near; *vk* ~ *ad (vkt)* give sy to sy
as an assistant, assign (sy) as an assistant; *vk* ~ *áll*
(konkr) stand next to sy, *(átv)* side with sy, take sy's
side/part, take the side of sy, stand by sy, stand up for
sy, back sy, range oneself with sy; *az ellenség mellé*
állt he has ranged himself on the side of the enemy
2. *[még]* into the bargain, further(more), in addition,
to boot, besides, moreover, too
mellébeszél *vi, [a kérdésnek]* miss the point in one's
answer, talk beside the point, *[szándékosan]* evade/
shirk/blur the issue, prevaricate, circumlocutionize
mellébeszélés *n, [szándékos]* evasion (of a question),
circumlocution, equivocation, prevarication
melledző [-t, -je] *n,* bodice, *[lószerszámon]* breast-
-strap, breastplate, *[szügyhám]* breast harness
melléfog *vi,* **1.** miss, *[hangszeren]* strike a false note
2. *(átv)* be wide off the mark, draw a blank, (make a)
blunder, drop a brick, put up a black *(fam)*
melléfogás *n,* howler, boner, blunder, boomer, slip
melléhelyez *vt,* place/set beside, juxtapose
melléhelyezés *n,* juxtaposition
mellehúsa [.. át] *n, [csirkéé]* breast of chicken
melléje [mellém, melléd] *adv. pron/dem,* = **mellé 1.;**
ülj (ide) mellém be seated by/at my side, come and
sit by my side *(v.* beside me); *ld még* **mellé**
mellék [-et, -e] **I.** *a,* accessory, ancillary, auxiliary,
complementary, secondary, subsidiary, supplemen-
tary, additional, subordinate, by-, side-, collateral,
extra **II.** *n,* **1.** environs *(pl),* surroundings *(pl),*
region, district, area; *a Duna* ~*e* the Danube region
2. *[telefon]* extension; *15-ös* ~ extension 15
mellékág *n,* **1.** *(ált)* branch (of river/tree/family),
[fáé] bough **2.** *[családé]* collateral
mellékági *a,* subancestral
mellékajtó *n,* side door, back-door, by-door
mellékalak *n,* **1.** *(ált)* subordinate person/character
2. *[képen]* accessory (figure), **3.** *(szính)* figure/
character of minor importance, extra
mellékállomás *n,* **1.** *[telefon]* extension; *kérem a 105-ös*
~*t* please give me extension one-o-five **2.** *[rádió]*
secondary station
mellékapszis *n, (épít)* side-apse
mellékáram *n, (vill)* secondary/side current
mellékáramkör *n,* shunt, secondary/branch/side cir-
cuit, branch-current
mellékáramkörű [-t] *a,* ~ *dinamó* shunt dynamo; ~
tekercs shunt coil
mellékárok *n,* side ditch
mellékasztal *n,* side-table
mellékbeavatkozó *n, [perben]* secondary intervener,
co-intervener
mellékbejárat *n,* side-entrance/entry
mellékbiztosíték *n,* additional/collateral security
mellékbolygó *n,* satellite, secondary (planet)
mellékbonyodalom *n,* by-plot, underpart, side-con-
flict/show, underplot, incident
mellékbüntetés *n,* secondary/supplementary punish-
ment
mellékcél *n,* **1.** *(kat)* auxiliary target **2.** *[rejtett, átv]*
by(e) motive/end, hidden/ulterior motive
mellékcsatorna *n,* bypass, lateral channel/drain,
branch-pipe/canal
mellékcselekmény *n,* by-plot, side-show/conflict, under-
part, underplot, incident
mellékcső *n,* branch/service-pipe
mellékdelta *n,* subsidiary delta
mellékdíj *n,* additional fee, perquisites *(pl),* supple-
mentary charges *(pl),* extras *(pl),* incidentals *(pl)*
mellékel [-t, -jen] *vt, [levélhez]* enclose (with), *[nyom-
tatványhoz]* insert, *[újsághoz]* fold in, *[vmt vmhez]*
add, annex, append (to), attach (to), join; *okmányo-
kat* ~ *egy jelentéshez* join documents to a report

mellékelt [-et; adv -en] a, enclosed, subjoined, herewith/hereto annexed; ~ ábra illustration, annexed diagram; ~ levél enclosed letter, the letter enclosed, [kísérő] covering letter; ~ számla szerint (ker) according to the invoice enclosed; ~ táblázat appended table

mellékelten adv, (hereto) annexed, enclosed (herewith), subjoined herewith; ~ küldök Önnek . . . (ker) I am sending you herewith . . .; ~ küldöm a számlát please find receipt attached; ~ tisztelettel megküldöm enclosed/herewith please find

mellékeive adv, = mellékelten

mellékepület n, outhouse, outbuilding, annex(e), subsidiary/auxiliary building, [szállodáé] dependence

mellékér n, (orv) collateral artery/vein

mellékérdek n, bye interest, subordinate/private/outside interest

mellékeredmény n, side-issue

mellékértelem n, secondary/additional meaning/sense, connotation

mellékes [-ek, -et; adv -en] I. a, subsidiary, subordinate, secondary, accidental, accessory, incidental, minor, of minor importance (ut), immaterial, non--essential; ~ dolog matter/item of secondary importance; ez ~ that does not matter (at all), it's of no importance/consequence; fizetés ~ salary no object II. n, (biz) extra earnings (pl), extras (pl) ; ld még mellékjövedelem

mellékesemény n, episode, (by-)incident, [drámáé] by-plot

mellékesen adv, besides, in addition, by the way; ~ említem (be it said) by the way (v. in passing), by the by, incidentally, this by way of digression; ~ megjegyzendő be it said incidentally; csak úgy ~ casually; ~ is keres he makes some money on the side, he makes money by/with extras (US)

mellékesség n, [eseményé] immateriality

mellékétel n, side-dish, extra dish

mellékfilm n, featurette

mellékfogás n, side-dish, extra dish

mellékfoglalkozás n, subsidiary occupation, side line, spare-time work/occupation, secondary occupation, by-work, supplementary occupation, avocation, part-time job (fam) ; ~a van he has a second/double job, he is a moonlighter (US)

mellékfolyó n, tributary, affluent, influent, confluent, subsidiary stream, feeder; jobboldali ~ right-side affluent

mellékfonal n, (tex) warp-thread

mellékgondolat n, (elit) mental reservation, dissembled/ lurking thought, ulterior motive, back-door intent

mellékgyökér n, (növ) branch root, secondary/diminutive root

mellékgyökér-rendszer n, fibrous root-system

mellékhajó n, (épít) side-aisle (of church)

mellékhajtás n, (átv) offshoot, side-issue

mellékhangsúly n, secondary accent/stress

mellékhaszon n, incidental gain/profit, (elit) pickings (pl)

mellékhatás n, by effect

mellékhelyiség n, 1. (ált) offices (pl) 2. [illemhely] convenience, lavatory

mellékhere n, (bonct) epididymis

mellékhere-gyulladás n, (orv) epididymitis

mellékhold n, paraselene, mock-moon

melléki [-ek, -t, adv -en] a, of/from the district of (ut) ; Balaton ~ bor wine of the Balaton district

mellékilleték n, fees (of office), extra-charges, perquisites, extraordinary charges, "extras", accessory/ incidental charges (mind pl)

mellékipar n, secondary industry

mellékíz n, by-flavour/taste, faint taste of, tang, smack, after-taste, touch, tinge, suspicion; vmlyen ~e van savour/smack of sg

mellékjel n, (nyelvt) diacritical sign

mellékjelenség n, by effect

mellékjövedelem n, additional/supplementary income, extra earnings (pl), perquisites (pl), fees (in addition to regular salary) (pl), emoluments (pl), side money (US), [nem tisztességes] pickings (pl) ; mellékjövedelme van earn on the side, he has some extras (pl) (US)

mellékkápolna n, chantry, side-chapel

mellékkapu n, side-door, private entrance

mellékkérdés n, subordinate/side-question, question of minor interest/importance, by-issue, off-issue

mellékkereset n, = mellékjövedelem

mellékkiadások n. pl, incidental expenses, incidentals, extras, contingencies, additional charges

mellékkijárat n, side-passage/exit/door/entrance

mellékköltség n, = mellékkiadások

mellékkör n, (menny) epicycle

mellékkörülmény n, collateral/incidental fact, accessory circumstance/incident; a történelem ~ei the asides of history

mellékkötelezettség n, collateral obligation

mellékkőzet n, (geol) associated/counter-rock, country rock, host rock

melléklap n, [könyvtártan] added entry

melléklépcső n, backstair(s), service stairs (pl), service staircase

melléklet n, 1. (ált) [könyvhöz, jelentéshez] supplement, appendix, [levélhez] enclosure, [számlához] rider; ~ként csatol annex/append as enclosure 2. [újsághoz] supplement; félévenkénti~ek semi-annual supplements 3. [könyvben] inset, (inset) plate 4. (rég) [ásatáskor sírban talált] (grave) furniture

melléklevél n, (növ) stipule, interleaf

mellékleveles a, (növ) stipulate, stipellate, stipulaceous

melléklevélke n, (növ) stipella, stipel

mellékmondat n, subordinate/dependent clause

mellékmondatbeli a, in/of the subordinate clause (ut)

mellékmondati [-ak, -t] a, = mellékmondatbeli

mellékmunka n, by-work, work done in spare hours, side-line, extra work, work out of office hours, subsidiary work

melléknap n, mock-sun, sun-dog, (csill) parhelion

melléknév n, 1. (nyelvt) adjective; felsőfokú ~ adjective in the superlative 2. (vké) nickname, by-name, surname; melléknevet ad (vknek) surname (sy)

melléknévi [-ek, -t] a, adjectival; ~ igenév participle; ~ jelző adjectival attribute, qualifying/qualificative adjective

mellékoltár n, side/by-altar

mellékoszlop n, adjoining pillar

mellékörökös n, coheir

mellékösvény n, by-lane/walk/path

mellékpajzsmirigy n, (bonct) parathyroid; ~ hormon parathormone

mellékpajzsmirigyi a, (bonct) parathyroid(al)

mellékpárta n, (növ) corona, crown, coronet

mellékrész n, accessory part, (nyelvt) secondary member of the sentence

mellékszak n, subsidiary/optional subject, non-compulsory subject

mellékszár n, (növ) lateral stem/axis

mellékszárny n, lateral/side-wing

mellékszemély n, = mellékalak

mellékszempont n, side-issue, secondary consideration

mellékszerep n, subordinate/secondary part/role, by--play, underpart; ~et játszik play a subordinate/ secondary part, play utility, [vk mellett] play second fiddle

mellékszereplő n, 1. (szính) supporting/minor character, sy playing a secondary/subordinate role, extra 2. (átv) sy of little consequence, second fiddler

mellékszerződés n, sub-contract

mellékszín n, [bridzsben] side-suit, outside suit, plain suit; ~ben ászt jelez he shows a side control

mellékszoba n, adjoining room, closet

mellékszolgáltatás n, accessory consideration

mellékszög n, adjacent angle

melléktantárgy n, subsidiary/optional subject, non-compulsory subject, extra (subject), [vizsgán] minor (subject)

melléktéma n, 1. side-issue, [irodalmi műben] by-plot 2. [zenében] second subject/theme

melléktengely n, secondary axis

mellékterem n, adjoining hall/room/chamber

melléktermék n, 1. by-product, secondary product 2. (vegyt) derivative 3. [szellemi, tudományos] parergon

mellékút n, by-way/road/path, side-road

mellékutca n, by-street, side street, off/back-street

melléküreg n, accessory cavity

melléküzem n, auxiliary/branch workshop, subsidiary enterprise, ancillary plant, ancillary

mellékvágány n, 1. shunt(-line), side-track/rail, siding; kisegítő ~ (vasút) refuge siding 2. (átv) ~ra terel sidetrack (question); vitát ~ra visz start a hare

mellékvese n, suprarenal capsule/gland, adrenal (gland)

mellékvese-elégtelenség n, (orv) adrenal insufficiency

mellékvesehormon n, (orv) adrenalin

mellékvesekéreg n, adrenal cortex

mellékvesekéreg-elégtelenség n, (orv) adrenocortical insufficiency

mellékvesekéreg-hormon n, adrenal cortical hormone

mellékvesekéreg-serkentő hormon adrenocorticotrophic hormone, adrenotrophin, adrenocorticotrophin, ACTH

mellékvesekéreg-szövet n, (adrenal) cortical tissue

mellékvesekérgi a, (orv) adrenocortical

mellékvese-kiirtás n, epinephrectomy, adrenalectomy

mellékvese-kivonat n, (orv) adrenalin

mellékvese-velő n, adrenal/suprarenal medulla

mellékvese-zavar n, (orv) adrenalism

mellékvezeték n, (vill) secondary line, branch-wire, shunt

mellékvonal n, (vasút) side/by/secondary/branch-line/ railway, feeder, [telefon] extension, [mellékállomást a fővonalhoz kapcsoló] leg

mellékvölgy n, side/lateral valley

mellékzönge n, 1. [felhang] overtone(s) 2. (átv) unpleasant concomitant(s)

mellékzörej n, 1. (film) parasitic noise 2. [rádióban] additional noise, howling, interference, strays (pl), [légköri] static(s), atmospherics (pl) 3. (orv) accessory murmur, secondary/adventitious sound

melléíp vi, miss the step

mellélő vi, mishit

mellény n, 1. [férfi] waistcoat, doublet; nagy a ~e (átv) he is too big for his boots 2. [női] bodice 3. [ujjas] jerkin, jersey, lumber-jack, vest (US), [kötött] cardigan, waistcoat

mellényzseb n, waistcoat/vest-pocket; ezt a ~éből is kifizeti it is a mere nothing/trifle to him

mellérendel vt, 1. [munkatársat] give/appoint/assign sy to sy as an assistant 2. (nyelvt) co-ordinate

mellérendelés n, 1. (ált) co-ordination 2. [csak nyelvt] parataxis 3. [maga a mondat] compound sentence

mellérendelő a, co-ordinative, co-ordinating; ~ kötőszó co-ordinate conjunction; ~ viszony co-ordinate relation

mellérendelt [-et] a, co-ordinate(d), adjunct, assistant; ~ mondatok co-ordinates, co-ordinate clauses

melles [-ek, -t; adv -en] a, 1. [nő] broad/large/deep-bosomed, bosomy 2. [kötény] having/with a bib (út)

mellesed|ik [-tem, -ett, -jen, -jék] vi, become broad-bosomed, the breasts develop

mellesleg adv, 1. [megjegyzés] by the way, incidentally, by-the-by(e), on the margin, besides, in parentheses 2. [mondatban] secondarily, accessorily, subsidiarily

melleszt [-eni, -ett, .. esszen] vt, [szárnyast] pluck

mellétalál vi, miss the target (v. one's aim), strike/ shoot wide of the mark; ~t the shot went wide

mellett post, 1. [vm mellett] by, beside, by the side of, next to, bordering on, adjoining, alongside; a ~ a ház ~ next to that house, beside that house; e~ next to this; elmegy vk ~ pass by, by-pass, go past sy; a fal ~ near to the wall; vk ~ lakik live next door to sy; közvetlenül vm~ close by, close to sg; szobája az enyém ~ van her room is next to mine; egymás ~ side by side 2. vk ~ áll (átv) back (up) sy, stand by (v. up for) sy, side with sy, join forces with sy, throw one's lot in with sy; vk ~ dönt decide in favour of sy; hitet tesz vk ~ declare oneself for (v. in favour of) sy, argue in favour of sy; ilyen feltételek ~ under these conditions/circumstances, this being so, on this understanding, on these terms, with the condition that, subject to (sg being done); elad vmt kedvező feltételek ~ sell sg on favourable terms, sell sg under favourable conditions; a mai viszonyok ~ under (the) existing circumstances, as matters stand, nowadays 3. [vmn felül átv] over and above; hivatala ~ mást is csinál undertake some work in addition to one's office, besides being engaged in his office; he does other work too (v. as well); ld még mellette

mellette [-m, -ed] adv. pron/dem, 1. (konkr) by/near/ beside him/it, by his/its side, close/next to him/it; ~m at my side 2. [szavazáskor] in favour; ~ van (átv) be/speak for sy/sg, [pártját fogja] second sy, take up sy's cause, take up the cudgels for sy (v. in sy's cause) (fam), [segíti] help, assist, succour sy; alapos ok szól ~ hogy have reasonable ground for believing that ..; minden ~ szól have everything in his/its favour, have all/everything on his side, (átv is) stand/stay by; ~ és ellene pro and contra, pro and con. (fam)

melletti [-ek, -t] a, adjacent, contiguous, adjoining, neighbouring, bordering on; a Majna ~ Frankfurt Frankfort-on-the-Main; tenger ~ vidék sea-coast district, country bordering on the sea, coastal area/ district

melléüt vi, 1. mishit, hit in the wrong place 2. (zene·és átv) hit the wrong note

mellfájás n, pain in the chest, chest complaint

mellfodor n, frill, ruffle, jabot

mellfúrdancs n, breast drill/borer/brace, hand-brace·

mellfúró n, = mellfúrdancs

mellgerenda n, breast-beam

mellhang n, (zene) chest-note, chest sound

mellhártya n, (costal) pleura; ~ közötti interpleural

mellhártyafájdalom n, pleurodynia, pleuralgia

mellhártyagyulladás n, (orv) pleurisy, pleuritis; féloldali ~ single pleurisy; izzadmányos ~ effusive/ wet pleurisy; lenővéses ~ adhesive pleurisy; kétoldali ~ double pleurisy

mellhártyagyulladásos a, (orv) pleuritic

mellhártyaizzadmány n, (orv) pleural effusion; ~ lecsapolása/punkciója thoracocentesis

mellhártyalob n, = mellhártyagyulladás

mellhártyavizenyő n, pectoral water, pleural exudate

mellhenger n, [szövőszéken[breast beam

mellhús n, = mellehúsa

mellizom n, thoracic/pectoral muscle; ~ alatti subpec-toral

mellkas *n*, chest, *(tud)* thorax, *[bordarendszer]* rib cage; ~*át kidomborítja* throw out one's chest

mellkascsapolás *n*, *(orv)* thoracocentesis

mellkasgyulladás *n*, *[lóé]* chest-founder

mellkasi [-ak, -t] *a*, thoracic, of the chest *(ut)*; ~ *főveróér* thoracic aorta

mellkaskitérés *n*, chest expansion, expansion of the chest

mellkaskitérésmérő *n*, stathograph

mellkasrezgés *n*, pectoral (vocal) fremitus

mellkastükrözés *n*, *(orv)* thoracoscopy

mellkasú [-ak, -t] *a*, *(összet)* chested; *domború* ~ deep-chested; *széles* ~ full/broad-chested

mellkasüreg *n*, chest/thoracic cavity, cavity of the chest

mellkendő *n*, kerchief, neckerchief, small shawl, fichu, dress-scarf, stomacher

mellkép *n*, half-length portrait

mellkereszt *n*, (bishop's) pectoral cross

mellmagasság *n*, chest height; ~*ban* at chest height, about four feet from the ground; ~*ig* up to one's chest; *a víz* ~*ig ér* the water comes to his chest

mellmérték *n*, bust/breast measurement

mellmikrofon *n*, breast-plate microphone

mellmirigy *n*, *[emlőmirigy]* mammary gland(s), *[csecsemőmirigy]* thymus

mellől *post*, from beside, from the side of, from sy's side; *felkel az asztal* ~ leave the table; *íróasztala* ~ *szólította el a halál* death called him forth *(v.* summoned him) from his writing desk; *ld még* mellőle

mellőle [-m, -d] *adv. pron/dem*, from his side, from beside him/her

mellőz [-tem, -ött, -zön] *vt*, 1. *(vmt)* disregard, waive, put/set by/aside, shelve, put on the shelf, put on one side 2. *[cselekvést]* omit, neglect (to do sg), leave (sg) undone, put (sg) off, ship (sg) 3. *(vkt)* slight, ignore, neglect, give sy the cold shoulder *(v.* the go-by) *(fam)*, *[ellenvetést, kifogást]* pass by, take no notice of, disregard, ignore, *[sértően keresztülnéz vkn]* cut sy (dead), *[előléptetésnél]* by-pass sy in the course of promotions, pass sy over 4. *[hallgatással]* pass over in silence, make no mention of *(v.* allusion to)

mellőzés *n*, 1. *(vmé)* disregard, setting/putting aside/off, waiving 2. *[cselekvésé]* omission, neglect, *[beszédben, jelentésben]* preterition, pretermission 3. *(vké)* slighting, disregard, neglect, cold-shoulder-(ing) *(fam)*; ~ *érte* he suffered a slight

mellőzhetetlen *a*, that cannot *(v.* should not) be omitted *(ut)*, indispensable, absolutely necessary, required

mellőzhető *a*, omissible, negligible, dispensable, not requisite/essential, non-essential, of no/minor importance *(ut)*

mellőzött [-et; *adv* -en] *a*, 1. *(vm)* disregarded, set/put aside *(ut)* 2. *[cselekvés]* omitted, neglected 3. *[személy]* slighted, ignored, by-passed, unnoticed; ~ *gyermek [végrendeletben]* pretermitted child 4. *[kérdés]* passed over *(ut)*

mellőzöttség *n*, preterition, state of being ignored/neglected/slighted *(v.* by-passed)

mellőztetés *n*, being kept in *(v.* relegated to) the background

mellpáncél *n*, breast-plate, cuirasse

mellpasztilla *n*, cough-lozenge/drop/pastille/pastil

mellporc *n*, ensiform/sternal cartilage

mellrák *n*, *(orv)* mammary cancer

mellrész *n*, 1. *[női ruháé]* bodice, *[férfiruháé]* front, breast, *[kötényé]* bib 2. *[húsé]* breast, *[marháé]* brisket

mellrevaló [-t, -ja] *n*, *[ingplasztron]* shirt-front, dicky *(fam)*, *[női]* chemisette, (woman's) front, tucker, jabot, stomacher *(obs)*

mellső [-t] *a*, anterior, front-, fore-, pectoral, brachial; ~ *lábak* fore-feet, forelegs; ~ *rész* front (part), fore--part

mellszalag *n*, *[kitüntetésé]* medal ribbon

mellszívó *n*, breast-pump/glass/exhauster

mellszobor *n*, bust

mellszorulás *n*, angina pectoris, oppression/tightness of the chest, breast-pang *(fam)*

melltartó *n*, bra(s), brassière *(fr)*, bust-bodice/support-(er), uplift *(US fam)*; *drótos* ~ wired bra

melltartókosár *n*, cup

melltartós [-at; *adv* -an] *a*, ~ *kombiné* bra-slip

melltű *n*, breast-pin, brooch, bosom pin, *(rég)* fibula

mellúszás *n*, breast-stroke (swimming), breast-swimming

mellúszó *n*, breast-stroke swimmer

melluszony *n*, pectoral/breast-fin

mellúszó-tempó *n*, breast-stroke

mellű [-ek, -t; *adv* -en] *a*, -breasted, -chested, *[csak nő]* -bosomed; *horpadt* ~ hollow-chested; *nagy* ~ *[nő]* big/full breasted, big-bosomed/chested, bosomy, *[hencegő]* bumptious, forward

mellüreg *n*, = mellkasüreg

mellüregi [-ek, -t] *a*, ~ *gennygyülem (orv)* empyema

mellvarrás *n*, bust seam

mellvéd [-et, -je] *n*, 1. *[erődön]* breastwork, parapet, balustrade 2. *[korlát]* banister, hand-rail, railing

mellvédbáb *n*, *(épít)* baluster

mellvédfal *n*, 1. *(kat)* parapet wall 2. *(épít)* breast/dwarf-wall

mellvédkorlát *n*, *(hajó)* breast-rail

mellvédő *n*, 1. *(sp)* pad 2. *(kat)* breast-plate

mellvért *n*, 1. breast-plate (of cuirass),*(tört)* *[lándzsáé]* plastron 2. *(műsz)* palette

mellvízkór *n*, *(orv)* hydrothorax

melő [-t, -ja] *n*, □ (physical) work *(stand)*

melódia [... át] *n*, melody, tune

melodiárium [-ot, -a] *n*, *(zene)* melodiary

melodika [... át] *n*, *(zene)* melodics

melodikus *a*, melodic, melodious, tuneful; ~ *moll hangsor/skála* melodic minor scale

melodráma *n*, melodrama, *[giccses]* transpontine drama *(GB)*

melodrámai *a*, melodramatic

melodrámaíró *n*, melodramatist

melós [-ok, -t] *n*, □ physical/heavy worker *(stand.)*, hand

melózás *n*, □ drudgery *(fam)*, grind *(fam)*, work *(stand.)*

melózik [-tam, -ott, -zon, -zék] *vi*, □ work *(stand.)*, drudge *(fam)*, grind *(fam)*; *ahol* ~*om* where I do my stint

méltán *adv*, deservedly, worthily, (be)fittingly, justly, rightly, as was only fair/just, in a fitting manner; ~ *hihetik hogy* they may be excused for thinking that...; ~ *mondhatja hogy...* be entitled to say that...

méltánylás *n*, appreciation, estimation, recognition, acknowledgment, appraisement

méltányol [-t, -jon] *vt*, appreciate, recognize, express appreciation of/for, estimate, hold in estimation, hold in adequate recognition, *[eseményt, körülményt]* be aware of; *kellően nem* ~*t* insufficiently appreciated

méltányos [-at; *adv* -an] *a*, fair (and square), equitable, just, (up)right, reasonable, *[személy]* impartial, fair-minded, even-handed; ~ *alku (ker)* even bargain; ~ *ár* reasonable price; ~ *elosztás* equitable distribution; ~ *feltételeket szab* make reasonable/fair conditions; ~ *jutalom/ellenszolgáltatás* adequate/just reward; ~*nak tart* consider fair/equitable; ~*nak tartom* I find it only fair; *hogy* ~*ak legyünk vele szemben* in all fairness to him, to do him justice méltányosság n, equity, fairness, impartiality, reasonableness

méltánytalan a, unfair, inequitable, iniquitous, *[igazságtalan]* unjust, unrighteous; ~ *követelés (ker)* unreasonable/unjust demand/claim

méltánytalanság n, unfairness, inequity, injustice, *[cselekedet]* iniquitous/unfair action; *súlyos* ~ gross injustice, iniquity; ~ *érte* he has been slighted

méltat vt, appreciate, write an appreciation of, express appreciation of/for, speak highly *(v.* in praise) of, eulogize, praise, *[csak irodalmi művet]* analyse, review; *vkt vmre* ~ deem a person worthy of, honour/favour sy with; *levelét válaszra sem ~ja* he did not deign him an answer/reply; *legalább válaszra ~hatta volna* he might at least have vouchsafed an answer; *arra sem ~ta hogy megemlítse* he did not condescend/deign to mention him

méltatás n, appreciation, appraisement, valuation, estimation, praise, *[irodalmi mű é]* analysis, review, *[rövid]* profile; *~t ír egy új regényről* give/write an appreciation of a new novel

méltatlan I. a, 1. *(vmre)* unworthy, indign (of), undeserving (of) 2. *[igaztalan]* unmerited, undeserved, unjust, *[cselekedet]* unfair, shameful II. n, *~ra pazarolja szerelmét* throw oneself away on sy

méltatlankodás n, indignation

méltatlankod|ik *[-tam, -ott, -jon, -jék]* vi, be indignant, express *(v.* burst out/forth into) indignation

méltatlanság n, unworthiness, indignity, *[tett]* wrong

méltatlanul adv, *~ bánik vkvel* treat sy unfairly, do wrong to sy; ~ *bűnhődik* be punished *(v.* suffer) undeservedly

méltó *[-t; adv -an]* a, 1. *(vmre)* worthy (of), deserving (of), fit to, *[feladatra]* equal to; *nem ~ vmre* unworthy of sg; *ez nem ~ hozzád* this is beneath you, this is unworthy of you; *nem ~ arra hogy a saruját megoldja* he is not fit to black her boots, she is not fit to hold a candle to him; *ez a viselkedés nem ~ önhöz* this conduct is not worthy of you, it ill becomes you to behave in this manner 2. *(vkhez)* worthy of sy, like him/her; *úgy érzi hogy nem ~ a feleségéhez* he feels unable to live up to his wife; *ez ~ hozzá (iron)* that's just like him 3. ~ *büntetés* fit/condign/deserved/just punishment; *elérte a ~ büntetés* he has only got his deserts; ~ *ellenfél* worthy adversary; ~ *ellenfélre talál* find one's match/equal; ~ *folytatása azoknak az eseményeknek* worthy continuation of those events; ~ *követőkre talált* he found fit followers, he found continuers worthy of him; ~ *jutalom* deserved/due/fair/adequate reward; *szolgálataínak a ~ jutalma* due reward of his services; ~ *a munkás az ő bérére* the labourer is worthy of his hire

méltóan adv, = méltóképpen; *hozzá* ~ like himself/herself

méltóképpen adv, becomingly, worthily, deservedly, suitably, decorously, befittingly

méltón adv, = méltóképpen

méltóság n, 1. *[fogalom, állás]* dignity, honour; *emberi* ~ human dignity; *~án alulinak tart vmt* think it beneath one to...., deem sg beneath one's dignity, scorn to do sg, it does not go *(v.* fit in) with one's dignity to..., it would be infra dig for him to... *(fam)*; *~án alulinak tartja hogy válaszoljon* it would be below him to answer; *vk ~án ejtett/esett csorba/sérelem* an insult to one's honour; *~gal* with decorum/dignity 2. *[személy]* dignitary; *országos* ~ *(tört kb)* high dignitary of the land; *~ra emelés* exaltation to a dignity 3. *[megszólítás] ~od, ~tok* Your Honour/Worship

méltóságol *[-t, -jon]* vt, style sy "méltóságos" (i.e. Your Honour/Worship)

méltóságos *[-at; adv -an]* a, 1. *[méltóságteljes]* dignified, stately, lordly, majestic 2. *[elavult cím]* (Right) Honourable, worshipful; ~ *asszonyom [megszólításként] (kb)* milady, your ladyship; ~ *uram [megszólításként] (kb)* milord, your lordship

méltóságteljes a, dignified, stately, lordly, majestic, portly

méltóságteljesen adv, with dignity/decorum, majestically

méltóztat|ik *[-tam, -ott, ..asson, ...assék]* vi, deign to, be pleased to, vouchsafe to; *ahogy kifejezni ~ta* as she pleased to express it; *méltóztassék helyet foglalni* kindly sit down *(v.* take a seat), be so kind as to sit down, pray be seated; *méltóztassék idefigyelni* do me the compliment of listening

mely *[-et]* I. a/n. rel, which, that; *~ek* which (ones); *a könyv* ~ the book which II. a/n. inter, = melyik

mély *[-et, -e; adv -en]* I. a, 1. *(konkr.)* deep, low, hollow; *6 méter* ~ *kút* well six meters deep, a nineteen feet deep well; ~ *szakadék* deep abyss; ~ *út* hollow/sunken road; ~ *ülés [autóban]* well seat; ~ *víz* deep water, *[folyóban]* deep-hole, pool (in river), *[kikötői]* deep-water, *[uszodai felirat]* for swimmers only; ~ *völgy* low valley 2. *(átv)* deep, profound; ~ *ájulás* syncope, deep faint/swoon; ~ *álom* deep/sound/profound/dead sleep; ~ *csend* dead/blank/unbroken silence; ~ *elme* profound intellect; ~ *értelmű* deep, profound; ~ *érzésű* of strong/deep feeling *(ut)* ; ~ *gyász* deep mourning; ~ *hang (zene)* low note, *[beszédhang]* low/deep voice, *[férfi énekhang]* bass, basso-profondo, *[női énekhang]* (contr)alto, *(nyelvt)* postpalatal, velar, back vowel; ~ *hangja van* have a deep voice, have a basso-profondo; ~ *zengésű hang* bass-voice, baritone (voice), basso-profondo, (contr)alto (voice), deep-toned/sounding voice; ~ *hangú* low/deep voiced, deep sounding, with a deep/hollow sound, of a deep voice/tone *(ut)*, *[énekes]* having a basso/(contr)alto voice, *(nyelvt)* velar(-guttural), back (consonant); ~ *sóhajtás* deep/heavy sigh; ~ *tisztelet* profound esteem/respect; ~ *titok* profound/dark/deep secret; *~re lát* have a thorough/profound insight; *~re süllyed* bed itself deep, sink/go deep, *(átv)* fall low; *~et lélegzik* draw a deep breath II. n, the deep, depth, profoundness, *[helyiségé]* back; *az erdő ~e* depths/heart of the forest/wood; *a ~ben* in the depths; *lelke ~éből* from the depths of one's heart, from the very bottom of one's heart; *lelke ~én* in one's heart of hearts, at the bottom of one's heart; *vmnek a ~ére hatol* get to the core/bottom of sg, plumb, go to the root of sg *(v.* to the matter), get to bed-rock *(fam)* ; *~re jár vmnek* go thoroughly/deeply into sg; *nézzünk a dolgok ~ére* let us look into the matter thoroughly

mélyakna n, *(bány)* pump-shaft

mélyásó n, dipper dredge/shovel

mélybasszus n, *(zene) [hang, énekes]* basso-profondo

mélyebb *[-et; adv -en]* a, deeper, more deep/profound/hollow

mélyed *[-tem, -t, -jen]* vi, 1. *(konkr.)* deepen, get/grow deeper 2. *(átv vmbe)* become absorbed/engrossed/immersed in; *gondolataiba ~ve* immersed/lost in thought, in a brown study *(joc)*

mélyedés n, 1. *[folyamat]* deepening 2. *(vmben)* indentation, cavity, dent, *[földben]* depression, dip, *[falban]* niche, hollow, recess 3. *[ablaké]* embrasure

mélyen adv, deeply, profoundly; ~ *alszik* sleep fast/soundly/heavily, be fast/sound asleep, be in the depth of slumber; ~ *beledöf* stab deep(ly); ~ *bent az erdőben* deep in the wood; ~ *érint vkt* touch sy to the core; ~ *érző* sympathetic, of deep feeling/understanding *(ut)*, who feels very strongly *(ut)* ; ~ *fekvő* deep-seated, low-lying, sunken, buried,

[szem] deep-set, hollow-eyed; ~ a földbe verve driven far into the ground; ~ gyökerező (átv) deep--rooted/seated; ~ lélegzik breathe deep; ~ leszállított árak rock bottom prices; ~ meghajol bow low; ~ sóhajt sigh heavily/deeply; ~ tisztelt közönség Ladies and Gentlemen! ; ~ ülő [szem természettől] deep-set, cavernous, [kortól, szenvedéstől] sunken, hollow (eyes)

mélyenjáró a, = mélyenszántó

mélyenszántó a, profound, deep, penetrating, recondite; ~ fejtegetés profound discourse

mélyépítés n, civil engineering

mélyértelműség n, profundity, profoundness, depth

mélyeszt [-eni, -ett, . . .esszen] vt, 1. (ált) sink, lower 2. (vmt vmbe) drive in(to), [karmát] sink into; kezeit a zsebébe ~i thrust one's hand into one's pocket, dive into one's pocket (fam)

mélyföld n, dale-land, low

mélyföldtan n, (geol) subsurface geology

mélyfúrás n, (bány) deep-boring/drilling, deep bore

mélyfúró n, deep-borer; ~ berendezés drilling rig

mélyhegedű n, viola, alto/tenor violin

mélyhegedűs n, violist

mélyhipnózis n, (orv) narcohypnosis

mélyhűt vt, quick/deep-freeze

mélyhűtés n, deep freeze, quick-freezing

mélyhűtő a, ~ ipar cold-storage trade; ~ üzem cold--storage plant

melyik [-et] I. a. inter, who, which (one); ~ iskolába járt (v. iskolában tanult) ? what school were you at?; ~ a kettő közül which of the two?; ~ másik? which is which?; na most ~ legyen? now which will it be?; ~ tetszik jobban? which (one) do you like best?; which do you prefer?; ~nek to which; ~ről beszél? of which is he speaking?; ~et óhajtja/választja? which one will you have?; ~től? of/from which? II. a. rel, = amelyik

mélyít [-eni, -ett, -sen] vt, 1. (ált) deepen, dig deeper into, sink 2. (műsz) recess

mélyítés n, deepening, sinking

mélyített [-et; adv -en] a, sunk, recessed

mélyítőfúró n, countersink, rose-bit

mélyjárat n, (ships's) draught

mélyjáratú [-ak, -t; adv -an] a, deep-drawing; ~ hajó deep-draught/drawing ship

mélylélektan n, depth psychology,

mélylélektani a, depth-psychological

mélyművelés n, 1. (bány) deep working 2. (mezőg) deep cultivation/tillage

mélynyomás n,(nyomd) photogravure, intaglio printing, [rotációs gépen] rotogravure

mélynyomó a, ~ gép gravure press, [rotációs] rotary photogravure press; ~ fényképész intaglio-photographer; ~ retusőr intaglio retoucher

mélynyomóforma-készítő n, (fényk, nyomd) photogravurist

mélynyomtatás n, (nyomd) intaglio-printing

mélypont n, 1. [folyóé] lowest water level, low tide bottom 2. (átv) nadir; túl vagyunk a ~on the worst is over, we are after the worst, we are rising again; ~ot ér el touch bottom/bedrock

mélyreható a, 1. (ált) profound, [tanulmány] elaborate, deep (study); ~ kutatás extensive/wide research; ~ változás radical/sweeping (v. far-reaching) change; ~ vizsgálat thorough/intensive examination 2. [elme] keen, sharp, of deep insight (ut), penetrating (mind); ~ pillantás keen/searching glance; ~ változás radical/ sweeping (v. far-reaching) changes

mélyrepülés n, low-altitude flying, hedge-hopping (fam), contour chasing (fam)

mélyrepülő-támadás n, low-altitude attack, hedge--hopping attack (fam)

mélység n, 1. (konkr.) depth, deep chasm, abyss, precipice, profound (ref.); ~et mér sound, take soundings, plumb, fathom, heave the lead 2. (átv) profundity, profoundness, depth, deepness 3. [hangé] deepness, lowness

mélységbeli a, (geol) plutonic; ~ víz juvenile water

mélységélesség n, depth of field/focus

mélységes [-et; adv -en] a, 1. (konkr.) very deep, profound 2. (átv) bottomless; ~ hálaérzet a lively sense of gratitude; ~ közöny profound indifference; ~ meggyőződés thorough conviction; ~ tisztelettel tekint fel vkre have the greatest respect for sy, look up to sy with the greatest respect; ~ tudatlanság abysmal/crass ignorance; ~ utálat utter contempt

mélységesen adv, deeply, profoundly; ~ hallgat be/keep absolutely/completely silent, not utter a word; ~ megvet hold sy in supreme contempt; ~ önző selfish to the core

mélységészlelés n, depth perception

mélységi [-t; adv -leg] a, of depth (ut), (geol) abyssal; ~ előhívás (fényk) depth development; ~ kőzet intrusive/plutonic/abyssal rock

mélységiszony n, height fear, fear of height

mélységjelző n, = mélységmérő

mélységmérés n, sounding, (tud) bathometry

mélységmérő I. a, (hajó) ~ fonal sounding/plumb line; hangvisszaverődéses~készülék echo-sounder; ~ ón sounding lead II. 1. n, bathometer, depth gauge, sounder, [ón] sounding lead 2. [hajós] leadsman

mélyszántás n, deep ploughing/tillage; őszi ~ autumn deep ploughing; ~t végez subsoil

mélyszántó eke deep plough, subsoiler

mélytámadás n, = mélyrepülő-támadás

mélytányér n, soup plate

mélytengeri a, deep-sea, (tud) abyssal; ~ állat deep-sea animal; ~ árok (földr) deep-sea-trough; ~ búvárkészülék/búvárgömb bathyscaph(e); ~ hal deep-sea fish; ~ halászat high/deep-sea fishery, great fishery; ~ kábel deep-sea cable; ~ kőzet abyssal rocks; ~ mélységek ocean deeps; ~ mélységmérő szonda deep-sea lead; ~ növény deep-sea plant

mélyút n, defile, gorge, hollow/sunk(en) road, [bevágásban] banked in road

mélyül [-t, -jön] vi, deepen, sink

mélyülés n, deepening, sinking

mélyülő [-t; adv, -en] a, deepening, sinking

mélyütés n, [bokszban] blow under (v. hit below) the belt, foul blow

mélyvésés n, intaglio(-engraving), incised work

mélyvízi a, ~ bomba depth charge; ~ halászat deepf high-sea(s) fishery, great fishery; ld még mélytengeri

membrán [-ok, -t, -ja] n, membrane, [telefoné, gramofoné] diaphragm

membránszivattyú n, (műsz) pulsating pump

memoár [-ok, -t, -ja] n, memoirs (pl)

memoáríró n, memoirist, memorialist

memorandum [-ot, -a] n, memorandum, note

memória [. .át] n, memory; tökéletes memóriája van he has total recall

memóriaegység n, [kibernetikában] memory (unit)

memoriter adv, by heart/rote

memorizál [-t, -jon] vi/vt, memorize, learn/get by heart/rote

mén [-ek, -t, -je] n, stallion, [tenyészetben] stud horse, [szamár, zebra] male, [harci] charger, (battle-)steed

menazséria [. .át] n, menagerie

menázsi [-t, -ja] n, (kat) rations (pl), grub ◈, chow (US ◈)

mendegél [-t, -jen] vi, saunter, stroll, amble (along), ambulate, walk along leisurely, jog along

mendemonda n, hearsay, rumour, (idle) talk, talk of the town, (piece of) gossip, tittle-tattle

menedék [-et, -e] n, 1. [hely] refuge, shelter, cover, (place of) refuge, retreat, asylum; ~et kér ask for asylum; ~et keres (vhol) take sanctuary (in), (vmben) seek salvation in sg; vknek ~et nyújt harbour/shelter sy, take sy in, give shelter to sy, offer harbourage to sy; vknél ~et talál take refuge/shelter with sy 2. (átv) recourse, resort, harbour; futásban keres ~et seek safety in flight, fly for one's life; politikai ~et ad grant/extend political asylum; utolsó ~ként as a last resort

menedékház n, 1. [turistáké] hospice, tourist hostel, rest-house, [kunyhó] shelter hut, [magashegyi] mountain climbers' refuge/hut 2. [szegényeké, hontalanoké] house of refuge

menedékhely n, 1. (átl) place of refuge/retreat, sanctuary, haven, asylum 2. [éjjeli] night-shelter/refuge, flop/doss-house ◈

menedékjog n, right of sanctuary, (pol) right of asylum; politikai ~ot kér seek political asylum, ask for political asylum; politikai ~ot kap be granted political asylum; ~ot élvező személy the person granted asylum

menedéklevél n, safe-conduct, safeguard, safe passage

menedzsel [-t, -jen] vt, 1. (átl) organize, manage 2. [mérkőzést, mulatságot] arrange, get up 3. [vállalkozást] promote

menedzser [-ek, -t, -e] n, manager, (szính) impressario

menekít [-eni, -ett, -sen] vt, (vmt) flee to safeguard sg, stow away in safety, put in place of security

menekül [-t, -jön] vi, 1. (átl) flee, fly, run away, take (to) flight, run for (dear) life, be on the run; ezúttal nem ~sz this time you won't get away; ~jön aki tud every man for himself, save himself who can 2. [vk vm elől v. vhonnan] (make one's) escape from, (vhová) take to, repair to, take/seek shelter/refuge swhere; fa alá ~ take/seek shelter under a tree; külföldre ~ escape to foreign parts, seek refuge abroad; óvóhelyre ~ scuttle for shelter; úszva ~ save oneself by swimming, swim for one's life

menekülés n, flight, fleeing, escape, evasion, running away/off, absconding, [hegyén-hátán] stampede, headlong/panic (v. helter-skelter) flight; eszeveszett~ helter-skelter flight; a ~ minden útja every avenue of escape; ~ét vmnek/vknek köszönheti owe one's safety to sy/sg, have sy to thank for one's safety

menekülő [-t] I. a, fugitive, runaway, fleeing, flying II. n, fugitive, escapee

menekült [-et, -je] n, 1. (átl) runaway, escapee, fugitive 2. [politikai] refugee

menekültügyi [-t] a, az ENSZ ~ főbiztosa United Nations High Commissioner for Refugees

menekvés n, = menekülés; nincs ~ (there is) no escaping it

menés n, going, walk(ing), (kat) marching, [tempó] pace

ménes [-ek, -t, -e] n, stud(-farm), horse-breeding establishment

méneskar [-ok, -t, -a] n, stud-staff

méneskari [-ak, -t] a, ~ tiszt stud-officer

ménesmester n, manager of a stud(-farm), manager of a horse-breeding establishment

ménestörzskönyv n, [telivéreké, ménesé] stud-book

meneszt [-eni, -ett, ...esszen] 1. vt, (vhová) send (off) sy somewhere, (kifutót) send on errands, [sürgönyt] dispatch 2. [szolgálatból] dismiss, send away, fire (fam), sac (fam), give sy his marching orders (fam)

menesztőcsap n, (műsz) driving-bolt

menet I. n, 1. (átl) march, [tömegé] procession; ~ teljes felszereléssel heavy marching; egy napi ~ a day's march; ~ közben on the way, under way, (kat) on the march, (átv) in the course of progress,

in due course,as one goes on/along, ambulando (lat); ~ közben a kocsivezetővel beszélni tilos do not speak to the man at the wheel, speaking to the driver i forbidden en route 2. [lefolyás] course, currents [versé] run, [eseményeké, ügyeké stb.] course, tide, [görbéé] line (of the curve), [tanításé] (general), course (of education), [üzleté] run, course (of business); követi az események ~ét follow the order of events; álljon meg a ~! (biz) stop!, wait a sec!, not so fast! 3. [csavaré] worm, thread (of screw), [csőé] run (of piping), [tekercs] winding, [tolóajtóé stb.] coulisse, [hajtás] drive, [járat] trip, work(ing), motion, action, course, [löket] stroke, throw, travel; ~et vág cut a thread 4. [utazás] journey, trip, voyage, [útirány] route, [hajóirány] head-way, course, way (of ship) 5. [vonulás] march; temetési ~ funeral/burial procession; ~ élén at the head of a column/procession; a ~ végén halad bring/close up the rear 6. [zenében] harmonic procession 7. [bokszban] round, [vívásban] bout, rally, (kárty) round; az első ~ben Papp győz round one to Papp, Papp wins in the first round
II. adv, [vm felé] on the outward journey, going there, on the way there a ház felé ~ (while) going towards the house, on one's way to the house

menetalakulat n, marching/route formation

menetbiztosítás n, (kat) protection on the march

menetdíj n, fare

menetdíjkedvezmény n, reduced fare(s), reduction on tickets

menetel[1] [-t, -jen] vi, march, troop, [egyesével] file; London felé ~ march on London

menetel[2] [-ek, -t, -e] n, course, march, going; a tárgyalás ~e course/progress of negotiations

meneteles [-ek, -t; adv -en] a, 1. [lejtős] sloping on, inclined, declivous, [erősebb] steep, precipitous 2. [csavarmenetes] threaded

menetelés n, march(ing)

menetelesség n, declivity, slope

menetelez [-tem, -ett, -zen] vt, [csavart] cut a thread (into a screw)

menetes [-ek, -t; adv -en] a, 1. (sp) round, of ... rounds (ut) 2. [csavar] threaded

menetfúró n, (műsz) tap drill, screw-tap, hob, [munkás] tapper

menetgyakorlat n, route march, marching-practice/drill/training, [büntetésből menetöltözetben] pack-drill

menetidő n, running-time, time of passage

menetirány n, 1. (átl) direction, course, direction of the march; ~ban ül sit facing the engine, sit looking forward 2. [tekercselésé] sense (of winding)

menetirányító n, (vasút) train dispatcher

menetjegy n, ticket, [autóbuszon] bus-ticket, [vasúton] railway-ticket, [villamoson] tram-ticket, [ára] fare, [hajón] passage; egyszeri útra szóló ~ one-way ticket; rendes (árú) ~ full-fare ticket; ~et vált (hajóra) book one's passage

menetjegyiroda n, travel/tourist agency, ticket bureau

menetjelzés n, route-indicating signal

menet-jövet adv, there and back, going and coming, (hajó) out and home, in and out (fam)

menetképes a, [jármű, gép] in good (working) order (ut), in condition of service (ut), (hajó) seaworthy, (kat) in marching condition (ut)

menetkész a, 1. (átl) ready to start (ut) 2. (kat) ready to march (ut), in marching order (ut)

menetkészültség n, (kat) readiness to march

menetkönnyítések n. pl, (kat) facilities

menetlépés n, (kat) route-step

menetlevél n, way-bill, [kat, kedvezményes] half-fare voucher, travelling warrant, (hajó) sea-pass

menetmagasság n, [csavaré] lead

menetmaró n, thread-cutter, hob.

menetmetsző n, threading die

menetnapló n, (hajó) log-book

menetoszlop n, marching column, column of route, route column

menetöltözet n, (kat) marching order; ~ben in marching order

menetparancs n, marching orders (pl)

menetrend n, 1. time-table, schedule (US); ~ szerint (átv is) according to schedule; ~ szerinti vonat regular train; a vonat ~ szerint éjfélkor érkezik the train is scheduled to arrive at midnight 2. = =menetrendkönyv

menetrendkönyv n, railway guide, train indicator, Bradshaw (fam), the ABC guide (fam), railroad schedule (US)

menetrendszerű a, according to the time-table (ut), scheduled, [idő] (time) stated in the time-table (ut), [vonat] regular (train), [hajó] liner; ~ pontossággal up to schedule

menetrendszerűen adv, ~ közlekedik is running to time, is running on schedule (US)

menetsebesség n, average/travelling speed, (hajó) cruising, speed, rate, pace, (kat) rate of march; közepes ~ medium pace; rendes/szokásos ~ standard speed

menetszám n, (müsz) number of turns

menetszázad n, marching-company, company in marching order, [tartalékos] reserve company ready to leave for the front

menetteljesítmény n, (kat) marching performance/ achievement

menettérti a, ~ jegy return ticket, return (fam), round-trip ticket (US), [ára] return fare; egy hónapig érvényes ~ jegy monthly return ticket

menetű [-ek, -t] a, -paced; (zene) gyors ~ quick in pace (ut); lassú ~ slow in pace (ut)

menetütem n, (kat) rate of marching, marching rate

menetvágás n, (müsz) threading, thread/screw-cutting

menetvágó n, thread/screw-cutter, threader, [munkás] tapper

menetzászlóalj n, battalion-on-the-march

menház n, alms-house, home, asylum, charitable institution; aggok ~a house of refuge for the aged, home for the aged; ld még menedékház

menhely n, 1. = menház; 2. = gyermekmenhely; 3. = menedékház 1.

menhelyi [-ek, -t] a, institutionalized, institutional; ~ gyermek foundling, charity-boy/girl; ~ öregek alms-folk

menhír [-ek, -t, -e] n, (rég) menhir, standing stone

meningokokkusz [-ok, -t, -a] n, (orv) meningo-coccus

meniszkusz [-ok, -t, -a] n, (fiz) meniscus

ménkő n, = mennykő

menlevél n, safe conduct, free pass

ménló n, = mén

mennél adv/conj, the... (annál: the....); ~ több annál jobb the more the better/merrier

menni vi, ld megy

menő [-t; adv -en] a, going, marching, walking; jól ~ üzlet going concern; részletekbe ~ detailed, going into details; százakra ~ tömeg crowd numbering (v. amounting to) (many) hundreds

menőfélben adv, ~ van be about to leave, be on the point/verge of leaving

mensevik [-et] a/n, Menshevik, Menshevist

mensevizmus n, Menshevism

menstruáció [-t, -ja] n, menstruation, menses (pl), menorrhoea, periods (pl), menstrual flow, monthlies (pl) (fam); ~ kimaradása amenorrhea

menstruációs [-ak, -t] a, menstrual; ~ fájdalom menorrhalgia

menstruál [-t, -jon] vi, menstruate, have the menses have friends to stay (fam)

ment¹ [-eni, -ett, -sen] vt, 1. (vmből) save, rescue, snatch (from); vízből ~ rescue sy about to drown; ~l aml menthető save what one can, save the day; ~i az irháját (biz) save one's hide, [futva] run for dear life; Isten ~s! God/heaven forbid! 2. [eljárást] excuse, pardon, justify; ez ~i sok hibáját this is an excuse (v. makes up) for his many faults; ezt nem lehet semmivel sem ~eni it admits of no excuse 3. [labdajátékban] save (the situation), [kapus] effect a save, [bridzsben] overcall, overbid

ment² [-et; adv -en] a, free, immune, safe (from), untinged (with), secure, proof (against), (de)woid (of); előítéletektől ~ unprejudiced, unbiassed, impartial, free from all prejudices (ut)

menta [.. át] n, (növ) mint, pennyroyal (Mentha sp.); borsos ~ peppermint (M. piperita); vizi ~, bergamott ~ bergamot/capitate mint (M. aquatica)

mentacukor n, peppermint lozenges/drops, peppermints (pl)

mentalitás n, attitude/cast of mind, mentality, disposition, attitude (to)

mentamártás n, mint-sauce

mentaolaj n, peppermint (oil)

mente [.. ét] n, short fur-lined coat, (hussar's) pelisse

mentében I. adv. pron, [menet közben] on the way/ march/journey, en route (fr) II. post, along; a part/ folyó ~ down-stream, along the bank/river

menteget vt, make/find excuses (for), excuse, try to justify, endeavour to excuse/palliate/soften, soft-pedal, (vmvel) plead sg as an excuse for

mentegetés n, palliation, excuses (pl)

mentegetődzés n, excuse(s), apology

mentegetődz|ik [-tem, -ött, -zön] vi, excuse/exculpate oneself, (vmért) make apologies/excuses (for), apologize (for), be apologetic (for), attempt to clear oneself (from), (vmvel) plead (sg as an excuse); zavartan ~ik stammer out all sorts of excuses, falter out an excuse

mentegetőzés n, = mentegetődzés

mentegetőz|ik [-tem, -ött, -zön] vi, = mentegetődzik

mentegetőző [-t] a, apologetic(al), self-excusing

mentekötő n, band to fasten a "mente"

méntelep n, stud-farm

mentelmi [-ek, -t; adv -leg] a, of immunity (ut); ~ bizottság committee of immunity; ~ jog parliamentary privilege/immunity, immunity from arrest (of members of Parliament); ~ jogot felfüggeszti waive the parliamentary immunity of a member; ~ jog megsértése violation of immunity

menten adv, 1. (vmtől) free/exempt from 2. [rögtön] at once, on the spot, immediately, forthwith, forthright, right away/now/off (US)

mentén post, along, by the side of; az erdő ~ skirting the wood; a part ~ along the bank; a vasúi ~ along/beside the rails/railway; a víz ~ down-stream, with the stream; vm ~ halad run/go along sg

mentes [-ek, -t; adv -en] a, (vmtől) free/exempt from, devoid of, proof against, clear of; betegségtől ~ immune (from); előítéletektől ~ free from prepossessions/pre-occupations/prejudices/bias (ut), unprejudiced, unbiassed, open-minded

mentés¹ n, 1. (konkr) life-saving, rescue, (hajó) salvage, [árué] recovery 2. [bridzsben] overbid, sacrifice, flag-flying

mentés² n, wearing a "mente" (ut), with a (hussar's) pelisse (ut)

mentési [-ek, -t] a, rescue-, salvage-, salving-; ~ jutalom salvage; ~ kísérlet attempt at rescue; ~ munkálat rescue operation, salvage, rescue work; a ~ munkálatok megindulnak salvage work has started, salvage operations have begun mentesít [-eni, -ett, -sen] *vt, (vkt vm alól)* exempt/free from, acquit sy of sg; ~ *kötelezettség alól* release sy from an obligation; *katonai szolgálattól* ~ exempt from military service

mentesítés *n,* exemption, release, releasement, exoneration, immunization

mentesítő [-t] *a,* ~ *vonat* relief/emergency train, wild--cat train *(US fam);* ~ *rendelkezés/záradék (jog)* escape clause

mentesség *n,* exemption, discharge, immunity, freedom (from sg)

mentesül [-t, -jön] *vi,* be excused/dispensed/exempted/ absolved (from), be freed/relieved (of)

mentezsinór *n,* brandenburg, frogs and loops *(pl)*

menthetetlen *a,* 1. *[meg nem menthető]* that can't be saved/helped *(ut),* lost, irretrievable, irrecoverable, irreclaimable, irremediable, past recovery *(ut),* irredeemable, hopeless, desperate; ~ *beteg* patient past recovery/help 2. *[megbocsáthatatlan]* inexcusable, unpardonable, unwarrantable. unforgivable

menthetetlenül *adv,* irremediably, irretrievably, irreparably, past praying for, beyond help/recovery; ~ *elvész* be irretrievably lost, be irrecoverable/irrevocable, be gone beyond recall

menthető *a,* 1. *[megmenthető]* salvable, recoverable, retrievable 2. *[eljárás]* excusable, pardonable, forgivable, justifiable; ~ *emberölés (jog)* justifiable homicide; *nem* ~ it admits of no excuse

menthetően *adv,* excusably, pardonably, forgivably, justifiably

menti [-ek, -t] *a,* (situated/running) along sg, skirting, alongside

mentol [-ok, -t, -ja] *n,* menthol, peppermint camphor

mentolos [-ak, -t; *adv* -an] *a,* mentolated

mentor [-ok, -t, -a] *n,* mentor, guide(,) philosopher and friend *(fam)*

mentő [-t, -je; *adv* -en] I. *a,* life-saving, rescue-, rescuing; ~ *bizonyíték* exculpating evidence; ~ *gondolat* saving idea, expedient to save a situation; ~ *körülmény* attenuating/extenuating circumstance, saving grace; ~ *tanú* witness for the defence/prisoner
II. *n,* 1. *(ált)* (life-)saver, rescuer 2. *(orv)* ambulance, *[személy]* ambulance man, stretcher-bearer; *felhívja a* ~*ket* ring for/up the ambulance

mentőakció *n,* movement to save sy from sg, *[szerencsétlenségnél]* rescue work

mentőállomás *n,* life-saving station, ambulance (station), first aid depot/station, *(hajó)* lifeboat station

mentőangyal *n,* saviour

mentőautó *n,* ambulance(-car), motor ambulance

mentőbója *n,* life-buoy

mentőbrigád *n,* = mentőcsapat

mentőcsapat *n,* rescue party, relief party/team/crew, stretcher party

mentőcsomag *n,* rescue equipment

mentőcsónak *n,* lifeboat, salvage/safety boat/tug

mentődaru *n,* salvage crane

mentődeszka *n, (hajó)* plank, board (clutched by drowning man), *[villamoson]* life-guard, fender, cowcatcher (on trams) *(US)*

mentőegyesület *n,* Humane Society, first-aid society/ association, *[hajótöröttek mentésére]* Lifeboat Association

mentőeszköz *n,* life-saving *(v.* rescue) apparatus, ambulance supplies *(pl), [eszközök]* rescue-facilities *(pl)*

mentőexpedíció *n,* rescue team, search-party

mentőfelszerelés *n,* rescue appliances *(pl)*

mentőgyűrű *n,* life-ring

mentőhajó *n,* salvage-vessel/tug, lifeboat

mentőháló *n, [tűzvész esetén]* jumping-net

mentőkabát *n, [felfújható]* life-jacket

mentőkészülék *n,* rescue appliance/apparatus

mentőkocsi *n,* ambulance (waggon), *[motoros]* ambulance car, motor ambulance

mentőkülönítmény *n,* = mentőcsapat

mentől *adv/conj,* = mennél, minél[a]

mentőláda *n,* dressing-box, first-aid kit/box/chest

mentőlétra *n,* fire-escape (ladder), safety ladder, ladder escape

mentőlicit *n, (kárty)* sacrificial bid, rescue-bid

mentőorvos *n,* ambulance officer/doctor

mentőosztag *n,* rescue party, relief party/team/crew, stretcher party, *[autóé]* breakdown gang

mentőöv *n,* life-belt/saver/buoy, *[kabátszerű]* life-jacket, Mae-West *(US kat joc)*

mentőponyva *n,* jumping-sheet/net

mentőrúd *n,* life-saving pole, pole (to rescue drowning men)

mentőszekrény *n,* = mentőláda

mentőszolgálat *n,* life-saving *(v.* ambulance) service

mentőtanfolyam *n,* first-aid course, course in life-saving *(v.* first-aid)

mentőtömlő *n, [lecsúszáshoz]* canvas shoot

mentőtutaj *n,* life-raft

mentővonat *n,* breakdown/repair/ambulance train

mentőzubbony *n, [felfújható]* life-jacket

mentség *n,* plea, excuse, justification; *arra nincs* ~ there is no excuse for that, his conduct admits of no excuse, I can't find any excuse for him *(fam);* ~*ére legyen mondva* let it be said in his excuse, be it said in his excuse; *mit tudsz* ~*edre felhozni?* what have you to say for yourself?; *ilyen tettre/eljárásra nincs* ~ there is no justification for such an action; *a törvény nem tudása nem* ~ ignorance is no defence

mentségül *adv,* by way of excuse

mentsvár *n,* retreat, resource, refuge, asylum, last hope, sheet-anchor; *utolsó* ~ last resort

mentül *adv/conj,* = mennél, minél[a]

menü [-t, -je] *n,* menu, set dinner/meal; ~*t eszik* eat/ have a fixed *(v.* table d'hôte) lunch/dinner

menüett [-et ,-je] *n,* minuet

menükártya *n,* menu(card), bill of fare

menza [.. át] *n,* student's canteen/mess/cafeteria, school refectory

meny [-et, -e] *n,* daughter-in-law

menyasszony *n,* fiancée, bride-elect, sy's future wife, betrothed *(ref.),* intended *(fam), [esküvő napján]* bride; ~*a* his affianced (wife), his intended *(fam); túl szép a* ~ *(kb)* it has more drawbacks than advantages, it is too nice to be true

menyasszonyi [-ak, -t] *a,* bridal; ~ *fátyol* bridal veil; ~ *kelengye* (bride's) trousseau; ~ *koszorú* bridal wreath; ~ *ruha* bridal gown, wedding dress/garment, bridal attire, bride's dress

menyasszonyság *n,* 1. *[tartam]* time of engagement 2. *[állapot]* (state of) betrothal, being betrothed

menyasszonytánc *n,* bride's dance, dance with the bride

menyecske *n,* young wife, bride, wifie *(fam),* little wife *(fam)*

menyecskés *a,* 1. young wifish 2. *(átv) [szoknyavadász]* petticoat-chaser, mad for women *(ut), (kif)* who runs after every petticoat he sees

menyegző [-t, -je] *n,* wedding (ceremony), nuptials *(pl),* bridal

menyegzői [-ek, -t; *adv* -en] *a,* nuptial, wedding-; ~ *lakoma* wedding feast/breakfast

menyét [-et, -je] *n, (áll)* weasel *(Mustela nivalis), [vadászó]* ferret; ~*tel vadászik* ferret

menyétfélék *n. pl,* mustelidae *(pl)*

menyhal *n, (áll)* burbot *(Lota lota);* északi ~ ling *(Molva sp.)*

Menyhért [-et, -je] *prop,* Melchior

menny [-et, -e] *n,* heaven, *[égbolt]* sky, firmament; *a* ~

dörög it is thundering; ~*ek országa* Kingdom of Heaven; ~*be száll/jut* go to heaven

mennybeli *a/n*, celestial, heavenly

mennybemenetel *n*, *[Jézusé]* ascension, *[Máriáé]* assumption

mennybolt *n*, firmament, sky, canopy/vault of heaven, welkin *(ref.)*

mennyboltozat *n*, = mennybolt

mennydörgés *n*, 1. *(konkr)* (roll/rumbling/peal of) thunder, thunder-clap 2. *(átv is)* fulmination

mennydörgésszerű *a*, thunderous

mennydörgő *a*, thundering; ~ *hang* thundering/stentorian voice, voice of/like thunder; ~ *taps* thunder of applause

mennydörgős [-ek, -t; *adv* -en] *a*, ~ *mennykő* damn it!, damnation!

mennydörög *vi*, thunder, it is thundering, *[vk ellen]* fulminate/rail/thunder/inveigh *(v.* use invectives) against sy

mennyei [-ek, -t; *adv* -en] *a*, 1. heavenly, celestial, *(átv)* paradis(a)ical, paradisiac(al), divine *(fam)*; ~ *atyánk* our heavenly Father 2. *(tört) Mennyei Birodalom* the Celestial Empire

mennyezet *n*, 1. *(ált)* ceiling, roof, plafond; *kazettás* ~ boarded ceiling 2. *[ágyé]* (bed) tester, canopy, *[tróné, oltáré]* baldachin, baldaquin, canopy, *[színpadé]* flies *(pl)*, *[szószék feletti]* sounding-board

mennyezetalak *n*, ceiling-figure

mennyezetburkolat *n*, wainscot

mennyezetégő *n*, ceiling lamp/light

mennyezetes [-et; *adv* -en] *a*, canopied; ~ *ágy* four-poster, tester-bed, canopied bed

mennyezetfestés *n*, painting (on, of) a ceiling, fresco painting

mennyezetfestő *n*, fresco-painter

mennyezetgerenda *n*, ceiling-joist, summertree

mennyezetkép *n*, ceiling piece/picture

mennyezetkészítés *n*, ceiling-work

mennyezetlámpa *n*, ceiling light/lamp, dome-lamp

mennyezetpárkány *n*, cornice of ceiling

mennyezetrózsa *n*, ceiling-rose, rosette

mennyezetventillátor *n*, roof ventilator

mennyezetvilágítás *n*, 1. *[mesterséges]* ceiling light/illumination, (electric) ceiling-fitting, overhead lighting 2.*[természetes]* skylight

mennyi I. *a*. *inter*, how many/much; ~ *ember* how many people, what numbers *(v.* lot *v.* lots) of people; ~ *idő?* how much time?, how long?; ~ *az idő?* what's the time?, what o'clock is it? ; ~ *ideje nem láttalak?* how long is it since I have not seen you? II. *n. inter*, ~ *is lesz ez? [árra]* what will that run to?; ~*be kerül?* what is the price (of it)?, what do you ask/charge for it?, how much? *(fam)*, what's the figure? *(fam)*; ~*ben érint ez bennünket?* where does it touch us *(v.* our interests)?; ~ *a cech? (biz)* what's the score?; ~*t kap egy hétre?* how much do you get a week III. *a/n. rel*, = amennyi

mennyiben I. *adv. inter*, 1. *[mértékben]* to what extent?, how far?; ~ *igaz?* what truth is there in. . .?, how far is it true (that)? 2. *[vonatkozásban]* in what respect?, wherein? II. *adv. rel*, = amennyiben

mennyien *adv. inter*, ~ *vannak?* how many are there?

mennyiért *adv. inter*, for how much?, at what price?; ~ *vetted?* how much did you pay/give for it?; ~ *adják* what do they/you ask/take/charge for it?, what is the price?

mennyiféle *a. inter*, how many kinds/sorts (of)?

mennyire I. *adv. inter*, 1. *[milyen messze]* how far?, to what extent/point/length?; ~*re van?* how far is it (off)?; ~ *jutottál a munkáddal?* how far have you got with your work? 2. *[milyen mértékben]* how; *de még*

~*!* I should think so!, by all means!, not half! *(fam)*, sure! ⟨⟩, rather! ⟨⟩, and how! *(US* ⟨⟩*)*; ~ *megijedt amikor meglátta* how it frightened him to see it, how scared he was when he saw her *(fam)*; ~ *akarja* how anxious he is (to obtain/get it); ~ *meglepődött amikor* how great was his surprise when. . .; ~ *megváltozott!* how she has changed!; ~ *szereti!* how fond he is (of her) II. *adv. rel*, = amennyire

mennyiség *n*, quantity, mass, deal; *csekély* ~ small quantity, modicum *(ref.)*; *a* ~ *átcsapása minőségbe* passing of quantity into quality; *nagy* ~*ben* in large/great quantities

mennyiséghatározó *n*, adverb of degree

mennyiségi [-ek, -t; *adv* -leg] *a*, quantitative; ~ *átvevő és számvizsgáló* quantity-surveyor; ~ *elemzés* quantitative analysis; ~ *ellenőrzés (ker)* quantitative control, control of the quantity; ~ *engedmény (ker)* volume discount; ~ *eredmények hajhászása* drive for numbers; ~ *hiány (ker)* shortage; ~ *meghatározás* quantity determination, quantification; ~ *pénzelmélet* quantitative theory of money; ~ *termelés* quantity production; ~ *többlet* plussage; *rejtett* ~ *változás (közg)* imperceptible quantitative change; ~ *változások minőségi változásokba csapnak át* quantitative changes pass into qualitative changes; *csak* ~ *de nem minőségi különbség van köztük* they differ in degree but not in kind

mennyiségileg *adv*, quantitatively

mennyiségmeghatározás *n*, *(vegyt)* dosimetry

mennyiségtan *n*, mathematics, maths *(fam)*; *most* ~*t tanul* he is getting mathematics now

mennyiségtan-dolgozat *n*, math paper/test

mennyiségtani *a*, mathematical; ~ *feladvány* problem

mennyiségtan-példa *n*, mathematical problem

mennyiségtan-tanár *n*, mathematical/mathematics master, professor of mathematics

mennyiségű [-ek, -t] *a*, of . . . quantity *(ut)*; *nagy* ~ in large quantity/quantities *(ut)*, lot(s) of *(fam)*, heaps of *(fam)*; *tekintélyes* ~ of a respectable quantity, great lot of *(fam)*

mennyiszer I. *adv. inter*, how many times, how often II. *adv. rel*, = amennyiszer

mennykő *n*, thunderbolt, thunder-blast/clap; ~ *nagy* □ awfully/damn big; *a* ~ *üssön belé!* the devil take him!, confound him!; *a* ~*be* is by gosh!, my hat!, how the devil/dickens!, how on earth *(v.* in the world)

mennykőcsapás *n*, lightning stroke, thunderbolt, thunder-clap/blast

mennyország *n*, 1. heaven, kingdom of heaven 2. *(átv)* paradise, happiness, bliss

meo [-t, -ja] *n*, ⟨ person/department engaged in technical and quality control⟩

meós [-ok, -t, -a] *n*, examiner (of finished goods), checker *(fam)*

mer¹ [-jen] *vt*, *[vizet]* draw, scoop (out), *[csónakból]* bail, bale, *[levest]* ladle (out)

mer² [-t, -jen] *vi*, dare, make bold, (ad)venture; ~*em állítani* I make bold to say; ~*em mondani* I daresay; ~*em hinni* I daresay (that), I venture to think (that); *fogadni* ~*nék* I could bet; *meg ne* ~*d próbálni* don't you dare!; *meg* ~*i mondani a véleményét* he isn't afraid to speak out his mind, he makes bold to tell his opinion; *aki* ~ *az nyer* fortune favours the brave, none but the brave deserve the fair, nothing venture(.) nothing have/win/gain, faint heart never won fair lady; *azt* ~*i mondani (hogy)* have the face/cheek/impudence to say/tell (that); ~ *tenni vmt* venture to do sg; *túl sokat* ~ venture too far

mér [-t, -jen] *vt*, 1. *(ált)* measure (out, off, up), *[súlyt]* weigh, *[adagot, arányt]* determine the quantity of, *(vegyt)* proportion, titrate, gauge, *[fát]* measure up,

[földet] survey, measure, *[gabonát]* measure out, *[köbmértékkel]* find the cubical contents of, cube, *[űrtartalmat]* gauge, measure the capacity,*[szövetet]* measure off, *[vízmélységet]* sound, fathom, plumb **2.** *[italt]* retail, draw **3.** *[időt, sebességet]* clock **4.** csapást ~ vkre strike/level a blow at sy; *büntetést* ~ inflict a punishment on sy, mete out a punishment to **5.** *(vmt vhez)* proportion, measure (sg to sg)
mérce [.. ét] *n,* **1.** *(ált)* measure **2.** *[beosztásos]* scale **3.** *(műsz)* gauge, standard **4.** *[asztalosé toló]* slide--cal(l)ipers, *[cipészé]* size-stick **5.** *(átv)* standard
mercerizál [-t, -jon] *vt, [pamutfonalat]* mercerize
mered [-t, -jen] *vi,* **1.** *[kiáll]* stand (up), rise, stand out prominently; *égnek* ~ tower, loom; *minden hajaszála égnek* ~ his hair stands on end **2.** *[kővé]* turn to stone, petrify, be petrified, stiffen; *kővé* ~ *az ijedségtől* be terror-stricken, be petrified/paralyzed with fear **3.** *[szeme/tekintete vhova]* stare, become fixed, fix, gaze, look hard/intently at; *a semmibe* ~ stare/gaze into vacancy *(v.* into the air)
meredek [-et; *adv* -en] **I.** *a, [lejtő]* steep, abrupt, precipitous, arduous, *[szikla]* bluff, sheer, bold, *[háztető]* pitched; *Dover* ~ *sziklafalai* the headlong cliffs of Dover **II.** *n,* escarpment, abrupt descent, steep, slope (of mountain)
meredeken *adv,* abruptly, precipitously, steeply
meredekség *n,* **1.** *(ált)* steepness, precipitousness, bluffness; *görbe* ~*e (menny)* rise of a curve **2.** *[elektroncsőé]* transconductance
meredély [-ek, -t, -e] *n,* † abyss, chasm, gulf, precipice
meredélyes [-ek, -t] *a,* † precipitous
meredez [-tem, -ett, -zen] *vi,* tower above, stand up, rise
meredt [-et; *adv* -en] *a,* **1.** *[test]* stiff, torpid, (be)-numb(ed) **2.** *[tekintet]* staring, fixed; ~ *szemű* staring, with fixed eyes *(ut)*
méredzked|ik [-tem, -ett, -jen, -jék] *vi,* weigh oneself, take one's weight, have one's weight taken/checked
méreg [mérget, mérge] *n,* **1.** *(konkr)* poison, *[kábító]* drug, *[állati]* venom, *(biol)* toxin, virus; *erős* ~ violent poison; *lassú* ~ slow poison; *tiszta* ~ rank poison; *mérget ad vknek* poison sy; *mérget vesz be* take poison; *arra mérget lehet venni* you may swear to it, you may be quite sure that, you may take my word for it, you may rest assured (of it); *mérget vehet rá!* you can take it from me!, you can take my word for it, bet your boots! *(US);* keserű mint a ~ bitter as gall/wormwood/aloes; *ami egynek étek a másiknak* ~ one man's meat is another man's poison; ~*gel szemben immunis/immunizált/védett* immune against/from/to poison **2.** *(átv)* anger, rage, venom, virulence, malice, wrath, fury, frenzy; *eszi a* ~ be bursting with rage, hit the ceiling *(US ◈); forr benne a* ~ boil with rage; ~*be hoz* make/get sy angry, get sy's temper up, put sy into a passion/rage, rub sy (up) the wrong way, incense (with, against), rouse sy's ire *(ref.),* inflame sy *(ref.),* put/get/set sy's back up *(fam),* get sy's dander up *(fam),* put sy's monkey up *(fam);* ~*be jön* get/fly into a passion/rage, lose one's temper, fly off the handle, get one's dander up *(fam),* get shirty *(US ◈),* get hot under the collar *(fam);* ~*be márt [tollat]* envenom; *sok mérget nyel* pocket a lot of affronts; *kiadja mérgét [dühöng]* break forth into rage, vent one's spleen, *[csillapodik]* his rage is spending itself
méreganyag *n,* poisonous/toxic substance/matter, toxin
méregdrága *a,* frightfully expensive/dear, *(kif)* is sold at a prohibitive/exorbitant price
méregellenes *a,* antitoxic, antidotal; ~ *szer* antidote (for, to, against), antipoison, counter-poison, alexipharmic, antitoxin

mereget[1] *vt, [folyadékot]* keep on drawing, draw slow ⟩⟨ and continually
mereget[2] *vt, [szemet]* goggle (at sy), make sheep's/cow eyes (at sy)
méreget *vt,* measure/survey/weigh slowly and continually, *[szemmel]* take stock of sy, eye sy from head to foot *(v.* all over); ~*ik egymást* eye each other; *gyanakodva* ~ *vkt* eye sy with suspicion
méregfog *n,* (poison-)fang, venom/poison-tooth; *kihúzza a* ~*át* draw sy's fang, render sy harmless/ innocuous, prevent sy from doing harm, *(vmnek)* take the sting out of sg
méreggyilok *n, (növ)* tame-poison, cynanchum *(Cynanchum vincetoxicum)*
méregisme *n,* toxicology
méregital *n,* poisoned draught
méregkeverés *n, (átv)* trouble-making/mongering, sowing, discord, poisoning sy's mind against sy, intrigue
méregkeverő *n, (átv)* trouble-maker/monger, intriguer, mischief-maker
méregmirigy *n,* poison-gland/sac
méregpohár *n,* poison(ed) cup
méregtan *n,* toxicology
méregtani *a,* toxicological
méregtelenítés *n,* detoxication, disintoxication
méregzacskó *n,* poison gland/sac
méregzöld *a,* as green as verdigris, ivy green
méregzsák *n,* spitfire, hotspur, hot-head, irascible/ choleric/fiery/peppery *(v.* quick-tempered) person, *[nő]* shrew, scold, fury, termagant
mereng [-tem, -ett, -jen] *vi,* muse, brood, meditate (on, upon), day-dream, be lost in reverie, be in the clouds, be rapt in thought/contemplation
merengés *n,* reverie, day-dream(ing), musing, meditation, contemplation
merengő [-t, -je; *adv* -en] **I.** *a,* musing, meditative, pensive, day-dreaming **II.** *n,* muser, day-dreamer
merénylet *n,* (criminal) attempt, murderous attempt/ attack, outrage, *[nőn]* (assault with intent to commit) rape; *aljas* ~ odious/hateful/heinous attempt; ~*et követ el vk ellen* make an attempt on sy's life, make a criminal attempt; ~*et követtek el ellene* an attempt was made upon his life, he has been subject to an attempt on his life
merényletterv *n,* plot for (an) attempt
merénylő [-t, -je] *n,* assailant, would-be assassin
mérés *n,* **1.** *(ált)* measuring, measurement, scaling, *(tud)* mensuration **2.** *[területé, földé]* (land-)surveying, land-measuring, *[köbtartalomé]* cubage, cubature, gauging, *[súlyé]* weighing, *[szöveté]* measuring off, *[fogyasztásé]* ascertainment/measuring/gauging of consumption, metering, *[vízmélységé]* sounding
mérési [-ek, -t] *a,* ~ *adatok* survey data; ~ *bizonyítvány [súlynál]* weighing certificate; ~ *hiba* measuring error; ~ *határ/tartomány* measuring range
méréstan *n,* metrology
méréstani *a,* metrological
merész [-et; *adv* -en] *a/n,* bold, daring, audacious, fearless, hardy, valiant *(ref.),* plucky *(fam),* adventurous, having guts *(ut), [vállalkozás]* risky, venturesome, hazardous; ~ *általánosítás* sweeping generalization; *M*~ *Károly (tört)* Charles the Bold; ~ *ruha* daring costume; ~ *tett* daring/bold action/deed; *gondol egy* ~*et* take/make a bold decision, take a risk/chance; *a legmerészebb képzelettel sem* by no stretch of the imagination
merészel [-t, -jen] *vt,* dare, have the audacity/face/ impudence/cheek to; *hogy* ~*i Ön?* how dare you; *Ön azt* ~*te mondani* you have had the face/cheek to say; *hogy* ~ *ilyet mondani?* how dare you say such a

thing?; ~ *vmt megtenni* make so bold as to do sg, venture to do sg

merészen *adv*, boldly, daringly, audaciously, valiantly *(ref.)*, pluckily *(fam)*

merészked|ik [-tem, -ett -jen, -jék] *vi/vt*, venture, take, the chance/risk, make bold (to do sg), take the liberty (to do *v*. of doing sg)

merészség *n*, daring, audicaty, boldness, hardiness, venturesomeness, temerity, intrepidity, valiance *(ref.)*, cheek *(pej)*, face *(pej)*

mereszt [-eni, -ett, .. esszen] *vt*, *[szemet]* stare, goggle, gaze, *(vkre)* fix (one's eyes on); *nagy szemeket* ~ open one's eyes wide, goggle, stare round-eyed, pop-eye *(US)*

méret *n*, 1. *(konkr)* measurement, dimension, *[öltözék-darabé]* size; *különleges* ~ *[ruháé]* extra size, outsize; *különleges* ~*ek boltja* outsize shop; *ládák* ~*e (ker)* measurement of cases; *sokféle/minden* ~*ben* in a wide range of sizes 2. *[csőé, fegyveré]* calibre, bore; ~*re gyártott* machined to size; ~*re reszel* file true; ~*re szab* cut a piece to size 3. *(átv)* magnitude, proportions *(pl)*, extent, scale; *vmt nagy* ~*ekben csinál* do sg on a grand/large scale; *nagy* ~*eket ölt* grow to considerable size/proportions, assume considerable proportions; *óriási* ~*eket ölt* grow out of *(all)* proportion, grow to huge dimensions

méretábra *n*, *[gépé]* dimensional figure

méretarány *n*, *[térképé, tervrajzé]* scale; ~*ok* scale relations; . . .-*es* ~*ú térkép* map on the scale of. . .

méretez [-tem, -ett, -zen] *vt*, 1. *(ált)* measure out, proportion, calibrate, dimension, plan/determine the dimension 2. *(vmt vmhez)* proportion sg to sg, regulate sg in proportion to sg, make sg fit sg

méretezés *n*, measurement, measuring, dimensioning, gauging, sizing

mérethiány *n*, *(ker)* short measure

mésrethű *a*, made/drawn to scale *(ut)* ; ~ *modell* scale model

méretshűség *n*, dimensional accuracy

méretjelzés *n*, scale, indication of dimensions

méretkez|ik [-tem,-ett,-zen,-zék] *vi*, take one's weigh, weigh oneself, get weighed

méretkimutatás *n*, *(műsz)* bill of quantity/quantities; ~*t készít* take out the quantities

méretkotta *n*, dimension figure

méretlen *a/adv*, unmeasured, unweighed

méretpontosság *n*, accuracy as to gauge, gauging/ dimensional accuracy, (dimensional) tolerance

méretrajz *n*, scale drawing

méretszám *n*, dimension figure

mérettartó *a*, non-stretchable, non-shrinkable

-méretű [-ek, -e; *adv* -en] *a*, -sized, of . . . size; *eredeti* ~ full-scale, of original size *(ut)* ; *kellő* ~ fair/good-sized; *kis* ~ of small size/dimensions *(ut)*, miniature; *közepes* ~ middle/moderate-sized; *nagy* ~ large-sized, outsize, vast; *rendkívüli/különleges* ~ oversized, outsize(d); *milyen* ~ *ruhát hord*? what size do you take?, what is your size?

méretválaszték *n*, *(ker)* size choice

méretvonal *n*, dimension line

merev [-et; *adv* -en] *a*, 1. *(konkr)* stiff, rigid, *[anyag]* solid, hard-set, stubborn 2. *[testrész]* numb, benumbed, *(orv)* anchylosed, *[mosoly]* fixed, set (smile), *[arckifejezés]* hard-set; *a kor* ~*vé teszi az izületeket* age stiffens one's joints 3. *[tekintet]* fixed, set, stony (stare, glare) 4. *[modor]* formal, stiff, starchy, *[erkölcsi felfogás]* inflexible and austere (code of morals), *[álláspont]* uncomplying; ~ *szabály* hard-and-fast rule, cast-iron rule 5. *[átv ember]* unbending, rigorous, inflexible, stiff

merevedés *n*, 1. *(ált)* stiffening 2. *(orv)* catalepsy,

[halálban] rigor mortis *(lat)* 3. *[hímvesszőé]* tumescence, erection; *ld még* merevség

mereved|ik [-tem,-ett,-jen,-jék] *vi*, 1. *(ált)* grow stiff, stiffen 2. *(orv)* get rigid 3. *(biol)* become erect

mereven *adv*, stiffly, rigorously; ~ *kitart elvei mellett* stand rigidly by/to one's principles; ~ *néz* look fixedly; ~ *visszautasít* give a flat refusal, refuse point blank *(v. categorically)*

merevgörcs *n*, lock-jaw, tetanus, tetany; ~*öt idéz elő* tetanize

merevgörcsös *a*, tetanic

merevít [-eni, -ett, -sen] *vt*, make stiff/rigid, stiffen, *[kötéllel, rúddal]* strut, stay, prop, brace

merevítés *n*, stiffening, tightening, propping, bracing, buttressing

merevítő [-t, -je] I. *n*, stay, prop, brace; ~ *nélküli [fűző]* stayless II. *a*, ~ *izom* erector; ~ *sarokvas/ szögvas (műsz)* stiffening angle; ~ *válaszfal* stiffening diaphragm

merevítőhuzal *n*, *(rep)* drag-wire

merevítőkötél *n*, guy (rope)

merevítőlemez *n*, stiffener

merevítőrúd *n*, stay-rod, bracing

merevítőszer *n*, rigidity agent

merevítőtámasz *n*, bracing strut

merevítőtartó *n*, stiffening girder, *(bány)* stull

merevítővászon *n*, *(tex)* buckram

merevség *n*, 1. *(konkr)* stiffness, rigidity, rigour 2. *[tekinteté]* steadiness, stoniness 3. *(átv)* inflexibility, setness, severity 4. *(orv)* rigor; *izületi* ~ anchylosis; *halotti* ~ rigor mortis *(lat)*, cadaveric rigidity, rigidity of death

merevülés *n*, = merevedés

mérföld *n/a*, mile (1609,33 m); *angol* ~ English/statute mile (1523,99 m); *tengeri* ~ nautical/geographical/ sea mile, *[hajón]* knot (1854,96 m); ~*ek száma* mileage

mérföldes [-ek, -t; *adv* -en] *a*, (of) one mile, of. . . miles *(ut)*, -miler, extending for several miles *(ut)*, many miles away/distant *(ut)*; ~ *csizma* seven-league boots *(pl)*

mérföldkő *n*, milestone, mile-post, marker

mérföldnyi [-t] *a*, . . . mile(s), . . . mile's . . .

mérföldnyire *adv*, a mile off, . . . miles off; *egy* ~*re fekvő ház* house a mile off

mérföldóra *n*, mileometer

mérgelőd|ik [-tem, -ött, -jön, -jék] *vi*, (fret and) fume, be riled ◆, fret one's heart out *(fam)*, be in a rage/ wax *(fam)*, chafe *(fam)*, cut up rough ◆; *ne* ~*j!* take it in good part, don't get het up over it ◆, keep your hair/shirt on ◆

mérges [-et, *adv* -en] *a*, 1. *(áll)* poisonous, venomous, *(növ)* poisonous; ~ *gomba* toadstool; *amerikai* ~ *pók (áll)* black widow *(Latrodectus mactans)* ; *(vkről)* ~ *nyelvű* having a venomous/envenomed/malicious/ poisonous tongue 2. *[anyag]* toxic; ~ *gáz* asphyxiating/poison(ous)/lethal gas 3. *[lobbanékony]* choleric, violent/hot-tempered, irritable, irascible, easily angered 4. *[dühös]* angry, fuming; *amikor* ~ when (s)he is angry, when his hackles are *(v. temper is)* up; ~ *vkre* be angry/cross/furious with sy; *rettentő* ~ *volt (biz)* he was livid (with anger)

mérgesen *adv*, angrily, crossly, furiously; ~ *válaszol* give a tart reply, answer testily/snappishly

mérgesít [-eni, -ett, -sen] *vt*, anger, rouse sy's anger, vex, fret, irritate, provoke (to anger), enrage, exasperate, madden, make sy wild, rile ◆, *ne* ~*s! don't* vex/exasperate/anger me!, leave me alone!

mérgesség *a*, 1. *[állaté, növényé]* venomousness, poisonousness, *[anyagé]* toxicity, poisonousness 2. *[emberé]* anger, angriness, testiness, snappishness, rage, **fury**, bad temper 3. *[kritikáé]* virulence, *[válaszé]* sharpness, testiness, snappishness, tartness

mérgez [-tem, -ett, -zen] *vt*, 1. *[méreggel]* poison, make poisonous, envenom 2. *(átv)* taint, vitiate, *[az ifjúságot]* corrupt

mérgezés *n*, 1. *[méreggel]* poisoning, intoxication; ~ *okozta betegség* toxicosis 2. *(átv)* corruption

mérgezett [-et; *adv* -en] *a*, poisoned; ~ *nyíl* poisoned arrow; ~ *tű* poison pin

mérgező [-t; *adv* -en] I. *a*, 1. *(konkr)* poisonous, virulent, *[anyag]* septic, toxic; ~ *harcgáz* poison-gas; ~ *hatás* toxic/poisonous effect, toxicity 2. *(átv)* destructive/destroying/ruinous effect II. *n*, poisoner

mérhetetlen *a*, 1. *[mennyiség]* immeasurable 2. *(átv)* measureless, immense, without end, vast, huge, fathomless; ~ *sok jót tesz* his charity is boundless, he does no end of good; ~ *gazdagság* untold wealth; ~ *ostobaság* utter folly; ~ *kár* immense/irreparable damage

mérhetetlenség *n*, immeasurability, hugeness, vastitude

mérhetetlenül *adv*, immensely, excessively; ~ *szereti* he loves her immensely

mérhető *a*, measurable, mensurable, ponderable, *(vmvel)* commensurable (with)

méricskél [-t, -jen] *vt*, measure slowly and leisurely

meridián [-ok, -t] *n*, *[kör]* meridian; *az első [amelytől számítjuk a földrajzi hosszúságot]* first/zero meridian

meridiántávcső *n*, *(csill)* transit-circle

meridiánvonal *n*, meridian line

merinó [-t, -ja] *n*, ~ *(juh)* merino (sheep)

merinógyapjú *n*, merino

merisztéma [..át] *n*, *(növ)* meristem; *csúcs alatti* ~ subapical meristem; *szállítószövet elsődleges merisztémája* procambium, provascular tissue; *tőmegnövelő* ~ mass meristem

merisztéma-működés *n*, *(növ)* meristematic activity

merisztéma-tevékenység *n*, *(növ)* = merisztéma-működés

merít [-eni, -ett, -sen] *vt*, 1. *(vmbe)* dip, plunge, immerse; *kanalát a levesbe~i* plunge/dip one's spoon into the soup 2. *(vmből)* draw (from), *[eszközzel]* ladle, scoop, bale, bail; *vizet* ~ *(vhonnan)* ladle water (from), *[kútból]* draw water (from the well) 3. *(átv vmből)* fetch, take, extract, borrow, derive (from); *bátorságot* ~ take heart/courage, draw upon, lay under contribution; *vigasztalást* ~ draw/derive consolation/comfort from; *az eredeti forrásokból* ~ go to the source, draw on the original authorities; *az Oxford szótárból bőven ~ettek* the "Oxford Dictionary" has been freely drawn upon

merítés *n*, 1. *[belemerítés]* dipping, plunging, immersion 2. *[kimerés]* drawing (up), ladling, scooping

merített [-et] *a*, 1. ~ *papír* hand/mould-made paper, rag-paper 2. *tapasztalatból* ~ obtained from experience, derived empirically/experimentally *(mind: ut)*

merítő [-t, -je; *adv* -en] I. *a*, drawing, scooping II. *n*, *[papírgyári]* vatman, *[öntő]* dipper, scooper

merítőedény *n*, dipper, scoop, ladle

merítőháló *n*, square shrimping/dipping-net, drag-net

merítőkanál *n*, scoop, ladle

merítőkanálnyi *a/n*, ladleful

merítőkerék *n*, noria, Persian wheel, bucket-wheel

merítővéder *n*, dipper, draw/sinking bucket

merkantilista [..át] I. *a*, mercantilist(ic) II. *n*, mercantilist

merkantilizmus *n*, mercantilism, mercantile system/theory, *(elít)* commercialism, money-grubbing, profiteering

merkantil-szellem *n*, money-making spirit, mercantilism

mérkőzés *n*, 1. *(ált)* contest, struggle, fighting 2. *(sp)* match, event, tournament, *[sakk]* game, *[vívás]* bout, match; *idegenben lejátszott* ~ away match; ~*t vezet* referee

mérkőzéslabda *n*, match-ball

mérkőzik [-tem, -ött, -zön, -zék] *vi*, 1. *(vkvel)* try/measure one's strength against sy, compete with, fight with/against sy, *(vmért)* battle with sy for sg, *(átv)* vie/cope with; *nem ~hetsz vele* you are no match for him 2. *(sp)* play against

Merkur [-ok, -t, -ja] *prop, (csill)* Mercury

mérleg [-et, -e] *n*, 1. pair of scales, scales *(pl)*, balance, weighing-machine, *[óra alakú]* dial-scale, spring-balance; ~ *karja* scale-beam 2. *(ker)* schedule (of assets and liabilities), balance(-sheet); *fizetési* ~ financial statement, balance of payments; *havi* ~ monthly statement; *ideiglenes* ~ interim balance-sheet; *kereskedelmi* ~ balance of trade; *külkereskedelmi* ~ balance of foreign trade; *passzív külkereskedelmi* ~ passive trade balance; *népgazdasági* ~ balance of the national economy; *nyers* ~ rough/trial balance; *passzív* ~ debit/adverse balance; *ágazati kapcsolatok ~e* input-output balance, balance of intersectoral relations; *nemzetközi jövedelem ~e* balance of national income; *társadalmi össztermék ~e* balance of gross social product; *~et készít* balance one's books, draw up *(v. strike)* a balance (sheet) 3. *(csill)* a *M~* the Balance/Libra/Scales

mérlegállás *n*, *(sp)* horizontal balance, balance stand

mérlegautomata *n*, slot weighing-machine

mérlegbarométer *n*, balance-barometer

mérlegbeszámoló *n*, balance sheet report, explanatory supplement to the balance sheet, *[értekezlet]* discussion of the balance sheet

mérlegcsésze *n*, scale-pan, balance pan

mérlegdíj *n*, weighing dues, weigh-money, weighage

mérlegel [-t, -jen] *vt*, 1. *(konkr)* weigh, feel/try the weight of, weigh/poise in the hand, balance, heft *(US)* 2. *[kérdést]* consider, weigh the pros and cons, turn over in one's mind, debate with oneself, ponder over; ~*i a helyzetet* take stock of the situation, size up the situation; *újból/ismételten* ~ reconsider, review; ~*i szavait* measure one's words

mérlegelemzés *n*, balance sheet analysis, financial analysis

mérlegelés *n*, 1. *(konkr)* weighing, balancing, *[birkózóké]* weighing in; *másodszori* ~ *(sp)* re-weighing; *találompróbás* ~ *(ker)* catch weights *(pl) (fam)* 2. *(átv)* examination, deliberation, consideration, reflection; *bírói* ~ judicial discretion; *hosszas* ~ *után* after due deliberation, after careful consideration, on reflection; *bizonyítékok szabad* ~*e* free/arbitrary estimation of evidence, discretion of the Court

mérlegelhetetlen *a*, imponderable

mérlegelhetetlenség *n*, imponderability

mérlegelhető *a*, ponderable

mérleggyár *n*, balance factory

mérleghiány *n*, *[két ország kereskedelmében]* trade's gap

mérleghinta *n*, see-saw

mérleghivatal *n*, public weighing office, *[piacon stb.]* weigh-house, *[közigazgatásban]* Weights and Measures Department, office of the inspector of weights and measures

mérlegjegy *n*, bill/certificate of weight

mérlegkar *n*, weigh/balance-arm/beam/bar, scale-beam

mérlegkendőzés *n*, window-dressing of the balance-sheet

mérlegképes *a*, solvent (financially); ~ *könyvelő* chartered accountant (associated)

mérlegkészítő *n*, balance/scale maker

mérlegkimutatás *n*, *(jog)* account of liabilities and assets

mérlegkivonat *n*, summary of assets and liabilities, abstract of balance-sheet

mérlegkönyv *n*, balance book
mérlegkülönbözet *n*, = mérleghiány
mérlegmódszer *n*, *[tervezésben]* balance sheet method
mérlegnyelv *n*, pointer, index
mérlegpálca *n*, *[napórán]* index
mérlegpénz *n*, 1. = mérlegdíj; 2. *(ker)* extra fee/ bonus for making the balanced(-sheet)
mérlegrendszer *n*, accounts system
mérlegrúd *n*, balance beam, balancing arm
mérlegserpenyő *n*, = mérlegcsésze
mérlegskála *n*, balance-indicator
mérlegszámla *n*, balance-account sheet, *[nyereség-veszteségszámla]* profit and loss account
mérlegtányér *n*, = mérlegcsésze
mérlegtok *n*, balance-case
mérmű *n*, *(épít)* (plate-)tracery
mérmüves [-t; *adv* -en] *a*, *(épít)* traceried; ~ *ablak* tracery/wheel window, rosette
mérnök [-öt, -e] *n*, engineer (with university degree)
mérnöki [-ek, -t; *adv* -leg] *a*, engineering, engineer's, of engineer *(ut)* ; ~ *oklevél/diploma* diploma in engineering/technology; ~ *pálya* engineering (career); ~ *továbbképző* postgraduate/continuation course for engineers; ~ *tudomány* (science of) engineering
mérnökkar *n*, *(kat)* corps of engineers, engineering corps, the engineers *(pl)*, The Royal Engineers *(pl) (GB)*
mérnökkari [-ak, -t] *a*, ~ *tiszt* engineering officer
mérnökség *n*, 1. *[iroda]* engineer's office 2. *[munka, pálya]* engineering
mérnökszakértő *n*, consulting engineer, *[szabadalmi ügyekben]* patent engineer
mérnökutazó *n*, sales-engineer
merő¹ [-t] *a*, *[merész]* daring
merő² [-t] *a*, ladling, serving
merő⁰ [-t; *adv* -en, -ben] *a*, pure, mere, sheer; ~ *hazugság* downright lie; ~ *képtelenség* absolute/sheer impossibility; ~ *ostobaság* mere/plumb nonsense; ~ *találgatás* it is pure guess(work); ~ *véletlen* a mere accident
merő [-t, -je] I. *a*, measuring, who measures *(ut)* II. *n*, 1. *[űrtartalmat]* (oil-)gauge, (water-)gauge (of motor car), dip-rod 2. *(vk)* measurer, weigher 3. ⟨an old and obsolete grain measure⟩
mérőasztal *n*, plane-table, surveyor's table, map-board; ~*t beťájol* set the plane table by the compass
merőben *adv*, wholly, totally, entirely; *a két eset* ~ *eltér egymástól* the two cases are quite unlike
mérőberendezés *n*, measuring system/apparatus, *(vill)* measurement unit
mérőcövek *n*, *[földmérésnél]* stake
merőedény *n*, bale, bailer, scoop, *(műsz)* ladle
mérőedény *n*, *[konyhai, oldalán skálával]* graduate
merően *adv*, fixedly; ~ *néz* stare (at sy/sg) without moving
mérőeszköz *n*, measuring/surveying/gauging instrument, measuring tool, gauge, metering device, meter
mérőfonal *n*, *(hajó)* log/plumb-line
mérőgép *n*, measuring machine
mérőhajó *n*, surveying ship
mérőhasáb *n*, gauge block
mérőhenger *n*, *[skálával]* graduate, measuring-tube
mérőhuzal *n*, wire tape
merőkanál *n*, ladle, scoop, dipper *(US)*
mérőkerék *n*, perambulator
mérőkészülék *n*, measuring machine/apparatus, counter, checker, *[óra]* meter, *[regisztráló]* recorder, *[bejárati]* turnstile
mérőkörző *n*, dividers *(pl)*, cal(l)ipers *(pl)*
mérőlánc *n*, measuring/surveying chain, surveyor's/ Gunter's chain, pole-chain

mérőléc *n*, (measuring) rule, rule-scale, measuring staff, yard-stick, *[colstok]* folding rule, *(sp)* measuring rod
merőleges [-et; *adv* -en] I. *a*, perpendicular (to), normal (to), forming a right angle to *(ut)*, *[hajó oldalára]* abeam II. *n*, *(mért)* perpendicular, cathetus; *nem* ~ *be out of the straight*; ~*t bocsát egy vonalra* drop *(v.* let fall) a perpendicular to/on a line; ~*t emel* draw a perpendicular to/on
merőlegesen *adv*, perpendicularly, *(vmre)* at right angles (to sg), squarely; ~ *levág [fát]* square up (wood)
mérőlombik *n*, volumetric flask
mérőműszer *n*, measuring/surveying instrument/ apparatus, *[óra]* meter; ~*ek leolvasása* reading of instruments
merőn *adv*, = merően
mérőólom *n*, = mérőón
mérőón *n*, *(hajó)* (sounding-)lead, plummet, plumb, bob, sounding-line, *(épít)* perpendicular; ~*nal mér* plumb
mérőóra *n*, *[gáznak stb.]* meter, dial gauge
mérőorsó *n*, *(hajó)* log
mérőpálca *n*, *[colstok]* folding rule, inch-stick, gauging-rod/rule, *[olajtartályhoz]* dip-rod
mérőpohár *n*, measuring-glass, *[fokbeosztásos]* graduate
mérőpózna *n*, *[terepfelméréshez]* surveyor's pole/staff/ rod, boning-rod
mérőrúd *n*, yard-stick
mérősegéd *n*, surveyor's assistant
mérőszalag *n*, (measuring) tape, tape-measure/line, *[földméréshez]* band-chain
mérőszám *n*, index(-number)
mérőszerszám *n*, measuring instrument
mérőtapogató *n*, test-prod
mérőveder *n*, bucket
mérővessző *n*, folding/foot-rule
mérővonalzó *n*, dividing rule
mérőzsineg *n*, measuring/gauging line/tape
mérőzsinór *n*, = mérőzsineg
merre I. *adv. inter*, 1. *[hol]* where, whereabouts 2. *[hová]* in which direction, whither, which way; *megkérdi* ~ *kell menni* ask one's way II. *adv. indef*, *fusson ki* ~ *lát* every man for himself III. *adv. rel*, = amerre
merről I. *adv. inter*, whence, from where, from which direction, where . . . from?; ~ *jössz?* where do you come from? II. *adv. rel*, = amerről
mérsékel [-t, -jen] *vt*, 1. *(ált)* moderate, *[buzgalmat]* slacken, slow down/up, *[erőfeszítést, buzgóságot, haragot]* remit, *[fájdalmat, büntetést]* mitigate, *[hőt]* temper, *[hőséget, fényt]* subdue, *[iramot]* lessen, slacken (pace) 2. *[vm hangját átv]* tone down, subdue, soft-pedal, *[kifejezéseit]* moderate, qualify, *[lelkesedést]* abate (enthusiasm), *[szenvedélyt]* curb, temper, put restraint on, restrain (passion); ~*i magát* control/restrain/bridle oneself, exercise self-restraint, pull punches *(US fam)* ; ~*i kifejezéseit* guard/govern one's language/tongue; ~*je kifejezéseit* I keep a civil tongue in your head! 3. *[árat]* reduce, abate
mérsékelt [-et; *adv* -en] *a*, 1. *[éghajlat]* temperate, mild; ~ *égöv* temperate zone 2. *[ember]* moderate, temperate, sober, abstemious 3. *[ár]* moderate, reasonable 4. *[politika, nézet]* moderate 5. ~ *siker* moderate success
mérsékelten *adv*, moderately, restrainedly
mérsékeltség *n*, 1. *[éghajlaté]* temperateness, mildness 2. *[igényeké]* moderateness
mérséklés *n*, 1. *(ált)* moderation, restraint, control, temperateness, temperance, *[büntetésé]* mitigation (of penalty), reduction (of fine), *[igényeké]* abate

ment (of claim/pretensions), *[tempóé]* slackening, lessening (of pace), reduction (of speed) 2. *[áré]* reduction (of price)
mérséklet *n*, moderation, moderateness, restraint, temperateness; ~*et tanúsít* show restraint
mérséklő [-t; *adv* -en] I. *a*, moderating, restraining; ~ *hatás* restraining/moderating influence II. *n*, 1. *(vk)* moderator, restrainer   2. *(vm műsz)* moderator, regulator, damper
mérséklődik [-ött, -jék, -jön] *vi, (ált)* lessen, *[fájdalom, hő]* abate, *[feszültség]* lessen, *[iram]* slacken
mersz [-et, -e] *n*, pluck, courage, daring, dash, guts *(pl) (fam)* ; *ha van* ~*e* if he has (got) pluck; *van* ~*e vmt tenni* dare to do sg, have the front/impudence to do sg; *nincs* ~*e* he lacks pluck/courage, his pluck/ heart has failed him
mert *conj, [tényleges objektiv ok]*· because, *[beszélő szubjektiv szempontja]* for, since, as *(fam)* ; ~ *különben* or else
mért¹ i. *adv. inter*, = **miért** I.; II. *adv. rel*, = **amiért**
mért² [-et; *adv* -en] *a*, 1. *(konkr)* measured; ~ *idő (sp)* measured time   2. *(vmhez)* suited to, in conformity with, in keeping with, in proportion to *(mind: ut)*
mértan *n*, geometry, Euclid *(fam)*
mértani [-ak, -t; *adv* -lag] *a*, geometrical; ~ *ábra* geometrical figure; ~ *arány* geometrical ratio; ~ *feladat* problem of geometry; ~ *haladvány/sor* geometrical progression, geometrical series; ~ *középarányos* geometrical mean; ~ *pontosság* mathematical accuracy; ~ *rajz* geometrical drawing; ~ *test* geometrical solid
mérték [-et, -e] *n*, 1. *[mérési]* measure(ment), degree, scale, dimension, quantity, gauge, *[térképen]* scale, *[kivánatos]* standard, mark, level; *a részesedés* ~*e* the rate of participation; ~ *után* (made) to measure; ~ *után készült ruha* suit made to measure/order, bespoke garment/suit; ~ *utáni szabóság* bespoke tailoring; ~*en felül* out of measure; *túlmegy a rendes* ~*en* overstep the line; ~*et vesz vkről* take sy's measurements; *megüti a* ~*et* pass muster (as), be/ come up to the mark, come up to scratch; *betelt a* ~*!* that's the limit!, the cup is filled to the brim; *egyenlő* ~*kel mér* judge fairly, apply equal standards; *ilyen* ~*kel mérve* judged by that standard; *kétféle* ~*kel mér* have one law for the rich(,) another for the poor, have one law for one's friends and another for one's foes; ~*ül használ* use as a yardstick 2. *[mértéktartás]* moderation, proportion, restraint; ~ *nélkül (átv)* immoderately, excessively; ~*et tart [evésben, ivásban]* be temperate/abstemious in eating/drinking), keep within bounds; ~*kel* within bounds; *mindent csak* ~*kel !* there is a mean/medium in all things 3. *teljes* ~*ben* fully, completely, in full measure, to the hilt *(fam)* ; *teljes* ~*ben támogat* give whole-hearted support; *oly* ~*ben hogy* to such an extent that . . ., *olyan* ~*ben* insomuch (as, that); *olyan* ~*ben mint* . . . in proportion as . . .; *nagy* ~*ben* to a high pitch, to a large extent, to a high degree; *bizonyos* ~*ben* in some degree, to a certain extent, in a/some measure, to some extent/measure; *jelentékeny* ~*ben* considerably; *a legnagyobb* ~*ben* to the highest pitch/degree, entirely, whole-heartedly; *kis* ~*ben* slightly, in a small degree; *kisebb* ~*ben* to a lesser extent/ degree; *a legcsekélyebb* ~*ben* in the slightest degree; *a legcsekélyebb* ~*ben sem* not in the least, not at all; *amilyen* ~*ben fokozódik a termelés* the rate at which production increases 4. *[verstani]* metre (of verse), measure, *(zene)* time
mértékadó *a*, authoritative, competent, standard, *[igével]* be governed by, *[személy]* who sets/leads

the fashion, whose voice carries weight *(ut)* ; ~ *körök* responsible quarters; ~ *(szak)tekintély* competent authority
mértékegység *n*, unit of measure(ment)
mértékes [-et; *adv* -en] *a*, 1. *[vers]* metrical, cadenced 2. *[üveg, stb.]* graduated (measure) 3. ~ *terv* measured plan
mértékhamisítás *n*, giving short weight, falsifying of weights and measures, *(jog)* úsíng false measures
mértékhatározó *n, (nyelvt)* adverb of quantity
mértékhelyes *a, [térképfotónál]* absolutely constant (dimensions)
mértékhitelesítés *n*, testing/gauging/checking of measures
mértékhitelesítő I. *a*, ~ *hivatal* Office of Weights and Measures, weights and measures stamping office; ~ *bélyegző* standard-measure stamp II. *n*, inspector of weights and measures
mértékletes [-et; *adv* -en] *a*, 1. *[személy]* temperate , abstemious, sober, *[nemi életben]* continent, *[életmód]* abstemious, austere (life) 2. *[étkezés]* frugal, moderate; ~ *vmben* moderate (in sg),
mértékletesen *adv*, 1. *[él]* soberly, abstemiously, carefully 2. *[étkezik]* frugally, moderately
mértékletesség *n,[ételben, italban]* temperance, moderation, temperateness, sobriety, austerity, abstemiousness, *[nemileg]* continence, *[szavakban]* moderation.
mértékrendszer *n*, system of weights and measures, measuring system
mértékrúd *n*, = **mérőrúd**
mértékszabóság *n*, bespoke tailor(ing)
mértékszám *n, [kesztyűé, cipőé]* size
mértéktartás *n*, moderation, moderateness, restraint, temperateness
mértéktartó *a*, 1. *(ált)* moderate, temperate 2. *(menny)* isometric, *[térképfotónál]* absolutely constant (dimensions)
mértéktelen *a*, 1. *(ált)* immoderate, excessive, extravagant, inordinate, *(kif)* know no bounds, *[nemi életben]* incontinent; ~ *becsvágy* towering ambition; ~ *élet* loose living 2. *[evésben, ivásban]* intemperate, insatiable; ~ *borfogyasztás* over-indulgence in wine; ~ *evés [igével]* eat to excess
mértéktelenség *n*, intemperance, excess, immoderateness, extravagance, incontinence
mértéktelenül *adv*, immoderately, excessively, extravagantly, beyond measure
mérten *adv*, 1. *(vmhez)* in comparison with/to, (as) compared to/with 2. *igényeihez* ~ in proportion *(v.* according) to his claims/pretensions
mérttöld *n/a*, = **mérföld**
merül [-t, -jön] *vi*, 1. *[vízbe]* dive, dip, submerge, plunge, go deep (into), *[tengerbe]* sink; *3 méternyire* ~ draw 3 metres of water 2. *álomba* ~ fall asleep, sink into (a deep) sleep; *feledésbe* ~ be forgotten; *gondolatokba* ~ be absorbed/wrapt in thought; *részletekbe* ~ go into details
merülés *n*, immersion, dipping, *[hajó]* draught, floatation,*[tengeralattjáróé]* submergence, submersion, *(rep)* dip; *legnagyobb* ~ load draught
merülési [-ek, -t; *adv* -leg] *a*, ~ *mélység [hajóé]* (ship's) draught; ~ *szintvonaljelzés [hajó oldalán]* load-line, load-water-line; ~ *vonal* floating/water-line, Plimsoll line
merülő [-t] *a*, sinking, submerging, diving
mérv [-et, -e] *n*, extent, degree, measure, rate, margin, standard; *nagy* ~*ben* on a large scale, to a great extent; *ilyen* ~*ű* of such proportions *(ut)*
mérvadó *a*, = **mértékadó**; *ez nem* ~ this is not authentic, one can't bank on that
mese [.. ét] *n*, 1. *(ált)* (nursery) tale, fable, *[tanító]* apologue, moral fable; *a mesék világába tartozik*

belong to the world of fantasy; *mesébe illik* that is fabulous, that is like a fairy-tale; *mesébe illő vagyon* fabulous wealth; *mesét mond* = **mesél; 2.** *[kitalálás]* story, yarn, fabrication, *[nem valóság]* fiction, made-up story; *ezt a mesét már ismerem!* I've heard that tale before ; *nincs ~!* no nonsense, and no mistake, let's get down to brass tacks; *itt már nincs ~* it's in the bag; *~ habbal!* that's all gammon and spinach **3.** *[színdarabé]* plot, *[regényé]* story; *a ~ bonyolódik* the plot thickens

mesebeli [-ek, -t; *adv* -en] *a*, out of a fairy tale *(ut)*, *[nem valódi]* mythical, fictitious, *[híres]* legendary, fabled, fabulous; *~ királyfi* fairy prince; *~ lények* fairy creatures

mesebeszéd *n*, old wives' tale, stuff and nonsense, cock-and-bull story, rubbish, twaddle, bosh, fudge, flim-flam

mesedélután *n*, *[rádióban]* *(kb)* fairy-tale programme

mesefa *n*, storyteller

mesefilm *n*, *[rajzos]* animated cartoon

mesegyűjtemény *n*, collection of tales/fables, *[állat-mesékből]* book of animal stories

meseíró *n*, story-writer, fabulist, author of fairy-tales, fictionist

mesejáték *n*, fairy feature/play

meseköltő *n*, = meseíró

mesekönyv *n*, = meséskönyv

mesél [-t, -jen] **I.** *vt*, **1.** *[mesét mond]* tell a tale, narrate (a fable/story), yarn **2.** *[elbeszél]* tell, relate, narrate, recount; *azt ~ik* there is a story afloat, people are saying **3.** *[hazudik]* spin a yarn, tell a (tall) story; *~je ezt másoknak!* *[hitetlenkedve]* tell me another, tell it to the (horse-)marines **II.** *vi*, *(vmről)* *arról én is tudnék ~ni* I've been through the mill myself, I could also tell a story about that

mesemondás *n*, **1.** *[gyermekeknek]* telling of fairy tales **2.** *[irodalmi]* art/skill in narration

mesemondó *n*, narrator of fairy-tales, story-teller, tale-teller, fabulist

meseország *n*, fairyland, *(átv)* Fiddler's Green, land of milk and honey, El Dorado

mesés *a*, **1.** containing fairy-tales *(v.* fables) **2.** fabulous, fabled, legendary, fictitious, mythical

mesésen *adv*, fabulously; *~ mulat, ~ érzi magát (biz)* have a splendid time

meséskönyv *n*, story-book

meseszép *a*, wonderful, ravishing

meseszerű *a*, like a fairy tale, as in a fairy-tale *(ut)*, fabulous, fictitious, legendary

meseszerűség *n*, fabulous character (of a(n) story/event), fictitiousness, fabulousness

meseszövés *n*, **1.** *[színdarabé stb.]* plot **2.** *[mesélgetés]* fabulization

mesevilág *n*, land of romance/dreams, storyland, fairyland, fabledom

mesmerl [-t] *a*, mesmerian

mesmerizmus *n*, mesmerism

Messiás [-ok, -t, -a] *prop*, Messiah; *úgy vár vkt mint a ~t* await sy's coming with burning impatience

messiási [-t] *a*, Messianic

messiáshit *n*, Messianism

messiásvárás *n*, expectation of a Messiah, Messianic expectation, Messianism, craving for deliverance

Messinai-szoros *prop*, *(földr)* Strait of Messina

mester [-ek, -t, -el *n*, *1. [önálló iparos]* master crafts-man/workman, *[alárendeltjei felé]* chief, boss **2.** *[művész és átv]* master, *[zeneművész]* maestro, virtuoso; *régi ~ (képe)* old master; *nagy ~ vmben* be a past master in sg, be a great adept at sg, be ace at sg *(US)*; *~ére talál* meet one's master; *gyakorlat teszi a ~t* practice makes perfect; *~ré lesz* become a master (at sg) **3.** *[tanító]* schoolmaster

mesteralak *n*, *(cím)* piece; *~ok* ordinaries *(pl)*, ordinary charges *(pl)*

mesteravatás *n*, initiation into *(v.* promotion to*)* mastership

mesterbélyeg *n*, *[edényen]* *(rég)* stamp

mesterdal *n*, song/poetry of the mastersinger

mesterdalnok *n*, mastersinger, meistersinger

mesterember *n*, (handi)craftsman, artisan

mesterfogás *n*, master stroke, trick of the trade, knack, *[bűvészetben]* sleight of hand, dodge, artifice

mestergerenda *n*, main girder beam, summer (tree), principal, binder, crossbeam, girder, transom

mesterhármas *n*, *[futballban]* hat-trick

mesterhegedű *n*, violin made by a master, good violin; *jó hegedű de nem éppen ~* it is a good violin but not exactly a Strad

mesteri [-ek, -t; *adv* -en/leg] *a*, masterful, masterly, magisterial, superb *(fam)*, brilliant *(fam)*; *~ fogás-volt* it was a masterly stroke; *~ módon, ~leg* in a masterly manner; *~ munka* craftsmanship

mesterjel *n*, stamped signature, *(műv)* hall mark

mesterjelölt *n*, *[sakkban]* master candidate

mesterkedés *n*, *(átv, elit)* machination, plot, intrigue, intriguing, scheming, manoeuvering; *alattomos ~ek* underhand manoeuvres

mesterked|ik [-tem, -ett, -jen, -jék] *vi*, *(átv)* scheme, plot, machinate, contrive (piece of knavery etc.), manoeuvre; *már megint miben ~el?* what are you up to again?; *abban ~ik hogy* he is scheming to, he strains after sg; *rosszban ~ik* be up to mischief

mesterkéletlen *a*, natural, artless, simple, plain, un-feigned, unstudied, unsophisticated, unadorned, unlaboured, without affectation *(ut)*

mesterkéletlenség *n*, native ease, naturalness

mesterkélt [-et; *adv* -en] *a*, **1.** *[személy, viselkedés]* affected, sophisticated, feigned, forced, studied, histrionical, constrained, prim; *~ egyszerűség* affected simplicity; *~ modor* stiff manner; *~ nevetés* forced laugh **2.** *[művészetben]* contrived, mannered, finical, *[stílus]* stilted, affected, artificial, meretri-cious, pretty-pretty, dandified **3.** *[hamis]* factitious, artificial

mesterkéltség *n*, **1.** *[személyi, viselkedésé]* affectation, primness, affected manner, artfulness **2.** *[művészet-ben]* mannerism, stiltedness, preciosity, over-refine-ment, prettyism **3.** *[hamisság]* artifice

mesterkéz *n*, masterly skill, a master's hand, master hand

mesterlapu *n*, *(növ)* masterwort *(Imperatoria ostruthi-um)*

mesterlegény *n*, journeyman(-worker), workman's mate

mesterlevél *n*, *[mesterlegény bizonyítványa]* certificate of mastership

mesterlövés *n*, best/capital/splendid shot

mesterlövész *n*, = mesterlövő

mesterlövő *n*, crack shot, expert rifleman/shot, sharp-shooter, marksman

mestermunka *n*, = mestermű

mestermű *n*, masterpiece, masterwork, masterly achievement/performance

mesterné *n*, master's/craftman's wife

mesterség *n*, trade, profession, craft, occupation; *nem nagy ~* it isn't difficult, no particular skill is needed; *ronda egy ~ (biz)* a beast of a job, what a beastly job; *mi a ~e?* what is his trade, what is his line (of business)?; *~ére nézve asztalos* he is a carpenter by trade; *~et űz/folytat* follow/ply a trade, carry on a trade; *~et tud* know/master *(v.* be master of) a trade; *ki-ki maga ~ét folytassa* each man to his trade; *Amerikából jöttem (,) ~em címere* ⟨introductory line of a pantomime "let's pretend" children's game⟩

mesterségbeli *a*, professional, vocational, of trade *(ut)*; ~ *fogások* trade dodges; ~ *tudás/ügyesség* craftsmanship, skill

mesterséges [-et; *adv* -en] *a*, 1. artificial, synthetical, man-made; ~ *bolygó* artificial/space/earth satellite, artificial planet; ~ *bolygót bocsát fel az űrbe* launch an artificial/space/earth satellite into (outer) space; ~ *cél (kat)* phantom target; ~ *eső* artificial rain; ~ *hold* artificial (earth) satellite, man-made moon; ~ *keltetés* artificial incubation; ~ *köd* artificial fog, smoke screen; ~ *légy [horgászcsalétek]* artificial fly, herl; ~ *légzés* artificial respiration; ~ *megtermékenyítés* artificial insemination; ~ *nyelv* artificial/invented language, *[segédnyelv]* international auxiliary language; ~ *szülés* artificial labor, induced labor; ~ *táplálás [csecsemőt]* hand/bottle-feeding, *[beteget]* artificial nutrition/feeding, *[éhségsztrájkolót]* forcible feeding; ~ *úton* artificially; ~ *úton előállított növény* cultigen plant; ~ *világítás* artificial illumination 2. *[tettetett]* factitious

mesterségesen *adv*, artificially, forcefully; *gyermeket* ~ *táplál* bring up *(v.* feed) a child by hand; ~ *táplált [csecsemő]* bottle-fed

mesterségszó *n*, = műszó

mesterszedő *n*, master compositor

mesterszó *n*, = műszó

mestervizsga *n*, master's examination, journeyman's examination (for admission to a guild as master)

mész[1] *vi*, *ld* megy

mész[2] [meszet, mesze] *n*, lime, *[meszeléshez]* whitening; *oltatlan* ~ quicklime; *oltott* ~ slaked/slack(ed) lime; *nem ettem meszet* I am no fool, what do you take me for?, is there any green in my eye?; *mésszé éget* calcine; *mésszel trágyáz* lime

mészárlás *n*, 1. *[állatoké]* slaughter(ing), killing, butchery 2. *[embereké]* massacre, carnage *(ref.)*; *nagy* ~*t visz végbe ... között* make a great slaughter of, make great havoc among

mészárol [-t, -jon] *vt*, 1. *[állatot]* slaughter, kill, butcher 2. *[embert]* massacre, slaughter

mészáros [-ok, -t, -a] *n*, 1. butcher, slaughterer, slaughterman, meatman 2. *[tréf sebész]* saw-bones, butcher

mészárosbárd *n*, meat-chopper

mészárosfűrész *n*, meat-saw

mészároshorog *n*, meat-hook

mészárosinas *n*, butcher's apprentice/boy

mészároskés *n*, butcher's knife, whittle

mészároskod|ik [-tam, -ott, -jon, -jék] *vi*, ply/follow *(v.* carry on) the trade of a butcher

mészároskutya *n*, mastiff

mészároslegény *n*, butcher's assistant

mészárosság *n*, butcher's trade

mészárostőke *n*, butcher's stall

mészárszék *n*, 1. *(konkr)* butcher's shop/stall, meat stall/house, meat market *(US)*; *nyitva van a* ~ *(biz)* your (trousers-)fly is unbuttoned *(stand.)* 2. *(átv)* massacre, butchery, shambles *(pl)*; ~*re viszi az ifjúságot* send youth to be massacred, lead our young men to Armageddon, drive our young men like sheep to the slaughter

mészbetétes *a*, *(rég)* ~ *edény* incrusted ware; ~ *kerámia* incrusted pottery

mészdús *a*, rich in lime *(ut)*, chalky

mészégetés *n*, lime-burning

mészégető I. *a*, ~ *ipar* lime-burning industry; ~ *kemence* lime-kiln; ~ *munkás* lime-burner; ~ *szén* lime coal II. *n*, 1. *[kemence]* lime-kiln 2. *[munkás]* lime-burner

meszel [-t, -jen] *vt*, whitewash, whiten, lime-wash, calcimine *(US)*

meszelés *n*, whitewash(ing), whitening, lime whiting, lime-wash(ing)

meszelő [-t, -je] *n*, 1. *[eszköz]* whitewash/lime brush 2. *égi* ~ bean-pod, spindle-shanks, a very tall and thin chap

meszelt [-et] *a*, ~ *sír (átv)* whited sepulcher

meszely [-ek, -t, -je] *n*, ⟨an old hungarian liquid measure (approximately four fifths of a pint)⟩

meszes I. [-et; *adv* -en] *a*, 1. limy, lime-, chalky, *(geol)* pedocal, *(tud)* calcareous, calcarious, calcic; ~ *talaj* chalky/calciferous ground; ~ *tojás* egg preserved in limy water; ~ *víz* hard/chalky water, calcareous water 2. *(orv)* sclerosed, sclerotic II. [-ek, -t, -e] *n*, lime-pit

meszesedés *n*, *[szervezetben]* calcification, *(orv)* sclerosis

meszesed|ik [-ett, -jen, -jék] *vi*, *[szervezet]* calcify

meszesgödör *n*, lime-pit

meszespad *n*, *[talajban]* caliche

meszez [-tem, -ett, -zen] *vt*, *[földet]* (sprinkle the ground with) lime, chalk, marl, *[bort]* lime

meszezés *n*, liming (process)

meszező [-t, -je] *n*, *(mezőg)* lime spreader

mészfehér *a*, lime white

mészfesték *n*, whiting, whitewash, lime water colour

mészföld *n*, calcareous earth

mészgödör *n*, = meszesgödör

mészhabarcs *n*, lime-mortar

mészhéj *n*, *(áll)* test

mészhéjú [-ak, -t] *a*, *[állat]* testacean, testaceous

mészhidrát *n*, *(vegyt)* calcium hydrate, hydrate of lime

mészhomok *n*, calcareous/lime sand

mészhomok-tégla *n*, lime brick

mésziszap *n*, caustic sludge, *[cukorgyári]* beet potash

mészkedvelő [-ek, -t] *a*, *[növény]* basiphilous, acidophilous, calciphilous

mészkénlé *n*, calcium sulphite

mészkő *n*, limestone, Bath stone, freestone, Portland stone, ragstone; *homokos* ~ arenaceous limestone; *karsztos* ~ cavernous limestone

mészkőbánya *n*, limestone quarry, lime-pit

mészlé *n*, lime-water, whitewash, lime-wash, milk of lime

mészlemez *n*, *(áll)* epiphragm

mészlerakódás *n*, 1. *[kazán falán]* fur(ring), boiler-scale 2. *(geol)* lime(stone-)deposit, chalky sediment 3. *(orv)* calcification

mészliszt *n*, = mészpor

mészmárga *n*, calcareous/limy marl

mészoltás *n*, sla(c)king/extinction of lime

mészoltógödör *n*, lime-pit

mészpát *n*, calc-spar, calcite

mészpor *n*, powdered (quick)lime, whiting (powder)

mészporlerakódás *n*, *[tüdőben]* stonemason's disease

mészréteg *n*, 1. *(épít)* coat of plaster, plastering, parget of lime 2. *(geol)* layer of lime

messze I. *a*, far off/away, remote, distant; ~ *föld* a far/ distant *(v.* far-away) country

II. *adv*, 1. far; ~*bb* farther, further; ~ *eső/fekvő* remote, distant; ~ *hangzó* far-sounding, *(átv)* resounding; ~ *ható* far-reaching, *[ismeret stb.]* wide; ~ *hordó ágyú* long-range gun, howitzer; ~ *nyúló [birodalom stb.]* far-flung; ~ *tekintő (átv)* far-sighted, prespicacious; ~ *terjedő [terület]* wide, *(átv)* far-spreading, extensive; ~ *van* it is far; *háza* ~ *van az úttól* his house lies remote *(v.* far off) from the road; *milyen* ~ *van?* how far is it off?; *nem* ~ not for off/away, within easy reach, a short way off; *amilyen* ~ *csak ellát az ember* as far as the eye can reach; ~ *vagyunk még attól* we are still far from that, it is still a far cry from sg; *jó* ~ *innen* quite a way from here; *nincs* ~ *innen* it is not far from here, it is no distance; *a lövés* ~ *elkerülte a célt* the shot went wide 2. *by far* !; ~ *a legjobb* by far the best, much the best, best by a long way/chalk messzeágazó [-ak, -t; *adv* -an] *a*, far-reaching/flung

mész-szegény *a*, lime-deficient, deficient in calcium/lime *(ut)*

messzelátás *n*, long/far-sightedness, *(orv)* hypermetropia, presbyopia

messzelátó I. *a*, long-sighted, *(orv)* presbyopic, hypermetropic, *(átv)* far-sighted; II. *n*, 1. presbyopic/hypermetropic person 2. telescope, field/spy-glass, prospect glass

messzely [-ek, -t, -e] *n*, = meszely

messzemenő *a*, *(átv)* considerable, extensive, far-reaching/extending, going far *(ut)*, sweeping, all-embracing, *[felhatalmazás]* vast (powers); ~ *engedmények* considerable concessions; ~ *ok* remote cause

messzemenően *adv*, *ezek a tények* ~ *megmagyarázzák hogy* ... these facts go far to explain how ...

messzeség *n*, 1. *[távolság]* distance, remoteness 2. *[a távol]* farness, background, far reaches *(pl)*; *a* ~*ben* in the distance/background; *előbukkan a* ~*ből* loom up in the distance

messzi [-ek, -t] *a/adv*, = messze

messzianizmus *n*, messianism

messzire *adv*, 1. far, a long way, to a great distance; ~ *elkerülte* gave him/it a wide berth; ~ *megy* go far; ~ *menő [következtetés]* far-fetched;~ *nyúlik a keze* have a wide influence; ~ *vezetne ha* it would lead us too far if;~ *visszanyúlik a múltba* go back high in the past; *evvel nem jutsz* ~ it will not be of much use to you, it will not carry you far 2. *[nagy eltéréssel]* wide

messziről *adv*, from (a)far, from a great distance; ~ *jön?* do you come from far?; ~ *követ vkt* follow sy at a distance; *már* ~ *megismerte* she recognized him from afar

mész-szivacsok *n. pl*, *(áll)* calcareous sponges *(Calcarea = Calcispongia)*

mész-szóró *a*, ~ *gép* lime spreader

messzünnen *adv*, † = messziről

mésztartalmú *a*, calcareous, calciferous, lime-bearing; ~ *víz* chalky water

mésztégla *n*, calcium kiln brick

mésztej *n*, (fluid) slaked/slack(ed) lime, milk/cream of lime, lime cream

mésztelenít [-eni, -ett, -sen] *vt*, decalcify

mésztelenítés *n*, deliming

mesztic [-et, -e] *a/n*, mestizo

mésztufa *n*, *(geol)* travertine, tuffaceous limestone, calcareous tufa, calc tuff, calc sinter

mészvakolat *n*, coat of plaster, plaster(ing), parget of lime

mészvíz *n*, lime-water, milk of lime

mészvölgy *n*, *[időszakosan száraz]* *(földr)* bourne

méta [.. át] *n*, game of rounders

metabiózis *n*, *(biol)* metabiosis

metabiszulfit *n*, *(vegyt)* metabisulphite

metabolizmus *n*, *(biol)* metabolism

metafizika *n*, metaphysics

metafizikai *a*, metaphysical, hyperphysical

metafizikus *n*, metaphysician

metafora [.. át] *n*, metaphor, figure of speech, image

metaforikus *a*, metaphorical, figurative

metafoszfát *n*, *(vegyt)* metaphosphate

metagalaxis *n*, *(csill)* metagalaxy

metagenezis *n*, *(biol)* metagenesis

metakocka *n*, = spirituszkocka

metalepszis [-ek, -t] *n*, metalepsis

metallográfia [.. át] *n*, metallography

metallográfiai [-ak, -t; *adv* -lag] *a*, metallographic

metalloid [-ot] *a*, non-metallic/metal

metallurgia [.. át] *n*, metallurgy, smelting

metamorf [-ot] *a*, *(geol)* ~ *kőzet* metamorfic/metamorphosed rock

metamorfózis [-ok, -t, -a] *n*, *(geol)* metamorphosis, transformation; *termális* ~ thermometamorphism

metán [-t, -ja] *n*, methane, marsh gas

metángáz *n*, methane gas, marsh gas

metanol [-ok, -t] *n*, *(vegyt)* methanol, methylene

metaplazma *n*, *(biol)* metaplasm

metaplazmus *n*, *(nyelvt)* metaplasm

metapszichika *n*, metapsychics

metapszichikai *a*, metapsychic(al)

metaszomatikus *n*, *(geol)* metasomatic

metaszomatózis [-ok, -t, -a] *n*, *(geol)* metasomatism, replacement

metasztabilis *a*, *(fiz)* metastable

metasztatikus *a*, *[daganat]* metastatic

metatézis *n*, *(nyelvt)* metathesis, interversion, permutation

meta-ügylet *n*, joint business

metáz|ik [-tam, -ott, -zon] *vi*, play "méta"

metazoa [.. át] *n*, *(áll)* metazoa

metél [-t, -jen] *vt*, chop up (sg small), mince, cut up

metélés *n*, cutting up, chopping (up), mincing

metélő [-t, -je] I. *a*, chopping, cutting II. *n*, *cifra* ~ jagging-iron

metélődeszka *n*, chopping block, trencher (board)

metélőhagyma *n*, *(növ)* chives *(Allium schoenoprasum)*

metélőkés *n*, chopper, chopping knife

metélőpetrezselyem *n*, common garden parsley

metélt [-et, -je] *n*, *[tészta]* vermicelli, noodles *(pl)*

métely [-ek, -t, -e] *n*, 1. *(áll)* fluke-worm *(Distomum)* 2. *[állatbetegség]* (the) rot (in sheep) 3. *(átv)* corruption, contamination, infection, contagion, taint, poison, corrupting influence, defilement; *valóságos* ~ *(biz)* rank poison; *elhinti a* ~*t* spread the contagion

mételyes [-ek, -t] *a*, 1. *[állat]* infected with fluke *(ut)*, fluky 2. *(átv)* corrupt, vicious, tainted, pestilential

mételyesed|ik [-ett, -jen, -jék] *vi*, be infected with fluke, contract rot

mételyez [-tem -ett, -zen] *vt*, = megmételyez

mételyfű *n*, *(növ)* water clover, pepperwort *(Marsilia quadrifolia)*

mételykór *n*, (the) rot (of sheep), liver fluke

mételykóró *n*, *(növ)* water-dropwort *(Oenanthe crocata)*

meteor [-ok, -t, -ja] *n*, meteor, *(nép)* fire-ball; *nagy* ~ bolide

meteorikus *a*, meteoritic, meteoric

meteorit [-ot, -ja] *n*, meteorite

meteorit-elmélet *n*, planetesimal hypothesis

meteorkő *n*, meteoric stone, meteorite, meteorolite, aerolith, aerolite, meteoroid, falling star

meteorográf *n*, meteorograph

meteorológia [.. át] *n*, meteorology, physics of the atmosphere, weatherology *(fam)*; *alkalmazott* ~ applied meteorology; *mezőgazdasági* ~ agricultural meteorology, agrometeorology; *szinoptikus* ~ synoptic meteorology

meteorológiai [-t; *adv* -lag] *a*, meteorological; ~ *állomás* meteorological station; *M*~ *Intézet* (The Central) Meteorological Office, Weather Bureau *(US)*; ~ *jelentés* weather report/forecast

meteorológus *n*, meteorologist

meteorszerű *a*, meteoric

meteorvas *n*, meteoric iron, meteorite

méter [-ek, -t, -e] *n/a*, metre, meter *(US)* (3.28 feet); *öt* ~ *széles és tíz hosszú* 5 metres wide and 10 metres long, 5 metres in width and 10 (metres) in length; ~*rel mér* measure by the metre

méteráru *n*, textiles sold by the yard/metre, textile piece goods *(mind: pl)*

méteres [-ek, -t; *adv* -en] *a*, of a metre *(ut)*; *egy*~ *oszlop* a column one metre tall/long; *100* ~ *síkfutás* 100 metre flat race

méterkilogramm n/a, kilogrammetre
métermázsa n/a, quintal, metric centner, 100 kilograms
mértermérték n, metre (measure gauge), meter (US)
méterminta n, Prototype Metre
méterrendszer n, metric system
méterrendszerű a, metric
méterrúd n, measuring-rod, metre-stick
méterskála n, [fényképezőgépen] distance scale
méterszámra adv, by (the) metre
metil [-ek, -t, -je] n, methyl
metilalkohol n, methyl(ic) alcohol, methylene, wood-
-spirit/alcohol, methanol
metilénkék n, methylene blue
metiléter n, methyl ether
metilez [-tem, -ett, -zen] vt, methylate
metilgyök n, methyl
metodika n, methodology, methodics
metodikus a, methodical
metodista [.. át] a/n, Methodist
metodizmus n, Methodism
metódus n, method, system, way
metonimia [.. át] n, (nyelvt) metonymy
metonimiai [-ak, -t] a, (nyelvt) metonymical
metonimiás [-ak, -t] a, (nyelvt) metonymical
metopé [-t, -ja] n, (épit) metope
metressz [-ek, -t, -e] n, (kept) mistress, concubine,
paramour (obs)
metrika n, prosody, metrics
metrikai [-ak, -t; adv -lag] a, metric; ~lag súlyos ütem-
rész strong beat
metrikus I. a, metrical; ~ tonna metric ton II. n,
metrician, metrist
metrikusan adv, metrically
metró [-t, -ja] n, underground (railway), subway (US)
metronóm [-ot, -ja] n, metronome, chronometer
metronómiai [-t; adv -lag] a, metronomic
metropolita [.. át] n, metropolitan, archbishop,
exarch
metrum [-ot, -a] n, metre
metsz [-eni, -ett, metsszen] vt, 1. [vág] cut, [nyílást
hasít] slit, slash, [fogaskerékfogakat] mill (gear-
-wheels), [drágakövet] cut, facet 2. [fát] prune,
[szőlőt] dress (vine) 3. [művész fába/kőbe/rézbe]
engrave (on), [rézkarcot] etch, [kőbe feliratot] incise
4. (mért) cut, intersect, cross; két vonal ~i egymást
two lines intersect 5. [szél, hideg] cut, bite 6. (orv)
excise, cut out
metszés n, 1. [vágás] cut(ting) 2. (mezőg) pruning
(cut), dressing 3. [művészi] engraving, incision 4.
(mért) intersection, crossing, cutting, section 5.
[könyvkötésen] tool
metszési [-t; adv -leg] a, intersecting, of intersection
(ut); ~ pont point of intersection
metszéspont n, (point of) intersection/concurrence
metszésvonal n, line of intersection
metszet n, 1. [szelet] cut, segment 2. (mért, orv)
section, [mikroszkóp alá] cutting, [szövettani]
excision; ~ben ábrázol show in section, cross-section;
időbeli függőleges ~ vertical cross-section 3. [mű-
vészi] engraving, print, [rézkliséről, fadúcról] cut,
[fametszet] woodcut, [könyvben] figure; ~et készít
[maratással] etch 4. [versben] caesura
metszetárus n, print-seller
metszetgyűjtemény n, collection of prints, print-room
metszetkereskedés n, print-shop
metszetkereskedő n, (műv) print-seller
metszetrajz n, sectional/cutaway view/drawing, section
plan
metszetszoba n, print-room
metszett [-et; adv -en] a, 1. engraved, cut, chiselled,
[drágakő] faceted, cut in facets; ~ fog planed tooth;
~ üveg cut glass 2. (menny, mért) intersected

metszlap n, (orv, biol) cut surface
metsző [-t; adv -en] I. a, 1. (konkr) cutting, piercing
2. [hangról] shrill, (átv) trenchant; ~ fájdalom
acute/sharp/pungent pain; ~ gúny piercing irony,
pungent sarcasm; ~ hang incisive/sharp voice/tone;
~ hideg knifelike/piercing cold, keen frost; ~ pillantás
killing glance; ~ szél keen/piercing/sharp/biting/
bitter/cutting wind II. n, 1. cutter, who cuts 2.
[művész] engraver, (wood)cutter 3. (vall) Jewish/
kosher butcher; 4. (mért) secant, sector
metsződeszka n, [könyvkötészetben] press-board
metszőegyenes n, secant, cutting line
metszőfog n, incisor (tooth), fore-tooth, [lóé] corner-
-tooth, [növényevőé] nipper
metszőkés n, (mezőg) pruning knife
metszőolló n, (mezőg) pruning shears/clippers (pl),
secateur (fr)
metszőpont n, (point of) intersection, intersecting point,
point of concurrence/intersection
metszősík n, section/secant plane
metszővéső n, (műv) burin, etcher's needle, grave
metszővonal n, secant, line of intersection
mettől adv, inter, 1. [idő] from what time?, since
when? 2. [tér] ~ meddig? from where to where?
mettőr [-ök, -t, -je] n, clicker, maker-up, imposer
Mexikó [-t, -ban] prop, [állam] Mexico, United
States of Mexico, [város] Mexico
mexikói [-ak, -t; adv -an] I. a, Mexican, of Mexico (ut)
II. n, Mexican
Mexikói-öböl prop, the Gulf of Mexico
mez [-ek, -t, -e] n, 1.† [ruha] garb, guise 2. (sp) dress
méz [-et, -e] n, honey, (növ) nectar (of flowers);
pergetett ~ strained honey; csupa ~ volt (átv) (s)he
was all sugar and honey
meza [.. át] n, (földr) mesa
mézajak n, (növ) lip, labellum
mezalliánsz [-ok, -(o)t, -a] n, misalliance, [igével]
marry beneath one
mézbor n, mead
mézédes a, honeyed, honey-sweet, sweet as honey (ut),
mellifluous (ref.)
mezei [-ek, -t] a, 1. (áll, növ) field-, meadow-, cam-
pestral; ~ virágok field/wild flowers, flowers of the
field (pl) 2. [vidéki, mezőg] country, rural, rustic,
agricultural; ~ futás cross-country running/race;
~ gazdaság agriculture, farming (culture) hus-
bandry, tillage; ~ hadak yeomanry, (átv) all one's
supporters, the whole crowd; ~ jogász absentee
law-student; ~ munka work in the fields, agricultural
work; ~ munkás farm/agricultural labourer, field-
-hand; ~ út country lane, path across the fields;
~ vasút light railway
mezelegér n, (áll) field-mouse (Microtus arvalis)
mezeijuhar n, (növ) common/English/field maple
(Acer campestre)
mezeipacsirta n, (áll) field-lark (Alauda arvensis)
mezeipoloska n, (áll) stinkbug (Pentatomidae sp.)
mezeitücsök n, (áll) field cricket (Gryllus campestris)
mézel [-t, -jen] vi, gather honey
mézelés n, (áll) mellification
mézelési [-t] a, ~ idő honey time/season/flow
mézelő [-t; adv -en] a, 1. melliferous, honey-bearing;
~ méh honey-bee 2. mellific, honey-making
mézes [-et; adv -en] a, 1. [mézet tartalmazó] honeyed,
melliferous, abounding in honey (ut) 2. [mézzel
készített] honeyed, honey-; ~ bor honeyed wine
3. (átv) melliferous, silky, sweet; ~ szavak honeyed/
honied words
mézesbáb n, (doll shaped) gingerbread, honey-cake
mézesbábos n, honey-cake (v. gingerbread) maker
mézeshetek n. pl, honeymoon; ~et tölt (vhol) honey-
moon (at)

mézeskalács *n*, honey-cake, gingerbread
mézeskalácsos [-ok, -t, -a] *n*, = mézesbábos
mézesmadzag *n*, birdlime, specious offer; *meghúzza az orra előtt a ~ot* dangle a carrot in front of the donkey
mézesmázos [-at; *adv* -an] *a*, honeyed, honied, soapy, smooth-tongued, mealy mouthed, *[beszéd]* sugary, sugared, *[mosoly]* bland; ~ *ember* mealy-mouthed flatterer; ~ *szavak* honeyed words
mézespuszi *n*, honey-cake
mézesszájú *a*, soft-speaking, honey-tongued/mouthed
mézevő *a*, *(áll)* mellivorous, honey-eating
mézfejtő *n*, *(növ)* nectarium, nectary, honey gland; *nem a virágban levő* ~ extrafloral nectary
mézfű *n*, *(növ)* melissa *(Melissa officinalis)*
mézga [..át] *n*, 1. *(növ)* resin, rosin, mastic 2. *[ragasztó]* mucilage, gum
mézgafolyás *n*, *(mezőg)* gum, *[szőlőtőé]* gummosis
mézgagyanta *n*, gum resin
mézgás *a*, 1. resinous, resiniferous 2. *(növ)* glutinous, mucilaginous, gummy
mézgásodás *n*, gummosis
mézgatermő *a*, gummiferous
mézgáz [-tam, -ott, -zon] *vt*, gather resin, tap (trees) for resin
mézgyomor *n*, bee's pelvis, honey-bag
mézgyűjtés *n*, mellification, honey-making, collecting the honey
mézgyűjtő *a*, melliferous; ~ *főidény* honey flow/season/time; ~ *méh* honey-bee
mézharmat *n*, honey-dew
mezítelen *a*, = meztelen
mezítláb *adv*, barefoot(ed); ~ *jár* go barefoot
mezítlábas *a*, barefooted, unshod, shoeless; ~ *barát* discalced/barefooted friar
mézízű *a*, having a taste of honey *(ut)*, honey-sweet
mézmadár *n*, *(áll)* zománcos ~ sugar-bird *(Nectarinia metallica)*
mezoblast [-ot, -ja] *n*, mesoblast
mezoderma [..át] *n*, *(biol)* mesoderm
mezodermális [-at; *adv* -an] *a*, *(biol)* mesodermal
mezofiton [-ok, -t, -ja] *n*, *(biol)* mezophyte
mezogasztrium [-ot, -a] *n*, *(bonct)* mesogaster
mezon [-ok, -t] *n*, meson
mezozoikum [-ot, -a] *n*, *(geol)* Mesozoic, Secondary (era)
mezozoikus *a*, *(geol)* mesozoic
mező [-t, mezeje] *n*, 1. field, *[egy kisebb egysége]* patch, strip, *[várossal ellentétben]* open country/field, *[füves]* meadow; *a ~n* afield, in the fields 2. *(fiz)* field, *[sakktáblán]* square; *mágneses* ~ magnetic field 3. *(átv)* field, domain, range; *a becsület mezeje* the field of honour; *az ipar mezején* in the field/realm of industry
mezőgazda *n*, farmer, agriculturist, husbandman, *[okleveles]* agronomist, rural economist, scientific agriculturist
mezőgazdaság *n*, 1. *(ált)* agriculture, husbandry, rural economy; *a* ~ *szocialista átszervezése* socialist transformation of agriculture, socialization of agriculture; *a* ~ *kollektivizálása* collectivization of agriculture; *a* ~ *újjászervezése* reconstruction of agriculture 2. *[egy üzem]* farm
mezőgazdasági *a*, agricultural, rural, agrarian, agronomic; ~ *akadémia* agricultural college; ~ *év* crop year; ~ *fejlesztési terv* rural development scheme; ~ *gép* agricultural/farm machine(ry); ~ *gépállomás* machine tractor station; *M~ Gépészmérnöki Főiskola* School of Agricultural Mechanical Engineering; ~ *gépgyár* agricultural machine factory; ~ *gépipar* agricultural machine industry, industry of agricultural machinery; ~ *ipar* agricultural industry;

~ *iskola* agricultural school; ~ *kamara* Chamber of Agriculture; ~ *készlet* field inventory; ~ *kiállítás* agricultural show, cattle-show; ~ *munkás* farm/land/agricultural labourer/worker, farm hand, ranch hand *(US)*; ~ *művelésre alkalmas terület* cultivable land; ~ *szakember* scientific agriculturist, rural economist; ~ *szakiskola* agricultural school; ~ *szakoktatás* agricultural course(s); ~ *szerszám/felszerelés/szeráru* agricultural implement; ~ *szeszgyár* agricultural distillery; ~ *szövetkezet* agricultural co-operative (society); ~ *termék* agricultural product; ~ *termelés* agricultural production; ~ *termelőszövetkezet* agricultural (producer's) co-operative, co-operative farm, collective farm; ~ *termelőszövetkezeti rendszer* collective farm system; ~ *termék* agricultural/rural produce; ~ *termények* agricultural/farm produce; ~ *tőke* capital invested in agriculture; ~ *vásár* agricultural/cattle-show
mezőgazdaságtan *n*, agronomy, husbandry, agronomics
mezőgazdász *n*, agriculturist
mezőgazdászmérnök *n*, agricultural engineer
mezőny [-ök, -t, -e] *n*, 1. *[terület]* field, ground, course 2. *[a versenyzők]* field, side; *a ~ élén jár (sp)* lead the field; *a* ~ *ellen köt fogadást* bet against the field; *a ~ben* in midfield; *~t választ [játékban]* pick up (for sides) 3. *[részlet]* section, table, panel, *[sakktáblán]* square
mezőnyhatárjel *n*, *[reptéren]* strip marker
mezőnyjáték *n*, (mid)field play
mezőnyjátékos *n*, *(sp)* fielder
mezőőr *n*, ranger, rural constable
mezőrendőr *n*, country policeman, rural police(man)
mezőrendőri *a*, ~ *kihágás* rural contravention
mezőség *n*, fields *(pl)*, open country
mezőváros *n*, country/market-town, borough, prairie town *(US)*
mezővédő-erdősáv *n*, shelter-belt
mézpergető *n*, honey-extractor/separator
mézsejt *n*, honey-cell
mézsör *n*, hydromel, mead, metheglin *(obs)*
mézszedés *n*, honey-gathering (of bees)
mézszínű *a*, honey-coloured
meztelen *a*, 1. naked, nude, unclothed, *[igével]* have nothing on, *[vállak, tagok]* bare; ~ *alak (műv)* nudity; ~ *test* naked body, *[műv]* nude; *derékig* ~ stripped to the waist; ~ *vetkőzik* undress (oneself) completely, strip, take off one's clothes, strip to the skin/buff *(fam)* 2. *(átv)* ~ *igazság* plain/naked/blunt truth; ~ *kard* naked sword; ~ *tények* bare and brutal facts
meztelencsiga *n*, *(áll)* slug *(Arion sp., Agriolimx sp., Limax sp.)*
meztelenked|ik [-tem, -ett, -jen] *vi*, be (stark) naked, go about naked
meztelenség *n*, nakedness, nudity, *(műv)* nude
meztelenül *adv*, naked, unclothed, in a state of nature, in nature's garb; *anyaszült* ~ *(biz)* in buff; *derékig* ~ stripped to the waist
méztermelés *n*, 1. production of honey, *[méhészkedés]* bee-keeping/farming, apiculture 2. *[bogarak által]* mellification
méztermő *a*, melliferous, honey-bearing
mézvíz *n*, hydromel
mezzanin [-ok, -t, -ja] *n*, mezzanine
mezzoszoprán *n*, mezzo-soprano
mezzotinto [-t] *n*, *(műv)* mezzotint
mezsgye [..ét] *n*, ridge, ba(u)lk, unploughed ba(u)lk of turf, boundary, border, borderland; *a történelem és a legendák mezsgyéjén* in the borderland of history and legend
mezsgyekaró *n*, landmark, boundary pole
mezsgyesértés *n*, trespass of frontier

mi¹ I. *n. pron, [minket, bennünket]* we; ~ *magunk* we ourselves **II.** *a. poss,* our, of us *(ut),* ours *(ut);* a *mi házunk* our house **III.** *adv, pron.* ~*belénk* in us; *hasonló összetételek mint* **én** *szócikkében*

mi² [-k,-t, -je] I. *n. inter,* 1. what?; ~? what did you say?, eh?; ~ *az?* what is it/that?, what's going on?; ~ *az hogy! [válaszként]* not half!, you bet!, rather!; ~ *baj?* what happened?, what is up?, what is the matter?; ~ *kell még?* what more do you want?; ~ *lelt?* what is amiss with you; ~ *marad?* what remains?; ~ *történt?* what happened?; ~ *ütött beléd (biz)* what's biting you?; ~ *van a kezedben?* what have you got in your hand?; *szép ez (,)* ~! that is beautiful isn't it? **2.** *[birtokos raggal]* ~*d fáj?* what is wrong with you?, what ails you? **3.** *[felkiáltásban]* ~ *az ördög!* (what the) hell!, the deuce! **4.** *[idézett mellékmondatban]* *megmondom hogy* ~ I tell you what (happens *v.* it is)
II. *a. inter,* ~ *célból* for what reason/purpose, what for; ~ *értelme?* what is the good/use?; ~ *jogon?* by what right?; ~ *módon?* how?, by what process?, in what way?; ~ *okból?* for what reason?, why?; ~ *újság?* what (is the) news?; ~ *célra* = **mi** *célból;* ~ *végett?* to what end?, for what purpose?, what for?
III. *adv. inter, [felkiáltásban]* ~ *kék az ég!* how blue the sky is!
IV. *n. rel,* = **ami**

mi³ [-t, -je] *n, (zene)* mi

miákol [-t, -jon] *vi,* mew, miaow

mialatt *conj, while,* whilst

miálta! I. *adv. inter,* by what (means)? **II.** *adv. rel,* whereby

Miasszonyunk [-at] *n, (vall)* Our Lady, Ladykin

miaszténia [..át] *n, (orv)* myasthenia

miatt *post,* 1. *(vm)* because of, owing to, in consequence of, on account of, for, by reason of, in view of; *betegség* ~ *van távol* absent through illness; *haláleset* ~ *zárva* closed on account of death **2.** *vk* ~ for the sake of . . ., for sy's sake

miatta *adv. pron/dem,* for his sake, on his account; *én* ~*m [felőlem]* for aught/all I care

miatyánk [-ot, -ja] *n,* the Lord's prayer; *úgy tudja mint a* ~*ot* have sg word-perfect

miazma [..át] *n,* miasma

miazmás *a,* miasmatic, miasmal, noxious, polluted; ~ *levegő* miasmatic/polluted air

mibe I. *adv. inter,* in(to) what?, *[mennyibe]* how much; ~ *került?* how much did it come to?, how much did you give for it?, what was its price?, how much is it? **II.** *adv. rel, [amibe]* at what, to which; *nincs* ~ *kapaszkodnia* he has nothing to hang on to

miben I. *adv. inter,* wherein?, in what?; ~ *lehetek szolgálatára?* what can I do for you?, how can I serve you? **II.** *adv. rel,* = **amiben**

mibenlét *n,* state, nature, facts of a case *(pl), (fil)* existence

miből I. *adv. inter,* of/on what?, where of?, whereby?; ~ *él?* what does he live on?, what does he do for a living; ~ *gondolod?* what makes you think so?; ~ *van* what is it made of? **II.** *adv. rel,* = **amiből**

micéllum [-ot, -a] *n,* mycelium

Michigan-tó *prop,* Lake Michigan

Mici [-t] *prop,* Mizzie

micisapka *n,* cloth cap, jockey-cap *(US)*

micsoda [..át] I. *n. inter,* 1. *[kérdés]* what (on earth)? **2.** *[meglepődéskor]* what do you say? **II.** *a. inter,* 1. *[=milyen]* ~ *ember ez?* what sort of a man is he? **2.** *[felkiáltásban]* ~ *színész* what an actor!; ~ *kérdés!* what a question!; ~ *ötlet!* what an idea!

micsodás I. *a. inter,* what kind/sort of? **II.** *a. rel, [= amilyen vagy amilyen fajta]* such as it is, of the kind (it is)

Micsurin-kert *n,* Mitchourin-garden

míder [-ek, -t, -e] *n,* stays *(pl)*

midőn *conj,* when

miegymás *n. indef,* what-not, a variety of things, odds and ends *(pl);* ~*ről* of one thing and another

mieink *a/n. poss, ld* **mienk**

mieloblaszt [-ot] *n, (bonct)* myeloblast

mielocyta [..át] *n, (bonct)* myelocyte

mielóma [..át] *n, (orv)* myeloma

mielőbb *adv,* as soon as possible, with as little delay as possible

mielőbbi *a,* early, the earliest possible; ~ *javulást!* I wish you a promt/speedy recovery!, get better (quickly)!; ~ *szíves válaszát várva* please reply at your earliest convenience, we request the favour of a reply at your early convenience; ~ *viszontlátásra* see you again soon, I'll be seeing you *(US)*

mielőtt *conj,* before, ere *(ref.);* ~ *elfelejteném* before I forget; ~ *elmegyek* before I leave, before leaving

mienk [-et, mieinket] I. *a. poss, [csak állítmányként]* ours; ~ *az ország* the country is ours, the country belongs to us **II.** *n. poss, a ti lakástok nagyobb mint a* ~ your flat is larger than ours

miénk [-et, mieinket] *a/n. poss,* = **mienk**

miért [-je] I. *adv. inter,* why?, on what account/grounds?, what for?, for what reason?, upon what score?, wherefore?; ~ *ne?* why not?; ~*(,)* ~ *nem?* I do not know why?; ~ *nem szóltál/mondtad?* why didn't you say so?; ~ *késtél ennyit?* what makes you so late?, why are you so late?; ~ *mentél el?* why did you go?, what made you go/leave?
II. *adv. rel, nincs* ~ *[válaszként a köszönetre]* (pray) don't mention it, not at all; *nincs* ~ *kétségbeesni* there is no reason to/for despair
III. *n, vmnek a* ~*je* the why of sg, the whys and wherefores; *nem tudom a* ~*jét* I don't know the reason why *(v.* of/for it)

miféle *a. inter,* what kind/sort of?, what?; ~ *beszédrészek ezek?* what parts of speech are these (words)?; ~ *ember ez?* what manner/sort of a man is he?; ~ *beszéd ez?* what language is this?

mifelénk *adv. pron,* in our parts, in my part of the world; *erre* ~ down/over here

míg *conj,* **1.** *[mialatt]* while, as/so long as, whilst, all the time, *[ameddig]* till; *addig üsd a vasat* ~ *meleg* strike the iron while it is hot, make hay while the sun shines; ~ *Miklós visszajön(,) elolvasom az újságot* till Nick returns I shall read the paper **2.** *[ellentétes ért]* ~ *azelőtt egy is elég volt(,) most . . .* while formerly one was enough(,) now . .

migmatit [-ot, -ja] *n, (geol)* migmatite

mignem *adv,* until finally

migráció [-t, -ja] *n,* migration

migrén [-ek, -t, -je] *n,* migraine, megrim, sick headache

migrénes [-ek,-t] *a,* having megrim, *(ut)* migrainous

Mihály [-t] *prop,* Michael, *(bec)* Mike

Mihály-nap *n,* Michaelmas *[Szeptember 29]*

mihamarább *adv,* as soon as possible, with as little delay as possible, before long, shortly

mihaszna [...át, adv...án] I. *a,* good-for-nothing, idle **II.** *n,* good-for-nothing, ne'er-do-well, waster, *[gyerekekre, kedveskedve]* little urchin/imp, (little) rascal, (little) rogue

mihelyt *conj,* as soon as, the moment that, the minute/instant, no sooner, directly, once; ~ *megérkezett* the minute/moment he arrived; ~ *megérkezett beteg lett* he had no sooner arrived than he fell ill; *értesíts* ~ *megjön* let me know directly he comes; ~ *megkapta a pénzt fizetett nekem* immediately he received the money he paid me; ~ *megláttam* as soon as I caught sight of him; ~ *csak megteheti* at your earliest convenience; ~ *az utcára (ki)ért* once in the street . . .

mihez I. *adv. inter*, to what?; ~ *értesz a legjobban?* what is your line (of country)?, what is your specialty?, what is your field of interest/study? II. *adv. rel/conj*, = amihez

miheztartás *n*, ~ *végett közlöm* I inform you for your guidance *(v.* for your edification)

mikádó [-t, -ja] *n*, mikado

miként I. *adv. inter*, how?, in what manner?, by what means ; ~ *lehetséges az hogy?* how is it that ... II. *adv. rel/conj*, = amint; ~ *láthatja öreg vagyok* I am old as you can see III. [-et, -je] *n*, manner, mode; *ismerem a ~jét és hogyanját* I know the why and the wherefore

miképp I. *adv. inter, pron*, = miként I; II. *adv. rel/conj*, = amint

miképpen I. *adv. inter, pron*, = miként I; II. *adv. rel/conj*, = amint

Miki [-t, -je] *prop*, Nick, Mickey

Miklós [-t, -a] *prop*, Nicholas

mikológia [. .át] *n*, mycology

mikológiai [-ak, -t; *adv* -lag] *a*, mycologic(al)

mikológus *n*, mycologist

mikor I. *adv. inter*, when?, at what time? II. *adv. rel/conj*, when; ~ *aztán* and when, seeing that ...; ~ *szoktál kelni?* when do you get up?; ~ *fogsz hazajönni?* when do you come home?; ~ *az utcára ért* once in the street; ~ *evett(,) folyton csak* ... all during his meal he ...; ~ ....*hogy l* it depends

mikorára I. *adv. inter*, (by) when?; ~ *várhatom?* how soon *(v.* when) may I expect it/him? II. *adv. rel/conj*, = amikorra

mikorra I. *adv. inter*, (by) when?; *ld még* mikorára; II. *adv. rel/conj*, = amikorra

mikortól *adv. inter*, since when?

miközis [-ok, -t, -a] *n, (orv)* mycosis

miközben *conj*, while, whilst

mikroamper *n, (vill)* microampere

mikróba [. .át] *n*, microbe, germ *(fam)*

mikróbaölő I. *a*, microbicidal, germ-killing, germicidal II. *n*, microbicide, germicide, germ-killer

mikrobarázda *n*, micro-groove

mikrobarázdás *a*, microgroove; ~ *hanglemez* long-play-(ing) record, microgroove record

mikróbás *a*, microbial, microbic

mikrobiológia *n*, microbiology

mikrobiológus *n*, microbiologist

mikrobizmus *n, (orv)* microbism

mikrobusz *n*, microbus, baby bus

mikrocita [. .át] *n, (bonct)* microcyte

mikroelem *n, (növ)* microelement

mikroeszterga *n, (műsz)* microlathe

mikrofarad *n, (vill)* microfarad

mikrofénykép *n*, microphotograph

mikrofényképészeti *a, (fényk)* photomicrographic

mikrofényképezés *n*, microphotography

mikrofilm *n*, microfilm

mikrofilmcsík *n*, microfilm strip, strip microfilm, micro-strip

mikrofilmez *vt, (vmt)* micro film

mikrofilmfelvevő *a/n*, ~ *készülék* microfilm recorder

mikrofilm-kópia *n*, microcopy

mikrofilm-leolvasó *n*, microfil m reader

mikrofilmtár *n*, microfilm library

mikrofon [-ok, -t, -ja] *n*, microphone, transmitter, mouthpiece (of telephone), mike *(fam), [telefoné]* transmitter

mikrofonhangzavar *n*, mike stew

mikrofonnyílás *n*, funnel, *[telefoné]* mouthpiece

mikrofonpróba *n*, microphone test; ~ *l egy(,) kettő(,) három* testing! one(,) two(,) three

mikrofotográfia *n*, microphotography, photomicrography

mikrofotográfiai *a, (fényk)* photomicrographic

mikrofotogram *n, (fényk)* photomicrograph

mikrográfia *n*, micrography

mikrohenry *n, (vill)* microhenry

mikrohm *n, (vill)* micrhom

mikrohullám *n, (vill)* microwave

mikrohullám-frekvenciamérő *n, (fiz)* interferométer

mikrokártya *n*, micro-card, micro-record

mikrokártya-leolvasó *n*, microcard reader

mikrokémia *n*, microchemistry

mikroklima [. .át] *n*, microclimate

mikroklimatológia *n*, microclimatology

mikrokokkusz *n, (biol)* micrococcus

mikrokozmikus *a*, microcosmic

mikrokozmosz *n*, microcosm

mikrolap *n*, micro-sheet

mikrolemez *n*, LP record, long-playing record, micro-groove record

mikrolit [-ot, -ja] *n, (rég)* microlith

mikrológia [. .át] *n*, micrology

mikromérleg *n*, micrometer balance, micro-balance

mikrométer *n*, micrometer

mikrometercsavar *n*, micrometer/tangent screw

mikrometria [. .át] *n*, micrometry

mikromilliméter *n*, micromillimetre

mikro-mozgófényképezés *n*, cine-micrography, cine-photomicrography

mikron [-ok, -t, -ja] *n/a*, micromillimetre, micron

mikronyomat *n, (nyomd)* micro-point

mikroorganizmus *n*, micro-organism

mikroökonómia *n*, microeconomics

mikroszeizmikus *a, (geol)* microseismic; ~ *nyugtalanság* earth tremor

mikroszeizmográf *n*, microseismograph

mikroszkóp [-ot, -ja] *n*, microscope

mikroszkópfénykép *n, (fényk)* photomicrograph

mikroszkópfényképészet *n, (fényk)* photomicrography

mikroszkópia [. .át] *n*, microscopy

mikroszkópiai [-t; *adv* -lag] *a*, ~ *vizsgálat* microscopic-(al) examination

mikroszkopikus *a*, microscopic(al)

mikroszkopizál [-tam, -t, -jon] *vt*, examine with/under a microscope

mikroszóma [. . át] *n*, microsoma, microsome

mikrotron [-ok, -t, -ja] *n, (fiz)* microtron

mikrovolt *n. (fiz)* microvolt

mikrozoa [. . át] *n, (biol)* microzoon

Miksa [. . át] *prop*, Maximilian, *(bec)* Max

Mikulás *prop*, Santa Claus, St. Nicholas

Mikulásvirág *n, (növ)* poinsettia *(Euphorbia pulcherrima)*

Milánó [-t, -ban] *prop, (földr)* Milan

milánói [-ak, -t] *a/n*, Milanese; a M~ *dóm* the cathedral of Milan

milicia [. .át] *n*, militia

milicista [. .át] *n*, militiaman

milimári [-t, -ja] *n*, milk-woman (from the German-inhabited environs of Budapest)

miliő [-t, -je] *n*, 1. *[környezet]* surroundings *(pl)*, environment, matrix, milieu 2. *[asztalon]* table-centre/mat, (embroidered) centre-piece

militarista [. .át] *a/n*, militarist

militarizál [-t, -jon] *vt*, militarize

militarizálás *n*, militarization

militarizmus *n*, militarism

millenáris [-ok, -t] *a*, millennial, millenary

millennista [. .át] *n, (vall)* millenerian

millennium [-ot, -a] *n*, millenium

milliamper *n, (vill)* milliampere

milliampermérő *n, (vill)* milliamperemeter, milliammeter

milliárd [-ot, -ja] *num. a/n*, thousand million, *[néha]* milliard, billion *(US)*

milliárdos [-ok, -t, -a] I. *num. a*, a milliard-, a billion *(US)* II. *n*, multi-millionaire, billionaire *(US)*
millifok *n*, milligrade
milligramm *n/a*, milligram(me)
milliméter *n/a*, millimetre, millimeter *(US)*
milliméterpapiros *n*, squared plotting *(v.* scale) paper, co-ordinate paper
milliméterskála *n*, millimetre-scale
millimétersor *n*, size of advertising space in millimetres
millimikron *n, (fiz)* millimicron
millió [-t, -ja] *num. a/n*, million
milliohm *n, (vill)* milliohm
milliomodik [-at, -a] *num. a/n*, millionth
milliomos [-ok, -t, -a] *n/a*, millionaire, *[igével]* be worth a million; *többszörös* ~ multimillionaire
milliós [-at] *num. a*, of (a) million *(ut);* ~ *sikkasztás* an embezzlement of a/several million(s)
millivolt *n, (vill)* millivolt
Milói Vénusz the Venus of Milo
milpoen [-ek, -t, -je] *n, (tex)* mille-points; ~ *szövés* pinhead weave
mily *a/adv. inter/rel,* = milyen
milyen I. *a. inter,* 1. what?, what kind/sort of?; ~ *címen ?* by what right?, upon what score/grounds?; ~ *iskolába járt?* what school were you at?; ~ *módon ?* by what means?, in what way?; ~ *széles ?* how wide?; *nem tudom* ~ *lesz* I don't know what it will be like 2. ~? *[önmagában]* what is it like?; *(mondd el hogy)* ~? what is she like? 3. *[felkiáltásban]* how; ~ *szerencse !* what luck!
II. *adv. inter,* 1. how; *nem tudom* ~ *nagy* I don't know how big it is 2. *[felkiáltásban]* ~ *szerencsétlen volt !* how unhappy/unfortunate/miserable he was; ~ *piszkos !* how dirty!, isn't he dirty!
III. *a/adv. rel. v. conj,* = amilyen
milyenség *n*, quality, nature (of sg)
mímel [-t, -jen] *vt*, feign, pretend, sham
mímelés *n*, imitation, feigning
mimika *n*, mim(et)ic art, mimicking, (art of) mimicry
mimikri [-t, -je] *n*, mimicry, mimesis, protective colouration
mimóza [...át] *n*, mimosa, sensitive plant *(fam) (Mimosa pudica)*
mimózalelkű *a*, (over/super-)sensitive
mímus *n*, mime
mímusjáték *n*, mime
min I. *adv. inter,* on/by what?, where at?; ~ *dolgozol ?* what are you working at?, what are you engaged on?; ~ *utazol?* by what are you going to travel?; ~ *ül ?* what are you sitting on? II. *adv. rel,* = amin
minap *adv*, the other day, recently, lately, one of these days, t'other day *(fam)*
minapi [-ak, -t] *a*, recent, late
minaret -et, -je] *n*, minaret
mind¹ [-et] *n/adv. indef,* 1. all *[utána többes szám]*, every, each *[utána egyes szám]; a fiuk* ~ all the boys, every (single) boy; ~ *a fiuk* ~ *a lányok* (both) the boys and the girls, the boys as well as the girls; ~ *elvitte* he carried all away, he took them all away; *öt* ~ *[játékállás teniszben]* five all; ~ *az öt nyelv(b)en* in all five languages; ~ *a kettő elment* both went away; ~ *a négyen* the four of us; ~ *egy szálig* to a man; *ez* ~ *szép de* it is all very fine and good but/still 2. *[középfokkal]* continually, continuously; ~ *jobban és jobban* better and better; ~ *nagyobb lesz* it is growing continually, it keeps (on) growing, it is becoming/getting greater/larger/ bigger and greater/larger/bigger; ~ *rosszabul* worse and worse; *a repülőgép* ~ *magasabbra emelkedett* the airoplane rose higher and higher 3. ~ *a mai napig* to the present day, to this (very) day; ~ *ez ideig [állításban]* so/thus far, till now, up to now,

up to the present, hitherto, *[tagadásban]* as yet
ld még mindeddig
mind² *conj,* ~ .... ~ both ... and; ~ *az egyik* ~ *a másik* both the one and the other, the one/ first as well as the other/second; ~ *a polgári* ~ *a büntető ügyek* issues whether civil or criminal
mindaddig *adv,* ~ *amig* until, as long as, until such time that/as
mindamellett *adv,* nevertheless, all the same, notwithstanding, for all that, yet, however, in spite of all/ everything
mindannyi *a/n. indef,* all (of them) *(pl)*, every (single) one of them
mindannyian *adv. indef,* all (of us/you/them)
mindannyiszor *adv. indef,* every/each time
mindaz *n. indef,* all, all that/those; ~ *amit* all that; ~*ok akik* all those who, all such as
mindazonáltal *adv,* however, nevertheless, none the less, notwithstanding, after all, for all that, still, yet, all the same, in spite of everything
mindeddig *adv. indef,* so/thus far, till now, up to now, up to the present, to this moment, heretofore *(ref.).* hitherto *(ref.),* *[tagadásban]* as yet
mindegy *a, [személytelenül]* (it is) all the same, it's all one, it is of consequence, no matter, it makes no difference, it all comes to the same thing just the same, *(vknek)* (it is) all the same to me, never mind, all one (to me); ~ *(hogy) mikor* no matter when; *nekem* ~ it is the same to me, I don't mind/care (if...); *ha neked* ~ if it is all the same *(v.* one) to you; *nekem teljesen* ~ it is all the same to me, I don't care either way; ~ *hogy milyen nagy* no matter how big
mindegyik *a/n. indef,* each, each/either one, every, every (single) one, any one, every man jack (of them) *(fam);* ~ *oldalon* on each/either side, on both sides; *sorjában* ~ each in turn, one after the other; ~*ünk* each (one) of us, every one of us; ~*ünk egy fontot keres* we each earn one pound, we earn one pound each
mindegyre *adv. indef,* incessantly, continually, all the time, ceaselessly, unceasingly, without intermission/ cessation/stopping, time after time, time and again; ~ *elfelejtem* I keep forgetting it
mindeli [-ek, -t] *a, (geol)* Mindel, Mindelian
minden [-ek, -t, -e] I. *n. indef,* all, everything, anything; ~*ek előtt* first and foremost; ~*ek felett* above all; ~ *elveszett* all is lost; ~ *nélkül maradt* he lost his all, he lost everything he possessed *(v.* in the world), he was left high and dry *(v.* stranded); ~ *rendben* all clear, all right; ~ *jó ha a vége jó !* all's well that ends well; ~ *vagy semmi [törvény]* all-or-none (law); *ezzel* ~ *meg van mondva* one need not say more; ~ *csak nem jó* anything but good; *itt* ~ *lehetséges* anything goes *(v.* is possible) here, nothing is impossible here; *a fia a* ~*e* her son is her all (in all), her son is all in all to her; *ő a* ~*em* he/she is my all, he is everything to me; ~*be beleavatkozik* have a finger in every pie; ~*ben* in all; ~*ben azonos* every bit/incn the same; ~*ben rendelkezésére állok* I am (entirely) at your service/disposal; ~*nek te vagy az oka* it all happened because of you; ~*nek van határa* there is a limit to everything; ~*nek vége* it is all *(v.* everything is) over, *[this is the end;* ~*re gondja van* see to everything; ~*re képes* capable of anything *(ut);* ~*re készen áll* stand ready for anything; ~*re kiterjedő* all embracing; ~*t a maga idejében* all in (a) good time; ~*t csak ezt ne* anything but that; ~*t elkövet* go to any great length; ~*t felölelő, ~*t magában foglaló* all-embracing/ absorbing, over-all; ~*t megeszik* he eats anything; ~*t megmond* he tells everything/all; ~*t összevéve* after all, taking it all in all, when all is said and

done; ~t számba véve in the last analysis; ~t tud he knows everything; már ~t tudok I know everything, I know all about the matter, no need to waste any more words, I am in the know (fam); vagy ~t vagy semmit it's hit or miss!; a ~it! (biz) the deuce! hell!, golly!, crikey!, my hat!

II. a, indef, every [utána egyes szám], all [utána többes szám]; ~ egyes each (and every), every single; ~ ember all men/people, every man, everybody; ~ alkalommal on all occasions, every time; ~ (elfogadható) áron at any (reasonable) price, at whatever cost (within reasonable limits); ld még mindenáron; ~ bizonnyal no/without doubt, certainly, evidently, sure thing (US), obviously (US), and no mistake (US fam); ~ esetben [kivétel nélkül] without exception, [mindig] whenever, every time; ~ esetre érvényes valid for all cases (v. in all instances); ld még mindenesetre; ~ este every evening/night; nem ~ fáradság nélkül not without effort; ~ irányban in every direction; ~ könyvkereskedésben kapható available/procurable (v. to be had) at all booksellers; ~ második every second; ~ második nap every second/other day; ~ mástól eltekintve aside from everything else; ~ módon in every way; ~ oldalról from all sides; ~ oldalról tanulmányoz egy kérdést study a question from every side; ~ oldalú universal, all-round, many/all-sided; ~ remény nélkül without any (v. a flicker of) hope; ~ segítség nélkül without any help; ~ szempontból in every respect; ~ tekintetben in every respect, all round, every whit; ~ vagyona ellenére for all his wealth; ~ vasárnap every Sunday, on Sundays; a világ ~ kincséért (sem) (not) for all the world

mindenáron adv. indef, at any price/means, at all costs, (elit) by hook or by crook; ~ inni akart he was all for getting a drink, he wanted a drink at any cost; ld még minden áron

mindenekelőtt adv, first of all, in the first place, above all, to begin with, first and foremost, of all things, before everything else, primarily, for one thing ...

mindenekfölött adv, above all, first of all, in the first place, principally, chiefly, mainly, to begin with, first and foremost; ~ való chief, paramount

mindenes [-ek, -t, -e] I. a, ~ kulcs master key II. n, general servant, maid-of-all-work, combination maid, [főző] cook-general, [fiatal nő] skivvy ◈, slavey ◈, [férfi] general factotum, [gyarmaton] houseboy

mindenesetre adv, in any case, under any/all circumstances, by all means/accounts, at all events, at any rate, certainly, anyway, anyhow, whatever happens, for every emergency, in all emergencies

mindenestül adv. indef, bag and baggage, lock(,) stock and barrel, with all goods and chattels, entirely, completely; ~ elpusztul perish root and branch

mindenevő I. a, (áll) omnivorous, (orv) pantophagous, polyphagous II. n, (áll) omnivore, (orv) pantophage

mindenfajta a. indef, of all kinds/sorts (ut), all sorts of

mindenfelé adv. indef, in every direction, in all directions, on all sides, right and left, everywhere, in every part

mindenféle I. a. indef, all kinds/sorts of, of all sorts/ degrees/kinds/species/description (ut), every kind/ sort of, of every quality (ut), omnifarious, diverse; ~ ember all manner of people II. n. indef, mindenfélét vásárolt he bought all sorts of things; mindenfélének elmond vkt/vmt call sy/sg names

mindenfelől adv. indef, from all sides/directions/parts/ quarters, from every direction, on all sides, everywhere

mindenha adv. indef, † = mindenkor

mindenható I. a, almighty, all-powerful, all-high, omnipotent II. n, a M~ the Almighty

mindenhatóság n, omnipotence, almightiness; az állam ~a the omnipotence of the state, [mint irányzat] statism

mindenhogyan adv. indef, anyhow, in any case, as best one can

mindenhol adv. indef, = mindenütt; ~ előforduló ubiquitous

mindenhonnan adv. indef, from everywhere (v. every direction), from all sides/quarters, from every quarter

mindenhova adv. indef, in/to all directions, to every quarter, to all places, everywhere

mindenik a/n. indef, = mindegyik

mindenképpen adv. indef, in any case, whatever happens, at all events, doubtless, to be sure; by all means, anyway, anyhow (fam)

mindenki n. indef, everybody, all, every man/one, anyone, everyone, the whole world, high and low, all and sundry, to the last man, all hands (fam); ~ aki whoever; ~ a fedélzetre! all hands aboard; ~ más everybody else; ~ tudja everybody knows (it), it is known to all (that), that is common knowledge; már ~ tudja it is an open secret; ezt ~ megvásárolhatja anyone can afford that, it is on sale for everybody; ~ szemében in the sight of the world, under/ before every eye; ~nek elmeséli tell it to all and sundry, tell it to all comers (v. the world at large); ~ képességei szerint (,)~nek munkája szerint from each according to his ability to each according to his work; ~ képességei szerint (,)~nek szükséglete szerint from each according to his ability to each according to his needs

mindenkor adv. indef, always, at all times, at any time, ever, first and last, at all hours (of the day and/or night)

mindenkori a, prevailing, current, existing; a ~ kormány the government in power

mindennap adv. indef, daily, every day; ~ megjelenő published/appearing daily (v. every day) (ut), daily

mindennapi a, 1. daily, day-to-day; a ~ életben in everyday life; ~ ruhában in everyday/workaday clothes; ~ ügy routine work 2. (átv) everyday, familiar, common, (kissé elit) commonplace, conventional, trite, trivial, humdrum; nem ~ uncommon, unusual, out-of-the-common; nem ~ felfordulás volt it was a rare to-do; ~ használatban in ordinary use; ~ robot (biz) daily grind

mindennapiság n, ordinariness, commonness, conventional/everyday character, (elit) triviality

mindennapos a, daily, day-to-day, common (place); routine, diurnal (ref.), quotidian (ref.); ~ dolog it is in the day's work; ~ látvány common/everyday sight; ~ vendég daily visitor

mindennemű a. indef, all kinds/sorts, of all sorts (ut), sundry, various

mindenoldalúság n, universality, all-roundness, many- -sidedness

mindenség n, 1. [világegyetem] universe, world, nature; az egész ~ (biz) the whole bag/box of tricks 2. a ~it! gorblimey!, the deuce!

mindenszentek n. pl, All-Saints'/Hallow's day, All-Hallows, Hallowmas, [előestje] Halloween'

mindentudás n, omniscience

mindentudó a, all-knowing, omniscient, (iron) know- -all

mindenünnen adv. indef, = mindenhonnan

mindenütt adv. indef, everywhere, on every side, far and wide, near and far, at all points, all over, high and n low, from all quarters; ~ *jelenvaló* omnipresent, ubiquitous; ~ *jelenvalóság* omnipresence, ubiquity; ~ *megélő növény* ubiquist; ~ *megtalálható* it is met with everywhere; *már* ~ *jártam (kérésemmel)* I have already knocked at every door; *így van (ez)* ~ it is the same (thing) everywhere; ~ *ott van (biz)* she is all over the place *(v.* everywhere at once)

mindenüvé *adv. indef,* to all places, everywhere

mindétig *adv. indef,* = **mindig**

mindez *n. indef,* all this/these; *mi lesz mindebből?* what will be the result of it all?; *hova visz* ~? what will be the result of it all?; ~*ek alapján* on the basis of all these; *mi lesz mindennek a vége?* what will be the result of it all?

mindezideig *adv. indef,* = **mindeddig**

mindhalálig *adv. indef,* to the very last, to the grave, till death, to the bitter/very end, to one's dying day

mindhárman *adv,* all three (of us/you etc.)

mindhiába *adv,* all for nothing, (all) in vain

mindig *adv,* 1. *[minden időben]* always, at all times, ever, incessantly, continuously, all along, under any/all circumstances, whatever happens, *[egy időpont óta]* ever since; *még* ~ still; *mint* ~ as usual, as per usual *(joc) ;* ~ *azt mondogatta nekem hogy . . .* he used to tell me that . . . 2. *[középfokkal]* more and more, evermore, increasingly; ~ *erősebb lesz* it is growing stronger and stronger, its strength increases *(v.* is increasing)

mindinkább *adv,* more and more, incessantly, increasingly, all the more

mindjárt *adv,* 1. *[térben]* immediately, directly, on the spot, right there 2. *[időben]* instantly, in an instant, immediately, forthwith, at once, promptly, directly, anon *(obs)*, right away *(fam)*, in a jiffy *(fam)*, right away/now/off *(US) ;* ~ *az elején* right at the start, at the (first) onset; ~ *jövök* coming in a minute; ~*!* just a minute!, half a mo/sec! *(fam)*

mindjobban *adv,* more and more, increasingly, continually, growingly

mindkét *a,* both, either; ~ *félre nézve hasznos* mutually profitable/advantageous; ~ *oldalon* on either side, on either of the sides; ~ *részről* from both sides/directions, from either side/direction, *[kölcsönösen]* mutually, reciprocally; ~ *szeme* both his eyes; ~ *szemére megvakult* he went blind in both eyes

mindketten *adv,* both (of us/you/they); *akik* ~ *. . .* both of whom

mindkettő *n,* both (of us/you/they)

mindmáig *adv. indef,* to date, up to the present day, at/to this (very) day

mindmegannyi *n. indef,* all (of them), every/each one of them

mindnyájan *adv, indef,* all (of us/you/them), we/you/they all . ., one and all; *mi* ~ (we) all of us; *ti* ~ all of you, you all; *mindnyájatokat sokszor ölel [levél végén]* give my love to all

mindörökké *adv. indef,* for ever (and ever), for good and all, eternally, everlastingly, perpetually, for all time; ~ *ámen* for ever(,) amen

mindörökre *adv. indef,* for ever (and ever), for evermore, for ever and a day *(fam)*

mindöröktől *adv. indef,* ~ *fogva* from time immemorial *(v.* beyond recall)

mindössze *adv,* altogether, all told, not more than, all in all; ~ *egy pennyért* for a mere penny; ~*5 dollárért* for as little as 5 dollars; ~*néhány követője akadt* he had a mere scattering of followers; ~*6 hónapig fog tartani* it will only be a matter of six months

minduntalan *adv. indef,* incessantly, every instant, perpetually, continually, time after time, time and again

minduntalanul *adv. indef,* = **minduntalan**

mindvégig *adv. indef,* from first to last, all the time, all through/along, from beginning to end, to the (very) last, to the end of the chapter, from end to end, all the while

minek I. *adv. inter,* 1. ~ *nézel?* who do you think I am?, what do you take me for? 2. *[ok, cél]* why?, wherefore?, to what end?, for what purpose?; ~ *alapján gondolod (hogy . . .)* what makes you think that . . .; ~ *ez?* what is this for?; ~ *ez neked?* what do you want it for? 3. *[birtok]* ~ *az árát kérdezted?* what did you ask the price of? II. *adv/poss. rel,* = **aminek;** ~ *következtében* as a consequence of which

minekokáért *conj,* by reason of which

minekutána *conj,* after (having done sg), when, whereafter, whereon *(ref.)*

minél[1] *adv. inter,* at what?, where?

minél[2] *adv/conj,* ~ *többet* as much as possible; ~ *kevesebbet* the least possible; ~ *előbb* as soon as possible; ~ *előbb(,)* *annál jobb* the sooner(,) the better; ~ *inkább . . . annál kevésbé* the more . . . the less . . . .

minélfogva *conj,* on account of which (fact), and consequently/accordingly, as a consequence (of which)

minemű I. *a. inter,* what kind/sort/species of?, what? II. *a. rel/conj,* = **amilyen, aminő**

mineműség *n,* quality, kind, sort, nature, character; *a dolog* ~ the essence/nature of the matter

mineralógia [. . . *át] n,* mineralogy

mineralógus *n,* mineralogist

mingyárt *adv,* = **mindjárt**

miniátor [-ok, -t] *n,* miniaturist, miniature-painter, illuminator

miniatúra [. . *át] n,* miniature; *miniatúrákkal díszített* illuminated

miniatúrafestészet *n,* miniature painting, illuminative art

miniatúrafestő *n,* miniaturist, miniature-painter

miniatűr [-ök, -t, -je] I. *a,* miniature, small sized, vest-pocket size, baby, Lilliputian; ~ *arányban* on a very small scale, in a small way, in miniature proportions II. *n,* miniature

miniatűrfestő *n,* miniaturist, miniature-painter

miniatűrfestészet *n,* miniature painting, illuminative painting

minimál [-tam, -t, -jon] *vt,* minimize

minimális [-at; *adv* -an] *a,* minimum, minimal, smallest/least amount/quantity of; ~ *követelmények* minimum requirements

minimalista [. . *át] n, (pol)* minimalist

minimalizál [-t, -jon] *vt,* minimize, *[vm jelentőségét]* play down

minimum [-ot, -a] I. *n,* minimum; *a* ~*ra csökkent vmt* reduce sg to a minimum II. *adv,* at the least

minimumhőmérő *n,* minimum thermometer

ministrál [-t, -jon] *vi,* assist a priest at mass, serve at mass, make the responses at mass

ministrálás *n,* altar-serving

ministráns [-ok, -t, -a] *n,* altar-boy/server, acolyte, ministrant

miniszter [-ek, -t, -e] *n,* Minister (of State), (Principal) Secretary of State *(GB),* Cabinet Minister *(GB),* Secretary *(US),* Cabinet member *(US) ; rendkívüli követ és meghatalmazott* ~ Envoy Extraordinary and Minister Plenipotentiary; *a király személye körüli* ~ *(tört)* Minister a latere *(lat) ;* ~ *első helyettese* Minister's First Deputy, First Deputy Premier

miniszterelnök *n,* Prime Minister, Premier, First Lord of the Treasury *(GB hiv)*

miniszterelnökhelyettes *n,* Acting Premier, Vice-Premier, Deputy Prime Minister

miniszterelnöki *a,* prime ministerial

miniszterelnökség *n,* Prime Minister's office, Downing-Street *(GB)*

miniszterhelyettes n, Deputy Minister, under-secretary (of State)

miniszteri [-ek, -t] a, ministerial; ~ bizottság departmental committee;~ biztos ministerial commissioner; ~ felelősség ministerial responsibility; ~ osztályfőnök head of department; ~ rendelet Order in Council, departmental order, executive decree (US); ~ szinten at a ministerial level; ~ tanácsos ministerial counsellor; ~ tárca portfolio (of minister), ministerial portfolio

minisztérium [-ot, -a] n, 1. cabinet, ministry; a ~ok the government offices 2. [egy tárca] ministry, [néha] Bureau, department (US); nemzetvédelmi ~ Department of National Defence

minisztériumi [-ak, -t] a, ministerial; ~ ipar [statisztikában] industry administered by ministries (excluding local); ~ szinten on ministry level

minisztériumközi a, inter-departmental

miniszterjelölt n, Minister Designate

miniszterpapír n, (official) foolscap, official/royal paper

miniszterrezidens n, Minister Resident

miniszterség n, ministry

minisztertanács n, Cabinet (council), Council of Ministers, Executive Council (US), [mint ülés] cabinet meeting; a ~ összeült a Cabinet was held; ~ tagja member of the Cabinet, Cabinet Minister; ~ot tart hold a cabinet meeting/council

minisztertanácsi a, ~ határozat Cabinet-decision; ~ síkon at Cabinet level

minisztervíselt a, ~ államférfi/politikus ex-Cabinet member

mínium [-ot, -a] n, minium, red (oxid of) lead, saturnine lead

míniumfesték n, minium, red lead and oil

míniumoz [-tam, -ott, -zon] vt, paint with minium, miniate

míniumvörös a, miniaceous, miniate

minorita [.. át] a/n, Minorite (monk), friar minor

minoritás n, minority

minoszi [-ak, -t] a, (rég) Minoan

minő [-t] I. a. inter, what?, what kind/sort of?, [felkiáltásnál] what (a)...!; hogy ~ eredménnyel(,) az kétséges as to the result(,) it is doubtful; ~ ostobaság! what a piece of foolishness!, what rot! (fam) II. a, rel, = aminő, amilyen

minőség n, 1. quality, class, variety, kind, grade; elsőrendű ~ top/first quality, first rate, prime, choice, the best, A1; gyenge ~ poor/inferior quality; jó ~ good quality; jó átlag ~ fair average quality; jó kereskedelmi ~ fair commercial quality; közepes ~ medium/middling quality; harc a (jobb) ~ért fight for quality; a legjobb ~ olcsó áron (ker) best buy; rossz ~ inferior quality, no/low class (fam); a ~ elsőrendű quality is excellent, first class; a ~ gyenge quality is bad/poor; a ~ kiváló quality is superior to; a ~ nagyon jó quality is high-grade; a ~ rosszabb mint ... quality is inferior to ...; ~et javít upgrade 2. [szerep] capacity, quality, character; milyen ~ben? in what capacity?, by what right?, upon what score?; vmilyen ~ében in his character of ...; orvosi ~ében as a doctor, in his capacity of/as doctor; titkári ~ben működik act as secretary

minőségáldozat n, [sakkban] sacrifice of the exchange

minőségcsík n, (tex) quality feeler

minőséghibás n, defective

minőségi [-t; adv -leg] a, qualitative, of quality (ut); ~ áru quality goods (pl); ~ átvétel qualitative reception; ~ bizonylat certificate of quality, quality certificate; ~ címkézés grade labelling; ~ csoportosítás qualitative grouping; ~ elemzés (vegyt) qualitative analysis; ~ ellenőrzés control of quality, quality control; ~ ellenőrzési igazolás certificate of inspec-

tion; ~ ellenőrzési osztály [üzemszervezésben] quality control section; M~ Ellenőrző RT Quality Control Company Limited; ~ eltérés difference in quality, qualitative difference(s); ~ hiba defect of quality; ~ ismérv quality criterion; ~ kifogásolás notice of defect (in the material); ~ kötbér penalty for defect of quality; ~ különbség difference in quality; ~ meghatározás/részletezés specifications of quality; ~ munka quality (v. first class) work; ~ ugrás qualitative leap; ~ változás qualitative change; ~ vegyelemzés qualitative analysis

minőségileg adv, qualitatively in quality; ~ rendben checked for quality

minőségjavulás n, improvement of quality

minőségjelzés n, quality mark

minőségjelző (nyelvt) I. a, qualificative, qualifying II. n, qualifier

minőségű [-t; adv -en] a, of a... quality (ut), -quality, -rate; gyenge ~ substandard, low-class, of poor quality (ut); jó ~ [áru] good-class, of good quality (ut); kívánt ~ up to standard; kiváló ~ of excellent quality (ut), top-quality, super-class; különböző ~ of various qualities (ut); rossz ~ low--grade, of poor quality (ut)

minőségvizsgálat n, testing materials

minősít [-eni, -ett, -sen] vt, 1. (vmlyennek) quality, rank, rate, describe (as), fit, (sp) qualify; közönséges bűncselekménynek ~ qualify sg a common crime; döntésemet önkényesen ~ették my decision has been described as arbitrary 2. (ker) classify

minősítés n, classification, qualification, [személyi] record; jó ~ good record of service; stiláris ~ [szótárban] restrictive/usage label; szakmai ~ [szótárban] subject label

minősítési [-ek, -t] a, ~ ív conduct roll, descriptive return; ~ lap record sheet, (kat) history sheet; ~ könyv (sp) qualification book/card

minősítetlen a, 1. (ker) unclass(ifi)able 2. (sp) unqualified

minősített [-et; adv -en] a, 1. qualified; bűnnek ~ termed/considered a crime (ut); kitűnően ~ with an excellent record (ut), with excellent qualifications (ut) 2. ~ lopás (jog) aggravated theft/larceny, mixed/compound larceny

minősíthetetlen a, [gyalázatos] unspeakable, unqualifiable, beyond words (ut), base, beneath contempt (ut); ~ bűnök nameless vices; ~ viselkedés (most) objectionable conduct

minősítő [-t] a, qualificative, qualificatory, qualifying

minősítőverseny n, qualification tournament

minősül [-ök, -t, -jön] vi, (vmnek) be qualified (as)

mint¹ conj, 1. [azonos, hasonló] as, like; olyan ~ be like; erősebben érződik ~ ha/amikor is liable to have a greater effect than when..., is (to be) felt more noticeably than if...; ~ fentebb említettük as described/stated above; ~ mikor like/as when; ~ például a következők such as the following; ~ a többiek like the others; fekete ~ egy cigány swarthy as a gipsy; utálom ~ a bűnömet I hate him like poison/sin 2. [összehasonlítás alapfokon] olyan magas ~ Péter he is as tall as Peter; nem olyan szép ~ Mária not so/as pretty as Mary 3. [összehasonlítás középfokkal] than; jobb ~ én he is better than I; jobban beszél ~ ír he speaks more correctly than he writes; inkább holt ~ eleven more dead than alive 4. [vm minőségben] in his capacity as, qua, as; az ilyen as such, as the like; ~ embert becsülöm I respect him as a man; Ádám ~ Kepler Adam as (v. in the guise of) Kepler; ~ tudós in his capacity as scholar 5. ~ ahogy as; nem olyan nehéz ~ ahogy gondolják not so difficult as one would think

mint² I. adv. inter, how, what; [hogy s ~ van?]how are

you? **II.** *adv, rel,* = **amiként, miként II.;** ~ *mondtam*
as I said; ~ *hallom* as I am told, according to what
I've heard
minta [.. át] *n,* **1.** *(ált)* sample, *[mutató vmből]*
sample; ~ *érték nélkül* samples of no commercial
value, patterns only(,) no value, *[postai feladványon]*
"samples of no value", "sample post"; ~ *érték
nélkül jelzéssel küld postán vmt* send sg by sample-
-post; *áruból vett* ~ *(ker)* bulk sample; *egyező* ~ *(ker)*
sample to match; *megfelel a mintának (ker)* match
(v. be conform to) the sample; *mintát vesz vmből*
draw/retain samples, sample sg **2.** *(összet.)* model
3. *[desszén]* pattern, design **4.** *[kicsinyített]* model,
mock-up **5.** *[öntési]* mould, pattern, matrix **6.**
[tervezet, forma] design, *[szabvány]* standard,
norm **7.** *[okmányé]* formula **8.** *(nyelvt)* paradigm,
analogy **9.** *[erkölcsi]* paragon, model; *mintául
szolgál* be used as (a) model; *mintául vesz* take sy
as one's model/pattern, take pattern by sy, be
patterned after; *vmnek a mintájára* modelled on,
patterned after *(v.* according to) sg, on the model
of sg, following sg
mintaállvány *n, (épít)* form-work
mintaanyag *n,* samples *(pl),* pattern material, pat-
terns *(pl)*
mintaáru *n,* sample goods *(pl)*
mintaasztalos *n,* pattern-maker
mintabeosztás *n,* design assortment
mintabolt *n,* top-quality shop
mintacsík *n,* feeler
mintadarab *n,* sample(r), mock-up, model, sample-
-piece, show article, specimen
mintadeszka *n, (épít)* profile board
mintadoboz *n,* sample box (of sg)
mintaelem *n, (tex)* motif; ~ *meghatározása* finding
the repeat
mintafa *n, (mezőg)* sample tree
mintafeleség *n,* ideal wife, pattern-wife
mintaférj *n,* model/exemplary/ideal husband
mintafüzet *n,* sample/pattern book
mintagazda *n,* model farmer
mintagazdaság *n,* model/exhibition/feature/demonstra-
tion farm
mintagimnázium *n,* model secondary school (for
teachers on probation)
mintagyártó *a, (tex)* ~ *üzem* sample factory
mintagyerek *n,* exemplary girl/boy, *(isk)* model pupil
mintagyűjtemény *n,* pattern-book, show-card, collec-
tion/selection/assortment of samples/specimens/
patterns, models, (sample) ranges *(pl)*
mintairánytű *n, (hajó)* standard barometer/compass
mintaiskola *n,* model school
mintaismétlődés *n, (tex)* repetition of the pattern
mintaív *n, (épít)* templet, centre arch
mintakártya *n; (ker)* sample-card, pattern-card,
show-card
mintakatalógus *n,* standard catalogue
mintakép *n,* model, pattern, ideal, type, paragon;
az erény ~*e* paragon of virtue; ~*nek állít oda vmt*
set up sg as a model; ~*ül szolgál* serve as a model;
~*ül vesz* model oneself on, take pattern by
mintakészítés *n,* modelling, model-making, *[öntéshez]*
making of casting-patterns/moulds
mintakészítő *n,* modeller, model/pattern-maker
mintakollekció *n,* collection of samples/models, (sample)
ranges *(pl),* design assortment
mintakönyv *n,* sample/pattern book
mintakötet *n,* specimen volume, *[üres lapokkal]* mock-
-up (of a book)
mintaküldemény *n,* sample(s), sample consignment
mintalap *n,* pattern, specimen page/sheet
mintaműhely *n,* model workshop

mintaoldal *n,* specimen page
mintaoltalom *n, (ker)* design patent, copyright in
design
mintapéldány *n,* specimen (copy), exemplar
mintapince *n,* model cellar (of wine)
mintapréselés *n, [szövetre, bőrre]* embossing
mintarajz *n,* design, pattern, model drawing
mintarajziskola *n,* school of decorative arts
mintarajzoló *n,* pattern-designer, sketcher
mintaraktár *n,* sample stock, stock of samples
mintás *a, [szövet]* figured; ~ *szövés* fancy weaving;
~ *szövet* mottled fabric; ~ *téglakötés* decorative bond
mintaszalag *n, [kézimunka]* sampler
mintaszerű *a,* **1.** *(átv)* model, exemplary, ideal,
admirable; ~ *rend* perfect order, apple-pie order
(fam) **2.** *(ker)* according/up to sample *(ut)*
mintaszerűség *n,* exemplary/model character of sg,
exemplariness
mintaterem *n,* showroom
mintatervező *n,* pattern-designer, sketcher
mintavásár *n,* (sample) fair
mintavédelem *n,* = **mintaoltalom**
mintavétel *n,* taking of samples, sampling; *ellenőrző* ~
control sampling; *kvadrát nélküli cönológiai* ~ plot-
less sampling
mintavételi *a,* ~ *egység* sampling-unit; ~ *terület (növ)*
plot, sample area, quadrat, sample plot, plat
mintáz [-tam, -ott, -zon] *vt,,* **1.** *[művész]* model,
shape **2.** *(tex)* figure, pattern, diaper, *[kockásan]*
dice **3.** *(műsz)* mould
mintázás *n,* **1.** *[képzőművészet]* modelling **2.** *(ker)*
sampling **3.** *(műsz)* moulding
mintázat *n,* **1.** *[díszítésé kelmén]* pattern, design,
figuration **2.** *[állaton]* markings *(pl)*
mintázatlan *a, [anyag]* plain
mintázható *a,* plastic
mintázó [-t, -ja] **I.** *a,* modelling, for modelling/mould-
ing *(ut),* sampling **II.** *n,* modeller, caster, moulder,
pattern-maker
mintázóanyag *n,* potter's/ductile clay
mintázófa *n, (műv)* modelling tool
mintázóhomok *n, [öntéshez]* moulding sand
mintázókalapács *n,* pane-hammer
mintázóműhely *n, [öntöde]* casting works
mintázószekrény *n,* mould box, moulding flask
mintázott [-at; *adv* -an] *a,* = **mintás**
mintázóvas *n,* embossing iron
mintegy *adv,* **1.** *[körülbelül]* about, some, circa *(lat),*
in the neighbourhood of, round about, approxim-
ately; ~ *8 hónappal ezelőtt* some eight months ago;
~ *húszan voltak* there were some twenty of them
2. *[mondhatni]* so to say, practically (speaking),
to all intents and purposes, quasi, as it were
mintha *conj,* as if/though; ~ *azt akarná mondani* as
if he was goint to say; ~ *csak tegnap lett volna* (it
seems) as if it happened *(v.* had happened) only
yesterday; ~ *láttam volna* I think I saw him; ~ *vmt
látnék* there seems to be something there; ~ *jobban
menne a munka* isn't (the) work going better?, it
seems to be going better; ~ *az Öné volna* as if it
were your own; *úgy tesz* ~ make as if/though (to),
pretend to, make a show of (doing sg); *úgy tesz* ~
dühös lenne make a show of being angry; ~ *(sem)mi
sem történt volna* just as if nothing had happened;
nem ~ not that; *nem* ~ *nem próbálta volna* it was
not for want/lack of trying, not that he had not
tried
minthogy *conj,* as, since, seeing that, for, insomuch/
inasmuch as; ~ *igen meleg van* owing to the heat;
~ *nem tudok angolul* since I do not speak English,
not knowing English; ~ *nincs pénze* for want of
money, since he has no money

mintsem conj, than; inkább meghalok ~ hogy megadjam magam I would rather die than give up; betegebb ~ hiszik he is more ill than one would think

minuciózus a, (vk) scrupulously careful, punctilious, painstaking, [vizsgálat stb.] close, thorough, minute, detailed, elaborate

minusz [-ok, -t, -a] I. n, 1. [hiány] deficit, deficiency, shortage, lack; ~ban van (kárty) be out of pocket 2. [jel] minus (sign) II. a, 1. minus; ~ játszma [pontértékben veszteséges] minus game; ~ 10 fok van it is minus ten degrees (of frost), it is ten degrees below zero 2. [kivonásnál] minus, less; ~ előjel (menny) minus/negative sign; 8 ~ 5 az 3 eight minus five is equal to (v. equals) three

minuszjel n, minus/negative sign

minutum [-ot, -a] n, (biz) minute; abban a ~ban the very moment

minyon [-ok, -t, -ja] n, [cukrászsütemény] ⟨small fancy cake covered with, coloured icing/frosting⟩

mioblaszt [-ot, -ja] n, (orv) myoblast

miocén [-t] a/n, Miocene

miocénkor n, Miocene

miocénkorabeli a, Miocene

miográfia [. át] n, (orv) myography

mióma [. át] n, myoma

miómaeltávolítás n, (orv) myomotomy

mióta I. adv. inter, since when?; ~ nem láttalak? how long is it since I have not seen you?; ~ van maga itt? how long have you been here?; ~ van ezen a vidéken? (biz) how long have you been staying in these parts?; ~ van meg a kocsid? how long have you had your car now? II. adv. rel. v. conj., since; ~ csak ever since; ~ csak ismer since he has known me

miótikus a, (biol) meiotic

mirákulum [-ot, -a] n, [középkori dráma szentek életéből] miracle (play)

mirbánolaj n, (vegyt) essence/oil of mirbane

mire I. adv. inter, 1. [cél] for what, what ... for?; ~ jó? what is the good/use of . .?; ~ fog ez vezetni? what will it lead to?; ~ fogod használni? what will you use it for?, what are you going to do with it?; ~ szolgál ez? what is the use of this/it?, what is the good of this/it?, why this . .?, what boots it? (obs); nem tudom ~ megy vele I wonder if that will be of any good to him, I wonder what he will gain by it; nem tudom ~ vélni I don't know what to think; ~ vársz/számítasz? what do you expect?, what are you banking/counting (v. setting your heart) on? 2. [hely] on/upon what; ~ ülsz? what will you sit on? II. adv. inter. indef, 1. a pénzt nem volt ~ költeni there was nothing to spend the money on; ~ céloz? what are you driving at? 2. nincs ~ leülnöm there is nothing to sit on III. adv. rel v. conj, [= mikorra] by the time; éjfél lett ~ a csoport szétoszlott it was midnight before the group broke up; ~ elindultunk by the time we left/started; ~ felébredt by the time he awoke; 10 óra lett ~ fölkelt it was ten o'clock before he got up; ~ hazaértem elment by the time I got home he had gone

mirelit [-et, -je] n, deep-freeze victuals

mirha [. át] n, myrrh

miriád [-ot, -ja] n/a, myriad

miriaméter n, myriameter

mirigy [-et, -e] n, gland, [nemi] gonad, [borjúé] sweetbread, (összet.) glandular, glandulous; belső elválasztású ~ endocrine/ductless gland

mirigybántalom n, adenopathy

mirigydaganat n, adenoma, adenofibroma, [hónalji] bubo

mirigyduzzadás n, swelling of glands

mirigyeltávolítás n, (orv) adenectomy

mirigyes [-et; adv -en] a, glandulous, glandular

mirigyfájdalom n, adenalgia

mirigygyomor n, [baromfié] glandular stomach

mirigygyulladás n, (lymph) adenitis, inflammation of glands

mirigyhalál n, bubonic plague

mirigykór n, [lovaké] glanders (pl)

mirigyrák n, malignant adenoma

mirigyszerű a, glandulous, glandular

mirigyszőr n, (növ) glandular hair

mirigyszőrös a, (növ) glandular-pubescent; a levelek nem ~ek leaves have nonglandular hairs

mirigyszövet n, glandular tissue

mirigytan n, adenology

mirigytuberkulózis n, glandular tuberculosis

mirigyváladék n, secretion of glands, glandular secretion

miről I. adv. inter, of/by what?, for what?; ~ beszél? what is he talking of/about?; ~ híres? what is he famous for?; ~ ismerhetem meg? by what (v. how) may/can I recognize/know him? II. adv. indef, nem volt ~ írnia he had nothing to write about/on III. adv. rel, = amiről

mirtusz n, (növ) myrtle (Myrtus)

mirtuszbogyó n, myrtle-berry

mirtuszkoszorú n, myrtle wreath

mise [. . ét] n, mass, service; csendes ~ low mass; misére megy go to mass; misét hallgat attend/hear mass; misét mond say/celebrate/recite mass; misét mondat vkért have mass said/celebrated for sy

misealapítvány n, mass-foundation

miseáldozat n, sacrament of the altar, the Eucharist

miseámpolna n, altar-cruet, burette

misebor n, wine for the (celebration of the) mass

miseedények n. pl, sacred vessels

miseing n, alb, surplice

misekancsó n, ampulla

misekanna n, altar cruet

misekánon n, ordinary/canon of the mass

misekendő n, corporal

misekönyv n, missal, service/mass-book

misemondás n, celebration of mass

misemondó I. a, celebrating, officiating (priest) II. n, celebrant, officiant

misepénz n, mass money

miseruha n, chasuble, vestment

misés a, mass-, of mass (ut)

misetilalom n, (egyh) interdict

misézés n, celebration/reading of mass; ~től eltilt lay a priest under an interdict

misézik [-tem, -ett, -zen, -zék] vi, celebrate/read mass, officiate; külön szándékra ~ celebrate mass for a special/particular intention

Misi [-t, -je] prop, Mick, Micky, Mike

Miska prop, Mike, Mick(y)

miskárol [-t, -jon] vt, geld, spay

miskároló [-t, -ja] n, sowgelder

miskárolókés n, gelding knife

Miskolc [-ot, -on, -ra] prop, Miskolc (town in Northern Hungary)

miskulancia [. .át] n, □ 1. [ravaszság] imposture 2. [cókmók] hozd az egész miskulanciát bring your bag and baggage

misz [-t; adv -en] □ I. a, 1. [külsőre] ugly, homely, unappetizing, plain 2. [viselkedésben] ~ alak a wet blanket II. n, ~e van be cheesed off, be in a bad humour/mood (stand.), be in (v. have a fit of) the blues, have the blues; már ~em van tőle I'm fed up with him/it, he/it gives me the pip

miszerint conj, that, whereas (rég.)

míszmacholás n, (biz) dampener

misszálé [..ét] *n*, missal, mass-book
misszió [-t, -ja] *n*, mission, *[megbízatás]* mission, task; szociális ~ welfare work
misszionárius *n*, missionary
missziós [-at] I. *a*, missionary, mission; ~ *ház* mission station; ~ *munka* missionary work; ~ *terület* missionary field; ~ *tudat* = küldetéshit; II. *n, a* ~ok the missionaries
misztérium [-ot, -a] *n*, 1. *(ált)* mystery 2. *[színjáték]* mystery, miracle play; *karácsonyi* ~ nativity play
misztériumdráma *n*, mystery(-play)
misztériumjáték *n, (szính)* mystery(-play)
miszticizmus *n*, mysticism
misztifikáció [-t, -ja] *n*, mystification, *(elít)* let-in *(fam)*, hoax *(fam)*
misztifikál [-t, -jon] *vt*, mystify, mysticize, hoax *(fam)*, gull *(fam)*, fool *(fam)*, bewilder sy *(fam)*
misztifikálás *n*, mystification
misztika *n*, mysticism
misztikus *a/n*, mystic(al), mysterious; ~ *módon* mystically
mit I. *n. inter*, what?; ~ *adnak?* *[moziban, színházban]* *(biz)* what's on?; ~ *csináljak vele?* what shall I do with it?; ~ *határoz?* what line is he going to take?; ~ *mond?* what does he say?; ~ *sem tesz/ számít* it makes no difference; ~ *tehettem volna?* what could I have done?; *tudod* ~? I tell you what, listen!; ~ *akarsz ezzel mondani?* what do you mean?; *hát még* ~ *nem!* what next?; *nem tudta* ~ *mondjon* he did not know what to say; *[felkiáltásban]* ~ *tudja ő!* what does he know!; ~ *nekem a hírnév!* a fig for fame, what do I care for fame II. *n, indef, nincs* ~ *mondanom* I have nothing to say; *van* ~ *tennem* I have my work cut out for me, I have plenty to do; *nincs* ~ *enni* there is nothing to eat; ~ *sem not... anything;* ~ *sem sejtve* without suspecting anything; ~ *sem hagyott* he left nothing III. *n. rel.* v. *conj*, = amit; *megadta* ~ *kértem* what I asked for he handed over
mitesszer [-ek, -t, -e] *n*, comedo, black-head
mitévő *a*, ~ *legyek?* what shall I do?, what am I to do?; *nem tudja* ~ *legyen* be at a loss what to do, be at one's wit's end
mitikus *a*, mythical, fabulous
mitizál [-t, -jon] *vt*, mythicize
mitológia [..át] *n*, mythology
mitológiai [-ak, -t; *adv* -lag] *a*, mythological
mitologikus *a*, mythological
mitológus *n*, mythologist, student of mythology
mítosz [-ok, -t, -a] *n*, myth, legend, fable, saga; ~*t csinál (vmből)* mythicize
mítoszi [-ak, -t] *a*, mythic, mythical
mitoszkutatás *n*, mythography, mythology
mitoszkutató *n*, mythologist, mythographer
mitől I. *adv. inter*, ~ *függ?* on what does it depend?, what does it depend on? *(fam)* ; ~ *félsz?* of what are you afraid?, what are you afraid of? *(fam)* II. *adv. indef, nincs* ~ *tartani* there is nothing to be afraid of III. *adv. rel*, v. *conj*, = amitől
mitra [..át] *n*, mitre, miter *(US)*
mitugrálsz [-ok, -t] *n, egy kis* ~ an insignificant fussy meddler, buffoon, busybody, whipper-snapper, *[hivatalnok]* jack-in-office
miután *conj*, 1. after (having); when; ~ *hazaértem* after/on my return home; ~ *megértette* having understood it 2. = mivel[2]
mivel[1] I. *adv. inter*, with/by what?, what with? II. *adv. indef, nem volt* ~ *írnia* he had nothing to write with III. *adv. rel/conj*, = amivel
mivel[2] *conj; [ok]* because, since, as, for, seeing that, inasmuch as *(obs)*, *(hiv)* whereas, wherewith
mível [-t, -jen] *vt*, = művel

mivolta [..át] *n, (vmnek)* nature, character, quality, condition, quiddity, essence; *kiforgatja eredeti mivoltából* rob/divest sg of its original character; *a dolgok mivoltát tekintve* in/by/from the nature of things *(v.* of the case)
mixolid [-ot] *n, (zene) [hangnem]* Mixolydian mode
mixóma [..át] *n, (orv)* myxoma
mixödéma *n, (orv)* myx(o)edema
mixtúra [..át] *n*, mixture, *[orgonaregiszter]* furniture
mizantróp [-ot, -ja] I. *a*, misanthropic(al) II. *n*, misantropist, misanthrope
mizerábilis [-ok, -t; *adv* -an] *a*, miserable, wretched, forlorn, doleful, disconsolate, lamentable, pitiful, pitiable
mizéria [..át] *n*, misery, difficulty, *[élelmezési]* shortage
mnemonika [..át] *n*, mnemonics
mnemotechnika [..át] *n*, mnemonics, mnemotechny
mnemotechnikai [-ak, -t; *adv* -lag] *a*, mnemotechnic
moaré [-t] *n/a*, watered (silk), moiré *(fr)*, shot (silk)
moaréhatás *n*, moire effect
moarékikészítés *n*, water-finish
moaréz *n*, water-waving, watering
mobil [-ok, -t; *adv* -an] *a*, floating, mobile, movable
mobilizáció [-t, -ja] *n*, mobilization
mobilizál [-t, -jon] *vi/vt*, mobilize
mobilizálható *a*, mobilizable; *nem* ~ *[követelés]* illiquid
móc [-ot, -a] *a/n*, Rumanian of Transylvania
moccan [-t, -jon] *vi*, budge, stir, move; ~*ni sem mert* he dared not budge; ~*ni sem mernek előtte* no one dares move an eyelid in his presence; *ne*~*j!* don't stir/move
moccanás *n*, move, stir; ~ *nélkül* stock still, without a movement
mocorog [-tam, ..rgott, -jon] *vi*, move, stir
mocsár [mocsarat, mocsara] *n*, 1. *(konkr)* marsh, swamp, morass *(ref.)*, moor *(ref.)* quagmire *(ref.)*, *[sós]* saline 2. *(átv)* gutter, sink, morass; *a bűn mocsara* sink of iniquity
mocsaras [-at] *a*, marshy, morassic, swampy, waterlogged, marish *(ref.) ;* ~ *terület* marshland, moorland
mocsárérc *n, (geol)* bog/marsh/swamp (iron) ore
mocsárgáz *n*, marsh gas, *(tud)* methane
mocsári [-ak, -t] *a*, marsh-, paludal, *[növény]* uliginous, uliginal; ~ *gólyahír* marsh marigold, cowslip *(US) (Caltha palustris) ;* ~ *növény* uliginal plant, helophyte; ~ *tölgyfa* robur, Austrian/Russian oak *(Quercus robur)*
mocsárízű *a*, having a muddy taste *(ut)*
mocsárlakó *n*, marsh dweller; ~ *növény* hygrophyte
mocsárláz *n*, marsh/swamp-fever, malarial fever, paludism, ague
mocsárlázas *a*, paludal
mocsárlázzóna *n*, fever zone
mócsing [-ot, -ja] *n*, tendon, sinew (in meat)
mócsingos [-t] *a, [hús]* sinewy, stringy, tough (meat)
mocskol [-t, -jon] *vt*, 1. = bepiszkít; 2. *[szidalmaz]* abuse, berate, revile, denigrate
mocskolódás *n*, vituperation, revilement, foul/abusive language, abuse, aspersion
mocskolódik [-tam, -ott, -jon, -ték] *vi*, 1. get dirty/ soiled 2. *(átv)* be abusive, use abusive language, vituperate
mocskos [-at; *adv* -an] *a*, 1. dirty, soiled, filthy, grim 2. *(átv)* unclean, squalid, dirty, smutty, *[beszéd]* foul, gross, *[szavak]* obscene, ribald, *[írásmű]* filthy, sordid; ~ *fráter* rotter; ~ *nő(személy)* trollop; ~ *szája van* be a scurrilous talker, be a retailer of filth, be a filthy/dirty-mouthed person; ~ *viccek* off-colour jokes, dirty stories
mocskosság *n*, 1. dirtiness, filthiness, muckiness, griminess 2. *(átv)* squalidity, nastiness, obscenity, foulness

mocsok [mocskot, mocska] n, 1. [piszok] dirt, filth, mess, [pipában] dottle, [főleg testi] grime 2. (átv) squalor, [folt] stain, blemish, blot, spot

mocsoktalan a, 1. [tiszta] spotless, flawless, clean 2. (átv) unsullied, unsmirched, unpolluted, unstained, without blemish (ut), flawless, stainless, spotless, blotless, pure

mocsoktalanság n, (átv) purity, pureness, spotlessness, stainlessness

mód [-ot,-ja] n, 1. [eljárási] mode (of action), manner, fashion, method, way, procedure, [eszköz] means, expedient, opportunity, [lehetőség] possibility; ~ nélkül extremely, exceedingly, excessively; ha egy ~ van rá if it is feasible/possible; ha csak egy ~ is van rá if there's but one opportunity/possibility; az a ~ ahogy the manner/way in which; ezen a ~on in this way/manner, thus; mi ~on? how?; csodálatos ~on miraculously, strangely enough, strange to say; ilyen ~on after/in this manner; különös ~on oddly (enough); a következő ~on in the following way, manner/fashion, as follows; minden lehetséges ~on by all (manner of) means; oly(an) ~on hogy ... in such a manner that....; semmi ~on in no way, nowise; a szokott ~on in the usual way/manner; a 9. cikkben lefektetett ~on by the method laid down in Article 9; a törvényben említett bármely ~on by the use of any of the methods referred to in the Act; a maga ~ján after his own fashion, in his manner (v. own way); vknek ~jára in the way/manner of sy, following sy; amerikai ~ra beszél he speaks American fashion; mindig talál vm ~ot he is never at a loss, he always finds a way (v. means v. ways and means) to; ~ját ejti find ways and means, contrive to, manage to (fam); ha ~ját ejtheti if he possibly can, if there is but a way; megtalálja a ~ját hogy... find (a) means to ...; remélem ~ját ejti I hope (v. hoping) that you will see our way to do it 2. [mérték] measure; ~ felett beyond measure; ~jával keeping within bounds, temperately; csak ~jával! easy does it! 3. (nyelvt) mood 4. [képesség] power; nincs ~ reá there is no way of/to; ~jában van vmt megtenni it is in his power to do sg, he can do sg, he can afford sg; nincs ~jában it is not in his power, he cannot afford it/to; megadja a ~ját he does it properly; ez ~ot ad nekem this will afford me opportunity 5. [anyagi helyzet] resources, means; jobb ~ban van be better off

modális [-ak,-t; adv -an] a, (fil, zene) modal; ~ egyházi hangnemű of modal structure (ut); ~ hang (zene) modal note; ~ tétel (fil) modal proposition

modalitás n, modality

módbeli a, modal, of mood (ut)

modell [-ek, -t, -je] n, 1. model, [kicsinyített, még] mock-up, [autóé így is:] prototype; legújabb ~ latest fashion 2. [festőnél nem hivatásos] sitter; ~t ül/áll sit for an artist, pose

modellál [-t, -jon] vt, model, mould

modellálás n, modelling

modell-állás n, posing (in artist's studio)

modellez [-tem, -ett, -zen] vi, make/build/construct models, model

modellezés n, modelling

modellkészítés n, modelling

modellkészítő n, 1. [szabászatban] dress-designer 2. [műsz] modeller, pattern-maker

modelltervező n, dress-designer

moderál [-t, -jon] vt, moderate, restrain, temper, check; ~ja magát control oneself, keep cool/calm

modern [-et; adv -ül] a, modern, up-to-date, new, recent; ~ filológia study of living/modern languages; minden ~ kényelemmel ellátott/felszerelt szobák rooms fitted with all modern conveniences; ~ kor

modern era/times; ~ kórház a well-equipped hospital; ~ nyelv living language; ~ nyelvű of a living language (ut)

modernizál [-t, -jon] vt, modernize, bring up-to-date, streamline, give a facelifting to, up-date (US)

modernizálás n, modernizing, modernization

modernizálód|ik [-tam, -ott, -jon, -jék] vi, adapt oneself to the changing conditions, keep up/pace with the times, become modern

modernizmus n, modernism

modernség n, modernity, modernness, up-to-dateness

módfelett adv, excessively, extremely, exceedingly, downright, remarkably, beyond measure

módhatározó n, adverbial modifier of manner, adverb of manner

módhatározói a, ~ mellékmondat adverbial sentence/ clause of manner

módhatározószó n, adverb of manner (as a part of speech)

módi [-t, -ja] n, † fashion; új ~ new-fengled style; ld még újmódi

módjával adv, with/in moderation, easy/gently does it; mindent ~ everything in reason

modor [-ok, -t, -a] n, 1. [viselkedés] manners (pl), demeanour, behaviour, deportment; jó ~ good manners (pl); katonás ~ soldierly bearing; rossz ~ bad manners (pl), unmannerliness; jó ~a van be well--mannered, be polished, have good manners 2. [stílus] manner, style; Munkácsy ~ában festett tájkép landscape after (the manner of) Munkácsy, landscape in the style of Munkácsy

modoros [-at; adv -an] a, affected, mannered, finical, dandified

modorosság n, mannerism, affectation, preciosity, frills (pl)

modortalan a, ill-mannered, mannerless, unrefined, boorish, underbred, ill-bred, churlish, having no manners (ut); ~ fráter churl, bounder, unmannerly, brute

modortalanság n, umannerliness, ill-breeding, boorishness, bad form/grace, discourtesy

modorú [-ak, -t] a, of ... manners (ut), -mannered, -bred, -behaved; édeskés ~ mealy-mouthed; nyers ~ blunt, bluff; rossz ~ ill-mannered/bred, mannerless, unmannerly, boorish

módos [-at; adv -an] a, better/well-to-do, well-off, wealthy, moneyed; ~ gazda rich peasant

módosít [-ani, -ott, -son] vt, 1. (ált) modify, alter, change, revise, [kijelentést] qualify; ~ meghitelezést modify/amend the Letter of Credit 2. [helyesbítve] rectify, [javaslatot] amend 3. (zene) inflect, flatten, sharpen (note)

módosítás n, 1. (ált) modification, alteration, change, revision, qualification; ~ok fenntartásával subject to modifications; gyökeres ~ra szorul it requires a thorough overhaul; nagyobb ~okra van szükség major revisions are necessary; ~okat eszközöl vmben make modifications in sg 2. [helyesbítve] rectification, amendment; ~ nélkül elfogad pass (a bill) unamended; ~t javasol move an amendment; a határozati javaslathoz ~t terjeszt be submit an amendment to the draft resolution; ez az Alapokmány ~ával járna this would involve amendment of the Charter 3. (zene) inflexion, inflection

módosítható a, modifiable, alterable, changeable, revisable, [buntetés] commutable

módosító [-t; adv -an] I. a, modifying, modificatory, qualifying, qualificatory; ~ javaslat motion for an amendment, proposed amendment; ~ okirat codicil; ~ szó/elem (nyelvt) modifier II. n, modifier, qualifier

módosítójel n, (zene) accidental(s)

módosított [-at; *adv* -an] *a*, modified, qualified; *[előjellel]* ~ *hang (zene)* inflected note
módosod|ik [-tam, -ott, -jon, -jék] *vi*, be making one's pile
módosul [-t, -jon] *vi*, change, alter, be amended/ changed/altered/modified
módosulás *n*, modification, change, mutation
módosulat *n*, alteration; *allotróp* ~ *(vegyt)* allotrope
módozat *n*, = mód 1.; *fizetési* ~*ok* methods of payment
módrag *n*, suffix of mood
módszer *n*, method, *[eljárási]* manner, plan, procedure, pattern, system, way; *új* ~ new method/departure; ~*t meghonosít* adopt a method
módszeres [-et; *adv* -en] *a*, methodical, systematic(al), regular; ~ *ember* man of method, methodical/ systematic man, pedant *(pej)*, *(kif)* he is a planner
módszeresség *n*, method
módszertan *n*, methodology, methodics; *statisztikai* ~ statistical methodology
módszertani *a*, methodological
módszertelen *a*, unmethodical, unsystematic(al), irregular, casual, fitful
módszertelenség *n*, lack of method
moduláció [-t, -ja] *n*, *(vill, zene)* modulation, transition, inflexion
modulál [-t, -jon] *vt*, *(zene)* modulate, inflect; *egyik hangnemből a másikba* ~ *(zene)* modulate from one key (in)to another
modulus [-ok, -t, -a] *n*, *(menny)* modulus
modulusos [-at] *a*, *(menny)* modular
modus *n*, 1. *(menny)* *[leggyakoribb érték]* mode 2. *[szillogizmusban]* mode
mogorva [..át] *a*, peevish, surly, dour, sullen, cross(-grained), morose, bearish, gruff, unamiable, grousing, grumpish, nasty, testy, moody, *(kif)* be out of temper, *(kif)* as cross as two sticks *(fam)*, as cross as a bear with a sore head *(fam)*, grouchy *(US fam)*, *[tekintet]* glum, frowning, scowling; ~ *ember* cross-patch, bear, grouch *(US)*, sourpuss *(US)*; *mogorván néz* scowl, glower (at sg)
mogorvaság *n*, sullenness, peevishness, crossness, surliness, gruffness
mogul [-ok, -t, -ja] *n*, Mog(h)ul; *a nagy* ~ the ⁣reat Mogul
mogyoró [-t, -ja] *n*, 1. *(növ)* (European) hazel *(Corylus avellana)*; *amerikai/földi* ~ groundnut *(Arachis hypogaea)* 2. *[termése]* hazel-nut, filbert, peanut *(US)*; ~ *nagyságú* hazel-nut sized, the size of *(v.* as big as) a hazel-nut
mogyoróbokor *n*, hazel (bush) *(Corylus avellana)*
mogyorócserje *n*, = mogyoróbokor
mogyorócserjés *n*, hazel-grove
mogyorófapálca *n*, hazel-rod, hazel wand/switch; *mogyorófapálcával keneget vkt* give sy a little strap-oil
mogyoróhagyma *n*, shallot *(Allium ascalonicum)*
mogyoróhéjban *adv*, = dióhéjban
mogyorós [-at] I. *a*, hazel-(nut); ~ *csokoládé* whole nut chocolate II. *n*, hazel grove
mogyoróspele *n*, *(áll)* dormouse *(Muscardinus avellanarius)*
mogyorószajkó *n*, *(áll)* nut-cracker *(Nucifraga)*
mogyorószén *n*, granulated carbon, carbon granules *(pl)*
mogyorószínű *a*, hazel
mogyorótorta *n*, hazel-nut cake
mogyorótörő *n*, pair of nut-crackers, nut-crackers *(pl)*
mogyoróvaj *n*, nut-butter
moh [-ot, -a] *n*, = moha
moha [..át] *n*, *(növ)* moss *(Muscus)*; *lombos* ~ bryum *(Bryum)*; *mohával fedett* moss-grown, mossy
mohaállatok *n. pl*, moss animals *(Bryozoa)*

mohafélék *n. pl*, mosses
mohairszövet *n*, angora cloth, mohair
Mohamed [-et, -je] *prop*, Mohammed, Mahomet; ~ *futása* hegira, the flight of Mohammed
mohamedán [-ok, -t, -ja] *a/n*, Mohammedan, Mahometan, Moslem, Islamic, Mussulman *(obs)*; ~ *vallás* Mohammedanism, Mahometanism, Moslem, Islam
mohamedánizmus *n*, Mohammedanism, Mahometanism
mohar [-ok, -t, -ja] *n*, = muhar
moharéteg *n*, coat of moss
mohás *a*, mossy, moss-grown, covered with moss *(ut)*
mohaszerű *a*, muscose
mohaszint *n*, *(növ)* ground stratum, moss stratum
mohaszőnyeg *n*, moss carpet, carpet of moss
mohazöld *n*, mossy green
mohfedte [..ét] *a*, mossy, moss-grown, covered *(v.* grown over) with moss *(ut)*
mohikán [-ok, -t, -ja] *a/n*, Mohican; *utolsó* ~ the last of the Mohicans
mohlepte [..ét] *a*, mossy, moss-grown, covered/overgrown with moss *(ut)*
mohó [-t; *adv* -an] *a*, eager, greedy, avid, *[étvágy]* voracious; ~ *pillantás* covetous/eager glance/look; ~ *vágyakozás vmre* hunger for sg
moholybetegség *n*, *(növ)* erineum *(Erineum)*
mohón *adv*, eagerly, greedily, covetously; ~ *felfal vmt* gobble up sg, wolf sg; ~ *lesi szavait* he is listening eagerly/attentively
mohos [-at; *adv* -an] *a*, 1. *(konkr)* mossy, moss-grown 2. *(átv)* old, hoary, antiquated, ancient, old-style, decayed 3. *(áll)* downy
mohóság *n*, 1. *(áll)* eagerness, greed(iness), avidity, covetousness 2. *[evésnél]* voraciousness, voracity
mohosod|ik [-ott, -jon, -jék] *vi*, become moss-grown, get mossy/hoary/downy
móka *n*, fun, jest, joke, jollity, drollery, prank, pleasantry, jocosity, jocularity, freak, lark
mokány *a*, 1. *[ember]* spunky, plucky, *(kif)* have lots of dash, have plenty of mettle/guts/pep, *[faragatlan]* boorish, churlish 2. *[ló]* pony
mókás *a*, witty, droll, sportive, funny, jocular, joky, jocose; ~ *ember* joker, wag, humorist
mokasszin [-ok, -t, -ja] *n*, moccasin
mókázás *n*, = móka
mókáz|ik [-tam, -ott, -zon, -zék] *vi*, joke, jest, play tricks, make fun, run a rig, skylark
mókázó [-t] *a*, jesting, joking
mokett [-et, -je] *a*, moquette, velvet-pile (upholstery fabric), Brussels carpet
mokka *a/n*, mocha, Mocha coffee
mokkakanál *n*, coffee-spoon
mokkakávé *n*, Mocha (coffee)
mokkakocka *n*, lump sugar (in small lumps)
mokkatorta *n*, mocha cake
mókus *n*, 1. *(áll)* (European) red squirrel *(Sciurus vulgaris)*; *pofazacskós* ~ chipmunk *(Eutamias sp.)*; *repülő óriás erszényes* ~ greater flying phalanger *(Petauroides volans)*; *szürke* ~ grey squirrel *(Sciurus carolinensis)* 2. ~*om* darling, ducky 3. *(biz)* chap, chappie; *ki ez a vén* ~*?* who's that old bird?
mókusfélék *n. pl*, *(áll)* sciuridae
mókuskalitka *n*, squirrel's-cage
mókusprém *n*, squirrel (fur)
mól [-ok, -t] *n*, *(vegyt)* gramme-molecule
móla [..át] *n*, *(orv)* *[méhben]* mola
molassz [-t, -ot] *n*, *(geol)* Molasse
moldován [-ok, -t] *a*, Moldavian
Moldva [..át, ..ában] *prop*, Moldavia
moldvai [-ak, -t] *a/n*, Moldavian; *M~ Szovjet Szocialista Köztársaság* Moldavian Soviet Socialist Republic

molekula [.. át] *n*, molecule, *[összet.)* molecular; *molekulán belüli (fiz)* intramolecular
molekulaelmélet *n*, molecular theory
molekuláris [-ok, -t] *a*, molecular; ~ *vonzás (fiz)* adhesive attraction
molekulasúly *n*, molecular weight, mol(e)
molekulaszerkezet *n*, molecular configuration
molesztál [-t, -jon] *vt*, molest, importune, pester, bother, harass
molesztálás *n*, molestation, vexation, pestering, harassment
molett [-et; *adv* -en] *a*, roundish, plump, buxom, fattish
molibdén [-ek, -t, -je] *n*, *(vegyt)* molybdenum
molibdenit [-ot] *n*, *(ásv)* molybdenite
molinó [-t, -ja] *n*, *(tex)* grey plain cotton cloth
moll [-t, -ja] *n/a*, minor (mood, mode); ~ *hangsor/ hangnem* minor (key, scale); ~*ban* in the minor (key); *h-~ szonáta* sonata in B minor
mollhangzat *n*, minor chord
mollskála *n*, minor scale/key
molnár [-ok, -t, -ja] *n*, 1. miller, mill-owner/man 2. *(áll)* flour-beetle *(Tenebrio molitor)*
molnárevező *n*, scull
molnárfecske *n*. *(áll)* house-martin *(Delichon u. urbica)*
molnárinas *n*, miller's apprentice
molnárka *n*, *[bogár]* water-strider/skipper *(Gerridae)*
molnárlegény *n*, mill-hand/man, miller's man/assistant
molnármester *n*, (master) miller
molnármesterség *n*, milling(-trade)
molnárszínű *a*, ash-grey, ashy
móló [-t, -ja] *n*, mole, pier, jetty, breakwater, wharf; *a ~ végpontja* pier-head
moloch [-ot, -ja] *n*, 1. Moloch; *a háború ~ja* the Juggernaut of War 2. *(áll)* moloch *(Moloch horridus)*
mólófej *n*, head of a jetty/pier, pier/jetty-head
molton [-t] *n*, *(tex)* swanskin
moly [-ok, -t, -a] *n*, 1. *(állt)* (clothes-)moth; *beleesik/ belemegy a ~* become moth-eaten 2. *(áll)* dusty miller, tinea *(Tinea)*; *burgonyaaknázó ~* potato tuber moth *(Gnorimoschema operculetta* v. *operculettum)*; *pókhálós ~* ermine-moth *(Yponomeuta matinellus)*
molyálló *a*, *[anyag]* mothproof; ~ *kikészítés* mothproof finish, moth-preventing finishing
molyette [.. ét] *a*, moth-eaten, mothy, riddled with moth *(ut)*; ~ *kabát* coat ruined by moth
molyhos [-at; *adv* -an] *a*, downy, fluffy, *(növ)* tomentose
molyhosod|ik [-tam, -ott, -jék, -jon] *vi*, *[kelme]* cotton
molyhosság *n*, fluff, down, fluffiness, downiness (of plants)
molyirtó *a/n*, moth-killer; ~ *szer* moth/insect powder, insecticide, moth balls *(pl)*
molykár *n*, insect damage
molyos [-at; *adv* -an] *a*, mothy, moth-eaten, riddled with moths *(ut)*
molyosod|ik [-ott, -jon, -jék] *vi*, become mothy
molyrágás *n*, moth-hole
molyrágta *a*, moth-eaten, riddled with moths *(ut)*
molyzsák *n*, mothproof bag, bag/cover against moths
momentán I. *adv*, momentarily, for the time being, temporarily, for the moment II. *a*, momentary, sudden
momentum [-ot, -a] *n*, circumstance
monacit [-ot, -ja] *n*, *(ásv)* monazite
Monaco [-t, -ban] *prop*, Monaco
monacoi [-ak, -t] *a*, Monagasque
Mona Liza *prop*, Mona Liza, Gioconda
monarchia [.. át] *n*, monarchy; *Osztrák—Magyar M~* Dual Monarchy, Austro-Hungarian Monarchy
monarchikus *a*, monàrchic(al)

monarchista [.. át] *a*, monarchist
monarcho-fasiszta *a/n*, monarcho-fascist
monász [-ok, -t] *n*, *(fil)* monad; ~*ok tana* monadism
mond [-ani, -tam, -ottam, -ott, -jon] I. *vt*, 1. say (sg), *[közöl vmt vkvel]* tell (sy sg); ~*at vkvel vmt* have/ make sy say sg; *igent ~* say yes; *nemet ~* say no; ~ *valamit!* there's some truth *(v.* something) in what he says; *ezt nem ~ják* it is not said; ~*ja csak* just tell me; *ez sokat ~* that says a lot, that means much; *ezek a szavak nem ~anak nekem semmit* these words convey nothing to me; ~*od te (biz)* so you say, says you ◇; *nekem ~ja?* you are telling me?; *hogy ~jam?* *[= hogyan fejezzem ki magamat!]* how shall I put it?; *hogy úgy ~jam* so to say/speak, in a manner (of speaking); *mit ~jak?* what shall I say?; *mit ~tál?* what did you say?; *én azt ~om hogy ...* what I say is ...; *nem ~om* I would not say, to be sure; *az igazat ~ja* tell the truth; *azt ~ják hogy* it is said/reported that; *azt ~ják apjáról hogy* his father is said/supposed to; ~*juk hogy* shall we say, let us say/suppose; ~*juk hogy igaza(d) van* let us admit that you are right; *ahogy ~ani szokás as* the saying/phrase goes, as we say; *(akár) azt is lehetne ~ani* one might as well say that ...; *nincs mit ~ani* there is nothing to say; *azt akartam ~ani* what I was going to say is this; *azt fogja ~ani (hogy)* he will say (that), he will have it (that); *mit akar ezzel ~ani?* what do you mean by that?; *azt akarod ezzel ~ani hogy* am I to understand that, do you mean to insinuate/imply that ...?; *azt akarja ~ani hogy hazudok?* do you suggest that I am lying?; *éppen ezt akartam ~ani* that is just what I was about to say; *csak nem akarod azt ~ani (hogy)* you do not mean to say (that); *azt is lehetne ~ani* one might as well say ...; ~*anom sem kell* I need hardly say, needless to say, no need to say that, it goes without saying; *én ~om neked!* take it from me; *én ~hatom!* I can assure you; *de ha ~om!* but I can assure you (it is so); *ne ~ja really!*, you do not say so!, you don't mean it; *na ne ~ja* come come!; *na(,) ~hatom!* well I never!; ~*hatom finom alak vagy! (biz)* you're a nice lot you are!; ~*hat amit akar* say what he will; *ezt se nekem ~ták* that's a hit/dig at you; *ahogy Shakespeare ~ja* as Sh. puts it; *neveket nem ~ott* he mentioned no names; *sokat ~ok tízen leszünk* we shall be ten at the utmost *(v.* very most); *egyet ~ok kettő lesz belőle* I have a good idea/proposition; ~*ok neked valamit!* I'll tell you what, listen to this; *azt ~tam neki(,) tanuljon angolul* I told him to learn English; *nekem azt ~ták (hogy)* I was told (that); *ve- gyük elő(,) ~juk Skóciát* let us take(,) shall we say(,) Scotland; *nem kellett neki kétszer ~ani* he did not require twice telling, no sooner said than done; *job- ban ~va* to be more exact, or rather; *ezzel minden meg van ~va* that should suffice (and) I have nothing to add 2. *(vkt vmnek)* call, declare, pronounce, de- scribe as; *ostobának ~ta* she called him a fool; *vmnek ~ja magát* profess/pretend to be, (try to) pass off as; *vk ismerősének ~ja magát* claim acquaintance with sy; *újságírónak ~ja magát* set oneself down as a jour- nalist; *színésznek ~ja magát* describe oneself as an actor; *hogy ~ják angolul?* how do you say it in English?, what is the English for ...? 3. *beszédet ~* make/deliver/give a speech; *bókot ~* pay a compli- ment; *búcsút ~* bid farewell, say good-bye; *ítéletet ~* pass sentence, deliver judg(e)ment; *jövendőt ~* tell fortunes, tell one's fortune, prophesy; *levelet gépbe ~* dictate a letter to the typist; *misét ~* say/ celebrate/read mass; *rosszat ~ vkről* speak ill of sy; *véleményt ~* give/express/offer an opinion, deliver oneself of an opinion
II. *vi*, = úgymond

monda [.. át] n, legend, saga, myth
mondabeli a, = mondai
mondai [-ak, -t] a, legendary, mythic(al), fabulous
mondakör n, legendary cycle, cycle of legends, [közép-
kori néha] matter
mondakutatás n, mythography
mondakutató n, mythographer
mondanivaló n, (what one has to) say, story, sg to tell,
[értekezésé, művészé] message; nincs semmi ~ja
have nothing to say; van vm ~m I have something
(v. a few things) to say
mondás n, saying, expression, saw, [szólásmondás]
common saying, phrase, locution; bölcs ~ adage,
maxim, (iron) wisecrack; velős ~ pithy saying,
maxim, adage
mondat n, sentence, period; ~ot elemez/taglal analyse
a sentence
mondatalkotás n, construction (of sentence), sentence
structure/construction
mondatátvitel n, [versben] overflow, enjambment
mondatelemzés n, parsing, [logikai] analysis
mondatfűzés n, sequence of sentences, composition,
syntax
mondathangsúly n, intonation (of sentence), sentence-
-stress/accent, emphasis
mondathangtan n, syntactical phonetics
mondatrész n, 1. (nyelvt) part of a sentence, sentence-
-element 2. [részlet] passage
mondatszerkesztés n, sentence construction, composi-
tion
mondatszerkezet n, structure (of sentence), construc-
tion
mondatszó n, sentence-word
mondattan n, syntax
mondattani a, syntactic(al)
mondavilág n, legendary world, world of legends/
sagas, folklore
mondén [-ek, -t; adv -ül] a, [személy] worldly-minded,
[hely] fashionable, smart, posh ◈
mondhatatlan a, ineffable, unutterable, unspeakable
mondogat vt, keep saying, repeat, harp/dwell on sg
mondóka n, 1. (sy's) say, short speech/report; elmondja
mondókáját have one's say, say one's piece 2.
(népr) ditty
mondott [-at] I. a, said; a ~ időben at the appointed
time II. n, a ~ak all that has been said; a ~ak után
after what has been said; a ~akból világos from the
foregoing it is clear (that)
mondúr [-ok, -t, -ja] n, † uniform, regimentals (pl)
mondvacsinált a, 1. invented, feigned, trumped-up,
factitious 2. [érv] specious, fallacious
mongol [-ok, -t, -ja] a/n, Mongol(ian), Mongolic; M~
Népköztársaság Mongolian People's Republic
mongolbetegség n, Mongolism
Mongólia [.. át, .. ában] prop, Mongolia; Külső ~
Outer Mongolia
mongolizmus n, (orv) Mongolism
mongoloid [-ot] a, Mongoloid; ~ típus Mongoloid type,
Mongolism
mongolos [-at; adv -an] a, Mongoloid
mongolredő n, (orv) epicanthic fold, epicanthus
mongolszerű a, mongoloid
monguz [-ok, -t, -a] n, (áll) mungoose (Herpestes
mungo)
monista [.. át] a/n, (fil) monist; ~ filozófia monism;
~ történetfelfogás monistic view of history
monisztikus a, (fil) monistic
monitor [-ok, -t, -ja] n, 1. (hajó) monitor, river-gun-
boat 2. (távk) [televíziós képellenőrző] monitor
monizmus n, monism
monódia [.. át] n, monody
monódiaszerű a, monodic

monodráma n, monodrama
monofázisos a, (vill) uniperiodic
monofiletikus a, (növ) monophyletic
monofizita [.. át] n, (vall) Monophysite
monogám [-ot] I. a, monogamous, monogamic II. n,
monogamist
monogámia [.. át] n, monogamy
monogén [-ek, -t] a, [függvény] monogenic
monogenezis n, 1. (biol) monogenesis 2. (népr) monog-
enism
monogenikus a, 1. (biol) [szaporodás] monogenetic
2. (menny) [függvény] monogenic
monográfia [.. át] n, monograph, paper
monográfiairó n, monographer
monogram n, monogram, initials (pl)
monogramoz [-tam, -ott, -zon] vt, zsebkendőt ~ initial
a handkerchief
monohidrát n, (vegyt) monohydrate
monokli [-t, -ja] n, 1. [üvegből] monocle, (eye)glass,
(ritk) quizzing glass; szemébe vágta ~ját he screwed
a glass in his eye 2. [ökölcsapástól] black eye; ,,~t
ad" vknek bung up sy's eye
monoklin [-ok, -t] a, 1. (ásv) monoclinic 2. (növ)
monoclinous
monoklinális [-ok, -t] a, 1. (geol) monoclinal; ~ völgy
asymmetric valley 2. (ásv) monoclinic
monoklis [-ak, -t; adv -an] a, 1. (konkr) monocled
2. [szem] black(ened), having/with a black eye (ut)
monokróm [-ot, -ja] n, (műv) monochrome
monokrómás a, (műv) monochromic
monokultúra n, (mezőg) monoculture
monokulturális a, one-crop
monolit [-ot] n, monolith
monológ [-ot, -ja] n, monologue, soliloquy; ~ot mond
monologize
monologizál [-t, -jon] vi, soliloquize, monologize
monóm [-ot, -ja] I. n, menny monome II. a, monomial,
single-term
monománia n, monomania, obsession, (pszich) mono-
psychosis
monomániás I. a, obsessional, monomaniac(al) II. n,
monomaniac
monometallista [.. át] n, monometallist
monometallizmus n, monometallism
monomolekuláris a, (fiz, vegyt) monomolecular
monoplán [-ok, -t, -ja] n, monoplane
monoplaszt [-ot] n, (biol) monoplast
monoplégia [.. át] n, (orv) monoplegia
monopoláris n, monopolistic price
monopolhelyzet n, monopoly, monopolistic position,
a corner in sg (fam), [igével] have a monopoly of sg
monopolista [.. át] n, monopolist; állami ~ kapita-
lizmus state monopolistic capitalism
monopolisztikus a, monopolistic; ~ verseny monopo-
listic competition
monopólium [-ot, -a] n, monopoly; nemzetközi ~ inter-
national monopoly, international trust; ~ot engedé-
lyez vknek grant an exclusive (privilege of trade) to sy
monopolizál [-t, -jon] vt, monopolize
monopolizáló [-t] n, monopolistic
monopolizmus n, monopolism
monopoljáradék n, monopolistic rent, monopoly ren
monopolkapitalista n, monopoly capitalist, monopol-
-capitalist
monopolkapitalizmus n, monopoly capitalism
monopolpiac n, monopolistic market
monopolprofit n, monopolistic profit, monopoly profit
monopolszervezet n, monopoly organization
monopoltőke n, monopoly capital
monopoltőkés n, monopoly capitalist
monostor [-ok, -t, -a] n, monastery, convent, friary
monoteista [.. át] n, (vall) monotheist

monoteizmus n, (vall) monotheism

monotip n/a, [szedőgép] monotype; ~ gépszedő monotyper, monotype operator/setter

monoton [-ok, -t; adv -ul] a, monotonous, monotone, dull (life), humdrum, without variety, always the same, jog-trot (fam); ~ hangon in a monotonous (v. sing-song) voice

monotónia [..át] n, monotony

monoxid n, monoxide, protoxide

Monroe-elv n, Monroe doctrine

monstrancia [..át] n, mostrance, ostensory

monstre [-t] a, huge, colossal, monstre, monstrous, enormous; ~ gyűlés mass-meeting

monstrepör n, monster/mass trial

monstrum [-ot, -a] I. n, monster II. a, monstrous

monstruózus a, monstrous, colossal

monszun [-ok, -t, -ja] n, monsoon

montázs [-ok, -t, -a] n, montage

Montenegro [-t, -ban] prop, Montenegro

montenegrói [-ak, -t] a, Montenegrin

montíroz [-tam, -ott, -zon] vt, mount, set up, assemble, erect, install

montírozás n, mounting, setting, framework

montmorillonit [-ot, -ja] n, (ásv) montmorillonite|

montőr [-ök, -t, -je] n, fitter, assembler, mounter, fixer; mélynyomó ~ intaglio mounter

Montreal [-t, -ban] prop, Montreal

monumentális [-at; adv -an] a, monumental, enormous

monumentum [-ot, -a] n, monument, memorial

mony [-ok, -t, -a] n, † 1. [tojás] (bird's) egg 2. [here] testicle

monzonit [-ot, -ja] n, (geol) monzonite

moped [-ot, -ja] n, moped (scooter)

mopszli [-t, -ja] n, pug(-dog)

mór [-ok, -t, -ja] I. a, Moorish II. n, Moor, Saracen

Mór [-t, -ja] prop, Maurice

moraj [-ok, -t, -a] n, 1. (áll) murmur, din, clamour, rumble 2. [hullámoké] roar 3. [ágyúzásé, tengeré] boom, [forgalomé] hum (of traffic); ld még morajlás

morajlás n, 1. (átt) rumbling murmur 2. [hullámoké] roar(ing), [vizé] murmur, [hangoké] hubbub 3. [ágyúzásé, tengeré] boom

morajl|ik [-ani, -ott] vi, 1. (átt) rustle, rumble 2. [tenger] sound, roar, [patak] murmur 3. [dörgés távolból] mutter

morajló [-t] a, murmuring, rumbling, roaring, humming

morál [-ok, -t, -ja] n, 1. (átt) morals (pl), morality, (kat) morale 2. [történeté] moral

morális [-at; adv -an] a, moral

moralista [..át] n, moralist

moralitás n, morality

moralizál [-t, -jon] vi, moralize, raise moral standards, sermonize

moratórium [-ot, -a] n, moratorium; ~ot ad grant a moratorium, suspend the collection of debts

morbiditás n, (orv) morbidity

morc [-ot; adv -ul, -an] a, = mogorva

morcos [-at; adv -an] a, = mogorva

mord [-ot; adv -ul] a, grim, stern, fierce, sinister, fell, ominous, sulky

mordály [-ok, -t, -e] n, blunderbuss

mordent [-et, -je] n, (zene) mordent

mordul¹ [-t, -jon] vi, (vkre) snarl at, turn on, show its teeth at

mordul² adv, sternly, grimly

mordvin [-ok, -t, -ja] a/n, Mordvinian, Mordvine

more [..ét] n, † tzigane, gipsy (stand.)

moréna [..át] n, moraine, glacial drift

morénaagyag n, (ásv) boulder-clay

morénás a, (geol) morainal

móres [-t, -e] n, ~re tanít vkt teach sy manners (v.

how to behave), put sy in his place, teach sy a lesson (v. what is what)

morféma [..át] n, (nyelvt) morpheme

morfin [-t, -ja] n, = morfium

morfindüh n, morphinomania

morfinista [..át] n, morphi(n)omaniac, morphia addict, drug/dope-addict/fiend

morfinizmus n, morphinism, morphi(n)omania, addiction to morphia, morphine habit

morfium [-ot, -a] n, morphia, morphine

morfiumszenvedély n, morphi(n)omania

morfológia [..át] n, morphology, (nyelvt) accidence

morfológiai [-ak, -t; adv -lag] a, (biol, nyelvt) morphologic(al)

morfondíroz [-tam, -ott, -zon] vi, (vmn) brood (over an idea), turn sg over in one's mind, ruminate/cogitate (over sg), chew sg over (fam); ~ magában be absorbed (v. in a brown study)

morfondírozás n, brooding (over an idea)

morganatikus a, morganatic; ~ házasság morganatic marriage, left-handed marriage

morgás n, 1. [vadállaté] growling, snarling 2. [gépé] hum, drone 3. [emberi] muttering, grumbling, grumble, grunt(ing) (fam)

morgó [-t] I. a, growling, grumbling, crabbed II. n, grumbler, growler

morgóhal n, (áll) gurnard, trigla (Trigla sp.)

morgolód|ik [-tam, -ott, -jon, -jék] vi, keep grumbling/growling, keep gripping (US ❖)

morgolódó [-ak, -t] a, grumpy

Móric [-ot, -a] prop, Maurice

mórikál [-t, -jon] vi, ~ja magát simper, smirk

móring [-ot, -ja] n, dowry, dower

mormog [-tam, -ott, -jon] vi/vt, mumble, mutter, [patak] brawl, gurgle, babble, purl

mormogás n, mumbling, mutter(ing), murmur(ing), [gépeké] hum, zoom

mormol [-t, -jon] vi/vt, murmur, mumble, mutter, [patak] brawl, babble, purl; foga közt ~ mumble, mutter

mormolás n, murmur, mumble, mumbling, muttering, [pataké] brawl, purl, babble

mormon a/n, Mormon, Latter-day Sáint

mormota [..át] n, (áll) marmot (Arctomys marmotta); amerikai ~ woodchuck (Marmota monax); alszik mint a ~ sleep like a log

morog [morgok, -tam, morgott, -jon] vi, 1. [állat] growl, snarl 2. [ember] grumble, murmur, grudge, chew the fat/rag ❖, grouse ❖, grouch (US ❖)

morotva [..át] n, (földr) mortlake, stagnant/standing water, ox-bow lake

morózus a, morose, gloomy, surly, sullen, glum, grouchy, ill-tempered/humoured; ~ kedvében van be in a bad humour

morva [..át] a/n, Moravian

Morvamező prop, Marchfeld

Morvaország prop, Moravia

morvaországi a, (földr) Moravian

morzeábécé n, Morse alphabet/code

morzebillentyű n, sounder key, tapper

morzejel n, Morse signal/code, dots and dashes (fam); ~ek rendszere Morse alphabet/code; ~eket ad send morse signals, morse

morzéz|ik [-tam, -ott, -zon] vi, = morsejeleket ad

morzsa [..át] I. n, 1. [kenyér] readcrumb(s), crumb 2. (átt) morzsel, bit, crumb; a tudás morzsái scatterings of knowledge II. a, = morzsányi

morzsadaráló n, bread-crumber

morzsál [-t, -jon] vt, crumble, [kenyeret] crumb

morzsalapát n, crumb-scoop

morzsalék [-ot, -a] n, crumbs, chips, fragments (mind: pl)

morzsálódás n, crumbling, disintegration, [szikláé] friableness, friability

morzsálód|ik [-ott, -jon, -jék] vi, crumble (away), break into small pieces, disintegrate

morzsálódó [-t; adv -an] a, friable, crumbly

morzsányi [-t] a, a crumb/morsel of, a tiny bit (v. a scrap) of

morzsika n, 1. crumble, grain 2 (növ) feverfew (Chrysanthemum Parthenium)

morzsol [-t, -jon] vt, 1. (áll) crumb(le) 2. [kukoricát] shell 3. [rózsafüzért] tell (one's beads)

morzsolás n, 1. [kukoricáé] shelling 2. [rózsafüzéré] telling (of beads)

morzsolgat vt, 1. [kukoricát] shell little by little (v. slowly) 2. [rózsafüzért] keep (on) telling (one's beads)

morzsolható a, friable, crumbly

morzsolhatóság n. friability

morzsoló [-t, -ja] n, 1. (vk) sheller 2. = morzsológép

morzsolód|ik [-ott, -jon, -jék] vi, crumble (away)

morzsológép n, sheller, shelling machine, [ásv anyagé] disintegrator, tritulator

morzsolt [-at] a, ~ tengeri/kukorica shelled maize/corn

mos [-tam, -ott, -son] I. vt, 1. (ált) wash, [fehérneműt] launder, [hajat] wash, shampoo, [kezet] wash (one's hands), [szájat] rinse (one's mouth); ~ni való to be sent to the laundry/wash (ut), to be washed (ut); ld még mosnivaló; 2. [edényt] scour, [padlót] scrub, swill 3. [aranyat] pan off/out (v. for gold), [ércet] buddle, wash, [gázt] scrub, [vezetéket] scour; gyapjút ~ scour wool 4. [víz a partot] wash, lap, lave (ref.) 5. (átv) ~sa a kezeit wash one's hands of sg; vkt tisztára ~ clear sy (of crime/accusation); kéz kezet ~ (kb) one good turn deserves another II. vi, do the washing, launder, [hivatásszerűen] take in washing; ~ vkre do sy's washing/laundry

mosakodás n, 1. (konkr) washing 2. (átv) excuse(s), apology

mosakod|ik [-tam, -ott, -jon, -jék] vi, 1. (have a) wash, lave (ref.), perform one's ablutions (fam) 2. (átv) try to exculpate/clear oneself of sg, wash one's hands

mosás n, 1. (ált) wash(ing), [fehérneműé] laundering, [hajé] washing, shampooing; ~ berakás [fodrásznál] shampoo(ing) and set(ing); nálunk szerdán van ~ Wednesday is our wash-day; ruhát ~ba ad send clothes to the laundry/wash; ~t vállal take in washing 2. [edényé] scouring, swilling, scrubbing, cleaning 3. [aranyé] panning, [ércé] buddling, washing, [gázé] scrubbing, [vezetéké] scouring

mosásálló [-t; adv -an] a, 1. (ált) washable, washing, washproof 2. [szín] washfast, fast (colour), it doesn't run (fam)

mosásállóság n, fastness to washing

mosástermék n, washings (pl)

mosat vt, have sg washed/laundred

mosatlan a, unwashed, without washing (ut)

mosdás n, washing, ablution (ref.)

mosdat vt, wash sy, bathe

mosdatlan a, 1. (konkr) unwashed, dirty, filthy, grimy, frowzy, grubby 2. (átv) ~ szájú foul-mouthed

mosd|ik [-ani, -ott, -jon, -jék] vi, wash (oneself), perform one's ablutions (ref.)

mosdó [-t, -ja] I. a, wash-, toilet- II. n, 1. [kagyló] lavatory-basin, wash-hand basin, washstand 2. [helyiség] lavatory

mosdóállvány n, wash-hand stand

mosdóasztal n, washstand

mosdócsap n, tap

mosdóedény n, wash(-hand) basin, wash-bowl

mosdófülke n, wash-basin alcove

mosdóhelyiség n, lavatory

mosdókagyló n, wash(-hand) basin, lavatory-basin

mosdókancsó n, ewer, jug, water can/jug

mosdókefe n, flesh-brush

mosdókészlet n, toilet set

mosdókesztyű n, washing/friction glove, face/wash-cloth, washrag (US)

mosdómedence n, wash(-hand) basin

mosdószappan n, toilet soap

mosdószer n, toilet articles/requisites (pl)

mosdószivacs n, toilet-sponge

mosdótál n, wash(-hand) basin, basin, bowl, wash-bowl (US), [egész test lemosására nagy méretű] sponge-bath/down, all-over wash (fam)

mosdóvíz n, water for washing, [használt] dirty/used water, slop(s)

mosható a, washing, washproof, (tex) washable, washfast, fast to washing (ut); ~ anyag material that washes well; garantáltan ~ warranted to wash; ez az anyag nem ~ this material won't wash

moslék [-ot, -a] n, 1. [disznóké] hog/pig-wash, swill-(ings), offal, [szeszgyári] malt returns (pl) 2. [konyhai szennyvíz] dish-water/wash, leavings (pl) 3. (átv) wish/dish-wash; ez nem leves hanem ~ this soup is a mere dish-wash

moslékos [-at] a, ~ hizlalás fattening on kitchen swill

moslékosdézsa n, pig/slop-pail

moslékosvályú n, pig-trough

moslékosvödör n, pig-bucket

mosnivaló n, laundry, washing; ld még mosni való

mosó [-t] I. a, (for) washing, (tex) washable II. n, washer, laundry-man/woman

mosóáru n, washable materials/goods (pl)

mosóasszony n, washerwoman, laundress

mosóberendezés n, washery

mosóbőr n, wash/oil-leather

mosócédula n, laundry list/bill

mosoda [.. át] n, washing house, laundry, washery, laundry(-works), [kisebb] launderette, [önműködő] laundromat (US)

mosódeszka n, scrubbing board, wash-board

mosódézsa n, wash-tub; sulykolós ~ dolly-tub

mosód|ik [-ott, -jon, -jék] vi, (tex) be washable; jól ~ik it washes/launders well

mosóedény n, wash-tub

mosófa n, = lapicka

mosófazék n, wash-tub

mosogat vt, wash up, do the dishes, do the washing-up

mosogatás n, washing-up

mosogató [-t, -ja] n, 1. [személy] washer-up, dishwasher, [nő] scullery-maid 2. [medence] sink

mosogatódézsa n, washing-up bowl, slop-basin, dishpan (US)

mosogatófülke n, scullery

mosogatógép n, dishwasher

mosogatólány n, scullery-maid, washer-up, dish-washer

mosogatólé n, 1. (konkr) (kitchen) swill, rinsings (pl), slops (pl), dish-water/wash (fam) 2. [levesről] dish/pig/hog-wash

mosogatólegény n, washer-up, scullion (obs)

mosogatómedence n, sink

mosogatórongy n, dish/wash-cloth/clout, [nyeles] dishmop

mosogatótál n, dish washer

mosogatóvíz n, 1. (konkr) dish-water, slop(s), rinsings (pl) 2. [levesről] dish/pig/hog-wash

mosógép n, washing-machine, washer, dolly

mosóház n, wash(ing)-house

mosókád n, wash-tub, bucket, (műsz) copper, washing tank, (bány) dolly-tub

mosókatlan n, copper, wash-boiler

mosókefe n, scrubbing-brush

mosókelme *n*, washing/washable material
mosókészülék *n*, washing machine/copper
mosókonyha *n*, wash-house, laundry
mosólap *n*, *hullámos* ~ washboard
mosólapicka *n*, *[mosáshoz]* dolly
mosólúg *n*, lye
mosoly [-ok, -t, -a] *n*, smile; *alig észrevehető* ~ a ghost of a smile; *gúnyos* ~ sneer; *széles* ~ broad smile, a smile from ear to ear; *bajusza alatt jóindulatú* ~ *bujkált* under his moustache lurked a kindly smile; ~ *futott át az arcán* a smile flitted across his face; ~ *játszott az ajkán* a smile hovered about his lips; ~*ra húzta a száját* he *(v.* his face) broke into a smile, he smiled; ~*ra késztet* provoke a smile; ~*t erőltet arcára* screw one's face into smile
mosolygás *n*, smile
mosolygó [-t] *a*, smiling, jolly, jovial, rident; *rám emelte* ~ *tekintetét* she smiled up at me
mosolygós [-at; *adv* -an] *a*, = **mosolygó**
mosolyog [.. lygok, -tam, .. lygott, -jon] *vi*, smile, *(akire* at/upon), *[gúnyosan]* sneer, *[affektálva, bizalmaskodva]* smirk, *[ostobán]* simper; *mit* ~*sz?* what are you smiling at?; *üdvözülten* ~ wear a beatific smile; *a szerencse* ~ *reá* fortune smiles on him; ~*va figyel vmt* watch sg with smiling eyes
mosómedve *n*, *(áll)* rac(c)oon, washbear, coon *(fam) (Procyon lotor)*
mosómunkás *n*, *(bány)* washerman
mosóné *n*, = **mosónő**
mosónő *n*, washerwoman, laundry-woman, laundress, washlady *(US)*, washwoman *(US)*
mosópad *n*, washboard
mosópalack *n*, *(vegyt)* washing-bottle
mosópor *n*, washing/bleaching powder, detergent
mosóruha *n*, washing-dress/frock, washable dress
mosóselyem *n*, washable silk, lavable *(fr)*
mosószámla *n*, laundry/washing bill
mosószappan *n*, household/washing/laundry/scrubbing/ yellow/coarse soap
mosószer *n*, detergent, abstergent, washing ingredient
mosószér *n*, *(bány)* rocker
mosószóda *n*, common/washing soda, washnig-crystals *(pl)*
mosóteknő *n*, wash-tub, washing-trough
mosott [-at; *adv* -an] *a*, 1. washed, laundered 2. *[érc]* buddled; ~ *arany* wash gold
mosóüst *n*, washing copper, wash-boiler
mosóüzem *n*, laundry, washery
mosóvíz *n*, water for washing
most *adv*, now, at present; ~ *hogy* now that; ~ *azonnal* here and now, right here *(US) ;* ~ *amikor* now that; *éppen* ~ this very moment, right/just now; ~ *nem* not now; ~ *vagy soha* now or never, now if ever is the time, no time like the present; ~ *is* still, even now; *még* ~ *is/sem* even now; ~ *egy éve* this time last year; ~ *jelent meg* just published; ~ *az egyszer* for this once, this time; ~ *vagy soha* (it is a case of) now or never, now if ever
mostan *adv*, now, at present; ~*hoz egy évre* 12 months *(v.* a year) from now; ~*tól fogva* from now on, from this time on/forth, henceforth, henceforward, hereafter
mostanában *adv*, 1. *[nemrég]* lately, quite recently, not long ago 2. *[manapság]* nowadays
mostanáig *adv*, hitherto, up to the present, up to now, as yet, by this time, by/till now; *egészen* ~ down to date
mostani [-ak, -t] I. *a*, present(-day), actual, existing, *[árfolyam]* current; *a* ~ *ifjúság* the youth of our days II. *n*, *a* ~*ak* present-day people, people of today *(v.* the present)

mostanig *adv*, = **mostanáig**
mostanra *adv*, for the present, by now, by this time
mostanság *adv*, nowadays, in these/our days, as things are at present
mostoha [.. át] I. *a*, 1. *[szülő]* step- 2. *(átv)* stepmotherly, harsh, hostile, cruel, *[körülmények]* adverse (circumstances), unpropitious, unfavourable, *[sors]* hard (fate), *[szerencse]* ill (luck), *[természet]* unkind; ~ *idő* hard/cruel times II. *n*, stepmother
mostohaanya *n*, stepmother
mostohaapa *n*, stepfather
mostohafiú *n*, stepson
mostohafivér *n*, step-brother
mostohagyermek *n*, stepchild
mostohaleány *n*, stepdaughter
mostohán *adv*, unkindly, unfeelingly, cruelly, adversely; *az élet* ~ *bánt vele* his life was full of disappointments, he suffered many rebuffs, his was a hard life
mostohanővér *n*, step-sister
mostohaság *n*, *(átv)* unkindness, cruelty, adversity, *[bánásmódé]* unfairness
mostohaszülők *n. pl*, step-parents
mostohatestvér *n*, step-brother, step-sister, half-brother/sister (on the father's/mother's side)
moszat *n*, *(növ)* alga, wrack, seaweed *(Algae-tagozat) ;* *kék* ~*ok* blue-green algae, Cyanophyta; *barna* ~*ok* brown algae, Phaeophyta; *zöld* ~*ok* green algae, Chlorophyta; *nagy tengeri* ~ macrophyte, marine alga of great length; *ostoros* ~*ok* flagellates, Flagellatae; ~*ok tana* phycology
moszatfélék *n. pl*, *(növ)* fucaceae
moszatgombák *n. pl*, *(növ)* phycomycetes; ~*kal kapcsolatos* phycomycetous
moszatszerű *a*, *(növ)* algal
moszkitó [-t, -ja] *n*, *(áll)* mosquito *(Culex)*
Moszkva [.. át, .. ában] *prop*, Moscow
moszkvai [-ak, -t] I. *a*, of Moscow *(ut)*, Moscovian II. *n*, inhabitant of Moscow
motalko [-t, -ja] *n*, mixed spirit motor fuel, motor spirit, carburant (mixture of petrol and alcohol)
motel [-ek, -t, -je] *n*, motel
motetta [.. át] *n*, *(zene)* motet
motiváció [-t, -ja] *n*, 1. *(pszich)* motivation 2. *(zene)* figure
motivál [-t, -jon] *vt/vi*, *[cselekvést]* motiv(at)e, *[ítéletet stb.]* state the reasons for, give the grounds for
motívum [-ot, -a] *n*, 1. *(ált)* motive, *(zene)* figure 2. *[indíték]* incentive, motive; *az emberi cselekvés rejtett* ~*ai* the recondite motives of human action 3. *[díszítőmintában]* motif, pattern
motolla [.. át] *n*, *(műsz)* reel; *motollát fékez (tex)* brake the reel; *eleven mint a* ~ be like quicksilver, move/work very quickly, dart hither and thither, hustle
motollál [-tam, -t, -jon] *vi*, *(tex, hajó)* reel up
motollálás *n*, reeling
motor [-ok, -t, -ja] *n*, 1. *[gép]* motor, engine; ~ *meghajtású* motor-driven; ~ *nélküli repülőgép* glider; ~*ral fékez [autót]* brake with the engine, use the engine as a brake 2. *[mozgalomé]* prime mover; *ő a csapat* ~*ja (sp)* he is the pivot of the team
motorágy *n*, engine bed/cradle
motorbeindítás *n*, throwing the motor
motorberregés *n*, humming of the engine
motorbicikli *n*, motor bicycle, motorcycle, motor bike *(fam)*
motorbiciklista *n*, motor-cyclist
motorbicikliz|ik *vi*, motor-cycle
motorbúgás *n*, hum of the engine, engine-note
motorburkolat *n*, engine bonnet/hood
motorburok *n*, = **motortető**

motorcsónak *n*, motor/speed/power-boat, *[folyamrend-örségi]* police launch
motordefektus *n*, engine trouble/failure, breakdown
motorfecskendő *n*, motor pump
motorfűrész *n*, motor saw
motorgyertya *n*, spark(ing)-plug
motorgyorsulás *n*, pick-up
motorház *n*, engine-house, bonnet, hood
motorhiba *n*, = motordefektus
motorikus *a*, motor-; ~ *erő* motor force; ~ *ideg* efferent nerve
motorikus-izgalmi *a*, *(biol)* excito-motory
motorindító *a*, ~ *berendezés* motor starter
motorizál [-t, -jon] *vt*, motorize, mechanize
motorizálás *n*, motorization
motorizált [-at; *adv* -an] *a*, motored
motorjavítás *n*, motor overhaul
motorkerékpár *n*, motor bicycle, motorcycle, motor bike *(fam)*, *[kerékpárt vezető]* pacer
motorkerékpár-alkatrész *n*, motorcycle part
motorkerékpár-köpeny *n*, motorcycle tyre
motorkerékpáros I. *a*, ~ *küldönc* (motorcycle) dispatch--rider II. *n*, motor cyclist, motorist
motorkerékpároz|ik *vi*, motorcycle, ride a motorcycle, go by motorcycle
motorkerékpár-pótülés *n*, flapper-bracket-seat
motorkerékpár-sport *n*, motor-cycling
motorkerékpár-versenypálya *n*, motor-racing track
motorkocsi *n*, 1. *(vasút)* electric/motor engine, railcar 2. *[villamosé]* motor/driving carriage
motorkopogás *n*, *(műsz)* engine-knock
motorkotyogás *n*, *(műsz)* engine-knock
motor-lökettérfogat *n*, *(műsz)* engine-capacity
motorolaj *n*, engine-oil
motoros [-ok, -(a)t; *adv* -an] I. *a*, 1. motor(-driven), provided with a motor *(ut)*, -engined, -powered; *két*~ bi-motored, twin-motored, with twin engines; *több*~ multi-engined; ~ *eke* motor plough; ~ *hajó* motor ship; ~ *hajtány* motor trolley; ~ *kocsi* motor--car, motor/driving carriage, motor truck; ~ *szán* autosled 2. *(orv)* ~ *afázia* motor aphasia; ~ *epilep-szia* motor epilepsy; *oldalsó* ~ *traktus* lateral motor tract
II. *n*, motorist, motor-bicycle rider; *gyorshajtó* ~ speedster, road-hog *(fam)*
motorosít [-ani, -ott, -son] *vt*, motorize, mechanize
motoroz|ik [-tam, -ott, -zon, -zék] *vi*, = motor-kerékpározik
motorsejt *n*, *(növ)* *[levélé]* bulliform cell
motorsisak *n*, crash-helmet
motorsport *n*, motoring
motorszerelő *n*, auto/engine/motor mechanic, engine--fitter
motortető *n*, engine-bonnet, (motor) hood
motortető-rögzítő *n*, bonnet fastener
motortúra *n*, motor tour
motorüzemanyag *n*, motor-fuel
motorverseny *n*, car/speed-race
motorvezetéses *a*, ~ *verseny [pályán]* motor-paced track race
motorvizsga *n*, examination/inspection of the engine
motorvonat *n*, motor train; ~ *alkatrész* motor train component
motorzúgás *n*, hum of the engine, engine-note
motoszkál [-t, -jon] *vi*, fumble/grope about, rummage; *vm* ~ *a fejében* have an idea at the back of one's head; *vm* ~ *a fülében* din in sy's ears; *a gondolat állan-dóan ott* ~ *a fejemben* the thought keeps running through my head
motoz [-tam, -ott, -zon] I. *vt*, 1. *(vkt)* search sy, go through sy's pockets/trunks 2. *[szekrényt]* rummage, look through, investigate II. *vi*, = motoszkál

motozás *n*, search(ing), rummaging, look(ing) through, investigating; *testi/személyi* ~ bodily search
motozó [-t, -ja] *n*, searcher, investigator
motring [-ot, -ja] *n*, = matring
mottó [-t, -ja] *n*, motto, quotation, saying, maxim, *(ker)* slogan, *[könyv/fejezet elején]* epigraph
motyó [-t, -ja] *n*, all one's belongings/traps *(pl)*, one's goods and chattels *(pl)*
motyog [-tam, -ott, -jon] *vi/vt*, mumble, mutter
motyogás *n*, mumbling, mutter(ing), mumble
mozaik [-ot, -ja] *a/n*, mosaic, tessellation; ~*kal ki-rakott* tessellated
mozaikbetegség *n*, *(növ)* mosaic disease, leaf mosaic
mozaikburkolat *n*, mosaic sheating/covering
mozaikfestmény *n*, mosaic painting
mozaikkészítő *n*, mosaicist, worker in mosaic
mozaikkő *n*, tessera
mozaiklap *n*, mosaic flag
mozaikmunka *n*, mosaic work
mozaikmű *n*, mosaic work (of art)
mozaikművész *n*, mosaicist
mozaikművészet *n*, (art of) mosaic, tessellation
mozaikpadló *n*, mosaic flooring, tessellated pavement, tiled floor
mozaikpadló-burkolat *n*, mosaic pavement
mozaikrejtvény *n*, jig-saw puzzle
mozaikszerű *a*, mosaic-like
mozaikszűrő *n*, színes ~ *[színes fényképezéshez]* screen plate
mozdít [-ani, -ott, -son] *vt*, move, stir, remove, displace; *kisujját sem* ~*otta* he never did a hand's turn, he never stirred a finger; *nem tudja a karját* ~*ani* he cannot move his arm
mozdítható *a*, mov(e)able, mobile
mozdony [-ok, -t, -a] *n*, 1. *(vasút)* engine, locomotive; *kisvasúti* ~ small-gauge railway engine 2. *[ágyúé]* gun-carriage, limber
mozdonyállás *n*, *(vasút)* emplacement
mozdonydaru *n*, crane locomotive
mozdonyemelő *n*, rail(road)-jack
mozdonyfordító *n*, turn-table
mozdonyfűtő *n*, fireman, stoker
mozdonygyár *n*, locomotive/engine-works
mozdonyház *n*, locomotive/engine shed
mozdonyitató *n*, water-crane
mozdonykémény *n*, smokestack
mozdonyláda *n*, *[ágyúé]* limber-chest
mozdonyműhely *n*, locomotive works
mozdonysátor *n*, cab(in)
mozdonyszekrény *n*, *[ágyún]* ammunition-chest, lim-ber-box
mozdonyszikra *n*, sparks from the locomotive *(pl)*, cinder
mozdonyszín *n*, locomotive/engine-shed/house, round--house
mozdonytisztító *a*, ~ *gödör* engine pit
mozdonytöltő *a*, ~ *kút* water-crane
mozdonyvezető *n*, (engine-)driver, motorman, engine--man, engineer (of train) *(US)*, locoman *(US fam)*
mozdul [-t, -jon] *vi*, stir, move, budge; *nem* ~ doesn't stir/budge/move, remain fixed, stand fast/pat, stay put; *nem* ~ *a helyéről* stand his ground
mozdulás *n*, move, movement, motion, moving, stirring
mozdulat *n*, 1. movement, move, motion, *[kifejező]* gesture; *egyetlen* ~*tal* with a flick (of the wrist) 2. = hadmozdulat
mozdulatlan *a*, motionless, still, unmoved, unmoving, without movement/motion *(ut)*, immobile, dead, stationary, static, inert; ~ *arc* set face; ~ *marad* remain still
mozdulatlanság *n*, immobility, motionlessness, station-ariness, inertness, standstill

mozdulatlanul adv, immovably; teljesen ~ stock still; ~ álltam I stood motionless, I stayed put

mozdulatművészet n, eurhythmy, eurhythmics, cal(l)isthenics

mozdulatsebesség n, (film) action speed

Mózes [-t, -e] prop, Moses; ~ öt könyve the Pentateuch; ~ első könyve the Book of Genesis; ~ negyedik könyve (the Book of) Numbers

mózesi [-ek, -t] a, Mosaic; ~ törvények the Mosaic laws

mózeskosár n, basket cot, bassinet, Moses basket (US) [hordozható] (infant's) carrying basket, carry-cot

mozgalmas [-at; adv -an] a, animated, full of movement/life (ut), lively, [élet] eventful, rough-and--tumble, (life) of ups and downs (ut), full of incidents (ut), [hely] busy, full of stir and movement (ut), bustling, hustling, [korszak] stirring (times); ~ élet-(pálya) chequered career; ~ nap a busy day, a hectic day (fam)

mozgalmasság n, animation, movement, [korszaké] agitation, [utcáé] bustle

mozgalmi [-ak, -t; adv -lag] a, belonging to the (workers') movement (ut) ; ~ dal song of the (Labour, Workers') Movement, rallying song; ~ élet active participation in (v. life of/in) the movement, political activity/life; ~ ember activist in the service of the (Labour, Workers') Movement; ~ munka work in/ for the movement, political/militant work

mozgalom [. . .lmat, . .lma] n, 1. (konkr) movement, activity, agitation, commotion 2. [vmt célzó] (átv) movement, campaign, drive; nemzeti felszabadító ~ national liberation movement; mozgalmat indít start/launch a campaign/movement/drive, set a movement on foot; ő a ~ lelke he is the animator of the movement; részt vesz á ~ban militate for (v. participate in) a/the movement

mozgás I. n, 1. movement, motion; egyenes vonalú ~ rectilinear motion; forgó ~ rotation, rota(to)ry motion; látszólagos ~ apparent motion; párhuzamos ~ similar motion; ~ hiánya lack of exercise; a csillagok ~a star-drift; ~ba hoz vmt put/bring sg in motion, set sg going, [gépet] start, throw into gear, actuate; ~ba hoz egy testet (műsz) impress motion upon a body; ~ba jön begin to move, get under way, get going/started, [gép] start up; ~ban levő test body in motion; ~ban tart vmt keep sg going; ~ban van be moving, be on the move; ~ra képtelen immobile; ~t jelentő igék verbs of movement 2. (átv) stir, agitation, commotion 3. (műsz) play, free motion, travel 4. (csill) látszólagos visszafelé irányuló ~ antecedence; bolygó ~a orbital movement of a planet II. int, push on!, hurry up!, look alive/sharp!, keep moving!, get a move on! (fam), get mobile! (fam), make it snappy! (fam)

mozgásábrázolási a, (orv) kymographic

mozgásátvitel n, (műsz) transmission/conveying of movement

mozgásbetegség n, motion sickness

mozgásegyenlet n, equation of motion

mozgáselemzés n, (műsz) motion analysis

mozgáselmélet n, kinetics

mozgásérzékelés n, kin(a)esthesis

mozgásérzet n, kin(a)esthesia

mozgásfényképezés n, action photography

mozgásformα n, form of motion

mozgási [-ak, -t] a, motive, kinetic, driving, locomotive, motional; ~ energia kinetic energy; ~ irány direction of movement; ~ képesség [szerveseknél] motility, [szervetleneknél] mobility, movableness, (orv) locomotivity; ~ lehetőség scope of movement/ action, elbow-room; ~ szabadság freedom of movement; ~ zavarok disorders of/in locomotion

mozgásképesség n, faculty of motion/movement, motility, (növ) vagility

mozgásképtelen a, (orv) ataxic

mozgásképtelenség n, (orv) akinesia, ataxia

mozgáskorlátozottság n, limitation of motion

mozgásköz n, play, margin, scope

mozgásmennyiség n, momentum, impulse

mozgásmérő n, goniometer

mozgásművészet n, eurhythmy, eurhythmics, cal(l)isthenics

mozgásművészeti a, callisthenic

mozgásszerv n, organ of locomotion

mozgásszervi a, ~ megbetegedés locomotor. disorder/ disease

mozgástan n, kinematics, dynamics, mechanics

mozgástani a, kinematic(al), mechanical

mozgástér n, = mozgásköz

mozgásterápia n, (orv) kinesitherapy

mozgat vt, 1. (konkr) move, agitate, stir, keep moving 2. (műsz) operate, actuate, drive, propel, set in motion 3. (átv) pull (the) strings

mozgatás n, 1. (konkr) moving, driving, working 2. (műsz) motor impulse

mozgatható a, mov(e)able, mobile, [hordozható] portable

mozgathatóság n, movability, mov(e)ableness, mobility

mozgató [-t, -ja] I. a, moving, motive, propulsive, locomotive II. n, mover; az ügy ~ja the promoter of the affair, moving/leading spirit of sg, prime mover of sg

mozgatóerő n, impulse, motive power/force, motivity, (átv is) impelling/driving force

mozgatóideg n, motor(y)/motorial nerve

mozgatóizom n, motor(y)/motorial muscle

mozgatószerkezet n, (műsz) driving/controlling gear/ mechanism

mozgatószerv n, organ of movement

mozgékony [-at; adv -an] a, mobile, (tud) motile, agile, sprightly, lively, nimble, lithe, light-footed, brisk, mercurial, nippy (fam), chipper (US fam), (kif) look alive/slippy, be full of beans, a live wire, be on (to) the job

mozgékonyság n, agility, nimbleness, mobility, activity, riskness, quickness, sprightliness

mozgó [-t] I. a, 1. [mozgásban levő] moving, mobile, ~ cél [lőgyakorlaton] manoeuvering target; ~ harc running fight; ~ háború (kat) mobile warfare; ~ ünnep movable feast; ~ védelem (kat) delaying action 2. [nem rögzített] movable, sliding, [kiesésre hajló] loose, shaky; ~ átlag moving average; ~ bérskála sliding wage scale, sliding scale of wages; ~ fog loose tooth; ~terhelés rolling/moving/live load II. n, † [mozi] cinema

mozgóárus n, costermonger, hand-seller

mozgócsiga n, loose pulley, travelling/running block

mozgódaru n, travelling crane, derrick, traveller

mozgófénykép n, 1. motion picture 2.[film] cinematograph(ic film), movie (fam)

mozgófényképezés n, cinematography

mozgófényképszínház n, = mozgóképszínház

mozgóháború n, war of movement

mozgóharc n, war(fare) in the open country

mozgójárda n, moving pavement/platform, speedwalk (US)

mozgókép n, motion picture, film

mozgóképgyűjtemény n, film library

mozgóképszínház n, picture-theatre/house/palace, cinema, pictures (pl) (fam), movie theatre (US), movies (pl) (US)

mozgókiállítás n, travelling exhibit(ion)/show

mozgókonyha n, rolling/field/travelling kitchen, kitchen truck

mozgókórház n, 1. (kat) dressing station, field-hospital/ ambulance, mobile hospital 2. = kórházvonat
mozgókönyvtár n, mobile/streetcar/travelling library, book van, bookmobile (US), book car/wagon (US)
mozgóléc n, [kártolón] revolving flat
mozgólépcső n, escalator. travelling staircase/stairs, moving staircase/stairway
mozgolódás n, 1. (konkr) movement, moving, restlessness, fidgeting 2. (átv) commotion, turmoil
mozgolódik [-tam, -ott, -jon, -jék] vi, 1. (konkr) be moving/stirring/bustling about, be in a to-do, bestir oneself 2. (átv) be agitated, be in commotion
mozgóműhely n, mobile/travelling workshop, repair/ breakdown car
mozgóposta n, travelling post office
mozgópostás n, clerk of a travelling post office, postal clerk
mozgósarú n, slide
mozgósít [-ani, -ott, -son] vt, 1. (kat) mobilize, [tartalékost] call up 2. (ker) mobilize, liberate, liquidate; ~ vm ellen level/campaign against; gondoskodj róla hogy a helyi sajtó ~va legyen make sure the local press is alerted
mozgósítás n, 1. (kat) mobilization; általános ~(i felhívás) mobilization order 2. [tőkéé] liberation, liquidation
mozgósítási [-t] a, mobilization-; ~ nap mobilization day, (röv. M-day); ~ parancs order of mobilization; ~ terv plan of mobilization
mozgósítható a, 1. (kat) mobilizable 2. [tőke] that can be made available (ut), that can be readily raised (ut)
mozgószínház n, = mozgóképszínház
mozgótőke n, floating capital
mozi [-t, -ja] n, picture theatre, cinema, the pictures (pl), movie(s) (US), the flicks (pl)◈; ~ba megy be going to the cinema, be going to the show; ~ba jár go to the movies/pictures
mozibarát n, film/cinema-fan
mozibérlet n, cinema subscription
mozicsillag n, (cinema-)star, screen star
mozidarab n, film, motion picture, screen/picture-play
mozielőadás n, cinema(tographic) perfomance/show
moziengedély n, cinema licence
moziengedélyes n, holder of (a) cinema licence
mozifelvétel n, shooting (of a film)
mozifelvevő a, ~ gép motion-(picture) camera
mozifilm n, moving picture, film, [mint anyag] cine-film
mozigép n, cinematograph, cine-projector
mozigépész n, projectionist
mozigépház n, projection booth/room
mozihelyiség n, cinema, film-theatre
mozijegy n, cinema ticket, ticket for the cinema, movie ticket (US)
mozilátogató I. a, picture-going II. n, picture/cinema--goer, spectator, movie-goer
mozirajongó n, cinemaphile (ref.), film-fan/enthusiast (fam), [néha] cinemaddict (US)
mozirendező n, director (of a motion picture)
mozis [-ok, -t, -a] n, proprietor/owner of a cinema, cinema proprietor, exhibitor, movie-owner
moziszínész n, film/cinema/screen actor, [híres] film star
moziszínésznő n, film/cinema/screen actress, [híres] film star
mozitulajdonos n, = mozis
mozivászon n, screen
mozog [-tam, ..zgott, -jon] vi, 1. (vk) move, stir, budge, bestir oneself, get going 2. [szerkezet] work, go, run 3. [vm pályán] travel; körben ~ go round, revolve 4. [fog] be loose, [inog] shake, totter

5. ~j! hurry up!, look alive/sharp!, make it snappy ◈; ~junk! get a move on!, get mobile!; ~junk egy kicsit [sétáljunk] let us go for a walk/stroll
6. az árak 50 forinttól 60 forintig ~nak the prices range from fifty to sixty forints
mozzanat n, 1. (ált) moment, motif, element, [színdarabban] episode, (short) part, passage 2. [történésben] phase, momentum; érdekes ~ point of interest
mozzanatos [-ak, -t] a, ~ ige instantaneous verb (expressing instantaneous action)
mozsár [mozsarat, mozsara] n, 1. [konyhai] mortar; ~ban tör pound (in a mortar) 2. (kat) (trench) mortar, howitzer
mozsárágyú n, mortar, howitzer
mozsár-tánc n, [esküvőn] mortar dance (at wedding)
mozsártörő n, pounder, pestle, muller
mozsárüteg n, battery of mortars
Mózsi [-t, -ja] prop, Mo(se), Moysh
mögé post, behind; a ~ behind that; a ház ~ rejtőzik he is hiding behind the house
mögéje [mögém, mögéd, mögénk, mögétek, mögéjük] adv. pron/dem, behind it/him
mögött post, behind, at the back of, in the rear of (sy, sg), back of (sg); (US); a ~ behind/beyond that/it; a hátam ~ csinálta he did it behind my back; messze maga ~ hagyja őket he leaves them far behind; vknek a háta ~ behind sy(s' back); vm ~ marad remain/lag behind sg; sorban egymás ~ one after the other, in single/Indian file
mögötte [-m, -d] adv. pron, behind me/you/him etc.; ~m behind me; közvetlenül ~ immediately behind sg, close on sy's/sg's tail (fam); ~ marad vknek vmben be below sy in sg
mögöttes [-ek, -t] a, situated behind (ut); a ~ országrész/terület the back areas, hinterland, the land behind
mögötti [-ek, -t] a, placed behind (ut), behind sg
mögül post, from behind sy/sg
mögüle [-m, -d] adv. pron, from behind me/you/him etc.
muci [-t, -ja] n, darling, dear, ducky
mucus n, = muci
Mucsa [.. át, .. an] prop, (kb) stick-in-the-mud place, Slocum-in-the-Hole, Little Pedlington, Podunk (US)
mucsai [-ak, -t] a/n, (kb) chawbacon, country bumpkin, yokel, joskin ◈, jay (US), hick (US), hay seed (US)
muff [-ot, -ja] n, muff
muflon [-ok, -t, -ja] n, (ált) moufflon, wild sheep (Ovis musimon); perzsa ~ argali (O. argali)
mufti [-t, -ja] n, mufti, (átv) bigwig, big bug ◈
mufurc [-ot, -ja] n, (biz) lout, yokel, hick (US)
muhar [-ok, -t, -a] n, Hungarian grass/millet, Italian millet (Setaria italica)
Muki [-t, -ja] prop, Johnny (diminutive of Nepomuk)
muki [-t, -ja] n, (biz) toff, guy, josser, bloke
mukk [-ot, -ja] n, egy ~ot sem szól not to say/breathe a word, not to utter a syllable, mums the word
mukkan [-t, -jon] vi, breath/utter a word/sound
mukkanás n, ~ nélkül without (breathing) a word, [megtesz] without a grumble/murmur
mulandó [-ak, -t; adv -an] a, fleeting, short-lived, transitory, transient, passing, ephemeral, evanescent, perishable, [remény] fugitive (hope); e ~ világ/élet this mortal life; ilyen ~ak a világi hívságok so evanescent are the fashions of the world
mulandóság n, transitoriness, transience, transitory/ ephemeral character/nature of sg, instability of human affairs, mutability, evanescence, perishableness
múlás n, passing, flow; az idő ~a the progress/flight of time, the rolling (by of the) years

mulaszt [-ani, -ott, .. asszon] I. *vt*, 1. *[alkalmat]* miss (opportunity); *nem sokat ~ottál* you haven't missed much 2. *[előadást, órát]* skip (class), *[kötelességet]* neglect (duty), fail, omit (to do), *[bírósági tárgyalást]* default 3. *[fájdalmat, betegséget]* = elmulaszt 2.; II. *vi*, *[iskolából hiányzik]* be absent (from school)

mulasztás *n*, absence, negligence, neglect, failure, omission, *[perbeli]* default; ~ *alapján ítélet hozható* judgment can be taken upon default; ~ *esetén* in default of (his) so doing; ~ *terheli* be guilty of negligence; ~*t követ el* commit (an) omission, *(jog)* default; *az alperes ~t követ el* the defendant is in default in appearing or answering

mulasztási [-t] *a*, ~ *ítélet* default/summary judgment, *judgment* by/in default; ~ *ítéletet hoz* grant/give judgment by default, take judgment upon default; *távollétében* ~ *ítéletet hoztak* he failed to appear and judgment was given by default

mulasztó [-t] *a*, negligent; ~ *fél (jog)* the party in default

mulat *vi*, 1. *[szórakozik]* make merry, pass time, beguile the time, amuse/enjoy oneself 2. *[lumpol]* carouse, revel, have a spree, make whoopee *(fam)*, be on the binge *(fam)*, have one's fling *(fam)*; *kitűnően ~tunk* we had a good *(v.* an excellent) time 2.*(vmn)* be amused (by), make fun/sport (of), laugh (at), make merry (over, with), be entertained (by), get a rise out of (sy, sg); *mindenki* ~ *rajta* everybody laughs at him *(v.* makes fun of him); ~*tam azon hogy* I was highly amused by, I was tickled pink *(v.* to death) *(fam)*

mulatás *n*, amusement, fun, entertainment, merry-making, carousal, revels *(pl)*, revelry, convivial time/evening, high jinks ◈, *[kicsapongó]* orgy; *jó ~t!* have a good time!

mulató [-t, -ja] I. *a*, *(vk)* making merry *(ut)* II. *n*, 1. reveller, rake, gay dog 2. = mulatóhely; *éjjeli* ~ night-club

mulatóhely *n*, place of entertainment, music-hall, night-club, *[rosszhírű]* dive *(US)*

mulatós [-at; *adv* -an] *a*, merry, jolly, gay, rakish, rollicking; ~ *ember* evil/fast/loose liver, reveller, carouser, rake, spark *(fam)*, gay dog *(fam)*; ~ *életet él* lead a rollicking/gay life

mulatótárs *n*, boon/pot-companion, fellow-reveller

mulatozás *n*, revels *(pl)*, revelry, carousal, spree, racket, fling, drinking-bout

mulatoz|ik [-tam, -ott, -zon] *vi*, carouse, revel, be/go gay, racket, have a high old time, go on the binge/spree *(fam)*

mulatság *n*, 1. *[szórakozás]* amusement, entertainment, fun, mirth, frolic, merriment, pastime; ~*ból* by way of amusement, for fun; *a tömeg ~ára* to the great delight *(v.* vast amusement) of the crowd; *nehéz kedvére való ~ot találni* she is hard to amuse 2. *[rendezett]* party, dance, ball, *[ivással]* convivial evening, spree

mulatságos [-at; *adv* -an] *a*, amusing, entertaining, diverting, mirthful *(ref.)*, funny, droll, humorous, *[komédia]* laughable *(farce)*; *rendkívül* ~ priceless, highly amusing, killingly/screamingly funny *(fam)*; *a* ~ *a dologban az (hogy)* the cream of the joke is (that), the piquancy of the affair lies in the fact (that), *nem értem hogy mi ebben a* ~ I can't see the humour of it

mulatt [-ot, -ja] *a/n*, mulatto, half-caste

mulattat *vt*, amuse, entertain, divert; ~*ja a társaságot* entertain the company

mulattatás *n*, amusement (of), entertainment, diversion; *az ő ~ára* for his amusement

mulattató [-t; *adv* -an] I. *a*, amusing, entertaining, diverting, recreative II. *n*, amuser, entertainer

múlékony [-at; *adv* -an] *a*, passing, fleeting, ephemeral, momentary, transient, transitory, short-lived, fugitive, fugacious *(ref.)*

múlékonyság *n*, transitoriness, fugitive/ephemeral character (of sg), fugacity, evanescence, transience

múlhatatlan *a*, indispensable, unavoidable, inevitable, *[szükségszerűség]* imperative (necessity); ~ *kötelesség* unavoidable duty

múlhatatlanul *adv*, inevitably, necessarily

muli [-t, -ja] *n*, = szamáröszvér

múl|ik [-tam, -t, -jon] I. *vi*, 1. *[idő]* pass (away), go/roll by, elapse; ~*ik az idő* time is getting/wearing on, the sands are running out; *ahogy ~t az idő* as time wore on; *ahogy ~nak az évek* as the years go by, down the years, with the passage of the years; *lassan ~tak a napok* the days went slowly *(v.* wore on); ~*tak a hónapok* the months passed *(v.* slipped by); *nehezen ~ik az idő* time hangs heavy (on one's hands), time drags on; *öt óra ~t* it is past five (o'clock); *húsz éves ~t* he is past/turned twenty 2. *[fájdalom]* stop, subside 3. *(vkn, vmn)* depend on sy/sg, be up to sy; *rajtad ~ik (hogy)* it rests with you (to), it depends on you, it is up to you to... *(fam)*; *nem rajta ~ik hogy* it was no fault of his; *hacsak ezen ~ik* if it is only a question of this; *kicsin ~t (hogy)* it was touch and go, (he, it) all but..., it was a close shave *(fam)*; *rajtam nem fog ~ni* it will be no fault of mine (if it does not...); *ezen ~t hogy elvesztette a mérkőzést* that lost him the match 4. *ami késik nem ~ik* all is not lost that is delayed
 II. *vt*, *[kifejezésben] idejét ~ta* out of date, obsolete, antiquated, old-fashioned

mull [-t, -ja] *n*, *(tex)* fine muslin, mull

mullah [-ot, -ja] *n*, mullah, moolah

múló [-t; *adv* -an] *a*, passing, fleeting, ephemeral, momentary, short-lived, transitory, transient, evanescent; *soha nem* ~ never-ceasing; ~ *örömök* temporary pleasures; ~ *sikerek* momentary successes/hits

múlófélben van be passing (away), be vanishing, be stopping/ceasing, be in transit, be abating

mullpólya *n*, muslin/gauze/mould bandage, gauze roll

múlt [-at, -ja] I. *a*, past, last, bygone *(ref.)*; ~ *héten* last/past week; ~ *alkalommal* last time; ~ *éjjel* last night; ~ *évben* last year; ~ *évi* last year's, of last year *(ut)*; ~ *havi* last month's, of the last month *(ut)*; ~ *heti* last week's, of the last week *(ut)*; ~ *hó tizedikén* on the tenth ultimo; ~ *idő* = múlt II. 2.; ~ *időben beszél vmről* speak of sg in the past tense; ~ *idejű* past; ~ *idejű melléknévi igenév* past participle; *a* ~ *órán* during/in our last lesson
 II. *n*, 1. past; *ennek az asszonynak ~ja van* she's a woman with a past, this woman has a past; *ez már a* ~*é* it is a thing of the past 2. *(nyelvt)* past tense, preterite; *befejezett* ~ past perfect/definite; *folyamatos* ~ past continuous; *történeti* ~ imperfect

múltán *post*, = múltával

múltával *post*, after (the lapse of); *évek* ~ years after; *idő* ~ in (the course of) time; *ennyi idő* ~ at this distance of time; *két hónap* ~ after the lapse of two months

múltidejűség *n*, pastness

multimilliomos *n*, multi-millionaire

múltkor *adv*, the other day, lately, not long ago, recently

múltkori [-ak, -t] *a*, recent, late, of late *(ut)*

múltkoriban *adv*, = múltkor

múltú [-ak, -t] *a*, *nagy* ~ with/having a great past *(ut)*; *nagy ~ egyeteme van* has an ancient university; *ez a nagy ~ város* this ancient and venerable city... ;

rovott ~ *ember/egyén* previously convicted person, person with a criminal record

múlva *post,* 1. *[jövőben]* hence, in; *egy perc* ~ in a minute; *kis idő* ~ soon, shortly, in a short time, in a little while; *öt perc* ~ *kettő* (*v. két óra)* five minutes to two; *pár/néhány perc* ~ in a few minutes 2. *[múltban]* after; *egy idő* ~ some time after

mulya [..át] I. *a,* simple, foolish, doltish, yokelish II. *n,* simpleton, dolt, softy, ninny

múmia [..át] *n,* mummy

múmiakoporsó *n,* mummy-case

múmiapólya *n,* mummy-cloth

múmiaszerű *a,* mummiform, mummified

múmiatemetkezés *n, (rég)* mummy burial

mumifikál [-t, -jon] *vt,* mummify, mummy

mumifikálás *n,* mummification

mumifikálódás *n,* mummification

mumifikálód|ik [-ott, -jon] *vi,* become/be mummified, mummify

mumpsz [-ot, -a] *n,* mumps, *(orv)* parotitis

mumus *n,* boggy(-man), bugaboo, bugbear, bogey, hobgoblin

mundér [-ok, -t, -ja] *n,* uniform, regimentals *(pl)*

munició [-t, -ja] *n,* ammunition, ammo *(fam)*

municipium [-ot, -a] *n,* municipium

munka *n,* 1. *(ált)* work, labour; *élő* ~ live labour; directly applied labour; *egyszerű* ~ simple labour; *egyszerű és bonyolult* ~ simple and skilled labour; *holt* ~ stored-up labour; *kemény* ~ hard work; *nehéz testi* ~ hard physical work; *a napi* ~ *után* after the daily grind; *a* ~ *becsület és dicsőség dolga lett* labour has become a matter of honour and of glory; *a* ~ *felszabadítása* emancipation of labour; *a* ~ *hevében/lázában* in the pressure of work; ~ *intenzitása* intensity of labour; *a* ~ *frontján* on the Labour Front; *a* ~ *kettős jellege* the twofold character of labour; ~ *szerinti bérezés* waging according to work; ~ *szerinti elosztás* distribution according to work; ~ *szerinti elosztás elve* principle of distribution by work; *szükséges* ~ necessary labour; *végzett* ~ work performed/done; *sok* ~ *fekszik benne* much work has been spent on it, it has entailed much work; *a Szocialista* ~ *Hőse* Hero of Socialist Labour; *a M* ~ *Törvénykönyve* Code of labour legislation; *munkája teljesen lekoti* be engrossed in one's work; ~ *közben* at work; ~ *közben érte a halál* he died in harness; ~ *nélkül szerzett jövedelem* unearned income; *ld még* **munkanélkül;** *munkába ad* put in hand, have sg made; *munkába áll* enter service; *munkába állít vkt* set sy to work; *munkába állítás [gépé]* starting, putting to work; *munkába megy* go to work, go to one's daily labour(s); *munkába vesz* take in hand (a task/job); *munkába vétel* taking/putting in hand; **munkában van** *(vm)* be upon the anvil, be in hand, be in the making, have sg on the stocks, *(vk)* be on the job, be at work, be in harness; *munkában levő mű* work in progress; **munkából** *él* live by one's work; *munkához lát* get (down) to work, get about the work, get down to one's job, set to work, start on a task; **munkára!** set about (*v.* get on with) your work!; *nem lehet munkára fogni* cannot be made to work; *munkára jelentkezik/megjelenik* report for work; *abbahagyja a* **munkát** cease work; *ez nekem sok munkát ad* it gives me a lot to do, it keeps me busy, I have my work cut out for me; *befejezi a munkát [műszak végén]* knock off work; *elvégzi a munkáját* do one's work; *elvégzi vk helyett a piszkos munkát* do sy's dirty work; *kerüli a munkát* dislike/shun work, be work-shy; *munkát fordít vmre* expend labour on sg; *munkát végez* do the work; *hasznos munkát végez* perform useful work; *jó munkát végez* do good/fine work, do a workmanlike job; *nem fél a* **munkától** not

(to) be afraid of work; *munkával szerzett jövedelem* earned income; *nem munkával szerzett jövedelem* unearned income 2. *[feladat]* task; *fárasztó* ~ toil; *keserves* ~ drudgery; *munkáját végzi* go about one's work 3. *[erőfeszítés]* toil, effort; ~ *nélkül* without effort, without doing a day's work, sitting back 4. *[egy elfoglaltság]* job, piece of work; *ha nincs más munkája* if he is not otherwise engaged; ~ *nélkül van* be out of work/employment, be unemployed, be on the dole; *apró munkából él* do odd jobs; *munkához jut* get/land a job; *munkát elvégez* do the job; *vk munkáját elvégzi* do sy's job; *munkát keres* look for work, look for a job; *munkát szerez vknek* find employment/work for sy; *munkát talál* find/get work, find a job; *munkát vállal* take service (*v.* a job), contract for work 5. *[kidolgozás]* workmanship, finish 6. *[mű]* work; *Petőfi összes munkái* the complete/collected works of P.

munkaadagoló *n,* dispatcher

munkaadó *n,* employer, master, principal, taskmaster *(obs);* ~ *és munkások* management and labour; ~*k és munkavállalók* employers and employed; ~*k felelősségét szabályozó törvények* Employers' Liability Acts

munkaalkalom *n,* opening, situation, opportunity to work, job/employment opportunity

munkaállás *n,* stage, *(épít)* scaffolding

munkaáram *n,* transmission/working current

munkaasztal *n,* work-bench/table, filing-table

munkabeosztás *n,* division/schedule of work

munkabér *n,* wage(s) pay, work-income; ~*ek és illetmények* wages and salaries; ~*ek rendszere* worker's wages system; ~*t kifizet* pay (sy) off

munkabéralap *n,* wage fund

munkabér-bizottság *n,* wages commission

munkabéremelés *n,* raising of wages

munkabérindex *n,* wage index

munkabér-jövedelem wage income

munkabér-költség *n,* labour cost

munkabér-megállapítás *n,* fixing/adjusting of wage rates *(v.* wages)

munkabér-megállapító *a,* ~ *bizottság* wage/pay board

munkabeszüntetés *n,* 1. *(ált)* stoppage, *[elbocsájtás]* turn/lock-out (of workman) 2. *[sztrájk]* strike, walk out

munkabírás *n,* working ability/capacity

munkabírású [-ak, -t] *a, hatalmas* ~ *ember* he is a glutton for work *(fam)*

munkabíró *a,* capable of working *(ut),* able-bodied, *(átv)* strong, energetic, industrious, *[főnév]* hard worker

munkabrigád *n,* task force, worker's brigade, labour team

munkacipő *n,* work(ing) boots *(pl)*

Munkács [-ot, -on, -ra] *prop,* Munkachevo (town in the Sovjet Union)

munkácska *n, [irodalmi, művészi]* opuscule

munkacsoport *n, [konferenciáé stb.]* working party, work-group, group of workers

munkadal *n,* labour/working song

munkadarab *n,* work(-piece), job, piece of work; *sajtolt* ~ punched piece

munkademokrácia *n,* democracy of labour

munkadíj *n, (ker)* making price, cost of making; *ld még* **munkabér**

munkaegészségtan *n,* labour hygiene

munkaegészségügy *n,* labour hygiene

munkaegyezmény *n,* labour agreement

munkaegység *n,* unit of work, norm, *[termelőszövetkezeti]* work unit, working-day unit, workday unit; ~ *részesedés* dividends per work unit; ~*re fizetett pénz* unit income

munkaelemzés n, [üzemszervezésben] time and motion study

munkaengedély n, labour permit, permission to work

munkaérdemrend n, Order of Labour; ~del kitüntetett munkás Honoured Worker of the Republic

munkaerkölcs n, attitude to work

munkaerő n, 1. = munkabírás; 2. [munkások összesége] manpower, labour (force, power), (body of) workmen, hands (pl); egyszerű ~ simple labour-power; eleven ~ living labour-power; kitűnő ~ Ist-class worker; ~ értéke value of labour-power

munkaerő-átirányítás n, redirection of labour

munkaerő-ellátás n, labour organization

munkaerő-felesleg n, excess of labour/manpower, redundancy

munkaerő-felhasználás n, manpower utilization, utilization of manpower/labour

munkaerő-forgalom n, labour turnover

munkaerőforrás n, resources of labour force (pl)

munkaerő-gazdálkodás n, [népgazdasági] labour force economy, [hatósági] labour force administration, [vállalati] manpower/labour management, [GB hivatal] Labour Planning Office, Labour Exchange; tervszerű ~ planned administration of labour force

munkaerő-gazdálkodási a, ~ hivatal Labour planning Office (GB), Labour-Exchange

munkaerőhiány n, manpower/labour shortage, shortage of labour; ~ van labour is scarce

munkaerő-hullámzás n, fluctuation/turnover of labour/manpower, labour turnover

munkaerőkérdés n, question of labour/manpower

munkaerő-kínálat n, labour market/supply

munkaerőlétszám n, labour force

munkaerő-megtakarítás n, saving of labour

munkaerőmérleg n, balance of labour force

munkaerőmérleg-rendszer n, system of labour force balances

munkaerő-mozgósítás n, manpower mobilization

munkaerő-nyilvántartás n, documentation/control of manpower

munkaerő-összeírás n, labour conscription

munkaerőpiac n, labour market

munkaerő-szervezés n, labour organization

munkaerő-szükséglet n, labour/manpower demand

munkaerő-tartalék n, manpower/labour reserve(s)

munkaerőterv n, labour plan, labour force plan

munkaerő-toborozás n, manpower recruitment, recruitment of manpower; tervszerű ~ planned recruitment (and training) of the labour forces

munkaerő-vándorlás n, migration/drifting of labour power, labour shift/turnover, flitting, floating (fam)

munkaértekezlet n, work-meeting/conference, conference on the work programme, [hivatali] staff conference

munkaeszköz n, working tool, implement; ~ök capital equipment, (set of) tools, (processing) equipment, (pol) means of production, instruments of labour

munkafajta n, type/species of work

munkafázis n, working phase, stage (of work)

munkafegyelem n, workshop discipline, discipline of labour; ~ megszilárdítása strengthening of labour discipline

munkafelajánlás n, pledge, work offering

munkafelosztás n, division of labour

munkafeltételek n. pl, labour/working/operating conditions, conditions of work, [egy munkadarabnál] specifications

munkafelügyelet n, procedure control

munkafelügyelő n, foreman, overseer, timekeeper, taskmaster (obs)

munkafelvigyázó n, overseer, overman

munkafolyamat n, working/labour process; ~ ellenőrzése (ip) process control

munkafonal n, (tex) upper thread

munkagazdaságtan n, economics of labour, labour economics

munkagép n, machine(-toll), [hajtógép] engine, motor, [munkakímélő] labour-saving device

munkagödör n, (épít) trench

munkagyógymód n, occupational therapy

munkagyőzelem n, labour exploit, victory over work, accomplishment of work

munkahely n, (ált) place of work/employment, post, working place, [hivatal] office, place (fam), [épitőiparban] building site/land, [iparban] working site, yard (fam), job-site (fam), [bányában] face, forehead

munkahelyi a, ~ cím address at place of employment; ~ gazdálkodás [építőiparban] building site administration; ~ rakodás (bány) loading at forehead

munkahét n, working week, workweek

munkahiány n, lack of work, unemployment, worklessness

munkahipotézis n, working theory/hypothesis

munkaidény n, working season/term

munkaidő n, [munkahelyen töltött idő] worktime, working day, working hours/time, [irodai] office hours; részleges ~ part time; teljes ~ full time; részleges ~vel foglalkoztatott [dolgozó] part-time (worker); teljes ~vel foglalkoztatott [dolgozó] full-time (worker); ~ teljes kihasználása full exploitation of working hours; ~ után after hours, (in) extra time; ~ben in office hours

munkaidő-csökkentés n, reducing worktime, worktime cut

munkaidő-ellenőr n, [gyárban] timer

munkaidő-kihasználás n, worktime utilization

munkaidő-kimutatás n, time-sheet

munkaidő-megtakarítás n, economy of working time

munkaidő-mérleg n, balance of work-time

munkaigényes a, demanding much (hard) work (ut), consumptive of time (ut), [művelet] laboursome, (ker, ip) labour intensive; ~ termék labour-intensive product; ~ termelőfolyamatok gépesítése mechanization of labour-intensive production processes, mechanization of production processes with a high manpower requirement

munkaigényesség n, labour intensity

munkaintenzitás n, intensity of work

munkairányító n, dispatcher

munkaiskola n, (kb) work-study system

munkajáradék n, labour rent

munkajog n, right/law/statues of labour

munkakabát n, smock, overall

munkakamra n, (épít) working chamber

munkakedv n, love of work, ambition to work, feeling for (one's) work, zeal to work, labour zeal

munkakedvelő a, who loves to work (ut)

munkakényszer n, compulsion of/to work

munkaképes a, capable/able of work (ut), able-bodied; ~ kor working age

munkaképesség n, ability to work, capacity for work, working capacity

munkaképességű a, csökkentett ~ person with a decreased capacity of work

munkaképtelen a, disabled, incapable of (v. unable to) work, incapacitated, invalid; ~né tesz [betegség stb.] disable, incapacitate; ~né válás incapacitation

munkaképtelenség n, disability (to work), incapacity; állandó ~ permanent disablement

munkakereső n, person seeking employment, person looking for a job (fam), job hunter (fam)

munkakerülés n, 1. (ált) work-shyness, truancy 2.

[főleg jog] vagrancy, vagabondage; [közveszélyes] ~ről szóló törvény general vagrancy law

munkakerülő I. a, work-shy, truant II. n; 1. (ált) work-shirker, slacker, skrimshanker 2. [főleg jog] vagabond, vagrant, tramp, (kat) absenteeist

munkakészség n, eagerness/readiness to/for work

munkakiértékelés n, job evaluation

munkakiesés n, loss in work

munkakiírás n, specification

munkakímélő a, labour-saving; ~ eszköz/berendezés labour-saving device

munkakódex n, code of labour, labour act

munkakópia n, (film) work print, studio copy, first answer print

munkaköltségek n. pl, labour costs

munkakönyv n, work/labour-book, service certificate

munkaköpeny n, smock, overall

munkakör n, sphere, scope (of activity), department, province; azonos ~ben dolgozunk we are in the same line

munkakörülmények n. pl, working conditions/circumstances; élet- és ~ living and working conditions

munkaköteles a, liable/subject to work (ut)

munkakötelezettség n, obligation to work

munkaközösség n, panel, team, working party/pool, co-operative; szülői ~ parent's association

munkaközvetítés n, labour exchange, labour-market

munkaközvetítő a, ~ hivatal employment agency/bureau/office/exchange, [hivatalos GB] Labour Exchange

munkál [-t, -jon] I. vt, = megmunkál; II. vi, work, be engaged in

munkalap n, job/work card/sheet

munkalapszám n, job number

munkalassítás n, slow-down, go-slow, ca'canny (fam)

munkálat n, work, operation; a ~ok folynak work is in progress, the operations are proceeding; szervezési ~ok work of organization

munkálatlan a, 1. [föld] uncultivated, untilled, fallow, waste 2. [tárgy] not finished, unfinished

munkaláz n, burst of activity

munkalehetőség n, 1. possibility of work/employment 2. [egy adott] opening, chance, job

munkalélektan n, industrial psychology, psychology of labour

munkalendület n, labour élan

munkálható [-t, jól ~ tractable, workable, kindly (fam)

munkálkodás n, activity, work(ing)

munkálkod|ik [-tam, -ott, -jon, - jék] vi, be active, work hard, (vmn) be engaged in/on sg, be busy at/upon sg, be employed on sg

munkalöket n, explosion/expansion stroke

munkáltató [-t, -ja] n, = munkaadó; ~k kártérítési felelőssége [üzemi balesetekért] employer's liability

munkamegosztás n, division of labour; általános ~ division of labour in general; egyes ~ division of labour in singular/detail; különös ~ division of labour in particular

munkamegszakítás n, cessation from work

munkamegszüntetés n, stopping of work, strike, walkout, putting down (of) tools

munkamegtakarítás n, labour saving/economy/sparing, saving of labour

munkamenet n, working process

munkamennyiség n, amount of work

munkaminősítés n, [munkafajták besorolása] classification of works

munkamódszer n, working method/system; ~t átad vknek impart one's skill to sy

munkamódszer-átadás n, passing on of working methods, transfer/exchange of working methods

munkamorál n, work morale

munkaművelet n, operation

munkanadrág n, jeans (pl), slacks (pl), overalls (pl)

munkanap n, business/work-day, working day, weekday; nyolcórás ~ eight-hour working day

munkanapló n, workbook

munkanap-rövidítés n, shortening of the working day, worktime cut

munkanélküli I. a, 1. [ember] out-of-work (ut), unemployed, workless, out (fam), jobless (US); ~ tartaléksereg reserve army of unemployed 2. [jövedelem] [munka nélkül szerzett] unearned II. n, idle workman, workless man; a ~ek the unemployed

munkanélküliség n, unemployment, worklessness, inoccupation, out-of-workness (fam), joblessness (US); rejtett ~ latent unemployment; a ~ nyomort idéz elő unemployment breeds misery

munkanélküli-segély n, unemployment benefit/relief, dole (fam); ~en él be on the dole

munkanélküliségi a, ~ biztosítás insurance for unemployment

munkanem n, kind/type of work

munkanorma n, work standard, standard time, working norm, labour norm

munkanyelv n, [ENSZ-ben] working language

munkaóra n, working hour, man hour

munkapad n, file/work-bench

munkapénz n, labour-money

munkaperiódus n, working period

munkapiac n, labour supply/market

munkaprogram n, program(me)/plan of work

munkarend n, 1. plan of work, duty list, program(me) 2. organization of labour

munkarendszer n, working-system

munkaruha n, working dress, work-clothing, overalls (pl), working-clothes (pl), dungarees (pl) (fam), (kat) fatigue clothes (pl)

munkaruha-juttatás n, clothes allotment

munkás I. a, laborious, industrious, hard-working II. n, worker, workman, labourer, working man, operative, operator, hand, wage-earner, (összet.) labour; ~ aktíva/aktivista worker activist, political worker of working class origin; ld még munkásaktíva; ~ állománycsoport staff group of workers; ~ képviselő member of parliament of working-class origin; ld még munkásképviselő; alkalmi ~ opportunity worker; betanított ~ unskilled labourer; nehéz testi ~ heavy worker; szellemi ~ brain worker, white-collar worker (US); tanulatlan ~ unskilled worker; ~okat felveszünk hands wanted

munkásakadémia n, Workers' Academy/College

munkásaktíva n, [tanácskozás] workers' active; ld még munkás aktiva

munkásállam n, workers' state

munkás-állománycsoport n, staff group of workers

munkásanyag n, manpower

munkásarisztokrácia n, working-class (v. labour) aristocracy

munkásárulás n, betrayal of the working class

munkásáruló n, traitor to the working class, betrayer of the working class, rat (fam)

munkásasszony n, workwoman, working woman, women-labourer/worker

munkás-átlagbér n, average workers' wages

munkásbarakk n, [építkezés színhelyén] bunk-house

munkásbíró n, worker-judge

munkásbíróság n, workers' court

munkásbiztosítás n, workers' insurance, employers' liability insurance, workmen's compensation (insurance)

munkásbiztosító n, (kb) workmen's (social) insurance company

munkásbrigád n, workers' brigade, team, crew, gang

munkáscsábítás *n*, enticing of workmen to enter another workshop

munkáscsalád *n*, workmen's family, working-class family

munkáscsapat *n*, gang (of workmen), crew, working party

munkásdalkör *n*, workers' choir

munkásdemokrácia *n*, workers' democracy

munkásdráma *n*, play about workers

munkásegyesület *n*, labour union

munkásegység *n*, working-class unity, unity of the working class, workers's unity

munkásegység-ellenes *a*, undermining working-class unity *(ut)*, undermining the unity of the working-class *(ut)*

munkáselbocsátás *n*, lock-out, lay-off

munkáselem *n*, labour *(v.* working-class) element

munkásélet *n*, worker's life, life of the working class

munkásellátás *n*. workers' catering service

munkásellenes *a*, anti-working-class, anti-labour

munkásellenőrzés *n*, *[munkások részéről történő]* workers' control

munkásellenőrző *a*, ~ *óra* time-clock

munkáselőadás *n*, 1. workers' performance 2. *[munkások részére]* special performance for workers (of the ... factory)

munkásember *n*, workman, worker, labourer

munkásénekkar *n*, workers' choir/chorus

munkásfelesleg *n*, excess of labour/manpower

munkásfelkelés *n*, workers' rising

munkásfelvétel *n*, hiring/engaging *(v.* taking/signing on) of workers; ~ *nincs* no hands wanted

munkásfiatal *n*, young worker

munkásfiatalság *n*, working youth

munkásforradalom *n*, workers' revolution

munkásgondozás *n*, care of workers

munkás-gyárvezető *n*; worker manager (of a factory)

munkásgyermek *n*, child of a worker, child of working-class origin

munkásgyűlés *n*, workers' meeting

munkáshadsereg *n*, workers' army

munkáshallgató *n*; student of working-class origin

munkáshallgatóság *n*, 1. *[gyűlésen]* working-class audience 2. *[egyetemi]* students of working-class origin

munkáshatalom *n*, (ruling) power of the working-classes

munkásház *n*, workman's house

munkáshetijegy *n*, workers' weekly ticket

munkáshiány *n*, labour/manpower shortage, shortage of labour

munkásifjú *n*, working youth, young worker

munkásifjúság *n*, working youth

munkásigazgató *n*, worker manager, manager of working-class origin

munkásinduló *n*, workers' marching song

munkás-internacionálé *n*, workers' international, international of the workers/proletariat(e)

munkás-internacionalizmus *n*, proletarian internationalism, internationalism of the proletariat(e)

munkásíró *n*, writer of working-class origin

munkásiskola *n*, workers' school

munkásjelszó *n*, workers' slogan

munkáskáder *n*, worker-cadre

munkásképviselő *n*, worker M P; *ld még munkás* képviselő

munkásképzés *n*, training/education of workers

munkáskérdés *n*, labour question

munkáskerület *n*, workers' *(v.* working-class) district

munkáskezek *n*. *pl*, ~ *állították helyre az üzemet* the factory/plant has been rebuilt/restored by the efforts of the workers

munkáskizárás *n*, lock-out

munkásklub *n*, workers' club

munkáskolónia *n*, labour colony/settlement, colony/settlement of workers

munkáskongresszus *n*, workers' congress

munkáskormány *n*, workers'/labour government

munkásköltő *n*, poet of working-class origin, worker-poet

munkáskör *n*, workers' circle

munkásközönség *n*, working-class audience/public

munkásközpont *n*, workers' centre

munkáskultúra *n*, workers' culture

munkásküldött *n*, workers' deputy

munkásküldöttség *n*, workers' delegation

munkáslakások *n*. *pl*, lodgings for workmen, workers' flats/houses/dwellings, workers' mansions

munkáslakótelep *n*, industrial/workers' settlement

munkáslaktanya *n*, *(vasút)* section house

munkáslap *n*, workers' newspaper/periodical

munkásleány *n*, work/mill-girl

munkáslétszám *n*, manpower, labour force

munkáslevelező *n*, worker correspondent

munkásmegbízott *n*, workers' delegate/deputy

munkásméh *n*, working bee, worker

munkásmozgalmi *a*, ~ *intézet* Institute of Labour Movement; *Magyar M~ Intézet* Institute of the Hungarian Working Class Movement

munkásmozgalom *n*, labour movement; *a ~ vezető ereje* the guiding force of the working-class movement

munkásnadrág *n*, overalls *(pl)*

munkásnegyed *n*, workmen's quarters *(pl)*, district where workers live, *[egészségtelen, tőkés országokban]* slums *(pl)*

munkásnép *n*, workers *(pl)*, workmen *(pl)*, workpeople *(pl)*

munkásnő *n*, working woman, (woman-)worker/labourer, factory-girl

munkásnyaraltatás *n*, organized holidays for workers

munkásnyúzó *n*, slave-driver, rawhider, sweater

munkásolvasó *n*, working-class reader

munkásosztag *n*, working party

munkásosztály *n*, working/labouring class, labour, the working class; *a ~ élcsapata* vanguard of the working class; ~ *és a dolgozó parasztok szövetsége* alliance between/of working class and working peasantry *(v.* peasant masses); ~ *vezette* led by the working class *(ut)*

munkásotthon *n*, workers' home

munkásöntudat *n*, working-class consciousness

munkásőr *n*, (workers') militiaman

munkásőrség *n*, *(kb)* (workers') militia, *[sztrájkörség]* picket

munkás-paraszt *a*, worker-peasant; ~*-paraszt állam* worker-peasant state; ~ *szövetség* worker-peasant alliance; *Magyar Forradalmi Munkás-Paraszt Kormány* Hungarian Workers' and Peasants' Government

munkáspárt *n*, workers' party, *[angol]* Labour Party; *a ~ győzött a választáson* the Labour Party got in

munkáspárti *a*, member of the workers' party *(ut)*, Labour man *(GB)*, labourite *(fam)*

munkásság *n*, 1. *[egy gyáré/városé]* the workmen 2. *[mint osztály]* working class, workers *(pl)*, labour 3. *vknek a* ~*a* sy's activity, sy's (life-)work

munkássajtó *n*, workers' press

munkássportoló *n*, worker sportsman

munkásszakszervezet *n*, labour union

munkásszállás *n*, bunk-house

munkásszálló *n*, workers' hostel/home

munkásszármazású *a*, of working-class descent/parentage/origin *(ut)*; *munkás- és parasztszármazású* of working and peasant stock/class/origin *(ut)* munkásszázad n, 1. (kat) labour company 2. [fasiszta uralom idején] company of forced labourers

munkásszervezet n, labour/workers' organization

munkásszínjátszó n, workman-actor

munkásszolidaritás n, working-class solidarity

munkásszövetkezet n, workers' co-operative (society)

munkássztrájk n, (workers) strike

munkásszükséglet n, = munkaerő-szükséglet

munkásszülők gyermeke child of working parents (v. workpeople), [igével] his/her parents were workers

munkástábor n, workers' camp

munkástanács n, workers' council/soviet, labour-council; munkás- és katonatanács Workers 'and Soldiers' Council/Soviet

munkástanfolyam n, workers' course

munkástárs n, fellow/co-worker, comrade, workfellow

munkástatisztika n, labour statistics

munkástelep n, worker's settlement/colony

munkástestvér n, fellow-worker

munkástílus n, working method

munkástoborzás n, manpower recruitment

munkástömegek n. pl, labouring/working masses, the masses

munkástüntetés n, labour/workers' demonstration

munkásújítás n, workers' innovation

munkásújító n, innovating worker, worker-innovator

munkásújság n, workers' (news)paper

munkásüdülő n, workers' holiday home

munkásüdültetés n, organized holidays for workers

munkásválogatott n, workers' team/eleven

munkásváltás n, relief, shift

munkásvándorlás n, mobility/migration of labour, flitting (fam), floating (fam)

munkásvédelem n, protection/safeguarding of the worker, labour safety, labour health regulations, safeguarding the interests of the workers

munkásvédelmi a, ~ bizottság labour-safety commission; ~ és balesetelhárítási szabályok (labour) health and accident prevention regulations; társadalmi ~ felügyelő voluntary labour-safety inspector; ~ előírások/intézkedések labour-safety regulations/measures; M~ Osztály Labour Safety Department; ~ törvény [Angliában] Workmen's Compensation Act; ~ törvények protective labour legislation; M~ Tudományos Kutatóintézet Research Institute for Labour Safety

munkás-vezérigazgató n, worker general manager, general manager of working class origin

munkásvonat n, workmen's/commuters'/work(ers')train

munkászubbony n, (workman's) blouse, smock, overalls (pl)

munkaszabadság n, freedom to/of work

munkaszeretet n, love of work

munkaszervezés n, organization of work, work organization, workshop organization

munkaszerződés n, contract for services, labour contract, contract of employment

munkaszolgálat n, labour service, [fasiszta] forced labour service

munkaszolgálatos n, inmate of (forced) labour camp

munkaszolgáltatás n, 1. [gépé] output 2. [vké közmunkához] forced/compulsory labour

munkaszünet n, [rövid] stopping/cessation of work, pause in work, knocking off work, [szabadságos] holiday, rest; kényszerű ~ shutting down of works, standing idle, enforced idleness; vasárnapi ~ [üzlet] Sunday closing/rest

munkaszünetes nap day to be kept as a holiday, Bank holiday (GB), day of rest

munkaszüneti nap = munkaszünetes nap

munkatábor n, work(ing)/labour camp, concentration camp, [Németországban] lager

munkatárgy n, job, work (in hand), subject of work

munkatárs n, 1. [fizikai munkában] fellow-worker, team mate, yoke-fellow (joc) 2. [egyéb munkában] co-worker, collaborator, co-operator, colleauge; [tudományos intézetben] member, investigator, research worker; tudományos ~ research worker/fellow 3. [sajtóterméké] contributor, correspondent; külső ~ [péld. szótárszerkesztőségben] outside consultant; egy lap ~a he writes for a paper

munkatársnő n, [szellemi munkában] collaboratrix

munkatartam n, duration of work, shift

munkatáska n, job(bing) bag

munkateljesítmény n, work performed/done/completed, output, production, performance; fantasztikus a ~e he can do a staggering amount of work

munkateljesítményű a, nagy ~ [gép] high-duty (machine)

munkateljesítő-képesség n, [üzemé] capacity

munkatempó n, rate/speed of work(ing); fokozza a ~t speed (up) the work

munkatér n, sphere of action/operation

munkaterápia n, occupational therapy, work-cure

munkaterem n, work-room

munkatérkép n, [meteorológia] working synoptic map

munkatermék n, product (of labour), commodity, article

munkatermelékenység n, (labour) productivity, productivity of labour

munkaterület n, range/circle/field of action/work, branch of work, billet, scope of activities

munkaterv n, plan of work, labour plan, (work) schedule (US)

munkátlan a, unoccupied, loafing, out of work (ut), unemployed, workless, without employment (ut), idle (pej)

munkatorlódás n, accumulation/pressure of work, bottleneck

munkatöbblet n, excess/surplus labour/work

munkatörvény n, labour code

munkautalvány n, work authorization voucher, job ticket

munkaügy n, labour question

munkaügyi a, labour-, of labour (ut), employment; ~ bíróság Court of Labour, Conciliation Board (GB); ~ előadó personnel manager; Nemzetközi M~ Egyezmény International Convention of Labour; Nemzetközi M~ Hivatal International Labour Bureau; ~ miniszter Minister of Labour, First Commissioner of Works (GB), Secretary of Labor (US); M~ Minisztérium Ministry of Labour, Board of Works (GB), Labor Department (US); ~ törvényhozás/törvények labour legislation; ~ vita industrial/labour dispute

munkaütem n, 1. [norma] time, pace, rate 2. [robbanómotoroknál] firing stoke, expansion/power stroke

munkavállalási engedély labour permit

munkavállaló [-t, -ja] n, employee

munkavállalói szerződés contract of work (and labour)

munkavédelem n, = munkásvédelem

munkavédelmi a, = munkásvédelmi

munkaverseny n, (socialist) emulation, work-competition; a szocialista ~ kiszélesítése spreading of sociaiist competition/emulation

munkaverseny-kihívás n, challenge to socialist emulation

munkaverseny-mozgalom n, socialist emulation movement

munkaverseny-szerződés n, socialist emulation contract

munkaveszteség n, loss of energy, loss of working hours

munkavezető n, foreman, headman, overseer, forewoman, ganger

munkaviszály *n*, labour controversy

munkaviszony *n*, **1.** *[jogviszony]* employment, work/labour relations; ~*ban állók (kb)* workers and employees, (those) on the payroll, (those) actively engaged **2.** *[körülmények]* working/labour conditions; ~*ok tanulmányozója* job analyst

munkazubbony *n*, *(kat)* fatigue-jacket/coat

murci [-t, -ja] *n*, partly fermented grape-juice, stum

muréna [..át] *n*, *[hal]* murry, muraena *(Muraena sp.)*

muri [-t, -ja] *n*, □ fun, lark, spree, carousal, razzle-(-dazzle), bingo; ~*t csap/rendez* = **murizik 1.**

muris [-t; *adv* -an] *a*, □ (screamingly) funny, killing

muriz|ik [-tam, -ott, -zon] *vi*, □ **1.** go on the spree, have fun, revel, lark **2.** *[veszekszik]* kick up a shindy/row

murok [murkot, murka, -ja] *n*, *(növ)* (wild) carrot *(Daucus carota)*

murva [..át] *n*, **1.** *[kő]* gravel, grit, rubble, shingle, *[talaj]* gravel, sand, crushed/pea gravel **2.** *(növ)* bract, *(összet)* bracteate; ~ *nélküli* ebracteate; *fészekvirágzat belső murvája* chaffy bract

murvácska *n*, *(növ)* bracteole, bractlet

murvalevél *n*, *(növ)* bract, bractea; ~ *a fészekvirágzatban* chaff

murvás *a*, **1.** gravelly, gritty, shingly **2.** *(növ)* bracteal; ~ *virág* bracteate flower

muskátli [-t, -ja] *n*, *(növ)* geranium, pelargonium *(Pelargonium)*

muskéta [..át] *n*, musket

muskétás *n*, musketeer

muskotály [-ok, -t, -a] *n*, muscat

muskotálybor *n*, muscat wine, muscatel

muskotálykörte *n*, muscadine

muskotályszőlő *n*, muscat (grape), muscadine, muscatel

muslica [..át] *n*, wine fly, midge

must [-ot, -ja] *n*, must, grape-juice, *[konzervált]* stum; ~*ot cukroz* chaptalize

mustár [-t, -ja] *n*, **1.** *(növ)* mustard *(Sinapis* v. *Brassica)*; *fehér/sárga/kerti/angol* ~ white mustard *(Sinapis/Brassica alba)* **2.** *[fűszer]* mustard

mustárfű *n*, *(növ)* mustard *(Sinapis* v. *Brassica)*

mustárgáz *n*, mustard-gas, blister gas

mustárkel *n*, *(növ)* (garden, Roman) rocket *(Eruca sativa)*

mustárliszt *n*, (flour of) mustard

mustármag *n*, mustard-seed

mustároscsésze *n*, mustard-pot

mustárpapir *n*, *(orv)* mustard plaster

mustártapasz *n*, *(orv)* mustard plaster, sinapism

mustártartó *n*, mustard-pot

mustízű *a*, having the taste of must *(ut)*

mustra [-t, -ja] *n*, **1.** *[minta]* pattern, *[ruháé]* design, *[mintapéldány]* sample **2.** *[bemutatás]* show, *(kat)* muster, parade

mustrál [-t, -jon] *vt*, eye

muszáj *(biz)* **I.** *v. imp*, must, be obliged to, have (got) to *(mind: stand.)*; ~ *szeretni* one can't help loving her **II.** [-ok, -t, -a] *n*, necessity, compulsion; constraint, ought *(mind: ytand.)*; *nagy úr a* ~ there is no virtue like necessity, necessity is a hard taskmaster, necessity knows no law; ~*ból* under pressure

muszka *a/n*, Muscovite, Russian

muszkovit [-ot] *n*, *(ásv)* muscovite

muszlin [-ok, -t, -ja] *n*, muslin, mull

muszos [-ok, -t] *n*, *(biz)* (inmate of Hungarian fascist forced labour camp)

mutáció [-t, -ja] *n*, *(biol)* (trans)mutation, break; *rendszeres* ~ systematic mutation

mutál [-t, -jon] *vi*, break, crack; ~*ni kezd a hangja* his voice is beginning to break

mutálás *n*, **1.** *[hangé]* breaking (of the voice at pu-

berty), change of voice, voice-breaking **2.** *(biol)* mutation

mutat I. *vt*, **1.** show, present, display, exhibit; ~ *vmt vknek* show sg to sy, let sy see sg; *mutasd csak!* let me see (it)!; *mint a neve is* ~*ja* as shown by its name, as its name will tell you; *jó arcot* ~ put a good face on it, pretend to like sg, keep up appearances; *jót* ~ be promising, be of great promise; *ajtót* ~ *vknek* show sy the door, turn sy out of doors; *példát* ~ give/set an/the example; *az utat* ~*ja* show the way, guide the way for sy; *az óra* ~*ja az időt* the clock tells the time; *az óra tízet* ~ the clock says *(v.* points to) ten o'clock; *az árammérő 315-öt* ~ the meter reads 315 ; *a lázmérő 37 fokot* ~ the thermometer registers 98.6 **2.** *[érzést, tulajdonságot]* show, express, manifest. reveal, *[meglepetést]* register (surprise); *nem* ~*ja érzéseit* make no display of one's feelings; ~*ja magát vmnek* show oneself to be, prove sg **3.** *[színlel]* feign, pretend. make believe (to be doing); *csak úgy* ~*ja* he but makes a show, he only pretends **4.** *[vm vmt bizonyit]* show, be evidence of, be a proof of, indicate; *ez azt* ~*ja (hogy)* it shows/indicates (that), it goes to show (that); *ami éppen azt* ~*ja hogy* which just goes to show that

II. *vi*, **1.** denote, indicate, *[vm okra]* be evidence/proof/indicative of; ~ *vmre* point at sg, bespeak sg *(ref.)* ; *a jelek arra* ~*nak* everything points to: *ez rossz emlékezőtehetségre* ~ it argues a bad memory; *vm jó ízlésre* ~ sg speaks *(v.* is indicative) of a refined taste (in sy) **2.** *jól* ~ be showy, look well; *jól* ~ *filmen* she films/screens well, she is photogenic; *nem* ~ it produces *(v.* brings about) no effect, it makes no impression, it is unpretentious

mutatás *n*, **1.** *[kézzel]* pointing, indication **2.** *[megmutatás]* showing, display, exhibition **3.** *[érzésé]* manifestation, show/display (of feelings)

mutatis mutandis mutatis mutandis *(lat)*, with all due allowances, with the necessary changes

mutatkoz|ik [-tam, -ott, -zon, -zék] *vi*, **1.** *(vk vhol)* show (oneself), appear, put in an appearance, show up *(fam)*, *(vm)* show, appear, be/become visible/seen, present/manifest itself, be manifested, be shown/indicated/noticeable/evident; *kedvező alkalom* ~*ik* a good opportunity presents itself **2.** *(vmnek, vmlyennek)* look, seem, prove, reveal itself (as), make, come out as, promise; *gyávának* ~*ik* show oneself *(v.* be/turn out) (to be) a coward; *hasznosnak* ~*ik* prove useful; *a termés jónak* ~*ik* the crop looks promising

mutató [-t, -ja] **I.** *a*, **1.** showing, pointing, indicating; *bűntudatra* ~ *pirulás* blush denotative/indicative of guilt **2.** *(nyelvt)* ~ *névmás* demonstrative pronoun **II.** *n*, **1.** *[készüléken]* indicator, pointer, needle, *[órán]* hand, *[gépen, gőzgépen]* gauge, tell-tale, *[logarlécen, mérőeszközön]* cursor **2.** *[szám, mennyiség, jelző]* indicatrix, index(-number) **3.** *[könyvé]* index, register **4.** *[minta]* sample, specimen; ~*ba küld vmt* send sg as a sample

mutatólap *n*, *[óráé, műszeré]* face, dial(-plate)

mutatós [-at; *adv* -an] *a*, showy, gaudy, good-looking, decorative, spectacular, of good appearance *(ut)*, *(elit)* specious, flashy, *[ruha]* dressy; ~ *darab* show piece

mutatószám *n*, **1.** index(-number), indicator; *megélhetési költségek* ~*a* cost-of-living index **2.** *(menny)* superscript

mutatószócska *n*, demonstrative particle

mutatóujj *n*, forefinger, index (finger), first finger, *(bonct)* indicator, trigger-finger *(fam)*

mutatóujji *a*, *(bonct)* indicial

mutatvány *n*, **1.** *(vmből)* sample, specimen, *(nyomd)* specimen (copy) **2.** *[közönség előtt]* spectacle, exhibi-

tion, show, [merész] stunt, feat, [bűvészi] sleight of hand
mutatványív n, (nyomd) clean proof
mutatványlap n, specimen page
mutatványos [-ok, -t, -a] n, showman (at fair etc.)
mutatványosbódé n, sideshow
mutatványpéldány n, specimen copy (of book)
mutatványszám n, specimen number/copy, sample
muti int, □ lemme see
mutogat I. vt, (vmt) keep showing/displaying/exhibiting (sg), [feltűnően] make a show of, [hencegve] show off, parade, flaunt; ~ni kellene he ought to be kept in a glass-case II. vi, make signs
mutogató [-t] n, = mutatványos
mutter [-ek, -t, -e] n, 1. (biz) [csavaré] screw-nut 2. □ Mum, mater
mutyi n, (biz) ~(ban) fifty-fifty; fizessünk ~ban let's go halves, let's split it
mutyiz [-tam, -ott, -zon] vt, halve/share expenses; ~ik vkvel vmben go halves with sy in sg
muzeális [-at] a, [értékű darab] museum piece; ~ könyvtár library whose object is not to lend but to preserve (sg)
muzeológia [..át] n, museology
muzeológus n, museologist, specialist in museum work, museum worker
múzeum [-ot, -a] n, museum
múzeumbogár n, (áll) museum beetle (Anthrenus museorum)
múzeumi [-ak, -t] a, ~ őr curator/keeper/attendant of a museum
múzeumigazgató n, director of a museum
múzeumőr n, curator/keeper/attendant of a museum
muzikális [-at; adv -an] a, (be) musical, (kif) have an ear/feeling/strain/flair for music, have a musical ear
muzikalitás n, musicality
muzulmán [-ok, -t, -ja] a/n, Moslem, Mussulman, Muslim; ~ hit Islam, Moslemism, Mussulmanism
múzsa [..át] n, Muse; a kilenc ~ the nine Muses; homlokon csókolta a ~ be muse-inspired
múzsafi n, † the Muses' darling
muzsik [-ot, -ja] n, moujik, muzhik
muzsika n, music
muzsikál [-t, -jon] vi, make music, play (on) (an instrument)
muzsikaszó n, music, sound/strain(s) of music; vidám~ mellett with (v. accompanied by) merry music
muzsikus n, musician
mű [-vet, -ve] I. n, 1. (ált) work 2. [irodalmi] work, writing, composition, [zenei] composition, opus, [művészi] work of art, [költői] poem; ~vek works; Ady Endre összes ~vei the complete works of Endre Ady; Pope ~vei the writings of Pope 3. egy pillanat ~ve volt it happened in an instant, it was the work of an instant; nem az én ~vem it isn't my doing 4. elektromos ~vek electricity works
II. a, 1. [gyártott] artificial, [vegyészetben] synthetic(al) 2. [színlelt] artificial, feigned, imitation, not genuine, factitious, not spontaneous, studied
műalak n, form (of work of art)
műalkat n, composition, structure
műalkotás n, 1. work of art 2. [folyamat] creation of work of art, art composition
műanya n, brooder stove, artificial (foster) mother, [malacoknak] (electric) pig-brooder
műanyag n, compound/plastic/artificial material, plastics (pl), man-made (v. synthetic) material; ~ból készült synthetic, composition, plastic
műanyagdugó n, plastic cork
műanyagfeldolgozó n, [iparos] synthetic materials processing artisan; gumi és ~ ipar rubber and synthetic materials processing

műanyagmentes a, genuine, unmixed, pure, the real thing (fam)
műárus n, = műkereskedő
műasztalos n, = műbútor-asztalos
műballada n, literary ballad
műbarát n, lover/patron of art, Maecenas
műbecs n, intrinsic value (of work of art)
műbenzin n, synthetic gasoline
műbeszövés n, invisible mending, fine-darning, re--weaving
műbeszövő n, invisible mender, fine-darner
műbírálat n, criticism, [műfaj] critique
műbíráló n, art critic
műbizonylat n, (ip, ker) quality certificate of the work, works' test certificate; ~ és minőségi garancia guarantee of workmanship and suppliers' test certificate
műbolygó n, = mesterséges bolygó
műbor n, artificial wine
műborjúbőr n, simulated calf
műbőr n, artificial/imitation leather, leather-cloth, leatherette, fabrikoid, dermatoid, pegamoid, rexine
műbutor n, furniture (of fine craftsmanship), cabinet--work, shaped furniture
műbutor-asztalos n, cabinet-maker/worker
műbutor-asztalosság n, cabinet-making/work, cabinetry
műcsarnok n, picture/art gallery
műcsikó n, colt born of artificially inseminated mare
műdal n, song (by known author as opposed to folk--song)
műegyetem n, = műszaki egyetem
műegyetemi a, ~ hallgató student of engineering, student of a technical college/university
műelefántcsont n, ivorine
műélvezet n, artistic pleasure, intellectual treat, enjoyment of (v. delight in) art
műemlék n, (ancient) monument, ancient/historic building, art memorial/relic; ~ké nyilvánít declare sg a public/historic monument/building
műemlékbizottság n, committee for the protection of ancient/historic monuments
műemléki a, ~ topográfia survey/topography of monuments
műemlékvédelem n, protection/care of monuments (v. historic buildings)
műemlékvédelmi a, ~törvény The Ancient Monuments Act
műépítész n, architect
műépítészet n, architecture
műeposz n, literary epos/epic
műértés n, connoisseurship
műértő I. a, expert, competent (in art) II. n, connoisseur, art expert; a ~ szemével with the eye of an expert
műérzék n, artistic sense, artistry
műesztergálás n, turnery
műesztergályos n, turner of fancy articles (of ebony/ ivory/bone)
müezzin [-ek, -t] n, muezzin
műfa n, cabinet-maker's wood, lumber (US)
műfaj n, (artistic, literary) form, (literary) genre; könnyű ~ light art genre, light forms of entertainment
műfaragás n, wood-carving
műfaragó n, wood-carver
műfelháborodás n, feigned indignation
műfény n, artificial/incandescent light
műfénypapír n, (fényk) developing-out paper
műfog n, false/artificial tooth
műfogás n, knack, the tricks of the trade (pl)
műfogsor n, artificial set of teeth, set of false teeth, denture, dental pro(s)thesis, plate (fam)

műfonál *n*, synthetic/nylon yarn/thread
műfordítás *n*, translation (of poem *v*. of literary work)
műfordító *n*, translator (of literary/poetic works)
müge [..ét] *n*, *(növ)* asperula *(Asperula)*; szagos ~ woodruff *(A. odorata)*
műgond *n*, care (in making sg); ~*dal készült* done/ prepared with great care
műgumi *n*, synthetic rubber, rubber substitute, neoprene
műgyanta *n*, synthetic rosin/resin
műgyöngy *n*, artificial/imitation pearl, *[tenyésztett]* culture pearl
műgyűjtemény *n*, art collection, collection of works of art
műgyűjtő *n*, art collector, curio-hunter; *a ~k paradicsoma* a happy hunting-ground for collectors
műhaj *n*, false hair, peruke, (peri)wig, *[homloktincs]* false front/bang
műhely *n*, (work)shop, workroom, industrial unit
műhelybizottság *n*, (work)shop committee, *[szakszervezeti]* Shop TU (*v*. Trade Union) Committee
műhelybizottsági *a*, *[szakszervezeti]* ~ *elnök* Shop Chairman of the TU (*v*. Trade Union) Committee
műhelycsarnok *n*, workshop hall
műhelyértekezlet *n*, (work)shop meeting/conference
műhelyfőnök *n*, shop-foreman/superintendent, overseer, engineer in charge, (work)shop manager
műhelygyakorlat *n*, *[iskolában]* *(kb)* manual training
műhelyhajó *n*, repair ship
műhelyírnok *n*, shop administrator, workshop clerk
műhelykocsi *n*, travelling workshop, repair lorry/truck, maintenance vehicle, *(vasút)* construction car
műhelymunka *n*, shop work
műhelyrajz *n*, working/shop drawing
műhelytitok *n*, workshop secret, trick/secret of the trade, secret of workshop; *ismeri a műhelytitkokat* know all tricks of the trade
műhiba *n*, 1. *[orvosi]* doctor's mistake, wrong medical treatment, malpractice; *műhibát vét [orvos]* commit a blunder 2. *[gyártóé]* defect/flaw in the making, fault of *(v*. faulty) workmanship
műhímzés *n*, art needlework, *[géppel]* machine embroidery
műhímző *n*, art embroiderer, *[csak nő]* art embroideress
műhímzőnő *n*, art embroideress
műhold *n*, man-made moon, earth satellite, moonlet
műhorizont *n*, *(csill, rep)* artificial horizon
műintézet *n*, institute
műipar *n*, applied/industrial/decorative art, arts and crafts *(pl)*
műiparos *n*, artisan, craftsman
műízlés *n*, artistic taste
műjég *n*, artificial (*v*. machine-made) ice
műjéggyártás *n*, pure/artificial ice-making
műjégpálya *n*, (artificial) skating rink, *[fedett]* ice-rink, indoor rink/track
műjégtömb *n*, can-ice
műkar *n*, artificial/prosthetic arm
műkedvelés *n*, taste for *(v*. love of) (the) fine arts, amateurism, dilettantism
műkedvelő [-t; *adv* -en] I. *a*, non-professional, unprofessional, amateur, dilettantish; ~ *előadás* amateur performance/theatricals; ~ *színtársulat* amateur theatrical company II. *n*, amateur, non-professional, dilettante, lover/patron of art, dabbler *(pej)*
műkedvelősködés *n*, amateurism, dilettantism
műkedvelősköd|ik [-tem, -ött, -jön, -jék] *vi*, go in for amateurism, work in dilettante fashion
műkereskedelem *n*, art trade
műkereskedés *n*, art-dealer's shop, gallery
műkereskedő *n*, art-dealer
műkertész *n*, horticulturist, landscape-gardener, nursery man, nursery-gardener

műkertészet *n*, horticulture, landscape-gardening nursery(-garden)
műkéz *n*, artificial/prosthetic hand
műkiállítás *n*, art exhibition
műkifejezés *n*, technical term/expression
műkincs *n*, art treasure, treasure of art
műkorcsolya *n*, figure skate
műkorcsolyázás *n*, figure skating; *páros* ~ pair skating
műkorcsolyázó *n*, figure skater; ~ *bajnok* figure skating champion; ~ *bajnokság* figure skating championship
műkotorékverseny *n*, = kotorékverseny
műkő *n*, artifical/cast stone
műkőburkolat *n*, cast-stone facing
működés *n*, 1. *(ált)* function(ing), *[természeti erőké]* agency; ~*be lép [tűzhányó]* become active 2. *[gépé]* working, running, operation; ~*be hoz* set going, put/set into action/operation, *[gépet]* throw into gear, set a machine (a)going, *(átv)* bring/call into play/action; ~*be jön* get going/working, begin to work, come into action, get a move on, *(átv)* come into play; ~*ben van* be working/going, be in action/ operation; *a gépek teljes ~ben vannak* machines are, in full action/swing; ~*ben' tart* keep going 3. *[emberé]* activity; ~*ét megkezdi* take up *(v*. enter upon *v*. begin) one's duties 4. *[vállalaté]* working, trading 5. *[hatás orvosságé]* action, effect
működéses *a*, ~ *betegség* functional disease
működési [-ek, -t; *adv* -leg] *a*, functional; ~ *bizonyítvány* record of service, testimonial; ~ *eljárás/mód* mode of operation; ~ *engedély [diplomatáé]* agrément, *[konzulé]* exequatui, *[orvosé]* licence to practice; ~ *idő* time of service; ~ *kör* sphere/scope/range of activity/action, sy's province/orbit/domain; ~ *körét kiterjeszti* extend the scope of one's activities; ~ *összefüggések* functional interrelationships; ~ *tér* field of action/activity; ~ *zavarok [szervé]* disorders, troubles, *[szerkezeté]* faults/troubles in working/ functioning
működ|ik [-tem, -ött, -jön, -jék] *vi*, 1. *[gép, szerv]* work, run, function, operate, be in action/operation; *jól ~ik* be working efficiently/smoothly; *nem ~ik* (it is) out of order; *a lift nem ~ik* the lift is out of order, the elevator is not running *(US)*; *a szíve rendesen ~ik* his heart functions regularly/properly; *nem fog ~ni (átv)* it won't work, it will not pan out *(US)*; *a fék nem ~ött* the brakes refused to act 2. *[ember]* be active, work, act as, officiate, *[orvos]* practise (medicine); *eredményesen ~ik* be efficient in one's work; *mint tanár ~ik* be a teacher; *azon ~ik hogy ...* be set/working on, endeavour to do sg 3. *[hatása van]* have (an, the) effect, act, be operative
működő [-t; *adv* -en] *a*, 1. *(ált)* active, *[orvos]* practising; ~ *tűzhányó* active volcano 2. *[gép]* working, in gear *(ut)*; *jól ~ motor* engine in good working order; *rosszul ~* out of gear
működtet *vt*, 1. *(ált)* make work/run 2. *[szerkezetet, gépet]* set in action/motion, operate, actuate, ply, *(átv)* bring/call into play/action/motion; ~*i a gépet* make an engine work/run, operate a machine *(US)*
működtetés *n*, setting into action/motion, operation
műköltészet *n*, poetry (as opposed to folk-poetry)
műkönnyek *n. pl*, crocodile tears
műköszörűs *n*, (knife-and-scissors) grinder
műköves *n*, *[személy]* cast stone maker
műkritika *n*, art criticism
műkritikus *n*, art critic
műláb *n*, artificial/prosthetic foot/leg, cork-leg *(fam)*
műlakatos *n*, art metal-worker
műlakatosság *n*, art metal-work, art metal trade
műlap *n*, engraving, print
műlégkör *n*, standard atmosphere

műlégy n, dry-fly, dun, willow, *[csali horgászáshoz]* camel-brown

műlégykészítés n, *[horgászáshoz]* dubbing

műlégytartó n, *[horgászoknak]* fly-book

műleírás n, specification

műlelkesedés n, feigned/false enthusiasm

műlép n, *[méhészetben]* wax comb-foundation, foundation starter

műlesiklás n, slalom race

műlovaglás n, equitation, horsemanship, manege *(fr)*

műlovagló n, = műlovar

műlovaglónő n, = műlovarnő

műlovar n, rider, *[cirkuszi]* circus rider, equestrian

műlovarnő n, (circus) rider, equestrienne *(fr)*

műmárvány n, imitation/artificial/pseudo marble, stucco

műmelléklet n, **1.** *[könyvhöz]* full-page plate, (inset) plate **2.** *[újsághoz]* artistic supplement

műméz n, artificial honey

München [-t, -ben] *prop,* Munich

műnyelv n, **1.** *[szakmai]* technical language, terminology, jargon; *jogi* ~ legal terminology **2.** *[mesterséges]* artificial/universal language

műnyomó a, ~ *papír* coated paper, art paper

műpala n, asbestos slate

műpártolás n, patronage of art/letters

műpártoló n, patron of art, Maecenas

műrégiség n, fake antique

műremek n, work of art, masterpiece, chef-d'oeuvre *(fr)*; *valódi* ~ a veritable work of art

műrepülés n, fancy/trick/stunt-flying, aerobatics; ~*t végez* do trick flying, stunt, perform stunts

műrepülő n, exhibition flier, stunt pilot, aerobat

műrevaló a, *(bány)* exploitable, workable, minable

műrost n, staple/synthetic fibre, man-made fibre

műselyem n, rayon, art(ificial) silk; *matt* ~ dull rayon; *fényes* ~ lustrous rayon; *krepp* ~ crape rayon, crêpe rayon

műselyemáru n, rayons *(pl)*, rayon goods/fabrics *(pl)*

műselyemfonal n, rayon yarn/filament

műselyemszál n, = műselyemfonal

műselyemszövet n, artificial silk cloth, rayon cloth

műsor n, programme, program *(US)*, *[állandóan játszott darabok szính]* repertory, repertoire *(fr)*; ~*on* now showing/playing, *[rádió]* on the air; *a* ~ *változik* there's a new program(me); ~*on marad (szính)* hold the boards; ~*on van* be running, be on; *mi van* ~*on?* what's on (just now)?; *két hónapig volt* ~*on* it had a run of two months; *[színdarab] állandóan* ~*on van* fill the bill; ~*ra tűz [filmet, színdarabot]* bill; *újra* ~*ra tűz* revive (a play); ~*t összeállít/szerkeszt* arrange a program(me), draw up a program(me); ~*ral egybekötött táncmulatság* ball/dance preceded by a program(me)

műsoradás n, *[rádió]* broadcast

műsorárus n, program(me)-seller

műsorbemondó n, announcer

műsordarab n, *állandó* ~ *[színházé]* repertoire piece

műsorfelelős n, program(me) organizer

műsorfüzet n, theatre programme

műsorismertetés n, (advance) announcement of the day's program(me)

műsorkészítés n, programming

műsorközlő n, announcer

műsoros a, ~ *est* (social) evening with entertainment/program(me), literary/musical program(me); ~ *estét rendez* give an entertainment

műsorösszeállítás n, programming

műsorösszeállító n, programmer

műsorplakát n, *(szính)* playbill

műsorpolitika n, program(me) policy, repertoire policy

műsorszám n, item (of programme), number; *állandó* ~ standing/stock piece, *[énekesé, zenekaré stb.]* repertoire

műsorszerkesztés n, programming, program(me)-making/editing

műsorszerkesztő n, programmer

műsorszóró n, *[rádióadó]* broadcasting station, broadcast transmitter

műsorterv n, plan of (theatrical) performances

műsorvétel n, broadcast reception

műstoppolás n, = műbeszövés

műstoppoló n, = műbeszövő

műszabadgyakorlat n, free standing exercise

műszabály n, rules of art, tricks of the trade

műszak n, shift, turn; *éjjeli* ~ night-shift/turn; *nappali* ~ day-shift/turn; *második* ~ *[dolgozó nőé]* ⟨domestic chores of a married woman who has a full-time job⟩; *három* ~*ban dolgoznak* work/operate in three shifts, work around the clock, work day and night; *több* ~*ban dolgozik [üzem]* work in shifts; *két* ~*ot dolgozik* he works double shift

műszakbefejezés n, *(ip)* leaving-off time

műszaki [-ak, -t; *adv* -lag] **I.** *a,* technical; ~ *állománycsoport* staff group of technicians; ~ *csapatok* engineer(ing) corps; ~ *egyetem* technical/polytechnic(al) university/college, university of technology, engineering college, university of technical sciences, polytechnic; ~ *eljárás* technical process, technique; ~ *értelmiség* technical intelligentsia; ~ *fegyvernem* the engineer corps; ~ *fejlődés* technical development/progress; ~ *fejlesztés* technical development; ~ *fejlesztési alap [ártényező]* technical development funds; *a* ~ *fejlesztési alap kialakulása [árképzésnél]* formation of the technical development funds; ~ *felelős/vezető [kiadványé]* technical editor; ~ *fényképezőgép* technical camera; ~ *hatékonysági mutató* technical efficiency index; ~ *igazgató* works manager; ~ *iskola/tanfolyam* industrial/technical school; ~ *jártasság/ügyesség* mechanical skill; ~ *káder* technical cadre; ~ *katona* engineer; ~ *képzettsége van* have technical qualifications; ~ *munka* technical work; ~ *norma [munkagazdaságtanban]* technical norm, work standard based on technical data; ~ *nyelv* technical language; ~ *oktatás* (poly)technical education; *általános kötelező* ~ *oktatás* universal compulsory polytechnical education; ~ *osztály* technical apparatus/department; ~ *példány (nyomd)* advance copy; ~ *rajz* industrial drawing/design; ~ *rajzoló* designer, draughtsman; ~ *szerkesztő (nyomd)* technical editor; ~ *szótár* technologic(al) dictionary; ~ *terv* blueprint; ~ *tervező* designer; ~ *tiszt* engineer officer; ~ *tudományok* technics, engineering; ~ *vélemény* expert's opinion; ~ *vezető* technical manager; ~ *zászlóalj* construction battalion *(röv. CB,* Seabee *(fam))*; ~ *és tudományos együttműködés* technical and scientific cooperation **II.** *n,* technician; *a* ~*ak* the technical staff

műszaki-gazdasági a, ~ *mutató* technical-economic indicator

műszakilag adv, technically; ~ *befejezett* technically completed

műszakváltás n, shift

műszál n, synthetic fibre

műszálfonal n, spun yarn, staple yarn

műszálszövet n, spun-rayon cloth, spun yarn fabric

műszem n, artifical/prosthetic eye, *[üveg]* glass eye

műszer n, **1.** *[szerszám]* implement, tool; *finommechanikai* ~ precision instrument; *optikai* ~ optical instrument **2.** *(orv)* instrument **3.** *[készülék]* instrument, apparatus, device, appliance, gadget; *szintező* ~ leveller

műszerállandó n, instrumental constant

műszerállvány n, stand, tripod

műszeres [-ek, -t; adv -en] a, [vizsgálat, kísérlet] instrumental; ~ bombázás blind bombing; ~ láda tool-box/chest/kit; ~ léggömb observation/registering balloon; ~ leszállási módszer (rep) Instrument Landing System (röv. I.L.S.); ~ szülés instrumental labor

műszerész n, mechanic(ian), technician, [gépé] operator, [készítő] tool-maker, precision instrument maker; híradástechnikai ~ telecommunication mechanician; hőtechnikai ~ (heat) power engineering mechanician; mechanikai ~ mechanical instrument maker; orvosi ~ surgical mechanic

műszereszterga n, precision lathe

műszerhasználat n, (műsz) instrumentation

műszer-házikó n, [meteorológiai] Stevenson screen

műszerhiba n, instrumental error

műszeripar n, precision engineering

műszerkészlet n, set of tools/instruments

műszerleolvasás n, instrument reading

műszerrepülés n, (rep) instrument flying, blind-flying/flight

műszerszekrény n, (orv) instrument case

műszertábla n, meter/instrument board, dash-board, instrument panel

műszerüzem n, surgical/precision instrument works/factory

műszerv n, (orv) prosthesis

műszó n, technical term; szakmai műszavak összessége nomenclature

műszótár n, technical dictionary; a kémia ~á A Dictionary of Chemistry (v. Chemical Terms)

műszőrme n, imitation fur

műt [-eni, -ött, -sön] vt, (orv) operate carry out a surgical operation

műtag n, (orv) prosthesis

műtan n, technology, technics

műtani [-ak, -t; adv -lag] a, technological, technical

műtenrendőri bejárás technical inspection (of a new railway/bridge/etc.)

műtárgy n, 1. (műv) work of art, object of art, object d'art (fr) 2. [mélyépítészetileg] structure; ~ak constructive works, [vasútiak] bridges and culverts, [útépítés] street fixture

műtárgyépítés n, structural erection

műtárlat n, (art) exhibition

műterem n, studio, atelier, [fényképészé] (photographer's) studio

műterembak n, artist's donkey

műteremlakás n, studio flat/apartment

műteremvilágítás n, studio lighting

műtermi [-ek, -t] a, ~ felvétel studio photograph, studio shot; ~ fényképezőgép studio camera

műtét n, (surgical) operation; kisebb ~ minor operation/surgery; súlyos ~ capital/major operation; sürgős ~ emergency operation; tiltott ~ illegal operation, produced abortion; ~ utáni post-operative; ~nek aláveti magát undergo an operation; ~nél segédkezik assist sy at an operation; ~et végrehajt/végez (vkn) operate (on) sy, perform an operation (on)

műtéti [-ek, -t; adv -leg] a, operative; ~ beavatkozás surgical intervention/action; ~ beavatkozásra nem volt szükség surgery was not necessary; ~ kezelés operative treatment; ~ lelet operative findings (pl); ~ technika operative technique/technic; ~ terület operative field; ~ utókezelés post-operative treatment; ~ úton = műtétileg

műtétileg adv, by (way of) operation, surgically

műtéttan n, surgery

műtő [-t, -je] n, surgery, operating room/theatre

műtőasztal n, operating-table

műtőkesztyű n, surgeon's gloves (pl)

műtőköpeny n, [orvosé] operating-gown

műtőmés n, = műbeszövés

műtőmő n, = műbeszővő

műtőorvos n, surgeon, operator

műtörténész n, art historian/critic

műtörténet n, history of art

műtős [-ök, -t, -e] n, surgeon's assistant/mate

műtősebész n, operating surgeon, operator

műtősnő n, surgical nurse (in charge of operating theatre), theatre sister

műtőszék n, [fogorvosi] dentist's chair

műtőszolga n, hospital orderly

műtőterem n, operating-theatre/room, surgery

műtrágya n, artificial/chemical fertilizer/manure, plant food

műtrágyaszóró a, ~ gép fertilizer distributor/spreader

műtrágyatermelés n, production of fertilizers

műtrágyáz vt, fertilize

műtrágyázási a, ~ mód fertilizer practice/system

mütyürke n, frippery, gewgaw, knick-knack, boondoggle, charm, trinket(ry)

műugrás n, fancy diving, springboard diving

műugró n, fancy diver

műugróbajnok n, diving champion

műugróbajnokság n, diving championship

műút n, roadway, high road, highway, carriage-way, [köves] metalled road, [betonos] concrete (road), [mocsáron át] causeway, (high)road

művaj n, artificial butter, margarine, oleomargarine

művakolat n, stucco

művecske n, short treatise, opuscule, booklet

művégtag n, artificial limb, pro(s)thetic device, pro(s)thesis

művégtagkészítő n, pro(s)thetist

művel [-t, -jen] vt, 1. [tesz] do, act; mit ~sz? what are you doing?, what are you up to?; csodát ~ work miracles 2. [földet] cultivate (land), farm, till (soil) 3. (bány) work 4. [tudományt] study, go in for (science), [művészetet] cultivate, practise (art) 5. (vkt) educate, polish, refine, develop; ~i magát improve one's mind, educate oneself

művelés n, 1. [földé] cultivation, tilling, tillage (of land/soil); ~ alatt álló [föld] under/in crop (ut); ~ alatt nem álló terület native land(area), natural land(area), uncultivated land(area); ~re nem alkalmas föld untillable land 2. [bány] working, exploitation (of mine), [tudományé, művészeté] study, cultivation, culture

művelési [-ek, -t; adv -leg] a, of culture/cultivation; ~ ág branch/line of cultivation, land use; ~ mód way/method of cultivation; ~ rendszer (bány) system of extraction

művelet n, 1. (ált) operation, action, working, manipulation 2. (menny) operation 3. [pénzügyi, kereskedelmi] transaction 4. (kat) operation, engagement manoeuvre

műveletkutatás n, operation research

műveletlen a, 1. [aki nem tanult] uneducated, uncultured, unaccomplished, uncultivated, unlettered, illiterate, ignorant, low-brow (fam), [neveletlen] ill-bred, unmannered, unmannerly, unpolished, rude, rough, unrefined, [nép] uncivilized, barbarian, savage 2. [terület] uncultivated, untilled, fallow

műveletlenség n, 1. [tudatlanság] lack/want of culture/education/refinement, illiteracy, [neveletlenség] want of breeding/manners, rudeness, roughness, coarseness, [népé] want of civilization, barbarism 2. [földé] uncultivated/untilled/fallow state (of land)

művelettervező n, operative designer

műveletterv-lap n, (ip) process chart

művelhetetlen a, [föld] uncultivable, untillable

művelhető n, 1. [föld] cultivable, arable, tillable; ~ terület arable land; ~vé tesz [földet] reclaim, render land suitable for cultivation 2. *(bány)* workable 3. *[szellem, tehetség]* improvable, refinable 4. *[ember]* teachable, capable of being educated *(ut)*

művelhetőség *n*, 1. *[földé]* cultivability 2. *[bánydé]*, workability 3. *[emberé]* teachability, refinability

művelő [-t, -je] I. *a*, *[hatás]* refining, educating (influence) II. *n*, *[földé]* culturist, cultivator, tiller (of soil), *[tudománye]* scientist, scholar

művelődés *n*, 1. *(dit)* culture, civilization 2. *[szellemi]* education, refinement, improvement, development (of mind)

művelődési [-ek, -t] *a*, cultural; ~ *ház* community/ society centre, house of culture, cultural/culture centre

művelődéspolitika *n*, cultural policy

művelődéstörténész *n*, historian of civilization

művelődéstörténet *n*, history of civilization/culture, cultural history

művelődéstörténeti *a*, of *(v.* relating to) the history of culture *(ut)*, *[néha]* historicultural

művelődésügy *n*, public education, cultural affairs *(pl)*

művelődésügyi *a*, *M~ Minisztérium* Ministry of (Culture and) Education, Ministry for Cultural Affairs; ~ *miniszter* Minister of (Culture and) Education

művelődik [-tem, -ött, -jön, -jék] *vi*, improve (one's) mind/manners, become refined, *[nép]* become civilized

művelt [-et; *adv* -en] *a*, 1. *[ember]* educated, cultured, lettered, accomplished, learned, *[nagy tuddsú]* erudite, *[nép]* civilized; *nagyon* ~ highly educated/ cultured, of great erudition; ~ *elme* well-stored mind; ~ *ember* educated person, person of culture/erudition; ~ *társalgás* polite conversation 2. *[föld]* cultivated, under cultivation *(ut)*, in tillage *(ut)*; ~ *föld* cropland, tillage, tilth; *rosszul* ~ *földek* badly cultivated fields

műveltető [-t; *adv* -en, -leg] *a*, *(nyelvt)* factitive, causative; ~ *ige* factitive/causative verb; ~ *képző* factitive suffix

műveltség *n*, 1. *[emberé]* erudition, (book-)learning, education, cultivation, accomplishment, refinement, learning; *irodalmi* ~ literary education 2. *[népé]* culture, civilization; *ókori* ~ ancient civilization

műveltségellenes *a*, anti-intellectual, barbaric

műveltségi [-ek, -t; *adv* -leg] *a*, of culture/civilization, cultural; ~ *fok* degree of culture, grade of civilization, cultural level/standard; ~ *viszonyok* state/ condition(s) of culture/civilization

műveltségterjesztő *a*, civilizing, enlightening, educational

műveltségű [-ek, -t; *adv* -en] *a*, *klasszikus* ~ a classical scholar; *hiányos* ~ under-educated; *nagy* ~ highly cultured, erudite, having a well-stored mind *(ut)*, of great erudition *(ut)*

-műves [-ek, -t, -e] *n*, worker, -maker, -smith, -wright

művéső *n*, engraver

-művesség *n*, (-)craft, workmanship

művész [-ek, -t, -e] *n*, artist; *elsőrangú* ~ top-rank artist; *érdemes* ~ merited artist; *kiforratlan/kezdő* ~ *(biz)* budding artist; *kiváló* ~ honoured artist

művészakadémia *n*, academy of fine arts, art-school, arts college

művészet *n*, (fine) art; ~ *mint öncél* art for art's sake; ~*ek ápolója* cultivator of the arts/Muses

művészetbölcselet *n*, philosophy of art

művészetellenes *n*, hostile/opposed to art *(ut)*

művészetelmélet *n*, theory of art

művészeti [-ek, -t; *adv* -leg] *a*, artistic(al), art-, of *(v.* pertaining to) art; ~ *iskola* art school, school of (fine) arts, arts college *(US)* ; ~ *kiadvány* art-publication; ~ *lexikon* encyclopedia of art(s); ~ *rovat* art column; ~ *rovatvezető* art editor; *M~ Szakszervezetek Szövetsége* Association of Art Workers' Union; ~ *vezető [péld. zenei fesztiválé]* artistic director

művészetpártolás *n*, = *műpártolás*

művészetszemlélet *n*, attitude to art, view of art

művészettörténész *n*, art historian

művészettörténet *n*, history of art

művészettudomány *n*, (studies in the) history of art, Art history

művészfrizura *n*, long hair (as worn by artists/bohemians), artist's coiffure *(v.* style of hairdressing), mane *(joc)*

művészgárda *n*, artistic staff, group of artists/players, ensemble *(fr)*

művészhaj *n*, = *művészfrizura*

művészi [-ek, -t; *adv* -en] *a*, artistic(al); ~ *arányosság* eurhythmy; ~ *érzék* artistic sense; ~ *kivitelű* of artistic finish *(ut)*, de luxe; ~ *munka* artistic work, art-work; ~ *tehetség* artistic disposition/talent/gift; ~ *téma* artistic subject (of composition); ~ *tulajdon* right of artistic property, copyright

művészies [-et; *adv* -en] *a*, artistic(al), tasteful, dainty

művészieskedő *a*, arty

művésziesség *n*, artistry

művészietlen *a*, inartistic, inartificial, artless, lacking the artistic touch *(ut)*

művészkalap *n*, broad-brimmed hat, slouch hat, trilby, wide-awake *(fam)*

művészkedés *n*, artistry, working as an artist, dabbling in art

művészked|ik [-tem, -ett, -jen, -jék] *vi*, work as an artist, practise art, dabble in art

művészlap *n*, picture postcard (reproducing paintings/ statuary)

művészlemez *n*, classical record, artist's (gramophone) record

művésznév *n*, stage-name, *[írói]* pen-name, nom de plume *(fr)*

művésznő *n*, artist

művésznövendék *n*, art student

művésznyakkendő *n*, flowing tie

művészszoba *n*, green-room

művésztelep *n*, colony of artists/painters

művészvér *n*, artistic temperament

művészvilág *n*, artistdom, Bohemia

művezető *n*, (shop-)foreman, engineer in charge (of a workshop), works manager, chargeman, *(nyomd)* (case) overseer

művezetőség *n*, (staff of) technical management

művi [-ek, -t; *adv* -leg] *a*, *(orv)* operative, surgical; ~ *beavatkozás* surgical intervention/action; ~ *szülés* instrumental labor; ~ *úton* operatively, surgically, artificially, by/through an operation

művirág *n*, artifical flower

művirágkészítő *n*, artificial flower maker

művű [-ek, -t] *a*, *finom* ~ finely wrought

műzene *n*, art-music, written/composed music (in contrast to folk-music); *nyomtatott* ~ printed art music

műzsír *n*, oleomargarine

myocardium [-ot, -a] *n*, myocardium, heart-muscle

N

n [n-et, n-je] *n*, **1.** *[betű]* n, the letter n/N; *kis n-nel ír* write with small n; *nagy N-nel ír* write with capital N **2.** *(nyomd)* en, n

-n *suff*, *ld* **-on**

na *int*, **1.** *[érdeklődőleg]* let me/us see!, *[vmre/vkre várás után]* at last!, *[biztatólag]* go on!, *[figyelmeztetőleg]* take care!; *[kérdőleg]* ~? what's the news?, well?, what have we *(v.* is there) today?, what do you say to that *(v.* about it)?; ~ *nem baj!* well(,) it doesn't matter; ~ *mi a bajod?*, ~ *mi van veled?* now what's the matter with you?;~ *mi (baj) van?* what's up ; ~ *ne mondja!* you do not say so!, don't I know it!; ~ *gyerünk* let's go/start, let's be getting along, come on, off we go; ~ *lám!* there you are!; ~ *már most* well/now then; ~ *tessék/ugye!* there you are!; ~ *végre!* at long last!; ~ *és? so what?; ~ *és aztán?* well(,) what of it?, what next?, what of that?, so what?, where do we go from here?; ~ *és most mi lesz?* what next?, where do we go from here? **2.** *[ismételve tréfás rosszallás/figyelmeztetés]* ~ ~*!* now! now!, come now!, watch/look out!, take care!, you'd better be careful

nábob [-ot, -ja] *n*, nabob, *(ritk)* nawab

náci [-t, -ja] *a/n*, Nazi, Hitlerite

Náci [-t, -ja] *prop*, Iggie, Ikkie, Ignatius

nácibarát *n*, pro-nazi

náciellenes *a*, anti-nazi

náció [-t, -ja] *n*, *[nemzet]* tribe, race, brood, *[származás]* origin, extraction; *ki tudja miféle* ~ who knows what country he comes from, who knows where he belongs to

nacionálé [-t, -ja] *n*, identity (of sy)

nacionalista [.. át] *a/n*, nationalist(ic); ~ *eszmék* nationalistic ideas; ~ *párt* nationalist party

nacionalizál [-t, -jon] *vt*, nationalize

nacionalizálás *n*, nationalization; *a föld* ~*a* nationalization of landed property

nacionalizmus *n*, nationalism

nacionálsoviniszta *a/n*, national-chauvinist, jingo-patriot

nacionálszocialista *a/n*, national-socialist

nacionálszocializmus *n*, national-socialism

nácitlanít [-ani, -ott, -son] *vt*, denazify

nácitlanítás *n*, denazification

nácitlanító [-t] *a*, ~ *bizottság* denazification court

nácizmus *n*, Nazism, Hitlerism

nád [-at, -ja] *n*, **1.** *(növ)* (common) reed *(Phragmites communis)*; ~*dal benőtt [tópart stb.]* reedy **2.** *[bambusz/cukornád elhalt szára]* cane **3.** *[tetőfedésre]* reed, *[bútorhoz]* cane; ~*dal befon* cane; ~*dal fedett* covered with reeds *(itt)*, *[reed-]thatched*

nadály [-ok, -t, -a] *n*, † leech

nadálytő *n*, *(növ)* comfrey *(Symphytum)*; *fekete* ~ common comfrey *(S. officinale)*

nádas [-ok, -t, -a] **I.** *n*, reeds *(pl)*, reedy part/stretch/marsh, reed bank/bed, cane-brake/field **II.** *a*, reedy, abounding in *(v.* covered with) reeds *(itt)*

nádaz [-tam, -ott, -zon] *vt*, cover/thatch with reeds, *[bútort]* cane, cane/rush-bottom

nádazás *n*, *[vakolat alá]* batten(ing), furring, lathing, lathwork, *[bútoré]* caning, cane-work, rush-bottoming

nádazott [-at] *a*, ~ *szék* cane-seated chair

nádbuzogány *n*, reed-mace, cattail, typha, ditch-down

nádcukor *n*, cane sugar, *(vegyt)* saccharose, sucrose, *[nyers]* Demerara sugar

nádfedél *n*, (reed-)thatch, reed roof(ing), rush covering, thatching

nádfedeles *a*, covered with reeds/rushes *(itt)*, covered with rushing *(itt)*, (reed-)thatched, reeded, rushed

nádfedelű *a*, = **nádfedeles**

nádfonás *n*, = **nádfonat**

nádfonat *n*, *[bútoron stb.]* cane-work, cane weave, webbing, matting, wickerwork, *[széken]* cane bottom/back, rush seat

nádfonatú [-ak, -t] *a*, *[ülőbútor]* cane-bottomed/backed/seat, rush-bottomed, rushed (chair); ~ *szék* cane-seat chair

nádfonó *n*, rush/cane-worker, chair-caner

nádi [-ak, -t] *a*, reed-, rush-, rushy, reedy, growing/living in the reeds *(itt)*; ~ *farkas* reed wolf; ~ *poszáta [madár]* warbler *(Acrocephalus sp.)*; ~ *rigó ld* **rigó**; ~ *sármány* reed-bunting *(Emberiza schoeniclus)*

nádibika *n*, *(nép)* = **bölömbika**

nadír [-t, -ja] *n*, nadir

nadírpont *n*, plumb point

nádiveréb *n*, *(áll)* reed-bunting/sparrow *(Emberiza schoeniclus)*

nádkéve *n*, *[tetőfedő]* bundle/sheaf of reeds

nádköteg *n*, bundle of reeds

nádméz *n*, cane-sugar

nádor [-ok, -t, -a] *n*, *(tört)* palatine (of Hungary), ⟨highest administrative dignitary in feudal Hungary before 1848⟩

nádori [-ak, -t] *a*, *(tört)* palatine; ~ *méltóság* dignity of palatine, palatinate

nádorispán *n*, *(tört)* = **nádor**

nádpálca *n*, cane

nádparipa *n*, hobby-horse

nadrág [-ot, -ja] *n*, **1.** *[hosszú]* pair of trousers, trousers *(pl)*, pants *(pl) (US)*, pantaloons *(pl) (obs)*, nether garments *(pl) (obs, ref.)*, *[bő szárú]* bags *(pl)*, slacks *(pl)*, *[zipzáras]* quickies *(pl)*, *[térd alatt gombolt]* breeches, knickers, knickerbockers, plus fours *(mind: pl)*, *[gyereké]* short-trousers *(pl)* ; *rövid* ~ shorts *(pl)* ; *a* ~ *térde* the knees of the trousers *(pl)*; ~*ba bújtat [gyereket]* breech (a child); ~*ot húz* put on trousers; *feljebb húzza a* ~*ját* hitch up one's trousers; *felköti a* ~*ját (átv)* pull up one's socks; *lehúzza/leveti a* ~*ját* take/pull off one's trousers; *az asszony viseli a* ~*ot* she wears the breeches, the grey mare is the better horse **2.** *[női]* panties, briefs, *[buggyos]* bloomers, *[száras]* leg panties, *[bő szárú]* flare panties, *[csipkés]* trimmed briefs/panties *(mind: pl)*; *ld még* alsónadrág

nadrágakasztó *n*, trouser-stretcher

nadrágnyag *n*, trousering, trouser material, material for breeches

nadrágcsíptető *n*, *[kerékpárosé]* trouser-clips *(pl)*

nadrágcső *n*, *(műsz)* breeches-pipe

nadrágél *n*, crease

nadrágték *n*, *[sízésnél]* slowing up/down on one's bottom, sitting down in order to stop; *~en megy (le)*, *~et alkalmaz* apply *(v.* put on) the "trouser brake"

nadrágfelhajtó *n*, turn-ups, trouser cuffs, cuffs of trousers *(mind: pl)*

nadrággomb *n*, trouser(s) button, *[patent]* bachelor's buttons *(pl)*

nadrággombolás *n*, fly front

nadrághajtóka *n*, = nadrágfelhajtó

nadrághasíték *n*, fly (of trousers), fly front, (front) slit

nadrágkoptató *n*, webbing, turn-up protector, saver

nadrágos [-at; *adv* -an] *a*, *[nadrágot viselő]* having/ with trousers on *(ut)*, trousered, breeched

nadrágsliccz *n*, = nadrághasíték

nadrágszár *n*, leg (of trousers), trouser leg; *~ alja* bottom of trouser leg

nadrágszerep *n*, *(szính)* breeches part

nadrágszíj *n*, (waist-)belt; *összehúzza/meghúzza* (v. *összébb húzza) a ~at (konkr)* tighten one's belt,*(átv)* tighten one's belt, tighten the purse-strings, retrench/ curtail *(v.* cut down) expenses, draw in one's horns; *kiereszti a ~at (átv)* loosen the purse-strings; *~jal megver* belt sy, give sy a little stirrup-oil *(v.* leathering)

nadrágszíj-parcella *n*, shoelace patch (of ground), strip-holding

nadrágszoknya *n*, divided skirt

nadrágszorító *n*, trouser-clips *(pl)*

nadrágszövet *n*, = nadrágnyag

nadrágtartó *n*, pair of braces, braces *(pl)*, pair of suspenders *(US)*, suspenders *(pl) (US)*

nadragulya [. . át] *n*, *(növ) (maszlagos) ~* deadly nightshade, belladonna *(Atropa belladonna)*; *nadragulyát ettél?* have you gone mad?, are you crazy?; *nem ettem nadragulyát* I am not crazy, what do you take me for?

nadrágvasaló *n*, trouser-press

nadrágzseb *n*, trouser(s) pocket, *[hátsó]* hip-pocket, *[órának]* fob

nádsíp *n*, *(zene)* pipe, reed, reed-pipe, *(rég)* syrinx, Pan's pipe

nádszál *n*, (single) reed; *egyenes mint a ~*straight/stiff as a poker/ramrod, as stiff as a ramrod; *karcsú mint a ~* reedy, slender as/like a reed; *ide-oda hajladozik mint a ~* bend/quiver like a reed; *~ra támaszkodik* lean on *(v.* trust to) a broken reed

nádszék *n*, cane/wicker chair, rush-bottomed chair

nádtermő *a*, reedy, rushy, reed-growing, *(tud)* arundiferous; *~ mocsár* rush/reed-bed/swamp

nádtető *n*, thatch(ed roof)

nádtetős *a*, covered with reeds/rushes *(ut)*, thatched with reeds *(ut)*, thatched

nádtollrajz *n*, *(műv)* reed pen drawing

nádülés *n*, cane-seat

nádüléses [-et] *a*, *~ szék* cane-seat chair, cane/rush-bottomed chair

nádvágás *n*, reed/rush harvesting/cutting

nádvágó *a*, *~ kasza* reed mower

nafta [. . át] *n*, *(vegyt)* naphtha

naftalin [-t, -ja] *n*, naphthalene, naphthaline, mothballs *(pl)*; *~ba teszi el a bundáját* put one's fur-coat in mothballs

naftalinos [-at; *adv* -an] *a*, sprinkled with naphthalene *(ut)*

naftalinoz [-tam, -ott, -zon, -zék] *vt*, sprinkle with naphthalene

nagy [-ot, -ja] **I.** *a*, **1.** *[méretre/mennyiségre/intenzitásra nézve]* large, big, *[helyiség]* large, roomy, wide; *igen/nagyon ~* vast, outsize; *óriási ~* huge, enormous, excessive; *nem elég ~* not large enough, on the small side, a bit small; *~ a keze* he's got big hands; *~ a lába* he's got big feet; *ez a kabát ~ neked* this coat is too big for you; *~ alakú* large-size(d), outsized; *ennek ~ ára lesz!* there'll be the devil to pay; *vmt ~ arányokban/ méretekben csinál* do sg on a grand/large scale; *~ betű [méretben]* large type/character; *~ betűs* written with large characters *(ut)*, *(nyomd)* printed in large type *(ut)*; *~ betűkkel nyomtatott* printed in large type *(ut)*; *ld még* nagybetű; *~ család* large family; *~ csontú* big-boned, heavily built; *~ csőrű* long-beaked; *~ darab [személyről]* stoutly built; *~ darab ember* a big burly fellow, a hefty fellow, a giant of a man; *~ darab asszony/nő* woman of ample proportions; *~ erejű* powerful, of great strength *(ut)*, terribly/very/enormously strong, herculean *(ref.)*; *~ értékű* very/extremely valuable, precious, of great value/worth *(ut)*, *~ esőzések voltak* there were heavy rains; *~ fejű* large/big-headed, *(orv)* macrocephalic, macrocephalous, *[ló]* heavy-headed; *ld még* nagyfejű; *~ fenekű* big/broad-bottomed; *~ fényerejű objektív* high-speed lens; *~ fiú [az idősebbik fiútestvér]* the elder boy, *[kifejlett]* full-grown boy, big boy; *ld még* nagyfiú; *~ fogú* large/big-toothed; *~ fogú fésű* lash-comb; *~ forgalmú hely* place with/of heavy traffic, busy thouroughfare/centre; *~ forgalmú idő* peak/rush hours *(pl)*; *~ forgalmú üzlet* shop with a large/big turnover; *~ forgalmú vonal* busy/crowded line, much travelled line; *~ fülű* long/ flop-eared; *~ gyerekei vannak* has grown-up children/ family; *~ hasú (vk)* portly, corpulent, abdominous, rotund, pot-bellied *(fam)*, tubby *(fam)*, *(vm)* big-bellied; *~ hatósugarú* long-range/distance, of a wide range of action *(ut)*; *~ hatósugarú repülőgép* long-range aircraft; *~ hideg* severe cold; *~ hozamú* highly productive; *két év ~ idő* two years is quite a long time; *~ jövedelmű* with a great income *(ut)*; *~ kaliberű [löveg]* large-calibred, (of) large calibre, large bore, *[ember]* of great calibre *(ut)*, of importance *(ut)*, of high standing *(ut)*; *~ kanyar* wide turn/ bend, long bend; *~ kapacitású* of great/high capacity *(ut)*; *~ kezű* big-handed/limbed, having big hands *(ut)*, ham-handed *(fam)*, mutton-fisted *(fam)*; *~ kiterjedésű* wide, extensive, vast, spacious; *~ kiterjedésű síkság* wide/vast plain; *~ kort ér meg* live to a great age, live to a fine old age, live to an old age; *~ lábon él* live in great/grand style/way, live high, keep great state, live in state, go the pace; *~ lábú* big-footed/limbed, having large feet *(ut)*; *~ lábujj* big/great toe, hallux; *merev ~ lábujj* hallux rigidus; *~ látószögű lencse/objektív* wide-angle *(v.* panoramic) lens; *~ lyukú rosta* wide-meshed; *~ mellű [nő]* big/full breasted, big-bosomed/chested, broad-bosomed, bosomy; *~ mennyiségű* in large quantity/quantities *(ut)*, lot(s) of *(fam)*, heaps of *(fam)*, no little; *~ nedvességtartalom* high percentage of moisture; *~ nyomású* high-pressure; *~ olló* (pair of) shears; *~ orrú* large/big-nosed, nosy *(fam)*, conky **◇:** *~ összeg* large sum; *~ példányszám (nyomd)* long run, great number of copies printed; *~ poggyász* heavy baggage; *~ részben* for/in the main, mainly; *~ részük* most of them; *~ részünk* most of us; *~ sóhajtás* deep/heavy sigh; *~ számla* long bill; *~ szél* high wind; *~ szemű [ember, állat]* big/large/broad-eyed, full-eyed, saucer-eyed *(joc)*, *(áll)* macrophtalmous, *[háló]* wide/open-meshed, wide-knit, *[mag]* coarse-(-grained), rough-grained, *[szőlő]* big, *[kávé]* large-

-berried (coffee); ~ *távra* in the long run; ~ *távolságú* long-range; ~ *teljesítményű* high-capacity/efficiency, efficient, powerful; ~ *tempóban* at a great pace; ~ *termelékenységű* highly productive; ~ *tételben vásárlás* bulk-buying; ~ *tételben vesz* buy in bulk; ~ *tőgyű* big/full-uddered; ~ *út* long way; ~ *űrméretű* heavy calibre; ~ *záporeső* heavy shower 2. *[belső tulajdonságra nézve, erkölcsileg]* great, grand, *[dolog]* considerable; ~(,) ~, ~~ very big/large, enormous, *[túlozva]* excessive, astronomical; ~ *voltál* you were great/grand/splendid/fine; ~ *állású* in/of a prominent position/post/place *(ut)* ; ~ *bajban vannak* they are in great distress/trouble; ~ *dolog/sor/szó ez!* it's no trifling matter!, it's a great thing; ld még **nagydolog**; *nem ~ dolog/ügy* it isn't so difficult (to do), it is not great matter, nothing much, nothing to make a song about, nothing to write home about, no great shakes ◆; ~ *ember* great man; ~ *feladat* great task, tall order *(fam)* ; ~ *fontosságú* highly/most important, all-important, outstanding, of great importance *(ut)*, of high concern/priority *(ut)*, all-essential, of great mark *(ut)* ; ~ *gyerek vagy* you are such a (big) child, you are such a big baby; ~ *hatalmú* very powerful, all-powerful, mighty; ~ *hatású [hatékony]* very effective/efficient, *[beszéd stb.]* (most)impressive, (heart-)stirring, inspiring; ~ *hírű (ált)* famous, far-famed, (highly) celebrated, widely known/appreciated, renowned, well-known, *[személyiség]* illustrious; ~ *hírű férfi* man of great/high renown; ~ *időket élünk* we are living in historic times; ~ *igényú (vk)* very particular, over-particular, exacting, *(elít)* (be) hard to please, *(vm)* demanding/requiring much care/attention, *[mű]* ambitious; *a ~ jelenet* the big scene (of the play); ~ *jelentőségű* very significant, most important, all-important, momentous, of considerable/great import(ance) *(ut)*, of great significance *(ut)* ; ~ *jövőjű* with/having bright/rosy prospects *(ut)*, marked out for a brilliant future *(ut)*, most promising/hopeful, rising, coming (man), (a man) of the future, up-and-coming *(fam)* ; N~ *Károly* Charlemagne; ~ *különbség* great difference; ~ *meglepetéssel hallottam* I was told much to my surprise, I was amazed/astounded to hear, it shocked me to hear; ~ *mester ez (ebben)* he is a past master (at it), he is a great man (at it); ~ *műveltségű* highly cultured, of wide culture *(ut)*, erudite, having a well-stored mind *(ut)*, of great erudition *(ut)* ; ~ *nyomorban van* be in severe distress; *a N~ Októberi Szocialista Forradalom* the Great October Socialist Revolution; ~ *örömmel* with great pleasure; ~ *politika* high politics, (inter)-national politics; ~ *reményű* promising, hopeful; ~ *reményű fiatalember* (young) promising/hopeful lad, young man of promise, young man giving promise of a bright future; ~ *reményű vállalkozás* promising undertaking; N~ *Sándor* Alexander the Great; ~ *sikerű* highly successful; ~ *sikerű színdarab* a (box--office) hit; ~ *szamár* unbelievable/capital ass, great donkey; ~ *számok törvénye* the law of averages; ~ *szerencsétlenség* serious accident; ~ *szilárdságú* highly reinforced; ~ *támadás (kat)* heavy attack; ~ *tehetségű* (highly) talented, (highly) gifted, *[művész]* inspired; ~ *tekintélyű* of great authority *(ut)*, (highly) respected; ~ *tisztaságú* extra-pure; ~ *tudású* very learned, erudite, scholarly; ~ *tudású ember* a man of profound/great learning, a great scholar, a learned man, man of great attainment(s); ~ *úr* bigwig, big noise; ~ *úr a muszáj* necessity knows no law, there is no virtue like necessity, necessity is a hard taskmaster; ~ *világ* the wide/whole world; *jött-ment a ~ világban* he knocked about (all over) the world; *a ~ világon* all over the world, all the world over, in the whole world; ~ *vonásokban* leír/elmond/vázol vmt

give a general/bold outline of sg, sketch sg; ~ *vonalakban/vonásokban ecsetel* sketchy; ~ *zeneszerző* great composer 3. *[betű]* capital; ~ *B-vel ír* write with capital B, write with an upper-case B, write with a big B 4. *[vmt szenvedéllyel csináló]* great, passionate, enthusiastic; ~ *alvó* lie-abed, slug-abed, sluggard, lazybones, sleepyhead; ~ *evő* great eater, heavy feeder, stout trencherman; ~ *ivó* hard/heavy drinker, toner, bibber, swiller, quaffer; ~ *kártyás* passionate cardplayer; ~ *vadász* a great sportsman, great/passionate hunter/shot, a hunting man 5. *(zene)* major; ~ *másod/szekund* major second; ~ *harmad/terc* major third

II. *n*, 1. ~*ok* *[=felnőttek]* the grown-ups 2. *az ország ~jai* the great ones of the country, the leaders/luminaries of the country; *a város ~jai* the respectabilities of the town 3. *[vm hátralevő része]* vm ~ja the greater part of sg, the bulk of sg; *a munka ~ja még hátra van* the bulk of the work is still behind *(v.* to be done) 4. *[ragozott alakokban]* **nagyban** ld *a szótár megfelelő helyén;* **nagynak** *tűnik* appear bulky/large; **nagyra** *becsül (vkt)* appreciate, esteem highly, think highly of, hold in high esteem, admire, have a high opinion of, hold in high regard, rank high, respect, make much of, *(vmt)* set (great) store by, treasure, prize; *igen ~ra becsülöm őnt* I think a great deal of you; ~*ra becsült* esteemed, appreciated, of high standing *(ut)* ; ~*ra becsült barátom* my valued friend; ~*ra becsült kartársam* my respected colleague; *vmt ~ra értékel* set great/high value on sg, set a high price on sg, set great store by sg; *barátja ~ra értékeli* he stands high in the opinion of his friend, he stands well with his friend; ~*ra hivatott* = *nagy jövőjű;* ~*ra nő* grow tall/high; ~*ra nőtt* grown tall *(ut)*, shot up *(ut)*, high-grown; ~*ra nőtt a befolyása* his influence has considerably increased; ~*ra tart (vkt)* have great regard for, hold (sy) in great esteem/regard, hold (sy) in high esteem, think highly of, have/hold a high opinion of, make much of, rank high, *(vmt)* set/lay great store by (sg), attach much value to (sg). make much of (sg), prize (sg); ~*ra tartja magát* think a lot of oneself, be pretentious/presumptuous/bumptious; ld még **nagyra van önmagával;** ~*ra termett* with a high calling, born to greatness, cut out for a great man *(mind: ut)* ; ~*ra tör* be ambitious, aim high, have ambitious plans, have great ambitions, hitch one's wagon to a star; ~*ra törő* aiming high *(ut)*, high-reaching, (very) ambitious, pretentious, aspiring; *igen ~ra törő ember* a man consumed *(v.* eaten up) with ambition; ~*ra törő vágy* vaulting ambition; ~*ra vágyik* be ambitious, be full of ambition, aim high, be filled with an urge to get on *(v.* to succeed); ~*ra van vmvel* make a lot (of capital) out of sg, make much of sg, pride/plume/pique oneself on (doing) sg, flaunt sg, make a song about sg *(fam)* ; ~*ra van vkvel* make (too) much of sy; ~*ra van önmagával* be very pleased with oneself, think oneself a great chap, think a lot of oneself, be terribly conceited, overestimate one's own importance, think no small beer/potatoes of oneself *(fam)* ; ~*ra van azzal (hogy)* it is his boast (that), he boasts that; *ne légy olyan ~ra vele* there is nothing to boast about, there is nothing to write home about, there is nothing to make a song about; ~*ra viszi* rise in the world, get on; **nagyot** *esik* come a (heavy) cropper, have a great fall; ~*ot fordult a világ* things have changed a lot *(v.* considerably); *gondoltam egy ~ot és meglátogattam* I made up my mind and called on her; ~*ot halad* make great strides, make considerable headway, make good progress; ~*ot hazudik* tell a big/downright/whopping lie; ~*ot iszik* drink one's fill; ~*ot ivott* took a long/deep draught/drink, he swigged it (off), he

drank deeply; ~*ot kiált* set up a shout; ~*ot lép* take a long/big step/stride; ~*ot nevet* burst out laughing, roar/shake/shriek/yell with laughter, guffaw, give a great laugh; ~*ot néz* open one's eyes wide in surprise, stare in surprise, be surprised; ~*ot nyel/kortyol* take a gulp; ~*ot sóhajt* sigh/fetch/heave a deep sigh, sigh deeply/heavily, fetch a deep groan; ~*ot üt* strike heavily, strike a big/great blow, hit hard; ~*ot változott a helyzet* things have changed a lot (*v.* considerably); ~*ot vétkezik* sin a great sin; ~*okat iszik* drink deep, drink in long drafts, [*gyakran*] drink heavily/incessantly, be a heavy drinker, have frequent recourse to the bottle; ~*okat lép* stride/stalk along, make great strides; ~*okat mond* talk big, tell fibs, fib, boast, talk humbug, shoot a line ◇; ~*okat sóhajt* sigh deeply, sigh from one's boots (*fam*); **naggyá** *tesz* make sy/sg great/famous, aggrandize, boost sy/sg (*fam*); *ez tette naggyá* it was the making of him
III. *adv*, ~ *bátran* bravely, fearlessly, boldly, courageously; ~ *bölcsen* (*elit*) foolishly, stupidly, (*iron*) very wisely; ~ *búsan* very sadly, gloomily; ~ *buzgón* with great (*v.* with a great deal of) ardour/fervour/zeal (*ut*), zealously; ~ *hamar* hurriedly, in a (great) hurry, hastily, in a haste, very soon; ~ *keservesen* with the utmost/greatest difficulty, by the skin of one's teeth; ~ *keservesen szerzett pénz* hard-got/earned money; ~ *lassan* very slowly; ~ *messziről* from far-away; ~ *néha* at long intervals, now and then, off and on, occasionally, once in a blue moon, once and again, once in a way/while, on and off; ~ *nehezen* after much exertion, after much hard work, with (utmost/much) difficulty; ~ *nehezen átjut* struggle through; ~ *nehezen átvágta magát a tömegen* he worked his way through the crowd; ~ *nehezen bejut* struggle in; ~ *nehezen kijut/kimegy* struggle out; ~ *nehezen lábra állt* he struggled to his feet, he got to his feet with difficulty; ~ *nehezen állt rá* he agreed reluctantly/grudgingly, he agreed under protest; ~ *nehezen sikerült csak* he managed to do it at last; ~ *nehezen utat tör vhova* work one's way to a place; ~ *ritkán* once in a blue moon, now and then, once in a while, seldom, very rarely, infrequently; *csak* ~ *ritkán látni őt* he is not often seen, he can only be seen on rare occasions; ~ *sokára* at (long) last, after a considerable delay, after long waiting (*v.* a long time); *ld még* **nagyobb, legnagyobb**
nagyadó *n*, [*rádió*] main transmitter/sender, high--power broadcasting station, high-power transmitter
nagyagy *n*, cerebrum
nagyagykéreg *n*, cerebral cotex
nagyágyú *n*, great/big gun, (*sp*) crack, ace; *jön a* ~*val* bring one's big guns to bear, play one's trump card, he is coming with his big guns
nagyaktíva *n*, activists' general meeting
nagyalakú *a*, large-size(d), outsized
Nagyalföld *prop*, the Great Hungarian Plain
Nagy-Antillák *prop. pl*, Greater Antilles
nagyanya *n*, grandmother, grandmamma (*fam*), granny (*baby talk*), grandma (*baby talk*)
nagyanyai *a*, grandmother's, grandmotherly
nagyanyó [-t,-ja] *n*, granny, grandma(mma), grandam(e) (*obs*)
nagyapa *n*, grandfather, grandpa(pa) (*fam*), grand--dad (*baby talk*), grandsire (*obs*)
nagyapai *a*, grandfather's, grandfatherly
nagyapó *n*, grand(pa), grand-dad(dy)
nagyarányú [-ak, -t; *adv* -an] *a*, vast, large-scale, on a large scale (*ut*), huge, of large dimensions (*ut*); ~ *fegyverkezés* large-scale (re)armament; ~ *vállalkozás* undertaking of wide scope
nagyáruház *n*, department(al) store, big shop, big store (*US*)

nagyasszony *n*, tine/noble lady, (*vall*) Our Lady
nagyatya *n*, grandfather, grandsire (*obs*)
nagybácsi *n*, uncle, [*szülőké*] great-uncle
nagyban *adv*, **1.** [*nagy arányokban*] on a large scale, in a large way, (*ker*) wholesale, by the gross, in bulk; ~ *csinál/űz* do sg on a grand/large scale; ~ *ad el selt* in bulk; ~ *fogadkozik* (*hogy*) he swears (*v.* is swaering) by all the gods (that); ~ *játszik* play (for) high (stakes), stake high; ~ *kereskedik* be in the wholesale business, deal wholesale, wholesale; ~ *vásárol* buy wholesale, buy in (the) bulk; ~ *és kicsiben* [*kereskedik*] wholesale and retail **2.** [*nagyjából*] ~ *és egészben* (taking it) by and large, (taking it) all in all, broadly speaking, as a (general) rule, on the whole, in (the) gross, everything considered, in the long run, in a general way, roughly; *ő* ~ *és egészében boldog* she is relatively happy **3.** [*javában*] *ekkor már* ~ *állt a tánc* the ball was already in full swing; ~ *készülődik vmre* he is preparing in earnest, be all in a flutter
nagybani [-ak, -t] *a*, wholesale, in gross (*ut*), by the gross (*ut*); ~ *ár* trade/wholesale price; ~ *eladás* sale in gross; ~ *kereskedelem* wholesale trade; ~ *termelés* (*mezőg*) farming on a large scale
nagybank *n*, big bank; *a* ~*ok* the Big Five (*GB*)
Nagybánya [...át, ..án] *prop*, Baia-Mare (town in Rumania)
nagybányai [-ak, -t] *a/n*, ~ *festőiskola* the painters of Nagybánya (*pl*)
nagybátya *n*, uncle, [*szülőké*] great-uncle
nagybecsű *a*, much-valued; *20.-i* ~ *levele* your favour of the 20th; ~ *sorai* your esteemed favour; ~ *soraira válaszolva* in answer to your esteemed favour, answering your esteemed favour; *kérjük* ~ *válaszát* the favour of an answer is requested
nagybélű [-ek, -t; *adv* -en] *a*, gluttonous, voracious, greedy, ravenous, sharp-set; ~ *ember* glutton
nagybeteg I. *a*, very seriously/desperately/mortally ill **II.** *n*, desperately/seriously/dangerously ill person, dangerous case
nagybetű *n*, [*kezdő*] capital (letter), initial letter, (*nyomd*) upper case (letter), caps (*pl*); ~*vel/kel ír* capitalize, write in capitals, write in capital letters
nagybetűs *a*, **1.** [*nagy kezdőbetűvel írt*] capitalized, in upper case letters (*ut*) **2.** [*csupa nagy betűvel írt*] written with large characters (*ut*), written in capitals, (*nyomd*) printed in large type (*ut*); ~ *címszó* [*újságban*] headline
nagybirtok *n*, large estate, latifundium
nagybirtokos *n*, big (*v.* many-acred) landowner, owner of a vast/big estate, owner of much land, [*néha*] landlord; ~ *gazdálkodás* big landlord farming; ~ *osztály* = **nagybirtokosság**
nagybirtokosság *n*, class of big landowners, class of big estate owners
nagybirtokrendszer *n*, system of large/big estates, landlordism (*GB*)
Nagyboldogasszony *n*, Our Lady, Virgin Mary; ~ (*ünnepe*) Feast of the Assumption
nagybőgő *n*, contrabass, double-bass; ~*n játszik* play the contrabass; *az eget is* ~*nek nézi* see stars (because of pain)
nagybőgős *n*, double-bass player, (contra)bassist
nagybőgőz|ik [-tem,-ött,-zön, -zék] *vi*, play the contrabass
nagyböjt *n*, Lent
nagyböjti *a*, lenten, quadragesimal
Nagy-Britannia *prop*, Great Britain, (*nem htv*) Britain; ~ *és Észak-Írország Egyesült Királysága* (*a*) United Kingdom of Great Britain and Northern Ireland
nagy-britanniai [-ak, -t] *a*, of (great) Britain (*ut*), British, Britannic (*obs*)

Nagy-Budapest *prop*, Greater Budapest
nagy-budapesti *a*, of Greater Budapest *(ut)*
nagyburzsoázia *n*, big/haute bourgeoisie, upper middle--class
nagycsalád *n*, *(tört)* joint family, *(kb)* clan
nagycsaládos *a*, having/with a large family *(ut)*
nagycsütörtök *n*, Maundy Thursday, *[katolikusoknál]* Holy Thursday
nagydíj *n*, highest/chief/grand prize, Grand Prix *(fr)*
nagydob *n*, bass drum, big drum *(fam)*; ~*ra ver vmt* proclaim/cry from the housetops, trumpet sg abroad; *veri a* ~*ot (átv)* bang the big drum; *veri vk mellett a* ~*ot (átv)* make wide publicity for sy, bang the big drum for sy
nagydobos *n*, bass/big drummer, *(kat)* drum-major
nagydolog *n*, *(gyerm biz)* number two; ~*ra megy*, *nagydolgát végzi* (go to) do number two, do one's duty; *ld még* **nagy I. 2.**
Nagyenyed [-et, -en, -re] *prop*, Aiud (town in Rumania)
nagyérdemű *a*, of great merit *(ut)*, highly meritorius/ esteemed/honoured; ~ *közönség* ladies and gentlemen!
nagyestélyi *a/n*, ~ *ruha* evening dress/gown, ball-dress, robe de style *(fr)*; ~*ben* in full evening dress
nagyeszű *a*, highly intelligent, very clever, ingenious, brainy *(fam)*
nagyétkű [-ek, -t; *adv* -en] **I.** *a*, voracious, edacious, of enormous/insatiable appetite *(ut)*, gluttonous, gormandizing, sharp-set, throaty; ~ *ember* (be) a good/stout/valiant trencherman, *(kif)* play a good knife and fork; *ld még* **nagyétkű II.**; **II.** *n*, great/hearty/heavy eater, heavy/large/gross feeder, stout trencherman, glutton, gourmand, gormand, guzzler
nagyétkűség *n*, voraciousness, voracity, gluttony, gormandism, edacity
nagyevő [-t, -jc] *a/n*, – **nagyétkű**
nagyfejedelem *n*, Grand Duke
nagyfejedelemség *n*, Grand Duchy
nagyfejű *n*, big gun/pot/bug/noise/shot, big-wig, pot, panjandrum, sachem; ~*ek* big pots/guns/shots, big-wigs, the great, *(kat)* brass hat(s), mugwumps *(US)*; *ld még* **nagy I. 1.**
nagyfejűség *n*, *(orv)* macrocephaly, megalocephaly
nagyfeszültség *n*, *(vill)* high voltage/tension
nagyfeszültségű *a*, high-voltage/tension; ~ *áram* high--voltage/tension current, power-current; ~ *távvezeték* high-voltage/tension trunk *(v.* long distance) line; ~ *vezeték* high-voltage/tension line
nagyfilm *n*, feature film
nagyfiú *n*, *a nagyfiam* my oldest boy, my grown-up boy
nagyfokú *a*, intense, considerable, of the highest degree *(ut)*, a high degree of, a great amount of, high-grade; ~ *elfoglaltság* stress of work; ~ *gondatlanság/hanyagság* gross negligence, recklessness; ~ *könnyelműség* recklessness to/of the highest degree; ~ *szemtelenség* rank/stark impudence, dirty cheek *(fam)*
nagyfontosságú *a*, *ld* **nagy I. 2.**
nagyforgalmú *a*, *ld* **nagy I. 1.**
nagyfrekvencia *n*, high frequency
nagyfrekvenciájú [-ak, -t] *a*, high-frequency
nagyfrekvenciás *a*, high-frequency
nagyfröccs *n*, wine-and-soda, ⟨two decilitres of wine and one decilitre of soda⟩
nagygazda *n*, = **kulák**
nagygazdaság *n*, big/large farm
Nagy-Göncöl(szekér) *prop*, Great Bear, Dipper, Charles's Wain, Plough, *(csill)* Ursa Major
nagygyakorlat *n*, army manoeuvres *(pl)*
nagygyűlés *n*, congress, big meeting, general assembly, mass-meeting, general meeting, rally *(US)*

nagyhangú *a*, *[ember]* loud-talking/mouthed/spoken, ranting, mouthy *(fam)*, *[kijelentés]* grandiloquent magniloquent, pretentious, oratorical, declamatory, clamorous, *[stílus, előadás]* highfalutin(g), high--flown, pretentious, turgid; ~ *beszéd* declamation, rant; ~ *nyilatkozat* bombastic/pretentious statement
nagyhangúság *n*, grandiloquence, magniloquence, pretentiousness
nagyhatalmi *a*, ~ *helyzet* position as a great power; ~ *politika* great power politics
nagyhatalom *n*, great power; *a nagyhatalmak* the Great Powers; *nagyhatalmak szövetsége* grand alliance, alliance of/between great powers
nagyherceg *n*, Grand Duke
nagyhercegi *a*, Grand-ducal
nagyhercegnő *n*, Grand Duchess
nagyhercegség *n*, Grand Duchy
nagyhét *n*, Holy/Passion/Easter Week
nagyhírű *a*, *ld* **nagy I. 2.**
nagyigényű *a*, *ld* **nagy I. 2.**
nagyipar *n*, wholesale manufacture, big industry, large--scale industry, the big/great industries *(pl)*
nagyipari *a*, ~ *vállalat* (big) industrial undertaking/ enterprise/concern
nagyiparos *n*, industrialist
nagyít [-ani, -ott, -son] *vt*, **1.** *(fényk)* enlarge, *[optikailag]* magnify; *hússzorosan* ~*va* magnified twenty times, *(fényk)* enlarged to twenty times the/its original size **2.** *[túloz]* exaggerate, magnify, enlarge upon, overdraw, amplify, *[kiszínez]* embroider, add to, put frills on *(fam)*
nagyítás *n*, **1.** *(fényk)* enlargement, blow-up *(fam)*, *[optikailag]* magnifying, amplification; *hússzoros* ~ magnified twenty times; ~ *mértéke (fényk)* scale of enlargement **2.** *[túlzás]* exaggeration, magnification, *[kiszínezés]* embroidering **3.** *(nyelvt)* hyperbole, hyperbolism
nagyítású [-ak, -t] *a*, *erős* ~ *[lencse]* high-powered
nagyító [-t, -ja; *adv* -an] **I.** *a*, **1.** *(fényk)* enlarging, *[más]* amplifying, magnifying **2.** *(átv)* exaggerating **II.** *n*, magnifying glass, magnifier, lens, *[kézi]* reading-glass
nagyítógép *n*, *(fényk)* enlarger; *önműködő élességbeállítású* ~ autofocus enlarger, autofocal; *fél-automata* ~ semi-automatic focus enlarger
nagyítóképesség *n*, magnifying/enlarging power
nagyítókeret *n*, enlarging-masking-frame
nagyítókészülék *n*, = **nagyítógép**
nagyítólencse *n*, magnifying/convex lens, reading--glass, *[fényképezőgépen]* focus(sing) glass
nagyított [-at; *adv* -an] *a*, enlarged, magnified; ~ *fénykép* enlargement; ~ *léptékben/méretarányban* on a large scale
nagyítóüveg *n*, = **nagyító II.**
nagyjában *adv*, **1.** *[általánosságban]* on the whole, by and large, for the most part, broadly/roughly speaking, in (the) gross; ~ *és egészében* in general, for/in the main, (taking it) all in all, on the whole, by and large, broadly speaking; *ld még* **nagyjából 1.**; **2.** *[csaknem]* almost, nearly, all but
nagyjából *adv*, **1.** *[nagyjában]* (taking it) by and large, roughly, roughly/generally/broadly speaking, in a general way, on the whole, at a rough guess, roundly, viewed in the large; ~ *azonos/ugyanaz* it's much the same, pretty much the same; ~ *egyidősek* they are much the same age, they are much of an age; ~ *eltalálta/ráhibázott* it was a round guess; ~ *igaza van* be about right; ~ *így történt* roughly speaking this is how it happened **2.** *csinál meg vmt* do sg by halves, do sg anyhow; *csak* ~ *érti* he only half understands
nagyjavítás *n*, *(műsz)* (general) overhaul, heavy repair; ~*t végez [gépen]* overhaul

nagyjutalom *n,* first prize, grand prix *(ir)*
nagykabát *n,* great coat, overcoat, top-coat
nagykalapács *n, (műsz)* power-hammer, boss hammer
nagykaliberű *ld* nagy I. 1.; ~ *ember* a man of large calibre
nagykalória *n,* large calory, Cal
Nagykanizsa [.. át, .. án, .. ára] *prop,* Nagykanizsa (town in Southwestern Hungary)
nagykapitalista I. *a,* big capitalist, plutocratic II. *n,* great/big capitalist, big businessman/plutocrat, financial oligarch, tycoon *(US)*
nagykapu *n,* carriage-door/gateway/entrance
nagykendő *n,* shawl
nagykendős *a,* wrapped in *(v.* wearing) a shawl *(ut),* shawled
nagyképű *a,* (self-)conceited, bumptious, pompous, self-important, consequential, high-headed, grand-aired, hoity-toity, pontifical, *[igével]* ride a high horse; ~ *alak* bumptious fellow, poseur, pomposity, high-hat *(US* ◇), stuffed shirt *(US* ◇)*; ~ beszéd* mouthing; *ld még* nagyképűsködik
nagyképűen *adv,* bumptiously, pompously, priggishly; ~ *viselkedik =* nagyképűsködik
nagyképűség *n,* bumptiousness, pompousness, self-importance/conceit, importance
nagyképűsködés *n,* pomposity, pompousness, priggery, priggishness
nagyképűsköd|ik [-tem, -ött, -jön, -jék] *vi,* ride the/one's high horse, get on one's high horse, pontificate, give oneself airs, put on a high-and-mighty manner, put on side/airs, set up for a man of consequence, look important, be hoity-toity, talk big, throw one's weight about, pose, be (getting) too big for one's shoes/boots *(fam),* swell (it) *(fam),* side *(fam),* be a high hat ◇, high-hat ◇, do/come/play the heavy (swell) ◇
nagykerék *n,* big/main wheel, *[fogas]* gear (wheel)
nagykereskedelem *n,* wholesale trade
nagykereskedelmi *a,* ~ *ár* wholesale/trade price; ~ *elosztószervezet* wholesale-distributive organization; ~ *tétel* wholesale lot; ~ *vállalat* wholesaler
nagykereskedés *n,* wholesale (ware)house/establishment/store, warehouse
nagykereskedő *n,* wholesaler, wholesale dealer, (wholesale) merchant, trader, city merchant, dealer in gross
nagykereskedői *a,* wholesale; ~ *árak* wholesale prices
nagykereszt *n, [kitüntetés]* Grand Cross
nagykocsis *a,* ~ *írógép* long-carriage typewriter
nagykorú *a,* major, of (full) age *(ut);* ~ *lesz,* ~*vá válik* come of age, attain/reach one's majority, majorize; ~*vá válás* coming of age
nagykorúság *n,* full/lawful/legal age, majority, the age of legal maturity, years of discretion *(pl) (ref.);* ~*át eléri* come of age, attain/reach one's majority, pass one's non-age, reach/attain one's majority
nagykorúsít [-ani, -ott, -son] *vt,* declare sy major, *(jog)* emancipate
nagykorúsítás *n,* declaration of majority, emancipation
Nagykörút *prop,* Great Boulevard (in Budapest)
nagykövet *n,* ambassador; *akkreditált* ~ *[működési székhellyel]* Ordinary/Resident Ambassador, Ambassador Leger *(obs);* rendkívüli és meghatalmazott ~ ambassador extraordinary and plenipotentiary; utazó ~ ambassador at large, roving ambassador
nagykövetné *n,* wife of ambassador, ambassadress
nagykövetnő *n,* ambassador
nagykövetség *n,* 1. *[tisztség]* ambassadorship 2. *[hely]* embassy
nagykövetségi *a,* ~ *rangra emel* raise to embassy status; ~ *tanácsos* counsellor of embassy; ~ *titkár* secretary of embassy

nagyközönség *n,* the general public, the public/people at large, the man in the street *(fam)*
nagyközség *n* ⟨large village constituting an administrative division (in Hungary)⟩
nagykun *n/a,* ⟨inhabitant of Great Cumania (in Eastern Hungary)⟩
Nagykunság *prop,* Great Cumania ⟨a district in Eastern Hungary⟩
nagykutya *n, [fontos személy]* big boy/gun, bigwig, big pot/shot, top-dog
nagyiábujji *a,* hallucal
nagylány *n,* full-grown girl, big girl *(fam);* a ~*om* my oldest daughter, my grown-up daughter
nagylelkű *a,* generous, magnanimous, bighearted, kindhearted, large-minded/hearted, chivalrous, kind, free-handed/hearted, great-hearted, bounteous, bountiful, liberal (to, towards)
nagylelkűen *adv,* generously, magnanimously, nobly
nagylelkűség *n,* generosity, liberality, magnanimity, largeness, great-heartedness, *[adakozóé még]* munificence, bounty *(obs);* hála az ön ~*ének* thanks to your generosity
nagylelkűségi roham fit/impulse of generosity
nagymalom *n,* flour-mill
nagymama *n,* grandma(ma), granny, grannie
nagymama-helyettes *n,* grandma-substitute
nagymedence *n, (bonct)* greater pelvis, false pelvis
Nagymedve *prop, (csill)* Great Bear, Dipper, Ursa Major, Charles's Wain, Plough, the Wain
Nagy-Medve-tó *prop,* Great Bear Lake
nagymellű *a, [hencegő]* bumptious, forward
Nagyméltóságod *int,* Your Excellency!
nagyméltóságú *a,* Right Honourable; ~ *úr!* Your Excellency!; a ~ *elnök úrnak* to the Right Honourable the President
nagyméretű *a,* large-sized, vast, enormous, out-size, of great size *(ut),* of huge proportions *(ut);* ~ *fénykép* large size photo
nagymértékben *adv,* to a great extent, in a large measure, considerably, markedly, notably, particularly, peculiarly, substantially, materially, greatly, largely; ~ *...nak/...nek köszönhető/tulajdonítható* in (a) great part due to ...
nagymértékű *a,* = nagymérvű
nagymérvű [-ek, -t; *adv*-en] *a,* considerable, substantial, extensive, vast, *[vállalkozás]* enormous, *[lényeges]* important, marked, notable
nagymester *n,* 1. *[sakkban]* grand master 2. *[szabadkőműveseknél]* warden, (grand) master 3. *(vmben)* past-master (at, in), champion, ace (at), a regular oner
nagymise *n,* high mass
nagymogul *n,* Grand/great Mogul
nagymosás *n,* washing day, wash-day *(US)*
nagymutató *n, [órán]* minute-hand
nagyműveltségű *a, ld* nagy I. 2.
nagynéha *adv, ld* nagy III.
nagynémet *a/n,* pan-German(ist); ~ *irányzat* pan-Germanism
nagynéne *n,* = nagynéni
nagynéni *n,* aunt, *[szülőké]* great-aunt; ~*kém* auntie, aunty
nagynevű *a,* famous, renowned, illustrious, great, well-known
nagynyomású *a,* high-pressure; ~ *gőz* high-pressure steam
nagyobb [-at; *adv* -an] *a,* 1. *[összehasonlítás]* larger, bigger, greater, superior; a ~ *rész* the greater/better part, the bulk of sg; egy számmal ~ the next larger size; ~ *erő* superior force; ~ *termelékenység* higher/intensified productivity 2. *[elég nagy]* fairly big, major; ~ *nehézségek nélkül* without major difficulties; ~ *összeg* a good round sum

nagyobbacska [.. át] *a*, fairly large, largish, biggish, *[gyermek]* tallish

nagyobbára *adv*, for the most part, mostly, in most cases, *[csak időben]* most of the time

nagyobbfajta *a*, major

nagyobbik [-at] *a/n*, larger/bigger/greater one; *a ~ felét veszi* take a good half

nagyobbit [-ani, -ott, -son] *vt*, *[nagyobbá tesz]* increase, enlarge, largen, make larger, augment, add to, extend, *[területileg]* expand, *(átv)* enhance, magnify, heighten, *(elit)* exaggerate, aggrandize; *~ja saját érdemeit* emphasize one's own merits; *~ja a veszélyt* magnify the danger

nagyobbítás *n*, enlargement, extension, increase, expansion, augmentation, heightening, *(átv)* magnifying, exaggeration, aggrandizement

nagyobbítható *a*, increasable, extendible

nagyobbodás *n*, expansion, growth, increase, enlargement, augmentation, increment

nagyobbod|ik [-tam, -ott, -jon, -jék] *vi*, expand, grow (larger), get/grow large(r), largen, swell, rise, enlarge, augment, become greater, *(átv)* increase; *a város ~ik* the town is expanding; *egyre ~ik* go on increasing, be on the rise; *a kereslet egyre ~ik* demand shows an upward trend; *egyre ~ő ellentét* an ever widening rift

nagyobbrészt *adv*, mostly, for the greater/better/most part, largely

nagyobbszerű *a*, *[összehasonlításban]* on a larger scale, more impressive, *[jelentősebb]* major, fairly large/impressive

nagyocska *a*, fairly big/large/tall

nagyol [-t, -jon] *vt*, face roughly, rough, *[fát]* rough-hew, *[követ]* dress; *ld még* elnagyol, kinagyol

nagyolás *n*, roughing, rough cut(ting)

nagyoll [-ani, -ott, -jon] *vt*, find/consider sg too large/big/great

nagyoló [-t] *a*, *~ munkás* rougher

nagyolófejsze *n*, broad-axe, wood-cutter's axe

nagyológyalu *n*, scrub plane, foreplane, rough plane, jackplane

nagyolókés *n*, roughing-tool/knife

nagyolóreszelő *n*, middle-cut file, rubber (file)

nagyolóvéső *n*, roughing-out chisel

nagyolt [-at] *a*, roughed, rough machined

nagyolvasztó *n*, blast-furnace; *~t megindítja* blow in a blast-furnance

nagyon *adv*, 1. *[melléknévvel, határozószóval]* very, most, highly, greatly, quite, *[túlozva]* immensely, exceedingly, enormously, tremendously, mightily, awfully, beastly, nothing if not, *[túlságosan]* too, by far; *~ éhes* very hungry; *~ helyes!* quite right!, quite/just so!; *~ ismert* widely known; *~ jó színész* a very good actor, quite a good actor; *~ kevés* too little; *~ könnyű* very easy, nice and easy; *~ nagy* very big/large; *ez a cipő ~ nagy* these shoes are too large; *~ sikerült* highly successful; *~ sok* very much, a great many, ever so many, quite a lot, a great number (of); *~ lassan* dead slow; *~ szép* most beautiful; *~ szépen köszönöm* thank you very much, thank you ever so much; *~ valószínűen* most likely; *~ szívesen* with (great) pleasure; *nem ~ [és melléknév]* none/not too ...; *nem ~ drága* not too expensive 2. *[igével]* very much; *ha ~ akarsz sétálni* if you are very keen on taking a walk, if you are anxious to take a walk; *ha ~ akarja* if he is bent on doing it; *nem ~ akarom* I am not very keen on it, I don't particularly want to ...; *~ esik* it is raining very hard; *~ fáj?* does it hurt much?; *~ helyeslem* I am all for it; *nálunk kertről nem ~ lehet beszélni* we have not much garden to speak of; *~ kérlek* please be so kind, I beseech/implore you; *~ megváltoztak az idők*

times have changed a lot; *~ örülök* I am very pleased/glad/happy; *~ sajnálom* I am very sorry for. .., I much regret it; *~ szeretem őt* I like/love him/her very much, I am very fond of him/her 3. *~ is* far/only/much too, overly, overmuch, to a fault; *~ is gyakran* far too often; *~ is igaz* (that is) only too true; *~ is jókor* none too soon; *~ is jól tudom* I know it right well; *~ is kicsi* much too small; *~ is sok* much too much; *~ is ügyes/agyafúrt* too clever by half; *inkább ~ is szeretem őt* on the contrary I like him very much; *ismered őt? ~ is!* do you know him? rather! *(v.* only too well!)

nagyon-nagyon *adv*, (very) very much, quite

nagyopera *n*, grand opera

nagyoperett *n*, *[angol] (kb)* light opera, *[bécsi]* classical operetta, *[amerikai]* musical

nagyorosz *a/n*, Great Russian

nagyos [-at; *adv* -an] *a*, imitating the grown-ups *(ut)*, precocious

nagyothall *vi*, be hard of hearing

nagyothallás *n*, hardness of hearing *(ut)*; *felfogásos ~* receptive deafness

nagyothalló *a*, hard/dull/weak of hearing *(ut)*

nagyotmondás *n*, tall talk, a piece of bounce

nagyotmondó *a*, exaggerator, story-teller, *[önmagáról]* braggart, boaster, swaggerer, swashbuckler

nagyöbű *a*, *[puska]* full-hore

nagypáholy *n*, *[szabadkőműves]* Grand Lodge

nagypapa *n*, grand-dad, grandpa(pa), granddad(dy)

nagy-parcellás *a*, *~ kísérletek* larger-plot experiments

nagypecsét *n*; great seal

nagypéntek *n*, Good-Friday

nagypipájú *a*, *~ kevés dohányú (kb)* he would if he could but he can't

nagypolgár *n*, member of the upper middle-class, haute/big bourgeois

nagypolgári *a*, upper middle-class, haute/big-bourgeois

nagypolgárság *n*, upper middle-class, elite/big/haute bourgeoisie

nagyprépost *n*, grand provost

nagyra *adv*, *ld* nagy II. 3.

nagyrabecsülés *n*, (high) esteem, appreciation, consideration, (high) regard, respect, reverence; *~e jeléül* as a token of esteem; *fogadja ~em kifejezését [levél végén]* I am yours very truly, I am yours most respectfully; *minden ~em mellett...* much as I esteem you; *vk iránti ~ből* out of regard for sy

Nagy-Rabszolga-tó *prop*, Great Slave Lake

nagyralátó [-ak, -t; *adv* -an] *a*, *[nagyravágyó]* ambitious, *[fennhéjázó]* presumptuous; *~ tervei vannak* he has ambitious *(v.* far-reaching) plans

nagyratörés *n*, = nagyravágyás

nagyravágyás *n*, ambition, ambitiousness, pretence, pretension; *beteges ~* megalomania; *végtelen ~* limitless ambition

nagyravágyó *a*, ambitious, highreaching, aspiring, pretentious, *[betegesen]* megalomaniac; *ő túlságosan ~* he is flying (at) too high (game), he is high-flying; *nem ~* unambitious

nagyrészt *adv*, largely, mostly, for the most part, mainly, chiefly, in a large measure, *[időben]* most of the time; *~ ...nak/...nek köszönhető/tulajdonítható* in a great part due to...

nagysád *n*, † *~ kérem* be so kind *(v.* please) Miss/Madam!

nagyság *n*, 1. *[kiterjedés]* dimension, *autant, [méret]* size, measure, *[térfogat]* bulk(iness), voluminousness, *[fizikai]* bigness, largeness, greatness, *[magasság]* height, *[testmagasság]* tallness, stature, *[mennyiség]* volume, *[fokozat]* extent, scale, grade, *(csill)* magnitude, *[bőségesség]* prodigiousness, prodigality, ampleness, magnitude, abundance; *természetes ~*

natural/real/full size; *ez a ~ megfelel* this is my size, this size will do; *~ szerint* according to *(v.* in order of) size/height; *~ szerint* osztályoz size; *a bűn ~a* the weight/gravity of the crime; *a kár~a* extent of the damage; *a kivitel ~a* the volume of exports; *a kockázat ~a* the extent of the risk; *a vereség~a* extent/ measure of the defeat **2.** *(átv)* greatness, magnitude, *[nagyszerűség]* grandness, *[mérhetetlen]* vastness, *[emelkedettség]* loftiness, nobleness, nobility, *[lelki]* greatness (of soul), *[szellemi]* breadth, greatness (of mind), *[hatalmasság]* might(iness); *a ~ átka* nobly born must nobly do, noblesse oblige *(fr) ; Róma ~a tetőpontján* Rome at the summit of her greatness **3.** *[személyiség]* notability; *új ~* rising star; *helyi ~* local celebrity **4.** *Nagyságod (kb)* you(r Honour), your Worship

nagysága [.. át] *n,* † *[polgári nő megszólítása]* madam
nagyságészlelés *n, (pszich)* size perception
nagyságkonstancia *n, (pszich)* size constancy
nagyságol [-t, -jon] *vt,* give sy the title "nagyságos"
nagyságos *a,* ⟨obsolete middle-class form of address in Hungary⟩, *[levélborítékon] (kb)* Esq. *(ut), [főleg US]* Mrs., *[nőnél]* Mrs.; *a ~ asszony nincs itthon* Mrs. X is not at home; *a ~ úr elment* Mr. X has gone/ left
nagyságrend *n,* order of magnitude, order
nagyságrendi *a, ~ elhelyezés [könyvtárban]* arrangement by size, classification by size
nagyságrendű *a,* ugyanolyan *~* of the same order *(ut)*
nagyságú [-ak, -t; *adv* -an] *a,* -sized, of ... size *(ut),* sized; *egyenlő ~* of the same size *(ut) ; kellő ~* fair/ good-sized; *közepes ~* medium size, medium/middle- -sized; *közepes ~ ember* man about middle height; *milyen ~ cipőt adhatok/parancsol/hord?* what size do you take?, what is your size?; *példátlan ~ katasztrófa* disaster on an unprecedented scale
nagystílű [-ek, -t] *a, [terv, vállalkozás]* large-scale, far-reaching, bold, *[épület]* splendid, magnificent, monumental, grandiose, *[ember]* with/for whom details/expenses are no consideration *(ut),* for whom nothing is too expensive/much *(ut) ; ~ gonosztevő* criminal on a large scale
nagystílűen *adv,* in the grand style, in a big way; *~ csinál vmt* do sg in a big way
nagyszabású [-ak, -t; *adv* -an] *a,* vast, far-reaching, large-scale, monumental, on a large scale *(ut),* of large dimensions *(ut),* big-time *(US), [épület]* palatial, baronial, *[írásmű stb.]* monumental; *~ terv* large- -scale, vast project; *~ vállalkozás* undertaking of wide scope
nagyszabásúan *adv,* on a grand/large scale, in a large way
nagyszájú *a,* bigmouthed, loud-mouthed, vociferous, noisy, loud(-spoken), big-talking, boasting, mouthy *(fam), [hangoskodó]* blatant, *[goromba]* foul- -mouthed, *[nyelveskedő]* b(r)awling, impertinent, impudent; *~ fráter* blustering fellow
nagyszálló *n,* grand hotel
nagyszámú *a,* numerous, of a considerable number *(ut),* in large numbers *(ut),* (a good) many, a great number of, multitudinous *(ref.) ; ~ közönség* a large public
Nagyszeben [-t, -ben] *prop,* Sibiu (town in Rumania)
nagyszemű *a,* ld **nagy I. 1.**
nagyszerda *n,* Wednesday before Easter
nagyszerű *a,* grand(iose), magnificent, splendid, imposing, capital, fine, gorgeous, wonderful, super(b), divine, glorious, famous, mighty, jolly *(fam),* phenomenal *(fam),* lovely *(fam),* imperial *(fam),* ripping ⬧, rattling(ly) good ⬧, smashing ⬧, *[győzelem stb.]* glorious, splendid, *[mesteri]* masterly, *[kolosszális]* colossal, *[fennkölt]* lofty, majestic, sublime; *~ !*

splendid !, that's fine!, quite right !, it's all right!, that's fa mous! *(fam),* capital!, that's the style! it is ideal! *(fam),* bravely done!; *~ érzés volt* it was a delightful feeling; *~ festmény/kép* a fine piece of painting; *~ helyem van* I am in clover; *~ kocsi!* quite a car; *~ látvány* a sight for the gods; *~ ötlet/ gondolat* excellent/brilliant/magnificent idea, a bully idea *(US fam) ; ~ pofa* funny fellow; *~ teljesítmény* splendid/singular performance; *~ vagy (iron)* it's easy to talk; *~ vacsora* a wonderful/delicious dinner, a rattling good dinner ⬧, a slap-up affair ⬧; *nahát ez igazán ~ (iron)* a fine thing indeed
nagyszerűen *adv,* splendidly, magnificently, capitally, finely, superbly, superlatively, wonderfully, sublimely, divinely *(fam),* imperially *(fam) ; ~ érzi magát (vhol)* have a perfectly lovely time; *~ festett új egyenruhájában* he cut a smart/handsome figure in his new uniform; *~ mulat/szórakozik* enjoy oneself immensely, have a great time, feel good *(US fam)*
nagyszerűség *n,* grandeur, grandiosity, grandness, greatness, magnificence, splendour, gorgeousness, superbness
nagyszívű *a,* big/great/large/kind-hearted, generous, magnanimous
nagyszívűség *n,* great/kind-heartedness, magnanimity, largeness of mind
nagyszombat *n,* Holy Saturday, the Saturday before Easter, Easter-eve
Nagyszombat [-ot, -ra, -on] *prop,* Trnava (town in Czechoslovakia)
nagyszótár *n,* great dictionary
Nagy-Szunda-szigetek *prop. pl,* Greater Sunda Islands
nagyszülő *n,* grandparent, grandfather, grandmother; *~k* grandparents
nagyszülői *a,* grandparental
nagytakarítás *n,* **1.** big cleaning, house-cleaning, doing- -out the house; *tavaszi ~* spring-cleaning; *tavaszi ~t csinál* spring-clean **2.** *(pol)* clean-up, house-cleaning, purge
nagytekintetű [-ek, -t] *a, [református pap]* Reverend
nagyteljesítményű *a, [gép]* heavy-duty (machine)
nagyterem *n,* big/banqueting hall
nagytiszteletű [-ek, -t] *a, [gyülekezeti lelkipásztor]* (the) Reverend, *[esperes]* Very Reverend; *~ úr (kb)* Mr. *(és vezetéknév),* Sir; *a ~ úr* the reverend gentleman; *~ Tóth Sándor ref. lelkész úrnak* the Rev. Sándor Tóth, the Rev. Mr. Tóth, the Rev. S. Tóth; *~ asszony (kb)* Mrs. ..., Madam
nagytőke *n,* big capital, *(átv)* plutocracy
nagytőkés I. *a,* capitalistic, plutocratic **II.** *n,* great capitalist/financier, plutocrat, financial oligarch, tycoon *(US)*
nagytribün *n,* grand-stand
nagytucat *n,* gross, twelve dozen; *tizenkét ~* great gross
nagyujj *n, [kézen]* thumb, *[lábon]* big toe
nagyúr *n,* lord, potentate, grand seigneur *(fr) ; a nagy- urak* the lords, the great ones
nagyuraskod|ik *vi,* lord it
nagyúri *a,* lordly, splendid, magnificent; *~ kedvtelései vannak* he has very expensive hobbies; *~ módon él* live like a lord, live on a very grand scale, live in very fine style
nagyüzem *n, [ipari]* (large-scale industrial) works, gigantic/big works, giant/large/mammoth factory, *(mezőg)* big farm/estate, large agricultural concern
nagyüzemi *a, ~ gazdálkodás* farming on a large scale, large-scale farming, mechanized/extensive farming; *kollektív ~ gazdaság* collective large-scale estate; *~ gyártás* bulk manufacture, mass-production, serial production; *~ módon* on the large scale; *~ termelés* large-scale production, mass-production
nagyvad *n,* big game

nagyvágó n, 1. wholesale/carcase butcher 2. □ fleecer, flay-flint

nagyvakáció n, (isk) summer holidays (pl)

nagyvállalat n, big/large/mammoth enterprise

nagyvállalkozó n, contractor, big businessman

nagyváltósúly n, light middleweight

Nagyvárad [-ot, -on] prop, Oradea (Mare) (town in Rumania)

nagyváros n, city, [szemben a kisvárossal] big/great/ large city/town; a ~ moraja/zsivaja the busy hum of a large city

nagyvárosi a, city-, of a big city (ut); ~ élet city life, life in the big cities; ~ lakos city dweller

nagyvérkör n, general/greater/systemic circulation

nagyvezér n, (tört) [török] Grand Vizier

nagyviaszmoly n, (áll) bee-moth (Galleria mellonella)

nagyvilág n, high life/society

nagyvilági a, of the world (ut), society, fashionable; ~ élet high life; ~ ember man about town, man of the world; ~ hölgy/nő woman/lady of the world, society woman, a grand lady, socialite (US); ~ modor high-bred manners (pl)

nagyvonalú a, [ember] (man) (who does things) on a large scale (ut), open-handed, [terv] large-scale, on a large scale (ut), far-flung, bold, grandiose (pej)

nagyvonalúan adv, on a large scale, in a big way

nagyvonalúság n, largeness

nagyzás n, showing off, exaggeration

nagyzási [-t] a, ~ hóbort/mánia grandiose delusion, delusion of grandeur, ambitious monomania, megalomania; ~ hóbortban szenvedő megalomaniac

nagyzenekar n, full orchestra

nagyzol [-t,-jon] vi, [henceg] show off, swagger, swank, put on airs/side, put on airs and graces, talk big/tall, put up a front, throw one's weight about (US), [túloz] tell a tall story, draw the long bow, bounce; ne ~j! come off it (fam)

nagyzolás n, big/tall talk, boasting, showing off, bluffing, bounce; ~ az egész it is all bounce; ~ban túltesz vkn outswagger

nagyzoló [-t] a, boasting, bragging; ~ alak bluffer, swashbuckler, humbug, swanker

nahát int, [meglepődés] well(,) I never!, come come!, now then!, I say!, you don't say (so)! (US), [megütközés] well(,) well!

naiv [-at; adv -an, -ul] a, [gyermekded] naive, naïve, naif, artless, ingenuous, unaffected, guileless, unsophisticated, childlike, [kicsit együgyű] simple-minded, credulous, green (fam); ~ arccal with an innocent air; ~ ember a simple soul; micsoda ~ ember what a simpleton; ~ eposz popular/national epic/epos; ~ kérdések childish questions; ~ megjegyzés naive/artless/ingenuous remark; ~ mint egy gyermek as simple as a child; olyan/annyira ~ hogy azt hiszi/ képzeli ... be so simple/green as to imagine that ...; olyan ~ vagy hogy azt hiszed ...? are you as green as to imagine ...?, are you naive enough to think?

naiva [..át] n, (szính) ingénue (fr)

naivan adv, naively, artlessly, ingenuously, guilelessly; ~ azt hittem/képzeltem hogy... I fondly imagined that...

naivszerep n, ingénue part

naivitás n, [tulajdonság] naïvety, naïveté (fr), artlessness, ingenuousness, credulousness, innocence, simplicity, greenness (fam), guilelessness (fam), [megjegyzés] naive/artless/ingenuous remark; hogy mondhatsz ilyen ~t? how can you say such a silly thing?

naivság n, = naivitás

naivul adv, = naivan

najád [-ot, -ja] n, naiad, water-nymph/sprite

-nak, -nek suff, 1. [helyhatározó] (különféle elöljáróval:) a ház délnek néz the house looks to the south; az erdőnek tart he makes for the forest; völgynek megy go downhill; nekirohan vmnek/vknek fly/rush at sg/sy; a falnak támaszkodik he is leaning against the wall 2. [részeshatározó] a) to; ad vknek vmt give sg to sy; ajánl vmt vknek recommend sg to sy; árt az egészségnek be injurious/detrimental to health; enged vmnek/ vknek yield to sg/sy; felel vknek vmre vmt reply sg to sy; engedelmeskedik vknek be obedient to sy; fizet vknek pay to sy; ír vknek write to sy; vm jut vknek sg falls to the share/lot of sy; mutat vmt vknek show sg to sy; vm rossz vknek sg is injurious to sy; tartozik vknek vmvel be indebted to sy; jót tesz vknek do good to sy, be beneficial to sy; üzen vmt vknek send a message to sy, send word to sy; válaszol vknek reply to sy, give an answer to sy, return an answer to sy b) for; kellemetlen vknek be unpleasant for sy; rossz vknek be bad for sy; használ vm vknek be of use/service/ avail for sy, be useful for sy; vettem néhány játékot a gyerekeknek I bought some toys for the children c) (tárgyesettel, to nélkül:) ad vknek vmt give sy sg; szabad kezet ad vknek give sy a free hand, give sy full powers/discretion; adós vknek vmvel be in sy's debt for sg, owe sy sg; fizet vknek pay sy; nem jutott mindenkinek it/there is not enough to go round; megbocsát vknek forgive sy, pardon sy, excuse sy; segít vknek help sy, back sy up; két úrnak szolgál serve two masters; tartozik vknek vmvel owe sy sg; jót tesz vknek do sy (a lot of) good; válaszol vknek answer sy d) (különféle elöljáróval v. elöljáró nélkül:) ellenáll vmnek resist sg, offer resistance to sg, put up resistance to sg, stand/bear up against sg, take a stand against sg; hisz vknek/vmnek believe/trust sy/sg, put confidence/trust in sy have faith in sy; kell/szükséges vm vknek sy wants sg, sy is in need/want of sg, sg is necessary for sy; örül vmnek rejoice at/in sg, be glad at/of sg, be delighted at sg, be pleased with sg; tetszik vknek vm/vk sy likes sg/sy, sg pleases sy, sy is taken with sg/sy, sy enjoys sg, sy is attracted by sg/sy; utánanéz betegeinek look after one's patients; vknek hátat fordít turn one's back on sy 3. [birtokos jelző, birtokos eset] ...of sg, ...'s; ennek a fiúnak az apja the father of this boy, this boy's father; e mű második része harmadik fejezetének elején at the beginning of the third chapter of the second part of this work/book; ez annak (az embernek) a háza(,) akivel az előbb beszéltem it is the house of the person I was just speaking to; vmnek végére jár get to the bottom of sg; tudatában van szépségének she is very conscious of her beauty 4. [mondást, véleményt s hasonlót jelentő igék mellett] (elöljáró nélkül, tárgyesettel:) jónak bizonyul prove good; betegnek érzi magát feel sick/ill/ unwell; gazembernek ismerem I know him (to be) a rascal, I know him for a rascal; magát vmnek képzeli he fancies himself sg; jónak lát find/deem sg advisable, consider good/right, think sg proper/fit; vmlyennek látszik seem (sg), look (!like) sg, appear (as) sg; betegnek látszik seem (to be) ill, look ill; a termés jónak mutatkozik the crop looks promising; vkt vmnek nevez call/name sy sg; bűnösnek találták he/she was found guilty; vmnek tart regard as, look upon s, take for, take to be, hold, think, consider, deem (sg); ha én a fiadnak volnék if I were your son, in your son's place/position; sok pénzének kell lennie he must have lots of money 5. [vmvé tesz/lesz] (többnyire elöljáró nélkül:) megtesz vmnek make sy sg, appoint sy (to) sg, declare sy sg; kinevez vkt vmnek appoint sy sg; megválaszt vkt vmnek elect sy sg; színésznek megy go on the stage; tanárnak megy go in for teaching, become a teacher; orvosnak nevelték he was brought up to be-(come) a doctor; felcsap/elmegy katonának enter the army, enlist, join the colours; nem vált be katonának be rejected, be found unfit for military service 6. [vég-

határozó] futásnak ered take to one's heels, take to flight, run away **7.** *[célhatározó]* (to, for *v.* előljáró nélkül:) nekifog vmnek set to sg, set about doing sg, tackle sg, get down to sg, turn one's hand to sg, go about sg; *jó vmnek good/fit* for sg; *egy se maradt meg hírmondónak* not one was left to tell the tale, not one was left/spared **8.** *[okhatározó]* örül vmnek rejoice at/ in sg, be glad of sg, be delighted at sg, be pleased with sg

-nál, -nél *suff,* **1.** *[helyhatározó]* **a)** at; *az ablaknál* at the window; *asztalnál felszolgál* wait at table; *asztalnál ül* sit/be at the table; *az íróasztalnál dolgozik* work at the desk; *a királyi udvarnál* at court; *a hegy lábánál* at the foot of the mountain; *Vargáéknál voltam ebéden* I was invited to dinner at the Vargas' b) by; *a kandallónál* by the fireside **c)** with; *marad/tartozkodik vknél* stay with sy; *nagymamánál voltam délután* I spent the afternoon with my grandmother; *Vargáéknál szálltam meg* I stayed with the Vargas'; *könyvem barátomnál maradt/felejtettem* I left my book with my friend **2.** *[állapothatározó]* (különféle előljáróval v. előljáró nélkül:) magánál van be conscious; *kéznél van* lie/be (ready) at hand, be near at hand; *megmarad vmnél* persist in sg, abide by sg, stick/keep/adhere to sg, stand firm to sg **3.** *[időhatározó]* (különféle előljáróval v. körülírással:) ebédnél at dinner; *a cikk megírásánál* when writing the article; *a gépelésnél jutott eszembe* while typing it occurred to me... **4.** *[eszközhatározó]* by; *hajánál fogva húz vkt* drag sy by the hair; *orránál fogva vezet* lead sy by the nose; *villanyfénynél olvas* read by electric light **5.** *[középfok mellett]* ,,A" *nagyobb* ,,B"-*nél* "A" is greater/ larger/bigger than "B"; *egyik kisebb a másiknál* one is smaller than the other; *ezer forintnál kevesebbe került* it cost less than thousand forints; *háromezer forintnál többet keres* he earns/makes more than three thousand forints; *kelleténél többet eszik* eat more than enough/necessary/needed; *mennél több(,) annál jobb* the more the better/merrier **6.** *[-n kívül]* nem volt egyéb állata egy tehénnél he had no animal but a cow **7.** *[tekintethatározó]* tiszteletben áll vknél enjoy a high reputation with sy, be respected by sy

nála [-m, -d, nálunk, -tok, náluk] *adv. pron,* **1.** *(vhol)* with him/her; *én ~ lakom* I live with him/her, I live at his/her place; *ez rossz szokás ~* this is a bad habit with him, this/it is a bad habit of his; *nálunk* with us, over here, in our midst, in this country, in my part of the world *(fam), (csak GB)* within these shores; *nálunk otthon* with us, back home *(US);* nálunk Magyarországon over here (in Hungary), in this country; *ma ~tok ebédelek* I am going to have lunch/dinner with you today; *~d van még két könyvem* you have still got two of my books **2.** *[magánál hordva]* on him, on his hand; *~m* on me/hand, by me *(US);* van-e pénz ~d? have you any money on you?; *nincs ~m pénz* I have no money with me; *nincs nálunk pénz* we have no money on us; *~m négy óra van* by my watch it is four (o'clock) **3.** *~ nélkül* without him **4.** *[összehasonlításnál]* than he/she, than him/her *(fam);* én idősebb vagyok *~* I am older than he; *nálánál* than (s)he; *hátrább áll ~m (konkr)* stands farther back than I *(átv)* is inferior to me

nana *int,* not so fast!, well....; *~ ez nem olyan biztos* well (,) that's not so sure

naná *int,* rather!

Náncsi [-t, -ja] *prop,* = **Náni**

Nándi [-t, -ja] *prop,* Ferdie

Nándor [-t, -ja] *prop,* Ferdinand

Nándorfehérvár [-at, -ott, -ra] *prop,* (old Hungarian name of) Belgrade

Náni [-t, -ja] *prop,* Nanette, Nancy

nankin [-t, -ja] *n/a, (tex)* nankeen

nanking [-ot, -ja] *n, (tex)* = **nankin**

nanszuk [-ot, -ja] *n, (tex)* nainsook, cotton, batiste

nap [-ot, -ja] **I.** *n,* **1.** *[égitest]* sun; *a ~ állása* the position of the sun; *a ~ felkel* the sun rises; *a ~ lenyugszik/lemegy* the sun sets, the sun goes down; *~ körüli (csill)* circumsolar; *süt a ~* the sun is shining, there's sunshine, it is sunny; *a ~ a szemembe sütött* the sun was shining in my eyes; *nincs (semmi) új a ~ alatt, semmi sem új a ~ alatt* there is nothing new under the sun, there is no new thing under the sun, nothing is said that hasn't been said before; *felkel a ~ja* his star is rising; *az ő ~juk már lehanyatlott* their reign is over, they have had their day; *~nál is világosabb* it is as plain as daylight, it is as plain as pikestaff, it is as plain as can be, it is as plain as the nose on your face, it is as clear as noonday; *erős ~on* in the bright sunshine, full in the sun; *a ~on sütkérezik* be taking the sun, be sunning himself, be lying/basking in the sun; *~ra tesz* insolate, place in the sunlight, expose to the sun's rays; *üljünk ki a ~ra* let's sit out in the sun(shine); *~tól perzselt* sun-scalded; *~pal összefüggő (csill)* heliacal **2.** *[időszak]* day; *naptári ~* calendar/solar day; *a ~ bármely szakában* at any time (of the day); *a ~ folyamán* in the course of the day; *a szerdai ~ folyamán* in the course of Wednesday, on Wednesday; *egy-két ~ alatt* in a day or two; *két ~ alatt visszajön* be back in two days; *~ ~ után, ~ mint ~* day after/by day, day in day out; *a ~ embere* the man of the moment; *a ~ hőse* the man of the day; *ő a ~ hőse* he has carried the day, he is the hero of the day; *a ~ szenzációja* big news of the day; *borzalmas ~ volt* it was a perfect beast of a day; *emlékezetes ~* memorable day; *eljön majd a ~ amikor* the day will come when; *hétfői ~* Monday; *holnap is van ~* tomorrow is another day; *milyen ~ van ma?* what day is (it) today?; *nem volt ~ (hogy)* not a single day passed (without); *több ~ mint kolbász (kb)* put sg aside against a rainy day; *Anyák ~ja* Mother's Day, Mothering Sunday; *ítélet ~ja* Last Day of Judgment, Doomsday; *jó ~ja van (ált)* he is in good spirits today, *[sportolónak]* he is in good form, he is in high/good fettle, *[betegnek]* he is comparatively well today, he has a good day, this is a good day for him; *nem volt jó ~ja [sportolónak]* it was not one of his on days; *rossz ~ja volt* it was one of his off days; *~jai meg vannak számlálva* his days are numbered/few; *a napokban* recently, the other day, one of these days; *ezekben a ~okban* nowadays, in these days; *a ~okban láttam őt* I saw him the other day; *az utóbbi ~okban* lately; *kétszer ~jában* twice a day; *~jainkban* in our time/days, nowadays, in these days; *három teljes napig marad* stay three clear days; *mind a mai ~ig* to date, (un)to this day; *három ~ig egyfolytában* during three consecutive days, three days running; *minden csoda három ~ig tart* it is a nine days wonder; *ezt nevezem szép napnak!* that's something like a day!; *három napon át* for three days, three days on end, three days running; *egész ~on át* all day (long), *[dolgozó]* full time; *egy szép ~on* one/some day; *azon a ~on amikor megérkeztél* the day you arrived; *egy ~on [régen]* one day, *[majd]* some day, *[majd még]* some time or other, eventually; *nem lehet vele egy ~on említeni* not to be compared to/with sg; *nem lehet őket egy ~on említeni* they are not to be mentioned in the same breath; *egy ~on az történt hogy...* it happened on a certain day that. ; *a szerdai ~on* on Wednesday; *egy szerdai ~on* on a Wednesday; *egy nyári ~on* one summer day; *egy végzetes ~on* in an evil hour; *ugyanezen a ~on* the very/same day; *néhány (v. egy-két) ~on belül* in a few days, in a day or two; *~okon át* for days

(on end); *a győzelem ~ján* on the day of (the) victory, on V-day; *félre tesz öreg* **napjaira** he is saving for his old age; **napról** *~ra* from day to day, every day, day in day out; *~ról ~ra élnek* they are living from day to day, they are living from hand to mouth; *a bizalom ~ról ~ra nő* confidence is increasing every day; *~ról ~ra szebb lesz* she is getting/becoming prettier every day, she is becoming every day more beautiful, she is getting more beautiful every day; *~ról ~ra változnak a körülmények* circumstances are changing daily; *~ról ~ra változik a helyzet* the situation is changing from day to day *(v.* every day *v.* daily); *egyik ~ról a másikra* overnight; *a helyzet egyik ~ról a másikra megváltozott* the situation has changed overnight; *egyik ~ról a másikra híres lett* he awoke to find himself famous, he became famous from one day to another; *jó* **napot** *(kívánok)* good morning/afternoon/day; *jó ~ot kíván vknek* bid sy good day; *lopja a ~ot* idle, loaf away the time, loiter; *nyugtával dicsérd a ~ot (kb)* don't count your chickens before they are hatched; *kellemes ~ot töltöttünk együtt* we had a grand time together; *jobb ~okat látott* he has seen better days, he has had his day, he has gone down in the world
II. *adv, egész ~* the whole/entire day, all the day, all day (long); *minden ~* every/each day; *egy ~* one day; *egy ~ történt hogy . . . .* it happened on a certain day that . . . .; *egy szép ~ majd* one of these fine days

napa [. .át, napam, napad, napája] *n,* (sy's) mother--in-law
napállandó *n, (földr)* solar constant
napállás *n,* position of the sun
napálló *a,* sunfast, sunproof, fadeless, non-fading
napalm [-ot, -ja] *n,* napalm
napalmbomba *n,* napalm-bomb
napamasszony *n,* my mother-in-law
napbarnított [-at; *adv* -an] *a,* sunburnt, sunburned, (sun-)tanned, brown, tanned/bronzed by the sun *(ut),* swarthy; *~ arc* sunburnt complexion; *~ arcú* swarthy/bronze-faced
napbarnította *a,* = **napbarnított**
napbarnítottság *n, [bőré]* sunburn
napcsi [-t, -ja] *n, (biz)* nap
napégés *n, [üvegházi növényen]* heliosis
napégett *a,* sunburned, sunburnt, sun-baked/dried; *~ föld* sunscorched/parched earth
napégette *a,* = **napégett**
napéjegyenlőség *n,* equinox; *tavaszi ~* vernal equinox; *őszi ~* autumnal equinox
napéjegyenlőségi *a,* equinoctial; *~ öv/zóna* the equinoctial line, equinoctial; *~ viharok* equinoctial gales
napellenző *n, [ernyő]* sunshade, parasol, *[roló]* sun--blind, *[vászontető]* awning(-blind), canopy, *[sapkán]* peak, sun-visor (of cap), eye-shade, *[gépkocsin]* sun shield, sun visor *(US), (fényk)* lens shade/hood
napernyő *n,* parasol, umbrella, sunshade
napestig *adv,* till sunset/sundown; *~ dolgozik íróasztalánál* he is working at his desk from morning to night, he is working at his desk morning (,) noon and night
napév *n,* solar year
napfáklya *n, (csill)* facula, streamer
napfehérítés *n, (tex)* sun-bleach
napfelkelte *n,* = **napkelte**
napfény *n,* 1. sunlight, sun(shine), daylight; *~nek kitesz* expose to the sun's rays, insolate, place in the sunlight; *~nél* by the light of the sun; *napfénnyel kezel* treat sy with sunrays/heliotherapy, treat sy with artificial sunlight 2. *(átv)* the light of day, daylight; *~re hoz vmi* bring sg to light, bring forward, unearth, disclose, reveal sg; *~re kerül/jut* come to

light, come out, become known; *előbb-utóbb minden ~re kerül* nothing remains a secret long, everything comes out in the long run, *[az igazság]* murder will out, truth will triumph; *az igazság ~re jő* truth will out
napfényégő *n,* sunlight lamp, daylight bulb
napfényelőhívás *n, (fényk)* tank developing
napfény-előhívótank *n, (fényk)* daylight-developing tank
napfényes *a,* sunlit, sunny, sunshiny, sun-kissed *(ref.)*
napfényfelvétel *n,* daylight exposure/photograph
napfény-gyógymód *n,* heliotherapy
napfényidőtartam-mérő *n,* heliograph, sunshine recorder
napfényiszony *n,* heliophobia
napfényképzés *n,* heliography
napfénykezelés *n,* sunray/sunlight treatment, artificial sunlight, heliotherapy, heliosis, heliation
napfénykúra *n,* heliotherapy
napfénylámpa *n,* daylight lamp, *(film)* sun-arc
napfénymásolás *n, (fényk)* daylight printing, printing--out
napfénymásolat *n,* solar print
napfénymérő *n,* heliometer
napfénypapír *n,* printing-out -paper *(röv* P.O.P.); *önszínező ~* self-toning paper
napfénytartam *n,* sunshine duration, insolation
napfénytartam-mérő *n,* sunshine recorder
napfénytelen *a,* sunless, without/lacking sun *(ut),* unsunny
napfénytöltés *n, (fényk)* daylight loading/cartridge
napfényvászon *n, (film)* daylight screen
napfogyatkozás *n,* eclipse of the sun, solar eclipse; *részleges ~* partial eclipse; *teljes ~* total eclipse
napfogyatkozási [-ak, -t] *a,* ecliptic
napfolt *n,* sunspot, macula, solar spot
napfoltmag *n,* umbra of sunspots
napfoltos *a, ~ vétel [rádiózásnál]* reception with ionospheric disturbances
napfoltszám *n,* sunspot number
napfolttevékenység *n,* sunspot activity, sunspots *(pl)*
napfordulat *n,* solstice; *nyári ~* summer solstice, midsummer; *téli ~* winter solstice, midwinter
napforduló *n,* = **napfordulat**
napforgás *n,* rotation of the sun
napfürdő *n,* sun(light)-bath, *(orv)* insolation, light--bath; *~t vesz* sun-bathe, bask in the sun, take the sun
napfürdőzés *n,* sun-bathing, basking in the sun
napfürdőzik *vi,* sun-bathe, take a sun-bath, take the sun, bask in the sun
napfürdőző [-t, -je] *n,* sun-bather
napfüve [. .ét] *n, (növ)* heliotrope *(Heliotropium)*
napgolyó *n,* (orb of the) sun
napgyűrű *n,* (solar) halo
naphal *n,* common sunfish, "Pumpkin seed" *(Eupomitis gibbosus)*
naphosszat *adv,* 1. *[egész nap]* all day long, the whole (livelong) day, daylong, the livelong day 2. *[napnap után]* day in day out, day after day, for days on end
napi [-ak, -t] *a, [egy napra vonatkozó]* a/the day's *[mindennapi]* daily, everyday; *~ adag* daily dosage, *[élelem]* daily ration; *~ ár* day price, current (market) price, ruling price, market-price, day's price; *~ árfolyam* current/daily quotation, current price, market-rate, *[pénzé]* current rate (of exchange); *~ áron vásárol* buy at market/ruling/prevailing price; *~ élelem (kat)* day's rations *(pl); ~ események* current events, day's happenings; *~ feladat* daily task; *~ hozam* day-output; *~ jelentés* daily report, *(orv)* daily bulleting; *~ kérdések* current questions,

the questions of the hour; ~ *kereset* daily income/earning; ~ *munka [egynapi]* a day's work, day-work, *[mindennapi]* the daily *(v.* the day's) routine; ~ *olvasójegy* admission card; ~ *posta* post; *a ~ sajtó* the newspaper press; ~ *szükségletek* daily requirements/demands; *a ~ teendők* the daily routine/round, (the days) routine; ~ *teljesítmény* output per day, daily output; ~ *termelés* daily output/production; ~ *út* the day's run; ~ *30 forintot fizetnek* they pay 30 forints a/per day

-napi [-t] *a,* of … days *(ut); két~* two-days', of two days *(ut)*

napibér *n,* (a) day's wage

napibéres *n,* day-labourer, day-wage man, journeyman *(obs),* [asszony] daily (help)

napidíj *n,* daily allowance/fee/wage, day-wages *(pl),* *[kiszálláskor]* travel(ling) allowance

napidíjas *n,* temporary clerk, clerk paid by the day

napidő *n,* solar time

napihír *n,* news in brief, daily news

napilap *n,* daily (paper)

napimádás *n,* sun-worship

napimádó *n,* sun-worshipper

napiparancs *n,* order of the day, general orders *(pl),* dispatch; ~*ban megemlít vkt* mention sy in dispatches

napirend *n,* order of the day, (list of) agenda, program(me), business before the meeting; *a ~ tárgypontjai* items of/on the agenda; ~*be felvesz* put down in the agenda; ~*en levő ügy* case at issue; *ez a kérdés van most* ~*en* this topic is now the order of the day, *(átv)* this is the question of the day; ~*en levő kérdés* *(átv)* question of the day, question that is on the nail *(fam); itt* ~*en vannak a lopások* thefts are of common occurrence here; *állandóan* ~*en levő kérdés (biz)* evergreen topic; ~*re áttér* proceed to the agenda; ~*re tér a dolog fölött* drop the matter; ~*re tér egy javaslat fölött* proceed with the business of the day, proceed with the agenda, overrule/ignore *(v.* brush/set aside) a proposal/motion; ~*re tér ellenvetés fölött* ignore an objection; *a kérdés felett nem lehet egyszerűen* ~*re térni* this question cannot be simply dismissed *(v.* brushed aside); ~*re tűz egy kérdést* put/place a(n) item/question on the agenda, add an item to the agenda, take up a question; ~*re tűzés* putting (a question) on the agenda; *ellenezzük ennek a kérdésnek a* ~*re tűzését* we object to putting this item on the agenda, we object to taking up this item; *levesz egy kérdést a* ~*ről* remove *(v.* take off) an item from the agenda, drop the matter

napirendi *a,* concerning the agenda *(ut),* concerning the order of the day *(ut); ~ indítvány* procedural motion; ~ *pontok* items of/on the agenda; ~ *vita* procedural debate, debate on the agenda

napisajtó *n,* daily press, daily papers *(pl),* the (news)-papers *(pl)*

napisten *n, (rég)* sun-god

napjában *adv,* daily, a/every day; *háromszor* ~ three times a day

napkelet *n,* 1. *[világtáj]* East, Orient 2. *[hajnal]* sunrise; ~*kor* at sunrise

napkeleti *a,* eastern, oriental; *a ~ bölcsek* the Three Magi, the Wise Men of the East, the Eastern sages

napkelte [. .ét] *n,* sunrise, rising of the sun, day-spring, sun-up *(US);* ~*előtt* before daylight/sunrise; ~*kor,* *napkeltével* at sunrise/daybreak, at (the) rise of sun/day; *napkeltétől naplementéig* from daybreak to sunset, from sun to sun

napkereső *a, (növ)* heliotrope

napkitörés *n,* protuberance

napkorona *n,* (solar) corona

napkorong *n,* disk (of the sun), sun-disk

napközben *adv,* in the daytime, in the course of the day, by day

napközel [-t] *n,* perihelion

napközi [-ek, -t] I. *a,* ~ *lap* afternoon/evening paper; ~ *otthon* day-time home II. *n,* = **napközi** *otthon*

napközis [-ek, -t] *a,* of/in day-time home *(ut)*

napkúra *n,* sunlight treatment, heliotherapy

napkúráz|ik *vi,* sun-bathe, take a sun-bath, take the sun

naplemente [. .ét] *n,* sunset, sundown, the fall of day; ~*kor* at sunset/sundown

napló [-t, -ja] *n,* 1. *[személyi]* diary, journal; ~*t ír* write a diary; ~*t vezet* keep a diary; *előjegyzési* ~ memorandum/engagement/agenda-book 2. *parlamenti* ~ the journals *(pl),* Hansard *(GB),* Congressional Record *(US)* 3. *(ker) (bevételi és kiadási)* ~ journal, day-book, *[üzletkötési strazza]* waste-book; ~ *az olvasók nyilvántartására* borrower's/readers' register; *bevezeti a* ~*ba* post/insert (an item/entry) in the journal

naplóbejegyzés *n, (ker)* journal-entry

naplóírás *n,* keeping a diary

naplóíró *n,* diarist

naplójegyzetek *n. pl,* (diary) notes, memoranda

naplókönyv *n,* diary

naplopás *n,* idling, loafing, loitering, lounging, laz(y)ing about, *(isk)* truancy; ~*sal tölti az idejét* idle one's time away

naplopó *n/a,* idler, lounger, loafer, loiterer, slug(gard), do-nothing, n'er-do-well, slacker, gadabout *(fam),* lazybones *(fam), (isk)* truant; *a ~k* leisured classes, people of leisure

naplószerkesztő *n,* journalist

naplóvezető *a/n,* ~ *nő (film)* continuity girl

naplóz [-tam, -ott, -zon] *vt, (ker)* enter/record/post in the waste/day-book, enter/record in the journal, journalize

napmagasság *n,* altitude of the sun

napmegfigyelő *n, [készülék]* helioscope, solar prism

napmeleg *n,* heat/warmth of the sun

napmítosz *n,* sun-myth

Nap-nap *n, (földr)* solar day

napnyugat *n,* West, Occident

napnyugati *a,* western, occidental

napnyugta *n,* sunset, sundown; ~*kor* at sunset/sundown, at set of sun *(ref.)*

napolaj *n,* suntan/sunbathing-oil

Napóleon [-ok, -t, -ja] *prop,* Napoleon

napóleon [-ok, -t, -ja] *n,* napoleon, gold twenty-franc piece

Napóleon-arany *n,* napoleon, gold twenty-franc piece

napóleoni [-ak, -t] *a,* Napoleonic

Nápoly [-t, -ban] *prop,* Naples

nápolyi [-ak, -t] I. *a,* Neapolitan, of Naples *(ut); ~ sárga (műv)* Naples yellow; ~ *szelet* (creamy) wafer biscuit; ~ *szext (zene)* Neapolitan sixth II. *n,* 1. *[személy]* Neapolitan 2. = **nápolyi** *szelet*

naponként *adv, [egy-egy napon belül]* a/per day, *[mindennap]* daily, day after/by day, each day; *kéthárom* ~ every few days, every two or three days; ~ *meg kell neki magyaráznom* I must explain it to him every day *(v.* again and again)

naponkénti [-ek, -t] *a,* daily

naponta *adv,* = **naponként**

napóra *n,* 1. *[készülék]* sun-dial; ~ *mutatója* style, gnomon 2. *[időtartam]* solar hour

napórakészítés *n,* gnomonics

napos [-at; *adv* -an] I. *a,* 1. *[napsütötte]* sunny, sunlit, bright, sunshiny, sun-kissed *(ref.);* ~ *az idő* it is sunny; *szép* ~ *idő van* it is a fine sunny day; ~ *lakás* sunny/bright flat 2. *[korra vonatkozóan]* -day-old; *két~ csecsemő* a two-day-old baby 3. *[szolgálatban*

levő] on duty *(ut)*, *(kat)* orderly; *a* ~ *orvos* the doctor on duty for the day; ~ *tiszt* orderly officer, officer on duty, officer of the day *(röv O.D.)*, day/duty--officer
II. *n*, person on duty, orderly; *ld még* **napos** *orvos/tiszt*

naposcsibe *n*, baby chick, chickling

naposkönyv *n*, *(kat)* orderly book

naposság *n*, sunniness

napozás *n*, sun-bathing, basking (in the sun)

napoz|ik [-tam, -ott, -zon, -zék] *vi*, take the sun, bask in the sun, sun (oneself); sun-bathe; take a sun-bath

napozó [-t, -ja] **I.** *a*, sun-bathing, taking the sun *(ut)*, basking/lounging in the sun *(ut)* **II.** *n*, **1.** *[személy]* sun-bather, person basking/lounging in the sun, person taking the sun, person having a sun-bath **2.** *[hely]* place for sun-bathing, beach, terrace, sun-parlour/porch/room *(US)*, *(orv)* solarium **3.** *[női ruha]* beach dress, sun(-bathing) suit/dress/costume, *[kisgyermeknek]* playsuit, sunsuit, paddlers *(pl)*

napozókrém *n*, sun-cream

napoztat *vt*, *[gyereket]* sun-bathe

nappa [..át] *n*, *[bőr]* Napa (leather)

nappal [-ok, -t, -a] **I.** *n*, day(-time), time of day; ~ *van* it is light; *a* ~*ok forróak az éjszakák hűvösek* days are hot nights are chilly; *se éjjele se* ~*a* he is toiling night and day
II. *adv*, by day, during the day, in (the) day-time; *fényes/világos* ~ in broad/full daylight; ~ *dolgozik* he works by day, he works in the daytime *(v. during the day)*; ~ *csakúgy mint éjjel* by day as weil as by night; ~ *fotel/szék éjjel ágy* chair-bed

nappali [-ak, -t, -ja] **I.** *a*, day-, of the day *(ut)*, *(áll, csill)* diurnal; ~ *(arc)krém* vanishing/cold cream; ~ *elfoglaltság* day-time occupation; ~ *felvétel (fény)* exposure in daylight, photograph taken in daylight; ~ *fényben úszó* brilliantly lighted/lit; ~ *hallgató [szemben a levelező vagy esti tagozaton levővel]* regular student; ~ *munka* day-work; ~ *műszak* day shift; ~ *pénztár (szính)* (advance) booking/box-office; ~ *rovarok* diurnal insects; ~ *szoba* = **nappali II.**; ~ *vakság* day-blindness, *(orv)* nyctalopia; ~ *világítás.* full/brilliant lighting/illumination, bright lights *(pl)* ; ~ *világosság* brightness/light of day, daylight, light of day
II. *n*, *[szoba]* sitting/morning/living-room, parlour

nappalod|ik [-ott, -jon, -jék] *v. imp*, dawn; *már* ~*ik* day/dawn is breaking

nappalos [-at] *a/n*, ~ *(ápolónő)* day-nurse

nappálya *n*, ecliptic, sun's orbit

nappályai [-ak, -t] *a*, ecliptic

napraforgás *n*, *(növ)* heliotropism

napraforgó *n*, sunflower, helianthus *(Helianthus annuus)*

napraforgóolaj *n*, sunflower(-seed) oil

naprakész *a*, ~ *állapotba hoz* bring up to date; *a bíróságnak* ~ *állapotban kell lennie a munkával* the court has to keep abreast of the work

naprendszer *n*, solar system

naprengés *n*, mirage

napspektrográf *n*, *(csill)* spectroheliograph

napsugár *n*, sunbeam, sun-ray, ray of sunlight, sun-shine, *(tud)* solar ray; *napsugaram!* dearest!, *honeyl*, my little ray of sunshine!

napsugaras *a*, **1.** *(konkr)* sunny, sunshiny, sunlit, radiant, sun-flooded, sun-kissed/drenched *(ref.)* **2.** *átv* radiant, bright, joyful, sunshiny, alight with the sun *(ut)*

napsugárzás *n*, radiation of the sun, solar radiation

napsugárzásmérés *n*, *(fiz)* pyrheliometry

napsugárzásmérő *n*, *(fiz)* pyrheliometer

napsütés *n*, sunshine; *erős* ~ glare of the sun, burning down of the sun, brilliant shine

napsütéses *a*, sunny, sunshiny; ~ *idő* sunny weather/day

napsütéstartam-mérő *n*, heliograph

napsütötte [-t; *adv* -n] *a*, **1.** sunlit, sunny, sunshiny, sunflooded, sun-kissed/drenched *(ref.)* **2.** = **napbarnított**

napszak *n*, part/section/hour of the day

napszállat *n*, † eventide, nightfall

napszálltakor *adv*, at nightfall, at the darkening

napszám *n*, **1.** *[munka]* day labour, daywork, daily work; ~*ba jár/dolgozik* work by the day **2.** *[bér]* day's wage/pay, day-wage/rate

napszámbér *n*, day-wages *(pl)*, *(bány)* oncost

napszámos [-ok, -t, -a] *n*, day-labourer/worker, day--wage man, day-man, odd-job man, odd hand, *[kubikos]* navvy, *(US mezőg)* hired man

napszámosmunka *n*, **1.** day-labour, daily work, jour-ney-work **2.** *(átv)* routine work, *(elit)* drudgery; *írói/szellemi* ~ hack-work

napszámosnő *n*, day-woman

napszámpénz *n*, day's wage/pay

napszárította *a*, sun-dried

napszemüveg *n*, sunglasses *(pl)*, tinted glasses *(pl)*

napszínkép *n*, *(fiz)* solar spectrum; ~*en kívüli* extra--spectral

napszitta *a*, = **napszívott**

napszívott [-at; *adv* -an] *a*,. faded/paled/discoloured by the sun *(ut)*; ~ *függönyök* faded curtains

napsztratoszféra *n*, *(csill)* solar stratosphere

napszúrás *n*, sunstroke, heat-stroke, stroke of the sun, insolation, heliosis, heat-apoplexy; ~*t kap* get a touch of sunstroke, get a touch of the sun

napszúrásos [-at] *a*, sun-stricken/struck

naptalan *a*, sunless, unsunny

naptányér *n*, = **napkorong**

naptár [-ak, -t, -ja] *n*, calendar, *[kalendárium]* alma-nac; *Julián-(féle)* ~ Julian calendar; *letéphető* ~ block calendar, tear-off *(v. loose-leaf)* calendar

naptári [-ak, -t; *adv* -lag] *a*, ~ *év* calendar/civil/legal year; ~ *hó(nap)* calendar month; ~ *megjelölés* calendar designation; ~ *nap* calendar/solar day

naptárkészítő *n*, calendar maker, calendarian

naptárreform *n*, calendar reform

naptárszerkesztő *n*, = **naptárkészítő**

naptárvonal *n*, *(földr)* date-line

naptávcső *n*, *(csill)* helioscope

naptávol [-ok, -t, -a] *n*, aphelion

naptávolság *n*, distance of the sun

naptérítő *n*, tropic

naptevékenység *n*, *(csill)* solar activity

napudvar *n*, halo of the sun, *(csill)* solar stratosphere/corona

napvédő *n/a*, *[ernyő]* sunshade; ~ *(szem)üveg* tinted glass

napvilág *n*, **1.** daylight, sunlight, sunshine, the light of day; ~*nál* by daylight, by the light of the sun **2.** ~*ra hoz* bring to light, disclose, reveal, expose, *(bány)* *[ércet stb.]* grass; ~*ra hozatal [tényeké, vissza-éléseké]* show-up; ~*ra kerül/jut/jön* come out, come to light, reveal itself, *[titok]* be discovered/revealed, slip out, *[alattomos tevékenység stb.]* show up; *idővel minden* ~*ra jön* everything comes out in time; ~*ot lát* come to light, *[könyv]* appear, be published

narancs [-ot, -a] *n*, *(növ)* orange *(Citrus aurantium)* ; *vérhéljú* ~ blood-orange; ~*ot hámoz* peel an orange

narancsárus *n*, orange-seller, orangeman, *[nő]* orange-woman, orange-girl

narancsdzsem *n*, (orange) marmalade, orange jam

narancserdő *n*, orange-wood, orange plantation, orange-grove

narancsfa *n*, **1.** *(növ)* orange-tree **2.** *[anyag]* orange--wood narancsgerezd *n*, slice/quarter/piece/section of orange

narancshéj *n*, orange-peel, orange skin; *cukrozott ~* candied orange-peel; orangeat; *elcsúszik egy ~on* slip on an orange-peel

narancsíz *n*, 1. *[narancs íze]* taste of orange 2. *[lekvár]* (orange) marmalade

narancsízű *a*, orange-flavoured, orangey

narancskereskedő *n*, orange-seller

narancslé *n*, *[természetes]* orange juice, *[készítmény]* orangeade

narancslekvár *n*, (orange) marmalade, orange jam

narancsliget *n*, orange-grove

narancslikőr *n*, orange liqueur, curaçao

narancsmag *n*, orange-pip/seed

narancsolaj *n*, sweet orange oil

narancsos [-ok; -t, -a] *n*, orange-grove

narancssaláta *n*, orange salad

narancssárga *a*, orange(-coloured)

narancsszelet *n*, 1. *[vágott]* slice/section of orange 2. *[torta]* orange cake/tart

narancsszínű *a*, orange(-coloured)

narancsszörp *n*, orange syrup, orangeade; orange--squash

narancstermesztő *n*, orange-grower, orangist

narancsültetvény *n*, orange-plantation/grove

narancsvirág *n*, orange-blossom/flower

narancsvirág-olaj *n*, orange-flower oil, neroli oil

narancsvörös *a*, orange-red

nárcisz [-ok, -t] *n*, narcissus *(Narcissus)*; *csokros ~* polyanthus narcissus *(N. tazetta)*; *fehér ~* pheasant's eye, poets' narcissus, Rose of May *(N poeticus)*; *sárga ~* daffodil, daffydowndilly *(ref.)*, lent-lily *(N. pseudo-narcissus)*

nárciszlégy *n*, *(kis) ~* lesser bulb fly *(Eumerus strigatus)*

nárciszvirág *n*, narcissus (flower)

nárcizmus *n*, *(pszich)* narcissism

nárdus *n*, *(növ)* spikenard *(Nardostachys jatamansi)*

nárdusfű *n*, *(növ)* nard, white/wire bent, mat-grass *(Nardus stricta)*

nárdusolaj *n*, nard, *[ókorban]* spikenard

nargilé [-t; -ja] *n*, narghile, hookah

narkolepszia [.. át] *n*, *(orv)* narcolepsy, sleeping disease

narkománia *n*, drug-habit/evil

narkotikum [-ot, -a] *n*, narcotic, opiate, drug

narkotin [-ok, -t, -ja] *n*, *(vegyt, orv)* narcotine

narkotizál [-t, -jon] *vt*, narcotize, drug *(fam)*

narkotizálás *n*, narcotization

narkózis [-ok, -t, -a] *n*, narcosis

narodnyik [-ot, -ja] *a/n*, *(tört, pol)* Narodnik, Populist

narodnyikizmus *n*, *(tört, pol)* Narodism, Populism

narrátor [-ok, -t, -a] *n*, *(szính)* narrator

narvál [-ok, -t, -ja] *n*, narwhal, unicorn-fish, sea unicorn *(Monodon monoceros)*

násfa [.. át] *n*, † pendant (jewel), gold pendant, lavalier(e), drop

náspá(n)gol [-t, -jon] *vt*, thrash, drub, give sy a good hiding

naspolya [.. át] *n*, *(növ)* medlar, naseberry *(Mespilus germanica)*

naspolyafa *n*, *(növ)* medlar(-tree) *(Mespilus germanica)*

nász [-ok, -t, -a] *n*, 1. *[esküvő]* wedding, marriage, nuptials *(pl)*, bridal/nuptial ceremony, *[állatoknál]* mating; *~t ül* celebrate the wedding 2. *~om* father/mother-in-law of my son/daughter

naszád [-ot, -ja] *n*, sloop, pinnace, shallop, *(kat)* sloop of war, gun-boat

nászágy *n*, bridal/nuptial bed/couch, wedding bed, marriage-bed

nászajándék *n*, wedding-present; *~ul ad vmt* give sg for a wedding present

nászasszony *n*, mother of the bride/bridegroom

nászdal *n*, bridal/nuptial song, wedding-song, epithalamium *(ref.)*, hymeneal *(ref.)*

nászéjszaka *n*, wedding-night, bridal night

nászhang *n*, *(áll)* pairing-call

nászház *n*, nuptial/wedding house, house of the bride

nászidőszak *n*, *(áll)* mating season

nászinduló *n*, wedding/bridal march

nászkíséret *n*, bridal procession, wedding-party, wedding-guests *(pl)*; *~ egy tagja* wedding-guest

nászkoszorú *n*, 1. *[fejdísz]* bridal wreath 2. *[vendégek]* wedding-guests *(pl)*

nászlakoma *n*, wedding/marriage feast, bridal, wedding--breakfast *(GB)*

nászmenet *n*, bridal procession

násznagy *n*, *(áll)* witness (to marriage), *[vőlegény részéről]* best man, supporter of the bridegroom, groomsman

násznép *n*, wedding-party, (the) wedding-guests *(pl)*

nászrepülés *n*, *(áll)* nuptial/mating flight

nászruha *n*, 1. *[menyasszonyé]* wedding-dress, bridal dress/gown 2. *[madáré]* nuptial plumage

nászút *n*, wedding-trip/tour, honeymoon (trip); *~on van* spend a honeymoon, honeymoon; *~ra megy* go on a honeymoon

nászutasok *n. pl*, newly wedded couple/pair on honeymoon trip, *[feliratként]* "just married"

nászutazás *n*, = nászút

nászünnep *n*, = nászünnepség

nászünnepség *n*, marriage/wedding-feast, nuptials *(pl)*, nuptial feast/ceremony, bridal, (the) wedding festivities *(pl)*

nátha [.. át] *n*, cold (in the head), common cold, nose--cold, snuffle *(fam)*, *(orv)* coryza, rhinitis (acuta), nasal catarrh; *allergiás ~* allergic/atopic/vasomotor rhinitis; *erős ~* heavy/terrible/bad/streaming/infernal cold; *idült ~* chronic rhinitis; *közönséges ~* common cold; *száraz ~* cold in the head, head cold, snifters *(pl)*; *trópusi ~* breakbone/breakage fever; *náthát kap* catch (a) cold, be down with a cold, be the victim of a cold; *náthával ágyban fekszik* be down with a cold, nurse a cold

náthaláz *n*, influenza, flu *(fam)*, grippe *(fr)*; *trópusi ~* breakbone fever, African fever

náthalázas *a*, influenzal

Náthán [-t, -ja] *prop*, Nathan

náthás *a*, having a cold *(ut)*, stuffy *(fam)*, *[igével]* have a cold, *[hang]* snuffling, sniffling; *~ lesz* catch (a) cold; *~ vagyok* I have (got) a cold; *nagyon ~ voltam* I had a bad cold, I was ill/down with a cold

nátrium [-ot, -a] *n*, *(vegyt)* sodium; *~ visszatartás* sodium retention

nátriumhidroxid *n*, sodium hydrate/hydroxide

nátriumkarbonát *n*, sodium carbonate

nátriumklorid *n*, sodium chloride

nátriumnitrát *n*, sodium nitrate

nátriumsó *n*, soda/sodium salt

nátriumszulfát *n*, sodium sulphate

nátriumszulfid *n*, sodium sulphide

nátron [-ok, -t, -ja] *n*, *(vegyt)* natron, native soda

nátronföldpát *n*, *(ásv)* soda feldspar

nátronlúg *n*, caustic soda, *(vegyt)* sodium hydrate, natrium hydroxid(e)

nátronsalétrom *n*, soda nitre/niter, sodium/soda nitrate

nátronszappan *n*, soda-soap

nátronüveg *n*, soda glass

naturálgazdaság *n*, *(közg)* natural economy

naturáliák [-at] *n. pl*, allowances in kind; *~ban* in kind

naturális [-ak, -t; *adv* -an] *a*, *~ gazdálkodás* subsistence farming

naturalista [.. át] I. *a*. naturalistic; *~ hegedűs* self-

-taught violinist, violinist who plays by ear; ~ *irány(zat)* naturalism; ~ *rajzoló* he draws from/by instinct II. *n*, naturalist

naturalisztikus *a*, naturalistic

naturalizál [-t, -jon] *vt*, naturalize

naturalizmus *n*, naturalism

natúrpuzón *n, (zene)* slide-trombone

natúrszelet *n*, collop of veal

natúrszín *n*, self-colour

natúrszínű *a*, self-coloured

navigáció [-t, -ja] *n, (hajó, rep)* navigation; *csillagászati* ~ celestial navigation

navigációs [-ak, -t] *a*, of navigation *(ut)*, navigation; ~ *fülke (hajó)* chart-room/house, pilot house; ~ *tiszt* navigation officer, navigator

navigál [-t, -jon] *vi, (hajó, rep)* navigate

navigátor [-ok, -t, -a] *n, (hajó, rep)* navigator, navigating officer

navigátornapló *n*, navigation log

nazális [-ak, -t; *adv* -an] *(nyelvt)* I. *a*, nasal; ~ *színezetű* nasalized; ~ *magánhangzó/vokális* nasal vowel II. *n*, nasal vowel

nazalizáció [-t, -ja] *n, (nyelvt)* nasalization

nazalizál [-t, -jon] *vt, (nyelvt)* nasalize

nazalizálás *n, (nyelvt)* nasalization

nazarénus *a/n*, Nazarene

názáreti [-ek, -t, -je] I. *a*, Nazarene, of Nazareth *(ut)* ; ~ *Jézus* Jesus of Nazareth II. *n*, Nazarene, Nazarite

ne¹ *adv/int*, 1. *[felszólító/feltételes mód előtt]* not; *miért* ~? why not?; *miért* ~ *menjünk?* why not go?; ~ *menj(en) el!* do not go!, don't go!; *mondtam(,) hogy* ~ *menjen oda* I told him not to go there; ~ *mondd/mondja!* what do you say, you don't say so, well I never, that beats me; ~ *tedd ezt* don't do that; ~ *tessék senkinek se elmondani* don't tell (it to) anybody please; *eddig és* ~ *tovább* so far and no farther; *ki* ~ *szeretné a csokoládét?* who doesn't like chocolate?; *csak ezt* ~ *tetted volna* if only you had not done that; *nem múlik el nap hogy* ~ *mondaná* no day passes without his/him saying 2. *[tiltó szó]* no!, don't, stop it/that!

ne² *[pl netek] int*, = **nesze**

né *int*, lo!, look!

-né [-t] *n*, Mrs. X, wife of ..., ...'s wife; *Kovács Jánosné* Mrs. János Kovács; *a gyógyszerész~* the chemist's wife

neanderthali [-ak, -t] *a*, Neanderthal; ~ *ember* Neanderthal man

nebáncsvirág *n*, 1. *(növ)* balsam, balsamine, impatiens *(Impatiens)* ; *erdei* ~ yellow balsam, touch-me-not *(I. noli-tangere)* ; *kerti* ~ garden balsam/impatiens *(I. balsamina)* 2. *(átv)* oversensitive person, sensitive plant

nebula [..át] *n, (csill)* nebula, cosmic fog

nebuló [-t, -ja] *n, (tréf)* schoolboy *(stand.)*, urchin

necc [-et, -e] *n*, net(ting)

neccel [-t, -jen] *vt*, make a net, net

neccharisnya *n*, open-work/knit/weave hosiery/stockings *(pl)*

neccing *n*, mesh-knit shirt, open knit shirt

n-edik *a*, *az* ~ *hatványra (menny)* to the nth power/degree

nedű [-t, -je] *n*, 1. = **nedv**; 2. *[ital]* nectar, wine

nedv [-et, -e] *n*, moisture, *[gyümölcsé, húsé]* juice, *[növényé]* sap, *(tud)* fluid, *[emberi testben]* lymph, tissue/body fluid; ~ *nélküli* juiceless; ~*et ereszt* = **nedvez II.**

nedvbőség *n, (növ)* sappiness, succulence

nedvcsatorna *n*, vessel, canal, *(tud)* duct, vas

nedvdús *a, (dlt)* full of juice *(ut)*, juicy, succulent *(ref.)*, *[gyümölcs]* juicy, *[növény]* sapful, sappy

nedvdússág *n, [fáé, növényé]* sappiness

nedves [-ek, -t; *adv* -en] *a*, wet, humid, *[kissé]* moist, damp, *[nagyon]* watery, *[ragadós]* oozy, slimy, *[egészségtelenül]* dank, *[időjárás]* wet, juicy *(fam)*, *[út]* sloppy; ~ *bélyegző* rubber stamp; ~ *csiszolás* wet grinding; ~ *gőz* damp/wet steam; ~ *ház* damp house; ~ *hőmérő* wet-bulb thermometer; ~ *idő van* it's wet/damp; *hideg* ~ *idő* raw weather; *meleg* ~ *idő* muggy weather; ~ *kéz* clammy hand; ~ *kezelés/eljárás* wet-processing; ~ *korhadás* wet rot; ~ *levegő* moist air; ~ *sokk (orv)* wet shock; ~ *az izzadságtól* dripping with perspiration. damp with sweat; ~*sé tesz* moisten

nedves-adiabatikus *a*, ~ *hőcsökkenés* saturated-adiabatic lapse rate

nedvesedés *n*, moistening, damp(en)ing

nedvesed|ik [-tem, -ett, -jen, -jék] *vi*, become/grow moist/wet/damp, moisten, water, damp(en)

nedvesfonás *n, (tex)* wet/water/damp/moist-spinning

nedvesít [-eni, -ett, -sen] *vt*, moisten, make wet, wet, damp(en), humidify, water, dip

nedvesítés *n*, moistening, damping

nedvesítő [-t, -je] *n/a, [készülék]* (stamp and envelope) damper, sponge; ~ *(szer)* wetting agent, humidifier

nedvesség *n*, 1. *[tulajdonság]* humidity, moistness, wetness, dampness, wateriness, wateriness, dewiness, *[egészségtelen]* dankness; *levegő* ~*e* (atmospheric) humidity 2. *[nedv]* moisture, water, damp, *(növ)* juice, sap; ~ *elleni szigetelés* damp-proofing, *[falban]* damp course; ~ *foka* degree of wetness/dampness; ~*től megszabadít* dehumidify; ~*től megóvandó* to be kept dry, to be kept in a dry place *(v. from the wet)*

nedvességálló *a*, non-hygroscopic, damp-proof, *(tex)* moisture-proof/resistant; ~ *enyv* hydraulic glue

nedvességdús *a*, hygroscopic(al)

nedvességfok *n*, degree of dampness/wetness

nedvességi *a*, *gőz* ~ *százaléka* quality of (wet) steam

nedvességíró *n*, hygrograph

nedvességkedvelő *a*, ~ *növény* hygrophyte

nedvességmérés *n*, hygrometry, hygroscopy, humidity measurement

nedvességmérő *n*, hygrometer, humidimeter, psychrometer

nedvességmutató *n*, hygroscope

nedvességszívó *a*, = **nedvszívó**

nedvességtartalom *n*, moisture-content, amount of moisture/liquid, degree of humidity

nedvességtartó *a*, hydrophilous

nedvez [-tem, -ett, -zen] I. *vt*, *[nedvesít]* damp, moisten, wet II. *vi*, *[nedvet ereszt]* ooze, sweat, *[seb]* sweat, run, weep, *[fa, növény]* bleed

nedvezés *n*, 1. *[nedvesítés]* moistening, wetting, damping 2. *[nedveresztés]* oozing, sweating

nedvező [-t] *a*, *[seb]* moist, sweating, weeping

nedvpárolgás *n, (növ)* transpiration

nedvszívó *a*, damp-absorbing, absorbent, hygroscopic

nedvtartalom *n*, = **nedvességtartalom**

nedvtelen *a*, *[gyümölcs stb.]* juiceless, *[fa, növény]* sapless

nedvtisztító *a/n*, ~ *(szer) (orv)* depurant

nedvű [-ek, -t] *a*, *bő* ~ juicy

nefelejcs [-et, -e] *n*, forget-me-not, scorpion-grass, mouse-ear *(Myosotis)* ; *erdei* ~ wood forget-me-not *(M. sylvatica)*

nefelin [-ek, -t, -je] *n, (ásv)* nephelite, nepheline

nefelinit [-et, -je] *n, (geol)* nephelinite

nefrit [-et, -je] *n, (ásv)* nephrite, jade, greenstone

nefritkő *n, (ásv)* jade

negatív [-ot, -ja; *adv* -an] I. *a*, negative; ~ *állásponthoz ragaszkodik* maintain a negative attitude; ~ *bírálat* negative criticism; ~ *előjel (menny)* minus; ~ *negatív sign*; ~ *lelet (orv)* negative evidence; ~ *meny-*

nyiség minus quantity; ~ *sarok (vill)* negative pole; ~ *szolgalom (jog)* negative easement; ~ *töltés (vill)* negative charge; ~ *tulajdonság/jelleg* negative characteristic; ~ *válasz* a negative answer/reply, refusal II. *n,* 1. *(fényk)* negative; *eredeti* ~ *[originál]* master-negative; *kemény fokozatú* ~ hard negative; *erőtlen/szürk-* ~ negative without contrast; ~ *fedettsége* intensity of a negative 2. *öntvény* ~*ja* mould

negatívan *adv,* negatively

negative *adv,* negatively

negatív-érzékenység *n, (fényk)* intensity of a negative

negatív-feketedés *n, (fényk)* blackening of a negative

negatívizmus *n, (orv)* negativism

negatívság *n,* negativity

negatívtartó *n, [nagyítógépen]* enlarging negative--holder

negatívum [-ot, -a] *n,* the negative/debit side, negative, *[hátránya vmnek]* drawback; ~*okat mondott csak* he didn't say anything positive

negédes [-et, -en] *a,* demure, dainty, mincing, simpering, sugary, pretty-pretty, namby-pamby, *[stílus]* affected, finical

negédeskedés *n,* demureness, simpering, mincing

negédesked|ik [-tem, -ett, -jen, -jék] *vi,* simper, smirk, make oneself pretty

negédesség *n,* affectedness, primness, sugariness, *[stílusé]* finicalness

néger [-ek, -t, -e] I. *n,* 1. Negro, black, coloured (man) *(US)*, blackamoor *(ritk)*, darky *(fam)*, blacky *(fam)* nigger *(pej),* coon *(US fam),* Jim Crow *(US ◈);* *a ~ek* the negros, the black races 2. *[más helyett író]* ghost(-writer), devil-writer II. *a,* Negro, black; ~ *dajka* Negro nurse, mammy *(US fam);* ~ *fajú [tiszta]* Negro, *[kevert]* Negroid; ~ *nő* Negress; ~ *gyerek* Negro-boy/girl, pickaninny *(fam);* *van benne egy kis* ~ *vér* have a little Negro blood in one's veins, have a dash of the tar-brush *(pej)*

négerbarát *a/n,* Negrophil(e)

négerbarna *a,* nigger-brown

négerellenes *a,* anti-Negro, negrophobe

négerezés *n, (biz)* ghost-writing, ghosting, devilling

négerez|ik [-tem, -ett, -zen, -zék] *vi, (biz)* be a ghost--writer, devil (for sy), ghost, ghostwrite, hack (for sy)

négergyűlölet *n,* Negrophobia

négergyűlölő I. *a,* Negrophobiac II. *n,* Negro-hater, Negrophobe, Negrophobist

négerked|ik [-tem, -ett, -jen] *vi,* = négerezik

négerkérdés *n,* the colour problem, the Negro question

négerövezet *n,* the black belt *(US)*

négerüldözés *n,* persecution of the Negroes, Jim Crow policy *(fam)*

negligál [-t, -jon] *vt,* neglect, ignore, pass over, disregard; *teljes mértékben* ~ cut dead, treat as if dead

negligálás *n,* neglect(ing), disregard

negližsé [-t, -je] *n,* negligee; ~*ben* in undress, *[nő]* in dishabille/negligee, in scanty attire, in (one's) undies *(fam)*

negociálás *n, (ker, pénz)* negotiation

negociálható *a, (ker, pénz)* negotiable; *nem* ~ not negotiable

negroid [-ot, -ja] *a/n,* Negroid

négus *n,* Negus

négy [-et; *adv* -en] *num. a/n,* four; ~ *darab* four pieces; *nincs ki* ~ *keréke* have a tile loose, be missing in the upper storey, he is a bit loony/dippy/barmy, he is a little touched; ~ *kettőre állnak* the score is four to two; ~ *kézre* for four hands; ~ *lába van a lónak mégis megbotlik (kb)* it's a good horse that never stumbles; ~ *lábon jár* walk on all fours; ~ *óra van* it is four o'clock; ~ *osztatú (növ)* four-cleft; ~ *példányban készült* it was made (out) in quadruplicate;

~ *részre oszt* divide into four (parts), quarter; *a* ~*ben laknak* they live *(v.* are living) at number four; ~*kor* at four (o'clock); ~*re megjövök* I will be back at/by four; ~*et ütött az óra* the clock *(v.* it) has struck four; *néggyel (meg)szoroz* multiply by four, quadruplicate, quadruple

négyablakos *a,* four-window(ed)

négyágú *a, [villa]* four-pronged/pointed, *(növ)* quadridentate, *[tud fog]* quadricuspidate

négyalkotós [-at] *a, [ötvözet]* quaternary

négyárboccs *n,* four-masted ship, four-master/poster

négyárbocú [-t] *a,* four-masted

négyatomú [-t] *a,* tetratomic

négybázisú *a, (vegyt)* quadribasic

négybetűs *a,* ~ *szó* tetragram

négybibés [-t] *a, (növ)* tetrandrous

négycsatlós *a, [mozdony]* four-coupled

négycsöves *a,* ~ *készülék (távk)* four-valve set

négycsúcsú [-t] *a,* four-point, *[fog]* quadricuspidate

négydimenziójú [-t] *a, [tér]* four-dimensional, surdesolid

négydimenziós [-at] *a,* = négydimenziójú

negyed [-et, -e] I. *num. a,* 1. (a) quarter (of), *(összet)* quadri-, *(vegyt összet)* tetra-; ~ *áron* for a quarter (of) the price/cost, for quarter the price; ~ *kiló* quarter (of a) kilo(gram); ~ *kör (menny)* quarter cycle; ~ *liter* quarter of a litre, a teacupful *(fam);* ~ *marha* quarter of beef; ~ *tégla (épít)* quarter-bat 2. ~ *hangjegy/kotta* crotchet, quarter note *(US);* ~ *hangköz/hangtávolság* quarter tone; ~ *pauza/ szünet(jel)* crotchet rest 3. ~ *kettő* quarter past one; *öt perc múlva* ~ *kettő* ten past one; *öt perccel múlt* ~ *kettő* twenty past one II. *num. n,* 1. *(ált)* quarter, fourth (part), *(épít)* section, *(cím)* quarter, canton; *újhold első* ~*ében* prime of the moon; *fogyó hold utolsó* ~*ében* wane of the moon; ~*kor* at (a) quarter past; *üti a* ~*eket [óra]* strike the quarters 2. *(zene) [hang]* fourth, *[hangjegy]* crotchet, quarter note *(US);* *bővített* ~ augmented fourth 3. *[városrész]* quarter, district, neighbourhood, section *(US)*

negyedállás *n, (csill) [bolygóknál]* quadrature

negyedannyi *a,* ~ *sincs* not a quarter the value, not as much as.it should be; ~*ért* for quarter the price, for a quarter (of) the price

negyedel [-t, -jen] *vt,* quarter, split in four, divide into four parts, divide into quarters

negyedelés *n,* quartering, *(koh)* quartation

negyedelőfűrész *n,* quartering saw

negyedelt [-et] *a,* ~ *fűrészelésű* quarter-sawed; ~ *pajzs (cím)* quarterly shield

negyedes [-t, -e] *n, (hajó)* boatswain's mate (second class)

negyedév *n,* quarter (of year), three months *(pl),* the fourth part of a year, *(isk kb)* half a term

negyedévenként *adv,* (in) every quarter, every three months, quarterly, quarter-yearly, *[egyszer]* once in/every three months

negyedévenkénti *a,* quarterly, quarter-yearly

negyedéves I. *a,* 1. *[negyedévre szóló]* quarterly 2. *[negyedik éves]* of the *(v.* in its) fourth year, *(isk)* fourth-year; ~ *egyetemi hallgató* fourth-year student *(GB),* senior *(US)* II. *n,* ~*ek* fourth year men *(GB),* seniors *(US),* Senior Honours class *(skót)*

negyedévi *a,* quarterly; ~ *bér* quarterage; ~ *bizonyítvány/értesítő (isk)* half-term report; ~ *előfizetés* quarterly subscription, subscription for three months, subscription for the quarter year; ~ *illetmény/járandóság* quarterage; ~ *lakbér* quarter's rent, quarterage

negyedévkor *adv, (kb)* at half-term

negyedfél *num. a/n,* three and a half.

negyedfokú *a*, of the fourth degree *(ut)*, *(menny)* biquadratic, fourth-degree, quartic; ~ *egyenlet* biquadratic (equation)

negyedhang *n*, *(zene)* fourth, quarter

negyedidőszak *n*, *(geol)* Quaternary

negyedidőszaki *a*, *(geol)* Quaternary

negyedik [-et, -e] **I.** *num. a*, **1.** fourth; ~ *lett* he arrived fourth, he came in fourth; *IV. Béla* Béla IV, Béla the Fourth; ~ *emeleten* on the fourth floor, four flights up, on the fifth floor *(US)* ; ~ *fekvés (zene)* double shift; ~ *oldalon* on page four **2.** *(isk)* ~ *általános iskolás* ⟨ten-year-old schoolchild/pupil⟩; ~ *gimnazista* ⟨eighteen-year-old grammar-school boy/girl⟩, *(kb)* sixth-former; ~ *osztály [ált. isk]* fourth form (of a Hungarian primary school), *[középisk.]* fourth form (of a Hungarian secondary school), *(kb)* sixth form
II. *num. n*, **1.** *(isk)* = **negyedik** *osztály; ~be jár* be in the fourth class/form/grade, go to the fourth class/form (of a school) **2.** *január ~én* on January (the) fourth, on the fourth of January

negyedikes [-ek, -t ,-e] *a/n*, ~ *(tanuló) [általános iskolában]* fourth-form pupil (of a Hungarian primary school), *[középiskolában]* fourth-form pupil (of a Hungarian secondary school), *(kb)* sixth-former

negyedízben *adv*, for the fourth time

negyedíziglen *adv*, to the fourth generation

negyedkor *n*, *(geol)* Quaternary

negyedkori [-t] *a*, *(geol)* Quaternary

negyedmagával *adv*, the four of them, he and/with three others

negyednap *adv*, = **negyednapra**

negyednapos *a*, ~ *hideglelés/láz* quartan

negyednapra *adv*, four days after/later, on the fourth day

negyedóra *n*, (a) quarter of an hour, quarter, *(rítk)* quarter-hour

negyedóránként *adv*, quarter-hourly

negyedóránkénti *a*, quarter-hourly

negyedórai *a*, = **negyedórányi**

negyedórányi *a/n*, a quarter of an hour's, of a quarter of an hour *(ut)* ; ~*ra van innen* it is a quarter of an hour's walk/drive from here

negyedpéldány *n*, quadruplicate

negyedrendű *a*, *(menny)* quartic

negyedrész *n*, quarter, fourth (part)

negyedrét *a*, *(nyomd)* [*ív, kötet*] quarto (sheet, volume)

negyedrétű [-ek, -t; *adv* -en] *a*, quarto

negyedsorban *adv*, fourthly

negyedszázad *n*, quarter of a century

negyedszázados *a*, of a quarter of a century *(ut)* ; ~ *évforduló* semi-jubilee

negyedszer *num. adv*, for the fourth time, *[felsorolásnál]* fourthly

negyedszerre *num. adv*, fourthly

negyedvér *n/a*, quadroon, quarter-blood/breed, *[állat]* quarter-bred

negyedzárlat *n*, *(zene)* imperfect cadence

négyel [-t, -jen] *vt*, quarter, cut/split/divide sg into four parts/quarters, *(cím)* *[családi címerpajzsot]* quarter

négyelés *n*, quartering, cutting/splitting/dividing into four parts/quarters, *(cím)* quartering

négyélű *a*, four-blade/point; ~ *tengely* square shaft

négyemeletes *a*, four-storied/storeyed, five-floor/storied *(US)*

négyen *num. adv*, four (of us/them); ~ *vannak* there are four of them; ~ *sem tudtuk megmozdítani* not even four of us could move it

négyenként *adv*, by/in fours, four by four

négyerű [-t] *a*, *(vill)* quadrifilar

négyes [-ek, -t, -e] **I.** *a*, **1.** four, *(tud)* quadruple,

(menny) quaternary, *[iker kristály]* quadriform; ~ *beosztású* quadripartite, *(növ)* four-cleft; ~ *csoport* a set of four, quaternion; ~ *fogat* carriage/coach and four, four-in-hand, foursome, *[ókori]* quadriga *(lat)* ; ~ *fogatot hajt* drive four-in-hand; ~ *ikrek* quadruplets, fourlings *(fam)*, quads *(fam)* ; ~ *sorokban* in fours, four deep/abreast; ~ *sorokban állnak fel* form fours; ~ *találata van [lottón]* win the second-highest prize in the state lottery; ~ *ütem* quadruple meter *(US)* **2.** ~ *szám (jegy)* figure/ number four; *a* ~ *szám alatt lakunk* we are living at number four *(v.* at No. 4); ~ *szoba* room number four, room No. 4; ~ *villamos* tram number four, the number four tram **3.** *(isk)* good; ~ *bizonyítvány* good school-report; ~ *dolgozat* exercise earning/ rating a good mark; ~ *felelet* ⟨spoken answer rating a good mark⟩; ~ *tanuló* ⟨pupil who has gained a good report/mark⟩
II. *n*, **1.** *[számjegy]* figure/number four **2.** *[busz]* bus number four, the number four bus, *[villamos]* tram/car number four, the number four tram/car; *ez a* ~ *végállomása* this is the terminus of No. 4; **3.** *[osztályzat]* mark four, good; ~*re felelt* he/she got a 'good', he/she was given a 'good' **4.** *[csónak]* four-oar, four **5.** *[csoport]* set of four, foursome *(fam)* ; ~*ben voltunk* we were four, there were four of us; ~*ben játszott [játék]* four handed **6.** *(zene)* quartet(te), *[tánc]* quadrille *(fr)*

négyesével *adv*, in fours, four deep, four at a time; ~ *(álljatok fel)* form fours!; ~ *véve a lépcsőket* four steps at a time; ~ *álló (növ)* quaternate

négyesség *n*, quaternity

négyével *adv*, = **négyesével**

négyévenként *adv*, every four years

négyévenkénti [-t] *a*, quadrennial

négyéves *a*, **1.** *[életkor]* four years old *(ut)*, four--year-old, *[igével]* be four years old **2.** *[négy évig tartó]* four years, four-year, *[négyévenként megismét-lődő]* quadrennial; ~ *vetésforgó* four-course rotation

négyevezős I. *a*, four-oared; ~ *csónak/hajó* four(-oar) **II.** *n*, four(-oar)

négyevezősoros *a*, ~ *hajó* quadrireme

négyévi *a*, four years', of four years *(ut)*

négyfalú [-t] *a*, four-walled

négyfázisú *a*, four-phase, *[motor]* four-stroke

négyfejű *a*, ~ *izom [combban]* quadriceps

négyfelé *adv*, ~ *vág* cut into four; ~ *futottak* they ran in four (different) directions; ~ *oszt [címerpajzsot]* quarter

négyféle *a*, four kinds/sorts of, of four (different) kinds/sorts *(ut)*

négyféleképpen *adv*, in four (different) ways

négyfogásos [-at] *a*, *[ebéd]* vacsora four-course (dinner)

négyfogatú [-ak, -t; *adv* -an] *a*, drawn by four horses; ~ *kocsi* carriage and four, four-in-hand

négyfogú *a*, ~ *hal (áll)* globe-fish *(Tetrodon lagocephalus)*

négyfokozatú [-ak, -t] *a*, four-stage; ~ *rakéta* four--step rocket

négyfokú *a*, *(zene)* tetratonic

négyforgású [-ak, -t] *a*, *[kristálytengely]* quadratic, tetragonal

négyhangnemű *a*, *(zene)* tetratonal

négyhangneműség *n*, *(zene)* tetratonality

négyhatalmú *a*, four-power, quadripartite; ~ *egyezmény/megállapodás* four-power pact; ~ *értekezlet/találkozó* Big Four Meeting; ~ *tárgyalás* four-power negotiation(s)

négyhavi *a*, four-month, four months', of four months *(ut)*

négyhengeres *a*, *[motor]* four-cylinder

négyhímes a, (növ) tetrandrous
négyhónapi a, = négyhavi
négyhónapos a, 1. [életkor] four months old (ut), four-month-old 2. [négy hónapig tartó] four-month, four months of, of four months (ut)
négyhúrú a, four-stringed
négyjegyű a, [szám] four-figure, [logaritmus] four-place/figure
négykaréjos a, (term) quadripartite, (rég) quatrefoil; ~ alaprajz (épít) quatrefoil plan
négykerékfék n, four-wheel brake(s)
négykerekű a, four-wheel(ed); ~ járgány quadricycle; ~ kocsi four-wheeler
négykezes I. a, [zenedarab] four-handed II. n, 1. [zene] four-hand-music, [zenedarab] piece for four hands, four-handed piece, four-hand-music; ~t játszanak play four-hands (on the piano) 2. [játék] playing four-hands, (kárty) four-handed game
négykezesezik [-tünk, -zünk] vi, play four-hands (on the piano)
négykézláb adv, on all fours, on one's hands and feet/knees, on the double; ~ jár walk on all fours; ~ mászik át vmn scramble through sg; ~ mászkál/ mászik [gyerek stb.] crawl
négykezű a, four-handed, (tud) quadrumanous; ~ állat quadrumane
négylábú I. a, four-footed/legged, quadrupedal II. n, (áll) quadruped
négylámpás(os) a, ~ rádiókészülék four-valve set
négylángú a, ~ olajkályha/petroleumkályha four burner oil stove
négylapú a, (menny) tetrahedral; ~ test tetrahedron
négylépcsős a, four-stage/step; ~ rakéta four-step rocket
négylevelű a, four-leaved/leaf, (tud) quadrifoliate; ~ lóhere four-leaf clover; ~ lóhere díszítés (épít) quatrefoil
négylovas a, drawn by four horses (ut), four-horse(d); ~ hintó/fogat carriage and four, four-in-hand
négyméteres a, four metres tall/long; a szoba négyszer ~ the room measures four metres by four
négymotoros a, four-engined
négynapi a, four day's, of four days (ut), four-day
négynapos a, 1. [kor] four days old (ut), four-day-old 2. = négynapi
négynegyedes [-et] a, (zene) quadruple, four-time; ~ ritmus/ütem quadruple measure/time/rhythm, common time
négynyelvű a, quadrilingual
négynyomásúa, ~ vetésforgó (mezőg) four-field course
négyoldal n, (menny) quadrilateral; teljes ~ complete quadrilateral
négyoldalú a, quadrilateral
négyoldalúa, four-sided, (menny) quadrilateral
négyórai a 1. [időtartam] four hours', of four hours (ut), four-hour 2. a ~ vonat the four o'clock train
négyórás I. a, = négyórai; II. n, a ~sal utazunk we shall leave by the four o'clock train
négyötöd n, four fifths
négypólusú a, (fiz, vill) quadrupole, four-pole
négyporzós a, (növ) tetrandrous
négyporzósok n. pl, (növ) tetrandria
négyrészes a, four-part, quaternary
négyrét adv, (folded) into four; ~ hajt(ogat) vmt fold sg into four, [szövetet stb.] redouble
négysarkú a, four-cornered
négysebességű a, four-speed
négysoros a, of four lines (ut), arranged in four rows/ ranks (ut), (tud) quadriserial; ~ dal four-line-tune, four-section melody; ~ dallamszerkezet (zene) four-section structure; ~ vers(szak)/szakasz quatrain, tetrastich

négyszárnyú a, 1. [bogár] tetrapterous 2. ~ légcsavar four-blade(d) airscrew
négyszarvú hal (áll) coffer-fish (Ostracion quadricornis)
négyszáz num. a/n, four hundred
négyszázéves a, ~ évforduló four-hundredth anniversary, quatercentenary, quadricentennial
négyszemélyes a, ~ autó/gépkocsi four-seater; ~ játék forsome, square game, [tenisz] double
négyszemközt adv, in private, privately, between ourselves, between the two of us, between you and me, têtà-à-tête (fr); ~ beszél vkvel talk to sy in private/privacy
négyszemközti a, ~ beszélgetés private interview/talk/ conversation, confidential conversation, têtà-à-tête, heart-to-heart talk
négyszer num. adv, four times, [négy alkalommal] on four occasions; ~ annyi four times as much; ~ öt láb four feet by five; a szoba ~ négyméteres the room measures four metres by four
négyszeres [-et; adv -en] I. a, fourfold, quadruple, (tud) quadruplex, quadruplicate II. n, quadruple; vmnek a ~e the quadruple of sg; húsz ötnek a ~e twenty is the quadruple of five, twenty is four times (as much as) five; ~ére emel quadruple
négyszeresen adv, quadruply, fourfold
négyszerez [-tem, -ett, -zen] vt, quadruple, increase sg fourfold, quadruplicate, multiply by four, make sg four times as much
négyszeri a, = négyszeres
négyszínnyomás n, four-colour printing
négyszínnyomat n, four-colour print
négyszirmú [-ak, -t] a, (növ) four-petal(l)ed, quadripetal(l)ed, tetrapetalous
négyszólamú a, (zene) four-part (harmony, song), for four voices/parts (ut)
négyszótagú a, four-syllabled, quadrisyllabic, tetrasyllabic(al); ~ szó tetrasyllable
négyszög n, 1. (ált) square, (menny) quadrilateral, quadrangle, quadrate, tetragon; ~ alakú square, quadrilateral, quadrangular; derékszögű ~ parallelogram, rectangle; ferde ~ rhomb; ~ben áll fel form into a square 2. (épít) [udvar] quadrangle, quad 3. [kockás minta] check
négyszögalakzat n, (rep) square, diamond-formation
négyszöges a, ~ öntözés [négyzetes táblákon] rectangular irrigation
négyszögesít [-eni, -ett, -sen] vt, (menny) quadrate, square
négyszögesítés n, quadrature, squaring; a kör ~e squaring (of) the circle, quadrature of the circle
négyszögletes a, 1. (ált) square, four-sided/cornered, [kő] squared; ~ nyakkivágás square neck; ~re formál square 2. (mért) four-angled, quadrangular, quadrilateral, tetragonal, rectangular
négyszögletű a, = négyszögletes
négyszögmérföld n, square mile (= 2,59 négyzetkilométer)
négyszögöl n, ⟨= 3,57 m² = 38,32 square foot⟩, (kb) square-fathom
négyszögű a, quadrangular, tetragonal, four-square
négytagú [-ak, -t; adv -an] a, 1. [szó] quadrisyllabic, (menny) of four terms (ut), quadrinomial 2. [csoport] of four (ut); ~ család family of four
négytalálatos szelvény lottery coupon (filled in) with four correct forecasts
négytengelyű a, [mozdony] eight-wheel
négytermős a, (növ) tetragynous
négytokos a, (növ) quadrivalve
négytornyos templom (épít) four-tower church
négyujjú a, (áll) quadridigitate, tetradactyl(e), tetradactylous

négyüléses *a*, with/having four seats *(ut)*, four-seated; ~ *gépkocsi* four-seater

négyütemű *a*, **1.** *[motor]* four-stroke/cycle; ~ *körjolyamat [motoroknál]* four-stroke cycle **2.** *(zene)* of quadruple/common time/rhythm *(ut)*; ~ *verssor* tetrameter, tetrapody

négyvégű *a*, four-point

négyvegyértékű *a*, tetravalent, quadrivalent

négyvegyértékűség *n*, tetravalence

negyven [-et] *num. a/n*, forty; ~ *mind [teniszben]* deuce; ~ *körül jár* be approaching forty, he/she is getting/ going on for forty; *ő túl van a ~en* he is over forty, he is on the wrong/shady side of forty *(fam)*; *betölti a ~et* turn forty

negyvened [-et, -e] *num. a/n*, fortieth (part)

negyvenedik [-et] *num. a/n*, fortieth

negyvenedmagammal *adv*, with 39 others, the/all forty of us

negyvenedvasárnap *n*, *(egyh)* Quadragesima (Sunday), first Sunday in Lent

negyvenen *num. adv*, forty (people), forty of them/us; ~ *voltunk* there were forty of us

negyvenes [-ek, -t, -e] **I.** *a*, **1.** ~ *szám* number/figure forty/40; ~ *autóbusz* bus number forty **2.** *a ~ évek* the forties, the 40s; *a ~ évek elején* in the early forties; *a ~ évek végén* in the late forties; *vknek a ~ évei* the/sy's forties **II.** *n*, **1.** *[számjegy]* figure forty **2.** *[villamos]* tram number forty, the number forty tram, *[busz]* bus number forty, the number forty bus **3.** *[személy]* quadragenarian, sy in the forties; *ő jó ~* he is well over forty, he is a good forty, he is easily forty, *(iron)* she won't be forty again, she is on the wrong/shady side of forty

negyvenéves **I.** *a*, forty years old *(ut)*, forty-year-old, aged 40 *(ut)*, *[negyven évig tartó]* forty years', of forty years *(ut)*; ~ *ember/férfi* a man of forty, a man forty years old, quadragenarian; *elmúlt ~* be on the wrong/shady side of forty *(fam)* **II.** *n*, *a ~ek* the forty-year-olds, the quadragenarians

negyvenévi *a*, forty years', of forty years *(ut)*

negyvenféle *a*, forty kinds/sorts of, of forty (different) kinds/varieties *(ut)*

negyvennapi *a*, of forty days *(ut)*, forty days of; ~ *böjt* (Lenten) fast(ing)

negyvennyolc **I.** *num. a/n*, forty-eight **II.** *n*, (the year) 1848, (the year) 1948; *nem enged a ~ból* stick to one's opinions/guns; *enged a ~ból* haul in one's sails

negyvennyolcas **I.** *a*, of 1848 *(ut)*; ~ *politikus* politician upholding the principles of 1848 **II.** *n*, revolutionary of 1848

negyvenszer *adv*, forty times

negyvenszeres *a*, forty-fold

négyzet *n*, **1.** *(mért)* square, *(ritk)* quadrate; ~ *alakú* square, quadrate; *a ~ által bezárt terület* the space enclosed in a square **2.** *(menny)* *[második hatvány]* square, second power; *a ~ plusz b ~* a squared plus b squared; *x ~* x squared; *legkisebb ~ek módszere (menny)* least square method; *x a ~en* x squared; *~re emel* bring to a square, square, raise to the second power; *~re emelés* squaring

négyzetcentiméter *n*, square centimetre, cm²

négyzetdecíméter *n*, square decimetre, dm²

négyzetes [-et; *adv* -en] *a*, *[négyzet alakú]* quadratic, quadrate, square, *[kristályrendszer]* quadratic, *(ásv)* tetragonal; ~ *átlag [statisztikában]* quadratic mean; ~ *kizárás (nyomd)* em-quad; ~ *papír* cross-ruled paper, squared paper; ~ *úthálózat [városé]* grid-iron plan; ~ *vetés [= művelet]* checkrow sowing; ~ *vetőgép* square drill, checkrower

négyzetesen *adv*, ~ *vet* sow in squares, plant in check-rows, checkrow, check *(US)*

négyzetgyök *n*, square/second root; *x⁶ ~e x³* the square root of x⁶ is x³; *~öt von* extract the square root of a quantity

négyzetgyökvonás *n*, extraction (of square root), square root extraction

négyzetkilométer *n*, square kilometre, km²

négyzetmérföld *n*, = négyszögmérföld

négyzetméter *n*, square metre, m²

négyzetmillíméter *n*, square millimetre, mm²

négyzetöl *n*, = négyszögöl

négyzetvas *n*, square-iron, quadrant iron

négyzetyard *n*, square yard, super-yard

néha *adv. indef*, sometimes, (every) now and then/ again, at times, occasionally, once in a way/while; *az ember ~ téved* one cannot always be right, man is not infallible, one is apt to make mistakes; *nagy ~* at long intervals, now and then, off and on, occasionally

néhai [-ak, -t] *a*, late, deceased; ~ *való* dead and gone; ~ *Szántó István* Mr I. Szántó(,) deceased, the late Mr Szántó

néhanapján *adv. indef*, now and then/again, ever so often, once in a while, once in a blue moon *(fam)*

néha-néha *adv*, once and again, once in a way/while, off and on, on and off, at odd times, at intervals

néhány **I.** *a. indef*, some, a number of, a few, several, one or two, two or three, a couple of *(fam)*; ~ *nappal ezelőtt*, ~ *napja* some *(v. a few)* days ago; ~ *nap múlva* in a day or two, in some days; ~ *napon belül* in a day or two, during the next few days; ~ *szóval* in a few words; ~ *ember* some *(v. a few)* people; *mindössze ~ követője akadt* he had a mere scattering of followers; *még ~ a few more; írt ~ sort* he wrote some *(v. a few)* lines; *három shilling és ~ penny* 3 shillings odd; *jó ~* a good many, quite a few, quite a number of; *van belőle jó ~* I have several; *jó ~ éve* a long time ago, several years ago/back **II.** *n. indef*, some of them, some; *~uk* some of them, divers of them *(obs)*

néhányan *adv. indef*, some (few), a number of persons; ~ *közülük* some of them; *még ~ ott maradtunk* some few (of us) remained; *alig ~ voltunk* we were only a few

néhányféle *a*, several kinds of

néhányszor *adv. indef*, *[néha]* sometimes, now and then, once or twice, *[többször]* several times, repeatedly, many a time; *már ~ mondtam neked* I have told you several times

nehéz [nehezet; *adv* nehezen] **I.** *a*, **1.** *[súlyra]* heavy, ponderous, weighty, cumbersome; *milyen ~?* how much does it weigh?; ~ *csizmás lábak* heavily booted feet; ~ *fegyverzetű [lovag]* heavy-armed; ~ *fém* heavy metal; ~ *gyalogsági fegyver* heavy infantry weapon; ~ *hidrogén* heavy hydrogen; ~ *öntvény* heavy castings *(pl)*; ~ *poggyász* heavy baggage; ~ *testű* heavy, heavily-built, corpulent, big, hefty; ~ *tiszt [sakk]* heavy piece; ~ *mint a(z) ólom/só* as heavy as lead **2.** *(átv)* heavy; ~ *álom* heavy sleep; ~ *bor* strong/heavy/heady wine, full-bodied wine; ~ *étel* heavy/stodgy/rich/indigestible food, stodge; ~ *illat* heavy/strong scent; ~ *kezű* heavy-handed; ~ *levegő* stuffy air; ~ *pénzeket fizet vmért* pay a heap of money, pay a stiff/heavy price, pay through the nose for sg *(fam)*; ~ *pénzeket kellett fizetnie* he had to pay through the nose (for it); ~ *selyem* heavy silk; ~ *szag* heavy odour; ~ *a feje [járadtságtól]* feel heavy-headed, *[szerény szellemi képességű]* be heavy-headed, have a thick head; ~ *a fejem* my head is heavy; ~ *a szeme* be drowsy; ~ *volt a szíve* his heart was full **3.** *(átv)* *[feladat stb.]* difficult, hard, tough *(fam)*, *[fárasztó]* fatiguing, wearisome, laborious, trying, uphill, exacting, troublesome, *[ló]* heavy in hand, hard--mouthed; *[terhes]* burdensome, onerous, *[veszélyes]* dangerous, gruelling ◇, *[felelősségteljes]* responsible, arduous *(rej.)*, *[probléma]* knotty, intricate, thorny, ticklish; ~ *dió (átv)* hard nut to crack; ~ *dolga van (átv)* he has a hard task, he is hard put to it (to. . .)i he is finding it difficult (to . .), he is having a job to cope with it *(fam)* ; ~ *dolga lesz vele* he will give you trouble, he is a handful, you will have difficulties with him, you have your work cut out with him; ~ *dolog/eset/ügy* difficult case/proposition; *nem olyan* ~ *dolog* it is not so difficult (to do); ~ *élete van* have a hard time of it; *(ő)* ~ *ember/eset* he is difficult to get on with, he is a difficult person, he is hard to please, he takes some handling, he is a difficult person to manage; ~ *emésztés* indigestion, difficulty in digestion; ~ *feje van* be slow of understanding, be slow in the uptake, be dull-witted/brained, be dull; ~ *feladat* hard task, hard nut to crack *(fam)*, hard row to hoe *(fam)*, difficult/tough job *(fam)* ; ~ *feladatra vállalkozik* undertake a difficult job; ~ *felfogású* slow of understanding *(ut)*, dull, heavy, dull-witted/brained, obtuse, fat-witted *(fam)*, *[gyerek]* slow (in the uptake); ~ *a felfogása* be slow of understanding, be dull/heavy, have a thick head; ~ *fizető* slow at paying *(ut)* ; ~ *helyzet* difficult/awkward position, plight, predicament, fix *(fam)*, hole *(fam)*, scrape *(fam)*, tight corner *(fam)*, strait *(fam)* ; ~ *helyzetben van* be in a(n) difficult/awkward position, be between the devil and the deep sea, be between hell and high water, be in low water, be in a sorry/sad plight, be in a quandary, *[anyagilag]* be badly off, be hard up, be reduced to exigency, be in great straits, be in straitened circumstances, be up the gum-tree ◇, be on the rocks; ~ *helyzetbe hoz vkt* land sy in a difficulty; ~ *idők* hard times, a rainy day; ~ *idők járnak* times are hard; ~ *időkben* in times of need, in the hour of need, between hay and grass *(US)* ; ~ *kérdés* difficult question, knotty problem, hard question to answer, tickler *(fam)*, teaser *(fam)*, staggerer *(fam)*, stumper *(fam)*, sticker *(fam)*, *[vizsgán]* sticker, quiz; ~ *könyv* difficult book; ~ *körülmények* trying circumstances; *rendkívül* ~ *körülmények között dolgozunk* we are working under extraordinarily difficult circumstances, we are working under circumstances of the greatest/utmost difficulty; ~ *légzés (orv)* heavy/laboured/rough breathing, labouring breath, oppression of lung, dyspnoea; ~ *munka* difficult (piece of) work, heavy/hard/uphill work, drudgery, tough job *(fam)*, grind *(fam)*, hard/long row to hoe *(fam)*, collar--work *(fam)* ; ~ *munka volt* I had a job to do it, I found it tough going, it was a difficult piece of work, it was a difficult job; ~ *munkával szerzett/keresett bér* hard-earned wages; ~ *nap* heavy day; *a* ~ *napokban* in the days of hardship/stress, in difficult days, in hard times; ~ *nyelés (orv)* dysphagia; *(ez a könyv)* ~ *olvasmány* (this book is/makes) difficult reading; ~ *órám volt* I had a sticky hour; ~ *órákban* in times of need, in the hour of need; ~ *pasas (biz)* tough/rough/ugly/rum customer, tough proposition; ~ *perceket okoz/szerez vknek* give sy a gruelling time; ~ *a sor(s)a* his lot is a hard one, he has a raw deal; ~ *sorsra/sorba jut* fall on evil days; ~ *szívvel utaztam el* I left with a heavy heart; ~ *szó* hard word; ~ *szülés* difficult confinement/birth, dystocia; ~ *talaj* heavy ground/earth/soil; ~ *terep* difficult ground; ~ *természet* (he is) a difficult person, he is hard *(v.* not easy) to get on with; ~ *természetű* difficult, cranky, ill-tempered, of difficult/crotchety temper/disposition *(ut)*, *[gyermek]*

wayward (child); ~ *természetű gyermek* wayward/difficult child; ~ *testi munka* hard (physical) work; ~ *testi munkás* labourer, physical labourer/worker; ~ *vizelés (orv)* dysuria, dysury; ~ *zene [játszani]* difficult music, *[érteni]* music which makes demands on the listener 4. *[egyéb szerkezetekben :]* ~ *vele boldogulni* he is difficult to get on with; *ez igazán nem lesz* ~ there will be no difficulty about it; ~ *kapni/hozzájutni* hard to come by, hard to get/obtain, is in short supply; ~ *kielégíteni* be hard to please; ~ *megállapítani/eldönteni* it is hard/difficult to say; ~ *megtalálni* it takes a lot of finding; ~ *vissza-utasítanom egy ilyen ajánlatot* it is difficult for me to turn down such an offer, I can't very well help accepting, such an offer; *ld még* **nehezebb**

II. *n, vmnek a neheze* the most difficult part of sg; *a neheze neked jutott ki* you had to bear the brunt of it; *túl van a nehezén* be over the hump, break the neck of a task; *a nehezén már túl vagyunk* we are over the hump/worst, we have turned the corner, the worst is over; *még nem vagyunk túl a nehezén* the worst is yet (to come), we are not out of the woods yet; *nehezemre esik (vmt megtenni)* I find it difficult (to do sg), it is difficult for me (to do sg), *[kellemetlen]* it irks me to . . .; *nehezemre esik elhagyni őt* I am loath to leave him, it is with difficulty that I leave him; *nehezemre esik ezt mondani* it pains me to have to say it, it pains me that I must say it; *nehezedre fog esni* you will be hard put (to do sg); *nehezére esik a beszéd* he has difficulty in speaking; *elvégzi a (munka) nehezét* break the back/neck of (the work/task), get through the hardest part of (the work/job), get the hardest part done; *a munka nehezét már elvégeztük* the hardest part of the job is done, we have broken the back of the work/task; *ő végezte a munka nehezét* he did the heavy work

nehézágyú *n,* heavy artillery gun
nehézbombázó *n, [repülőgép]* heavy bomber
nehézbenzin *n,* heavy petrol/gasoline, power-petrol
nehezebb [-et, -je] *a,* 1. *[súlyra]* heavier 2. *(átv)* more difficult, *[igével]* outweigh; ~*é tesz vmt* make sg more difficult; *annál* ~ all the more difficult
nehezedés *n,* growing heaviness/heavy, pressure
nehezed|ik [-tem, -ett, -jen, -jék] *vi,* 1. *[nehezebb lesz]* become/grow heavier, increase in weight 2. *(átv)* *[nehezebbé válik]* become harder, become more difficult 3. *(vmre, vkre)* press/weigh/lie/sit heavily on sg/sy, weigh heavily on sg, bear on sg; *egész súlyommal* ~*tem rá* I threw my whole weight on top of *(v.* at) him; *az élet súlyosan* ~*ik rájuk* life weighs heavily on them; *súlyos elnyomás* ~*ett a népre* the nation was subjected to heavy oppression; *nagy csend* ~*ett a tájra* a heavy silence brooded/hung over the landscape; *ld még* **ránehezedik**
nehezék [-et, -e] *n, [merlegen]* balance weight, counter-weight, *[levél]* paperweight, *[hajón, léggömbön]* ballast, *[horgászzsinóron]* plummet
nehezell [-eni, -ett, -jen] *vt,* 1. *(konkr)* find (sg) too heavy 2. *(átv)* find (a task etc.) too hard/difficult
nehezen *adv,* with difficulty *(ut)*, hardly; ~ *(érthetően)* beszél have a thick utterance; ~ *elképzelhető* hardly conceivable; ~ *emészthető étel* indigestible food, food that doesn't digest easily, food that is not easily digested; ~ *érik* be slow to ripen; ~ *érő* slow to ripen *(ut)*, ~ *észrevehető/látható* not easily seen, inconspicuous; ~ *fegyelmezhető [ember, állat]* hard to manage *(ut)*, unmanageable; ~ *fejezi ki magát* he has difficulty in expressing himself; ~ *felejt* does not forget things easily; ~ *fogy [áru]* go off heavily; ~ *forgatható [nagy könyv stb.]* unmanageable; ~ *hihető* it is hard/difficult to believe; ~ *hozzáférhető* difficult of access; ~ *indul! (tárgyalás*

stb.] it is slow to get going; ~ *jár* walk with difficulty; ~ *kapni* hard to get; ~ *kezelhető [tárgy állt]* impracticable, difficult to manage/handle *(ut)*, *[nagy könyv stb.]* unmanageable, difficult to handle *(ut)*, *[gép]* unworkable, *[ember]* not easy to manage/treat/handle *(ut)*, difficult/hard to manage/handle *(ut)*, difficult to get on with *(ut)*, unmanageable, *[igével]* be (a bit) trying, take some handling, *[gyermek]* wayward, refractory, ornery *(US fam)*; ~ *kezelhető gyerek* that child is a handful, he is a problem/difficult child; ~ *kivívott/kicsikart* hard-won; ~ *megy (vm)* it goes/proceeds very slowly, it is difficult to manage, it takes a lot of time, it's a hard nut to crack *(fam)*; *nagyon* ~ *indult/távozott* he was very reluctant to go; ~ *olvasható* difficult to read *(ut)*; ~ *szerzett [vagyon]* hard-got(ten); ~ *tanul* be slow at learning; ~ *telik az idő* time hangs heavy on my hands; ~ *tudnám megmondani* I find it hard/difficult to tell you, I couldn't tell you off-hand; ~ *vártuk ezt a percet* we were waiting impatiently for this moment, we could hardly wait for this moment

nehézfegyverzet *n*, heavy armament
nehézfejű *a*, dull of comprehension *(ut)*, backward, dull-witted, thickheaded *(fam)*, slow in the uptake *(fam)*, thick-skulled *(fam)*; ~ *ember* slowcoach *(fam)*
nehézipar *n*, heavy industry
nehézipari *a*, heavy-industry; N~ *Minisztérium* Ministry of Heavy Industries; N~ *Műszaki Egyetem* Heavy Industries Polytechnic University; ~ *termékek* products of the heavy industries
nehezít [-eni, -ett, -sen] *vt*, **1.** make sg heavy/heavier, increase the weight of sg, *[nehezékkel]* ballast, *(tex)* weight, load **2.** *(átv)* render (more) difficult, hamper, impede
nehezített [-et] *a*, *(tex)* weighted
nehézkedés *n*, *(fiz)* gravitation
nehézkedési erő *(fiz)* force of gravity, gravitation(al pull)
nehézkedéstan *n*, barology
nehézked|ik [-tem, -ett, -jen, -jék] *vi*, *(vmre, vkre)* lean/weigh on
nehézkes [-et; *adv* -en] *a*, *[mozgás]* clumsy, cumbersome, cumbrous, tardy, sluggish, *[stílus]* ponderous, laboured, heavy, stodgy, crabbed, *[folyamat]* difficult, wearisome, irksome, *[átv személy]* difficult, unaccommodating, hesitant, *[természet]* cumbersome, difficult; ~*sé lesz* become difficult
nehézkesen *adv*, clumsily, cumbersomely; ~ *jár* move about heavily; ~ *mozog* trudge, drag one's feet, slouch, move in a slovenly way, have a clumsy way about one, move with difficulty
nehézkesség *n*, *[mozgásé]* heaviness, clumsiness, cumbersomeness, cumbrousness, sluggishness, sullenness, *[járásé]* heaviness, *[vm elvégzésében]* tardiness, *[stílusé]* ponderosity, ponderousness, *[személyé]* difficult character
nehézkór *n*, † epilepsy, falling sickness
nehézkóros *a*, epileptic
nehézkórság *n*, = nehézkór
nehézkovácsolás *n*, heavy forging
nehézlovasság *n*, heavy cavalry
nehezményez [-tem, -ett, -zen] *vt*, *(vmt)* take exception to sg, hold sg as a grievance, take sg in bad part, take sg amiss, take offence at sg, object to sg; *én éppen ezt* ~*tem* that was exactly what I objected to
nehéznyelvű *a*, thick of speech
nehézolaj *n*, heavy/crude oil
nehézség *n*, **1.** *[súly]* heaviness **2.** *(fiz)* gravity **3.** *(átv)* difficulty, hardness, toughness, knottiness,

arduousness, hardship, *[nehéz helyzet]* quandary, stress, *[buktató]* stumbling-block, *[problémában]* crux, puzzle, *[technikai]* hitch, snag, trouble; *az a legnagyobb* ~ *hogy* ... the great drawback is that ...; *sok* ~ *árán* by overcoming many difficulties, at great personal inconvenience, at great cost to himself; *új* ~ *támad* some new difficulty arises; ~ *nélkül* easily, smoothly, without difficulty, without a hitch, conveniently; *a* ~ *abban állott* difficulty had lain in; ~*ei vannak* be up against difficulties; ~*ei vannak vm megtételében* have difficulty in doing sg; *ha* ~*ek merülnének fel* if one should make heavy weather; *az ügyben* ~*ek merültek fel* this affair ran into difficulties, unexpected difficulties cropped up; *semmi* ~*em nem/sem volt* I didn't have any trouble at all; ~*be ütközik* meet with a difficulty; ~*ekbe ütközik* hit against difficulties; *a legnagyobb* ~*ekbe ütközik* come up against an almost insuperable barrier; ~*ekbe ütközött* it encountered difficulties; *a* ~*eken segít* meet the difficulties; *elosztatja/elhárítja a* ~*eket* remove/obviate difficulties; *minden* ~*et eltávolít* remove all difficulties; ~*et okoz* make/raise difficulties, create obstacles, cause inconvenience(s); ~*eket támaszt* make/raise difficulties, create obstacles, raise objections; *vknek* ~*eket támaszt*, ~*eket gördít vk útjába* put difficulties (*v.* throw obstacles) in sy's way, lead sy a dance *(fam)*; *legyűri/leküzdi/legyőzi a* ~*eket* surmount/overcome (*v.* get over) the difficulties; ~*et megkerül* get round (*v.* evade) a difficulty; *nem látok benne semmi* ~*et* I cannot see any difficulty about/in it, there is nothing difficult about it; *technikai vonatkozásban nem ismert* ~*et* technically he was unaware of difficulties; *vállalja a* ~*eket* face the difficulties; ~*ektől visszariad/megretten* be frightened (*v.* put off) by difficulties; ~*ekkel áll* (*v.* *találja magát)* szemben be confronted by/with difficulties, hit against difficulties; *ez* ~*ekkel jár* this involves difficulties; ~*ekkel körülvett* hedged with difficulties *(ut)*; ~*ekkel küzd* be up against difficulties, wrestle with difficulties, have difficulties, *[pénzügyileg]* be hard up; *növekvő* ~*ekkel küzd* fight against mounting odds; *nagy* ~*ekkel kell megküzdenie* labour under great difficulties; ~*ekkel teli élet* life full of hardship, precarious existence **4.** *(ritk)* epilepsy, falling sickness; *rájött a* ~ he has an epileptic fit; *hogy a* ~ *essen belé!* a plague on him!
nehézségi [-ek, -t] *a*, gravitational, of gravity/gravitation *(ut)*; ~ *erő* force of gravity, gravitation(al pull); ~ *gyorsulás* gravity acceleration; ~ *javítás [barométeré]* gravity correction
nehézsúly *n*, heavy-weight
nehézsúlyú *a*, heavy-weight; ~ *birkózó* heavy-weight wrestler
neheztel [-t, -jen] *vi*, ~ *vkre (vmért)* bear/have a grudge against sy (for sg), owe sy a grudge (for sg), keep up a grudge against sy, harbour resentment against sy, be offended with/by sy, bear sy ill-will (*v.* malice) (for having done sg), have a spite against sy, be vexed/angry/annoyed with sy (for sg), sulk, be sulky with sy, be out of friends with sy *(fam)*, be out with sy *(fam)*, be sore at/on sy *(fam)*, have an edge on sy *(US fam)*; ~ *vm miatt* be offended at/by sg, take offence at sg, resent sg, be sore about sg, be piqued at sg, take umbrage at sg; ~ *a férjére* be offended with/by her husband; *nem* ~ *vkre* bear no resentment against sy, bear sy no malice/grudge; *nem* ~*ek rá* I bear him no malice/grudge, I have nothing on him *(US)*; *remélem hogy nem* ~ no malice(,) I hope; *nem* ~*t* he bore no hard/ill feelings; ~*nek rá* his behaviour is resented, he is under a cloud

nehisztelés *n*, rancour, resentment, grudge, pique, dudgeon, malice, ill-feeling; *minden ~ nélkül* without malice, without (any) ill-feeling

nehisztelő [-t; *adv* -leg] *a*, reproachful, reproving, resentful; *~ pillantás* reproachful/reproving glance

nehéztüzérség *n*, heavy artillery, position-artillery, the Heavies *(pl)*

nehézvíz *n*, heavy water

nehogy *conj*, 1. *[tiltás] ~ megmondd neki* mind you don't tell him; *~ azt hidd hogy...* don't run away with the idea that...; *~ megtegyed!* don't do it! 2. *[következmény elkerülése]* so that... not, for fear that, lest; *vigyen ernyőt ~ megázzék* take your umbrella so that you won't get wet, take your umbrella lest you (should) get wet; *elkísértem ~ vm rosszat/szamárságot tegyen* I went with him to save him from doing sg wrong; *sietett ~ elkéssen* he hurried so as not to be late, he walked fast for fear of being late, he walked fast for fear lest/that he should be late; *kapkodva kellett öltöznie ~ elkéssen az ülésről* he had to dress in a hurry so as not to be late for the session; *~ elfelejtsük* lest we forget; *~ halálát okozza* for fear of causing his death; *~ meghallja* for fear (that) he may hear, for fear (lest) he should hear

néhol *adv. indef*, here and there, in (some) places

neje [..ét] *n*, his wife, his (good) lady; *(fam); hogy van a kedves ~?* how is Mrs...?, how is your good lady? *(fam); bé ~m (tréf biz)* my old duchess, the wife, the missus, the goodwife, my old woman

-nejű [-ek, -t] *a*, -gamous

-nek *suff*, *ld* **-nak**

nekem [neked, neki, nekünk, nektek, nekik] *adv. pron*, 1. to/for me, me; *~ van* I have; *~ nincs* I have not, I do not have, I haven't got *(fam); ~ is (egyet)!* the same here; *ez nem ~ való hely* it is no place for me; *~ jöttek* they ran into me, they fell upon me; *ő ~ jött vm miatt* he attacked me on account of sg; *ha neked volnék/lennék* if I were you, in your place/position; *nekünk* (to) us; *nekünk nincs* we have not 2. *nehogy ~ mégegyszer előforduljon ez* I hope it won't happen again, I don't expect it will happen again

neki I. *adv. pron*, (to) him; *~ áll feljebb* he is riding the high horse; *~ való* suiting him/her, suitable for him/her; *ez éppen ~ való* this is the very thing he wants/needs, it is made for him, its just him *(fam); ld* **még** *nekem;* II. *int*, go (to) it!. go ahead!, at them/it!; *~ legények!* blaze away lads!

nekiáll *vi*, set/fall/buckle to sg, set about doing sg, settle down to sg, take sg in hand; *~ a munkának* get/settle down to work, buckle down to; *ideje hogy ~junk* it is time to set about it (in earnest), let's get going; *általában így áll neki az ember* the common or garden way of setting about *(fam)*

nekibátorod|ik [-tam, -ott, -jon, -jék] *vi*, take heart/ courage, pluck/muster up courage, pluck up one's courage/spirits, man oneself, throw off one's shyness, rally, pluck up heart, hearten (up), lose fear; *annyira ~ott hogy* he made so bold as to

nekiböszült *a*, furious, rabid

nekibúsul *vi/vt*, give way to grief, yield to grief; *nagyon ~t* he was overcome by a dark mood, he is in the dumps

nekibuzdul *vi*, redouble one's zeal, set about it in earnest

nekibuzdulás *n*, burst of activity, elan

nekicsap *vt*, dash against

nekicsapód|ik *vi*, *(vmnek)* knock/bump/bang/hit/smash dash/hurtle against

nekidob *vt*, fling at

nekidől *vi*, *(vmnek)* lean/rest against, recline

nekidurálja magát pluck/screw up courage, take one's courage in both hands, *(vmnek)* set about sg in earnest, have a go at sg, get to do sg

nekiered *vi*, 1. *~t az eső* it began to rain, rain set in, it came on to rain 2. *~ a futásnak* start running, begin to run, set off

nekiereszt *vt*, let loose; *~i a hangját* begin to bellow/ shout, *[énekes]* produce one's voice; *~i magát* let oneself go; *~i a lovakat* give rein to the horses, give the horses their heads; *~i vknek a kutyát* set the dog at/on sy; *ereszd neki!* let it go full speed!, let it rip/go!

nekies|ik *vi*, 1. *(vmnek)* fall/bump against, *[fejével]* knock/strike/bump/rub (one's head) against 2. *[vknek támadólag]* turn on, attack, assail, go for, pitch into, set/fall upon, walk into (sy), *(vmnek)* set upon, fall to, throw oneself upon; *nekiestek* he has been set upon; *~ik az ételnek* pitch into one's food, attack one's food, fall on/to one's food; *~ett a levesnek* he addressed himself to the soup; *~ik a munkának* pitch into the work, buckle (down) to...

nekifarol *vi*, *(vmnek)* back into (sg)

nekifeksz|ik *vi*, *(vmnek)* go in for, buckle (down) to, fall to, *[minden erejével]* put one's back into, give one's full mind to, bend to (one's task); *~ik a munkának* put/set one's shoulder to the wheel; *ha mi jól ~ünk* if we wire in

nekifeszít *vt*, *(vmt vmnek)* press sg against sg, *[feszítővasat]* try to force sg; *~i a vállát vmnek* set one's shoulder against/to sg

nekifeszül *vi*, 1. *[munkának]* = **nekifekszik;** 2. *[ajtónak]* try to force the door open, bring leverage to bear on (a door)

nekifog *vi*, *(vmnek)* set/fall to, buckle (down) to, set about doing, tackle sg, get down to, get to (work), turn one's/the hand to, go about sg, pitch into *(fam), (kif)* go at it with a will, *[vállalkozásnak]* enter upon, embark (on, upon), *[ételnek]* fall to; *most nem tudok ~ni* I can't start on it just now; *mindennek ~* he tries his hand at everything; *~ a munkának* get down to work, put one's hand to the plough; *teljes erővel ~* go at sg hammer and tongs; *~ egy feladat végrehajtásának* settle down to a task; *~ egy probléma megoldásának* tackle a problem

nekifohászkod|ik *vi*, 1. set about it/sg with a sigh 2. *= = *** nekidurálja magát**

nekiforrósod|ik *vi*, *a hangulat ~ott* feeling began to run high

nekifut *vi*, *(vmnek, vknek)* run at/against, make a run at, *[lendülettel]* take a start/run at, take off for

nekifutás *n*, run, start, run-up, approach; *mindjárt az első ~ra* at the (first) onset, *(sp)* run-up; *ugrás ~ból* running jump/leap

nekigyűrköz|ik *vi*, *(konkr)* turn/roll up one's sleeves, *(átv)* brace (oneself) up (to do sg), buckle (down) to (sg), gird up one's loins *(ref.)*, put one's hand to, set about doing sg, put one's back into it, go at it bald-headed *(fam)*, go at it with all one's worth *(fam)*, knuckle down to (sg) *(US); ~ik a munkának* put/set one's shoulder to the wheel; *~ik egy feladatnak* attack a task

nekihajít *vi*, *(vmnek, vmnek)* fling at

nekihajt I. *vt*, *(vmt vmnek/vknek)* drive sg against/ into sy/sg II. *vi*, *(vmnek/vknek)* drive/run against/ into sg/sy, *[gépkocsival]* bump/crash into; *~ott egy fának* he crashed into a tree

nekihevül *vi*, warm, warm/fire up, become heated, warm to, get into a heat, get/grow hot, *[beszéd közben]* run high; *nagyon ~tek a vitának* feeling began to run high, words were becoming heated

nekiindul *vi*, start off, set out, cut along, gather/fetch headway

nekiiramodás *n*, dash, run

nekiiramod|ik *vi*, start off at a run, break into a run, take to one's heels, dash/shoot forward, set off running, cut along/down, *[jármű]* gather speed; ~ik vmnek make a rush towards/for sg

nekikesered|ik [-tem, -ett, -jen, -jék] *vi.* 1. = **elkeseredik;** 2. *az idő/ég* ~*ik* it looks like a rain, it looks like bad weather

nekikészül *vi,* get ready, *(vmnek)* make ready to/for sg, make ready to do sg, get ready for, prepare for, compose oneself to do (sg), set about, clear the decks for, *[lelkileg]* steeel oneself to do sg

nekikészülőd|ik *vi,* = nekikészül

nekikezd *vi,* = nekilát

nekikezdés *n, [vmlyen feladathoz]* tackling

nekilát *vi, (vmnek)* set/fall/buckle/turn to, set about doing sg, set/turn one's hand to, set oneself to do sg, undertake sg, address oneself to (a task), embark (on, upon), go about, spring to, bend to (the task), blaze away (at one's work), have a go at sg, start in on sg, start in to do sg, go at it with a will, *[ételnek]* fall to; *(habozás nélkül)* ~ vmnek go ahead with sg; ~ *az ebédnek* attack one's dinner; ~ *a munkának* get down to work, put one's hand to the plough, hitch up to a job *(fam)*, put one's best leg foremost/forward *(fam)*; ~ *a tanulásnak* bend one's mind to study; *ha mi jól* ~*unk* if we wire in

nekilelkesed|ik *vi, (vmnek)* become/get enthusiastic about, warm up to

nekilendül *vi,* gather/fetch headway, dart at/upon sg, *[mozgalom]* get under way

nekilendülés *n,* burst of activity, dart, dash, impulse

nekilódít *vt, (vmt vmnek)* dash

nekilódul *vi, (vknek)* hustle (against sy), hurtle, surge, bestir

nekilovagol *vi,* ride at

nekilök *vt, (vkt/vmt vmnek)* throw/bump/push/shove/thrust sy/sg against sg

nekilököd|ik *vi,* ~*ik vknek* hustle against sy

nekimegy *vi,* 1. *[ütközve vmnek]* knock/run/bang against sg, come up against sg, run into sg, hit against sg, *(vknek)* run into sy, cannon into/against/with sy, come into collision with sy; ~ *a falnak* bang into the wall, hit against the wall; *kocsijával* ~ *egy falnak* run one's car into a wall; *fejével nekiment vmnek* he knocked/bumped/ran his head against sg; *orral* ~ *[másik hajónak]* ram 2. *[támadólag vknek]* make at, go against/at, turn on, pitch into, *(átv vknek)* attack/assail sy, fall upon, let fly at, storm at (sy), run at sy, set about sy *(fam)*, slip into sy ◆; *bátran nekiment az ellenségnek* he rushed/dashed bravely upon the enemy; *a rendőrség nekiment a tömegnek* the police charged the crowd; *nekimentem emiatt* I went for him about it 3. ~ *a vizsgának* tackle/face/risk the/an examination, have a dash at an/the examination; *azért én mégis* ~*ek a vizsgának* nevertheless I will go in for the examination; *újból* ~ *egy vizsgának* re-enter for an examination

nekirepül *vi, (vmnek)* fly against sg, *[repgéppel]* crash against/into sg

nekirohan *vi, (vmnek)* run against sg, *(vknek)* run at sy; *fejjel* ~ *az ajtónak* run one's head against the door

nekiront *vi, (vmnek, vknek)* dash into/against sg/sy, *[támadólag/átv vknek]* pitch into, fall on, let fly at, come at sy, fly out at, attack sy in a rough manner, charge sy, make at, descend (up)on, fall foul of, rush at/on, hurl oneself at, walk into (sy); ~ *az ellenségnek* swoop down on the enemy; *vadul* ~ *vknek* go for sy cut and thrust

nekirugaszkod|ik *vi,* 1. *(vmnek)* dart at/upon sg; *ld még* nekilát, nekifekszik; 2. *[elszalad]* bolt, dart off

nekiszalad *vi,* run/dash/hurl against/into, run at, *(sp)* take a (running) start; *fejjel* ~ *az ajtónak* run one's

head against the door; *kocsijával* ~ *egy falnak* run one's car into a wall; *a távolugráshoz* ~ take off for a long jump

nekiszegez *vi, [fegyvert vknek]* point/level/aim sg at sy; ~*te revolverét* he pointed his gun at him; ~*lem a kérdést* I sprang the question on him, I asked him bluntly/flat

nekitámad *vi, (vknek)* attack, assail, turn (up)on, run at, make for, let fly at, spring at, fly in the face of, fall upon, pitch into *(fam)*

nekitámaszkod|ik *vi, (vmnek)* lean/rest/press against, *(épít)* abut on, butt; *(háttal)* ~*ik a falnak* lean (with one's back) against the wall

nekitámaszt *vt, (vmnek)* lean/rest sg on/against sg, set sg against sg, prop (up)

nekitüzesed|ik *vi, (átv)* fire/warm up, become heated

nekiugrat *vi/vt,* ~*ott az akadálynak* he rode straight at the fence; *lovát* ~*ja* start off one's horse, *[akadálynak]* put one's horse across a hedge (*v.* to a fence)

nekiugr|ik *vt, (vmnek)* spring/jump/leap at, shoot for, *(vknek)* fly at, fly in the face of, fling oneself at

nekiül *vi, (vmnek)* set about; ~*t a munkának* he sat down to work

nekiüt *vt,* dash/hit/drive against; ~*i a lábát egy kőnek/ sziklának* shin oneself against a rock

nekiütközés *n,* impingement, impinging, impact

nekiütköz|ik *vi, (vmnek)* impact with/against (sg), bump/knock/hit/strike against (sg), knock up against (sg), impinge (up)on (sg), cannon into/against/with sg, run/barge into

nekiütődés *n,* knocking against sg, impact

nekiütőd|ik *vi, (vmnek)* bump/knock/hit/smash/dash against, hit, jar (sg), impact with/against (sg)

nekivadul *vi, (átv)* become more and more infuriated/ savage, let oneself go, be carried away by fury, fly into a passion

nekivág I. *vt, (vmt vmnek)* hurl/dash/knock sg against sg II. *vi,* set out, start off, push out/on; ~ *a világnak* launch/set out into the world; *merészen* ~ *vmnek* start boldly on sg, embark boldly upon sg; *újból* ~ *egy vizsgának* re-enter for an examination

nekiverőd|ik *vi,* hit/beat against

nekiveselked|ik [-tem, -ett, -jen, -jék] *vi, (vmnek)* set about it, buckle to sg

nekivet *vt,* ~*i vállát a kapunak* he sets his shoulder against the door; *erősen* ~*i a hátát vmnek* prop oneself firmly against sg; ~*i magát vmnek* pitch into sg, throw oneself into

nekivetkőz|ik *vi,* strip (to the waist) (for doing **sg)**

nekividámod|ik *vi,* wax merry

nekrológ [-ot,-ja] *n,* obituary (notice), deaths *(pl)*, necrology

nekrológíró *n,* necrologist

nektár [-ok, -t, -ja] *n,* nectar

-nél *suff, ld* -nál

nélkül *post,* without, failing which, *(tréf)* minus *(joc)*; *aki* ~ without whom; *cukorral iszod a teát vagy a* ~? will you have your tea with or without sugar?, will you have sugar with your tea or not?; *nem minden baj* ~ not without trouble; *csomagolás* ~ *(ker)* exclusive of wrappings; *könyv* ~ by heart/rote; *minden* ~ without anything; *nála* ~ without him/ her; *pénz* ~ without any money, without a penny; *pénz és poggyász* ~ *jött haza* he came back without either money or luggage; *szó* ~ without (wasting/ uttering) a word, without speaking; *elvan/megvan vk/vm* ~ do/go without sy/sg, dispense with sy/sg

nélküle [-m, -d, nélkülünk, nélkületek, nélkülük] *adv. pron,* without him; *meg tudsz lenni* ~*e?* can you do without it?, can you dispense with it?, can you contrive without it?; *nélkülük határoztak* they had their minds made up for them

nélküli [-ek, -t; adv -en] a, without, -less, devoid of; *fedél ~* roofless; *fej ~* headless; *feltétel ~ megadás* unconditional surrender; *gyökér ~* rootless; *hiba ~* faultless, without mistake/fault *(ut)* ; *tető/hajlék ~* roofless

nélkülöz [-tem, -ött, -zön] I. *vt*, 1. *[vm nélkül van]* be/do/go without, be in want of, be cut off from, *(átv)* be devoid/destitute of sg; *nem tudom ~ni az ön segítségét* I cannot do without your help, I cannot dispense with your help; *nem tudlak ~ni* I cannot spare you; *ez a hír minden alapot ~* this information/report is without *(v.* lacks) (any) foundation 2. *[hiányát érzi vknek/vmnek]* miss sy, feel the want of sg, be in want of sg; *mennyire ~tünk téged* how we missed you; *nagyon ~tük .ezt a szótárt* we badly needed this dictionary
II. *vi*, *[ínséget szenved]* live in want/privation, suffer want/privation, be in need, live hard, have a thin time of it, famish

nélkülözés *n*, want, privation, indigence, hardship, distress, need; *a háborús ~ek* the hardships/privations of war; *egy kis ~ nem árt neki* he will not harm for a little privation; *~ek között él* live *(v.* be living) in privation/want

nélkülözhetetlen *a*, indispensable, essential, requisite, integral, *(kif)* it cannot be spared, it is not to be done without, *(vmhez)* necessary (to, for); *vmnek ~ alkatrésze* it is part and parcel of ...; *~ elem* indispensable/ essential element; *~ feltétel/követelmény* essential condition; *~ része vmnek* be/form an integral part of sg; *senki sem ~* no one is indispensable

nélkülözhetetlenség *n*, indispensability, indispensableness, requisiteness

nélkülözhetetlenül *adv*, indispensably

nélkülözhető *a*, not indispensable, superfluous, dispensable

nélkülöző [-t] *a*, pauper, indignent, destitute

nelson [-ok, -t, -ja] *n*, *(sp)* Nelson; *dupla ~* full Nelson

nem¹ [-et, -e] *n*, 1. *[női, férfi]* sex; *az erősebb ~* the strong(er)/male sex; *a gyengébb ~* the weaker/fair sex, the weaker vessel; *a másik ~* the opposite sex; *a szép ~* the fair/gentle sex; *~ nélküli* asexual, sexless, non-sexual, neuter; *~ének dísze/ékessége* honour of one's sex; *~re való tekintet nélkül* irrespective of sex 2. *[rendszertani kategória]* genus, *[nem hivatalos elnevezésként állatoknál]* tribe, breed; *az emberi ~* the human race/species, humanity, mankind 3. *[fajta]* kind, sort; *páratlan a maga ~ében* unique of/in it's kind 4. *(nyelvt)* gender; *~ben és számban egyezik* agree *(v.* be in accord) in gender and number

nem² I. *adv*, 1. *(ált)* no, not, nay *(ref.)* ; *~ egy* more than one; *~ egyszer* more than once, repeatedly, time after time; *~ egészen* not quite; *~ éppen* not exactly/precisely; *~ így* not so, not like this/that; *~ mindenki* not everybody; *~ nagyon* not very ..., none too ..., not much; *~ sok* not many, not much; *~ sok a valószínűsége* there is only a slim chance; *~te* not you; *~valami nagy dolog* nothing much, not a great thing; *azt mondja hogy ~* he says no; *azt hiszem (hogy) ~* I believe not, I don't think so; *csak ~ ! [meglepetés]* no I, not really!; *éppen ~* not by any means, by no means; *már ~* no more/longer; *azt már ~ !* none of that!; *még ~* not yet; *~ azért mondom mert az én fiam (hanem)* it is not because he is my son (but ...); *(ez) ~távolság* it is no distance; *igen is ~ is* yes and no 2. *[igét tagadva]* not; *ő ~ adhatja ide* he cannot hand it over, he is unable to hand it over; *~ érkezett meg* it failed to arrive; *~ ismer vmt* does not know sg, be not acquainted/familiar with sg, be unacquainted/with sg; *~ ismer vkt* does not know sy, be not acquainted with sy, be unacquainted with sy; *~ is-*

meri a szokásokat be unfamiliar with the customs; *~ kérek [kínálásra válaszolva]* no(,) thanks, no(,) thank you; *~ lehet [megtenni]* it cannot be done, it is impossible; *~ lehet el ~ hinni, ~ lehet ~ el hinni* it cannot be disbelieved; *~ lehet ~ nevetni rajta* one cannot help laughing at it; *~ lehet tudni* you never can know/tell; *~ megyek* I do not go, I don't go, I am not going; *~ reagál vmre* fail to respond to sg; *~ szabad [tenni]* it must not be done, it is not permitted, it is forbidden (to); *~ szeretem de ~ is utálom* I neither like nor dislike him; *~ szól egy szót sem* he says nothing, he does not say/utter a word; *~ tudom* I do not know, I don't know; *~ tudok franciául* I do not know/speak French, I am unfamiliar with French; *ő ~ tud semmit erről* he does not know anything about it; *~ válaszol/felel* make no reply; *ha ez ~ volna* had it not been for ..., but for ... 3. *[melléknévvel]* non-, un-, in-; *~ átlátszó* opaque, non-transparent, impervious to light *(ut)* ; *~ csekély meglepetést okozott* it caused no little surprise; *~ dolgozó* not usefully employed, non-working, not gainfully occupied *(ut)*, *(elit)* idle; *~ egymáshoz illők [házasfelek]* they are unsuited for one another; *~ ejtett (nyelvt)* silent; *~ feltűnő/hivalkodó [öltözék, életmód stb.]* simple; *~ fémes* non-metallic; *~ fontos* not important, unimportant, secondary; *~ friss* stale; *~ hadviselő* non-belligerent; *~ használatos* not in use *(ut)* ; *már ~ használatos szó* obsolete word; *~ hivatalos* unofficial, non-official, informal; *~ hivatalos látogatás* private/informal call, call in a non-professional quality; *~ igaz* not true, untrue; *~ jó* not good; *~ jóhiszemű* of bad faith *(ut)*, *(jog)* mala fide *(lat)* ; *~ kamatozó* interestless, bearing no interest *(ut)* ; *~ kamatozó kötvény* passive bond; *~ kamatozó tőke* idle capital; *~ katonai célpont* non-military target; *~ képzett* untrained, unskilled; *~ kevés emberrel találkoztam* I met a good many people; *~ létező* non-existent; *az ország ~ magyar lakossága* the non-Hungarian inhabitants of the country; *~ marxista filozófia* non-Marxist philosophy; *~ nemes* not noble, common; *~ nemes fém* base metal; *~ régi* not old, recent; *~ remélt* unhoped-for, unexpected, unlooked-for, unawaited; *~ remélt találkozás* unexpected encounter; *~ robbanó* non-explosive; *~ romlandó* non-perishable, undecaying; *~ rossz* not bad; *~ is olyan rossz* not half bad; *~ rozsdásodó acél* stainless/rustless steel; *~ szisztematikus* unsystematic; *~ szokásos* it is not done, *[furcsa]* it is odd (to), *[nem használatos]* not in use *(ut)* ; *~ teljes* uncomplete(d); *~ természetes* unnatural, sophisticated; *~ tetsző* unpleasing, unpleasant, *[nem megfelelő]* not convenient/good; *~ várt* unlooked-for, unexpected; *~ vezető (vill)* non-conductive 4. *[főnévvel]* non-, un-, in-; *~ akarás* unwillingness, reluctance, disinclination; *~ akarásnak nyögés a vége (közm)* he that will not when he may(,) when he will he shall have nay; *~ betartás* non-observance; *~ fizetés* non-payment; *~ fizetés esetén* in case of non-payment; *~ ismerés* ignorance, inacquaintance (with); *a törvény ~ ismerésére hivatkozik* plead ignorance (of the law); *~ létezés* non-existence; *~ nemes commoner; *~nemesek* commonalty; *~ teljesítés [kötelezettségé]* non-performance/ful-fiment/accomplishment, *(jog, ker)* omission, forbearance, failure, default; *a kötelem ~ teljesítése okából* because of default in meeting the obligation; *~ tudás* ignorance (of), inacquaintance (with), unknowing; *a törvény ~ tudása ~ mentesít* ignorance of the law excuses no one, ignorance is no defence; *~ vezető (vill)* non-conductor 5. *[kérdésben és különféle kifejezésekben]* *~ igaz?* isn't it true? *(ugyc) még ~ fejezte(d) be? (még)* ~ You haven't finished yet? No. *[v.* udvariasabban] No(,) not yet;

~ *jön el?* won't you come (along)?; ~ *megmondtam?* didn't I say so?, I told you so!; *hát* ~ *nagyszerű?* isn't it grand/gorgeous?; ~ *parancsol még húst?* won't/don't you have some more meat?; ~ *mész innen!* go!, go away!, take yourself off !*(fam)*, clear out !*(fam)*, cut along !*(fam)*, buzz off !*(fam)*, skedaddle! ◈; *félek hogy* ~ I fear(,) not, I am afraid(,) not; ~ *hiszem hogy* ~ *jön el* I do not think he will fail to come, I do not suppose he will stay away; *persze(,) hogy* ~ of course not, certainly not; *vagy* ~? is it so?, isn't it so?; ~ *fogsz enni?* won't you eat?, are you not going to eat?; *miket össze* ~ *beszélt!* he talked without rhyme or reason; *csak* ~ *ment el az eszed?* are you in your right senses? **6.** *[kérdésre adott egyszavas feleletként]* no; *mégy a színházba?* ~ Do you go to the theatre? No(,) I shan't

II. *n,* no; *határozott* ~ a (very) definite no, a straight refusal/denial; *~et mond* say no, say nay *(ref.)* ; *hívtam őt de ő ~et mondott* I asked him to come but he refused; ~ *lehet neki ~et mondani* he is not to be denied, he will not take No for an answer; *~mel szavaz* vote no/nay (on the issue/question); *~mel válaszol* answer no, answer in the negative

néma [..át] **I.** *a,* **1.** dumb, mute, tongue-tied, *[hangtalan]* mute, speechless, silent, soundless, voiceless; ~ *csend* absolute/leaden/profound/dead silence; ~ *fájdalom* wordless grief, silent sorrow; ~ *gyereknek anyja sem érti a szavát (kb)* speak up if you want anything; ~ *terület [agyban]* latent zone; ~ *tüntetés* silent demonstration; ~ *zóna (rád)* dead-zone; ~ *mint a sír* he is (as) silent/still as the grave, silent as the tomb, as still as death **2.** *(szính)* ~ *szerep* silent part, walking-on part, walk-on; ~ *szereplő/személy* walker-on, supernumerary, walking-gentleman, mute, crowd artist, super *(fam)*, extra *(fam)* ; ~ *szereplők* the crowd **3.** *(nyelvt)* silent, unsounded; ~ *betű (nyelvt)* silent/mute/unsounded letter; *a „debt" szóban a „b"* ~ in "debt" the b is silent; ~ *h* silent h

II. *n,* dumb person, mute

némabeszéd *n,* deaf and dumb language

némafilm *n,* silent film

némajáték *n,* **1.** *[színpadi játékban]* business **2.** *[színdarab]* mime, dumb-show, mummery

némajáték-szerző *n,* mime-writer, writer of mimes, mimographer, pantomimist

némán *adv,* mutely, speechless, dumbly; ~ *követtem őt* I followed him without a word; ~ *szenved/tűr* suffer in silence

némaság *n,* muteness, dumbness, *(átv)* speechlessness, silence, stillness *(ref.)*

nembánom *a, (kb)* devil-may-care, happy-go-lucky; ~ *ember* a don't-care-a-fig fellow

nembánomság *n,* indolence, don't-care-a-hang/damn attitude, unconcern, nonchalance, easiness

nembeli *a, mindkét* ~ of both sexes *(ut)*

némber [-ek, -t, -e] *n,* female, wench, slut

nemcsak *conj,* not only; ~ . . . *hanem* . . . *is* not only. . . but also; *ő* ~ *szép de okos is* she is not only beautiful but (also) intelligent; ~ *hogy nem jött el de még csak nem is válaszolt* he not only failed to come but didn't even answer; ~ *te szeretted a virágot* not only you love flowers, you are not the only one who loves flowers; ~ *ő* others beside him; ~ *Budapesten* not in Budapest alone

nemde *conj, ez érdekes eset* ~? it is an interesting case(,) isn't it?; *öntől hallottam ezt* ~? I heard it from you(,) didn't I?

nemdebár *conj,* = nemde

nemdohányos *a/n,* = nemdohányzó

nemdohányzó **I.** *a,* non-smoking; ~ *szakasz/fülke*

compartment "for non-smokers", non-smoker **II.** *n,* non-smoker

némely [-et] **I.** *a, indef,* some, certain; ~ *ember* some people *(pl)* **II.** *n. indef, ~ek* some, some people/persons; *~ek azt állítják (hogy)* some (people) maintain (that), there are some who argue (that)

némelyik [-et, -e] *a/n. indef,* some; ~ *cigaretta nedves* there are some cigarettes which are damp, some (of the) cigarettes are damp; ~ *megteszi* ~ *nem* one will do (it)(,) the other won't, some will do(,) others won't; ~ *azt gondolja (hogy)* some think (that), there are some who believe (that); *~ük* some of them *(pl)* ; *~ünk* some of us *(pl)*

némelykor *adv. indef,* at times, sometimes, now and then/again, occasionally, off and on

nem-én *n, (fil)* not-I

nemere [.. ét] *n,* 'nemere' ⟨strong south wind in Transylvania⟩

nemes [-ek, -t, -e; *adv* -en] **I.** *a,* **1.** *[származásra]* noble, well-born, of noble/gentle birth/descent *(ut)*, gentle; *nem* ~ not noble, common **2.** *(átv)* noble, high/noble-minded, lofty, generous; ~ *arcvonások* noble features; ~ *cselekedetek* noble actions, deeds of high resolve *(ref.)* ; ~ *érzelmek/érzések* noble/fine sentiments; ~ *gesztus* noble/handsome gesture/act; ~ *gondolatok* noble/beautiful thoughts; ~ *lélek* noble/generous soul, noble/high mind; ~ *lelkű* noble/high-minded, magnanimous, generous, noble-spirited/natured, high-souled/spirited, large-hearted; ~ *szívű* noble, big/reat/open/noble-hearted, noble-minded, generous, magnanimous, gentle; ~ *tett* noble/dignified action; *a szó ~(ebb) értelmében* in the gentler sense of the word; *~sé tesz [jellemet stb.]* ennoble **3.** *(átv)* fine; ~ *bor* fine wine; ~ *gyümölcs* choice/garden fruit; ~ *paripa* thoroughbred (horse); ~ *részek/szervek [emberben]* vital organs, vitals; ~ *vad* game (animal); ~ *valuta* hard currency; ~ *valutájú ország* country with/ of hard currency, hard currency country

II. *n,* noble(man), *[GB fő]* peer, *[GB köz]* squire, gentleman; *a ~ek* the nobility; *nem* ~ commoner

nemesacél *n,* high-alloy steel

nemesapród *n,* page (of honour), squire *(obs)*

nemesasszony *n,* noblewoman, *[GB fő]* peeress, *[GB köz]* gentlewoman

nemesbed|ik [-tem, -ett, -jék] *vi,* improve, better/ ennoble oneself

nemesbít [-eni, -ett, -sen] *vt,* improve, better, amend, refine, ennoble

nemesedés *n,* improvement, refinement, ennoblement

nemesed|ik [-tem, -ett, -jék] *vi,* **1.** *[minőségileg]* improve, grow (more) refined, *[erkölcs]* refine **2.** *[nemességet nyer]* be ennobled, *[GB fő]* be raised to the peerage

nemesember *n,* noble(man), *[GB fő]* peer, *[GB köz]* squire, gentlemen

nemesen *adv,* nobly, gallantly; ~ *gondolkozó ember* noble/high-minded man

nemesfém *n,* precious/noble/rare metal; *nem* ~ base/ common metal

nemesfémipar *n,* precious metals industry

nemesfémpróba *n,* fire-assay; *nemesfémpróbát végez* assay a precious metal

nemesfémrúd *n,* ingot

nemesfém-tartalék *n,* metal reserves *(pl)*

nemesfűz *n, (növ)* basket/velvet osier *(Salix viminalis)*

nemesgáz *n,* rare/noble/inert gas

nemesi [-ek, -t] *a,* nobiliary, noble, of nobility *(ut)* ; ~ *birtok* demesne, nobleman's estate; ~ *Hn* title of nobility, a handle to one's name *(iron)* ; ~ *címer* coat of arms, armorial bearings, blazon; *régi* ~ *család* gentilitial family, family of ancient lineage; ~ *előnév* nobiliary particle, title of nobility; ~ *évkönyv/*

almanach peerage-book; ~ *felkélés* levy in mass of the nobility; ~ *kiváltságok (tört)* privileges of nobility; ~ *korona* coronet; ~ *kúria* country-house/seat, manor-hause, mansion; ~ *levél* letters patent of nobility, letter/patent/title of nobility; *a* ~ *osztály* the nobility; ~ *rang* noble rank, nobility; ~ *rangra emel* raise to noble rank, raise to the (status of) nobility, ennoble, *[GB fő]* raise to the peerage; ~ *származás* gentility; ~ *származású* of noble birth/ race *(ut)*

nemesifjú *n*, = **nemesapród**

nemesit [-eni, -ett, -sen] I. *vt*, 1. *(biol, mezőg)* improve, purify (by breeding), *[talajt]* improve, *[gyümölcsöt]* improve; *rózsát* ~ improve a rose (by grafting etc.) 2. *[erkölcsileg]* ennoble, elevate, uplift, refine, sublimate, purge 3. *[rangban]* ennoble, raise to the nobility 4. *[ércet]* treat, *[hőkezeléssel]* (harden and) temper II. *vi*, *a munka* ~ work ennobles the worker, work is ennobling

nemesítés *n*, 1. *(biol, mezőg)* improvement, purification (by breeding), development of a superior bread/strain 2. *[erkölcsileg]* ennoblement, elevation, uplifting, betterment, purging 3. *[nemesi rangra emelés]* ennobling, ennoblement

nemesített [-et; *adv* -en] *a*, 1. *(biol, növ stb.)* choice, select(ed); ~ *vetőmag* improved/cultured/selected seed, high-quality seed 2. ~ *acél* tempered steel 3. *[személy]* ennobled

nemeskócsag *n*, *(áll)* aigrette *(Egretta alba)*

nemeslelkűség *n*, generosity, great-heartedness; *vk* ~*é-hez apellál* appeal to sy's finer feeling

nemeslevél *n*, *(tört)* letters patent of nobility *(pl)*, letter/patent/title of nobility

nemesség *n*, 1. *[cím, osztály]* nobility, gentility, *[GB fő]* peerage, *[GB köz]* gentry, squirearchy *(iron)*; *magyar* ~ Hungarian nobility; ~ *et adományoz vknek* ennoble sy, raise sy to nobility, *[GB fő]* raise sy to the peerage; ~*et kap* be ennobled, be raised to noble rank, *[GB fő]* be raised to the peerage; *régi* ~*gel rendelkezik* be long ennobled, come of an ancient noble family/house, come of ancient stock 2. *(átv)* nobility, nobleness, magnanimity

nemességadományozás *n*, act of ennoblement, grant of nobility, raising to the peerage, conferment of letters patent of nobility

nemesszívűség *n*, magnanimity, great-heartedness

nemesúr *n*, nobleman, gentleman

német [-et, -je; *adv* -űl] I. *a*, German, *(összet)* Germano-, *(tört)* German, Teutonic; ~ *ajkú* German-speaking; ~ *betű* Gothic (type), black letters *(pl)*; ~ *birodalom* German Empire, Reich; ~ *császár* German Emperor, *[II. Vilmos:]* Kaiser; *N*~ *Demokratikus Köztársaság* German Democratic Republic; ~ *gyártmány* German make, *[árun]* Made in Germany; ~ *katona* German soldier, Fritz *(iron)*, Jerry *(iron)* ; ~ *kisasszony* German governess; ~ *lovagrend* Teutonic Order, Order of the Teutonic Knights; ~ *óra* lesson in German, German lesson; ~ *nyelv* German language; ~ *nyelvű* German-speaking, of German language *(ut)* ; ~ *szakos tanár* teacher/professor of German; ~ *származású* of German extraction/birth/ descent/stock *(ut)* ; ~ *szellem* Germanic/Teutonic spirit; *N*~ *Szövetségi Köztársaság* German Federal Republic; ~ *történelmi iskola* German Historic School (of economics)

II. *n*, 1. *[ember]* German, Teuton *(ref.)*, Dutch *(US iron)*; *a* ~*ek* the Germans, the German people; *a svájci* ~*ek* the Germans of Switzerland; ~*re fordít vmt* translate sg into German 2. *[nyelv]* German

Németalföld *prop*, (the) Netherlands *(pl)*, The Low Countries *(pl)*

németalföldi *a/n*, of the Netherlands *(ut)*, of the Low Countries *(ut)*, Netherlander, Netherlandish, Dutch

németbarát *a/n*, pro-German, Germanophile, Germanophilist

németbarátság *n*, Germanophily

németellenes *a/n*, anti-German, Germanophobe

németellenesség *n*, anti-German feeling, Germanophobia

németes [-et; *adv* -en] *a*, *[külső]* German-like, *[stílus]* Germanic, German(ish), Germanized; ~ *kiejtés* German accent; ~ *kifejezés* Germanism; ~ *műveltségű* well-versed in German language and literature *(ut)* ; ~ *nyelvsajátság* Germanism

németesít [-eni, -ett, -sen] *vt/vi*, Germanize

németesítés *n*, Germanization

németesség *n*, Germanism

németfaló *a/n*, Germanophobe

németgyűlölet *n*, Germanophobia

németgyűlölő *a/n*, Germanophobe

németimádat *n*, Germanomania

német—magyar *a*, German—Hungarian

németóra [.. át] *n*, German lesson/class

Németország *prop*, Germany

németországi *a*, of Germany *(ut)*, German

németpárti *a/n*, Germanophile, pro-German

németrajongás *n*, Teutomania, Germanomania

németrajongó *a/n*, Teutomaniac, Germanomaniac

Német-Római Birodalom *prop*, Holy Roman Empire

németség *n*, 1. *[összesség]* Germandom, the Germans *(pl)* 2. *[tulajdonság]* German nationality/character, Germanism, Germanity 3. *jó* ~*gel mondta el beszédét* he delivered his speech in good German; *osztrák* ~*gel beszél* speak Austrian German; *tört* ~*gel* in broken German

Német-Svájc *prop*, German Switzerland

némettanár *n*, teacher/professor of German, German teacher/master

németül *adv*, in German; ~ *beszél* speak German; ~ *ért* understand German; ~ *tudó* speaking German *(ut)*, German-speaking

nemez [-ek, -t, -e] *n/a*, felt; ~*zel bevon* felt

nemezalátét *n*, felting, felt coating, *(nyomd)* (press-) blanket, over-cloth

nemezbetegség *n*, *(növ)* erineum

nemezcipő *n*, felt slippers/shoes *(pl)*

nemezel [-t, -jen] *vt*, *[gyapjút]* felt, *[kalapot]* size, plank *(GB)*

nemezelés *n*, *[gyapjúé]* felting, *[kalapé]* planking

nemezelő [-t, -je] *a/n*, *[munkás]* feltmaker, fuller, felter: ~ *gép* felt-fuller, fulling machine

nemezelődik [-tem, -ött, -jön, -jék] *vi*, felt

nemezelt [-et; *adv* -en] *a*, felted, felty; ~ *nyúlszőr* hair felt; ~ *posztó* rolled cloth

nemezgyártás *n*, felt-making

nemezgyártó [-t, -ja] *n/a*, felt-maker; ~ *gép* jigger

nemezis [-ek, -t, -e] *prop*, Nemesis; *utol fogja érni a* ~ his sins will find him out; *utolérte a* ~ he met his fate/doom, he could not avoid his fate

nemezkalap *n*, felt hat

nemezkallózás *n*, felting

nemezkészítés *n*, = **nemezgyártás**

nemezkészítő *n*, = **nemezgyártó**

nemezpapucs *n*, carpet-slippers *(pl)*

nemezszerű *a*, felty

nemeztalp *n*, felt (in)soles *(pl)*

nemezványoló *n*, felt-maker

nemhiába *adv*, not for nothing; ~ *volt költő* for he was not a poet for nothing

nemhogy *conj*, ~ *hálás lett volna érte!* and is he grateful for it!, the least he could do was to be grateful, he could at least have been grateful!; ~ *rám hallgatna hanem saját feje szerint cselekszik* instead of *(v. far from)* listening to me he acts as he pleases *(v. in* his own way); ~ *nem fizet de egyre több pénzt kér* far from *(v.* instead of) paying he asks more and more money

nemi [-ek, -t; *adv* -leg] *a,* **1,** sexual; ~ *aktus* sexual intercourse/act; ~ *baj/betegség* venereal disease *(röv* V. D.),* sexual disease; ~ *élet* sexual life; ~ *előjáték [közösülés előtt]* foreplay; ~ *eltévelyedés* sexual inversion; ~ *élvezet* sexual pleasure/gratification; ~ *éretlenség* impuberty; ~ *érettség* sexual maturity, puberty; ~ *érintkezés* sexual intercourse/union/act, coition; ~ *erőszak* rape; ~ *felvilágosítás* sex(ual) instruction, sexual education;~ *hormon* sex-hormone, androgen; ~ *inger* sexual/erogenous stimulus; ~ *izgalom* sexual excitement;~ *jelleg* sexual characteristic(s); *másodlagos* ~ *jelleg* secondary sex characteristics *(pl)* ; ~ *kapcsolat* intimacy; ~ *képesség* sexual vigour; ~ *kérdés* sexual problem(s); ~ *kicsapongás* sexual excess; ~ *kielégülés* sexual gratification/ climax; ~ *kórtan* sexual pathology; ~ *közösülés* sexual intercourse/commerce/union, carnal knowledge, copulation, coition, coitus, coupling, *[házasságon kívül]* intimacy, fornication *(pej)* ; ~ *különbség* difference of sex; ~ *mirigy* sex-gland; ~ *önkielégítés* masturbation, self-pollution; ~ *önkielégülés* masturbation, self-abuse/pollution; ~ *ösztön* sex instinct, sexual impulse/instinct, sex urge, sexuality; ~ *szervek* sexual/genital organs, genitals, organs of generation, private/privy/secret parts *(fam),* privates *(pl) (fam),* privities *(pl) (fam);* hím ~ *szervek* male organs; *női* ~ *szervek* female genital organs; *a női* ~ *szervek rosszindulatú daganata* malignant neoplasm of female genital organs; ~ *tehetetlenség* impotence, physical inability to perform the act of sexual intercourse; ~ *varázs/vonzerő* sex appeal; ~ *vágy* sex/biological urge, sexual appetite/ desire, lust; *heves* ~ *vágy* sex craving; *elsődleges* ~ *jelleg* primary sex characteristic **2.** *(nyelvt)* of gender *(ut)* ; ~ *különbség* difference/distinction of gender; ~ *szabályok* rules of/regarding the genders

némi [*adv* -leg] *a. indef,* some, (a) certain, a little, a measure/particle of; ~ *büszkeséggel* with a touch of pride; ~ *igazság* a particle of truth; ~ *irodalmi műveltséggel bíró* having a smattering of literary culture *(ut)* ; ~ *ismeretek* a sprinkling of knowledge; ~ *keserűséggel* with some *(v.* with a touch of) bitterness

nemigen *adv,* hardly, not (very) much; ~ *hiszem* I (can) hardly believe (it); ~ *láttam őt az utóbbi időben* I saw but little of him lately; ~ *volt sikere* it had but scant success

némiképp *adv. indef,* = **némiképpen**

némiképpen *adv. indef,* in a way, to a certain extent, to some (slight) extent, in some measure, somehow, somewhat, in part, slightly

nemileg *adv,* sexually; ~ *érett* sexually mature, of sexual maturity *(ut)* ; ~ *erősen fogékony* highly--sexed; ~ *fejletlen* sexually underdeveloped

némileg *adv. indef,* = **némiképpen**

néminemű *a. indef,* † some, (a) certain

nem-ipari *a,*~ *állománycsoport* non-industrial staff group

nemiség *n,* sex(uality)

nemiségű *a,* erős ~ highly-sexed, sexy

nemjóját *int, a* ~ *neki!* *[káromkodásként]* to hell with him/it! *[csodálkozva]* gosh!; *(azt) a* ~*!* by golly/gum/God!

nemkívánatos *a,* undesirable; ~ *elem* undesired/unwanted persons *(pl)* ; ~ *idegen* undesirable alien/ stranger; ~ *személy* persona non grata *(lat)*

nemkülönben *adv,* likewise, in like manner, also, similarly, too

nemleges [-ek, -t; *adv* -en] *a,* negative; ~ *válasz* negative answer/reply, answer in the negative

nemlegesen *adv,* negatively

nemlét *n,* **1.** *[hiány]* absence, default; ~*ében* in the absence of... **2.** *(fil)* nonentity, non-existence, non-esse, nothingness; *lét vagy* ~ *kérdése ez* to be (,) or not to be(,) that is the question

nemnélküliség *n,* asexuality

nemrég *adv,* lately, recently, not long ago, the other day, latterly, newly, a little while ago

nemrégen *adv,* = **nemrég**

nemrégiben *adv,* = **nemrég**

nemsoká *adv,* = **nemsokára**

nemsokára *adv,* **1.** *[jelen viszonylatban]* soon, shortly, presently, before/ere long, some day, in a little while, by and by, in the near future, within a while, anon *(obs),* betimes *(obs)* ; ~ *megtudjátok/megtudja* it will not be long before you know, you will not have to wait long before you know **2.** *[múlt viszonylatban]* ~ *(azután)* shortly/soon after(wards)

nemszeretem *a,* ~ *dolog (biz)* nasty thing/business, crusher

nemtelen *a,* **1.** ignoble, base, vile, low, lewd *(obs);* ~ *indulat* vulgar feeling; ~ *tett* base/low/vile act/deed **2.** = nem *nemes*

nemtelenség *n,* ignobility, baseness, vileness

nemtetszés *n,* displeasure, disapproval, dislike, dissatisfaction; ~*ét nyilvánítja,* ~*ének ad kifejezést* show/express one's disapproval, boo, catcall

nemtő [-t, -je] *n,* † (guardian) spirit, (presiding) genius

nemtörődöm *a,* neglectful, negligent, slothful, indolent, unheeding, unconcerned, heedless, unmindful, mindless, disregardful, inadvertent, devil-may-care *(fam),* happy-go-lucky *(fam)* ; *családjával szemben* ~ neglectful of one's family; ~ *alak/ember* don't-care-a-hang/fig fellow

nemtörődömség *n,* neglect, negligence, nonchalance, listlessness, carelessness, unconcern, quiescence, disregard (for), sloth(fulness), inadvertence, imprudence, inattention, indolence, *(főleg jog)* laches

nemulass *n, (tréf)* row; *lesz (majd)* ~*!* look out for squalls!, you'll be in for a hot time!, you'll get it in the neck!, you will catch it hot!

-nemű [-ek, -t; *adv* -en] *a,* of... kind/sort/sex *(ut),* -genous, -sexed, *(nyelvt)* of... gender *(ut);* egy~ of the same kind, *(tud)* homogeneous, *(nyelvt)* of the same gender *(ut);* külön~ of another kind, *(tud)* heterogeneous; hím~ masculine; nő~ feminine

nemvezető I. *a,* non-conducting/conductive, insulating, dielectric **II.** *n,* non-conducting body, non-conductor, insulator, dielectric

nemz [-eni, -ett, -zen] *vt, [ember]* beget, father, *[állat]* sire, get, *(átv is)* engender, procreate, generate, reproduce, breed, father

nemzedék [-et, -e] *n,* generation; ~*eken át* for/over generations; ~*ről* ~*re* from generation to generation; *a mai* ~*, a mi* ~*ünk* this/our *(v.* the present) generation; *ivartalan* ~ *[spórás növényeké]* sporophyte; *ivaros* ~ *[spórás növényeké]* gametophyte

nemzedékcsere *n, (biol)* alternation of generations

nemzedékrend *n,* genealogy, pedigree, lineage

nemzedékrendi *a,* genealogical

nemzedékváltakozás *n, (növ)* alternation of generations, *(növ)* metageny

nemzedékváltás *n,* one generation giving place to *(v.* succeeding) another, successsion/passing of generations, passing of one generation into another, *(biol)* metagenesis

nemzés *n, [ember]* begetting, *[állat]* siring, breeding, *(átv is)* procreation, progeniture, generation; ~ *útján való szaporodás* sexual reproduction

nemzési [-ek, -t] *a,* sexual, procreative, procreatory, generative; ~ *képesség* procreative/generative power, potency; ~ *képtelenség* impotency, (procreative) impotence, agenesis

nemzésképtelen *a*, impotent

nemzésképtelenség *n*, (procreative) impotence, impotency

nemzet *n*, nation, *(ritk)* people; *nagy (történelmi) múltú* ~ nation with a history; ~*ek fölött álló*, ~*ek fölötti* supra/super-national; ~*ek közötti jóviszony (v. kölcsönös jóindulat)* the comity of the nations; ~*ek közötti verseny* inter-nations meeting; *N~ek Szövetsége* League of Nations; *Egyesült N~ek Szervezete* United Nations (Organization) *(röv)* U.N.(O.); *nyelvében él a nemzet* a nation lives through/in its language; *a ~hez apellál* go to the country; ~*en belüli* intranational; *a ~re bízza a döntést* leave to the country to judge; ~*té tesz* nationalize

nemzetállam *n*, nation-state, national state

nemzetárulás *n*, treachery to one's nation, betrayal of one's nation, high treason

nemzetbiztonság *n*, national security/safety

nemzetellenes *a*, anti-national

nemzetes [-ek, -t] *a*, † *(kb)* Honourable; ~ *úr [megszólításban kb]* Sir; *nemes* ~ *és vitézlő (kb)* Right Honourable

nemzetfenntartó *a*, ⟨forming the social backbone of the country⟩ *(ut)*

nemzetgazda *n*, (political) economist

nemzetgazdaság *n*, national economy

nemzetgazdasági *a*, ~ *mérlegrendszer* national accounts system; ~ *számlarendszer* national accounting

nemzetgazdaságtan *n*, political economy, science of national economy

nemzetgyalázás *n*, (flagrant) insult/outrage/offence against the nation

nemzetgyűlés *n*, national assembly; *alkotmányozó* ~ constitutional assembly

nemzethűség *n*, loyalty (to one's nation)

nemzeti [-ek, -t] I. *a*, national; ~ *állam* national state; ~ *bajnokság* National League; ~ *bank* state bank, national bank, Bank of England *(GB)*, Federal Reserve Bank *(US)*; *Magyar N~ Bank* National Bank of Hungary; ~ *bibliográfia* national bibliography; ~ *bizottság* national committee; ~ *burzsoázia* national bourgeoisie; ~ *büszkeség* national pride; ~ *dal* national anthem/song; ~ *ellenállás* national resistance; ~ *elnyomás* national oppression, oppression by an alien power, oppression of nationalities; ~ *érzés* national feeling, nationalism; ~ *felszabadító mozgalom* national liberation/emancipation movement; ~ *haderő* home defence force; ~ *hadsereg* national army; ~ *himnusz* national anthem; ~ *jelleg/jellem* national character/identity; ~ *jellemvonások* national characteristics; ~ *jövedelem* national income/revenue; ~ *jövedelem mérlege* balance of national income, national income balance; *bruttó* ~ *kiadás* gross national expenditure; ~ *kisebbség* national minority; ~ *költő* national poet; ~ *kommunizmus* national communism; ~ *kultúra* national/indigenous culture; ~ *lét (tört)* national entity; ~ *lobogó* national flag/colour(s), *[háromszínű]* tricolo(u)r, Union Jack *(GB)*, Stars and Stripes *(pl) (US)*; ~ *nyelv* national tongue/language, vernacular; ~ *öntudat* national consciousness; *bruttó* ~ *össztermelés* gross national product; *N~ Parasztpárt* National Peasant Party; ~ *sajátságok* national traits/peculiarities/characteristics/idiosyncrasies; *N~ és Szabadkikötő* National and free Port; ~ *szabadságharc* struggle for independence, struggle for national liberation; ~ *szellem* national spirit; ~ *színek* national colours; ~ *színház* National Theatre; *Magyar N~ Tanács (tört)* Hungarian National Council ⟨a revolutionary body of govern-

ment in 1918⟩; *bruttó* ~ *termék* gross national product; *nettó* ~ *termék* net national product; ~ *törvényhozás* internal legislation; ~ *tulajdonba vétel* nationalization; ~ *ünnep* national (holi)day; ~ *vagyon* national wealth, state property; ~ *vagyon mérlege* national wealth balance; ~ *vagyonná nyilvánít* nationalize; ~ *vállalat* national/state enterprise; ~ *viselet* national costume/dress/wear; ~ *visszahatás (tört)* national reaction ⟨a political trend in Hungary in 1790 and 1860⟩; ~ *vonás* national characteristic; ~ *zászló* = ~ *lobogó*

II. *n*, ~*ek* nationals, nationalists

III. *prop*, National Theatre

nemzeties [-ek, -t] *adv* -en] *a*, national, popular

nemzetieskedés *n*, affected nationalism, jingoism

nemzetieskedő [-t] *a*, jingoist(ic), affected/blatantly nationalist(ic)

nemzetietlen *a*, antinational, devoid of national character/feeling *(ut)*

nemzetietlenít [-eni, -ett, -sen] *vt*, denationalize

nemzetietlenítés *n*, denationalization

nemzetirtás *n*, genocide

nemzetiség *n*, nationality; ~*ére nézve spanyol* (s)he is of Spanish nationality; ~*étől megfoszt* denationalize

nemzetiségi [-ek, -t] *a*, nationality-, of nationalities *(ut)*, *[genealógiában]* gentilitial; ~ *gyűlölködés* national hatred, hatred/animosity between the nationalities; ~ *kérdés* nationality problem/question, question of (the) nationalities; ~ *kisebbség* national minority; ~ *nyelv* national idiom; ~ *politika* policy towards the nationalities, policy towards national minorities; ~ *törekvés* national aspirations *(pl)*; ~ *vidék* region inhabited by national minorities

nemzetiségű [-ek, -t] *a*, *milyen* ~ *ön?* what is your nationality?; *magyar* ~ Hungarian national, (be) of Hungarian nationality

nemzetiszín *a*, = nemzetiszínű

nemzetiszínű *a*, in/with the national colours *(ut)*, *[háromszínű]* tricolo(u)red; ~ *lobogó* the national colours *(pl)*

nemzetszocialista *a/n*, *(pol)* national-socialist, Nazi

nemzetiszocializmus *n*, *(pol)* national-socialism, Nazism

nemzetközi [-ek, -t; *adv* -leg] *a*, international, cosmopolitan *(pej)*; *N~ Amatőr Atlétikai Szövetség* International Amateur Athletic Federation; ~ *atlétikai verseny* international athletic meeting; *N~ Atomenergia Ügynökség* International Atomic Energy Agency; ~ *bíróság* international court (of justice); *N~ Bíróság [hágai]* International Court of Justice (at The Hague), the Hague Tribunal, *[röviden]* World Court, *[a döntőbíróság]* Permanent Court of Arbitration; *a N~ Bíróság szabályzata* Statute of the International Court of Justice; *N~ Demokratikus Nőszövetség* International Federation of Democratic Women; ~ *feszültség* world/international tension; *N~ Fizetések Bankja* Bank for International Settlements *(röv:* B.I.S.); ~ *fizetési helyzet* international payment position; ~ *fonetikai jel(zés)ek* international phonetic alphabet; ~ *jelleg* internationality; *(általános)* ~ *jog* (general) international law, the law of nations; ~ *jogba ütköző bűncselekmény* crime of international law; ~ *jogász* expert of/on international law; *N~ Jogi Bizottság (NJB)* International Law Commission; ~ *jogi személy* international person, person international; ~ *jogsegély* international judicial cooperation; ~ *kereskedelmi egyezmény* international trade agreement; *N~ Kereskedelmi Szervezet* International Trade Organization *(röv:* I.T.O.); ~ *kiadványcsere* international exchange of publications; *N~ Labdarúgó Szövetség* International Football Association *(röv:* I.F.A.); ~ *magánjog* private international law; ~ *mérkőzés* international match; ~ *monopólium* international monopoly/ trust; ~ *munkamegosztás* international division of labour; *N~ Munkaügyi Hivatal* International Labour Office *(röv:* I.L.O.); *N ~ Munkaügyi Konferencia* International Labour Conference; *N~ Munkaügyi Szervezet (NMSZ)* International Labour Organization *(röv:* I.L.O.); ~ *norma* international standard; ~ *nőnap* International Women's Day; ~ *nyelv* international/auxiliary language; *N~ Olimpiai Bizottság* International Olympic Committee *(röv:* I.O.C.); *N~ Olimpiai Végrehajtó Bizottság* International Olympic Executive Committee; *N~ Pénzügyi Alap, N~ Pénzalap* International Monetary Fund; *N~ Polgári Repülésügyi Szervezet* International Civil Aviation Organization *(röv:* I.C.A.O.); ~ *Szabványügyi Szervezet* International Organization for Standardization *(röv:* I.S.O.); ~ *szerződés* treaty, international convention/convenant, interstate agreement; ~ *találkozó* international meeting/ rally; ~ *társaság [pl. fürdőhelyen]* international set; *N~ Távközlési Unió* International Telecommunication Union *(röv:* I.T.U.); *N~ Újjáépítési és Fejlesztési Bank* International Bank for Reconstruction and Development; ~ *úton* internationally; *N~ Valuta Alap* International Monetary Fund *(röv:* I.M.F.); ~ *vásár* international fair; ~ *vasúti fuvarlevél* international railway consignment-note; ~ *viszonylatban* in international relations; ~ *viszonylatban is elismert* of world-wide fame/reputation; *N~ Vívószövetség* International Fencing Federation; ~ *vízíút* international waterway; ~*vé nyilvánít/tesz* internationalize; ~*vé nyilvánítás/tétel* internationalization; *... és ~vé lesz holnapra a világ* ... the international shall be the human race

nemzetközileg *adv,* internationally
nemzetköziség *n,* internationalism, cosmopolit(an)ism *(pej);* ~ *híve* internationalist; *proletár~*proletarian internationalism, internationalism of the proletariate
nemzetközösség *n,* commonwealth; *brit* ~ British Commonwealth of Nations
nemzetnevelés *n,* national education
nemzetőr *n,* member of the national guard, militia- -man *(GB);* ~*ök* national/home guards
nemzetőrség *n,* national/home/civic guard, militia
nemzetség *n,* 1. clan, family, stem, progeny, kin(dred) 2. *(növ) [rendszertani kategória]* genus; *egy* ~*be tartozó* congeneric
nemzetségfa *n,* genealogical tree, pedigree
nemzetségfő *n,* head of the clan
nemzetségi [-ek, -t] *a,* clan-, of clan *(ut),* clannish; ~ *szervezet* clan organization/system, clanship
nemzetségkönyv *n,* book of genealogy, genealogical record
nemzetségkutató *n,* genealogist
nemzetségnév *n,* patronymic, *(növ)* generic name
nemzetségszervezet *n,* clan organization/system
nemzetvédelem *n,* national defence
nemzetvédelmi [-ek, -t] *a,* of national defence *(ut);* ~ *miniszter* Secretary of Defence; *N~ Minisztérium* Department of National Defence
nemző [-t, -je] I. *a,* genetic, generative, procreative, procreatory, genital II. *n,* begetter, breeder, procreator
nemzőerő *n,* procreative power, sexual potency
nemzőképes *a,* progenitive, procreative, procreatory, progenital, potent
nemzőképesség procreative capacity, seminal power, sexual power/capability, potency, potence, generative vigour
nemzőképtelenség *n,* seminal weakness

nemzőösztön *n,* genetic instinct, sexual impulse
nemzőszervek *n. pl,* genitals, (sexual) reproductive organs, privy parts *(fam); ld még* **nemi** *szervek*
néne [.. ét] *n,* 1. *[idősebb nővér]* elder sister 2. *[néni]* aunt(y), auntie 3. *[apáca]* sister
nénémasszony *n,* aunt(y), auntie
néni [-t, -je, .. nje] *n,* 1. *[nagynéni]* aunt(y), auntie, dame *(obs)* 2. *tanító* ~ *kérem(,) kimehetek?* please(,) teacher(,) may I go out?; *öreg* ~ old granny/grannie/ lady, dame; *hogy a tojás(,)* ~? how much are eggs(,) ma'am?; *két* ~ *beszélgetett* two (old/elderly) ladies were talking; *Kovács* ~ (old) Mrs. Kovács, mother Kovács; *Mari* ~ Aunt Mary
nénike *n,* old woman, *[megszólításnál]* aunty, mother
nenyúljhozzám [-ot, -ja] *n, (növ)* touch-me-not, balsam, impatiens *(Impatiens sp.); erdei* ~ yellow balsam, touch-me-not *(I. noli-tangere); kerti* ~ garden balsam *(I. balsamina)*
neobarokk *a,* neo-baroque
neofasiszta *a/n,* neo-fascist
neofita [.. át] *n,* neophyte
neogén [-ek, -t] *a, (geol)* Neogene
neogótika *n,* Gothic Revival
neogótikus *a,* neo-Gothic, pseudo-Gothic
neohellenizmus *n,* Neo-Hellenism
neoimpresszionizmus *n,* neo/post-impressionism
neokatoliciizmus *n,* Neo-Catholicism
neokatolikus *a,* Neo-Catholic
neoklassziczizmus *n,* Neo-classicism, Greek Revival
neoklasszikus *a,* neo-classic(al)
neokom [-ot] *a, (geol)* Neocomian
neolatin *a,* Neo-Latin, Romance
neoliberalizmus *n,* neoliberalism
neolit [-ot] *a, (tört)* neolithic; ~ *kor(szak)* neolithic age
neológ [-ot] *a/n,* = **neológus**
neológia [.. át] *n,* neology
neologizmus *n, (nyelvt)* neologism, neology, linguistic innovation
neológus *n, (nyelvt)* neologian, (linguistic) innovator
neon [-ok, -t, -ja] *a/n,* neon
neoncső *n,* neon tube/lamp
neonfény *n,* neon/strip-light
neongáz *n,* neon gas
neonvilágítás *n,* neon lighting
neoplatonikus *a,* Neo-Platonic
neoplazma *n, (orv)* neoplasm
neopozitivizmus *n,* neo-positivism
neoreneszánsz *n, (épít)* neo-Renaissance
neorevizionizmus *n,* neo-revisionism
neotomizmus *n,* neo-Thomism
neozoikum [-ot, -a] *n, (geol)* Cenozoic/Cainozoic/ Neozoic era
nép [-et, -e] *n,* 1. people, folk *(obs), [köznép]* people, masses *(pl); a* ~ people, the people at large; *él a* ~ *ajkán* lives in the popular mind/tradition; *a* ~ *állama* the people's state; ~ *fia/embere* man of the people; *a* ~ *képzelete* popular imagination; *a* ~ *nyelve* popular tongue; *a* ~ *szava Isten szava (közm)* vox populi (est) vox dei *(lat); a* ~ *széles tömegei* great masses of the people, the gross of the people; *a dolgozó* ~ the working people; *hajós* ~ (nation of) seamen; *a magyar* ~ the Hungarian people; *gazdag* ~*ek* rich people; *a föld* ~*e* the rural/agricultural population, the peasantry; *a föld minden* ~*e* all (the) peoples of the earth, *Magyarország* ~*e* the people of Hungary; *a* ~*ből származó ember* man of the people; ~*ből való* of the people *(ut); a* ~*ért harcol* fight for the (interests of the) people; *a* ~*hez hű* loyal to his people *(ut)* 2. *[tömeg, sokaság]* masses *(pl),* crowd; *tenger* ~ *gyűlt össze* a tremendous crowd has assembled 3. *(összet)* people's, popular

népakarat *n*, popular/national will, will of the people

Nepál [-t, -ban] *prop*, Nepal

nepáli [-ak, -t] *a/n*, Nepalese; *N~ Királyság* Kingdom of Nepal

népáliam *n*, people's state

népámítás *n*, deceiving (of) the masses, misleading (of) the people, eyewash, demagogism, demagogy

népámító I. *a*, demagogic(al) II. *n*, demagogue

népáradat *n*, stream/concourse of people, crowd, multitude, *(tört)* horde of peoples

népáruló *a/n*, traitor to the people, traitor to one's people

népautó *n*, people's car, mass-produced cheap small car

népbabona *n*, popular superstition

népballada *n*, (popular) ballad

népbank *n*, people's bank

népbarát I. *a*, acting in the interests of the people *(ut)*, democratic II. *n*, friend of the people, democrat

népbetegség *n*, widespread disease (potentially prevalent among the masses), endemic

népbíráskodás *n*, people's jurisdiction

népbíró *n*, people's/lay judge

népbíróság *n*, people's tribunal/court

népbírósági *a*, *~ ülnök* lay judge

népbiztos *n*, (people's) commissary, commissar

népbiztosi [-ak, -t] *a*, commissarial

népbiztosság *n*, (people's) commissariat

népboldogítás *n*, utopianism

népboldogító *a/n*, utopian, utopistic

népbolondítás *n*, = népámítás

népbolondító *a/n*, = népámító

népbolt *n*, people's (general) store

népbutítás *n*, demagogy, obscurantism, dissemination of obscurantist propaganda; *papi ~* clerical obscurantism

népbutító [-t] *a*, demagogical, obscurantist

népbüfé *n*, lunch counter, (state-owned) popular snack-bar, (popular) buffet

népcsere *n*, exchange of population

népcsoport *n*, 1. ethnic group 2. *[csoportosulás]* crowd

népcsődület *n*, crowd, throng, multitude, concourse

népdal *n*, folk-song; *~t gyűjt* collect folk-songs/tunes

népdalénekes *n*, folk(-song) singer

népdalfeldolgozás *n*, arrangement of folk-songs, musical setting of folk-songs, *[a mű]* folk-song arrangement

népdalgyűjtemény *n*, minstrelsy

népdalgyűjtés *n*, 1. *[folyamat]* collecting folk-songs, collection of folk-songs 2. *[gyűjtött anyag]* collection of folk-songs

népdalgyűjtő *n*, collector of folk-songs

népdalköltészet *n*, minstrelsy

népdalkutatás *n*, folk-music research

népecske *n*, (very) small nation, tribe, peoplet

népegészségügy *n*, general/national health

népeledel *n*, staple diet/food (of the masses)

népélet *n*, popular life, life of the (common) people

népellenes *a*, anti-popular, anti-people, contrary to the people's interests *(ut)*, against the people *(ut)*, antidemocratic; *~ bűn* crime against the state and the people; *~ bűnös* enemy of the people, public enemy; *~ rendszer* anti-popular regime

népelnyomás *n*, oppression (of the people)

népelnyomó I. *a*, oppressive II. *n*, oppressor

népének *n*, folk hymn, carol

népénekes *n*, popular singer

népeposz *n*, popular/national epic/epos

népes [-ek, -t; *adv* -en] *a*, populous; *~ család* large/numerous/long family; *~ gyűlés* crowded *(v.* well attended) assembly; *~ küldöttség* large/numerous delegation; *~ városnegyed* thickly/densely populated/inhabited/peopled quarter/district; *túl ~* overcrowded, over-populated

népesedés *n*, 1. *[benépesedés]* peopling, filling (up) with population 2. *[népszaporulat]* growth/increase of the population, growth/increase in the birth-rate

népesedési [-ek, -t] *a*, demographic(al); *~ arány* rate of increase of the population, birth-rate; *~ mozgalom* demographical changes *(pl)*, changes in the population *(pl)*; *~ statisztika* demography, demographic statistics

népesedésstatisztika *n*, population statistics

népesedett *a*, *túl ~* over-populated

népesed|ik [-ett, -jen, -jék] *vi*, become peopled/populous, fill (up) with people, *(kif)* the population increases

népesség *n*, population, number of inhabitants, *[sűrű]* populousness; *jelenlevő ~* de facto population, present population; *~ száma* number of inhabitants

népességcsere *n*, exchange of population(s)

népességi *a*, *~ változások* changes in population

népességnövekedés *n*, increase of population

népességstatisztika *n*, population statistics, demography

népességstatisztikus *n*, demographer

népességszaporulat *n*, population increase

népességű [-ek, -t] *a*, *gyér ~* sparsely populated; *sűrű ~* densely/highly/thickly populated, populous

népesül [-t, -jön] *vi*, = népesedik

népetimológia *n*, folk-etymology, popular etymology

népfaj *n*, race

népfelkelés *n*, 1. *(kat)* levy in mass, general levy (of the people), *[ennek eredménye]* militia, territorial army 2. *[lázadás]* (popular) insurrection, popular rising

népfelkelő I. *a*, territorial; *~ hadsereg* territorial army II. *n*, militiaman, territorial

népfelség *n*, sovereignty of the people, popular sovereignty

népfelszabadítás *n*, liberation of the people

népfelszabadító I. *a*, liberating the people *(ut)* II. *n*, liberator of the people

népforradalom *n*, people's/popular revolution

népfőiskola *n*, people's academy/college

népfront *n*, popular front; *Hazafias N~* Patriotic Popular Front

népfrontbizottság *n*, Patriotic People's Front Committee

népfrontpolitika *n*, Popular Front policy

népfürdő *n*, public baths *(pl)*, bathing establishment

népgazdaság *n*, national/people's economy; *~ tervezése* national planning, planning of national economy

népgazdasági *a*, people's economic, of the people's economy *(ut)*; *~ ár* price fixed on national economy level; *~ beruházás* new economic investment; *~ érdek* interests of the national economy *(pl)*; *~ mérleg* balance of national economy; *~ részmérleg* partial balance of national economy; *~ szempontból* from the point of view of the people's economy; *~ számlarendszer* national accounting; *~ szinten* on national economy level, on national scale; *N~ Tanács* People's/Supreme Economic Council; *~ terv* national economic plan, people's economic plan, plan of the people's economy; *állami ~ terv* state national-economic plan

népgyűlés *n*, popular/public meeting, mass-meeting

népgyűlölő *a*, hostile to(wards) the people *(ut)*, antidemocratic

néphadsereg *n*, people's army

néphagyomány *n*, popular tradition, folklore

néphangulat *n*, public opinion, popular feeling, temper of the people, state of mind of the population, state of mind of the people at large, *[gyűlésen]* sense of the meeting

népharag *n*, popular/public anger/wrath/indignation

néphatalom *n*, people's power

néphatározat n, [spontán] popular verdict, decision of the people, [szervezett] plebiscitary decision

néphéz n, (kb) people's palace, [kisebb] cultural home

néphit n, popular belief, folkways (pl)

népi [-ek, -t] I. a, popular, people's, vernacular; ~ államhatalom people's state; ~ dallam popular/ folk tune; ~ demokrácia people's democracy; ~ demokráciák people's democracies, countries of people's democracy; ~ demokratikus popular democratic; ~ demokratikus állam people's democracy, people's democratic state; ~ együttes popular company/ensemble, company composed of artists from/ of the people; Állami N~ Együttes State Folk Ensemble; ~ elemek working-class and peasant elements; ~ ellenőr people's inspector; ~ ellenőrzés control by the people, people's control; ~ ellenőrzésről szóló törvény Control by the People Act; a kormánypolitika ~ ellenőrzésének kiszélesítése widening of people's control over governmental policy; ~ ellenőrzési bizottságok people's control committees; Központi N~ Ellenőrző Bizottság Central Committee/ Commission of People's Control; ~ énekes folk singer, singer of folk-songs; ~ erők popular forces; ~ hatalom people's power; ~ hímzés (piece of) popular/peasant embroidery; ~ író peasant/populist writer; ~ irodalom (kb) popular/folk literature; ~ játékok [népzene] traditional children's games accompanied by singing; ~ jelleg popular character, folksiness (fam) ; N~ Kamara People's Chamber; N~ Kína People's (Republic of) China; ~ kollégium people's college; ~ kommuna people's commune; ~ költő folk poet; ~ küldött representative of the people; ~ mozgalom popular movement; ~ sajátságok national traits/ pecularities/characteristics/idiosyncrasies; ~ származású of peasant or working-class stock/origin/background (ut) ; ~ szokás folkway; ~ tanács people's council; ~ tánc country-dance, folk-dance, popular/ national dance; ~ táncegyüttes folk dance ensemble; ~ táncos folk dancer; ~ tárgyú darab play picturing the life of the people; ~ tömb people's block; ~ ülnök lay assessor/judge, people's assessor; ~ vígjáték folkish comedy; ~ zene folk-music; ~ zenekar gipsy/ popular orchestra
II. n, a ~ek [= népi írók] the peasant/populist writers

népies [-ek, -t; adv -en] a, popular, populistic, folksy (US fam), folky (pej), plebeian (pej), vulgar (pej), rustic (pej) ; ~ beszéd folk-speech, common parlance; ~ dal popular song; ~ irány populistic current/tendency/trend; ~ ízlés popular fashion/ taste; ~ kiadás popular edition; ~ kifejezés popular expression, vernacular; ~ múdal popular art song; ~ nyelven in popular terms;~ stílus popular style

népiesen adv, popularly, vulgarly (pej), in a rustic way (pej), [nevezik] vulgarly, crudely, in common parlance

népieskedés n, affectation/imitation of a popular style/ manner, folksiness

népieskedik [-tem, -ett, -jen, -jék] vi, affect/imitate the popular style/manner

népieskedő [-t] a, affecting/imitating the popular style manner, folksy

népiesség n, 1. [irány] popular tendency/orientation/ trend, popularism 2. [tulajdonság] popular character, popularity

népirtás n, genocide

népiség n, ethnics, ethnic character

népiskola n, † (public) elementary school

népiskolai a, ↓ of elementary education/school (ut) ; ~ törvény public education act

népítélet n, popular verdict, lynch/mob-law (pej), mob execution (pej)

népjog n, 1. (ált) common/public law 2. [nemzetközi] law of nations, international law

népjólét n, public/national welfare

népjóléti a, welfare; ~ intézkedések welfare/social measures; N~ Minisztérium Ministry of Public/People's Welfare

népképviselet n, popular representation

népképviseleti a, ~ kormányzat representative government; ~ rendszer representative system, parliamentary system (GB)

népképviselő n, representative of the people, people's representative/deputy, tribune (obs)

népkert n, public gardens (pl)

népkonyha n, (public) soup-kitchen, communal kitchen

népkormány n, people's government, government by the people

népkormányzat n, = népkormány

nep-korszak n, period of the New Economic Policy

népköltés n, = népköltészet

népköltési [-ek, -t] a, of popular poetry (ut); ~ gyűjtemény collection of popular poetry, anthology of folk-poetry

népköltészet n, popular poetry, folk-poetry

népköltő n, popular poet, poet sprung from the people, people's poet

népkönyv n, popular book, chap-book

népkönyvtár n, public/people's/free library

népkör n, popular/people's circle/club

népközösség n, ethnical community, folk community, people's community, body politic

népköztársaság n, people's/popular republic; Magyar N~ Hungarian People's Republic; Magyar N~ Elnöki Tanácsa Presidium of the Hungarian People's Republic

népköztársasági a, ~ érdemrend Order of the People's Republic

népkultúra n, people's culture, [néprajzi szempontból] folkways (pl), folklore

népkutatás n, ethnography

népkutató n, ethnographer

néplap n, popular (news)paper

néplázadás n, popular/general rising/insurrection

néplázítás n, demagogy

néplélek n, popular mind, the mind of the people

néplélektan n, [népi] folklore, [faji] collective/social psychology, ethnopsychology

népliget n, public park, public gardens (pl)

népmese n, folk-tale/story, popular tale

népmese-gyűjtemény n, collection of folk-tales

népmesei [-ek, -t] a, folklori(sti)c, of folk-tale (ut)

népmesekincs n, folktales (pl), folkstories (pl), national folklore

népmonda n, popular legend, saga

népmozgalmi a, demographic(al); ~ statisztika vital statistics; ~ változások demographic(al) changes

népmozgalom n, 1. [statisztikai] demographical/population changes/trends, changes in the population (mind: pl) ; természetes ~ natural population changes (pl) ; a ~ statisztikája vital statistics 2. (pol) popular movement, all-people's movement

népmulatság n, public entertainment, general merry--making

népművelés n, (kb) adult education, extramural cultural activities (pl), [statisztikai adatokban] culture (and education)

népművelési a, of popular education/culture (ut), of adult education (ut)

népművész n, people's artist; a Szovjetunió ~e People's artist of the USSR

népművészet n, folk/popular/peasant art, folkcraft

népművészeti a, of popular art (ut) ; ~ tárgyak folkwork, products of local handicraft, peasant arts/crafts-products

népnév n, name of a people/nation, ethnic name

népnevelés n, people's/general education, education of the masses, agit-prop work

népnevelő I. a, educational, propagandistic; ~ munka agit-prop work **II.** n, people's educator, propagandist, agitpropist

népnyelv n, folk-speech, rustic speech, language of the people, popular speech, vernacular, common parlance, [táji] dialect; ~re lefordít vernacularize

népnyelvkutatás n, scientific investigation of dialects

népnyomorító [-t] a/n, = **népnyúzó**

népnyúzó I. n, bloodsucker, exploiter of the people **II.** a, ~ rendszer system of ruthless exploitation

népoktatás n, (ált) public education, [elemi] elementary education

népoktató n, school teacher

néposztály n, social class; az alsóbb ~ok the lower/humbler classes

nepotizmus n, nepotism

néppark n, people's park

néppárt n, people's party

néppárti a/n, populist

néprádió n, people's/popular wireless set

néprajz n, ethnography; összehasonlító ~ ethnology; statisztikai ~ demography

néprajzi [-ak, -t; adv -lag] a, ethnographic(al)

néprajztudós n, ethnographer

néprege n, popular legend, saga

népréteg n, social class, walk of life; ~ek social strata, classes of society; a széles ~ek the great masses of the people

népruházati cikkek utility clothing

népség n, 1. (elit) populace, plebs, mob, crew, crowd, rabble, riff-raff; miféle ~ ez? what kind of people/rabble is this? 2. ~(,) katonaság (szính) citizens soldiers etc., soldiers and similar, walkers-on, supernumeraries (mind: pl), (átv) mob, crowd; az egész ~ és katonaság (biz) the whole bunch/caboodle

népsport n, popular sport(s)/game(s)

népstadion n, people's stadium

népstrand n, people's/popular lido

népsűrűség n, density of population; nagy ~ populousness

népsűrűségű a, nagy ~ [terület] populous

népszabadság n, popular freedom, liberty/freedom of the people

népszámlálás n, (national) census, return of population, population census; ~ eredménye census return(s); ~t rendez take a census (of the population)

népszámlálási [-ak, -t] a, ~ adatok census data; ~ eredmények census returns; ~ felvétel enumeration; ~ ív census paper

népszámlálóbiztos n, census-taker, census enumerator

népszaporodás n, increase in/of the population, increase of the birth-rate

népszaporulat n, increase in population

népszavazás n, plebiscite, referendum; ~on alapuló plebiscitary; ~t tart hold a plebiscite

népszavazási a, plebiscitary

népszellem n, popular spirit, public mind

népszerű a, popular; ~ ember popular figure; ~ etimológia popular etymology, folk-etymology; ~ hely [üdülésre] place of great resort; ~ kiadás popular edition; ~ stílus popular style; ~ tudományos munka popular scientific work; a gondolat hamar ~ lett the idea made headway rapidly, the idea gained ground rapidly; ~vé tesz make popular, popularize; a legnépszerűbb dal the best known song

népszerűség n, popularity; ~e egyre csökken his popularity is on the ebb; ~e nő gain in popularity

népszerűség-hajhászás n, hunt(ing) for popularity, success-mongering

népszerűsít [-eni, -ett, -sen] vt, popularize, make popular, propagate, [tudományt, eljárást stb.] vulgarize

népszerűsítés n, popularization, propagation, vulgarization; a tudomány ~e popularization of science, popular science

népszerűsítő [-t; adv -en] a, popularizing

népszerűsödés n, popularization

népszerűtlen a, unpopular, little-liked

népszerűtlenség n, unpopularity

népszínház n, popular/people's theatre

népszínmű n, ⟨19th century play about peasants with popular art-music⟩

népszokás n, folk custom, popular/national custom/usage, folkway

népszónok n, popular orator, demagogue (pej), haranguer (pej), soap-box orator (pej), mob/stump-orator (pej), tub-thumper ◆

népszövetség n, League of Nations; a N~ alapokmánya Covenant of the League of Nations

népszövetségi a, ~ alapokmány Covenant of the league of Nations

néptanító n, school-teacher, elemtary school master

néptáplálék n, = **népeledel**

néptelen a, [gyéren lakott] sparsely populated, [lakatlan] unpopulated, unpeopled, [elnéptelenedett] depopulated, emptied of people (ut), dispeopled; ~ utca deserted street; ~ vidék uninhabited/unfrequented/deserted/lonely region; ~né tesz egy egész vidéket depopulate/dispeople a whole region

néptelenedés n, depopulation

néptelenedlik [-ett, -jen, -jék] vi, loose its population, become depopulated, become void of people/inhabitants

néptömeg n, 1. ~ek the masses, the populace; a széles ~ek the great masses of the people 2. [sokaság] crowd, throng, multitude

néptörvény n, people's law

néptörzs n, tribe; ~ek közötti intertribal

néptribun n, tribune (of the people), people's tribune

néptribuni [-ak, -t] a, tribunitian; ~ méltóság/hivatal tribunate

néptudomány n, ethnology

néptudományi a, ethnologic(al)

néptulajdon n, people's property, collective property

Neptun [-t, -ja] prop, Neptune

neptuni a, ~ kőzet Neptunian ground/rock

népuralom n, government by the people, popular/democratic rule, democracy

népügyész n, (kb) people's prosecutor

népügyészség n, (kb) office of (the) people's prosecutor

népünnepély n, popular feast, public entertainment/celebration/gathering/festival, jollities (pl), (ritk) rally

népvagyon n, collective property, national wealth

népvándorlás n, 1. (tört) great invasions/migrations (pl); ~ kora migration period, period (v. centuries pl) of the great invasions/migrations 2. (átv) rush, exodus; valóságos ~ indult meg a ház felé there was a general rush towards the house

népvándorláskori a, of the migration period (ut)

népvédelem n, public welfare

népvédelmi a, welfare, social

népvevő n, popular/people's wireless set

népvezér n, (ált) popular leader, [régi Rómában] tribune, ring-leader (pej), demagogue (pej)

népviselet n, national costume/dress

népzene n, folk music, folk-lore, music of the people; Magyar N~ Tára Treasury of Hungarian Folk Music (Corpus Musicae Popularis Hungaricae)

népzenei a, of folk music (ut), folk music

népzenekutatás *n*, folk music research
népzenekutató *n* folklorist
népzenész *n*, people's musician, people's musical entertainer, *[néha]* gipsy musician
népzenetár *n*, collection of folk-songs, anthology of folk music
nerc [-et, -e] *n*, **1.** *(áll)* mink *(Lutreola sp., Mustela sp.)*; *amerikai* ~ American mink *(L./M vison)*; *európai* ~ vison *(Putorius lutreola)*; *szibériai* ~ kolinsky *(M. sibirca)* **2.** *[prém]* mink
nercbunda *n*, mink (coat)
néról [-ak, -t] *a*, Neronian
nesz [-ek, -t, -e] *n*, slight noise, rustle; *~ét veszi vmnek, ~t fog* get wind/scent of sg
nesze [nesztek] *int*, *(biz)* take it/this, here (you are), hi there!; *~ neked! [kárörvendően]* so there, there now I was sure it would happen (to you), now you have (had) it!, *[veréskor]* take that (and that!); *nesztek!* here/there you are!; *~ semmi(,) fogd meg jól!* *(kb)* it's eyewash, bunkum *(US)*
neszel [-t, -jen] **l.** *vt*, *[vadat]* scent, smell (out), nose out **II.** *vi*, = neszez
neszesszer [-ek, -t, -e] *n*, (travelling) toilet/dressing-case, fitted suitcase, train case/box *(US)*
neszez [-tem, -ett, -zen] *vi*, make a (slight) noise, rustle, clatter
neszezés *n*, noise, rustle, clatter
nesztek *int*, *ld* nesze
nesztelen *a*, soundless, noiseless, silent; *~ járás* noiseless walk; *~ járású* feather-footed; *~ léptekkel* with noiseless/velvet tread, noiselessly stepping, pussy foot(ed)
nesztelenség *n*, soundlessness, noiselessness
netalán *adv*, by (any) chance, perchance *(ref.)*, peradventure *(ref.)*, maybe *(fam)*, mayhap *(obs)*; *ha~...* if by any chance/possibility, just in case, if peradventure; *ha ~ látod* if you should see him; *ha ~ megérkeznék* should he arrive, if (by any chance) he happens to arrive; *ha ~ úgy adódnék...* should the occasion arise...
netalántán *adv*, if, should it happen
netán *adv*, = netalán
netek *int*, = nesztek *ld* nesze
netovább [-ot, -ja] *n*, *vmnek a ~ja* non/ne plus ultra of sg, acme/summit of sg, high water-mark of sg, the height of sg; *ez a dolgok ~ja* it's the it of its; *ez aztán mindennek a ~ja* well that caps/beats all!; *az őrület ~ja* the height of folly; *ez a szemtelenség ~ja!* that's the limit!, that's the height of insolence!; *ő az udvariasság ~ja* he is the pink/acme of courtesy; *vágyaim ~ja* the sum of all my wishes; *elérte vágyainak ~ját* he has reached/attained the height of happiness
nett [-et; *adv* -en] *a*, neat, spruce, trim, dapper; *nagyon ~ teremtés* she is a pretty little creature, she is a natty little thing *(fam)*; *~ ember* well-groomed man
nettó [-t] *a*, *(ker)* net, clear; *~ forgalmi adó* net turn-over tax; *~ jövedelem* net/clear income; *~ súly* net weight, payload; *~ tonnatartalom* register(ed) tonnage
neumák *n. pl*, *[középkori hangjelzés]* the neums
neuralgia [..át] *n*, *(orv)* neuralgia
neuralgiás *a*, *(orv)* neuralgic
neuralgikus *a*, *(orv)* neuralgic
neuraszténia [..át] *n*, *(orv)* neurasthenia
neuraszténiás *a/n*, *(orv)* neurasthenic, neurotic
neuritisz [-ek, -t, -e] *n*, *(orv)* neuritis
neurogén [-ek, -t] *a*, *(orv)* neurogenic
neurológia [..át] *n*, *(orv)* neurology
neurológus *n*, nerve specialist, neurologist
neuróma [..át] *n*, *(orv)* neuroma
neuron [-ok, -t, -ja] *n*, *(bonct)* neuron(e), nerve-cell

neuropata [..át] *n*, *(orv)* neuropath, nerve-patient/case
neuropatikus *a*, *(orv)* neuropathic
neuropatológia *n*, *(orv)* neuropathology
neurotikus *a*, *(orv)* neurotic
neurotómia [..át] *n*, *(orv)* neurotomy
neurózis [-ok, -t, -a] *n*, *(orv)* neurosis; *kényszerképzetes ~* compulsion neurosis
neutrális [-at; *adv* -an] *a*, neutral, *(nyelvt)* neuter
neutralizál [-t, -jon] *vt*, neutralize, *[ellenhatást]* compensate
neutrino [-t, -ja] *n*, *(fiz)* neutrino
neutron [-ok, -t, -ja] *n*, *(fiz)* neutron
név [nevet, neve] *n*, **1.** *(áll)* name, *[elnevezés]* appellation, designation, denomination; *családi ~* family name, surname; *felvett ~* assumed name; *rendszertani ~ (áll, növ)* systematic/taxonomical name, epithet; *teljes ~* full name; *téves ~* misnomer; *~ szerint* by name, in particular; *egy ember ~ szerint X* a man X by name, a man by name X, a man of the name of X; *minden tanítványát ~ szerint ismerte* he knew all his pupils by name; *~ szerint (meg)említ vkt* mention sy by name; *~ szerint hivatkozik vkre* (v. *említ meg vkt)* refer to sy by name; *ezek ~ szerint a következők* here are the(ir) names; *~ szerint* nominal, personal; *~ szerinti szavazás* vote by call-over; *mi a neve?* what is his/her/its name?, what do you call him/her/it?; *mi is a neve?* what is his name again?; *mi a neve angolul?* what is the name/word for it in English?, what is the English for it?; *apja neve* father's name; *nevem János* my name is John; *a neve forgalomban van* his name is on people's lips, he is often spoken of; *Kati a neve* her name is Kate, she is called Kate; *ne legyen Pista stb. a nevem(,)* ha nem *teszem meg* I'll do it or my name is not Smith etc; *ne legyen X. Y. a nevem* (,) *ha nem igaz* hang me if this/it is not true; *nevek említése nélkül* without mentioning names, mention/name no names; *a történelem nagy nevei* the great names of history; *neve napja* his/her name-day, fête day; *gratulál vknek neve napján (kb)* wish sy many happy returns; *saját nevemben* for myself, in my own name; *üdvözöld nevemben!* give him my kind(est) regards; *mondd ezt meg neki az én nevemben* tell him that from me; *vk nevében* on/in behalf of sy, in the name of sy; *a Magyar Népköztársaság ~ében* in the name of the Hungarian People's Republic; *maga és fia nevében* on behalf of himself and of his son; *ő csak saját nevében beszél* he is speaking only for himself; *csak a magam nevében beszélek* I am speaking individually (v. for myself only); *vk nevében beszél [ügyvéd stb.]* speak for sy; *nevében és részéről* for and on behalf of; *vk nevében és megbízásából* by authority of sy; *a törvény nevében* in the name of (the) law; **névhez fűződik** it is linked with the name of; *más néven* alias, otherwise known as; *Samuel Clemens más ~ Mark Twain* S. C. otherwise M. T.; *X ~en ismerik (őt)* he is going by the name of X, he passes by the name of X; *ilyen ~en nem ismerik őt* he is not known by that name; *...~en ismert* known as..., go by/under the name of..., referred to as...; *milyen ~en ír?* what is his pen-name?, what is his nom de plume?; *milyen ~en játszik?* what is his stage name?; *semmi ~en nevezendő* whatsoever; *semmi ~en nevezendő kifogásom nincs* I have no objection whatsoever; *jó ~en vesz* be pleased at/by sg, take sg in good part, be gratified by sg; *rossz ~en vesz vmt* take sg ill/amiss, take umbrage/offence at sg, take sg in bad/ill part, resent sg; *remélem nem veszi rossz ~en* I hope you won't mind; *ne vegye rossz ~en* don't take it amiss, don't take it unkindly (if...); *nevén nevez* name; *nevén nevezi a gyermeket* call a

spade a spade; *vk akit nem fogok nevén nevezni* someone who shall be nameless; *nevén szólít vkt* call sy by (his) name; *igazi nevén nevez vmt* call a spade a spade; *jobb nevükön nevezni a dolgokat* it is best to speak plainly, it is no use beating about the bush; *vknek a nevén áll vm a telekkönyvben* the property is in his/her name; **névre** *szóló* personal, not transferable, *(ker)* payable to order/holder/bearer *(ut)*, made out in the name of the holder *(ut)*; *~re szóló értékpapírok* registered securities; *~re szóló kötvény* personal security; *~re szóló meghívás/meghívó* personal invitation, not transferable invitation; *~re szóló részvény* registered/inscribed share, inscribed stock; *átír vmt [nagyobb értéket]* *vknek a nevére* convey sg to sy by deed/document; *Napóleon puszta nevére* at the bare/mere name/mention of Napoleon, it was enough just to mention Napoleon; *a kutya Fidó ~re hallgat* the dog answers to the name of Fidó; *csak* **névről** *ismerem őt* I know him only by name/reputation; *~rőt jól ismerem* I know him well by name; **nevet** *ad (vknek, vmnek)* name (sy, sg), give (sy, sg) a name; *új nevet ad [embernek, utcának]* rename (sy, a street); *a János nevet kapta/nyerte* he was given the name (of) John, he was named John; *nevet változtat* change one's name, assume another name; *Péter nevet visel* he bears the name of Peter; *más nevet vesz fel* assume another name, change one's name (by deed poll), *[álnevet]* go under an alias; *megadja/megmondja a nevét* give/te ll one's name; *anyja nevét viseli* he goes by his **mother's name**; *ő csak a nevét adja hozzá* he lends his name only (to it), he is only a figure-head *(pej)*; *nevét adja egy vállalkozáshoz* lend one's name to an undertaking; **névvel** *ellát vmt* give sg a name, denominate/name sg; *sértő nevekkel illet vkt* call sy names; *nevével ellát vmt* put/set one's name to sg 2. *[hírnév]* renown, reputation, repute, (good) name; *neve van* he has a (good) name; *jó neve van* enjoy a high reputation; *jó neve van irodalmi körökben* he is well spoken of in the world of literature, his stock stands high in the literary world *(fam)*; *méltó volt nevéhez* he lived up to his name; *nevet szerez* make a name, win fame; *nevet szerez magának* win renown/fame, make/achieve a name/reputation for oneself, make one's name; *nevet szerez magának mint tudós* make one's mark as a scholar; *nagy nevet visel* he bears a great/illustrious name

neva [.. át] *a/n, [ing]* wash-and-wear. no-iron, drip--dry (shirt)

névadás *n*, naming, christening, giving/assigning/attribution of a name, appellation, *(tud)* nomenclature

névadási *a*, nomenclative

névadó I. *a*, eponymous, denominative, denominating; *~ szülök* name-giving parents; *~ ünnepség* naming ceremony, name-giving ceremony/celebration **II.** *n*, eponym, denominator

névaláírás *n*, 1. *[cselekvés]* signing 2. *[eredménye]* signature; *bélyegző ~sal* stamped signature

névaláíró *a*, *~ tanúk* attesting witnesses

névbecsülés *n*, *(ker)* collateral acceptance, acceptance in honour

névbecsülési *[-t]* *a*, *~ elfogadás [váltóé]* acceptance for honour; *~ fizetés* payment for honour

névbetű *n*, initial(s)

névbitorlás *n*, usurpation of a name, abusing sy's name, *(jog)* false personation

névbitorló *n*, personator

névcédula *n*, tag, tally; *névcédulával ellát [csomagot stb.]* tally

névcsere *n*, 1. *[téves]* misnomer, confusion of names 2. *[változtatás]* change of name, assuming (of) a new name

nevel [-t, -jen] *vt*, 1. *[gyermeket]* bring up, rear, nurture, breed, *[nagy gonddal]* foster, *[személyt oktatva]* educate, form; *vkt vmre ~* school sy in sg, nurture sy on sg, train sy for sg, bring up sy to sg; *katonának ~ték* he was brought up to be a soldier; *orvosnak ~i a fiát* educate/train one's son for a medical career; *kitűnő szakmunkásokat ~* train first-rate craftsmen; *jól ~* educate carefully, bring up well; *rosszul ~* spoil (a child) 2. *[állatot]* rear, breed, *[tanítva]* train, *[baromfit]* raise, keep, *[növényt]* raise, cultivate, grow

nevelés *n*, 1. *[emberré]* bringing up, upbringing, rearing, nurture, nurturing, breeding, fosterage, *[oktatás]* education, formation, tuition, instruction, *[iskolázás]* schooling, *[módszer]* pedagogy; *jó ~ben részesült* he received a good education; *az én ~em* it was I who have made a man of him, *[saját fiáról]* a chip off the old block, I have licked him into shape *(fam)*, *[növény]* my raising, I have raised it myself, it is homegrown; *származásánál és ~énél fogva szocialista* he was born and bred a socialist 2. *[neveltség]* education; *látszik rajta a jó ~* good breeding is written all over him 3. *[állaté]* breeding, rearing, *[tanítva]* training, *[baromfié]* keeping, raising, *(növ)* rearing, raising, cultivation, growing

neveléselmélet *n*, theory of education, educational theory

nevelési *[-ek, -t]* *a*, educational, *(ritk)* pedagogic(al); *~ eszközök* vehicles/means/instruments of education; *új ~ irányzat* a new direction in education; *~ módszer* educational method/system

neveléslélektan *n*, educational psychology

nevelésmód *n*, educational method/system

neveléstan *n*, pedagogy, pedagogics, science of education

neveléstani *a*, pedagogic(al)

neveléstudomány *n*, = neveléstan

neveléstudományi *a*, = neveléstani; *N~ Intézet* Institute of Education

nevelésű *[-ek, -t]* *a*, *jó ~* well brought up, well-mannered/bred; *rossz ~* badly brought-up, ill-mannered/bred, spoilt, unlicked (cub) *(fam)*

nevelésügy *n*, public education

neveletlen *a*, 1. without breeding *(ut)*, uneducated, *(elit)* badly brought-up, ill-mannered/bred/behaved, vulgar, low-bred, unmannerly, un(der)bred, uncivil, half-bred, uncouth, churlish, rude, boorish, unlicked *(fam)*, *[gyermek]* naughty, dragged up; *~ fráter* lout, churl, ill-bred fellow; *~ viselkedés* misbehaviour, bad form, indecency, *[gyermeké]* naughtiness 2. *[kiskorú]* minor, young; *~ árva* orphan in early childhood; *~ gyermek* infant

neveletlenked|ik *[-tem, -ett, -jen, -jék]* *vi*, misbehave (oneself); *ne ~j!* don't be naughty!, behave yourself!

neveletlenség *n*, 1. *[tulajdonság]* ill-breeding, lack/want of breeding/manners, incivility, ill-manners *(pl)*, impoliteness, discourtesy, *[gyermeké]* naughtiness 2. *[cselekedet]* misconduct, misbehaviour, bad form, discourtesy, indecorum, a breach of decorum; *ez ~* it is bad form, it is not good form

neveletlenül *adv*, uncivilly, impolitely, discourteously; *~ viselkedik* misbehave (oneself)

nevelhetetlen *a*, ineducable

nevelhető *a*, educable, educatable, trainable; *nehezen ~ gyerek (kb)* problem child

nevelhetőség *n*, educability

nevelkedés *n*, upbringing, education, raising, rearing

nevelked|ik *[-tem, -ett, -jen, -jék]* *vi*, be brought up, be reared/educated, grow up, receive one's training, be raised *(US)*

nevelő *[-t, -je]* **I.** *a*, 1. educational, instructive; *~ célzat* didactic intent/purpose; *a színház ~ ereje/szerepe* the educational side of the theatre; *~ hatású* educative; ~ jellegű educational 2. jó ~ idő (növ) good growing weather II. n, (át) educator, educationalist, (ritk) pedagogue, [magán] preceptor, (family) tutor, private teacher/tutor, instructor

névelő [-t, -je] n, article; határozott ~ definite article; határozatlan ~ indefinite article

nevelőanya n, foster-mother

nevelőapa n, foster-father

nevelőatya n, = nevelőapa

nevelőd|ik [-tem, -ött, -jön, -jék] vi, = nevelkedik

nevelői [-t] a, pedagogic(al), educational, tutorial, preceptorial; ~ állás tutorship

nevelőintézet n, educational establishment, [internátus] boarding-school, [GB javítva nevelő] Borstal, reformatory (school)

nevelőmunka n, educational work; nevelőmunkát végez be engaged in educational work

nevelőnő n, [házi] governess, [intézeti] preceptress, tutoress, [napköziben] nursery governess

nevelősködés n, tutoring

nevelősköd|ik [-tem, -ött, -jön, -jék] vi, be a preceptor/tutor, [nő] be a governess

nevelőszülő n, foster-parent, [menhelyről kiadott gyereké] baby-farmer

nevelőtanár n, (kb) resident assistant master

nevelőtiszt n, political commissar

nevelt [-ek; adv -en] I. a, 1. [tanított] brought up, educated, trained, reared, bred; jól ~ well brought up, well-mannered/bred; rosszul ~ badly brought up, ill-mannered/bred, un(der)bred, [gyermek] spoiled, naughty 2. [fogadott] foster; ~ gyermek foster-child, nursling, nurse-child II. n, vknek a ~je (átv) the pupil of sy

neveltet vt, provide for the education of sy, send sy to school, put sy through school/college (US)

neveltetés n, 1. education, upbringing, raising (US fam); gondos ~ben részesült he was given a good education 2. [származás] background

neveltség n, education

névérték n, face/nominal value, par, [pénzé] denomination; ~en at par; ~en alul, ~ alatt below par; ~en felül above par

névértékű a, having/to the face/nominal value of (ut)

neves [-et; adv -en] a, famous, renowned, famed, well-known, noted, celebrated, of name/distinction/note (ut), reputed; ~ emberek people of name, men of mark; ~ író a writer of distinction; ~ orvos doctor of repute, doctor in great repute

nevesség n, fame, celebrity, renown, name

nevet I. vi, laugh, [gúnyosan] sneer, [hangosan] guffaw, laugh boisterously/uproariously, [megelégedetten] chuckle, [tömegben hangosan] roar; szeret ~ni he loves a/to laugh; ~ vkn laugh/mock at sy; ~ vmn laugh at/over sg; nem lehet nem ~ni rajta one cannot help laughing at it; csak ~ vmn make light of sg, not care a straw for/about sg, snap one's fingers at it; markába ~ laugh up one's sleeve, chuckle at/over sg; maga könnyen ~, könnyű neked ~ni you may well laugh, it's easy for you to laugh, it's all right for you to laugh; mindenki rajta ~ he makes himself a laughing-stock, he makes a fool of himself, everybody is laughing at him; az ~ legjobban aki utoljára ~ he who laughs last laughs longest; együtt ~ a többiekkel join in the laugh, úgy ~ett hogy csak úgy potyogtak a könnyei he laughed till he cried, he laughed till the tears came into his eyes; hosszasan ~tünk we laughed loud and long; jót ~ he had a good laugh; nevessenek csak amíg jól esik have your laugh out!; rám ~ett he greeted me with a laugh, he smiled at me; rajtam ~nek a laugh at my expense; nem szeretem ha ~nek rajtam I don't like to be laughed at; sokat

~tünk rajta we had many a laugh over it, we got a good laugh out of it; ~nem kell! nonsense!, fiddlesticks!, it makes (v. you make) me laugh; ~ni való laughable; ez nem ~ni való dolog it's no laughing matter, there's nothing to laugh at/in/about it; id még nevetnivaló; halálra ~tük magunkat we nearly/almost died with laughter, it was killingly funny, our sides nearly split with laughter; ~tünk a történeten we laughed over the story; ~ve mondta nekem he told me laughingly, he told me with a laugh; lehet már ~ni? is that where we laugh?

II. vt, mit lehet ezen ~ni? what's the joke/point?; ezen nincs mit ~ni there is nothing to laugh at; azt ~em hogy annyira megijedtél what makes me laugh is that you are so frightened; mit ~sz what are you laughing at?

nevetés n, laughter, laugh(ing), mirth (ref.), [gúnyos] sneer, jeer, [hangos] guffaw, [megelégedett] chuckle, [tömegben] roar; ~ fogja el be seized with laughter; a ~ jót tesz az embernek laughter is good for the digestion; ~be tör ki burst out laughing, burst into a (loud) laugh, explode laughter; görcsös ~be tör ki be seized with convulsions of laughter; ~re fakad burst out laughing, guffaw, laugh out(right), explode laughter; ~re hajlamos inclined to laugh (ut), laughy; ~re késztet raise a laugh, make sy laugh; nagy ~t hallottam I heard a burst of laughter; nagy ~t kelt raise a storm of laughter; ~sel elintéz (vmt) laugh away; ~sel elűz (vkt) laugh away

nevetésforma n, vm nevetésformát hallatott he kind of laughed

nevetési [-ek, -t] a, laughing, of laughing (ut); ~ inger laughing mood, itching to laugh

nevetgél [-t, -jen] vi, giggle, titter, snigger

nevetgélés n, giggle, giggling, titter(ing), snigger(ing); megelégedett ~ chuckle; ~sel tölti az időt laugh away the time with jests

nevethetnék [-et, -je] n, ~em volt I felt like laughing, I was itching/dying to laugh

nevetlen a, nameless, unnamed, anonymous

nevetnivaló n, mi ~ van ezen? is it a laughing matter?, what is the joke?; nincs ezen semmi ~ it's no laughing matter, there's nothing to laugh at/in/about it; id még nevet

nevető [-t, -je] a, laughing, mirthful (ref.); ~ kedv laughing mood, risibility; nincs ~ kedvem, nem vagyok ~ kedvben I am in no laughing mood, I am in no heart for laughing; ~ örökösök joyful/laughing/happy heirs

nevetőgödör n, [arcon] dimple

nevetőgörcs n, laughing fit, fit/spasm of laughter, paroxysm of uncontrollable laughter, paroxysm of laughing, gelasmus

nevetőhullám n, burst of laughter

nevetőizom n, (bonct) laughing-muscle, risorium/risorial muscle

nevetőorkán n, storm/burst of laughter; ~t támaszt raise a storm of laughter

nevetős [-ek, -t; adv -en] a, laughter-loving, laughing, risible, merry; nem vagyok ~ hangulatban/kedvemben I am in no heart for laughing, I am in no laughing mood

nevetség n, jeer, mockery, derision, ridicule; ~ tárgya laughing-stock, ridicule, [igével] be open to ridicule, give cause for ridicule, be the object of ridicule; ~ tárgyát képezi be the object of ridicule, be held in derision; ~ tárgyává lesz become a laughing-stock, make oneself ridiculous, lay oneself open to ridicule; ~ tárgyává tesz make (sg, sy) ridiculous, hold (sg, sy) up to ridicule/scorn, poke fun at (sy, sg), make a laughing-stock of (sy), cover sy with ridicule, pour ridicule on sy; (ez) kész ~! this is simply/

perfectly ridiculous!, how ridiculous!, this is the height of absurdity; ~*be fullad* be drowned in ridicule, turn to ridicule

nevetséges [-et; *adv* -en] *a,* ridiculous, laughable, funny, farcical, risible *(ref.),* ludicrous *(ref.),* [*ember, külső, öltözet*] comical, impossible *(fam),* [*bosszantóan*] absurd, preposterous, foolish, [*igével*] be open to ridicule, give cause for ridicule; ~ *ajánlat* derisery offer; ~ *alak* figure of fun, droll figure; ~ *ár* absurdly/ridiculously low price; ~ *követelésekkel lép fel* set up ridiculous pretensions; ~ *szinben tűnik fel* look foolish; *ez nem* ~, *ebben nincs semmi* ~ there is nothing to laugh at (here), it is no laughing--matter; ~*sé tesz (vmt, vkt)* ridicule, make ridiculous, satirize, hold (sg, sy) up to ridicule/scorn, turn (sg, sy) into ridicule, make a fool of (sy), poke fun at (sg, sy), cover (sy) with ridicule, laugh (sy) to scorn, get/have the laugh of (sy) *(fam);* ~*sé tesz indítványt/javaslatot* laugh down a proposal; ~*sé tétel* lampoonery; ~*sé válik,* ~*sé teszi magát* make oneself *(v.* become) ridiculous, make a fool/show/sight of oneself, lay oneself open to ridicule, expose oneself to ridicule, make a laughing-stock of oneself, give cause for ridicule

nevetségesség *n,* ridiculousness, [*bosszantó*] absurdity, preposterousness; *a helyzet* ~*e* the ridiculous side *(v.* the absurdity) of the situation

nevettében *adv,* (from) laughing; *majd meghalt/megpukkadt* ~, *oldalát fogta* ~ he nearly died with laughter, he nearly split his sides with laughter, he was choking with laughter, his sides shook

nevettető [-t, -je] I. *a,* amusing, laughable, comic, funny, humorous, side-splitting *(fam),* killing *(fam),* screamingly funny ◇, ludicrous *(ref.)* II. *n,* laughter--maker; *a nagy* ~ *(színész, író)* the great comedian/ humorist

nevez [-tem, -ett, -zen] I. *vt, (vkt vmnek)* call, name, denominate *(ref.), (vmt vmnek)* call, term *(ref.),* style *(ref.), (vmlyennek)* designate (as), *(vmt/vkt vmről/vkről)* name (sg/sy after/for sg/sy); *a gyermeket Péternek* ~*ik* the child is called Peter; *Szabónak* ~*nek* my name is Szabó; *minek* ~*ik ezt?* how do/ would you term/style this?, what do/would you call this?; *Bécset németül Wiennek* ~*ik* Vienna is called Wien in German, Wien is the German name for Vienna; *vagy* ~*d aminek akarod* call it what you will, or what you will; *akárhogy/akárminek (is)* ~*ik* by whatever name you call it; *úgy* ~*ik (hogy)* be referred to as; *helytelenül* ~ misterm; *ezt rablásnak* ~*em* I term/call it *(v.* it is) sheer robbery; *színésznek* ~*i magát* describe oneself as an actor; *nevén* ~*i a gyermeket (átv)* call a spade a spade; *ezt* ~*em I* that's fine/swell!, that's something like ◇!; *ezt* ~*em bátorságnak* I call it bravery!; *ezt* ~*em sikernek!* that's something like success!

II. *vi, (vmnek)* enter (for), go in for

nevezendő [-t] *a,* to be named/called; *bármi/minden/ semmi néven* ~ what(so)ever; *semmi néven* ~ *kifogásom nincs* I have no objection what(so)ever

nevezés *n, (vkt vmnek)* calling, naming, denomination *(ref.), (vmt vmnek)* calling, terming *(ref.),* styling *(ref.)* 2. *(sp)* entry

nevezési [-ek, -t] *a,* ~ *díj* entry fee; ~ *határidő* closing date for entries, term of entries; ~ *lap [versenyre]* entry-form

nevezet *n,* denomination

nevezetes [-ek, -t; *adv* -en] *a,* notable, renowned, noted, celebrated, famed, illustrious, *(vm)* remarkable, noteworthy; ~ *vmről* famous/famed/known/ noted/renowned/remarkable for sg, well-known for sg; ~ *esemény* memorable/significant event; ~ *nap* memorable day, red-letter day, never-to-

-be-forgotten day, a day stamped on/in one's memory

nevezetesen *adv,* namely *(röv viz.),* to wit, notably, that is (to say) *(röv i.e.),* in particular

nevezetesség *n,* 1. [*tulajdonság*] celebrity, fame, renown, repute, remarkableness 2. [*személy*] notability 3. ~*ek [városé stb.]* sights; *a város* ~*ei* the sights of the town; *megnézi/megtekinti a* ~*eket* go sight-seeing, see the sights; ~*ek megtekintése* sight-seeing

nevezett [-et, -je] *a, (ált)* called, named, *(vmnek)* of the name of... *(ut),* [*hivatalos stílusban*] said, aforesaid, aforenamed, above, same; ~ *személy* person in question; ~ *X (jog)* a man X by name, a man by name X, a man of the name of X; ...*néven* ~ designated by the name of...

nevezetű [-ek, -t] *a,* called, named, of/by the name of... *(ut); Kovács* ~ *nem lakik itt* we have no Mr. Kovács living here

nevezhető *a,* namable; *ez így is* ~ it may also be called/termed..., it may be given this name too; *hogyan* ~ *az aki...* what is the proper name for someone who..., how could/should one term sv who...; *ld még nevezendő*

nevező [-t, -je] I. *a, magát ügyvédnek* ~ *egyén* so-called lawyer II. *n,* 1. *(menny)* denominator; *közös* ~*re hoz (menny)* reduce to a common denominator; *két törtet közös* ~*re hoz* reduce/bring two fractions to a common *(v.* the same) denominator; *közös* ~*re hoz különböző érdekeket* reconcile different interests 2. *(sp)* entrant (for)

névházasság *n,* nominal/fictitious marriage (for securing certain advantages), marriage in name only

névhiba *n,* misnomer

névjegy *n,* (visiting) card, call-card, calling card *(US);* ~*et behajt* turn down the corner of a (visiting) card; *beküldi* ~*ét* send in one's card; *leadja* ~*ét vknél* leave a/one's card on sy

névjegytárca *n,* card-case

névjegytartó tál card-tray

névjegyzék *n,* list (of names), roll, register, panel of names, nominal list; *választási* ~ register (of voters), electoral register, poll; *felvesz a* ~*be* put/enter a man on the rolls

névjel *n,* initial(s), monogram

névkártya *n, (ker)* trade-card

névkönyv *n,* register, catalogue, [*tulajdonneveké tud*] onomasticon

névlajstrom *n,* = **névjegyzék**

névleg *adv,* nominally, in name; *ő csak* ~ *elnök* he is president only in name

névleges [-et; *adv* -en] *a,* nominal, titular; ~ *átmérő* nominal diameter; ~ *bér (vmért)* peppercorn/nominal rent, *(vknek)* nominal wages *(pl);* ~ *érték* nominal/ face value; ~ *haszon/profit* paper profits *(pl);* ~ *házasság =* **névházasság** ~ *vezető* figurehead

névlegesen *adv,* nominally

névmagyarosítás *n,* Magyarization of one's surname

névmás *n, (nyelvt)* pronoun; *birtokos* ~ possessive pronoun; *határozatlan* ~ indefinite pronoun; *kérdő* ~ interrogative pronoun; *kölcsönös* ~ reciprocal pronoun; *mutató* ~ demonstrative pronoun; *személyes* ~, personal pronoun; *visszaható* ~ reflexive pronoun; *vonatkozó* ~ relative pronoun

névmási [-ak, -t; *adv* -lag] *a, (nyelvt)* pronominal; ~ *határozó* pronominal adverb

névmutató *n,* index, alphabetic(al) list/table, [*könyvtári*] name index

névnap *n,* name-day, fête (day); ~*jára vknek gratulál (kb)* wish sy many happy returns; ~*ot tart* keep/ celebrate one's name-day

névnapi *a,* name-day('s), of/for name-day *(ut);* ~

ajándék name-day present; ~ *köszöntő* name-day greetings *(pl)*

névrag *n*, case-ending, nominal suffix

névragozás *n*, declension, inflexion of nouns (and adjectives)

névrokon *n*, namesake; *egy ~om* a namesake of mine

névsor *n*, list (of names), register, roll, roster, rota, *(hajó)* muster-roll; *legjobb hallgatók ~a (isk)* honours list *(GB)*; *~t olvas* call (over) the roll, take (the) roll-call, call over the names, take the call--over, *(hajó)* muster

névsorolvasás *n*, roll-call, call-over, *(hajó)* muster

névszó *n*, substantive, noun and adjective

névszói [-ak, -t; *adv* -lag] *a*, nominal; ~ *állítmánnyal használatos ige* predication; ~ *mondat* nominal/equational sentence; *az állítmány ~ része* predicated adjective or noun

névszóképzés *n*, formation of nouns/substantives/adjectives/numerals

névszóképző *n*, nominal suffix

névszóragozás *n*, *(nyelvt)* declension

névszótár *n*, onomasticon

névtábla *n*, *[ajtón]* name/door-plate, *(hajó)* letter--board

névtár *n*, register, catalogue, *(tud)* onomasticon

névtelen *a*, *(ált)* unnamed, nameless, anonymous, *[ismeretlen]* unknown, nameless, *[mű, regény]* anonymous, authorless, *[író stb.]* renownless, *(jog, tud)* innominate; ~ *feljelentés* anonymous report/protest; *a N~ Jegyző (tört)* the Anonymus ⟨the author of a valuable Hungarian Gesta before 1200⟩; ~ *katona sírja* tomb of the unknown warrior, *[emlékoszlopa Londonban]* the Cenotaph; ~ *levél* anonymous letter; ~ *levélíró* anonymous letter-writer, poison pen; ~ *számla* impersonal account; ~ *szerző* anonymous author, anonym

névtelenség *n*, anonymity, *[ismeretlenség]* obscurity; *kiemel vkt a ~ homályából* raise sy from *(v.* out of) obscurity; *~be burkoló(d)zik* preserve one's anonymity, remain anonymous, take shelter in anonymity

névtelenül *adv*, anonymously, nameless

névtévesztés *n*, misnomer, misnaming, wrong name

névtudomány *n*, onomatology

névusz [-ok, -t, -a] *n*, *(orv)* mole, beauty spot, birthmark

névutó *n*, postposition

névutói *a*, = névutós

névutós [-at; *adv* -an] *a*, postpositional, adnominal

nevű [-ek, -t; *adv* -en] *a*, by/of (the) name, named, called *(mind: ut)*; *egy Papp ~ ember* a man called P, a man of the name of P, a man by the name P, a man (,) P by name; *bizonyos Smith ~ úr* a certain Mr. Smith; *egy János ~ fiú* a boy called John; *ismert ~* well-known, noted, famous; *jó ~* of good repute/report *(ut)*, reputable; *nagy ~* ld nagy I. 2.

névünnep *n*, = névnap

névváltozás *n*, change of name

névváltozat *n*, change of name

névváltoztatás *n*, change of name

newtoni [-t] *a*, Newtonian

New York [-ot, -ban] *prop*, New York

New York-i [-ak, -t] I. *a*, New York, of/in New York *(ut)* II. *n*, New Yorker

nexus [-ok, -t, -a] *n*, 1. *[kapcsolat]* relation(s); *milyen ~ban vagytok?* what sort of a relationship/connection is there between you? 2. *[protekció]* connections *(pl)*, influences *(pl)*

néz [-tem, -ett, -zen] I. *vt*, 1. *(vmt, vkt)* look (at), view, behold *(ref.)*, regard *(ref.)*, *[előadást]* watch (performance), *[tv-adást]* view, watch; *gyanakodva ~ eye suspiciously; hosszasan ~ (vmt, vkt)* contemplate/scrutinize/scan sg, let one's eye dwell upon

sy/sg; mereven ~ vmt/vkt stare/gaze at sg/sy; *~ik egymást* they are looking at one another; *vkt/vmt ~ de nem lát* look at sy/sg with unseeing eyes; *~d csak!* (just) look at that!; *hadd ~zem, ~zük csak* let me see; *mit ~(el)?* what are you looking at?; *ő csak ~te* he was just looking on, he was just a looker-on; *~ze kérem!* look here!, listen! 2. *[tekint]* consider, take into consideration, *(vmt/vkt vmnek/vknek)* take/mistake sg/sy for sg/sy; *csak a maga hasznát ~i* consider only one's own interest; *ha nem ~ném korodat* if I did not consider your age, if I made no allowance for your age; *minek ~ maga engem?* what do you take me for?, do you think I'm green? *(fam)*, do you see any green in my eye?; *senki sem ~né annyinak* one wouldn't take/reckon him for his age, he doesn't look his age; *húsz évesnek ~em* I (should) put him down as/at twenty, I take him to be no more than twenty; *angol hölgynek ~em* I take her to be an English lady; *angolnak ~tem* I put him down for an Englishman; *úgy ~em* in my opinion/view; *~zük most már...* let us now look at ...

II. *vi*, 1. *(ált)* look, *[hosszasan]* contemplate, stare, *(vmre, vkre)* look at sg/sy, set eyes on sy; *vk/vm felé ~* look towards sy/sg; *másfelé ~* look the other way; *haragosan/fenyegetően ~* look black (as thunder); *hosszasan/mereven ~ vmre/vkre* gaze/stare at sg/sy; *nem merek a szeme közé ~ni* I don't dare to *(v.* I dare not) look him in the face; *csak ~tem mi lesz ebből* I was just wondering what would happen; *nagyot ~ett* he was surprised (to see it); *vmnek elébe ~het [rossznak]* have to face (difficulties), *[jónak]* can look forward to; *anyai örömöknek ~ elébe* be expecting 2. *[nyílik vmre]* look on to sg, face/front sg; *a kertre ~ [ablak]* it overlooks the garden, it opens into the garden; *az ablakok a kertre ~nek* the windows look on to the garden, the windows look over/into the garden, the windows give on the garden; *a ház délre (v. dél felé) ~* the house faces/fronts south, the house looks to (the) south; *a szobák az utcára (v. az utca felé) ~nek* the rooms look on the street 3. *[tekintetbe vesz]* attach importance to; *kicsire nem ~ünk* we are not so very particular; *nem ~ semmire* disregard everything; *a költségre nem ~nek* they don't mind the expense 4. *vm után ~* see to sg; *feleség után ~* look for a wife

nézdegél [-t, -jen] I. *vi*, look around/about II. *vt*, = nézeget

nézeget I. *vt*, keep looking at sy, examine, scrutinize sg, gaze/look closely at sy/sg, *[gyakran]* look frequently at sg; *egy könyvet ~* glance/skim through a book, dip into a book, turn over the leaves/pages of a book; *hosszasan ~te a kirakatot* he was staring at the shop-window II. *vi, lopva ~ vkre (v. vk felé)* steal glances at sy

nézelődés *n*, looking around/about, contemplation

nézelődik [-tem, -ött, -jön, -jék] *vi*, look around/about, peer; *csak~öm [üzletben* = nem veszek semmit*]* just browsing, just taking/having a look round

nézés *n*, 1. looking; *nem tudott betelni a ~ével* he never tired/wearied of contemplating it 2. *[tekintet]* look, aspect, gaze, stare; *mogorva a ~e* he looks sour, he wears a sullen look

-nézésű [-ek, -t] *a*, -looking, -eyed

nézet *n*, 1. *[vélemény]* view, opinion, judg(e)ment, idea; *~ dolga/kérdése* a matter of opinion; *általános/an elterjedt* ~ a widely held view, common/popular report, current coin *(fam)*; *(az az) általános ~ (hogy)* it is the general opinion (that), it is generally believed (that); *az a ~e hogy ...* be of the opinion that ...; *~em szerint* in my opinion/eyes/sight, to my mind, as it strikes me, as I take it, in my judg(e)ment, according to my judg(e)ment, in my esteem, if you ask me, from what *(v.* as far as) I can see; *szerény ~em szerint* in my humble opinion, with all due deference I think (that); *jobboldali ~ek* right views, right-wing views; *~ei megváltoztak* his mind has worked round to different opinions; *~eink eltérőek voltak e ponton* we were at variance on this point, we begged to differ *(v.* we differed) on this point; *különös ~ei vannak, különös ~eket vall* profess/hold strange views/ideas; *egy ~en van vkvel* agree with sy's views, be of the same mind/opinion as sy, hold the same view(s); *más ~en van vkvel* disagree with sy, differ in opinion from/with sy; *azon a ~en van* take the view, have the opinion; *azon a ~en vagyok (hogy)* I consider that, I am of the opinion (that); *annak a ~ének adott kifejezést (hogy)* he expressed the view, he voiced the opinion (that), he gave voice to the opinion (that), he suggested (that); *~ét nyilvánítja* give one's opinion, give one's judg(e)ment on sg; *azt a ~et vallja* maintain/uphold the view (that); *~et oszt* subscribe to the view, agree with sy's view/opinion, concur in an opinion, see eye to eye with *(fam)*; *elfogadja vknek a ~ét* come round to sy's way of thinking, fall in with sy's opinion, come over to sy's opinion; *egy ~et valló* like-minded **2.** *[látási szög]* view, *(műsz)* elevation

nézetazonosság *n,* identity of views/opinions

nézeteltérés *n,* divergence/difference of opinions, differences (of opinion) *(pl),* variance, dissension, disagreement, dissent, misunderstanding, *[veszekedés]* dispute, conflict, clash, disaccord (with); *~ áll fenn arra nézve hogy* ... there is a difference of opinion on whether ...; *~ esetén* in case of dispute; *~e van vkvel* be at variance/issue with sy; *gyakran voltak ~eik* they had frequent disputes/clashes

nézetkülönbség *n,* = nézeteltérés

nézetű *a, azonos ~* of the same mind/opinion *(ut),* unanimous

nézgelődés *n,* looking around/about

nézgelőd|ik *[-tem, -ött, -jön, -jék] vi,* look around/about; *csak ~öm [üzletben]* just browsing, just having a look round

néző *[-t, -je]* **I.** *a, utcára ~ ablakok* windows that front/face/look onto the street, windows overlooking the street; *utcára ~ szoba* room that looks out on the street, room looking on (to) the street; *délre ~ szoba* room facing south

II. *n,* onlooker, looker-on, spectator, bystander, *[tv-adásé]* viewer, watcher-in, *[eseményeké]* observer; *~k (szính)* the audience, the house, *[kártyajátéknál]* the gallery *(fam)*

nézőemelvény *n,* grand stand

nézőhely *n,* place for spectators, *[emelvény]* grand stand

nézőke *n,* **1.** *[optikai készüléken]* sighting slot, *[puskán]* notch, (back-)sight; *~ nyílása (fényk)* sight aperture **2.** *[olvasztón, kohón]* eyepiece

nézőközönség *n,* public, audience, spectators *(pl);* *szép számú ~e volt (a darabnak)* there was a fair audience

nézőlyuk *n,* eyehole, peephole, sight-hole

nézőpont *n,* point of view, stand-point, view-point

nézőrés *n, [műszeren]* eye slit, sight

nézősereg *n,* crowd of spectators/onlookers

nézőszög *n,* looking/visual angle

nézőtér *n,* auditorium, house, hall, theatre; *teli ~a* good house; *üres ~nek játszik* play to an empty house

nézővonal *n,* line of sight

nézve *adv. post,* **1.** *jobbról ~* seen from the right; *közelebbről ~* on close inspection; *oldalról ~* in profile **2.** *[tekintve]* with respect/regard to, as to; *erre ~* in this connection; *erre ~ megjegyzem* in this connection I would point out; *végtelenül kellemetlen volt rám ~* it was extremely unpleasant for me

nézsit *[-et, -je] n, (növ)* lavender-cotton, ground-cypress *(Santolina)*

ni *int, ~ (csak)* lo!, look!, why!, here/there it/they is/are!; *~ a Jóska!* look(,) here is Joe!

nibelungi ének lay of the Nibelungen, Nibelungenlied

Nicaragua *[.. át, .. ában] prop,* Nicaragua

nicaraguai *[-ak, -t] a/n,* Nicaraguan

nicsak *int,* ld ni

Niger *[-t, -ben] prop,* Niger

nigeri *[-ek, -t] a,* Niger

Nigéria *[.. át, .. ában] prop,* Nigeria

nigériai *[-ak, -t] a/n,* Nigerian; *N~ Szövetség* Federation of Nigeria

nihilista *[.. át] a/n,* nihilist

nihilisztikus *a,* nihilistic

nihilizmus *n,* nihilism

Niki *[-t, -je] prop,* Nick

nikkel *[-ek, -t, -e] n/a,* nickel

nikkelacél *n,* nickel steel

nikkelez *[-tem, -ett, -zen] vt,* nickel(-plate), nickelize

nikkelezés *n,* nickel-plating, nickelization

nikkelezett *[-et] a,* nickel-plated

nikkelin *[-ek,-t,-e] n, (ásv)* copper nickel, kupfernickel

nikotex *[-et] a,* = nikotinmentes

nikotin *[-ok, -t, -ja] n,* nicotine; *~t kivon* denicotinize; *~tól sárga ujjak* fingers stained with nicotine, nicotined fingers

nikotinmentes *a,* denicotinized, denicotined, free from nicotine *(ut)*

nikotinmérgezés *n,* nicotinism, nicotine poisoning

nikotinos *[-ak, -t] adv -an] a,* **1.** tobacco stained, stained with nicotine *(ut),* nicotined; *~ ujjak* nicotined fingers **2.** *[permetlé]* nicotine

nikotinsavamid *n,* nicotinamid

nikotinszűrő *n, [cigarettáé]* filter tip

nikotintartalmú *a,* containing nicotine *(ut)*

Nilus *[-t, -ban, -on] prop,* Nile; *a ~ áradásai* the floods of the Nile

nímand *[-ot, -ja] n,* nobody, nonentity

nimbusz *[-ok, -t, -a] n,* **1.** *(átv)* aura, *[tekintély]* prestige; *írói ~* reputation as an author; *~ veszi körül* (s)he is greatly/universally respected, everybody looks up to him/her **2.** *(vall)* nimbus, halo, glory **3.** *[esőfelhő]* nimbus, raincloud

nimfa *[.. át] n, (rég)* nymph; *erdei ~* tree-nymph, dryad

nimfaszerű *a,* nymphal

nimfománia *n,* nymphomania, andromania, clitoromania

nimfomániás *a/n, [nő]* nymphomaniac

nimolista *[.. át] n,* □ nobody, man of no account, nonentity

nincs *v. imp,* **1.** there is no(t); *~enek* there are no(t); *~ egy sem aki ne látta volna* there is not one who hadn't seen *(v.* who did not see) it; *~enek gyermekeim* I have no children/family; *~ hely [ülő]* there is no seat to be found, *[járművön]* no room, no more places, full up, *(szính)* full house, *[férő]* there is no room (for sg); *~ idő* there is no time; *~ igaza* he is wrong; *~ isten* God does not exist, there is no (such thing as) God, God is non-existent; *~ itthon* he is out; *az apám ~ itthon* my father is out; *~enek itthon* they are out; *~ jelen* be absent; *~ jól* be unwell; *ez a hús ~ két kiló* this meat is less than two kilograms; *~ ki négy kerékre* he is a bit loony/dippy/barmy, he is a little touched, he has a tile/screw loose, he is missing in the upper storey; *~ messze [= nem távolság]* it is no distance; *~ miért/mit (megköszönni)* (pray/please) don't mention it, it is nothing, forget about it, not at all; *~ miért haragudni* there is no reason to be angry/annoyed, there is no reason for anger/annoyance; *~ mit tenni* there is nothing to do, there is nothing to be done, there is no help, it can't be helped now; ~ *nála különb ember* he is peerless; ~ *nehezebb mint* there is nothing more difficult than; ~ *ok vmre* there is no reason to; ~ *rá orvosság* there is no remedy for that; ~ *remény* there is no hope (left), it is (a) hopeless (case); *valami* ~ *rendben* something is wrong, something has gone wrong; ~ *semmi* there is nothing; *ennek* ~ *semmi értelme* there is no sense in all this, it is meaningless, this is all nonsense; ~ *értelme hogy megmondjuk neki* it is no use telling him; ~ *tíz perce sem hogy elment* it is less than ten minutes that he has left; ~ *(belőle) több* there is no more (left); ~ *többé* be no more; ~*enek tündérek* there are no fairies, fairies do not exist; *vagy ha ilyen* ~ . . . or in default of such a thing, or for lack/want of such a thing . . .; *ahol* ~ *ott ne keress (kb)* you can't get blood out of a stone, where nothing is nothing can be had; ~*(en) rózsa tövis nélkül* no rose without a thorn, every rose has its thorn, no joy without alloy **2.** *(vkne k/vmnek vmje)* have no(t); ~ *neve* it has no name; ~ *pénzem* I have no money, I am stony-broke *(fam)* ; ~ *nálam pénz* I have no money about me; ~ *semmije* he is penniless; ~ *több (vmből)* have no more (of), be out of; ~ *több pénzem* I am out of cash; ~ *történeti érzéke* he is lacking in historical sense, his feeling for history is lacking

nincsen *v. imp,* = **nincs**

nincstelen I. *a,* poverty-stricken, destitute, necessitous, indigent, penniless, *[mezőgazdasági munkás]* landless **II.** *n,* pauper, have-not, lack-all; ~*ek* have-nots; *a vagyonosok és* ~*ek* the classes and the masses

nincstelenség *n,* (state of) destitution, penury, need, poverty

nini *int,* ~ **ni**

nipp [-et, -je] *n,* china/porcelaine figurine, knick-knack, bric-à-brac, trinket, bibelot; ~*ek* knick-knackery, trinkery

nirvána [.. át] *n,* nirvana

nisztagmusz [-t, -a] *n, (orv)* nystagmus

nitrál [-t, -jon] *vt, (vegyt)* nitrate, azotize

nitrálás *n, (vegyt)* nitration

nitrát [-ot, -ja] *n, (vegyt)* nitrate

nitrifikáció [-t, -ja] *n, (vegyt)* nitrification

nitrifikál [-t, -jon] *vi/vt,* nitrify

nitrifikálás *n, (vegyt)* nitrification

nitrit [-et, -je] *n, (vegyt)* nitrite

nitrofil [-ek, -t, -je] *a, [növény]* nitrophilous (plant)

nitrogén [-ek, -t, -je] *n/a,* nitrogen, *(összet)* nitrogenous; *karbamid* ~ urea nitrogen; *maradék* ~ non--protein nitrogen

nitrogéndioxid *n, (vegyt)* nitrogen dioxide, hyponitric acid

nitrogénegyensúly *n,* nitrogen balance

nitrogénez [-tem, -ett, -zen] *vt,* nitrogenize

nitrogénezés *n,* nitrogenization

nitrogén-kötő *a,* ~ *baktériumok* N-fixing bacteria

nitrogénoxid *n, (vegyt)* nitrogen oxide, laughing gas

nitrogéntartalmú *a,* nitrogenous

nitroglicerin *n,* nitroglycerin(e), blasting oil

nitrovegyület *n, (vegyt)* nitro-compound

nitt [-et, -je] *n, [szeg]* rivet, clinch, *[nittelés]* riveting

nittel [-t, -jen] *vi/vt,* rivet

nittelés *n,* riveting

nittszeg *n,* rivet

nivellál [-t, -jon] *vt,* level (off, up), even (up), *(műsz)* line/true up

nivellálás *n,* levelling (off/up), evening (up), lining/tru(e)ing up, *(épít)* planishing

nivellálódik [-ott, -jon, -jék] *vi,* be levelled (up)

nívó [-t, -ja] *n,* level, *(átv)* standard, plane; *azonos* ~*n* on a level with sg

nívóemelkedés *n,* rise of the level, improvement, raising of the standard

nívókülönbség *n,* difference(s) of level

nívós [-ak, -t] *a,* up to par *(ut),* high-level, of (a) high level/standard/plane *(ut),* good/high quality, first--rate/class, tiptop *(fam)*

nívósüllyedés *n,* falling of the level, *(átv)* lowering of the standard, deterioration in the standards

nívótlan *a,* of inferior quality *(ut),* of low standard *(ut),* third-rate, below par *(ut)*

Nizza [.. át, .. ában] *prop,* Nice

-nként *suff, [osztó értelmű kifejezések:]* **1.** *[helyhatározó]* házanként every house, from house to house; helyenként here and there, in some places, sporadically **2.** *[időhatározó]* percenként, óránként, naponként, havonként, évenként, időnként, koronként *stb.* ld a szótár megfelelő helyén **3.** *[részelés] (főleg:)* by; apránként little by little, bit by bit, inch by inch, gradually; darabonként árul sell by the piece; fejenként individually, per capita; mondatonként sentence by sentence; szavanként word by word; személyenként per/a head, each; egyenként one by one; méterenként elad/árul/levág sell by the yard

no *int,* ~ *csak!* come come!, well well!; ~ *csak nem mondja ezt komolyan?* surely you don't mean this seriousy?, come come!, well well!; ~ *de!* well/yes(,) but, why!; ~ *de ilyet!* well(,) well!, well(,) I never!, I never saw the like! *(fam);* ~ *de sebaj!* let's forget about it!, no matter!, never mind!, don't bother!; ~ *előre!* go it!, go ahead!; ~ *és?* well what of it?; ~ *gyerünk!* let's go!, off we go!; ~ *hiszen* why; ~ *hiszen csak ez hiányzott még* well now that really crowns/caps all *(v.* that is the last straw), only that was missing, we only needed that; ~ *hiszen lesz ebből kavarodás* I guess it will make a hell of a mess; ~ *jössz-e már?* well will you come at last?; ~ *lám!* well well!; ~ *mi az?* what is it? ; ~ *nem?* isn't it/that so?

Nobel-díj *n,* Nobel prize; ~*at kapott* he was awarded the Nobel prize

Nobel-díjas *a/n,* Nobel prize winner; ~ *író* winner of the Nobel Prize for Literature

nobile officium *(lat)* honorary office

nocsak *int,* why!, well(,) well!; ld *még* no

node *int,* ld no

Noé [-t, -ja] *prop,* Noah; ~ *bárkája* Noah's Ark

Noémi [-t, -ja] *prop,* Naomi

nógat *vt, [mozgásra]* urge, egg/drive/jog (sy) on, prompt, *[szellemi erőkifejtésre]* encourage, incite, rouse, prod *(fam), [állatot]* goad (on); ~*ni kell* he wants rousing

nógatás *n, [mozgásra]* urging, egging on, prompting, *[szellemi erőkifejtésre]* incitement, *[állatot]* goading

noha *conj,* (al)though, whereas, while, when, for all that, in spite of that, all/just the same, albeit *(ref.),* howbeit *(obs) ; gyalogol* ~ *mehetne autón is* he walks when he might go by car

nohát *int,* well; ~ *gyerünk már* well let's go now; ~ *majd meglátod!* wait and see

nokedli [-t, -je] *n, (kb)* gnocchi *(pl),* dumplings *(pl)*

nomád [-ot, -ja] **I.** *a,* nomad(ic), migrant, migratory; ~ *birodalom* nomadic empire; ~ *élet* nomadic life, nomadism, migratory life; ~ *életet élt* led the life of a nomad; ~ *nép* nomadic people; ~ *ösztön* roving instinct, the call of the wild(s); ~ *törzsek* wandering tribes **II.** *n,* nomad, wanderer

nomadizál [-t, -jon] *vi,* nomadize

nomadizálás *n,* nomadism, nomadization

nomen actionis *(nyelvt)* noun of action, action noun

nomen agentis *(nyelvt)* noun of agent, agent noun

nomenklatúra [.. át] *n,* nomenclature; *Nemzetközi* N~ *Szabályok* International Rules of Nomenclature

nomenklatúrai *a*, ~ *mű* nomenclaturial work, nomenclator

nomenklatúrailag *adv*, *ez* ~ *helyes!* this is correct nomenclaturally!; ~ *helyes név* legitimate name

nominálbér *n*, nominal wages *(pl)*; *reálbér és* ~ real and nominal wages *(pl)*

nominális [-ok, -t] *a*, *(nyelvt)* nominal

nominalista [.. át] *a/n*, *(fil)* nominalist(ic)

nominalizmus *n*, *(fil)* nominalism

nominativus [-ok, -t, -a] *n*, nominative (case)

nominativusi [-ak, -t] *a*, nominative

nomogram [-ot, -ja] *n*, nomogram, nomograph

nóna [.. át] *n*, 1. *(zene)* ninth 2. *(vall)* none

nonett [-et, -je] *n*, *(zene)* nonet

nóniusz[1] [-ok, -t, -a] *n*, *(műsz)* vernier

nóniusz[2] [-ok, -t, -a] *n*, *[ló]* Nonius breed (of horses)

nóniuszos [-t] *a*, *(műsz)* vernier: ~ *tolómérce* vernier caliper

nonkonformista [.. át] *n*, *(tört)* nonconformist, dissenter

nonkonformizmus *n*, *(tört)* nonconformity

nono *int*, well well!, come come!, now now!

nonpareille [-ek, -t, -e] *n*, nonpareil, six-point type

non plus ultra [.. át] *n*, non/ne plus ultra, acme, summit, height

nopálkaktusz *n*, *(növ)* cóchineal cactus *(Nopalea cochinillifera)*

nopp [-ot, -ja] *n*, *(tex)* nep; ~ *díszítőfonal* knop yarn; ~*ot leválaszt* clear the yarn of neps

Nóra [.. át] *prop*, Nora(h)

noradrenalin [-ok, -t, -ja] *n*, *(vegyt)* noradrenaline

Norbert [-et, -je] *prop*, Norbert

nóri [-t] *a*, 1. *(geol)* Noric; ~ *emelet* Norian/Noric stage 2. *N~ Alpok* Noric Alps

norma [.. át] *n*, 1. *[szabály]* norm, standard; *nemzetközi* ~ international standard; *nyelvi* ~ standard language/usage 2. *(közg)* (industrial) norm, piece--rate; *feszes/szoros* ~ high (production) target, strict (production) norm; *laza* ~ loose norm; *műszaki* ~ *[munkagazdaságtanban]* technical norm, work standard based on technical data; *statisztikai* ~ *[munkagazdaságtanban]* statistical standard, time--standard based on statistical records; *termelési* ~ production norm, standard output; *termelési normák kialakítása* formation of production norms; *normán alul teljesít* fall below norm; *normán felül teljesít* overfulfil/surpass the norm/ target; *elvégzi a napi normát* do one's daily stint *(fam)*; *teljesíti a normát* fulfil/achieve one's norm/target; *túlteljesíti a normát* overfulfil one's norm, surpass the norm; *lazítja a normát slacken (v. put down) the norm(s); *szűkíti a normát* tighten the norm(s) 3. *(nyomd)* standard, signature line, title signature

normacsalás *n*, norm fraud

normacsaló *n*, norm defrauder

normacsökkentés *n*, lowering (of) the norm

normaidő *n*, *[munkagazdaságtanban]* standard time, time norm

normaidő-szükséglet *n*, *[munkagazdaságtanban]* time standard, necessary normative time, time norm necessity; *közvetlen* ~ prime standard time; *megállapítja a gyártmányok közvetlen* ~*ét* assess the prime standard time of products, impose norms of manufacturing time

normairoda *n*, piece-rate fixing office

normál [-t] *a*, normal, regular, standard; ~ *„a"* *(zene)* *[450 rezgésszám]* concert/high pitch; ~ *gyújtótávolság* standard focal length; ~ *hőmérséklet* normal temperature; ~ *inggallér* regular/medium collar; ~ *munkanap* average working day; ~ *nyomtávú* standard

gauge; ~ *oldat* normal/standard solution; ~ *változat* *[filmé, szemben a szélessel]* standard version

normalazítás *n*, easing/slackening of the norm

normalazító *n*, norm slackener

normálelem *n*, *(vill)* normal/standard cell

normálfilm *n*, *[35 mm-es film]* standard film, 35 mm film

normálgyertya *n*, *[fényerősségegység]* unit/standard candle

normális [-ak, -t; *adv* -an] I. *a*, 1. *[szabványos]* normal, regular, standard; ~ *adag* normal dose; ~ *kép (film)* middle-key picture; ~ *méret/nagyság* standard/normal size; ~*nál nagyobb* supernormal, *[igével]* outsize (sg); ~*nál kisebb* subnormal 2. *[rendes]* normal, regular, ordinary; ~ *élet* a regular life; ~ *idők* normal times, normalcy *(US)*; *visszatér a* ~ *keretek közé* return to normal(cy), get back to normal; ~ *körülmények/ viszonyok között* normally, under normal conditions, in normal surroundings, in/under ordinary circumstances, at/in normal times; ~ *szülés* uncomplicated delivery 3. *[épeszű]* of sound mind *(ut)*, normal; *nem* ~ *[személy]* crazy, unbalanced, deranged, *[dolog]* abnormal; *nem egészen* ~ he is not quite right in his head; *nem vagy* ~*?* are you crazy?; *te nem vagy* ~*!* you are crazy!
II. *n*, *(menny)* normal

normálisan *adv*, normally, regularly; ~ *megvilágított kép (film)* middle-key picture

normalizál [-t, -jon] *vt*, normalize, standardize

normalizálás *n*, normalization

normalizálódás *n*, return to normal(cy), settling down, normalization; *testhőmérséklet* ~*a* settling of temperature

normalizálód|ik [-ott, -jon, -jék] *vi*, return to normal, get back to normal

normalizált [-at; *adv* -an] *a*, *nem* ~ *forgóeszközök* non-standardized current assets

normálkondenzátor *n*, *(távk)* calibration condenser

normállámpa *n*, normal lamp

normállégkör *n*, normal atmosphere

normálméret *n*, standard/normal size

normálmérték *n*, standard

normálnagyság *n*, = **normálméret**

normálpapír *n*, *(fényk)* medium paper

normálsebesség *n*, *(műsz)* working speed

normálsúly *n*, standard weight

normálszélesség *n*, standard width

normáltégla *n*, *(épít)* stock brick

normamegállapítás *n*, piece-rating, fixing/establishment of norms, rate fixing

Normandia [.. át, .. ában] *prop*, Normandy

normandiai [-ak, -t] *a*, Norman, of Normandy *(ut)*

normann [-ok, -t, -ja] I. *a*, Norman II. *n*, Norman, *[csak IX—XI. századi skandináv]* Norseman, Northman

normaóra *n*, *[statisztikában]* standard hour

normarendezés *n*, (re)adjustment of the norms

normás *n*, calculator of (industrial) norms, job-analyst, task-setter, time-motion expert, piece-rate fixer

normaszámítás *n*, computing the norms, calculation of norms

normaszűkítés *n*, tightening the norm, speeding-up of piece-rate

normatív [-at; *adv* -an] *a*, normative; ~ *nyelvtan* normative/prescriptive grammar; ~*tudomány* normative science

normatíva [.. át] *n*, norm, aggregate norm, standard

normoblaszt [-ot, -ja] *n*, *(bonct)* normoblast

normocita [.. át] *n*, *(bonct)* normocyte

norvég [-ot, -ja *v*. -et, -je] *a/n*, Norwegian, Norse *(obs)* ;

N~ *Királyság* Kingdom of Norway; ~ *nyelv* Norwegian, *(ritk)* Norse
Norvégia [.. át, .. ában] *prop,* Norway
norvégiai [-ak, -t] *a,* Norwegian, of Norway *(ut)*
nos *int,* well, *[kérdő alakban]* well?, well now/then?, how now?; ~ *hát* well/then now!, well(,) what of it?
nosza *int,* go it!, go ahead!; ~ *rajta!* come on/now!, go at it!, blaze away! ◆
noszogat *vt, (vmre)* urge (gently), prompt, goad (on), egg on (to do sg), prod *(fam)*
noszogatás *n,* urging, prompting, goading, pressing
nosztalgia [.. át] *n,* homesickness, nostalgia
nosztalgiás *a,* nostalgic
nosztalgikus *a,* nostalgic
nosztrifikáció *n,* validation (of a foreign diploma), nostrification
nosztrifikál [-t, -jon] *vt,* validate (a foreign diploma), nostrificate
nóta [.. át] *n,* popular song/tune/air, melody; *mi a te nótád?* what is your favourite song?; *nótára gyújt* break into song, pipe up ◆; *a régi ~!* the old story (again); *a ~ vége (átv)* the long and the short; *mindig ugyanazt a nótát fújja* he is always harping on the same string/chord/subject, he is always singing the same tune
nota bene nota bene *(röv* N.B.)
notabilitás *n,* notability, eminent person, celebrity, great/famous/important personality, a man with a name *(fam)*
nótafa *n,* man of many songs/tunes
nótárius *n,* † notary, scrivener
nótás *a,* ~ *ember* man fond of singing, song-bird *(fam)*
nótáskönyv *n,* song-book
nótaszó *n,* 1. *[nóta hangja]* (the sound of a) song 2. *[dalolás]* singing, songs *(pl)* ; *a katonák vidám ~val masíroznak* the marching soldiers sing a high-spirited song
nótázás *n,* singing (of popular songs/tunes/airs)
nótáz|ik [-tam, -ott, -zon, -zék] *vi,* sing (popular songs/tunes/airs)
notesz [-ek, -t, -e] *n,* note-book, memorandum book, diary, agenda(-book), pocket-book
notórius *a,* notorious; ~ *gazember* notorious scoundrel/rascal/blackguard; ~ *hazudozó* arrant/confirmed liar
nova [.. át] *n, (csill)* temporary/new star
nováció [-t] *n, (jog)* novation, executory accord; *végrehajtott* ~ accord and satisfaction
novella [.. át] *n,* 1. *[irodalmi műfaj]* short story; *nagy* ~ long short story, novelette; *novellákat ír* write/do short stories 2. *(jog)* additional/supplementary article (to a law), supplementary law, amendment act, novel
novellaíró *n,* short-story writer
novellapályázat *n,* short-story competition
novelláris *a,* ~ *törvényalkotás* piecemeal legislation; ~ *úton* by way of a supplementary law
novellás *a,* ~ *kötet* volume/anthology/book of short-stories, story-book
novellista [.. át] *n,* short-story writer, story-writer
novellisztikus *a,* short-story-like, in the manner of short-stories *(ut)*
november [-ek, -t, -e] *n,* November; ~*ben,* ~ *folyamán* in the (course/month of) November; ~ *havában/hóban* in the month of November; ~ *16-án* on 16th November, on November 16th
novemberi [-ek, -t] *a,* November, of/in November *(ut)* ; *egy* ~ *napon* on a (certain) November day, on a day in November; ~ *időjárás* November weather
novícia [.. át] *n, (egyh)* (woman) novice
novíciátus *n, (egyh)* noviciate, novitiate, (period of) probation, probationership

novícius *n, (egyh)* (man) novice, probationer, probationist
novokain [-ok, -t, -ja] *n,* novocaine, procaine
nóvum [-ot, -a] *n,* new fact, novelty; *ez nekem* ~ I've never heard of that before, that's new to me
nő¹ [növök, nőtt, nőjön] *vi,* 1. *(ált)* grow, *(növ)* shoot/come/spring up, come on, *[fejlődik]* develop; ~ *a búza* wheat is growing; *gyorsan* ~ be quickly growing; *gyorsan* ~ *a haja* her hair is growing rapidly; *hirtelen* ~ *[kamasz]* shoot up, overgrow oneself; *magasra* ~ grow tall, shoot up, spindle; *nagyra* ~ grow tall/up; *nagyobbra* ~ *vmnél* outgrow sg; *nőttön* ~ grow steadily; *árpa* ~ *a szemén* a stye is developing in her eye; ~*ni kezd [növény]* spring/shoot up; *hagyja* ~*ni a haját* let one's hair grow; *a fák nem* ~*nek az égig(kb)* there is a limit to everything 2. *[nagyobbodik]* grow, get/grow/become larger, increase, *(kif)* be on the increase, augment, wax *(ref.), [szélességben]* expand, extend, *[hold]* wax, *[összeg]* increase, mount (up), *[vagyon]* pile up; *a Duna* ~ the Danube is rising; *a víz* ~ water is rising; ~ *az adósság* debts are increasing; ~ *vknek a befolyása* sy's influence is growing; *a kereslet egyre* ~ demand is on the increase, demand shows an upward trend; ~ *a tekintélye* his prestige/authority is increasing; *a tiltakozás sztrájkká* ~*tt* protests grew/developed into a strike; ~*tt a szememben* he has grown in my estimation 3. *szívéhez* ~ *vknek* become/grow deeply attached to sy; *szívemhez* ~*tt ez a gyerek* I have grown deeply attached to this child, I have become very fond of this child, that child has become very dear to my heart; *a közönség szívéhez* ~*tt* he has won *(v.* gone to) the heart of the public; *vknek vm a nyakára* ~ sg is getting out of control/hand for sy, sg is getting unmanageable for sy
nő² [-t, -je, *mint feleség:* neje] *n,* 1. *(ált)* woman *(pl* women), female *(fam)* ; *dolgozó* ~ wage/salary earning woman; *férjes* ~ married woman; ~ *van a dologban* there's a lady in the case; *a* ~*k* women, womankind, womanhood, womenfolk, the sex, petticoatery, the ladyhood; *Nők [illemhelyen felírás]* Ladies; *jó* ~ □ bit of a fluff, quite an eyeful *(fam),* a cute little number *(fam)* ; *vknek a* ~*je* sy's woman; *a* ~*k barátja/kedvence* ladies' man; ~*k bolondja* woman-chaser, seeker of gallant adventures, tagger/dangler after women; ~*k után fut* run after women, be always after a petticoat; *folyton a* ~*k körül legyeskedik* be always chasing/after the shirts, horse around with women *(US)* ; *egy* ~ *után jár/mászkál* hang about a woman; ~*nek öltözik* get oneself up as a woman; ~*t leszólít/fixíroz* make passes at a woman; ~*kel hajkurász/hajhász/kerget* run after women; ~*vé érett* have arrived at woman's estate; ~*vel kikezd* make passes at a woman 2. *[feleség]* wife, spouse *(ref.),* better half *(fam)* ; ~*m* my wife; ~*ül adja a leányát vkhez* give sy one's daughter in marriage, marry one's daughter off to sy; ~*ül kér vkt* ask/seek sy's hand in marriage, propose to sy; ~*ül megy vkhez* marry/wed sy; ~*ül vesz vkt* take sy to wife, marry/wed sy
nőág *n,* female line/side, distaff side
nőági *a,* ~ *örökösödés/öröklés/utódlás* inheritance/succession in female line, descent of property on female line
nőalak *n,* female figure/character
nőalkalmazott *n,* female/woman employee
nőbarát *n,* lover of women, a ladies' man, friend of the ladies
nőbeteg *n,* female/woman patient/case
nőbizottság *n,* women's committee
nőbolond *n/a,* mad over/on women, woman-md,

a lady's man, ladies' man, *[igével]* be always (running) after women

nőci [-t, -je] *n*, □ hussy *(fam)*

nőcsábász [-ok, -t, -a] *n*, lady/woman-killer, woman-chaser, seducer, gay dog/Lothario, Don Juan, wolf ⬧, masher ⬧

nőcsábító *n*, seducer; *ld még* nőcsábász

nőcsavar *n*, *(műsz)* female screw

nőcseléd *n*, maid(-servant), woman(-servant), servant(-maid), *[szobalány]* serving/house/parlour-maid, help *(US)*

nőcske *n*, little woman, tit, hussy, *(ellt)* female

nődolgozó *n*, female/woman worker, working woman

nőegylet *n*, women's/ladies' association/club

nőelőző *a*, *[virág]* proterogynous (flower)

nőemancipáció *n*, emancipation of women

nőgyilkosság *n*, femicide

nőgyógyász *n*, specialist for women's diseases, gynaecologist

nőgyógyászat *n*, gynaecology

nőgyógyászati *a*, gynaecological; ~ *klinika* gynaecological clinic; ~ *megbetegedés* gynaecological disease; ~ *osztály-tanszék* gynaecological department

nőgyógyászi *a*, gynaecological

nőgyűlés *n*, women's meeting

nőgyűlölet *n*, hatred of women, antifeminism, misogyny

nőgyűlölő [-t, -je] I. *a*, misogynous II. *n*, woman-hater, antifeminist, misogynist

nőhallgató *n*, (female) student

nőhódító *n*, = nőcsábász

női [-t] *a*, woman-, woman's, women's, ladies', womanly, womanlike, ladylike, feminine, female; *az örök* ~ the eternal feminine; ~ *baj (biz)* she-malady, woman's disease; ~ *becsület* woman's honour/pride; ~ *betegek* female patients; ~ *betegségek* diseases of women, women's diseases; ~ *brigád* women's brigade; ~ *cipő* ladies' shoes; ~ *csapat (sp)* women's team; ~ *divat* ladies' fashion; ~ *emancipáció* emancipation of women; ~ *erény* feminine/womanly virtue, *[szüzesség]* chastity; ~ *evezős* oars-woman; ~ *fehérnemű* women's underwear, women's underclothes *(pl)*, lingerie, undies *(fam) (pl)*; ~ *fodrász(at)* ladies' hairdresser, hairdressing establishment/shop/saloon; ~ *főszereplő* leading/first lady; ~ *hang* female voice; ~ *harisnya* stockings *(pl)*; ~ *hormon* female hormone, oestrogen; ~ *induló/versenyző (sp)* (woman) competitor, competitress; ~ *ing* chemise, slip; ~ *járművezető* woman driver; ~ *jelleg* feminity; ~ *jogok* women's rights; ~ *kalap* lady's hat, *[fejhez simuló]* bonnet, *[széles karimájú]* picture/halo hat; ~ *kar* ladies'/women's chorus/choir; ~ *kerékpár* lady's (bi)cycle; ~ *kiszolgálás* female attendance; ~ *logika* feminine logic; ~ *munka* woman's job; ~ *munkaerő* woman/female worker; ~ *nadrág [fehérnemű]* panties *(pl)*, briefs *(pl)*; *a* ~ *nem* womankind, womanhood, the female/fair/gentle sex; ~ *nemi hormon* female hormone, oestrogen; ~ *nemi szerv* female genital/sexual organ; ~ *név* woman's name; ~ *nevek* names of women; ~ *nyereg* side-saddle; ~ *nyeregben lovagol* ride side-saddle; ~ *okoskodás* a woman's reasoning; ~ *óra* lady's watch; ~ *osztály [kórházban]* female/women's ward, *[áruházban]* ladies' department; ~ *öltöző* ladies' cloak-room; ~ *páros [teniszben]* women's double(s); ~ *rendőr* policewoman, *[közlekedési]* policewoman on point duty; ~ *rím* feminine rhyme; ~ *ruha* frock, gown, garment, robe, ladies' wear, women's apparel; ~ *sportoló* sportswoman; ~ *statisztika* walking lady, female super(numerary), show-girl; ~ *szabó* ladies' tailor, *[szabónő]* dressmaker; ~ *szakasz* ladies' compartment, ladies only; ~ *szerep* feminine/woman's/female part/role; ~ *szereplő* actress, *[statiszta]*

walking lady, female super(numerary); ~ *szervezet* women's organization; ~ *szoba* boudoir, (lady's) sanctum; ~ *sztár* leading lady; ~ *tanácstag* lady council-member; ~ *társaság* female company; ~ *táska* reticule, hand-bag; ~ *természet* femininity, womanliness, feminality; ~ *test* woman's body; ~ *választójog* female suffrage; ~ *véce [előtérrel]* ladies' cloak-room

nőies [-et] *adv* -en] *a*, *[nőről]* womanly, womanlike, ladylike, a woman's, matronly, feminine, gentle, *[férfiről]* effeminate, womanish, unmanly; *nem* ~ unwomanly; ~ *kíváncsiság* feminine curiosity; ~ *férfi* milksop, *(ellt)* nancy, pansy (boy), sissy *(US)*; ~*sé tesz* feminize

nőiesen *adv*, *[férfiről]* effeminately, womanishly, *[nőről]* femininely, in a feminine/womanly/woman-like manner/way

nőiesség *n*, *[nőről]* womanliness, femin(e)ity, *[férfiről ellt]* effeminacy, womanishness

nőietlen *a*, unwomanly, unfeminine, manly, mannish; ~ *nő* unwomanly/unsexed woman

nőimádat *n*, philogyny

nőimádó *a/n*, philogynous, philogynist, amorist

nőimitátor [-ok, -t, -a] *n*, female impersonator

nőíró *n*, woman author/writer, authoress

nőiruha-szalon *n*, dressmaker's establishment/shop

nőismerős *n*, woman acquaintance, girl friend; *találkoztam egy régi* ~*ömmel* I met an old acquaintance(,) a lady who...

nőiszeszély *n*, *[egy fajta habos sütemény]* capricious lady, feminine caprice ⟨a variety of small cake with plentiful whipped cream filling⟩

nőivarú *a*, *[növény]* pistillate

nőképzés *n*, women's/female education

nőkérdés *n*, woman question

nőközösség *n*, polyandry

nőküldött *n*, woman deputy

nőmozgalom *n*, women's (rights) movement, feminism

nőmunka *n*, female/woman's work

nőmunkás *n*, woman worker

Nőnap *n*, Nemzetközi ~ International Women's Day

nőnem *n*, 1. *[a nők összessége]* womankind, womanhood, the fair/gentle sex 2. *(biol)* female sex/kind 3. *(nyelvt)* feminine (gender); ~*ben* in the feminine (gender)

nőnemű *a*, 1.*(biol)* female 2. *(nyelvt)* feminine

nőnevelés *n*, = nőképzés

nőnevelő *a/n*, ~ *(intézet)* girls' (boarding) school

nőolvasó *n*, (woman) reader

nőorvos *n*, = nőgyógyász

nőorvosi *a*, gynaecological; ~ *vizsgálóasztal* gynaecological chair

nőrablás *n*, abduction/kidnapping of women, rape

nőrajongó *a/n*, philogynist, philogynous

nőrím *n*, feminine/weak/double rhyme/rime

nőrokon *n*, (woman) relative, (woman) relation. kins-woman, she-relative

nősz [-öt, -e] *n*, nurse, sister

nős [-ök, -t; *adv* -en] *a*, married (man); ~ *ember* married/settled man

nősít [-eni, -ett, -sen] *vt*, make (a man) marry sy

nősportoló *n*, sportswoman

nőstény *n*, 1. *[állat]* female, she-animal, *[kutya]* bitch, *[madár]* hen(-bird) 2. *[jelzői használatban]* female, *[gyakran]* she-; ~ *bárány* ewe lamb; ~ *elefánt* cow elephant, she-elephant; ~ *farkas* she-wolf; ~ *galamb* hen-pigeon; ~ *hal* spawner; ~ *hiúz* she-lynx; ~ *juh* ewe; ~ *kecske* she-goat, nanny-goat; ~ *macska* she-cat, queen; ~ *majom* she-ape/monkey; ~ *medve* she-bear; ~ *menyét* doe; ~ *nyúl* doe-rabbit; ~ *oroszlán* she-lion, lioness; ~ *papagáj* hen-parrot; ~ *patkány* doe-rat; ~ *párduc* pantheress; ~ *páva* pea-hen; ~

róka she-fox, vixen; ~ *szamár* she-ass, jenny(-ass); ~ *tigris* tigress **3.** ~ *kapocs* clevis, eye **4.** *(elit)* female, wench

nősül [-t,-jön] *vi*, get married, marry, take a wife, wed, espouse *(ref.);* *későn* ~ marry late; *gazdagon* ~ marry money, marry a fortune

nősülés *n*, contracting (of) a marriage, taking a wife, marrying, marriage

nősülési *a*, ~ *engedély* marriage licence

nőszemély *n*, woman, person, *(elit)* female, wench, quaedam; *nagy darab* ~ hefty wench; *szemtelen kis* ~ hussy

nőszerep *n*, feminine/woman's part/role

nőszereplő *n*, *(szính)* actress, *[nem színdarabé]* the women taking part (in sg)

nőszés *n*, † mating *(stand.)*, sexual intercourse *(stand.)*

nősz|ik [-tem, -ött, nősszék, nősszön] *vi*, † mate, have sexual intercourse *(stand)*.

nőszirom *n*, *(növ)* iris, flag *(Iris);* *kék* ~ blue flag *(I. versicolor);* *sárga* ~ yellow iris/flag *(I. pseudocorus)*

nősziromfélék *n. pl*, ~ *családja* the Iris family *(Iridaceae)*

nőszövetség *n*, Women's Association

nőtanács *n*, Women's Council; *Országos N~* National Women's Council

nőtársaság *n*, company of women, feminine company

nőtartás *n*, alimony, (separate) maintenance, *[díj]* alimony; ~*t fizet* pay alimony

nőtartási *a*, ~ *igény* claim of alimony; ~ *kötelezettség* obligation to pay alimony; ~ *per* suit for alimony

nőtestvér *n*, sister; ~ *nélküli* sisterless

nőtisztelet *n*, respect for women, worship/honouring of women, *(tud)* gynaeolatry

nőtlen *a*, unmarried, single, celibate *(ref.)*, *[igével]* lead a single life; ~ *férfi* bachelor, *[igével]* he leads a single life, he lives in single blessedness *(joc);* ~ *állapot* unmarried/single state; ~ *élet* single life

nőtlenség *n*, (the) unmarried/single state, singleness, bachelorhood, bachelorship, *[főleg papi]* celibacy, single blessedness *(joc)*

nőtlenségi *a*, ~ *fogadalom* a vow of celibacy

nőtt *a*, grown; *magasra/nagyra* ~ grown tall *(ut)*, of tall growth *(ut);* ~ *város (épít)* naturally grown city

nőttön-nő *vi*, keep growing/increasing/rising, grow taller and taller, be on the rise/increase, shoot up *(fam)*

nőuralom *n*, rule/regiment of women, female/petticoat government, *(tud)* gynarchy, gyn(ae)ocracy

nőügy *n*, ~*e van* have an entanglement/affair with a woman

növedék [-et, -e] *n*, accretion, growth, increment, increase, accession

növedékes orr *(orv)* rhinophyma

növedéki napló *[könyvtáré, levéltáré]* accessions register, accession book, stock-book

növedékjog *n*, right of accretion

nővédelem *n*, protection of women, safeguarding of women's interests

növekedés *n*, **1.** *(ált)* growing, (up)growth, increase, expansion, augmentation, increment, *[hangterjedelemé]* swell, *(közg)* growth, expansion, *[tömegé]* tickening; ~ *nehézségei* difficulties of growth; ~ *üteme* rate of growth; *gyors* ~ rapid growth; *a város* ~*e* the growth of the town/city; *lassú* ~ slow growth; *tényleges* ~ actual increase; *a* ~ *ötven százalék* growth/increase amounts to fifty per cent **2.***[folyóé]* swelling, rise **3.** *(növ)* growth; *abnormális erős* ~ hypertrophy; *az erdő természetes* ~*e* encroachment of a forest by natural seeding; *korlátolt* ~ limited growth; ~*t serkentő és gátló anyagok* growth promoting and inhibiting substances

növekedési *a*, ~ *hiba* stunted growth; ~ *hormon* growth hormone, somatotrophin; ~ *ütem* growth rate; ~ *zavarok* growing troubles/pains

növeked|ik [-tem, -ett, -jen, -jék] *vi*, **1.** *[méreteiben, mennyiségileg]* grow, get/grow large(r), grow bigger, increase, be on the increase, expand, augment, gain, enlarge, *[összeg]* mount (up), *[árak]* run high, *[befolyás stb.]* widen, grow; *a költségek* ~*nek* costs increase/advance; ~*ik a város lakossága* the population is increasing; *egyre* ~*ik* keep growing, snowball; *számuk egyre* ~*ett* they grew from strength to strength; *a nemzeti jövedelem jelentősen* ~*ett* national income has increased considerably **2.** *[folyó]* rise, swell, *[hold]* wax **3.** *(növ)* grow; ~*nek a fák* the trees are growing

növekedő [-t] **I.** *a*, **1.** *(ált)* growing, increasing, expanding, mounting, enlarging, *[kereskedelem]* expanding; ~ *irányzatot mutat* show an upward tendency, show a rising; ~ *nehézségekkel küzd* fight against mounting odds **2.** *[folyó]* rising, swelling, *[hold]* waxing, crescent **II.** *n*, ~*ben van* be steadily/continually growing/increasing/expanding, be on the increase/rise

növekedőfélben van be growing/increasing

növekmény *n*, growth, increment, accrue; *évi* ~ *[fáké]* new growth

növeksz|ik [.. kedni, .. kedtem, .. kedett, .. kedjen, .. kedjék] *vi*, = **növekedik**

növekvő [-t] *a*, = **növekedő;** ~ *haladmány (menny)* increasing series; ~ *hold* waxing/crescent moon, *(cím)* moon in increment, increscent moon

növel [-t, -jen] *vt*, *(ált)* increase, augment, add to, enlarge, raise, swell, boost *(US)*, *[árat, értéket, szépséget]* enhance, add to, *[adót]* steepen, lift, *[befolyást, hatalmat, hatáskört]* extend, *[erőfeszítést stb.]* redouble, *[fájdalmat]* exacerbate, *[hatást]* intensify, *[hírnevet]* enhance, *[jövedelmet]* augment, *[önbizalmat]* elevate, *[örömöt]* heighten, *[szókincset]* enrich, *[tudást]* improve; *vm érdekességét* ~*i* add special interest to sg; ~*i a forgalmat [utcait]* increase/swell traffic, *[üzletit]* increase the turnover; ~*i vk nehézségeit* add to sy's difficulties; *vmnek számát* ~*i* increase the number of sg

növelde [.. ét] *n*, † = **nevelőintézet**

növelés *n*, increase, increasing, augmentation, enlargement, heightening, *(átv)* enhancement, *[áraké]* putting up, *[tápértéké]* enrichment, *[üzemé stb.]* extension

növelhető *a*, increasable

növendég *n*, lady guest

növendék [-et, -e] *n*, **1.** *(isk)* pupil, boy, girl, scholar, student, educand, *[internátusi]* boarder **2.** *[jelzői használatban]* ~ *erdő* forest of saplings; ~ *borjú* (young) calf; ~ *hagyásfa* stander; ~ *pap* seminarist, student of theology

növendékistálló *n*, calf stable

növendékmarha *n*, young cattle

növendékmarha-nevelés *n*, young cattle-breeding

növény *n*, plant, vegetable, *[gyógynövény]* herb; *a* ~*ek* plant/vegetable life; *a* ~*ek rendszere* taxonomy of plants; *a* ~*ek világa* the vegetable reign; ~*t gyűjt* herborize, go botanizing, botanize, gather plants/herbs, naturalize; ~*t termeszt* grow/raise plants

növényágy *n*, seed-bed

növényalaktan *n*, plant morphology

növényállat *n*, zoophyte, animal plant; ~*ok* zoophyta

növényállomány *n*, stand

növényanatómia *n*, phytotomy

növényápolás *n*, care of/for plants

növényápoló *n*, *(kb)* one responsible for the care of plants

növényásó *n*, garden trowel

növénybetegség n, plant disease
növénybiológia n, phytobiology, plant-biology
növénybonctan n, phytotomy
növénycsalád n, family of plants
növénydísz n, (rég) vegetal ornament
növényegészségügy n, plant sanitation, [kórtanilag] phytopathology
növényélet n, plant/vegetable life
növényélettan n, plant physiology
növényenyv n, vegetable size
növényevés n, plant-eating, (tud) phytophagy, [embernél] vegetarianism
növényevő [-t] I. a, grass/plant-eating, vegetable--feeding, (tud) herbivorous, phytophagous, graminivorous, plantivorous; ~ ember vegetarian; ~ szervezet phytophagous organism II. n, ~k herbivora
növényfaj n, plant species, species of plant(s)
növény-fejlődéstörténet n, phytogenesis
növényföldrajz n, [szűkebb értelemben] plant geography, phytogeography, [tágabb értelemben] geobotany
növénygyűjtemény n, collection of plants, herbarium
növénygyűjtés n, herborization, herborizing, naturalizing
növénygyűjtő n, herbalist, herborizer, plant-collector/gatherer, botanizer, botanist
növényhatározás n, identification/determination of plants
növényhatározó [-t, -ja] n, plant identification (hand)book
növényház n, greenhouse for tropical plants
növényi [-ek, -t] a, vegetal, vegetable, plant-, floral; ~ alkaloidák plant alcaloids; ~ anyag vegetable matter; ~ eledel vegetable food; ~ élet plant/vegetable life; ~ hormon phytohormone; ~ kivonat infusion; ~ lúg vegetable alkali(s), alkaloid, (tud) vegeto-alkaloids; ~ méreg vegetable poison, phytotoxin; ~ olaj vegetable oil; ~ rost vegetable fibre; ~ termelés crop cultivation; ~ vaj vegetable butter; ~ véglény protophyte; ~ zsiradék vegetable fat/tallow, [főzéshez] margarine, [tésztába] shortening
növénykémia n, phytochemistry
növénykert n, botanic garden(s)
növénykórtan n, phytopathology, plant pathology
növénykönyv n, = növényhatározó
növényleírás n, descriptive botany, phytography
növénynedv n, sap
növénynemesítés n, [művelet, folyamat] plant improvement, [a tudomány] plant breeding
növénynemesítéstan n, plant breeding
növénynemesítő I. a, ~ állomás plant-improving/experimental/research station II. n, (mezőg) [személy] plant breeder
növénynemzetség n, genus of plants
növénynév n, botanical term
növényprés n, botanist's press
növényrendszertan n, plant/botanical taxonomy, phytotaxonomy, plant systematics
növényrendszertani a, taxonomic(al)
növényrost n, vegetable fibre
növénysáv n, floral zone
növényszociológia n, plant cenology, phytocenology, plant sociology, phytosociology
növényszövettan n, plant histology
növénytakaró n, vegetation, vegetation cover, plant cover
növénytan n, botany, phytology; leíró ~ descriptive botany
növénytani a, botanical, phytologic(al)
növénytanóra n, (isk) botany class/period
növénytár n, 1. [botanikai múzeum] botanical museum 2. [gyűjtemény] botanical collection (of a museum)
növénytársulás n, plant community, phytocenose, phy-

tocenosis, [küllemi alapon megkülönböztetett] formation; egyrétegű ~ unistratal community, single synusium; emberi beavatkozás alatt álló ~ok secondary plant communities, plant communities arising through human interference, culture and semiculture plant communities; nyílt ~ open plant community, a plant community without a closed canopy; ~ egysége association; ~ leromlása degradation of a plant community; ~ legszembetűnőbb fajai predominant species of a plant community; ~ szintbeli tagolódása stratification of a plant community; ragaszkodik egy ~hoz be of high fidelity in a plant community
növénytársulástan n, phytocenology, plant cenology, phytosociology, plant ecology
növénytej n, latex; ~et kiválasztó laticiferous
növénytermelés n, cultivation of (useful) plants, plant cultivation
növénytermelési a, ~ szerződés contract for growing plants
növénytermesztés n, = növénytermelés
növénytermesztési a, ~ terv crop system
növénytermő a, [talaj stb.] plant-bearing
növénytetű n, plant-louse
növénytöltögetés n, hilling
növénytudós n, botanist
növényvédelem n, plant protection
növényvédő a, ~ állomás plant protecting station; ~ szer (chemical) spray (for protecting plants against pests), plant-protecting agent/material, plant protector/protective, insecticide, pesticide; ~ szer magvak részére seed protective
növényvegytan n, phytochemistry
növényvilág n, flora (of the world/earth), vegetable kingdom, plantage
növényzet n, vegetation; ~ megjelenése/külleme physiognomy of vegetation; a ~ küllemi osztályozása the physiognomic classification of plant communities
növényzóna n, floral zone
növényzsír n, vegetable/fat tallow
nővér [-ek, -t, -e] n, 1. [nőtestvér] sister 2. [kórházi] sister, nurse, (egyh) sister; irgalmas ~ Sister of Mercy; kedves ~ [megszólításként kórházban] Sister, Nurse (please); Orsolya ~ Sister Ursula; osztályos/ügyeletes ~ ward sister; vöröskeresztes ~ Red Cross nurse
nővéri [-t; adv -en] a, sisterly, of a sister (ut), a sister's, sisterlike, (ritk) sororal; ~ szeretet sisterly (v. a sister's) love/affection
nővérke n, little sister, sis (fam)
növés n, 1. = növekedés; ~ben levő [gyermek] (up)growing; ~nek indul start growing, [hirtelen] shoot up 2. [termet] build, figure, stature
növési [-t] a, ~ fájdalom growing pains (pl); ~ zavarok growing troubles
növésű [-ek, -t] a, oi... growth/build/stature/form/shape (ut), statured; alacsony ~ be short of stature; egyenes ~ straight-backed; jó/szép ~ well-shaped/proportioned/grown, shapely, good limbed
növeszt [-eni, -ett, .. esszen] vt, 1. grow, make grow; bajuszt ~ grow a moustache 2. (növ) [vmt hajt?] push forth
növirág n, (növ) carpellary/pistillate/female flower
növőfélben van be growing/increasing
nőzés n, (ellt) womanizing, wenching, whoring, lechery
nőz|ik [-tem, -ött, -zön] vi, (ellt) wench, womanize, whore, lecher, horse around with women (US)
-nta suff, [osztó értelmű időhatározó] naponta a/per day, daily; havonta monthly; havonta kétszer twice a month; nyaranta every summer
nudista [.. át] a/n, nudist
nudizmus n, nudism
nudli [-t, -ja] n, noodles (pl), vermicelli (pl)

nugát [-ot, -ja] n, nougat

nukleáris [-t] a, (fiz) nuclear; ~ bomba nuclear bomb, fusion-bomb; ~ energetika nuclear energetics; ~ energia nuclear energy; ~ fegyver nuclear/atomic weapon; a ~ fegyverek további elterjedésének megakadályozása prevention of the wider dissemination of nuclear weapons; ~ fegyverkísérlet nuclear (weapon) test; ~ fizika nuclear physics; ~ fűtőanyag nuclear fuel; ~ háború nuclear war; a ~ kísérletek beszüntetése discontinuance of nuclear tests; a ~ kísérletek felfüggesztése suspension of nuclear tests; ~ kísérleteket végez conduct nuclear tests; ~ kutatás nuclear research; föld alatti~robbantást végez/végrehajt conduct an underground nuclear test; ~ rakétafegyver nuclear missile; ~ rakétaháború nuclear ballistic warfare; ~ (kísérleti) robbantás nuclear (test) explosion; ~ töltet nuclear warhead; ~ töltetű rakéta rocket with nuclear warhead

nukleon [-ok, -t, -ja] n, (fiz) nucleon

nukleonika n, (fiz) nucleonics

null [-t, -ja] n, [futballban] nil, [teniszben] love; az eredmény ~ ~ there was no score, it was a scoreless draw/match, neither side scored/won, love all; ~ nullás [játékállás] goalless; három ~ [írva: 3:0] three (goals to) nil [írva: 3:0]; 3:0-ra megvertük a Vasast we beat Vasas 3:0; egy ~ a javunkra one (up) for us!; 2:0-ra győz win two goals to none (kiírva: 2:0); a csapat öt ~ra vezet the team has a lead of five to none

nulla [..át] I. a, ~ egész egy tized point nought one; abszolút ~ fok absolute zero; a hőmérő ~ fokot mutat the thermometer is at zero, the thermometer is at freezing point (centigrade); ~ óra 30 perckor at 0030 hours, at half-past midnight
   II. n, 1. [számjegy] zero, cipher, naught, nought, [számban ejtve GB: ou], [semmi] nil, nothing, naught, 'nought; a hőmérő (higanyszála) a ~ alá süllyedt the thermometer fell below zero; ~ alatti below zero (ut); nullára (be)állítás zero setting, zeroing, setting to zero, initial adjustment (of a measuring instrument etc.) 2. (átv) nothing, zero; nullára csökken be reduced to zero; nullával egyenlő come to nil/zero 3. [emberről] nagy ~ a mere cipher, a nonentity, a nobody, a man of naught, a nullity

nulla-állás n, zero/neutral position

nulla-beállítás n, (műsz) zero setting, zeroing, setting to zero

nullafokos a, ~ szint [meteorológia] freezing level

nulla-leolvasás n, (műsz) zero reading

nullapont n, zero point

nullás a, 1. ~ géppel (meg)nyír vkt give sy a close crop, crop sy's hair close; ~ géppel vágták le a haját he had the clippers run all over his head; ~ liszt pure wheat-en flour, whites (pl), (finest) flour of wheat 2. négy ~ (győzelem) a victory of four to none

nullavezeték n, (vill) naught line, neutral conductor/ feeder/wire

nullavonal n, (vill) naught line, [geodéziában] dead line

nullkópia n, [színes eljárásnál] reference print

nullkörző n, bow compasses (pl), bow pen

nullpont n, zero point; abszolút ~ absolute zero (= −273°C); a mutató ~on áll the hand points to zero; a nyomás ~ra süllyedt the pressure fell to zero; ~ot kitűz establish the zero point

nullponthiba n, [készüléké] zero error

nullvíz n, (hajó) low-water mark

nullvonal n, = nullavonal

numenon [-t, -ja] n, (fil) noumenon

numera [..át] n, (biz) leadott két numerát he had her twice, he had two goes with her

numerál [-t, -jon] vi, nem ~ does not count, be of no account, be nothing to speak of

numerikus a, numerical; ~ együttható numerical coeficient; ~ érték numerical value; ~ integrálás numerical integration; ~ számológép digital computer

numerus clausus (kb) restricted admission

numizmatika n, numismatics, numismatology

numizmatikai [-t] a, numismatic

numizmatikus n, numismatist

nunciatura [..át] n, nunciature

nuncius n, (pápai) ~ (papal) nuncio, (papal) legate

nuria [..át] n, [díszhal] flying barb (Esomus danrica)

Nusi [-t, -ja] prop, Annie, Nan, Nancy, Nina, Nanny

nutáció [-t, -ja] n, (növ) circumnutation, (csill) nutation

nutria [..át] n, 1. (áll) nutria, coypu (Myocastor coypus) 2. [szőrme] nutria, coypu

nutriaprém n, nutria

nüánsz [-ot, -a] n, shade (of colour), hue, gradation, tone, slight difference, nuance; jelentésbeli ~ok shades of (difference in) meaning; csak halvány ~ban különbözik there is only a shade of difference between them

nüánszíroz [-tam, -ott, -zon] vt, shade, vary, express faint differences in

nünüke n, [rovar] oil-beetle, meloe (Meloidae család)

Nürnberg [-et, -ben] prop, Nuremberg

nürnbergi [-t] a, ~ pör [háborús főbűnösök ügyének tárgyalása 1945—46-ban] Nuremberg trials (pl)

nylon [-ok, -t, -ja] a/n, nylon; ~ fehérnemű nylon underwear; ~ fogkefe nylon toothbrush; ~ harisnya nylon stocking(s), nylons (pl)

nylonfonal n, nylon yarn

nyloning n, nylon shirt

nylonkendő n, nylon kerchief

nylonszál n, spun nylon, nylon staple

NY

ny [ny-et, ny-je] *n*, *[betű]* ny, the letter ny/Ny; *kis ny-nyel ír* write with small ny; *nagy Ny-nyel ír* write with capital Ny

nyafka I. *a*, whining, whimpering, snivelling, puling, puly, mewling, squalling II. *n*, whiner, whimperer, sniveller, blubberer *(fam)*, *[gyerek]* cry-baby

nyafkaság *n*, whining, whimpering, snivelling

nyafog [-tam, -ott, -jon] *vi*, whine, whimper, snivel, pule, mewl, grizzle, yammer

nyafogás *n*, whine, whimper(ing), snivel(ling), grizzling, mewling, puling, sob-talk

nyafogó [-t; *adv* -an] *a*, whining, snivelling, querulous, *[gyerek]* puling, puly

nyaggat *vt*, 1. *(vkt)* trouble, bother, vex, molest, importune, harass, badger, pester, worry, torment, plague; *vmért ~ vkt* keep after sy for sg 2. *[hangszert]* murder; *~ja a zongorát* strum (on) the piano; *a hegedűt ~ja* strum the violin

nyaggatás *n*, troubling, vexation, bothering, botheration

nyáj [-at, -a] *n*, 1. *(ált)* flock, herd, drove, drive; *a ~jal tart* follow the cry 2. *[egyház hívei]* congregation, flock, fold

nyájas [-at; *adv* -an] *a*, *(ált)* amiable, affable, gentle, gracious, kind(ly), friendly, complaisant, soft-spoken, sweet(-tempered), meek and mild, sociable, suave *(ref.)*, *[modor]* gentle, affable, *[mosoly]* benign, placid; *~ olvasó* gentle reader; *~ szavú* sweet/soft-spoken; *~ természet* sweet temper

nyájasan *adv*, amiably, affably, gently

nyájaskodás *n*, endearment(s), caress(es), sweet words *(pl)*, amenities *(pl)*

nyájaskod|ik [-tam, -ott, -jon, -jék] *vi*, *(vkvel)* make oneself pleasant, be agreeable (with/to sy), do the pretty *(fam)*; *~nak egymással* exchange amenities/civilities, *[szerelmesek]* exchange endearments/caresses, exchange fond/tender/sweet words, affect tenderness/fondness, hold hands *(fam)*

nyájasság *n*, amiability, affability, gentleness, graciousness, kind(li)ness, friendliness, loving-kindness, amenity (of manners), comeliness, sociability, suavity *(ref.)*

nyájlény *n*, one who goes with the crowd/herd

nyájösztön *n*, gregarious/herd instinct

nyájszellem *n*, *(iron)* lack of intellectual independence

nyak [-at, -a] *n*, 1. *(ált)* neck, *(tud összet)* cervical; *anatómiai ~* anatomical neck; *sebészi ~* surgical neck; *~a közé kapja/szedi/veszi a lábát* take to one's heels, show a clean pair of heels, skedaddle; nyakába *akaszt vmt [magának]* sling/throw sg over one's shoulder *(v.* round one's neck), *(vknek átv)* lay sg on sy's shoulders, lay sg at sy's door; *~ába borul/ugrik* fall on/about sy's neck, fling one's arms (a)round sy's neck, hug sy; *~ába kapja/szedi/veszi a lábát* take to one's heels, show a clean pair of heels, make one's getaway, hare; *~ába szakad vknek vm* get landed with sg *(fam)*, find oneself faced/confronted with sg; *~amba szakadt a gondja* (the worry of) it fell to me *(v.* to my lot *v.* on my shoulders), it was left to me; *~ába sóz/varr vknek vmt* foist/impose *(v.* palm off) sg (up)on sy, throw sg into sy's lap, saddle sy with sg, shove sg off on to sy, saddle sg on sy; *vk ~ába varrja magát* pin oneself on to sy, attach oneself to sy, plant oneself on sy, throw oneself at sy's head, obtrude oneself upon sy, make a dead set at sy; *~ába veszi az igát [=megnősül] (kb)* get landed with a wife, take on a wife; *~ába veszi a várost* perambulate the town, make a tour of the town, "do" the town, *[vkt/vmt keresve]* search all over the town (for sy), run all round the town (in search of sy/sg); nyakban *hordható* can be carried round the neck; nyakig head over ears, over head and ears; *~ig sáros* (be) covered with mud up to the ears, be all over mud, (be) mudded all over, (be) plastered (over) with mud; *~ig van (vmben/vmvel) (átv)* be up to the chin/eyes (in), be over head and ears (in), be head over ears (in); *~ig ül/van az adósságban* be up to the eyes in debt, be head over ears in debt; *~ig (benne) van a bajban* be in the thick of it, be in deep water, be in for it; *~ig benne volt (átv)* he was in the thick of it; *~ig van a munkában* be up to one's neck in work, be up to the eyes in work, be overwhelmed with work; *~ig van/elmerül az üzleti ügyekben* he's up to the hub in business *(US fam)*; nyakon *csíp/fog/ragad vkt* catch/collar sy, get/catch hold of sy, grip/pin sy by the throat, seize sy by the collar, seize/take sy by the scruff of the neck, lay/clap sy by the heels, pinch sy, snaffle/nab/cop sy *(fam)*; *~on fogott* he had me by the throat; *~on üt/csap/vág* clout sy on the back of the head, slap sy's face, box sy's ears; *~on önt vkt* throw water over/at sy, *[ágyban]* cold-pig sy; *~án él vknek* live/sponge on sy, live at sy's costs, scrounge on sy *(US)*; *mások ~án él* live off others; *mindig a ~án lóg* be always hanging around *(v.* on to) sy's skirts, follow sy about everywhere, stick like glue to sy, be for ever molesting/bothering sy, hang on to sy; *a ~án ül/van* be a nuisance/burden to sy, be always nagging (at) sy, be a drag on sy; *egész nap a ~amon ült* he has hung on to *(v.* around) me all day; *~amon maradt* I got saddled with it, I had to hold the baby/bag (for sy), it remains like a stone round my neck; *~unkon az ellenség* the enemy is at the gates; *nyakára hág (a) pénzének* play (at) ducks and drakes with one's money, run through one's money, dissipate/waste/squander one's money, walk into one's stock of money, blue (money) ◈, make short work of ◈; *~ára hág minden pénzének* go through all one's money; *~ára hág a vagyonának* get/run through one's fortune; *~ára jár* importune, inconvenience, molest, bother, pester, annoy (constantly), obtrude oneself on sy; *folyton ~ára jár vknek* keep on at sy; *folyton a ~ára kell járni* he needs a lot of asking; *~ára küld vkt vknek* send sy over to sy with a demand/complaint;

~adra küldöm a rendőrséget I'll put the police on to you; vknek a ~ára nő grow beyond/on sy, grow out of sy's control, be too much for sy, become a burden on sy; ~ára teszi a kötelet pass a rope round sy's neck, put a halter round sy's neck; ~ára ül vknek pin oneself on to sy, plant oneself on sy; a ~unkra ült egy teljes hétre she has landed on us for a whole week; vkt leráz a nyakáról get rid of sy, shake sy off; kitekeri a nyakát wring sy's neck, (átv) break sy's neck, undo sy; a ~át kockáztatja ride for a fall; ~át szegi break one's/sy's neck, come a cropper (fam) ; ~át töri (átv is) break sy's/one's neck, (átv) come a cropper (fam) ; ~amat teszem rá hogy . . . I'd stake my life on it that . . ., I'll bet anything that . . ., I'll bet your boots that . . . 2. [ruháé, ingé] neck, neck-piece 3. [hangszeré] neck, [edénye, üvegé, csavaré stb.] neck, [pengéé, reszelőé] tang, (műsz) collar, neck

nyák [-ot, -ja] n, 1. (orv) mucus, phlegm 2. [étel] pap

nyakal [-t, -jon] vt, (biz) [italt] booze, tope, neck, soak, swig, swill, take deep draughts, guzzle

nyakas [-at; adv -an] a, obstinate, stubborn, unruly, headstrong, stiff-necked, heady, self-willed, obdurate (ref.), pertinacious (ref.), persistent (ref.), refractory (ref.), unsubmissive (ref.), unyielding (ref.), inflexible (ref.), pigheaded (fam), mulish (fam), cussed (US), hard-shelled/bitten (US), bullet-headed (US fam)

nyakaskodás n, obstinate/stubborn/headstrong/pigheaded/mulish behaviour, setting up one's bristles, obstinacy, stubbornness, wilfulness, obdurateness, obduracy, pertinaciousness, pertinacity, persistence, persistency, refractoriness, recalcitrance, inflexibility, doggedness, pigheadedness (fam), mulishness (fam)

nyakaskod|ik [-tam, -ott, -jon, -jék] vi, be/remain obstinate/stubborn/obdurate/wilful, persist (stubbornly) in, show obstinacy

nyakasság n, = nyakaskodás

nyakatekert [-et; adv -en] a, tortuous, involved, intricate, complicated, entangled, labyrinthine; ~ nyelv twisted language; ~ stilus tortuous/involved/crabbed style

nyakatekerten adv, tortuously, intricately; ~ ír write crabbedly, periphrase

nyakaz [-tam, -ott, -zon] vt, behead, decapitate, guillotine

nyakazás n, beheading, decapitation

nyakbavető n, 1. [kendő] necklet, (neck-)tie, scarf, muffler, comforter, neckcloth (obs), neckerchief (obs), [szőrme] (woman's) fur necktie, stole 2. [tarisznya] wallet (slung round one's neck), double sack/bag

nyakbőség n, neck-band, size in collar; ~ 40 cm neck-band 15¹/₂

nyakcsigolya n, cervical vertebra, cervical

nyakdisz n, = nyakék

nyakék n, necklace, necklet, carcanet, [érmecske] locket

nyakér n, jugular vein

nyakfájás n, neck-ache, wryneck, crick/(w)rick in the neck, torticollis, [reumás] stiff-neck, cervical arthritis

nyakferdülés n, torticollis, wryneck

nyakfodor n, ruff, toby (collar), frill, collar(ette)

nyaknam n, horse-collar

nyákhártya n, (bonct) mucous membrane

nyakhossz n, length of neck; ~al nyer win by a neck

nyaki [-ak, -t] a, (bonct) cervical, jugular; ~ borda cervical rib; ~ főütőér cervical artery, throat-vein; ~ szimpatikus cervical sympathetic; ~ verőér carotid (artery)

nyakideg n, cervical (nerve); a ~ek the cervicals

nyakigláb a/n, long-limbed/shanked, spindling, spindly, stalky, loose-jointed/limbed, leggy, [fónévvel] lamp-post, longshanks, maypole, daddy-long-legs

nyakizom n, cervical muscle

nyakkaloda n, [nyaklóvas] iron-collar, carcanet (obs), [szégyenfa] pillory

nyakkendő n, (neck-)tie, cravat (obs), neckerchief (obs), neck-cloth (obs), choker ◈, [csokor] butterfly bow, bow-tie, [készen kötött] made-up tie, [papi] bands (pl) ; megigazítja a ~jét straighten one's tie; megköti a ~jét tie one's neck-tie, [csokrot] knot one's tie, make/tie a bow

nyakkendőcsiptető n, tie-clip

nyakkendőgyűrű n, scarf-ring

nyakkendőszövet n, material for ties

nyakkendőtű n, tie/breast/stick/scarf-pin

nyakkivágás n, [ruháé] neck-line, decolleté, decolletage (fr) ; mély ~ low/scooped neck

nyaklánc n, necklace, necklet, neck-chain, [rendé] collar

nyakleves n, (biz) cuff, clout on the (back of the) head, flap, clip, wallop; ~t ad cuff, beat sy over the ears, clout sy on the back of the head, give sy a clump on the head

nyákleves n, barley-water, ptisan

nyakló [-t, -ja] n, 1. [lónak] neck-strap 2. ~ nélkül unbridled

nyaklóvas n, iron collar

nyakmerevedés n, stiff neck, neck-rigidity

nyakmerevség n, stiff neck, torticollis

nyakmirigy n, cervical/lymphatic gland(s)

nyakolaj n, brandy

nyakon ld nyak 1.

nyákos a, mucous, mucilaginous; ~ köpet mucous sputum

nyákos-gennyes a, mucopurulent

nyakörv n, dog-collar

nyakpánt n, halter neckline

nyakperec n, (rég) torques, [öntött] ingot-torques

nyakra-főre adv, helter-skelter, headlong, precipitately, rashly, indiscriminately

nyakravaló [-t, -ja] n, 1. [nyakkendő] neck-tie, scarf, neckerchief 2. [akasztófakötél] hempen collar, neck-wear

nyakrész n, 1. [lóé] neck and withers, [marháé] neck-beef, [birkáé] neck, scrag (of mutton) 2. [ruhadarabon] collar

nyaksál n, scarf, muffler, comforter, shawl, neckerchief

nyakszíj n, collar, [póráz] leash, [vadászkutyáé] lead, slip, [lóé] neck-strap, throat-band/latch/lash

nyakszirt n, nape (of the neck), back of the head/neck, scruff of the neck (fam), (tud) occiput; ~ alatti suboccipital; ~en üt vkt give sy a rabbit punch, clout sy on the back of the head

nyakszirtcsont n, occipital bone

nyakszirti a, occipital, nuchal, napal

nyakszirtmerevedés n, cerebro-spinal meningitis, spotted fever (fam)

nyakszirtütés n, [bokszban] rabbit punch

nyakszirtvédő n, neck-flap, [sapkáé] sun-curtain (of cap), havelock (fam), [sisaké] rear-peak

nyakszirtzsába n, crick in the neck

nyakszőrzet n, [kutyáé] hackles (pl)

nyaktag n, [esztopé] necking, neck moulding

nyaktekercs n, (áll) [madár] wryneck, jynx (Jynx torquilla)

nyáktelep n, = nyákudvar

nyaktiló n, guillotine

nyaktilóz [-tam, -ott, -zon] vt, guillotine

nyaktilózás n, guillotining

nyaktoll *n*, *[madâré]* hackle
nyaktollazat *n*, *[kakasé]* hackles *(pl)*
nyaktő *n*, root *(v.* lower part) of the neck
nyáktömlő *n*, *(bonct)* bursa
nyáktömlőgyulladás *n*, *(orv)* bursitis
nyaktörő *a*, break-neck, (sg) to break one's neck *(ut)*
-nyakú [-ak, -t] *a*, -necked; *hosszú* ~ long-necked; *rövid/kurta* ~ short-necked; *szűk* ~ *[palack stb.]* narrow-necked
nyákudvar *n*, *(biol)* zoogl(o)ca
nyakvédő *n*, 1. *[kendő]* scarf, muffler, comforter, neckerchief, *[prémes]* fur stole 2. *[sisakon]* rear-peak, gorget, *[gyarmati sisakòn]* sun-curtain
nyal [-t, -jon] *vt/vi*, 1. lick, lap, tongue, take a suck at 2. ~ *vknek (átv)* lick sy's boots, suck up to sy, fawn (up)on sy, beslaver sy, toady to sy; *fenekét ~ja vknek (átv)* eat sy's toad; *~ja vknek a talpát* lick sy's boots
nyál [-at, -a] *n*, saliva, spit(tle), slaver, dribble, drivel, slobber, drool *(US)*, *[csigáé]* slime; *folyik a ~a* slaver; *csorog/folyik a ~a vmért* (v. *vm után)* his mouth waters for sg, sg makes sy's mouth water; *csorog a ~a az irigységtől* it makes his mouth water; *ettől összefut a ~a számban* it brings the water to my mouth; *~lal elkever [étëlt rágás közben]* insalivate
nyál- *(összet)* salival, salivary
nyaláb [-ot, -ja] *n*, 1. bundle, armful of sg, *[fa, rőzse]* faggot, bundle (of firewood), *[fény]* beam, shaft, *[gabona]* sheaf, *[sugár]* pencil (of rays), *[irat]* packet, fascicle, *[levél]* sheaf, *[papír]* file, *[széna, szalma]* truss, bottle, bundle, *[virág, zöldség]* bunch; *~ba köt vmt* bundle (up), tie up in bundles, faggot, truss, bunch; *~ra fog vmt* bundle sg up, gather sg up in the arms 2. *(bonct)* fasciculus, bundle, bunch
nyalábhüvely *n*, *(növ)* bundle sheath
nyalábközi *a*, ~ *állomány (növ)* interfascicular region/zone, pith/medullary ray
nyalábol [-t, -jon] *vt*, clasp/(en)fold with both arms, bundle/bind up, faggot, truss
nyalábos [-at; *adv* -an] *a*, bunchy, *(növ)* fasciated, fascicled
nyalábsüveg *n*, *(növ)* bundle cap
nyáladék [-ot, -a] *n*, slaver, drivel, dribble, slobber
nyáladzás *n*, dribble, dribbling, salivation, slavering, slobbering, drivelling
nyáladz|ik [-ani, -ott, -zon, -zék] *vi*, slaver, slobber, drivel, *(táj)* drool, dribble (at the mouth), run at the mouth, *(tud)* salivate
nyáladzó [-t] *a*, ~ *gyerek* dribbler
nyalakodás *n*, 1. *[evés]* eating tit-bits, eating delicacies/dainties/sweets, gormandism, *[titokban]* eating tit-bits by stealth *(v.* on the sly) 2. *[csókolódzás]* billing and cooing
nyalakod|ik [-tam, -ott, -jon, -jék] *vi*, 1. *[pákosztoskodik]* eat tit-bits, eat sweets by stealth *(v.* on the sly), pilfer dainties/tit-bits 2. *[csókolódzik]* bill and coo 3. *[macska]* clean(se) itself with its tongue, lick itself clean
nyalánk [-ot; *adv* -an] *a*, (very) fond of tit-bits *(v.* dainties/delicacies) *(ut)*, sweet-toothed, dainty
nyalánkság *n*, 1. *[tulajdonság]* fondness for sweets/dainties, daintiness, having a sweet-tooth 2. *[jó falat]* dainty, dainties *(pl)*, tit-bit, delicacy, goodies *(pl)*, sweetmeats *(pl)*, sweet/choice morsel, table luxuries *(pl)*
nyalás *n*, 1. lick(ing), lapping 2. *(átv* □*)* fulsome flattery, fawning, toadyism, lip-homage/service, lipsalve
nyálas [-at; *adv* -an] *a*, 1. *(ált)* slobbering, slobbery, *[nyálkás]* mucous, *[benyálazott]* beslavered, beslobbered 2. *(átv)* snotty(-nosed)

nyálasszájú I. *a*, = nyálas; II. *n*, green-horn, callow youth, young puppy, sucker *(US* ❖*)*
nyalat *vt*, *[sót]* give salt-lick (to)
nyalató [-t, -ja] *n*, salt-lick, lick-stone, deer-lick *(US)*
nyálaz [-tam, -ott, -zon] I. *vi*, = nyáladzik; II. *vt*, *[bélyeget]* lick, wet with one's tongue
nyálazás *n*, 1. = nyáladzás; 2. *[bélyeget]* licking, wetting with one's tongue
nyálaz|ik *vi*, = nyáladzik
nyálazó [-t, -ja] *n*, (slavering/sobbering-)bib
nyaldos [-tam, -ott, -son] *vt*, 1. lick, keep licking, lap 2. *[hullám a partot]* wash against/round, *[víz partot]* bathe
nyaldosás *n*, licking, lapping
nyálelszívó *n*, *[fogászatban]* saliva ejector/pump
nyálelválasztás *n*, salivary secretion
nyal-fal [nyaltam-faltam, nyalt-falt, nyaljon-faljon] *vt*, (be)slobber; *nyalják-falják egymást* bill and coo, be kissing away
nyálfolyás *n*, slavering, *(tud)* salivation, ptyalism, discharge of saliva
nyálhajtó *a/n*, ~ *(szer) (orv)* sialagogue
nyálhiány *n*, *(orv)* aptyalism, asialia
nyalka *a*, dashing, jaunty, matty, smart, spruce, spick and span; ~ *lovas* (he is) a graceful rider
nyálka *n*, 1. mucus, phlegm, slime, rheum, *(növ, áll)* mucilage 2. = nyál
nyálkafolyás *n*, *(orv)* blennorhaea, blennorhagia
nyálkagombák *n. pl*, *(növ)* slime fungi, Myxophyta
nyálkahártya *n*, mucous membrane, mycoderm, submucous
nyálkahiány *n*, *(orv)* aptyalism
nyálkaképző *a*, muciparous, mucigenous
nyálkaképződés *n*, salivation, mucous secretion
nyálkamirigy *n*, salivary gland
nyálkamoszat *n*, *(növ)* nostoc, star-jelly *(Nostoc Vaucherii)*
nyálkaoldó *a/n*, ~ *(szer)* expectorant
nyálkás *a*, mucous, mucoid, mucilaginous, glairy, glaireous, phlegmy, *(tud)* pituitous, phlegmy, *[csiga]* slimy, *[ragadós]* viscous, gluey, sticky, glutinous, *[ital]* ropy; ~ *compó (áll)* = compó
nyálkásod|ik [-tam, -ott, -jon, -jék] *vi*, become/grow mucous/phlegmy/pituitous/slimy/mucilaginous/glairy
nyálkásság *n*, mucosity, glutinosity
nyálképző *a/n*, ~ *(szer) (orv)* sialagogue
nyálképződés *n*, salivation
nyálkő *n*, salivary calculus
nyálmirigy *n*, salivary gland
nyálmirigyciszta *n*, *(orv)* ranula, frog tongue
nyaló [-t, -ja; *adv* -an] *a/n*, 1. licking, lapping, licker 2. *(átv)* toady, lick-spittle, toad-eater
nyalogat *vt*, lick; ~ *ja a száját* lick one's lips/chops
nyalogatás *n*, licking
nyalóhenger *n*, *(nyomd)* vibrating roller
nyalóka *n*, lollipop, stick of barley sugar, sucker
nyálszívó *n*, saliva ejector/pump
nyálvezeték *n*, salivary duct
nyálzás *n*, discharge of salive; *ld még* nyáladzás
nyálz|ik [...zott, ...lazzék] *vi*, = nyáladzik
nyámmog [-ott, -tam, -jon] *vi*, *[étellel]* eat without appetite, pick at one's food, *[munkával]* work listlessly, *[motyog]* mumble, speak indistinctly
nyámnyám [-ot] I. *a*, ~ *alak* milksop, weakling, namby-pamby II. *n*, *[néptörzs]* Nlam-Nlam
nyamvadt [-at; *adv* -an] *a*, *(biz)* seedy, lousy, rotten, ruddy, cheesy, ratty, measly
nyanya [..át] *n*, grannie, granny, grand(mam)-ma
nyápic [-ot; *adv* -an] *a*, puny, of slight build *(ut)*,

[főnévvel] weakling, shrimp (of a man); ~ ember weakling, milquetoast

nyár¹ [nyarat, nyara] n, summer; ~ derekán in high summer, in midsummer, at/in the height of summer; a ~ folyamán during the summer; ~on in summer, during the summer; ~ára by/for the summer

nyár² [-ak, -t, -ja] n, = nyárfa

nyaral [-t, -jon] vi, be on one's summer holiday, summer, spend one's summer holidays (at), pass the summer (at); ~ni megy go swhere for the summer holidays; hol ~tál? where did you spend your summer holiday?

nyaralás n, summering, summer holidays (out of town) (pl); ~ után after (v. back from) the summer holidays

nyaraló [-t, -ja] I. n, 1. [épület, villa] villa, country-cottage/house, summer residence 2. [személy] summerer, person on summer holiday, holidaymaker, summer visitor (at a holiday resort), vacationist (US); ~k holiday crowds II. a, holidaymaking

nyaralóhely n, summer resort

nyaralóközönség n, holidaymakers (pl)

nyaralótelep n, summer resort, [gyermekeknek] holiday home/camp (for children)

nyaralóvendég n, holidaymaker, summerer (US)

nyaraltat vt, [nyaralni visz/küld] send/let sy summer, send (children) to a holiday camp, send sy on a paid summer holiday, pay for sy's summer holiday, [gyermekekre felügyel] be in charge of children at a holiday camp

nyaraltatás n, paid summer holidays (pl), summering (of children/workers)

nyaranta adv, every summer

nyárelő [-t, -je] n, early summer, beginning of summer

nyárfa n, (növ) poplar, aspen (Populus), (táj) popple; ezustlevelű/fehér ~ white/silver poplar (P. alba); fekete ~ black poplar (P. nigra); rezgő ~ trembling poplar, asp(en) (P. tremula); szürke ~ gray poplar (P. canescens); nyárfákkal szegélyezett út road edged with poplars

nyárfalevél n, aspen leaf; reszket mint a ~ tremble/ shiver like an aspen leaf

nyárfás I. a, bordered with poplars (ut) II. n, aspen plantation/grove

nyárfasor n, line of poplars, [út] poplar-lined road/way, road edged with poplars

nyárfordulat n, summer solstice

nyargal [-t, -jon] vi, 1. [lovon] gallop, ride hard/fast, ride at full tilt, [járművön is] go at breakneck speed, [gyalog] hurry, rush, run, tear (fam) 2. (átv) vmn ~ keep harping on sg; mindig ezen ~ he rides this subject to death, he keeps harping on that; mindig/folyton azon ~ hogy . . . . . he is continuously harping on . . . .; ugyanazon ~ ride an idea to death; semmiségeken ~ niggle over trifles

nyargalás n, [lovon] gallop(ing), ride at a gallop, [gyalog] rush, run

nyargalászlik [-tam, -ott, . .ásszon, . .ásszék] vi, gallop up and down, gallop about, gallop all over the place, gallop hither and thither

nyargaló [-t, -ja] I. a, [lovon] galloping, [gyalog] rushing, running II. n, 1. galloper 2. (műsz) sliding poppet/puppet (on lathe)

nyári [-ak, -t] a, summer, (tud, növ, orv) (a)estival; ~ álom [kígyóké stb.] summer dormancy (of snakes etc.); ~ álmot alvó [állat] dormant; ~ egyetem summer school/course; ~ éj summer night; ~ este summer evening; ~ hónap summer month; ~ időszámítás summer-time, daylight-saving time (US); ~ ing summer shirt; ~ iskola [a nyári szünidő alatt] vacation school; ~ lak villa, country-house/cottage, summer house, summer/seaside/country/mountain

residence; ~ lakás summer residence; ~ meleg summer heat/weather, the great heat of summer; ~ menetrend summer time-table; ~ nap summer day; ~ ruha summer suit/clothes/dress; ~ szünet (isk) summer holiday(s), [egyetemen] the long vacation, (szính) summer pause, [mint kiírás] "closed for the summer", [parlamenti] summer recess; ~ tanfolyam holiday course; a ~ vakáció summer holiday(s), the long vacation; ~ zápor summer shower, summer plump (fam); ~ zivatar thunderstorm in summer

nyárias [-at; adv an] a, summerlike, summer(l)y, [öltözet] light; ~ öltözék light (summer) dress/suit

nyáriasan adv, (nagyon) ~ van öltözve be dressed light

nyáriasság n, summerliness

nyáridő n, summertide, summer-time

nyárközép n, midsummer, the middle of summer

nyárs [-at, -a] n, 1. spit, broach, [konyhai] skewer, brochette; ~ba húz vkt (tört) impale sy; ~on süt roast the spit; ~ra húz vmt skewer/spit/broach sg; ~ra tűz vmt spit sg; olyan mintha ~at nyelt volna he is as stiff as a poker (v. a ram-rod); ~at nyelt ram-rod backed; ~at nyelve ül sit bolt upright 2. [első agancság] brow antler

nyársbak n, spitrack

nyársforgató n, 1. [eszköz] roasting/smoke-jack 2. [személy, kutya] turn-spit

nyársonsült n, meat/joint roasted on the spit

nyárspolgár n, petty bourgeois, philistine, unenlightened member of the middle-class, low-brow

nyárspolgári a, petty bourgeois, philistine, narrow/ small-minded, commonplace, low-brow

nyárspolgárság n, 1. [tulajdonság] philistinism, narrow-mindedness, bourgeois way of thinking 2. [réteg] the lower middle class, small shopkeeper class

nyárutó n, (átt) late/Indian summer

Nyaszaföld prop, Nyasaland

nyavalya [. .át] n, 1. [betegség] illness, disease, sickness, ailment, malady, [eskór] epilepsy, falling sickness (obs); töri a ~ have an epileptic fit, (átv vmért) be mad for/after sy/sg, pine to do sg; kitöri a ~ az ijedségtől be mad with terror; hogy a ~ törje ki! let him go to hell! 2. (átv nyomorúság) misery, trouble, distress

nyavalyakórság n, = nyavalyatörés

nyavalyás a, 1. [betegeskedő] sickly, seedy, ailing, peaky 2. (elit átv) miserable, wretched, [vacak] paltry, [hitvány] rotten; vidd már innen azt a ~ könyvet! take this god-damned book away

nyavalyásan adv, ~ érzi magát feel low, be unwell, feel seedy

nyavalyáskod|ik vi, be sickly/seedy, be in poor/bad health, peak and pine

nyavalyatörés n, epilepsy, epileptic fit, falling sickness

nyavalyatörős [-ek, -t; adv -en] a/n, epileptic

nyavalygás n, 1. [betegeskedés] ailing, sickliness, being in poor health 2. [siránkozás] lamentation, whining, wailing, moaning 3. [vesződés, bajlódás] bother-(ation), troube, toil

nyavalygó a, 1. [betegeskedő] sickly, ailing, peaking and pining 2. [lamentáló] lamenting, whining, wailing, snivelling, querulous

nyavalyog [. .lygom, -tam, . .lygott, -jon] vi, 1. [betegeskedik] be in poor/bad health, peak and pine, feel ill/shaky, be sickly/suffering/ailing, lead a sickly life 2. [siránkozik] lament, whine, wail, moan, snivel, bellyache (US ◇) 3. [bajlódik] be long about/over sg, bother, dawdle (about sg)

nyávog [-tam, -ott, -jon] vi, 1. [macska] mew, miaul, miaow, mewl 2. (átv) caterwaul

nyávogás n, 1. [hang] new, miaow, [cselekvés] mewing, miaulting, miaowing 2. (átv) caterwauling, atcall

nyegle [..ét] *a, [fennhéjázó]* overbearing, overweening, presumptuous, *[szemtelen]* arrogant, insolent, impudent, flippant

nyegleség *n, [fennhéjázás]* overbearingness, presumption, *[szemtelenség]* arrogance, arrogancy, insolence, impudence, flippancy, bounce *(fam)*

nyeglésked|ik *vi,* behave arrogantly

nyekereg [-tem,..rgett, -jen] *vi, [kenetlen tárgy* v. *hangszer]* creak, grate, grind, scrape, *(vk)* quaver, bleat, *[hangszeren]* scrape, strum; ~ *a hegedűn* scrape the fiddle

nyekergés *n, (vmé)* creaking, grating, grinding, *(vké)* quavering, bleating, *[hangszeré]* scraping

nyekerget *vt, [hangszert]* scrape, martyrize, torment, strum; ~*i a hegedűt* scrape the fiddle

nyekergetés *n, [hegedűe stb.]* scrape, fiddling

nyekken [-t, -jen] *vi,* crack, clack, give a groaning sound; *földhöz vágtam hogy csak úgy* ~*t* I floored him *(v.* stretched him out) by a violent effort

nyel [-tem, -t, -jen] *vi/vt,* 1. swallow, *[mohón]* gulp/ wolf down, bolt, ingurgitate; *nagyot* ~ take a deep breath; *nagyot* ~*t* he swallowed painfully; *csak úgy* ~*ik a szavait* they hang on his lips/words; *sokat kell* ~*nie* have much to swallow/pocket/stomach; *neki is* ~*nie kell* he(,) too(,) has his cross to bear 2. *csak úgy* ~*i a mérföldeket* eat up the miles

nyél [nyelet, nyele] *n,* 1. *(ált)* handle, (hand)grip, *[hosszú nyelű szerszámé]* shaft, *[baltáé, fejszéé, kalapácsé]* helve, *[késé szerszámé]* haft, *[ostoré]* stock, *[horgászboté]* shank, *[madártollé]* barrel, *[pengéé, reszelőé]* tang, *[zászlóé]* staff, *[lándzsáé]* staff, shaft, *[seprőé, ernyőé]* stick; ~*be tesz/foglal [szerszámot]* handle; *új* ~*be üt, új nyelet készít (vmnek)* rehandle; *nyelet csinál vmnek* haft, helve, fix a handle to 2. *(épít)* stalk 3. *(bonct)* manubrium, *(növ)* (leaf-)stalk, stem, *(tud)* petiole, pedicle, pedicle, peduncle, stipes; ~ *alakú (növ)* stipiform; ~*lel ellátott* petiolate(d); *házasságot* ~*be üt* arrange a marriage 4. *(átv)* ~*be üt* carry through, contrive, accomplish, achieve, manage, effect, bring about/off, bring to pass, bring to a successful issue/conclusion/ close, put across (sg) *(US);* ~*be ütés* accomplishment, management, performance, bringing sg off, bringing to a successful issue/conclusion/close

nyeldekel [-ni, ..leni, -t, -jen] *vt/vi,* = nyeldes

nyeldeklő [-t, -je] *n, [gégefedő]* epiglottis

nyeldes [-tem, -ett, -sen] *vt/vi,* keep swallowing, swallow one after another

nyeles [-et; adv -en] *a,* 1. handled, with a handle *(ut), [kalapács]* helved, *[szerszám]* hafted, *[zászló]* staffed, *[hosszú nyéllel]* shafted; ~ *fúró* gimlet; ~ *háló [halászé]* ring-net; ~ *kalapács* chop-hammer; ~ *serpenyő* saucepan, skillet 2. *(növ)* petiolar, *[levél]* petiolated, *[virág]* stalked, pedunculate

nyelés *n,* swallow(ing), *[mohón]* gulp(ing), bolting (of food), *(tud)* deglutition, ingurgitation; *egy* ~*re* at one gulp, holus-bolus *(fam)*

nyelési [-ek, -t] *a,* ~ *fájdalom* pain in swallowing, pain on deglutition; ~ *képtelenség* aglobulism; ~ *nehézség* difficulty in swallowing, swallowing difficulty, *(tud)* dysphagia, dysphagy

nyelészavar *n,* swallowing difficulty

nyeletlen *a,* 1. without a handle *(ut),* unhandled; *úgy úszik mint a* ~ *balta* swim like a stone *(v.* a tailor's goose) 2. *(növ)* sessile

nyéllyukas *a, (rég)* with a shaft-hole *(ut);* ~ *balta* shaft-hole axe, *[csőszerű lyukkal]* shaft-tube axe

nyelő [-t, -je] I. *a,* swallowing II. *n,* 1. swallower 2. *(épít)* catch basin, sink hole, draining well, drain-well, *[utcai víznyelő]* drain trap, grid

nyelőakna *n,* drain-well

nyelőcső *n,* 1. *(szerv)* gullet, meat/food-pipe, red lane *(baby talk), (tud)* (o)esophagus 2. *[alagcső]* drain-pipe

nyelőcsőmetszés *n,* (o)esophagotomy

nyelőcsőszonda *n,* esophageal sound

nyelőcsőtükör *n,* (o)esophagoscope

nyelőcsövi *a, (bonct)* (o)esophageal

nyelőgödör *n,* cesspool, cesspit, midden-pit, sinkhole, draining/dead well

nyelőgörcs *n,* deglutition cramp, pharyngismus

nyelőizomzat *n,* muscles of deglutition *(pl)*

nyelőkút *n,* inverted well, draining well, drain-well

nyelőlyuk *n,* sinkhole

nyéltoldat *n, [fúróé, csavarkulcsé]* lengthening-rod

nyelű [-ek, -t] *a, elefántcsont* ~ ivory-handled; *hosszú* ~ *with a long handle (ut),* long-handled; *rövid* ~ short-handled; *vékony* ~ slim-shanked

nyelv [-et, -e] *n,* 1. *[szerv]* tongue; ~ *alakú* tongue-shaped, linguiform; ~ *alatti* sublingual, subglossal, hypoglossal; ~ *nélküli* tongueless, *(áll)* a-glossal, aglossate; *akadozik a* ~*e* falter in one's speech; *rossz* ~*ek* scandalmongers, mischief-makers, backbiters, slanderous tongues; *éles/hegyes* ~*e van* have a sharp tongue; *jól fel van vágva a* ~*e* have a glib/ready tongue; *helyén van a* ~*e* he is always ready with a retort/repartee, he is always ready with a come-back *(US),* he caps every remark *(US);* *lóg a* ~*e [vké fáradtságtól]* be near the end of one's tether, be done/knocked up, *[kutyáé]* hang/ loll out its tongue; *megoldódik a* ~*e* find one's tongue; *(jól) pereg a* ~*e* have the gift of the gab, have a ready/glib tongue, be (very) glib of (the) tongue, have one's tongue well hung; ~*e hegyén van* have sg on the tip of one's tongue; *a* ~*emen van* I have it on the tip of my tongue; *ami a szívén az a* ~*én* wear one's heart on one's sleeve, speak one's mind; *az emberek* ~*ére kerül* get oneself talked about, become the talk of the place, set tongues wagging, be talked all over the town/place, become the prey of scandalmongers/gossips/backbiters; *vigyázz a* ~*edre!* keep a civil tongue in your head!, don't let your tongue run away with you!; *mutassa a* ~*ét! [orvosnak]* put out your tongue!; *jól felvágták a* ~*ét* have a glib/ready tongue; *féken tartja a* ~*ét* curb/bridle *(v.* put a curb/bridle on) one's tongue; ~*et ölt/nyújt* protrude one's tongue, poke/shoot out one's tongue; *kiölti/kinyújtja a* ~*ét vkre* put/stick out one's tongue at sy, *[kutya]* hang out its tongue; *tartsa a* ~*ét!* hold your tongue! 2. *[cipőé]* tongue, *[fúvós hangszeré]* reed, tongue, *[sípé]* tongue, languet, *[földé]* spit, neck (of land), *[harangé]* tongue, clapper, *[záré]* latch, *[reteszé]* bolt, *(műsz)* index, feather, *(bány)* feather 3. *[beszélt]* language, speech, tongue, *[írásműé]* style, *[szónoké]* diction, *(elit)* lingo, *[meghatározott területé]* vernacular, idiom, *[szakmai]* jargon, cant, *[nyelvhasználat]* parlance, usage; *az angol* ~ the English language; *élő* ~ living/modern language; *holt* ~ dead language; *a* ~ *szelleme* spirit of the language; *a* ~ *szerkezete* structure/construction of a language; *angol* ~*en* in English; *angol* ~*en beszél* speak/talk English; *két* ~*en beszélő* (person) who speaks two languages, bilingual; *három* ~*en beszélő* (person) who speaks three languages, trilingual; *több* ~*en/*~*et beszél* speak several languages, have several languages at one's command, have a command of several languages, be a polyglot; *hét* ~*en beszél* be a genius at languages, be a language genius, *(átv)* topnotch, superclass; *sok* ~*en ért* understand several languages, have an understanding of several languages; ~*re jellemző/sajátos* idiomatic(al); *ha lefordítjuk a zene* ~*ére* if we translate it into the language of music; *kerékbe töri a ~et* murder a language; *töri az angol ~et* speak broken English

nyelvalak *n, (nyelvt)* linguistic form; *belső ~* inner structure of a language, inner form; *külső ~* structure of a language

nyelvállapot *n, (nyelvt)* state of the language (at a given time), stage in development of a language

nyelvállás *n, [hangtani szempontból]* tongue position, position of the tongue; *alacsony ~* low position of the tongue; *magas ~* great elevation of the tongue

nyelvatlasz *n,* linguistic/dialect atlas

nyelvbeli *a, (nyelvt)* of/concerning *(v.* relating to) language/style/speech *(ut),* linguistic, *[nyelvtani]* grammatical

nyelvbénulás *n, (orv)* paralysis of the tongue, glossoplegia

nyelvbotlás *n,* slip/lapse of the tongue, lapsus linguae *(lat),* break, trip, boner *(US)*

nyelvbölcselet *n,* philosophy of language, language philosphy

nyelvbúvár *n,* linguist, philologist, philologer *(obs)*

nyelvcsalád *n,* family of languages; *egy/közös ~hoz tartozó [nyelv]* cognate

nyelvcsap *n,* 1. *(bonct)* uvula, staphyle 2. *[gépkötötün]* rivet

nyelvcsapi *a, (bonct)* uvular, staphyline

nyelvcsettintés *n,* click of the tongue, *[ló biztatására]* chirrup

nyelvcsók *n,* tongue/deep kiss

nyelvcsont *n, (bonct)* tongue-bone, hyoid (bone)

nyelvcsonti *a, (bonct)* hyoidean

nyelvcsoport *n, (nyelvt)* group of languages

nyelvcsúcs *n,* tip of the tongue

nyelvecske *n,* 1. small tongue, tonguelet 2. *[szájslpé]* languet 3. *(növ)* ligula, ligule

nyelvel [-t, -jen] *vi, [fecseg]* wag one's tongue, give back-chat◇, *[szemtelenül]* make an insolent answer, *[pörlekedés]* squabble, wrangle

nyelvelés *n,* wagging of the tongue, back-answer/chat/talk, capping of remarks, squabbling, wrangling

nyelvemlék *n,* literary remains of a language *(pl),* linguistic record, literary monument/record; *legrégibb magyar ~* the earliest (written) record extant of the Hungarian language

nyelvérzék *n,* linguistic feeling/instinct, gift of the tongue, sense for/of language, feeling/gift for languages, habitual feeling for usage in language; *jó ~e van* have a keen linguistic instinct, have a knack *(v.* good sense/feeling) for languages, be a good linguist, have a flair/turn for languages; *rossz ~e van* be no linguist

nyelves [-ek, -t; *adv*-en] *a,* 1. *[nyelvvel ellátott]* tongued, *[fúvóhangszer]* reeded 2. *[feleselő]* swift-tongued, saucy, pert, flippant, *(kif)* have a tongue too long for one's teeth *(fam),* have a glib/ready tongue *(fam), [aki használja a nyelvét, főnévvel]* tonguester 3. *(biz) ~* csók/puszi tongue/deep kiss

nyelvesked|ik [-tem, -ett, -jék] *vi,* keep answering back, be saucy/pert, have a tongue too long for one's teeth

nyelvész [-ek,-t,-e] *n,* linguist, philologist, grammarian, philologer *(obs)*

nyelvészet *n,* linguistics, philology, science of language(s), study of languages

nyelvészeti [-ek, -t; *adv*-leg] *a,* linguistic, philological; *~ szempontból* philologically; *~ tanulmányok* linguistic studies

nyelvészetileg *adv,* philologically

nyelvészkedés *n,* study of linguistics/phylology (as a hobby), dilettante linguistics *(pej)*

nyelvészked|ik [-tem. -ett, -jen, -jék] *vi,* be a philologist/linguist, pursue studies in linguistics/philology,

study linguistics/philology (as a hobby), study/work at linguistics/philology

nyelvetlen *a,* 1. tongueless, having no tongue *(ut),* without tongue *(ut)* 2. without a language *(ut)*

nyelvezet *n,* language, idiom, *[irásé]* style, *[szónoké]* diction; *Petőfi ~e* P's idiom/diction; *pontos jogi ~tel* in correct legal phraseology

nyelvfejlődés *n, (nyelvt)* evolution/development/growth of the language; *belső ~* growth from within

nyelvfék *n, (bonct)* ligament/bridle/string of tongue, bridle, fr(a)enum

nyelvfogó *n, (orv)* tongue-forceps

nyelvforma *n,* = nyelvalak

nyelvföldrajz *n,* linguistic geography

nyelvgyakorlás *n,* language practice

nyelvgyakorlat *n, [tanulás]* grammatical exercise, *(isk)* language drill/practice

nyelvgyarapítás *n,* coining of new words and meanings, enrichment of the language

nyelvgyök *n, (bonct)* root of the tongue

nyelvgyötrő *n,* = nyelvtörő

nyelvgyulladás *n, (orv)* inflammation of the tongue, glossitis

nyelvhal *n, (ált)* common sole *(Solea vulgaris)*

nyelvhang *n,* lingual *(sound),* lingual/tongue consonant

nyelvhasonlítás *n,* comparative linguistics/philology; *magyar ~* (study in/of) Hungarian comparative linguistics/philology

nyelvhasználat *n,* usage, parlance, *(ritk)* idiom; *jogi ~* legal terminology; *közönséges ~ban* in ordinary parlance

nyelvhát *n,* back of the tongue, tongue-back

nyelvhatár *n,* boundary(-line) of (a) language, border line where two languages meet

nyelvhegy *n,* tip of the tongue

nyelvhelyesség *n,* good/correct usage, grammatical correctness, correctness of speech, *(tud)* orthology; *magyar ~* good/idiomatic Hungarian; *~ őre* precisionist

nyelvhelyességi *a,* of good usage *(ut),* concerning the correctness of speech *(ut),* of grammatical correctness *(ut)*

nyelvhiba *n,* 1. *[nyelvtani]* grammatical mistake/fault/error/blunder, mistake in grammar, error in/of speech, solecism 2. *(orv)* impediment/defect of/in speech, tongue-tie, defect in pronunciation

nyelvhibás *a,* tongue-tied

nyelvi [-ek, -t; *adv*-leg] *a,* 1. *[szervre vonatkozó]* lingual, tongued, glossal, of the tongue *(ut)* 2. *[beszélt nyelvre]* lingual, language, linguistic, of language/speech/parlance *(ut),* idiomatic(al); *~ adatszolgáltató* informant; *~ finomkodás* euphuism; *~ fordulat* phrase, idiom; *~ forma* linguistic form; *~ gyakorlat [nyelvszokás]* usage of a language; *~ jelenség* linguistic phenomenon; *angol ~ óra* English class/lesson, lesson in English; *~ réteg* level of usage, speech level; *~ sajátság* idiomatic expression/phrase/peculiarity, peculiarity of speech/language, idiom; *skót ~ sajátság* Scotticism; *~ tény* linguistic fact; *~ újítás* neologism; *~ változás* linguistic change

nyelvileg *adv,* grammatically, lingu(istic)ally, according to (the) grammar *(ut); ~ helyes* grammatical, grammatically/lingu(istic)ally correct, good grammar

nyelviskola *n,* language school, school of languages

nyelvismeret *n,* command/knowledge/hold/grasp of a language, acquaintance with a language, acquaintance with several languages, linguistic knowledge; *kellő ~tel rendelkező* having a sufficient/competent command/grasp/hold of the ... language *(ut),* having an adequate knowledge of the ... language *(ut)*

nyelvizom *n, (bonct)* lingual muscle
nyelvjárás *n,* dialect, patois; *Szeged vidéki ~* the dialect of Szeged; *~t beszél* speak in/a dialect, speak in patois
nyelvjáráshatár *n,* dialect boundary
nyelvjárási *a,* dialectal; *~ atlasz* dialect atlas; *~ terület* dialect/speech area
nyelvjáráskutatás *n,* dialectology
nyelvjáráskutató *n,* dialectologist
nyelvjárástan *n,* dialectology, study of dialects
nyelvjárástani *a,* dialectological
nyelvjárástanulmány *n,* = nyelvjárástan
nyelvjárásterület *n,* dialect area
nyelvjáték *n, [orgonáé]* reed-stops *(pl)*
nyelvjavítás *n, (nyelvt)* language reform, reform of a language, *[tisztítás]* purism
nyelvkészség *n, [saját nyelvében]* readiness/fluency of speech, easy style, gift of the gab *(fam), [idegen nyelvben]* proficiency in languages, *[idegen nyelv tanulására]* gift of tongues, gift for languages
nyelvkeveredés *n,* intermingling of languages
nyelvkeverés *n,* medley/mixture of languages, confusion of tongues
nyelvkincs *n,* vocabulary of a language, stock/wealth of words in/of a language, stock/wealth of words employed by a language, *[mint könyvcím]* thesaurus (of a language), thesaurus of words and phrases
nyelvkönyv *n,* practical grammar (with exercises), a course in (a language), text-book of a language, grammar, manual, reader; *angol ~et adott ki* he has published a course in English
nyelvközösség *n,* linguistic/speech community
nyelvlapoc *[-ot, -a] n, (bonct)* tongue-spatula, lingual spatula, tongue-depressor
nyelvlecke *n,* language lesson; *angol ~* English (language) lesson, lesson in English
nyelvleszorító *n, (orv)* lingual spatula, tongue-spatula/ depressor, *[fogászatban]* dentist's tongue-holder
nyelvmester *n,* language-master/teacher; *angol ~* English teacher
nyelvművelés *n, (kb)* efforts to maintain/achieve correctness of usage, cultivation/culture of a language, *[tisztítás]* purification of a language
nyelvművelő I. *a,* puristic(al), cultivating a language *(ut),* philological; *~ társaság* philological/linguistic society II. *n,* purist, purifier, cultivator of the language
nyelvművész *n, [ismeretben]* master of a language, *[használatban]* artist in/of a language, *[írásban]* stylist, accomplished writer, master of writing/ style, artist (in writing)
nyelvoktatás *n,* = nyelvtanítás
nyelvóra *n,* language lesson, (Russian/English etc.) lesson, lesson in (Russian/English etc.); *angol nyelvórákat ad* give lessons in English, give English lessons; *nyelvórákat vesz* take lessons in English
nyelvöltögetés *n,* sticking out the tongue
nyelvöltögető *[-t] a,* who keeps (on) sticking out his tongue at sy *(ut),* mocking, jeering, scoffing
nyelvőr *n,* ⟨one who watches over the purity of a language⟩, purist
nyelvösztön *n,* speech/speaking instinct
nyelvpótlék *n,* language allowance
nyelvrák *n, (orv)* cancer of the tongue
nyelvrendelet *n,* language erdinance/law, decree making a language obligatory
nyelvrendszer *n, (nyelvt)* lingual/language/linguistic system, system of languages
nyelvrokon *n,* related/kindred/akin in language *(ut),* lingu(istic)ally related/akin *(ut); a magyarok és a finnek ~ok* the Hungarians and the Finns are lingu(istic)ally related *(v.* kindred/akin in languages)

nyelvrokonság *n,* linguistic affinity, relationship) affinity between two/several languages
nyelvromlás *n, (nyelvt)* deterioration/corruption of a language
nyelvrontás *n, (nyelvt) [folyamat]* corruption of a language, abuse of language, *[eredménye]* barbarism
nyelvrontó I. *a,* corrupting a language *(ut)* II. *n,* corrupter of a language
nyelvsajátság *n,* peculiarity of speech/language, idiom, idomatic expression/phrase/peculiarity; *angol ~* Anglicism, English idiom
nyelvsíp *n,* reed-pipe, reed; *~ok [orgonán]* reed-stops
nyelvszabály *n,* grammatical/linguistic rule, rule of grammar/language
nyelvszakos *a, ~ hallgató* student specializing in languages, student majoring in languages *(US); ~tanár* language teacher/master, teacher of a language
nyelvszellem *n,* spirit/genius of a language, usage
nyelvszemölcs *n, (bonct)* papilla of the tongue, gustatory papillae *(pl)*
nyelvszerkezet *n, (nyelvt)* structure/construction of a language, grammatical structure
nyelvsziget *n, (nyelvt)* enclave
nyelvszokás *n,* colloquial/conversational usage (of a language), usage, idiomatic use
nyelvtan *n,* grammar; *a ~ alapszabályai* the fundamental rules of grammar
nyelvtanár *n,* teacher of (a) language, language- -master; *angol ~* English teacher/master, teacher/ master of English
nyelvtanfolyam *n,* (language) course
nyelvtani *[-ak, -t; adv -lag] a,* grammatical, of grammar *(ut); ~ elemzés/analízis* parsing; *~ hiba* grammatical mistake/error/blunder, bad grammar; *~ hibát ejt* speak bad grammar; *~ kérdések/problémák* grammatical questions, points of grammar; *~ szabályok* rules of grammar, grammatical rules
nyelvtanilag *adv,* grammatically; *~ helyes* grammatical, (grammatically) correct, good grammar; *~ helytelen* ungrammatical; *~ hibásan beszél* speak bad grammar
nyelvtaníró *n,* grammarian, writer of a grammar
nyelvtanítás *n,* language teaching, teaching of a language, instruction in a language
nyelvtankönyv *n,* grammar
nyelvtanulás *n,* learning/studying a language *(v.* languages), study of a language, study of languages
nyelvtehetség *n,* talent/gift/facility for languages, gift of tongues, talent *(v.* special aptitude) for learning/acquiring languages, talent *(v.* special aptitude) for picking up languages
nyelvterület *n,* language territory/district/area, linguistic area, domain of a language district where a particular language is spoken, territory over which a language is spoken; *angol ~* in the English-speaking world/countries
nyelvtípus *n,* category/type/class of language
nyelvtisztaság *n,* purism, purity/pureness of language; *~ őre* precisionist
nyelvtisztítás *n,* purism (of language), purification of (the) language, forceful elimination of undesired linguistic phenomena
nyelvtisztító I. *a,* puristical II. *n,* purist (in language), purifier
nyelvtörő *n,* tongue-twister, jaw-breaker
nyelvtörténet *n,* history of language, linguistic history
nyelvtörténeti *a,* historical; *~ szótár* historical dictionary (of a language)
nyelvtörvény *n,* (linguistic) law, law of a language, grammatical law/rule
nyelvtudás *n,* knowledge/command of a language, knowledge/command of languages; *jó angol ~*

competent knowledge of English, proficiency in English

nyelvtudomány n, linguistics, philology, science of languages, linguistic science; *általános* ~ general linguistics; *leíró* ~ descriptive linguistics

nyelvtudományi a, linguistic, philological, of linguistics/philology *(ut)*

nyelvtudós n, linguist, philologist, grammarian, language scholar

nyelvújítás n, language reform, neology, neologism

nyelvújítási a, neologic(al), neologistic(al), of/concerning *(v.* pertaining to) neology *(ut)*; ~ *mozgalom* neologistic movement, language reform(ing) movement

nyelvújító I. n, language reformer, neologist II. a, = nyelvújítási

nyelvű [-ek, -t; adv -en] a, **1.** *[beszélt nyelven]* -speaking, of.... language *(ut)*; *angol* ~ *beszéd* speech/address in English, English speech/address/discourse; *angol* ~ *lakosság* English-speaking population; *angol* ~ *nemzetek* English-speaking nations; *csípős* ~ evil tongued **2.** *[szervvel kapcsolatban]* -tongued

nyelvvédelem n, purism, cultivation of good usage

nyelvvédő *(nyelvt)* I. a, puristic; ~ *könyv* hand-book of good/correct usage II. n, purist, enthusiast of good usage, enthusiast for/of pure Hungarian/English, enthusiast of/for purity of speech

nyelvvizsga n, proficiency examination in (a language); *középfokú* ~ language exam of medium degree; *felsőfokú* ~ language exam of high degree

nyelvzavar n, confusion of languages/tongues; *bábeli* ~ a perfect Babel, pandemonium

nyenyere [. .ét] n, *(zene)* hurdy-gurdy

nyer [-t, -jen] vt/vi, **1.** *(ált)* gain, win, *[sorsjátékon, lottón stb.]* draw a prize (at a lottery), win, make (money), *[vm által]* profit/benefit by sg, be a/the gainer by sg, *[játékot, játszmát, pontot]* score; *díjat* ~ carry/pull off *(v.* win) a prize; *időt* ~ gain/save time, *[igyekszik időt* ~ni] temporize, play for time; *játékban* ~ win (the game *v.* at cards); ~ *a lottón* win at the state lottery; *mit* ~ *vele?* what's the good of it?, what is the use of (doing sg)?, what good will that do him?, what does he gain by it?, what good will it be to him?, where does he come in?; *könnyen* ~ win hands down; *azzal semmit sem* ~ünk there is nothing to be gained by it, it avails us naught *(obs)*; *semmit sem* ~ *[sorsoláson]* draw a blank; ~*tél !* you win; *mi* ~tünk we have won; *fölényesen* ~*i az első játszmát* *[teniszben]* run away with the first set; *a mérkőzést a magyar csapat* ~*te* the Hungarian team won the match; *sokat* ~ *a kártyán* win a lot of money at cards **2.** *[üzleten]* gain, (make) profit; ~ *az üzleten* make a profit on *(v.* out of) a transaction **3.** *[kap, szerez]* get, obtain, *[beleegyezést]* procure (sy's consent), *[ígéretet]* secure (a promise); *bizonyosságot* ~ *a felől (hogy)* make sure (that), make certain(of); *vm vmben kifejezést* ~ sg finds an expression in sg **4.** *[anyagot vmből]* get, win, obtain (sg from sg), extract (from); *cukrot* ~ *répából* obtain sugar from beet

nyérc [-et, -e] n, *(nép)* = nerc

nyereg [nyerget, nyerge] n, **1.** *(ált)* saddle, *[priccs]* pad, *[motorkerékpáron hátsó]* pillion seat, *[kerékpáron]* seat, *[szerszámgépen]* saddle; ~ *alakú/formájú* saddle-shaped, saddlelike, *(növ)* selliform; *női* ~ side-saddle; ~ *nélkül üli meg a lovat* ride bareback; ~*be emel vkt* hoist (up) sy on to his horse; ~*be pattan* swing/spring into the saddle; ~*be segít vkt* help sy into the saddle, *(átv)* give sy a leg up *(fam)* ; ~*be száll* mount (on, upon) a horse; *erősen ül a* ~*ben* have a sure seat, sit tight; *Kincsem Halásszal a* ~*ben* Kincsem with Halász up; *biztosan/*

jól ül a ~*ben* have a good seat, be saddle-fast, *(átv)* be firmly established; ~*ben marad* keep the saddle, keep one's seat on horseback; *kiüt a* ~*ből* unhorse, unseat, dismount, *(átv)* supplant, supersede, cut out, oust **2.** *(földr)* saddle(-back), mountain-pass, col, *[légnyomási képződmény]* saddle, col **3.** *[orré, szemüvegé]* bridge **4.** *[vonóshangszeré]* nut, bridge

nyeregfa n, **1.** *[nyergen]* saddle-bow/tree, *[elülső]* pommel, *[járművön]* saddle-tree, *[lószerszámon]* pad tree **2.** *(épít)* bolster, corbel piece, traverse/cross beam, saddle/hammer beam(s)

nyeregfar n, cantle (of saddle), hind-bow

nyeregfedél n, *(épít)* saddle/span/hip-roof, ridge-compass roof

nyeregfő n, (saddle-)bow, pommel (of saddle), horn

nyereggerenda n, = nyeregfa

nyereggyártás n, saddlery

nyereggyártó n, saddler

nyereghágó n, pass, col, saddle (of mountain)

nyeregheveder n, (saddle-)girth, *[átvetős]* surcingle, cinch *(US)*

nyereghüvely n, saddle-pin socket

nyeregkagyló n, *(áll)* anomia *(Anomia ephippium)*

nyeregkamra n, saddle-room

nyeregkápa n, pommel, (saddle-)bow, *[hátsó]* hind-bow cantle (of saddle)

nyeregkészítés n, saddlery, saddler's trade

nyereglap n, panel

nyeregorr n, *(orv)* saddle-nose

nyeregpárna n, panel, saddle-cushion, pad, *[kocsilovon]* saddle-pad, *[második lovasnak]* pillion

nyeregpisztoly n, horse-pistol

nyeregszappan n, saddle-soap

nyeregszárny n, sweat-flap

nyeregszeg n, *[esztergán]* tailstock, back-rest, tail-block

nyeregszerszám n, saddlery, saddle and harness

nyeregszerű a, saddlelike

nyeregszíj n, *[heveder felerősítésére]* girth-leather

nyeregtakaró n, saddle-cloth/blanket, *(kat)* housing, shabrack

nyeregtámasz n, *[motorkerékpáron]* saddle pillar

nyeregtáska n, saddlebag, *[nagy vadász]* saddle-flap, *[kicsi]* skirt

nyeregtelen a, saddleless, without a saddle *(ut)*

nyeregtelér n, *(geol)* saddle reef

nyeregtető n, *(épít)* gable roof, gabled roof

nyeregtörés n, *[lovasé]* saddle-sore, *[lóé]* saddle-gall, sitfast, warble

nyeregvasút n, monorail

nyeregvonulat n, *(földr)* hogback

nyeredekllik [-tem, -ett, -jen, -jék] vi, practise usury

nyeremény n, *[sorsjátékban]* prize, *[kötvényen]* premium on redemption

nyereménybetétkönyv n, ⟨savings-book with serial numbers to be drawn at periodical state lotteries⟩, *(kb)* premium bonds *(pl)*

nyereményhúzás n, prize drawing

nyereményjegyzék n, list of winning numbers, list of the numbers drawn, lottery-list

nyereménykölcsön n, lottery loan

nyereménykötvény n, prize/lottery-premium bond

nyereményösszeg n, amount of the prize

nyereménysorsolás n, drawing of lottery-bonds, (prize-)drawing

nyereménytárgy n, lottery prize

nyerés n, winning, gain(ing); ~*re játszik* be out to win

nyereség n, **1.** gain, profit, proceeds *(pl)*, returns *(pl)*, earnings *(pl)*, makings *(pl)*, *[játékon]* winnings *(pl)*, pocket lucre *(pej)*; *alapítói* ~ foundation profit; *elmaradt* ~ loss of profit, profit lost; *tiszta* ~ net/clear profit; ~*ben osztozik* share in profits;

a ~ből részesedik have an interest in the profits; ~re játszik play to win; ~et felosztja give out (v. distribute) the profits; ~gel ad el sell at a profit; ~gel jár az üzlet the business yields/shows (v. brings in) a profit; ~gel visszavonul a játékból leave the (gaming-)table when one is in pocket 2. ő nagy ~ (nekünk) he is a great asset (to us)

nyereségátvitel n, (ker) unappropriated funds (pl)

nyereségegyenleg n, (ker) profit balance

nyereséges [-et; adv -en] a, (ker) profitable, gainful, lucrative, paying; ~ vállalat paying undertaking/ business/proposition

nyereség- és veszteségszámla (ker) profit(s) and loss(es) account, loss-and-gain account

nyereséghajhászás n, acquisitiveness

nyereséghajhászó a, acquisitive

nyereséghányad n, [könyvvitelben] profit rate, [tulajdonképpen] profit/output ratio

nyereségrészesedés n, [az elv] profit-sharing, [mint rendszer] profit-sharing system/scheme, [a kiosztott összeg] share of the profit(s), share of profits, share in the profits, profit share, percentage in the profits

nyereségrészesedési a, ~ rendszer profit-sharing system/ scheme

nyereségszámítás n, (ker) account of profit

nyereségszámla n, (ker) profit account

nyereségtöbblet n, (ker) excess/surplus of profits, excess-profits (pl)

nyereségvágy n, love of lucre, greed (for gain), greed of gain, love/thirst of gain, covetousness, avarice; ~ból for the sake/reason of gain; ~tól üzve/hajtva/ ösztönözve propelled by a desire for gain

nyereségvágyó a, eager for gain (ut), acquisitive

nyereség-veszteség számla = nyereség- és veszteségszámla

nyerészkedés n, profiteering, speculation, [közpályán] jobbery

nyerészkedési a, ~ célból for lucre/gain, with the object of lucre/gain, with the idea of (making a) profit, (jog) for pecuniary gain

nyerészked|ik [-tem, -ett, -jen, -jék] vi, profiteer, speculate, [közpályán] job

nyerészkedő [-t, -je; adv -en] I. a, profiteering, jobbing, greedy of gain (ut), thirsting after lucre (ut) II. n, profiteer, speculator, jobber, shark(er) (fam); háborús ~ war profiteer

nyeretlen I. a, ~ ló maiden horse II. n, ~ek versenye maiden race, maiden stakes (pl), race open to maidens

nyergel [-t, -jen] vt, saddle, put the saddle on

nyergelés n, saddling, [kat kürtjel] boot and saddle

nyergeletlen a, unsaddled

nyergelő [-t, -je] n, [hely] paddock

nyerges [-ek, -t, -e; adv -en] I. a, saddle-backed, of/ with/like a saddle (ut); ~ ló saddle-horse, saddler (US) II. n, 1. [foglalkozás] saddler, harness-maker 2. [ló] saddle-horse, hack, [fogatban] near horse

nyergesár n, [nyergesszerszám] drawing-awl

nyergesáru n, ~k saddlery

nyergesbőr n, tallowed/waxed leather, line leather

nyergesmesterség n, saddlery

nyergesműhely n, saddlery, saddler's

nyerít [-e i, -ett, -sen] vi, neigh, [örömtől] whinny

nyerítés n, neigh(ing), [örömtől] whinny(ing)

nyerő [-t, -je; adv -en] I. a, winning, ~ dobás [kockajátékban] nick; a ~ lóra tesz pick out the winner; ~ sorsjegy winning (lottery/raffle) ticket; ~ szám winning number, lucky draw (fam); ~ számot húz a tombolán/lottón draw a lottery II. n, 1. winner, gainer 2. [törőcsont szárnyas mellében] wish-bone

nyers [-et; adv -en] a, 1. (ált) raw, [alkohol] raw, unrefined, [anyag] raw, crude, unmanufactured,

[arany] in nuggets (ut), [épületfa] undresse [gyémánt] rough, uncut, [olaj, vas] crude, [tégla] green, unbaked; ~ bányakő rubble-stone; ~ bőr raw/fresh/undressed hide, white leather; ~ cukor raw/brown/crude/unrefined/coarse/moist sugar; ~ érc crude ore; ~ fa plain/unvarnished wood; ~fal rough-cast wall, rough walling; ~ kén raw/ crude sulphur; ~ kő rough/unpolished stone, stone fresh from the quarry; ~ megmunkálás roughing; ~ ólom pig-lead; ~ öntvény untrimmed casting, rough-cast, blank, block; ~ pamutszövet grey/gray cotton cloth; ~ réz impure brass, blister-copper; ~ színek raw colouring/colours; ~ színű natural, neutral coloured, grege 2. [étel] raw, unboiled, uncooked, green, unbaked, unroasted; ~ koszt (kb) raw fare/diet/food, raw vegetables and fruit diet; ~ hús raw/green meat, flesh, [állatok etetésére] carnage; ~ kávé unroasted/green coffee; ~ sonka raw ham; ~ tej fresh/unboiled milk, milk fresh from the cow 3. [tapintásra] rough to the touch (ut) 4. ~ fordítás rough/draft translation; ~ számítás rough calculation; a ~ tény/igazság az... the blunt fact is.. .; a ~ tények the dry facts; ~ vázlat/terv rough outlines (pl), splashy sketch 5. [ember] rough, harsh, coarse, rude, blunt, gruff, bluff, brusque, ungentle, unkind, [humor] coarse, pantagruelian, [jellem] harsh, [stílus] rude, [szenvedély] rude, [viselkedés] rough, gruff; ~ bánásmód rough treatment; ~ beszéd rough/coarse language, crude (manner of) speech; ~ beszédű rough-spoken, ill-tongued; ~ erő(szak) brute force; ~ hang rough/ husky/harsh voice; ~ modor rude/coarse/rough/ vulgar/brusque manners (pl); ~ modorú ember man of coarse grain; ~ tréfa coarse joke 6. (ker) gross; ~ bevétel gross receipts/takings/earnings (pl), gross profit; ~ hozam [mezőgazdasági] gross produce; ~ jövedelem gross income; ~ mérleg rough/trial/ inexact balance; ~ súly gross weight; ~ súlyt tiszta súlynak számítva gross for net

nyersacél n, unrefined/rough steel

nyersanyag n, raw material, (nem műsz) stuff, staple; elsőrendű fontosságú ~ok critical materials

nyersanyagbázis n, source of raw material(s), raw-material base

nyersanyag-behozatal n, import(ation) of raw materials

nyersanyagbeszerzés n, raw material purchases (pl)

nyersanyagbőség n, abundance of raw materials

nyersanyagellátás n, raw material supply.

nyersanyagfogyasztás n, consumption of raw material(s)

nyersanyagforrás n, source of raw materials

nyersanyaghiány n, shortage of raw materials

nyersanyagkészlet n, supply/stockpile of raw materials

nyersanyagszüke n, shortage of raw materials

nyersanyagszükséglet n, raw material requirements (pl)

nyersanyag-takarékosság n, economy in the use of raw materials

nyersanyagtermék n, primary product

nyersanyagtermelő a/n, primary producer/producing

nyersbőrkereskedelem n, hide and skin trade

nyersen adv, 1. ~ eszik it is (v. should be v. to be) eaten raw/uncooked 2. (átv) roughly, crudely, bluntly, bluffly, gruffly; ~ felelt replied rudely/ uncivilly, gave a harsh reply

nyerses a, rawish

nyerseség n, 1. [anyagé] rawness, crudeness, crudity, [fáé] greenness 2. [átv emberé] roughness, coarseness, rudeness, harshness, gruffness, bluntness, unkindness, [hangé] roughness, asperity, [beszéd, modoré] coarseness, roughness, rudeness, [kifejezésé, színeké] crudeness

nyersfilm n, (film) raw film/stock, film-stock

nyersfordítás *n*, rough translation
nyersgumi *n*, crude rubber, latex
nyersgumitermelés *n*, latex production
nyerskulcs *n*, blank key
nyersolaj *n*, crude/heavy/rock/diesel oil, *[üzemanyag]* fuel oil, (crude) naphtha
nyersolajmotor *n*, (heavy) oil-engine, diesel engine
nyersolajtermelés *n*, crude/rock oil production/exploitation
nyersselyem *n/a*, raw silk, unscoured/singles silk, raw gum silk, grege
nyerstermék *n*, raw produce
nyersvas *n*, crude iron, *[tömb]* pig-iron; *fehér ~* white iron; *öntődei ~* foundry pig iron
nyersvasöntő *a*, *~ gép* pig-casting machine
nyersvas-öntőminta *n*, pig-mould
nyersvászon *n/a*, holland, unbleached linen
nyert [-et; *adv* -en] *a*, won, gained; *~ ügye van* win one's case, have the best of it, *[félig]* it's half the battle, it is so much gained; *~ ügyünk van* our case is as good as won, it's a winning game
nyertes [-ek, -t, -e; *adv* -en] I. *a*, winning II. *n*, winner
nyes [-tem, -ett, -sen] *vt*, 1. *[fát stb.]* prune, lop (off, away), cut off, trim, shear, *[gyümölcsfát, szőlőt]* dress, *[bogyós bokrot]* tail, *[fát visszavág]* cut back, poll(ard), top 2. *[sp labdát]* chop, screw; *~i a labdát* put (a) screw on the ball
nyesedék [-et, -e] *n*, trimmings *(pl)*, parings *(pl)*, trash
nyeseget *vt*, 1. *[fát stb.]* keep pruning/lopping/trimming/dressing 2. *(átv)* polish sg up, rub the corners off sg, lick sg into shape *(fam)*
nyesés *n*, 1. *[fát stb.]* pruning, lopping, trimming, clipping, cutting off, polling, *[erdőn]* lop and top 2. *(sp)* chop, slice
nyesetlen *a*, *[sövény]* uncut, unclipped, untrimmed
nyesett [-et; *adv* -en] *a*, *~ labda* chopped ball, chop(-stroke), screw, slice
nyeső [-t,-je; *adv* -(e)n] I. *a*, pruning, lopping, trimming, dressing, clipping, shearing II. *n*, 1. *[személy]* pruner, trimmer 2. *[szerszám]* branch-lopper, *[sövényé]* hedge cutter, (hedge-)clipper(s), (hedge-)shears *(pl)*
nyesőkés *n*, pruning knife/bill, bill-hook, hedging bill, bush-hook *(US)*
nyesőolló *n*, lopping/pruning/hedge shears *(pl)*, *[sövényeknek]* hedge-clipper(s), (hedge-)shears *(pl)*, *[hosszú nyelű]* averruncator
nyest [-et, -je] *n*, *(áll)* beech-marten *(Martes foina)*; *erszényes ~* dasyure *(Dasyurus maculatus)*; *sárgatorkú/indiai ~* Indian marten *(M. flavigula)*
nyestbőr *n*, marten-skin
nyestcápa *n*, *(áll)* smooth dogfish *(Mustelus sp.)*
nyestkutya *n*, *(áll)* raccoon dog *(Nyctereutes procyonides)*
nyestszőrme *n*, fur of marten
nyeszlett [-et; *adv* -en] *a*, scraggy, of slight build *(ut)*, spare, puny, skinny, lean
nyifog [-tam, -ott, -jon] *vi*, 1. *[kutya]* yelp, yap, whine 2. = nyafog
nyihog [-ott, -jon] *vi*, *[ló]* neigh, whinny, whicker, snicker
nyihogás *n*, neigh(ing), whinny(ing), snicker
nyikhaj [-ok, -t, -a] *n*, □ good-for-nothing, scapegrace *(stand.)*
nyikkan [-t, -jon] *vi*, 1. *[bútor]* give a squeak(ing sound), squeak 2. *[kutya]* give a yelp/yap 3. *~ni se mer* does not dare to open his lips/mouth
nyikkanás *n*, 1. *[bútoré]* squeak 2. *[kutyáé]* yelp, yap 3. *~ nélkül* without (so much as) batting an eyelid
nyikordul [-t, -jon] *vi*, *[ajtó]* squeak
nyikorgás *n*, *[ajtóé, cipőé, bútoré]* creak(ing), grind,

grinding sound, grating, *[cipőé, hangszeré]* squeak(ing), *[keréké]* creak(ing), *[szekértehér alatt]* groaning, creaking
nyikorgó [-t; *adv* -an] *a*, creaking, squeaking, grating, creaky, squeaky, rasping; *~ cipő(k)* squeaky boots, creaking shoes
nyikorog [..rgott, -jon] *vi*, *[ajtó, cipő, bútor]* creak, squeak, grate, grind, *[hangszer]* squeak, *[kerék]* creak, *[szekér]* groan, squeak
nyikorogtat *vt*, creak
nyíl [nyilat, nyila] *n*, 1. arrow, *[rövid vastag]* bolt, shaft *(rég.)*, *[nádból]* reed; *~ alakú* arrow-shaped, arrowy, *(tud)* sagittal, *(növ)* sagittate(d); *horgas/kampós ~* bearded arrow; *~at kilő* draw a bow, *(vkre)* shoot *(v.* let fly) an arrow at sy 2. *[útjelző]* arrow(-head), direction-sign 3. *[harisnyán, zoknin]* clock
nyiladék [-ot, -a] *n*, opening, clearance, aperture, breach, *[erdőben]* cutting, glade, vista, *[sövényben]* break
nyiladoz|ik [-ott, -zon, -zék] *vi*, 1. open gradually/slowly, *[virág]* begin to open/bloom/blossom/blow 2. *~ik az esze/értelme* (baby's) intellect/intelligence begins to develop, his imagination unfolds (itself)
nyilallás *n*, shooting/stabbing/lanc(inat)ing pain, shoot(ing), twinge, pang, *[oldalban]* stitch (in side)
nyilall|ik [-ani, -ott, -jon, -jék] *vi*, *[fájdalom]* shoot, *(vmje)* shoot with pain, be shooting, (give a) twinge, *[hátába, oldalába]* have a stitch (in one's back/side); *~ik az oldalam* I have a stitch in my side; *a fájdalom a vállamba ~ik* a pain shoots *(v.* is shooting) through my shoulder, I have/feel a shooting pain in my shoulder; *a szívébe ~ik* it cuts one to the heart/quick
nyilalló [-t; *adv* -an] *a*, shooting, lanc(inat)ing, stabbing, fulgurating; *~ fájás* pang; *~ fájdalmak* lancinating/shooting/lightning pains
nyilas [-ok, -t, -a] I. *a*, 1. *[nyíllal felszerelt]* furnished/armed/equipped with arrows *(ut)*, saggitary *(obs)*, *[nyílszerű]* arrowy, *(növ)* sagittate; *~ harisnya* clocked stockings *(pl)* 2. = nyilaskeresztes I.; II. *n*, 1. *[íjász]* archer, arbalester *(obs)*, bowman 2. *(csill)* the Archer, Sagittarius 3. = nyilaskeresztes II.
nyílás *n*, 1. *[folyamat]* opening 2. *[virágé]* opening, blowing, blooming 3. *[rés]* opening, aperture, orifice, mouth, *[rés, hézag]* gap, breach, *[ajtóé/ablaké részben nyitva]* narrow opening, chink, *[aknáé]* eye, *[automatáé, levélszekrényé, persetyé]* slot, *[figyelőnyílás]* eye slit, *[függönyök között]* slit, small gap, *[kémleő]* eyehole, judas(-hole), sight/spy-hole, *[kis kerek]* eyelet, *[lyuk]* hole, *[sövényen]* gap, break, *[szellőztető]* vent, hatch, *[zsebé]* pocket-hole/opening, *[szívónyílás műsz]* draft hole, *[gőzkibocsátó/fújtató csőé]* eye, *[hajófalon]* (gang-)port, *[hasadás sziklában]* cleft, gap, opening, *[hasíték]* slit, *[keskeny repedés]* fissure, rift, crack, chink, *[szakadék]* chasm, *[szájadzás]* orifice, mouth, throat, *(orv)* foramen, hiatus, *[sebé]* lip; *kerek ~ [kötél áthúzására]* eyehole; *~t vág* cut a hole (in sg), slot
nyílásáthidalás *n*, *(épít)* span, lintel, overbridging
nyílásfedél *n*, *(hajó)* hatch-cover
nyíláshidalás *n*, = nyílásáthidalás
nyiláskereszt *n*, arrow-cross
nyilaskeresztes I. *a*, arrow-cross-, of/with an arrow-cross *(ut)* II. *n*, arrow-cross man, Hungarjan nazi
nyíláshőn *n*, *(műsz)* clearance, opening span, interstice, interspace
nyílásszélesség *n*, breadth
nyílású [-ak, -t; *adv* -an] *a*, with/having (an) ... opening(s) *(ut)*, *[híd]* -span
nyílásviszony *n*, *(fényk)* aperture ratio, relative aperture

nyilatkozat n, declaration, statement, pronouncement, [kiáltvány] proclamation, manifesto, (jog) deposition, [eskü alatt] affidavit; hivatalos ~ official statement; részletes/teljes/kimerítő ~ full statement; szóbeli ~ verbal declaration; ~ért fordul vkhez apply to sy for a statement, apply to sy to obtain a statement; ~ot tesz make a statement, declare; ~ot tesz/kiad/közzétesz publish a statement; ~ot tevő declarant

nyilatkoz|ik [-tam, -ott, -zon, -zék] vi, declare, make a statement/declaration, state one's views, express an opinion, [kérő] declare oneself, declare one's sentiments, pop the question (fam); ~ik vkről/vmről state/declare/pronounce/express one's sentiments/opinion/views about sy/sg; elítélően ~ik vmről make animadversions on sg; késznek ~ik vmt megtenni declare one's willingness to do sg, declare oneself ready to do sg, declare one's readiness to do sg; miután így ~ott when he had delivered himself thus

nyilaz [-tam, -ott, -zon] vi, shoot an arrow, let fly an arrow, arrow, shoot with a bow (at sg)

nyilazás n, shooting with a bow, shooting of arrows, (mint sp) archery

nyílegyenes a, ~ vonal bee-line, line as straight as a bowstring

nyílegyenesen adv, straight as a dart, straight as an arrow in (its) flight, in a bee-line, as the crow flies; ~ siet vhová make a bee-line for sg, beeline (US); ~ tart vm felé come barrelling in/along/down, beeline (US)

nyílegyenesítő n, (rég) arrow-straightener

nyílegyenest adv, = nyílegyenesen

nyílférgek n. pl, arrow worms (Chaetognatha)

nyílfű n, (növ) arrow-head (Sagittaria)

nyílhegy n, arrow-head, point/tip of arrow, [visszahajló szára] barb; köpüs ~ (rég) socketed arrow-head

nyíl|ik [-(ot)t, -jon, -jék] vi, 1. [ajtó, bolt, pénztár stb.] open; ~ik az ajtó the door opens; nehezen ~ik is difficult to open; az ajtó befelé ~ik the door opens inwards; az ajtó kifelé ~ik the door opens outwards 2. [ajtó vhová] communicate, [ablak vmre] overlook; az ajtó a hálószobába ~ik the door opens into the bedroom; a szobák egymásba ~nak the rooms open into each other, the rooms (inter)communicate; az ablakok a kertre ~nak the windows give/open on the garden, the windows open into the garden, the windows overlook the garden 3. [virág] open, blow, bloom 4. ha alkalom ~ik rá when the opportunity occurs/offers/arises, when the opportunity presents itself, if I get an opportunity

nyílirányú [-ak, -t] a, sagittal

nyílként adv, like/as an arrow

nyíllövés n, 1. arrowshot, bowshot 2. [seb] arrow wound, pierce

nyíllövésnyire adv, at bowshot distance, within bowshot

nyíllövészet n, archery, shooting with the bow

nyílméreg n, arrow poison, curare, curari

nyíló [-t; adv -an] a, 1. opening; befelé ~ opening inwards (ut); kifelé ~ opening outwards (ut); kertre ~ szoba room that opens on to the garden, room giving on the garden, room overlooking the garden; két egymásba ~ szoba, egymásba ~ szobák rooms that open out of (v. into) one another, communicating rooms; szobába ~ ajtó door that gives access to a room 2. [virág] blooming, opening, [nem egészen kinyílt] half open; éjjel ~ noctiflorous; kétszer ~ [rózsató, málnabokor] remontant

nyílpuska n, cross-bow, [régen] arbalest, arblast

nyílsebes a, swift like an arrow (ut), swift like a shot (ut), arrowy

nyílsebesen adv, like an arrow, like a shot, lightning fast, at/with lightly speed

nyílsebesség n, velocity of an arrow, (átv) lightning speed

nyílszerű a, arrowy, arrow-shaped, (tud) sagittal

nyílt [-at; adv -an] a, (ált) open, [nem titkolt] undisguised, overt, plain, unconcealed, straight, explicit, [nem fedett] uncovered, (nyelvt) open, [célzás] pointed, (kat) open, exposed, unprotected, unfortified, [beszéd] direct, plain, downright, [ember] straight(forward), direct, frank, undisguised, sincere, honest, downright, open-hearted, single-hearted/minded, simple-minded, [jellem] open, direct, straight, frank, candid, above-board, [szókimondó] outspoken, plain-spoken, straight-forward, [tekintet, arc, mosoly] frank; ~ alakzatban in open formation; ~ arc ingenuous/open face; ~ arcú open-faced; ~ beszéd plain speaking/speech, plainness/bluntness of speech; ~ beszédű free-tongued, straight-spoken (US); ~ bevetés (kat) throwing into open combat; ~ cselekedet/cselekmény (jog) overt act; ~ csonttörés open/compound fracture; ~ ellenségeskedés/harc open hostilities (pl); ~ ember plain dealer; ~ erőszak undisguised violence, open/brute force; ~ eszű of ready understanding (ut), clearheaded, sharp, of clear intellect/perception/mind (ut), wide-awake (fam), quick in the uptake (ut) (fam); ~ hang open sound; ~ harcban in stand-up fight; ~ házat visz keep open house; ~ kaput dönget force an open door; ~ kártyával játszik lay/put one's cards on the table, play with one's cards on the table, show one's hand/cards; ~ kérdés open/outstanding question, question not yet settled, (kif) it is anybody's guess; ez ~ kérdés it is an open question, it is open to question; ~ kikötő free port, open harbour; ~ láng naked flame/light; ~ lázadásban tör ki rise in open revolt/rebellion; ~ levél open letter; ~ levelezőlap postcard; ~ magánhangzó open vowel; ~ növénytársulás open plant community, a plant community without a closed canopy; ~ pálya open track; a ~ pályán on the open track; a ~ pályán megáll stop on the open track, stop in the open fields/country; ~ parancs written order, (kat) military pass(port), laissez-passer (fr); ~ piac open market; ~ rendelet pass, permit, [diplomáciai] laissez-passer (fr); ~ seb open/raw wound, raw sore, (átv is) running sore, ~ szád open/full shed; ~ szavazás open vote/ballot; ~ szavú outspoken, plain-speaking, candid; ~ szemű open-eyed; ~ színen in public, publicly, (szính) on the stage, during the performance; ~ szív/lélek a single heart; ~ szótag open syllable; ~ szótag magánhangzója free vowel; ~ támadás direct/open attack; ~ tárgyaláson in open court; ~ távirat [diplomáciában] open dispatch; ~ teherkocsi lorry, dray, cart, timber-wag(g)on, [vasúti] open truck, gondola car (US); ~ tekintet straight look, directness of look; ~ tenger the open sea, the high sea, mid-ocean, the main (ref.); ~ tengeren at sea, upon the high sea; ~ terep open country; ~ titok open secret; ~ törés open/compound fracture; ~ tuberkolózis open tuberculosis; a ~ utcán in the open street, publicly; ~ ülés open session/sitting; ~ ülés(b)en in full session; ~ ütközetben in a pitched battle; ~ válasz direct/outright answer; ~ város open city/town, unenclosed town; ~ verekedés free-for-all fight, open fight; a magánhangzók ~abbá váltak the vowels became unrounded/open; ~abbá válás (nyelvt) unrounding

nyíltan adv, openly, frankly, candidly, outright, freely, plainly, overtly, directly, straight from the shoulder, above board, bluntly, explicitly, forthright, unreservedly, straight-out, open-heartedly, fair and square; ~ beszél speak frankly/candidly, be plain with sy, use plain language, be round with sy (fam), talk turkey (US); beszéljünk ~ let me speak my mind, et's speak plainly, let's call a spade a spade; ~ *bevallotta hogy. . .* he was perfectly honest in admitting. . .; ~ *csinál vmt* do sg openly/unmasked; ~ *kimond vmt* say sg straight out; ~ *kimondom* I make no secret of it; ~ *kimondta* he did not mince matters, he uttered/said it in so many words; ~ *megmond (vmt)* not to mince matters; ~ *megmondja vknek a véleményét* let sy have it straight

nyíltok *n*, = **tegez²**

nyíltpolcos könyvtár open access library

nyíltpolc-rendszer *n, [könyvtárban]* open access

nyíltság *n,* **1.** *[emberé, beszédé]* openness, directness, frankness, candidness, candour, outrightness, outspokenness, plain-speaking, plainness, straightforwardness, open character/nature (of) **2.** *(nyelvt)* openness, unroundedness

nyíltszavazásos kerület open-vote constituency

nyíltszavúság *n,* outspokenness, plain-speaking, frankness/candidness/plainness/bluntness of speech

nyíltszíni *a,* ~ *taps* applause during the performance, applause in the course of the performance; ~ *változás (szính)* transformation scene

nyíltszívű *a,* open-hearted/minded, frank, candid, honest, simple-hearted, *(kif)* he wears his heart on his sleeve, he is frankness itself

nyíltszívűség *n,* open-heartedness, frankness, candidness, candour, true-heartedness

nyílttengeri *a, (geol)* pelagic, oceanic; ~ *hajózás* high--seas navigation, foreign navigation; ~ *övezet* zone/belt of the high sea

nyílttér *n,* personal column, agony column *(fam)*

nyíltvízi *a,* = **nyílttengeri**

nyilván *adv,* evidently, plainly, manifestly, obviously, patently, clearly, apparently, *[kétségtelenül]* doubtless, no doubt; ~ *ismeri* you must know him; ~ *tévedtem* I must have made a mistake

nyilvánít [-ani, -ott, -son] *vt,* **1.** *[akaratot, hálát]* give expression to, *[érzést]* manifest, show, reveal, give vent to, demonstrate *(obs)*; *köszönetet* ~ *vknek* express/offer one's (heartfelt, sincere) thanks to sy; *véleményt* ~ express/advance an opinion, put forward an opinion; *véleményét* ~*ja* declare/give one's opinion **2.** *(vmnek, vmvé)* pronounce, declare; *érvénytelennek* ~ invalidate, annul, nullify, declare sg null and void; *holttá* ~ declare sy legally dead, make a legal declaration that a person is dead; *a törvény bűntettnek* ~*otta* it was made a felony by a statute; *szabad városnak* ~ establish a city as a free city

nyilvánítás *n,* **1.** *[érzést]* manifestation, *[hálát]* expression, demonstration **2.** *(vmnek, vmvé)* pronouncement, declaration; *holttá* ~ declaring a missing person legally dead, legal declaration that a person is dead

nyilvános [-at; *adv* -an] *a,* public, open; ~ *árverés* public sale, auction(-sale), sale by auction; ~ *árverésen eladatik* will be put up to/for auction, will come under the hammer *(fam);* ~ *főpróba* dress rehearsal; ~ *fürdő/uszoda* public baths *(pl);* ~ *ház* (licensed) brothel; ~ *illemhely* public convenience/lavatory, communal lavatory, public comfort station *(US);* ~ *iskola* school maintained by a public authority, council school *(GB);* ~ *(kéj)nő* common prostitute/woman; ~ *könyvtár* public library; ~ *pályázat útján* by open competition; ~ *park* public park; ~ *rendes egyetemi tanár* professor at a university; ~ *sétatér* public walk/promenade; ~ *szórakozóhely* public recreational place; ~ *tárgyalás* open court/trial, public trial; ~ *tárgyaláson* in open court; ~ *ülés* open session; ~*(sa) lesz* become known/public, come out, *[tárgy]* become public property; ~*á tesz* make public, announce, proclaim

nyilvánosan *adv,* publicly, in public

nyilvánosság *n,* **1.** *[köztudomás]* publicity, *[közönség]* public; *a* ~ *elé lép* appear before the public, *[első ízben]* make a debut; *a* ~ *elé viszi az ügyet* publicize sg; *ezt a problémát* ~ *elé kell vinni* the question needs to be aired; *a* ~ *előtt* in public, publicly, in the limelight of publicity, exposed to the public gaze; *a bírói tárgyalás* ~ *előtt folyt le* the court was sitting in public; *a* ~ *fényében/fényénél* in the limelight of publicity; *a* ~ *kizárásával* the public are not admitted, privately, behind closed doors *(pl), (jog)* in camera *(lat),* in chambers, *[parlament]* in secret session; *(a nyilatkozat) nem volt a* ~*nak szánva* it was said off the record; ~*ra hoz vmt* make sg public, publish, release (news), blaze/noise/proclaim abroad, *[titkot]* let out, let the cat out of the bag *(fam);* *terveit* ~*ra hozza* make one's plans known; ~*ra jut/kerül* become known/public, be made public, come into the open, take air, *[titok]* leak out *(fam);* ~*ot ad vmnek* give publicity to sg; *nagy* ~*ot biztosít/teremt vm számára* give great publicity to sg **2.** *[jelleg]* publicity, publicness, public character

nyilvánossági [-ak, -t] *a,* of the public *(ut),* pertaining to the public *(ut),* maintained by/for the public *(ut);* ~ *jog* the right (of a private school) to issue valid certificates

nyilvántart *vt,* keep in evidence, record, keep a record of, register, keep the registers/rolls, book, file, *[eredményt/pontokat/poéneket · sportban/kártyában]* score; *a tüdőbetegeket* ~*ják* there is a file on tuberculotic patients, they keep tabs on tuberculotics *(fam)*

nyilvántartás *n, [tény]* keeping in evidence, recording, keeping the records/registers/rolls of, registration, filing, *[az írások]* records *(pl),* register, registry, file, roll, dossier; *rendőrségi* ~ police registers *(pl), [bűnözőé]* police/criminal record; *sorozati* ~ *[könyvtárban]* continuation records *(pl),* continuation check list; ~*ba vesz* put on file, make/keep a record (of sg), record, register, *[meghozott ítéletet]* docket; *orvosi* ~*ba vesz* begin a medical file for sy; ~*ba vett/foglalt* registered, recorded; ~*ba nem vett* unregistered; ~*ba vétel* registration, *[jogügyleté]* enrolment

nyilvántartási *a,* ~ *jegyzék* register; ~ *rendszer* record system

nyilvántartó I. *a,* registering, recording; ~ *hivatal/iroda* record office, registry; ~ *könyv* register(-book), *(ker)* cost-book **II.** *n, [tisztviselő]* registrar, recorder, *[intézmény]* record office, register(s), *[rendőrségi]* record department (where police records are kept), *(ker)* commercial register; *bűnügyi* ~ Criminal Records Office

nyilvánul [-t, -jon] *vi,* manifest/show/declare itself, become evident/apparent, be manifested, find expression, *(fil)* exteriorize/externalize itself

nyilvánulás *n,* manifestation, demonstration, expression, *(fil)* exteriorization, externalization

nyilvánvaló *a,* evident, obvious, clear, plain, manifest, demonstrable, conspicuous, undoubtful, *(jog)* overt (act), patent, *[jogsértés]* flagrant, patent and established, *[tévedés]* palpable, *[jól ismert]* well-known, *[magától értetődő]* self-apparent/evident, *[célzás]* pointed, *[tény]* patent, palpable; *ez* ~ it's obvious/evident/clear, it stands to reason; ~ *hogy* it is clear that. . .; *egészen* ~ *(hogy)* it is clear/plain/obvious (that), it stands to reason (that), it is plain as pike staff *(fam); mindenki előtt* ~ *hogy* . . . anyone can see with half an eye that. . .; ~ *volt hogy.* . . it was plain that. . .; ~ *hazugság* a palpable lie; ~ *tény* fact open to all; ~*vá lesz/válik* come out, become obvious/manifest/evident/clear, manifest itself, appear; ~*vá tesz* make it/sg evident/manifest/clear/obvious, demonstrate plainly nyilvánvalóan *adv*, evidently, obviously, clearly, plainly, naturally, manifestly, openly, visibly, professedly, *(jog)* overtly, *[kézzel foghatóan]* palpably

nyilvánvalóság *n*, evidence, manifestness, plainness, obviousness, clearness, *[tévedésé, tényé]* palpability, palpableness

nyílvessző *n*, arrow, bolt, shaft *(ret.)*

nyílzápor *n*, shower/hail/flight/storm/rain/cloud of arrows, arrow-flight

nyim-nyám [-ot, -ja] *a*, ~ *alak* milksop, weakling

nyír¹ [-t, -jon] *vt*, **1.** *[hajat]* cut, *[stuccol]* clip, trim, *[különféle női frizurát]* bob, shingle, *[birkát]* shear, clip, *(ritk)* fleece, *[sövényt]* clip, crop, trim, lop, *[bádogot, bársonyt]* shear, *[szövetet]* shear, crop, *[vmnek szélét/tetejét]* clip, trim, pare, cut (down), *[füvet, pázsitot]* mow, clip, cut, shave; *rövidre* ~ crop close/short, give (sy) a close crop, poll *(obs)* **2.** *(átv) vkt* fleece

nyír² [-ek, -t, -je] *n*, *(növ)* birch(-tree) *(Betula)*; ld *még* nyírfa **1.**

nyír³ [-t, -ja, -je] *n*, frog (of horse), cushion

nyiradék [-ot, -a] *n*, shearings *(pl)*, clipping(s), fleecings *(pl)*, pollings *(pl)*

nyírág *n*, birch twig

nyírágseprő *n*, besom

nyírás *n*, **1.** *[hajat]* hair-cut, cut(ting), *[rövidre]* crop(ping), *[stuccolás]* slip(ping), trimming, *[gyepet, bádogot, juhot, bársonyt]* shearing, *[sövényt]* clipping, cropping, trimming, *[lovakat]* clipping, *[füvet]* mowing **2.** *(fiz)* shearing action

nyiratkozás *n*, hair-cut(ting)

nyiratkoz|ik [-tam, -ott, -zon, -zék] *vi*, have one's hair cut/clipped/trimmed, have/get a hair-cut

nyíratlan *a*, unshorn, *[sövény]* uncut, *[birka]* unshorn, unclipped, *[haj]* uncut, untrimmed

nyírbál [-t, -jon] *vt*, **1.** cut coarsely, *[szárnyat, karmot]* clip, pare **2.** *[hatáskört, költséget]* curtail, cut, *[jogot, szabadságot]* derogate from (a right, liberty), restrict, curtail (a right, liberty)

Nyíregyháza [..át, ..án, ..ra] *prop*, Nyíregyháza (town in North-eastern Hungary)

nyírerdő *n*, birch forest/wood/grove

nyíres [-ek, -t, -e] **I.** *a*, birch(en), planted with birch *(ut)* **II.** *n*, nyírerdő

nyírettyű [-t, -je] *n*, fiddle-bow, fiddlestick *(fam)*

nyírfa *n*, **1.** *(növ)* birch(-tree) *(Betula)*; bolyhos ~ pubescent birch *(B. pubescens)*; észak-amerikai fekete ~ black birch *(B. lenta)*; közönséges ~ weeping/drooping/silver birch *(B. pendula)*; nyugati ~ western birch *(B. occidentalis)*; papír ~ paper birch *(B. papyracea)*; sárga ~ yellow birch *(B. lutea)*; szőrős ~ white/common birch *(B. alba)* **2.** *[anyag]* birch(-wood)

nyírfabarka *n*, catkin of birch-trees

nyírfaerdő *n*, = nyírerdő

nyírfajd *n*, *(áll)* black grouse, *[kakas]* blackcock, heath-cock, *[tojó]* gray-hen, heath-hen *(Lyrurus tetrix)*

nyírfajdkakas *n*, ld nyírfajd

nyírfajdtyúk *n*, ld nyírfajd

nyírfalepke *n*, *(áll)* brown hairstreak *(Thecla betulae)*

nyírfás **I.** *a*, birch(en), planted/grown with birches *(ut)* **II.** *n*, birch wood/grove/plantation

nyírfaseprő *n*, birch-broom

nyírfavessző *n*, birch-rod, birch, wicker

nyirkos [-ak, -(a)t; *adv* -an] *a*, *[éghajlat, bőr, kéz, homlok]* moist, humid, *[ház, ágynemű, pince]* damp, *[nedves és hideg]* dank, *[hidegen tapadós]* clammy, *[idő, levegő]* humid, moist, soggy, *[idő, hideg]* raw, *[igével]* feel raw, *[idő, meleg]* muggy, humid, *[kissé]* damp(ish), humid, moisty; ~ *bőr* *[emberi]* clammy skin; ~*sá válik* moisten, become/get moist/damp/

humid; ~*sá tesz* make humid, humidify, moisten, dampen

nyirkosít *vt*, moisten, dampen, humidify

nyírkosító [-t] *a*, ~ *készülék* humidor

nyirkosod|ik [-ott, -jon, -jék] *vi*, become/grow/get damp/moist/dank/humid/clammy/muggy, moisten, dampen

nyírkosság *n*, *[éghajlaté, bőré, kézé]* moistness, moisture, humidity, *[házé]* damp(ness), *[nedves és hideg]* dank, *[hidegen tapadós]* clamminess, *[hideg időé]* rawness, *[meleg időé]* mugginess, humidity, *[falon]* sweat

nyíró [-t, -ja] **I.** *a*, ~ *igénybevétel (műsz)* shearing (stress); ~ *hatást gyakorol (vmre)* shear **II.** *n*, *[személy]* cutter, shearer, clipper

nyíródási [-ak, -t] *a*, ~ *hullám* shear wave

nyíród|ik [-tam, -ott, -jon, -jék] *vi*, *(műsz)* shear

nyíróerő *n*, shearing (stress), shear force

nyírófeszültség *n*, shearing tension/strain/stress

nyírógép *n*, *[hajnak, gyapjúnak]* clipping machine, clipper, *(tex)* shearing/cutting machine, shearer, cropper, *[vaslemeznek stb.]* cropper, shearer

nyíróhenger *n*, *(tex)* shearing cylinder

nyirok [nyírkot, nyírka] *n*, *(biol)* lymph

nyirokáramlás *n*, *(biol)* lymph flow

nyirokbeli [-ek, -t] *a*, *(biol)* lymphatic

nyirokcsatorna *n*, *(biol)* lymphatic (vessel)

nyirokcsomó *n*, *(biol)* lymphatic gland, lymph node, ganglion

nyirokcsomó-daganat *n*, *(orv)* lymph(aden)oma

nyirokcsomó-gyulladás *n*, *(orv)* lymph(aden)itis, inflammation of the lymphatic glands

nyirokdaganat *n*, *(orv)* lymph(aden)oma

nyirokedény *n*, *(biol)* lymphatic vessel /duct,lymphatic

nyirokedény-rendszer *n*, *(biol)* lymphatics, the lymphatic system

nyirokér *n*, = nyirokedény

nyirokér-gyulladás *n*, *(orv)* lymphangitis

nyírókés *n*, shear cutter/blade

nyírókészülék *n*, = nyírógép

nyirokkiválasztó *a*, *(biol)* lymphatic

nyirokmirigy *n*, *(biol)* lymphatic gland

nyirokmirigy-gyulladás *n*, *(orv)* lymph(aden)itis, inflammation of the lymphatic glands

nyiroknedv *n*, *(biol)* lymph

nyiroksejt *n*, *(biol)* lymphocyte

nyirokszerű *a*, *(biol)* lymphoid

nyiroktermelő *a*, *(biol)* lymph-producing

nyirokút *n*, *(biol)* lymphatic circulation/system, lymphatics *(pl)*

nyíróolló *n*, *[kisebb]* pair of shears, shears *(pl)*, spring shears *(pl)*, *[gépi]* shearing machine, *[ágra, venyigére]* pruning-shears *(pl)*, *[gyapjúra]* clippers *(pl)*, *[sövényre]* hedge trimmers *(pl)*

nyírópad *n*, footstool of the shearing-table, *[takácsé]* bank

nyírószilárdság *n*, shear(ing) strength

nyírott [-at; *adv* -an] *a*, *(ált)* cut, shorn, *[stuccolt]* trimmed, clipped, *[rövidre]* close-cut/cropped, closely cut, *[bársony, szövet]* short-napped, *[sövény]* clipped, cropped, trimmed, *[juh]* shorn, clipped; ~ *báránybőr* shearlings *(pl)*; ~ *gyapjú* clippings *(pl)*, shearlings *(pl)*, fleece wool; ~ *haj* cropped hair, *[rövidre]* hair cropped close, *[női]* bobbed/shingled hair; ~ *szőnyeg* short-pile carpet; ~ *szövet* sheared/shorn cloth

nyírrothadás *n*, *[lópatán]* thrush

Nyírség [-et, -ben, -be] *prop*, the Nyír (a district in north-eastern Hungary)

nyírseprő *n*, birch-broom

nyírt [-at; *adv* -an] *a*, shorn, *[gyep]* shaven; *rövidre* ~ *haj* hair cropped close; ld *még* nyírott nyiszál [-t, -jon] *vt*, cut *(v.* keep cutting) with a blunt instrument, hackle

nyiszlett [-et; *adv* -en] *a*, = nyeszlett

nyisszant [-ani, -ott, -son] *vt*, *[ollóval]* snip

nyisszantás *n*, snip(ping)

nyisszent [-eni, -ett, -sen] *vt*, = nyisszant

nyit [-ott, nyisson] I. *vt*, open, *[ajtót]* open, unfasten, unlock (door), *[irodát, rendelőt]* hang out the shingle *(US fam)*; *ajtót ~ vknek* answer the door to/for sy; *boltot ~ (újat)* start *(v.* open/set up) shop, open a new shop, *[reggel]* open; *folyószámlát ~* open (up) an account; *könyvesboltot ~ott a belvárosban* he started a bookshop in the City; *tüzet ~* open fire; *utat ~ magának* clear a way for oneself, force/fight/ thrust/carve/push one's way through a crowd, elbow/shoulder one's way through the crowd; *tágra ~ja a szemét* open one's eyes wide II. *vi*, **1.** *[virág]* open **2.** *[sakk]* open, make the opening/first move, *(kárty)* open **3.** *[üzlet]* open

nyitány *n*, overture

nyitás *n*, opening

nyitási [-ak, -t] *a*, *~ kattanás (orv)* opening snap

nyitható *a*, openable, that can/may be opened *(ut)*, *[szinh valóságos nem festett]* practicable (door, window)

nyitja [..átj *n*, *(vmnek)* key, clue (to), explanation, solution (of); *mindennek ez a ~* this explains everything; *a kérdés nyitjára bukkan* find out the secret, solve the problem/difficulties, fathom the secret/ mystery; *vmnek megtalálja a nyitját* find/get clue to sg

nyitó [-t, -ja] I. *a*, opening; *~ ár (ker, pénz)* starting-price; *~ fedezet [futballban]* stand-off half; *~ lapok [pókerben]* openers; *~ leltár (ker)* opening/ beginning inventory; *~ lépés [sakk]* opening/first move; *~ pár [bálban]* top couple (at ball/dance) II. *n*, opener

nyitódik [-tam, -ott, -jon, -jék] *vi*, open, come open

nyitogat *vt*, open repeatedly *(v.* one after the other), try to open

nyitott [-at; *adv* -an] *a*, open; *~ ajtó politikája* open door policy; *~ blende* full aperture; *~ fedezék (épit)* open timber(ed) roof; *~ fejtésű bánya* open-cast; *~ kapu elve* policy of the open door, open door policy; *~ kapu(ka)t dönget* force an open door/gate, preach to the converted; *~ kérdés* open question; *~ kocsi* open carriage/car; *~ nyakkal* open-necked, with an open neck; *~ síp [orgonán]* open pipe; *~ szemmel* with one's eyes open; *~ szemmel jár* go about open-eyed, keep one's eyes skinned/open/ peeled; *~ tárna (bány)* day-drift; *~ tetejü [épület]* roofless, with an open roof *(ut)*, open to the sky *(ut)*; *~ tető [filmszínházban]* opening ceiling; *~ uszoda* (open-air) swimming pool, open-air pool, lido, open bath

nyitottság *n*, openness

nyitóvas *n*, *[lakatosé]* picklock, skeleton key

nyitózsinór *n*, *[ejtőernyőn]* rip-cord, release cord

Nyitra [..át...ára, ..án] *prop*, Nitra (town in Czechoslovakia)

nyitva *adv*, open, *[elektromos áram]* "on"; *félig ~* ajar, on the jar; *az ajtó ~ van [=nincs kulccsal bezárva]* the door is on the latch; *~ hagyja az ajtót* leave the door open; *~ a közönség számára* open to the public; *egész éjjel ~ open* all night; *a múzeum ~ 9 órától 7 óráig* opening hours 9 a.m. to 7 p.m.; *~ vannak már az üzletek?* are the shops open yet?; *csak egy út áll ~* there is only one course open; *~ tartja a szemét (átv)* keep one's eyes open/skinned/ peeled; *~ van a szája* have one's mouth open; *~ van a szeme* have all one's eye about one

nyitvatartás *n*, opening hours; *~ 8—16* business hours

8 a.m. to 4 p.m.; *az üzletek vasárnapi ~a* business opening hours of shops on Sunday

nyitvatermő *(növ)* I. *a*, gymnospermous II. *n*, gymno-sperm; *~k* Gymnospermae

nyitvatermőség *n*, *(növ)* gymnospermy

nyivákol [-t, -jon] *vi*, *(ált)* mew(l), caterwaul, yowl, *[újszülött]* wail, *[nyafog, nyöszörög]* whine, whimper, *[macska]* mew, miaow, miaul

nyivákolás *n*, *(ált)* mew(ling), miauling, caterwaul(ing), *[újszülötté]* wailing, whining, whimpering

nyolc [-at, -a] *num*, *a/n*, eight; *~ óra van* it's eight o'clock; *~ órakor* at eight (o'clock); *~ szótagú* octosyl-labic; *~kor* at eight; *~ra* by eight (o'clock)

nyolcad [-ot, -a] *num*, *a/n*, eighth (part), *[hangjegy]* quaver, eighth note, *[oktáv]* octave, eighth, *[vívás-ban]* octave; *~ hang(jegy)* quaver, $\frac{1}{8}$ note, eighth (note); *~ hangköz* octave; *~ szünet(jel)* quaver/ eighth rest

nyolcadik [-at, -a] I. *num. a*, (the) eighth; *a világ ~ csodája* the marvel of marvels; *~ fejezet* chapter eight, the eighth chapter; *~ Henrik (irva: VIII. Henrik)* Henry the Eighth *(irva:* Henry VIII*)*; *~ oldal* page eight II. *num.n*, **1.** *július ~a* 8th July, July 8th **2.** *~ba jár* go to the eighth form/class (of a school)

nyolcadikos [-ok, -t, -a] *a/n*, *~ (tanuló) [általános iskolában]* eighth/last form boy/girl in general/ comprehensive school, eighth grader, *[régen gim-náziumban]* boy/girl/student in the top form of the secondary school

nyolcadpetit *n*, *(nyomd)* hair-lead

nyolcadrész *n*, eighth (part), one eighth

nyolcadrét I. *a*, octavo, in octavo *(ut)* II. *n*, octavo, eight; *~be hajt* fold in eight; *~be nyom egy könyvet* print a book in eights

nyolcadszor *num. adv*, **1.** *[nyolcadik alkalommal]* (for) the eighth time **2.** *[felsorolásnál]* in the eighth place, eighthly

nyolcan *num. adv*, eight (of them/us); *~ voltunk* there were eight of us

nyolcas [-ok, -t, -a] I. *num. a*, **1.** *[számú]* number eight; *~ kötés (orv)* figure of eight bandage, spica-bandage; *~ kesztyűt hord/visel* take eights in gloves; *~ szám* the number eight/8; *~ szoba* room number eight, room No. 8; *~ villamos* tram/car number eight, the number eight tram/car **2.** *a ~ előadás* the eight-o'clock show/lecture/performance, the performance beginning at eight II. *num. n*, **1.** *[számjegy]* the figure/number eight, *[kártya]* the eight (of) **2.** *[korcsolyá-zásban]* eight, curve; *~okat ír le [korcsolyázó]* cut eights, cut figures of eight **3.** *[kerékhiba]* wobbly wheel; *~t ad a keréknek* warp the wheel; *~t kapott az első kerekem* the front wheel (of my bicycle) is buckled **4.** *(zene)* octet(te) **5.** *[nyolcevezős]* eight(-oared boat), eighter *(fam)* **6.** *[villamos stb.]* number eight tram/car/bus; *felszáll a ~ra* take a number eight car/tram/bus

nyolcesztendős *a*, = nyolcéves

nyolcévenkénti *a*, octennial

nyolcéves *a*, *[kor]* eight-year-old, (be) eight years old, *[tartam]* of eight years *(ut)*, eight years'

nyolcevezős *a/n*, eight-oared (boat, race), eighter, on eight, boat for eight oars

nyolcévi *a*, of eight years *(ut)*, eight years'

nyolcfajta *a*, eight kinds/sorts of, of eight kinds/sorts *(ut)*

nyolcfelé *adv*, in eight directions, into eight parts, in eight

nyolcféle *a*, = nyolcfajta

nyolchengeres *a*, *~ gépkocsi* eight-cylinder car, an eight; *~ motor* an eight-cylinder engine

nyolclábú I. *a*, 1. *[vers]* octosyllabic 2. *(áll)* octopodous II. *n, [polip]* octopus

nyolclap *n, (mért)* octahedron

nyolcnapi *a,* of/for eight days *(ut)*, eight days'

nyolcnapos *a, [kor]* eight-day-old, (be) eight days old, of eight days *(ut)*, *[tartam]* eight-day-, lasting/for eight days *(ut)*, a week-, eight days long

nyolcoldalú *a,* eight-sided, octahedral; *~ idom/test* octahedron

nyolcórai *a,* 1. *[időtartam]* eight-hour, eight hours', of/for eight hours *(ut);~ munkaidő* eight-hour-day 2. *[időpont]* eight o'clock

nyolcórás *a,* eight-hour, eight hours'; *~ munkaidő/ munkanap* eight-hour day; *~ műszakban dolgozik* work an eight-hour shift

nyolcsoros *a, ~ strófa/versszak* a stanza of eight lines, octave, octet(te)

nyolcszázéves *a, ~ évforduló* octocentenary

nyolcszirmú *a, (növ)* octopetalous

nyolcszor *num. adv,* eight times

nyolcszori *[-ak, -t] a,* of/repeated eight times *(ut)*, eight times more

nyolcszoros *a,* eightfold, octuple *(ref.)*

nyolcszorosan *adv,* eightfold

nyolcszög *n,* octagon

nyolcszögletű *a,* eight-angled, octagonal

nyolcszögű *[-ek, -t] a,* octagonal

nyolctermős *a, (növ)* octogynious

nyolcvan *[-at] num. a/n,* eighty, fourscore *(ref.)*

nyolcvanad *[-ot, -a] num. 1/n,* (an) eightieth (part); *~ magával* seventy nine besides him, he and seventy nine more, in the company with seventy nine others

nyolcvanadik *[-at] a,* eightieth

nyolcvanan *adv,* eighty (people), eighty of them/us

nyolcvanas *[-ak, -t; adv -an] num. a/n,* number eighty, *[korban]* in one's eighties, octogenarian; *a ~ évek német drámairodalma* the German drama of the eighties

nyolcvanéves *a,* octogenarian, eighty-year-old, (be) eighty years old, of eighty years *(ut)*

nyolcvanféle *a,* eighty kinds/sorts of, of eighty kinds/ sorts *(ut)*

nyolcvanszor *num. adv,* eighty times

nyom¹ *[-tam, -ott, -jon] vt,* 1. *[súlyával ránehezedik]* press/weigh/lie heavy on (sg), *[szorít átv is]* press, *(átv)* weigh heavily on, *[vkt sürget vmt megtenni]* press (sy to do sg), *(vkt átv)* oppress sy (in a subtle way); *~ja az ágyat* be confined to one's bed, be laid up, be in bed, keep (to) one's bed; *~ja az ajtót* try to force the door open; *fogpépet ~ a fogkefére* squeeze toothpaste on the toothbrush; *~ja a gombot/csengőt* press the button; *vm ~ja a gyomrát* sg lies heavy on one's stomach; *~ja a pedált (biz)* push the pedals, bike; *víz alá ~ vkt* duck sy; *vm ~ja a lelkét* sg is on his mind, have sg on his mind; *az adósság ~ja a lelkét* the debt is weighing on his mind; *vm ~ja a lelkiismeretét* have sg on one's conscience, have sg on one's mind; *vm ~ja a szívét* sg lies heavy on one's soul/heart, sg weighs on one's mind, have sg on one's mind, sg rankles in sy's mind 2. *[súlyban]* weigh; *mennyit ~?* how much does it weigh?; *tíz fontot ~* weigh/scale ten pounds; *vk 76 kilót ~* sy weighs 12 stone, sy turns/tips the scale at 12 stone, *[lovagló]* he rides 12 stone; *többet ~ vknél* outweigh sy; *sokat ~ a latban* be of great account/weight, weigh heavy, be of paramount importance/consequence, *(vknél)* weigh with sy; *többet ~ a latban (átv)* overbalance (sg) 3. *a cipő ~ja a lábát* the shoe pinches 4. *kezébe/markába ~ vmt* put/slip sg in sy's hand; *tíz shillinget ~ vknek a markába* poke ten shillings into sy's hand; *fejébe ~ja a kalapját* jam one's hat on one's head 5. *[sajtol]*

squeeze, press 6. *(nyomd tex)* print, *[bizonyos példányszámot]* strike off, *[pénzt, érmét stb.]* stamp, *[mintát anyagba]* stamp; *bélyegzőt ~ vmre* stamp sg; *csókot ~ vk homlokára* impress/imprint a kiss on sy's forehead; *a könyvet ~ják* the book is being printed, the book is (now) in the press, the book is now printing; *több színnel ~ (nyomd)* colour-print

nyom² *[-ot, -a] n, (ált)* trail, track, trace, spoor, mark, *[erkölcsi hatásé]* impression, sign, mark, *[hajóé vízen]* wake, *[keréké]* (wheel-)track, rut, *[kisebb emlősé]* footing, *[lábé]* foot-print(s), *(átv)* footsteps *(pl)*, *[áll lábé]* footmark, *[nyomozásban]* clue, lead, evidence, *(vmnek jele átv)* mark, hint, *[régi műé/stílusé újban]* reminiscence, *[nyúlé]* prick, *[őzé]* slot, *[patáé]* print, *[rőtvadé]* view, *[példamutatásé]* wake, *[sebé]* weal, wale, scar, mark, stigma, *[településé]* vestige, remains *(pl)* ; *~ nélkül* traceless, without a trace/sign; *a kutya fogának ~a még meglátszik a lábán* the bite (of the dog) still shows on his leg; *vmnek ~a látszik rajta* there are traces of sg on it, bear the marks of; *meglátszik rajta a keze ~a* he has left his mark on it; *a háború ~ai* the ravages of war; *a jólét ~ai* marks of opulence; *a nyomor ~ai* signs of destitution/misery; *semmi ~a nem marad* leaves no traces behind, no trace remains of sg; *~a sem* not a vestige of . . .; *a meglepetésnek legkisebb ~a sem* not a hint of surprise; *~a sincs* there is no trace of it, there is not a vestige of sg; *semmi ~a nem volt annak hogy* . . . there was no evidence of . . ., there was not the slightest appearance of . . .; *~a veszett* no trace was (ever) found of him/it, all trace of him/it was *(v.* has been) lost, (he has) not been heard of for a long time, there was no sign of him, no sign of him was to be found; *szeretném ha ~a maradna* I want it to go on record, I want to have it on record; **nyomába** *lép vknek* follow sy's footsteps, tread in sy's footsteps, tread in the steps of sy, step into sy's shoes, *(csak átv)* take after sy; *~ába sem léphet/hághat* can't *(v.* is not fit) to hold a candle to, be vastly inferior to, be no match for, not to be compared with/to sy, nobody comes/is within mile s of him; *~odba se léphet* he is not fit to hold the candle to you, be not a patch on him; *~ába se ér senki* nobody can come anywhere near her/him; *~omba ért* he caught up with me, his breath was hot upon my neck; **nyomában** in the wake of, in the track of, following, behind; *vk~ában halad* follow in sy's track; *vk ~ában jár* follow sy's footsteps/track, tread/walk in sy's footsteps, *[állandóan]* dog sy's footsteps, *[üldözve]* beset, press/run hard; *~ában van* be hot on the scent/track of sy, be on sy's trail, be in hot pursuit of sy; *szorosan ~ában van vknek* dog sy's footsteps; *vmnek ~ában van (átv is)* be on the scent of sg; *a ~ában van vk* have sy at one's heels; *~ában van a rendőrség* the police are after him, the police are on his track, be shadowed by the police, the police are on to him; *léptei* **nyomán** in his wake, behind his tread/steps; *Shakespeare ~án írta* adapted from Sh.; *vk ~án* following sy, after sy; *vm ~án* on the basis/ authority of, after (the model of), from, according to; *a nyomon elindul* follow up a clue, start *(v.* set out) on the track/trail/scent/trace; *~on követ* follow in sy's track/steps, follow closely behind, come on the heels of, follow (sy) up, dog sy's footsteps, tail after, backtrail, *[erkölcsileg]* tread/follow in sy's footsteps, *(vmt vm)* follow in the wake of, *[vkt megfigyelve/ nyomozva]* shadow, keep track of, be on the tail of, *[szimatolva]* track, trace; *~on követi a visszavonuló ellenséget* follow the retreating enemy; *az események ~on követik egymást* the events tread on each other's heels; *~on követés* shadowing; *~on követhető a 12. sz. közepéig* it can be traced back to the middle of the 12th century; *~on van [kutya]* run a scent, scent;

hamis/rossz ~on van be on the wrong scent/track, bark up the wrong tree *(fam)* ; *helyes/jó ~on van* be on the right track/scent, *[kutya]* be on the track of, get on *(v.* pick up) the scent; **nyomra** *vezet vkt* put sy on the right track, give sy a clue/hint, give sy a lead on sg; *vmnek ~ára vezet vkt* put sy on the track of sg; *helyes ~ra vezet vkt (átv)* put sy in the right way; *~ára akad/bukkan/jön* find a/the trace of, find traces of, get scent of, get a clue of, get on the track, pick up the scent, track up, *[vadnak]* get on the trail, *[kutya]* pick up a/the scent (of), *[titoknak, bűnözőnek]* get on the track of, track down; *letérlt vkt a ~ról* throw sy off the track; *elveszti a* **nyomot** be thrown off the scent, *[kutya]* lose the trail/scent of; *~át veszti vknek* lose track of sy; *követi a ~át* follow in sy's track, follow up (scent); *magán viseli vmnek ~át* bear the marks of sg; *~ot hagy vmn* leave his/its mark on, mark sg, track *(US), (átv)* leave ripples, *[erkölcsileg]* leave an impression; *a bánat mély ~ot hagyott arcán* there were deep traces/lines of sorrow on her face

nyomakod|ik [-tam, -olt, -jon, -jék] *vi, [tömegben vhová]* squeeze/work/elbow one's way

nyomás I. *n,* 1. *(át)* pressure, pressing, *[kézé]* squeeze, *[testtel]* push, shove, *[embertömegé]* pushing, *[súlyemelésben]* spreading, military/continental press; *a körülmények/kényszerűség ~a alatt* under the pressure of circumstances/necessity; *politikai ~* political pressure; *enged a ~nak* yield to/under pressure, give in to/under pressure; *~nak engedő [felszín, daganat stb.]* yielding; *~ra érzékeny* tender to the touch; *~t gyakorol vkre* put pressure on sy, bring pressure to bear on sy, exert an influence on sy; *~t gyakorol vmre* prize against sg, lever sg up; *~t gyakorol a bíróságra* put/exert/exercise pressure on a court; *~t fokozza (átv)* increase pressure, turn on the heat *(fam)* 2. *(fiz)* pressure, stress, strain, load, weight, *(bány)* squeeze, *(épít)* thrust, *(orv)* oppression, *[mellkasban]* tightness, *[cipőé]* pinching; *kis/alacsony ~* low pressure; *kis ~sal* at low pressure; *nagy ~* high pressure; *~ alatt (bány)* in compression; *~ alatti felület* surface under pressure; *nagy ~sal* at high pressure; *kolloid ozmózisos ~ [fiziológiában]* colloid osmotic pressure; *~t szabályoz (rep)* supercharge; *~t tart [kazánban]* keep up pressure 3. *(nyomd)* printing, press-work, *[bizonyos példányszámé]* striking off, *[könyvé, pecsété, névé]* impression, *(tex)* printing; *~ alatt* in print, at *(v.* in the) press, (the book is) now printing *(v.* being printed); *~ alatt levő* at press *(ut),* in the press *(ut)* ; *hibás ~* foul impression; *színes ~* coloured impression

II. *int, [tolásnál]* steady(,) push!, *[biztatva]* go it !, *[nehéz tárgy megmozdításakor]* heave !, now !, up !

nyomásálló *a,* pressure-tight, *[igével]* withstand pressure ; *~ repülőöltözet* pressure suit

nyomáscsökkenés *n,* decrease of pressure, pressure loss/relief, decompression, *[légköri viszonyokban]* recess

nyomáscsökkentés *n,* decompression, pressure relief, relief/reduction of pressure

nyomáscsökkentő [-t, -je] *n,* decompressor, *[nyílás]* pressure-relief vent, *[szelep]* pressure-reducing valve

nyomásérzék *n, (biol)* piezesthesia

nyomásérzékeny *a,* tender to pressure *(ut),* tender

nyomásérzékenység *n,* tenderness (to pressure)

nyomásfeszültség *n, (nyomd)* printing pressure

nyomásfokozó *n, (vízép)* intensifier

nyomáshiba *n, (nyomd)* misprint

nyomási [-ak, -t] *a, ~ engedély (nyomd)* printing permission, imprimatur; *~ felület [meteorológiában]* pressure surface; *~ topográfiatérkép* baric topography, constant pressure chart

nyomáskülönbség *n,* differential pressure

nyomásmérés *n,* pressure measurement, piezometry

nyomásmérő *n,* manometer, pressure-ga(u)ge/indicator/tester, piezometer, *[regisztráló]* pressure recorder, *[gőz]* steam-gauge, *[olajé]* oil pressure-gauge/indicator; *higanyos ~* mercury manometer

nyomásos [-at; *adv* -an] *a, ~ rendszer (mezőg)* rotation/course/shift of crops

nyomáspróba *n,* compression test, test pressure

nyomásszabályozó *n,* pressure regulator/governor, *[önműködő]* pressure controller

nyomástartó utasfülke *(rep)* pressurized cabin

-nyomású [-ak, -t] *a,* of pressure; *alacsony/kis ~* low-pressure; *nagy ~* high-pressure

nyomásváltozás *n,* alteration of pressure

nyomásvonal *n,* thrust line

nyomaszt [-ani, -ott, .. asszon] *vt, [gond]* weigh (heavy) on sy's mind, weigh down, distress, afflict

nyomasztó [-t; *adv -an]* *a,* oppressive, weighing (down), heavy, *[súlyosan]* overwhelming, overpowering, distressing, *[levegő]* close, sultry, *[anyagi helyzet]* grinding, *[légkör stb. átv]* gloomy, *[olvasmány, vidék, látvány stb.]* depressing; *~ adósság* pressing debt; *~ érzés* uneasy/sickening/depressing feeling; *~ gondok* grinding/oppressive cares; *~ helyzet* distress, embarrassing situation, tight corner *(fam)* ; *~ helyzetben van* be in great/dire straits, be hard pressed, be in straitened circumstances; *~ hőség* oppressive/overpowering/stifling heat; *~ látvány* grim sight; *~ szag* heavy odour; *~ szegénység* grinding poverty; *~ teher* overwhelming/crushing/overpowering/oppressive burden

nyomasztóan *adv, ~ hat* overwhelm, oppress, overpower, have an oppressing/depressing effect; *~ hat vkre* weigh on sy, weigh (heavy) on sy's mind, distress/oppress/depress sy

nyomat¹ *vt,* have sg printed

nyomat² *n,* print, impression, *(összet)* -graphy; *sorozat előtti ~ (műv)* proof before all letters; *színes ~* coloured impression

nyomatás *n,* printing, impressing

nyomaték [-ot, -a] *n,* 1. *[hangsúly]* emphasis, stress, insistence, energy, force, *(nyelvt)* stress(ing), accent, accentuation, prominence of sound; *a ~ kedvéért* for purposes of emphasis; *~kal* pointedly, emphatically, in energetic terms, insistently, laying emphasis on; *kellő ~kal* with due emphasis; *nagy ~kal bír* have great influence 2. *(fiz)* moment(um), stress, weight

nyomatéki *a, ~ hangsúly* dynamic stress

nyomatékos [-ak, -t; *adv* -an] *a,* emphatic, energetic, earnest, weighty, vigorous, *(nyelvt)* stressed, accentuated

nyomatékosan *adv,* emphatically, expressively; *~ kér* entreat sy sg, solicit sy for sg, solicit sg from sy; *~ kijelenti (hogy)* lay emphasis/stress on, insist strongly on, declare emphatically

nyomatékosít [-ani, -ott, -son] *vt,* emphasize, stress, accent(uate), lay emphasis/stress upon

nyomatékosító [-t; *adv* -an] *a, (nyelvt)* augmentative

nyomatékosság *n,* emphasis, insistence, emphatic character/nature of sg, markedness

nyomban *adv, [rögtön]* at once, immediately, instantly, directly, outright, forthwith, straight away/off, right away, on the spot, there and then, without delay, in a trice/jiffy *(fam)* ; *~ visszajövök* I shall come straight back; *azon ~* on the spot, at a moment's notice, at a minute's notice, there and then, then and there

nyombél *n,* duodenum

nyombélfekély *n,* duodenal ulcer, ulcer of duodenum

nyomda [.. át] *n,* printing office/works/house/press, press, printery *(US)* ; *nyomdába ad* put to press;

nyomdába kerül/megy (vm) go to press; *nyomdába küld kéziratot* send a manuscript/MS/typescript (over) to the printing office

nyomdafesték *n,* printer's/printing ink, ink; *nem bírja a ~et* doesn't stand/bear publicity *(v.* to be printed), it's unprintable; *~et el nem tűrő, ~et nehezen tűrő* unprintable, hardly writable; *~et nem tűrő kifejezés* expression too shocking to repeat; *~et nem tűrő szót használt* he said an imprintable word; *~kel beken [betűket]* ink

nyomdagép *n,* printing machine, printing-press, press

nyomdahiba *n,* misprint, printer's error, wrong font/ letter, erratum *(ref.)*

nyomdai [-ak, -t; -lag] *a,* typographic(al), printer's, printing-, of the printing office/works/house *(ut) ; ~ gépmester* pressman, machine-minder; *~ ív* printed sheet; *~ korrektor* printer's (proof-)reader, proof--reader, corrector; *~ korrektúra [folyamat]* correction, correcting (of typographical matter), reading (of proofs), *[a szöveg]* proof; *~ szakmunkás* (journeyman) printer; *~ művezető* foreman, overseer (of printing room); *~ szempontból (nézve)* typographically

nyomdaigazgató *n,* director of a printing-office

nyomdailag *adv,* typographically

nyomdaipar *n,* printing industry/trade

nyomdaipari *a, Magyar Nyomda-(,) Papír és Sajtóipari Dolgozók Szakszervezete* Hungarian Printing(,) Paper & Press Workers' Union

nyomdajelzés *n,* printer's mark, imprint, colophon

nyomdakész *a,* ready for print/press *(ut),* (ready) for press *(ut),* "press"; *~ kézirat* manuscript/typescript ready for the press

nyomdaköltség *n,* cost of printing, printing bill

nyomdamérnök *n,* printing engineer

nyomdász [-ok, -t, -a] *n,* printer, typographer, pressman, printworker, typo *(fam), [betűszedő]* typesetter, compositor, comp *(fam), [préselő]* pressman; *órabéres ~* jobbing hand

nyomdászat *n,* typography, (art of) printing

nyomdászati [-ak, -t; *adv* -lag] *a,* typographic(al)

nyomdászatilag *adv,* typographically

nyomdászinas *n,* printer's apprentice, printer's devil *(joc)*

nyomdászság *n,* 1. *(ált)* (art of) printing, typography, *[ipar]* printing industry 2. *[tagok]* the printers *(pl),* body of printers, the typographers *(pl)*

nyomdászsegéd *n,* journeyman-printer

nyomdászünnepély *n, [kirándulással]* wayzgoose

nyomdatechnika *n,* typography, presswork

nyomdatechnikai *a,* typographical; *~ okokból* owing to typographical reasons, for reasons of typographical necessity

nyomdatermék *n,* typographical matter, print, *[mint postai felirat]* "printed matter"

nyomdatulajdonos *n,* proprietor/owner of printing plant/ works/establishment, printer

nyomdavezető *n,* manager of printing plant/establishment

nyomdok [-ot, -a] *n,* track, (foot)step, (foot)print, wake; *~aiba lép, vknek a ~ain jár* follow/tread/walk in sy's footsteps, follow in sy's steps, follow sy's lead/ example/steps, tread/walk in the steps of sy, follow in the wake of sy

nyomdokvíz *n, (hajó)* wake, wash, furrow

nyomelemek *n. pl, (biol)* trace elements

nyomfém *n,* trace metal

nyomható *a,* printable, passed for (the) press, *[engedély]* imprimatur, *[jelzés a kefelevonaton]* press, *[korrigált]* press-proof/revise

nyomjelez *vt, (műsz)* trace, *[kikaróz]* stake (out), *[pályát kitűz]* mark out, *[térképez]* map out, *[utat/ vasutat kitűz]* lay out, locate, *(vegyt)* label

nyomjelzés *n, (műsz)* tracing, setting/marking/laying out, *(épít)* tracing (the form), *(vasút)* marking out the course, *[útvonal kitűzése]* plotting

nyomjelzett *a, (műsz)* traced, laid/marked/staked/ mapped out, *(vegyt)* labelled

nyomjelző I. *a,* tracing; *~ cövek* tracing-picket/peg; *~ elem* tracer element; *~ rúd/karó* target levelling-rod, tracing stake/pole/staff/rod; *~ lövedék* tracer bullet/ shell, tracer projectile II. *n, [eszköz]* tracer

nyomkod [-tam, -ott, -jon] *vt, [agyagot formába]* knead, stamp, mould, pug, *[beteg testrészt]* massage, *[tésztát]* knead, *[vajat]* work

nyomköz *n, (vasút)* track-gauge; *szabványos ~* standard gauge

nyomó [-t, -ja; *adv* -an] I. *a,* 1. *(műsz)* pressing, compressive, pressure(-); *~ igénybevétel* compressive stress 2. *(nyomd)* printing; *óránként 15000 példányt ~ nyomda* press that runs off 15000 copies an hour II. *n,* 1. *(vk, vm)* presser, *(vk)* printer 2. *[csengőn]* bell-push

nyomóalap *n, (nyomd)* bed

nyomócsapágy *n,* thrust bearing

nyomócsatorna *n, (vízép) [zárt]* delivery, duct, *[nyitott]* head-race

nyomócső *n, (épít)* delivery pipe/tube, *[vízvezetéké]* rising main, *[géptani]* force-pipe

nyomócsővezeték *n,* rising main

nyomód|ik [-tam, -ott, -jék, -jon] *vi, (vmbe)* be imprinted/impressed (into sg)

nyomódúc *n, (nyomd)* (printing) block, *(nyomd)* wood--block, plate (of type), (process-)block, cliché, stereotype, electrotype, *[fametszeté]* printing stamp/block (for wood-engraving), *(tex)* printing-block

nyomóelem *n,* image area

nyomóerő *n,* pressing force, *(nyomd)* (printing) pressure

nyomóeszterga *n,* foot/treadle-drive, lathe

nyomófelület *n,* printing surface, face

nyomófeszültség *n,* pressure(-stress), compressive stress

nyomófogó *n,* pliers *(pl)*

nyomóforma *n, (nyomd)* form(e), cliché; *nyomóformát bezár* lock up (the forms); *nyomóformát lever* plane down a form

nyomogat *vt,* keep pressing, knead, finger, *[beteg testrészt]* massage

nyomógép *n, (nyomd)* printing machine, printing-press, *(tex)* printing machine

nyomógomb *n,* 1. *[patent-kapocs]* snap/patent-fastener 2. *(műsz)* press-button/stud, dot-snapper, *[csengőn]* (press-)button, bell-push, push/press/call-button, *[morze-gépé]* dot-snapper, *[távíró készüléken]* key, *[szerkezeté]* hand-key

nyomógombos *a,* presspush-button; *~ kapcsoló (vill)* stud-switch

nyomóhenger *n,* 1. *(műsz)* pressing-cylinder, pressure roller/cylinder, *(nyomd)* printing drum/cylinder, impression cylinder, *(tex)* printing/pressing roller, top roll 2. *[kerti]* garden roller, *[úti]* steam roller

nyomóhenger-rovátkázás *n, (tex)* hatchure

nyomókád *n, [taposó]* treading-vat

nyomókapocs *n,* = **nyomógomb**

nyomókar *n, [szivattyúé]* swipe

nyomókenés *n, (műsz)* force(d)-feed lubrication

nyomóképes *a, (nyomd)* printable

nyomókészülék *n, [gáznemüt]* compressor, *(tex, bőr)* printing machine

nyomókötés *n, (orv)* pressure dressing

nyomókút *n,* pump (raising water from a well by the application of pressure), well (with a pump raising water by the application of pressure)

nyomólap *n,* plate (of type), plat(t)en, block of illustration, stereotype(d plate)

nyomólemez n, (nyomd) plate(n), stencil-plate
nyomómagasság n, hydraulic head, water-head
nyomóminta n, (nyomd) matrix, matrice, [sablon] pattern
nyomómunkás n, (tex) printer
nyomóolajozó n, [gépkocsin] pressure-oiler
nyomópapír n, printing-paper, print-paper, [újságé] newsprint
nyomópapír-henger n, web
nyomóprés n, (fémip) stamping-press
nyomor [-t, -a] n, misery, distress, extreme/abject poverty, want, need, indigence, destitution, privation, penury, wretchedness, pauperdom, extremity, squalor; a ~ vasmarka grip of poverty; ~ba dönt/taszít distress, reduce sy to destitution/want, plunge sy into poverty, reduce to beggary, impoverish, bring sy to ruin; ~ba jut fall into poverty, fall on evil days; nagy ~ban van/él be in severe distress, be reduced to exigence, drag out a wretched existence, drag on a miserable existence, be on the rocks (fam), be down at heel (fam); ~ban született born in the gutter; ~t enyhít ease/relieve/lighten distress
nyomorék [-ot, -ja; adv -an, -ul] I. a, crippled, disabled, deformed, [béna] palsied, lame(d), [tapintatosan kifejezve] (physically) handicapped, [törpén nőtt] stunted; ~ gyerekek intézete institute for crippled children; ~ a féllába have a crippled foot
II. n, cripple; a ~ok és a világtalanok the halt and the blind; ~ká tesz cripple, (render) lame, disable, maim, make a cripple of
nyomorékság n, physical disability, disablement, lameness, crippled condition, physical handicap(s)
nyomorenyhítés n, poor relief, help for the poor
nyomorenyhítő a, (poor-)relief, relieving/assisting/helping the poor (ut)
nyomorgás n, wretched existence, living in misery/distress/want/penury
nyomorgat vt, [zaklat] plague, trouble, worry, molest, harass, tease, vex, pester, [gyötör] martyrize, torment, torture, distress, [elnyom] oppress, [fájdalom] rack, [hitelező] dun
nyomorgatás n, [zaklatás] plaguing, troubling, worrying, teasing, bothering, worry, molestation, persecution, [gyötrés] torture, torturing, torment(ing)
nyomorgó [-t, -ja; adv -an] a/n, needy, destitute, poverty-stricken, distressed, pauper, in want/misery/need (ut), indigent (ref.), necessitous (ref.), [éhező] starving; a ~k the destitute, the penniless
nyomorlakás n, = nyomortanya
nyomornegyed n, slum (area), the slums (pl); ~ek felszámolása/megszüntetése slum-clearance
nyomorog [-tam, ..rgott, -jon] vi, lead (v. drag on) a miserable/wretched/needy existence/life, be in wretched poverty, be wretchedly poor, lead a poverty-stricken life, lead a life of wretched misery, live in penury/misery/want, be destitute, be in want/need, have a thin time of it (fam), rough it (fam)
nyomorpolitika n, policy of starvation
nyomortanya n, dirty hole, slumhouse, hovel, den; ezek a nyomortanyák förtelmes állapotban vannak these slums are in a beastly condition; a nyomortanyák felszámolása slum-clearance
nyomortelep n, district of the poor
nyomorú a, = nyomorult, nyomorúságos
nyomórúd n, (mezőg) ⟨staddle/pole fastened on top of a cartload or stack of hay⟩, (kb) hay-pole, (műsz) press-rod, presser-bar, pusher, [sörszivattyúé] pull
nyomórugó n, compression spring
nyomorult [-at, -ja; adv -an/-ul] a/n, miserable, wretch-(ed), beggar(ly), [szánalmas] woeful, piteous, pitiable, pitiful, [sajnálkozva] poor wretch, miserable/unhappy creature/thing/fellow, [alávaló] rascal(ly),

base, [hitvány] cad(dish), knavish, villainous, [helyzet, alak stb.] rotten, [megvetendő] despicable, [összeg, fizetés] beggarly, paltry, [nyamvadt] lousy (fam); a ~! the wretch!
nyomorultul adv, ~ érzem magam I feel low, I am a worm today, I am feeling rotten
nyomorúság n, misery, destitution, abject poverty, beggary, starvation, pauperdom, distress, extremity, penury, roughing it (fam); cifra ~ penury disguised under a show of wealth, genteel poverty; ~ban éldegél/tengődik drag on a miserable existence
nyomorúságos [-at; adv -an] a, (ált) miserable, necessitous, needy, beggarly, [lakás] wretched, poor, tumble-down, squalid, [szegénység] abject, [szánalmas] woeful, deplorable, pitiful, piteous, pitiable, [összeg] beggarly, paltry lousy (fam), [városnegyed] poverty-stricken, [szoba stb.] poverty-stricken, dingy; ~ bér starvation wages (pl); ~ kis lyuk/fészek poky hole of a place; ~ látvány sorry sight; ~ odú wretched hovel; ~ összeg a paltry sum
nyomorúságosan adv, miserably, wretchedly, deplorably; ~ él drag on a miserable existence, rough it (fam)
nyomós [-at; adv -an] a, [ok, érv] strong, powerful, weighty, cogent; ~ ok weighty/cogent/strong/substantial reason; ~ okból for weighty reason
nyomósít [-ani, -ott, -son] vt, lay stress on, give weight to, accentuate, emphasize, lay emphasis on
nyomószilárdság n, crushing/compressive/compression/oppressive strength, resistance to pressure
nyomószivattyú n, pressure/compression/force/driving pump, force pressure pump, lift-pump
nyomott [-at; adv -an] a, 1. [nyomva] (com)pressed, (nyomd, tex) printed, (fémip) pressed; ~ anyagok/áruk prints, print works 2. ~ boltív/boltozat squat/flat/imperfect arch 3. (ker) [piac] depressed, dull, slack; a piac ~ the market is heavy 4. [idő] muggy, [levegő] close; ~ időjárás slack weather 5. [lelkiállapot] depressed, downcast, cast down, dejected, dispirited, low-spirited, [hangulat] glooming, gloomy; ~ hangulat (moral) depression, dejection, dark mood, brown study, spiritlessness, jaw-fall (fam); ~ hangulatban in low spirits, spiritlessly, in the dumps (fam); ~ hangulatban van be spiritless, have the heeble-jeebles (fam), have (v. be in) the dismals (fam), have the blues (fam), be in the dumps (fam); ~ hangulatú spiritless; ~ kedély spleen; ~ kedélyállapot depression, the dumps (pl) (fam), doldrums (pl) (fam); ~ kedélyállapotban van be in low spirits, have the blues (fam), be in the dumps (fam)
nyomóüzem n, (tex) printworks
nyomóvezeték n, [víz] delivery pipe/conduit
nyomoz [-tam, -ott, -zon] vt, [bűnügyben] investigate, inquire into, make investigations, search (for), make a search/quest, collect information about, make inquiries about, [nyomon követ] track, trace, sleuth, be on the track of, be out after sy, [vadat] follow the track, track/hunt up/down, trail
nyomozás n, [bűnügyben] (fact-finding) investigation, inquiry, search(ing), quest; előzetes ~ preliminary investigation; a ~ folyik investigations are in progress; a ~ megindult the police are making investigations/inquiries, an inquiry has been set up, investigations are being made; a ~ nem járt eredménnyel the investigation led to nothing (v. to no results); elrendeli a ~t order an inquiry; hivatalos ~t tart/folytat/végez conduct/hold an official inquiry
nyomozati [-ak, -t] a, ~ adatok facts of the investigation
nyomozó [-t, -ja] I. a, inquiring, investigating, of inquiry/investigation (ut); ~ hatóság the investigating authorities, (GB) the Criminal Investigation

Department (röv. C.I.D.); ~ osztály investigation department, department of investigation II. n, inquirer, detective, investigator, sleuth, plain--clothes man, [szegényügyben] poor-law officer, (műsz) tracer

nyomózsák n, [szőlő/olaj préselésére] pressing-bag

nyomravezető n, one who puts sy on the right track, (kb) informer; a ~nek jutalmat tűz ki offer a reward for the person who can lead to the discovery of sy

nyomtalan a, traceless, without a trace/sign

nyomtalanul adv, ~ eltűnt disappeared/vanished without leaving a trace (behind), melted/vanished/dissolved into the/thin air

nyomtat vt, 1. (nyomd) (im)print, impress 2. [anyagot] imprint, [jelet/címet stb. levélpapírosra] stamp 3. [gabonát] tread out (corn)

nyomtatás n, 1. (nyomd) print(ing), typography, press-(work); ~ban in print, in black and white; ~ra alkalmas impressionable, impressible 2. [gabonáé] treading out

nyomtatási [-ak, -t; adv -lag] a, concerning of printing/ publication/publishing (ut); ~ engedély permit/permission to print, imprimatur; ~ év date of publishing/ printing, year of publication; ~ hely place of publication

nyomtaték [-ot, -a] n, additional piece (to weigh down sg), balancing weight, [evésnél tréf] a small helping on top of those already taken, extra helping, [mészárosnál] make-weight

nyomtató [-t, -ja; adv -an] I. a, 1. (nyomd) printing, printer's; ~ műhely printing office/establishment/ house 2. (mezőg) treading out (corn) (ut); ~ ló horse treading out corn; ~ lónak ne kösd be a száját thou shalt not muzzle the mouth of the ox that treads out the corn, let them make their pickings II. n, 1. (nyomd) printer 2. (mezőg) thresher

nyomtatott [-at; adv -an] a, (főleg nyomd) printed; ~ áramkör (távk) printed circuit; ~ betűk (nyomd) type, [kézírással] block/print-letters; ~ betűvel/betűkkel ír print (sg), write in block letters/capitals; ~ betűkkel írandó use block capitals throughout; ~ betűs írás script writing, print script; ~ ív printed sheet, signature, section; ~ katalógus printed catalogue; felvágható ~ katalógus catalogue printed on one side of the leaf only; ~ műzene printed art music; ~ sor line; ~ távirat (automatically) printed telegram, telotype; ~ űrlap printed form

nyomtatvány n, print, printed paper/book, presswork, [postai jelzés] printed matter, [postai szabadsilag] printed paper rate, book post/rate, third class matter (US); egyoldalas ~ [plakát, röplap] broadside; (postai) ~ díjszabás book-rate; (keresztkötés alatt) ~ként küld vmt send sg by book-post

nyomtáv n, = **nyomtávolság**

nyomtávjáték n, gauge-clearance

nyomtávköz n, gauge-clearance

nyomtávolság n, (vasút) gauge (of the track), gage, track/rail-gauge, track, width of the gauge/track, [hernyótalpas járműveknél] track-distance; keskeny ~ narrow gauge; szabványos/rendes ~ standard gauge; széles ~ broad gauge

nyomtávú [-ak, -t; adv -an]; a, keskeny ~ narrow gauge; keskeny ~ mozdony small-gauge locomotive; keskeny ~ pálya narrow-gauge track; keskeny ~ vasút narrow/light-gauge railway; szabványos ~ vasút standard-gauge railway-railroad line; széles ~vasút broad gauge railway

nyomul [-t, -jon] vi, advance, progress, make headway, press (onward, forward), force one's way through, [tolul] push, squeeze (through), (vhová be) penetrate, make one's way into, (kat) invade; London felé ~ march on London; a tömeg minden oldalról egyre

közelebb ~t hozzá the crowd edged in on him on all sides

nyomvonal n, trace, track

nyoszolya [..át] n, † bed, couch

nyoszolyóasszony n, woman in attendance on bride

nyoszolyólány n, bridesmaid, [skót] best maid, maid of honour (US)

nyög [-tem, -ött, -jön] I. vi, groan, moan II. vt, [vm következményeit] feel the (evil) effects of; még most is ~jük we still feel the effects of it, it will take us a long time to get over it, we still suffer from it, we still groan under the consequences; még most is ~öm az adósságot I am still struggling to pay off the debt; még most is ~jük a részleteket we are still struggling with the instalments

nyögdécsel [-t, -jen] vi, groan, moan (softly/gently), [nyafog] whine, whimper, grizzle

nyögdécselés n, groan(s), moan(ing)

nyögdécselő a, [gyerek] puling, puly

nyögés n, moan(ing), groan(ing); nem akarásnak ~ a vége he that will not when he may(,) when he will he shall have nay

nyögő [-t] a, groaning, moaning; ~ hang [népzenében] swa syllable, liquid consonant

nyögvenyelő a, [ételről] lumpy, hard to swallow (ut)

nyöszörgés n, whine, whining, whimper(ing), feeble groan, groans (pl), wail(ing), croon, [gyermeké] puling

nyöszörgő [-t] a, [gyerek] puling, puly

nyöszörög [-tem, ..rgött, -jön] vi, groan, moan, wail, whine, whimper, pule

nyugágy n, deck-chair

nyugállomány n, retirement; ~ba küld/helyez vkt retire sy, pension (off) sy, superannuate sy, put/ place sy on the retired list; ~ba való helyezését kéri (kat) apply for the retired list; ~ban van/él live in retirement, live on a pension; ~ban levő retired, on the retired list (ut)

nyugállományú [-ak, -t] a, = **nyugalmazott**

nyugalmas [-at; adv -an] a, restful, calm, [békés] peaceful, [háborítatlan] untroubled, [nyugodt] quiet, tranquil, [természet] placid, good-tempered, unruffled, [hely] quiet, sheltered, retired; ~ állás comfortable/quiet position, soft/cushy job (fam); ~ évek/esztendők the years of quiet

nyugalmaz [-tam, -ott, -zon] vt, (ritk) = **nyugdíjaz**

nyugalmazás n, (ritk) = **nyugdíjazás**

nyugalmazott [-at; adv -an] a, retired (from office), on the retired list (ut), superannuated, pensionary, [tanár] emeritus; ~ egyetemi tanár an emeritus (professor); ~ elnök ex-president; ~ könyvtárigazgató retired director of the library, director of the library (,) retired; ~ tényleges tiszt ex-regular officer

nyugalmi [-ak, -t; adv -lag] a, of rest/repose/peace (ut); ~ állapot/helyzet rest, state of rest/repose/ peace/quiet, repose, [egyensúly] equilibrium, (equi)poise, (műsz) standstill, static condition, (növ) dormancy; a ~ állapot megszüntetése (növ) breaking of dormancy; ~ állapotban van be at rest, be at/in peace, be at a standstill; ~ állapotban levő at rest (ut), motionless; ~ tömeg (fiz) rest mass

nyugalom [..lmat, ..lma] n, 1. [cselekvés megszünése] rest, stillness, stand(still), [békesség] calm-(ness), restfulness, quiet(ness), tranquility, coolness, imperturbability, quietude, peace(fulness), [nyugvás, szünet] respite, [átmeneti] lull, [pihenés] rest, repose, quiescence; bölcs ~ philosophy; lelki ~ peace of mind, phlegm, quietude; az örök ~ the last repose/csleep; a ~ évei the years of quiet; a ~ helyreállt public order has been restored; ~ban van [nyugodt állapotban] be tranquil, be at rest/peace, be in peace, rest, (fiz) be at rest, be at a standstill, (műsz) be out of gear, be at a standstill, be in home position; . . .ban/ben fogjuk örök ~ra helyezni the inhumation/ interment/burial will take place at . . .; ~ra van szüksége have need of a rest; megzavarja nyugalmát disturb sy's rest/repose (v. peace of mind); nyugalmat keres seek repose 2. [önuralom] composure, self-possession; ~ l keep cool!, keep your shirt on!; a legnagyobb ~mal with perfect equanimity/cálm, without the slightest compunction/disquiet 3. [nyugdíjas állapot] retirement; ~ba helyez put on the retired list, pension (off), retire, [korhatárnál] superannuate; ~ba helyezés pensioning off, putting on the retired list, retirement, [korhatárnál] superannuation; ~ba megy/vonul retire (on a pension), quit office, quit one's job, quit (US), (ker) retire from (v. give up) business; ~ba vonulás retirement, superannuation; ~ba vonultakor on retirement; ~ba vonuló retirer; ~ban van be retired, be on the retired list, be receiving a pension, be a pensionary/pensioner, be superannuated; havi 800 forint nyugdíjjal vonul ~ba retire on a pension of 800 forints a year

nyugasztal [-t, -jon] vt, † = nyugosztal

nyugat [-ot, -ja] n, (the) West, west, the Occident (ret.); ~ felé (to the) west, towards the west, westward(s), westwardly; ~ felé! westward ho!; ~ felől, ~ról from the west, westerly; ~on in the west; ~on a helyzet változatlan all quiet on the western front; ~nak tart [hajó] head (to the) west; ~ra (to the) west, towards the west, westward(s), westerly, westward(ly); vmtől ~ra fekszik be/lie west of sg; ~ra néz [épület] face the west; ~ra megy/utazik go west; ~ra menő/utazó west-bound; ~ról fúj a szél the wind blows west, the wind lies in the west; a leg~abbra fekvő wester(n)most

Nyugat-Ausztrália prop, Western Australia

Nyugat-Berlin prop, West Berlin

nyugat-délnyugat n, west by south; ~ra, ~ról west-southwest

nyugat-délnyugati a, west-southwesterly

nyugatellenesség n, anti-westernism

nyugat-északnyugat n, west by north, west-northwest; ~ra, ~ról west-northwest

nyugat-északnyugati a, west-northwesterly; ~ irányban north-west by west

Nyugat-Európa prop, Western Europe

nyugat-európai a, of Western Europe (ut), West(ern) European; ~ idő Greenwich mean time; Ny~ Unió Western European Union

nyugati [-ak, -t; adv -an] I. a, west(ern), of the west (ut), [szél, áram] westerly, occidental; ~ életforma the western way of life; ~ fekvésű ház house facing west; ~ gót Visigoth(ic); ~ hangsorok (zene) modes and scales based on the Western note series; ~ irányban westward(s), towards the west, in a westward direction; ~ irányú westing, westward, west-bound; ~ műveltség western/occidental civilisation, western culture; ~ oldal west(ern) side; Ny~ pályaudvar = nyugati II. 2.; a ~ parton on the west coast; ~ szél western/westerly wind; ~ szél fúj there is a westerly wind, the wind is/lies in the west; leg~bb westernmost II. n, 1. [ember] westerner 2. a Ny~ [pályaudvar] the Nyugati Station (in Budapest), Budapest West

nyugatias a, westerly; ~ szelek [általános nyugati áramlás] westerlies

nyugatimádat n, occidentalism

nyugatimádó a/n, occidentalist

Nyugat-India prop, The West Indies (pl)

nyugat-indiai a, West-indian

Nyugat-Irian [-t, -ban] prop, Western New Guinea, Netherlands New Guinea

Nyugat-Magyarország prop, Western Hungary

nyugatnémet a/n, West-German

Nyugat-Németország prop, West(ern) Germany

nyugat-németországi a, West German

nyugatos [-ok, -t; adv -an] a/n, 1. [irodalomtört.] ⟨contributor to the late progressive Hungarian literary periodical ,,Nyugat''⟩, (kb) occidentalist, westerner 2. (pol) ⟨Hungarian who was evacuated or willingly emigrated to Western Europe during the second World War⟩, (kb) westerner

nyugatrómai a, Ny~ Birodalom the Western Empire

nyugbér n, workmen's (old age) pension

nyugbéres a/n, (workman) living on a pension

nyugdíj n, (retiring) pension, retired pay, superannuation allowance; kiemelt ~ exceptional pension; öregségi ~ old-age pension; özvegyi ~ widow's pension; rokkantsági ~ disability pension; ~ nélküli unpensioned; ~ba helyez = nyugdíjaz; ~ba küld vkt pension sy off, [korhatárnál] superannuate sy; ~ba megy retire (on a pension), quit office, quit one's job, quit (US), (kat) leave the service; ~ba menés/ menetel retiring, retirement on pension; ~ba menő retiring (officer), retirer; ~ban részesít grant/pay a pension to, pension; ~ban van be retired, be on the retired list, be receiving a pension, be a pensionary/ pensioner; ~ra jogosító pensionable; ~at ad grant/ pay a pension to, pension; ~at élvez/húz/kap be receiving a pension, be in receipt of a pension

nyugdíjalap n, retirement/retiring/superannuation fund, old-age pension fund

nyugdíjas I. a, retired, pensioned off (ut), superannuated, receiving a pension (ut), on the retired list (ut), pensionary, [tiszt] on half-pay (ut); korhatárhoz kötött ~ állás employment subject to an age limit with pension II. n, pensioner, pensionary, (kat) half-pay officer; ~ok (old age) pensioners; ~ok jegyzéke retired list

nyugdíjaz [-tam, -ott, -zon] vt, pension (off), retire, put/place on the retired list, [nyugdíjjal elbocsát] discharge (with a pension), [korhatárnál] superannuate, [tisztet] put an officer on half-pay; ~tatja magát ask to be retired, ask to be put on the retired list

nyugdíjazás n, pensioning (off), retiring, retirement, putting/placing on the retired list, [korhatárnál] superannuation, [tisztté] pensioning; hivatalból történő ~ compulsory retirement

nyugdíjazási a, ~ kérelem/kérés pension claim, request for being put on the retired list; ~ kor age of retirement

nyugdíjazható a, pensionable; nem ~ unpensionable

nyugdíjazott a, retired, pensionary

nyugdíjaztatás n, retiral

nyugdíjegyesület n, (kb) mutual pension company, voluntary old-age pension scheme, [néha] provident/friendly society

nyugdíjellátás n, provision for pensions

nyugdíjélvezet n, (kb) enjoyment of pension

nyugdíjhátralék n, arrears of pension (pl)

nyugdíjigény n, claim/right/title to a pension

nyugdíjintézet n, (kb) pensions office; Állami Ny~ National Pensions Office

nyugdíjjárulék n, superannuation money/tax, [levont] sum kept back for the superannuation fund, contribution to the pension/superannuation fund, contribution to retirement pension (v. old-age) funds

nyugdíjjogosult I. a, pensionable, entitled to pension (ut), entitled to receive a pension (ut) II. n, pensioner

nyugdíjjogosultság n, claim/right/title to receive a pension, pensionability

nyugdíjképes a, pensionable; ~ kor retiring age

nyugdíjkor n, pensionable age

nyugdíjkorhatár *n*, retiring age

nyugdíjszabályzat *n*, pension/superannuation regulations/rules *(pl)*

nyugdíjtalan *a*, pensionless

nyugdíjtörvény *n*, superannuation act

nyugdíjügyi *a*, of/concerning pensions/superannuation *(ut)*; ~ *miniszter* minister of pensions

nyugellátás *n*, retiring allowance, pension, *[öregeké]* old-age pension

nyugellátmány *n*, retiring allowance

nyughat [-tam, -ott, .. asson, .. assék] *vi*, be able to rest; *egy percig sem* ~ *[ő maga]* can't keep still/quiet for a moment, he's a fidget, *[mást nem hagy]* give sy no peace, will not let sy alone, not to leave sy in peace; *nyughass már!* do keep still!, be quiet!, *[gyerekhez]* don't fidget!

nyughatatlan *a*, unable to rest *(ut)*, unable to keep quiet *(ut)*, restless, nervous, fidgety, (person) always *(v.* for ever) on the go *(ut)*, *[főnévvel]* a rolling stone, *(tréf kif)* like a cat on hot bricks, like a hen on a hot girdle; ~ *természetű* be forever on the move, he cannot settle with anything

nyughatatlankod|ik [-tam, -ott, -jon, -jék] *vi*, be restless, fidget, fiddle, wriggle, bustle about, be forever on the move

nyughatatlanság *n*, restlessness, disquiet, fidgetiness, fidgeting, intranquility; *ld még* nyugtalanság

nyughely *n*, = nyugvóhely

nyugi *int*, *(biz)* ~! take it easy!, don't fear!, don't make a fuss!, keep your hair/shirt on!

nyugodalmas [-at; *adv* -an] *a*, tranquil, peaceful, restful; ~ *életet él* live in a quiet way; ~ *jó éjtszakát!* good night and (have) a good rest!

nyugodalom [.. lmat, .. lma] *n*, rest, repose, peace, quiet

nyugodt [-at; *adv* -an] *a*, *(ált)* tranquil, restful, quiescent, undisturbed, *[békés]* placid, even, peaceful, secure, *[arckifejezés]* impassive, composed, *[élet]* comfortable, *[ember]* imperturbable, staid, steady, settled, unimpassioned, disimpassioned, unimpulsive, unperturbed, dispassionate, self-possessed, sedate, good-tempered, *[lelkiismeret, lélek]* undisturbed, untroubled, unruffled, easy, *[magatartás]* composed, *[megnyugodott]* reassured, *[modor]* composed, *[tenger]* calm, still, quiet, untroubled, *[természet]* quiet, *[város]* peaceful; ~ *arcvonások* features in repose; ~ *átkelés [vizen]* a smooth crossing/passage; ~ *éjszakája volt [betegnek]* he had a comfortable night; ~ *élet* sheltered/comfortable life; ~ *ember* a man of poise; ~ *járás/üzemelés [gépé]* smooth working; ~ *járású [ló]* steady-going; ~ *légkör* atmosphere of calm; ~ *lélekkel* with a clear/clean conscience, in (all) conscience, *(elit)* without the slightest compunction/scruple, having/making no scruples, in cold blood; ~ *lélekkel mondhatom/állíthatom hogy* . . . I can safely say that . . .; ~ *lelkiismerettel* with a clean/clear/safe conscience, with an easy conscience; ~ *marad* keep calm; ~ *vm felől* be easy about sg, make oneself easy about sg, make one's mind easy about sg; ~ *lehet afelől hogy* you may rest assured that; ~ *lehet afelől hogy pontos leszek* you may rely upon it that I shall be punctual, you may rely upon my being punctual; *efelől* ~ *vagyok* my mind is at rest about the matter, as to that I have no fear, as to that I am without misgivings; *legyen* ~ (you may) rest assured (that), set your mind at rest/ease, make yourself easy about it/that *(v.* on that point), have no fear *(fam)*, don't you fear! *(fam)*

nyugodtan *adv*, 1. tranquilly, calmly, quietly, peacefully, coolly, on an even keel; *csak* ~! steady (on)!, gently (does it)!, take it easy!, take your time!; ~ *alszik* sleep soundly, sleep in peace, sleep the sleep of the just; ~ *él* live in peace/tranquillity, live a quiet/peaceful life; ~ *marad* keep still/quiet 2. *(biz)* safely; *menj csak* ~, *elmehetsz* ~ you just go on/there, you may safely go; *elmehetek?* ~! *[minden további nélkül]* may/can I go? of course; *egész* ~ *abbahagyhatja* you may safely stop it

nyugodtság *n*, tranquillity, stillness, quiet(ude), calm(ness), peace of mind, placidity, composure,composedness, sedateness, imperturbability, impassiveness, *[vízfelületé, időjárásé]* smoothness

nyugosztal [-t, -jon] *vt*, *(az) Isten* ~*ja* God rest his soul (in peace), may he rest in peace *(röv.* R.I.P.)

nyugovó [-t], *n*, ~*ra hajt [fejet]* repose (one's head swhere); ~*ra tér* go/retire to bed/rest, retire for the night, repose oneself, turn in *(fam)*

nyugság *n*, = nyugalom; *nincs tőle* ~*a* he gives him no rest/peace

nyugszék *n*, sling/folding chair, deck-chair

nyugsz|ik [nyugodni, nyugodtam, nyugodott, nyugodjon, nyugodjék] *vi*, 1. *[pihen]* lie, take a rest, rest, repose, *[csillapodik]* calm down, *[vihar/szél stb.]* abate; *nem hagyja nyugodni* give sy no respite, keep sy on the alert; *addig nem* ~*ik míg* he will not rest till; *nyugodjék békében* let him rest in peace, may he rest in peace, peace to his ashes/memory/soul/spirit; *itt* ~*ik . . .* here lies . . . (burried) 2. *(vmn)* rest upon, be based upon 3. *[szünetel]* be at standstill

nyugta¹ [.. át] *n*, receipt, (ac)quittance, discharge, voucher; ~ *ellenében* against a receipt; *nyugtát állít ki (v. ad)* vmről give a receipt for sg, make out a receipt for sg

nyugta² [nyugtom, nyugtod, nyugtunk, nyugtát] *n*, 1. peace; *nincs* ~ *míg* not stop/rest till; *nincs* ~ *vktől* he never gives sy a moment's grace, he won't give him any peace, he will not leave sy in peace; *nincs* ~ *vm miatt* be upset about sg 2. *[napé]* (sun-)set; *nyugtával dicsérd a napot* do not count your chickens before they are hatched, don't halloo till you are out of the wood, first catch your hare then cook him, do not praise the day before/till it is over, don't whistle before you're out of the wood, we are not out of the wood yet, there's many a slip 'twixt the cup and the lip

nyugtabélyeg *n*, receipt-stamp

nyugtafüzet *n*, = nyugtakönyv

nyugtakönyv *n*, receipt-book, duplicating-book

nyugtalan *a*, unquiet, restless, *[álom]* troubled, unrestful, broken, *[beteg éjszaka]* agitated, *[ember]* bustling, restless, for ever on the go, hectic *(fam)*, *[nép]* excitable, *[életmód]* unsettled, hectic, stormy, *[szellem]* turbulent, *(vm miatt)* anxious, disquieted, apprehensive, uneasy, worried, feeling ill at ease *(ut)*. showing concern *(ut)*, uneasy in one's mind *(ut)*, *[nagyon]* alarmed, *[izgő-mozgó]* fidgety; ~ *vk miatt* show concern about sy, be anxious about *(v.* concerned for) sy, feel ill at ease about sy; ~ *álom* broken sleep; ~ *éjszaka* a restless night; ~ *érverés* flurried pulse; *a minta* ~ *hatást kelt* the design looks too busy; ~ *(lelki)állapot* nervousness; ~ *lelkiismeret* uneasy conscience; ~ *tenger* rolling/ruffled/lumpy/rough sea; ~ *természet* restless soul/mind/brain, turbulent spirit

nyugtalanít [-ani, -ott, -son] *vt*, make sy uneasy/anxious, disquiet(en), trouble, disturb, make sy feel uncomfortable, cause misgivings, put about/out, flutter, perturb, worry, *[nagyon]* alarm, *[ellenséget]* harass, annoy; *vm* ~*ja* she has sg on her mind; *vm nagyon* ~*ja* be upset about sg; ~ *a tudat (hogy)* it frets me to know

nyugtalanítás *n*, making sy uneasy/anxious, disquieting, troubling, disturbing, perturbation, worrying

nyugtalanító [-t; *adv* -an] *a*, making/rendering uneasy/

anxious *(ut)*, disquieting, alarming, perturbing, perturbative, disturbing, uncomfortable, troubling, upsetting, unsettling, worrying, vexing, perplexing, vexatious, agitating, *[nagyon]* alarming, startling, *(kif)* it gives cause to alarm; ~ hírek disquieting news

nyugtalanítóan *adv*, disquietingly, troublesomely

nyugtalankodás *n*, = nyugtalanság

nyugtalankod|ik [-tam, -ott, -jon, -jek] *vi*, 1. *[izeg-mozog]* be/get/grow restless, *[gyerek]* fidget, wriggle 2. *[aggódik]* become anxious, be troubled, be/get uneasy, worry about, be worried/concerned about, be/feel uncomfortable (about), fret (oneself), feel/be il, at ease, take alarm (at), show great concern about sy/sg; *ne ~jék !* never mind!, set your heart at rest !; *nincs miért ~ni* it's nothing to worry about

nyugtalanság *n*, 1. restlessness, disquiet(ude), fidgetiness, flutter, unquiet(ness), *[aggódás]* uneasiness, anxiety, concern, worry(ing), *[testé]* inquietude, *[tengeré]* roughness; *~ot kelt* cause alarm 2. *[tömegjelenség]* unrest, agitation, disturbance, turbulence, turmoil, commotion; *a társadalmi ~* social unrest

nyugtalanul *adv*, ~ alszik be restless in one's sleep

nyugtaszelvény *n*, receipt-form

nyugtat *vt*, 1. *(vmn)* rest, repose 2. *(vkt, vmt)* calm (down), still, quiet, reassure, set at rest, tranquillize *(ref.)*, *[enyhít]* soothe, appease, allay, *[vigasztal]* comfort 3. † = nyugtáz

nyugtató I. *a*, ~ szín colour that rests the eyes II. *n*, *(orv)* sedative, tranquillizer

nyugtatószer *n*, sedative, tranquillizer

nyugtatvány *n*, = nyugta¹

nyugtáz [-tam, -ott, -zon] *vt*, give sy a receipt (in full), give a receipt (for sg), acquit, *[átvételt]* acknowledge (receipt of), *[számlát]* receipt (a bill)

nyugtázás *n*, az átvétel ~a notice of receipt

nyugton *adv*, at rest, in peace, quiet, still; ~ hagy leave sy in peace, let/leave sy alone; *nem hagy ~ ez a kérdés* that problem has been bothering me; *nem hagy ~ vkt [gondolat]* work on sy's mind; ~ marad/van keep still/quiet, hold one's peace, rest

nyugtot *n*, *nem hagy ~ vknek* give sy no peace, *[gondolat]* work on sy's mind, be tormented by

nyugvás *n*, rest(ing), repose, reposing, *(átv)* peace, rest, *[mozgásnélküliség]* immobility, motionlessness, standstill, *[jogé]* abeyance, state of suspension; *nincs ~a* have no rest/repose/peace

nyugvó [-t; *adv* -an] I. *a*, resting, reposeful, lying at rest *(ut)*, quiescent, *(fiz, műsz)* static, *[test, anyag]* inert, *[nap]* setting (sun), *(jog)* in abeyance *(ut)*, inchoate; ~ állapot quiescent stage; ~ hagyaték/örökség vacant estate; ~ helyzet *(vké)* reclining position/posture, *(vmé)* standstill, position of rest; ~ jogigény dormant claim II. *n*, rest; *a nap ~ra hajol/száll* the sun is going down *(v.* setting)

nyugvóhely *n*, resting-place, place of retirement/repose, *[lépcsőn]* landing

nyugvójárat *n*, *[óráé]* dead(-beat) escapement

nyugvójel *n*, *(zene)* pause, fermata

nyugvópont *n*, rest, pause, point of rest, point where to rest, *[megállás, szünetelés]* standstill, *(műsz)* dead centre, *[emelőé]* fulcrum, *[súlypont]* centre of gravity; ~ra jut come to a rest

nyugvószék *n*, *[összehajtható]* folding/sling chair, deck-chair

nyújt [-ani, -ott, -son] *vt*, 1. *[bőrt]* rack, perch, set, *[fémet]* beat/hammer out, *[hengerléssel]* roll, draw, spread, *[hosszában]* lengthen, elongate, *[kalapáccsal]* malleate, *[lemezzé]* laminate, *[terjedelemben]* stretch, extend, distend, expand, *[tésztát]* roll out 2. *[kart]* stretch out, *[kezet]* stretch/hold out, proffer, *[összefogásra]* join (hands with), *[tárgyat vknek]* pass,

offer, hand; *ajkát csókra ~ja* offer one's lips 3. *[elnyújt beszélgetést]* prolong, protract, *[elbeszélést]* lengthen, dilate/enlarge upon, spin out, *[hangot]* hold (on), *[írást]* lengthen, dilate/enlarge upon, spin out, *[magánhangzót]* lengthen, *[szavakat]* drawl (out), *[szót, szótagot]* dwell upon, *[témát]* lengthen, dilate/enlarge upon, spin out, *[ügyet]* go on very slowly with, drag on; *a végtelenségig ~ja* there is no end to it, we shall never hear the end of the matter 4. *[átv alkalmat]* afford, provide, *[bizonyítékot]* furnish, adduce, *[biztonságot]* furnish, supply, provide, *[előleget vmre]* advance (sy money on sg), *[előnyt, kényelmet]* offer, *[elsősegélyt]* give, apply (first-aid), *[élvezetet]* afford, give (pleasure), *[felvilágosítást]* give, furnish (sy with), *[halasztást]* give (grace), *[hitelt]* grant (credit), credit, *[kölcsönt]* grant, *[látványt]* command, offer, present, yield, *[reményt]* hold out (hope), give (encouragement); *segítséget ~* render help, lend aid, come to sy's assistance, stretch out *(v.* lend) a helping hand to sy

nyújtás *n*, 1. *(ált)* stretching, extending, extension, lengthening, elongation, *(orv)* extension, *[bőrt]* racking, *[fémet]* beating out, flatting, *[hengerléssel]* rolling, drawing, flattening, *[kalapáccsal]* malleation, *[lemezzé]* laminating, lamination, *[terjedelemben]* stretching, distending, expanding, expansion, *(tex)* draft, draught, drawing, *[vashuzalé]* flattening; *törött láb ~a* extension of a broken leg 2. *[felkínálás]* (pr)offering, *[kart, kezet]* stretching out, *[tárgyat]* handing, passing 3. *[hangé]* holding, *[időé]* prolongation, protraction, *[rövid szótagé]* ectasis, *[zenei]* extension of value 4. *[alkalmat]* affording, *[bizonyítékot, biztonságot]* furnishing, providing, *[előleget]* advancing, *[segélyt, hitelt, kölcsönt]* giving, grant(ing), *[segítséget]* rendering

nyújthatatlan *a*, inextensible, unstretchable

nyújtható *a*, extensible, expansible, dilatable, *[fém]* ductile, drawable, rollable, malleable, *(fiz)* tensible, tensile; *két irányba ~* two-way stretch; *könnyen ~ acél* steel that rolls well

nyújthatóság *n*, extensibility, expansibility, *[fémé]* ductility, malleability, *(fiz)* expansibility, tensibility

nyújtó [-t, -ja] I. *a*, 1. *(vmt ált)* stretching, extending, lengthening, elongating, expanding, *[bőrt]* racking, *[fémet]* rolling, flatt(en)ing, drawing, stretching, *[lemezé]* laminating 2. *[átv felkínáló]* (pr)offering, handing, affording, granting II. *n*, 1. *(ált)* stretcher, drawer, *[bőrnek]* racker, *[pad]* draw-bench 2. *[munkás]* draw-bench worker 3. *[tornaszer]* horizontal bar 4. *[kínzóeszköz]* rack

nyújtóbőrszíj *n*, *(tex)* leather hose, rubbing leather, rub apron

nyújtódeszka *n*, pastry board

nyújtófa *n*, rolling -pin

nyújtófej *n*, *(műsz)* drawing-head, *(tex)* drawing frame head, drawhead

nyújtogat *vt*, keep stretching, stretch out several times; *nyakát ~ja* crane one's/the neck; *nyelvét ~ja* put/shove out one's tongue repeatedly

nyújtógép *n*, stretcher, stretching-machine, *(tex)* drawing-frame, *[lemeznyújtó gép]* stretch-leveller

nyújtógyakorlat *n*, exercise on the horizontal bar

nyújtógyűrű *n*, *(sp)* pull-ring

nyújtóhenger *n*, drawing-roller, draw-through drum, expanding drum

nyújtóizom *n*, extensor (muscle)

nyújtókalapács *n*, flatting/stretching hammer

nyújtókészülék *n*, stretcher, stretching device, *[nyújtódob]* drawing drum, *[hengersor]* flatting-mill

nyújtómű *n*, *(tex)* drawing mechanism; *nagynyújtású ~* high-draft mechanism

nyújtópad *n*, *(műsz)* draw(ing)-bench, *[kínzóeszköz]* rack

nyújtórúd *n*, pole, perch (of carriage)
nyújtott [-at; *adv* -an] *a*, **1.** *(ált)* stretched, extended, expanded, lengthened, *[fém]* rolled, beaten out, drawn; ~ *szalag (tex)* drawing frame sliver, drawing sliver **2.** *(átv) [beszélgetés stb.]* prolonged, protracted, spun out, *[hang]* held (on), *[vontatott]* drawling; ~ *magánhangzó* long vowel **3.** *[kínált, adott]* afforded, furnished, provided, offered, given, granted, rendered; *a neki* ~ *segítség* the aid (that has been) lent him, the assistance/help offered to him
nyújtóz|ik [-tam, -ott, -zon, -zék] *vi*, **1.** stretch oneself, stretch (one's limbs); *addig* ~*z ameddig a takaród ér* cut your coat according to your cloth; *addig* ~*ik a- meddig a takarója ér* make both ends meet, live within ones purse; *tovább* ~*ik mint ameddig a takarója ér* live beyond one's means **2.** *(sp)* exercise on the horizontal bar *(v.* on the ribstalls)
nyújtózkodás *n*, stretching (oneself), stretch
nyújtózkod|ik [-tam, -ott, -jon, -jék] *vi*, = nyújtózik **1.**
nyújtvány *n*, extension, tang, process
nyúl[1] [-t, -jon] *vi*, **1.** *(vhova)* put one's hand out for, *(vm után)* reach (out) one's hand for, stretch out one's hand after, *(vkhez, vmhez)* touch (sy, sg), *'ráteszi a kezét]* lay hands on; *zsebébe* ~ thrust/put one's hand into one's pocket, dive/reach in one's pocket; *ne* ~*j hozzá!* leave it alone!, don't (you) touch it!, don't interfere (with it)! **2.** *(átv vmhez)* resort to, have recourse to; *olyan eszközökhöz* ~ *amelyek* resort to means which, have recourse to measures that; *idegen pénzhez* ~ misappropriate/ embezzle/abstract/purloin money; *új fegyverhez* ~ adopt/introduce a new weapon
nyúl[2] [nyulat, nyula] *n*, *(áll)* hare *(Lepus sp.)*, *[nőstény]* doe-hare/rabbit, *[kan]* buck-hare, jack hare; *alpesi* ~ Alpine hare *(L. timidus varronis)*; *belga* ~ Belgian hare *[Leporidae család])*; *délangol mezei* ~ English brown hare *(L. europaeus occidentalis)*; *havasi* ~ blue hare *(L. Timidus)*; *mezei* ~ brown hare *(L. europaeus)*; *pampaszi* ~ viscacha *(L. maximus)*; *sarki* ~ Arctic/polar hare *(L. arcticus)*; *üregi* ~ rabbit, con(e)y *(Oryctolagus cuniculus)*; ~ *farka* hare's tail, scut; ~*ra vadászik* hunt/shoot hares, go rabbiting; *nyulat felver/felhajt* start a hare
nyulacska *n*, leveret, young rabbit/hare, bunny *(baby talk)*
nyúlajk *n*, *(orv)* hare-lip, cleft lip, lagostoma
nyúlajkú [-ak, -t] *a*, hare-lipped
nyúlánk [-ot; *adv* -an] *a*, slender, (tall and) slim, willowy, supple, lengthy, *[állat]* rangy; ~ *termetű* slenderly-built
nyúlánkság *n*, slimness, slenderness, suppleness
nyúlaprólék *n*, giblets of hare *(pl)*
nyúlarcú *a*, rabbit-faced
nyúlárnyék *n*, *(növ)* asparagus, sparrow-grass *(Asparagus officinalis)*
nyulas [-ok, -t, -a] **I.** *a*, rabbity, abounding in/with rabbits/hares *(ut)* **II.** *n*, *[terület, tenyészet]* rabbitry, rabbit warren/hutch, rabbit-farm
nyúlás[1] *n*, *(vm után)* reaching, *(vmhez)* touching
nyúlás[2] *n*, stretching, expansion, distension, extension, dila(ta)tion, lengthening; *rugalmas* ~ elastic extension
nyúlási [-ak, -t] *a*, ~ *határ* ultimate elongation, yield-point
nyúlásmérő *n*, *(műsz)* extensometer, extensimeter, tensometer
nyúláspróba *n*, *[anyagvizsgálatnál]* tensile stretch
nyúlászás *n*, rabbiting
nyúlász|ik [-ott, .. ásszon, .. ásszék] *vi*, rabbit, go rabbiting, hunt/shoot hares, *[kutyákkal]* course, go coursing
nyúlbak *n*, buck-hare, jack hare

nyúlbőr *n*, hare/rabbit-skin, con(e)y(-skin)
nyúlcipő *n*, *felhúzza/felveszi a* ~*t* have off/it, make oneself scarce, take to one's heels
nyúlcomb *n*, haunch of hare/rabbit, leg of a hare
nyúldomolykó [-t, -ja] *n*, *[halfajta]* dace *(Leuciscus leuciscus)*
nyúlékony [-at; *adv* -an] *a*, tensile, expansible, ductile,. *[rugalmas]* elastic, *(fiz)* expansible, *[készbőr]* stretchy
nyúlékonyság *n*, (tensile) elasticity, expansibility
nyúlfark *n*, **1.** *[nyúl farka]* hare's tail, scut (of a hare/ rabbit) **2.** *(növ)* hare's-tail grass *(Lagurus ovatus)*
nyúlfarkinca *n*, scut
nyúlfarknyi [-ak, -t] *a*, a tiny/wee bit, very short
nyúlféle *a*, leporine
nyúlfi [-ak, -t, -ja] *n*, *(ir)* young hare/rabbit, leveret
nyúlgát *n*, emergency-dam, hastily made dam
nyúlgerinc *n*, saddle of hare
nyúlhal *n*, *[tengeri]* lumpsucker, lumpfish, Cornish sucker *(Cyclopterus lumpus)*
nyúlhere *n*, *(növ) réti* ~ lady's finger(s) *(Anthyllis vulneraria)*
nyúlhús *n*, hare(-flesh/meat)
nyúl|ik [-t, -jon, -jék] *vi*, **1.** *[nő]* stretch, extend, expand, lengthen, dilate, *[szövet, kesztyű stb.]* stretch, give **2.** *(vmeddig)* reach (as far as), stretch: (out, away, southward etc.), *[dombsor]* sweep down, *[község hosszan elszórtan]* straggle, *[vidék]* spread **3.** *[beszéd/előadás hosszúra]* stretch, be prolonged/ protracted, be spun/drawn out, *[idő]* drag on: *hosszúra* ~*ik [írás stb.]* run to a great length
nyúlkál [-t, -jon] *vi*, keep (on) reaching (after/into sg), stretch out one's hand after sg repeatedly
nyúlkár *n*, damage done by rabbits
nyúlkenyér *n*, *(növ)* oxalis *(Oxalis)*
nyúlketrec *n*, rabbit-hutch/warren, rabbitry
nyúlláb *n*, hare's foot, harefoot, *[arcfestésre is]* pad
nyúló [-t; *adv* -an] *a*, **1.** *[táguló]* stretching; *nem* ~ inelastic **2.** *[vmeddig érő]* reaching to
nyúlodú *n*, rabbit-hole
nyúlós [-at; *adv* -an] *a*, tensile, viscid, viscous, sticky, *[bor, ital]* ropy, *[vastagon, rostosan]* stringy, *[nyálkás]* glutinous, *[kenyér]* clammy, sticky, doughy, *[tésztaféle]* clammy, runny, pasty
nyúlósodás *n*, becoming/getting tensile/viscid/viscous/ stringy/glutinous, *[bor]* becoming ropy, ropy fermentation
nyúlosod|ik [-tam, -ott, -jon, -jék] *vi*, become/get/ grow tensile/viscid/viscous/stringy/glutinous, *[bor]* become/get ropy
nyúlósság *n*, tensility, viscidity, viscosity, viscousness, *[boré]* ropiness, *[rostosan]* stringiness, *[nyálkásan]* glutinousness, glutinosity
nyúlpástétom *n*, hare-pie/paste
nyúlpecsenye *n*, roast hare
nyúlpörkölt *n*, *(kb)* stewed/jugged hare, stewed rabbit
nyúlprém *n*, rabbit-fur/skin, con(e)y
nyúlrágás *n*, damage done by rabbits
nyúlragu *n*, jugged/stewed hare
nyúlrekettye *n*, *(növ)* woad-waxen *(Genista tinctoria)*
nyúlsörét *n*, hare-shot, small shot for hare
nyúlszáj *n*, *(orv)* hare-lip, cleft lip, lagostoma
nyúlszájú *a*, hare-lipped
nyúlszapuka *n*, *(növ)* kidney-vetch, anthyllis *(Anthyllis)*
nyúlszerű *a*, rabbity
nyúlszívű *a*, rabbit/pigeon/chicken/faint/liver-hearted,. milk/lily/white-livered, rabbity; ~ *ember* rabbit
nyúlszívűség *n*, faint/weak-heartedness
nyúlszőr *n*, rabbit's hair/wool; ~ *kalap* fur-felt hat
nyúlszőrfilc *n*, rabbithair-felt, fur-felt
nyúlt [-at; *adv* -an] *a*, *hosszúra* ~ longspun

nyúltagy n, (bonct) medulla oblongata (lat)
nyúltagyi a, ~ híd (bonct) Pons Varolii
nyúltelep n, rabbit-warren/farm
nyúltenyészet n, rabbit-farm/warren
nyúltenyésztés n, rabbit-breeding
nyúltenyésztő n, rabbit-farmer
nyúltvelő n, (bonct) myelencephalon
nyúlüreg n, rabbit-burrow/warren
nyúlvadászat n, rabbit/hare-shooting, [hajtás] hare-
-hunting, [agárral] coursing
nyúlvány n, extension, continuation, prolongation,
complement, [földé] tongue, [tengeré] arm, [szikláé,
hegyé] spur, foothills (pl), [geol és csonté] apophysis,
process, appendix, appendage, (épít) projecture
nyúlzanót n, (növ) Spanish grass (Spartium)
nyurga [.. át] a, lank(y), long-legged, lathy, leggy,
[kamasz] spindly, overgrown, gangling (US);
~ fickó lanky-legs, spindle-shanks
nyuszi [-t, -ja] n, bunny
nyuszika n, = nyuszi
nyuszt [-ot, -ja] n, (áll) pine-marten (Martes mar-
tes)
nyúz [-tam, -ott, -zon] vt, 1. [bőrt] skin, flay, [fókát]
sculp, excoriate (ref.) 2. [koptat, nyű] wear sg
threadbare, wear the same clothes every day;
~za a ruháját be hard on one's clothes 3. [alkalma-
zottat] sweat, practice exaction upon sy, [lovat]
jade, [vevőt, ügyfelet] fleece, [népet] grind down,
[hangszert] murder
nyúzás n, 1. [bőrt] skinning, flaying, excoriation
(ref.) 2.[alkalmazottat] sweating, [népet] grinding
down, [vevőt] fleecing, [lovat] jading
nyúzó [-t, -ja] I. a, 1. [bőrt] skinning, flaying, excoriat-
ing (ref.) 2. [alkalmazottat] sweating, [vevőt]
fleecing, [népet] grinding down, exploiting
II. n, 1. [bőrt] skinner, flayer 2. [alkalmazottat]
sweater, slave-driver, tormentor, tyrant, exploiter,
[vevőt] fleecer
nyúzókés n, knacker's knife
nyúzott [-at; adv -an] a, 1. [bőr] skinned, flayed,
excoriated (ref.) 2. [ruha] worn out 3. [ember]
worn out, worn with care, [arc] peakish, peaked,
peaky, haggard, [vevő] fleeced; ~ képű half-faced;
~nak látszik he looks drawn/haggard (v. fagged out)
nyúzottság n, peakiness
nyű¹ [-vet, -ve] n, maggot, worm; annyi mint a ~
as pebbles on the shore, as stars in heavens
nyű² [nyűvök, nyűsz, nyűttem, nyűtt, nyűjek, nyű-
jön] vt, 1. [ruhát] wear down/out/threadbare, wear
to rags, wear into holes; ~vi a ruháját be hard on
one's clothes 2. (átv) use up/roughly 3. [lent, ken-
dert] pull up/out
nyűg [-öt, -e] n, 1. [lóra] hobble, hopple(s), trammel,
leg-strap, [béklyó] fetter, shackle, [tehénre fejéskor]
spancel 2. [átv teher] burden, load, [kellemetlenség]
bother(ation), nuisance, [baj] plague, pest, [aka-
dály] encumbrance, hindrance, impediment, drag,
obstacle, clog (upon), pull-back, plummet (fam),
[társas életé] trammels (of) (pl); ~ vk nyakán/
számára be a drag on sy, be a clog upon sy; valóságos
~ rajtam a millstone round my neck; micsoda ~!
what a nuisance/fag!
nyűglőd|ik [-tem, -ött, -jék] vi, drudge

nyűgös [-et; adv -en] a, (átv) peevish, grumpy, petu-
lant, fretful, trying, tiresome, vexatious, troublesome,
plaguy (fam), bothersome (fam), [gyerek] fractious,
whining, whimpering, [zsémbes] surly, grumbling,
grouchy, ill-humoured; ~ ember grumbler, grouser,
groucher
nyűgösen adv, peevishly, fretfully, grumpily, fussily
nyűgösködés n, peevishness, petulance, grumbling,
grouse, grousing, grouch(ing), grizzle, [gyereké]
whining, whimper(ing)
nyűgösköd|ik [-tem, -ött, -jön, -jék] vi, be peevish/
petulant/trying/vexatious/burdensome/troublesome/
fretful/bothersome, [gyerek] be fractious/whining/
whimpering, whimper, whine, [nyavalyog] grizzle,
[morog, zsémbel] grumble, grouse, grouch, fuss
nyűgösség n, peevish/petulant/vexatious/troublesome/
fretful/grumbling/grousing character/nature, peevish-
ness, petulance, grumpiness, grumble, fretfulness
nyűgöz [-tem, -ött, -zön] vt, [lovat] hamshackle
nyüst [-öt, -je] n, (tex) heddles (pl), heald(s), shaft
nyüstbefűzés n, (tex) drawing-in
nyüstbefűző a, ~ tű (tex) heddle-hook
nyüstfonal n, (tex) heald (yarn), heddle
nyüstfűző a, ~ nő (tex) healder
nyüstkészítő n, (tex) heald-knitter, heddle-maker
nyüstösgép n, (tex) dobby
nyüstszál n, (tex) heald, heddle
nyüstszem n, (tex) heald, heald/heddle/warp-eye
nyüstszerelő n, (tex) harness-fixer
nyüstzsinór n, (tex) heald, heddle
nyüstzsinórozás n, (tex) [jacquard-gépen] cording
nyüszit [-eni, -ett, -sen] vi, whimper, whine, squeak;
~ve whimperingly
nyüszítés n, whimper(ing), whine, whining, squeak(ing)
nyüszítő [-t] a, [hang] wimpering, squeaky
nyűtt [-et; adv -en] a, [ruha] threadbare, pileworn,
worn, shabby, out at elbows, down-at-heel
nyüves [-ek, -t; adv -en] a. maggoty, full of maggots
(ut), infected with maggots (ut)
nyüvés n, 1. [ruháé] wearing out/down, wear and tear
2. [kenderé, lené] pulling
nyüvesed|ik [-ett, -jen, -jék] vi, become/get maggoty
nyüzsgés n, swarming, teeming, surging, seething,
bustle, pullulation, [tömegé] milling, the ceaseless
come and go, [férgeké] wriggling, crawling
nyüzsgő [-t; adv -en] a, swarming, teeming, seething,
bustling, [féreg] wriggling, crawling, (vmtől) alive
(with pullulation), abounding (with sg); ~ hely
(átv) hive
nyüzsgölőd|ik [-tem, -ött, -jön, -jék] vi, crawl, swarm,
be alive. buzz about, [nyugtalankodik] be restless,
swarm, teem, surge, seethe, pullulate, [féreg] crawl,
wriggle, infest sg; ~ vmtől swarm/teem with, be
alive with, be crowded, mill
nyüzsög [-tem, ... zsgött, -jön] vi, swarm, teem, seethe,
pullulate, bustle (about), [féreg] crawl, wriggle,
infest, [ember társadalmilag] have ants in the pants
(US); nyüzsögnek benne a férgek, ~ a férgektől
crawl with vermin; ~ vmtől swarm/teem with sg,
be alive with sg, abound with sg; fejében vmnek az
új ötletek/eszmék his brain teems (v. is teeming)
with new ideas; ~ vk körül be all over sy; vk ~ vhol
(átv) (kb) creep, be too much in evidence

O, Ó

o, ó [-o-t, o-ja, ó-t, ó-ja] *n*, *[betű]* o, ó, the letter o/ó *kis o/ó-val ír* write with small o/ó; *nagy O/Ó-val ír* write with capital O/Ó
ó¹ *int*, o!, oh!, ah!; ~ *igen!* o yes; ~ *jaj!* dear me!
ó² *a*, *[régi]* old(en), ancient, antique, *[érett]* mellow
óangol *a*, Old English, Anglo-Saxon
óarany *a/n*, old/dead gold
óáz|ik [-tam, -ott, -zon] *vi*, *[csecsemő]* howl
oázis [-ok, -t, -a] *n*, oasis
oázisi [-ak, -t] *a*, oasitic
óbégat [-tam, -ott, .. asson] *vi*, lament, yammer, wail, moan, cry aloud
óbégatás *n*, lamentation, lamenting, yammering, wail(ing)
obeliszk [-et, -je] *n*, *[épít]* obelisk, spine, needle
óbester [-ek, -t, -e] *n*, † colonel *(stand.)*
obi-ugor *a/n*, Ob-Ugrian, Ugrian of the Ob
objektív [-et; *adv* -en] I. *a*, objective, *[elfogulatlan]* impartial, detached, unbias(s)ed, dispassionate; ~ *nehézség* real/objective difficulty; ~ *valóság* objective reality
II. *n*, *[tárgylencse]* objective, object-glass/lens; *beépített* ~ *(fény.)* *[boksz gépen]* fixed focus lens; *hosszú gyújtótávolságú* ~ long focus lens; *kis fényerejű* ~ low power/speed lens; *nagy fényerejű* ~ high speed lens; *nagy látószögű* ~ wide angle lens
objektivál [-t, -jon] *vt*, *(fil)* objectify, exteriorize
objektiválás *n*, *(fil)* objectivation, exteriorization
objektíve *adv*, objectively, from an unbias(s)ed point of view, taking an independent view
objektívfoglalat *n*, lens mount, barrel of lens
objektivitás *n*, objectivity, objectiveness, impartiality, detachment, dispassionateness
objektivizmus *n*, objectivism
objektívsapka *n*, *(fény.)* lens cap
objektívtartó *n*, *(fény.)* lens-holder/panel
objektum [-ot, -a] *n*, 1. *[tárgy]* object, thing, article 2. *[ingatlan]* real estate; *beruházási* ~ *[létesítmény]* project
obligát [-ot; *adv* -an] *a*, *[kötelező]* obligatory, required, obliged, compulsory, *[szokásos]* usual, habitual, customary, traditional, *[elmaradhatatlan]* inevitable; ~ *parazita (növ)* obligate parasite, a parasite for which parasitism is imperative
obligó [-t, -ja] *n*, obligation, commitment, duty, liability; ~ *nélkül* without responsibility/guarantee, free from liability; ~*ban van* be under oligation (to), be committed (to)
oboa [.. át] *n*, oboe, hautboy
oboajátékos *n*, oboist
oboás *n*, oboist
óbor *n*, old/vintage wine
obsit [-ot, -ja] *n*, † discharge (of soldier) *(stand.)*, dismissal *(stand.)*
obsitos [-ok, -t, -a] *n*, † discharged soldier *(stand.)*, veteran *(stand.)*
obskúrus *a*, obscure, *[nehezen érthető]* abstruse, *[sze-*

mélyről] unknown; ~ *alak* shady character/customer, a dark horse *(fam)*
obstruál [-t, -jon] *vt/vi*, obstruct, retard, hinder, *[parlamentben]* use obstructive methods, filibuster *(US)* ; ~ *egy törvényjavaslatot [parlamentben]* block a bill
obstruálás *n*, obstruction, filibustering *(US)*
obstruáló [-t, -ja] *n*, obstructionist, filibusterer *(US)*
obstrukció [-t, -ja] *n*, obstruction, *[parlamentben]* obstructive tactics *(pl)*, filibuster(ing) *(US)*
obstrukciós [-at; *adv* -an] *a*, ~ *személy* obstructionist; ~ *politika* obstructionism
obszcén [-ek, -t; *adv* -ül] *a*, obscene, lewd, indecent, ribald, scurrilous, bawdy
obszcenitás *n*, obscenity, lewdness, indecency, bawd(r)y
obszervatórium [-ot, -a] *n*, observatory; *mágneses* ~ *[geofizikában]* (geo)magnetic observatory
obszidián [-ok, -t] *n*, *(geol)* obsidian
Óbuda *prop*, Old Buda ⟨ancient market town north of Buda incorporated in the city of Budapest in 1872⟩
obulus *n*, obol(us), farthing *(fam)*, mite *(fam)*
óceán [-ok, -t, -ja] *n*, ocean, sea; *átkel az* ~*on* cross the ocean; ~*okat összekötő* interoceanic
óceáni [-ak, -t] *a*, oceanic; ~ *áramlatok* ocean currents; ~ *fenék* ocean floor
Óceánia [.. át, .. ában] *prop*, † Oceania, the South Sea Islands *(pl)*
óceánjáró I. *a*, ocean-going, transatlantic II. *n*, *[hajó]* (ocean) liner, Atlantic liner
oceanográfia [.. át] *n*, oceanography
oceanográfiai [-ak, -t] *a*, oceanographic(al)
oceanográfus *n*, oceanographer
óceánontúli *a*, transoceanic, overseas
óceánrepülés *n*, transatlantic/transpacific flight
óceánrepülő *n*, 1. transatlantic/transpacific pilot, Atlantic flyer 2. *[gép]* transatlantic/transpacific plane, clipper
óceántan *n*, oceanography
ocelot [-ot, -ja] *n*, *(áll)* ocelot, tiger/leopard-cat *(Felis pardalis)*
ócsárlás *n*, slighting, disparagement, belittling, detraction, depreciation, dispraise, abuse, denigration *(ref.)*, running down *(fam)*
ócsárló [-t; *adv* -an] *a*, I. *a*, disparaging, slighting, belittling, abusive, detractory, depreciative, carping II. *n*, decrier, detractor, abuser
ócsárol [-t, -jon] *vt*, disparage, carp (at), belittle, speak disparagingly/slightingly (of), depreciate, decry, detract, dispraise, find fault with, denigrate *(ref.)*, run/cry down *(fam)*, crab *(fam)*
ócska *a*, old, worthless, rubbishy, trashy, *[elhasznált]* worn (out), cast off; ~ *áru* second-hand goods *(pl)*, jumble goods *(pl)*, lumber; ~ *bárka* an old hooker; ~ *ház* tumble-down house; ~ *könyv* second--hand book; ~ *limlom* old rubbish, odds and ends

(pl), lumber; ~ ruha shaddy/threadbare/old clothes (pl), cast off clothing, second-hand clothes (pl); ~ vicc stale joke, chestnut, Joe Miller

ócskapiac n, second-hand market, jumble-market, rag-fair, [Londonban] Caledonian market

ócskaruha-kereskedés n, old-clothes-shop

ócskás n, [bútorféléké] second-hand dealer, junk-shop keeper, junkman (US), [ruhakereskedő] old-clothes man, [őszeres] rag-and-bone man/merchant

ócskaság n, second-hand goods (pl), trash, worthless old stuff, lumber, rags and bones (pl), junk, odds and ends (pl), trumpery

ócskavas n, scrap/broken-iron, iron scrap, waste/old iron; ~nak elad sell for junk; ~nak való fit only for the scrap-heap (ut)

ócskavasas n, scrap(-iron) dealer, iron-monger

ócskavasérték n, break-value

ócskavashalom n, scrap-heap, junk-pile

ócskavas-kereskedés n, junk-shop

ócskavas-kereskedő n, scrap(-iron) dealer, junk-dealer, junkman

ócskavasraktár n, scrap yard

ocsmány a, 1. [visszataszítóan rút] ugly, hideous, heinous, nasty, foul, shocking, squalid, disgusting 2. [erkölcstelen] dirty, filthy, obscene, lewd; ~ beszéd bawdy/scurrilous talk, smut; ~ történet dirty story

ocsmányság n, 1. [cselekedet] nasty/dirty action, [rondaság] ugliness, hideousness, nastiness, foulness 2. [erkölcsi] obscenity, lewdness, [beszédé, tréfáé] smuttiness; ~okat beszél talk smut

ocsú [-t, -ja] n, tailings (pl), refuse of wheat, refuse grain, offal

ocsud|ik [-tam, -ott, -jon, -jék] vi, (vmből) come to, recover, awake (mind: from)

oda adv, dem, there, thither (ref.) : ~ és vissza there and back, back and forth, backwards and forwards, [jegy] return (ticket); amíg ~ voltam while (I was) away; sokáig volt ~ he was away/there for a long time; ~ az állásom! there goes my job!; ~ a pénzem! (all) my money is gone; nem ~ Buda! that won't do!; ~ se neki! never mind!

oda [..át] n, ode; ódákat zeng vkről (biz) hymn the praise of sy

odaad vt, 1. hand over/to, give, pass; ~ vmt vknek hand sg to sy, give sy sg, hand over sg to sg; ~om önnek ezt a könyvet [ajándékba] I give you this book as a present, I present you with this book; ~om két forintért I shall let you have it for two forints, [alkudozás után] we'll call it two forint (fam) 2. ~ja a lányát bestow the hand of one's daughter (in marriage) (upon sy), [esküvőn] give away one's daughter 3. ~ja magát [nő férfinak] give oneself to (sy), sleep with (sy), go to bed with (sy), yield to sy's desire 4. ~ja az életét (vkért/vmért) lay down one's life 5. ~ja magát egy feladatnak put one's mind to a task, devote oneself to a task, [érzelemnek] luxuriate in, indulge in, give oneself up to; ~ja a nevét vmhez lend one's name to (an undertaking)

odaadás n, 1. [átadás] handing over, giving, passing (to sy) 2. [érzés] devotion, devotedness, self--sacrifice/devotion, zeal, ardour, enthusiasm, fervour; ~sal dolgozik work with a will

odaadó [-t; adv -an] a, devoted, self-sacrificing/devoted, dedicated, enthusiastic, zealous, zestful, ardent, fervent, fervid; ~ gondoskodás devoted care

odaajándékoz vt, (vknek vmt) give away (as a present), make (sy) a present (of sg), present (sg to sy)

odaáll vi, 1. (vhová vk) post/plant oneself swhere, go and stand swhere, take up one's stand swhere; ~ vk elé plant oneself in front of sy, stand squarely in front of sy 2. [jármű hajóhoz, rakparthoz] haul alongside, come/draw alongside 3. [leereszkedik]

stoop/condescend to (doing sg); hát te ezekkel ~sz játszani? aren't you ashmed of playing with these fellows?

odaállít vt, 1. place, post (sg/sy swhere), [őrt] station 2. ~ példának set (sy) as an example

odaát adv. dem, over there, on the other side, opposite, across, yonder; ~ Angliában over in England

odaátról adv. dem, from over there, from the other side, from across the way

odább adv. dem, farther, further (away/on); 60 kilométerrel ~ 60 kilometres farther

odábbáll vi, = odébbáll

odábbtesz vt, put/place further off

odábbtol vt, push/shove further off

odabenn adv, dem, inside, in there, within

odabennt adv. dem, = odabenn

odabiceg vi, limp there/swhere, hobble up to

odabiggyeszt vt, (vmt) stick/place/hang on, (vmhez) add to, attach, append, affix, tag, tack (on) (mind : to sg)

odabocsát vt, (vkhez, vhová) admit (to), let (in/to), allow (sy) to approach (sg)

odaborul vi, ~ vk lábai elé throw oneself at the feet of, prostrate oneself before, [térdre] drop on one's knees; ~ vk keblére throw oneself into the arms of sy

odabúj|ik vi, (vkhez) snuggle into sy's arms, snuggle/cuddle up to sy, nestle (close) to sy

odacéloz vi, take aim at, level gun at

odacipel vt, carry/lug there

odacsábít vt, (vhová) entice, lure (sy swhere), [fondorlatosan] inveigle, [törbe] ensnare

odacsal vt, (vkt vhova) entice, lure, [törbe] decoy, ensnare, entrap, lure into a trap

odacsap vt, 1. (vmre) strike (at), hit, smite; ~ az asztalra bang (one's fist on) the table, (átv) put one's foot down 2. (vmhez vmt) hit against, [hozzátéve] add to

odacsatol vt, 1. [tárgyat vmhez] buckle, clasp (to), [iratot] attach, enclose (with) 2. [területet] annex (to) 3. (átv) join (to), link (with)

odacsempész vt, smuggle there

odacsíp vt, ~te az ujját he got his finger(s) stuck/snapped/caught in...

odacsődít vt, make (people) throng/flock there

odacsődül vi, (vhová) stream towards, crowd/flock/throng to (a place), form a crowd swhere

odacsúsztat vt, slip (sy sg); vmt ~ vk kezébe slip sg into sy's hand

odadob vt, 1. throw/fling/hurl to/down/away 2. (átv) throw over, desert, abandon, jilt; ~ja az állást resign one's position, give/throw up a job 3. ~ja magát vknek [nő] become sy's mistress, throw herself away on sy

odadől vi, (vmhez) lean up against, prop oneself against

odaég vi, 1. [étel] burn (on), get burnt, catch (in the pan), (kif) the bishop has put his foot in it (fam) 2. [elpusztul] perish in a fire, be lost in a fire

odaéget vt, [élelt] burn

odaenged vi, 1. (vkhez, vhová) = odabocsát; 2. (vknek vmt) = átenged

odaér vi, 1. = odaérkezik; 2. (vmhez) touch, come into contact with

odaereszt vt, (vhová) admit, let (sy) go there, let (sy) approach, let across/through, make way for

odaérkez|ik vi, arrive at, reach, come/get to, get there; iz perc alatt gyalog ~el you can walk it in ten minutes; mikorra érkezünk oda? when will we get/arrive there?, when will we reach the place

odaerősít vt, fasten/fix/attach/affix/tack/nail to, make (sg) secure, secure, [spárgával] tie (to), [kötéllel] rope (to); *csavarral* ~ *[vmnek a fedelét]* screw down

odaerősítés *n*, fastening, making fast (swhere), attachment

odaért *vt*, imply, add in thought, include (with sg in thought)

odaértve *adv*, including, inclusive of

odaes|ik *vi*, *(vhová)* fall there/swhere

odafagy *vi*, *(vhová)* freeze, be frozen to

odafejlőd|ik *vi*, *az ügy* ~*ött (hogy)* . . . things have come to such a pass (that)

odafeksz|ik *vi*, *(vhova)* lie down on; ~*ik vk mellé* lie down beside sy; *szépen* ~*ik [ruha]* fit

odafelé *adv*. *dem*, on the way there, on the outward journey, on the trip out, going out

odafenn *adv*. *dem*, up there, at the top, *[emeleten]* upstairs

odafent *adv*. *dem*, = **odafenn**

odafér *vi*, *(vhova)* find room swhere; *még ez* ~ there is still room for it; *nem fér oda* there is no room for it, it won't go in

odafércel *vt*, *(vmt vmhez)* baste/tack on, stitch lightly on

odaférköz|ik *vi*, *(vhova)* make/worm one's way into, gain access to, get round to, *(elit)* thrust oneself in, push in, insinuate oneself into, *[társaságba meghívatlanul]* gate-crash

odafigyel *vi*, *(vkre)* listen to, pay attention to, mark sy's words, pay heed to, give ear(s) to; *feszülten* ~ be all ears, listen with both ears; ~ *az iskolában* be attentive in school, pay attention at school; *nem figyel oda* he is not listening/attending, he does not listen, he pays no attention to it, it escapes him

odafoly|ik *vi*, flow towards, run/empty/discharge into

odafordul *vi*, turn to(wards)

odafurakod|ik *vi*, = **odaférkőzik**

odafut *vi*, *(vhova)* run (up) to, run there

odafülel *vi*, prick up one's ears, listen (closely)

odafüttyent *vt*, whistle (to); ~ *egy taxit* whistle (up) a cab

odafűz *vt*, fasten, tie to, attach, add to, lace (sg to sg)

odagondol *vt*, add in thought; *magát vhova* ~*ja* think of being swhere, be swhere in imagination

odagurul *vi*, roll there

odahagy *vt*, leave (behind), abandon, desert, forsake, *[állást]* quit, give/throw up, *[tárgyat elfelejtve]* leave behind, forget

odahajol *vi*, *(vkhez)* lean over to, bend towards

odahajt *vi/vt*, *[járművel, állatot]* drive there

odahallatsz|ik *vi*, be heard as far (away) as. . ., be audible, sound, penetrate to, carry, reach

odahallgat *vi*, = **odafigyel**

odahamisít *vt*, ~*ja az aláírást* fake the/sy's signature on (sg/document)

odahat *vi*, ~ *hogy* exert one's influence (to), do (sg) to the effect, intervene, work towards; *kérte hasson oda hogy* . . . asked him to exert his influence, asked him to do sg about it

odahaza *adv*. *dem*, at home; ~ *marad* stay at home; *nálunk* ~ with us (in our country), in our place, in my home town *(fam)* ; ~ *Magyarországon* back in Hungary *(fam)*

odahederít *vi*, *oda se hederít* not take the slightest notice of, pay no heed to, ignore completely, not bother about, not mind

odahelyez *vt*, 1. *(vmt)* put/lay swhere 2. *[állásba]* appoint (to an office), install (in), place, station (in/at)

odahív *vt*, *(vkt)* call sy, summon, *[jeladással]* beckon (to), motion (sy) to approach; ~ *egy taxit* hail/call a taxi

odahivat *vt*, send for, call in, *[telefonon]* phone for, have (sy) called/summoned

odahord *vt*, carry (to), take, *[járművön]* convey, transport (to)

odahoz *vt*, carry/take to, fetch

odahúz *vt*, 1. ~ *egy széket [asztalhoz]* draw/bring/pull up a chair (to the table) 2. *(átv, vkhez)* feel drawn towards sy, take sy's part, take sides with sy

odahúzód|ik *vi*, *(vmhez, vkhez)* draw up to, draw close, come near to, pull up at, nestle close (up) to sy

ódai *[-ak, -t; adv -an, -lag] a*, odic

odáig *adv*. *dem*, as far as (that/there), so far; ~ *jutott hogy* . . . *(átv)* he got to the point that/where . . .; ~ *van [örömtől]* be beside oneself (with joy), be in an ecstasy (of delight), *[fáradtságtól]* be exhausted/spent/fagged, *[kétségbeeséstől]* be in the last stage (of despair), be in utter despair, bowed down (with grief); *egészen* ~ *volt miatta* she was quite upset about it; ~ *merészkedett hogy* . . . he had the audacity/cheek/impudence to . . .

odaígér *vt*, promise (to give) to, pledge

odailleszt *vt*, *(vmt vmhez)* fit (in)to, adjust, adapt, conform (to), connect with, join on

odaill|ik *vi*, *(vmhez)* suit (sg), be suitable (for), be in place, be appropriate to, fit in with, be in keeping with, go with

odaillő *a*, in place *(ut)*, suitable, appropriate, *[találó]* pertinent; *oda nem illő* inappropriate, incongruous, inapposite, unsuitable, not fitting *(ut)*, out of place *(ut)*

odaint *vt*, *(vkt)* beckon to (sy) (to come), *[szemmel]* wink (sy) there, sign (sy) to a place

odaír *vt*, write on/there; ~*ja a nevét vmre* sign one's name, write/put one's name on/to, autograph

odairányul *vi*, tend/lead/conduct to, aim át, have a certain trend, be directed/drawn towards, take a certain direction/course; *minden igyekezetem* ~ *(hogy)* I do my utmost (to), I endeavour to do my best, I do my damnedest (to) *(fam)*

odaítél *vi*, *(vknek)* award to, adjudge, adjudicate, allot to, assign to, *[válóperben gyermeket]* award (the custody of a child), *[árverésen]* knock down (to); ~ *a legtöbbet ígérőnek (ker)* allot/award to the highest bidder; ~*i a pálmát vknek* assign the palm to sy

odaítélés *n*, awarding, award (of prize), adjudgment, adjudication, allotment, assignment, *[árverésen]* knocking down; ~ *legolcsóbb ajánlattevőnek* allocation to lowest tenderer

odajár *vi*, 1. *[gyakran egy helyre]* frequent (a place), haunt, visit a place frequently; ~ *vkhez* visit sy frequently, pay frequent calls on sy, see a good deal óf sy; *üzleti ügyben* ~ pay sy frequent calls on business 2. *[távol van]* be away (on a journey)

odajön *vi*, *(vhova)* come (up) to, approach, draw near, come in the vicinity of

odajut *vi*, 1. arrive at, reach, get to 2. ~*ott hogy* . . . *(átv)* he reached a/the point where . . ., things have come to such a pass that

odajuttat *vt*, 1. *[tárgyat elküld]* send, forward, dispatch 2. *(vkt átv)* get (sy) into (such a situation), bring (to)

odakacsint *vi*, wink there, *(vknek)* wink to (sy)

odakap *vi*, 1. *(vmhez)* seize, make a snatch/grab at, lay hold of, reach after, catch/grab at, *[kutya]* snap at 2. *[étel]* burn, get burnt, catch (in the pan)

odaken *vt*, 1. *[anyagot vhova]* smear, smirch, bedaub 2. *[ütést vknek]* give (sy) a smack, fetch/land (sy) a blow 3. *[vknek megjegyzést]* address a snappish remark to; ~*t vknek vmt* he unkindly remarked, he slipped/got in a dirty crack (about sg) *(fam)*

odakerül *vi*, *(vhova)* get swhere, find one's way to, reach swhere, arrive (at), come (to/upon), *[vk elé]* be brought/led before sy, be in front of sy

odakiált *vi*, call out to, shout across to (sy), hallo(o), hail

odakinn adv. dem, 1. [kívül] outside, outdoors, out of doors, away 2. [külföldön] abroad; milyen az élet ~? what is life like over there?

odakint adv. dem, = odakinn

odakinti a, 1. [kinti] outside, that is outside (ut) 2. [külföldi] (that is) abroad (ut) ; ~ élet life abroad

odakintről adv. dem, 1. from outside/without 2. [külföldről] from abroad

ódaköltészet n, (writing of) odes, solemn/exalted lyric poetry

ódaköltő n, odist, writer of odes

odaköltözés n, moving to

odaköltöz|ik vi, (re)move to; ~ik vkhez make one's home with sy; ~ik barátjához he moves (v. is moving) to (stay with) his friend, he is flitting to his friend's (home) (fam)

odaköszön vi, (vknek) greet/salute sy, [meghajlással] bow to, [férfi] take off one's hat (to), [biccentve] nod to (sy)

odaköt vt, 1. fasten, tie, bind, pinion, [állatot] tether, chain, [csónakot] moor (mind: to) 2. (átv) keep swhere; ügyei ~ik a városhoz his affairs keep him in town, he is detained in town on matters of business

odakötöz vt, bind, attach, tie, chain, pinion (mind: to)

odakuporod|ik vi, (vkhez) cuddle up to (sy), nestle (close) to (sy), nuzzle close/up to (sy)

odaküld vt, (vkt) send, dispatch, [kiküldetésben] delegate, [pénzt] remit, [árut] forward, dispatch, consign (mind: to)

odaláncol vt, chain there/to

odalapul vi, press oneself against

odalát vi, (vhová) see there, espy, descry

odalátsz|ik vi, is to be seen, be visible, be (with)in sight

odalenn adv. dem, down there, [épületben] downstairs

odalent adv. dem, = odalenn

odalép vi, (vkhez) step/come/go/walk up to (sy/sg), approach (sy/sg)

odalesz vi, 1. [elpusztul] perish, get lost/destroyed; odalett a termés the harvest/crop was lost, the crop got destroyed 2. odalett a pénze he (has) lost/spent his money, he is broke (fam) 3. [érzelmileg] be dismayed, be in despair, be beside oneself; ~ ha megtudja he will be terribly upset when he hears of it 4. [távol lesz] be away/absent/out; két hétig ~ (he will) be away for two weeks

odaliszk [-ot, -ja] n, odalisque, odalisk

odalopódz|ik vi, steal towards, slink up to, make one's way stealthily towards, sneak/creep up to

odalő vi, shoot/fire at

odalök vt, (vknek vmt) throw, chuck

odamarad vi, (vk) remain/stay away; sokáig ~ stay away too long, stay beyond one's time

odamegy vi, go to, make one's way to, make for (a place), betake oneself to, repair to, [kocsin] drive to, [hajón] sail to, [vm felé] head towards, make one's way towards, approach; ~ vkhez approach sy, go/walk/step up to sy

odamenekül vi, escape/flee there

odamenet adv. dem, on the way there, en route (fr)

odamerészked|ik vi, 1. (vhova) venture (swhere) 2. [szemtelenségben] dare, presume, have the audacity/cheek to

odamódosít vt, modify/change/alter in a certain way/sense, amend (to the effect that)

odamódosul vi, be changed/altered/modified in a certain/way/sense, be amended (to the effect that)

odamond vi/vt, (vknek) give sy a piece/bit of one's mind, tell sy one's mind, let sy know one's mind, make nasty remarks on sy to his face, address a snappish remark to sy, snap at sy, tell sy some home truths (fam), have a hit/tilt/fling at sy (fam)

odamondogat vi/vt, (vknek) = odamond

odamutat I. vi, (vmre) point at/to/out, indicate, show II. vt, (vmt) show up

odanéz vi, 1. (vkre, vmre) (cast a) glance at, look at, give (sy/sg) a look; ne nézz oda! do not look (now)!, take no notice of it; odanézz! look!, [csodálkozást kifejezve] well(,) I never!, well(,) well! 2. oda se néz vmnek make light of sg, make light of a matter, not to care a rap/straw/fig/pin/damn, keep a stiff upper lip 3. holnap ~ek hozzátok I shall look you up tomorrow, I shall drop in on you tomorrow

odanő vi, 1. (vmhez) grow/adhere/stick to; úgy ül a nyeregben mintha ~tt volna he sits as if he were part of the animal 2. ~tt a szívéhez he grew fond of sy, she became dear to him

odanőtt [-et; adv -en] a, (növ, orv) adnate

odanövés n, adherence, adhesion, (növ, orv) adnation

odanyilatkoz|ik vi, express oneself to the effect that, make a statement to the effect that, make oneself/sg understood

odanyom vt, press to (sg)

odanyújt vt, (vknek vmt) hand to, reach over, offer, [kezet stb.] hold out

odanyúl vi, reach there

odaoml|ik vi, (vkhez, vmhez) fall prostrate at, throw oneself at the feet of, (vmre) drop on

odaomol vi, = odaomlik

odaóvakod|ik vi, sidle up to, approach cautiously

odaöml|ik vi, [folyó stb. vmbe] empty/flow/discharge into (sg)

odaömöl vi, = odaömlik

odaönt vt, pour/dump there

odaözönl|ik vi, 1. [víztömeg] pour into, stream, surge, rush, gush 2. [nép] crowd/flock/throng to, pour into

odapillant vi, look towards, (cast a) glance at, take a peep at, take a quick look at, cast one's eyes on

odaragad vi, (vmhez) stick, adhere closely, cleave cling (mind: to)

odaragaszt vt, (vmhez) paste, stick, glue, cement, lute (mind: on/to)

odarak vt, put/lay/place swhere (v. on sg)

odarendel vt, (vhova) order (sy) to come to, send for (sy), call in (sy), summon (sy); ~i a kocsit order the car(riage) swhere/round

odarepül vi, fly swhere/to, [csak madár vmre] alight on

odarohan vi, (vkhez) rush/dash up to (sy)

odarögzít vt, fix, fasten (down), (make sg) secure, [karót] make fast

odarúg vt, [labdát stb.] kick to

odaaseregl|ik vi, crowd/flock/throng to, stream towards, pour into

odasettenked|ik vi, sneak up to (to)

odasiet vi, (vhova) hasten/rush/hurry to, run up to

odasimul vi, 1. (vkhez) press/nestle close to, cling to, cuddle/snuggle up to, snuggle into (sy) 2. [ruha] fit (tightly)

odasompolyog vi, (vkhez) sidle up to

odasóz vi/vt, (vknek) hit/slap/strike/clap sy, deal/fetch (sy) a blow; ~ egy pofont vknek smack sy's face

odasúg vt, (vknek vmt) whisper sg to sy, drop a word in sy's ear, tell sg in a whisper, speak (v. say sg) to sy under one's breath

odasújt vi/vt, strike a blow (swhere)

odasül vi, [étel] burn, get burnt/caught, catch (in the pan); ~t a burgonya the potatoes have caught

odasüt I. vi, ~ a nap the sun is shining swhere II. vt, szégyenbélyeget ~ vkre brand sy on the face

odaszagol vi, 1. (konkr) smell/sniff at 2. oda se szagolt he did not even look at it, he did not care to go there, he did not bother to deal with it odaszalad vi, (vhova) hasten/rush to, (vkhez) run (up) to sy

odaszállít vt, take/deliver swhere, take/deliver to sy's house, forward to,[elszállít] transport, convey, transfer, carry

odaszámít n, (vmhez) include (sg) in one's reckoning/calculation

odaszán vt, intend/mean (sg) for

odaszegez vt, 1. (vmre) nail to, fasten, fix (with nails) on/to, pin/tack on/down 2. úgy állt mint akit ~tek he stood stock still, he stood rooted/nailed to the spot

odaszok|ik vi, get (into) the habit of going/being swhere/there

odaszól vt, [vknek vmt, pár szót] shout (across); ~t a gyerekeknek hogy maradjanak csendben he told the children to keep quiet; ~t neki egy pár gorombaságot he addressed a few crude remarks to him

odaszólít vt, = odahív

odaszorít vt, press close, adpress

odaszorul vi, (vmhez) be jammed/squeezed in/between, get stuck in/to

odatalál vi, 1. (vhova) find/beat one's way to 2. ~ a célba hit the mark, hit the bull's eye, hit home

odatámaszkod|ik vi, (vmhez) lean/rest against, be propped up against

odatámaszt vt, lean against, prop (up) against, recline

odatapad vi, adhere, stick on/to, cling to, cleave to, glue on

odatapaszt vt, 1. paste up, stick on, glue to 2. ~ja a száját press one's lips to

odatart I. vi, [vhova megy] make one's way swhere, make for a place, be on one's way to; én is ~ok I am going that way too, I am heading in that (v. in the same) direction II. vt, [vmt kínálva] hold out, offer, proffer (ref.)

odatartozás n, belonging to, connection with

odatartoz|ik vi, (vmhez) belong to/with, from part of, be a part of, appertain to, be a constituent part of, (vkhez) belong to (sy), [társasághoz] be one of (a party), [vm alá] be subject to; ~ik a családhoz be one of the family; úgy viselkedik mint aki ~ik he looks/behaves as if he belonged there, he looks/behaves as if he were at home

odatartozó a, belonging/pertaining to (ut), appurtenant, having to do with (ut), relating to (ut)

odatekint vi, look towards, (cast a) glance at, cast one's eye on

odatelepsz|ik vi, (vhova) plant/install oneself swhere, settle (down); ~ik egy fotelbe settle down comfortably in an armchair

odatesz vt, put, lay, place, set, stand (there/swhere)

odatéved vi, stray/get swhere (by mistake), chance to get swhere, [gondolat, pillantás] rove

odatódul vi, [tömeg] stream towards, crowd/flock/throng to, [vér] rush to

odatol vt, 1. [széket stb.] push over/across, draw/bring up 2. miért nem tolod oda a képed? why don't you ever drop in, why don't you ever show your face?

odatolaksz|ik vi, = odaférkőzik, odacsődül

odatűz I. vt, (vmt vmre) pin/fasten on, stick up/on II. vi, ~ a nap the sun is shining/blazing on (sg), the sun's rays are directed (up)on/there

odaugr|ik vi, jump/dash towards, leap/dart to, jump in the direction of; ~ik az ablakhoz rush to the window

odautasít vt, (vkhez) direct/send/refer to

odautazás n, journey to, outward journey/voyage

odautazási a, ~ jegy one-way ticket

odautaz|ik vi, go, journey, travel, [hajón] sail, voyage, [gépkocsin] drive (mind: to)

odaül vi, sit there, sit down near (sy/sg), sit down next to (sý/sg); ~ az asztalhoz sit up to the table; ~ a kandalló mellé take a seat (v. sit down) by the fire-(place)/fireside

odaültet vt, (vkt vhova) seat (sy) swhere, make (sy) sit (down) swhere

odaüt I. vi, (vhová) strike a blow (swhere), (vknek) hit/slap/strike sy, fetch sy a blow; ~ az asztalra strike (v. bang on) the table with one's fist, (átv) put one's foot down II. vt, ~ötte a fejét a falhoz he knocked/bumped his head against the wall

odavág I. vt, 1. (vmt) throw/fling/hurl/dash down, (átv) chuck, fling (sg) away; ~ta a földre he banged it down on the floor 2. ~ egy kijelentést hurl a remark at sy, give sy a piece of one's mind II. vi, 1. (vkhez) odaüt I.; 2. = odaillik; az érv éppen ~ the argument is relevant, the argument is to the point

odavaló a, 1. [onnan származó] belonging to (a certain place) (ut), of a certain place (ut), coning/hailing from (a certain place) (ut); ~ a falunkba she is/hails/comes from our village; ~ szokás the custom of that/the place; ~ közéjük he fits in with them, he is one with them!, they can shake hands! 2. [megjegyzés] suitable, fit, apposite, pertinent, proper, relevant, in place (ut), to the point (ut); nem ~ out of place (ut), inappropriate, unfitting, unsuitable, [nem illő] unbecoming, improper

odavalósi [-ak, -t] a, = odavaló 1.; én is ~ vagyok I also was born there, I too come from that place

odavan vi, 1. [távol van] be away/absent/out; sokáig ~ be/stay away for a long time 2. [érzelmileg] be dismayed, be in despair, be beside oneself; egészen ~ vm miatt she is quite upset about sg; ~ vm hírtől be struck with dismay at a piece of news; ~ a fáradtságtól be worn out with fatigue, be tired to death, be done in (fam), be dog-tired (fam); ~ az örömtől be beside oneself with joy, be wild with joy 3. ~ vkért dote on sy, be head over heels in love with sy, be all over sy (fam), be dead nuts on sy (fam), have a crush on sy (US ◈) 4. ~ minden pénze he (has) lost/spent all his money, he is broke (fam); ~ az egészsége his health is ruined

odavándorlás n, migration to

odavarázsol vt, conjure/spirit to, produce (as if) by magic

odavesz[1] [odavenni] vt, take, [albérlőket] take in (lodgers, boarders); ~i inasnak engage/employ as an apprentice/valet

odavesz[2] [odaveszni] vi, be lost, disappear, perish, be destroyed/wrecked, [csatában] lose one's life; mindene ~ett he lost his all

odavet vt, 1. [dob] throw, fling, cast, toss, hurl (mind: there/down v. on the ground); ~i magát throw oneself (swhere) 2. ~ egy megjegyzést throw out a remark, throw in a word, let fall a remark, drop a remark, [gúnyosan] let off a (scathing) remark 3. vázlatosan ~ sketch, outline, [jegyzeteket] jot down, dash off, [rajzot] make a thumbnail sketch, scamp; ~ett pár sort he dashed off a few lines

odavetett a, ~ megjegyzés casual/passing remark; néhány vonással ~ vázlat rough sketch

odavetőd|ik vi, (vhova) find one's way to, drop/pop in, turn up swhere, stray/wander into, happen along (fam)

odavetőleg adv, casually, by the way, incidentally; ~ megjegyzi make a casual remark, mention (sg) casually, mention (sg) by the way

odavezet I. vi, (vhova) lead to; ez az út ~ az állomáshoz this road leads to the station; viselkedése ~ett hogy ... his behaviour resulted in ..., his behaviour led one to believe ... II. vt, (vkt vhova) leaq/show/take/escort/conduct (sy) to, [áramot, vizet] conduct, supply

odavezető a, leading to (ut), (orv) afferent; az ~ út approach, avenue, the way there

odavilágít vi, light, illumin(at)e, flash light on (sy/sg)

odavillantás n, (film) flash

odavisz I. vi, (vhova) lead to; ez az út ~ a faluba this road leads to the village II. vt, (vmt, vkt) convey, carry, take to

oda-vissza adv, there and back, forward and backwards, back and forth; ~ hajóút out-and-home voyage; ~ jegy return ticket, round-trip ticket (US); ~ utazás out-and-home trip/voyage, roundabout, round trip (US)

odavivő a, (orv) afferent

odébb adv. dem, = odább

odébbáll vi, 1. (konkr) move farther away, move on, stand farther off 2. (átv) make/hurry off, take to one's heels, skedaddle ◈; ~t a pénzzel he made off with the money

ódium [-ot, -a] n, odium; ráhárult az ügy ~a the odium of the transactions/case fell on him; vállalja az ügy ~át take upon oneself (v. on one's shoulders) the responsibility for the matter/case, accept/bear the odium of the case

ódivatú a, old-fashioned, out of fashion (ut), out-of-date, dated, old-time/fangled, old-world (US), [igével] be old-fashioned, be a back number; ~ ruha old-fashioned clothes (pl), out-of-date garments (pl)

ódon [-ok, -t; adv -an] a, ancient, old, antique, archaic

ódondász [-ok, -t, -a] n, † antiquary, curio/antique dealer, [könyvkereskedő] antiquarian bookseller, second-hand bookseller, dealer in old books (mind: stand.)

ódonság n, 1. [állapot] antiquity, ancientness 2. [tárgy] antique, curio, antiquities (pl)

odontológia [.. át] n, odontology

odontológus n, odontologist

odor [-ok, -t, -ja] n, 1. (műsz) (forging-)die, swage 2. (geol, ásv) geode 3. (nyomd) matrix

odorhenger n, forge-roll

odorkészítő n, die-sinker

odorkovácsolás n, die forging

odortartó n, die-holder

odú [-t, odvat, -ja, odva] n, 1. [fában] hollow, cavity 2. [állati búvóhely] den, lair, hole, [rókáé, borzé] earth, burrow, [vadé] haunt; ~jába húzódik (átv is) retire to one's den, den oneself 3. [piszkos lakás] miserable room, dirty hole, hovel; nyomorúságos ~ (dog-)hole (fam)

Odüsszeia [.. át] n, the Odyssey

odvas [-at; adv -an] a, hollow, rotten; ~ fog decayed/carious/hollow tooth

odvasodás n, = odvasság

odvasod|ik [-ott, -jon, -jék] vi, become hollow, rot, [fog] decay, grow carious, go bad

odvasság n, (orv) caries, decay, cavity

ódzkod|ik [-tam, -ott, -jon, -jék] vi, (vmtől) kick at/against, be unwilling to do sg, shy away from sg

óegyházi a, ~ szláv Old Church Slav(on)ic

óév n, bygone/old year, yesteryear (ref.), the year of yesterday (ref.)

Ofélia [.. át] prop, Ophelia

ófelnémet a/n, Old High German (röv OHG)

offenzíva [.. át] n, offensive, (nem kat) onslaught; offenzívát indít start/mount/launch an offensive

offertórium [-ot, -a] n, offertory

ófrancia a/n, Old French (röv OF)

ofszájd [-ot, -ja] n, off-side

ofszetnyomás n, offset printing/process

ofszet-nyomógép n, offset press

ógabona n, last year's corn/crop

óg-móg [ógni-mógni, ógtam-mógtam, ógott-mógott,

óg(jon)-mógjon] vi, hem and haw, keep hemming and hawing, beat about the bush, feel/be reluctant

ógörög a, ~ nyelv Ancient Greek

oh int, oh!, o!, ah!

óh int, = oh!

óhaj [-ok, -t, -a] n, wish, desire; legforróbb ~a his greatest/dearest wish; vk ~ának eleget tesz comply with sy's wish, meet sy's desire; kifejezi ~át express one's wish, put one's wish into words

óhajt [-ani, -ott, -son] vt, desire, want, wish for, be desirous of (sg), be after (sg) (US), [nagyon] yearn (for), long (for), crave (for), hanker (after); vmi tenni ~should/would like to do sg; látni ~om őt I am anxious to see him; beszélni ~ önnel he wishes/wants to speak to you; ahogyan ~ja as you like/wish, just as you please, at your discretion; ha úgy ~ja if you wish, if you are so minded, if you insist, if it is your desire; mit ~? is (there) anything I can do for you?; mit ~asz hogy csináljak? what would you have me to do?, what do you want/wish me to do?

óhajtás n, = óhaj

óhajtó [-t; adv -an] a, (nyelvt) optative, precative; ~ (ige) desiderative; ~ mód optative (mood)

óhajtoz|ik [-tam, -ott, -zon, -zék] vi, [vm után] long/yearn/languish/sigh after/for

óharmadidőszak n, (geol) early Tertiary, Palaeogene

óhatatlan a, inevitable, unavoidable; ez ~ul be fog következni it is inevitable, it is bound to happen, it must take place

óhaza n, the old country

óhitű [-ek, -t] a, (Greek) Orthodox

óhitűség n, orthodoxy

Ohm [-ot, -ja] n, (fiz) ohm; ~ törvény(e) Ohm's law

ohmos [-at] a, ohmic

ohó int, hold, stop there!

óind [-et; adv -úl] a/n, Old Indian, (nyelvt) Sanskrit

ojt [-ani, -ott, -son] vt, = olt² 1.

ojtás n, = oltás² 1.

ok [-ot, -a] a, cause, reason, motive, occasion, [panaszra] ground (for complaint); ~ és okozat cause and effect; ~ és okozat összefüggése dependence of an effect upon a cause; az ~ok the whys and wherefores; ~ nélkül without any reason, for no reason at all, for nothing; minden különösebb ~ nélkül for no particular reason, apropos of nothing, just because (fam); nem minden ~ nélkül not without (good) reason; nem ~ nélkül van az (hogy) it is not for nothing (that); ~ nélküli unfounded, groundless, baseless, ungrounded, causeless, unjustifiable, without reason (ut); ~ nélküli támadás unprovoked assault/aggression; ez nem ~ that does not follow, that is not an excuse (for); ez nem ~ arra hogy ne jöjj el there is no reason why you should not come; nincs ~ aggodalomra there is no cause/room for anxiety, there is no need to worry (about it); semmi ~ sincs arra hogy lemondj there can be no reason for your resignation; elég ~om van panaszra I have every/good reason to complain (v. for complaint); nincs ~om panaszkodni I have nothing to complain of; minden ~om meg van rá hogy azt higgyem I have every reason to believe that...; minden ~om megvan attól félni hogy... I have good reason to fear that...; két ~om van hogy így cselekedjem I have two reasons for doing so; ~a vmnek be the cause of; belső ~a vmnek inherent cause of sg; alapos ~a van rá, minden ~a megvan arra hogy... he has every reason to, he has good reason/cause for; minden ~a megvan annak feltételezésére hogy... he has every reason to suppose that...; megvan rá az ~a hogy ... ne jöjjön el he will not come and for a very good reason; száz és egy ~a van vm megtételére have umpteen reasons for doing sg; ki az ~a? who caused it?, whose fault is it?, who is to blame; én vagyoκ az ~a it is my fault; ő az ~a az egésznek it all happened through him; ennek ~a (hogy) the reason (for this) is (that); ez az ~a that is (the reason) why...; ez az ~a annak hogy eljöttem this is why I came; mindennek megvan az ~a there is a reason for everything; nem ő az ~a it is not his fault, he is not to blame; nincs ~a a haragra he has not any reason to be angry; nincs ~a panaszkodni he has no cause/ ground of complaint; semmi ~a az örömre you have no reason to be glad; se ~a se foka there is no point in it, there is neither rhyme nor reason in it; azon okból (hogy) for the (simple) reason (that); egy s más ~ból kifolyólag for one reason or another; többféle ~ból is for various reasons, on more scores than one; mi ~ból? why?, wherefore?, for what reason?, on what score?; ez ~ból on that account/score; egészségi ~okból for reasons of health; érthető ~okból for obvious reasons; csak általam ismert ~okból for reasons best known to myself; célszerűség ~ából on grounds of expedience; a vele járó nagyobb kockázat ~ából because of the greater risk involved; például okáért for instance/example (röv e. g.); bizonyos okoknál fogva for certain reasons; azon egyszerű ~nál fogva for the simple reason; okot ad vmre give cause/occasion for, give rise to; vmnek ~át adja give (one's) reasons for, render a reason of sg; ~át adja elhatározásának indicate the grounds for one's decision; ~okat hoz fel adduce reasons; okul felhozza give as a ground for, motivate; ~ul szolgál be the ground for sg; okkal feltételezheti/hiheti hogy he has reasonable ground for believing that...; egy ~kal több (arra) all the more reason, that is another argument for

okád [-tam, -ott, -jon] vt, [hány] vomit, throw up, bring/fetch up, spew, puke, shoot the cat (fam), [epét] eject, [tüzet] vomit/belch forth, [füstöt] eject, belch, spout

okádás n, [hányás] vomit(ing), throwing up, spew(ing), puke

okadatol [-t, -jon] vt, † offer reasons for, justify, warrant, motivate, state the reason for, adduce arguments for, say why (mind: stand.)

okadatolás n, † argument(ation) (stand.), motivation (stand.)

okádék [-ot, -a] n, 1. vomit, spew, ejecta 2. (átv) tripe, muck, unsavoury/disgusting affair

okád|ik [-tam, -ott, -jon, -jék] vi, = okád

oka-foka [okát-fokát] n, mindennek megvan az ~ there is a reason for everything

okapi [-t] n, (áll) okapi (Okapia johnstoni)

okarina [.. át] n, ocarina

ókatolikus a/n, Orthodox/old Catholic

okbeli a, causal, causative

okbeliség n, causality

okfejtés n, reasoning, argumentation, dialectic(s); alapos ~ close reasoning

okfejtö [-t; adv -en] a, pragmatic

okhatározó n, causal complement, adverbial modifier of cause

okhatározói a, causative; ~ mellékmondat causal clause, clause of cause

okhatározószó n, causal adverb

oki [-ak, -t; adv -lag] a, causal

okirat n, document, deed, instrument, paper, [közjogi] charter, (public) record, (tört) diploma; átruházási ~ deed of assignment; közjegyzői ~ notarially attested deed; ingatlan tulajdonjogát igazoló ~ title deed; ~ bevezető része caption of a document; ~ tárgya/ tartalma the purport of a document; ~ot hitelesít authenticate a document; ~ot kiállít execute a document; ~ot megsemmisít destroy a document; ~ot megszerkeszt draw up a document; ~tal szemben való bizonyítás extrinsic evidence

okiratgyűjtemény n, records (pl), files (pl)

okirathamisítás n, forgery, forging (of documents), faking of documents

okirathamisító n, forger (of documents)

okirati [-ak, -t; adv -lag] a, documentary; ~ bizonyíték documentary evidence; ~ tanú instrumentary witness, witness to a signature to a deed

okiratos [-at; adv -an] a, documentary

okiság n, causality

okít [-ani, -ott, -son] vt, † 1. = tanít; 2. [kitanít] put/make sy wise to (sg)

okkal-móddal adv, sensibly, reasonably, rationally

okkázió [-t, -ja] n, [olcsó vétel] bargain(-sale), (summer/winter) sales (pl); ~ osztály [áruházi] bargain- -counter

okkáziós [-ak, -t; adv -an] a, bargain; ~ ár bargain price; ~ vásár bargain sale

okker [-ek, -t, -je] a/n, ochre

okkersárga a, (yellow) ochre

okklúzió [-t, -ja] n, [meteorológia] occlusion, occluded front; hidegfronti ~ cold-front type occlusion; melegfronti ~ warm-front type occlusion; visszahajló ~ bent back occlusion

okkult [-at; adv -an] a, occult

okkultista [.. át] n, occultist

okkultizmus n, occultism

okkupáció [-t, -ja] n, (military) occupation

okkupál [-t, -jon] vt, occupy

oklevél n, 1. [tanulmányi] certificate, diploma 2. [okirat] charter, document, deed, instrument; királyi ~ diploma; plébániai oklevelek parochial records

okleveles a, possessing a diploma (ut), certificated, qualified, chartered, licentiate, university-trained, professional;~ anyag documentary material;~ ápolónő trained nurse, graduate nurse (US); ~ könyvvizsgáló chartered accountant, qualified auditor; ~ mérnök certificated engineer; ~ orvos licentiate in medicine, fully qualified medical practitioner; ~ szülésznő licentiate in midwifery; ~ tanár(nő) certificated (lady) teacher

oklevélkiadás n, [nyomtatásban] publication of records

oklevéltan n, diplomatics, science of deciphering ancient documents

oklevéltár n, [irott/nyomtatott gyüjtemény] archives (pl), cartulary, chartulary, calendar (GB); lásd még okmánytár, levéltár

oklevélvizsga n, qualifying examination

okmány [-ok, -t, -a] n, document, record, deed, instrument, certificate, paper; személyi ~ private/ family/identity/personal papers; kiváltatlan ~ok (ker) documents in abeyance, uncleared documents; ~ok ellenében (ker) against (v. on presentation of) documents; ~ok elfogadvány ellenében (ker) documents against acceptance; fizetés ~ok ellenében (ker) cash against documents, documents to be delivered/surrendered against/on payment; ~okat benyújt/bemutat (ker) present documents, hand in documents; ~okat forgat/továbbad/negociál (ker) negotiate documents; ~okat kiállít/megszerkeszt draw up a document; ~okat kivált (ker) clear documents, take up documents; ~okkal igazol document, authenticate

okmánybélyeg n, (deed/bill/receipt) stamp

okmányhamisítás n, = okirathamisítás

okmányhitelesítés n, legalization of documents

okmányos [-at] a, ~ inkasszó (ker) cash against documents; ~ intézvény (ker) documentary draft; ~ meghitelezés (ker) documentary credit

okmányszerű a, ~ bizonyíték documentary evidence

okmánytár n, [helyiség, intézmény] archives (pl), collection of documents/records, cartulary, record office, records (pl); lásd még oklevéltár, levéltár

oknyomozás n, pragmatic method, pragmatism

oknyomozó a, pragmatic; ~ *módszer* pragmatism
okol [-t, -jon] vt, *(vmért)* blame (for), make responsible (for), tax (with), throw/lay/cast the blame (on), impute (to), charge (with), lay the blame (at sy's door)
ókonzervatív a/n, ultraconservative, diehard, moss-back *(US)*
ókor n, antiquity, ancient times *(pl)*, the ancient world, the times of the ancients *(pl)*
ókori [-ak, -t] a, ancient, old; *az* ~ak the ancients, antiquity; ~ *művészet* classical/ancient art; ~ *történelem* ancient history; ~ *történész* historian of antiquity; ~ *városok* ancient cities
ókortudomány n, study of antiquity, classical studies *(pl)*
okos [-ok, -at; adv -an] I. a, *[ügyes, értelmes]* clever, shrewd, bright, brainy, astute, efficient, *[bölcs, tapasztalt]* judicious, sagacious, wise, sage, sapient, sensible, discreet, *[értelmes, művelt]* intelligent, cultured, *[óvatosan]* prudent, politic; ~ *beszéd* sensible talk; ~ *ember* man of understanding/insight, sensible/sagacious man, person of brains, person of good sense; ~ *ember kevésből is ért* a word to the wise (is enough), verb. sap. (= verbum sapienti sat est); ~ *gondolat* a good/bright idea, a wise thought; ~ *tanács* sagacious advice; ~ *válasz* prudent/shrewd/clever answer; *hallgat az* ~ *szóra* listen to reason; *légy* ~*!* keep your wits about you, listen to reason; *nem* ~ *dolog ezt tenni* that is not a very clever thing to do, I would not do it if I were you; *ettől nem lettem* ~*abb* that did not make me any wiser, I am none the wiser for it, I am no wiser for it; ~*abb lesz hazamenni* we'd better go home, the best thing to do *(v.* to be done) is to go home; *a csirke* ~*abb akar lenni a tyúknál!* go and teach your grandmother to suck eggs
II. n, = okos ember; ~ *enged szamár szenved* better bend than break; *adja az* ~*at* he sets up for a wise man, he pretends to be a wise man; ~*abbat is tehetnél mint* you ought to know better than
okosan adv, sensibly, wisely, shrewdly; ~ *beszél* talk (good) sense, speak reason; ~ *cselekszik* act prudently/rightly; ~ *tenné ha* you might do worse than; ~ *viselkedik* behave sensibly; *okosabban tenné ha maradna* he would be well-advised to remain
okoskodás n, 1. reasoning, (line of) argument, argumentation, line of thought 2. *(elit)* arguing, obstinacy, pig-headedness
okoskod|ik [-tam, -ott, -jon, -jék] vi, 1. *[érvel]* reason, argue; *helyesen* ~*ik* argue soundly/correctly, put up a good argument 2. *(elit) [feleslegesen vitatkozik]* argue, be obstinate, be pig-headed, argue without end *(fam)*, chop logic *(fam)*, argle-bargle *(fam)*, argufy *(US)*; *ne* ~*jál!* don't argue!
okoskodó [-t] I. a, *(elit)* arguing, argumentative, speculative II. n, *[személy elit]* arguer, reasoner, argufier *(US)*
okosod|ik [-tam, -ott, -jon, -jék] vi, become prudent/sensible, grow in wisdom, learn wisdom, *[tapasztalat által]* be taught (by experience)
okosság n, *[ügyesség, értelmesség]* cleverness, shrewdness, astuteness, *[bölcsesség]* judiciousness, sagacity, wisdom, sageness, sapience, *[értelmesség]* intelligence, *[óvatosság]* prudence, acumen
okoz [-tam, -ott, -zon] vt, cause, occasion, give rise to, be the cause of, engender, breed, induce, produce, effect, bring about/on, lead to, raise; *bajt* ~ do harm/mischief, give trouble to; *betegséget* ~ cause *(v.* bring on) illness/sickness; *derültséget* ~ cause/provoke general laughter; *fájdalmat* ~ *vknek* give pain to sy, inflict pain on sy, pain/hurt sy; *kárt* ~ cause loss/harm/trouble, inflict a loss on sy, damage/harm/in-

jure sy; *kellemetlenséget* ~ cause sy unpleasantness, lead sy into difficulties, get sy into a scrape/trouble; *nehézségeket* ~ create/entail difficulties, give rise to difficulties; *örömöt* ~ *vknek* give pleasure to sy, delight sy, be a source of delight to sy; *viszályt* ~ create dissension; *betegségét a túlhajtott munka* ~*ta* his illness was induced by overwork; *halálát baleset* ~*ta* his death was owing to an accident; *a háború* ~*ta bajok* misfortunes born of the war
okozat n, effect, result; *ok és* ~ cause and effect
okozati [-ak, -t; adv -lag] a, causal, causative; ~ *összefüggés* relation of cause and effect, causal relation/nexus, causality
okozatiság n, causality
okozatos [-at; adv -an] a, causal
okozó [-t; adv -an] I. a, causing, occasioning, being the cause of, being the reason for, producing, entailing, involving, bringing about *(mind: ut)* ; *halált* ~ fatal II. n, agent, medium, *[személy]* promoter, originator/maker, contriver, causer, author, begetter; *a baleset* ~*ja [személy]* party at fault in an accident
okozott [-at; adv -an] a, caused, occasioned, produced, brought about *(mind: ut)*; *az* ~ *kár* the damage caused; *az* ~ *költségek* the expenses incurred
okság n, causality
oksági [-ak, -t; adv -lag] a, causal, in the sphere of causality *(ut)* ; ~ *elv* causality principle; ~ *láncolat* chain of causation, causal concatenation; ~ *összefüggés* causality; ~ *viszony* causal relation
okszerű a, rational, reasonable, logical; ~ *gazdálkodás* rational planning
okszerűség n, rationality, rationalness, reasonableness, logicality, logicalness
okszerűsít [-eni, -ett, -sen] vt, rationalize
okszerűsítés n, rationalization
okszerűtlen a, irrational, unreasonable, inconsequent, inconsistent, illogical
okszerűtlenség n, irrationality
oktaéder [-ek, -t, -e] n, octahedron
oktaéderes [-et] a, octahedral
oktalan a, 1. *[nem logikus]* unreasonable, irrational 2. *[nem okos]* injudicious, unwise, imprudent, insensate, senseless, thoughtless, foolish, stupid, witless, indiscreet, preposterous; ~ *állat* brute beast 3. *[alaptalan]* groundless, causeless, unfounded; ~ *félelem* baseless/irrational fear
oktalanság n, unreasonableness, irrationality, folly. foolishness, unwisdom, indiscretion, fatuity
oktán [-ok, -t, -ja] n, *(vegyt)* octane
oktat vt, educate, *(vkt vmre)* teach (sy sg), instruct, school (sy in sg), *[magánúton, egyénileg]* tutor, coach, *(sp)* train, coach, *(kat)* drill
oktatás n, education, *(vké vmre)* teaching, instruction, *[magánúton, egyénileg]* tutoring, tuition, coaching, *(sp)* training, coaching, *(kat)* drilling; *alsó,- közép- és felsőfokú* ~ primary (,) secundary and university education; *erkölcsi* ~ moral education; ~*ban részesít* educate, teach
oktatási [-ak, -t; adv -lag] a, educational, teaching, of education/teaching *(ut)*, tutorial; ~ *felelős (kb)* Party *(v.*Trade Union) official in charge of political/ideological courses, *[más]* educational secretary; ~ *időszak* term-time; ~ *reform* educational reform, reform of (higher/secondary/elementary) education; ~ *színvonal* educational attainment
oktatástan n, didactics
oktatásügy n, (public) education
oktatásügyi a, educational
oktató [-t; adv -lag] I. a, instructive, instructional, educational, didactic, *[erkölcsileg]* edifying; ~ *hang* magisterial tone; ~ *költemény* didactic poem; ~ *mese* fable, apologue II. n, teacher, instructor,

master, *[magán]* tutor, crammer, *(sp)* trainer, coach

oktatófilm *n*, instructional/educational/classroom film

oktatói [-ak, -t] *a*, tutorial

oktatónő *n*, instructress, schoolmistress

oktatószemélyzet *n*, teaching staff

oktatótiszt *n*, *(kat)* instructing officer, Officers' Training Corps officer *(GB)*

oktáv [-ot, -ja] *n*, *(nyomd)* octavo, *(zene)* octave; ~ *alakú* in octavo; ~ *korrekció (zene)* correction of octave leap; ~ *törés [népdalban]* octave change/leap, change of vocal register; *egy* ~*val lejjebb tesz (zene)* double

Oktáv [-ot, -ja] *prop*, Octavius

oktáva [...át] *n*, *(zene, vall)* octave

Oktávia [...át] *prop*, Octavia

oktett [-te, -je] *n*, octet(te)

október [-ek, -t, -e] *n*, October; ~ *3-án* on 3rd October, on October 3rd; ~*ben* in (the month of) October; ~ *hóban/havában* in the month of October; ~ *folyamán* in the course of October

októberi [-ek, -t] *a*, October, in/of October *(ut)*; *egy* ~ *napon* on a certain October day, on a day in October; *az* ~ *diploma (tört)* the October Diploma ⟨ a short-lived constitution for the Hapsburg Empire (.) granted in 1860 ⟩; *az* ~ *forradalom* the October Revolution; *a Nagy O*~ *Szocialista Forradalom* the Great October Socialist Revolution

oktobrista [..át] *n*, Octobrist

oktogon [-ok, -t, -ja] *n*, *(mért)* octagon

oktondi [-ak, -t] I. *a*, simple, foolish, stupid II. *n*, *[ember]* simpleton, booby, ninny

oktrojál [-t, -jon] *vt*, *(vkre vmi)* force (sy on sy), impose (sg on sy)

okul [-t, jon] *vi*, learn (by experience), be edified, *(vmn)* draw a lesson from (sg); ~*t rajta* it has taught him (sg), he learned from it; *sokat* ~*tam azóta* I have learnt better since then

ókula [..át] *n*, † = **okuláré**

okuláré [-t, -ja] *n*, † eyeglasses *(pl)*, barnacles *(pl)* *(fam)*

okulárkereszt *n*, cross-hairs *(pl)*

okulás *n*, edification; *szolgáljon ez* ~*odra!* let it be a lesson to you!

ókulás *a*, † = **szemüveges**

okvetetlenkedés *n*, quibbling, cavilling, fussing (about nothing), captiousness, meddling

okvetetlenked|ik [-tem, -ett, -jen, -jék] *vi*, argufy, quibble, cavil, fuss (about nothing), raise captious objections, stickle, be dogmatical

okvetetlenkedő [-t; *adv* -en] I. *a*, disputatious, interfering, meddlesome, fussy, pragmatic(al), *[önfejű]* recalcitrant, refractory II. *n*, argufier

okvetlen *adv*, unfailingly, for certain, without fail, for sure, surely, infallibly, by all means, under any circumstances, whatever the circumstances; ~ *eljön* he will come without fail, he is sure to come; ~ *meg kell csinálnod* you have got to do it by all means; ~ *megteszem* I shall not fail to do it; ~ *nézze meg* be sure to see it; *ha* ~ *kell ...* if needs must ...

okvetlenül *adv*, = **okvetlen**

okviszony *n*, causality

ól [-at *v.* -t, -ja] *n*, *[disznóé]* (pig)sty, *[kutyáé]* kennel, *[baromfié]* roost, hen-house, pen, *[házinyúlé]* hutch; ~*ba zár [disznót]* sty, *[kutyát]* kennel, *[baromfit]* pen (up, in)

ó-láb *n*, bandy/bow legs *(pl)*

ó-lábú *a*, bandy/bow-legged

oláh [-ok, -t, -val, -ja] *a/n*, Wallach(ian), Vlach, Rumanian; ~ *cigány* (wandering) gipsy, Romany

oláhos [-at; *adv* -an] *a*, Wallachian, Rumanian, in the manner of Wallachs/Rumanians *(ut)*

oláhosít [-ani, -ott, -son] *vt*, Wallachianize, Ruman(ian)ize

oláhosod|ik [-ott, -jon, -jék] *vi*, become Wallachianized/Ruman(ian)ized

oláhság *n*, Wallachians *(pl)*, Wallachian/Rumanian inhabitants/population

oláhul *adv*, in Wallachian/Rumanian; ~ *beszél* speak Wallachian/Rumanian

olaj [-at, -a] *n*, oil, *[tüzelésre,fűtésre]* fuel-oil; *növényi* ~ vegetable oil; *szentelt* ~ chrism, holy oil; ~*ra bukkan* strike oil; ~*ra lép* □ skedaddle, buzz off, mizzle, oil out; ~*at önt a tűzre* add fuel to the fire, add oil to the flames/fire, fan (up) the fire/flame; ~*at talál* strike oil; ~*jal fest* paint in oil(s); ~*jal főz* cook with oil

olajág *n*, olive-branch

olajállásmutató *n*, oil-gauge/level

olajárus *n*, oilman, oil seller

olajbányász *n*, oilfielder, worker in an oil-field, worker boring oil-well

olajbarna *a*, olive (brown), olive-tinted/coloured/hued, olivaceous, olive drab *(röv O. D.)* *(US kat)*

olajbogyó *n*, olive; *ecetes* ~ pickled olive

olajcsapó *n*, oil deflector

olajcseppek *n. pl, [sejtben]* oil body

olajcsere *n*, oil change

olajcső *n*, oil-pipe/tube

olajcsővezeték *n*, oil-pipeline

olajdoboz *n*, oil-box

olajedzés *n*, oil-hardening/quenching

olajégő *n*, oil-burner

olajfa *n*, olive-tree *(Olea europaea)*, *[vad változata]* oleaster; *Olajfák hegye* the Mount of Olives

olajfaerdő *n*, olive-wood

olajfajsúlymérő *n*, oleometer

olajfallget *n*, olive-wood

olajfatermelő *n*, olive-grower

olajfaültetvény *n*, olive-plantation/yard/grove

olajfék *n*, oil brake

olajfenőkő *n*, oil-stone

olajfesték *n*, oil colour(s), oil-paint

olajfesték-alapozás *n*, oil-priming

olajfesték-árus *n*, oilman, oil seller/merchant

olajfestés *n*, painting in oil(s), oil-painting

olajfestmény *n*, picture/painting in oil(s), oil-painting, *[arckép]* portrait in oil(s)

olajfinomító *n*, oil-refinery, crude-oil treating plant

olajfogó I. *n*, oil-intercepter/catcher/saver/guard, drip-cup, save-all; ~ *gyűrű* oil-catch ring; ~ *tálca* drip-pan II. *a*, oil-arresting

olajfokoló *n*, oleometer

olajfolt *n*, oil stain, grease-spot; *kiveszi az* ~*ot* get out grease marks

olajfoltos *a*, oil-stained, greasy

olajforrás *n*, oil-well/spring; ~*ra talál* strike oil

olajföldtan *n*, oil geology

olajfúrás *n*, drilling/boring of oil well, drilling/boring for oil

olajfürdő *n*, oiling, oil-bath

olajfürdős *a*, ~ *kenés* oil-bath lubrication, floating lubrication

olajfűtés *n*, oil heating

olajgeológia *n*, oil geology

olajgyár *n*, oil-works *(pl)*, oil-mill

olajgyártás *n*, *[mesterséges]* manufacture of synthetic petroleum from coal, production of oil from coal

olajgyűjtő *a*, ~ *teknő [gépkocsin]* sump

olajhártya *n*, film/pellicle of oil

olajhorony *n*, oil/grease-channel

olajhűtés *n*, oil cooling

olajhűtő *n*, oil-cooler

olajipar *n*, oil industry, *[szénalapanyagból]* oil-from--coal industry
olajíz *n*, taste of oil, oily taste/flavour/tang
olajjárat *n*, *(növ)* vitta
olajkályha *n*, oil-stove/heater, oil-burning/heating stove
olajkanna *n*, oil-can
olajkapcsoló *n*, oil-break/switch, oil circuitbreaker
olajkeményítés *n*, oil-hardening
olajkenés *n*, oil-lubrication, oiling
olajkép *n*, = olajfestmény
olajkereskedés *n*, oil-shop
olajkereskedő *n*, oil-merchant/man
olajkirály *n*, oil-king
olajkő *n*, *[köszörűsé]* oilstone
olajkút *n*, oil-well, gusher
olajkutatás *n*, prospecting for oil
olajlakk *n*, oil-varnish
olajlámpa *n*, oil-lamp
olajlen *n*, oil flax, flax for oil
olajlepárló *n*, oil-still
olajlerakódás *n*, oil deposit, deposit of oil
olajmag *n*, 1. = olajbogyó; 2. oil-seed, castor bean
olajmalom *n*, oil-mill/works
olajmécses *n*, night-light, floating light
olajmérő *n*, oil-gauge; ~ pálca dip-stick/rod
olajmező *n*, oil-field
olajmotor *n*, oil-engine
olajmunkás *n*, oilfielder, worker in the oil industry
olajnemű *a*, oily, oleaginous, oleiferous
olajnívó *n*, oil-face/level
olajnövény *n*, oil-yielding plant, oil crop, oleaginous plant
olajnövény-termesztés *n*, culture of the olive, culture of oleaginous plants
olajnyomat *n*, oleograph, chromotype, chromolithography
olajos [-at; *adv* -an] *a*, *[minőségű]* oily, greasy, fatty, *[olaj tartalmú]* oleaginous, oleiferous, *[foltos]* oil/grease-stained; ~ mag oil-seed; ~ papír oil-paper, oiled paper; ~ simaság/csillogás oiliness, sleekness; ~sá válik *[vaj]* oil
olajoscsésze *n*, oil/grease-cup
olajoskanna *n*, oil-can
olajosság *n*, oiliness
olajoz [-tam, -ott, -zon] *vt*, oil, grease, lubricate
olajozás *n*, oiling, greasing, lubrication; csepegtető ~ drop-feed-lubrication; központi ~ forced-feed lubrication; gyapjú ~a wool lubrication
olajozatlan *a*, unoiled, ungreased
olajozó [-t, -ja] I. *n*, 1. *[személy]* greaser, oiler 2. *[műszer]* lubricator, grease-cup; kézi ~ hand oiler II. *a*, oiling, greasing, lubricating; ~ készülék oiler
olajozódoboz *n*, oil-box
olajozókanna *n*, oil-can/feeder, oiler
olajozókefe *n*, oil-brush
olajozónyílás *n*, oil-hole
olajozóprés *n*, oil-gun
olajpala *n*, *(geol)* oil shale
olajpálma *n*, *(növ)* oil-palm/tree *(Elaeis guineensis)*
olajpapír *n*, oil-paper
olajpogácsa *n*, oil-meal, oil(-seed)-cake, press-cake, pomace
olajprés *n*, oil-press
olajréselő *n*, *[személy]* oil-presser
olajpumpa *n*, oil-pump
olajrárégés *n*, oil deposit/crust, deposit of oil
olajsajtoló *n*, oil-press/crushing/mill, *[személy]* oil--presser
olajsatu *n*, = olajsajtoló
olajsav *n*, oleic acid, oleine
olajsűrűség-mérő *n*, oleometer, elaeometer

olajszag *n*, oily smell
olajszállító *a*, ~ hajó tanker, oiler, oil-tanker/ship, tanker-steamer
olajszármazék *n*, oil-product
olajszeparátor *n*, oil-separator
olajszín *n*, olive, olive/oil-colour/hue, the colour of olives
olajszint *n*, oil-face/level
olajszintjelző *n*, oil-gauge, *[pálca]* dip-stick/rod
olajszintmutató *n*, oil-gauge
olajszínű *a*, olive-green/tinted/coloured/hued/drab, olivaceous
olajszivattyú *n*, oil-pump
olajszüret *n*, olive harvest
olajszűrő *n*, oil filter/strainer
olajtartalmú *a*, oleaginous; ~ homok pay-sand *(US)*; ~ réteg *(geol)* oil-bearing formation
olajtartály *n*, oil-tank/basin/container/holder, *[lámpáé]* fountain, font
olajtartó *n*, oil-can, *[asztali]* oil-cruet
olajtávvezeték *n*, pipe-line
olajteknő *n*, *[gépkocsiban]* oil sump
olajtempera *n*, *(műv)* mixed method ⟨ oil glazes over tempera underpainting⟩
olajterelő *n*, oil deflector
olajterelőlemez *n*, deflector plate
olajtermék *n*, oil-product
olajtermelés *n*, oil production
olajtermő *a*, oil-producing/bearing/yielding, oleiferous, olefiant; ~ zóna *(geol)* oil-belt
olajtöltő *n*, oiler, oil-feeder
olajtüzelés *n*, oil-firing
olajtüzelésű *a*, oil-fired/burning; ~ hajó ship burning oil, oil-fuelled ship, oil-burner, oiler
olajtüzelőanyag *n*, oil-fuel
olajüledék *n*, crude/fuel oil
olajütés *n*, oil-milling/pressing
olajütő *n*, 1. oil-press/mill 2. *[személy]* oil-presser/miller
olajüzem *n*, oil-works *(pl)*
olajüzemanyag *n*, oil-fuel
olajvezeték *n*, oil-duct, *[távolsági]* pipe-line
olajvidék *n*, petroliferous *(v. oil-bearing)* region/country, oil country
olajzöld *a*, olive, olive-green/hued/coloured, olivaceous
ólálkodik [-tam, -ott, -jon, -jék] *vi*, *[vm körül]* prowl/hang about, hang/loiter around, lurk, skulk, lie in wait for, mouse (about) *(fam)*; a ház körül ~ik sneak about the house
olasz [-ok, -t, -a; *adv* -ul] *a/n*, Italian; O~ Köztársaság Republic of Italy, Italian Republic
olasznád *n*, *(növ)* giant reed *(Arundo donax)*
Olaszország *prop*, Italy
olaszországi [-ak, -t] *a*, Italian, of Italy *(ut)*
olaszos [-ak, -t; *adv* -an] *a*, Italian, Italian-looking/sounding; ~ fordulat *[nyelvben]* Italicism; ~ módra in the Italian way/fashion, after/like the Italians
olaszosít [-ani, -ott, -son] *vt*, Italianize
olaszosítás *n*, Italianization
olaszosság *n*, Italianism
olaszul *adv*, ~ beszél speak Italian; ~ írt levél letter (written) in Italian; hogyan van ez ~? how would you say/put that in Italian?
olcsó [-t; *adv* -n] *a*, 1. cheap, inexpensive, *[előállításra]* low-cost; aránylag ~relatively cheap, cheapish; túl ~ over cheap, *(kif)* it's dirt-cheap; ~ és rossz cheap and nasty; ~ ár low/popular price; ~ áron vásárol vmt buy sg cheap, buy sg at a low price; ~ helyárak *[színházban stb.]* cheap seats; ~ húsnak híg a leve *(kb)* cheap and nasty, cheap/shoddy goods are not worth much, cheap wares usually prove dear in the long run; ~ kiadás *[könyvé]*

popular edition 2. *(ellt)* cheap, mean, paltry; ~ *győzelem* easy/facile victory; ~ *kifogás* thin excuse

olcsóbb [-at; *adv* -an] *a*, cheaper; ~ *lett a gyümölcs* fruit has become cheaper, fruit has gone down in price, fruit is down; ~ *ha az egész üveget megveszi* it comes cheaper to take a whole bottle; ~ *áron ad [másnál]* undercut, undersell (sy); ~*á tesz [árat]* cheapen, reduce, cut (price); *leg~ árak* cheapest/ bottom prices; *a leg~ áron* at the lowest price/ computation

olcsóbban *adv*, more cheaply; ~ *adod majd* you'll sing a different tune, you'll come down a peg or two

olcsóbbit [-ani, -ott, -son] *vt*, cheapen, lower/cut prices, *[máshoz képest]* undercut, undersell (sy)

olcsóbbodás *n*, cheapening, lowering (of prices), decline in prices; *az élet ~a* lowering of the cost of living

olcsóbbod|ik [-ott, -jon, -jék] *vi*, become cheaper, go down

olcsójános *n*, cheapjack

olcsón *adv*, cheaply, at a cheap rate, cheap *(fam)*, *[vesz stb.]* at little cost; ~ *kap vmt* get a bargain, get in cheap; ~ *megúszta* he came/got off cheap, he was let off cheap; ~ *nem adom* there is a price (to be paid) for it!, it cannot be had for nothing *(v. for a song)*; ~ *szabadul* get off cheaply; *vmt* ~ *vásárol* buy sg (on the) cheap, buy sg low; *nagyon* ~ on the cheap, dirt cheap *(fam)*, dog-cheap *(fam)*

olcsóság *n*, cheapness, lowness/reasonableness of prices

olcsósági [-t] *a*, ~ *hullám* slump (in prices)

old [-ani, -ott, -jon] *vt*, **1.** *[csomót, köteleket]* undo, untie, unbind, unfasten, loosen **2.** *(vegyt)* dissolve **3.** *[köhögést]* loosen; ~*ja a hurutot* ease the chest **4.** *kereket* ~ hook it, take to one's heels, make oneseh scarce, scram

oldal [-ak, -t, -a] *n*, **1.** *[állaté, emberé]* side, flank, *[ellenségé]* flank, *[hajóé]* board, side, *[hegyé]* side, slope, *[szikláé]* wall, *[toronyé]* wall, *(menny)* side; *érkezési* ~ *[vasúti]* arrival platform; *indulási* ~ *[vasúti]* departure platform; *egyenlet egyik* ~*a* one side of an equation; *a szövet mindkét* ~*a* both sides of the fabric; *az úttest bal* ~*a* the left side of the road; *szúr az* ~*am* I have a stitch in the side; **oldalba** *lök/bök vkt* poke/dig sy in the ribs, nudge sy, give sy a dig in the side, give sy a poke in the ribs; *gyengéd* ~*ba bökés* nudge; ~*ba támad/kap vkt* attack on the flank, take (an army) in the flank, flank; ~*ba vágás* thump/jab/nudge in the ribs; *vk* **oldalán** by the side of sy; ~*án fekszik* be lying on one side; *karddal* ~*án* with his sword at his side, armed with a sword; *az utca túlsó* ~*án* over the way, across the road, on the opposite side; *a ház az utca másik/ túlsó* ~*án van* the house is on the other side of the street; *az utca másik* ~*án lakik* he lives across the street; *ezen az* ~*on* on this side; *minden* ~*on* on all sides, all around; ~*amon* at my side; **oldalra** to/on the side, sideways, sidelong; ~*ra csúszik* side-slip; ~*ra dől (hajó)* heel, list, cant over; ~*ra dőlés (hajó)* list(ing); ~*ra hajlás* lateral bending; ~*ára borul (hajó)* keel; ~*ára dől (vk)* lean/lie/recline on one's side; ~*ára fekszik* lie down on one's side; ~*ára fektet [javításra szoruló hajót]* heave down; *vknek az* ~*ára áll (átv)* side *(v. take sides)* with sy, take the side of sy; *vknek az* ~*ára áll vkvel szemben* range oneself with sy against sy; *a maga* ~*ára von* range sy with one, win sy over; **oldalról** from the side, sideward(s), sidewise, sideways; ~*ról nézve* seen sideways, in profile, *[arckép]* side-face; *minden* ~*ról* from all sides/directions/quarters, on every hand; *minden* ~*ról támadás érte* he was attacked from every side; *apai* ~*ról* on the father's side;

oldalát fogta nevettében he nearly died with laughter, he nearly split his sides with laughter, his sides shook; *fúrja az* ~*át* it gives him no rest, he is itching to know/tell (the secret); *majd kirúgja a ház* ~*át* be in the high spirits, hold high jinks; ~*i választ [játékban]* pitch sides, pick up (for sides) **2.** *[könyvé]* page; *első* ~ recto; *hátsó* ~ verso; *az ötödik* ~*on* on the fifth page, on page five **3.** *[tulajdonság]* aspect, quality, side, point; *erős* ~*a* strong point, forte, *[igével]* be good in sg, be good at (doing) sg; *gyenge* ~*a* sy's weak spot/point; *gyenge* ~*a a számtan* he is no good in/at mathematics, mathematics is not his forte, mathematics is not his strong point *(v. strongest suit)*; *a jó* ~*a (vmé)* the bright side of sg, *(vké)* sy's good point, sy's redeeming quality/feature; *megvan az a jó* ~*a* it has the advantage (of); *sok jó* ~*a van* he has many good qualities; *vmnek a jó és rossz* ~*a* the pros and cons, the drawbacks and the advantages of sg, the rights and wrongs of sg; *a probléma két* ~*a* the opposite sides of the question *(pl)*; *gyenge/ sebezhető* ~*án közelít meg vkt* get on the blind/soft side of sy; *minden* ~*ról megvizsgál (egy kérdést)* hear *(v. look at)* both sides (of a question); *helyes* ~*áról világít meg vmt* set sg in its true/proper light

oldalablak *n*, side-window, sidelight, quarter-light

oldalág *n*, **1.** *[fáé]* lateral branch **2.** *[folyóé]* (lateral) arm **3.** *[leszármazási]* collateral line (of descent); ~*on* collaterally, in the collateral line; ~*on rokon (vkvel)* be collaterally related to sy

oldalági [-ak, -t] *a*, collateral; ~ *leszármazás* collateral descent; ~ *leszármazott/rokon* collateral; ~ *örökösök* collateral heirs; *az* ~*ak* the collaterals

oldalajtó *n*, side/by-door

oldalas [-ak, -t; *adv* -an] **I.** *a*, **1.** having sides *(ut)* **2.** *ötven* ~ *könyv* a book of fifty pages **3.** ~ *szomszéd* next-door neighbour **II.** *n*, flitch/side of bacon, thin flank (of pork), *[sült]* rib-roast; *csontos* ~ rib of beef; *füstölt* ~ smoke-cured bacon/ribs

oldalaslag *adv*, † sideways, sidewise, crabwise *(mind: stand.)*

oldalaz [-tam, -ott, -zon] **I.** *vt*, *(műsz)* equip with sides/flanks **II.** *vi*, *[oldalirányban halad]* sidle

oldalazás *n*, *(műsz)* siding

oldalbástya *n*, flanker

oldalbejárat *n*, side entrance/entry

oldalbiztosítás *n*, *(kat)* flank protection

oldalbiztosító *a*, ~ *járőr* flank patrol/guard, flanker

oldalborda *n*, **1.** rib **2.** *[feleség tréf]* (sy's) better half

oldalcsatorna *n*, side-channel

oldalcsúszás *n*, *(rep)* glissade, wing-slide

oldaldeszka *n*, guide

oldalél *n*, side-edge

oldaleltérés *n*, *(rep)* lateral deflection/deviation

oldalépület *n*, lateral wing (of building), flanker, annex

oldalfájás *n*, stitch/pain in one's side

oldalfal *n*, *(épít)* aisle wall, cheek, *[gépkocsié]* quarter panel, *(műsz)* side-piece/wall, cheek, *(bány)* side wall

oldalfegyver *n*, side-arms *(pl)*, bayonet

oldalfék *n*, side brake

oldalfekvés *n*, lateral position, lying on the side

oldalfelező *n*, *(menny)* median (line)

oldalfelület *n*, *(mért)* lateral face

oldalfény *n*, sidelight

oldalfolyosó *n*, lateral passage, *[templomi]* aisle

oldalfolyosós *a*, ~ *személykocsi* corridor carriage

oldalfordulat *n*, turning aside, swerve, *[csúszva, farolva]* side-slip, skid

oldalgás *n*, **1.** sidling, slink, *[lóé]* traverse **2.** *[hajó]* heel, list(ing) **3.** *[lövedéké]* lateral deviation/deflection/movement, drift, *[szél okozta]* windage

oldalgási [-t] *a*, ~ *szög* angle of lateral deviation

oldalgombolós *a*, 1. *[ruhanemű]* buttoned on the side/hip *(ut)* 2. ~ *kocsi (biz, tréf)* railway carriage with doors for each compartment

oldalhágcsó *n*, *[járművön]* side-step

oldalhajó *n*, *[templomi]* (side-)aisle

oldalhajtás *n*, *(növ)* side-shoot, offset

oldalháló *n*, *[futballkapúé]* side-net

oldalhelyes *a*, *[kép, felvétel]* accurate to sides *(ut)*, laterally unreversed (photograph)

oldalhelyzet *n*, lateral position

oldalhomlokzat *n*, side view/elevation/face

oldalhosszúság *n*, side length, length along sides

oldalhullám *n*, side-wave, *[tengeren]* beam sea

oldali [-ak, -t] *a*, -side, *(pol)* -wing; *két*~ *tüdőgyulladás* double pneumonia

oldaljelzésték *n*, *(nyomd)* side-mark

oldalirány *n*, ~*ba lódul/billen [hajó]* lurch; ~*ba mozgat, move sideways;* ~*ban* laterally

oldalirányzás *n*, *(kat)* traversing, traverse

oldaljárda *n*, sidewalk, side path

oldalkápolna *n*, side-chapel

oldalkarzat *n*, (side-)gallery, *[csak templomban]* triforium

oldalkereső *n*, *(fényk)* side-viewer

oldalkocsi *n*, side-car, lateral car

oldalkocsis *a*, ~ *motorkerékpár* motor-cycle and side--car, (motor-cycle) combination

oldalkormány *n*, *[repgépen]* (vertical) rudder

oldalkötél *n*, *(hajó)* stay

oldalkötélpad *n*, *(hajó)* chain-board, chain-wales *(pl)*

oldalkőzet *n*, *(bány)* wallrock

oldalkulisszák *n. pl*, *(szính)* the wings

oldallámpa *n*, side-lamp, sidelight, *(hajó)* side running light

oldallap *n*, *(mért)* lateral face, *[drágakőé]* facet, *[csavarfejé]* pane

oldallépés *n*, *(kat, sp)* side/by-step; ~*t tesz* side-step

oldallevonat *n*, *(nyomd)* page-proof

oldalmenet *n*, flank(ing) march

oldalmoréna *n*, border moraine

oldalmotor *n*, *[csónakon]* sideboard/outboard motor

oldalmozdulat *n*, *(kat)* flanking movement

oldalmozgás *n*, oblique/lateral motion, side-motion, traversing, traverse

oldalnézet *n*, side/lateral view/face, (side) elevation, profile (view); ~*ből* in profile, from side-face/view

oldalnyilallás *n*, stitch (in one's side)

oldalnyomás *n*, *(műsz)* lateral thrust, horizontal pressure

oldalog [-tam, . .gott, -jon] *vi*, 1. sidle, move side foremost, skulk, slink 2. *(hajó)* have a list, heel over 3. *[lövedék, repgép]* drift/deviate laterally

oldaloltár *n*, side altar

oldaloz [-tam, -ott, -zon] *vi*, 1. sidle, *[ló]* traverse 2. *(kat)* (take the enemy in) flank

oldalozás *n*, 1. *(kat)* flanker, flank(ing) fire 2. *[lóé]* traverse

oldalozó [-t; *adv* -an] *a*, *(kat)* flanking; ~ *tűz* flank(ing) fire

oldalösvény *n*, *[töltés mellett]* side path

oldalpad *n*, *[járművön stb.]* side-seat

oldalpáholy *n*, side-box

oldalpalánk *n*, *(hajó)* waling

oldalpáncélzat *n*, *(hajó)* side-armour

oldalpárna *n*, side-cushion

oldalpillantás *n*, side/by-glimpse/glance

oldalrajz *n*, drawing in profile, side-face drawing

oldalrés *n*, *(bány)* drawcut, side cut

oldalrész *n*, lateral part, side (of sg), side-piece

oldalrokon *n*, collateral (relative)

oldalrokonság *n*, collateral kinship

oldalról *adv*, from the side, sideways, *(kat)* from the flank

oldalrúgás *n*, side-kick

oldalrügy *n*, lateral (bud)

oldalsánc *n*, *(kat)* traverse

oldalsáv *n*, *(távk)* sideband

oldalsó [-t] *a*, -side, lateral; ~ *motoros traktus (biol)* lateral motor tract

oldalsortűz *n*, broadside fire

oldalszakáll *n*, (side-)whiskers *(pl)*

oldalszalonna *n*, flitch/side of bacon

oldalszám[1] *n*, *[nyomtatványé]* page number

oldalszám[2] *n*, *az* ~ *közölt idézetek* pages and pages of quotations

oldalszár *n*, *(növ)* tiller

oldalszárny *n*, *(épít)* side-wing (of building), flanker, lateral wing, *(kat)* wing, flank

oldalszél *n*, side/cross-wind, *(hajó)* slanting/quartering/wind, wind on the quarter; *oldalszelet kaptam* the wind blew across me

oldalszelep *n*, side-valve

oldalszoba *n*, side-room, adjoining room

oldalszög *n*, azimuth, lateral angle

oldalszúrás *n*, 1. *[fájás]* stitch (in one's side) 2. *[fegyverrel]* stab in the side

oldalt *adv*, from the side, laterally, sideways, aside, sideward(s), sidelong, edgeways; ~ *dől [hajó]* heel (over), list (over), have/take a list; ~ *dönt* cant; ~ *elhajlik* deviate, swerve, diverge; *haját* ~ *fésüli* comb one's hair side-ways; ~ *lép* side-step; ~ *támad* (attack on the) flank; ~ *termő (növ)* pleurocarpous

oldaltámadás *n*, flank attack

oldaltámasz *n*, *[karosszéké, ülésé]* arm/elbow-rest

oldaltarisznya *n*, double wallet, sack (carried on strap over shoulder)

oldaltáska *n*, *(kat)* sabretache

oldaltördelés *n*, *(nyomd)* make-up

oldaltűz *n*, *(kat)* flank(ing) fire

-oldalú [-ak, -t; *adv* -an] *a*, -sided, -lateral; *egyenlő* ~ equilateral; *egyenlőtlen* ~ inequilateral, unequal--sided; *több* ~ *[szerződés stb.]* plurilateral, multilateral

oldalugrás *n*, *[emberé]* leaping/jumping aside, giving a leap/jump to the side, caper, *[lóé]* shying

oldalúszás *n*, side-stroke swimming

oldalúszó *a*, ~ *tempó* side-stroke

oldalút *n*, side-road/street, by-way/road

oldalülés *n*, side-seat, *[női nyereg]* side-saddle

oldalvágány *n*, branch-track, sidetrack

oldalvágás *n*, 1. side-cut, *[vívás]* flank cut, twist and thrust 2. *(átv)* side-blow, innuendo, insinuation, oblique hint

oldalvágat *n*, *(bány)* side gallery/cut/drift, cross--heading

oldalvást *adv*, = oldalt

oldalvéd *n*, *(kat)* flanker, flanking detachment, flank/side-guard

oldalvetődés *n*, *(geol)* heave

oldalvilágítás *n*, sidelight, side lighting

oldalvonal *n*, lateral/side line, *(kat)* flank (of army), *[futballpályán]* touch/side line

oldalvonalbíró *n*, *(sp)* lineman

oldalvölgy *n*, side/lateral valley, branch-ravine

oldalzsák *n*, *[katonai]* háversack, kit-bag

oldalzseb *n*, side-pocket

oldás *n*, *(vegyt)* solution

oldási [-ak, -t] *a*, ~ *hő* solution heat; ~ *képesség* solvent power

oldat *n*, solution, *[gyógyszeré néha]* tincture; *normál* ~ standard solution; ~ *alakjában* in solution

oldatlan *a*, 1. *(vegyt)* undissolved, pure 2. *[csomó stb.]* not loosened *(ut)*

oldhatatlan *a*, 1. *(vegyt)* insoluble 2. *[csomó stb.]*

that cannot be untied *(ut)* **3.** *(átv)* inseparable, indissoluble

oldhatatlanság *n*, **1.** *(vegyt)* insolubility **2.** *(átv)* in(dis)solubleness

oldható *a*, **1.** that can be loosened/untied *(ut)* **2.** *(vegyt)* soluble, solvent, dissolvable; *~vá tesz* render soluble/dissolvable

oldhatóság *n*, solubility, solvability

oldó [-ak, -t] *a*, (dis)solvent

oldódás *n*, solution; *görcs ~a* relaxation of spasm

oldód|ik [-ott, -jon, -jék] *vi*, *(vegyt)* dissolve, melt, *[hurut]* loosen

oldódó [-ak, -t] *a*, *(vegyt)* soluble; *nem ~* insoluble

oldóhatás *n*, solvent action

oldóképes *a*, solvent

oldószer *n*, **1.** *(vegyt)* (dis)solvent, dissolver, resolvent, solving material, *[gyógyszernél, festéknél néha]* medium **2.** *[köhögés ellen]* cough-mixture

oldoz [-tam, -ott, -zon] *vt*, untie, loosen, unfasten, undo

oldózsinór *n*, *[ejtőernyőn]* rip-cord

oleánder [-ek, -t, -e] *n*, *(növ)* (common) oleander, rose-laurel/bay *(Nerium oleander)*

olein [-ek, -t, -je] *n*, *(vegyt)* olein

oleinsav *n*, *(vegyt)* olein

Olga [..át] *prop*, Olga

Oli [-t, -ja] *prop*, Noll

oligarcha [..át] *n*, oligarch

oligarchia [..át] *n*, oligarchy

oligarchikus *a*, oligarchical, oligarchal

oligocén [-t] *n/a*, *(geol)* Oligocene

olimpia [..át] *n*, Olympic Games *(pl)*, Olympiad

olimpiai [-ak, -t] *a*, Olympic, olympic; *~ bajnok* olympic champion/winner; *~ fáklya* olympic torch; *~ falu* olympic/games village; *~ játékok* Olympic Games; *az ~ keret tagja* member of the Olympic pool of contestants

olimpiász [-ok, -t, -a] *n*, = **olimpia**

olimpikon [-ok, -t, -a] *n*, participant in the Olympic Games

oliva [..át] *n*, olive; *~ mag (bonct)* olivary nucleus

olívaolaj *n*, olive/sweet-oil

olívaszínű *a*, olive

Olivér [-t, -je] *prop*, Oliver

Olívia [..át] *prop*, Olivia

olivin [-ek, -t] *n*, *(ásv)* olivine, chrysolite, green garnet

olívszürke *a*, olive-drab

olívzöld *a*, olive-green/hued

olló¹ [-t, -ja] *n*, **1.** (a pair of) scissors, *[15 centinél hosszabb vágóélű]* shears *(pl)*, *(orv)* forfex *(lat)*; *fémvágó ~* shearer, snip, metal cutter, shears *(pl)*; *gépi ~* shearing machine; *kerti ~* pruning-scissors/clippers *(pl)*, sécateur *(fr)*, averruncator; *~ alakú* scissor-shaped; *~val kivág* scissor out; *komámasszony hol az ~?* puss in the corner, puss wants a corner **2.** *[ráké]* claw, nipper, chela, pincers *(pl)*; *~ alakú* cheliform, pincer-like **3.** *[tornában, birkózásban]* scissors *(pl)* **4.** *kettős ~ [várépítésben]* bonnet de prêtre

olló² [-t, -ja] *n*, † *[gödölye]* kid

ollós [-at; *adv* -an] *a*, **1.** *[állat]* cheliferous **2.** *[kapcsolás]* slit-and-tongue (junction) **3.** *~ vetődés (geol)* rotary fault

ollószár *n*, blade(s)/shank(s) of (a pair of) scissors

ollótlan *a*, *~ rák* shrimp, crevette

ollóz [-tam, -ott, -zon] *vt/vi*, **1.** *[vág]* scissor, cut with scissors, cut out **2.** *[plagizál]* plagiarize, work with scissors and paste, lift a passage from an author, crib from an author *(fam)* **3.** *[úszik]* swim with the scissors kick

ollózás *n*, **1.** *[vágás]* cutting with scissors, cutting out **2.** *[irodalomban]* scissors and paste production,

plagiarism, plagiary **3.** *[kallóúszás lábtempója]* the scissors/flutter kick

ollózó [-t] **I.** *a*, **1.** plagiaristic **2.** *~ lábtempó [úszásban]* scissors kick; *~ ugrás* scissor jump **II.** *n*, plagiarist

ólmos [-at; *adv* -an] *a*, **1.** *[ólomból való]* lead(en), *[ólommal nehezített]* leaded, weighted with lead *(ut)*; *~ bot* leaded/loaded stick, bludgeon, life-preserver, loaded cane, cosh *(fam)*, black-jack *(US)*, *[rendőré]* truncheon **2.** *~ arcszín* livid/leaden complexion **3.** *~ eső* freezing rain, sleet *(US)*; *~ eső esik* it sleets *(US)*; *~ szitálás* freezing drizzle

ólmoz [-tam, -ott, -zon] *vt*, **1.** lead, cover/treat with lead **2.** *[ólomzárral ellát]* seal (with lead), affix leads to

ólmozás *n*, **1.** leading, covering/treating with lead **2.** *[ólomzárral ellátás]* sealing with lead

ólmozott [-at; *adv* -an] *a*, leaded, lead-coated

olocsán [-ok, -t, -ja] *n*, *(növ)* chickweed *(Holosteum)*

ólom [ólmot, ólma] *n*, lead, *(összet.)* leaden; *ólmot önt [babonából]* cast lead (to tell sy's future); *~mal bevont/borított/burkolt* lead-coated; *~mal kitöltés* leading

ólomacetát *n*, sugar of lead

ólomakkumulátor *n*, lead storage battery

ólomáru *n*, lead-work

ólombánya *n*, lead-mine

ólombélyeg *n*, leaden seal

ólombetegség *n*, phthisis of lead smelters

ólombetű *n*, (lead) type

ólombiztosíték *n*, fuse, cut-out

ólombronz *n*, lead-bronze

ólomburkolat *n*, lead(en) sheathing/covering/plating, sheet-lead

ólomcukor *n*, sugar/acetate of lead, lead sugar

ólomcső *n*, lead-pipe/piping

ólomecet *n*, lead acetate

ólomérc *n*, lead ore

ólomfehér **I.** *n*, ceruse, white lead, flake/London white, plumbous subcarbonate, lead carbonate **II.** *a*, greyish-white, livid

ólomfény *n*, *(bány)* galena, lead glance, *[fazekasé]* potter's lead

ólomfesték *n*, lead paint, lead colours *(pl)*

ólomfoncsor *n*, amalgam of lead

ólomforrasz *n*, lead solder

ólomforrasztó *n*, *[munkás]* plumber

ólomföld *n*, earthy lead spar

ólomfröccs *n*, *[öntőgépen]* splash

ólomfüstlemez *n*, lead-foil

ólomgolyó *n*, lead bullet, leaden ball

ólomgyökér *n*, *(növ)* plumbago, leadwort *(Plumbago)*

ólomhuta *n*, lead-works

ólomhuzal *n*, lead wire

ólomjegy *n*, lead stamp

ólomkábel *n*, leaded cable

ólomkamra *n*, *(vegyt)* lead chamber; *a velencei ólomkamrák* the Leads of Venice

ólomkatona *n*, tin soldier

ólomkeret *n*, *[üvegablakban]* leads *(pl)*, lead-line, leading, cames (of stained-glass window) *(pl)*

ólomkohó *n*, lead-works

ólomkólika *n*, *(orv)* lead-colic

ólomköpeny *n*, lead coating

ólomköpenyes *a*, *[kábel]* lead-covered

ólomkristály *n*, *~ üveg* lead-glass, crystal

ólomláb *n*, *~on jár az idő* time drags on, time hangs heavy (on my hands)

ólomlábú *a*, leaden-footed

ólomlap *n*, = **ólomlemez**

ólomlemez *n*, sheet lead, lead foil

ólommáz *n*, lead-enamel/glaze

ólommázas *a*, lead-glazed; *~ fajánsz* lead-glazed faience; *~ kerámia* lead-glazed ware/pottery ólommentes a, containing no lead (ut), lead-free, lead-less

ólommérgezés n, lead-poisoning, plumbic/saturnine poisoning, plumbism, saturnism

ólommérgezéses a, saturnine; ~ bénulás lead-palsy

ólommüvesség n, plumbing, plumbery

ólomnehezék n, plumb(-bob), plummet

ólomoxid n, lead/plumbic oxide; sárga ~ yellow lead; vörös ~ red (oxide of) lead, litharge

ólomöntés n, 1. [ipar] lead-work, plumbing, plumbery 2. [babonás szokás] casting of lead (in order to tell fortunes)

ólomöntő n, 1. [munkás] plumber 2. [babonás] lead--caster

ólomöntöde n, lead-works, lead-manufacture, plumbery

ólomöntvény n, (koh) pig(-lead)

ólompecsét n, lead (seal/stamp), [pápai] leaden bull(a)

ólompír n, minium, red (oxide of) lead

ólomreszelő n, lead file

ólomrúd n, lead bar

ólomsúly n, (lead) weight, [mélységmérő] sounding-lead, sinker, plummet, [rep szögmérőzsinór végén] lead mouse; ólomsúllyal nehezedik reá bears down upon him, oppresses him

ólomszín I. a, = ólomszínű, ólomszürke; II. n, lead colour, colour of lead

ólomszínű a, lead-coloured, leaden, [arc] livid

ólomszürke a, lead-coloured, leaden; ~ ég leaden/murky/livid sky

ólomtapasz n, (orv) lead plaster, diachylum (plaster)

ólomtartalmú a, lead-bearing, plumbiferous, plumb-b(e)ous

ólomtermelés n, lead production

ólomtető n, lead(en) roof

ólomtömítés n, lead filler/caulking

ólomüveg n, lead-glass

ólomvédő n, [röntgenkészülék sugárzása ellen] lead--protection

ólomvíz n, extract of lead, Goulard's water/extract

ólomzár n, lead (seal/stamp), leaden seal

ólomzárolt a, [vám] cocketted

olt¹ [-ani, -ott, -son] vt, 1. [tüzet] put out, extinguish, [tűzvészt] fight (a fire) 2. [meszet] slake, slack(en), extinguish 3. [tejet] curdle 4. [szomjúságot] quench, slake, slack, sate, satisfy

olt² [-ani, -ott, -son] vt, 1. [fát] graft, slip, bud 2. [himlő ellen] vaccinate, [egyéb ellen] inoculate 3. vkbe vmt ~ (átv) instill/inculcate sg in sy, imbue sy with sg

oltalmaz [-tam, -ott, -zon] vt, (vmtől) protect (from/against), guard, defend (against), shelter, shield, screen (from), safeguard, fence

oltalmazás n, protection, guarding, safeguarding, shield-ing, screening, defence, shelter(ing)

oltalmazó [-t, -ja] I. a, protecting, protective, shield-ing, guarding, tutelary, sheltering II. n, protector, guardian, [nő] protectress

oltalom [.. lmat, .. lma] n, protection, safety, safe--keeping, safeguard, shelter, security, patronage; vknek oltalma alatt under sy's patronage, under the auspices of sy

oltalomlevél n, safe-conduct/guard

oltár [-ok, -t, -a] n, altar, communion table, The Lord's table; ~ elé vezet vkt lead sy to the altar; a haza ~án áldozta fel életét he gave (v. laid down) his life for his country

oltárasztal n, altar-table, superaltar

oltárfüggöny n, antependium

oltárfülke n, apse, apsis

oltári [-ak, -t] a, altar-

oltáriszentség n, Holy Sacrament/Communion, eucha-rist, Lord's Supper

oltárkendő n, altar-cloth, communion cloth

oltárkép n, altar-piece, [szárnyas] triptych

oltárkő n, altar-stone/table

oltármennyezet n, baldachin, canopy (over an altar)

oltárpolc n, predella

oltárrács n, altar-screen

oltárszekrény n, tabernacle

oltárterítő n, altar-cloth, communion cloth, frontal, frontlet

oltás¹ n, 1. [tűzé] putting out, extinguishing 2. [mészé] slaking, slacking, extinction 3. [tejé] curdling 4 [szomjúságé] quenching, slaking

oltás² n, 1. [fáé] graft(ing); nyelves ~ whip-graft; ~ oltóvesszővel ordinary grafting 2. (orv) inoculation, vaccination

oltási [-ak, -t; adv -lag] a, 1. [tűz] extinguishing 2. [szomjúság] of quenching (ut) 3. (orv) of vacci-nation (ut), vaccinal; ~ bizonyítvány certificate of vaccination; ~ kötelezettség compulsory vaccination

oltásos [-ak, -t] a, vaccinated, inoculated; ~ kar arm marked/scarred by inoculation

oltatlan¹ a, 1. [tűz] unextinguished 2. ~ mész unslaked/free lime, quicklime 3. [szomjúság] unquenched, un-slaked

oltatlan² a, 1. [fa] ungrafted 2. (orv) not vaccinated (ut), unvaccinated

olthatatlan a, 1. [tűz] inextinguishable 2. [szom-júság] unquenchable, unslaked, unslakable 3. ~ gyűlölet undying/sleepless hatred; ~ szenvedély sate-less passion; ~ vágy insatiable/unappeasable/hun-gering desire

oltó¹ [-t, -ja] I. a, 1. [tüzet] extinguishing 2. [szomjú-ságot] quenching II. n, [tejnek] rennet

oltó² [-t, -ja] I. a, 1. [fát] grafting 2. (orv) of inocu-lation/vaccination (ut) II. n, [kertész] grafter

oltóág n, graft, scion, slip, piping

oltóanyag n, (orv) vaccine, lymph, serum, (áll) inocula-tors (pl), inoculum; gyengített ~ attenuated vaccine

oltófecskendő n, fire-engine/hose

oltófűrész n, grafting-saw, grafter

oltógally n, = oltóág

oltógenerely n, vaccinator, scarificator, scarifier

oltógödör n, lime-pit

oltógyomor n, [kérődzőké] fourth/true stomach, reed, rennet (stomach), abomasum

oltókacs n, (orv) inoculating loop

oltókés n, (növ) grafting knife, grafter

oltókészülék n, fire-extinguisher/sprinkler/engine

oltóorvos n, inoculator, vaccinator, vaccinist

oltószem n, shield-bud, slip, eye

oltószer n, = oltóanyag

oltószérum n, inoculation lymph

oltott¹ [-at; adv -an] a, ~ mész slaked/slack/drowned/caustic lime, hydroxide calcium, hydrate of lime, lime/calcium hydrate

oltott² [-at; adv -an] a, 1. (orv) vaccinated, inoculated 2. ~ barackfa (en)grafted apricot tree 3. a gyerekeibe ~ kötelességtudat the sense of duty instilled in his children

oltótű n, (orv) vaccine point, vaccination lancet, [injekciós tű] hypodermic needle; ld még oltógerely

oltóvessző n, = oltóág

oltóviasz n, grafting wax

oltvány n, graft(ling), scion, grafted shoot, stock

Olümposz [-t, -on, -ra] prop, Olympus

olümposzi [-ak, -t; adv -an] a, Olympian

olvad [-t, -jon] vi, 1. melt, dissolve, [fém] fuse, [hő, jég] thaw, [viasz, vaj] melt, run, [időről] it thaws, it is thawing, the thaw is setting in 2. ~ a gyönyörűség-től be in an ecstasy of delight, one's heart melts at the sight; ~ a keze között a pénz money runs through his fingers, money burns a hole in his pocket

olvadás *n, (átt)* melting, dissolution, *[hóé, jégé]* thaw-(ing), *[fémé]* fusion; *nagy ~ [vizeken]* break(ing) up (of drift-ice); *a hirtelen ~ árvizet okozott* the sudden thaw caused a flood

olvadáshő *n,* fusion/melting heat, heat of fusion

olvadási *[-ak, -t; adv -lag]* *a,* fusion-, melting-, of fusion *(ut)* ; *~ hő* melting heat, heat of fusion

olvadásos *[-t]* *a, ~ időjárás* thaw

olvadáspont *n,* fusion/melting point/temperature, point of fusion, *[meteorológiában]* thaw point; *~on van* be on the melt

olvadék *[-ot, -a]* *n,* fusion, melt

olvadékony *[-at, adv -an]* *a,* 1. fusible, meltable, liquefi-able, liquescent 2. *[átv személyről]* soft, emotional, melting

olvadékonyság *n,* fusibility

olvadhatatlan *a,* infusible, non-fusible/melting

olvadó *[-t; adv -an]* *a,* melting, dissolving; *~ hó* melting/thawing snow

olvadóbiztosíték *n,* (safety-)fuse

olvadoz|ik *[-tam, -ott, -zon, -zék]* *vi,* 1. *[anyag]* melt/dissolve/fuse slowly/gradually, *[hó]* be thawing 2. *[átv érzelemtől]* melt with emotion, gush; *~ik a gyönyörűségtől* be in an ecstasy of delight, one's heart melts (at the sight of sg)

olvadozó *[-t; adv -an]* *a, (átv)* gushing, gushy, effusive

olvadt *[-at; adv -an]* *a,* molten

olvas *[-tam, -ott, -son]* *vt,* 1. *[írást]* read, *[figyelmesen]* peruse; *~ vmről* read about/of sg; *jól ~* read well; *kottát ~* read music; *újságot ~* read a/the paper; *visszafelé ~* read backward; *~ni tanít* teach to read; *~ni tanul* learn to read; *nagyon szeretek ~ni* I am a great reader; *a gyerekek szeretik ha ~nak nekik* children like to be read to; *sokan ~sák műveit* he is widely read; *az esti lapokat nagyon sokan ~sák* the circulation of the evening papers is very great; *~ta-e már a mai újságot?* have you seen today's paper? 2. *[pénzt]* count, tell; *mintha tizig se tudna ~ni* looks as if butter would not melt in his mouth; *a pénz ~va jó (közm)* short reckonings make long friends 3. *a sorok között ~* read between the lines; *vknek a szívében ~* see through sy; *tenyérből ~* read sy's hand; *a fejére ~* upbraid/rebuke sy, tell sy a few home truths

olvasás *n,* 1. *[írást]* reading, *[figyelmesen]* perusal; *~ útján tanul nyelvet* read oneself into a language; *belemerült a könyv ~ába* he was deep in the perusal of the book; *harmadszori ~ban* in the third reading; *~sal rontja a szemét* destroy óne's eyes by reading 2. *[pénzt]* counting, telling

o vasási *[-ak, -t; adv -lag]* *a,* reading-, of reading *(ut)*, *~ gyakorlat* reading-practise/exercise

olvasásmód *n,* way/manner of reading, reading

olvasat *n,* 1. reading/interpretation/version of a text 2. = olvasásmód

olvasatlan I. *a,* 1. *[szöveg]* unread, unperused 2. *[pénz]* uncounted, untold II. *adv,* = olvasatlanul; *~ huszonötöt vertek rá* he was given 25 odd strokes of the cane

olvasatlanul *adv, ~ visszaküldte a levelet* he returned the letter unread

olvasgat *vt,* be reading, read from time to time, read off and on, browse *(fam)*

olvashatatlan *a,* 1. *[írás]* illegible, indecipherable; *~ (kéz)írás* illegible/cramped handwriting, scribble; *~ az írása* he writes illegibly; *~ná tesz [írást, feliratot]* efface, obliterate, expunge 2. *[szerző]* unreadable

olvashatatlanság *n,* 1. *[írásé]* illegibility, undecipher-ability 2. *[írásműé]* unreadability

olvashatatlanul *adv, ~ ír* write illegibly

olvasható *a,* legible, may be read *(ut)*, clear, plain, *[könyv]* readable; *~ (kéz)írás* a legible/readable handwriting; *az emlékművön ez a felirat ~* on the monument the inscription may be read

olvashatóan *adv,* legibly; *jól ~ ír* write a clear hand

olvashatóság *n,* legibility, clearness, readableness, readability

olvasmány *n,* (piece of) reading; *mi a kedvenc ~od?* what is your favourite reading?; *a nyelvkönyv húszadik ~ánál tartunk* we are reading the twentieth lesson/selection of the grammar/reader

olvasmányi *[-t]* *a, ~ jegyzék* reading-list

olvasmányjegyzék *n,* reading-list

olvasmányos *[-at; adv -an]* *a,* (affording) good reading *(ut),* readable

olvasnivaló *n/a,* (piece of) reading, reading matter, sg to read; *nem sok ~ van a mai újságban* there is not much reading in today's paper; *hozz vm ~t* bring/get me something to read

olvasó *[-t, -ja]* I. *a,* reading; *sokat ~ ember* a reading man, a well-read man; *~ szerkesztő* night editor

II. *n,* 1. *[személy]* reader, *[könyvtárban]* user, patron *(US),* client *(US)* ; *az ~k* the general reader, the reading public; *a nyájas ~* the gentle reader; *napló az ~k nyilvántartására* borrowers'/readers' register; *az ~hoz [könyv előszavaként]* foreword, preface, prefatory note; *néhány szó az ~hoz* a word to the reader 2. *(vall)* rosary, (string of) beads, chaplet, *[egy szeme]* bead 3. *[terem]* reading room

olvasóállvány *n,* reading-desk/stand, *[templomi]* lec-tern

olvasóasztal *n,* reading-table

olvasóforgalom *n,* attendance (at a library)

olvasóhely *n, raktári ~ [könyvtárban]* carrel, research carrel/stall, cubicle

olvasói *[-t]* *a, ~ katalógus* public catalogue

olvasójegy *n, [könyvtári]* reader's ticket/card, borrow-er's ticket; *napi ~* admission card

olvasójel *n,* book-mark(er), marker

olvasókönyv *n,* reader, reading-book, *[elemistáé]* spelling-book, speller, primer; *első ~* first reader

olvasókör *n,* book-club, reading circle

olvasóközönség *n,* the (book-)reading public, the general reader, audience, *[folyóiraté, rovaté]* readership; *nagy ~e van it/he* is widely read; *nagy ~gel rendelkező újság* widely read newspaper

olvasólámpa *n,* reading-lamp

olvasómozgalom *n,* movement for the promotion of reading

olvasópróba *n, (szính)* (first) rehearsal, run-through; *olvasópróbát tart a színészekkel* run the actors through their parts

olvasószemfa *n, (növ)* bead-tree, pride of China/India *(Melia Azodarach)*

olvasószoba *n,* reading-room, library, study

olvasószolgálat *n, [mint könyvtári osztály]* reference department, *[anyaggyűjtő szolgálat]* abstracts service

olvasótábor *n,* reading public, audience

olvasótávolság *n,* reading distance

olvasóterem *n,* reading-room

olvasótermi *a, ~ kézikönyvtár* reference library/collec-tion

olvasott *[-at; adv -an]* *a,* 1. *[ember]* well/widely-read (person), literate, erudite; *~ ember* man of (great/immense) reading, a well-read man 2. *[könyv]* much/widely read, *[szerző]* widely-read, popular; *nem ~ [könyv]* unread, *[ember]* unlettered

olvasottság *n,* reading (of an erudite), erudition, liter-acy; *nagy ~a van* he is widely/well read; *nagy/széleskörű ~gal rendelkező ember* a man of wide reading

olvasottságú *[-t]* *a, nagy ~ személy* widely/deeply/book--read

olvaszt *[-ani, -ott, .. asszon]* *vt,* melt, *[fémet]* (s)melt, fuse, liquefy, *[havat, jeget]* thaw, *[vajat, zsírt]* clarify, melt down, run, render; *vmbe ~ vmt (átv)* fuse with

olvasztár [-ok, -t, -a] *n,* (s)melter, furnaceman, founder

olvasztás *n, [ércé]* smelting, *[fémé]* melting, fusion, *[viaszé stb.]* liquefaction, *[zsíré]* rendering

olvasztási [-t] *a, ~ adag* load, burden

olvaszthatatlan *a,* infusible, non-fusible/melting

olvaszthatatlanság *n,* infusibility, non-fusibility

olvasztható *a,* meltable, fusible, liquefiable; *nehezen ~* difficult of fusion *(ut),* stubborn, refractory

olvasztó [-t] I. *a,* 1. (s)melting- 2. *[üzemi]* foundry- II. *n,* 1. = olvasztár; 2. *[üzem]* foundry, smelting--works, smeltery, *[nagyolvasztó]* blast furnace

olvasztócső *n,* blow-pipe

olvasztókanál *n,* (s)melting-ladle

olvasztókemence *n,* (s)melting furnace (of foundry), blast furnace, smelting hearth; *olvasztókemencébe adagol* burden the furnace

olvasztómunkás *n,* = olvasztár

olvasztómű *n,* foundry, smeltery, smelting works

olvasztópáka *n,* copper bit

olvasztótégely *n,* crucible, melting/fusion-pot, cupel, foyer

olvasztott [-at; *adv* -an] *a,* melted, molten; *~ érc* molten metal; *~ vaj* clarified/run butter; *~ zsír* rendered fat

olvasztóüzem *n,* smelting works

olvatag [-ot; *adv* -on] *a,* soft, emotional, melting

oly [-at; *adv* -an] *a/adv/n. dem,* = olyan; *~ módon* in such a way/manner; *~ módon hogy* so that; *~ nagyon* so greatly/much

olyan [-ok, -t] I. *a. dem,* such; *~ mint* such as, just like; *~ mint az új* it is as good as new; *egy ~ ember* such a man; *~ emberek* that sort of people; *~ ember mint ő* a man like him; *az ember mint ~* man as such, man qua man *(ref.);* *szakasztott ~* exactly the same; *amilyen a fa ~ a gyümölcse* like father like son; *~ amilyen* mediocre, (we must take it) such as it is; *se ilyen se ~* neither this nor that; *van ~ falu ahol* there are villages where; *az egyik ~ mint a másik* one is as good as the other, one is the same as the other II. *adv. dem,* so; *~ boldog vagyok!* I am so happy!; *~ fáradt vagyok!* I am so tired!; *~ nagy (mint)* as big (as that); *~ nagy!* so big!; *nem ~ nagy* not so big; *~ nagy (hogy)* so big (that); *~ nagyon szerettem* I loved her so (much); *~ gyorsan (meg)jött ahogyan csak lehetett* he came as quickly as might be; *~ hamar* so soon/quickly/fast; *~ közel* so near; *~ messze* so far; *~ régen* so long ago, such a long time ago; *~ kedves amilyen csinos* she is as charming/nice as she is pretty; *legyen ~ jó/szíves (és)* be so kind (as to) III. *n. dem, van ~ aki* there are people who; *~ nincs!* (it is) quite out of the question, nothing of the kind!, what next!; *~ módon (hogy)* in such a way/manner (that); *~t dobbant a szíve* his heart gave such a jump; *~okat kacagott hogy csak!* he laughed heartily; *~okat kérdez (hogy)* he asks me such (difficult) questions (as); *én sohasem tennék ~t* I could never do such a thing

olyanfajta *a. dem,* = olyanféle

olyanféle I. *a. dem,* of such (a) kind, a kind/sort of II. *n. indef/dem, olyanfélét hallottam hogy* I heard something like *(v.* of this kind) that; *olyanfélét mondott* he said words *(v.* something) to the effect

olyanféleképp(en) *adv. dem,* in such a manner/way; *vm ~ mondta* he seemed to say/mean/imply

olyanforma I. *u. dem,* such, of such kind, a kind/sort of II. *n. indef/dem, olyanformát mutatott* he showed me some like that

olyanformán *adv. dem, a dolog ~ áll hogy* things are like this, the matter stands as follows

olyanképpen *adv. dem,* = olyanféleképpen

olyankor *adv. dem,* on such occasions, at such times; *~ amikor* at a time when

olyanszerű *a. dem,* of such sort *(ut),* suchlike

olyannyira *adv. dem, ~ (hogy)* to such an extent, to such a degree, so much so (that), insomuch (as/that), insofar (as)

olyas [-at] *a. dem,* = olyan

olyasféle I. *a. dem,* = olyanféle I.; II. *n, indef/dem,* = olyanféle II.

olyasforma I. *a. dem,* = olyanforma I.; II. *n, indef/ dem,* = olyanforma II.

olyasmi *n. indef/dem,* something like, something of the sort/kind

olyasvalaki *n. indef/dem,* somebody like/who, somebody of the/that kind/sort, such a person

olyaténféleképp(en) *adv. dem,* = olyanféleképp(en)

olybá *adv. dem, ~ veszi mintha* take for, regard/consider as

olyik [-at] *a. indef,* = némelyik

olykor *adv. indef,* sometimes, now and then/again, at times, occasionally

olykor-olykor *adv. indef,* every now and then, once in a blue moon *(fam)*

olyszerű *a. dem,* = olyanféle I.

ómama *n,* grandma, granny

omega [.. át] *n,* omega

ómen [-ek, -t, -e] *n,* omen, presage, portent, (fore)boding, augury; *rossz ~* bad omen

ominózus *a,* of ill omen/presage *(ut),* ominous

omladék [-ot, -a] *n,* (mass of) fallen masonry, debris, rubbish, ruins *(pl)*

omladékony [-at] *a,* crumbling, crumbly, friable

omladozás *n,* ruinous condition, disrepair, decay, decrepitation, crumbling

omladoz|ik [-ott, -zon, -zék] *vi,* fall into ruins, be in a ruinous condition, be in a tumble-down condition/ state, go to ruin, fall to pieces, fall into disrepair, be giving way, (fall into) decay, crumble (to pieces), decrepitate

omladozó [-t; *adv* -an] *a,* tottering, tumble-down, on the point of collapsing *(ut),* dilapidated, crumbling, crumbly, decrepit, ramshackle, mouldering, ruinous; *~ falak* crumbling walls, walls in disrepair

omlás *n,* collapse, falling in, falling to pieces, crumbling, tumbling down, mouldering, *[hegyoldalon]* landslide, landslip

omlástölcsér *n, (geol)* pit-crater

omlaszt [-ani, -ott, .. asszon] *vt,* 1. (make) tumble down, reduce to ruins 2. *(bány)* break-off

omlasztás *n, (bány)* undercut caving, break-off

omlatag [-ot; *adv* -on] *a,* crumbling, tumble-down, dilapidated, decrepit, ramshackle, threatening to fall *(ut),* in a ruinous condition *(ut)*

omlett [-et, -je] *n,* omlet(te)

oml|ik [-ani, -ott, omoljon, omoljék] *vi,* 1. fall to pieces, collapse, crumble, moulder, fall in 2. *[haj, drapéria]* flow; *haja vállára ~ik* her hair is falling about her neck/shoulders 3. *vk elé ~ik* throw oneself down before sy, prostrate oneself before sy; *egy karosszékbe ~ik* drop/flop/sink into an armchair

omló [-t; *adv* -an] *a,* crumble, mouldering, dilapidated, tumble-down, in a ruinous condition *(ut),* in a state of ruin/dilapidation *(ut)*

omlófélben van = omladozik

omlós [-at; *adv* -an] *a,* friable, crumbling, crisp(y); *~ tészta* short/mellow pastry/cake, shortbread

omlósság *n,* friability, friableness, crispness

omnibusz [-ok, -t, -a] *n,* (horse-drawn) omnibus

omol [-t, -jon] *vi,* = oml|ik

-on, -en, -ön, -n *suff,* 1. *[helyhatározó]* a) an; *a földön hever* lie on the ground; *a fedélzeten* on board; *az asztalon* on the table; *lóháton (ülve)* on horseback;

a negyedik oldalon on page four, on the fourth page; a szigeten él live on the island; féllábon áll stand on one leg; oldalán fekszik be lying on one side; térdén állva (könyörög) go on one's knees (begging); kopogtat α ajtón knock on the door b) at; a létra tetején at the top of the ladder; a tenger fenekén at the bottom of the sea; karddal az oldalán with his sword at his side; kopogtat az ajtón knock at the door; az állomáson megáll stop at the station; a végén at the end c) in; Budapesten lakik/él live in Budapest; Magyarországon él live in Hungary; az egész földön in all the world, in the world; falun él live in a village, live in the country; az utcán találkoznak they met in the street; sehol a világon nowhere in the world d) by; a parton by the riverside; vízen utazik travel by sea; utazik szárazon és vízen travel by land and sea e) [különféle elöljáróval:] szerte az egész világon all over the world, all the world over; feljönnek a lépcsön they are coming upstairs; lemegy a lépcsön go downstairs; a fiúk leszaladtak a dombon the boys ran down the hill; hegyenvölgyön át over hill and dale, up hill and down dale; híd a folyón át/keresztül a bridge over the river; vmn innen this side of sg; vmn túl beyond/over/across sg; a folyón túl beyond the river, on the other side of the river; kimegy az ajtón go out through the door; házon kívül out of doors, not in; kinéz az ablakon look out of the window 2. [hely- és eszközhatározó] (főleg:) by; autón/kocsin megy go by car; vonaton utazik go/travel by train; lovon jár go on horseback, ride; láncon lóg hang on/by/from (a) chain 3. [hely- és időhatározó] at; bálon vesz részt be at a ball; gyűlésen elnököl preside at a meeting; hangversenyen van be at a concert; az olimpiai játékokon at the Olympic Games; a temetésen láttam l saw him at the funeral 4. [időhatározó] a) at; az év elején at the beginning of the year; az év végén at the end of the year; a hó végén at the end of this month; vmnek idején at the time of sg; nyár közepén at midsummer b) on; hétfőn on Monday; pénteken reggel on Friday morning; a szerdai napon on Wednesday c) in; nyáron in summer; télen in winter d) [elöljáró nélkül] azon a napon amikor megérkeztél the day you arrived; egy szép napon one/some day; ezen a héten this week; múlt héten last week; ezen a nyáron this summer; tavaly/múlt nyáron last summer e) [. . .n át/ keresztül] throughout, during, for (v. elöljáró nélkül) három napon át for three days, three days running; az egész napon át the whole day; napokon át day after day, for days running, for days on end, for days in succession; egész héten át throughout the week; tíz éven át/keresztül (for) ten years; az egész időn át/ keresztül all the time, all along, right through f) [. . .n belül] in, within; rövid időn belül in a short time; egy órán belül within one/an hour g) [. . .n túl] after; három órán túl (1) [időpont] after three o'clock (2) [tartam] for more than three hours, for over three hours 5. [állapothatározó] a) at; szabad lábon van be at large/liberty; nyugton van be at rest; egy véleményen van be at one with. . . b) on, upon; szabadságon van be on holiday; úton van be on the way; átok van vmn there is a curse upon sg c) in; helyén marad stay in one's place d) [elöljáró nélkül:] talpon van be up; egymás hegyén-hátán all in a heap, pell-mell, higgledy-piggledy 6. [állapothatározó, irányulás] a) [különféle elöljáróval:] dolgozik vmn work| (upon/at) sg; kézimunkán dolgozik work at embroidery; munkálkodik vmn be engaged in/on sg, be busy at/upon sg, be employed on sg; kap vmn snatch/jump at sg; diadalmaskodik vkn/vmn be victorious over sy/sg, triumph over sy/sg; kifog vkn get/have the better of sy; túlad vmn get rid of sg, rid oneself of sg, dispose of sg; bosszút áll vkn revenge oneself on sy, get even with sy; megkönyörül vkn

take/have mercy/pity on sy, have compassion for sy b) [elöljáró nélkül:] segít vkn help sy; lendít vkn give sy a lift; enyhít vk fájdalmán ease/alleviate/calm/ soothe sy's pain; kifog vkn outwit/overreach sy; felelősség van vkn be responsible (for sg) 7. [állapothatározó, eredet] a) at; bánkódik vmn grieve at sg; csodálkozik vmn wonder at sg, be surprised/astonished at sg, marvel at sg; nevet vkn laugh/mock at sy b) [különféle elöljáróval:] gondolkodik vmn think about/of/on sg, meditate on/upon sg 8. [módhatározó] a) in, at; ezen a módon in this way/ manner; jó áron adta el áruit he has sold his wares at a good price; ezen az áron at that price b) [elöljáró nélkül:] ennek folytán consequently, therefore, hence, as a result; egyformán alike, equally, similarly, in the same way/manner 9. [eszközhatározó] a) at; árverésen vette he bought it at an auction; nyer a lottón draw a prize at the lottery; veszít a kártyán lose at cards; vkt szaván fog take sy at his word b) by; kézen vezet lead by the hand; kézen fog vkt take sy by the hand; üstökön ragadja a szerencsét take time by the forelock c) in; kézen fogva hand in hand; pórázon tart hold in leash; végződik vmn end/ in sg d) on, of; pórázon tart keep on leash; vknek a címén care of sy; zongorán játszik play on the piano e) [elöljáró nélkül:] vm nyelven beszél speak a language; hangszeren játszik play an instrument; zongorán játszik play the piano 10. [okhatározó] veszekedik vkvel vmn squabble/quarrel/wrangle with sy over/about sg; bosszankodik vmn be angry/annoyed/vexed at sg ón [-ok, -t, -ja] a/n, tin, [edényfélékről összet] pewtex; mélységmérő ~ sounding-lead, plummet; ~nal bevon tin

onánia [. . át] n, onanism, masturbatión, self-abuse/ pollution, solitary pleasure; szellemi ~ intellectual onanism

onanizál [-t, -jon] vi, practise onanism, masturbate

onanizáló [-t] n, onanist, masturbator

ónaptár n, Julian (v. old-style) calendar; az ~ szerint Old Style (röv O.S.)

ónbánya n, tin-mine, stannary, tinneries (pl)

ondó [-t, -ja] n, sperm, semen, seminal fluid

ondóállatka n, spermatozo(o)id, spermatozoon

ondóelvezető n, ~ cső vas deferens (lat)

ondófolyás n, [beteges] spermatorrhoea

ondóhiány n, aspermatism

ondóképződés n, spermatogeny

ondókivezető n, ~ cső spermatic/deferent duct, spermaduct

ondolál [-t, -jon] vt, [hajat] wave (the hair), marcel(-wave), crimp

ondolálás n, waving, marcel(-wave), wave-setting

ondolálóvas n, curling iron

ondolált [-at; adv -an] a, marcelled, wave-set, waved

ondoláltat vt, have a wave, get/have one's hair waved/ marcelled

ondómirigy n, spermary

ondóömlés n, emission of seminal fluid, ejaculation

ondósejt n, spermatocyte, semen, zoosperm

ondószál n, spermatic cord

ondószálacs n, spermatozoon

ondótermelő a, spermatogenous

ondótömlő n, spermatocele

ondóvezeték n, spermatic duct, spermaduct

ondózacskó n, seminal receptacle

ondózsinór n, spermatic cord, funiculus

ondózsinór-gyulladás n, funiculitis

ondózsinórsérv n, spermatocele

ondulál [-t, -jon] vi, = ondolál

ónedény n, pewter, tin-pot/pan

ónémet a, Old German, Teutonic, Germanic; ~ betű black-letter, Gothic

önérc n, tin-stone/ore
önforrasz n, tin-solder
öntüst n, tin foil/leaf
önhamu n, putty-powder, (jeweller's) putty, putty of tin
onix [-ot, -a] n, onyx
onixmárvány n, oriental alabaster
onka n, (áll) ounce, snow-leopard (Leopardus uncia)
önkanál n, tin spoon
önkitermelés n, tinnery
onkológia [..át] n, oncology
onkológiai [-ak, -t] a, oncological
onkológus n, oncologist
önkő n, (vegyt) stannic oxide, cassiterite, tin spar, tin-stone
önkupak n, tin capsule/cap
önlap n, = önlemez
önlemez n, tin plate, sheet tin, [tükrön] silvering, tain
önlevél n, tin foil
önmáz n, tin glaze
önműves n, tinsmith, tinner, whitesmith
onnan adv. dem, from there, from that place, therefrom (ref.), thence (ref.); ~ jövök that is where I come (v. am coming) from; Budapestre utazik és ~ tovább Prágába he is going to Budapest and from there to Prague; ~ tudom hogy that is how I know it; ez ~ ered hogy it owes its origin to, it is due to, it arises/comes from, it is due to the fact that; hát ~ fúj a szél? lies the wind in that quarter?; ~tól kezdve from that time/point, from then on, thenceforward
onnét adv. dem, = onnan
onomasztikon n, (nyelvt) proper name dictionary, onomasticon
ónos [-ak, -t; adv -an] a, 1. (vegyt) stannous, stannic, stanniferous, tin-bearing, tinny 2. tinned, tin-, covered/sheathed with tin 3. ~ cső freezing rain; ~ szitálás freezing drizzle
ónoxidpor n, putty-powder, (jeweller's) putty, putty of tin
ónoz [-tam, -ott, -zon] vt, tin, cover/sheathe/coat with tin, [vasat] blanch
ónozás n, tinning, tin-plating, whitening
ónozó [-t] a, ~ munkás tinner, tinsmith
ónozott [-at; adv -an] a, tinned, tin-plated; ~ vaslemez tin-plate
önöntő n, tin-founder, pewterer
önöntőműhely n, tin-foundry
önöntvény n, tin alloy, [ónozásra] tinning-metal
ónsav n, stannic acid/hydroxide
önszínű a, (átv) livid
ont [-ani, -ott, -son] vt, 1. pour (out), [könnyet, vért] shed, [füstöt] pour out, belch, spout 2. ~ vmt magából (átv) vent, give vent to; ~ja magából a szót be gushing, talk effusively; ~ja magából az ötleteket be pouring out ideas, ideas poured out of themselves; ~ja a szitkot pour out (a torrent of) abuse, burst forth in (a torrent of) abuse
Ontario-tó prop, Lake Ontario
óntartalmú a, stannous, stanniferous, tin-bearing, tinny
ontás n, pouring (out), [könnyé, véré] shedding
óntermelés n, tin production
óntermő a, stanniferous
ontogenezis n, (biol) ontogenesis
ontok [-ot, -ja] n, (műsz) weft, woof
ontológia [..át] n, ontology
ontológikus a, ontologic(al)
ontológus n, ontologist
ontra [..át] n, [hordódongán] croze
ontrázó [-t, -ja,] n, [szerszám] crozer
oolit [-ot, -ja] n, (geol) oolite, oölite
opál [-ok .-t, -ja] n, opal, hyalite; sárga ~ jasper opal

opálfényű a, opaline, opalescent, opalesque
opalizál [-t, -jon] vi, opalesce, be opalescent, have an opaline reflection
opalizálás n, opalescence
opalizáló [-t; adv -an] a, opalescent
opálkő n, = opál
opálos [-ak, -t; adv -an] a, opaline, opaloid, opalescent, opalesque
opálszín n, opal
opálszínű a, opal, opaline, opalesque
opálüveg n, bone/opal/white/milk glass, inside-frosted glass
opció [-t, -ja] n, option, pre-emptive right, first refusal; ~ érvényesítése exercise of an option; ~ja van have the first refusal; ~t gyakorol excercise an option, take up an option; ~t adó fél optioner; ~t kapott fél optionee; ~t kikötő fél, ~ért fizető taker of an option; ~t nyújtó fél giver of an option; ~val él exercise an option
opciós [-at; adv -an] a, ~ határidő option day; ~ jog pre-emptive right, option; ~ rakomány optional cargo
opera [.. át] n, opera; az ~ the Opera-house; az operába megy go to the Opera
operaária n, (operatic) aria; Simándy József operaáriákat énekel [rádióműsor szövege] J.S. is going to sing operatic arias
operabál n, Opera ball
operabérlet n, season-ticket to the Opera
opera-buffa n, comic opera, opera bouffe
operáció [-t, -ja] n, (orv) operation; ~ utáni post--operative; vkn ~t végez perform an operation on sy, operate on sy (for)
operációs [-at; adv -an] a, (orv) operative, operating; ~ asztal operating-table; ~ bázis (kat) basis for (military) operations; ~ eljárás operative mode of procedure, mode of operation; ~ kezelés operative treatment; ~ műszer (orv) theatre instrument; ~ terem operating room/theatre
operaelőadás n, opera night/evening, operatic performance/show
operaénekes n, opera/operatic singer
operaénekesnő n, cantatrice, operatic singer
operaest n, operatic evening, opera performance
operaház n, opera-house
operai [-ak, -t; adv -lag] a, operatic
operakalauz n, operagoer's handbook
operál [-t, -jon] vt, operate, perform an operation
operálás n, (orv) operation, operating
operajemez n, operatic (gramophone) record, record of an opera
operálhatatlan a, inoperable
operálható a, [személy, betegség] operable, [betegség] amenable to operative treatment (ut); nem ~ inoperable
operálhatóság n, operability
operálókés n, lancet, lance, [kicsi] bistoury, scalpel
operaszöveg n, libretto, book (of opera)
operatív [-at; adv -an] a, operative, operational; ~ beavatkozás surgical intervention; ~ számvitel operational accountancy, records of operations
operatőr [-ök, -t, -e] n, 1. (film) cameraman, movie man; első ~ first cameraman 2. [sebész] (operating) surgeon, operator
Óperenciás-tenger n, ~en túl beyond the seven seas
operett [-et, -je] n, operetta, musical comedy, light opera
operetténekesnő n, operetta singer
operettfigura n, character (out) of an operetta
operettszerű a, like an operetta (ut), music-hall (style)
operettszerző n, operettist
operettszínház n, music-hall, operetta/vaudeville--theatre

operettszöveg *n*, libretto/book of an operetta
operett-téma *n*, plot/theme of an operetta
operettzene *n*, operetta music
óperzsa *n/a*, Old Persian
ópium [-ot, -a] *n*, opium
ópiumbariang *n*, opium-den
ópiumevés *n*, opium-eating
ópiumevő *n*, opium-eater/fiend, opiomaniac, opiumist
ópiumháború *n*, opium war
ópiumkivonat *n*, laudanum
ópiummérgezés *n*, opium-poisoning, thebaism, opiumism
ópiumoldat *n*, laudanum
ópiumos [-at; *adv* -an] *a*, containing opium *(ut)*, opiated
ópiumszármazékok *n. pl*, opiates
ópiumszívó *n*, opium-eater/smoker/fiend, opium addict, opiomaniac, opiumist
ópiumtartalmú *a*, = ópiumos
ópiumtinktúra *n*, laudanum
oportőr-jegy *n*, ticket admitting bearer, *[szövege]* admit bearer
oposszum [-ot, -ja] *n*, *(áll)* opossum *(Didelphys sp.)*
oposszumpatkány *n*, *(áll)* rat-kangaroo *(Bettongia sp.)*
opponál [-t, -jon] *vt/vi*, ~ *vm ellen* oppose sg, be opposed to/against sg
opponálás *n*, opponency (in an academic disputation)
opponens [-ek, -t, -e] *a/n*, opponent (in an academic disputation), referee
opportunista [.. át] I. *a*, opportunist(ic) II. *n*, opportunist, time-server, trimmer *(fam)*
opportunizmus *n*, opportunism, time-serving, opportunist trend/tendency, (doctrine of) expedience; *jobboldali* ~ Right opportunism
oppozíció [-t, -ja] *n*, opposition
opszonin [-ok, -t, -ja] *n*, *(orv)* opsonin; ~ *index* opsonocytophagic index
optál [-t, -jon] *vi*, *(pol)* opt (for), apply for foreign citizenship (and obtain it); *vm mellett* ~ decide in favour of sg, declare one's choice of sg
optáns [-ok, -t, -a] *n*, optant, taker of an option
optativus *n*, *(nyelvt)* optative
optika *n*, 1. optics 2. *[fényk gépé]* lens
optikai [-ak, -t; *adv* -lag] *a*, optic(al), visual; ~ *aktivitás* optical activity; ~ *csalódás* optical illusion; ~ *forgatóképesség (fíz)* specific rotary/rotation power, optical activation; ~ *megvilágításmérő* optical exposure meter; ~ *pirométer* pyroscope; ~ *rendszer* optical system; ~ *res* optical slot; ~ *sík* optical flat; ~ *tengely* optical axis; ~ *tengelytáv* interocular distance; ~ *trükk* optical trick
optikailag *adv*, optically
optikus *n*, optician, spectacle-maker
optimális [-ak, -t] *a*, optimum, best; ~ *beruházási programozás* optimal investment programming; ~ *külkereskedelmi programozás* programming of optimal foreign trade; *az* ~ *program meghatározása* the determination of the optimal programme; ~ *programozás* optimal programming; ~ *termék-összetétel* optimal product pattern/composition; ~ *termelési programozás* optimal production programming; ~ *termelési szerkezet* optimal product structure
optimista [.. át] I. *a*, optimistic II. *n*, optimist
optimizmus *n*, optimism; ~*t kelt* raise optimism; ~*sal tekint vm elé* is optimistic about the coming of sg
optometria [.. át] *n*, *(orv)* optometry
opusz [-ok, -t, a] *n*, *(zene)* opus
óra [.. át] *n*, 1. *[fali, asztali, torony]* clock, *[zseb, kar]* watch; *[gyűjtőnév]* timepiece; *az* ~ *jár* the clock/watch is going; *az* ~ *10 percet késik* the watch/

clock is ten minutes slow, the watch/clock has lost ten minutes, the watch/clock is ten minutes behind the right time; *az* ~ *pontosan jár* the watch/clock keeps good time, the watch/clock is correct; *az órám nem pontos* my watch is wrong; *pontos-e az órája?* is your watch right?; *az* ~ *siet* the watch/clock is fast, the watch/clock has gained; *két percet siet az órám* my watch is two minutes fast, my watch gains two minutes; *az* ~ *üt* the clock strikes, the clock is striking; *tizenkettőt mutat az* ~ the clock says twelve o'clock; *felhúzza az órát* wind the clock/watch; *megigazítja az órát* set the clock/watch; *visszaigazítja az órát* put/set the clock/watch back 2. *[időpont] hány* ~ *van?* what is the time?, what time is it?, can you tell me the time?, what is the time by you?, how goes the time?, what time do you make it?, have you the time? *(US)*, what time have you? *(US)*; *a pontos idő húsz* ~ *[rádió időjelzésben]* the time is now twenty hours; *öt* ~ *van* it is five o'clock; *pont öt* ~ it is five o'clock sharp, it is exactly five o'clock; *12* ~ *7 perckor* at 12.07 hours G.M.T.; *három óráig [tartam]* for three hours, *[időpont]* till three o'clock; *hány* ~*kor?* at what time?, when?; *nyolc* ~*kor* at eight (o'clock); *húsz* ~*kor* at twenty hours; *pontosan öt* ~*kor* at five o'clock sharp, on the stroke of five; *egy* ~*kor tárgyalásom van [ügyvéd]* I have a case (on) at one o'clock; *6 órára kész leszek* I shall be ready by 6 o'clock; *három órától kezdve* from three o'clock on(wards) 3. *[60 perc]* hour; *ütött az órája* his hour has come/struck, his hour is up; *ütött az utolsó órája* his last hour has arrived, his number is up; *hivatalos órák* office hours; *szabad* ~ free hour/time; *órák hosszat, órákon át* for hours on end, for hours together, for hours and hours; *órák hosszat kotlik vmn* take hours over sg; *egy jó/bő* ~ *kell nekem hogy...* I shall need a good hour to...; *jó órában legyen mondva* touch wood; *a késő éjszakai órákban* in the late hours of the night; *minden órában megjöhet* he may come/arrive at any time/hour; *szabad óráiban* in his free/leisure hours; *az utolsó órában [halálában]* in the hour of death; *egy végzetes órában* in an evil hour; *két teljes óráig eltart* it takes two full hours; *24 órán át* for twenty-four hours, (a)round the clock; *naponta tíz órát dolgozik* work ten hours a day; *egy jó órát vártam* I waited for a full hour, I waited for fully an hour; *óráról órára* from hour to hour, hour by hour, hourly; *egy órával előre [közöl/bejelent stb. vmt]* at an hour's notice 4. *[iskolai]* lesson, class, period, recitation period *(US)*; *lyukas* ~ free period/hour, an hour off, a break of an hour (in between classes); *ma nincs* ~ there is no class/lesson today; *az* ~ *alatt* during the lesson/class; *órám van [amit én tartok]* I have a lecture to give, I am to hold a class, *[amire megyek mint hallgató]* I have a lecture/class to attend; *órán van* be in class; *órákat ad* give lessons, go in for tutoring, be a private teacher/coach, take pupils; *órát tart* hold a class, give/deliver a lecture, be in class; *órákat vesz* take lessons, go to classes, attend classes 5. *[gáz/villany stb. mérő]* meter
óraadás *n*, (private) teaching/tuition, giving lessons
óraadó I. *a*, who gives lessons *(ut)*; ~ *tanár (kb)* master/teacher paid by the hour/lesson II. *n*, = óraadó *tanár*
óraállvány *n*, watch-stand
órabeosztás *n*, time-table, schedule
órabér *n*, wage(s)/pay(ment) by the hour, hourly wage(s) /pay; ~*ben fizetik* be paid by time
órabéres I. *n*, worker paid by the hour, hourly rated worker, time-worker II. *a*, ~ *alapon* rated on an hourly basis ~ *munka* time-work; ~ *munkás* time--worker

órabillegő n, [zsebórában] balance-wheel
órácska n, van egy ~ időd? (have you) got an hour's time?; egy órácskára van innen it takes barely an hour to get there
óradíj n, 1. [tandíj] (tuition) fee per lesson/lecture 2. [munkadíj] wage(s) by the hour, hourly pay/wage; ~at ad/fizet vknek pay sy by the hour
óradíjas a, paid per lesson (ut), paid by the hour (ut)
óradoboz n, watch-case
órafedél n, lid (of watch)
órafityegő n, watch-charm/trinket
óragyár n, watch-factory
óraház n, [óra tokja] watch-case
órai [-ak, -t] a, 1. [időpont] at/of ... o'clock (ut); az öt~ vonat the five o'clock train 2. [időtartam] of ... hours (ut); öt~ utazás a journey of five hours, five hours' journey
óraidő-térkép n, synchronoscope
órainga n, swing-wheel
órajárás n, motion (of clock/watch)
órajárásnyira adv, (at a distance of) an hour's walk
órajárat n, escapement (of clock/watch)
órajavító n, repairer of clocks/watches
órakarkötő n, watch-bracelet
órakedvezmény n, (kb) partial exemption from attending (lectures etc.)
órakészítés n, = órásmesterség
óraketyegés n, ticking (of clock), tick-tack/tock
órakönyvelés n, book-keeping paid by the hour
órakör n, (csill) hour-circle
óraköz n, break, interval, recess, play-time
óraközi [-ek, -t] a, ~ szünet = óraköz
órakulcs n, watch-key, key (of clock), winder
órakulum [-ot, -a] n, oracle; úgy beszél mint egy ~ talk like an oracle
óralánc n, watch-chain/guard, fob-chain/seal
óraláncdísz n, watch-trinket
óralap n, face, dial(-plate)
óralátogatás n, attendance at classes
orális [-at; adv -an] a, oral
óramutató n, hand (of watch/clock), watch/clock/hour-hand; ~ járásával egyező clockwise, right-handed; az ~ járásával megegyező irányú forgás clockwise rotation; ~ járásával ellenkező anti-counter-clock-wise, left-handed; az ~ járásával ellenkező irányú forgás anti-clockwise rotation
óramű n, 1. [órában] works/mechanism of watch, train (of wheels) of a watch; ~ pontossággal with clocklike regularity, like clockwork 2. [más] clock-work; ~vel hajtott [szerkezet] clockwork driven
óraműves n, = órás II.
orangután [-ok, -t, -ja] n, (áll) orang-(o)utan (Pongo)
óránként adv, 1. [átlagban] hourly; ~ 50 kilométeres sebességgel at (the rate of) 50 kilometres an/per hour; munkáját ~ fizették he was paid per hour (v. on an hourly basis) 2. [minden órában] every hour; ~ bevesz/eszik/iszik vmt take sg every hour; ~ egy kanállal a spoonful every hour
óránkénti [-ek, -t] a, hourly, horary; ~ teljesítmény output per hour
oranzsád [-ot, -ja] n, orangeade, orange-juice/squash
órányi [-ak, -t] a, of ... hour(s) (ut), an hour's, ... hours' (ut)
órányira adv, két ~ innen two hours' distance from here
óranyezet n, hour-zone
óraparna n, watch-stand
órarend n, time-table, schedule (US)
órarugó n, watch-spring
órás I. a, of ... hour(s) (ut), an hour's, ... hours' (ut); egy~ tárgyalás discussion/negotiations lasting an hour II. n, watchmaker, clockmaker, [csak javító]

repairer of clocks; ~ és ékszerész watchmaker and jeweller
órásbolt n, watchmaker's shop
óráseszterga n, watchmaker's lathe, microlathe
órásmester n, clockmaker, watchmaker
órásmesterség n, watchmaking, clockmaking, horology, watchmaker's/clockmaker's art/trade
órasúly n, weight (of clock), driving-weight
órásüzlet n, watchmaker's shop
óraszám[1] n, tanárok/tanítók heti. ~a the number of teachers' weekly hours
óraszám[2] n, ~(ra) for hours on end, for hours at a time, hour by hour, hourly
óraszerkezet n, = óramű
óraszíj n, watch-strap/guard
óratartó n, [nagy] watch-stand, [ágy fejénél] watch-pocket
órateljesítmény n, one-hour rating
óraterv n, teacher's plan (for the term), lesson plan
óratok n, watch-case
orátor [-ok, -t, -a] n, orator
oratórium [-ot, -a] n, 1. (vall) oratory 2. (zene) oratorio
óraütés n, striking (of clock), [toronyóráé] chime(s); ~re [= pontosan] on the stroke, on the tick (fam)
óraüveg n, watch-glass, crystal (US)
óravázlat n, (isk) (school-teacher's) detailed plan/program(me) for a lesson/period, (daily) lesson-plan
órazseb n, watch-pocket, [nadrágon] fob
Orbán [-t, -ja] prop, Urban; felteszi az ~ süvegét be tipsy; jár-kel mint az ~ lelke be always on the go
orbánc [-ot, -a] n, erysipelas, St. Anthony's fire (fam), the rose (fam)
orbáncfű n, (növ) St. John's wort. (Hypericum sp.) heverő ~ trailing St. John's wort (H. humifusum)
orbáncos [-ok, -t] a, erysipelatous
orca [.. át] n, cheek; orcája verítékével by the sweat of his brow
orcátlan a, = arcátlan
orchidea [.. át] n, orchid
orchideatermelő n, orchidist
orda [.. át] n, ⟨sort of sheep-cheese⟩
ordas [-ok, -t, -a; adv -an] I. a, [szín] dun, fallow II. n, [farkas] wolf
ordenáré a, = ordináre
ordibál [-t, -jon] vi, keep yelling/shouting
ordináré [-t; adv -n] a, vulgar, gross, coarse, low, scurrilous
ordináta [.. át] n, (menny) ordinate
ordinátakülönbség n, intercept
ordinátatengely n, axis of ordinates
ordít [-ani, -ott, -son] vi, 1. [ember] shout, howl, bel-low, roar, bawl, yell, vociferate, holler (US), [kis-gyerek] cry, squall, squeal, scream; ~ a fájdalomtól shout with pain 2. [farkas] howl, [oroszlán] roar, [szamár] bray, hee-haw 3. ~ róla hogy it is written (large) all over him
ordítás n, [emberé] shout(ing), howl(ing), bellow(ing), roar(ing), bawling, yell(ing), vociferation, [kisgyer-. meké] crying, squall(ing), scream(ing), screeching 2] [farkasé] howl(ing), [oroszláné] roar(ing), [szamáré] bray(ing)
ordító [-t] a, shouting, howling, roaring, yelling, vociferous; ~ színek screaming colours
ordítozás n, (continued) bawling, shouting, howling, yelling, roaring, clamour
ordítoz|ik [-tam, -ott, -zon, -zék] vi, keep bawling/shouting/yelling, vociferate
ordítozó [-t] I. a, shouting, howling, roaring, vocifer-ant, clamorous II. n, shouter, howler, roarer
ordó [-t, -ja] n, † medal (stand.), order (stand.)

ordonánc [-ot, -a] n, (kat †) orderly, officer's servant, batman (mind: stand.)

ordré [-t, -ja] n, (biz) command (stand.), order (stand.)

orfeum [-ot, -a] n, music-hall

orfikus a, orphic

organdi [-t, -ja] n, = organtin

organikus a, organic, organismic; ld még szerves

organizáció [-t, -ja] n, organization

organizál [-t, -jon] vt, organize, arrange

organizálás n, organization

organizálatlan a, unorganized

organizátor [-ok, -t, -a] n, organizer, arranger

organizmus n, organism

organológia [..át] n, (biol) organography, organology

organológiai [-ak, -t] a, (biol) organographic, organologic

organológus n, (biol) organograph

organoterápia n, (orv) organotherapy

organtin [-ok, -t, -ja] n, (tex) organdi(e), organzine, book-muslin, mull

orgánum [-ot, -a] n, 1. [szerv] organ 2. [hang] voice 3. (zene) [primitív többszólamúság] organum 4. (átv) organ, medium; hivatalos ~ official organ, (vm) mouthpiece, (vk) spokesman

orgazda n, receiver (of stolen goods), fence (fam); bűnpártoló ~ accessory after the fact

orgazdaság n, receiving (and concealing) of stolen goods, fencing (fam)

orgazmus n, orgasm

orgia [..át] n, orgy; színek orgiája riot of colours

orgiasztikus a, orgiastic

orgona¹ [..át] n, [hangszer] organ, [moziban] wurlitzer (US); elektromos ~ orgatron; síp nélküli ~ pipeless/electrophonic organ; az ~ hangjai mellett távoztak the organ played the people out

orgona² [..át] n, (növ) syringa (Syringa); közönséges ~ lilac (S. vulgaria)

orgonabokor n, lilac (shrub)

orgonabúgás n, sound of the organ

orgonaépítő n, organ-builder

orgonafa n, (növ) lilac (shrub) (Syringa)

orgonafújtató n, (zene) organ-blower, swell

orgonaillat n, fragrance/scent/perfume of lilac(s

orgonajátékos n, organist, organ-player

orgonakarzat n, organ-loft

orgonakészítő n, organ-builder

orgonakorall n, (áll) tubipore (Tubipora)

orgonakórus n, organ-loft

orgonál [-t, -jon] vi, play (on) the organ

orgonalila a, lilac(-coloured)

orgonapedál-billentyű n, toe-pedal-key (of organ)

orgonapont n, (zene) organ point, pedal-point, pedal (note)

orgonaregiszter n, organ-stop

orgonás¹ a, (zene) organ-, accompained by organ music (ut)

orgonás² a, (növ) abounding in lilac (ut), covered with lilac (ut)

orgonasíp n, organ/flue/reed-pipe

orgonasípnyelv n, languet

orgonaszekrény n, organ-chest/case

orgonaszó n, organ music; ~ köszöntötte a belépőket the organ played the people in

orgonaszóló n, [istentiszteleten] voluntary

orgonatest n, pipe-work

orgonavirág n, lilac (flower)

orgonazúgás n, peal of organ

orgonista [..át] n, organist, organ-player

orgyilkos n, assassin, murderer, desperado, ruffian, bravo, cutthroat, thug (US fam)

orgyilkosság n, assassination, murder

óriás [-ok, -t, -a] I. n, giant, [nő] giantess; emberevő ~ ogre; ~ok harca gigantomachia
II. a, = óriási; ~ bank mammoth bank; ~ cápa basking-shark (Selache maxima); ~ csibor [rovar] great black water beetle (Hydrous piceus); ~ daru Goliath crane; ~ hajó huge ship, leviathan (ref.); ~ kenguru wallaroo (Macropus giganteus); ~ méretű [élőlény, tárgy] colossal, gigantic, huge; ~ molekula giant molecule; ~ növés (orv) gi(g)antism, macromelia; ~ oszloprend (épít) giant order; ~ termetűség (biol) monstrosity

óriásadó n, [állomás] super (power) station

óriásbálna n, (áll) Sibbald's rorqual, blue whale, balaenoptera, finner (Balaenoptera musculus)

óriásfenyő n, (növ) Lambert's/giant pine (Pinus lambertiana)

óriásforgás n, [tornában] grand/giant circle; ~t csinál circle the bar, do the grand circle

óriásgyík n, [fosszilis] megalosaurus

óriási [-ak, -t; adv -an] a, gigantic, giant, huge, colossal, enormous, titanic, stupendous, prodigious, outsize, vast, mammoth, monstrous, immense, super; ~ állat huge beast; ~ baklövés colossal blunder; ~ csapás/ütés smashing blow; számára ez ~ dolog it is a tremendous lot to him; ~ feladat Herculean task; ~ hazugság thumping/whopping lie, whopper (fam); ~ különbség a huge difference, a whale of a difference (fam); ~ léptekkel with giant strides; ~ mennyiség enormous/immense quantity; ~ munka gigantic/Herculean task; ~ siker tremendous success; ~ számok astronomical numbers; ~ taps tremendous applause; ~ többség swinging/thumping/overwhelming majority; ~ türelem infinite patience; ~ veszteség grievous loss; ~! grand!, colossal!, capital!; ~t fejlődik improve tremendously, improve a lot

óriáskelep n, = óriásforgás

óriáskerék n, [vidámparkban] Ferris-wheel

óriáskifli n, treble-size "kifli"

óriáskígyó n, (áll) boa constrictor, python (Boa constrictor)

óriásnarancs n, = citrancs

óriásnő n, giantess, [emberevő] ogress

orientáció [-t, -ja] n, orientation; nyugati ~ pro-Western policy

orientál [-t, -jon] vt, orient, direct, guide

orientálás n, orientation

orientalista [..át] n, orientalist

orientalisztika n, oriental studies (pl), orientalism, [anyaga] Orientalia (pl)

orientálódik [-tam, -ott, -jon, -jék] vi, take/find one's bearings, (vmre) base one's orientation on, [vk felé] orient(ate) (oneself to)

originális [-ok, -t; adv -an] a, original, eccentric, peculiar; ~ alak odd fellow/character, queer fish, rum customer

origó [-t, -ja] n, (menny) origin

orja [..át] n, [disznóé, kb] spare-rib

orkán [-ok, -t, -ja] n, hurricane, high wind, wind-storm, tornado, [Csendes-óceánon] typhoon

orkánszerű a, violent, tempestuous; ~ taps frantic applause

orléans-i szűz the Maid (of Orleans), Joan of Arc, Saint Joan

orleánvörös n, arnotto, annato

orlon [-ok, -t, -ja] n, (tex) orlon

ormány n, [elefánté] trunk, [rovaré] proboscis

ormányárboc n, bowsprit

ormánycsarnak-kötél n, guy

ormányos [-ok, -t, -a; adv -an] I. a, proboscidean, proboscidian; ~ bogár weevil (Strophosomini és Polydrosini-nemzetség); feketejegyes ~ bogár nut-leaf

weevil *(Strophosomus melanogrammus)* ; ~ *erszényes (áll)* honey mouse *(Tarsipes rostratus)* II. *n*, ~*ok* proboscidea *(pl)*
ormányrúd *n*, *(hajó)* jib-boom
ormányszerű *a*, proboscidiform, trunk-like
ormánytarcs *n*, *(hajó)* jackstay
ormányvitorla *n*, jib
ormó [-t, -ja] *n*, 1. = orom; 2. *(növ)* nervure, rib, vein
ormós [-at; *adv* -an] *a*, 1. *(épít)* pinnacled, gabled 2. *[föld]* crested
ormótlan *a*, 1. *(épít)* having no top/gable/pinnacle *(ut)* 2. *[személy]* clumsy, awkward, lubberly, ungainly, *[tárgy]* awkward, unwieldy, shapeless, unshapely, cumbersome
ormózat *n*, 1. *(épít)* = oromzat; 2. *[föld]* crest
ornamens [-ek, -t, -e] *n*, ornament, adornment, embellishment
ornamentális [-at] *n*, ornamental, decorative
ornamentika *n*, 1. ornamentation 2. *(zene)* grace-note
ornamentum [-ot, -a] *n*, ornament
ornátus *n*, *(vall)* vestments *(pl)* ; *teljes ~ban* in full canonicals
ornitológia [.. át] *n*, ornithology
ornitológiai [-ak, -t] *a*, ornithological
ornitológus *n*, ornithologist
orogén [-ek, -t, -je] I. *n*, orogeny II. *a*, orogenetic
orogenetikus *a*, orogenetic
orogenezis *n*, orogeny, orogenesis
orográfia [.. át] *n*, orography
orografikus *a*, orographic(al)
orológia [.. át] *n*, orology
orom [ormot, orma] *n*, *[házé]* top (of house), ridge, gable(-end), *[hegyé]* summit, peak, crest, pinnacle, crown, *[tűzhányóé]* head
oromablak *n*, gable/mansard window
oromcserép *n*, ridge/crest-tile
oromdeszka *n*, *(épít)* barge-board
oromdísz *n*, *(épít)* crest, finial, *[ajtón, ablakon]* frontispiece, *(hajó)* break-bulkhead
orometria [.. át] *n*, orometry
orometriai [-ak, -t] *a*, orometric
oromfal *n*, gable, frontispiece, *[háromszögű]* pediment, tympanum, *[lépcsős]* corbie-gable
oromfal-lépcső *n*, crow-step, corbie-gable
oromgerenda *n*, *(épít)* ridge-board/pole, roof timbers/ girders *(pl)*
oromgerinc *n*, *(épít)* ridge, *[föld]* crest
oromháromszög *n*, tympanum
orommagasság *n*, *(épít)* height of ridge
orommező *n*, *(épít)* tympanum
oromszalag *n*, *[könyvkötésben]* headband
oromtető *n*, gable roof
oromvédő-deszka *n*, *(épít)* barge-board
oromvégződés *n*, *(épít)* pinnacle
oromzat *n*, ridge (of roof), pediment, gable, attic, crenellation, tympan; *lépcsőzetes* ~ stepped gable, crow-steps *(pl)*
oromzsindely *n*, ridge-tile
orosz [-ok, -t; *adv* -ul] I. *a*, 1. Russian; ~ *nyelv* Russian (language); ~ *óra* lesson in Russian, Russian lesson; ~ *órákat vesz* take lessons in Russian; ~ *származású* of Russian birth/descent *(ut)* ; ~ *tanár* teacher of Russian, Russian teacher/master 2. ~ *agár* Russian wolfhound, borzoi; ~ *hal* sprat; ~ *krémtorta* charlotte Russe; ~ *tea* tea
II. *n*, Russian; *minden ~ok cárja* the Tsar/Czar of all the Russias
oroszbarát *a/n*, Russophile, pro-Russian
oroszbarátság *n*, Russianism, Russophily
oroszellenes *a/n*, Russophobe, anti-Russian
orosz—japán *a*, Russo-Japanese

oroszlán [-ok, -t, -ja] *n*, *(áll)* lion *[Felis (= Panthera) leo]* ; *ágaskodó* ~ *(cím)* lion rampant; *indiai* ~ Indian lion *(P. leo indicus)* ; *nőstény* ~ lioness; *ne keltsd fel az alvó* ~*t* do not rouse the sleeping lion, let sleeping dogs lie
oroszlánbarlang *n*, lion's den, den of lions
oroszlánbőr *n*, lion's skin; ~*be bújt szamár* it is the ass in the lion's skin
oroszlánfalka *n*, pride of lions
oroszlánfark *n*, *(növ)* leonurus, motherwort *(Leonurus)*
oroszlánfej *n*, 1. *[oroszláné]* lion's head 2. *[emberé]* leonine head
oroszlánfog *n*, 1. lion's tooth 2. *(növ)* leon'odon *(Leontodon)* ; *közönséges* ~ hawkbit *(L. hispidus)*
oroszlánfóka *n*, *(áll)* sea-lion *(Otaria Gillespii)*
oroszlánketrec *n*, lion-house
oroszlánkölyök *n*, lion('s) cub/whelp, lionet, *(cím)* lioncel
oroszlánköröm *n*, 1. lion's claw/paw 2. *(átv)* mark of genius
oroszlánmajmocska *n*, *(áll)* lion marmoset/monkey *(Leontocebus sp. = Mystax sp.)*
oroszlános [-at] *a*, ~ *címer* heraldic lion, *[ágaskodó]* lion rampant
oroszlánrész *n*, lion's share, *[nehézségé]* brunt
oroszlánszáj *n*, 1. lion's mouth 2. *(növ)* antirrhinum *(Antirrhinum)* ; *kerti* ~ snapdragon *(A. majus)*
oroszlánszelídítő *n*, lion-tamer
oroszlánszívű *a*, lion-hearted; *O*~ *Richárd* Richard Coeur-de-Lion, the Lion-heart
oroszlánvadász *n*, lion-hunter
oroszlánvadászat *n*, lion-hunt(ing)
oroszlánverem *n*, lion trap
Oroszország *prop*, Russia
oroszországi [-ak, -t] *a*, Russian, of/from Russia *(ut)* ; *O*~ *Föderatív Szovjet Szocialista Köztársaság* Russian Soviet Federated Socialist Republic
oroszos [-at; *adv* -an] *a*, Russian, in the Russian style/ manner *(ut)*
oroszosít [-ani, -ott, -son] *vt*, Russify, Russianize
oroszosítás *n*, Russianization
oroszul *adv*, (in) Russian; *tud* ~ know/speak Russian
oroz [-tam, -ott, -zon] I. *vt*, steal (insidiously), filch, purloin, pinch *(fam)* II. *vi*, *ne* ~*z!* thou shalt not steal
orozva *adv*, on the sly
orr [-ot, -a] *n*, 1. *[emberé]* nose, conk ◆, beak ◆, *(összet)* nasal; *csöpög az* ~*a* his nose is running; *vérzik az* ~*a* his/her nose is bleeding, he bleeds at the nose; ~*a alá dörgöl* rub in; *vmt vk* ~*a alá/elé dug* thrust sg under sy's nose; *az* ~*a elől* from under his nose; ~*a előtt* under his (very) nose; *becsukja az ajtót az* ~*a előtt* shut the door in sy's face/teeth, shut the door against/on sy; *nem lát tovább az* ~*a hegyénél* he sees no further than his nose; *az* ~*a után megy* follow one's nose; *mintha az* ~*a vére folyna* be crestfallen, have one's nose (put) out of joint; *jó* ~*a van vmhez* have a nose for sg, have a good/ keen scent for sg; *az* ~*om előtt ment el a vonat* I missed the train by inches; *ott van az* ~*od előtt* it's under your very nose; *orrba vág vkt* plant one's fist on sy's nose; *orrában turkál* pick one's nose; *orrán át beszél* speak through one's nose, speak with a nasal twang, snuffle, nasalize; ~*án-száján folyik a vére* bleed at the nose and (the) mouth; ~*on üt/vág* hit (square) on the nose, land a blow on sy's nose, give sy one on the nose *(fam)*, *[erősen]* tap sy's claret *(fam)* ; *vkt orránál fogva vezet* lead sy by the nose, lead sy up the garden path; *nem lát tovább az* ~*ánál* see no further than one's nose; *nem kötöm az orrára* I am not going to let him into the secret, I am not going

to blurt/blab it out to him; *orrára esik* come down on one's nose; *az orrát fújja* blow one's nose; *vmbe beleüti az ~át* thrust/poke one's nose into, meddle in officiously, interfere; *mások dolgába üti az ~át* meddle in/with other people's business; *betöri az ~át vknek* punch sy's nose; *felhúzza az ~át vmn* turn up one's nose at; *fenn hordja az ~át* put on airs, be stuck-up, look down one's nose at, ride the high horse, walk with one's head (high) in the air, carry it high; *fintorgatja az ~át* turn up one's nose at, make a face/grimace, sneer at; *lógatja az ~át* be down--cast, be dispirited; *~át piszkálja* pick one's nose; *hosszú ~ot mutat vknek* cock/cut/pull snooks at sy, pull a bacon at sy, thumb one's nose at sy, make a long nose at sy; *~ot kap* be reprimanded, have to lump it; *hosszú orral távozik* leave with a long face, go away with a flea in one's ear; *~ával túr* root, nuzzle **2.** *[állaté]* snout, muzzle **3.** *[cipőé]* toe(-cap) **4.** *[hajóé]* prow, stem, bow **5.** *[kerékpárnyeregé]* peak
orradzó [-t, -ja] *n,* nose-band/piece
orrárboc *n,* jib-boom
orrárboc-hajlásszög *n,* steeve
orrárboc-sudár *n, külső ~* flying jib-boom
orratlan *a,* noseless
orrboríték *n, [cipőé]* (toe) cap
orrcimpa *n,* wing, ala (of nose)
orrcsiptető *n, [cvikker]* pince-nez *(fr),* nose-glasses, nipper *(fam),* starers *(pl) (fam)*
orrcsont *n,* nasal bone
orrdugulás *n,* obstructed nose, snuffles *(pl)*
orrevező *n,* bow-oar
orrfa *n, (hajó)* bowsprit; *fix ~* standing bowsprit; *~ állásszöge* angle of the bowsprit
orrfacsaró *a, [szag]* offensive, rank, putrid, putrescent, foul, sickening, pungent, poignant
orrfamerevítő *n, (hajó)* dolphin-striker
orrfelépítmény *n, emelt ~ (hajó)* topgallant forecastle
orrfintorgatás *n,* turning up (of) one's nose
orrfolyás *n,* nasal discharge
orrfúvás *n,* nose-blowing, wiping of one's nose
orrfürdő *n,* nose-sprayer, nasal irrigation, *[csésze]* undine
orrgarati *a,* naso-pharyngeal
orrgaratjárat *n,* naso-pharyngeal meatus
orrgyógyász *n,* rhinologist
orrgyógyászat *n,* rhinology
orrgyógyászati *a,* rhinological
orrgyök *n,* root of the nose
orrhang *n,* **1.** (nasal) twang, snuffle, nasal voice; *~on beszél* talk through one's nose, talk with a twang, twang, nasalize, snuffle **2.** *(nyelvt)* nasal (sound)
orrhangú *a,* nasal; *~ beszéd* speaking through one's nose, nasal twang, nasality, snuffling; *~ ejtés* nasalization
orrhangzó *n, (nyelvt)* nasal
orrhegy *n,* tip of the nose
orrhossz *n, [lóversenyben]* short head; *~al győz (sp)* win by a nose, win by a short head
orrhurut *n,* nasal catarrh
orrjárat *n,* nasal canal/passage
orrjárati *a,* narial
orrkagyló *n, (bonct)* scroll-bone *(Concha nasalis)*
orrkagylócsont *n, (bonct)* turbinal bone
orrkarika *n,* nose-ring, cattle-leader, *[disznónak túrás meggátlására]* snout-ring
orrkenet *n,* nasal smear
orrkerék *n, [repgépen]* nose wheel
orrkönnycsatorna *n, (bonct)* nasal duct
orrlámpa *n, [repgépen]* headlight
orrlyuk *n,* nostril, *(bonct)* naris; *kitágult ~akkal* with distended nostrils
orrmagánhangzó *n, (nyelvt)* nasal vowel

orrmássalhangzó *n, (nyelvt)* nasal consonant
orrmelléküreg *n,* accessory nasal sinus
orrmelléküreg-gyulladás *n,* sinusitis
orrnyálkahártya *n,* nasal mucous membrane; *az ~ gyulladása* rhinitis
orrnyereg *n,* ridge (of the nose)
orrnyílás *n,* nostril, *(orv, áll)* naris, meatus, *[bálnáé]* blow-hole
orrocska *n,* little nose
orrol [-t, -jon] *vi, (vmért)* take (sg) amiss/ill, resent (sg), cut up rough (about sg) *(fam)*
orront [-ani, -ott, -son] *vt,* scent, nose out
orrplasztika *n,* rhinoplasty
orrplasztikai *a,* rhinoplastic
orrpolip *n, (bonct)* nasal polypus, rhinopolypus
orrporc *n,* nasal cartilage
orr-rekesz *n, (hajó)* forepeak
orr-rész *n, (rep, müsz)* nose-piece
orrsegédszárny *n, (rep)* forward rudder
orrsövény *n,* nasal septum
orrsövényferdülés *n,* deviation of the nasal septum, septal deviation
orrsudár *n, (hajó)* jib/head-boom
orr-száj- *a,* orinasal
orr-száj-hang *n,* naso-oral (sound)
orrszárny *n,* wing/ala of nose
orrszarvú I. *a, ~ bogár* rhinoceros beetle *(Oryctes nasicornis)* ; *~ madár* hornbill **II.** *n,* rhinoceros, rhino *(fam) (Rhinoceros sp., Diceros sp.);* **kéttülkű** ~ black rhinoceros *(D. bicornis)*
orrszíj *n, [sícipőn]* toe-strap, *[lószerszámon]* nose--band/piece
orrszobor *n, [hajón]* figurehead
orrszorító *n, [lópatkoláskor]* twitch, barnacle
orrtag *n, (épít) [bordaprofilon]* fillet, *[karéjok között]* cusp
orr-torok- *a,* rhino-pharyngeal
orrtő *n,* root of the nose
orrtőke *n, (hajó)* stem; *belső ~* apron; *felső ~* beak--head
orrtőkeél *n, (hajó)* knee of the head
orrtőketörzs *n, (hajó)* stemson
orrtükör *n,* nasal/septum, speculum, rhinoscope, conchoscope; *lámpás ~* nasoscope
orrtükrözés *n, (orv)* rhinoscopy
orrú [-ak, -t] *adv* -an] *a,* -nosed; *görbe ~* beak-nosed; *hosszú ~* long-nosed; *jó ~ (átv)* sharp-nosed; *nagy ~* large/big-nosed, nosy *(fam),* conky ◈; *pisze/fitos ~* snub-nosed
orrüreg *n,* nasal cavity, nasal fosses *(pl); ~et kiöblít* flush the sinus
orrvédő *n, [sisakon]* nasal
orrvérzés *n,* nose-bleeding, bleeding from/of/at the nose, epistaxis, nose-bleed *(US); erős ~* nasal haemorrhage; *~e van* nose-bleed
orrvitoria *n,* (boom/standing) jib, fore/head-sail; *fő/ nagy ~* main/outer jib; *középső ~* inner/middle jib; *külső/repülő ~ [háromszögű]* flying jib; *orrvitorlát be!* jib in!
orsó [-t, -ja] *n,* **1.** *(müsz)* spindle, *[cérnaorsó]* bobbin, spool, reel, *[halászzsinegen]* reel, winch, *[csigalépcsőé]* newel; *~ alakú* spindle-shaped, *(növ)* fusiform, *(term)* pulley-shaped; *alsó/felvevő ~ (film)* lower spool, take-up spool; *felső/adogató/etető ~ (film)* upper/feed/delivery spool, pay out spool; *(egy) ~ cérna* (a) spool of thread; *függő ~ (tex)* hanger 2. *[tollé]* quill **3.** *[műrepülőmutatvány]* rolling
orsócsont *n,* radius
orsócsonti *a,* radial
orsófej *n, (müsz)* spindle-head, headstock
orsóféreg *n,* thread/round-worm, ascaris *(Ascaris)*
orsófogás *n, [tornában]* outer grip

orsógiliszta n, = bélgiliszta
orsóhal n, lamprey (Petromyzon); folyami ~ river lamprey, lampern (P. fluviatilis)
orsóíz n, [csápé] torulus
orsóízes a, (term) torulose
Orsolya [. . át] prop, Ursula
orsóolaj n, watchmaker's-oil
orsóosztás n, (text) spindle gauge/pitch
orsópersely n, (text) spindle sleeve, bracket
orsópörgettyű n, (rég) whorl
orsós [-ak, -t; adv -an] a, provided with spindles (ut), spindle-, [orsó alakú] spindle-shaped
orsósejtes a, fusicellular
orsószár n, (műsz) stem, shaft
orsótartó n, [varrógépen] reel-holder, (fényk) spool--holder
orsóvas n, [felső malomkőben] rynd, ink
orsóz [-tam, -ott, -zon] vi, reel, wind
orsózó [-t, -ja] I. a, winding, reeling; ~ gép drum--winder II. n, winder, reeler
ország [-ot, -a] n, 1. country, land, (pol) state; az ~ ügyei state/public affairs, matters of state; az ~ belseje felé inland, up country, towards the heart of the country; ebben az ~ban here in this country; ~ot kormányoz rule/govern/steer a country 2. jöjjön el a Te ~od Thy kingdom come
országalapító n, founder of state/nation, statebuilder, the Pilgrim Fathers (pl) (US)
országalma n, orb, globe
országáruló I. a, betraying one's country (ut), traitorous II. n, traitor (to one's country)
országbeli I. a, of the country (ut), national II. n inhabitant of the country
országbíró n, (kb) Lord Chief Justice, senechal
országcímer n, (coat of) arms of a country, national (coat of) arms
országcsoport n, group/block of countries
országépítés n, building (of) the country, country--planning
országépítő n, builder of the country
országgyűlés n, parliament, national assembly, [régebben] diet; az ~ két háza [feudális] (tört) the two Houses of the Diet; ~en megjelenik [feudális] (tört) attend the Diet; ~t egybehív convoke Parliament; ~t feloszlat dissolve Parliament
országgyűlési [-ek, -t] a, parliamentary; ~ ciklus Parliamentary Session; ~ képviselő representative, Member of Parliament (röv M. P.), parliamentarian, [alsóházi] commoner (GB ritk); ~ napló the Journals (pl) (GB), Hansard (GB), Congressional Record (US); ~ tudósító parliamentary correspondent; ~ ülésszakot berekeszti prorogue Parliament; ~ választás parliamentary election
országhatár n, frontier (of a country), national boundary
Országház n, Houses of Parliament (pl)
országházi a, of parliament (ut), parliamentary
-országi [-ak, -t] a, of . . . country (ut)
országjárás n, tourism, wandering round the country
országjáró I. a, touristic II. n, tourist, one who wanders round the country
országlás n, † government, rule, [királyé] reign (mind: stand.)
országnagy n, † grandee, [magyar] magnate, peer of the realm (GB) (mind: stand.)
országnév n, name of country
országol [-t, -jon] vi, † reign, rule (stand.)
országos [-at; adv -an] a, national, public, nation/state/country-wide, [átfogó magyar nemzeti] all--Hungarian; ~ bajnok national champion; O~ Béketanács Hungarian Peace Council; ~ csapás national calamity, public disaster; ~ érdek a matter

of public/national interest; kétnapos ~ értekezlet a two-day national conference; ~ eső widespread rain; ~ főútvonal main arterial route; ~ gyász public mourning; ~ hírű known all over the country (ut), universally known; ~ levéltár National Archives (pl), Public Record Office; ~ méltóság (tört kb) high dignitary of the realm/land; ~ méretekben on a country-wide scale; ~ mozgalom nation-wide movement; ~ rekord national record; ~ rendek (tört kb) The Estates of the Realm/Land; ~ szinten on nation--wide level; O~ Takarékpénztár National Savings Bank; O~ Tervhivatal National Planning Board/Office; ~ útvonal trunk-road; ~ ülés (tört) plenary session (of the Lower House of the feudal Diet in the 19th century); ~ választás general election; ~ vásár annual fair; ~ verseny national competition/tournament; ~ vita nationwide discussion
országosan adv, = országszerte
országraszóló a, ~ ünnepség nation-wide festivity/festival
országrész n, country district/region/area, part of the country
országszerte adv, all over the country, everywhere in the country, throughout the country/land, all the country round
országtanács n, = államtanács
országút n, high/main/public road, highway, highroad; öreg mint az ~ as old as the hills
országúti a, ~ közlekedési szabályzat highway code; ~ gép [kerékpár] road-racer; ~ hibajavítás road(side) repair; ~ jelzés road-sign; ~ vendéglő roadside inn, road-house; ~ verseny [gyaloglóké] (road) walking race, [kerékpár] road-race, road-trials (pl)
országútmenti a, ~ település ribbon-development/building
országvesztő a, ~ politika policy leading the country to ruin
ország-világ n, all the world, the whole world
országzászló n, national flag
ortocentrikus a, (menny) orthocentric
ortodiagráfia [. . át] n, (orv) orthodiagraphy
ortodox [-ot] a, 1. (vall) orthodox; ~ egyház the Eastern Church 2. (átv elit) backward, old-fashioned, [fönévvel] standpatter (US)
ortodoxia [. . át] n, (vall) orthodoxy, conformity
ortogonális [-ak, -t] a, (menny) orthogonal; ~ vetítés/vetület orthographic(al) projection
ortográfia [. . át] n, orthography
ortoklász [-ok, -t] n, orthoclase, orthose, potash feldspar
ortokromatikus a, orthochromatic, isochromatic, colour--sensitive
ortológia [. . át] n, orthology
ortológus n, purist (in language etc.)
ortopéd [-et, -je] I. a, orthop(a)edic; ~ cipész orthop(a)edic shoemaker/bootmaker; ~ cipő orthop(a)edic shoes/boots; ~ orvos orthop(a)ed(ist) (doctor/physician); ~ sebész orthop(a)edic surgeon II. n, orthop(a)edist
ortopédia [. . át] n, orthop(a)edy, orthop(a)edics orthopedic surgery
ortopédiai [-ak, -t] a, orthop(a)edic
orvhalász n, (fish) poacher
orvhalászat n, (fish) poaching; ~ot űz poach
orvhalászlik vt, poach
orvhallgató n, [rádió] unauthorised (radio) listener (who has no licence), radio/wireless pirate
orvlövész n, sniper
orvlövészkedlik [-tem, -ett, -jen] vi, snipe
orvos [-ok, -t, -a] n, doctor, physician, medical man, [ált gyakorló] general practitioner (röv G.P.), practitioner, medico (joc), (kat, haj) surgeon; Magyar

O~ok(,) Gyógyszerészek és Egészségügyi Dolgozók Szakszervezete Hungarian Medical Practitioners'(,) Chemists' and Health Workers' Union; a legjobb ~ az idő time is a great healer; jó ~ lesz belőle he will make a good doctor; ~ért küldtek the doctor was sent for; ~hoz fordul take medical advice, consult a physician; ~hoz megy see the/a doctor; ~nak megy go in for medicine, take up medicine; ~t hívat call in/out a/the doctor/physician, send for (v. call) the doctor

orvosdoktor n, doctor of medicine (röv M. D.), physician
orvos-egészségügyi a, O~ Szakszervezet Union of (Hungarian) Medical Workers
orvosegyetem n, Medical School (of a university), Medical University
orvosetikai a, ~ bizottság deontology committee
orvosfőhadnagy n, (kb) medical officer 2nd class, assistant medical officer
orvosi [-ak, -t; adv -lag] a, medical, [növénynevekben] officinal, medicinal; ~ ápolás medical attendance/ attention/care; ~ bizonyítvány doctor's/medical/ health certificate, certificate of health; ~ előírás medical direction(s); prescription; ~etika deontology, medical ethics; ~ fakultás faculty of medicine, medical school; ~ felszerelés medical stores (pl); ~ felügyelet medical attendance/attention; ~ felügyelet alatt áll be under the doctor; ~ gyakorlat medical practice; ~ gyakorlatot folytat practise medicine; ~ hivatás medical profession; ~ hőmérő clinical thermometer; ~ igazolás doctor's certificate; ~ jelentés bulletin (of health); ~ kar the medical profession, [kórházban] medical staff, [egyetemen] medical faculty; ~ képesítés medical qualification; ~ kezelés medical treatment/care/attendance; ~ kifejezés medical term; ~ költség medical expenses (pl), medical expenditure; ~ könyv medical book; ~ könyvtár medical library; ~ megfigyelés medical observation; ~ minta [gyógyszer] professional sample; ~ műszer surgical instrument; ~ műszerész surgical mechanic; ~ rendelés consultation, [amit előír] medical direction(s), prescription; ~ rendelésre on the advice/direction(s)/instructions of one's doctor, at doctor's orders; ~ rendelő (doctor's) consulting room, surgery, physician's office (US); ~ reszelő raspatory; ~ segélyben részesít give medical aid (to); ~ segélyhely (kat) dressing-station; ~ tanács medical aid/advice; ~ tanácsot kér take professional advice on a matter; ~ testület medical body; ~ tiszteletdíj medical fees (pl); ~ titoktartás professional secrecy/ etiquette; ~ végzettség medical qualification; ~ vélemény medical opinion; ~ vizsgálat medical examination; alkalmaztatás°előtti ~ vizsgálat pre-employment medical examination
orvosilag adv, medically
orvosírnok n, doctor's scribe
orvosjelölt n, medical student
orvoskar n, medical faculty/school
orvoslás n, 1. [betegségé] healing, curing, medication, cure, doctoring (fam) 2. [bajoké átv] remedy(ing), redress(ing), reparation; ~ban részesül jogsérelemért obtain redress for the violation of a right
orvoslástan n, therapeutics
orvoslat n, = orvoslás
orvosnő n, lady/woman doctor, doctoress
orvosnövendék n, medical student
orvosol [-t, -jon] vt, 1. [betegséget] cure, treat, heal, medicate, physic, doctor (fam) 2. [bajt átv] remedy, help, [jogi sérelmet] redress, [jóvátesz] repair; ezt nem lehet ~ni there is no help for it
orvosolhatatlan a, 1. [betegség] beyond hope of recovery (ut), incurable 2. [baj átv] past/beyond remedy/

help (ut), irremediable, remediless, [jóvátehetetlen] irreparable; ez ~ it cannot be helped
orvosolható a, remediable, redressable
orvosprofesszor n, professor of medicine
orvosság n, 1. [gyógyszer] medicine, drug, medicament, physic, [lónak] horse-draught/drench; ~ beadása administration of medicine; ~ot bead give sy a dose of medicine/physic; ~ot rendel vknek prescribe medicine for sy 2. (átv) remedy, cure; a halál ellen nincs ~ (kb) in the death of a man there is no remedy, we all must die one day
orvosságíz n, medicinal taste; ~e van has a medicinal taste, has a taste of medicine
orvosságos [-ak, -t] a, medicine-, medicinal; ~ szekrényke medicinal chest; ~ üveg medicine-bottle, dispensing bottle, [üvegcse] phial
orvosszakértő n, medical expert; bírósági/igazságügyi ~ expert in forensic medicine
orvosszázados n, medical officer 1st class
orvosszemélyzet n, medical staff
orvosszer n, medicine, drug, medicament, materia medica (lat)
orvosszeres a, ~ láda medicine/medicinal chest
orvostan n, medical science, medicine
orvostanár n, professor of medicine
orvostanhallgató n, medical student, medical (fam), medic(o) (fam)
orvostani [-ak, -t; adv -lag] a, medical; törvényszéki ~ intézet institute of forensic medicine
orvostársaság n, medical society
orvostudomány n, medical science, medicine, healing art; az ~ fejlődése the progress of medicine; az ~ok tudora doctor of medicine
orvostudományi a, medical; O~ Egyetem Medical School/University
orvtámadás n, attack from ambush, treacherous stroke/attack, stab in the back
orvul adv, treacherously, in an underhand manner, slyly, on the sly; ~ megtámad vkt attack sy treacherously, attack sy from ambush/behind, stab sy in the back
orvvadász n, poacher
orvvadászat n, poaching; ~ot űz poach
orvvadász|ik vi, poach
orzás n, † thieving (stand.), stealing (stand.)
ósdi [-ak, -t; adv -an] a, antiquated, old(-fashioned), out of date, obsolete, fossil, [személy] old-fashioned, conservative, [főnévvel] a back number; ~ elvek antiquated doctrines, (outworn) shibboleths; ~ felfogás backward view, old fashioned (v. fusty) opinion
ósdiság n, obsoleteness, out-of-dateness, [felfogásé, nézeté] fustiness
Oslo [-t, -ban] prop, Oslo
oson [-t, -jon] vi, sneak, slip by, move past (with soft rapidity), flit, scurry
ostábla n, † chess/draught-board, chequer-board (US) (mind: stand.)
ostáblajáték n, † draughts, chequers (US) (mind: pl és stand.)
ostábláz|ik [-tam, -ott, -zon, -zék] vi, † play draughts/ chequers (stand.)
ostoba [.. át] I. a, [személy] stupid, dull/short-witted, silly, foolish, thick-brained, fatuous, witless, brainless, doltish, dumb (US); ~ beszéd nonsense, nonsensical talk, drivel, rubbish, bilge, blather, bosh, rot (fam); ~ cselekedet silly/foolish/idiotic/imbecile asinine act/action/deed; ~ kérdés silly/inane question; ~ megjegyzés idiotic/senseless remark; ~ szamár! (you) silly ass!; ~ terv senseless/absurd plan/project; ~viselkedés imbecile/irrational/preposterous conduct; hogy lehettél olyan ~? how did you ever come to be such a fool; ne légy ~! don't be silly!

II. n, [ember] idiot, blockhead, dolt, dullard, fool, tomfool, simpleton, noodle, clod-pate, dunderhead *(fam)*, dunce *(fam)*, numskull *(fam)*

ostobaság I. n, stupidity, silliness, foolishness, folly, idiocy, imbecility, inanity, witlessness, doltishness, *[beszéd]* (stuff and) nonsense, drivel, rubbish, tomfoolery, mere nonsense, (tommy-)rot, trash, bunk(um) *(US); ez ~ !* that's all nonsense!; *micsoda ~ !* what a silly thing to do/say!; *sok ~* pack of nonsense; *elég az ~ból !* now(,) no nonsense!; *~okat mond/beszél* talk nonsense/rubbish, talk a lot of trash, talk a lot of punk *(US); ne beszélj ~ot !* don't talk rot

II. *int*, nonsense!, rot!, rubbish!

ostor [-ok, -t, -a] n, **1.** whip, lash; *végén csattan az ~* he who laughs last laughs longest; *~t használ/alkalmaz* lay on the lash; *~ral hajt [állatot]* lash on; *~ral üt* whip, cart-whip **2.** *(áll)* *növ)* flagellum; *~ alakú* whip-like/shaped, flagelliform *(tud)* **3.** *(átv)* scourge; *Attila(,) isten ~a* Attila the Scourge of God

ostorantenna n, fishbone-type antenna

ostorcsapás n, cut/lash of whip, swish, lash(ing)

ostorcsapó n, cracker (of whip), snapper

ostorcsattanás n, smack/snap of a whip

ostordurrogtatás n, cracking of whip

ostorfa n, *[gémeskúton]* swape, sweep of shadoof

ostorfarkú a, *(term)* whip-tailed

ostorféreg n, trichiuris, trichocephalus

ostorgiliszta n, = ostorféreg

ostorhegy n, cracker (of whip), snapper

ostorhegyes a/n, *[ló]* right-hand leader of four-in-hand, trace-horse, tracer, leader (of unicorn team), off--wheeler

ostorinda n, *(növ)* stolon

ostorkalapács n, *(tex)* picker

ostorkészítő n, whip-maker

ostorlengés n, *[torna]* whip-swing

ostormén(fa) n, *(növ)* wayfaring-tree viburnum *(Viburnum lantana)*

ostornyél n, whip-handle/staff/stock, crop, scourge--stick

ostornyeles a, *~ lámpaoszlop* arched (roadside) lamp-post, bent lamppost

ostornyéltartó n, whip-socket/bucket

ostoros [-ok, -t, -a] I. a, **1.** provided/armed with a whip *(ut) ; ~ gyerek* ostler, young ox-driver **2.** *~ véglény* flagellate; *~ moszatok* flagellates, Flagellatae II. n, *[személy]* whipper, cowherd, cowman (armed with a whip)

ostoroshal n, whip-fish *(Heniochus)*

ostorosok n. pl, *(áll)* flagellates *(Flagellata = Mastigophora)*

ostoroz [-tam, -ott, -zon] vt, **1.** *(konkr)* whip, lash, scourge, flog, flagellate **2.** *(átv)* scourge, chastise, castigate, lash

ostorozás n, **1.** *(konkr)* whipping, lashing, scourge, flogging, flagellation **2.** *(átv)* scourge, chastisement, castigation

ostorozó [-t, -ja] n, whipper, flogger, flagellator

ostorpattintás n, a snap of a whip

ostorsudár n, snapper, cracker (of a whip)

ostorszij n, whip-thong/lash, whipcord

ostorvágás n, lash, cut (with a whip), swish, *[nyoma]* weal

ostorzsinór n, whip thong/lash

ostrom [-ot, -a] n, siege, storm(ing), assault; *~ alá veszi a várat* besiege/beset the fort(ress), lay siege to the fort(ress); *abbahagyja az ~ot* raise a siege; *~mal veszi be a várat* take the fort(ress) by storm

ostromágyú n, siege-gun/piece

ostromállapot n, state of emergency/siege, state of martial law; *kihirdeti az ~ot a városban* impose/

declare a state of siege *(v.* martial law) in/(up)on a town; *megszünteti az ~ot* withdraw the state of siege

ostromárok n, trench, circumvallation

ostromgép n, ballista

ostromgyűrű n, = ostromzár

ostromlás n, **1.** *(konkr)* siege, besieging, storm(ing), assault **2.** *(átv)* siege, importunity

ostromlétra n, scaling ladder

ostromló [-t; adv -an] I. a, besieging, beleaguering, storming; *eget ~* titanic II. n, *[személy]* besieger, beleaguerer

ostromlott [-at] I. a, besieged, beleaguered II. n, az ~ak the besieged

ostromol [-t, -jon] vt, **1.** *[várost]* besiege, lay siege to, beset, beleaguer, *[erődöt]* storm, assault **2.** *[nőt]* besiege, overwhelm, make love to, *(vkt)* throng round sy; *egyre ~ vkt vmért* pester sy to do sg *(fam) ; ~ia egy hölgy szívét* lay siege to a lady's heart; *vkt kérdésekkel ~* bombard/ply sy with questions, put a rapid fire *(v.* a volley) of questions to sy

ostromtüzérség n, heavy artillery

ostromzár n, blockade, investment, besetment; *~ alá vesz* blockade; *~on áttör* run the blockade

ostya [..át] n, **1.** *(áll)* wafer, *[sütemény]* waffle, wafer biscuit, wafer-cake, *[fagylalthoz]* wafer **2.** *[gyógyszerhez]* cachet *(fr)*, host; *ostyában veszi be a kinint* take quinine in cachet **3.** *(vall)* host, altar-bread

ostyakészítő n, wafermaker

ostyalap n, wafer(-cake)

ostyasütő n, **1.** *[szerszám]* waffle-iron **2.** *[ember]* wafermaker

ostyatartó n, *(vall)* pyx, ciborium

ostyavivés n, *[népzene]* carrying of wafers ⟨Advent custom accompanied by singing⟩

oszcilláció [-t, -ja] n, oscillation

oszcillál [-t, -jon] vi, oscillate, vibrate

oszcilláló [-t] a, oscillating

oszcillátor [-ok, -t -a] n, oscillator; *klisztronos ~* klystron generator

oszcillátorcső n, oscillating valve

oszcillátortekercs n, oscillating coil

oszcillográf [-ot, -a] n, oscillograph

oszcillogram n, oscillogram

ószeres [-ek, -t, -e] n, *[bútorféléké]* second-hand dealer, junk-dealer, junkman, furniture-broker, *[ruhás]* second-hand dealer, old-clothes man, rag and bone merchant, *[nő]* old-clothes-woman, *[mint kiáltás]* old clo!

ószeresáru n, jumble goods *(pl)*

ószerűség n, old-fashioned character, antiquated character, antiquatedness, out-of-dateness

oszét [-et; adv -ül] n/a, Ossetic, Ossete

Oszkár [-t, -ja] prop; Oscar

oszkuláció [-t, -ja] n, *(mért)* osculation

oszkulációs [-t; adv -an] a, *(mért)* oscular

oszkuláló [-t] a, *(mért)* osculatory

oszladoz|ik [-ott, -zon, -zék] vi, *[tömeg]* disperse, scatter, break up; *a köd ~ik* the fog is lifting, the fog is clearing off, the fog is dissipating; *a felhők ~nak* the clouds are breaking

oszladozó [-t] a, *[köd]* lifting, dissipating, *[tömeg]* dispersing, scattering, breaking up

oszlás n, **1.** *[részekre]* division; *~ útján szaporodik* multiply by bipartition **2.** *[tömegé]* dispersion, scattering, breaking up **3.** *[holttesté]* decomposition; *~nak indul* begin to decompose/rot/decay, putrefy; *~nak indult* putrescent

ószláv a/n, Old Slav

oszlik [-ani, -ott, oszoljon] vi, **1.** *[részekre]* be/get divided, divide into; *három részre ~ik* be divided

into three parts 2. *[tömeg]* disperse, scatter, break up 3. *[köd]* lift, clear off, dissipate 4. *[holttest]* decompose, rot, decay, *[daganat]* go down
oszló [-t] I. *a*, dissipating, dispersing, decomposing II. *n*, ~*ban van* be in a state of decomposition, decompose, rot
oszlop [-ot, -a] *n*, 1. *(épít)* column, pillar, post, leg, *[talp és fej nélkül]* shaft; *ablakot osztó* ~ mullion; *híd* ~*a* pier (of bridge); *kettős* ~ coupled/paired columns *(pl)*; *támaszló* ~ stay, support, buttress, standard; *villamostávvezeték* ~*a* pylon, mast; ~ *és ívezet rendszere (épít)* arcuated system; ~ *és gerendázat rendszere (épít)* trabeated system; ~*okkal körülvett* peripteral, peristylar 2. *(kat)* column, file; *két* ~*ban menetel* march/move in two columns 3. *(átv)* prop, pillar; *a társadalom egyik* ~*a* one of the pillars/props of society; *ő a csapat* ~*a (sp)* he is the pivot of the team
oszlopborda *n*, *(épít)* facet, stria
oszlopborítás *n*, column-casing
oszlopcsarnok *n*, colnnnade, portico, porch, peristyle
oszlopderék *n*, shaft (of column)
oszlopelrendezés *n*, columniation
oszlopfej *n*, capital (of column), column/pile-cap, head
oszlopfejlap *n*, abacus
oszlopfolyosó *n*, colonnade, portico
oszlopfő *n*, = oszlopfej
oszlophornyolás *n*, fluting
oszlopképződés *n*, *(koh)* pillaring
oszlopköteg *n*, clustered column
oszlopkötés *n*, pier bond
oszlopköz *n*, intercolumniation
oszlopláb *n*, socle/base/bottom/pedestal/plinth of column
oszloplábazat *n*, stylobate, column/pillar-footing
oszlopnyak *n*, neck of column
oszlopnyaláb *n*, clustered column
oszlopos [-at; *adv* -an] *a*, 1. *(épít)* columned, columnar, pillared; ~ *bazalt (geol)* columnar basalt; ~ *elválás (geol)* columnar jointing; ~ *folyosó (épít)* colonnade, peristyle 2. ~ *tag [párté]* pillar (of an organization), stalwart; *a társadalom* ~ *tagja* a pillar of society, a tower of strength (for ...) 3. ~ *szent* stylite, pillar saint
oszloppárkány *n*, entablature, cornice
oszloprend *n*, order of columns, *[stílus]* order; *kompozit* ~ composite order
oszlopsor *n*, colonnade, arcade, peristyle; ~*ral körülvett* peripteral, peristylar
oszlopsoros *a*, peristylar, peripteral
oszlopszék *n*, *(épít)* pedestal, foot-stall (of column)
oszlopszent *n*, stylite, pillar saint
oszloptalp *n*, = oszlopláb
oszloptalplemez *n*, base moulding, plinth, subbase
oszloptemplom *n*, columned church
oszlopterem *n*, hypostyle/pillared hall
oszloptörzs *n*, shaft. shank (of column), tambour, trunk
oszlopzat *n*, columniation
oszmán [-ok, -t, -ja] *a/n*, Ottoman, Osmanli
oszmánli [-t] *a/n*, = oszmán—török
oszmán—török *a*, Osmanli Turk
oszol [-t, -jon] *vi*, 1. = oszlik; 2. *(kat)* break up, disband; ~*j!* dismiss!. fall out!, break away!, disperse!; ~*j-t vezényel* dismiss a parade
ószövetség *n*, Old Testament
osszét [-et; *adv* -ül] *n/a*, Ossetic, Ossete
Osszián [-t, -ja] *prop*, Ossian
ossziáni [-ak, -t] *a*, Ossianic
oszt [-ani, -ott, osszon] I. *vt*, 1. *(menny)* divide; *egy számot egy másikkal* ~ divide one number by another; *csoportokra* ~ (sub)divide; *négyfelé* ~ divide

into four parts/portions *részekre* ~ divide 2. *[kioszt]* distribute, dispense, deal out, allot, *[igazságot]* distribute; *áldást* ~ bless, give/confer blessings; *betűket* ~ *(nyomd)* distribute handset matter; *kártyát* ~ deal cards; *parancsot* ~ issue/give commands; *ki* ~ *? (kárty)* whose deal is it?; *most te* ~*asz (kárty)* it is your deal now 3. *[véleményt]* share; ~*ja vknek a véleményét* share sy's opinion, concur with sy, see eye to eye with sy, agree with sy's opinion; ~*ja vk érzéseit* enter into sy's feelings; ~*ja nézetemet?* do you share (in) my view(s)/opinion?, do you agree (with me)?; ~*om nézetedet* I agree/concur with you, I am at one with you, I am of your (*v*. of the same) opinion II. *vi*, *se nem* ~ *se nem szoroz* it makes no difference/odds
osztag [-ot, -a] *n*, detachment, squad, detail
osztalék [-ot, -a] *n*, *(pénz)* dividend; ~ *nélkül* ex coupon/dividend; ~ *nélkül jegyzett részvények* share quoted ex dividend; *rendkívüli* ~ bonus on shares; *végleges/teljes* ~ final dividend; ~*ot ad* give a dividend; ~*ot kifizet* pay/distribute a dividend; ~*ot megállapít* declare a dividend
osztalékelőleg *n*, inital dividend
osztalékív *n*, coupon sheet (attached to a share)
osztalékszelvény *n*, dividend coupon/warrant; *esedékes* ~ ex dividend; *osztalékszelvénnyel [tőzsdei árjegyzés]* cum dividend
osztaléktöbblet *n*, bonus on shares
osztály [-ok, -t, -a] *n*, 1. *[társadalmi]* class; *uralkodó* ~ ruling class; ~ *nélküli társadalom* classless society; *az alsó* ~*ok* the lower classes, the masses, *[finomkodva]* the underprivileged, the lower income brackets/holders; ~*ok feletti* above/supra/non-class; ~*ok feletti helyzet* above/supra-class position; ~*ok közti szövetség* class alliance; ~*ok közti viszony* class relations *(pl)*; ~*ok megszüntetése* abolition of classes; ~*on kívüli* non-class 2. *(isk)* class, form, *[elemi]* grade, standard, *[terem]* class/school-room; *az I.c (v. I.c)* ~ form/class I. c.; *a harmadik* ~*ba jár* be in the third form; *bemegy az* ~*ba* enter the class/school-room; ~*t ismétel* stay in a form for a second year 3. *[hivatalban, üzemben]* department, section, *[áruházban]* department, *[szervezetben]* division, *[kórházban]* ward, department; *vénykészítő* ~ *[gyógyszertárban]* dispensing department 4. *[vasúton, hajón]* class; *első* ~*on utazik* travel first(-class) 5. *[kategória]* section, class, category, division, *[futball]* league; *a bajnokság első* ~*a* the major league, first division; *a társadalmi termelés első és második* ~*a* department I and II of social production; ~*okba oszt* classify; *előlépett a VII. fizetési* ~*ba* he was promoted to the 7th pay category; ~*on felüli* extra/superior/special/luxury class, superclass 6. *(kat)* battalion 7. *[vagyoni, örökségé]* division of property, partition of inheritance, share, portion 8. *(vill)* sector
osztályalap *n*, class basis; *a proletárdiktatúra* ~*ja* the class basis of the dictatorship of the proletariat
osztályállam *n*, class state
osztályárulás *n*, class betrayal
osztályáruló I. *a*, unfaithful to one's class *(ut)* II. *n*, traitor to one's class, betrayer of one's class
osztálybéke *n*, peace between the classes, cessation of class warfare, class/civil peace
osztályéberség *n*, class vigilance
osztályellenség *n*, class enemy
osztályellentét *n*, class antagonism, class contradictions *(pl)*
osztályelnyomás *n*, class oppression
osztályelőítélet *n*, class prejudice
osztályelső *n*, *(isk)* boy/girl at the top of the class, top-boy/girl, first/best pupil in class
osztályérdek *n*, class interest

osztályerők n. pl, class forces; antagonisztikus ~ antagonistic class forces

osztályerőszak n, class coercion

osztályerőviszonyok n. pl, relations of strength between the various classes, class power relations

osztályértekezlet n, department(al)/section(al) meeting/conference

osztályfeladat n, class task

osztályfőnök n, 1. [hivatali] head of department 2. (isk kb) form-master

osztálygőg n, class prejudice

osztálygyűlölet n, class hatred

osztályharc n, class battle/struggle/war(fare), battle of classes; ~ élesedése sharpening of the class struggle; ~ lanyhulása slackening of the class struggle; az ~ kiélesedett the class-warfare has sharpened

osztályharcellenes a, anti class-warfare

osztályharc-elmélet n, theory of class warfare

osztályharcos a, class-struggle minded, imbued with the spirit of class struggle (ut); ~ magatartás militant attitude to class warfare

osztályhelyzet n, class relations (pl), class background

osztályhű a, loyal to one's class (ut), loyal to the working class (ut)

osztályidegen a, class-alien

osztályismétlés n, (isk) repetition of a year's work (in school)

osztályjelleg n, class character

osztálykirándulás n, (isk) outing/excursion of/for the school-class/form, class outing

osztálykiváltság n, class privilege

osztálykorlát n, class-barrier

osztálykönyv n, (isk) ⟨class/form register/diary/record⟩

osztálykövetelés n, class demands (pl)

osztályközi a, [hivatalban] interdepartmental

osztálykülönbség n, class distinction, class-division; ~ nélkül regardless of class allegiance

osztálymeghatározottság n, class determinedness

osztálymérnök n, (vasút) chief/division/section engineer

osztálymérnökség n, railway/railroad division

osztályos [-ok, -t, -a] a, 1. belonging to a class/form/division/department (ut); első ~ belonging to the first class (ut), attending the first class (ut); ~ nővér [kórházban] floor/ward nurse/sister 2. (jog) ~ egyezség composition as to the partition of the estate (of bequeather); ~ társ joint heir(ess), coparcener, coparcenary, co-heir(ess), [bajban] companion in misfortune, fellow-sufferer, brother in distress

osztályoz [-tam, -ott, -zon] vt, 1. (ált) class(ify), range, rate, rank, categorize, [árut] sort, order, [minőség szerint] pick/sort out, class, grade, assort, [gyapotot/gyapjút szálhosszúság szerint] staple, [növényt, állatot] class, classify, [levelet] sort, [iratot] file, pigeon-hole, [ércet] grade, [szenet] seperate, screen, [versenyzőt] class 2. [iskolában] give/award marks, [dolgozatokat] mark (compositions/papers/essays/exercises), grade (themes) (US)

osztályozás n, (ált) classing, classification, ranging, rating, [árut] sorting, ordering, [minőség szerint] assortment, picking/sorting out, grading, [gyapotot, gyapjút] stapling, [növényt, állatot] classification, [levelet] sorting, [iratokat] pigeon-holing, [szenet] separation, screening; kettőspontos ~ [könyvtárban] colon classification; metszetes ~ [könyvtárban] faceted classification, rendszerező ~ [könyvtárban] olaoei fication, classifying 2. (isk) giving/awarding marks, [dolgozatokat] marking

osztályozási a, ~ ismérv criterion of classification; ~ táblázat [könyvtárban] classification schedule/table

osztályozástan n, (term) taxology, taxonomy

osztályozatlan a, 1. unclass(ifi)ed, unassorted, unmarked; ~ szén unscreened coal 2. (isk) unmarked

osztályozhatatlan a, unclassifiable

osztályozható a, classifiable, classable, sortable

osztályozó [-t] I. a, class(ify)ing; ~ értekezlet teachers' conference (deciding marks to be awarded at the end of term); ~ készülék classifier, classifying/sorting apparatus/machine, sorter, selector, grader, separator; ~ mérkőzés classifying competition/match II. n, [személy] classifier, sorter, grader

osztályozógép n, grader, sorter

osztályozónapló n, (isk kb) class register (of marks given)

osztályozórosta n, separating screen, ore separator

osztályozott [-at; adv -an] a. classified, assorted, marked, [szén] screened

osztályöntudat n, class-consciousness

osztályöntudatos a, class-conscious

osztályösszetétel n, class structure, social/class composition

osztályper n, (jog) suit between joint heirs

osztálypolitika n, class policy

osztályrész n, (átv is) share, portion, (csak átv) lot; megkapja az ~ét have one's fair share; ~ül jut vknek fall to sy's share/lot, (jog) devolve upon sy's share; nekem jutott ~ül hogy... it fell to my lot to..., the lot fell to me to..., it fell to me as my lot to...

osztályrészes n, [személy] copartner

osztályrészesség n, copartnership (jog), parcenary

osztályrétegeződés n, class stratification

osztálysorsjáték n, (class) lottery

osztálysorsjegy n, (class) lottery ticket

osztályszellem n, class-consciousness

osztályszempont n, class point-of-view, class view-point/angle/approach

osztályszolidaritás n, class solidarity

osztályszövetség n, class alliance

osztálytagozódás n, class-structure/stratification/division

osztálytalan [-t] a, classless

osztálytanácsos n, miniszteri ~ counsellor (to the head of a ministerial department)

osztálytanítás n, (isk) class teaching

osztálytárs n, class-mate/fellow

osztálytársadalom n, class society; ~ világa class-world

osztálytartalom n, class content/basis

osztályterem n, schoolroom, class/form-room

osztálytudat n, class-consciousness

osztálytudatos a, class-conscious

osztályú [-ak, -t; adv -an] a, (összet.) -class; első ~ [minőség] first-class/rate (quality); első ~ vasúti jegy first-class railway ticket; első ~ tanuló pupil attending the first form, first former (fam)

osztályuralom n, rule of a class, class rule

osztályvezető n, chief/head of a section/department, departmental head/manager, [csak ker] managing clerk

osztályvezető-helyettes n, deputy head of section/department, assistant department head

osztályviszonyok n. pl, class relations/conditions, relations of class-forces; az ~ megváltozása changed/new alignment of class forces

osztályvizsga n, end-of-year examination

osztályzat n, mark; jó ~ good mark; rossz ~ bad mark; jó ~tal vizsgázik le pass an examination with credit

osztandó [-t, -ja] I. a, to be divided (ut), for dividing (ut) II. n, (menny) dividend

osztás n, 1. [részekre] dividing, (menny) division 2. [széjjel] distribution, dispensing, dispensation, dealing out, allotment, [parancsot] issuing, giving, [kártyát] deal, (nyomd) distribution, [áldást] conferring; hibás ~ [kártyáké] misdeal; új ~ [kártyáké] fresh deal 3. [véleményt] sharing

osztási a, ~ felület (menny) parting surface; ~ művelet division

osztásköz n, (műsz) spacing

osztásmező n, (épít) pane, slide

osztatlan a, 1. [fel nem osztott] undivided, unshared, unportioned, entire, one-piece, (jog) undivided, joint (estate); ~ jószág joint ownership; ~ közös földbirtok tenancy in common; ~ népiskola elementary school not divided into classes, ungraded elementary school 2. (átv) unanimous, general, whole-hearted; a hír ~ tetszést váltott ki the news was welcomed by all, the news was recieved favourably by all

osztatlanul adv, [közösen] (as) undivided, in common, jointly, [egészben] by entireties

osztentatív [-ot; adv -e] a, ostentatious

oszthatatlan a, indivisible, (jog) impartible; ~ szám prime number

oszthatatlanság n, indivisibility, impartibility

osztható a, divisible, partible, partable; néggyel ~ szám number divisible by four; ~ öttel (it) divides by five

oszthatóság n, divisibility, partibility

osztják [-ot, -ja] n/a, Ostyak

osztó [-t, -ja; adv -an] I. a, [részekre] dividing, [kiosztó] distributing; ~ igazság distributive justice II. n, 1. [személy] divider, distributor, dispenser, (kárty) (card-)dealer, (nyomd) dis hand, [szedőgépen] distributor bar 2. (menny) divisor, [maradék nélküli] submultiple; közös ~ common divisor; legnagyobb közös ~ highest common factor, greatest common measure (röv G.C.M.) 3. (műsz) divider

osztódás n, division of cells, cell-division, mitosis (tud), [sejté] cleavage; ~ útján való szaporodás multiplying by bipartition (v. by cell-division), fissiparous generation, fission, schizogenesis; ~ útján szaporodó scissiparous

osztód|ik [-ott, -jon, -jék] vi, divide, be divided, (biol) multiply by bipartition

osztódóképes a, (növ) meristematic

osztóegység n, modula, standard

osztóér n, artery

osztófa n, (épít) transom

osztófal n, dividing wall, partition

osztófej n, graduator

osztogat vt, distribute, [adományt, igazságot] dispense, deal out, [hivatalt] allot, assign, [büntetést, jutalmat] mete out, [ütleget] lay on

osztógép n, dividing machine

osztójel n, 1. (menny) sign of division, division sign/ mark 2. (nyelvt) hyphen

osztókör n, [fogaskeréké] rolling circle

osztókörlap n, dial-plate

osztókörző n, (pair of) dividers (pl), divider calipers (pl), proportional compasses/dividers (pl)

osztóköz n, pitch, [betüöntésnél] set

osztólap n, [könyvtárban] guide-card

osztóléc n, grade rod, [üvegtáblában] bar

osztósudár n, (épít) mullion

osztószámnév n, distributive (term/pronoun)

osztószint n, (bánv) blind level, sublevel

osztótag n, divider, divisor

osztótárcsa n, division-plate

osztott [-at; adv -an] a, divided, (növ) parted, partitioned; ~ munkaidő divided working hours; részekre ~ divided into parts (ut)

osztováta [..át] n, (weaving-)loom

osztóvonal n, dividing/parting line, [fogaslécen] pitch-line

osztozás n, = osztozkodás

osztoz|ik [-tam, -ott, -zon, -zék] vi, (vmben) share (sg), go shares in (sg), participate/partake in (sg), (vmn) share, divide (among one another); egyforma arányban ~nak share and share alike, go fifty-fifty '(fam); ~ik vk örömében és bánatában share sy's joy(s) and sorrow(s); ~unk fájdalmában we sympathise with you, we feel for you in your loss/bereavement, we share your sorrow/grief, our hearts go out to you (in..); ~ik vk véleményében agree with sy, share sy's opinion

osztozkodás n, sharing, dividing up, (jog) partition

osztozkod|ik [-tam, -ott, -jon, -jék] vi, (vmn) = = osztozik vmn

osztózsilip n, bifurcation gate

osztrák [-ot, -jai a/n, Austrian; O~ Köztársaság Republic of Austria, Austrian Republic

osztrák—magyar a, Austro-Hungarian; Osztrák—Magyar Monarchia Austria-Hungary, Austro-Hungarian (v. Dual) Monarchy

osztriga [..át] n, oyster (Ostrea sp.)

osztrigaárus n, oysterman

osztrigabontó a, ~ kés oyster-knife

osztrigahalász n, oysterman

osztrigahalászat n, oyster-fishing

osztrigahéj n, oyster-shell

osztrigakereskedő n, oyster-dealer

ostrigapástétom n, oyster-patty

osztrigaponk n, oyster-bank/bed

osztrigateknő n, = osztrigahéj

osztrigatelep n, [tenyésztett] oyster-bed/farm/field/park, [vadon tenyésző] oyster-bank, oyster bed (US)

osztrigatenyésztés n, oyster-breeding/farming, ostreiculture

osztrigatenyésztő n, oyster-breeder, oysterman

osztyák [-ot, -ja] a/n, = osztják

óta post [időmegjelölésben] since, [tartam megjelölésében] for; egy idő ~ nem láttam I have not seen him for some time past; tavaly ~ nem láttam I have not seen him since last year; már órák ~ elvan he has been away for hours; 1938 ~ állandóan/mindig ever since 1938; a tizenkettedik század ~ from the twelfth century downwards; tegnap ~ since yesterday

otelló [-t] n, [szőlő] Othello grapes (pl)

ótestamentum n, Old Testament

otkolon [-ok, -t, -ja] n, eau de Cologne (fr), Cologne water

otromba [..át] a, 1. (vk) clumsy, ungainly, (vm) unwieldy 2. (átv) boorish, vulgar, rude, rough, coarse, gross; ~ hamisítvány clumsy forgery; ~ hiba gross mistake; ~ megjegyzés akward/uncouth remark; ~ tréfa stupid practical joke

otrombaság n, 1. (vké) clumsiness, (vmé) unwieldiness 2. (átv) vulgarity, rudeness, roughness, coarseness

ott adv, dem, there; ~ ahol where; ~ ahonnan from where; az ~! that one; ~ benn in there; ~ fenn up there, up yonder (ref); ~ helyben on the spot; ~ lenn down there/below; ~ leszünk we shall be there; ~ levő being present there (ut), to be found there (ut); az ~ lévők persons/those present (at a certain place); ~ tart vkt detain, keep sy back; ~ terem vk appear suddenly, turn/bob up; vagy ~ vannak azok akik... or let's take those who...; van-e ~ valaki? is there anybody there?

ottan adv, dem, there, in that place

ottani [-ak, -t] a, of that place (ut); ~ viszonyok local conditions, conditions (prevailing) there

ottfelejt vt, leave behind, forget

otthagy vt, (vkt) desert, abandon, [bajban] leave sy in the lurch, [szerelmest] jilt, walk out on sy (US), [vmt érintetlenül] leave untouched, [saját akaratából] leave (on one's own account), [tárgyat] leave behind; ~ja az állását quit one's job, throw up a job, turn one's job in, walk out (of), walk off (from a job), fling up one's job (fam); ~om az egészet I'll chuck (up) the whole thing, I'm fed up with the whole business; ~ta a fogát he bit the dust, he left his boots there, he laid his bones there; nem tudtam ~ni ! could not tear myself away; hagyd ott ha nem tetszik if you don't like it leave/lump it

otthon¹ dem. adv, **1.** at home; ~ érzi magát feel at home, make oneself comfortable; érezd magad ~ make yourself comfortable, make yourself at home, this is Liberty Hall (joc); ~ hagytam a szemüvegemet I left my spectacles/glasses behind; a csapat ~ játszik it is a home game, the team will play at home; ~ készült homemade, (tex) homespun; ~ kuksol stick indoors; ~ marad stay at home, stay/keep in, keep/remain indoors, keep within doors, keep to one's home; ~ talál vkt find sy in, find sy at home; ~ termett home-grown; ~ ül sit at home, stick to one's chimney--corner; ~ ülő stay-at-home, home-abiding/keeping; ~ ülő ember family man, home-bird/lover, homebody, stay-at-home; ~ van be at home, be in; mindenütt jó de legjobb ~ there is no place like home, east or west(,) home is best; nincs ~ he is not at home, he is not in, he is out/gone, he is away/absent from home; kerestem de nem volt ~ I called on him but he was not in (v. at home); nincsenek ~? [iron kérdésben] have you gone crazy?; hol van ő ~? where does he live, where does he come from? **2.** ~ van [témában] be on firm ground; ~ van a festészetben be familiar with painting, be well--versed in painting

otthon² [-ok, -t, -a] n, **1.** [családi] home, hearth (ref.), fireside (ref.); se ~a se hazája have neither house nor home; ~t alapít set up house(keeping); ~t nyújt vknek make a home for sy **2.** [szállás] hostel, home, hospice **3.** ezt ~ról hozza magával he owes this/it to his birth/origin, it runs in the family

otthoni [-ak, -at] **I.** a, home, domestic; ~ élet home/domestic life; ~ kényelem slippered ease; ~ ruha house clothes (pl), at-home clothes (pl); ~ ügyek/dolgok domesticities (pl) **II.** n, ~ak home-folk(s), household, the folks back home (US fam)

otthonias [-at; adv -an] a, homely, homelike, cosy, homey (US)

otthonka n, † dressing-gown (for ladies), (ladies') dressing-gown, house-coat (mind: stand.)

otthonlét n, staying/being at home

otthonos [-ak, -t; adv -an] a, homely, homelike, cosy, homey (US); ~ vmben at home in, versed in (sg), familiar/conversant with (sg), possessing an intimate knowledge of, well up in; ~ környezet familiar surroundings/atmosphere; sok háznál ~ volt she was at home in many households

otthonosan adv, ~ érzi magát make oneself at home; ~ mozog feel at home, be at ease

otthonosság n, (vmben) familiarity (with sg), feeling at home (in sg), intimate knowledge (of sg)

otthonról adv. dem, from home

otthontalan a, homeless, without a home (ut), without a roof to one's head (ut), roofless (ref.)

ottlét n, presence there;~em alatt during my stay/sojourn there, while I was there

ottmarad vi, stay/remain there; ~ ebédre stay for/to dinner; ~ éjszakára stay overnight; nem fog sokáig ~ni he won't be/stay there long

Ottó [-t, -ja] prop, Otho, Otto; Nagy ~ (tört) Otto the Great

ottomán¹ [-ok, -t, -ja] **I.** a, Ottoman, Turkish **II.** n, [személy] Ottoman, Turk

ottomán² [-ok, -t, -ja] n, [bútordarab] backless sofa, divan, ottoman

ottragad vi, stay there (and return not), get stuck swhere, [látogató túl sokáig] outstay one's welcome

ottreked vi, be kept/marooned/stranded /stuck swhere he unable to get away from swhere

ott-tartózkodás n, stay there

ottvesz vi, (vk) perish swhere

ótvar [-ok, -t, -a] n, **1.** eczema, impetigo, [fejen] tinea, scalp disease **2.** [fakérgen] scurf

ótvaros [-at; adv -an] a, eczematous, impetiginous, having tinea (ut)

óv [-tam, -ott, -jon] vt, (vkt vmtől) caution/warn (sy) against (sg), advise (sy) not to (do sg), (vmt/vkt vmtől) protect from/against, preserve/save from, shield, guard

óva ld óva int

óváció [-t, -ja] n, ovation, cheering; ~ban részesít vkt cheer sy

óvadék [-ot, -a] n, caution money, security, guarantee, guaranty (US), [letartóztatott ideiglenes szabadon bocsátásáért] bail; ~ ellenében szabadlábra helyezik be bailed out, be released on bail, be let out on bail; ~ot ad give security/guarantee/guaranty/bail, put/go bail (for); az ~ot elveszti/eljátssza forfeit/jump bail

óvadékadás n, bailment; ~ra kötelezés [bírósági] recognizance, binding over; ~ra kötelezi magát enter a/the recognizance, be bound over

óvadékadó n, (vk) bailor

óvadékbiztosítás n, guaranty insurance

óvadékcsalás n, security/guarantee swindle/fraud

óvadékképes a, **1.** [kötvény] guilt-edged (security), (security) acceptable as guarantee **2.** [személy] (person) able to give security/bail

óvadékletétel n, deposit (of caution money), giving bail

óvadéklevél n, bail-bond

óvadékpénz n, = óvadék

óvadéksikkasztás n, embezzlement of caution money (v. of security)

óvadóc n, (növ) zizania, water-rice (Zizania aquatica)

óva int vt, ~ vkt vmtől caution/warn sy against sg, urge sy to refrain from sg, urge sy not to do sg; ~ő hangon in a warning/cautionary tone

óvakod|ik [-tam, -ott, -jon, -jék] vi, take heed, be cautious, look out, (vmtől, vktől) beware of, be on one's guards against, guard against, keep away from, steer clear of, fight shy of (sg) (fam), know better than. (to do sg) (fam); ~ik vmt megtenni take care not to do sg; ~junk a zsebtolvajoktól beware of pickpockets; ~junk az utánzatoktól beware of imitations/substitutes

ovális [-at; adv -an] a, oval, egg-shaped, oviform

ovárium [-ot, -a] n, ovary

óváros n, old(er part of a) town/city

óvás n, **1.** (vmtől) preservation form, protection/guarding from/against, [figyelmeztetés] warning, caution, denunciation **2.** [vm ellen emelt] protest, veto, remonstrance; ~t emel (lodge a) protest/complaint against, object to, remonstrate against; ~t emel vknél vm miatt remonstrate with sy upon sg; ~t nyújt be (sp) lodge a prostest (with sy concerning sg) **3.** (ker) ~sal él make/enter/lodge a protest; ld még óvatol

óvási a, ~ határidő time for protest; ~ költségek protest charges, cost of protest, expenses of protesting; ~ tárgyalás hearing of the protest

óvástevő n, (jog) protester, remonstrator

óvatlan a, unguarded, unprotected; egy ~ pillanatban in an unguarded/unguided moment

óvatol [-t, -jon] vt, (ker) enter a protest; váltót ~ have a bill protested

óvatolás n, protest, [váltóé] protesting of a bill; ~t bejelent extend a protest

óvatoló [-t, -ja] n, protester

óvatos [-at; adv -an] a, (pre)cautious, prudent, careful, circumspect, wary, watchful, heedful, wakeful, open-eyed, reserved, cagey ◇, *[léptek]* stealthy; *nem* ~ incautious, unwary, unguarded; *túl* ~ over--cautious, overcareful; ~ *becslés* moderate/safe/conservative estimate, conservative valuation; ~ *beszédű* guarded in his talk *(ut)* ; ~ *duhaj* cautious daredevil/gambler, *[igével]* he goes cannily, play canny; ~ *politika* safety-first policy; *igen* ~ *vezető/ sofőr* a very safe driver; *légy* ~ (be) careful! , be on your guard! , look ahead, take care, mind your P's and Q's *(fam)*

óvatosan *adv*, cautiously, carefully, warily, watchfully, wakefully; ~*!* take care! , have a care! ; ~ *bánik vmvel* observe care in doing sg, go easy with sg, handle gingerly *(fam)*, go slow (with sg) *(fam)* ; ~ *jár el* play for safety, take in a reef *(fam)*, fly low *(fam)*, pussyfoot *(fam)* ; ~ *hajts!* jelzés "Safety first" signal; ~ *fog hozzá vmhez* go to work (*v.* set about it) with great caution; ~ *játszik (kárty)* play a sure game; ~ *kezelendő! [csomagon]* (handle) with care, please handle carefully! ; ~ *lépked* feel one's way, walk warily

óvatosság *n*, cautiousness, (pre)caution, prudence, prudentiality, carefulness, circumspection, wariness, reserve, deliberation, wakefulness, watchfulness, heed; *kellő* ~ due foresight; ~*ból* by way of precaution/prudence/safety; ~*ra késztet/int vkt* put sy on (his) guard, forewarn, caution sy; *a (lehető) legnagyobb* ~*gal* with the greatest possible care

óvatossági *a*, ~ *rendszabály* precautionary measure

overall [-ok, -t, -ja] *n*, overalls *(pl)*, boiler suit, dungarees *(pl)*, work-outfit, *[tex anyaga]* denim

óvhatatlan *a*, = óhatatlan

Ovidius *prop*, Ovid

ovidiusi [-ak, -t] *a*, Ovidian

óvilág *n*, 1. *[Európa]* Old World 2. *[régi idők]* old/ancient times *(pl)*, antiquity

óvilági *a*, old-world

óvintézkedés *n*, = óvóintézkedés

óvó [-t; *adv* -an] I. *a*, sheltering, preserving, precautionary, preventive, protecting; ~ *néni [mint megszólítás]* Mrs *[és a személynév]*, Miss *[és a személynév]* ; ~ *rendszabály* precaution(ary measure), measure of precaution II. *n*, = megóvó

óvoda [..át] *n*, nursery (school), day-nursery, kindergarten, infant school

óvodai [-ak; -t] *a*, nursery, kindergarten, infant school-

óvodás *n*, *[állami/városi óvodában]* nursery-school child, *[magánóvodában]* kindergarten pupil, kindergartner

óvodista *n*, = óvodás

óvóhely *n*, refuge, *[légó]* air-raid shelter, bomb-shelter; ~*re húzódik* take cover

óvóintézkedés *n*, precautionary/preventive/protective/safety measures *(pl)*, (measure of) precaution; *megteszi a szükséges* ~*eket* take the necessary precautions/measures

óvónő *n*, kindergarten teacher, kindergartner, nursery school mistress

óvónőképző *a/n*, ~ *intézet* training school/college for kindergarten teachers, nurses' and kindergarten teachers' training college

óvszer *n*, 1. *(átt)* preservative, preservatory, preventive,

protective 2. *[nemi]* contraceptive (sheath), condom, French letter *(fam)*

oxalát [-ot] *n*, oxalate

oxálsav *n*, oxalate/oxalic acid

Oxford [-ot, -ban] *prop*, Oxford

oxford *a*, ~ *inganyag* oxford shirt(ing)/cloth

oxfordi [-ak, -t] *a*, of Oxford *(ut)*, *[egyetemi vonatkozásban]* Oxford, Oxonian, *(geol)* Oxfordian; ~ *diák* an Oxford man, an Oxonian

oxiacetilén *n*, oxyacetylene

oxid [-ot, -ja] *n*, oxide

oxidáció [-t, -ja] *n*, oxidation, oxidizing

oxidációgátló *a*, antioxidant

oxidál [-t, -jon] *vt/vi*, oxidize, oxygenate

oxidálás *n*, oxidation, oxygenation

oxidálhatatlan *a*, inoxidizable

oxidálható *a*, oxidizable

oxidáló [-t, -ja; *adv* -an] I. *a*, oxidizing; ~ *láng* oxydizing flame; ~ *szer* oxidizing agent, oxidizer II. *n*, oxidizer, oxidant

oxidálódás *n*, = oxidáció

oxidálódik [-ott, -jon, -jék] *vi*, oxidize, become oxidized, rust

oxidálódó [-t] *a*, oxid(iz)able; *nem* ~ inoxid(iz)able

oxidréteg *n*, *(koh)* scale, oxide layer

oxigén [-t, -je] *n*, oxygen

oxigénbelélegzés *n*, inhalation/inhaling of oxigen

oxigénelvonás *n*, deoxygenation, deoxidization, reduction

oxigénes [-et; *adv* -en] *a*, containing oxigen *(ut)*

oxigénfelvétel *n*, oxygen uptake

oxigénhiány *n*, anoxia

oxigénigény *n*, oxygen requirement

oxigénigényes *a*, ~ *szervezetek* aerobe organisms; *nem* ~ *szervezetek* anaerobe organisms

oxigénlégző *n*, *[készülék]* pulmotor, *[álarc]* oxygen mask

oxigénmentesít *vt*, deoxidate

oxigénpalack *n*, oxygen bottle/flask/tank

oxigénsátor *n*, *(orv)* oxygen tent

oz [-ok, -t, -a] *n*, *(főidr)* esker

ozmium [-ot, -a] *n*, osmium

ozmométer *n*, osmometer

ozmotikus *a*, osmotic

ozmózis [-t, -a] *n*, osmose, osmosis

ozmózisnyomás *n*, osmotic pressure

ozmózisos [-at; *adv* -an] *a*, osmotic; ~ *egyensúly* osmotic equilibrium

ozon [-t, -ja] *n*, ozone

ózondús *a*, rich in ozone *(ut)*, full of ozone *(ut)*, ozonized, ozoniferous, ozonic

ózonfejlesztő *n*, ozonizer

ózonizál [-t, -jon] *vt*, ozonize

ózonizálás *n*, ozonization

ózonizálódik [-tam, -ott, -jon, -jék] *vi*, ozonize, become ozonized

ózonos [-at; *adv* -an] *a*, ozonized, ozoniferous, ozonic

ózonszint *n*, ozonosphere

ózontartalommérés *n*, ozonometry

ózontartalommérő *n*, *[készülék]* ozonometer

ozsonna [..át] *n*, (afternoon) tea

ozsonnái [-t, -jon] *vi/vt*, take/have tea

ozsonnázik [-tam, -ott, -zon, -zék] *vi*, = ozsonnái

Ö, Ő

ö, ő [ö-t, ö-je, ő-t, ő-je] *n, [betű]* ö, ő, the letter ö/ő; *kis ö/ő-vel ír* write with small ö/ő; *nagy Ö/Ő-vel ír* write with capital Ö/Ő

ő [őt, őt] **I.** *n, pron*, he, she, it; *ez ~* it's/that's him, *[rámutatva]* there he is, *(iron)* that's him all over, that's him every inch, how like him! , that's exactly like him; *~ az akire gondolok* I am thinking of her; *~ tudja miért* for reasons best known to him(self), for reasons of his own, only he knows why; *~ maga he. . . himself, she . . . herself, it. . . itself; ~t magát* himself, herself, itself
II. *poss*, **1.** his, her, its; *az ~ ötlete* (it's) his idea; *az ~ könyve* his/her book; *az ~ könyvei* his/her books **2.** their; *az ~ könyvük* their book
III. *adv. pron, ~belé* in him/her; *~beléjük* in them; *hasonló összetételek mint én szócikkében*
öblít [-eni, -ett, -sen] *vt,* **1.** *[ruhát]* (give a) rinse through, *[edényt]* rinse (out), *[bő vízzel]* flush, scour, *[leöblít]* swill; *száját ~i* rinse one's mouth; *torkot ~* gargle **2.** *(fénvk)* rinse, *[motorhengert]* scavenge **3.** *(orv)* irrigate
öblítés *n,* **1.** *[ruhát, edényt]* rinsing (out), rinse, *[bő vízzel]* flush, scour(ing), *[leöblítés]* swilling; *[torok]* gargling; *testüreg ~e* lavage of a cavity **2.** *(orv)* irrigation
öblítő [-t] *a*, rinsing, swilling
öblítőedény *n*, rinsing-tub, slop-tub
öblítőfolyadék *n*, wash
öblítőfúrás *n, (bány)* wash-boring
öblítőiszap *n, (bány)* boring mud
öblítőnyílás *n*, wash-out hole
öblítőtartály *n*, flushing cistern, service box
öblítővíz *n*, wash-water, *[konyhai használt]* dish-water/wash, rinsings *(pl)*, *[szájhoz]* rinse, mouth-wash, *[torokhoz]* gargle
öblöcske *n*, armlet (of the sea), creek, inlet, cove, small bay
öblöget I. *vt, [ruhát, edényt stb.]* rinse, flush, swill, *[torkot]* gargle **II.** *vi, [pulyka]* gobble
öblögetés *n*, rinsing, rinse
öblögető [-t; *adv* -en] *a, ~ víz* = **öblítővíz**
öblös [-ek, -t; *adv* -en] *a*, **1.** *[vájt]* hollow, hollowed/scooped out, dished (out), *[üreges]* cavernous, *[homorú]* concave; *~ kupa* bowl; *~ partvonal* indented coast-line; *~ része vmnek [pipának stb.]* bowl; *~ üreg* hollow cave; *~ üveg* hollow/blown glassware **2.** *[domborodó]* rounded, bulging, bulgy, *[hordó, edény]* bilgy, bellied, *[boltozatos]* vaulty, domed; *~ kiképzés [ablaknál stb.]* splay, bay **3** *[kiszélesedő]* funnel-shaped, flaring, flared; *~ szájú* bell/wide-mouthed **4.** *[árv hang]* full-bodied/throated, bass, deep(-mouthed), (o)rotund; *~ hangján* in his rich bass (voice); *~ szólamok* mouthfilling words, deep-throated words, hollow phrases/slogans
öblösödés *n*, **1.** *[befelé]* hollowing/widening/opening-out, enlargement, splay(ing), *[kifelé]* bell-mouth, flare, *[lefelé]* scoop, caving, tunnelling, *[felfelé]*

vaulting, coving, arching **2.** *[domborodás]* bellyɪ - -out, bulge, rounding **3.** *[hangé]* swell
öblösödlik [-ött, -jön, -jék] *vi,* **1.** *[befelé]* widen/open/hollow out, expand outwards, enlarge, splay, *[kifelé]* flare, *[felfelé]* vault **2.** *[domborodik]* bulge, swell/belly out **3.** *[hang]* swell
öblösödő [-t; *adv* -en] *a,* **1.** *[befelé]* widening/hollowing out, splaying, *[kifelé]* flaring, flared, *[felfelé]* vaulting **2.** *[domborodó]* bulging, bellying
öblösség *n*, **1.** hollowness, *[homorúság]* concavity, *[parté]* indentation **2.** *[domborodás]* roundedness, bulginess **3.** *[kiszélesedés]* flaring **4.** *[hangé]* fullness, resonance, (o)rotundity
öblű [-ek, -t] *a*, = **öbű**
öböl [öblöt, öble] *n*, **1.** *[nagy]* gulf, *[közepes]* bay, bight, *[kicsi]* inlet, creek, cove **2.** *(orv)* sinus, cavity **3.** *[öble vmnek]* bosom, hollow, cavity, *[hullámé, görbéé stb.]* trough, *[szélfútta vitorláé stb.]* belly, bosom, *[pipáé]* bowl
öbölbejárat *n*, bay-head
öbű [-ek, -t; *adv* -en] *a, [puskáról]* -bore, calibre, -calibred; *nagy ~ ágyú* great/heavy cannon
öcs [öccsei, öccsét, öccse, öcsém, öcséd, öcsénk, öcsétek, öccsük] *n*, **1.** (younger) brother; *~ém* my (younger) brother **2.** *ne zavarj ~ém* stop bothering me kid/youngster
öccse [. .ét] *n*, his/her (younger) brother
öcsémuram *n*, = **uramöcsém**
öcsi [-t, -je] *n, [családon belül]* junior, *[megszólítása idegen kisfiúnak]* my lad, hello chum, you kid, buddy *(US)*
öcsike *n*, = **öcsi**
öcskös [-ök, -t, -e] *n, (kb)* young/little friend/man/chap, laddie, my lad, my little man, young hopeful, buddy *(US)*; *vigyázz magadra ~!* behave yourself young man
ödéma [. .át] *n*, oedema
ödémás *a*, oedematic, oedematose, oedematous
Ödipusz-komplexum *n*, Oedipus complex
Ödön [-t, -e] *prop, (kb)* Edmund
ődöng [-eni, -tem, -ött, -jön] *vi*, prowl/knock about, roam, ramble (aimlessly/forlornly); *ld még* **ögyeleg**
ődöngés *n*, knocking about, jogging, aimless ramble
őeminenciája [. .át] *n*, His Eminence
őexcellenciája [. .át] *n*, His/Her Excellency
őfelsége [. .ét] *n*, His/Her Majesty
őfensége [. .ét] *n*, His/Her (Serene) Highness
őfőméltósága [. .át] *n*, His/Her Highness/Grace, His Serene Highness
ögyeleg [-tem, . .lgett, -jen] *vi*, loaf, lounge, mooch, moon, loiter, slouch, dawdle, saunter, linger, stand (about), air one's heels, hang around (swhere); *folyton ott ~* hang about/around a place
ögyelgés *n*, loafing, mooching, loitering, dawdling (about), saunter, hanging around
ögyelgő [-t, -je] *n*, loafer, loiterer, idler, dawdler.

lounger, saunterer, bum *(US ◇)*, *[kódorgó]* gadabout, *[dologtalan]* Tired Tim, Weary Willie
ők [-et] *n. pron,* they; ~ *hárman* the three of them, those/they three; ~ *azok* it is they who, those are the ones; ~ *maguk* they (...) themselves
őkegyelme [..ét] *n,* his nibs/nabs, my *(v.* that fine) gentleman, the fellow/chap/bloke; *tudod mit csinált* ~? you know what our friend did?
őkegyelmessége [..ét] *n,* His Excellency/Grace
őkelme [..ét] *n,* = **őkegyelme**
ökle [..ét] *n, (áll)* bitterling *(Rhodeus sp. = Rhodima sp.)*
öklel [-t, -jen] *vt,* 1. *[lándzsával]* thrust, spear, lance 2. *[szarvval]* butt, hook *(US)*, *[felöklel]* gore, horn, *[kecske]* bunt
öklelés *n,* 1. *[lándzsával]* thrust 2. *[szarvval]* butting, *[felöklelés]* goring, horning
öklendezés *n,* heaving, fetching-up, retching, kecking, *(orv)* regurgitation, vomiturition
öklendez|ik [-tem, -ett, -zen, -zék] *vi,* retch, keck, heave, fetch up, *(orv)* regurgitate
öklömnyi [-ek, -t] *a,* *[kicsi]* tiny, wee, *[nagy]* as big as my fist, fistful; ~ *emberke* Tom Thumb, Hop-o'-my-thumb, midget, manikin, a little scrap of a man; ~ *darab vmből* a big (c)lump of sg
öklöz [-tem, -ött, -zön] *vt,* 1. pummel, pommel, knock (sy) about, pound/thump/punch with the fist, cuff, buffet, biff ◇, *(sp)* box, fisticuff, *[gyakorlásképp]* spar (with sy) 2. *[futballkapus]* punch, fist (the ball)
öklözés *n,* 1. pummeling, pounding, punching, *(sp)* boxing, pugilism, *[gyakorlásképp]* sparring 2.'*[futballkapusé]* punching, fisting
öklöző [-t, -je] *n, (sp)* pugilist, pug *(fam)*
ökológia [..át] *n,* (o)ecology; *vízek ökológiája* limnology
ökológiai [-t] *a,* oecological; ~ *tényezők összessége* holocoenotic complex
ökonometria *n,* econometrics
ökonómia [..át] *n,* 1. *[közgazdaság]* economics, political economy 2. *[takarékosság]* economy, thrift, saving, frugality; *a stílus ökonómiája* concision, terseness/conciseness of style
ökonomikus *a,* = **gazdaságos**
ökonomista [..át] *n,* economist
ökonomizmus *n,* economism, economization
ökonómus *n,* *[közgazdász]* economist, *[intéző]* bursar, steward
ökoszisztéma *n, (biol)* ecosystem, biogeocenosis
ökotípus *n, (növ, biol)* ecotype; ~*sal kapcsolatos* ecotypical
ököl [öklöt, ökle] *n,* fist; ~ *nagyságú* the size of a fist *(ut)*; *akkora mint az öklöm* the size of my fist; *kemény ökle van* be iron-fisted, have sledge-hammer fists; ~*be szorítja a kezét* clench/double one's fists; ~*be szorított kézzel* with clenched/balled hands/fists; ~*be szorul az ember keze (erre a látványra stb.)* it makes one's blood boil; ~*re megy vkvel* come to grips with sy, come to close quarters with sy, go for sy with one's fists; *öklét rázza vk felé,* ~*lel fenyeget* shake one's fist (at); *csupasz/puszta* ~*lel* with naked fist; ~*lel üt* pommel, pound, sock, hit, punch, thump, plug *(fam)*, biff ◇; *öklével az asztalra vág* bang one's fist upon the table; *öklével lesújt* bring one's fist down heavily upon, bring one's fist with a bang upon
ökölcsapás *n,* blow with the fist, cuff, buffet, punch, biff ◇; *egy* ~*sal leterít* knock down, floor, down, administer/give a finisher/floorer/sockdolager to (sy)
ökölharc *n,* fisticuffs, fight with the fists, set-to, *(sp)* boxing bout/match, pugilistic encounter, *[hivatásos]* prize-fight; ~*ot vív* fisticuff

ököljog *n,* club/fist-law, the right of the strongest, the law of the big stick
ökölnyi [-ek, -t] *a,* as big as a fist *(ut)*; *ld még* **öklömnyi**
ökölviadal *n,* pugilistic encounter, boxing match, fight with the fists, fisticuff
ökölvívás *n,* boxing, pugilism, fisticuffs *(pl)*, ring-craft, fighting with fists, the noble art (of self-defence) *(ref)*; *hivatásos/professzionista/profi* ~ prize-fighting
ökölvívásl *a,* pugilistic, fistical *(fam)*
ökölvívó I. *n,* boxer, pugilist, bruiser *(fam)*; *hivatásos* ~ prize-fighter II. *a,* pugilistic, fistic(al) *(fam)*
ökölvívóbajnok *n, hivatásos* ~ champion prize-fighte r
ökölvívóbajnokság *n,* boxing championship
ökölvívócipő *n,* boxing shoes *(pl)*
ökölvívókesztyű *n,* boxing gloves *(pl)*
ökölvívómérkőzés *n,* boxing match/bout, *[nem sp]* fisticuff; *barátságos* ~ sparring-match
ökölvívóverseny *n,* boxing tournament
ökör [ökre, ökröt] *n,* 1. ox *(pl* oxen), bullock, *[fiatal]* steer, *(tud összet)* bovine; *igavonó* ~ draught ox; *egy pár (igás)* ~ a yoke of oxen; *hat* ~*rel sem ...* *(átv) (kb)* wild horses would/could not ...; *akkora a tűz hogy ökröt lehetne sütni rajta* fire fit to roast an ox 2. *[emberről]* fool, blockhead, nitwit, silly ass, blithering idiot
ökörbéka *n, (áll)* bullgrog *(Rana catesbyana)*
ökörbőr *n,* ox-hide
ökörcsorda *n,* herd of oxen, *[hajtott]* drove of oxen
ökörfark *n,* oxtail
ökörfarkkóró *n, (növ)* mullein *(Verbascum); molyhos* ~ great mullein *(V. thapsus)*
ökörfarkleves *n,* oxtail-soup
ökörfej *n,* oxhead
ökörfogat *n,* team/yoke of oxen
ökörhajcsár *n,* (cattle-)drover, cattleman, oxman, cowherd
ököristálló *n,* ox-stall, stable for oxen
ökörjárom *n,* yoke, ox-bow *(US)*
ökörnyál *n,* gossamer, air-threads *(pl)*
ökörpásztor *n,* herdsman, herder, oxherd
ökörség *n,* bosh, rubbish, stuff (and nonsense), drivel, trash, twaddle; *hallottak már ilyen* ~*et!* I never heard anything so silly, I never heard such utter rot
ökörsütés *n,* ox-grilling/broiling/roasting, barbecue *(US)*
ökörszarv *n,* ox-horn
ökörszem *n,* oxe-eye 2. *[madár]* (jenny) wren *(Troglodytes troglodytes)* 3. *(épít)* bull's-eye 4. = = tükörtojás
ökörszemablak *n, (épít)* bull's-eye (window), port-hole
ökörszemlepke *n, (áll)* ringlet *(Aphantopus hyperanthus); kis* ~ gate keeper *(Maniola tithonus); nagy* ~ meadow brown *(Maniola jurtina)*
ökörszemű *a,* ox-eyed
ökörszív *n,* 1. *(orv)* bullock-heart 2. ~ *cseresznye* oxheart cherry
ököruszály-leves *n,* ox-tail soup
ökrendezés *n,* = **öklendezés**
ökrendez|ik [-tem, -ett, -zen, -zék] *vi,* = **öklendezik**
ökrös [-et] *a,* with oxen *(ut)*, drawn by oxen *(ut)*
ökrösszekér *n,* ox-cart/waggon, bullock-cart
ökumenikus *a,* oecumenic(al)
öl [-t, -jön] *vt,* 1. kill, slay, put to death, *[marhát]* slaughter, butcher, *[disznót]* butcher, stick; *vízbe* ~*i magát* drown oneself; *ne* ~*j!* thou shalt not kill 2. *ideget* ~ *[fogorvos]* kill the nerve of a tooth; *az alkohol* ~ alcohol is a deadly poison, alcohol is a pernicious/murderous stuff 3. *ebbe* ~*te minden pénzét* he put all his money into it, he wasted/squandered/blew/blued *(v.* threw away) all his

money on it; *sok munkát ~t a tanulmányba* he spent much time on this paper; *bánatát borba ~i* drown one's grief/sorrow(s)/cares in drink **4.** *[átv, gyötör]* pester, worry, nag, harras, bother; *az aggodalom ~i* he is borne/weighed down by/with anxiety, he frets/eats his heart out, anxiety is preying on his mind; *~i a féltékenység* he is eaten up *(v.* is consumed) with jealousy; *~i az unalom* he is bored to death, it bores him to death; *ne ~j folyton a kérdéseiddel* you are a perfect nuisance with your questions, don't go on bothering me with your questions, stop overwhelming me with (your) questions; *mindig ezzel ~* he keeps dinning it into me *(v.* in my ears); *egymást ~ik az emberek vmért* there is an awful run on it, there is an awful scramble for it, people are falling over each other for it

öl² [-ek, -t, -e] *n,* **1.** *[testrész]* lap; *~be tett kézzel* idly, (im)passively; *~be tett kézzel ül* twiddle/twirl one's thumbs; *~be tett kézzel vár* wait idly, look on with folded arms; *~be vesz* take (sy/sg) on one's lap; *vk ~ébe ül* sit in/on sy's lap; *~ébe hull vm* get sg by a fluke, come into sg (as if) overnight, come by sg without (doing) a hand's turn; *~ébe hullt a győzelem* vi ctory fell into his hands *(v.* to him), he won hands down, he gained the victory hands down, victory came to him by a fluke, victory came to him like a windfall, it was a walkover; *anyja ~ében* in his mother's lap, on his mother's knee; *~ében hordozza a szerencse* he is in fortune's lap, he is in the lap of fortune; *az ~ében tart vkt/vmt* hold sy/sg in/on one's lap; *a természet ~én* in Nature's bosom/shrine; *a tó ~én* in the bosom of the lake; *a föld ~én/ében* in the bowels of the earth **2.** *~re megy vkvel* come to grips with, come to close quarters with, close with, go for (ey) **3.** *[űrmérték fának 3,5 köbméter]* cord, *[hossz- és mélységmérték 183 cm]* fathom

ölbeli *a, ~ gyermek* child/infant/babe in arms

öldöklés *n,* massacre, butchery, carnage, slaughter, hecatomb

öldöklő [-t; *adv-*en] *a,* murderous, slaughterous, slaughtering, devastating; *~ angyal* destroying angel, angel of destruction; *~ háború* murderous war; *~ iramban* at a furious pace; *~ verseny* breakneck/cutthroat competition

öldököl [-t, -jön] *vi, =* **öldös**

öldös [-tem, -ött, -sön] *vi/vt,* kill off, massacre, slaughter, butcher (in great numbers); *folyton a kérdéseivel ~* he keeps pestering me with his questions

öleb *n,* lap/pet/tov-dog

ölel [-t, -jen] *vt,* **1.** embrace, hug, put one's arms round (sy), fold (sy) in one's arms; *keblére ~* clasp/ fold in one's arms, clasp to one's bosom, take to one's breast **2.** *szeretettel ~ [levél végén]* with (much) love, yours affectionately, your affectionate/ loving . . . .

ölelés *n,* embrace, embracement, hug

ölelget *vt,* hug, pet, cuddle, fondle

ölelkezés *n,* embrace, embracement, cuddle, cuddling, necking *(fam)*

ölelkez|ik [-tem, -ett, -zen, -zék] *vi,* **1.** *[személyek]* embrace, cuddle, bill and coo *(fam, joc)* **2.** *[tárgyak]* overlap

ölelkező [-t; *adv,* -en] *a,* **1.** *[emberek]* embracing; *~ szerelmesek* lovers enlaced/folded/entwined in each other's arms **2.** *[tárgyak]* overlapping **3.** *~ rímek* the rhyming scheme a b b a, enclosing/ introverted rhymes

ölelő [-t] *a,* embracing, hugging, clasping; *~ barátod [levél végén]* affectionately yours; *~ karok* embracing arms; *~ karjai közt tartotta* he held her in his embrace; *jer ~ karjaimba !* come to my arms, come

and let me hug you, let me give you a big hug, let me fold you in my arms, let me embrace you

öles [-ek, -t] *a,* one fathom long/deep/broad; *~ betükkel* in big letters; *~ ember* a tall man, a six-footer; *~ léptekkel* with huge/large/gigantic strides; *~ szavak* words of a yard long; *~ termetű ember* a strapping figure of a man, a six-footer, a great big man *(fam),* a big hulking fellow *(fam),* a man of Herculean stature *(ref.)*

ölés *n,* kill(ing), slaying, *[mészárlás]* slaughter(ing), carnage, *[állatot]* slaughtering, killing, *[disznót]* sticking

ölési [-t] *a, ~ szándék* murderous intent

ölfa *n,* cord wood

ölmérték *n, [fának]* cord measure

ölnyi [-t] *a,* . . .fathom(s) in height/breadth/depth *(ut)*

ölordsága *n,* His Lordship

ölő [-t] *a,* killing, destroying; *lassan ~ méreg* slow(ly acting) poison

ölőfegyver *n,* deadly/lethal weapon

ölőkés *n,* killing/butcher's knife

ölt [-eni, -ött, -sön] *vt,* **1.** *[varr]* stitch, make stitches; *de hogy egyik szavam a másikba ne ~sem* to make a long story short, to be brief, in short, in a word; *kart a karba ~ve* arm in arm **2.** *nyelvet ~* stick/put/ thrust out one's tongue **3.** *magára ~ [ruhát]* put on (a dress), don *(obs); gyászt ~* go into mourning **4.** *(átv) testet ~* take/assume shape, materialize; *új alakot ~* take *(v.* appear in) a new shape/form, reshape; *vmlyen jelleget ~* take on a character; *ünnepélyes arcot ~* put on a solemn face

öltés *n,* stitch, *[hosszú]* tack

öltő [-t] *a, egy ~ ruha* a suit of clothes

öltöget *vt,* **1.** *[varr]* stitch (away), sew **2.** *nyelvét ~i* stick/put/thrust out one's tongue repeatedly, keep thrusting out one's tongue

öltöny [-ök, -t, -e] *n,* suit (of clothes)

öltözék [-et, -e] *n,* dress, costume, clothing, clothes *(pl),* attire *(ref.),* garb *(ref.),* garment *(ref.),* apparel *(ref.),* raiment *(ref.),* vestment *(ref.),* habiliment *(joc),* get-up *(fam),* rig *(fam),* togs *(pl) (fam), [egyházi rendé, társadalmi rétegé]* habit; *estélyi ~* full-dress (clothes)

öltözés *n,* dressing, putting on one's clothes/attire/ things, getting clothed

öltözet *n,* clothing, clothes *(pl),* garment, *[férfié]* suit of clothes, *[női]* dress, gown, frock, robe; *ld még* **öltözék**

öltözetlen *a,* undressed, in undress/dishabille/négligé *(ut)*

öltöz|ik [-tem, -ött, -zék] *vi,* dress (oneself), put on one's clothes; *vmbe ~ik* attire oneself in sg; *álruhába ~ik* disguise oneself, put on disguise, put on fancy dress, dress up; *díszruhába ~ik* robe oneself; *feketébe ~ik* dress in black; *gyászba ~ik* put on mourning; *nőnek ~ik* dress up as a woman; *jól ~ik* be well--dressed; *könnyen ~ik* put on light clothes/clothing, be lightly dressed; *melegen ~ik* put on warm clothes, dress warm

öltözködés *n,* dressing, putting on one's clothes, performing one's toilet, *[díszbe]* robing

öltözköd|ik [-tem, -ött, -jön, -jék] *vi,* dress (oneself), put on one's clothes, get clothed, get into one's clothes; *nem tud öltözködni* he does not know how to put his things on

öltöző [-t, -je] **I.** *a,* dressing- **II.** *n,* dressing-room, *[színházi]* actor's dressing-room, tiring-room, *(sp)* changing-room, *[fürdőben]* bathing-box

öltözőasztal *n,* dressing/toilet-table

öltözőfülke *n,* **1.** *[fürdőben]* cabin, bathing hut/box **2.** *[ruhapróbához]* fitting-cabinet/cubicle

öltözőkészlet *n*, dressing/toilet-case, toilet set/service
öltözőszekrény *n*, *(sp)* locker
öltözőszoba *n*, = öltöző II.
öltözött [-et] *a*, *jól* ~ well-dressed, smart; *rosszul* ~ shabbily dressed
öltöztet *vt*, dress, attire, clothe, garb, garment, array, *[gyereket]* get (child) dressed, *[díszruhába]* robe, *[papi stb. ruhába]* habit; *álruhába* ~ dress sy up, put sy in fancy dress, disguise; *páncélba* ~ accoutre; *ez a kabát nagyon jól~i* this coat dresses her very well, this coat is very dressy
öltöztetőbaba *n*, *kirakati* ~ dress-stand, model figure, dummy, manikin, mannequin
öltöztetőnő *n*, *(szính)* dresser, tire-woman
öltözve *adv*, dressed, attired, clad *(obs)*; *egyszerűen* ~ plainly dressed; *kopottan* ~ shabbily dressed; *mibe volt* ~? how was she dressed?, what had she (got) on?, what did she wear?, what was she wearing?; *selyembe* ~ draped/clad in silk
ölyv [-et, -e] *n*, *(áll)* hawk, buzzard *(Buteo sp.)*; *gatyás* ~ rough-legged buzzard *(B. lagopus)*
ölyvharaszt *n*, *(növ)* bracken, brake *(Pteridium aquilinum)*
öméltósága [.. át] *n*, *[cím kb]* Sir ..., His Lordship..., Her Ladyship, His/Her Honour
ömledezés *n*, = ömlengés
ömledez|ik [-tem, -ett, -zen, -zék] *vi*, = ömleng
ömleng [-eni, -tem, -ett, -jen] *vi*, gush, be effusive, pour out one's heart, rave (about sg) *(fam)*
ömlengés *n*, outpouring of the heart, gush, effusion, effusiveness, raving
ömlengő [-t; *adv* -en] *a*, gushing, gushy, effusive, ├ sloppy, mawkish
ömlengősség *n*, effusiveness, gushing
ömlés *n*, pouring, stream(ing), gush(ing), *[véré orv]* extravasation, flux, issue, h(a)emorrhage, *[gázé]* escape, discharge, leakage (of gas)
ömleszt [-eni,-ett,.. esszen] *vt*, pour, dump; *formába*~ pour (a liquid substance) into a shape/form, mould
ömlesztés *n*, pouring (in bulk)
ömlesztett [-et; *adv* -en] *a*, loose, in bulk *(ut)*; ~ *áru* loose/bulk goods, goods in bulk, rinfusa goods, goods alla rinfusa; ~ *rakomány* bulk cargo/shipment, loose cargo, cargo in bulk; ~ *sajt* processed cheese; ~ *teheráru* bulk freight
ömlesztve *adv*, in bulk, loose, alla rinfusa
öml|ik [-eni, -ött, ömöljön, ömöljék] *vi*, **1.** flow, run, stream, gush, well, rush, pour into; ~*ik az eső* it is pouring (with rain), the rain is pouring, it is raining cats and dogs, it is raining in torrents/sheets/buckets; *a folyó vize a tengerbe* ~*ik* the water of the river discharges/flows into the sea; *a Duna a Feketetengerbe* ~*ik* the Danube flows/falls/empties into the Black Sea; *a Tisza Titelnél* ~*ik a Dunába* the Tisza meets the Danube at Titel; *az izzadság* ~*ött a homlokáról* sweat ran down his forehead, his face was bathed in perspiration; ~*öttek a könnyei* tears gushed from her eyes, her eyes were running/streaming with tears; ~*ött a vére* he was bleeding profusely, the blood was pouring from him **2.** *ik hozzá a pénz* money is flowing in to him **3.** *ajkairól* ~*ik a szó* words simply flow/stream/pour from her lips
ön [-ök, -t, -é] *n. pron*, **1.** *[megszólítás]* you; ~*ök* you, your (good-)selves; *csak* ~ *után!* you come first, after you sir! **2.** *[birtokos]* your; *ez az* ~*(ök) könyve* this is your book; *ez az* ~*é* this is yours
ön- *(összet.)* self-
-ön *suff*, *ld* **-on**
ön [-ök, -t, -je] *n*, *ragadozó* ~ = balin
önabszorpció *n*, *(fiz)* self-absorption
önadagoló *n*, self-acting feed-apparatus, feeding regulator

önagyméltósága *n*, = őexcellenciája
önagysága *n*, madam, her ladyship; *feleséged* ~ your wife, Mrs. N.
önakarat *n*, self-will, one's (own) free will
önakaratú *a*, voluntary, of one's own accord *(ut)*, of one's own free will *(ut)*
önalkotta [.. át] *a*, self-made/constructed
önálló *a*, independent, self-contained/supporting/reliant/sufficient/dependent; ~ *állam* independent state, self-governing state; ~ *dolgozó* own-account worker; ~ *elszámolás* economic/independent accounting; ~ *fiatal hölgy* unattached young lady *(fam)*, ~ *gondolkodás* original thinking; ~ *harctevékenység* separate action; ~ *kereskedő* self-employed merchant; ~ *kezdeményezés* individual initiative; ~ *kisárutermelő* owner-producer, working owner; ~ *kisiparos* artisan; ~ *mű* original work; *nincs egy* ~ *gondolata* he has not one single original idea
önállóan *adv*, independently (of others), on one's own, unaided, alone, by oneself
önállóság *n*, independence, self-reliance/determination/sufficiency, standing on one's own legs/feet *(fam)*, *[egyházé]* autocephalia; *nem sok* ~ *van benne* he lacks initiative, *[szellemi alkotásról]* it is mostly of derivative character; ~*ra nevel vkt* teach sy to think/fend for himself, inculcate a spirit of independence *(v. self-reliance)* into sy
önállósági [-t] *a*, ~ *törekvés* fight/striving for independence
önállósít [-ani, -ott, -son] *vt*, make/render (sy/sg) independent, set (sy) up (in sg); ~*ja magát* make oneself independent, strike out for oneself, fend for oneself, stand on one's own feet/legs, get on one's legs, be on one's own, paddle one's own canoe *(fam)*, *(ker)* set up in a business on one's own account, set up (for oneself)
önállósítás *n*, setting up oneself (in business), emancipation, *[igével]* become independent, become one's own master/mistress
önállósul [-t, -jon] *vi*, become independent
önállótlan *a*, dependent on others *(ut)*, lacking independence/initiative *(ut)*, lacking self-reliance *(ut)*, unsure, helpless, *(kif)* be always dependent on others, be unable to cope for oneself, be unable to act without the aid/advice of others
önállótlanság *n*, lack of initiative, lack of self-reliance
önáltatás *n*, = önámítás
önámítás *n*, self-deception/deceit/delusion
önarckép *n*, self-portrait
önártalom *n*, self-wrong
önbálványozás *n*, self-worship/adulation/admiration, *(pszich)* narcissism
önbe *adv. pron*, in you; *ld még* magába
önbeállítás *n*, *(műsz)* self-adjustment
önbeállító *a*, *(műsz)* self-adjusting
önbeálló *a*, *(műsz)* self-righting/aligning; ~ *csapágy* self-adjustable bearing
önbecsmérlés *n*, self-abuse
önbecsülés *n*, self-respect/esteem/regard
önben *adv. pron*, in you; *ld még* magában
önbeporzás *n*, self-pollination, autogamy
önbeporzó *a*, self-pollinating/pollinated, autogamous
önbetörés *n*, *[éjjel]* faked/bogus burglary, *[nappal]* faked/bogus housebreaking
önbevádolás *n*, self-(in)crimination
önbírálat *n*, self-criticism; ~*ot gyakorol* exercise/pass self-criticism, criticize oneself
önbíráskodás *n*, taking the law into one's own hands, acting as one's own judge, self-constituted court, lynch-law *(US)*; ~*t gyakorol* take justice into one's own hands
önbizalom *n*, self-confidence/esteem/assurance/reliance/

trust, *(elit)* (self-)conceit, conceitedness, self-asser tion/importance; *korlátlan ~* unlimited aplomb, *(kif)* think no small beer of oneself *(fam)*; *túlzott ~* overconfidence; *~ hiánya* diffidence, self-conscious ness/distrust, lack of self-assurance/confidence; *önbi zalmat merit* gather confidence; *elveszti az önbizalmát* lose one's self-assurance/confidence, lose one's faith in oneself; *tele van ~mal* be full of confidence; *~mal telt* (self-)confident

önbiztosítás *n*, self-insurance

önbiztosító *a*, self-protecting

önborítékos *a*, *~ légipostai levél* air-letter; *~ levélpapír* self-sealing stationery/envelope

önborotva *n*, safety razor

önborotva-készlet *n*, shaving-set

önből *adv. pron*, *ld* magából

öncél *n*, end/purpose in itself

öncélú *a*, having a(n) end/purpose in itself *(ut)*, des tined for its own end *(ut)*, autotelic, self-contained/ existent, wanton *(pej)*; *~ művészet* art for art's sake

öncélúság *n*, being destined to serve its own end, autotelism, self-centredness

öncsalás *n*, = önámítás

öncsodálat *n*, self-admiration

öncsonkítás *n*, **1.** self-maiming/mutilation, voluntary mutilation/maiming, self-inflicted injury/wound; *~t követett el* he deliberately disabled/maimed himself **2.** *(áll)* *[védekező]* autotomy

öncsonkító I. *a*, **1.** self-mutilating/hurting **2.** *(áll)* *[védekezésből]* autotomic II. *n*, self-mutilator

öndicséret *n*, self-praise/advertisement, *[igével]* blow one's own trumpet; *az ~ büdös* do not pat yourself on the back

öndicsőítés *n*, self-laudation

önedzés *n*, *(műsz)* self-annealing/hardening

önedző *a*, *(műsz)* self-annealing/hardening

önegyensúlyozó *a*, self-balancing/poising

öneki [-k] *adv. pron*, (to) him, (to) her

önelégedett *a*, = önelégült

önelégületlenség *n*, dissatisfaction with (one)self

önelégült *a*, (self-)complacent, self-satisfied/contend ed/sufficient/righteous, smug, cock-a-hoop *(fam)*; *~ mosoly* self-satisfied smile/smirk

önelégültség *n*, (self-)complacency, self-complacence/ satisfaction/sufficiency, righteousness, smugness

önelemzés *n*, self-analysis, introspection

önelemző *a*, self-analysing, introspective

önéletírás *n*, autobiography

önéletíró *n*, autobiographer, memorialist

önéletrajz *n*, autobiography, *[pályázathoz]* curriculum vitae *(lat)*, *[szakmai jellegű]* résumé *(US)*

önéletrajzi *a*, autobiographic(al)

önelhatározás *a*, self-determination, spontaneous resolution/decision; *~ból* of one's own accord, spon taneously, making up one's own mind

önellátás *n*, self-sufficiency, *[csak gazdasági]* autarky, autarchy; *~ra termelés* subsistence farming

önellátó I. *a*, **1.** self-supporting/supplying/sufficient/ sufficing, paying one's way *(ut)*, independent, *[igé vel]* live on one's own provisions, *[ipar]* self-con tained; *~ gazdálkodás* subsistence economy **2.** *(biol)* autotrophic II. *n*, self-supporter/supplier

önellenőrzés *n*, self-checking

önellentmondás *n*, self-contradiction, *[állításban]* contradiction in terms; *~ba kerül* contradict oneself, tie oneself up in a knot *(fam)*

önellentmondásos [-t; *adv* -an] *a*, self-contradictory

önellentmondó *a*, = önellentmondásos

önelszámoló *a*, *~ üzlet* semi-independent shop

önelvű *a*, autochtonous

önelzáró *a*, self-closing/locking

önemésztés *n*, *[szerves anyagé]* autolysis

önérdek *n*, self-interest, *(elit)* self-seeking, selfishness, egotism

önérdekű *a*, self-centred/interested/seeking, selfish, egotistic

önerjedés *n*, autofermentation

önerő *n*, one's own resources *(pl)*, self-effort; *önerejé ből küzdötte fel magát* he fought his way up unaided *(v*. whitout assistance), he is a self-made man

önértékesítés *n*, *a tőke.állandó ~e* constant self-expan sion of capital

önérzet *n*, self-esteem/respect/regard; *jogos ~* proper pride; *túlzott ~* self-importance/assurance, pride, conceit; *sérti az ~ét* hurt/wound/offend sy's self respect, hurt/offend sy's pride/feelings/dignity

önérzetes [-ek, -t; *adv* -en] *a*, self-respecting/confident/ assured, dignified

önérzetesked|ik [-tem, -ett, -jen, -jék] *vi*, give oneself airs, *[sértődékeny]* be easily offended, be touchy, be (over-)sensitive

önérzetesség *n*, = önérzet

önetető I. *a*, self-feeding II. *n*, automatic feeder, self -feeder

önfegyelem *n*,self-command/discipline/control/restraint

önfegyelmezés *n*, self-discipline/control/mastery/res traint, *[kemény eszközökkel]* self-mortification

önfegyelmezettség *n*, self-mastery/conduct

önfejű *a*, self-willed, headstrong, stubborn, wilful, capricious, obstinate, obdurate, wayward, refractory, heady, self-opinion(at)ed, stiff-necked, perverse, dogged, chesty *(US)*, pig/wrong-headed *(fam)*, mulish *(fam)*

önfejűség *n*, headstrongness, obstinacy, waywardness, refractoriness, stubbornness, self-will, wilfulness, headiness, caprice, perversity, doggedness, pig/ wrong-headedness *(fam)*, mulishness *(fam)*

önfeláldozás *n*, self-sacrifice/denial/renunciation/forget fulness/devotion/abnegation, selfishness

önfeláldozó *a*, self-sacrificing/denying/effacing, selfless, unselfish, *[barát, követő]* devoted, staunch, loyal (friend/follower)

önfeledt [-et; *adv* -en] *a*, self-forgetting/oblivious/ ignoring, *[lelkes]* enthusiastic; *~ pillanat* moment of ecstasy/forgetfulness; *egy ~ pillanatban* in an unthinking moment; *~ taps* frantic/frenzied/enrap tured/enthusiastic applause

önfenntartás *n*, fending/shifting for oneself, subsistence, self-support(ing), (earning) one's keep, *(biol)* self -preservation

önfenntartási *a*, *~ költségek* cost of living; *~ ösztön* instinct of self-preservation

önfényképezés *n*, **1.** auto-photography **2.** *(csak átv)* self-observation

önfényű *a*, self-luminous

önfertőzés *n*, onanism, self-pollution/abuse, masturba tion, auto-eroticism; *~t űz* masturbate

önfertőző I. *a*, onanistic, masturbatory, masturbation al, auto-erotic II. *n*, onanist, masturbator

önfogyasztás *n*, self-consumption, consumption for own use

önfrekvencia *n*, natural frequency

öngerjesztés *n*, *(vill)* self-induction/inductance/excita tion/excitement, autoexcitation

öngerjesztő I. *a*, *(vill)* self-exciter II. *a*, *~ tekercs* self -induction/inducting coil

öngól *n*, self-goal, own goal; *~t vét/rúg/dob* score against one's own team/side

öngúny *n*, self-mockery/derision

öngyilkos I. *n*, suicide, self-murderer/destroyer, *(jog)* felo-de-se; *~ lesz* commit suicide, take one's own life, kill/destroy oneself, make away with oneself, die by/at one's own hand II. *a*, suicide-, suicidal, self-destructive öngyilkosjelölt *n*, would-be suicide

öngyilkosság *n*, suicide, self-murder/destruction/slaughter/violence, *(jog)* felo-de-se; *közös/kettős* ~ suicide pact; ~ *kísérlete* attempted suicide; ~*ba kerget* drive sy to suicide; ~*ot követ el* commit suicide, take one's own life, make/do away with oneself, die by one's own hand, kill/drown/hang/shoot oneself, suicide (oneself) *(fam)*

öngyilkossági *a*, suicidal; ~ *kísérlet* attempt at suicide, attempted suicide; ~ *mánia/őrület* suicidal mania; ~ *szándék* suicidal plans/thoughts/intentions *(pl)*

öngyógyítás *n*, autotherapy

öngyújtás *n*, auto/self-ignition

öngyújtó *n*, (automatic/cigarette/pocket) lighter, *[pipához]* pipe-lighter; ~*t meggyújt* flick on *(v.* light) a lighter

öngyújtózsinór *n*, wick (of lighter)

öngyulladás *n*, self/automatic/spontaneous/autogenous ignition, self/spontaneous combustion, *[igével]* catch fire spontaneously; *széna* ~*a* heating of hay

öngyulladó [-ak, -t] *a*, pyrophorous, spontaneously inflammable

öngyúlóképesség *n*, ignitability

önhaszon *n*, personal/private profit, one's own good/welfare/profit

önhatalmú [-ak, -t; *adv* -an, -lag] *a*, arbitrary, bound by no law *(ut)*, despotic, overbearing

önhatalmúlag *adv*, on one's own (authority), arbitrarily, despotically *(pej)*, in an overbearing manner *(pej)*, in a high-handed way *(pej)*

önhiba *n*, one's own fault/failing/imperfection/blunder; *önhibájából történt* he has only himself to blame, the fault/blunder is his, the fault/blunder is of his own making, the fault lies with him; *önhibáján kívül* through no fault of his (own)

önhitt [-et; *adv* -en] *a*, (self-)conceited, self-sufficient/centred/important, arrogant, proud, haughty, supercilious, presumptuous, presuming, priggish, over-weening, (over-)confident, puffed-up *(fam)*, *[igével]* think no small beer *(v.* no end) of oneself

önhittség *n*, (self-)conceit, conceitedness, self-importance/display/sufficiency, arrogance, haughtiness, superciliousness, presumption, presumptuousness, self-satisfaction, complacency, priggishness, over-weeningness, (over)confidence

önhordó *a*, *(épít)* self-supported/sustaining

önhöz *adv. pron*, to you; *ld még* **magához**

önhűtő *a*, self-cooling

önigazító *a*, self-adjusting, automatically adjusting

önigazolás *n*, self-justification

önigézés *n*, auto-suggestion/hypnosis

önimádás *n*, self-adoration/worship/veneration/love/admiration, egotism, autotheism, *(pszich)* narcissism

önimádat *n*, = **önimádás**

öníndítás *n*, automatic starting, self-starting

öníndító *n*, self-starter, automatic starter, *[gomb]* (self-)starter switch/button, *[motorkerékpáron]* kick-starter

önindítókészülék *n*, self-starter

önindukció *n*, self-induction/inductance

önindukciós *a*, ~ *áramkör* self-induction circuit; ~ *tekercs* self-inducting coil, choking-coil

öninfekció *n*, *(orv)* auto-infection

önirányító *a*, *[repülőgépen]* self-bearing device

öníró *a*, ~ *aerometer* self-registering density recorder; ~ *készülék/műszer* self-recording instrument; ~ *számológép* recording meter

önismeret *n*, self-knowledge/acquaintance/recognition, autognosis; ~ *hiánya* self-ignorance

önitató *n*, *[baromfinak]* automatic poultry fountain

önjáró *a*, self-propelled; ~ *daru* automotive crane,

crane-locomotive; ~ *képesség* locomotivity; ~ *löveg* self-propelling gun

önjelölt *n*, self-nominee, self-appointed candidate/designate

önjogú *a*, *[személy]* in one's own right *(ut)*, legally independent, of full legal age *(ut)*, *[állam]* autonomus, independent, sovereign, autarchic

önkapacitás *n*, self-capacitance

önkenő *a*, *[csapágy]* self-lubricating

önként *adv*, 1. *[saját magától]* voluntarily, of one's own accord, of one's own free will, willingly, freely, spontaneously, of oneself/itself; ~ *adott ajándék* unsolicited gift; ~ *jelentkezik repülőnek* volunteer for the Air Force; ~ *jelentkezik a rendőrségen* he reports himself to the police, he gives himself up to the police; ~ *nélkülözést vállal magára* deprive oneself; ~ *tesz vmt* do sg of one's own choice, do sg unsolicited/unsought; ~ *vállalkozik vmre* he voluntarily offers himself for/as sg, volunteer to do sg 2. *[önkéntelenül]* ~ *felvetődik a kérdés* the question suggests itself, the question turns up automatically, the question turns up as a matter of course; ~ *adódik a válasz* the answer is quite obvious/evident

önkéntelen *a*, involuntary, unbidden, unintentional, mechanical, undesigned, automatic, spontaneous, reflex; ~ *kézmozdulat* spontaneous gesture, reflex

önkéntelenség *n*, involuntariness, spontaneousness, spontaneity

önkéntelenül *adv*, involuntarily, spontaneously; ~ *arra gondol az ember* you cannot help thinking of, you cannot help being lead to the assumption/conclusion; *sokszor egészen* ~ *teszem* I often do it without being aware of it

önkéntes [-ek, -t, -e; *adv* -en] I. *a*, 1. voluntary, spontaneous, willing, of one's free will *(ut)*, uncompelled; ~ *adomány* voluntary contribution, donation, unsolicited gift, free-will offering; ~ *árverés* voluntary (public) auction; ~ *engedelmesség* unenforced obedience; ~ *munkafelajánlás* voluntary pledge, voluntary work-offering; ~ *száműzetés* self-imposed exile; ~ *vallomás* voluntary evidence/testimony 2. ~ *alakulatok* voluntary units; ~ *hadsereg* voluntary army II. *n*, *(kat)* volunteer, voluntarily enlisted person, person on voluntary service in the army

önkéntesi [-ek, -t] *a*, of/as a volunteer *(ut)*; ~ *évét leszolgálta* completed one year's service as a volunteer

önkénteskedlik [-tem, -ett, -jen, -jék] *vi*, serve one's year of military, service as a volunteer

önkéntesség *n*, 1. *(ált)* spontaneity, spontaneousness; ~ *elve* voluntary principle; *a termelőszövetkezeti mozgalom* ~*e* voluntary principle of forming collective farms 2. *(kat)* time of service as a volunteer, volunteership, volunteering

önkény *n*, arbitrariness, *(pol)* absolutism, despotism, tyranny, autocracy

önkényes [-ek, -t; *adv* -en] *a*, arbitrary, high-handed, overbearing, *[uralom]* autocratic, absolutistic, despotic (rule); ~ *értelmezés* arbitrary interpretation; ~ *távolmaradás* absence without leave; ~*nek minősített rendelkezések* rulings designated as arbitrary

önkényesen *adv*, arbitrarily, with a high hand; ~ *jár el* act arbitrarily, act with a high hand

önkényeskedés *n*, arbitrariness, arbitrary action/conduct/rule, despotism

önkényeskedlik [-tem, -ett, -jen, -jék] *vi*, be arbitrary, act arbitrarily/despotically, take the law into one's own hands, be a despot, play the tyrant, domineer

önkényeskedő [-t; *adv* -en] *a*, arbitrary, high-handed, domineering, peremptory

önkényesség *n*, arbitrariness

önkénytelen *n*, = **önkéntelen**

önkényúr *n*, despot, tyrant, autocrat

önkényuralom *n*, autocracy, despotism, tyranny, absolutism, absolute monarchy

önképviselet *n*, self-representation, *[bíróság előtt]* not being represented by attorney

önképzés *n*, self-education/culture/instruction

önképző *a*, self-teaching/taught, autodidact

önképzőkör *n*, school literary and debating society

önkezével *adv*, ~ *vetett véget életének* he took his own life, he killed himself, he committed suicide, he died by his own hand

önkezűleg *adv*, by one's own hand

önkielégítés *n*, *[nemi]* autoerot(ic)ism, solitary pleasure

önkielégülés *n*, = önkielégítés

önkifejezés *n*, self-expression/revelation

önkikapcsoló *n*, *(műsz)* self-catching/releasing, automatically adjusting

önkínzás *n*, self-torment/torture

önkínzó *n*, self-tormenting/torturing

önkioldó *n*, automatic release(r), *(fényk)* delayed--action release/device, self-timer, self-timing release, autotimer

önkisülés *n*, *(vill)* self-discharge

önkiszolgálás *n*, self-service, *[boltban]* automatic selling

önkiszolgáló I. *a*, ~ *bolt/üzlet* self-service shop, auto shop, supermarket *(US)*, groceteria *(US)*; ~ *vendéglő* self-service restaurant, cafeteria *(US)* II. *n*, ~*k boltja* self-service shop

önkürítő *a*, ~ *kocsi* discharging wagon, dump-truck, dumper

önkiválasztók *n*. *pl*, ~ *boltja. (kb)* choose-it-yourself shop

önkívület *n*, 1. *[ájulás]* unconsciousness, dead-faint, *(orv)* coma, stupor; ~*be esik* lose consciousness, faint, swoon, fall down in a faint/swoon; ~*ben* in a state of unconsciousness/coma *(v. of dead-faint)*; *már* ~*ben volt* he had already lost consciousness, he was already in a state of coma; ~*ből magához tér* regain consciousness, come to/round *(fam)*, become conscious again *(fam)* 2. *(átv)* ecstasy, trance

önkívületi [-ek, -t] *a*, *[ájult]* unconscious, comatose; ~ *állapot [eszméletlenség]* state of unconsciousness, faint, swoon, *[lelkiállapot]* ecstasy, trance, *(orv)* coma, stupor; *teljes* ~ *állapot [eszméletlené]* deep coma; ~ *állapotban van [látnok]* lie in a trance

önkormányzat *n*, 1. *[tény]* self-government, autonomy, home rule, political independence, autarchy, *[törvényhatósági]* local government; *az* ~ *híve* home-ruler 2. *[intézmény]* commune, (autonomous) community, municipality

önkormányzati [-ak, -t] *a*, self-governing; ~ *jog* right of self-government, right of political independence, autonomy; ~ *szerv* organ of self-government; ~ *tanács* municipal council; ~ *testület* autonomous *(v.* self-governing) administrative corporation/ authority, local authority; *városi.* ~ *elv* municipalism

önkormányzatú [-ak, -t] *a*, self-governing, autonomous

önköltség *n*, prime/manufacturing/first cost, cost of production, production cost, *[üzemi rezsi]* overhead expenses *(pl)*; ~*en számítva* at factor cost

önköltségcsökkentés *n*, reduction/lowering of costs/ expenses, reduction of prime costs

önköltséges *a*, ~ *beteg [kórházban]* pay patient *(.US)*; ~ *üdülő* ⟨resort where instead of paying reduced TU rate one pays full cost of expenses for room and board⟩

önköltségi [-ek, -t] *a*, ~ *ár* cost/production price, first/prime/net cost; ~ *áron* at cost (price); ~ *áron ad el* sell at cost; ~ *árat megállapít* cost (an article)

önköltségmegállapítás *n*, costing

önköltségszámítás *n*, cost-accounting

önkötő *a*, ~ *nyakkendő* slip-tie, made-up necktie;

~ *könyvtábla* self-binder; ~ *szérum* anticomplementary serum

önkritika *n*, self-cristicism; ~ *hiánya* lack of self--criticism; *önkritikát gyakorol* exercise/pass self--criticism, criticize oneself

önkritikai *a*, self-critical

önlebecsülés *n*, self-depreciation

önlegyőzés *n*, self-restraint/suppression/victory/denial, victory/conquest over oneself, overcoming one's lower instincts

önleíró *a*, self-descriptive

önleleplezés *n*. self-revelation/disclosure/exposure

önmaga *n. pron*, himself, herself, itself, oneself, *[nyomatékosan]* he himself, she herself; *hallgatásával* ~ *felett mondta ki az ítéletet* his silence was his condemnation; *nem titkolja* ~ *előtt* be sincere with oneself; *ismerd meg.* ~*dat* know thyself; *önmagába mélyed* commune with oneself, fall back upon one's own thoughts, retire within oneself; *önmagában* for itself, in/by itself, *(orv)* in se *(lat)*; *önmagában beszél* talk to oneself, soliloquize; *önmagában véve* in itself; *teljes ura önmagának* be complete master of oneself; *önmagának él* retire into oneself; *önmagának ellentmondó* self-contradictory; *önmagáért* for his/its own sake; *a tények önmagukért beszélnek* the facts speak for themselves; *ez önmagát magyarázza* it is self-explanatory, it speaks for itself; *szereti önmagát előtérbe tolni* he is fond of self-display, he is fond of showing off; *ő mindig önmagát adja* there is no pretence about him; *önmagát ismétli* repeat oneself; *önmagától by/of* itself, of oneself; *nagyon meg van elégedve önmagával* be very satisfied/pleased with oneself, be complacent/smug; *elnéző önmagával szemben* be self-indulgent; *teljesen önmagával van elfoglalva* be entirely self-absorbed/centred

önmarcangolás *n*, (anguish of) self-reproach; ~*sal nem lehet segíteni a bajon* it is no use crying over spilt milk *(fam)*

önmegalázás *n*, self-humiliation/abasement, mortification

önmegállító *a*, *(műsz)* self-catching

önmegfertőzés *n*, *(orv)* self-infection

önmegfigyelés *n*, self-observation, introspection

önmegtagadás *n*, self-denial/abnegation/sacrifice/ effacement, suppression/conquest/renunciation/sacrifice of one's self; ~*t gyakorol* deny oneself

önmegtagadó *a*, self-denying

önmegtartóztatás *n*, self-restrain, *[italtól]* abstinence, abstemiousness, teetotalism, *[nemi]* continence

önmegtartóztatási *a*, ~ *elmélet* abstinence theory

önmegtartóztató *a*, self-restraining, *[italtól]* abstinent, teetotal, *[nemileg]* continent, self-repressing; ~ *életet él* he lives a life of self-restraint, he lives an ascetic life

önmegtermékenyítés *n*, self-fertilization, autogamy

önmegtermékenyüléses *a*, ~ *degeneráció (biol)* degeneration with self-fertilization

önmegvetés *n*, self-depreciation

önmentőkészülék *n*, *(bány)* self-rescuer

önmérgezés *n*, auto-intoxication

önmérséklet *n*, self-restraint/command/control/possession, moderation; ~*et tanúsít* show/manifest great moderation, exercise self-constraint/control

önmozgás *n*, *(fiz)* self-movement

önmozgó *a*, automotive, self-moving

önműködés *n*, automatism

önműködő *a*, automatic, self-acting/propelling/propelled, self-actor; ~ *adagoló készülék* self-feeder; ~ *csapóajtó* self-closing door, hanging door; ~ *élesreállítás (fényk)* automatic focus(s)ing; ~ *esztergapad* automatic lathe; ~ *fegyver* automatic weapon/ pistol/gun; ~ *fénymérő-rendszer (fényk)* automatic exposure system; ~ *filmgátló szerkezet* automatic double exposure prevention device; ~ *gép* automaton; ~ *gyújtópont beállító (fényk)* auto focus; ~ *időzítő* self-timer; ~ *kapcsolás [autónál]* self--shifting; ~ *kenés* self-lubrication; ~ *kenőberendezés* self-lubricator; ~ *kormányszerkezet* automatic steering gear/mechanism; ~ *lift* self--operating lift; ~ *megszakító* self-interrupter; ~ *olajozás* self-oiling/lubrication; ~ *sebességváltó* self--control gear, synchrodrive; ~ *távbeszélőközpont* self-connecting telephone exchange; ~ *térközbiztosító berendezés* self-locking gear; ~ *ürítő (bány)* self-tipper; ~ *zár (fényk)* self-cocking shutter; ~ *zsírozás* self-lubrication; ld még **automata II.**, **automatikus**

önműködően adv, ~ *célbataláló (lövedék)* homing (torpedo); ~ *csukódó* self-closing; ~ *fékező* self--braking; ~ *felhúzódó (kar)óra* self-winding (wrist-) watch; ~ *jelző* self-registering; ~ *záródó* self-closing/ sealing; ld még **automatikusan**

önnek adv. pron, to you; ld még **magának**

önnel adv. pron, with you; ld még **magával**

önnél adv. pron, with you; ld még **magánál**

önnevelés n, self-education/culture/training/instruction

önnön pron, one's own (self); ~ *erejéből* by his/its own force/power/resources; ld még **saját**, **ön-**

önnönmaga n. pron, = **önmaga**

önostorozás n, 1. *(konkr)* flagellation 2. *(átv)* = = **önmarcangolás**

önostorozó [-t] a, *(vall tört)* flagellant

önök n. pron, you; ld még **maguk**

önös [-ek, -t; adv -en] a, = **önző**

önöz [-tem, -ött, -zön] vt, address sy as "ön", use the more formal personal pronoun "ön", address sy formally

önpörgés n, autorotation

önreklám n, self-advertisement, blowing (of) one's own trumpet

önreklámozás n, = **önreklám**

önrendelkezés n, *[önkormányzat]* self-government, autonomy, *[egyéné, nemzeté]* self-determination

önrendelkezési a, ~ *jog* right to (v. principle of) free self-determination, right of self-government/determination, right of free disposal of one's own self, autonomy; *a népek ~ joga* the right of peoples to self-determination; ~ *joggal bíró* self-governing, autonomous; *állami ~ jog* right of state to self--determination

önrezgés n, self-oscillation, free vibration, natural motion

önrögzítős [-et; adv -en] a, ~ *kézifék* pull-on hand brake

önről adv. pron, of/about you; ld még **magáról**

önsanyargatás n, mortification (of the flesh), asceticism, austerities *(pl)*

önsanyargató [-t] a, ascetic(al), self-mortifying

önsegély n, self-help/assistance/relief

önsegélyező [-t] a, ~ *szövetkezet/egyesület* (mutual) benefit society, mutual aid society, fraternal order/ association/society *(US)*; ~ *takarékpénztár* mutual savings bank

önsúly n, *[árué]* net/gross weight, all-up weight, *[járműé]* dead load/weight, tare/empty weight, weight when empty

önszabályozás n, self-regulation/adjustment

önszabályozó a, self-regulating/adjusting

önszántából adv, of one's own accord/notion, of one's own free will, voluntarily, spontaneously, willingly, *[tetszés szerint]* by choice, of one's own bat *(fam)*

önszellőztető a, self-ventilated/ventilating

önszeretet n, self-love

önszínező a, ~ *papír (fényk)* self-toning paper

önszuggesztió n, self-hypnosis/suggestion

önt¹ n. pron, you; ld még **magát**

önt² [-eni, -ött, -sön] vt, 1. *(áit)* pour, *[kiönt]* pour out/forth, shed, spill, throw, *[öblítéskor]* flush, *[olajat]* pour, throw; *bort ~ a pohárba* pour wine into the glass; *olajat ~ a tűzre* pour oil on the flames, add oil/fuel to the flames, take oil to extinguish a fire *(fam)*; ~*se egy fazékba* pour/do it into a pot; ~*sünk tiszta vizet a pohárba* let's have it out 2. *[fémet]* cast, found, *[formát ad]* mould, *[szobrot]* cast, mould, *(nyomd)* cast, found; *ágyút ~* cast/found a gun; *fémet formába ~* pour/run metal into the mould; *gyertyát ~* mould/dip/draw candles; *harangot ~* cast/ found a bell; *ólmot ~* cast lead; *mintha rád ~*ötték *volna* it fits like a glove, it fits to a nicety 3. *(átv)* infuse, inspire, instil(l); *bátorságot ~ vkbe* breathe courage into sy, inspire/fill sy with courage; *életet ~ vkbe* put/inject new life into sy; *lelket ~ vkbe* breathe courage into sy, cheer/brace up sy, raise sy's spirits, buck up sy *(fam)*; *ez majd új lelket ~ belém* that'll set you right *(fam)*; *szavakba ~* put (sg) into words 4. ~*i magából a szót* be gushing, talk effusively

öntecs [-et, -e] n, *(koh)* casting block, ingot, pig

öntecsfül n, *(koh)* lobe (of ingot)

öntecsvég n, *(koh)* crop-end

öntelt a, (self-)conceited, self-important/sufficient/ asserting/complacent/satisfied, overweening, (over-) confident, arrogant, proud, presumptuous, presuming, swollen-headed *(fam)*

önteltség n, (self-)conceit, conceitedness, self-importance/sufficiency/assertion/satisfaction, arrogance, overweeningness, (over)confidence, presumption, presumptuousness, complacency

öntermékenyítés n, self-fertilization

öntermékenyítő a, autogamic

öntermékenyülés n, self-fertilization

öntermékenyítő a, self-sterility

öntés n, 1. *[folyadéké]* pouring, shedding, spilling 2. *[fémé]* cast(ing), founding, *[szoboré]* cast(ing), moulding

öntési [-ek, -t] a, ~ *hiba* defect in casting/founding, *[üreg formájú]* contraction cavity; ~ *hő* founding/ casting temperature; ~ *hulladék* cast scrap; ~ *kéreg* skin of casting; ~ *selejt* offcast; ~ *varrat* cast(ing) seam

öntet n, cast, *[máz tortán]* icing

öntevékeny a, 1. working on (one's) own initiative *(ut)*, spontaneously active, given to action *(ut)*, efficient, expeditious 2. ~ *kultúrcsoport* amateur cultural group

öntevékenység n, spontaneous/indepentent activity/ action

öntisztítás n, self-purification

öntisztulás n, self-purification

öntő [-t, -je] I. a, *[fémet]* casting, founding, *[folyadékot]* spilling, pouring, shedding II. n, foundryman, metal founder/caster, moulder, *(nyomd)* founder

öntőasztal n, casting slab/table

öntőcédula n, *(nyomd)* bill of type

öntőcsarnok n, *(koh)* pouring hall

öntőcsonk n, *(koh)* lug

öntőde [-ét] n, foundry, smelting-works, *[harangot]* bell-foundry, *[ágyút]* cannon-foundry, *[rezet]* copper smelting works, brass foundry, *[üzemen belül]* casting house

öntődei [-ek, -t] a, ~ *koksz* foundry coke; ~ *nyersvas* foundry iron; ~ *segédmunkás* foundry hand

öntőfej n, feedhead, header, gate

öntőforma n, cast(ing)/ingot mould, casting die, form, matrix, mould(ing), pig(-bed), *[öntöttvashoz]* cast iron mould

öntőformakészítő n, pattern-maker; ~ *műhely* pattern--shop

öntőformaszekrény n, flask
öntőgép n, (koh) pig machine, (nyomd) caster
öntöget vt, keep (on) pouring
öntőgödör n, (koh) foundry/casting pit
öntőhomok n, backing sand, green-sand
öntőhuta n, metal foundry
öntőkanál n, founder's scoop, foundry/casting ladle
öntőkocsi n, foundry/casting car
öntől adv. pron, from/of you; ld még magától
öntöltő I. a, self-charging/feeding/filling/loading; ~ fegyver self-loader, automatic weapon; ~ toll self-filling pen II. n, self-filler
öntőlyuk n, ingate, casting hole, sprue
öntőminta n, = öntőforma
öntőmunkás n, foundryman, foundry hand/worker, metal founder/caster, moulder, (nyomd) founder
öntőmű n, foundry, iron/steel smelting-works
öntőműhely n, casting-house/shed, foundry house
öntött [-et; adv -cn] a, 1. cast, moulded; ~ acél cast steel; ~ áru castings (pl); ~ beton cast concrete; ~ betű cast type; ~ nyomat stereotype; ~ vas cast iron, foundry-iron/pig, pig-iron 2. versbe ~ érzelmek feelings expressed in rhyme(s); olyan mint egy ~ ürge he resembles a drowning rat, he is drenched to the skin, he is soaking wet
öntöttvas a, cast-iron; ~ kerék cast-iron wheel; ld még öntött vas
öntőüst n, foundry/casting ladle
öntőüst-daru n, ladle-crane
öntöz [-tem, -ött, -zön] vt, 1. [utcát, növényt] water (street/plants), [csatornákkal] irrigate, [folyóvidéket] water, wash (a district); gyepet ~ sprinkle/spray the lawn; utcát ~ lay the dust of the streets, water the street 2. [sülő húst zsírral] baste (a roasting joint); torkát ~i wet one's whistle 3. könnyeivel ~te a levelet she spattered the letter with her tears
öntözés n, [utcát, növényt] watering, [gyepet] sprinkling, spraying, [csatornákkal] irrigation; árasztásos ~ basin method; kerti ~ basin irrigation
öntözéses [-ek, -t; adv -en] a, ~ gazdálkodás irrigation
öntözési [-ek, -t] a, ~ terv irrigation plan; távlati ~ terv long-range irrigation project
öntözget vt/vi, spray, sprinkle
öntözhető a, irrigable
öntöző [-t] I. a, [utcát, növényt] watering, [gyepet] sprinkling, spraying, [csatornákkal] irrigating, irrigation- II. n, sprayer, spray-diffuser, sprinkler, irrigator
öntözőárok n, irrigation ditch, water-trench, runnel
öntözőautó n, watering car, flusher, street-sprinkler (US), sprinkling car (US)
öntözőberendezés n, irrigation/rain plant
öntözőcsatorna n, irrigation canal/ditch, artificial channel, water-trench
öntözőcső n, garden/street hose, hose-pipe
öntözőgép n, watering machine, sprayer, sprinkler, rain-plant, irrigator
öntözőkanna n, watering-can/pot, sprinkling can (US)
öntözőkerék n, irrigating wheel
öntözőkészülék n, (automatic) sprayer, spray-diffuser, sprinkler
öntözőkocsi n, water(ing)-car, flusher, street-sprinkler (US), sprinkling-car/wagon (US)
öntözőmű n, irrigation works (pl)
öntözőrózsa n, [kannán] spray-nozzle
öntözött [-et; adv -en] a, watered, sprinkled; ~ területek irrigated areas, areas under irrigation
öntudat n, 1. [fizikai] consciousness, senses (pl); ~ánál van be conscious of oneself, be in enjoyment/possession of all one's senses/faculties, be fully aware/conscious of thoughts and actions/deeds; nem volt teljes ~ánál he was not in the enjoyment of

all his senses/faculties, he was only half unconscious (v. half gone) (fam); elvesztette ~át he lost consciousness, he lost senses, he became unconscious; visszanyerte ~át he regained consciousness, he became conscious, he came to (his senses), he came to himself 2. (fil) self-consciousness 3. [öntudatosság] consciousness of one's own value, self-assurance/assertion/respect, [munkásosztályé] class-consciousness; kommunista ~ communist consciousness; ~ra ébred find oneself, [munkásosztály] become class-conscious; ~ra ébredő nemzet nation awakened to consciousness of self, nation beginning to feel its feet
öntudathasadás n, split personality, (pszich) schizophrenia
öntudathasadásos a, split-minded, (orv) schizophrenic
öntudati a, ~ tényező [munkagazdaságtanban] factor of consciousness
öntudatlan a, 1. [állapot] unconscious, senseless, insensible; ~ állapotban in a state of unconsciousness, in a state of semi-consciousness, not in possession of one's senses 2. [tett] unintentional, spontaneous, undesigned, unwitting
öntudatlanság n, 1. [fizikai] unconsciousness, semi-consciousness, state of being unconscious, suspended animation 2. [öntudatosság hiánya] lack of self-assurance/respect, unconsciousness (v. non-realization) of one's value
öntudatlanul adv, 1. [eszméletlenül] unconsciously, senselessly 2. [nem szándékosan] unintentionally, involuntarily, not being aware of sg
öntudatnyilvánulás n, rövid ~ [elmebetegeknél] lucid intervals (pl)
öntudatos a, conscious (of one's own value), self-respecting/possessed, [munkás] class-conscious; túlzottan ~ be full of one's own importance (ut); ~ fellépés self-assertion; ~ munkás class-conscious worker
öntudatosodás n, becoming/growing conscious, getting/ becoming aware/conscious of one's own value, [igével] find oneself, begin to feel one's feet, [munkáse] becoming class-conscious
öntudatosodjik vi, become/grow conscious, become (slowly) conscious of one's own value, find oneself, begin to feel one's feet, [munkás] become class-conscious
öntudatosodó a, growing/becoming conscious, [munkás] becoming class-conscious (mind: ut)
öntudatosság n, state of being conscious of one's own self and faculties, consciousness/realization of one's value, [munkáse] class-consciousness
öntvény n, 1. cast(ing), mould(ing) 2. [ötvözet] alloy
öntvényforma n, = öntőforma
öntvényfül n, (koh) lug
öntvényhólyag n, blister, flaw, contraction cavity
öntvényvarrat n, cast seam, fin, beard, burr
önuralom n, self-command/control/restraint/mastery/ possession, command over oneself, (re)collectedness, composure; nincs elég önuralma he is not recollected enough; elveszti önuralmát lose control over oneself; nem veszti el önuralmát retain one's composure; visszanyeri önuralmát regain control of oneself; nagy ~mal rendelkezik be self-possessed, be very collected
önürítő a, self-clearing/draining/dumping/discharging; ~ csille self-dumping/discharging car
önvád n, self-accusation/reproach/incrimination
önvallomás n, confession, self avowal
önvédelem n, self-defence/preservation; jogos ~ justifiable self-defence; ~ből by way of self-defence, in self-defence, (jog) se defendendo (lat); ~ből ölt he killed sy in self-defence; ~ből elkövetett emberölés homicide in self-defence; ~mel védekezés plea of self-defence

önvédelmi a, ~ fegyver weapon carried for self-defence; ~ harc defensive warfare

önveszélyes a, [főnévvel] a danger to oneself (ut) ; ön- és közveszélyes őrült raving lunatic, (kif) is a danger to himself and the general public

önvezérlés n, homing, autoguidance; aktív ~ active homing guidance; passzív ~ passive homing guidance

önvezérléses a, autoguided, homing; ~ irányított lövedék homing missile

önvezérlő a, ~ szerkezet homing device

önvizsgálat n, self-examination, introspection, introversion, a weighing up of self; ~ot tart introvert one's mind/thoughts, examine one's conscience, search one's heart

önzajszint n, (távk) inherent noise level

önzáró a, self-locking/closing; ~ csavar self-catching screw; ~ levélboríték self-sealing envelope, adhesive envelope; ~ szelep self-closing valve

önzés n, selfishness, ego(t)ism, self-centredness/interest/love/seeking, selfhood, amour propre (fr); ~ből out of (mere) selfishness

önzetlen a, unselfish, selfless, [csak személy még] self-forgetful/denying/effacing, [magatartás] altruistic, disinterested, [adakozás] generous, [barát] staunch, loyal; ~ ember altruist

önzetlenség n, unselfishness, selflessness, [személyé még] self-forgetfulness/effacement, [magatartásé] altruism, disinterestedness, [adakozásé] generosity, [baráté] loyalty

önző [-ek, -t; adv -en] I. a, selfish, ego(t)istic, egocentric, self-interested/seeking/centred, hoggish (fam), [igével] take care of number one (fam); ~ ember ego(t)ist, self-seeker; ~ érdekből for selfish ends; ~ indokok interested motives, an axe to grind; ~ osztályérdekektől vezetett motivated solely by selfish class-interests (ut) II. n, ego(t)ist, self-seeker

őr [-ök, -t, -e] n, 1. keeper, guard, watchman, [állatkerti] keeper, [autóké] car-park attendant, [börtöni] warder, turnkey, [erdőé] forester, keeper, ranger, [hajón] watch-keeper, [múzeumi] custodian, conservator, curator, keeper, [könyvtári] librarian, [parkban] (park-)keeper, [sportpályán] groundsman, [sztrájknál] picket, (kat) sentry, sentinel; éjjeli ~ (night)watchman; parti ~ coast-guard(sman); vasúti ~ signalman, pointsman, track-watchman, [sorompónál] gate-keeper (at level-crossing); ~t áll be on the watch/alert, (kat) stand on watch, be on guard/sentry, mount guard, keep guard (over sg), keep/stand sentry, stand sentinel (over sg), [sztrájkoló] be on picket-duty, picket; ~t állít post a sentry, [sztrájknál] place strikers on picket duty; ~t álló guarding, watching, [sztrájknál] picketing; ~t levált relieve a sentry 2. (átv) guardian, protector, bulwark; a világbéke ~e guardian of world peace

őrállás n, sentry-duty, guard, [sztrájknál] picketing

őrálló I. a, ~ katona sentry, sentinel, soldier on sentry-duty II. n, sentry, guard

őrállomás n, post; előretolt ~ advance(d) post, out-post

őrangyal n, guardian/tutelary angel, [néha] recording angel

őrbódé n, cabin, shelter (for watchman), lodge, (kat) sentry-box

őrcsapat n, guard

őrcsónak n, guard-boat

ördög [-öt, -e] n, 1. devil, fiend, demon (ref), Satan (ref), the Evil One (ref), the evil spirit (ref), deuce (fam), dickens (fam), Old Nick/Gentleman/Horny/Harry/Scratch/Gooseberry (fam) ; az ~ bibliája (cards are the) devil's books; az ~ cimborája the devil's disciple; az ~ nem alszik you never can be too careful, one can't be too careful; ki az ~ jön ilyenkor? who the dickens (v. who on earth) can be coming at

this time?, who in heaven's name can be coming at this time?; ki az ~ mondta neked ... who in the name of heaven told you to ...; ~ és pokol hell and damnation; csúnya mint az ~ ugly as hell/sin, ugly as the devil; te kis ~! you little devil/beggar/imp/mischief!; rossz mint az ~ he is a devil of a boy, he is the devil incarnate, that child is a handful, that child is the devil himself; olyan mint az eleven ~ he is the devil incarnate, he is a regular devil; szegény ~ poor devil/wretch/beggar; mi az ~ (biz) what the deuce/dickens,what the hell; henyélés az ~ párnája idleness is the root of all evil, Satan finds some mischief still for idle hands to do; akkor már elvitte az ~ this business is going to the dogs; vigye el az ~ the devil take him, confound/bother/drat him; vigyen el az ~ go to hell/blazes/Jericho, go to the devil; vigyen el az ~ ha értem (I'll be) hanged/blowed/damned if I understand it; vigyene l az~ha nem ... I'll be shot/hanged if...; az ~ bújt bele he is possessed by the devil; veri az ~ a feleségét it's rain and shine together; nem olyan fekete az ~ amilyennek festik he is not so black as he is painted; ~e van (hogy eltalálta) as if by magic; az ~be is! hang/damn/confound it!, the devil!; hogy az ~be! how the deuce/devil/dickens;~be kíván vkt wish sy farther, wish sy to hell; hova az ~be ment? where the devil has he gone?; hol az ~ben van? where on earth is it?; ezzel az úttal tartozott az ~nek it was a fool's errand; eladta a lelkét az ~nek he sold his soul to the devil; ~öt! fiddlesticks!, damn!, golly!; nem jó az ~öt a falra festeni talk of the devil (and he will appear); ha az ~öt emlegetik(,) megjelenik talk of the devil and he is sure to appear; mi az ~öt csinál? what the hell/Hades do you think you are doing?, what the devil are you doing?; nem tudom mi az ~öt csináljak/tegyek/kezdjek vele? I don't know what in the world to do with it; ~öt űz exorcise, cast out (devils); ~től megszállott possessed by/of the devil (ut) ; ~gel cimborál have a pact with the devil 2. (áll) mocsári ~ [szalamandra faj] hellbender (Cryptobranchus alleghaniensis) ; ~ karma [kagyló] scorpion-shell 'Pteroceras lambis)

ördögadta a, deuced, damn(ed), infernal, blasted, wretched, rotten, bloody ◈, doggone(US); ~ fickó a devil of a fellow; ~ kölyke! drat that brat!

ördögbőr n, duvetyn, cotton velour, moleskin

ördögcérna n, (növ) box-thorn, African tea tree (Lycium sp.)

ördögfa n, (növ) wild olive (Osmanthus americanus)

ördögfajzat n, Satan's (infernal) brood, limb of Satan, limb of the devil, hellish crew, men of Belial

ördögfióka n, [gyerekről] little imp/devil, devilkin, pickle (fam)

ördögfüge n, (növ) devil's fig, prickly poppy (Argemone sp.)

ördöggyökér n, (növ) asafoetida (Ferula assa foetida)

ördöghal n, fishing-frog, angler(-fish), frog-fish (Lophius piscatorius)

ördögharaptafű n, (növ) devil's-bit (Succisa pratensis)

ördöghívő n, demonist, devil-worshipper

ördögi [-ek, -t; adv -en] a, devilish, diabolic(al), infernal, fiendish, satanic(al), hellish, demoniac(al), demonic, devil-like, Mephistophelian; ~ gonoszság satanism, innate wickedness, hellishness; ~ praktikák devil(t)ry, diabolical art, sorcery, black magic; ~ terv fiendish plan

ördögidézés n, conjuring up the devil, conjuration, black-magic

ördögien adv, diabolically, fiendishly

ördögimádás n, demonolatry, devil-worship

ördögmajom n, (áll) black colobus (Colobus satanas)

ördögmotolla n, merry-go-round

ördögöcske n, imp
ördögrája n, [hal] manta, devilfish (Manta sp.)
ördögség n, = ördöngösség
ördögszekér n, (növ) eryngo, eringium, witch-ball (Eryngium)
ördögszem n, (növ) scabious (Scabiosa); biboros ~ sweet scabious (S. atropurpurea); vajszinű ~ cream scabious (S. ochroleuca)
ördögűzés n, exorcism, casting out devils
ördögűző I. a, exorcizing II. n, exorcist, exorcizer, [természeti népeknél] witch-doctor
ördöngös [-et; adv -en] a, 1. [megszállott] possessed by the devil (ut), obsessed 2. [ördögi] devilish, diabolical, demoniac(al), (átv) devilishly/diabolically/fiendish clever; ~ fickó a devil of a fellow/chap/lad
ördöngösség n, 1. [megszállottság] being possessed by/of the devil 2. [ördögiesség] devil(t)ry, devilment, diabolical art, diablerie, diabolism, sorcery, witchcraft, wizardry, (black) magic; nem olyan nagy ~ there is no wizardry in that, it is not so difficult as it looks, there is nothing very difficult about it
öreg [-et; adv -en] I. a, 1. (ált) old, [koros] aged, elderly, advanced/stricken in years (ut), past one's prime (ut); túl ~ vmhez/vmre be over age to do sg; ~ bácsi old (gentle)man, [szakállas] greybeard, old fog(e)y (pej); ~ ember old man, oldster (fam); ~ ember nem vén ember (kb) he is in his green old age; ~ fiú [mint megszólítás] old boy/chap/sport/buck; ~ fiúk (sp) old boys; ~ harcos veteran, man of the (good) old stamp; ~ katona old trooper; ~ leány old maid, spinster, [igével] she is no chicken (fam); ~ legény old fellow/blade; félretesz ~ napjaira put away for one's old age, put away for a rainy day; ~ napjaimra meg kellett érnem hogy now that I am old it has come to...; ~ róka (átv) old fox/stager; ~ szivar □ old cock/bean/chap/geezer; az ő ~ szülei his aged parents; ~ mint az országút old as the hills, as old as Adam/Methuselah; ~ vagyok hozzá I am too old for that 2. [tárgy, intézmeny] old, antiquated 3. (nép)[nagy] big, large; ~ betű great/capital letter, capital; ~ hiba grave/serious/gross mistake; ez aztán ~ hiba that's just too bad 4. ~ este late in the evening
  II. n, 1. old man, greybeard, old fog(e)y (pej); az ~ [biz vk apja] the old (gentle)man, the pater, the gov-(ernor), [főnök] the boss/chief, the gov(ernor); az ~ek old people/folk(s), the old/aged, [szülők] mother and father; az ~ek már csak ilyenek old people are like that; szegény ~ poor old fellow/chap; ~em! I say old chap/thing/buck, listen old chap/thing/buck; az ~em [vk apja] my dad, pater, [férje] my hubby, my old man 2. csak úgy ~éből csinál vmt scamp sg, do sg perfunctorily
öregágyú n, big gun; süket mint az ~ stone-deaf
öreganya n, grandmother, grandma' (fam), granny (fam); öreganyám! I say granny!
öreganyó n, gammer, old gossip
öregapa n, grandfather, gran(d-)dad (fam)
öregapó n, old gaffer
öregasszony n, old woman, gammer
öregasszonyos a, old-womanish/womanly
öregatya n, = öregapa
öregbéres n, ⟨senior farm-hand⟩
öregbiró n, ⟨first magistrate of a Hungarian village⟩
öregbit [-eni, -ett, -sen] vt, 1. make older, age 2. [nagyobbit] increase, augment, add to; ~i hirnevét/tekintélyét enhance/raise one's reputation 3. [kohászatban] season
öregbités n, 1. aging 2. [nagyobbitás] increase, augmentation, [hirnévé, tekintélyé] enhancement 3. [kohászatban] quench-age hardening, seasoning
öregcserkész n, rover

öregdiák n, [régen végzett] old boy, graduate, alumnus (US); az ~ok szövetsége/egyesülete alumni association (US)
öregebb [-et; adv -en] a, older, [családon belül] elder [állitmányként nem használható]; ~ vknél senior to sy; két évvel ~ nálam he is my senior by two years, he is two years my senior, he is two years senior to me; ~nek néz ki (mint amilyen idős) look more/older than his age
öregecske a, oldish, elderly; bizony már ~ he is getting on, he is rather old/rickety, he is growing up (joc)
öregedés n, growing old, ag(e)ing, (orv) senescence, [gumié] degradation
öregedési [-t] a, ~ folyamat ageing process, process of ageing
öreged|ik [-tem, -ett, -jen, -jék] vi, grow old, age, olden, be growing old, be getting on in years, be advancing in years, (kif) he is feeling the weight of his years, [gumi] degrade; legalább tiz évet öregedett he has aged at least ten years, he looks at least ten years older; érzem hogy öregszem I am feeling my years; kezd öregedni be past one's prime, be past middle-age, one's life is on the decline
öregedő [-ek, -t; adv -en] a, growing old (ut), ageing, past one's prime (ut), advancing in years (ut), getting on in years (ut), senescent
öregember n, = öreg II.
öreges [-et; adv -en] a, elderly, (rather) oldish, old--mannish, becoming/suiting an elderly person (ut); ~ öltözködés oldish clothes (pl), old-making clothes (pl)
öregfa n, (hajó) boom (brace)
öregfűrész n, cross-cut saw
öregharang n, great bell
öreghiba n, = öreg hiba
öregit [-eni, -ett, -sen] vt, age, make (look) older; ez a kalap ~ this hat makes you look older, this hat ages you; ~i magát [adatokkal] make oneself out to be older, [külsőleg] make oneself look older, give oneself an older look
öregkor n, (old) age; késő ~ában at the decline of (his) life, in one's declining years, in the vale of years (ref.); ~ának egyetlen támasza the sole support of his old age; késő ~t ér meg live to a great age, live to a hoary old age, live to be extremely old; az ~ral járó nehézségek/bajok the inconveniences of old age
öregkori [-ak, -t] a, old-age, of old age (ut), (orv) senile; ~ biztositás old-age insurance; ~ degeneráltság senile decay; ~ gyengeség senility; ~ támasz support/prop of (one's) old age
öreglegény n, bachelor, unmarried/single man
öregség n, 1. [személyé] (old) age, agedness, (orv) senility; nem látszik meg rajta az ~ he carries/bears his age/years well, time has left no mark upon him; ~ére megérte (hogy) in his old age he came to see (that) 2. [tárgyé] oldness, decrepitude, antiquity
öregségi [-ek, -t] a, old-age, of old age (ut); ~ biztositás old-age insurance; ~ nyugdij/járadék old-age pension, superannuation allowance; ~ segély old-age assistance
öregszemű a, [gabona] coarse-grained
öregsz|ik [-em, öregesztek, öregesznek, -enek] vi, == = öregedik
öregszülők n. pl, grandparents
öregtemplom n, biggest (v. most important) church of a town
öregtorony n, (épit) donjon
öregujj n, [kézen] thumb, [lábon] big toe
öregúr n, old man/gentleman
őrfülke n, (müsz) pulpit, [egyéb] cabin, (kat) sentry--box
őrgébics n, (áll) grey shrike, butcher-bird (Lanius

excubitor) ; kis~ lesser grey shrike (L. minor) ; nagy ~ great grey shrike (L. e. excubitor)

őrgróf n, marquis, marquess, margrave (obs)

őrgrófnő n, marquise, marchioness (GB), margravine (obs)

őrgrófság n, marquisate, margravate (obs)

őrhajó n, vedette-boat, scout, picket/guard-boat, coastal motor-boat, [rendőri] police launch, [vámátóságé] revenue-cutter

őrház n, (ált) watch-house/box, [kat őré] sentry-box, [őrségé] guard-room, [rendőrségi] police-post/station, guard-house, [vám] customs station; vasúti ~ signal--cabin/box, watch-box, watchman's house/hut

őrhely 1. beat (of sentry), (out)post, (hajó) look-out, [torony] watch-tower; ~re felvonul go on guard, mount guard; ~ről levonul come off guard 2. (átv) watch-post

őriz [-tem, őrzött, -zen] vt, 1. watch, guard, take care of, keep (an eye on), look after, keep a watch over/ on, stand (sentinel) over, protect, [ideiglenesen] mind; nyáját ~ tend a flock; isten ~z! God forbid!; Krisztus koporsóját sem ~ték ingyen you cannot get something for nothing; őrzi az ágyat be laid up, keep (to) one's bed; a szobát kell ~nie be confined to the house, be confined to one's room; őrzi vknek az emlékét treasure sy's memory; vmnek az emlékét őrzi cherish the memory of sg 2. őrzi a hagyományokat preserve/guard the traditions, keep sy's memory green 3. [használatra] keep for use, store up, put away/by, preserve, guard (for a rainy day)

őrizet n, 1. [megőrzés] care, protection, charge, safety, safeguard, trust, [árué] safe-custody/keeping; vmt vk ~ére bíz entrust sg to the care of sy, commit sg to sy's safe-keeping, commit sg to charge of sy 2. (kat) escort, [rendőri] custody, ward, surveillance; erős ~ mellett well-guarded/protected, (kat) under escort/surveillance; szigorú ~ [letartóztatott személyt] close confinement; védő ~ protective arrest; ~be vesz [gyanúsítottat] seize, arrest, apprehend (suspect), detain (sy) in custody, take (sy) into custody, take (sy) in charge, hold (sy) (US) ; ~be vétel arrest, seizure, seizing, apprehension, (preventive) custody; ~ben (vk) under arrest, in custody, being held (US); biztos ~ben (vm) in safe custody; előzetes ~ben van a per folyama alatt be in custody pending trial; ~et gyakorol vk/vm fölött have custody of sy/sg

őrizetes [-et] I. a, ~ cella prison cell, lock-up (fam) II. n, person under arrest, person in detention/confinement

őrizetlen a, unguarded, unwatched, unprotected; ~ pillanat unguarded moment

őrizget vt, keep/cherish (sg) as a keepsake

őrizkedik [-tem, -ett, -jen, -jék] vi, (vmtől) (be on) guard against, beware of, take care not to (do sg), take head of (sg), shun, refrain/abstain from; ~jünk a zsebtolvajoktól! beware of pickpockets!; ~ik a véleménynyilvánítástól refrain from committing oneself

őrző [-t, -je] a/n, = őrző

őrjárat n, patrol, picket; ~on van (go on) patrol, go the rounds, be on one's beat, walk one's beat/round; id még járőr

őrjegy n, [könyvtári] dummy, shelf-dummy, thickness/ size copy

őrjel n, (nyomd) [lapalji] catchword, direction word

őrjít [-eni, -ett, -sen] vt, drive (sy) crazy/mad, drive (sy) out of his wits/senses, madden (sy)

őrjítő [-t; adv -en] a, maddening, madding, (kif) it's enough to drive one mad; ~ fejfájás raging headache

őrjöng [-tem, -ött, -jön] vi, rave, be delirious/mad/ frantic, rage, be in a raging temper; ~ a dühtől

be raving/raging with anger; ~eni kezd fall into a frenzy, fall into a fit of madness

őrjöngés n, delirium, madness, raving, fit of madness, outburst of passion, frenzy, rage, fury, paroxysm

őrjöngő [-t; adv -en] I. a, delirious, raving, mad, frantic, maniacal, frenzied, raging, furious II. n, madman, maniac

őrkíséret n, (kat) escort, (hajó) convoy

őrködés n, watch(ing), guard(ing), care, watchfulness, protection, vigilance, look-out

őrködik [-tem, -ött, -jön, -jék] vi, [őrségben] (keep/ stand) watch/guard over, [rövidebb időre] be on the look-out, [vk/vm mellett] take care of, keep an eye on, mind, look after, [védelmezőleg] protect, [írásbeli vizsgán] invigilate; ~ik az állam biztonsága felett watch over the safety of the State; ~ik a közegészségügy felett protect public health

őrláng n, [gázégőé] pilot flame

őrlegénység n, the guard, guardsmen (pl)

őrlemény n, milling product, grist

őrlés n, grinding, milling (of corn)

őrlési [-ek, -t] a, (of) grinding, (of) milling; ~ díj milling dues· (pl), multure, miller's fee; ~ engedély milling/grinding permit

őrlő [-ek, -t] I. a, grinding, milling II. n, 1. [készülék] mill, [kezelője] miller,[papírgyártásban] whirler 2. = = őrlőfog

őrlődik [-tem, -ött, -jön, -jék] vi, 1. [gabona] be ground, [fa] crumble 2. (átv) wear away, be worn away; két malomkő között ~ik be between the upper and the nether millstone

őrlőfog n, masticator, grinder, molar; kis ~ bicuspid

őrlőgép n, crusher, grinder, miller, (crushing-)mill, disintegrator

őrlőmalom n, (grinding) mill, pulverizer

őrlőrész n, miller's toll, toll-corn

örmény [-ek, -t, -e; adv -ül] a/n, Armenian; Ö~ Szovjet Szocialista Köztársaság Armenian Soviet Socialist Republic

Örményország prop, Armenia

őrmester n, sergeant (röv Sgt), sarge (fam) ; kiképző ~ drill-sergeant

őrmesteri a, ~ rang sergeantship, the rank/status of sergeant, sergeant's rank, sergeant's stripes (pl) (fam)

őrnagy n, major (röv Maj.)

őrnagyi [-ak, -t] a, of a major (ut), major's; ~ rang majorship, majority, the rank/status of major, major's rank, major's crown/maple (fam)

őrnaszád n, patrol-boat

örök [-öt, -e; adv -ké] I. a, (ált) eternal, [folytonos] perpetual, unending, ceaseless, endless, [állandó] permanent, perennial, everlasting, perdurable; ~ áron elad sell sg in perpetuity, sell sg for ever; ~ béke everlasting peace; ~ élet immortal life; ~ életű of life everlasting (ut), ever-living, eternal, immortal, imperishable, undying, perennial; ~ emlékezetű/ emlékű never to be forgotten (ut), of imperishable memory (ut) ; ~ érvényű eternal, never-changing, of eternal value (ut), valid for ever (ut) ; ~ érvényű igazság eternal/absolute truth; ~ harag! (gyerm) and I won't speak to you again; az ~ hó határa snow-line; az ~ hó országa the land of perpetual snows; ~ idő eternity; ~ időkre for ever; ~ időkre szóló immortal; ~időktől fogva from time immemorial; ~ kárhozat eternal damnation; ~ letét deposit(ed) in trust; ~ mozgás perpetual motion; ~ naptár perpetual calendar; az ~ nyugalom the last repose/sleep; az ~ probléma eternal problem, question that is always with us; ez egy ~ történet this is an eternal story, this is a never-ending story; ~ üdvösség eternal salvation; az ~ város the Eternal City; ~ vétek it is a crime!

II. *n*, ~*be ad [gyereket]* offer for adoption, *[mást]* give (sg) for good, give for keeps *(US)*; ~*be fogad* adopt, accept as one's own, father *(fam)*, mother *(fam)*, *(jog)* (af)filiate; ~*be fogadó* adopting, adoptive; ~*be fogadó szülők* adoptive parents; ~*be fogadott* adopted, adoptive; ~*be fogadott gyermek* adopted/ adoptive child; ~*be hagy* bequeath, leave by will, hand down; ~*ébe lép [örökséget átveszi]* come into property, come into the inheritance, *[király]* succeed to the throne; ~*ébe lép vknek* inherit sg from sy, become sy's heir, *(..tv)* succeed/follow/replace sy, take up the banner of sy, take over sg from sy, step into sy's shoes *(fam)*; *Molnárnak Halász lépett az ~ébe* Halász replaced Molnár, the mantle of M. descended upon H. *(ref)*; ld még **örökség**

örökbecsű [-ek, -t; *adv* -en] *a*, of lasting/imperishable value *(ut)*, ever-precious

örökbefogadás *n*, adoption, affiliation

örökbefogadási *a*, ~ *szerződés* deed of adoption

örökbefogadó *n*, adoptant, adopter, adoptive parent

örökbefogadott *n*, adoptee, adopted/adoptive child

örökbér *n*, ground-rent

örökbérlet *n*, (heritable/hereditary/long) lease, perpetual tenure

örökbérleti *a*, ~ *szerződés* long-lease agreement, ninety-nine year's lease

örökbérlő *n*, lessee, lease-holder, *(jog)* emphyteuta

örökbirtok *n*, hereditary estate

örökhagyás *n*, devise, bequest, legacy

örökhagyó *n*, testator, *[nő]* testatrix, *[ingatlané]* devisor

örökhaszonbérlet *n*, = **örökbérlet**

örökhaszonbérlő *n*, = **örökbérlő**

örökhűbér *n*, hereditary fief, tenure in ancient demesne

örökiftju *a*, ageless, perennially youthful

örökiftjúság *n*, ~ *forrása* fountain/well of eternal youth

örökimádás *n*, *(vall)* perpetual adoration

örökít [-eni, -ett, -sen] *vt*, render/make immortal, immortalize, perpetuate

örökjáradék *n*, perpetual annuity, rent in perpetuity

örökjog *n*, law of succession/inheritance, law of wills, right of inheritance/succession, hereditary right, right to succeed

örökké *adv*, **1.** *[örökre]* eternally, for ever(more), everlastingly, immortally; *semmi sem tart ~* nothing lasts for ever; ~ *tartó* everlasting, imperishable, eternal, perennial, sempiternal *(ref.)*; ~ *tartó dicsőség* never-dying/fading glory **2.** *[folytonosan]* continually, perpetually; ~ *csak azt hajtogatja* he is ever harking back to the same theme/story, he is ever dwelling/harping on the same theme/story; ~ *csak kártyázik* he never stops gambling, he does nothing but gamble, he is forever gambling; ~ *csak morog* he is for ever grumbling

örökkévaló I. *a*, eternal, everlasting, perennial, perpetual, sempiternal *(ref)* **II.** *n*, *(vall)* the Father Eternal, Everlasting God

örökkévalóság *n*, eternity, eternality, everlastingness, perpetuity, perenniality; *egy ~ óta nem láttalak* I have not seen you for ages, it is an eternity since I saw you; *egy ~ig fog tartani* it will go on for evermore; *egy ~on át* during/upon aeons *(fam)*

örökkön-örökké *adv*, for ever and ever, for ever and a day *(joc)*, for (ever and) aye *(fam)*

öröklakás *n*, privately owned flat, free hold flat, flat owned in perpetuity

öröklámpa *n*, *(vall)* sanctuary lamp

örökláng *n*, perpetual sacred flame, never-dying flame

öröklékeny [-ek, -t] *a*, *[betegség]* hereditary, inheritable, that runs in the family *(ut)*)

öröklékenység *n*, hereditariness

öröklés *n*, succession, inheritance, descent; ~ *rendje* order of succession; ~ *útján* by way/right of succession/descent, heritably; *általános ~* universal succession; *fejenkinti ~* succession per capita; *közös ~* community of heirs; *törvényes ~* intestate succession; *végrendeleti ~* succession by will, testamentary succession; *kiesik az ~ből* be eliminated from succession; ~*ből kitagad* (be) disinherit(ed); *kizár ~ből* (be) exclude(d) from succession; *érdemtelen az ~re* be unworthy of succession; ~*re jogosult* entitled to succeed to estate, entitled to take estate, qualified to inherit *(mind ut)*, inheritable; ~*re jogosult utódok* issue entail, heritable blood; ~*ről lemond* renounce succession

öröklési [-ek, -t; *adv* -leg] *a*, relating to succession/ inheritance *(ut)*, successional; ~ *igény* claim to inheritance; ~ *jog = örökjog*; ~ *rend* order of succession; ~ *szerződés* testamentary contract/deed, contract of inheritance

öröklésképes *a*, heritable, entitled to inherit/succeed *(ut)*, capable of succeeding (to an estate) *(ut)*

öröklésképesség *n*, inheritableness

örökléstan *n*, genetics, hereditology

örökléstani *a*, genetic, hereditologic(al)

öröklét *n*, eternity, life everlasting, eternal/everlasting life, life without end

örökletes [-et; *adv* -en] *a*, **1.** *[betegség]* hereditary, inheritable, familial, that runs in the blood/family *(fam)* *(ut)* **2.** *[szokás]* ancient, traditional

öröklődés *n*, *(biol)* inheritance

öröklőd|ik [-ött, -jön, -jék] *vi*, **1.** *[betegség]* be hereditary **2.** *[vagyon]* be transmitted by inheritance, be handed down **3.** *[szokás]* come down, run in the family, *[tulajdonság]* descend

öröklődő [-t] *a*, *[betegség]* hereditary, (in)heritable

öröklött [-et; *adv* -en] *a*, **1.** *[vagyon]* inherited, hereditary; ~ *birtok* hereditary/patrimonial estate; ~ *jogon* by hereditary right; ~ *módon* hereditarily; ~ *vagyon* ancestral property, property which is inherited, patrimony **2.** *[hajlam]* hereditary, inborn, innate; ~ *betegség* hereditary/inherited disease; ~ *betegségben szenvedő* hereditarily afflicted; ~ *hajlam vmre* hereditary predisposition to sg; ~ *hiba* hereditary/natural defect; ~ *tulajdonság* inherited quality, strain; ~ *vérbaj* hereditary syphilis

örökmécs *n*, *(vall)* sanctuary lamp

örökmozgás *n*, *(műsz)* perpetual motion

örökmozgó *n*, *[gép]* perpetual motion machine, perpetuum mobile *(lat)*

öröknaptár *n*, perpetual calendar

örököl [öröklök, -t, -jön] *vt/vi*, **1.** inherit (sg), get by inheritance, come into (a legacy), come into an inheritance, be heir to, succeed to; *vktől~ vmt* inherit sg from sy, be the heir of sy; *birtokot ~* come into a property; *rangot/címet ~* acquire a title by descent; *nagy vagyont ~* come into *(v.* inherit) a fortune; *egy kis pénzt ~t* he came into a little money; *fia ~te a trónt* his son succeeded him on the throne; *könyveimet unokaöcsém örökli* my books will go to my nephew; *apja után ő ~t* he inherited his father's estate **2.** *anyjától ~te a képzelőtehetségét* he owes his imagination to his mother, he inherited his imagination from his mother

örökölhető *a*, (in)heritable, hereditable, transmissible (by inheritance)

örökölhetőség *n₁* inheritable/hereditary character/ nature (of sg), inheritability

örökös¹ [-t; *adv* -en] *a*, **1.** *[folytonos]* perpetual, unending, endless, ceaseless, continual, sempiternal, incessant, *[örök]* eternal, *[állandó]* perennial, everlasting, constant, permanent; ~ *elnök* life president, president for life; ~ *fecsegés* constant/endless/

continual chatter; ~ kellemetlenség perpetual nuisance, endless bother; ~ panasz/szemrehányás constant/endless complaints/recrimination; ~ tag [társaságban] perpetual/life member (of sg); ~ viszály constant/endless strife 2. ~ sakk perpetual check
örökös² [-ök, -t, -e] I. n, successor, heir, inheritor, [nő] heiress, inheritrix, [végrendeleti] legatee, devisee; általános ~ residuary legatee, heir general, heir-at-law; feltételezett~ heir presumptive; feltétlen~ heir apparent; helyettes ~ substitutional heir; osztályos ~ coparcener; szerződési ~ heir by virtue of contract, contractual heir; természetes ~ heir of the body, next of kin, natural heir; több ~ plurality of heirs, (co)parcenary, joint heirship; törvényes ~ legal/rightful/statutory/abintestate heir, heir-at-law; végrendeleti ~ heir under a will; vélelmezett/prezumptív ~ apparent heir; ~ hiányában by failure of heirs; ~ nélküli (elhalálozás) heirless, without heir/successor (ut), (jog) default of heirs, escheat; ~ök és jogutódok heirs and assigns; egyedüli ~e sole heir; ingatlan végrendeleti ~e devisee; ~évé teszi appoint/institute sy as one's heir
II. a, hereditary; ~ király hereditary king; ~ ki-.'álység hereditary monarchy; ~ tartományok hereditary provinces
örökösen adv, perpetually, continually, everlastingly, endlessly, without end
örökösi [-t] a, ~ bizonyítvány certificate of inheritance; ~ magatartás conduct as an heir
örökösnevezés n, institution, appointment of an heir, nomination of heirs
örökösödés n, succession, inheritance; ~ből kizár debar from inheriting
örökösödési [-ek, -t; adv -leg] a, successional, of succession/inheritance (ut) ; ~ adó probate duty, legacy/estate duties (pl), inheritance tax, death duties (pl) (fam) ; ~ eljárás probate, proving of will, inheritance proceedings (pl) ; ~ háború war of succession; ~ igény claim to inheritance, (jog) petitio hereditatis (lat) ; ~ illeték legacy/probate/succession duty; ~ jog law/right of inheritance, right of succession, right to succeed; ~ kilátás expectation; ~ rend order of succession; ~ törvény law of inheritance/succession
örököstárs n, co-heir(ess), joint heir(ess), (co)parcener, tenant in common (US)
örököstársi a, ~ viszony coparcenary, coparcenery, parcenary
örökre adv, for ever (and ever), for ever and a day, for always, for evermore, for ever and aye (ref.) ; ~ eltávozott he has gone for ever/good, he has gone never to come back again, he has gone never to return
örökrész n, (share in the) inheritance, share in the heritage, portion (of inheritance)
örökrészes n, portioner
örökség n, 1. inheritance, heritage, estate (US) ; [ingó vagyon/hagyaték végrendeletileg] legacy, bequest, [ingatlan] demise, devise, hereditament; atyai ~ patrimony; szellemi ~ heritage, legacy; ~ útján by way of inheritance, heritably; ~ átadása devolution of an inheritance; ~ felosztása partition of an inheritance; ~ megnyílása accrual/devolution of an inheritance; ~ megszerzése acquisition of an inheritance; ~ visszautasítása disclaimer of an inheritance; ezt a házat ~be kaptam I inherited this house, I received this house as my share of an inheritance; ~be lép inherit; ~ből kizár disinherit, deprive of succession; ~ből kirekesztés/kitagadás/kizárás disinheritance; egy kis ~hez jut come into a small legacy; ~re jogosult/képes be entitled to inherit; ~ről lemond abandon/relinquish one's claim to an estate. disclaim an estate; ~ről lemondás renuncia-

tion of an inheritance/estate; ~et átvesz come into one's property, inherit; eltékozolja ~ét squander one's patrimony; visszautasít ~et decline to take the succession 2. ez családi ~ (átv) it runs in the blood/family
örökséghajhász n, = örökséglesö
örökséghajhászás n, legacy-hunting
örökségi [-t] a, patrimonial; ~ bizonyítvány certificate of inheritance
örökséglesö n, legacy-hunter
örökségvadász n, = örökséglesö
örökszép a, everlastingly beautiful, of a lasting beauty (ut), evergreen
öröktől adv, ~ fogva from time immemorial, from/for everlasting
örökül adv, ~ hagy leave by will, bequeath, legate, devise; ~ jut vkre devolve on sy, fall to the share of sy
örökvaku n, (fényk) everflash, (electronic) flash
örökváltság n, fee simple (absolute), ⟨indemnity paid to former owner of real property in the course of land reform⟩; úrbéri ~ manumission compensation
örökzöld I. n, (növ) evergreen II. a, evergreen, indeciduous, sempervirent; ~ cserjés chaparral; ~ levelek persistent leaves
őröl [-t, -jön] vt/vi, 1. [gabonát] grind, mill, [kávét] grind; apróra ~ grind (down) to dust; más malomban ~nek be at cross purposes 2. [szenet stb.] pulverize, [ércet] mill, crush, (bány) stamp 3. [szú a fát] eat (into wood) 4. [vm vk idegeit] grate on one's nerves, prey (on one's mind)
őrölt [-et; adv -en] a, ground; ~ kávé ground coffee: ~ salak slag sand
öröm [-ök, -et, -öt, -e] n, joy, pleasure, gladness, happiness, delight, felicity, enjoyment, [örvendezés] rejoicing, jubilation; ~ volt őt hallani it was a pleasure to hear him; az az ~ éri (hogy) be granted the pleasure (of); ~ nézni it is quite a treat to see, it is cake and pudding to watch him (fam) ; nincsen ~ üröm nélkül (közm) there is no joy without alloy, there is always something to take the gilt off the gingerbread, the sweet and sour go together; anyai ~ök elé néz be an expectant mother, be a happy mother-to-be, expect a baby, await a happy event, be in the family way (fam) ; megvan az az ~e he has the pleasure of; minden ~e it is his only pleasure/joy (in life); ~e telik/van vmiben extract pleasure from sg; az élet ~ei the sweets/joy(s)/comforts of life; a falusi élet ~ei the joys of the countryside; búban és örömben for better for worse, in joy and in sorrow; ~ében felkiált shout (out) with joy; ~ében sír she is crying for/with joy; ugrál ~ében leap/jump with/for joy; nem tud hova lenni ~ében be beside oneself with joy, tread/walk on air; örömre derül az arca he cheers up, his face brightens; nagy ~re ... to my great joy ...; ~ömre szolgál it is a great pleasure to me, this affords me great pleasure, I am over-joyed at it, I am delighted/pleased to; legnagyobb ~ömre to my great joy/delight; nagy örömöt érez be delighted with/in; ~öt szerez vknek please/delight/gratify sy, afford/give sy a (great) pleasure, bring joy to sy, give sy joy, give satisfaction to sy; a zene nagy ~öt szerez neki he derives great pleasure from music, he enjoys (v. is very fond of v. delights in) music, music affords him much pleasure; ~ét leli vmben take/find pleasure in sg, enjoy sg, (take a) delight in sg, derive (great) pleasure from sg; elrontja vk ~ét mar sy's joy, take the gilt off the gingerbread (fam), be a kill-joy (fam), be a wet blanket (fam) ; örömtől sugárzó arccal with a beaming face, (with a face) beaming/radiant with joy; ~től repesö/dagadozó szív heart that expands with joy; oda van az ~től be wild with joy; magán kívül van az ~től be beside oneself with joy, be mad/

frantic with joy, be in an ecstasy of joy; **örömmel** joyfully, gladly, with pleasure, most willingly/readily; ~*mel l [válaszban]* it will be a pleasure (to), I shall esteem it a pleasure (to), I shall be delighted (to); ~*mel hall vmt* be glad/delighted to hear sg; ~*mel közlöm (hogy) [levélben]* you will be happy to learn (that); ~*mel tesz vmt* be pleased/happy to do sg, find satisfaction in doing sg; ~*mel vár vmt* look forward to sg; ~*mel vettema híreket* I was delighted at the news; *legnagyobb/kész/ezer* ~*mel* with (all the) pleasure, with the greatest delight/joy; *tele* ~*mel* full of joy; ~*mel tudatom/jelentem (hogy)* I have much pleasure in informing you (that), I have much pleasure in announcing to you (that), I am pleased to be able to tell you (that); ~*mel látjuk ebédre* we request the pleasure of your company to dinner; ~*mel vettem tudomásul (hogy)* it was very gratifying to hear, it was a real/great pleasure to hear, I was pleased/delighted to hear; *nagy* ~*ül szolgál nekem* it is a great pleasure to me, I am delighted to hear/learn, it is meat and drink to me *(fam)*
örömanya *n*, bride's/bridegroom's mother (at the wedding)
örömapa *n*, bride's/bridegroom's father (at the wedding)
örömelv *n, [mélylélektan]* pleasure principle
örömének *n*, song of joy, carol, *[győzelmi]* song of victory; ~*et zeng* jubilate
örömérzet *n*, feeling of joy/exhilaration
örömest *adv*, with pleasure, willingly, gladly, whole-heartedly, *[adakozó]* ungrudgingly; *szíves* ~ most willingly/readily, with the greatest pleasure; ~ *elfogadnám* I would gladly accept it, I would willingly accept it; ~ *menne* he would fain go
örömfiú *n*, catamite
örömháborító *n*, kill-joy, wet blanket *(fam)*
örömhír *n*, good news, message of joy, joyful/glad tidings *(pl)*
örömittas *a*, in an ecstasy/rapture/transport of joy *(ut)*, intoxicated/drunk/crazy/mad/elated with joy *(ut)*, brimming over with joy *(ut)*, delirious with joy *(ut)*, overjoyed, big with pleasure *(ut)*
örömkiáltás *n*, shout of joy, joyful acclamation, cheering
örömkitörés *n*, outburst/transport/rapture of joy
örömkönny *n*, tears of joy *(pl)* ; ~*eket sír* shed tears of joy, weep with joy
örömleány *n*, woman of pleasure, street-walker, prostitute, loose woman, woman of the street
örömlövés *n*, salvo
örömmámor *n*, ecstasy/thrill/transport of joy, *[igével]* being overjoyed/delighted; ~*ban úszik* be overjoyed, be beside oneself with joy, be in an ecstasy of joy, be thrilled/transported with joy, be in transports
örömnap *n*, day of joy/rejoicing, happy day, red-letter day
örömnyilvánítás *n*, demonstration/manifestation of joy, rejoicing, jubilation, merry-making, merriment
örömrepesve *adv*, thrilled with joy, (one's heart) throbbing/bounding with joy, overjoyed, flushed with joy
örömrivalgás *n*, shouts of joy *(pl)*, cheers *(pl)*, cheering, jubilation
örömrontó *n*, = **örömháborító**
örömszülők *n. pl*, parents of the bride and bridegroom (at the wedding)
örömtanya *n*, brothel, house of bad reputation, *(jog)* disorderly house
örömtelen *a*, joyless, cheerless, mirthless, drab, dreary, dull; ~ *élet* drab/dreary life, life without joy; ~ *este* dreary evening
örömteli *a*, joyful, glad, merry, jolly, happy, full of joy *(ut)* ; ~ *arckifejezés* a pleased expression of countenance; ~ *mosoly* pleased smile

örömteljes *a*, = **örömteli**
örömtelt *a*, = **örömteli**
örömtüntetés *n*, public demonstration to express rejoicing (over sg)
örömtűz *n*, bonfire, *[hegycsúcsokon]* beacon
örömujjongás *n*, acclamation(s) of joy, loud outbursts of joy *(pl)*, jubilation, jubilance
örömünnep *n*, day of joy/rejoicing, festival, jubilee, glorification *(fam)*
őrparancsnok *n, (kat)* commander of the guard, guard commander, *[hajón]* captain
őrs *[-ök, -(ö)t, -e] n,* **1.** *[kat hely]* (out)post, station **2.** *[személy]* sentry, sentinel **3.** *[úttörő, cserkész]* patrol
őrség *n, (kat) [tagjai]* guard, watch, *[szolgálat]* sentry-duty, *[hely, vár]* garrison, *[sztrájknál]* picket(line); *elvonuló* ~ old guard; *felvonuló* ~ new/relieving guard; *az* ~ *felvonul* the sentry goes on guard, they are mounting guard; *az* ~ *levonul* the sentry comes off guard; ~*be megy* go on sentry; ~*ben áll* be on the sentry-go; ~*en* on guard, on watch/duty; ~*re felvonul* go on guard, mount guard; ~*et áll* be/stand on guard *(v. sentry-duty)*, keep sentry/watch, *[sztrájk]* be on picket-duty; ~*et állít* mount guard, picket, sentinel; ~*et átad/befejez* come off guard; *felváltja az* ~*et* relieve/change the guard, relieve sentry; *végigjárja az* ~*et* go the rounds, *[rendőr]* traverse one's beat, patrol one's district; ~*ről levonul* come off guard
őrségbeosztás *n, [hajón]* watch-bill, quarter bill
őrségosztag *n*, watch
őrségváltás *n,* **1.** *(kat)* relieving/changing of the guard, guard-mounting **2.** *(átv)* change-over, takeover
őrsereg *n, [erődé]* garrison
őrsparancsnok *n, (kat)* officer in command of a post/outpost, officer of the guard
őrsvezető *n, [úttörő, cserkész]* patrol leader
őrszellem *n*, guardian/tutelary spirit, genius
őrszem *n, (kat)* sentry, sentinel, guard, post, *[lovas]* vedette, mounted sentry, *(hajó)* look-out man, *[sztrájknál]* picket; ~*et állít* place a sentry, sentinel
őrszemélyzet *n*, guard, *[hajón]* watch
őrszemes *a,* ~ *rendőr* policeman/constable on point duty, pointsman, patrolman *(US)*
őrszó *n, (nyomd)* **1.** *[lap alján régi könyvben]* catchword (at bottom of page), direction/turnover word **2.** *[lap tetején szótárban élőfejszerűen]* catchword, guide word
őrszoba *n, (kat)* post, guard-room, *[rendőri]* police station/post, precinct station *(US)* ; *bevisz vkt az őrszobára* run sy in, take sy to the police-station, take sy up
őrszolgálat *n*, outpost/sentry/guard duty, *[rendőri v. helyhez kötött]* point-duty, *(hajó)* watch, look-out; ~*ot ad* mount guard; ~*ot beoszt* set the watch; ~*ot teljesít* keep watch, be on look out
őrszolgálatos *a/n*, (person) on guard, (person) on sentry duty; ~ *rendőr* policeman/constable on point duty
őrtáll *vi,* = **őrt áll**
őrtállás *n*, watch(ing), *(kat)* guard, standing sentry, *[sztrájknál]* picketing
őrtorony *n*, watch-tower, look-out, *[váron még]* bastizan, peel *(obs)* *[várkapunál]* barbican
őrtűz *n*, watch-fire
örül *[-t, -jön] vi,* **1.** *(vminek)* rejoice (at/in sg), be glad (of sg), be delighted (at sg), glory (in sg), be pleased (with sg), exalt (at/in sg); *előre* ~ *vmnek* look forward to sg, ~ *a mások boldogságának* rejoice *(v.* be happy) in the happiness of others; *igen* ~*ök neki* I am very glad of it; ~*jön neki hogy otthon maradt* you can be glad that you stayed at home, you are lucky you did not go; *csak* ~*het neki* he can but congratulate himself (upon having done sg); ~ *a szerencséjének* he blesses his stars; *mindennek* ~ he is

pleased with everything; *nem ~ semminek* he does not find pleasure in anything; *nagyon ~* be overjoyed, be very happy/glad; *~nénk ha elfogadná* we should be glad if you accepted *(v.* would accept) it; *tudom hogy ~nének neki* I know they would be glad (if sg . . . .) **2.** *~ hogy* be delighted/pleased (to); *~ök hogy láthatom* I am glad/pleased/charmed to see you; *~ök hogy megismerkedhettem* I am glad *(v.* it was a pleasure) to have made your acquaintance, *[bemutatásnál]* how do you do, pleased/glad/charmed to meet you *(fam)* ; *nagyon ~ök hogy beleegyezik* I am very glad that you consent; *rendkívül* (v. *nagyon is) ~ni fogok* I shall be only too pleased to . . .; *~het hogy ilyen olcsón szabadult* he can call himself lucky to have got so well/easily out of it *(v.* to have got off so light/cheaply)

őrülés *n, az ~ig szeret vkt* be mad on/about sy, be head over ears in love with sy, be dead nuts on sy ◇, be gone/struck/stuck on sy ◇

őrület *n,* madness, insanity, distraction, frenzy, delirium, mania, lunacy, craziness, *(orv)* dementia; *tiszta ~!* sheer/stark madness!; *bélyeggyűjtési ~* craze for stamp-collecting; *~be kerget* drive sy mad; *ez az ~tel határos* this borders on insanity

őrületes *[-ek, -t; adv -en]* *a,* mad, frantic, crazy; *~ fejfájás* splitting headache; *~ iram* terrific/breakneck speed; *~ összeg* tremendous sum

őrült *[-et, -je; adv -en]* **I.** *a, (vk)* mad, lunatic, insane, stark/raving mad, deranged, demented, crazy, (gone) off one's head *(ut) (fam),* cracked *(fam),* loony ◇, potty ◇, balmy ◇, barmy ◇, *[igével]* be out of one's mind, have a screw/tile/slate loose *(fam),* be not right in one's head/mind/wits *(v.* upper story) *(fam),* have bats in the belfry *(fam); ~ cselekedet* insensate/foolish/stupid/senseless action; *~ gondolat* crazy idea; *~ iramban* at a terrific speed, at breakneck speed, at a tearing rate *(fam); ~ siker* sweeping/overwhelming success; *~ spanyol* mad as a hatter, mad as March-hare; *~ szerencse* uncommon/fantastic luck; *~ taps* frantic/thunderous applause; *~ terv* hare-brained scheme
    II. *n,* madman, maniac, lunatic, bedlamite; *csendes ~* harmless/inoffensive lunatic; *dühöngő ~* raving lunatic/mad; *közveszélyes ~* raving lunatic; *úgy dolgozik mint egy ~* work like blazes
    III. *adv,* madly, extremely, crazily, out of all proportions; *~ gyorsan* in a jiffy, post haste; *~ kellemetlen* extremely/very awkward, *(kif)* it's a terrible nuisance; *~ sok* huge/tremendous amount of, lots/heaps of; *~ szerelmes* be madly in love (with sy), love (sy) to distraction, be head over ears/heels in love (with sy), be mad after/for/on sy *(fam),* be dead gone/stuck/struck on sy *(US)*

őrültekháza *n,* lunatic asylum, mental home/hospital, madhouse, *(átv)* bedlam

őrülten *adv,* őrült III.

őrültség *n,* **1.** madness, lunacy, insanity, mental disorder, frenzy, craziness; *~et színlel* feign madness, feign oneself mad, feign that one is mad; *~gel védekezik* invoke the defense of insanity **2.** *ez tiszta ~* this is sheer madness/lunacy, this is stark madness; *ne beszélj ~eket* stop that rot, don't talk rot, don't be silly

őrültségi *[-t]* *a, ~ roham* raving fit, fit of madness

őrv *[-öt, -e]* *n,* **1.** *[kutyáé]* collar **2.** *[galamb nyakán]* ring **3.** *(növ)* verticil, whorl **4.** *vmnek az ~e alatt* on/under the pretext of; *barátság ~e alatt* under the cloak of friendship

örvend *[-eni, -tem, -ett, -jen]* *vi,* **1.** = **örül;** *[bemutatkozásnál] ~ek a szerencsének* how do you do, (I am) happy/pleased/glad to meet you **2.** *(átv)* enjoy, have, be blessed with, possess; *keresletnek ~* be in demand,

[áru] sell well; *jó egészségnek ~* be in good health, enjoy good health, enjoy the best possible health, be blessed with good health; *jó hírnévnek ~* have a good character, have reputation, be in good repute, enjoy a high reputation; *nagy forgalomnak ~* be very frequented

örvendetes *[-ek, -t; adv -en]* *a,* pleasing, happy, fortunate, cheering, heartening, joyful, *[vkre nézve, igével]* it is well/fortunate for sy; *~ hír* welcome/heartening/good news, joyful tidings *(pl); ~ változás.* welcome change; *nagyon ~ (hogy)* it is a good thing (that), it is a good job (that) *(fam)*

örvendezés *n,* rejoicing, jubilation, exultation

örvendez|ik *[-tem, -ett, -zen, -zék]* *vi,* rejoice, be delighted, jubilate, exult; *ld még* **örül**

örvendező *[-t; adv -en]* *a,* glad, rejoicing, jubilant, exultant, triumphant, joyful

örvendő *[-t; adv -en]* *a,* = **örvendező**

örvény *n,***1.** *[víz]* whirlpool, maelstrom, vortex *(tud), [vízé, szélé]* eddy (of water/wind), *[áradaté]* swirl (of tide), *[hajó okozta]* wash (of ship), back-wash **2.** *[légi]* slip-stream, eddy(-current) **3.** *[mélység]* abyss, pit, chasm, gulf **4.** *(átv)* whirl, turmoil, vortex, bustle; *az ~ szélén áll* stand at the edge of the precipice *(v.* of complete ruin); *~ szélén táncolás (pol)* brinkmanship

örvényáram *n, (vill)* eddy/Foucault/whirling current

örvényáram-veszteség *n, (vill)* eddy current loss

örvénycső *n, (rep)* vortex/whirl-tube

örvényes *[-et; adv -en]* *a,* eddied, eddying, full of eddies *(ut)*

örvényféreg *n, (áll)* turbellarian (worm), free-living flatworm *(Turbellaria-osztály)*

örvényfürdő *n,* whirlpool bath

örvénygyökér *n, (növ, nép)* elecampane, inula *(Inula helenium)*

örvénylés *n,* whirling, swirling, eddying, *[szívó hatásával]* sucking, vortex, turbulence

örvényl|ik *[-eni, -ett, . . nyeljen, . . nyeljék]* *vi,* whirl, swirl, eddy

örvénylő *[-ek, -t; adv -en]* *a,* whirling, swirling, eddying, vertiginous, vortical, vorticular; *~ mozgás* vortex motion

örvényvonal *n, (rep)* tail spin; *leszállás ~ban* spinning dive

örvezető *n, (kat)* lance corporal *(GB),* private first class *(US)*

örvös *[-ök, -t; adv -en]* *a,* **1.** *[kutya]* with collar *(ut),* collared **2.** *[madár]* ring-necked/streaked/straked; *~ lúd* brant-goose *(Branta bernicla)* **3.** *(növ)* verticillate, whorled

örvösgalamb *n,* ring/wood-pigeon/dove *(Columba p. palumbus)*

őrzés *n,* watching, guarding, taking care of, protection, (safe-)keeping, custody, preservation

őrző *[-t, -je]* **I.** *a,* guarding, keeping, preserving, protecting **II.** *n,* guard, preserver, keeper, minder, watcher

őrzőangyal *n,* guardian angel, *[néha]* recording angel

őrzőhely *n, [iratoké]* repository

ős *[-ök, -t, -e]* **I.** *n,* ancestor, forefather, forebear, progenitor, predecessor, *[nő]* ancestress; *az ~ök* the ancestors, the ancestry, parentage, progeniture; *nagy családnak lett az ~e* he founded a great family/house; *a repülőgép ~e* the ancestor of the airplane
    II. *a, (összet.)* ancient, ancestral, primeval, primitive, primary, original, primordial *(ref.),* primogenital *(ref.),* pristine *(ref.), (nyelvt)* proto-, *[őslénytanban]* palaeo-

ősalak *n,* prototype, archetype, protoplast

ősállapot *n,* primitive conditions *(pl),* primitive/original/pristine state ősállat *n*, primitive/prehistoric/antediluvian/fossil animal, zoofossil

ősállattan *n*, palaeozoology

ősanya *n*, ancestress, progenitress, progenitrix

ősanyag *n*, primary matter

ősapa *n*, ancestor, forefather, progenitor

ősatya *n*, = ősapa

ősbemutató *n*, world première

ősbűn *n*, original sin

őscsigolya *n*, primitive vertebra, scleromere

ősesira *n*, primordial cell/germ

őséghajlattan *n*, palaeoclimatology

ősegyház *n*, the Primitive/Early Church

őselem *n*, element (of ancient and medieval natural history), first principle

ősélettan *n*, palaeobiology

ősember *n*, primitive/prehistoric man, caveman

ősemberi *a*, palaeoanthropic

ősemlős *n*, earliest/primitive mammal

őserdő *n*, primeval/native/virgin/primitive/trackless forest, jungle, *[US néha]* backwoods *(pl)*, *[Ausztráliában]* bush; *trópusi* ~ tropical jungle, rain forest; *nem vagyunk az ~ben* we are not among savages

őseredeti *a*, prim(a)eval, primordial, primitive, pristine, (ab)original, native

őserejű *a*, of primitive/vital force *(ut)*

őserő *n*, force (of nature), natural forces *(pl)*

ősetnológia *n*, palae(o)ethnology

ősfaj *n*, primordial/pristine race

ősfauna *n*, *[egy területé]* aborigines *(pl)*

ősfejlődés *n*, *(biol)* autogenesis, autogeny, abiogenesis; ~ *útján létrejött* abiogenous

ősflóra *n*, *[egy területé]* aborigines *(pl)*

ősfoglalkozás *n*, primitive/primeval occupation

ősfolyamvölgy *n*, *[glaciális] (földr)* glacial spillway

ősforma archetype, parent-form

ősforrás *n*, original/primary source/spring

ősföldrajz *n*, palaeogeography

ősgermán *a/n*, Proto-Germanic

ősharmadkor *n*, *(geol)* the lower eocene

őshaza *n*, original home, country of origin

őshegység *n*, primeval/primary/original mountains *(pl)*, primeval/primary rocks *(pl)*

őshonos *a*, indigenous, native, autochthonous

őshonosság *n*, indigeneity, indigenousness, autochthony, autochthonism

ősi [-ek, -t; *adv* -leg] *a*, ancient, *[örökölt]* ancestral, *[fejletlen]* primitive, *[fejlődésben első]* primary, *[korbelileg legrégibb]* prim(a)eval, (ab)original, primordial, pristine; ~ *címer* ancestral coat of arms, ancestral armorial bearings *(pl)*; *bizom az* ~ *erényben* I put my faith in the traditional virtues; ~ *gazdálkodás* natural economy; ~ *ház* ancestral home/seat; ~ *jogon* by ancient right; ~ *székhely* ancestral residence/abode; ~ *szó (nyelvt)* native word; ~ *szokás* ancestral custom, time-honoured custom, tradition; ~ *vagyon* allodial property; ~ *vár* ancient castle, *[ősöktől örökölt]* ancestral castle

ősidők *n. pl*, bygone days, olden/primitive/ancient times, days of yore *(ref.)*; ~ *óta ott lakik* he has been living there from ancient time, he has been living there for ages; ~*től fogva* from time immemorial, from times of old, beyond the memory of man, from time beyond all memory

ősiség *n*, *(kb)* ⟨entail(ment)⟩

ősjogász *n*, ⟨law student who registered year after year at the university without taking the final examinations (not possible since 1945), a confirmed failure of a law student⟩

őskelta *a*, proto-Celtic

őskeresztény *a/n*. primitive/early Christian; *az* ~*ek* the first Christians; ~ *művészet* art of the primitive Christians, early Christian art

őskert *n*, = őspark

őskiadás *n*, *[könyvé]* original edition, editio princeps *(lat)*

őskommunizmus *n*, primitive communism

őskor *n*, 1. *(tört)* prehistoric/primitive age, prehistory 2. *(geol)* Arch(a)ean, Azoic era, Pre-Cambrian era

őskori *a*, 1. *(tört)* prehistoric, primitive, primary, ancient; ~ *lelet* fossil 2. *(geol)* azoic, Arch(a)ean, Pre-Cambrian; ~ *kőzet* primitive rocks *(pl)*

őskőkor *n*, palaeolithic age

őskőkori *a*, palaeolithic

őskőkorszak *n*, = őskőkor

ősköltészet *n*, ancient poetry, poetry preserved by oral tradition

őskőzet *n*, primary/primitive rocks *(pl)*, primary formation

ősközösség *n*, primitive community/society, primitive communal system, primitive communism

ősközösségi *a*, ~ *rend* primitive communal system

őskultusz *n*, *(rég)* ancestors' cult

őskutatás *n*, tracing a family tree, research into family history

őskutató *n*, antiquarian specializing in family-histories

őslakó I. *a*, aboriginal, native, autochthonous II. *n*, original inhabitant/settler, autochthonous inhabitant, *[vad]* aborigines *(pl)*, native

őslakos *n*, = őslakó II.

őslakosság *n*, original inhabitants/settlers *(pl)*, *[bennszülött vad]* aboriginal/indigenous inhabitants *(pl)*, natives *(pl)*

őslény *n*, primitive/primordial being, *[kőzetben]* fossil

őslénytan *n*, palaeontology

őslénytani *a*, palaeontological

őslénytudós *n*, palaeontologist

ősló *n*, (primitive) wild horse, eohippus *(tud)*

ősmadár *n*, archaeopteryx

ősmagyar *a/n*, primitive/ancient/old Hungarian, Proto--Hungarian

ősmagyarság *n*, the primitive/ancient Hungarians *(pl)*

ősmaradvány *n*, *[őslénytanban]* fossil; ~ *tartalmú [kőzet]* fossiliferous

ősmer [-t, -jen] *vt*, = ismer

ősminta *n*, archetype

ősmonda *n*, mythology, cosmogonic/theogonic legends *(pl)*

ősnemzés *n*, abiogenesis, spontaneous/equivocal generation, autogenesis, autogeny

ősnép *n*, primitive/prehistoric people/man

ősnövény *n*, *[őslénytanban]* fossil plant, plant fossil, protophyte

ősnövénytan *n*, palaeobotany, palaeophytology

ősnyelv *n*, primitive/original/parent/mother language

ősnyomtatvány *n*, incunabulum, incunable, earliest printed book (before 1500), cradle-book; ~*ok gyűjtője/kutatója* incunabulist; *a könyvtár* ~*ai* the incunabula of the library

ősok *n*, primary/root cause, original, archetype, primum mobile *(lat)*

őspark *n*, park (in a state of nature), wilderness, woodland

őspetesejt *n*, primordial germ cell, *(biol)* oogonium

őspróba *n*, proof of nobility, proof of noble descent

ősrégész *n*. specialist in primitive archaeology, palaeoarcheologist

ősrégészet *n*, primitive/prehistoric archaeology, palaeoarchaeology

ősrégi *a*, ancient, ancestral, immemorial, old as the hills *(fam) (ut)*, of great antiquity *(ut)*; ~ *idők* immemorial ages/times

ősrengeteg n, virgin/primeval/native forest
ősreütés n, (biol) atavism
őssejt n, primordial germ cell, parent-cell
ősszokás n, [kezdetleges] primitive custom, [nagyon régi] ancient/old custom of bygone times, [ősőké] ancestral custom, [megmeradt] tradition
ősszülők n. pl, forefathers, forebears, [ősők] ancestors, [bibliai] our first parents
őstárna n, mother gate of a mine
őstársadalom n, primitive society
őstehetség n, (undiscovered) talent, peasant/natural genius
őstehetség-kutató n, talent scout
őstermék n, agricultural/primary product, farm product
őstermelés n, primary/prime production, agriculture, farming husbandry
őstermelő I. a, agrarian, agricultural, farming; ~ lakosság farming population; ~ ország agrarian/agricultural country II. n, [személy] agriculturist, primary producer, farmer, husbandman
őstermészet n, 1. virgin Nature 2. [emberé] basic traits (pl)
őstípus n, archetype, prototype
őstörténelem n, prehistory, history of the primitive ages
őstörténet n, = őstörténelem
őstörténeti a, prehistoric, ante-historical
őstulok n, (európai) ~ aurochs (Bos primigenius)
ősvallás n, primitive/prehistorical religion/faith
ősvény n, path(way), trail, lane, (átv is) byway, [öszvéreknek] mule-track, [lovasoknak] bridle-path; járatlan ~ untrodden path; ~t nyit beat a path; (a) kitaposott ~en halad go/walk on the beaten track, follow the beaten track
ösvénytelen a, pathless
ősvese n, pronephros, primitive kidney
ősvilág n, prehistoric/primeval/primitive world, prehistoric ages (pl), [özönvíz előtti] antediluvian world
ősvilági a, primitive; ~ ásvány primitive/prehistoric rocks (pl)
ősz¹ [-ök, -t, -e] n, autumn, fall(time) (US); ~ derekán at the full of autumn; az élet ~e the autumn of life; ősszel in autumn/fall; az ősszel this autumn/fall; ~re by autumn/fall; az ~re for the autumn/fall; a nyár lassan ~be fordul summer fades into autumn/fall
ősz² [-et; adv -en] I. a, grey(-haired), gray (US), [fehér] white-headed/haired, [ezüstös] silver-headed, silvery, [szürkés-fehér] iron-grey, [deres] hoary; ~ ember grey-haired/headed man; ~ hajú/fejű grey/white-haired, white/silver-headed, hoary; ~ szakáll grey/grizzly beard; ~ szakállú white/grizzly-bearded; ~ szakállú ember greybeard
II. n, ~be csavarodik/vegyül a haja he is turning/going grey, he is touched with grey, his hair is flecked with grey; ~be csavarodó grizzly, grizzle(d), turning grey (ut), touched with grey (ut), grey-ish; ~be csavarodó szakáll beard shot with grey
őszapó n, (áll) long-tailed tit (Aegithalos caudatus)
őszbogáncs n, (növ) milk-thistle (Carduus glaucus)
őszelő [-t, -je] n, early autumn, [napsütéses] Indian summer
oszentsége [..-ét] n, His Holiness
őszes [-et; adv -en] greyish, touched with grey (ut), grizzled, grizzly, silver grey (fam)
őszi [-ek, -t; adv -en] a, autumnal, (of) autumn, fall-(US); ~ árpa winter/autumn barley; ~ búza winter/autumn wheat; ~ erdő autumnal forest, wood in autumn; ~ gyümölcsök autumnal fruits; ~ kikerics meadow-saffron, autumn crocus, colchicum (Colchicum autumnale); ~ tevél/lomb autumnal

leaves/foliage; ~ napéjegyenlőség autumnal equinox; ~ szántás autumn ploughing, ploughing before winter; ~ szántást végez winter-plough; ~ szél autumn wind; ~ vetés [folyamata] sowing of the winter-corn
őszibarack n, (növ) peach (Prunus persica), [sima héjú] nectarine
őszibarackfa n, peach-tree
őszibarackos n, peachery
őszibarackszín n, [arcon] peach-bloom
őszibarack-virág n, peach-blossom
őszies [-ek, -t; adv -en] a, autumn(al), autumn-like; ~ táj autumnal scene/landscape; ~re fordul az idő autumn sets in, autumn is approaching, the weather is getting quite autumnal, there is a feeling/nip of autumn in the air
őszike n, (nőy) meadow-saffron, upstart (Colchicum autumnale)
őszinte [..ét] a, sincere, frank, candid, open/true/whole/single/free-hearted, plain-spoken, open(-minded), true, truthful, straightforward, outright, down-right, outspoken, direct, above-board (ut); ~ vkvel be plain/open with sy; túl ~ overfrank; ~ arcú open(-faced; ~ barát! faithful/loyal friend; ~ barátság cordial/sincere friendship; ~ beszéd plain talk/speech, clean tongue; ~ ember sincere/straightforward man, plain-spoken man, (kif) he wears his heart on his sleeve; ~ felelet plain answer; ~ hang sincere/undisguised tone; ~ híve [levélben] yours sincerely/faithfully, I am faithfully yours, yours ever, ever yours; ~ ígéret serious promise; ~ köszönet heartfelt thanks; ~ magatartást tanúsít vkvel szemben play it straight with sy; ~ megbánás true repentance; ~ öröm unfeigned/genuine/unaffected pleasure/delight; ~ sajnálat sincere/genuine regret; ~ szeretet heart-whole affection; ~ szív/lélek a single heart; ~ tisztelettel [levélben] yours truly/sincerely; ~ vélemény candid opinion; fogaaja ~ részvétemet accept my deep sympathy; fogadja ~ nagyrabecsülésem kifejezését [level befejezése] your (most) obedient servant; szeretem az ~ beszédet I like plain talk/speaking; ez ~ beszéd that is plain talk; nem ~ insincere, [beszéd] lip deep; nem egészen ~ he is not quite straightforward; ha őszinték akarunk lenni... if we want to be frank/sincere...
őszintén adv, sincerely, frankly, openly, candidly, truthfully, plainly, open-heartedly; ~ beszél speak sincerely, speak one's heart/mind, talk unreservedly, [megnyilatkozik] open one's heart (to sy); vajon ~ beszél? does he mean what he says?; ~ bevallotta hogy... he was perfectly honest in admitting...; ~ megmondja a véleményét he speaks quite openly, he calls a spade a spade, he speaks straight from the heart; mondd meg ~! tell me true/truly; meg fogom neki ~ mondani a véleményemet I will give him a piece of my mind; ~ sajnállak I am right-down sorry for you (fam); ~ szólva speaking in all sincerity, honestly/frankly/candidly speaking, to be (quite) frank, to be perfectly candid, to speak plainly..., to say the truth, as a matter of fact, not mincing matters, to put it bluntly, well,) actually (fam); nem hangzik ~ it lacks the ring of honesty, it does not ring true, it sounds untrue, it rings hollow
őszinteség n, sincerity, sincereness, frankness, candour, candidness, openness, trueness, genuineness, directness, outspokenness, straightness, straightforwardness, open/true-heartedness, plain-speaking; nyers ~ bluffness; teljes ~gel in all honesty
őszintétlen a, insincere
őszintétlenség n, insincerity
őszirózsa n, aster (Aster); kerti/kínai ~ Michaelmas daisy (A. laevis); széki ~ sea aster (A. tripolium)

őszít [-eni, -ett, -sen] vt, make/turn one's hair grey/white; ne ~s! don't turn my hair grey

össz a, [csak összet] total, global, general, pan-; ez az vagyonom (biz) that's all I've got (to my name)

összafrikai a, pan-African

összállomány n, total stock, (kat) effective/total strength, (hajó) complement

összamerikai a, pan-American

összangol a, all-English/British

összár n, total price

összbenyomás n, general impression

összbevétel n, total income, takings (pl)

összbirodalom n, the empire, commonwealth

összbizalmi a, ~ értekezlet all-steward meeting

összbüntetés n, non-concurrence of sentences, sum total of sentences inflicted, sum total of penalty

össze adv, together

összeácsol vt, join/carpenter together

összead vt, 1. [számokat] add/sum/reckon/cast up (figures), sum, totalize, total, tot up (fam), foot up (US); két számot ~ add up two figures/numbers 2. [pénzt vmre] raise (sum) by contributions, contribute, collect, club/get together (money), [anyagi alapot] pool (resources); ~ták a vételárat they clubbed together for the purchase price; pénzt ~nak közös célra club one's resources 3. [összeesket] marry, wed, join in wedlock, make them man and wife; a polgármester adta össze őket they were married by the mayor 4. ~ja magát vkvel take/join up with sy, go and live with sy; fűvel-fával ~ja magát [nem válogatja meg barátait] he is not very particular about his associates/company, [összeáll vkvel] she picks up with anybody/everybody 5. ezt add össze! (biz) what do you say to that!

összeadandó I. a, ~ mennyiség addible/addable sum II. n, az ~k the addable sums

összeadás n, 1. [számokat] adding up, totting up (fam), footing (up) (US), (menny) addition, sum, summation; ~t végez do a sum, add up a sum 2. [pénzösszegé] clubbing, pooling, raising by contribution 3. [jegyeseké] marrying, wedding

összeadási a, additive; ~ hiba mistake/error in addition; ~ jel positive sign

összeadható a, (vmvel) addible (to)

összeadógép n, adding machine

összeakad vi, 1. (vkvel) come/run across sy, come (up)on sy, meet sy unexpectedly, happen upon sy, happen to meet sy, run up against sy (fam), run/bump into sy (fam),light (up)on sy 2. (vmvel) get caught/stuck on sg, clinch, stick, hitch, [csapágy] jam, [kerék stb.] lock

összeakadás n, 1. (vkvel) unexpected encounter, chance meeting 2. [fogaskerekeké] coming into gear, meshing, enganging, seize

összeakaszkodik [-tam, -ott, -jon, -jék] vi, 1. [összeakad vmvel] cling to, grapple on to, hang on, [fogaskerekek] gear/engage into one another, mesh with one another 2. [összevész] pick a quarrel with sy, fall foul of sy, lock horns with sy 3. [két bokszoló] clinch

összeakaszt vt, 1. fasten on to, hook together, [járműveket] hitch/couple (carriage) on to another, [mozdonyt vonattal] couple up/on (engine), [fogaskerekeket] (put into) gear, connect, engage, mesh 2. ~ották a tengelyt they fell out

összeáll vi, 1. [csoportba gyűl] assemble, gather/flock/club together, congregate, group, [rossz szándékkal] plot, conspire,[munkára] team/gang up (with sy), [egyesül] unite, combine (efforts), join (forces) 2. (vkvel) associate (with sy), set up (with sy), [vadházasságba] take up with (sy), live together (without being married), keep/share house with sy (as man and wife); mi lenne ha ~nánk? how about you and me hitching up together? 3. [ami folyós] thicken, jellify, coagulate, congeal, [gipsz, cement] set, [habarcs] bind, [kocsonyás anyag] coagulate, congeal, [tej] curdle, [kötőanyag] cohere, bind, [szemcsékben] granulate, [darabosan] lump, [szilárd tömeggé] clump, cement, [tészta] hold together, cake, [krém, mártás] stiffen, [zselé] jelly, [só, tinta stb.] clot 4. (geol) conglomerate

összeállás n, 1. [csoportba gyűlés] gathering/flocking together, [rossz szándékkal] plotting, conspiracy, [munkára] teaming/ganging up, [egyesülés] uniting, joining 2. (vkvel) association, [vadházasságban] living together (without being married) 3. [anyagé] consistency, cohesion, concealment, coagulation, [tejé] curdling, [szemcsékben] granulation, [tésztáé] holding together, caking 4. (geol) conglomeration

összeállít vt, 1. [darabokat, részeket] assemble, put/fit together, put/bring (the pieces) together, piece together, [gépet] assemble, fit together, set up, construct (machine), [szerkezetet] adjust, set, fit together (apparatus), [orvosságot] make up, compound, dispense (remedy/medicine), [ruhát] assemble, fit together (dress); újra ~ reassemble, refit 2. [bizottságot] set up, institute (committee), [csapatot kat] assemble, muster (troops), (sp) select (team), [kat munkára] detail (fatigue party), [csoportokba] group, arrange (in groups), [osztályozva] classify, [legénységet hajó] muster (crew) 3. [írásművet] compile, [bibliográfiai/biográfiai adatokat publikálás számára] compile, get up, bring together, [elszámolást] draw up, [filmet] edit, [kollekciót] assort, assemble, make up (sample ranges, collection),[könyvet lapokból/ívekből] collate, gather (sheets of book), [levelet] compose, indite (letter), [listát] draw up (list), [műsort] get up, organize, arrange (programme), [statisztikát] collect (data), [számlát] draw up, make/work out, [szótárt, antológiát, katalógust] compile, [tervet] draw up, frame (scheme), [választékot] make up (assortment), [zenét] arrange (music); előirányzatot ~ [költségvetésit] draw up the estimate; ~ egy jó ebédet put together a good dinner; forrásmunkák alapján ~va compiled from...

összeállítás n, 1. [mint folyamat] (re)assembling, putting/fitting together, [gépeket, szerkezetet] assembling, assembly, fitting together, setting (up), construction, [orvosságot] making up, [ruhát] assembling, fitting together, [bizottságot] setting up, [csapatot kat] assembling, mustering, (sp) selecting, selection, [csoportokba] grouping, [osztályozva] classification, [írásművet] compilation, [elszámolást] drawing up, [kollekciót] assorting, making up, [könyvet lapokból/ívekből] collating, [listát] drawing up, [műsort] getting up, organizing, arranging, [szótárt, antológiát] compilation, [tervet] drawing up 2. [a folyamat eredménye] (ált) assembly, set/make-up, compound, [bizottságé] set-up, [csapaté] selection, selected team, [írásműé] arrangement,[kollekcióé] assortment, make-up, [listáé] list, [műsoré] get-up, arrangement, [orvosságé] make-up, [tervezeté] draft, [választék] assortment, (sample) range

összeállóképesség n, coagulability

összeálmodik vt, mindenfélét ~ik have all kinds of nonsensical dreams

összeaprít vt, 1. break/cut into small pieces, [húst] mince, [fát] chop (up) 2. [embert tréf] make mincemeat of (sy)

összeáramlás n, convergency

összeaszik vi, dry up, shrivel. shrink, be parched, wither, wizen

összeaszott a, shrivelled, wizened, shrunken, withered, mummied összeáz|ik *vt*, become (dripping) wet, get wet through, get soaked to the skin, be/get drenched, drench

összebarátkozás *n*, making friends, forming a friendship, fraternization

összebarátkoz|ik *vi*, *(vkvel)* make friends with sy, form a friendship with sy, become intimate with sy, take up with sy, fraternize, chum/pal up with sy ◈; *igen ~tak* they became fast friends

összébb *adv*, closer, more closely, closer together; ~ *húz* close/press closer (*v.* more closely) together; ~ *húzza a nadrágszíjat (átv)* retrench/curtail expenses

összebékél *vi* = összebékül

összebékéltet *vt*, = összebékít

összebékít *vt*, *(vkvel)* make it up (between two people), reconcile (two people), bring about a reconciliation, reunite sy with sy, harmonize, pacify

összebékítés *n*, reconcilement, reconciliation, harmonization, pacification

összebékül *vi*, *(vkvel)* become reconciled again, become friends again, make peace with sy, make it up with sy

összebeszél I. *vi*, *(vkvel)* agree on a course to be followed, be in concert with sy, make mutual arrangements, come to a direct understanding, *[rossz szándékkal]* plot, connive/conspire with sy II. *vt*, *mindenfélét~*, *tücsköt-bogarat* ~ talk at random, talk without rhyme or reason, talk nonsense/twaddle/rubbish/rot

összebeszélés *n*, agreement (on course to be followed), concerting (of plans), coming to an understanding, *[rossz szándékú]* connivance, collusion, conspiracy, plotting

összebogoz *vt*, 1. ravel, (en)tangle, splice 2. *(átv)* mix up, confuse, involve, muddle, tangle up, complicate

összebombáz *vt*, bomb, plaster/straddle with bombs, bomb to bits/pieces

összebonyolít *vt*, tangle, ravel, confuse, complicate, perplex

összebonyolítás *n*, entanglement, complication

összebonyolód|ik *vi*, get tangled/mixed up, get complicated/confused/involved/entangled

összeboronál *vt*, ⟨bring two people together with the intention of getting them married⟩

összeboronálás *n*, match-making, getting them off *(fam)*

összeborul *vi*, *[személyek]* fall on each other's necks/shoulders, embrace, hug each other, hug one another, *[fák]* bower

összeborzad *vi*, shudder, shiver *(amitől* with), have the shivers; ~ *vmnek a láttára* shudder at the sight of sg; *~ok annak a gondolatára (hogy)* I shudder at the thought (of)

összeborzol *vt*, dishevel, ruffle, *[hajat]* tousle, disarrange, rumple, muss up (hair) *(US)*; *a szél ~ta a haját* the wind has blown her hair about/untidy

összeböngész *vt*, compile, put together (data/book)

összeböngésző *n*, compiler, compilator

összebratyiz|ik *vi*, □ *(vkvel)* chum/pal up with sy, hobnob with sy, become hail-fellow-well-met with sy, *[ellenséggel]* fraternize *(stand.)*

összebúj|ik *vi*, press close together, nestle up to each other, curl/cuddle up together, *[fázósan]* huddle together, *[szerelmesen]* cuddle/snuggle up to each other, *[sugdolózva]* put their heads together

összecementez *vt*, cement (together), put/join together with cement

összecimborál *vi*, *(vkvel)* pal up with (sy), be thick with (sy)

összecsal *vt*, *[pénzt]* make/obtain/get (money) by swindling, make/obtain/get (money) under false pretences

összecsap I. *vt*, 1. *[kezet]* clap, strike one hand against the palm of the other; *~ja a bokáját* click one's heels; *~ja a kezét [méltatlankodva]* make a gesture of protest, give vent to one's indignation, *[csodálkozva]* throw up one's hands in astonishment 2. *[munkát]* huddle/patch up, throw together, do in a slipshod/slapdash manner, scamp, skimp (work), *[irodalmi műveket]* throw together; *sebtiben* ~ *egy ebédet* knock up a lunch at a moment's notice *(fam)* 3.*[könyvet]* shut/close with a bang
II. *vi*, 1. *[ellenféllel]* join battle (with), close with, clash (with), encounter, meet, engage (with), collide (with), come into collision, hurtle, *[szavakkal]* clash, disagree, fall foul of each other, *[egymásba rohanva]* bang into each other,*[vívásban]* cross swords 2.*~tak feje fölött a hullámok* the waves dashed/broke over his head

összecsapás *n*, 1. *[vívás]* crossing of swords, *[asszó]* fencing-bout, *[fegyveres]* collision, clash, engagement, encounter, *(átv)* clash; *az* ~ *hevében* in the press of the fight 2. *[munkáé]* bungling, botching, scamping (of work)

összecsapód|ik *vi*, clash (together), collide, close with a bang

összecsapott *a*, *gyorsan* ~ *munka* slipshod/slapdash work, rough-and-ready work, work hastily thrown together, work done anyhow

összecsapoz [-tam, -ott, -zon] *vt*, mortise, slot

összecsapz|ik *vi*, *[haj]* become matted (with dampness/perspiration)

összecsatol *vt*, *[csattal]* clasp, buckle, *[gemkapoccsal]* clip together, *[szíjjal]* fasten (with strap), *[vasúti kocsikat]* couple (carriages), *[összeköt]* connect, bind, couple, link (up); *derekán ~ta az övet* he fastened the belt (at his waist)

összecsavar *vt*, screw/twist up/together, roll up; *~ja az ernyőt* fold up the umbrella; *~ja a kötelet* kink/wind the rope

összecsavarod|ik *vi*, twist up, turn/tuck in, *[kötél]* kink, roll, wind, *[papírlap]* curl (up), scroll, *[kígyó]* coil up, *[féreg]* wriggle, *[fájdalomtól]* writhe, *[növ melegtől]* shrivel/curl/crumple up

összecsendül *vi*, 1. *[poharak]* (the glasses) clink 2. *[rímek]* match, harmonize, rhyme (with, to)

összecseng *vi*, harmonize, sound in tune, jingle; *a vers sorai ~enek* the lines of the poem rhyme well

összecsengés *n*, chime, consonance, assonance, accord, jingle

összecsenget *vt*, assemble by ringing a bell

összecserél *vt*, *vmt vmvel* ~ confound/confuse sg with sg, mix up (two things); *vkt vkvel* ~ mistake sy for sy; *~í a neveket* confuse the names, muddle up the names; *össze lehet cserélni a bátyjával* you can't tell him from his brother, he is remarkably like his brother, he can easily be mistaken for his brother; *ezt nem lehet ~ní* there in no mistake about it

összecserélés *n*, confusion, mix-up

összecsinál *vt*, 1. = összeállít; 2. *~ja magát* make a mess in one's pants, befoul one's pant

összecsíp *vt*, bite, sting

összecsókol *vt*, kiss (sy) repeatedly, cover/smother (sy) with kisses, cuddle and kiss (sy),rain kisses on *(ref.)*

összecsókoló(d)z|ik *vi*, *(vkvel)* embrace/kiss/hug each other

összecsomagol *vt*, pack/do/roll/wrap up, make up into a parcel, do one's packing; *néhány aolgot* ~ *egy kézitáskába* put a few things together in a handbag; *~t és távozott* he packed and left

összecsomósod|ik *vi*, *[zsineg]* become knotted, kink, *[folyadék]* clot, curdle, *[hó]* ball, become lumpy, clog, *[vizes haj]* mat

összecsomóz *vt*, fasten together with a knot, ie with a

knot, knot together, *[szorosan]* knot tightly, make a tight knot

összecsoportosul *vi*, assemble in a group, troop/flock/ herd together, crowd (up), collect, congregate, mass

összecsődít *vt*, gather/mob/crowd together, assemble, collect (crowd)

összecsődül *vi*, gather in a crowd, huddle, assemble, band/collect together, crowd, mass, flock (together)

összecsuk *vt*, **1.** *[becsuk]* close, shut, *[összehajt]* fold (up); *~ja a könyvet* close/shut the book; *~ja az ágyat* fold up the bed; *~ja az ernyőt* fold up the umbrella, furl/close *(v.* put down) the umbrella; *~ja a szárnyait* fold/furl its wings **2.** *[két embert]* lock up together

összecsukható *a*, folding-, collapsible; *~ ágy* folding--bed, collapsible bed, close-up bed, fold-a-bed *(US)*; *~ állvány* folding tripod; *~ asztal* folding/collapsible table; *~ csónak* collapsible boat/canoe; *~ fotel/ karszék* autofauteuil; *~ látcső* collapsible opera-glasses *(pl)*; *~ szék* folding chair/stool, camp-stool

összecsukl|ik *vi*, collapse, give way, cave in, crumple up, *[súly alatt]* sink (under weight), *[ideigleg]* break down, *[fáradtságtól]* drop down; *~ott* his knees gave way; *majd ~ott a fáradtságtól/kimerüléstől* he nearly dropped with exhaustion; *majdnem ~ottam* I felt fit to drop; *ld még* **összecsukódik**

összecsukód|ik *vi*, **1.** fold, shut, close **2.** *[személy átv]* drop with exhaustion, collapse, crumple *(fam)*, *[ütéstől]* double up

összecsukós [-at] *a*, = **összecsukható**

összedarabol *vt*, cut (in)to pieces, cut up, *[húst]* mince, hash, *[süttet]* carve, cut up, dismember

összedobál *vt*, throw/fling/cast things together, throw/ fling/cast things one on top of another, turn things upside down, huddle things (up/together)

összedobban *vi*, *szívük ~* (suddenly) their hearts beat as one

összedobol *vt*, drum up/together, assemble by beating a drum, call together with a drum, call together by means of a drum

összedolgoz *vt*, **1.** *[ruhadarabokat]* sew/run together **2.** *[tésztát]* knead together, *[más anyagokat]* mix

összedolgoz|ik I. *vi*, *(vkvel)* collaborate, co-operate (with sy), work together with sy, work hand in hand with sy, combine efforts, join forces, *(átv)* be hand in/and glove with sy **II.** *vt*, sokat *~ik* he works quite a lot

összedől *vi*, **1.** *[ház, fal]* collapse, tumble down, crumble, fall into ruins, fall in, give way, come/fall/go to pieces; *össze akar dőlni* be in a tumble-down condition, be ramshackle, be in a state of disrepair **2.** *(átv)* break down, be(come) frustrated; *~ körülöttem minden* my house is falling about my ears; *egy világ dőlt benne össze* he saw all his hopes shattered; *attól nem dől össze a világ* it will not make the least bit of difference, it is just a storm in a teacup

összedőlés *n*, collapse, tumbling down, crumbling, falling in, ruin; *~sel fenyeget* be on the point of collapse, *[ház]* be ramshackle/dilapidated, *[szék]* be rickety

összedőlt [-et; *adv* -en] *a*, **1.** *~ szedés (nyomd)* pie **2.** *~ remény/terv* frustrated/blighted hopes/scheme(s)

összedönt *vt*, shatter, knock/throw down/over, *[bábukat tekével]* knock down, bowl over (skittles)

összedörzsöl *vt*, rub together; *~te a kezét* he rubbed his hands together

összedrótoz *vt*, **1.** fasten together with wire, *[edényt]* rivet and wire **2.** *(átv biz)* doctor

összedug *vt*, *~ják a fejüket* they put/lay/stick their heads together

összedúl *vt*, disarrange, turn upside down, ravage

összeég *vi*, *[elég]* burn (to ashes), be consumed by fire, *[ház]* burn down

összeéget *vt*, burn (badly); *~te a kezét* he has burnt his hand badly

összeegyezés *n*, agreement, concordance; *össze nem egyezés* disagreement, discrepancy, incongruity

összeegyez|ik *vi*, **1.** *(vkvel)* agree with, come to terms with, be of the same opinion, understand/suit each other, fit together, *[jól kijönnek]* get on well with (sy), rub/get along (very) well *(fam)* **2.** *(vmvel)* tally/accord/harmonize/agree with, square *(fam)*, fit in with *(fam)*, jump together/with *(fam)*; *nem egyezik össze* it does not accord with, it does not check up with, it is without rhyme or reason

összeegyeztet *vt*, **1.** *(vmt vmvel)* make consistent with, square with, *[megfelelővé tesz]* suit, parallel, adapt, fit, *[adatokat]* compare, collate (data), *[másolatot eredetivel]* check, verify (copy with original), *[nézeteket]* reconcile, adjust, accommodate, make conform (views), align (with sy's views), *[számadásokat]* balance, verify (accounts), *[szövegeket]* collate, compare, harmonize, reconcile (texts), *[tényeket]* put together, accord *(ref.)*; *~ik az időpontokat* they agreed on the dates; *~ két nézetet/felfogást/ álláspontot* reconcile two points of view; *~i tetteit elveivel* make one's actions conform to one's principles; *hogyan egyezteted össze lelkiismereteddel?* how do you square it with your conscience? **2.** *[személyeket]* reconcile, conciliate, bring to accord (two parties), effect a reconciliation between (two parties); *~ két szembenállót* make it up between them, effect a reconciliation between the two contending parties

összeegyeztetés *n*, *(ált)* accordance, *[adatoké, szövegeké]* comparing, comparison, collation, collating, *[másolaté eredetivel]* checking, verification, *[nézeteké]* reconcilement, reconciliation, *[számláké]* balancing, verification, *[szövegeké]* collating, comparing, harmonizing, *[tényeké]* putting/fitting together, *[nyomozásnál adatoké]* cross-checking

összeegyeztethetetlen *a*, incompatible, irreconcilable, inconsistent, incongruous, inconsonant, at variance *(amivel* with); *a haladással ~* incompatible with progress *(ut)*

összeegyeztethetetlenség *n*, incompatibility, irreconcilability, inconsistency

összeegyeztethető *a*, reconcilable, compatible; *jól ~ a terveimmel* it fits in well with my plans; *ez nem egyeztethető össze az elveimmel* it is not in keeping/ line/consonance with my principles, it is against my principles

összeegyeztethetőség *n*, compatibility, reconcilability

összeelegyed|ik *vi*, *(vmvel)* mix, get mixed, mingle, blend, rub in *(mind:* with)

összeelegyít *vt*, *(vmt vmvel)* mix (up) with, mingle/ blend with

összeenyvez *vt*, glue/paste/stick together

összeér *vi*, *[két vége vmnek]* meet, *[két tárgy]* touch, *[két terület]* border (on), be contiguous (with), be adjacent (to), adjoin, abut (upon), neighbour

összeereszt *vt*, **1.** *[nem ellenséges személyeket]* let come/ go together, *[gyerekeket]* allow/let (children) play together, let mix, *[ellenfeleket]* bring (the two parties) face to face, bring (the two parties) together **2.** *[asztalos]* interlock, rabbet, joint, abut, *[csappal]* join by tenon and mortise, *[fecske-farkúan]* dovetail, *[átlapolva]* scarf, splice

összeeresztés *n*, *(műsz)* joint(ing), joining, coupling, connection

összeerősít *vt*, fasten together, clamp, *[szeggel]* nail together, *(épít)* brace, stitch

összeesés *n*, **1.** *[összerogyás]* collapse, fall(ing) down, dropping (down) **2.** *[lelki]* breakdown, prostration, dejection, depression, despondency, *[testi]* losing weight, sinking/deteriorating health, break-up (of physical strength), [betegé nagyfokú] collapse 3. [időbeli] coincidence, [zavarólag] collision, clash (between two appointed dates)

összees|ik vi, 1. [személy] collapse, drop, fall (down), fall in a heap (amitől with), [ló így is] crack down; ~ik az éhségtől drop with hunger/starvation; ~ett az utcán he collapsed in the street; majdnem ~tem I felt fit to drop; a hír hallatára majdnem ~tem I nearly collapsed (on) hearing the news 2. [testileg leromlik] get thinner, waste away, lose weight, sink, become emaciated, be run down, [lelkileg] become dejected/depressed, be down-hearted, be out of humour; mióta men láttam nagyon ~ett since I last saw him he has quite broken down, since I last saw him he has got much thinner 3. [események, időben] coincide (with), concur, [zavarólag] collide, clash 4. [felfújt dolog] deflate, go flat, collapse, [étel] settle

összeesket vt, marry, wed, join in matrimony/wedlock, make man and wife, splice ✥

összeesketés n, (joining in) wedlock, (joining in) matrimony, [szertartás] wedding

összeesküsz|ik vi, 1. [vk ellen] conspire, (com)plot, be in conspiracy, scheme (against sy); ~ik vk halálára plot sy's death; minden ~ik ellene everything is combining against him; mintha minden összeesküdött volna (hogy) as if all the world was in league (to), as if everything conspired/tended (to) 2. [házasságot köt] get married, wed, become man and wife, get spliced ✥

összeesküvés n, conspiracy, (com)plot, cabal, intrigue; az ~ visszafelé sült el the plot backfired; ~ben részt vesz participate in the plot; ~t sző weave/hatch/lay/devise a plot, (com)plot; ~t csírájában elfojt nip a plot

összeesküvő n, conspirator, (com)plotter, schemer, [nő] conspiratress

összeesz|ik vt, ~ik mindent devour/gobble down/up everything, eat indiscriminately/voraciously

összeeszkábál vt, botch, piece together, run/patch up, improvise, fabricate, tinker; ~t egy széket he improvised a chair, he made a makeshift chair, he made an apology of a chair (joc)

összefacsarod|ik vi, ~ik a szíve it wrings one's heart, it makes one sad

összefagy vi, freeze up, congeal, become frozen; ~tam I am quite frozen, I am chilled to the bone

összefagyás n, freezing, congelation

összefarag vt, whittle, carve, chip

összefecseg vt, prattle, chatter, talk without rhyme or reason, spin yarns; tücsköt-bogarat ~ talk nonsense/rubbish/rot

összefeksz|ik vi, (vkvel) lie down with, go to bed with, share a bed with, share the same bed with (sy)

összefektet vt, (vkket) put in the same bed with (sy)

összefér vi, 1. (vkvel) get on (well) with, harmonize, be on good terms with, get/rub along with (fam); nem fér össze vkvel he does not get on with sy, he is on bad terms with sy; nem férnek össze they do not get along (well), they are at sixes and sevens, [házastársak] they lead a cat-and-dog life 2. (vmvel) be compatible/consistent with; nem fér össze vmvel be inconsistent/incompatible with sg; nem fér össze elveivel it is not in keeping/line/consonance with his principles, it is against his principles; az ilyen magatartás nem fér össze jellemével this conduct is repugnant to his character; ez nem férne össze állásával this would be incompatible with his position, this would not comport with his position

összefércel vt, 1. (konkr) tack/stitch together, baste, [ruhát] run up (a garment), [szakadást] run up

(a slit/tear) 2. (átv) patch up, botch, [írásművet] compile hastily

összefércelés n, tacking, stitching, basting

összeférhetetlen a, 1. [összeegyeztethetetlen] incompatible, [egymással] irreconcilable, incongruous, [felfogás] inconsistent with, inconsonant 2. [jellem, természet] unsociabl e,insociable, unaccommodating, angular, quarrelsome, peevish, grumpy (fam); ~ ember a person very difficult to get on with, awkward bedfellow (fam)

összeférhetetlenség n, 1. [dolgoké] incompatibility, incongruity, [felfogásoké] inconsistence; ~ esete forog fenn it is a case of incompatibility 2. [jellemé] unsociableness, quarrelsomeness, angularity 3. genetikai ~incompatibility, intersterility, interincompatibility

összeférhetetlenségi [-ek, -t] a, ~ bejelentést tesz give notice of a disqualification, propose a motion of incompatibility, move a proposal of incompatibility; ~ bizottság (kb) Control Committee (examining business dealings of M.P's), Committee of Privileges; ~ törvény (kb) law of incompatibility

összeférhető a, 1. [dolgok] compatible, consistent, congruous 2. [természet] sociable, accommodating, adaptable, adaptive

összeférhetőség n, compatibility

összefirkál vt, 1. scrawl on, scribble over, doodle, cover with doodles 2. sok ponyvát ~t életében he has written much trash in his life, he has covered much paper in his life

összefog I. vt, 1. (vmt) hold together/up, [ruhát] gather up; ~ja a szoknyáját gather/bunch up one's skirt 2. [rögzít, erősít] clamp, clasp, fasten, [vaskapoccsal] cramp 3.[erőket] co-ordinate, organize the co-operation of 4. [rendőrség személyeket] round up; a rendőrség ~ta a csavargókat the police rounded up the tramps 5. [lovat, ökröt] harness/yoke together 6. a mosásban a piros kendő ~ta a többit the colour of the red kerchief has come off on the rest of the things washed with it

II. vi, (vkvel) unite, join forces/hands with, take/make a joint stand, be leagued with (sy); ~ vkvel vmnek elvégzésére join with sy in doing sg; vk ellen ~nak form a league against sy

összefogás n, 1. (konkr) clamping, clasping, fastening 2. [együttműködés] union, concentration/pooling/joining of forces, rallying, collaboration; demokratikus ~ democratic solidarity; testvéri ~ fraternal collaboration; ~ban az erő unity is strength

összefogdos vt, 1. [rendőrség személyeket] catch/arrest one by one, hunt down one by one, round up 2. (vmt) handle, finger, paw, thumb, [nőt] paw, cuddle

összefogdosás n, 1. [emberek] arresting, catching one by one, round(ing) up 2. (vmé) handling, fingering, pawing, [nőé] pawing, cuddling

összefogdosott a, [könyvlap] thumb-marked; ~ áru shop-soiled goods

összefoglal vt, 1. (átv) sum up, summarize, give a summary of, restate, narrow down to its essentials, recapitulate, epitomize, [írásban kivonatot készít vmből] précis; ~ja az eredményeket sum up the results; (mindent) ~va to sum it up, summarized, in a nutshell, in sum, in short, it boils down to this; ~va a mondottakat summing (v. to sum) up what has been said 2. = **összekapcsol**

összefoglalás n, summary, summing up, syllabus, résumé (fr), synthesis, epitome, outline, [mondottaké] recapitulation, [szónoklatban] peroration, [könyvé] summary, compendium, [cikké] précis (fr), abstract; ~ul azt mondom to sum up (the matter) I will say

összefoglaló I. a, synthetic, comprehensive, recapitu-

latory, recapitulative, summary; ~ adat(ok) compre-
hensive/summary data, summary figures (pl);
~ elnevezés collective designation, comprehensive
name; ~ ismétlés general repetition; ~ mű general
work (on); ~ szempontok comprehensive/general view/
survey II. n,[vizsga] exam(ination); ld még összefog-
lalás
összefogódz|ik vi, join hands, go/stand hand in hand,
go/stand arm in arm, take one another by the hand,
take hold of each other's hands, keep/hold tightly
together
összefogódzkod|ik vi, = összefogódzik
összefogójel n, bracket
összefoltoz vt, patch up, mend, [varga] cobble
összefolyás n, 1. (átt) convergence, meeting, [folyóké]
confluence, junction (of rivers), conflux, meeting;
a két folyó ~ánál at the junction of the two rivers
2. [színeké] merging, blending 3. [emlékeké]
blurring, becoming indistinct
összefoly|ik vi, 1. (átt) join, converge, [folyók] meet,
join, flow together, unite 2. [színek] blend, merge
3. [emlék] become indistinct/blurred, [több szó]
run into one another; ~tak a betűk a szeme előtt the
letters were blurred before his eyes
összefolyó a, 1. (átt) joining, converging, [folyók]
flowing/running together (ut), joining, confluent;
~ lyuk a padlóban floor-drain, soak-away, sump,
[csatornáé] channel head 2. [színek] blending,
merging 3. [emlék] blurred, indistinct
összefon vt, 1. [ágakat] intertwine, twist (branches),
plash, pleach, [hajat] plait, braid (hair), [kosarat]
weave (basket), [köteleket] splice (ropes), [szálakat]
(en)twine, interlace, interweave (threads), [szalmát]
plait, braid (straw), [vesszőket] interlace, interweave,
plash (twigs), [virágokat] enlace, [zsineget] braid
(string/rope), entwine 2. [kart] fold, cross (one's
arm); ~ja ujjait lock fingers together 3. régi barátság
fon bennünket össze we have been close friends for
years; ld még összefűz
összefonódás n, 1. (növ) intertwining, [két fáé]
intergrowth 2. [bank- és ipari tőkéé] interpenetra-
tion; a körülmények ~a mesh of circumstances (fam)
összefonód|ik vi, 1. (növ) intertwine, [haj] be(come)
intertwined, [birkózók] hug 2. [szerelmesek] embrace,
be enlaced in each other's arms 3. (átv is) be en-
twined (with), interweave, be interwoven (with),
be closely correlated, be interdependent
összefonnyad vi, (növ) wither, fade, droop, become
etiolated, [melegtől] shrivel, shrink, [arc] become
dry, get wrinkled/ shrivelled; ~t öregasszony wizened
old woman
összeforgat vt, = felforgat
összeforr vi, 1. [törött csont] knit, set, join(t), reossify,
[seb] heal, cicatrize, close; a termőlevelek nem forrtak
össze carpels are free; ~t az ajkuk their lips met in a
long kiss 2. [fém] weld, solder, be brazed, amalgam-
ate 3. őszinte barátságban forrtak össze true friend-
ship united them, true friendship kept them together;
neve ~t a műveivel his name has become inseparable
from his achievements/works
összeforrad vi, = összeforr
összeforradás n, = összeforrás
összeforrás n, 1. [csontoké] knitting, setting, join,
[sebé] healing, closing 2. [fémé] welding, soldering,
amalgamation
összeforraszt vt, 1. [fémet] weld, braze, solder-fuse,
[két lemezt] butt-joint 2. [sebet] heal, cicatrize,
close, [csontot] knit, set, join 3. (átv) weld together,
unite
összeforrott [-at; adv -an] a, 1. (növ) [levelek] coa-
lescent (leaves) 2. (átv) united, become one (ut),
cemented together (ut)

összeforrottság n, 1. oneness, unity, concord 2. (növ)
coalescence
összeforrt a, = összeforrott
összefőz vt, 1. [ételféléket] boil together, mix boiling
(foodstuffs/liquids) 2. (átv) concoct (a scheme),
contrive, hatch (a plot)
összefut I. vi, 1. [emberek] run/assemble/flock together,
gather; ~ vkvel [véletlenül találkozik] come/run across
sy, come on sy, run (up) against sy, run into sy; két
teherautó ~ott two lorries/trucks collided 2. [vonalak]
converge; ~nak vhol converge on sg; a fővonalak
Bpesten futnak össze the main railway-lines converge
on Budapest; a sorok ~ottak a szeme előtt the lines
became blurred before his eyes 3. [tej] turn, curdle,
get/turn sour; összefut a nyálam (átv is) it makes my
mouth water, it brings the water to my mouth
II. vt, ~ja a várost run all over the town
összefutás n, 1. [embereké] flocking together, concourse
2. [vonalaké] convergence 3. [tejé] turning, curdling
összefutó a, [vonalak] converging, convergent, con-
current, [sorok szem előtt] blurred
összefügg vi, (vmvel) be connected with, have a connec-
tion with, have a bearing (up)on, bear (up)on, be in
rapport with sg, refer/relate to, hang/stand together,
[kettő egymással] be interdependent, be correlated,
correlate, [szavak] cohere, [térben] be connected
with, communicate with, be contiguous; szorosan ~
vmvel bear closely upon sg, be intimately connected
with sg, be in close connection with sg; nem függ
össze vmvel be out of all relation to sg
összefüggés n, connection, connexion, relation, related-
ness, bearing (upon sg), rapport, correspondence,
[belső] inherence, inherency, [beszédben] coherence,
[két dolog között] relationship, [kölcsönös] inter-
dependence, interconnection, correlation, inter-
relation, [láncolatos] concatenation, [szöveg]
context, (fil) coherence, coherency, (menny) rela-
tion(ship), rapport, [térbeli] connection, continuity,
contiguity, communication; ~ hiánya incoherence,
[igével] have no bearing upon sg, (jog) remoteness;
szavai között nincs ~ his speech is incoherent; ~be hoz
bring into connection, connect/integrate with,
(cor)relate; vmvel/vkvel ~ben in relation to sg/sy;
ebben az ~ben in this context/connexion; egymással
~ben levő (inter)related; ~ben van vmvel be connected
with, have a connection with, have to do with,
have bearing on, bear (up)on, bear a relation to sg,
be related to sg, have reference to sg; nincs ~ben a
témával it is irrelevant (to the subject), it is without
any bearing on the subject, it has nothing to do
with the subject, it is quite apart the subject, it is
dissociated from the subject
összefüggéstelen a, incoherent, disconnected, unconnect-
ed, discontinuous, disjointed, inconsistent, [beszéd]
meandering, disconnected, loose, [előadásmód]
full of digressions (ut), [szövegezés] abrupt, illogical;
~ beszélgetés rambling/dissociated/disjointed conver-
sation; ~ gondolatok thoughts without connection
összefüggéstelenség n, disconnection, discontinuity,
incoherence, irrelevance, [beszédé, stílusé] looseness,
disjointedness, digressiveness, discursiveness
összefüggéstelenül adv, incoherently, disconnectedly,
disjointedly, loosely, at random, by fits and starts
összefüggő a, 1. connected, [folytonos] unbroken,
unintermittent, uninterrupted, continuous, [beszéd]
coherent, connected, relevant (speech), [érvelés]
coherent, sustained, consistent, close (reasoning),
[szöveg] coherent, running (text), [terület] contigu-
ous, adjacent, neighbouring, adjoining, contermi-
nous; ~ egész comprehensive whole; ~ nyelvemlék
ancient text of some length 2. (vmvel) connected
with, related to, [kölcsönösen] correlative, [területi-

leg] contiguous/next to, bordering on; *vmvel ~ kérdések* questions relating to sg, questions respecting sg, questions connected with *(v.* bearing on) sg; *a szénbányászattal ~ iparágak* industries related to *(v.* connected with) coal mining; *a helyzettel ~ események* events connected with the situation

összefüstöl *vt, [helyiséget]* fill with smoke

összefűz *vt,* **1.** *[zsineggel]* bind, join, unite, knit, stitch, tie, tack, fasten (with a string), *[dróttal]* wire-stitch, staple, *[cipőt]* lace up (boots), *[gyöngyöt]* string (pearls), *[könyvet]* stitch, sew (book), *[papírokat]* file **2.** *~i magát* lace oneself, lace one's waist **3.** *(átv)* unite, join, tie, link, bind; *szoros barátság fűzi őket össze* they are united by the bonds of friendship, they are bound together by a close friendship, they are close friends

összefűzés *n,* **1.** *[cipőt]* lacing, *[gyöngyöt]* stringing, *[könyvet]* stitching, sewing, *[papírokat]* filing, *[zsineggel]* joining, uniting, fastening **2.** *(átv)* joining, uniting

összefűződ|ik *vi,* connect, be connected with, interlink, interlace

összeg *[-et, -e] n, (vmé)* sum, amount, total, aggregate, *[eladásból származó]* proceeds (of sale) *(pl),* *[folyószámláé]* balance (of account), *[pénz]* sum (of money), *[számláé]* total amount (of invoice/ bill); *átutalt ~* remittance, amount remitted/transferred; *átvitt ~* amount carried forward; *behajtandó ~* amount collectible; *bruttó ~* gross amount; *csinos ~* nice/tidy little sum, a small fortune; *együttes ~* aggregate sum/amount, *[igével]* it adds up to...; *esedékes ~* amount due; *fennmaradó ~* balance; *hiányzó ~* deficit, shortage; *kerek ~* even/round sum; *megfelelő/kellő ~* reasonable amount; *megszabott ~* amount stipulated; *netto ~* net amount; *nyomorúságos/csekély ~* pittance; *szerény ~* moderate/reasonable sum/amount; *tekintélyes ~* a small fortune; *teljes ~* aggregate sum, total, sum/grand total, total amount, amount in full; *utánvételezett ~* amount charged forward; *betűkben* (v. *számokban)* kifejezve amount in words, amount in figures/ciphers; *~ erejéig* (up) to the amount of; *az ön tartozásának ~e* your debts amount to...; *egy ~ben fizet* pay prompt/cash; *magas ~ben állapítja meg* fixes the amount at a high figure; *teljes ~ében* in full (amount); *havonként bizonyos ~ért* for a certain monthly amount/rate; *jelentős ~re rúg* it amounts/runs to a substantial sum; *~et vmre fordít* assign/allocate/earmark a sum for a certain purpose; *~et jóváír vknek* credit sy for/with an amount, pass/place an amount to sy's credit; *hatalmas ~et költ vmre* spend a mint on sg, spend heaps of money on sg; *~et betűkkel és számokkal megad* state the amount in words and figures; *nagy ~eket veszít [kártyán, tőzsdén, lóversenyen]* lose heavily

összegabalyít *vt,* tangle up, muddle, mix up, confuse, throw into confusion, perplex, confound, complicate, jumble, *[fonalakat]* ravel, (en)tangle, mat, snarl *(US), [hajat]* entangle; *~ egy ügyet* make a muddle of an affair

összegabalyítás *n,* tangling, mixing up, muddling, complication, *[fonalaké]* tangle

összegabalyodás *n,* = **összegabalyítás**

összegabalyod|ik *vi,* get/become entangled/confused, get/become mixed up, get jumbled, *[fonál]* ravel, get tangled, snarl *(US)*

összegabalyodott *a,* ~ *matring* entangled hank

összegázol *vt, [vmt lábbal]* trample(sg/sy)down, trample upon (sg/sy)

összegecske *n,* nice and tidy little sum

összegereblyéz *vt,* rake together/up

összegez *[-tem, -ett, -zen] vt,* **1.** *[összead]* add/sum/ total/cast up, total, totalize, tot/foot up *(fam)* **2.** *[eredményt stb.]* summarize, sum up; *~zük az elmondottakat* let us summarize *(v.* let us sum up) what has been said; *ezt két szóval is lehet ~ni* it can be summed up in two words; *mindent ~ve* to sum up, summing up, when all is said (and done); *~ve tehát megállapíthatjuk* to sum up (,) it can/may be stated/established

összegezés *n,* **1.** *[összeadás]* adding/summing up, totting up *(fam)* **2.** *[eredménye]* summarizing, summing up, summation, synopsis, résumé *(fr),* recapitulation, epitome

összegombol *vt,* button up, fasten with buttons, do up

összegömbölyöd|ik *vi,* roll into a ball, roll/curl up

összegöngyöl *vt, (vmt)* roll/coil/take up, *[zászlót, vitorlát]* roll (up), furl, *(vmbe)* wrap up (in sg), make sg (up) into a bale

összegöngyölés rolling/coiling up, furling

összegöngyölöd|ik *vi,* be rolled round sg, coil, furl up

összegörnyed *vi, [fájdalomtól]* double up (with pain)

összegszerű *a,* numerical

összegszerűen *adv,* numerically; *~ megállapított* numerically established, agreed upon to amount to; *kártérítést ~ megállapít* assess damages

összegszerűség *n, az ~ megállapítása után* after the amount has been determined; *az ~et vitatja* dispute the amount

összegubancol *vt,* tangle up, entangle, ravel, snarl *(US)*

összegubancolódás *n,* entanglement, *[fonálé]* tangle

összegubancolód|ik *vi,* become (en)tangled, get tangled (up), snarl, ravel, tangle, mat, felt, be entangled, *[cérna]* become knotted/entangled, kink

összegű *[-ek, -t] a,* amounting to *(ut),* totalling *(ut); 100 Ft ~ pénzbüntetésre ítélték* he was fined to 100 forints

összegyömöszöl *vt,* stuff, cram (together)

összegyúr *vt, [tésztát]* knead (together) (dough), *[anyagot]* mould, shape (clay)

összegyűjt *vt,* **1.** collect, gather (together), *[gyűjteménybe]* collect, *[vmt nagy mennyiségben]* hoard up, amass, heap up, *[vmt közös alapba]* pool (resources), *[adatokat]* compile, *[aláírásokat]* canvass for (signatures/ subscriptions), *[hulladékot]* salvage, *[készletet]* stockpile, store, *[termelvényeket]* gather in, garner; *~i erejét* collect/gather *(v.* summon up) all one's strength **2.** *[személyeket]* gather/call/get together, rally, assemble, convene, round up, mass, congregate *(ref.)* **3.** *[csapatokat]* raise (army), assemble, rally (troops)

összegyűjtés *n,* **1.** *(ált)* collecting, gathering, *[adatokat]* compiling, *[termelvényeket]* ingathering **2.** *[személyeket]* rallying, rounding up

összegyűjtő *n,* collector, gatherer, *[adatoké]* compiler, compilator

összegyűjtött *a,* collected; *X ~ munkái* collected works of X

összegyülekez|ik *vi,* assemble, meet, gather/come together, mass, congregate *(ref.),* forgather *(ref.)*

összegyülem|lik *vi* = **felgyülemlik**

összegyűl|ik *vi,* **1.** *[tömeg]* collect, assemble/gather/ meet/flock/come/crowd together, rally, convene, congregate *(ref.),* forgather *(ref.); tömeg gyűlt össze a* crowd gathered **2.** *[pénz]* pile up, *[kiadás]* accumulate; *mára nagyon sok munkám gyűlt össze* today I am snowed under with work *(fam); sok restancia gyűlt össze* arrears are piling up

összegyűr *vt,* **1.** *[papírt]* crumple, crinkle, crease (pieces of paper), *[ruhát]* crease, tumble, rumple (dress), *[erősebben]* crush, squash **2.** = **összegyömöszöl**

összegyűrődés *n,* creasing, crumpling, rumpling

összegyűrőd|ik *vi,* **1.** *[papír]* get crumpled/crinkled/ creased, *[ruha]* become/get creased/rumpled/tum-

bled, crease, crumple, rumple, *[erősebben]* get crushed
2. *[arc]* crinkle, pucker, wrinkle (up)
összehabar *vt*, mix (up), mingle, stir up, *[tojást]* scramble
összehadar *vt*, *[mindenfélét]* talk/splutter/sputter nonsense, gabble on/away
összehajlás *n*, bendling towards each other, *(mért)* convergence
összehajlik *vi*, **1.** *[egymás felé]* bend towards each other, *[ágak]* join in a bow, *[vonalak]* converge, meet **2.** *[összehajtható]* fold (up), *[teher alatt]* bow, bend (under weight), *[gerenda]* bend, give, sag (under weight)
összehajlít *vt*, fold (up), *[két tárgyat]* bend together, make (extremities) meet by bending (them together)
összehajlítható *a*, pliable, flexible
összehajló *a*, bending/leaning towards each other *(ut)*, *(menny)* converging, convergent
összehajol *vi*, bend towards, lean against, *[vonalak]* converge; *a sarokban ~tak* they put/laid their heads together in a corner
összehajt[1] *vt*, *[csordát]* drive (herd) together, round up
összehajt[2] *vt*, fold (up), double, roll up, *[kést]* close (knife), *[vitorlát]* furl (sail), *[ernyőt]* close (umbrella), put down
összehajtható *a*, *[hajlékony]* pliant, pliable, flexible, *[csuklóban]* jointed, *[összecsukható]* folding, collapsible, knock-down; ~ *ágy* folding bed; ~ *album* folding album; ~ *csónak* collapsible/portable/folding boat, foldboat; ~ *doboz* collapsible carton; ~ *szék* folding stool, camp-stool
összehajtogat *vt*, fold (up), double up/over
összehalmoz *vt*, gather together in a mass; lump, *[készletet]* pile/heap up, stockpile, *[kincset, gazdagságot]* amass, hoard up, accumulate, *[pénzt]* amass, scrape together, make one's pile
összehalmozás *n*, *[készletet]* piling/heaping up, stockpiling, conglomeration, *[kincset-gazdagságot]* amassing, hoarding up, accumulation, *[pénzt]* amassing
összehalmozódik *vi*, get piled/heaped/stocked up, be hoarded up, accumulate, be amassed, conglomerate
összehalmozott *a*, accumulated, (stock)piled, conglomerate, amassed
összehangol *vi*, **1.** *[hangszereket]* accord, pitch, tune in, attune, syntonize **2.** *[nézeteket]* co-ordinate, harmonize, bring in harmony, align, attune, reconcile, conform, attemper, *[színeket]* match, combine, assort (colours), *[szerkezeteket]* synchronize; *árakat* ~ bring prices into line; ~ *két felfogást* reconcile two points of view, reconcile two different conceptions
összehangolás *n*, **1.** *[hangszereket]* tuning, attunement, syntonization, *(távk)* syntony **2.** *[nézeteket]* harmonizing, harmonization, co-ordination, aligning, alignment, reconciliation, reconcilement, *[szerkezeteket]* synchronization
összehangoló *a*, ~ *csavarkulcs* *[rádió]* aligning tool
összehangolt [-at] *a*, **1.** *(távk)* syntonic **2.** *jól* ~ *együttes* well-knit team; ~ *tevékenység/fellépés* concerted action
összehangzás *n*, assonance, accord, consonance, harmony, being in tune
összehangzik *vi*, **1.** accord, harmonize, be in tune **2.** = egybehangzik
összehangzó *a*, **1.** harmonious, harmonic, consonant **2.** = egybehangzó
összehány *vt*, **1.** *[felforgat]* turn topsy-turvy, turn (things) upside down, disarrange, throw/fling about, throw in a heap, scatter all over (the place), lumber, huddle things (up/together) **2.** *[leokád]* be sick over (sg), vomit over (sg)

összeharácsol *vt*, scrape together, hoard up by underhand/illegal means, amass looted valuables
összeharangoz *vt*, call together with bellringing
összeharap *vt*, bite repeatedly, bite all over; ~*ja a fogát* clench/set one's teeth
összeharapdál *vt*, keep on biting, bite all over, nibble
összehasít *vt*, split/cleave/tear to pieces, cut up, crack
összehasogat *vt*, tear/slash to pieces, *[fát]* chop (wood)
összehasonlít *vt*, *(vmt vmvel)* make a comparison between two things, draw a parallel between two things, parallel, liken, *[egyneműekkel]* compare with, *[összemérhetetleneket]* compare to, *[ellentéteseket]* contrast with, set against, *[ellenőrzőleg]* check, *[szövegeket]* collate (texts), *[több tényt]* set (facts) side by side, put (facts) together, compare (facts/notes); *össze sem lehet hasonlítani* it defies comparison; *össze sem lehet őket hasonlítani (a kettőt)* he is no match for him, the two cannot be compared, they do not stand comparison, he could never hold a candle to the other *(fam)*; *össze se lehet veled hasonlítani* he is not fit to hold a candle to you *(fam)*, he is not a patch on you *(fam)*; ~*va vmvel* as compared to/with, in comparison with/to, as opposed to sg
összehasonlítás *n*, *[két dologé]* comparison, parallel, parallelism, *[szövegeké]* collation (of texts), *[több dologé]* setting side by side, putting together, comparing (of facts etc); *elbírja az* ~*t* stand/bear comparison (with sg); *nem állja ki az* ~*t* cannot bear comparison with sg; ~*t végez vm és ... közt* make a comparison of ... and ..., compare sg with sg
összehasonlítási *a*, ~ *alap* a ground/basis for comparison (between)
összehasonlíthatatlan *a*, incomparable, matchless, beyond compare *(ut)*, unequalled, unparalleled, unmatched, unrivalled, peerless, *[igével]* defy comparison
összehasonlíthatatlanul *adv*, without comparison, out of all comparison, beyond all comparison, peerlessly; ~ *könnyebb* ever so much easier; ~ *a legjobb* far and away the best, incomparably the best, beyond compare the best
összehasonlítható *a*, comparable, *[igével]* bear/stand comparison (with sg); *nem hasonlítható össze vele* it is a far cry from sg, it cannot hold a candle to it/him, it is not a patch on sg; *ez nem hasonlítható össze azzal amit én láttam* it is nothing to what I have seen
összehasonlító *a*, comparative; ~ *átlagbérellenőrzés* comparative control of average wages; ~ *elemzés* comparative analysis; ~ *irodalomtörténet* comparative literature; ~ *nyelvtudomány/nyelvészet* comparative linguistics; ~ *termelés [statisztikában]* comparable production, total output of goods also manufactured in the previous year; ~ *zenetudomány* comparative method of musicology
összehat *vi*, co-operate, act/function together, act/function in accordance/union/harmony/concord with each other, concert
összehatás *n*, co-operation, acting/functioning together, collaboration, result obtained by combined action
összehaverkodik *vi*, □ ~*ik vkvel* pal/chum in/up with sy *(fam)*, get matey with sy *(fam)*
összeházasít *vt*, **1.** marry, wed, match (with), mate (with), *[családokat]* unite (one family with another) by marriage **2.** *[borokat]* blend
összeházasítás *n*, marriage, match(-making)
összeházasodás *n*, marriage, *[vérrokonnal]* intermarriage
összeházasodik *vi*, marry, form a connection by marriage, *(vkvel)* get married to, be made one, be made man and wife, mate with, *[vérrokonnal]* intermarry with, get intermarried; ~*tak* they married each other
összehazudik *vt*, ~*ik mindenfélét* tell many lies, tell a pack of lies, be an inveterate liar, lie in one's throat

összehegeszt *vt*, solder/weld together

összehív *vt*, call/summon together, assemble, *[gyűlést, bizottságot]* convene, call, *[parlamentet]* convoke, convene; ~*ja a barátait* gather one's friends together

összehívás *n*, calling together, summoning, assembling, *[gyűlésé, bizottságé]* convocation, *[parlamenté]* convocation, convening

összehord *vt*, 1. *(vmt)* collect, heap/pile up, accumulate, get/carry together, hoard, lump, *[havat, homokot]* drift 2. *[nyomd íveket]* gather, collate, collect 3. *hetet-havat* ~ talk nonsense/rubbish, talk at large/random, drivel, tell cock-and-bull stories, tell tall stories, talk through one's hat *(fam)*

összehordás *n*, 1. accumulation, *[halomba]* heaping/piling up 2. *[könyvíveké]* gathering, collating, collecting

összehordott *a*, ~ *könyv (nyomd)* book in sheets

összehorgol *vt*, crochet together

összehorpad *vi*, be/get dented, stave in, give way,

összehoz *vt*, 1. *(ált)* bring together, *[személyeket]* arrange (for) a meeting between (persons), put (sy) in touch with (sy), introduce (persons) to one another; *a véletlen hozott minket össze* chance had has brought/thrown us together 2. *[pénzt]* raise (money); *150 forintnál többet nem tudtam* ~*ni* 150 forints was the most I could manage, I could not find *(v.* put up) more than 150 forints

összehozás *n*, bringing together

összehunyorít *vt*, ~*ja a szemét* screw up one's eyes, narrow one's eyes to slits

összehúz I. *vt*, 1. *(ált)* pull/draw together, close, contract, *[függönyt]* draw together, close, *[rostokat, szöveteket]* constringe; ~*za az ajkát* tighten/purse one's lips; ~*za homlokát* knit *(v.* pucker up) one's brow, frown; ~*za a szemét* screw up one's eyes, narrow one's eyes to slits, narrow the eyelids; *szorosan* ~*ta magán a kendőt* she drew the shawl over closely; *a görcs* ~*ta a lábát* a sudden fit of cramp/spasm contracted his feet 2. *[szedést]* close up 3. ~*za magát [testileg]* double up, hunch (up), huddle (oneself) up, cower, cringe 4. ~*za magát [anyagilag]* draw in one's horns, curtail/retrench *(v.* cut down) expenses, limit one's desires/needs, limit oneself to essentials/necessities, pull up, pull oneself in
II. *vi*, *[összetart]* keep/pull together, support/help one another

összehúzás *n*, 1. *(konkr)* pulling/drawing together, joining, closing, contraction, *[szemöldöké]* puckering 2. *(átv) [anyagilag]* reduction, restriction, limitation

összehúzó *a*, contractive, *(orv)* astringent, constringent, styptic; ~ *erő* power of contraction, contractile force; ~ *izom* constrictor, contracting muscle, muscle of contraction; ~ *szer (orv)* astringent, *[timsó rudacska borotválkozás után]* styptic pencil

összehúzódás *n*, contraction, *(orv)* retraction, astriction, *[anyagé]* shrink(ing), shrinkage, *[szívé]* (cardiac) systole

összehúzódási *[-ak, -t]* *a*, *(orv)* systolic; ~ *képesség* systole

összehúzód|ik *vi*, 1. *[ideg, izom]* contract, *[ruhaanyag]* shrink; ~*ik a szeme* his eyes narrow; ~*nak a szemöldökei* his brows contract; ~*nak a virág szirmai* the petals close up 2. *[összehúzza magát]* double up, hunch (up),' huddle (oneself) up, *[padon stb.]* be pressed up together; *az arcvonal* ~*ik* the front-line contracts

összehúzódó *[-t]* *a*, *[izom, ideg]* contractile, *[anyag]* shrinking; ~ *képesség* contractility

összehúzós *a*, ~ *szoknya [madzaggal]* drawstring petticoat

összeigazít *vt*, 1. *[rendbe tesz]* put (things) right/straight, put in order, tidy 2. *[gépet, szerkezetet]* fit together, regulate, adjust, set, *[órákat]* set, adjust together, synchronize

összeilleszt *vt*, 1. *[részeket]* assemble, couple, join up, rejoin, fit together, adjust, adapt (parts), *[csöveket]* fit, join, couple (pipes), *[deszkákat, gerendákat]* joint, rabbet, trim, abut, *[gépet]* fit together, set up, assemble (machine), *[végeket]* butt(-joint), *[fecskefarkúan]* dovetail, *[csappal]* join (by tenon and mortise), mortise, *[átlapolva]* splice, scarf, *[sima felülettel]* sypher, *[törött csontvégeket]* bring (ends of broken bones) into apposition, set, *[véredényeket]* inosculate 2. *[színeket]* match, combine, assort, harmonize (colours)

összeillesztés *n*, 1. *[részeké]* assembling, assembly, adjusting, linking up, *[faalkatrészeké]* dovetail(ing), rabbet(ing), trimming, *[alkatrészeké]* joining, connecting, coupling, *[csöveké]* weld-ioin, *[filmvégeké]* splice, *[tört testrészeké]* setting, coaptation, synthesis, *[vérereké]* inosculation; *rossz* ~ maladjustment 2. *[színeké]* combining, matching, harmonizing

összeill|ik *vi*, *[egyik a másikkal]* fit, suit, be suitable for/to, tally, agree, strike in with, pair (with), *[stílus, szín]* match, combine, harmonize, be in keeping with; ~*enek* they suit each other, they go nicely with each other; *jól* ~*enek* they go well together, they are birds of a feather, they are well matched

összeillő *a*, well-matched, corresponding, harmonious, congruous, congruent, suitable, appropriate, homogeneous, assorted; *jól* ~ well-matched; ~ *pár* well-matched couple; ~ *színek* colours that/to match; *össze nem illő* heterogeneous, unmatched, ill-matched/sorted, incongruent, incongruous; *össze nem illő színek* clashing colours, colours that do not match/combine, colours that do not go together, not a good colour scheme; ~ *vég* butt joint

összeír *vi*, 1. *[lajstromoz]* draw up, make, compile (a list of), *[adatokat]* write/take down (data/details), *[vk adatait]* take (sy's particulars), *[könyvekből]* compile, write out (data), *[lakosságot]* take the census of, *[leltárba]* (draw up an) inventory, take stock, *[nyilvántartásba]* register, record, *(kat)* conscribe 2. *[két szót egybe]* write (two words) together, write in one word 3. *rengeteget* ~ *[író]* he is a prolific writer

összeírás *n*, 1. *[folyamat]* listing, registration, *[népességé]* census, *(kat)* conscription, *[tárgyaké]* taking an inventory, stock-taking; *rádiókészülékek* ~*a* listing *(v.* taking note) of wireless-sets 2. *[eredménye]* register, roll, list

összeíró I. *a*, ~ *ív* questionnaire II. *n*, *[népszámlálási]* census-taker

összeismerked|ik *vi*, *(vkvel)* become/get acquainted with, make (sy's) acquaintance, make friends with, get to know, be introduced to, pick up with (sy) *(fam)*, scrape acquaintance with (sy) *(fam)*

összeisz|ik *vt*, *[mindent]* drink indiscriminately, *[sokat]* guzzle, soak ◈, tope ◈

összeizzad *vt*, *[ruhaneműt]* wet through (one's shirt), make sweaty, wet with perspiration

összejár I. *vi*, *(vkvel)* go to see (sy) often, be on visiting terms with (sy), associate with (sy), frequent (sy's) company, see a great deal (of sy), keep company with (sy); *nem járnak össze* they do not move in the same set, they keep different company, they are not on visiting terms, they do not come up against each other *(fam)*, they do not knock into each other *(fam)*
II. *vt*, ~*ja a várost* wander/ramble through every street of the town, perambulate the town; ~*ja a vidéket* walk all over the country, tramp the country, scour the countryside; ~*ta egész Európát* he travelled all over Europe

összejátszás *n*, 1. *(vkvel)* collusion, complicity, connivance, understanding, *(jog)* covin 2. *[átv]* coincidence, conjuncture; *körülmények ~a* coincidence of circumstances; *véletlen körülmények ~a* accidental conjunction of circumstances

összejátsz|ik *vi,* I. 1. *(vkvel)* act in collusion/concert/complicity (with sy), be in collusion/league/connivance (with sy), *(vkvel)* enter into collusion (with sy), collude (with sy), collaborate (with sy), have an understanding (with sy), have dealings (with sy), play up (with sy), play booty (with sy), be in cahoots (with sy) *(US) ; ~anak* there is an understanding between them, they are hand in glove, they play into each other's hands; *~ik az ellenséggel* have dealings with the enemy, be in secret communication with the enemy 2. *(átv)* coincide (with); *minden ~ott ellene* everything seemed to be (in league) against him
II. *vt, egyész vagyont játszott össze* he amassed a whole fortune as a gambler

összejön *vi,* 1. *[gyülekezet]* meet, convene, assemble, *[több ember]* gather, come/get together, *[barátok]* meet, for(e)gather 2. *[vk vkvel gyakran]* keep company with, associate with, meet (sy) frequently, see a great deal of (sy), rub shoulders with (sy) *(fam),* brush elbows with (sy) *(fam), [véletlenül]* come/run across sy, fall in with sy; *gyakran összejövünk* we often meet; *a télen ritkábban jövünk vele össze* we see less of tnem in winter; *már nem jövünk össze* we do not see them anymore, we have dropped them *(fam)* 3. *minden összejött* everything came together; *az utóbbi időben minden összejött* everything has been/gone cross with us lately; *mára sok munkám jött össze* I am snowed under with work today *(fam),* a lot of work has accumulated for today 4. *[összevész]* fall out (with), (pick a) quarrel (with), have a squabble, dispute, argue, wrangle; *csúnyán összejöttek* they had a terrible row, there was a hell of a row between them

összejövetel *n,* meeting, gathering, reunion, coming together, turn-out *(fam), [előre megbeszélt]* appointment, *[társaságé]* social gathering, function *(fam),* get-together *(US fam) ; titkos ~* secret meeting/assembly; *véletlen ~* chance/casual meeting; *~t ad/rendez* throw/give a party

összekacsint *vi, [két személy]* wink at each other

összekakál *vi, (biz) ~ja magát* shit in one's pants

összekalapál *vt,* 1. *(konkr)* hammer together, join/unite by (means of) hammering 2. *(átv)* join/unite with effort/difficulty, *[házasságot]* bring about (a match)

összekap I. *vt,* 1. *(ált)* snatch up (several things), *[papírokat]* bundle up/together 2. *[szoknyát]* gather (skirt) up/together quickly/hurriedly 3. *[munkát]* scamp, botch (work), do in a slapdash manner II. *vi, (vkvel)* quarrel, fall out, pick a quarrel, have a squabble/rumpus *(mind with);* gyakran *~nak [házastársak]* lead a cat-and-dog life, there are sqalls in the home

összekapar *vt,* 1. *(konkr)* scratch 2. *(átv)* scrape together, *[pénzt]* scrape (money) together/up; *~ magának vm megélhetést* eke out a livelihood *(v. a poor existence)*

összekapás *n,* quarrel, squabble, fight, row, rumpus

összekapaszkod|ik *vi,* grapple each other, cling to each other, hold on to each other

összekapcsol *vt,* 1. *(vmt vmvel)* connect, join, link/hook/join up with, interlink, unite, *[csöveket]* joint, join up (pipes), *[fogaskereket]* gear, mesh (with each other), engage, *[gerendákat]* interlock (timbers, beams), *[vasúti kocsikat]* couple, hitch (carriages) 2. *[kapoccsal]* fasten with a hook/clasp/clip, clip together, hook, *[ruhát]* fasten, hook (up), *[karkötőt stb.]* clasp, *(műsz)* clamp, brace, fasten/join/secure

with a clamp/brace 3. *[telefont]* connect, *[vezetéket]* couple, connect; *~ vkt vkvel [telefonon]* put/get sy through to sy, switch sy on; *kérem kapcsoljon össze az igazgatóval* will you put me through to the manager 4. *~ két szót (nyelvt)* link two words 5. *(átv)* combine, *[embereket vm]* join, serve as a bond between, bind, *[fogalmakat]* connect, relate, associate, bracket, link (up), couple (ideas); *~ja az elméletet a gyakorlattal* combine/link theory with practice; *~ja a kellemest a hasznossal* combine the pleasant with the useful, combine the useful with the agreeable; *~ két tervet* correlate two plans, dovetail two schemes together *(v. into each other) (fam)*

összekapcsolás *n,* 1. *[dolgoké ált]* connection, join(t)ing, uniting, linking up, junction, *[fogaskerekeké]* gearing, engaging, meshing, *[kapoccsal]* fastening, *(műsz)* fastening/jointing with a clamp/brace, clamping, *[vasúti kocsikat]* coupling, hooking (up) 2. *[távbeszélőn]* putting through/together 3. *(átv)* combination, *[fogalmaké stb.]* connection, linking (up), association, coupling, *[forradalom két fázisáé]* link-up, *[terveké]* dovetailing, correlation

összekapcsolható *a,* connectible

összekapcsolódás *n,* 1. *[dolgoké]* join(ing), juncture, junction, *[csöveké]* jointing, union (of pipes), *[kerekeké]* gearing, engaging of (wheels) 2. *[fogalmaké]* chain, concatenation, train, sequence (of ideas); *a körülmények ~a* mesh of circumstances

összekapcsolód|ik *vi,* 1. *(konkr) [kölcsönösen]* interlock, lock, (inter)link, *[fogaskerekek]* mesh, gear, engage, *[fonal, vonal]* intertwine, *[utak]* form a junction 2. *(átv)* combine; *a munkafolyamatok szorosan ~nak* working processes are closely interlinked

összekapkod *vt,* 1. gather/throw hastily together 2. *[munkát]* scamp, do in a slapdash manner

összekarcol *vt,* scratch (sg) all over (with sharp instrument)

összekarmol *vt,* scratch, claw (sy/sg) all over (with fingernails/claws)

összekaszabol *vt,* cut down, cut to pieces, slash, gash, hack, slaughter, massacre, mangle

összekavar *vt, =* összekever

összekel *vi, =* egybekel

összeken *vt,* besmear, bedaub, make dirty, blot, soil, sully, smudge

összekeres *vt,* 1. *[házat, szobát, fiókot]* search, ransack, rummage; *az egész házat ~tem már érte* I have looked/searched for it all over the place/house; *az egész várost ~tem érte* I ransacked the whole town for it 2. *[tárgyakat]* collect, get/gather together, *[válogatva]* pick, select; *~ egy pár harisnyát [a párját]* look for a matching pair of stockings (among many more), look out two stockings that match; *~i az ügy iratait* bring together the documents of the case 3. *sok pénzt ~* earn a lot of money, make one's pile

összekeresgél *vt, =* összekeres 2.

összekerül *vi,* 1. *(vkvel)* meet (sy), fall in with, come across, run up against 2. *(vm)* be brought together; *a szükséges összeg idejében ~t* the necessary sum was raised/found in time 3. *[házassagot köt] még fiatalon ~tek* they got acquainted and married while quite young

összekészít *vt,* assemble, make/get (things) ready, prepare for (a certain purpose)

összekever *vt,* 1. *(vmt vmvel)* mix (up), (inter)mingle, immingle, intermix, admix, blend, shake up, *[kevergetve]* stir (together), *[gyógyszert]* compound; *~i iratait* shuffle/disturb one's papers, jumble up one's papers; *~te a polcon a könyveket* he made a mess of the books on the shelf 2. *[kártyát]* shuffle 3. *(átv)*

(en)tangle, confuse, muddle, confound, mix up, jumble, embroil; **~i a dolgokat** muddle things together/up; **~i a fogalmakat** mix up the notions/ideas
összekeveredés n, 1. mixing, intermingling 2. *[gondolatoké]* confusion, jumble
összekevered|ik vi, 1. be/get mixed with/up, (inter)mix, (inter)mingle, immingle, be blended, blend, shake up 2. *[tévedésből]* get entangled/confused/ muddled, jumble
összekeverés n, 1. *[anyagoké]* mixing (up), blending, intermingling, intermixture, incorporation, *[gyógyszeré]* compounding, dispensing 2. *(kártya)* shuffling 3. *[tévedésből]* confusing, muddling, embroilment
összekoccan vi, 1. *[összeütközik]* knock against one another, *[pohár]* chink 2. *[összekap]* quarrel, fall out, pick a quarrel, have a squabble *(akivel* with)
összekoccanás n, quarrel, squabble
összekoccant vt, clink
összekócol [-t, -jon] vt, = összeborzol
összekoldul vt, get/collect/obtain (sg) by begging, cadge
összekotor vt, = összekapar 2.
összekotyvaszt vt, concoct, cook anyhow/badly
összekotyvasztás n, concoction
összekovácsol vt, 1. *[fémet]* weld/forge together, join with hammer strokes 2. *[házasságot]* arrange (a match)
összekovácsolód|ik [-tam, -ott, -jon, -jék] vi, *[lelki egységbe]* develop a team spirit, develop a spirit sense of solidarity
összekovácsoló [-t, -ja] n, vmnek az **~ja** maker/contriver of sg
összekovácsolt a, welded/forged together *(ut)*
összeköltözés n, setting up house together, moving under the same roof
összeköltöz|ik vi, set up house together, go to live with (sy), take up residence with (sy), decide to live together, move under the same roof, go halves with (sy)
összeköltöztet vt, move (people) into the same flat/ house/area
összeköt vt, 1. *[kötve egybeszorít]* tie up, fasten, bind, bundle, cord, rope *(US)*, *[szárnyast sütés, embert akasztás előtt]* truss 2. *[összekapcsol]* (inter)connect, (inter)link, join, *[két dolgot]* couple, take up, *[csövet]* join, fit, solder, couple, clamp, *[deszkákat]* join, *[fadarabokat]* joint, *[gerendát]* splice, rabbet, scarf, *[géprészeket]* connect up, yoke, *[szegeccsel]* rivet, *[csappal]* mortise, *[kötéléket]* knot, tie together, *[építőköveket]* bond; *híd köti össze a folyó két partját* a bridge spans the river, a bridge links the two banks 3. *[szavakat]* link 4. *(zene)* ligate, ligature 5. *(átv)* combine, connect, ally, unite, couple, link (up), knit (together); *ez azzal a nehézséggel van* **~ve** this involves the difficulty; **~i a kellemest a hasznossal** combine business with pleasure, combine the pleasant with the useful, combine the useful with the agreeable, mix business and/with pleasure; *közös érdekek kötik őket össze* they are bound together by common interests 6. *az előadást tánccal kötötték össze* the lecture/performance was followed by a dance
összekötés n, 1. *[kötéllel]* binding, fastening, tying 2. *[összekapcsolás]* connection, linking, joining, junction, *(műsz)* joint(ing), joining, splice 3. *[szálé]* ligament, tying 4. *[betűé, zene]* ligature
összekötő I. a, connecting, joining, connective, conjunctive, ligamental, ligamentous, ligamentary; **~ ajtó** communicating door; *(kat)* **~ árok** communication/approach trench; **~ csatorna** connecting channel; **~ cső** joint-pipe; **~ csővezeték [vízvezeték]** junction-pipe/line; **~ darab** link, tie brace, joint, junction-piece; **~ doboz (vill)** box-junction; **~ híd**

railway bridge, railroad bridge *(US)*; **~ jel** *[vízszintes]* hyphen, *[függőleges]* brace; **~ kapocs/láncszem (átv)** connecting link; **~ kar [írógépen]** key-bar; **~ rész** link, connecting part, joint; **~ rúd** connecting-rod; **~ szem [láncnál]** connecting link; **~ szőnyeg** (carpet-)runner, scatter rug, throw-rug *(US)*; **~ szöveg** connecting/linking text, running commentary, (connecting) links *(pl)*, bridging title; *az* **~ szöveget mondó** narrator; **~ tiszt** liaison/communication officer, officer-courier; **~ tömb** link-block; **~ út** by-road, through road, main cross-road/way; **~ vágat (bány)** thirl; **~ vasúti híd** railway bridge; **~ vonal** junction-line
II. n, 1. *(sp)* inside, *[jobb, bal]* inside right/ left, quarter-back *(US)* 2. *[szőnyeg]* runner, scatter rug, throw-rug *(US)* 3. *(kat)* liaison (officer/staff)
összekötöz vt, 1. = összeköt 1.; 2. *(vkt)* bind (sy's) hand and foot, truss (sy); *kezét-lábát* **~ték** they bound him hand and foot
összeköttetés n, 1. *(ált)* connection, contact, *[személyi]* relation, intercourse, touch, *(kat)* liaison, intercommunication; *diplomáciai* **~** diplomatic relations *(pl)*; *üzleti* **~** business relations/connections *(pl)*; *megszakadt közöttük az* **~** they broke off relations; **~be hoz vkvel vkt** bring (two people) into contact, put sy in touch with sy; **~be kerül vkvel** get in(to) touch with sy; **~be lép vkvel** enter into relations with sy, get in touch with sy, contact sy, *[üzletileg]* open up a business connection with sy, enter into business relations with sy; **~ben áll vkvel** be in connection/ touch with sy, have relations/dealings with sy, have/ hold intercourse with sy, communicate with sy, have a hook-up with sy *(US fam)*, *(ker)* do business with sy; *állandó* **~ben vannak** they are in close communication/contact with one another, they hear regulary from one another; *minden* **~t megszakít vkvel** break off all relations/connections/dealings with sy, drop sy *(fam)* 2. *[protekció]* influence, connection, nexus *(fam)*; *családi* **~ek** family relations, *[protekciós]* family influences/connections; **~e van** have influence; *jó* **~ei vannak** have good connections, be well-connected, be very well related, have friends at/in high places, have friends at Court, *(ker)* be well backed; **~eit felhasználja** (v. latba veti) vk érdekében exercise one's influence in sy's behalf; **~eket vesz** igénybe use influence, pull strings; *jó/magas* **~ekkel rendelkezik** have influential friends, be well-connected, be very well related, have friends at Court, have friends in high places; **~sel rendelkező** *[ember]* influential, well-connected 3. *[közlekedés]* communication, *[vasúti]* train-service, *[telefon]* (inter)connection, putting through, *(vill)* line; *Budapest és Szeged között jó az* **~** there is an adequate train-service between Bp. and Sz.; *közvetlen* **~** through connection; *létrejött az* **~** communication was effected; *meg van az* **~** *[telefonon]* you are through/connected; *megszakadt közöttük az* **~** *[telefonon]* they were disconnected; **~t kap** *[telefonon]* be put through (to), get through (to); **~t létesít** *[telefonkezelő]* put a call through; *nem tudtam vele* **~t létesíteni** I could not get through to him, I could not get in touch with him 4. *(bonct)* csontos **~** synostosis; *folytonos* **~** synarthrosis; *kötőszövetes* **~** syndesmosis
összekulcsol vt, *[kezet]* clasp, join, fold (one's hands) over each other
összekunkorod|ik vi, curl up, kink, cockle, bend, turn up, *[növény melegtől]* shrivel
összekuporgat vt, scrape up/together (penny by penny)
összekuporgatott [-at] a, **~ pénz** scrapings *(pl)*
összekuporod|ik vi, crouch, squat, cuddle/curl/double

up, coil/huddle (oneself) up; ~va ül squat on one's haunches, sit hunched up

összekuszál vt, **1.** [gombolyagot] entangle, intertangle, ravel, (en)snarl (skein), [hajat] dishevel, tousle, muss up (hair); a szél ~ta a haját the wind had blown her hair **2.** [átv ügyet] mix up, confuse, muddle up, perplex, confound, jumble (things), [iratokat] shuffle, jumble up (papers)

összekuszálás n, **1.** [gombolyagé] tangle, entanglement, intertanglement, ravel **2.** (átv) mixing up, muddling, jumble

összekuszálód|ik vi, **1.** [gombolyag] get/become entangled/ravelled, ravel, snarl, [haj] become tousled/dishevelled **2.** (atv) get/become confused/muddled, get mixed up, become complicated, jumble, [terv] become ensnarled

összekuszált a, [gombolyag] entangled, ravelled, [haj] dishevelled

összekülönböz|ik vi, (vkivel) quarrel, have a quarrel, have an altercation, pick a quarrel, fall out, disagree, have words (akivel with)

összel adv, in autumn, in (the) fall (US); múlt ~ last autumn, in the autumn of last year

összeláncol vt, chain together, fasten with a chain, fetter, shackle, link; ~ják a kutyákat put/chain the dogs on the same leash; ~t rabok chain-gang

összelapátol vt, [szenet stb.] shovel/scoop up

összelapít vt, flatten (completely), [rázuhanó tömeg] crush, squash, reduce to a pulp

összelapol vt, (műsz) recess, rabbet, lap, scarf, splice, [fát] halve

összelapul vi, flatten out, be flattened

összelop vt, obtain (money) by stealing/thieving, obtain (money) by committing thefts; abból él amit ~ott he is living on his thefts, he lives by his thefts

összelő vt, shoot to pieces, riddle with bullets, [várost ágyúval] bombard, [repgéppel] bomb; sok vadat ~ make a big bag (of game)

összemar vt, **1.** [joggal] bite repeatedly, maul, tear to pieces, lacerate **2.** [sav] corrode, eat away, burn

összemarakod|ik vi, **1.** [egymással] have a squabble/quarrel/altercation/row/brawl, have a flaming row ◆, have a dust-up ◆ **2.** [kutyák] fight

összemarcangol vt, lacerate, tear to pieces/strips/shreds, slash, hack, mangle, gash

összemarék n, two handfuls (of) (pl)

összemaszatol vt, soil; a gyerek ~ta magát a lekvárral the child got jam all over himself

összemázol vt, smear, dirty, [papírt] blot, soil, [festékkel] daub, [nagy mértékben] sully, (be)foul

összemegy vi, **1.** [kisebb lesz] contract, [ember korral] grow down, [szövet mosásban] shrink; ~ a mosásban shrink in the wash, shrink in washing **2.** [tej] turn, curdle, get/turn sour **3.** = összeköltözik

összemeleged|ik vi, (vkivel) warm up to (sy), become intimate with (sy), cotton on to (sy) (fam)

összemér vt, **1.** [két vagy több dolgot összehasonlít] compare measures/weights (of two or more things) **2.** [együtt mér] weigh with **3.** [erőt] match; ~ik az erejüket they measure/try their strength, measure oneself with sy, pit oneself against sy, fight, try a fall with sy; ~ik a kardjukat cross/measure swords, fence; ~i fegyvereit vkvel have a passage at arms with sy; nem lehet vele ~ni be no match for (each other), cannot hold a candle to sy, be not a patch on sy (fam)

összemérhetetlen a, incommensurable (with), non-commensurable, [aránytalan] incommensurate

összemérhetetlenség n, incommensurability

összemérhető a, commensurable (with/to), commensurate

összemérhetőség n, commensurability, commensurableness

összemocskol vt, **1.** (vmt) sully, befoul, soil, dirty, stain, smudge, [ürülékkel] muck **2.** [leszid, megrágalmaz] smirch/sully/damage (sy's) reputation

összemorzsol vt, **1.** crush, crunch, crumble to pieces, pulverize, grind **2.** (átv) crush, wipe out, reduce to nothing

összemosód|ik vi, [több szín] merge/run into one another

összemosolyog vi, ~nak they smile at each other, they exchange (significant) smiles, [fiatalok] give each other the glad eye

összeműködés n, collaboration, co-operation, joint work, concert

összeműköd|ik vi, (vkvel) co-operate (with), collaborate (with), act in (perfect) unison (with)

összenevet vi, laugh significantly (at each other)

összenéz I. vi, exchange (significant) glances, cast glances at each other, catch each other's eye; ~tünk our eyes/glances met **II.** vt, [iratokat] collate, compare

összenő vi, **1.** grow together, join in growing, unite, (növ) shoot forth together, interlace, entwine, accrete **2.** (orv) coalesce, [törött csont] knit, set, [seb] heal up, close, scar over, fill up, [ízület] anchylose

összenőtt [-et] a, **1.** grown together, interlaced, entwined, accrete; ~ bibéjű systylous; ~ kelyhű gamosepalous; ~ szirmú gamopetalous; ~ szemöldök meeting eyebrows (pl) **2.** (orv) adherent, healed, closed, [eltorzult] deformed; ~ ujjú (áll) syndactylous

összenövés n, (orv) adhesion, adherence, concrescence, concretion, accretion, [eltorzult] deformity, defective growth, [csonté] knitting, union, (növ) interlacing

összenővéses [-et] a, [tüdő és mellhártya] lung-grown

összenyalábol vt, take up an armful of, huddle up, bundle together

összenyálaz vt, beslobber

összenyom vt, press together, compress, crush, [gyümölcsfélét] squash, squeeze, [lábbal] tread on, trample upon, [krumplit] mash

összenyomás n, pressing, compression, crushing, [gyümölcsfélét] squashing, squeezing

összenyomhatatlan a, incompressible, non-compressible, incoercible

összenyomhatatlanság n, incompressibility

összenyomható a, compressible, coercible, squeezable, plastic, spongy

összenyomhatóság n, compressibility, coercibility, squeezability

összenyomódás n, (bány) reduced width, [gumiabroncsé] deflection

összenyomód|ik [-tam, -ott, -jon, -jék] vi, be pressed together, become crushed, [gyümölcsféle] be squashed/squeezed, [krumpli] be mashed

összenyomott a, pressed, compressed, (növ) appressed, adpressed, (geol) reduced

összeollóz vt, plagiarize, compile, conflate, quilt, write a book with scissors and paste, make a newspaper with scissors and paste

összeollózás n, plagiarism, compilation, conflation

összeolvad vi, **1.** [anyag, ált] melt, thaw, [fém] melt down, [érc] smelt, [ötvözet] amalgamate, alloy **2.** [szín] blend, merge, gradate **3.** (átv) become absorbed in/by, merge into, fuse; a két vállalat ~ the two firms were amalgamated; a kunok ~tak a magyarsággal the Coumans merged into the Hungarian nation, the Coumans were absorbed by the Hungarians

összeolvadás n, 1. *[anyagé, ált]* melting, thawing, *[ötvözeté]* amalgamation 2. *(átv)* fusion, mergence, merger, *[pártoké stb.]* uniting, union

összeolvas vt, 1. *[összeszámlál]* count, tell over, enumerate 2. rengeteget ~ read indiscriminately 3. *[egyeztet, összevet]* collate, compare (texts)

összeolvasás n, 1. *[összeszámlálás]* counting up, *[szavazatoké]* telling (of votes) 2. *[egyeztetés, szövegé]* collation, collating, comparison (of documents/ texts etc.)

összeolvaszt vt, 1. *[anyagot, ált]* melt, *[fémet]* melt/ smelt down, *[hegesztéssel]* weld, *[ötvözetet]* alloy, amalgamate 2. *[színeket]* blend, gradate 3. *(átv)* fuse, merge, unite

összeolvasztás n, 1. *[fémet]* smelting, *[hegesztéssel]* welding, *[ötvözetet]* alloying 2. *(átv is)* amalgamation, fusion

összeomlás n, 1. *(ált)* collapse, *[darabokra]* falling/ going to pieces, *[épületé, falé]* tumbling down, giving way, falling in, *[hirtelen]* crash, *[lassú]* decay, dilapidation, *[hídé]* collapse (of bridge), *[tetőé]* falling in of, collapse of (roof); ~sal fenyeget totter, be in danger of falling in, be on the point of collapse, *(átv)* be on the brink/verge of ruin 2. *[anyagi, erkölcsi]* collapse, breakdown, downfall, downcome, *[egészségé]* collapse, breakdown (in health), crack--up *(fam)*, *[ideges]* nervous breakdown, *(kat)* utter defeat, rout, ruin, *[nemzeté]* downfall, ruin, eclipse, decay (of nation/empire), *(pol)* debacle *(fr)*, crash, crack-up *(fam)*, *[reményeké]* ruin, downfall (of hopes), *[terveké]* frustration, falling through (of projects/schemes/plans) 3. *(ker)* collapse, breakdown, *[bukás]* failure, bankruptcy, insolvency, *[banké]* financial crash, fall-down, smash, insolvency (of bank), *[tőzsdei]* slump

összeoml|ik vi, 1. *(ált)* collapse, *[épület]* fall (in), tumble/fall down, tumble to pieces, give way, fall in a heap, *[hirtelen]* crash (down), collapse, *[lassan]* decay, crumble to bits/pieces, crumble away, dilapidate, *[darabokra]* fall/go to pieces, *[zajjal]* fall (in) with a crash 2. *[bank]* crash, *[birodalom]* decay, perish, fall into ruins, pass away, crumble, crack up *(fam)*, *[egészség]* break down, collapse, be ruined (in health), *[intézmény]* collapse, break down, fall to pieces, fall into ruins, *(kat)* be utterly defeated, be routed, *[ker vállalat]* break down, fail, go bankrupt, *[kormány]* collapse, fall, be overthrown, *[remény]* be dashed/ruined/frustrated, *[terv]* fall through, come to nothing, miscarry, (go) flop *(fam)*; lelkileg ~ik he is going *(v.* he goes) to pieces

összeomlott vi; *adj* -an] *a*, decayed, tumble/broken--down, ramshackle, dilapidated, rickety

összeölelget vt, *(vkt)* embrace/hug/fondle/cuddle sy, clasp sy in one's arms (repeatedly)

összeöleikez|ik vi, *(vkvel)* embrace/hug/fondle/cuddle sy, clasp in one's arms; ~tek they joined in an embrace; ~ett szerelmesek lovers entwinded/enlaced in each other's arms

összeölt vt, quilt/stitch together

összeömi|ik vi, *[folyók]* meet, join, unite, flow together, flow into each other, interflow

összeönt vt, mix, pour together, *[vizet és bort]* mix water with wine, dilute wine (with water)

összeöreged|ik vi, grow old together

összepakol vi/vt, pack up (one's things/traps/kit), do up (sg) into a parcel; néhány dolgot ~ egy kézitáskába put a few things together in a handbag

összepaktál vi, = lepaktál

összeparancsol vt, give the order to assemble, give the order to come together

összepárosít vt, 1. *(ált)* couple, join in pairs, *[harisnyákat stb.]* pair, match (stockings etc.), *[ellenfeleket]*

pair off (opponents) 2. *[állatokat párzásra]* pair, couple, mate (animals for breeding)

összepárosítás n, pairing, coupling

összepasszít [-ani, -ott, -son] vt, (make to) fit, suit, match, adjust; ld még összeilleszt

összepasszol vi, go well together, match, fit, suit, agree, be just right *(fam)*, click *(US fam)*; nem passzolnak össze they do not go well together, they are not well assorted/matched, *[csak vkk]* they do not hit it off well together; ld még összeillik

összepisil vt, ~i magát *[ijedtében]* he is wetting himself (with fright), he pisses in his pants

összepiszkít vt, dirty, soil, sully, make dirty, filthy; ~ja magát get soiled/dirty; ~ja a ruháját soil one's clothes; ld még bepiszkít

összepiszkol v⁴, = összepiszkít

összepofoz vt, 1. box (sy) on the ears repeatedly, give (sy) a good hiding 2. *(átv)* throw together, fix up anyhow

összeprésel vt, press together, compress, crush, *[gyümölcsfélét]* squash, squeeze; ld még összenyom

összepréselőd|ik [-tem, -ött, -jön] vi, crowd (up) together, huddle together, crush

összerabol vt, acquire by (repeated) looting/robbing

összerág vt, chew, bite to pieces, masticate, *[majszolva]* munch, *[kutya]* gnaw, *[egér, nyúl]* nibble, *[sav]* corrode, pit, eat away

összeragad vi, stick together, adhere, cling to

összeragaszt vt, *(vmt)* stick/paste/glue together, mend/ fasten with glue, gum, conglutinate *(ref.)*, *[cement-tel]* cement

összerak vt, 1. *[összehord]* put/lay together, put in a heap, heap/pile up 2. *[rendbe]* put in (proper) order, arrange, set in order, *[szobát]* tidy up, *[előkészít]* prepare, make ready 3. *[gépezetet]* fit/piece/set together, assemble, set/fit up, *[összeilleszt]* connect, join 4. *[pénzt]* collect, get together/in, contribute, club, pool, pile up

összerakás n, 1. *[összehordás]* putting together, heaping up 2. *[rendbe]* arranging/setting in order, *[szobát]* tidying up 3. *[géprészeké]* assembling, assembly, *[összeillesztés]* joining, connection 4. *[pénzé]* collection, contribution, pooling, piling up

összerakható *a*, folding-, collapsible

összeráncol vt, 1. wrinkle, crease, rumple, cockle, crimple, crinkle, *[szövetet]* fold, crease, plait (together) 2. homlokát ~ja knit one's brows, frown, scowl; ~t homlokkal töprengett his forehead was puckered/wrinkled in thought 3. *(orv)* corrugate

összeráncolás n, *[homloké]* frown(ing), knitting one's brows

összeráncoló [-t] *a*, ~ izom corrugator

összerándul vi, contract, draw together; ~t az arca his features contracted; ld még összerezzen

összeránt vt, contract (with a jerk), *[ruhát]* gather; a görcs ~otta ujjait a sudden fit of cramp/spasm contracted his fingers

összeráz vt, 1. shake (up/together/about), mix by shaking 2. *[járműé]* jolt, jerk, bump, jog; jól ~ vkt *[utazás]* give sy a good shaking

összerázás n, 1. shake, shaking 2. *[járműben]* jolt, jerk, bump

összerázkód|ik vi, shake/bestir oneself, *[fájdalomtól]* wince, *[félelemtől, iszonyattól]* shudder at, tremble/ quiver/quake/shake with, it makes (sy) shudder, it gives (sy) the shudders/creeps, *[hidegtől]* shiver (with cold), have the shivers, *[meglepetéstől]* start, give a start/jump

összerázód|ik vi, 1. get shaken up/about 2. *[járműn]* get jolted a lot

összeredmény n, overall result, *[haszon]* gross proceeds/ returns *(pl)*, *[számláé]* aggregate, total összerendel *vt*, **1.** give an order to come together, give an order to assemble/gather **2.** *[mindenfélét]* give (superfluous) orders for too many goods

összerendez *vt*, arrange/put (things) in their place, arrange/put (things) in proper order, set (things) in order/together

összerendezés *n*, arrangement, co-ordination

összerezzen *vi*, *[fájdalomtól]* wince, *[félelemtől]* shudder, quiver (from/with fear), *[meglepetéstől]* give a start/jump, be startled, start

összeró *vt*, = összeeszkábál

összerogy *vi*, **1.** *(vm)* collapse, break/drop/fall/crash/tumble down; *a fal nagy robajjal ~ott* the wall crashed down/in **2.** *(vk)* collapse, drop/fall/sink down, one's legs sink under one, fall in a heap *(fam)*, (go) flop ◇; *holtan rogyott össze* he fell dead on the spot, he fell stone-dead; *ld még* összeomlik, összeroskad

összerombol *vt*, destroy, shatter, ruin, raze to the ground, demolish

összeroncsol *vt*, smash/dash to pieces, shatter, crush, mutilate, mangle, batter, *[péppé]* reduce to pulp

összeroncsolód|ik *vi*, get smashed/dashed/shattered/battered, become mutilated/mangled

összerondít *vt*, dirty, soil, sully

összeroppan *vi*, **1.** *(konkr)* crack, snap, break down; *~ a teher alatt* break down under the load **2.** *(vk, átv)* break down, drop, collapse, fall to pieces, go (all) to pieces *(fam)* ; *~ a szerencsétlenség/balszerencse súlya alatt* give way under a load of misfortunes; *~ az erőfeszítéstől* break down *(v.* collapse) under the stress/strain/exertion

összeroppanás *n*, breakdown, collapse, *[szellemi]* depression, nervous exhaustion/breakdown, *[enyhébb]* brain-fag

összeroppant *vt*, break (down), crush

összeroskad *vi*, = összerogy; *~ a teher alatt* collapse/sink *(v.* break down) under the burden/load

összerótt *a*, *sebtében ~* makeshift, improvised, patched/tinkered up temporarily *(ut)*

összerozsdásod|ik *vi*, become rusty all over, rust

összeröffen [-t, -jen] *vi*, **1.** *[összeveszve]* have a row, get into an argument, fall out(with) **2.** *[vkvel tanácskozva]* put heads together, get together (to discuss sg)

összeröffenés *n*, *[összejövetel]* get-together, *[meglepődés]* consternation, astonishment, *[zsúr]* tea-bun-fight *(pej)*, party *(stand)*, *[összeveszve]* row, quarrel

összérték *n*, total/aggregate value

összerúg *vt*, *~ják a patkót/port* kick up the dust, *[összeveszve]* kick up a row/fuss, have a dust-up with, have a rumpus with

összes [-et; *adv* -en] *a*, all (the) *(és pl)*, *[egyes számmal is]* total, aggregate, global, whole, gross, collective, *[minden]* every, any; *~ bevétel* gross takings *(pl)*, total receipt, whole proceeds *(pl)* ; *az ~ iskolák* all the schools, every school; *~ jövedelem* total income, gross revenue; *~ kiadás* total expenditure, sum total of expenses; *~ követelés* total credits *(pl)*, all one's assets *(pl)* ; *Jókai ~ művei* complete/collected works of J.; *ez az ~ pénzem* that is all I got to my name, that's is all my money; *~ súly* gross weight; *~ termelés* total/accumulated/aggregate production; *~ ülés* plenary session, general meeting/assembly

összesajtol *vt*, compress

összesajtolás *n*, compression

összesajtolható *a*, compressible

összesarkal *vt*, *(műsz)* mitre

összesároz *vt*, (make) muddy, *[ruhát]* (be)draggle, (be)drabble

összesen *adv*, all (in all), altogether, all told, in the aggregate, on the whole, taken as a whole, *[szám-*

oszlop összegezésekor] sum total; *~ kettő van* there are two altogether *(v.* in all); *~ kitesz . . .* it foots up to . ., the sum total is . . ., it makes altogether; *~ 100 forintra rúg* totals 100 forints, amounts up to 100 forints; *~ három fontot költöttem* altogether I spent three pounds; *~ nincs két forintom* my whole fortune is less than two forints

összeseregl|ik *vi*, form a crowd, gather into a crowd, flock/crowd together, assemble, throng

összesimul *vi*, *[két személy]* press/nestle close (to one another)

összesimuló *a*, *(növ)* adherent

összesít [-eni, -ett, -sen] *vt*, **1.** *[összead]* add/sum/total/tot up, totalize, *[részeket]* bring/put parts/pieces together, *[átv eredményeket]* summarize **2.** *[erőt]* concentrate, centre

összesítés *n*, **1.** *[folyamat]* adding/summing up, totalizing, totalization, concentration **2.** *[kimutatás]* summary, recapitulation, conspectus

összesített [-et] *a*, global, total; *~ előirányzat [költségvetésben]* combined estimate; *~ ponteredménnyel legyőz (sp)* outstatistic

összesodor *vt*, **1.** *[szálakat]* twist, (inter)twine, kink, *[kötélvégeket]* splice, *[papírt]* roll, *[ernyőt, zászlót]* furl **2.** *a szél ~ta az őszi leveleket* the wind whirled the autumn leaves together; *a sors ~ta őket* they were brought together by accident, they were brought/drifted together by fate

összesodród|ik *vi*, *[növ. levele, papír]* curl

összesöpör *vt*, **1.** *[tárgyakat]* sweep together, *[szemetet]* sweep up **2.** *[szobát]* sweep (out), sweep the floor

összespórol *vt*, save up, put by/aside

összesrófol *vt*, screw (together/on), fasten/join with a screw

összesség *n*, sum total, totality, aggregate, entirety, whole, allness, *[személyeké]* collectivity, *[részeké]* complex; *a jelenlevők ~e* all those present

összesúg *vi*, put/stick one's heads together, whisper together on the sly, talk secretly, talk under one's breath, speak in a whisper

összesül *vi*, **1.** *[étel]* get burnt/overdone; *~t hússzelet* steak overdone **2.** *[naptól növény]* get scorched **3.** *[szén]* cake, sinter, stick together

összesűrít *vt*, **1.** condense, thicken, boil down, *[folyadékot]* concentrate, *[fénysugarat]* focus **2.** *[erőket]* concentrate

összesűrűsöd|ik *vi*, get condensed/thick/concentrated, thicken, curdle

összeszabdal *vt*, tear, cut up, *[arcot]* slash, gash, scar (face); *~t arc* scarred/slashed face

összeszaggat *vt*, tear to pieces/bits, tear into ribbons/strips/shreds, tear asunder, *[élő húst]* lacerate, *[papírt]* tear up, *[szövetet]* rip, *[ruhát gyász jeléül]* rend

összeszájadzás *n*, *(orv)* anastomosis

összeszájadz|ik [-ani, -ott, -zon] *vi*, *(orv)* anastomose

összeszakad *vi*, get (tattered and) torn, get threadbare, fall/go to pieces, get worn into holes

összeszakít *vt*, = összeszaggat

összeszalad **I.** *vi*, **1.** come running/rushing together, hasten/flock together, congregate, gather **2.** *~ vkvel* run into/across sy, run (up) against sy **II.** *vt*, *~ja a várost* run all over the town

összeszamaraz [-tam, -ott, -zon] *vt*, call (sy) a silly ass/fool, call (sy) names

összeszámít *vt*, add, add/reckon up, compute

összeszámlál *vt*, count; *~ja a szavazatokat* tell/count the votes, cast up the votes

összeszámlálás *n*, counting; *a szavazatok ~a* returning operations *(pl)*

összeszámol *vt*, *[mennyiségeket]* count (up), *[szavazatokat]* tell

összeszárad *vi*, dry (up), *(növ)* wither, shrivel, shrink
összeszáradt *a*, ~ *kis öreg* wizened little old man
összeszarja magát shit into one's pants
összeszed *vt*, 1. *(vmt)* collect, gather, bring/get together, gather up/togcther, assemble, *[felszed]* pick up; *újra* ~ reassemble, bring together again; *írásokat* ~ bring documents together, collect papers; *morzsákat* ~ pick up the crumbs 2. *[pénzt]* collect (money), *[gyűjtögetve, keservesen]* scrape together 3. *[csapatot]* assemble, muster (troops) 4. ~*i magát* collect/compose oneself, recover one's composure/ wits, bracc/steel/nerve oneself, gird up onc's loins *(ref.)*, pull oneself together *(fam)*, *[egeszségileg]* recover one's health, recruit (one's strength), rally, recuperate, pull round, be on the mend *(fam)*, be recuperating slowly *(fam)*, be picking up again *(fam)*, be quite set up again *(fam)*, *[felindulás után]* compose oneself, regain one's composure, *[vagyonilag]* retrieve one's losses, recoup oneself, reestablish one's affairs; *szedd össze magad* pull/shake yourself together, calm/compose yourself, calm down, buck up, be a man, be yourself *(US)*; ~*i a bátorságát* muster/screw/pluck/summon up one's courage again, take courage again, take heart, pluck up heart, take one's courage in both hands; ~*i minden erejét* make a great effort, make desperate efforts, gather/summon up *(v.* muster) all one's strength, put forth one's strength, rally one's strength, call into play all one's powers, pull up one's socks *(fam)*, raise steam *(fam)* ; ~*i az eszét* rack/cudgel one's brain, think hard, keep one's wits about one, concentrate on sg; ~*i gondolatait* (re)collect/gather one's thoughts, settle/compose one's ideas/mind, get/put onc's thoughts together 5. ~*i a lovat (sp)* gather/collect a horse
összeszedeget *vt*, gather together (one by one), collect (laboriously), *[adatokat]* glean, bring togcther
összeszedelődzköd|ik *vi*, pack up *(v.* get/put together) one's things/belongs/traps *(v.* goods and chattels) (before leaving)
összeszedés *n*, gathering (up), picking (up), getting together, collecting
összeszedettség *n*, (re)collectedness, composedness
összeszegez *vt*, nail together/up, fasten/fix with nails, rivet
összeszerel *vt*, (re)assemble, set up, mount, put together; ~*i a részeket* fit parts (together)
összeszerelés *n*, assembly, setting-up, mounting, fitting (up, togcther), putting together
összeszerelő I. *a*, assembling II. *n*, assembler, assembly worker
összeszerez *vt*, obtain, procure, get together, collect, am ass, scrape together
összeszerkeszt *vt*, .. *[gépezetet tervez]* construct, design 2. *[tervet]* contrive, devise, draw up, design, work out 3. *[tárgyakat összeállít]* assemble, put/set/ mount/fit together 4. *[szöveget]* draw up, draft, word, write, *[több forrásból]* compile
összeszid *vt*, scold, reprimand, reprove, upbraid, give (sy) a piece of one's mind, give (sy) a good scolding, give (sy) a good blowing-up, give (sy) a good dressing-down *(fam)*, blow (sy) up *(fam)*, haul/call (sy) over the coals *(fam)*, give it to (sy) *(fam)*, come down on (sy) *(fam)*, give it (sy) hot *(fam)*, give (sy) beans/socks ◆, call (sy) down *(US)*, berate (sy) *(US)*, give (sy) a tongue-lashing *(US)*
összeszidás *n*, scolding, reprimand, reproof
összeszíjaz *vt*, strap (up)
összeszok|ik *vi*, *[egyik a másikkal]* get used to each other, get/grow/become accustomed to each other, shake down together; *még nem szoktak össze* they have not yet accommodated/adapted themselves *(v.* got used) to each other

összeszólalkozás *n*, altercation, dispute, debate, controversy, disagreement, row, quarrel, squabble, wrangle
összeszólalkoz|ik [-tam, -ott, -zon, -zék] *vi*, *(vkvel)* have words with, fall out with, pick a quarrel with, dispute, argue, disagree, come to loggerheads with, row with; ~*tak* words passed between them
összeszorít *vt*, 1. compress, press/squeeze/crush together, constrict, contract, *[fogóval, kalapáccsal]* clamp, clip; ~*ja az ajkát* tighten/purse/compress one's lips, screw up one's lips; ~*ja a fogát* set/clench/ lock one's teeth, set the jaws; *a hideg* ~*ja a pórusokat* cold closes the pores; ~*ja az öklét* clench/double one's fist; ~*ja az övét* tighten one's belt; ~*ja a szívem (átv)* it wrings my heart; *ez a látvány* ~*ja a szívét* this sight grips one's heart, this sight makes one sick at heart 2. *[embereket bezsúfol]* crowd, crib
összeszorító *a*, constrictive; ~ *érzés* sensation of constriction
összeszoroz *vt*, *[két számot]* multiply (with)
összeszorul *vi*, 1. *[személyek]* close (up), press/cling close together, crowd/crush together, crush/press up; *szoruljatok össze* close up, sit closer, please(,) crush up a little 2. ~ *a szíve (átv)* be sad/sick at heart, have a heavy heart, his heart sank, his heart jumped into his mouth; ~*t a szíve a félelemtől* tear gripped his heart; ~ *a torka* have one's heart in one's mouth 3. *[nyílás]* narrow, contract, shrink, become narrow/tight, tighten, straiten, *[üveg nyaka]* narrow, *[vm a vége felé]* taper
összeszö *vt*, interweave, interlace, entwine
összeszögell|ik *vi*, meet at an angle, stand at an angle to, adjoin, converge
összeszövetkez|ik *vi*, *(vkvel)* ally (oneself with), become allies, enter into association (with), (be in) league with, form/make an alliance/coalition (with), combine powers in a coalition
összeszurkál *vt*, *(vkt)* stab (sy) repeatedly, lacerate
összeszűkül *vi*, 1. become closer/narrower/tighter, straiten, converge, contract, *[völgy, út]* narrow 2. *[ruha mosásban]* shrink
összeszűkülés *n*, 1. narrowing, tightening, contraction, *(orv)* *[vesevezetéké stb.]* coarctation 2. *[ruháé mosásban]* shrink, shrinkage
összeszűr *vt*, 1. mix by filtering, filter/strain/percolate together *(v.* into one) 2. ~*i a levet vkvel* be as thick as thieves with sy be hand in glove with sy, be in cahoots with sy *(US)*
összetakarít *vi*, *[szobát]* clean, clean/make/tidy up, *[alaposan takarít]* turn the room out
összetákol *vt*, improvise, throw/piece together (in a makeshift way), fabricate, scamp *(fam)*, *[kijavítva]* patch/tinker/botch/knock up, do (sg) higgledy-piggledy *(fam)*
összetákolt [-at; *adv* -an] *a*, makeshift, improvised, tempora'y, patched; ~ *híd* emergency bridge; ~ *szék* an apology of a chair *(joc)*
összetalálkozás *n*, 1. *[személyeké]* (chance) meeting, (unexpected) encounter, coming together; *véletlen* ~ chance/casual meeting, rencontre 2. *[eseményeké]* coincidence, (con)juncture
összetalálkoz|ik *vi*, 1. *(vk vkvel)* meet (sy), come/run across, fall in with, come/chance/run upon, run/ knock (up) against, run into, encounter; *pillantásunk* ~*ott* my eye met his 2. *[események]* coincide
összetanult *a*, *a zenekar nagyszerűen* ~ *játéka* the orchestra's splendid unity of execution
összetapad *vi*, stick/cling closely together, cohere; *haja* ~*t az izzadságtól* his hair is matted with perspiration
összetapadás *n*, sticking together, adherence, adhesion, cohesion, *[géprészé olajozás híján]* seizure, *[hajé]* matting

összetapaszt *vt*, paste/stick/glue/plaster together, lute, conglutinate

összetapos *vt*, crush with/under one's feet, trample/ tread down, tread (sy) under foot, stamp on

összetársi *vt*, match, pair (with)

összetársul *vi*, enter into an association with

összetart I. *vt, (vmt, vkt)* hold/keep/fasten together, unite, clasp, grasp; *a köveket cementhabarcs tartja össze* the stones are bound together by cement mortar II. *vi*, 1. *(vkvel)* stick/adhere to, stand by; *~anak* (they) hold/hang/stick together, help one another act in unison, be hand in/and glove with, be as thick as thieves *(fam)* 2. *[részecskék egy testen belül]* cohere, *[egyik test a másikhoz]* adhere 3. *[vonalak]* converge

összetartás *n*, 1. *(vmt)* holding/keeping/fastening together 2. *(vkvel)* loyalty, harmony, unity, concord, solidarity, esprit de corps *(fr)*, union, unison, mutual aid/help, adherence, cohesion, *[törzsi]* clannishness 3. *[részecskéké egy testen belül]* cohesion, coherence, *[egyik testé a másikhoz]* adhesion 4. *(mért)* convergence, convergency 5. *elrendeli az ~t (kat)* confine the soldiers to barracks

összetartó *a*, 1. keeping/holding fast/together; *~ erő* cementing force 2. *[személy]* loyal, solidary, harmonious, acting in unison *(ut)* 3. *[anyag]* coherent, cohesive, adherent, adhesive 4. *(mért)* convergent

összetartozás *n*, connection, connexion, affinity, relation, relatedness, homogeneity, interdependence, inherence, inhesion

összetartozik *vi*, belong together, be related to, be connected with, be of the same category, be interdependent, cohere

összetartozó *a*, belonging together *(ut)*, related, connected, homogeneous, interdependent, coherent; *nem ~* unrelated, unconnected; *~ dolgok* things that belong together

összetartozóság *n*, belonging together, (intimate) connection, connectedness

összetegeződ|ik *vi*, ⟨begin to address each other by "te"⟩, begin to thee and thou, *(kb)* come to be on familiar terms (with sy, with one another), become pally *(fam)*

összeteker *vt*, twist, roll (up); *~i a vitorlát* take in a sail; *ld még* = **összesodor**

összetekered|ik *vi*, coil (up), roll, wind, kink, *[sündisznó stb.]* curl (up)

összetelepít *vt*, settle together

összetép *vt*, tear up, tear to bits/pieces/shreds

összeterel *vt*, drive (herd/cattle) together, corral, round up, herd

összeterelés *n*, corralling, round-up

összeteremt *vt*, put (sy) in his place, bite/snap (sy's) head/nose off *(fam)*, tell/tick (sy) off *(fam)*, jump down (sy's) throat *(fam)*, give (sy) a good dressing--down *(fam)*

összeteremtettéz *vt*, = **összeteremt**

összetesz *vt*, 1. put/lay/place together, put/lay/place side by side, unite, join, compose, combine 2. *[kezet]* fold, join, clasp (one's hands); *~i a kezét* fold one's hands, *[imához]* join one's hands, place one's hands together, *(átv)* sit still, be idle, do nothing 3.*[pénzt vmre]* club, pool, contribute (money); *~ik az erejüket* combine forces, unite efforts 4. *(nyelvt)* compound

összetétel *n*, 1. *[összetevés]* joining, putting together, combining 2. *[eredménye]* composition, combination, composite; *szociális ~* social composition; *a tőke szerves ~e* organic composition of capital; *a tőke technikai ~e* the technical composition of capital 3. *[bíróságé]* constitution (of the Court) 4. *(nyelvt, menny)* compound, synthesis *(tud)*;

~ származéka (nyelvt) derivative of compound, decompound; *~ tagja (nyelvt)* combining form; *egybeírott ~ (nyelvt)* solid compound; *elhomályosult ~ (nyelvt)* fully assimilated compound; *jelzős~ (nyelvt)* attributive compound; *két szóba írott ~ (nyelvt)* compound written in two, spaced compound, open/ spaced compound; *kötőjeles ~ (nyelvt)* hyphen(at)ed compound; *körülírott ~ (nyelvt)* open/spaced compound, two-word compound; *valódi ~ (nyelvt)* ⟨compound whose meaning cannot be inferred from the meaning of its members⟩

összetett *a*, 1. *(ált)* joined, put together *(ut)*, *[kéz]* folded, clasped; *~ kézzel* with clasped hands; *~ kézzel könyörög* implore sy earnestly; *~ kézzel várja a jószerencsét* he is waiting for the plums to fall into his mouth; *~ lábbal ugrás* standing jump 2. *(átv)* combined, complex; *~ költség* compound/complex costs *(pl)*; *~ szám* compound/composite number; *~ tárgyszó [könyvtárban]* compound subject name 3. *(orv, növ)* composite; *~ levél* leaf compound, compound leaf; *háromszorosan ~ levél* ternate leaf decompound; *kétszeresen ~ levél* bipinnate leaf decompound; *tenyeresen ~ levél* leaf compound trifoliate palmate; *többszörösen ~ levél* leaf decompound; *~ levél egy levélkével* unifoliate leaf; *~ szem (áll)* compound eye 4. *(nyelvt)* compound; *kétszeresen ~* decompound, decomposite; *nem ~* uncompounded; *~ alany* compound subject; *~ címszó* compound catchword; *~ idő* compound tense; *~ mondat* complex/multiple sentence; *~ szó* compound (word)

összetettség *n*, complexity, synthetic character

összeveszt *vt*, *~ vmt vmvel* mistake sg for sg, confound sg with sg, take sg for sg (else), confuse two things, mix up two things; *~ vkt vkvel* mix sy up with sy, mistake sy for sy; *~i a neveket* confuse the names, muddle up the names; *~i a szezont a fazonnal* make malapropisms; *nem tévesztendő össze vmvel* not to be confused with sg

összevesztés *n*, *(vm vmvel)* confusion (of sg with sg), mistake, mixing up, *[személyéké]* mistaken identity

összeveszthető *a*, mistakable; *könnyen ~* be easily mixed up, be easily confounded

összetevő [-t, -je] *a/n*, component, constituent; *~ erő* component force; *~ire bont* resolve into components *(v. component parts)*

összetevőd|ik [-ött, -jön, -jék] *vi*, be made up of, consist of, be composed of, comprise

összetintáz *vt*, stain with ink

összetipor *vt*, crush/tread under foot, trample upon, stamp on

összetoboroz *vt*, recruit (for the army), call/beat to arms, call to the colours, *[erőszakkal]* crimp, (im)press, *[híveket]* rally, enlist, beat up, tout/canvass for (supporters)

összetódul *vi*, gather, flock together

összetol *vt*, push/shove/thrust nearer/closer together, *[egymásba]* telescope, nest

összetold *vt*, *[ruhát]* patch up, mend, *[mást]* piece/join/ fit together, *[deszkát]* join end to end, butt-joint

összetold-foldoz *vt*, mend/patch/tinker up, clout

összetolható *a*, telescopic(al), telescoping, sliding (into another), folding; *~ ágy* folding bed; *~ ajtó* sliding door; *~ asztal* folding table; *~ asztalok* nest of tables; *~ dobozok* folding cardboard boxes, nest of boxes; *~ fényképezőállvány* folding/telescoping tripod; *~ létra* telescopic folding ladder

összetorkoll|ik *vi*, 1. *[folyók]* meet, join, flow/run into one another 2. *[utak, folyosók]* meet, converge; *az utak a piactéren torkollanak össze* the roads open onto the market place, the roads run into the market place

összetorlódás *n*, accumulation, piling up, *[forgalomé]* congestion, blocking, clogging, bottle-neck, hold up, traffic-jam, *[embereké]* overcrowding, *[jégé]* ice jam/pack

összetorlód|ik *vi,* accumulate, amass, pile up, *[forgalom]* become blocked/congested/jammed/clogged, *[hó]* (snow) is drifting; *az áru ~ik a piacon* the market is glutted with sg; *~ott a munkánk* we are snowed under with work

összetölt *vt,* pour together, *[vegyít]* mix, mingle, blend; *bort és vizet ~* mix wine with water, dilute wine

összetömörül *vi,* close up (in serried ranks), gather together in close order, aggregate, *(vk körül)* rally round sy

összetöpöröd|ik *vi,* shrivel up, shrink, dry up, *[ember]* shrivel, wizen, become emaciated

összetöpörödött *a, ~ arc* shrunken/wrinkled face; *~ ember* wizened old man

összetör *vt,* 1. break up, break to pieces/fragments/shivers, dash to pieces, smash, shatter, crush, make mincemeat of, *[repeszekre]* splinter, *[ketté]* snap, *[cukrot]* pound, *[diót]* crack, *[gyümölcsöt, testet]* bruise, *[mozsárban]* pound, crush, grind, bray (in mortar), powder, pestle; *mindent ~ [mert ügyetlen]* he breaks everything, he behaves like a bull in a china-shop *(fam),* he has butter-fingers *(fam)* 2. *~te magát* he bruised himself, he suffered severe injuries (all over his body), he got badly crocked (up) *(fam); ezért ~öm a csontodat!* I'll give you hell for that!; *~i vk képét* punch sy's nose 3. *[bánat, öregség, betegség vkt]* break (sy) 4. *~i az ellenség ellenállását* shatter *(v. break down)* the resistance of the enemy; *ez ~te a szívét* it broke her heart; *~i vk reményeit* crush/shatter sy's hopes

összetöredez|ik *vi,* fall/break to pieces/splinters/smithereens, break (up) into fragments, break/burst/fall into shivers, crumble down, split up, crack

összetörés *n,* breaking (to pieces), shattering, smashing, crushing, *[gyümölcsé]* squashing, *[vmé ketté]* snapping

összetör|ik *vi,* 1. break (up), smash/crash (to pieces), shatter, get smashed/dashed/shattered to pieces, *[gyümölcs ládában]* squash, *[ketté]* snap 2. *[teher alatt]* give way, collapse, sink (under the load); *a hír hallatára teljesen ~t* the news broke/crushed her

összetöröd|ik *vi,* 1. *[gyümölcs, test]* get bruised, *[ruha]* get crumpled/crushed/creased/shabby/wrinkled 2. *[egymással]* become/get used/accustomed to each other

összetört *a,* 1. *[tárgy]* broken, smashed, shattered 2. *[ember]* down-hearted, dejected, broken; *~ szívű* broken-hearted; *~ remények* blighted/frustrated hopes

összetörtség *n,* down-heartedness, dejection

összetörve *adv,* broken into pieces, smashed, shattered, crushed, *[testileg]* bruised, aching all over, knocked/done up, stiff all over, dead-beat, fagged out, dog tired; *bánattól ~* prostrated with grief

összetúr *vt, [földet]* dig/burrow into ground, *[pogygyászt, fiókot]* rummage, ransack, forage; *minden zugot ~* poke (about) in every corner

összeturkál *vt, =* összetúr

összetűz I. *vt, [tűvel]* pin/stitch together, fasten together with a pin, *[gemkapoccsal]* clip (together) II. *vi, (vkvel)* clash (with sy over sg), (pick a) quarrel, have an altercation, fall out, come to loggerheads, have a squabble/row/tiff, have words, have a bone to pick, have a crow to pluck *(mind* with sy), come up against (sy)

összetűzés *n,* 1. *[tűvel]* pinning/stitching together, fastening (together) with a pin 2. *[civakodás]* quarrel, squabble, altercation, tiff, row, wrangle, *(kat)/*

skirmish, encounter, armed clash, brush, *[tömegeké]* scuffle, clash, brawl; *~re került a dolog* it came to a clash (between them)

összeugrás *n, (tex)* crimp; *szövet ~a* shrinkage of cloth

összeugraszt *vt, =* összeveszít

összeugr|ik *vi,* 1. *[szövet]* shrink, *[bőr]* shrink, shrivel up, *[növ melegtől]* shrivel up, *[rugó]* spring together/back, *[drót csigavonalban]* corkscrew, *[kötél csavaráskor]* kink 2. *[két kakas/ember]* fly at each other's throat

összeuszít *vt,* incite against, set at one another, pit sy against sy, bait each other, set people by the ear, stir up hatred (between)

összeül *vi,* 1. *[egymás mellé]* sit together, sit side by side, sit beside each other 2. *[vm megbeszélésére]* take counsel together, discuss the matter with, *[bezárkózva]* be closeted with (sy), have a secret discussion, *[gyűlésre]* assemble, gather (together), come/get together (for a conference), go into conference, meet (in conference), go into a huddle *(US fam),* *[bizottság]* sit, *[parlament]* meet, *[szünet után]* reassemble; *az országgyűlés kedden ~* Parliament reassembles on Tuesday

összeülés *n,* assembly, meeting, coming/getting together, conference

összeüt *vt,* 1. *[két dolgot]* strike together, strike/knock against one another, *[szegezve]* fix/fasten by hammering together, nail/hammer together; *~i a bokáját* click one's heels; *~i a poharakat* clink, chink (glasses) 2. *[összetákol]* improvise, throw together, knock together *(fam); ~i a munkáját* botch/scamp one's work, hurry/rush over one's work, do (sg) in a makeshift/careless/perfunctory manner; *félóra alatt ~ egy cikket* knock off an article in half an hour

összeütközés *n,* 1. *[összeütődés]* collision, shock, bump, percussion, impact, dash, jostle, *[járműveké]* collision, crash, smash-up, running into one another, *[hajók]* falling foul of each other, foul, *[vasúti]* train-crash, collision, *[biliárd]* cannon, carom *(US); az ~ ereje* the force of the impact 2. *(átv)* conflict, antagonism, contradiction, clash, impingement, impinging, interference; *érdekek ~e* clash of interests; *vélemények ~e* conflict of opinions; *~be kerül a törvénnyel* be up against the law, fall/go/run/foul of the law, come within the provisions of the law *(fam); ~be kerül vkvel* come up against sy, come to loggerheads with sy, come into conflict/antagonism with sy; *~be kerül vmvel* run counter to sg 3. *[tömegé]* clash, scuffle, brawl, *(kat)* encounter, skirmish, engagement, brush, clash, *[fegyveres]* clash of arms, armed clash

összeütköz|ik *vi,* 1. *(vm vmvel)* collide with, clash/knock/run/thump against, bump/crash/run/hurtle into, jostle, *[jármű]* collide, come into collision, run/crash into one another, *[egyén]* graze one another, *(hajó)* fall/run/go foul of each other, foul, *(kat)* be engaged in a battle, (have an) encounter, skirmish, *[tömeg]* clash, *[biliárd]* cannon against each other 2. *(vkvel)* barge/bump/bang into sy *(fam), [véletlenül találkozik]* come across sy, run up against sy, run/cannon/carom into sy 3. *(átv)* (have a) conflict with, come into collision with, clash, impinge (up)on

összeütőd|ik *vi,* collide, knock/strike/bump/clash/thump/jostle against one another, knock together

összevág I. *vt, (vmt)* cut up to pieces, hack/chop up, *[filmet]* cut; *~ja a bokáját* click one's heels
II. *vi, (vmvel)* agree, tally, correspond, concur with, harmonize with, be in concord/consonance/keeping/line with, jump together, square with, fit in with, *[időben]* concur/synchronize/coincide with; *a tanúvallomás a tényekkel ~* the evidence coincides with the facts; *minden jól ~ott* everything clicked;

minden apró részlet ~ott every little detail dovetailed *(v.* fitted in); *nem vágnak össze* do not agree, differ, are at variance

összevágás *n, (film)* cutting, marrying

összevagdal *vt,* 1. cut/hack/chop up, *[húst apróra]* mince, hash up 2. *[arcot]* slash, gash (face)

összevágó *a, [egyezõ]* corresponding, concurrent, similar, identical, concordant, agreeing, harmonious, *[idõben]* synchronous

összevaló *a,* suited to one another *(ut),* congruent, congruous, harmonious, *[igével]* match one another, go well together, are suitable to/for each other, *[színek]* (colours) to match; ~ *pár* well-matched couple

összeválogat *vt,* pick out, match, select, *[árut]* assort, sort (out), *[párosítva]* pair, *(sp)* pick, select (team); *jól* ~ott hand-picked, choice

összevarr *vt,* sew/stitch up/together, *[hasadást]* run up a tear, *[széleket]* whip the seam, *[javítva]* mend, repair, do up, *[orv sebet]* sew/stitch up, suture, unite (wound)

összevásárló *n,* buyer-up

összevásárol *vt,* buy up, purchase, engross *(obs),* *[nagyban]* buy wholesale, *[halmoz]* hoard, stock-pile, pile up, *[értéktõzsdén]* corner (the market)

összevegyít *vt, (vmt vmvel)* mix (up), intermix, admix, (inter)mingle, (inter)fuse, interlace, *[teát]* blend

összevegyül *vi,* (inter)mix, (inter)mingle, merge in, blend, (inter)fuse, interlace *(amivel* with); ~ *a tömeggel* mingle with the crowd, lose oneself in a crowd

összever *vt,* 1. *(vkt)* thrash, knock about, beat black and blue, give (sy) a sound thrashing/hiding/beating/licking, thrash (sy) within an inch of his life, knock the stuffing clean out (of sy), knock (sy's) head off, batter, belabour, pummel, drub, punish 2. ~*i a bokájá!* click one's heels; ~*i a tenyerét* clap one's hands, applaud

összevereked|ik *vi, (vkvel)* come to blows/grips, come to close quarters, start a fight, grapple/wrestle with, have a tussle, have a set-to, have a scuffle, *[nõk]* tear each other's hair

összevérez *vt,* stain/cover with blood

összeverõd|ik *vi,* 1. *[dolgok egymással]* knock against another, knock together, *[poharak]* clink, chink; *fogai* ~*tek* his teeth rattled; *térdei* ~*tek* his knees smote together 2. *[tömeg]* assemble, come/flock together, meet, collect, mass up, form a crowd, gather in masses, rally, bunch (together)

összevesz¹ *vt, [vásárol]* buy up, purchase, buy the whole stock, buy whole-sale, stock-pile, heap/pile up goods, engross *(obs)*; ld még **összevásárol**

összevesz² *vi, (vkvel)* fall out (with), pick a quarrel, come to loggerheads, quarrel, fall foul (of), join issue (with), flare/blaze up (at/against each other), have words with (sy), have a row/tiff with (sy), disagree (with); ~*tek* they are on bad terms, they have quarrelled; *ezen nem veszünk össze* we won't argue about that

összevész *vi,* = **összevesz²**

összeveszés *n,* quarrel, altercation, dispute, squabble, row, wrangle, rumpus *(fam),* burst(ing-)up *(fam)*

összevesz|ik *vi,* = **összevesz²**

összeveszít *vt, (vkvel)* set (people) at variance/loggerheads, incite against one another, estrange, disunite, set people by the ears *(fam)*

összevet *vt,* 1. *[összehasonlít vmvel]* compare *(hasonlóval* with, *eltérővel* to), *[kettőt még]* draw a parallel between, *[adatokat]* cross, check, *[írást, szöveget]* collate, confront, check up; *vesd össze* compare, confer *(röv* cp., cf.) 2. *[összeszámít]* add/reckon up

összevetés *n,* collation, comparison, *[tanulságoké, adatoké]* cross-checks (on information) *(pl)*

összevéve *adv, mindent* ~ In short/brief, to sum/total up, after all, (taking it) all in all, taking an over-all view, taking all things into consideration/account, all things considered, taken all round, taken as a whole, on the whole, the long and the short of it is that, altogether, when all is said and done, all told, putting two and two together *(fam),* by and large *(US)*

összevillan *vi,* ~*t a szemük* their eyes met, they exchanged (understanding) glances

összevissza I. *adv/pref,* 1. *[rendetlenül]* upside down, topsy-turvy, pell-mell, higgledy-piggledy, jumbled, confused, in a mess, hugger-mugger, helter-skelter, at sixes and sevens, *[válogatás nélkül]* indiscriminately, promiscuously, at random, *[rendszertelenül]* unmethodically, without method, by fits and starts; ~ *beszél* talk at random, talk nonsense/rot/rubbish/wild, sputter, gabble, gibber, jabber, blather, piffle, *[betegen]* rave, wander, be delirious, ramble; ~ *dobál* scatter about, jumble, strew about, throw about, scatter all over the place, litter sg with sg; ~ *forgat* turn over and over; ~ *hazudik mindent* lie backwards and forwards; ~ *hevernek* lie scattered/strewn about; ~ *horpad* be battered about; ~ *járkál* wander, ramble about aimlessly; ~ *kever* jumble together, muddle up; ~ *szaladgál* run about, run up and down; *itt* ~ *van minden!* what a mess!, everything is topsy-turvy! 2. *[mindössze]* altogether, on the whole, all told, all in all, *[csupán]* merely, only, no more (than), *[körülbelül]* about, on an average, taking it all in all, one thing with another; ~ *1000 forintot keresek* I earn about a thousand forints, I earn in the vicinity of a thousand forints II. *a,* jumbled, confused; ~ *beszéd* nonsense, rubbish, gabble, wild talk

összevisszaság *n,* confusion, disorder, disarrangement, topsy-turvydom, jumble, mess, disarray, upheaval, pell-mell, chaos, hugger-mugger, helter-skelter, hotch-potch *(fam),* mish-mash *(fam),* medley *(fam)* ; *teljes* ~ *volt* everything had got mixed up

összevon *vt,* 1. *[összehúz]* draw together, contract, tighten, close up, *[vitorlát]* furl, take in, clew/brail up; ~*ja a szemöldökét* knit/contract one's brows, frown, scowl 2. *[kat csapatokat]* concentrate, rally (troops) 3. *(menny)* reduce 4. *(nyelvt)* contract 5. *[intézményeket]* amalgamate, fuse, merge, *[könyvet, fejezetet]* abridge, epitomize, boil down *(fam),* *[számlákat]* combine (accounts)

összevonás *n,* 1. *[összehúzás]* drawing together, contraction, tightening, *[vitorláé]* furling 2. *(kat)* concentration (of troops) 3. *(menny)* reduction 4. *(nyelvt)* contraction 5. *[intézményeké]* fusion, amalgamation, *[szövegé]* epitome, précis, summary, abridgement

összevonható *a, (menny)* reducible

összevont [-at; *adv* -an] *a,* drawn, *(nyelvt)* contracted; ~ *címleírás [könyvtártan]* abbreviated entry; ~ *korcsoport* major age group; ~ *szemöldök* knitted (eye)-brows *(pl)* ; ~ *szó* contraction

összezabál *vt,* eat greedily, stuff, guzzle, wolf down, bolt food indiscriminately, gorge

összezagyvál *vt,* mess/mix up, jumle, garble

összezár *vt, (ált)* shut up together, *[több embert]* confine in the same cell, lock up *(v.* put under lock and key *v.* clap) into the same room/prison, *[állatot]* corral

összezavar *vt,* 1. *[rendetlenséget/keveredést csinál]* disorder, put out of order, upset, jumble, scramble, make a mess of sg, entangle, confuse, trouble, disturb, play the devil with *(fam),* ball it up *(US)* [nagyobb arányban] embroil, upheave, [könyveket, írásokat] disarrange, mix up, jumble up, [szálat] tangle, ravel; ~ja a dolgokat muddle things together/ up; ~ja az ügyeket get the affairs mixed up, get the affairs into a muddle; ~ta a terveimet he upset my plans, he interfered with my plans 2. (vkt) confuse, upset, perplex, put out of countenance, discompose, stagger, embarrass, bewilder, befuddle 3. (vmt vmvel) confound, confuse, mix up; ~ja a neveket confuse the names, muddle/mix up the names; ezt a két fogalmat nem szabad ~ni these two ideas must be kept distinct one from the other 4. [vizet] stir up, muddy, trouble

összezavarás n, 1. [rendetlenség, keveredés] disorder, confusion, jumble, [nagyobb arányban] embroilment, upheaval, [könyveké, írásoké] disarrangement, mixing up, jumble 2. (vké) confusion

összezavarod|ik [-tam, -ott, -jon, -jék] vi, (vk) become embarrassed, become muddled up, get confused, get mixed up, lose one's composure, lose the thread of one's thoughts, get flurried/flustered, lose one's self-assurance, be put out of countenance, [ügyek] get entangled/confused/muddled

összezilál [-t, -jon] vt, [hajat] dishevel, tousle, tumble, [ügyet] muddle up

összezördül vi, quarrel, altercate, fall out, pick a quarrel, be at loggerheads, have a misunderstanding/ row/dispute/argument about sg, argue about sg, wrangle, squabble, disagree, have words, have a tiff (akivel with)

összezördülés n, quarrel, dispute, difference, altercation, row, wrangle, disagreement, upset, tiff, miff; szerelmesek ~e a lovers' tiff

összezörren vi, jar, clang, chink, clink

összezúz vt, 1. crush, smash, crash, squash, bruise, dash to pieces, shatter, jam, [mozsárban] pestle, bray, triturate, bruise; ~za a karját get one's arm mashed up (v. contused); fejét ~za vmn smash/dash one's head against sg 2. (átv) [érvelést] demolish, make hay of (fam) ; ~ta az ellenfeleit he crushed his opponents; ~ta a szívét it broke his heart

összezúzás n, crushing, smashing, shattering, jamming

összezúzód|ik vi, get crushed/crashed/smashed/ squashed/bruised/shattered; ~ott a karja get one's arm mashed up (v. contused)

összezsíroz vt, (soil with) grease

összezsúfol vt, compress, pack/cram tightly together, crush together, squeeze into, overcrowd, jam-pack, cram in, box up, huddle; utasokat ~ pack (passengers) together (like sardines in a box), coop up; ~t utasok passengers huddled together

összezsúfolás n, cramming/packing (sg/sy) together, squeezing in, cooping up

összezsúfolód|ik vi, get packed/crowded, cram, huddle together

összezsugorgat vt, [pénzt, értéket] scrape together, pile/ hoard up (money), save up out of cupidity/greed/ covetousness

összezsugorít vt, (vmt) shrivel/dry up, crinkle/curl/ crumple/cockle up, [testrészeket] contract, atrophy; ~ott fej [indiánoknál] tsantsa

összezsugorodás n, shrivelling, drying/crinking/curling/ crumpling up, [szöveté] shrink(age), [testrészé] contraction

összezsugorod|ik vi, shrivel/dry up, [bőr] get hardened, shrivel up, [ember] grow down, get wizened, shrivel up, wither, [szövet] shrink, [ujjak köszvénytől] get knotted/clenched, [virág, levél] shrivel, crumple, [növ levél] curl, [testrész] get contracted/atrophied, [hús] frizzle up

összfehérje n, total (blood) protein

összfelszín n, total surface area

összfogyasztás n, general/total consumption

összforgalom n, total/gross turnover

összhang n, 1. (zene) harmony, accord, consonance, concordance, unison; ~ba hoz harmonize, [hangszert] tune up, attune; ~ban van [hangszer] harmonize, be in tune; nincs ~ban be out of tune/key 2. (átv) harmony, accord, agreement, unity, union, concord, concert, conformity; ~ba hoz bring into harmony, [nézetet, felfogást] harmonize, reconcile (views), align, aline, co-ordinate; ~ba hozás [nézeteké, felfogásé] harmonization, reconcilement, reconciliation, co-ordination; vmvel ~ban in harmony/accord/conformity with sg; ~ban cselekszik act in compliance/accordance (with sg); ~ban élnek they live harmoniously, they live in concord; teljes ~ban együtt live together in perfect union; ~ban levő consonant, conformable, accordant; ~ban van vmvel be in keeping/tune/ unison with, accord/tally/square with, correspond to, fit in (with), chime in (with), be in accordance with, be of a piece with, (vkvel) get along well, rub along well together (fam), [színek] harmonize, blend well, match; nincsenek ~ban [tárgyak, színek] do not harmonize/match, be a bad match, swear at each other (fam) ; ez a tett nincs ~ban a jellemével this action is not in accordance/keeping with his character, this action is not consistent (v. is out of key) with his character; viselkedése nincs ~ban elveivel his conduct and his principles do not accord well together; a tanú vallomása ~ban van a tényekkel the evidence of the witness fits in with the facts; nincs ~ban a felfogásommal it does not chime/fit in with my ideas

összhanghiány n, unconformity, lack of harmony

összhangtalan a, inharmonious, unharmonic, untuned, maladjusted, out of unison (ut)

összhangzás n, = összhangzat

összhangzástan n, = összhangzattan

összhangzat n, (zene) harmony, consonance, accord, tune; hármas ~ treble chord

összhangzatos a, 1. (zene) harmonious, harmonic, consonant, melodious, tuneful 2. (átv) harmonious, concordant, fitting, peaceable

összhangzattan [-t, -a] n, (zene) harmonics; ~t tanul study harmony

összhangzattani a, harmonic

összhangz|ik vi, = összhangban van, összehangzik 1.

összhangzó a, harmonious, concordant; nem ~ inharmonious, discordant, out of unison (ut)

összhatás n, general/total effect, general impression

összhatásfok n, overall efficiency

összidő n, (sp) total time

összjáték n, (zene) unity of execution (of orchestra), (sp) team play, team-work, (műsz) interplay

összjövedelem n, total income

összkép n, general effect of a picture, general aspect, overall picture (of sg)

összkerékhajtás n, [gépkocsinál] all-wheel drive

összkomfort n, all modern conveniences/amenities (pl)

összkomfortos a, equipped with every modern convenience/comfort (ut), fully equipped with the necessary comforts (ut) ; ~ családi ház self-contained house; ~ lakás flat/apartment with every modern comfort, self-contained flat (with bathroom, lavatory, kitchen, pantry); egyszobás ~ lakás one-room flat/apartment, bed-sitting-room (with hall, bathroom, kitchen and occasionally servant's quarters)

összköltség n, total expenditure/cost, gross expenditure

összlakosság n, the entire population, total of inhabitants

összlétszám n, (kat) effective/total strength, footing;

ezeknek a seregeknek az ~a 300 000 fő volt thése armies aggregated 300 000 mcn

összmagyar *n*, all-Hungarian

összmonarchia *n*, *[osztrák—magyar]* Austro-Hungarian monarchy

összmunka *n*, **1.** *[összjáték]* team-work **2.** *[összes elvégzett munka]* total work (done/effected)

összmunkafolyamat *n*, total working process

összmunkaidő *n*, sum total of working hours (on a particular job)

összmunkásság *n*, the totality of workers, workers as a whole *(pl)*, all (the) workers (of) *(pl)*

összműködés *n*, co-operation, team -work

össznémet *a*, all-German

össznépesség *n*, total population

össznépi *a*, general, public, embracing the whole population *(ut)* ; *~ tulajdon* public property

összpontosít [-ani, -ott, -son] *vt*, *(ált)* concentrate, *(átv még)* focus, focalize, *[kat csapatokat]* concentrate (troops), *[adminisztrációt]* centralize, *[fénysugarakat]* focus (rays) ; *gondolatait munkájára ~ja* concentrate (one's thoughts) on one's work; *figyelmét vmre ~ja* focus/concentrate/fix one's attention on sg, rivet attention on sg, keep/concentrate one's mind on sg, bring one's mind to bear on sg; *minden erejét vmre ~ja* bend one's efforts towards sg; *minden erőfeszítésünket erre a célra kell ~ani* all our energies must be directed towards that aim; *minden hatalmat egy kézben ~* centralize all power in one person; *vkre ~ja szeretetét* centre one's affections on sy; *~ották a vállalat osztályait* the departments of the enterprise were centralized

összpontosítás *n*, *(ált)* concentration, *[csapatoké]* concentrating, concentration (of troops), *[adminisztrációé]* centralization (of administration), *[fénysugaraké]* focus(s)ing

összpontosított [-at] *a*, *~ tűz (kat)* converging/concentrated fire

összpontosul [-t, -jon] *vi*, become concentrated/centred/focussed, focus (on sg); *az általános figyelem rá ~t* the general attention centred/concentrated on him; *minden hatalom kezében ~t* all power was concentrated in his hands

összsúly *n*, gross-weight, total weight

össz-szövetségi *a*, all-Union, Federal

össztánc *n*, dancing

összteher *n*, gross load

összteljesítmény *n*, total output/power

össztermék *n*, total output, overall yield; *társadalmi ~* gross social/national product

össztermelés *n*, total output/production, gross output, global production, *[mezőgazdasági]* gross yield (of agriculture); *az ország ~e* gross national product

össztőke *n*, aggregate/total capital

össztűz *n*, *[kat üdvlövés]* salvo, salute, *[sortűz]* volley(-firing), *[roham megindítása előtt]* assault fire

összvagyon *n*, gross estate

összvezetőségi *a*, *~ ülés* plenary meeting of executives

ösztöke *n*, goad, prod

ösztökél [-t, -jen] *vt*, **1.** goad (on), prod, prick (an ox) with the goad; *lovat ~* extend a horse **2.** *(átv vkt vmre)* urge/egg on, encourage/incite/excite/impel sy (to do sg), goad sy into sg, *[példamutatással]* spur on, inspire (by example), stimulate, prompt, induce; *~je őt kissé* give him a prod

ösztökélés *n*, **1.** prodding, goading (on) **2.** *(csak átv)* stimulation, prompting, incitement, incitation, instigation, spur(ring), prodding

ösztön [-ök, -t, -e] *n*, **1.** instinct, impulse, drive; *nemi ~* sexual instinct; *önfenntartási ~* instinct of self-preservation; *~ből* by instinct, instinctively;

~étől vezetve guided by instinct **2.** *[szimat kutyánál]* scent, *[embernél]* flair, hunch *(fam)*; *az ~öm nem csalt* I was right in my guess

ösztöndíj *n*, scholarship, studentship, exhibition, prize fellowship/scholarship, bursary, sizarship *(GB)* *külföldi ~* foreign scholarship; *társadalmi ~* <student's grant offered by some organisation>; *utazási ~* travelling scholarship; *~at ad/nyújt vknek* give/offer sy a scholarship/bursary, put sy on the foundation; *~at alapít* found/establish a scholarship; *elnyer egy ~at* win/gain/obtain a scholarship

ösztöndíjas I. *n*, scholar, holder of a scholarship/ bursary, scholarship-holder, exhibitioner, sizar *(GB)*; *alapítványi ~* scholar on the foundation II. *a*, with/ of a scholarship *(ut)*

ösztöndíjpályázat *n*, competition for a scholarship

ösztöndíjügy *n*, *~ek osztálya* division of fellowship administration

ösztönélet *n*, life of instincts/impulses, instinct(ual) life

ösztönember *n*, man of impulse, man who follows/ trusts his instincts (alone)

ösztönlény *n*, creature of impulse, being acting on instinct, non-reasoning creature

ösztönös [-et; *adv* -en] *a*, instinctive, impulsive, intuitive, spontaneous, *[mozdulat]* reflex

ösztönösen *adv*, instinctively, spontaneously, by instinct; *~ cselekszik* act on instinct/impulse, be impulsive in one's action; *~ cselekvő ember* man of impulse; *~ megérez* divine sg, sense sg, *[előre]* have a foreboding/premonition of sg, have a hunch of sg *(fam)*

ösztönösség *n*, intuition, impulse, *[megérzés]* instinctive feeling, *[cselekedeté]* spontaneity, impulsive character

ösztönösség-kultusz *n*, cult of spontaneity

ösztönöz [-tem, ...nzött, -zön] *vt*, *(vkt vmre)* urge, incite, stimulate, drive, impel, excite, goad, actuate, spur on, *[művészet]* encourage, *[példaadással]* inspire, prompt, *[rosszra]* induce, lead, tempt (sy to), instigate; *munkára ~* incite sy to work; *mi ösztönzi őt erre?* what makes him do it?, what has put him on it?

ösztönszerű *a*, instinctive, impulsive, intuitive, spontaneous

ösztönzés *n*, *(vkt vmre)* urging, urge, incitement, incitation, spur, impetus, incentive, spring, motive, stimulation, stimulus, impulse, actuation, *[művészetet]* encouragement, *[példaadással]* inspiration, prompting, *[rosszra]* instigation; *vk ~ére* under sy's inspiration

ösztönző [-ek, -t; *adv* -en] *a*, stimulating, stimulative, incentive, impulsive, inciting, urging, prompting, encouraging, urging; *~ bér* incentive wages *(pl)*; *~ bérezés* incentive waging; *~ bérrendszer* incentive wages system; *~ hatás* prompting effect; *~leg hat vkre* stimulate sy; *~leg hat vmre* give an impulse to sg, give stimulus to sg

ösztövér [-ek, -t; *adv* -en] *a*, lean, lanky, lathy, skinny, thin, gaunt, haggard, scraggy, scrawny, slab-sided *(US)*, *[állat]* lean-flanked, raw-boned; *~ alak* angular figure

ösztrogén [-ek, -t] *a*, *(biol)* oestrogen(ic)

ösztrus *n*, *(biol)* oestrus

őszutó *n*, late autumn/season, November, end of autumn

őszül [-t, -jön] *vi*, **1.** *[haj]* turn white, become grey/ hoary **2.** *[itt az ősz]* autumn is coming on, autumn is approaching, autumn is setting in, autumn is drawing on/near, autumn is at hand

őszülés *n*, becoming/getting/turning grey/white, greying

őszülő [-t; *adv* -en] *a*, = **ősze**s

öszvér [-ek, -t, -e] *n*, mule, *[him]* he-mule, *[nőstény]* she-mule, *[hím szamár és kancaló kereszteződése]* mule, *[nőstény szamár és ménló kereszteződése]* hinny, *[teherhordó]* pack-mule

öszvérhajcsár *n*, mule-driver, muleteer

öszvérhajtó *n*, = öszvérhajcsár

öszvérkanca *n*, she-mule, mule-jenny

öszvértenyésztés *n*, mule-breeding

öszvérút *n*, mule-track, pack-road/trail, *[térképen]* horse-path

öt [-öt] *num. a/n*, five; ~ *darabból álló* five-piece; ~ *éve vagyok itt* I have been here for/these five years; ~ *ízben* five times; ~ *negyedév* a year and a quarter, fifteen months; ~ *találat [lottón] (kb)* maximum win (in lottery); ~ *találata volt [lottón]* he hit the jackpot (in the lottery); *az ~ben laknak* they live at number five *(v.* at No. 5); ~*kor* at five (o'clock); ~*re megjövök* I shall/will be back at/by five; *az óra ~öt üt* the clock strikes five; ~*tel szoroz* multiply by five

öt *n*, *pron*, him, *[nőt]* her; ~ *magát* himself, *[nőt]* herself

ötágú *a*, five-branched/pointed; ~ *csillag* five-pointed star, pentagram, pentacle, pentalpha, pentangle

ötbibés *a*, *(növ)* pentagynous

ötemeletes *a*, five-storeyed/storied, six-floor *(US)*

öten *num. adv*, five (people), five of them/us; ~ *vagyunk* we are five, there are five of us

ötértékű *a*, *(vegyt)* pentavalent, quinquivalent

ötértékűség *n*, *(vegyt)* pentavalence, quinquivalence

ötesztendős *a*, five years old, five-year-old; *ld még* ötéves

ötével *adv*, by fives, five at a time

ötévenként *adv*, every five years, quinquennially; ~ *ismétlődő* recurring every five years *(ut)*, quinquennial

ötéves *a*, *[kor]* five years old *(ut)*, five years of age *(ut)*, five-year-old, *[időtartam]* five-year, five years', of/lasting five years *(ut)*; ~ *gyermek* a child five years old, five-year-old child, a child of five; ~ *időszak* a period of five years, quinquennial, quinquennium; ~ *terv* Five-Year Plan; ~ *tervidőszak* Five-Year Plan-period; ~ *terv határidő előtti teljesítése* fulfilment of the Five-Year Plan ahead of time/schedule

ötévi *a*, of/lasting five years *(ut)*, five-year, five years'; ~ *munka* the work of five years

ötfelé *adv*, in five directions/ways/parts

ötféle *a*, five kinds of *(ut)*, of five (different) kinds *(ut)*

ötféleképpen *adv*, in five different ways

ötfelvonásos *a*, *[darab]* (play) of five acts, five-act (play)

ötfokú *a*, *(zene)* pentatonic; ~ *hangrendszer* five-note system; ~ *hangsor* pentatonic scale, a scale of five tones

ötforintos I. *a*, costing five forint *(ut)* II. *n*, five-forint coin

öthajós *a*, ~ *templom (épit)* five-aisled church, church having a nave with double aisles

öthatalmi *a*, five-power

öthavi *a*, = öthónapi

öthetenként *adv*, every five weeks

öthetes *a*, *[kor]* five weeks old *(ut)*, five-week-old, *[időtartam]* five-week, five weeks', of/lasting five weeks *(ut)*

ötheti *a*, five-week, five weeks', lasting/of five weeks *(ut)*; ~ *tengeri út után* after a voyage of five weeks; ~ *eleség* food enough for five weeks, five-weeks' rations/provisions *(pl)*

öthónapi *a*, five-month, of/lasting five months *(ut)*, five months'; ~ *kemény munka* hard work of five months, five months' hard work

öthónapos *a*, *[kor]* five months old *(ut)*, five-month -old, *[időtartam]* five months, of/lasting five months *(ut)*, five-month

öthúros *a*, five-stringed, pentachord; ~ *hangszer* pentachord

ötjegyű *a*, *[szám]* five-figure/digit, five-place (number) *(US)*, *[logaritmus]* five-place

ötkaréj *n*, *(épit)* cinquefoil

ötlábú *a*, ~ *vers* pentameter

ötlapú [-ak, -t] *a*, *(mért)* pentahedral

ötlet *n*, idea, notion, inspiration, flash/stroke of wit, ingenious thought, brain-wave, *(ellt)* fancy, whim, freak, conceit, *[szeszélyes]* caprice; *micsoda ~!* what an idea!; *nem lenne rossz ~ . . . .* it would not be a bad plan/thing to . . . .; *jó ~e támadt* he had a brain-wave, a good idea flashed through his mind, it flashed on him, it suddenly entered his head; *hirtelen egy ~em támadt* an idea rushed into my mind, I had a sudden inspiration; *az az ~e támadt hogy . . .* he hit upon the idea of doing sg; *van egy ~em(,), ami megoldja ezt a kérdést* I have sg that would meet the case; ~*ekben gazdag ember* man of ideas; *adok neked egy ~et* I'll tell you what!; *tele van ~ekkel* be full off suggestions

ötletes [-ek, -t; *adv* -en] *a*, *[szellemes]* witty, rich in ideas *(ut)*, *[találékony]* resourceful, ingenious, clever, inventive, *[tárgy]* ingenious, clever (device); ~ *asszony* a woman full of ideas, a brainy woman; ~ *ember* man of resource/ideas; ~ *megjegyzés* witty remark, witticism, sally, *[kissé ellt]* wisecrack

ötletesség *n*, *[szellemesség]* wit(icism), *[találékonyság]* ingenuity, ingeniousness, cleverness, inventiveness, *[tárgyé]* ingenuity, cleverness

ötletnap *n*, suggestion meeting, day for giving in suggestions *(v.* new ideas)

ötletszegény *a*, short of ideas *(ut)*

ötletszerű *a*, random, whimsical, capricious, unsystematic, desultory, *(kif)* done by fits and starts; ~ *intézkedések* measures taken at random

ötletszerűen *adv*, at random, by fits and starts, unmethodically, haphazardly; ~ *cselekszik* act on a sudden impulse, act as the whim takes one, act on the spur of the moment, act capriciously/whimsically/waywardly

ötlevelű *a*, five-leaved, quinquefoliate

ötlik [-eni, -ött, ötöljön] *vi*, *eszébe ~ik* it occurs to him, it flashes through his mind, it strikes him; *szemébe ~ik* he catches sight of sg, sg appears in sight, sg strikes one's eyes

ötméteres *a*, five metres tall/long *(ut)*

ötmotoros *a*, five-engined

ötnapi *a*, five-day, five days', lasting/of five days *(ut)*; ~ *eleség* food for five days, five days' rations/provisions

ötnapos *a*, *[kor]* five days old *(ut)*, five-day-old, *[időtartam]* five-day, five days', of/lasting five days *(ut)*; ~ *kiskutya* a five-day-old puppy, a puppy five days old

ötnyelvű *a*, pentaglot, in five languages *(ut)*

ötoldalú *a*, five-sided, quinquelateral

ötórai *a*, 1. *[időpont]* five-o'clock, at five o'clock *(ut)*; ~ *tea* five-o'clock tea; ~ *vonat* five-o'clock train 2. *[időtartam]* lasting/of five hours *(ut)*, five hours'; ~ *pihenés* five hours' rest

ötórás *a*, = ötórai; ~ *késés* five hours' delay

ötöd¹ [-öt, -e] *num. a/n*, *[rész]* fifth (part); *az út egy ~ét már megtettük* we have one fifth of the way behind us

ötöd² [-öt, -e] *n*, *(zene)* quint, fifth; *tiszta* ~ sharp fifth

ötödéves I. *a*, in the fifth year *(ut)*, fifth-year (student); ~ *orvostanhallgató* medical student in his last year II. *n*, fifth-year student ötödfél *num. a, ~ óra* four and a half hours, four hours and half

ötödhang *n, (zene)* fifth

ötödik [-et, -e] I. *num. a,* fifth; *~ emelet* fifth floor, sixth floor *(US); ~ hadoszlop/hadosztály* fifth column; *~ kerék* fifth wheel; *V. László* László V, László the Fifth II. *num. n,* 1. *f. hó 5-én* on the fifth of this month 2. *~be jár (isk)* go to the fifth form/class (of a school)

ötödikes [-ek, -t, -e] I. *a,* of the fifth class/form/grade *(ut),* fifth-form II. *n,* pupil of the fifth class/form/grade, fifth-form, pupil/boy/girl/child (of a Hungarian school)

ötödmagával *adv,* he and/with four others, himself and four other persons

ötödrangú *a,* fifth-rate

ötödrész *n,* fifth (part)

ötödször *num. adv,* fifthly, in the fifth place, for the fifth time

ötödszörre *num. adv, ~ sikerül* succeed at the fifth attempt, succeed on the fifth occasion

ötöl-hatol [ötölt-hatolt] *vi/vt,* hedge, hum/hem and haw, shuffle, beat about the bush, shilly-shally, quibble

ötös I. *a,* [-ök, -et] 1. fivefold, quintuple, consisting of five *(ut); ~ fogat* five-in-hand, coach and five; *~ ikrek* quintuplets, quins *(fam); ~ kötés/ültetés* quincunx; *~ kötésben ültetett* quincuncial; *~ találat [lottón] (kb)* maximum win (in lottery) 2. *~ szám-(jegy)* the number/figure five; *az ~ szám alatt lakik* he lives at number five *(v.* at No. 5); *~ szoba* room number five, room No. 5; *az ~ villamos* tram number 5, the number five tram 3. *~ osztály-zat =* ötös II. 2.
II. *n,* [-ök, -t, -e] 1. *[számjegy]* (the number/figure) five; *kör ~ (kárty)* five of hearts 2. *[osztály-zat]* mark five, very good (mark), excellent, top mark; *~re felelt* he was given *(v.* he got) a very good, he got an excellent, he was given an excellent, *[vizsgán]* he was given an excellent report 3. *[busz]* bus number five, the number five bus, *[villamos]* tram/car number five, the number five tram/car 4. *[vers]* pentameter 5. *(zene)* quintet(te)

ötösével *adv,* in/by fives, five at a time, in groups of five

ötperces *a,* five minutes', of five minutes *(ut),* five--minute

ötporzós *a, (növ)* pentandrous; *~ virágok rendje* pentandria

ötpróba *n, (sp)* (modern) pentathlon

ötputtonyos *a, ~ tokaji aszu* five-butt Tokay aszu

ötrét *adv,* fivefold, folded five times

ötszámjegyű *a, =* ötjegyű

ötszáz *num. a/n,* five hundred; *~ éves évforduló* quincentenary

ötszázados *a,* quincentenary

ötszázas I. *n,* 1. *[szám]* the number five hundred 2. *[bankó]* a five hundred... note II. *a,* (of) five hundred

ötszemélyes *a, ~ gépkocsi* five-passenger car

ötszirmú *a, (növ)* pentapetalous

ötszótagú *a,* pentasyllabic

ötszög *n,* pentagon

ötszögű *a,* pentagonal, pentangular, quinquangular, five-square

ötször *num. adv,* five times; *~ annyi* five times as much

ötszöri *a,* repeated five times *(ut); ~ figyelmeztetés után* after five warnings

ötszörös I. *a,* fivefold, quintuple, quintuplicate; *~ bajnoka vmnek* five times champion of sg II. *n,* quintuple, quintuplicate, fivefold amount

ötszöröz [-tem, -ött, -zön] *vt,* quintuple

öttagú *a,* having five members/parts *(ut); ~ család* family of five; *~ szó* word of five syllables, penta-syllable; *~ zenekar* five-men band

öttusa *n, (sp)* (modern) pentathlon; *szellemi ~ verseny* I. Q. competition

öttusázó [-t, -ja] *n,* pentathlonist

ötujjas *a, ~ gyakorlatok (zene)* five-finger exercises

ötujjú *a, [kézen]* five-fingered, *[lábon]* five-toed, pentadactylic *(tud)*

ötüléses *a, ~ gépkocsi* five-passenger car

ötvegyértékű *a, =* ötértékű

ötvegyértékűség *n, =* ötértékűség

ötven [-et, -e] *num. a/n,* fifty; *~ felé* towards/near the fifties, getting on for fifty; *~ körül jár* (s)he is get-ting/going on for fifty; *~en innen van* be on the right side of fifty; *túl van az ~en* be over fifty, be on the shady/wrong side of fifty, be in the fifties; *betölti az ~et* turn fifty

ötvened [-et, -e] *num. a/n,* fiftieth part, a/one fiftieth

ötvenedik [-et, -e] *num. a/n,* fiftieth; *minden ~ ember* every fiftieth man; *~ évforduló* fiftieth anniversary

ötvenedmagával *adv,* he and/with forty-nine others

ötvenen *num. adv,* fifty (of them/us); *körülbelül ~ voltak* there were about fifty of them

ötvenes [-et, -e] I. *a,* 1. fifty, of fifty *(ut); az ~ évek* the fifties; *az ~ évek elején* in the early fifties; *az ~ években van* he is in his fifties; *a múlt század ~ évei* the fifties of the last century 2. *~ szám* number/figure fifty/50; *az ~ villamos* the tram number 50 II. *n,* 1. *[számjegy]* fifty, the number/figure fifty 2. *[bankjegy]* a fifty forint note 3. *[ember]* quin-quagenarian; *lehet már jó ~* he is well in his fifties, he is on the wrong side of fifty, he is in his late fifties

ötvenéves *a, [kor]* fifty years old *(ut),* fifty-year-old, *[időtartam]* fifty-year, fifty years', of fifty years *(ut); ~ ember* a man of fifty, a fifty-year-old man, quinquagenarian; *~ elmúlt* he is over/turned fifty, he is on the wrong side of fifty *(fam); ~ évforduló* golden jubilee; *~ szokás* a fifty-year-old custom, a custom dating back five decades

ötvenévi *a, [időtartam]* fifty-year, fifty years', of/lasting fifty years *(ut),* of five decades *(ut); ~ munka* a work of fifty years

ötvenfelé *adv, [irány]* in fifty different directions

ötvenféle *a,* fifty kinds of, of fifty (different) kinds *(ut)*

ötvenfilléres I. *a,* costing fifty fillér *(ut)* II. *n,* fifty--fillér coin

ötvenszer *adv,* fifty times

ötvény *n,* alloy, *[higannyal]* amalgam

ötvényez [-tem, -ett, -zen] *vt,* alloy, mix

ötvonalas *a, ~ hangjegyírás (zene)* staff notation

ötvös [-ök, -t, -e] *n,* goldsmith, gold and silversmith

ötvösjegy *n,* hall/proof-mark, inspection stamp

ötvösmesterség *n,* goldsmith's trade

ötvösmunka *n,* goldsmith's work

ötvösmű *n,* goldsmith's/silversmith's work, piece of work wrought/made by a goldsmith, jewellery

ötvösműhely *n,* goldsmith's workshop

ötvösművészet *n,* goldsmith's craft/art

ötvösség *n,* goldsmith's trade/craft/art

ötvöz [-tem, -ött, -zön] *vt,* alloy, mix, *[higannyal]* amalgamate

ötvözés *n,* alloyage, alloying (metals), mixing (metals), *[higannyal]* amalgamation

ötvözet *n,* alloy, *[higannyal]* amalgam; *kétalkotós ~* binary alloy

ötvözetlen *a,* unalloyed

ötvöződ|ik [-ött, -jék, -jön] *vi,* become amalgamated (with)

ötvözőfém *n,* composition metal

ötvözött [-et; adv -en] a, alloyed, [higannyal] amalgamated; ~ acél compound steel

öv [-et, -e] n, 1. [ruhadarab] girdle, [bőr] belt, [selyem szalag] sash, [mentő] life-belt, (kat) (waist/sword) belt, [nadrágé, szoknyáé] waistband, [papi] cincture, (áll, növ) cingulum; ~ig meztelen naked/stripped to the waist (ut); ~őn alul üt hit below the belt; ~őn aluli ütés hitting below the belt, foul blow; megszorítja az ~ét tighten one's belt 2. [föld] zone; forró ~ torrid zone; hideg ~ frigid zone; mérsékelt ~ temperate zone

övcsat n, buckle of belt

övé [-t, -i] a/n. poss, his, her(s), its; az ~ his/her own; ez a ház (az) ~ this house is his/hers, this house belongs to him/her; itt nincs semmi ami az ~ here's nothing that belongs to him, he has nothing here to his name; az én házam kicsi(.) az ~ nagy my house is small(,) his is large; ~ az utolsó szó he has the last word; az ~t már eladtam I have already sold his/hers

övéi [-t] a/n. poss, his, hers; ezek a könyvek (az) ~ these books are his/hers; az ~t már eladtam I have already sold his/hers; jól gondoskodik az ~ről well does he provide for his family

övéik [-et] a/n. poss, theirs; ezek a könyvek az ~ these books are theirs; az ~et már eladtam I have already sold theirs

övék [-et] a/n. poss, theirs; ez a könyv az ~ this book is theirs; az ~ét már eladtam I have already sold theirs

öves [-et; adv -en] a, belted, having/wearing a belt (ut), provided with a belt (ut)

övesállat n, armadillo, tatu (Dasypus sp.)

övez [-tem, -ett, -zen] vt, 1. (vmt vmvel) encircle, belt, gird, girdle (sy with sg), [területet] enclose, gird, surround, encompass, fence, environ; hegyekkel ~ett völgy valley encircled/surrounded/enclosed by mountains 2. babér ~i a homlokát his head is wreathed with laurel leaves; nimbusz ~i be surrounded with a halo, be haloed

övezet n, [terület] zone, area, sphere, sector, [erdő] belt (of forest), [falak] enclosure, enceinte, girdle, circle (of walls), [hegy] belt, range (of hills); amerikai ~ American zone; hadi ~ army/military/war zone/area; nyugati ~ [városé] western sector; postai ~ postal area; szabad kereskedelmi ~ free-trade area; veszélyes ~ danger(ous) zone; védő ~ line of fortifications; ~ekre oszt zone; ~ekre osztás zoning

övezetes [-ek; adv -en] a, zonal, zonary

övezetesség n, zonality

övezeti [-t] a, zonal, zonary; ~ díjszabás (ker) zone tariff

övfájdalom n, (bonct) girdle pain, zonaesthesia

övkapocs n, girdle-clasp, belt buckle

övpáncél n, (hajó) (armour) belt

övpárkány n, (épít) string-course

övsömör n, (orv) shingles (pl), herpes zoster, zona

övszalag n, girdle, petersham

övszij n, waistband, strap, leather-belt

övszögvas n, flange angle

övzseb n, [nadrágon] fob

őz [-et, -e] n, deer, roe(-deer), [hím] roe-buck, [nőstény] roe-doe; fiatal ~ fawn

őzagancs n, antler, horn (of roe-deer)

őzárpa n, (növ) elymus (Elymus)

őzbak n, roe-buck; egyéves ~ pricket

őzbarna a, fawn-coloured

őzborjú n, fawn, kid, roe-doe

őzbőr n, buckskin, deerskin, doeskin

őzcímer n, antler

őzcomb n, haunch of venison

őzés [-t, -e] n, (nyelvt) ⟨the pronunciation of ö instead of e in certain Hungarian dialects⟩

őzgerinc n, back/saddle of venison

őzgida n, fawn, kid

őzhús n, venison

őzike n, fawn

őzlábgomba n, lepiota, parasol mushroom (Lepiota sp.); büdös ~ crested lepiota (L. cristata); vörhenyes ~ poisonous lepiota (L. helveola)

őzles n, deer-stalking

őző [-t] a, (nyelvt) ⟨pronouncing ö instead of e⟩

özön [-ök, -t, -e] n, 1. [áradat] deluge, stream, torrent, flood, gush; könnyek ~e flood of tears 2. (átv) (super)abundance, plenty, plethora (of sg); dicséretek ~e chorus of praises; kérvények ~e flood of applications; meghívások ~e shower of invitations (fam); szavak ~e flow/torrent of words; szerencsekívánatok ~e rain of congratulations; szitkok ~e volley of oaths; ~ével kapja a meghívásokat he is deluged with invitations, he is snowded under with invitations

özönlés n, 1. [vizé] discharge, overflow, afflux, rush, gush, streaming 2. [tömegé] flocking together, crowding, streaming, concourse of people

özönlik [-eni, -ött, özönöljön] vi, 1. [víz] stream, flow, flood, rush, gush, discharge, overflow 2. [tömeg] crowd/flock/throng to (a place), pour into (a hall etc.), press forward

özönvíz n, deluge, [bibliai] the Flood; ~ előtti antediluvian; ~ korabeli diluvial, diluvian

őzpecsenye n, roasted venison

őzsaláta n, (növ) horse-parsley (Smyrnium olusatrum)

őzsörét n, buck-shot

őzsuta n, (roe-)doe

őzsült n, = őzpecsenye

őzszemű a, hazel-eyed

őzszínű a, fawn colour(ed)

őztehén n, roe-doe

özvegy [-et, -e] I. a, widowed; ~ királyné a dowager queen, queen dowager II. n, [asszony] widow, (jog) relict, [férfi] widower; hadi ~ war-widow; szalma ~ grass-widow

özvegyasszony n, widow

özvegyember n, widower

özvegyen adv, ~ maradt she remained a widow, she was left a widow; ~ maradt apám my widowed father

özvegyi [-ek, -t; adv -en] a, widow's, pertaining to a widow (ut); ~ év year of mourning; ~ fátyol widow's veil; ~ járulék widow's allowance; ~ jog/haszonélvezet dower, jointure; ~ jogra jogosult entitled to dower (ut), dowable; ~ jogalany dowager; ~ nyugdíj widow's pension; ~ rész dower; ~ sor/állapot widowhood

özvegység n, [nőé] widowhood, [férjié] widowerhood; ~re jut become a widow; ~re jutott widowed

Özséb [-et, -je] prop, Eusebius

P

p [p-t, p-je] *n*, *[betű]* p, the letter p|P; *kis p-vel ír* write with small p; *nagy P-vel ír* write with capital P

pá [-t] I. *int*, bye-bye II. *n*, ~*t mond* say good-bye

pác [-ot, -a] *n*, **1.** *[konyha]* pickle, *[sós víz pácoláshoz]* brine **2.** *[bőripari]* steep, tanning ooze/liquor, *(tex)* mordant **3.** *[bútornak]* stain, coloured varnish **4.** *[dohánynak]* sauce **5.** *(átv)* pickle, plight, hot water; ~*ba kerül* get into a pickle, get into hot water; ~*ban hagy vkt* leave sy in the lurch; ~*ban van* be in a hole/mess/pickle/plight/predicament/ jam/quandary, be in the lurch/soup/mire, be in a bad fix, be up a (gum-)tree, be up the pole, be on the rocks; *benne vagyunk a ~ban* now we are in a pretty scrape

paca [. .át] *n*, ink-blot (on paper), spot, splash, blotch, smudge, splotch, blur; *pacát ejt* smudge (paper); *pacát ejt a füzetébe* blot one's copy-book

pacák [-ot, -ja] *n*, □ guy, perisher, bloke, chap, blighter

pacal [-ok, -t, -ja] *n*, tripe, chitterlings *(pl)*, lights *(pl)*

pacás *a*, smudgy

pacáz [-tam, -ott, -zon] *vt*, smudge (paper)

paccer [-ek, -t, -a] *n*, □ botcher, bungler, muddle-head

paccol [-t, -jon] *vt/vi*, □ botch, bungle

pácfesték *n*, dyeing mordant, mordant dye

pácfolyadék *n*, dipping liquid

paci [-t, -ja] *n*, *(gyerm)* gee(-gee); *gyi ~! * gee (up)!, gee-gee!

páciens [-ek, -t, -e] *n*, patient

pacientúra [. . .át] *n*, a doctor's patients *(pl)*, clientele, practice

pacifikál [-t, -jon] *vt*, pacify

pacifikálás *n*, pacification

pacifikus *a*, ~ *kőzettörzs (geol)* pacific rock tribe

pacifista [. .át] I. *n*, pacifist, *[kat szolgálatot megtagadó]* conscientious objector, conchy *(fam)* II. *a*, pacifist(ic)

pacifizmus *n*, pacifism

packázás *n*, trifling, slight, insolence; *a hivatalnak ~ai* the insolence of office

packáz|ik [-tam, -ott, -zon, -zék] *vi*, *(vkvel)* trifle with (sy), treat (sy) with contempt, treat (sy) in an off-hand manner/insolently, slight (sy), set (sy) at defiance; *nem hagy magával ~ni* he is not to be trifled with, he is not to stand any nonsense

páclé *n*, pickling solution, souse, *[sós víz pácoláshoz]* brine, *[bőripari]* steep

pacni [-t, -je] *n*, = paca

pácol [-t, -jon] *vt*, **1.** *[konyha]* marinade, pickle, cure (with brine), souse **2.** *[bőrt]* steep, soak, tan, drench, *[sós lében]* pickle, *(tex)* mordant **3.** *[fát]* stain, *[fát ébenszínűre]* ebonize **4.** *[dohányt]* sauce

pácolás *n*, **1.** *[konyha]* marinading, pickling, brining, curing **2.** *[bőrt]* steeping, soaking, tanning, drenching **3.** *[fát]* staining, *[fát ébenszínűre]* ebonizing **4.** *[dohányt]* saucing

pácolat *n*, pickling acid/solution

pácolód|ik [-ott, -jon, -jék] *vi*, **1.** *[konyhában]* be in the process of pickling, be brined/cured **2.** *[fa]* be stained, *[fa ébenszínűre]* be ebonized **3.** *[dohány]* be sauced

pácolóedény *n*, steeper, marinading/pickling/brining vessel, salting-tub, *[bőripari]* tan-vat

pácolókád *n*, pickling tank, steeper

pácolt [-at; *adv* -anl *a*, **1.** *[étel]* marinaded, pickled, cured, brined; ~ *hering* pickled/soused herring, pickle-herring **2.** *[fa]* stained, *[ébenszínűre]* ebonized **3.** *[dohány]* sauced

pacsi [-t, -ja] *n*, *(gyerm)* (child's) handshake *(stand)*; *adj ~t!* shake hands, give your hand, *[kutyához szólva]* give your paw!

pacsirta [. .át] *n*, **1.** lark *(Alauda sp., Galerida sp. Lullula sp.)*; *búbos ~* crested lark *(G. c. cristata)*; *erdei ~* wood-lark *(L. a. arborea)*; *mezei ~* skylark *(A. a. arvensis)* **2.** *[teniszben]* *(biz)* skyer

pacsirtadal *n*, = pacsirtaszó

pacsirtafű *n*, *hegyi ~ (növ)* milkwort *(Polygala vulgaris)*

pacsirtaszó *n*, song of the lark

pacsirtavirág *n*, rogation flower *(Polygala vulgaris)*

pacskol [-t, -jon] *vt*, splash, plash, paddle; *vizet ~* splash the water about; *vízben ~* be splashing about in the water

pacskolás *n*, (s)plashing, paddling

pacskolat *n*, *[régészeti]* squeeze moulding; ~*ot készít* take a squeeze moulding

pacsmagol [-t, -jon] *vt*, **1.** *[festő]* daub **2.** *[borotválkozó]* lather

pacsni [-t, -ja] *n*, = pasztrána

pacsuli [-t, -ja] *n*, **1.** *[illat]* patchouli, *(elít)* cheap/bad scent; ~*tól bűzlik* stink of cheap scent **2.** *(növ)* patchouli *(Pogostemon patchouli)*

pad [-ot, -ja] *n*, **1.** *(ált)* bench, long seat, *[isk és támlanélküli]* form, *[kerti]* garden seat, *[templomi]* pew, *[vádlottaké]* dock, stand *(US)*; *az iskola ~jain ismerkedik meg vkvel* meet sy while at school **2.** *(bány)* bench

pádimentom [-ot, -a] *n*, † boarded floor *(stand.)*

padisah [-ot, -ja] *n*, Padishah

padka *n*, **1.** *[kis pad]* small bench/seat, *[vendéglői]* wall sofa, *[falfülkében]* wall-seat **2.** *[kemencéé]* chimney corner seat **3.** *[sáncé, töltésé]* berm, *[műúté]* roadside, shoulder (of the road)

padlás *n*, loft, garret, attic

padlásablak *n*, garret/attic/storm-window, *[felfelé nyíló]* skylight, *[kerek]* bull's eye

padláslakás *n*, garret, attic

padláslakó *n*, garreteer

padláslépcső *n*, loft/garret/attic staircase

padláslyuk *n*, eyelet (hole)

padlásszoba *n*, attic, garret chamber, mansard, (cock-)-loft

padlástér *n*, balks *(pl)*, unfloored loft; *padlástere* *beépít* build a flat/apartment in the loft, add a story to a house

padlat *n*, 1. *[mennyezet]* ceiling 2. *[padló]* boarded floor, flooring

padlizsán [-ok, -t, -ja] *n*, 1. *(növ)* aubergine, egg-plant, brinja(u)l *(Solanum melongena)* 2. *[termése]* egg-fruit

padló [-t, -ja] *n*, floor(ing), *[parkettás]* parquet, *[mint terület]* floorage; *döngölt* ~ floor of beaten earth; ~*t fényesít/beereszt [viasszal]* beeswax; ~*t rak* batten

padlóbeeresztő *n*, floor-polish, reviver

padlóburkolat *n*, floor/bottom covering

padlóburkoló *a*, ~ *(kő)lap* flag(stone), tile; ~ *tégla* paving-brick

padlódeszka *n*, floor-board, *[csónaké]* bottom boards *(pl)*

padlóemelvény *n*, platform

padló- és falfűtés hypocaust

padlófelmosó *a*, ~ *rongy* floor-cloth

padlófesték *n*, floor paint

padlógerenda *n*, boarding joist

padlókefe *n*, floor brush

padlókefélő *a*, ~ *gép* floor-polisher, floor-polishing machine

padlókenőcs *n*, floor-paste/wax

padlólap *n*, floor-tile

padlóléc *n*, batten

padlómáz *n*, floor-wax/polish

padlóösszefolyó *n*, floor-drain, sump

padlópaszta *n*, floor-polish

padlórés *n*, crack between the floorboards

padlóruha *n*, floor-cloth

padlós [-ak, -t; *adv* -an] *a*, (-)floored, having a ... floor *(ut)*

padlószeg *n*, plank nail

padlótégla *n*, floor-tile

padlóterület *n*, floor-space

padlótörlő *n*, floor-cloth

padlóviasz *n*, floor-polish, beeswax

padlóz [-tam, -ott, -zon] *vt*, floor, plank, batten

padlózás *n*, flooring, planking

padlózat *n*, flooring, *[rakott]* parquet, *[nem szobáé]* planking

padlózó [-t, -é] *n*, *(vk)* floorer, floor-layer

padlózott [-at] *a*, floored

padmaly [-ok, -t, -a] *n*, 1. *[folyóparton]* cavity in river-bank, cove 2. *[padló]* floor 3. *[mennyezet]* ceiling

pados [-at] *a*, *(geol)* banked

padozat *n*, 1. *(ált)* (boarded) floor, boarding, flooring, planking 2. *[kővel kirakott]* brick pavement

padsor *n*, *(ált)* row/line of seats, *(szính)* tier, *[templomban]* pews *(pl)*, *[képviselőházban]* bench; *emelkedő* ~*ok* stepped rows of seats; *miniszteri* ~ front bench, treasury bench *(GB)*

Pádua [..át, ..ában] *prop*, Padua, Padova

paduc [-ot, -a] *n*, *(áll)* nose-carp *(Chondrostoma/ Cypri nus nasus)*

paff *adv*, dumbfounded, flabbergasted; ~ *volt* he was flabbergasted/dumbfounded/nonplussed, he was struck all of a heap, he was openmouthed with astonishment; ~ *voltam a hír hallatára* I was staggered by the news

páfrány [-ok, -t, -a] *n*, *(növ)* fern *(Filices)*; *édestövű* ~ beech-fern; ~ *alakú* fern-like, frondescent, filiciform

páfrányfa *n*, tree-fern *(Cyathea)*

páfrányfélék *n. pl.*, polypodiacae

páfrányfenyő *n*, ginkgo/maidenhair tree *(Ginkgo biloba)*

páfránykivonat *n*, fern-oil

páfránylevél *n*, frond

páfránymag *n*, fern-seed

páfrányolaj *n*, fern-oil

páfrányos [-ok, -t, -a] *n*, *[terület]* fernery, ferny, brake

pagát [-ot, -ja] *n*, *(kártya)* juggler

paginál [-tam, -t, -jon] *vt*, *[könyvet]* paginate, page

paginálás *n*, pagination, paging

pagoda [..át] *n*, pagoda

pagony [-ok, -t, -a] *n*, woodland, young forest, (hunting) preserve, coppice

páhol [-t, -jon] *vt*, beat up, drub, give (sy) a good hiding

páholy [-ok, -t, -a] *n*, 1. *[színházi]* box (in theatre); *földszinti* ~ ground-floor box; *elsőemeleti* ~ first-tier box; *proszcénium* ~ stage-box 2. *szabadkőműves* ~ masonic lodge, mason-lodge 3. ~*ból nézi a dolgokat* have a ringside seat, be above the mêlée, remain aloof

páholybérlet *n*, box season ticket

páholyfolyosó *n*, box-lobby

páholynyitogató [-t, -ja] *n*, box-keeper/attendant, theatre-attendant, usher

páholysor *n*, *első emeleti* ~ dress-circle

páholytag *n*, *[szabadkőműves]* member of a (masonic) lodge

páholyülés *n*, box-seat (in theatre)

pajesz [-ok, -t, -a] *n*, corkscrew curl, earlock (of ortho-dox Jews), sidelock

pajeszos [-ak, -t; *adv* -an] *a*, with hair in corkscrew curls *(ut)*, wearing earlock *(ut)*

pajkos [-ak, -t; *adv* -an] *a*, elfish, elvish, elfin, impish, puckish, *[játékos]* playful, frolicsome, sportive, prankish, *[rosszalkodó]* roguish, mischievous, naughty, rompish; ~ *csíny* prank, roguish trick, monkey-trick; ~ *gyerek* roguish child, little mischief(-maker), imp; ~ *lány* tomboy, hoyden, romp; ~ *természet* sportiveness; *ld még* **pajzán**

pajkoskodás *n*, 1. *[viselkedés]* elfishness, impishness, rompishness, playfulness, mischievousness, roughishness, naughtiness 2. *[cselekedet]* prank, roguish tricks *(pl)*

pajkoskod|ik [-tam, -ott, -jon, -jék] *vi*, be roguish, romp, *(vkvel)* play pranks (on sy)

pajkosság *n*, 1. *[cselekedet]* mischief, prank 2. *[viselkedés]* mischievousness, roguishness, impishness

pajor [-ok, -t, -ja] *n*, *(áll)* grub (of cockchafer), larva

pájsli [-t, -ja] *n*, lights *(pl)*, *[emberről □]* lungs *(pl)* *(stand.)*, bellows *(pl)*

pajta [..át] *n*, barn, shed, outhouse (for storage of hay/fodder or agricultural machinery)

pajtaajtó *n*, barn-door

pajtás *n*, comrade, companion, mate, fellow, pal *(fam)*, chum *(fam)*, buddy *(US)*, side-kick *(US fam)*; *jó* ~ (he is) a good sort, a nice chap, *[kissé élt]* boon companion, jolly fellow *(fam)*, gay dog *(fam)*; *úttörő* ~ fellow pioneer; *hallod-e* ~? I say mate!

pajtásházasság *n*, companionate marriage

pajtáskodás *n*, familiarity, fraternization

pajtáskod|ik [-tam, -ott, -jon, -jék] *vi* *(vkvel)* be familiar with (sy), be on familiar terms with (sy), fraternize with (sy), grow matey with (sy), be hail-fellow-well-met with (sy), hobnob with (sg)

pajtáskodó [-t; *adv* -an] *a*, matey, pally, chummy *(fam)*; ~ *hang* tone of familiarity/intimacy

pajtásság *n*, *[kapcsolat]* comradeship, good fellowship, close companionship, intimacy, mateyness *(fam)*

pajti [-t, -ja] *n*, *(biz)* mate, pal, chum, buddy *(US)*

pajzán [-ok, -t; *adv* -ul] *a*, *[gyerek]* elfish, impish, roguish, rompish, *[viselkedésben]* full of mischief *(ut)*, prankish, waggish, playfull, frolicsome, gamesome, blithe, *[illetlenül]* naughty, rakish; ~ *történet* piquant story; *ld még* **pajkos**

pajzánkodás *n*, 1. *[játékosan ártatlanul]* capering, frolicking, romping 2. *[szerelmeskedve]* spooning, necking

pajzánkod|ik [-tam, -ott, -jon, -jék] vi, 1. [játékosan, ártatlanul] caper, frisk about, frolic, gambol, romp, sport, play the giddy goat (fam) 2. [szerelmeskedve] be necking/spooning; ld még pajkoskodik

pajzánság n, [gyereké] elfishness, impishness, roguishness, rompishness, [cselekedet] prank, trick, [viselkedésben] playfulness, waggishness, [neveletlen] naughtiness; ld még pajkosság

pajzs [-ot, -a] n, 1. (kat) shield, [kisebb kerek] buckler, target, targe; nagy ~ body-shield; ~ra emel [tört újonnan választott királyt] raise (newly elected king) on the shield; ~ra emelés raising on the shield 2. (áll) shell, carapace, [rovartan] scute, scutum, clypeus; ~ alakú buckler/shield-shaped, (áll) scutiform, (növ) buckler-shaped, peltate, scutate 3. [címeré] (e)scutcheon 4. [kulcslyuké] keyhole (e)scutcheon, [esztergapadon] apron

pajzsbogár n, tortoise beetle, cassida (Hypocassida sp., Cassida sp.)

pajzsfej n, (cím) chief

pajzshordozó n, (kat) buckler-wearer, (tört) armiger, squire, scutifer, shield-bearer, henchman

pajzsika n, (növ) shield-fern (Aspidium)

pajzsmező n, (cím) field (of coat-of-arms)

pajzsmirigy n, thyroid gland; járulékos ~ accessory thyroid; ~ betegségei diseases of the thyroid gland; ~ csökkent működése hypòthyroidism

pajzsmirigygyulladás n, thyroiditis

pajzsmirigykiirtás n, thyroidectomy

pajzsmirigykivonat n, thyroid extract

pajzsmirigyműködés n, thyrogenic/thyrogenous function

pajzsmirigy-operáció n, thyroidectomy

pajzsmirigyserkentő a, ~ hormon (biol) thyrotrophic hormone, thyrotrophin, thyroid stimulating hormone, TSH

pajzsmirigy-túlműködés n, (hyper)thyroidism

pajzsmirigy-túltengés n, thyroid cachexia, exophthalmic goitre, (hyper)thyroidism

pajzsocska n, (növ) scutellum

pajzsos [-ak, -t; adv -an] a, 1. (kat) shielded, targeted 2. (áll) scutigerous, scutellate, scutellar, (növ) peltate, scutellate 3. (bány) ~ rendszer shield method

pajzsporc n, (orv) thyroid cartilage

pajzs-sajt n, (növ) lavatera, tree-mallow (Lavatera)

pajzstartó n, (cím) supporter

pajzstetű n, (shield) scale, scale insect (and mealybugs) (Coccidae-család); gyapjas ~ woolly currant scale (Pulvinaria vitis); kagylós~, almafa kagylós pajzstetve mussel scale (Lapidosaphes (= Mytilococcus) ulmi); kaliforniai ~ San Jose scale (Aspidiotus perniciosus); teknős ~ brown scale (Eulecanium corni)

paka n, [forrasztó] soldering iron/copper, copper bit/bolt

pákász [-ok, -t, -a] n, ⟨primitive predatory man living in the marshes on hunting and fishing⟩

pákászkod|ik [-tam, -ott, -jon, -jék] vi, live a primitive predatory man's life

pakett [-et, -je] n, 1. [bridzsben] book 2. ellenőrző ~ [részvényekből] controlling stock, hold of controlling share

pakfon [-ok, -t, -ja] n, German (nickel-)silver, packfong

Pakisztán [t, ban] prop, Pakistan

pakisztáni [-ak, -t] a/n, Pakistani(an); P~ Köztársaság Republic of Pakistan

pakk [-ot, -ja] n, [csomag] package, packet, parcel, [poggyász] baggage, bundle

pakkfilm n, film-pack, pack-film

pakli [-t, -ja] n/a, 1. (konkr) pack, set; egy ~ kártya a pack of cards; egy ~ dohány a packet of tobacco

2. benne van a ~ban have a hand at the game, be in on sg, have a finger in the pie

paklikocsi n, luggage-van, baggage car (US)

pakliz|ik [-tam, -ott, -zon, -zék] vi, (vkvel) be in cahoot with, have underhand dealings with

pakol [-t, -jon] vi/vt, 1. pack, [csomagot] do/make/ wrap up a parcel/bundle/packet; iszapba ~ pack in mud 2. de most ~j innen! get out of here!, out you go!, hop it!, now off/out with you!, be off!, get you gone!, clear out!, now beat it!, skedaddle ◇, scram! ◇,fade away! ◇ (US), scat! (US ◇)

pakolás n, 1. [művelet] packing (up), wrapping (up) 2. [burkolat] packing, wrapping, wrapper, covering 3. [orv borogatás] pack, compress, [iszappal] mud-pack; meleg ~ hot compress; ~t alkalmaz apply a compress

pakoló [-t, -ja] I. a, packing II. n, packer

pakolópapír n, packing/wrapping paper, brown paper, wrapper, [vastag] kraft

pakolóvászon n, packing cloth, burlap, canvas wrapper, sacking

pakompart [-ot, -ja] n, = barkó

pákosztos [-ak, -t; adv -an] a, (kb) fond of eating (ut), gluttonous; ld még nyalánk, torkos

pákosztosság n, gluttony

paksaméta [..át] n, 1. [csomag] bundle, pack, package 2. [irat] sheaf (of papers), [levél] bundle, packet (of letters), [bankjegy] wad (of banknotes)

paktál [-t -jon] vi, conspire, enter into (secret/illicit) pact with, have (underhand) dealings with

paktálás n, underhand deal(ings)

paktum [-ot, -a] n, agreement, pact, compact, contract

pakulár [-ok, -t, -ja] n, shepherd

pakura [..át] n, maz(o)ut, crude/fuel oil

Pál [-t, -ja] prop, Paul; tudja ~ mit kapál he knows on which side his bread is buttered, he knows what he is about, he is up to snuff (fam)

pala [..át] n/a, slate, (geol) shale, schist; tetőfedő ~ roofing slate; palával fed slate

palaagyag n, slate-clay, shale

palabánya n, slate-quarry

palabányamunkás n, slate-worker/quarrier/quarryman

palack [-ot, -ja] n, 1. bottle, [gömb alakú v. lapos] flask, [vizes] water-bottle, [kancsó] carafe, [asztali boros] decanter, flagon; ~ alakú bottle/flask-shaped; fonott ~ demijohn, [kosaras, vegyszernek] carboy; leideni ~ Leyden/electric jar; a ~ból húz drink from the bottle 2. [gázé] (gas) cylinder 3. két ~ bor two bottles of wine

palackalátét n, [vendéglőben] bottle-stand

palackbor n, bottled wine, wine in bottles, good keeping wine

palackdugó n, bottle stopper

palackérett a, [vendéglőben] bottle-bright

palackgyártás n, bottle-making

palackkupakoló a, ~ készülék bottle-capping machine

palackmosó a, ~ kefe bottle-brush; ~ készülék bottle-washer

palacknyak n, neck of the bottle, bottle-neck

palackosláda n, (wine) crate, bin

palackoz [-tam, -ott, -zon] vt, bottle

palackozás n, bottling, bottle-filling

palackozó [-t, -ja] n, bottler

palackozott [-at; adv -an] a, ~ bor bottled wine

palackrekesz n, bottle-rack

palacksör n, bottled beer, beer in bottles

palackszárító n, bottle drainer

palacktartó n, [vendéglőben] bottle-stand

palacktöltő a, ~ gép bottle-charger

palackzöld a, bottle-green

palacsinta [..át] n, pancake, flannel cake, flapjack (US), griddlecake (US), wheatcake (US), slapjack

(US), [recézett] **waffle** *(US);* **diós ~ pancake** filled with grated walnut-meat; **lekváros ~ pancake** filled with jam; *vkt palacsintává lapít* beat sy out of countenance, beat sy beyond recognition, batter sy to *(v.* as flat as) a pancake

palacsintasütő *n,* frying-pan, waffle-iron *(US)*

palafedél *n,* slate roof

palafedés *n,* slating, slate covering

palafedő *n, [munkás]* slater

palafedő-kalapács *n,* slater's hammer, zax

palafejtés *n,* slate quarrying

palafejtő *n,* slater, slate-worker/quarrier/quarryman

palakék *a,* slate-blue

palakő *n,* slate, *(geol)* shale, schist

palakőlap *n,* slate (board)

palakőlemez *n,* slate (board)

palánk [-ot, -ja] *n,* **1.** *[karókból]* (picket-)fence, paling, *[deszkából]* board-fence, plank, railing **2.** *(kat)* palisade, stockade; *~kal véd* palisade **3.** *[épülő ház körül]* v. *[atragaszoknak]* hoarding **4.** *[kosárlabda-játékban]* backboard, *[jéghokiban]* board **5.** *[hajó oldalán]* planking, strake

palankin [ok, -t, -ja] *n,* palankeen

palánkkerítés *n,* board-fence, pale, paling, *[épülő ház körül]* hoarding

palánkol [-t, -jon] *vt,* enclose (with a picket fence), fence/rail in, palisade, picket, *(kat)* stockade

palánkoshajó *n,* clinker boat

palánksor *n, (hajó)* strake

palánksoros *a, ~ csónak* strake boat

palánktábor *n,* palisaded camp

palánta [..át] *n,* seedling, nursling, plant, set; *palántákat átültet [cserépből ágyba]* bed plants; *palántákat kiültet [szabadba]* bed out plants

palántaágy *n,* seed-bed

palántakert *n,* nursery-garden

palántál [-t, -jon] *vt,* plant, set, *[lyukat csinál]* dibble

palántálás *n,* planting, setting, dibbling

palántáló *n,* dibbler

palántáz [-tam, -ott, -zon] *vt,* prick in, transplant

palántázás *n,* planting, pricking in

palaréteg *n,* bed/layer of slate

palás *a,* slaty, shaly, foliated, fissile, schistose, schistoid; *~ szén* foliated coal; *~ szerkezet [kőzeté]* foliation

palásság *n, (geol)* schistosity, foliation

palást [-ot, -ja] *n,* **1.** cloak, (long) mantle, *(egyh)* pall, *[protestáns papé]* cloak, *[katolikusé]* cope; *bíbor ~* purple robe **2.** *(átv)* cloak; *az éj ~ja* the robe of night; *a hazafiasság ~ja alatt* under the cloak of patriotism; *vmt ~ként használ* use sg as a cloak/pretext **3.** *(mért)* superficies (of geometrical body), nappe

palástelem *n, (műsz)* tubbing

palástfű *n, (növ)* alchemilla, lady's mantle *(Alchemilla vulgaris)*

palástléc *n,* listel

palástol [-t, -jon] *vt, (vmvel)* cloak (with), disguise (behind), cover (with), *[dícázva]* camouflage, *[enyhit]* palliate, *[érzelmeket, szándékot]* dissemble, dissimulate, conceal, veil, mask; *~ja vk hibáit* glaze/blanch over sy's faults; *bánatát nevetéssel ~ja* he cloaks his sorrow with laughter

palástolás *n,* cloaking, disguising, covering, *[érzelmeké szándékoké]* dissembling, dissimulation, concealment

palaszeg *n,* slate-nail/peg

palaszerű *a,* slaty, slatelike, *(geol)* schistose, schistous

palaszürke *a,* slate-grey/coloured

palatábla *n, (isk)* (writing) slate

palatális [-ak, -t; *adv* -an] **I.** *a,* palatal; *~ magánhangzó* front vowel; *~ mássalhangzó* front/palatal consonant **II.** *n,* palatal

palatalizál [-t, -jon] *vt,* palatalize

palatalizálás *n,* palatalization

palatalizálódás *n,* palatalization

palatalizálódlik [-ott, -jon, -jék] *vi,* become palatalized

palatalizált [-at; *adv* -an] *a,* palatalized

palatalizáltság *n,* palatality

palafartalmú *a,* slaty, *(geol)* schistous

palatető *n,* slate roof

palatetőléc *n,* slate-lath

palatetős *a,* slate-roofed

palatinus *n,* † palatine, viceroy, governor-general

palatogram *n,* palatogram

palatonazális *a,* palatonasal; *~ hang* palatonasal

palaválogató *n, (bány)* slate picker

palavessző *n,* slate-pencil

pálca [..át] *n,* **1.** *(ált)* stick, rod, staff, stave, *[karmesteri]* baton, *[tündéré, varázslóé]* wand, *[fenyitő]* cane, ferule, pandybat, *[sétához]* cane, walkingstick, *[lovagláshoz]* switch, hunting crop, *[festőnek támaszkodó]* maulstick, *[kínai evőeszköz]* chop stick(s) **2.** *[királyi]* sceptre, *[hivatali jelvény]* verge, staff of office **3.** *pálcát tör (vk felett)* give/pass a harsh judg(e)ment (on sy), condemn (sy)

pálcakóró *n, (növ)* giant fennel, ferula *(Ferula)*

pálcamester *n, [jogarvivő]* mace-bearer

pálcás **I.** *a,* having/with a staff/stick/rod *(ut);* *~ vőfély* best man with the wedding staff **II.** *n,* ⟨person carrying ornamental staff at a celebration⟩

pálcaspórás *a, (növ)* basidiomycetous, belonging to the group of basidiomycetes *(ut)*

pálcásúr *n,* gentleman-usher

pálcatag *n, (épit)* bead; *tört ~* intersection of bead mouldings

pálcaütés *n,* blow/whack with a stick/rod

pálcavivő *n,* usher, special messenger, verger; *ld még* **pálcamester**

pálcáz [-tam, -ott, -zon] *vt,* cane, thrash

pálcázás *n, (isk)* caning

pálcika *n,* **1.** small stick, rodlet, *[Kínában evéshez]* chop-stick, *[marokkójátékhoz]* jack-straw **2.** *[retinában]* rod; *pálcikák és csapok rétege* layer of rods and cones, bacillary layer; *~ alakú* bacilliform **3.** *[horgolásnál]* stitch (in crocheting), *[csipkén]* bar (in lace-making); *nagy ~* big stitch, treble

paleobotanika *n* palaeobotany, palaeophytology

paleocén [-ek, -t, -je] *n,* the lower eocene

paleogén [-ek, -t, -je] *n/a,* palaeogene

paleográfia [..át] *n,* palaeography

paleográfiai [-ak, -t] *a,* palaeographic(al)

paleográfus *n,* palaeographer

paleolit [-ot, -ja] *n,* palaeolith(ic)

paleolitikus *a,* palaeolithic(al)

paleológus *n,* palaeologist

paleológia *n,* palaeontology

paleontológiai [-ak, -t; *adv* -an] *a,* palaeontologic(al)

paleontológus *n,* palaeontologist

paleozoikum [-ot, -a] *n,* palaeozoic era

paleozoikus *a,* palaeozoic

Palesztina [..át, .ában] *prop,* Palestine, (the) Holy Land, *(hiv)* (the state of) Israel

palesztinai [-ak, -t; *adv* -an] **I.** *a,* of *(v.* pertaining to) Palestine *(ut),* Palestinian, *(hiv)* Israeli **II.** *n,* Palestinian, Israeli

paletta [..át] *n,* (painter's) palette, *(ritk)* pallet

pálfordulás *n,* (sudden) conversion, complete change of front, volte-face, turnaround *(fam),* about-face *(US)*

pálha [..át] *n,* **1.** *[ruhán, kesztyűn]* gusset, godet, *[szoknya első részén]* gore **2.** *(növ)* stipule, bract; *kis ~* stipel(la); *~ alakú* stipuliform; *~ nélküli* estipulate

pálhalevél *n,* stipula

pálhás *a,* stipulate, stipulaceous, with stipules *(ut)*

Pali [-t, -ja] *prop*, (diminutive of) Paul

pali [-t, -ja] *n*, □ mug, gudgeon, muff, cat's paw, rube, bloke, cove, cod, mutt *(US)*, cull *(US)*, (cully) sucker *(US)* ; ~ra vesz make a dupe of sy, take sy for a mug

páli [-t] *a*, ~ *(nyelv)* Pali

palimpszeszt [-et, -je] *n*, palimpsest; ~ szerkezet palimpsest texture

palingenezis *n*, *(biol)* palingenesis

pálinka *n*, brandy, strong/hard drink/liquor, schnap(p)s; rossz és erős ~ rot-gut; pálinkát készít (make/distil) brandy

pálinkabolt *n*, = pálinkamérés

pálinkaégetés *n*, = pálinkafőzés

pálinkafélék *n. pl*, brandies, spirits

pálinkafőzés *n*, distillation/distilling of brandy

pálinkafőző I. *n*, 1. *(vk)* (brandy) distiller 2. *[főzde]* (brandy) distillery, still-room II. *a*, ~ üst vessel/ boiler for distilling brandy, still

pálinkamérés *n*, púb, gin shop/palace, grog shop, barrelhouse *(US)*

pálinkás *a*, *(vm)* of/with brandy *(ut)*, *(vkröl)* drunk on brandy *(ut)* ; ~ jó reggelt I good morning everybody I

pálinkásbolt *n*, = pálinkamérés

pálinkásbutykos *n*, spirit-flask

pálinkáspohár *n*, brandy-glass

pálinkásüveg *n*, brandy-bottle, spirit-flask

pálinkázás *n*, brandy-drinking

pálinkáz|ik [-tam, -ott, -zon, -zék] *vi*, drink brandy, dram, booze *(fam)*, tipple *(fam)*

palinódia [.. át] *n*, palinode

paliszád [-ot, -ja] *n*, palisade, picket-fence

paliszander [-ek, -t, -e] *n*, Brazilian rosewood, purple--wood, jacaranda

paliszanderfa *n*, *(növ)* palisander/jacaranda wood, rosewood *(Dalbergia sp. = Jacaranda sp.)*

palka *n*, *(növ)* (sweet/English) galingale *(Pycreus longus)*

palkaszár *n*, *(növ)* calamus

Palkó [-t, -ja] *n*, = Pali

palládium [-ot] *n*, *(vegyt)* palladium

pállás *n*, *[ajkon]* lip-sore

pallér [-ok, -ja] *n*, foreman(-builder)

palléroz [-tam, -ott, -zon] *vt*, polish, civilize, refine, cultivate

pallérozás *n*, polishing, civilizing, refining

pallérozatlan *a*, rough(-spoken), unpolished, uncivilized, unrefined, primitive, ill-taught

pallérozatlanság *n*, roughness, lack of refinement

pallérozód|ik [-tam, -ott, -jon, -jék] *vi*, refine, take on polish

pallérozott [-at; *adv* -an] *a*, polished, refined, cultivated

pallérterv *n*, *(épit)* working drawing

páll|ik [-a.il, -ott, -jon, -jék] *vi*, 1. *(növ)* rot 2. *[láb]* sweat 3. *(orv)* become gangrenous, necrotize

palló [-t, -ja] *n*, 1. *(áll)* plank, (thick) board, *[sárba fektetett]* duck-boards *(pl)*, board-walk *(US)* 2. = padló

pallóbélés *n*, *(bány)* plank tubbing

pallóhíd *n*, foot-bridge, *(hajó)* gangplank, gangway

pallos [-ok, -t, -a] *n*, sword, heavy broadsword, glaive, *[hóhéré]* executioner's sword

palloshordozó *n*, *[uralkodóé]* sword-bearer

pallosjog *n*, power of life and death, ius gladii *(lat)*

pállott [-at; *adv* -an] *a*, rotten, excoriated, necrosed; ~ száj sore mouth

pallóz [-tam, -ott, -zon, -zék] *vt*, lay down boards/ planks, plank, *[hajót]* board/plank over (deck etc.)

pálma [. át] *n*, 1. *(növ)* palm(-tree) 2. elnyeri a pálmát bear/win (v. come away with) the palm/honours, bring home the bacon *(US fam)*

pálmaág *n*, palm-branch, *[néha]* frond

pálmabél *n*, palm-marrow

pálmabor *n*, palm-wine, toddy

pálmacukor *n*, palm-sugar

pálmaerdő *n*, palm-grove

pálmafa *n*, palm-tree, *[anyag]* palmwood

pálmafúró *n*, *(áll)* palm-weevil *(Rhyncophorus)*

pálmaház *n*, palm-house

pálmalevél *n*, 1. palm-leaf, frond 2. *[díszítmény]* palmette

pálmaliget *n*, palm-grove

pálmamagzsir *n*, palm-butter

pálmaolaj *n*, palm-oil

pálmaoszlopfő *n*, *(épit)* palm capital

pálmasodró *n*, *(áll)* palm-civet *(Paradoxurus sp.)*

pálmavaj *n*, palm-butter

pálmaviasz *n*, palm-wax

palmetta [.. át] *n*, *(épit)* palmette

palmitin [-ek, -t] *n*, *(vegyt)* palmitin

palmitinsav *n*, palmic acid

palóc [-ot, -a] I. *a*, Palots; ~ nyelvjárás Palots dialect II. *n*, Palots ⟨ an inhabitant of Northeastern Hungary⟩

palócos [-at; *adv* -an] *a*, Palots-like

palócság *n*, the Palots people (of the countries Heves, Borsod, Nógrád, Gömör)

pálos [-ok, -t, -a] I. *a*, Paulite, Pauline; ~ rend Order of (the Hermits of) St. Paul; ~ szerzetes monk/friar belonging to the order of (the Hermits of) St. Paul, Pauline friar II. *n*, Paulite, Pauline

palota [.. át] *n*, palace, mansion, *[néha]* court, *[testületé]* hall

palotaforradalom *n*, court/palace revolution

palotagróf *n*, paisgrave, count palatine

palotagrófi *a*, palatine, palatinal

palotahölgy *n*, lady of the court, lady in waiting, lady of the bedchamber *(GB)*

palotaőr *n*, palace guardsman

palotaőrség *n*, palace guard

palotás *n*, 1. *[udvaronc]* courtier 2. *(tánc)* ⟨ slow and stately Hungarian dance⟩, palotache

palotaszálló *n*, palace hotel

palotaszerű *a*, palatial

palozsna [.. át] *n*, nest-egg

pálya [.. át] *n*, 1. *(áll)* course, path(way) 2. *[égitesté, űrhajóé]* orbit, *[lövedéké]* path, course, trajectory; kilövő ~ launching site; kitéríti pályájából turn from its true course, deflect, make sg deviate from its path/ orbit; befutja pályáját run its course; pályáját leírja describe its path 3. *(sp)* ground(s), playing field, *[futó]* course, track, *[golf]* golf links *(pl)*, *[labdarúgó]* field, pitch, football ground, *[lóverseny]* race course, *[korcsolya]* skating ring, *[tenisz]* tennis court, *[ródli]* run 4. *[vasúti]* track, permanent way, railway line, railroad line *(US)*; nyílt ~ open track; szabad ~ free/clear line; szabad a ~ road/line clear, *(átv)* the coast is clear 5. *[életpálya]* career, calling, profession; ügyvédi ~ the bar; a szabad pályák the professions; pályájának csúcspontja/delelője the peak of his career; szellemi pályán levő professional; vm pályára lép go in for, go into (the Army/ Church etc.), adopt a profession; pályáját megkezdi begin a career; pályát téveszt miss/mistake one's vocation; pályát választ choose a career

pályaáthidalás *n*, *[út fölött]* overbridge, *[völgy fölött]* viaduct

pályabeosztás *n*, *(sp)* *[futópályáé]* arrangement of th lanes

pályabér *n*, 1. rent of ground/court 2. = pályadíj

pályabíró *n*, *(sp)* umpire, *[lóversenyen]* track steward

pályaburkolás *n*, közúti ~ road-metalling

pályacsere *n*, *(sp)* change of ends/goals

pályadíj *n*, prize, award, reward; ~*at tűz ki* offer a prize; ~*at odaítél* award a prize; ~*at nyert regény* prize novel

pályadíjnyertes *n*, (prize-)winner of a competition, prizeman, laureate *(ref.)* ; ~ *mű* prizewinning work

pályaelágazás *n*, *(vasút)* bifurcation, branching off, *[szárnyvonal]* branch line

pályaelérési *a*, ~ *időszak [mesterséges bolygóé]* orbiting period

pályaépítés *n*, *(vasút)* railway construction

pályaépítő *a*, ~ *brigád (vasút)* construction crew/gang

pályafelvigyázó *n*, = pályaőr

pályafenntartás *n*, *(vasút)* track maintenance

pályafenntartó *a*, ~ *szolgálat* line service

pályafutás *n*, career; ~*a végére ért* be at one's journey's end; *földi ~unk* our mortal span

pályagondnok *n*, *(sp)* groundsman

pályagörbe *n*, *(mért)* trajectory

pályajavító *a*, ~ *brigád (vasút)* construction crew/gang

pályakérdés *n*, *(kb)* subject set for essays in a competition

pályakeresztezés *n*, railway crossing

pályakezdés *n*, start of one's career, starting on one's career, entrance into a profession, debut

pályakocsi *n*, *(vasút)* lorry, push-car, trolley, handcar *(US)*

pályakör *n*, orbit

pályamenti *a*, *(csill, fiz)* orbital; ~ *sebesség* orbital speed

pályamester *n*, *(vasút kb)* 〈foreman charged with keeping railway line in repair〉, road master, *(sp)* ground(s)-man; *ld még* pályaőr

pályamozgás *n*, *[bolygóé]* motion in/along an orbit

pályamunka *n*, competition essay, work submitted to competition, competitive design; *nyertes ~* prize essay, prize work; *az Akadémia díjával kitüntetett ~* an Academy award novel/work

pályamunkás *n*, *(vasút)* surfaceman, track-repairer, permanent wayman, plate-layer

pályamű *n*, = pályamunka

pályanyertes *a*, prize-winning

pályaőr *n*, *(vasút)* line(s)man, surfaceman, track--watchman/man/walker *(US)*, *[sorompónál]* gate--keeper, signalman (at level crossing)

pályaszakasz *n*, *[vasúti]* section/division of the permanent way, stretch

pályaszelvény *n*, *[vasúti]* vertical section (*v.* profile) of the permanent way

pályaszint *n*, track level

pályaszinti *a*, ~ *átjáró* level crossing

pályatárs *n*, colleague

pályatér *n*, *(sp)* sports ground, race/running-track

pályaterv *n*, = pályamunka

pályatest *n*, *[vasút]* permanent way, body of railroad, *[alépítményé]* railway/road-bed, *[csak felépítmény]* track, metals *(pl)*

pályatétel *n*, theme of a competition

pályatévesztett *a*, ~ *ember* who has missed his/her vocation, *(kif)* a square peg in a round hole *(fam)*

pályatöltés *n*, *[vasút]* railway embankment

pályaudvar *n*, *[vasút]* (railway) station, railway yard, railroad station *(US)*, depot *(US)*, *[végállomás]* terminus, terminal; *autóbusz ~* bus terminal; *fogadó ~* receiving yard; *gyorsáru ~* express goods station; *külső ~* outer station; *rendező ~* break-yard, shunting yard; ~*on tárol [árut]* keep (goods) at station till called for; ~*ra érkezik* reach the station

pályaudvar-parancsnok *n*, *(kat)* military commander of a station

pályaválasztás *n*, 1. choice of career/profession 2. *(sp)* choice of goals

pályaválasztási *a* concerning choice of career/profession

(ut) ; ~ *tanácsadás* career/vocational guidance, occupational counsel(l)ing, advice in the choice of career/profession

pályaversenyző *n*, *(sp)* track racer

pályavizsgálat *n*, *[vasút]* revision/inspection of permanent way, revision/inspection of line

pályázás *n*, soliciting/canvassing for a job, taking part in a competition; ~ *árlejtésen* tendering, sending in a tender

pályázat *n*, 1. competition; ~ *útján* by competition, through tender; *üresedést ~ útján tölt be* throw a post open to competition; ~*ot elnyer* win (at) a competition; ~*ot ír ki [munkára]* conduct a competition, invite tenders; ~*ot hirdet [állásra]* advertise a vacancy, invite application for a vacant post 2. *[mint kérvény]* application 3. *[benyújtott tanulmány]* essay-competition paper

pályázati *[-ak, -t; adv -lag]* *a*, competition-, concerning a competition *(ut)*; ~ *feltételek* clauses governing a competition; ~ *határidő* closing date for (the admission of) applications; ~ *hirdetmény* announcement of a competition/vacancy; ~ *kiírás* call(ing) for tenders

pályázat-kiírás *n*, call(ing) for tenders

pályáz|ik *[-tam, -ott, -zon, -zék]* *vi*, 1. *(ált)* compete (for), take part in a competition, *[díjra, állásra]* bid/compete/run (*v.* put in) for (a prize, office, etc.), *[vállalkozásra]* make a tender 2. *[meg akar szerezni]* angle for, make a bid for, try to get hold of; *babérokra ~ik* aspire to honours 3. *(vkre biz)* be after sy; *Éva kezére ~ik* he tries to win Eva's hand, he has pretensions to Eva's hand

pályázó *[-t, -ja]* *n*, competitor, applicant, contestant, candidate *(amire* for), aspirant (to/after/for)

pamacs *[-ot, -a]* *n*, 1. *[borotva]* shaving-brush 2. *[festék]* round paint-brush 3. -*[puder]* powder-puff

pamacsol *[-t, -jon]* *vt/vi*, 1. *[mázol]* brush over with sg 2. *[szappanoz]* lather

pamacsolás *n*, *[meszelés]* whitewashing, colour-washing, distempering

pamat *n*, bunch, tuft, flock

pamatos *[-t; adv -an]* *a*, ~ *kisülés (vill)* brush discharge

pamflet *n*, pamphlet

pamfletíró *n*, pamphleteer

pamlag *[-ot, -a]* *n*, couch, sofa, settee, davenport *(US)*

pampa *[..át]* *n*, pampas *(pl)*

pampaszfű *n*, *(növ)* pampas-grass *(Gynerium argenteum)*

pamut *[-ot, -ja]* *n*, cotton, *[laza használatban mint fonal]* knitting yarn/cotton/wool; ~*tal kevert [anyag]* cottony

pamutáru *n*, cotton goods/stuffs *(pl)*, cottons *(pl)*; *nyomott ~* cotton prints *(pl)*

pamutbársony *n*, cotton velvet, velveteen, fustian

pamutbatiszt *n*, cotton cambric

pamutcérna *n*, cotton twist

pamutdamaszt *n*, cotton damask

pamutdüftin *n*, moleskin

pamutflanell *n*, cotton beaver/flannel

pamutfonál *n*, *[szövéshez]* cotton yarn/thread, *[kötéshez, varráshoz]* knitting/sewing/spun cotton, *[nyers sodratlan]* sliver

pamutfonás *n*, cotton spinning

pamutfonó I. *a*, ~ *gép* cotton-spinning machine; ~ *gyár* cotton-mill, cotton-spinning works II. cotton threader

pamutfonoda *n*, cotton-mill

pamuthulladék *n*, cotton-waste

pamutipar *n*, cotton idustry/trade

pamutlánc *n*, cotton warp

pamutsávoly *n*, twilled/tweeled cotton

pamutszál n, line/thread of cotton
pamutszatén n, satin
pamutszerű a, cottony, cottonous
pamutszigetelésű a, cotton-lapped/covered
pamutszövet n, cotton fabric/material/cloth; *kékfestő/ indigónyomású* ~ medium make of calico; *nyers* ~ gray cotton cloth; *nyomott* ~ chintz; *sima* ~ plain cotton good
pamutszövőde n, cotton-mill
pamutszövőszék n, cotton-loom
pamuttermelés n, cotton production
pamutvászon n, calico, cotton-linen
pamutvatta n, cotton wadding
pamutvetülék n, cotton weft
Pán [-t, -ja] prop, Pan; ~ *sípja* Pan's pipe
panacea [..át] n, panacea
pánafrikai a, Pan-African
panama[1] [..át] n, (financial) swindle, scandal, abuse/ waste of public funds, bubble (scheme), ramp *(joc)*, racket *(US* ◈)
panama[2] [..át] a, *(tex)* ~ *inganyag,* cellular linen; ~ *kalap* Panama hat, sun-hat; ~ *kötés (tex)* basket- -weave
Panama [..át, ..ában] prop, Panama
Panama-csatorna n, Panama Canal; ~ *övezet* Canal Zone *(US)*
panamai [-ak, -t] n/a, Panamanian, Panamian
Panama-szoros n, the Isthmus of Panama
panamázás n, swindling, fraudulent practice, jobbery *(fam)*, graft *(US* ◈), racket *(US* ◈)
panamáz|ik [-tam, -ott, -zon, -zék] vi, swindle, abuse public funds, graft *(US* ◈)
pánamerikai a, Pan-American; ~ *gondolat* Pan-Americanism
pánamerikanizmus n, Pan-Americanism
panamista [..át] n, (official who uses inside knowledge to feather his nest), jobber, grafter *(US* ◈), racketeer *(US* ◈)
panasz [-ok, -t, -a] n, 1. *(ált)* complaint (about), *[előadása]* expostulation, lament, *[a panasz oka]* grievance; ~*a van* have a complaint *(akire/amire* against sy/sg); ~*ra megy* go and complain (to sy); ~*ra nincs ok* have no reason to complain, have no cause/ground of complaint, have nothing to complain of/about, (he) need not grumble; ~*t tesz* complain, lodge a complaint (against) *(akinél)* with sy; *tele van panasszal* be always complaining 2. *[panaszkodás]* moaning, complaining, *(orv)* complaint; ~ *nélkül* without a murmur; *mi a* ~*a? (orv)* what is your complaint?, what have you to *(v.* do you) complain of? 3. *(jog)* complaint, *(vk ellen)* accusation, charge; ~*nak helyt ad* consider a claim, take into consideration a claim; ~*t emel* lodge/lay a complaint; *panasszal él* lodge a protest, lay a complaint
panaszdal n, lament, complaint, dirge, jeremiad
panaszirat n, written complaint, *[rágalmazási/becsület- sértési ügyben]* fibel
panasziroda n, complaint office/department
panaszképp adv, as a complaint; *nem* ~ *mondom* I do not mean it as a complaint
panaszképpen adv, = **panaszképp**
panaszkodás n, complaint, grumble, *[sirám]* jeremiad, lament(ation), whine, groan; *nincs ok a* ~*ra* no occasion for complain
panaszkod|ik [-tam, -ott, -jon, -jék] vi, *(vkre, vmre)* complain (of sy/sg), make complaints (against/ about) lament, repine (at/against sg), moan, groan, grumble, murmur, exoostulate, remonstrate, rail (against) *(fam)*, grouse (about) *(fam)*; *fejfájásra* ~*ik* complain of a headache; ~*nak rád* people are complaining about you *(v.* that you . . .); *hogy van? nem* ~*om!* How are things going? I must not grumble

panaszkodó [-t; adv -an] a, plaintive, complaining, querulous, repining; ~ *hangon* in a plaintive voice
panaszkönyv n, book of complaints, complaint-book
panaszláda n, complaints box
panaszlevél n, letter of complaint, written complaint
panasznap n, grievance day
panaszol [-t, -jon] vt/vi, complain; *sírva* ~*ja (hogy)* in tears she complains (that), tearfully she complains (that)
panaszos [-ak, -t; adv -an]I. a, 1. plaintive, expostulating, mournful, lugubrious; ~ *ének* plaintive ballad/ lay; ~ *hangon* in a plaintive voice, in a doleful tone 2. ~ *fél (jog)* plaintiff, complainant II. n, *(jog)* plaintiff, complainant, petitioner, demandant
panaszosan adv, plaintively, dolefully
panaszostárs n, *(jog)* co-plaintiff, joint plaintiff
panaszpontok n. pl, *(jog)* counts (of indictment)
panasztétel n, *(jog)* lodg(e)ment of a complaint
panasztevő n, *(jog)* plaintiff, complainant, demandant
páncél [-ok, -t, -ja] n, 1. *[lovagi, átv]* armour, mail, *[felsőtestre]* cors(e)let, *[lóé]* bard(e)s *(pl)*; ~*ba öltözve* steel/mail-clad, clad in steel *(ut)*; *állig* ~*ban* encased in armour; *felölti a* ~*t* put on one's cuirass 2. *[járműé]* armouring, *[hajóé]* plate-armour, *(kat)* cuirass, armour 3. *[rovaré]* carapace, shell, shield, *[ráké]* crust(a)
páncélátütő-képesség n, penetrating power
páncélautó n, armoured car
páncélburkolat n, armour(ing), armour-plating, mail
páncélerőd n, armoured fort
páncélfedélzet n, *(hajó)* protection-deck
páncélgépkocsi n, = **páncélautó**
páncélgránát n, anti-tank grenade, armour-piercing shell
páncélhajó n, armoured vessel, ironclad
páncéling n, coat/shirt of mail, chain-mail/armour, *[térden alul érő]* hauberk
páncélkábel n, sheath cable
páncélkeret n, *[zongoráé]* string-plate
páncélkesztyű n, gauntlet
páncélkocsi n, = **páncélautó**
páncéllakat n, armoured padlock
páncéllemez n, armour/steel-plate, armoured plate, plate-armour
páncélos [-ak, -t; adv -an] I. a, 1. *[lovag, jármű]* armoured, mail/steel/armour-clad, mailed, steel- -plated; ~ *akadály* tank obstacle; ~ *alakulatok* armoured troops; ~ *cirkáló* armoured cruiser; ~ *ék* tank point/drive; ~ *elhárító* anti-tank; ~ *fegyvernem* armoured forces *(pl)* ; ~ *hadosztály* armoured/ panzer division; ~ *lovag* armour/mail-clad knight, armoured knight, knight in armour 2. *[állat]* testacean, testaceous, *[teknős]* hard-shell II. n, *[katona]* tank/armoured corps man/soldier, tank man/trooper, *[harckocsi]* tank, *[gépkocsi]* armoured car; a ~*ok* the armoured troops
páncélosállat n, armadillo
páncélosatka n, beetle mite *(Oribatidae-család)*
páncélosegér n, pichiciago *(Chlamyphorus truncatus)*
páncéloz [-tam, -ott, -zon] vi, armour, coat with armour
páncélozás n, armouring
páncélozott [-at] a, = **páncélos**
páncélököl n, tank-destroyer, bazooka *(US)*; ld még **páncéltörő**
páncélruha n, suit of armour
páncélszekrény n, (iron) safe, strong-box
páncélszoba n, strong-room, safe deposit, *[bankpincében]* (safety) vault
páncélterem n, = **páncélszoba**
páncéltorony n, (armoured) turret, *[hadihajón]* fighting-top
páncéltörő a, ~ *ágyú* anti-tank gun, tank-destroyer,

~ *fegyver* armour-piercing weapon; ~ *gránát/lövedék* armour-piercing shell; ~ *képesség* armour-piercing effect
páncélvastagság *n*, armour thickness
páncélvédelem *n*, anti-tank defence/security
páncélvédettség *n*, armoured protection
páncélvonat *n*, armoured train
páncélzat *n*, 1. *[lovagi]* armour; *teljes* ~ suit of armour 2. *[hajóé]* armour-plating, plate-armour, steel plating, cuirass; ~*tal ellát* armour-plate
panchromatikus *a*, panchromatic
pancs [-ot, -a] *n*, wish-wash, stew
pancser [-ek, -t, -je] *n*, *(biz)* = **paccer**
pancsol [-t, -jon] **I.** *vi*, *[vízben]* splash (about/in), dabble (in), splatter **II.** *vt*, *[bort meghamisít]* water, doctor, adulterate, dose, *[italt kever]* mix (drinks)
pancsolás *n*, 1. *[vízben]* splashing (about), dabbling (in) 2. *[bort]* doctoring, adulteration, dosing, *[ital keverése]* mixing (drinks)
pancsolt [-at; *adv* -an] *a*, ~ *bor* doctored/adulterated wine
panda [..át] *n*, *[mosómedveíaj]* panda *(Ailurus fulgens)*
Pandekták *n. pl, (jog)* pandects
pandur [-ok, -t, -ja] *n*, gendarm, pandour; *betyárból lesz a legjobb* ~ set a thief to catch a thief
panegirikus *a*, panegyric
panel [-ek, -t, -je] panel
páneurópai *a*, Pan-European
pánfóbia [..át] *n*, *(orv)* panphobia
pang [-ani, -ott, -jon] *vi*, *(átv is)* stagnate, be stagnant, *(ker)* be slack, slacken; *az üzlet* ~ business is slack, business is in the doldrums; *a kereskedelem* ~ trade is dull
panganét [-ot, -ja] *n*, † bayonet, sword
pangás *n*, 1. *(átv is)* stagnation, stagnancy, *[üzleti]* slump, slackness (of trade), depression, stagnation, standstill; *gazdasági* ~ recession 2. *(orv)* stagnation, stasis, atony
pangásos [-at] *a*, ~ *vese* pigback kidney, chronically congested cyanotic kidney
pángermán **I.** *a*, Pan-German **II.** *n*, Pan-Germanist
pángermanizmus *n* , Pan-Germanism
pangó [-t] *a*, 1. stagnant, *[üzlet]* slack, depressed, dull 2. *(orv)* atonic; ~ *véna* engorged vein
pánhellén *a*, Panhellenic
pánhellenizmus *n*, Panhellenism
páni *a*, ~ *félelem* panic/abject terror, ecstasy of terror
pánik [-ot, -ja] *n*, panic, scare, abject terror, *[állatok közt]* stampede; ~ *keletkezett* there was a panic, the crowd panicked; ~*ra hajlamos* panicky; ~*ot kelt* create a panic, throw (the crowd) into panic; ~*ot keltő sajtó* panic press
pánikhangulat *n*, scare, nervous tension, feeling/ atmosphere of panic
pánikkeltés *n*, panic-raising, scaremongering
pánikkeltő **I.** *a*, panic-raising, panicky, scaremongering **II.** *n*, panic-monger
pánikszerű *a*, ~ *menekülés* panic-stricken flight, panicky/headlong flight, *[állatoké]* stampede
pánikterjesztő *n*, alarmist, panic-monger, scaremonger
pániroz [-tam, -ott, -zon] *vt*, fry in bread(-crumbs), bread, (bread-)crumb, egg and crumb
panírozás *n*, 1. *[művelet]* frying in bread-crumbs 2. *[a héj]* bread-crumbs *(pl)*
pánizlamizmus *n*, Panislamism
pankráció [-t] *n*, *(sp)* all-in wrestling, catch-as-catch--can
pankrációs *a*, *(sp)* pancratic; ~ *mérkőzés* pancratium, all-in wrestling
pankreatin [-ok, -t, -ja] *n*, *(vegyt)* pancreatin
nkromatiku panchromatic

Panna [..át] *prop*, Annie, Anny, Nanny, Nancy, Nan, Nina
Panni [-t, -ja] *prop*, = **Panna**; ~ *robogó* Mini-Scooter
pannon [-ok, -t, -ja; *adv* -ul] *a/n*, Pannonian
Pannónia [..át, ..ában] *prop*, Pannonia
pannóniai [-ak, -t] *a/n*, Pannonian
panofix [-et, -e] *n*, *(kb)* specially treated sheep fur
panoptikum [-ot, -a] *n*, exhibition of wax figures, wax-works *(pl)*, wax-works show, wax cabinet
panoráma [..át] *n*, 1. view, panorama 2. *[kukucskálós]* peep-show
panorámafelvétel *n*, *(film)* panning; ~*t készít* pan
panorámafilm *n*, cinerama
panorámakép *n*, cyclorama
panoráma-képeskönyv *n*, press-out picture book
panorámaszerű *a*, panoramic
pánsíp *n*, Panpipe, Pand(a)ean pipe, syrinx
pánszláv **I.** *a*, Pan-slav(ic) **II.** *n*, Pan-Slavist
pánszlávizmus *n*, Pan-Slavism
pánt [-ot, -ja] *n*, 1. *(átl)* band, clamp, hold-fast, *[ajtóé]* strap-hinge, *[hajnak]* fillet, *[hordón]* hoop, *[keréken]* tyre, *[ládán]* batten, brace, *[vasúti sínen]* fish-plate; *szárnyas* ~ butt hinge 2. *[ruhán]* strap, *[kabáton hátul]* half-belt, *[női cipőn]* bar
pantalló [-t, -ja] *n*, trousers, *[skótmintás anyagból kat]* trews, *[bő szárú]* bags, Oxford bags, *[bő, nők által is hordott]* slacks, pants *(US)*, pantaloons *(US)*, jeans *(US)* *(mind pl)*
panteista [..át] **I.** *a*, pantheistic(al) **II.** *n*, pantheist
panteisztikus *a*, pantheistic(al)
panteizmus *n*, pantheism
panteon [-ok, -t, -ja] *n*, Pantheon
pántlika [..át] *n*, ribbon, tape
pántlikaféreg *n*, *(áll)* tapeworm *(Taenia)*
pántlikafű *n*, *(növ)* reed-grass *(Baldingera arundinacea)*
pántlikás *a*, (be)ribboned, adorned with ribbons *(ut)*
pántlikáz [-tam, -ott, -zon] *vt*, beribbon
pantofágia [..át] *n*, *(orv)* pantophagy
pantográf [-ot, -ja] *n*, pantograph, eidograph
pantografál [-at] *a*, pantographic(al)
pantográf-áramszedő *n*, *(vill)* pantograph
pántol [-t, -jon] *vt*, tie with a band; *hordót* ~ hoop a barrel
pántolás *n*, tying with a band, *[hordóé]* barrel hooping
pantométer *n*, pantometer
pantomim [-ot, -ja] *n*, pantomime, mime, dumb-show
pantomimszerző *n*, mimographer, mime-writer
pantomimszínész *n*, mime, mimic
pántvas *n*, iron band/tie, flat-iron
panzió [-t, -ja] *n*, = penzió
panyókára vetve (jacket/coat) thrown over one's shoulder (and back)
pányva [..át] *n*, tether, rope, halter (for horse), *[vetől* lasso, lariat
pányvakötél *n*, tether
pányváz [-tam, -ott, -zon] *vt*, tether, hitch with a rope, *[kifog ménesből]* lasso
pányvázó [-t] *a*, ~ *gyökér* *(növ)* prop root
pap [-ot, -ja] *n*, *(átl)* priest, churchman, clergyman, cleric, divine *(ref.)*, ecclesiast(ic) *(ref.)*, *[katolikus]* priest, *[protestáns]* minister, clergyman, vicar, rector, parson *(jam)*, *[zsidó]* rabbi; *a fia* ~ his son is in (holy) orders; *a jó* ~ *holtig tanul (kb)* never too late/old to learn, live and learn; *a* ~ *sem prédikál kétszer* I don't boil cabbage twice; *kinek a* ~ *kinek a* ~*né* there is no accounting for *(v. disputing about)* tastes; ~*hoz illő/méltó* priestly, priestlike; ~*nak megy* enter the Church; *hála a* ~*nak (tréf)* thank God; *hivatja a* ~*ot* call for the priest; ~*pá szentel* ordain; ~*pá szentelés/avatás* ordination, the conferring of holy orders (on a Christian minister)

papa [..át] *n/int, (biz)* Dad, Daddy, Pa(pa), Pop *(US)*, governor *(fam)*, guv *(fam)*

pápa [..át] *n*, pope, (the) Holy Father, (the) supreme pontiff; *pápább a pápánál* more catholic than the Pope, be Sir Oracle

pápá *int, (gyerm)* ta-ta

pápaellenes *a*, anti-papal, antipapist

pápaellenesség *n*, antipopery

papagáj [-ok, -t, -a] *n*, parrot, poll *(fam)*, polly *(fam)* *(Psittacus)*

papagájfélék *n. pl*, psittacidae

papagájhal *n*, parrot-fish *(Scarus)*

papagájkór *n*, parrot disease/fever, *(orv)* psittacosis

pápai [-ak, -t; *adv* -an] *a*, papal, pontifical, apostolic(al); ~ *állam* Papal/Ecclesiastical State; ~ *bulla* Papal bull; ~ *csalhatatlanság* papal infallibility; ~ *enciklika* encyclic(al); ~ *főhatóság* papal supremacy; ~ *kamarás* chamberlain (to the pope); ~ *(kettős) kereszt* papal cross; ~ *korona* tiara; ~ *körlevél* encyclic(al) letter; ~ *követ* nuncio, papal legate; ~ *követség* nunciature; ~ *kúria* Papal curia; ~ *legátus* Papal legate; ~ *lovag* Papal knight; ~ *méltóság* pontificate; ~ *nuncius* Papal nuncio/legate; ~ *szék* (The) Holy See; ~ *tiara* triple crown, tiara

pápapárti *a*, pro-papal

pápapinty *n*, painted finch *(Fringilla ciris)*

pápaság *n*, 1. *[intézmény]* papacy, pontificate, *(elit)* popery 2. *[méltóság]* popedom, pontificate

pápaszem *n*, (pair of) spectacles, (pair of) eye-glasses, glasses *(pl) (fam)*, specs *(pl) (fam)*

pápaszemes *a*, 1. bespectacled, wearing spectacles *(ut)*; ~ *csüngő (rég)* spectacle-spiral; ~ *gyűrű (rég)* spectacle-ring 2. ~ *kígyó* cobra (de capello), hooded snake *(Naja tripudians)*; ~ *maki* tarsier, tarsius *(Tarsius tarsier)*

pápaválasztás *n*, election of a pope, conclave

papayafa *n, (növ)* papaw(-tree) *(Carica papaya)*

papellenes *a*, anticlerical

papfülemüle *n, (áll)* blackcap, sylvia *(Sylvia)*

papi¹ [-ak, -t; *adv* -lag] *a*, ecclesiastical, clerical, sacerdotal, *[papé]* of a churchman/priest *(ut)*, *[paphoz illő]* priestly, priestlike; ~ *birtok* church land; *teljes* ~ *díszben* in full canonicals; ~ *föld [katolikus]* the parson's land, *[protestáns]* the pastor's land; ~ *furfang* priestcraft; ~ *hivatás* priesthood, the ministry, holy office; ~ *iskola [felekezet által fenntartott]* denominational school, *[GB anglikán]* Church school, *[papi pályára előkészítő]* theological college, divinity school; ~ *minőség* priesthood; ~ *nevelés* education by priests; ~ *pálya* priesthood, ministry; ~ *pályára megy* enter priesthood, enter the ministry, take (holy) orders, go into the Church, enter the Church; *otthagyja a* ~ *pályát* throw one's frock away, unfrock oneself, break one's vows; ~ *rend* religious/holy orders *(pl)*, ministry, the cloth *(fam)*; ~ *ruha* priestly garb, sacerdotal garments *(pl)*, cassock, vestments *(pl)*, clericals *(pl) (fam)*; ~ *sapka* calotte, zuc(c)hetto; ~ *szellem* clericalism; ~ *szeminárium* theological college; ~ *talár* the long robe; ~ *ténykedés* sacerdotal function; ~ *tized* (ecclesiastical) tithe; ~ *uralom* theocracy; ~ *vagyon* church property; ~ *vagyon felosztása* secularization of church property; ~ *viselkedés* priestly demeanour

papi² [-t, -ja] *n, (gyerm)* pap

papics [-ot, -a] *n, (növ)* (wood-)anemone *(Anemone)*

papilla [..át] *n, (orv)* papilla; *pangásos* ~ choked disc

papillás [-at] *a*, papillate

Papin-fazék *n*, Papin's digester

papír [-ok, -t, -ja]I. *n*, 1. paper; *a* ~ *türelmes* one can put anything on paper; ~ *ba csomagol* wrap (up) in paper; ~ *hoz hasonló* paper-like, papery; ~ *on (átv)* seemingly, on the face of it, purely nominal; ~ *on marad* remain a dead letter; ~ *ra vet [rajzot]* sketch, *[szöveget]* note (down), jot (down), set/get down, put in writing, commit to paper, put down on paper; ~ *ra veti gondolatait* express one's thoughts on paper, put down one's ideas on paper; ~ *t összegyúr* crumple up paper; ~ *ral bevon/kárpitoz* paper 2. *[személyi okmányok]* papers *(pl)*, documents *(pl)*; *[értékpapír]* angol ~ *ok* British securities; *forgatható* ~ negotiable instrument II. *a*, (of) paper

papíranyag *n*, 1. *[cellulóze]* wood-pulp 2. *[újság-papírhenger]* newsprint

papíráru *n*, paper articles *(pl)*, stationery

papírblokk *n*, writing-block/pad

papírburkolat *n*, paper wrapping, wrapping-paper

papírcsákó *n*, paper hat

papírcsipke *n*, lace-paper

papírcsónak *n*, paper boat

papírdarab *n*, slip/piece/scrap of paper

papírdoboz *n*, paper box, *[kartonból]* cardboard box

papírelőhívó *n, (fényk)* paper developer

papíreperfa *n, (növ)* paper-mulberry, broussonetia *(Broussonetia papyrifera)*

papírfa *n*, pulpwood

papírfeldolgozás *n*, paper converting

papírfeldolgozó *a*, ~ *ipar* paper processing industry

papírfigura *n*, 1. *[kivágható]* cut-out 2. *[irodalmi műben]* cardboard character

papírfokozat *n, (fényk)* contrast grade; ~ *kiválasztása* adjustment of paper

papírforma *n*, paper form, form (as) on paper; ~ *szerint* on paper, according to paper, hypothetically, theoretically, in theory, off the form; ~ *szerint győz* the odds are that he wins

papírgalacsin *n*, (paper) pellet; ~ *t csinál* crumple up paper (to make a pellet)

papírgyár *n*, paper-mill/factory

papírgyáros *n*, paper-maker/manufacturer

papírgyártás *n*, paper-making/manufacturing/manufacture

papírgyűrű *n*, *[szivaron]* paper band

papírhéjú [-ak, -t] *a*, ~ *dió* walnut with paper-shell, paper-shell nut

papírhenger *n*, paper roll(er), reel

papírhiány *n*, paper shortage

papírhulladék *n*, waste/refuse paper

papírhüvely *n*, paper tube

papíripar *n*, paper-making/industry

papírív *n*, sheet of paper; ~ *eket berak (nyomd)* lay on (the sheets)

papírízű *a*, stilted, artificial

papírkapocs *n*, paper-fastener/clip

papírkárpit *n*, paper-hangings *(pl)*

papírkereskedés *n*, stationer's shop

papírkereskedő *n*, stationer, paper-merchant

papírkeret *n, (fényk)* slip-mount, passe-partout

papírkorona *n*, paper crown

papírkosár *n*, waste-paper basket

papírkötés *n*, *[könyvé]* paper-boards *(pl)*; ~ *ben* in paper boards, stitched, paper-bound/backed/covered/wrappered, paperback (edition)

papírkötésű [-ek, -t] *a*, in paper boards *(ut)*, paperback

papírlámpa *n*, lampion

papírlap *n*, sheet of paper

papírlapvezető *n, (nyomd)* paper-guide

papírlemez *n*, cardboard, paperboard, millboard

papírlyukasztó *n*, paper-punch

papírmalom *n*, paper-mill/factory, *[zúzda]* pulping machine

papírmasé *n*, papier-mâché *(fr)*, pulp

papírmassza n, paper-pulp
papírmegvilágítás n, (fényk) exposure of print
papírméret n, (fényk) cut dimension of photographic paper
papírnagyság n, (fényk) cut dimension of photographic paper
papírnyírfa n, (növ) paper-birch, silver birch (Betula papyrifera)
papírnyomat n, (fényk) photostat
papírnyomó n, [levélnehezék] paper-weight
papírolló n, paper shears (pl)
papírológia [..át] n, papyrology
papíros [-ok, -t, -a] n/a, = papír
papírosízű a, stilted, artificial
papírpénz n, paper/token-money, notes (pl), bills (pl) (US), soft money (US)
papírpép n, paper pulp
papírpohár n, paper cup
papírrongy n, paper rag, scrap, (átv) scrap of paper
papírspárga n, paper string/twine
papírszagú a, (elit) = papírízű
papírszalag n, paper band/slip
papírszalvéta n, paper napkin/serviette
papírszalvéta-gyűjtés n, paper-napkin collection
papírszalvéta-gyűjtő n, paper-napkin collector
papírszelet n, scrap/slip of paper
papírszerű a, paper-like, papery, papyraceous, (növ) chartacerous
papírszigetelésű a, paper-insulated
papírszobor n, paper sculpture
papírszobrászat n, paper sculpture
papírszűrő n, paper filter
papírtámasztó n, [trógépen] paper support
papírtapéta n, paper-hangings (pl)
papírtekercs n, paper bobbin/reel, scroll
papírtörülköző n, paper towel, kleenex (US)
papírusz [-ok, -t, -a] n, papyrus; ~ok gyűjteménye collection of papyri; ~ból készült papyraceous
papíruszkáka n, (növ) papyrus (Papyrus)
papíruszoszloptő n, (épít) papyrus flower/bud capital
papírusztekercs n, papyrus roll, volumen (lat)
papírvágó a, paper cutting; ~ gép paper cutter, paper cutting machine, guillotine; ~ kés paper/desk-knife
papírvaluta n, soft/paper currency
papírvatta n, paper wadding, artificial cotton
papírvékony a, (fényk) single-weight (paper)
papírvékonyságú a, (as) thin as paper (ut), papery; ~ra vág cut (sg) as thin as a wafer
papírvirág n, paper flower
papírvonalozó a, ~ gép paper ruling machine, paper ruler
papírzacskó n, paper bag/cap
papírzászló n, paper flag
papírzúzda n, paper/pulping-mill, breaker
papírzsák n, paper bag, (ritk) paper sack
papírsebkendő n, paper handkerchief, tissue (pocket handkerchief), kleenex (US)
pápista [..át] I. n, papist, Roman Catholic II. a, 1. popish, Romish, (Roman) Catholic, papistic(al) 2. ~ színben van look sallow/pale 3. (biz) ~ varjú rook (Corvus frugilegus)
pápistaság n, papistry, popery
papízlik [-tam, -ott, -zon] vt, (gyerm) eat one's dindins
papjelölt n, = papnövendék
papkalap n, (növ) hellebore (Helleborus); zöld ~ boar's-foot (H. viridis)
papkirály n, (tört) priest-king
paplak n, vicarage, rectory, parsonage, manse
paplan [-ok, -t, -a] n, [gyapjú] quilted coverlet (stuffed with wadding), [pehely] eiderdown quilt, puff (US)
paplankabát n, quilted coat/jacket
paplankészítő n, quiltmaker

paplanlepedő n, sheet for quilted coverlet
paplanos [-ak, -t] I. a, having a quilt (ut); ~ ágy bed (covered) with a quilt II. n, quiltmaker
papmacska n, [lepke] tiger-moth, woolly bear (Arctia)
papné n, clergyman's wife; ld még pap
papnevelő n, [katolikus] seminary, [protestáns] theological college
papnő n, priestess, votaress
papnövelde n, = papnevelő
papnövendék n, [katolikus] seminarist, novice, [protestáns] divinity student
papocska n, 1. [fiatal pap] young priest/clergyman, curate, priestling 2. (elit) devil-dodger ◆, Holy Joe ◆
papol [-t, -jon] vi/vt, (biz) chatter, gabble, gas; ne ~j! cut the cackle!
papolás n, (biz) chattering, gabbling, gassing
papos [-ak, -t; adv -an] a, 1. clerical, priestly, priest-like 2. (elit) church-going (stand.), churchy, priest-loving
pappadácsláz n, (orv) sand-fly fever
paprád [-ot] n, (növ) hair-moss (Polytrichum)
papramorgó [-t, -ja] n, (nép) brandy (stand.), rot-gut (fam)
paprika n, 1. [piros por] pimento, sweet/red pepper, paprika 2. [zöld termése] green/whole paprika; zöld ~ capsicum (Capsicum annum); töltött ~ stuffed paprika
paprikajancsi n, Punch, punchinello, harlequin, merry-andrew
paprikamalom n, paprika mill
paprikapép n, red pepper pulp, paprika pulp, pulped paprika
paprikás I. a, 1. [étel] seasoned with paprika (ut), seasoned with red pepper (ut); ~ csirke paprika chicken; ~ szalonna (fat) bacon covered with paprika (v. red pepper) 2. ~ kedvében van be in a hot temper, be irritable; ~ hangulat sulphurous atmosphere II. n, (kb) devilled meat, meat stewed with paprika
paprikasaláta n, paprika salad, sliced green paprika
paprikaszüret n, paprika harvest
paprikatermés n, paprika yield (per acre/etc.)
paprikavörös a, paprika-red
paprikáz [-tam, -ott, -zon] vt, season with paprika, season with red pepper
papság n, [hivatás] priesthood, ministry, [gyűjtőnév] clergy, priests (pl), the priesthood, the ecclesiastical body, the cloth (fam); világi ~ secular clergy; alsó ~ lower clergy
papságellenes a, anticlerical
papsajt n, 1. (növ) (wild) mallow (Malva) 2. nem mindig/minden ~ (átv) you can't have caviar every day, life is not all beer and skittles, life is not always a bed of roses
papsapka n, (növ) spindle-tree, [bogyója] spindle-berry (Evonymus europaeus)
papsapkagomba n, (növ) gyromitra (Gyromitra esculenta)
papszentelés n, ordination, ordaining (of priests)
paptánc n, [népzene] priest dance (at weddings)
pápua [..át] a/n, Papuan
papucs [-ot, -a] n, 1. slipper's (pl), [szegedi] scuff, baboosh, [sarkatlan] mule 2. (átv biz tréf) henpecked husband; ~ alatt van be henpecked, be under one's wife's thumb, be wife-ridden 3. [oldalfegyveré] frog 4. [kisnyomtatványok stb. tárolására] pamphlet box/case
papucsállatka n, paramecium (Parmaecium)
papucscipő n, loafer, slip-on, flattie (fam), vamp, pump
papucscsőrű n, [madár] shoebeak, shoebill, whale-head (Balaeniceps rex)

papucsték n, (műsz) slipper brake
papucsférj n, henpecked husband
papucshős n, = papucsférj
papucskormány n, petticoat government
papucs-motorcsónak n, speed-boat
papucsos [-ak, -t; adv -an] I. a, slippered II. n, [iparos] slipper-maker
papucsszeg n, clout-nail
papucsvirág n, (növ) slipperwort, calceolaria (Calceolaria fruticohybrida)
papulás a, (orv) papulose
papvrág n, (növ) moon-flower, ox-eye daisy, white ox-eye (Chrysanthemum leucanthemum)
pár [-ok, -t, -ja] I. n, 1. [kettő] pair, [házas, szerelmes] couple; kettő egy ~ two make a pair; az ifjú ~ the newly wedded pair, the newly married couple, the newly weds (pl) (US); szép ~ a handsome pair, a good-looking pair; szép kis ~ (iron) a pretty couple; ~ban dolgoznak work in couples 2. [értékben, nagyságban, minőségben] match, the like, counterpart, analogue, pendant; ez a két kesztyű nem egy ~ these two gloves do not match; hol van ennek a cipőnek a ~ja? where is the fellow of this shoe?; nincsen ~ja be unmatched/unrivalled/peerless, be without a rival, have no match/equal, there is nothing like it; ritkítja ~ját be practically unrivalled, have few rivals, have no peer; ~ját ritkító unparalleled, unmatched, unrivalled, unequalled, superior, without/beyond compare (ut) 3. [embernek átv] companion, pair, twin, double, [madárnak] mate; ~ja ... [tenisz-párosban] be partnered by ...; élete ~ja partner for life; a ~om (biz) my better half
II. a, 1. [kettő] pair of; egy ~ kesztyű pair of gloves; egy ~ ökör a yoke of oxen 2. [néhány] couple (of), some, few; jó ~ many a; ~ napja nem láttam I have not seen him for a few (v. some) days; ~ nappal ezelőtt some days ago; ~ perccel két óra előtt shortly before two o'clock; adjon ~ szál gyufát! give me some matches!; egy ~ szót szólt csak he spoke a few words only
para [.. át] n, (növ) cork
pára [.. át] n, 1. [gőz] steam, vapour, [kipárolgás] fumes (pl), reek, exhalation, [láthatáron] haze, [tükrön] blur; a ~ befutja/belepi mist (over), cloud (over); párával fedett/befutott ablakok windows covered with steam 2. [lélegzet] breath; kiadja páráját give up the ghost, perish
parabola [.. át] n, 1. (mért) parabola 2. [hasonlat] parable
parabolapálya n, parabolic path/orbit
parabolasík n, parabola plane
parabolatest n, paraboloid
parabolatükör n, parabolic mirror
parabolavonal n, parabola line
parabolikus a, parabolic(al); ~ görbe parabolic(al) curve
paraboloid [-ot, -ja] n, paraboloid
parádé [-t, -ja] n, 1. [felvonulás] parade, pageantry, procession; katonai ~ muster of troops, review 2. [pompa] pomp, big/pompous show, formal display, (elit) show-off; nagy ~t csap do things on the grand scale, do oneself proud
parádés a, 1. [felvonulási] parade 2. [díszes] festive, gala; ~ kocsis (-kb) liveried coachman (in gala dress); ~ ló coach-horse 3. (szính) ~ szerep great/brilliant part; ~ szereposztás all star cast
parádézás n, parade, parading, (elit) showing-off
parádéz|ik [-tam, -ott, -zon] vi, parade, [hencegve] strut, swagger, (elit) show-off; új ruhájában ~ik make a show of (v. parade in) one's new dress, sport a new dress
paradicsom[1] [-ot, -a] n, 1. (vall) paradise, (the) garden

of Eden; úgy él mint a ~ban be in clover 2. földi ~ (átv) earthly paradise; a turisták ~a (átv) tourists' paradise
paradicsom[1] [-ot, -a] n, (növ) tomato, love apple (Lycopersicum esculentum)
paradicsomalma n, (növ) love-apple (Lycopersicum esculentum)
paradicsomhal n, paradise-fish (Macropodus opercularis)
paradicsomi [-ak, -t; adv -an] a, of paradise (ut), paradisial, paradisiac(al), paradisaic(al); ~ boldogság heavenly bliss, paradise
paradicsomkert n, = paradicsom 1.
paradicsomlé n, tomato juice
paradicsomleves n, tomato soup
paradicsommadár n, bird of paradise
paradicsommártás n, tomato sauce, [fűszerezett] catchup, ketchup, catsup
paradicsomos [-ak, -t; adv -an] a, 1. [étel] tomato, made/prepared with tomato(es) (ut); ~ burgonya potatoes in tomato sauce 2. ~ kosár tomato basket
paradicsompaprika n, pimiento, bonnet pepper (Paprica tetragonum)
paradicsompüré n, tomato pulp
paradicsomsaláta n, tomato-salad
paradicsomsasfa n, (növ) eaglewood (Aquilaria Agalocha)
paradicsom-vidapinty n, (áll) paradise whydah (Steganura sp.)
paradigma [.. át] n, paradigm
paradió n, (növ) Brazil-nut (Bertholletia excelsa)
paradiófa n, (növ) Brazil-nut tree (Bertholletia)
paradox [-ot; adv -ul] a, paradoxical
paradoxon [-ok, -t, -a] n, paradox
páradús a, [levegő a szabadban] humid
paraf [-ot, -ja] n, sign manual, paraph, initials (pl)
parafa n/a, 1. cork(-wood), [horogzsinóron] float; ~ dugó cork (stopper); ~ lemez cork-board; ~ öv cork hoop; ~ szopókás [cigaretta] cork-tipped; ~ talp cork sole; ~ ütő cork bat 2. (növ) phellogen, suber
parafadara n, cork meal
parafakő n, cork brick
parafál [-t, -jon] vt, sign one's initials (on), put one's initials (to), initial (a document), paraph
parafálás n, initialling, putting initials (to)
parafás a, 1. [cigaretta] cork-tipped 2. (növ) phellogenic, suberose, suberous
parafasav n, suberic acid
paraffin [-ok, -t, -ja] n, paraffin(e); ~ gyertya paraffine candle; ~ba ágyazott (orv) embedded in paraffin (ut); ~ba ágyazott metszet (orv) paraffin section; ~nal bevont gyufa impregnated matches (pl)
paraffinfürdő n, paraffin bath
paraffingyár n, wax plant
paraffinolaj n, paraffine oil
paraffinosság n, (vegyt) paraffinicity
paraffinpakolás n, hot paraffin application
paraffinpapir n, paraffin-paper
parafrázis n, paraphrase; ~t ír (vmből) paraphrase (sg)
parafrázisszerű a, paraphrastic
paragenezis n, (geol) (mineral) paragenesis, association/assemblage of minerals
paragrafus n, 1. (jog) article, section, paragraph (röv par.), clause, item; a 2. ~ban under section Two; jártas a ~okban versed in the intricacies of law; új ~t iktat be add a new paragraph 2. [írásjel] section-mark (§)
paragrafusjel n, section mark (§)
paragrafusrágás n, red-tapery/tapism/tapedom
paragrafusrágó n, red-tapist, bureaucrat
Paraguay [-t, -ban] prop, Paraguay

paraguayi [-ák, -t] a, Paraguayan
paraj [-ok, -t, -a] n, 1. [kerti növény] spinach (Spinacia sp.); nyári ~ summer spinach (S. oleracea glabra); téli ~ prickly spinách (S. oleracea spinosa); vörös ~ garden orache (Atriplex hortensis) 2. [gyom] (big-leaved) weed
parajfőzelék n, spinach (as a dish)
parajszerű a, spinaceous
parakaucsuk n, para rubber
paraképző a, ~ szövet phellogen cork cambium
parakéreg n, (növ) phelloderm
parakérges a, (növ) phellodermal
paraldehid [-et] n, (vegyt) paraldehyde
páralecsapódás n, precipitation of moisture, [tárgyon] misting over; ~ fényképezőgépen perspiration of camera
paralel [-ek, -t, -e] a/n, parallel
paralelepipedon [-ok, -t, -a] n, (menny) parallelepiped
paralelizmus n, parallelism
paralelkapcsolás n, (műsz) parallelling
paralelogramma [.. át] n, parallelogram
paralitikus I. a, 1. [bénult] paralytic(al), affected with paralysis (ut) 2. [elmebelileg] idiotic, moronic, imbecile II. n, paralytic, person affected with paralysis
paralizál [-t, -jon] vt, paralyse, affect/strike with palsy
paralízis [-ek, -t, -e] n, paralysis, akinesia, palsy (obs); ~ progresszíva general paresis, general paralysis of the insane, paralytic dementia
parallaktikus a, (csill) parallactic; ~ szög parallactic angle
parallaxis [-ok, -t, -a] n, parallax; ~ kiegyenlítése/ kiküszöbölése (fényk) parallax compensation
parallaxisos [-at] a, parallactic
paramágneses [-et] a, (fiz) paramagnetic
paramágnesség n, (fiz) paramagnetism
páramentes a, clear, unclouded, free from mist/haze (ut), moisture-free; ~ szélvédőüveg non-clouding windscreen, sweat-proof glass
páramentesítő n, (gk) demister
páramérő a, ~ készülék wet-and-dry-bulb hydrometer, psychrometer
paraméter n, (menny) parameter
paraméteres a, (menny) parametral
parametrikus a, (menny) parametral
paramorfózis n, (ásv) paramorphism
parancs [-ot, -a] n, 1. command, order, bidding, [bírósági tiltó] injunction, enjoinment, [felhatalmazás] commission, [hatósági] mandate, edict, fiat, rescript, behest (ref.), (jog) writ, warrant, (kat) order, [lelkiismereté] dictate, [utasítást tartalmazó] direction, precept, instruction; a ~ (az) ~ orders are orders; atyai ~ paternal fiat (fam); határozott ~ strict/express/categorical order, peremptory call/ summons; szigorú ~ strict order; az ő szava ~ what he says goes; ~om van (hogy) I am ordered (to); ~ba van adva hogy ... (kat) it is stated in orders that ...; ~ra vár await orders; a katonák ~ra várnak the soldiers wait for orders; ~ára! at your service!, certainly!, yes sir; vk ~ára by command/order (of), under the orders of sy, at the behest of sy, at sy's bidding; ~ot ad vmre give/issue order (to); ~ot kap vmre receive an order to, be detailed (off) to; ~ot teljesít carry out (v. execute) an order/command 2. [vallási] commandment
parancsadás n, giving a(n) order/command, order(s), command
parancshídház n, (hajó) bridge-house, superstructure
parancshirdetés n, = parancskiadás, parancsolvasás
parancsként adv, as a command, by way of a(n) command/order
parancskiadás n, giving/issuing of orders/commands, [kat esti] retreat, evening quarters

parancskönyv n, (kat) orderly book
parancsközvetítés n, transmission of orders
parancsmegszegés n, breach of orders
parancsmegtagadás n, disobedience to orders of an officer, disobedience of orders
parancsnok [-ot, -a] n, commander, (kat) commanding officer (röv C.O.), officer commanding (röv C.O.), leader, [katonai területé/intézményé] commandant; ~a vmnek (be) in command of sg
parancsnokhelyettes n, deputy commander, exchange/ executive officer (röv XO), second in command, junior leader
parancsnoki [-ak, -t] a, of command (ut), commanding; ~ beosztás commanding position; ~ gépkocsi command car; ~ hajó flagship; ~ híd (conning) bridge; ~ hírháló headquarters net; ~ kar commanding staff; ~ rangjelzés insignia of command (pl); ~ tisztség commandership, commandantship
parancsnoklás n, command, commanding, heading, leading; ~sal megbíz vkt place sy in command
parancsnokló [-ak, -t] a, commanding, in command (ut); ld még parancsnok
parancsnokol [-t, -jon] vi, command, be in command, head, lead
parancsnokság n, 1. [ténykedés] commandership, command, commandantship, [nem kat] leadership; vk ~a alatt áll be under the command of sy; átveszi a ~ot take (over the) command (of) 2. [szerv] headquarters (of commander) (röv H.Q.)
parancsnoksági [-ak, -t] a, 1. [ténykedésre] (of) command 2. [szervre] (of) headquarters
parancsol [-t, -jon] vi/vt, 1. command, order, bid, enjoin, direct; ~ vknek give orders to sy, dictate to sy; itt én ~ok! I am the boss here, you take your orders from me; tégy úgy ahogy ~ták do as you are told; maga nekem nem ~! I do not take orders from you!, who are you to order me about?; csendet ~ enjoin silence (on/upon) 2. [udvariassági kifejezésekben] parancsol? I beg your pardon?; úgy ahogy (ön) ~ja just as you please, as you like; mit ~? (is there) anything I can do for you (Sir)?, [enni] what will you have?, [inni] what is yours?; még mit ~? [vendéglőben] next thing please?, what next please?; mit ~nak a hölgyek? what can I offer you(,) ladies?; ~ gyümölcsöt? may I help you to some fruit?; ~ egyet (vmből)? will you have one?; ~ még teát? will you have some more tea?; ~jon még egy csészével! have another cup!; ~ egy cigarettát? will you have a cigarette?; would you like to smoke?; ~jon! I am at your disposal, [kínálásnál] take/have some!, [udvariasabban] help yourself; ~jon velem! I am at your disposal/command; ~jon helyet foglalni! please take a seat, will you sit here; ~!! if you please; tessék ~ni! [vkt előre engedve] after you, [kínálva] help yourself 3. tiszteletet ~ command respect
parancsolás n, command(ing), order(ing)
parancsolat n, commandment; úgy megy mint a ~ things are going like clockwork, everything is going smoothly/swimmingly; tíz ~ Ten Commandments (pl)
parancsolgat vi, keep on giving orders, be bossy/dictatorial, (vknek) order sy about, lord it over sy; nem hagyom hogy parancsolgassanak nekem I refuse to be ordered about, I will not be lorded over
parancsolgatás n, (keeping on) giving orders, ordering sy about, lording it (over sy), regimentation
parancsolgató a, bossy
parancsoló [-ak, -t; adv -an] I. a, 1. commanding, ordering, [ellentmondást nem tűrő] peremptory, imperative, imperious, authoritative, dictatorial, overbearing, dominating, magisterial; ~ hang peremptory/dictatorial tone, authoritativeness, posi-

tive tone of voice; ~ *hangon* in a peremptory tone (of voice), imperatively; ~ *módon* in a peremptory way/manner; ~ *szükség* imperative need, dire necessity/want 2. *(nyelvt)* ~ *mód* imperative mood, jussive; ~ *mondat* imperative phrase/sentence II. *n*, commander, commandant, lord; *ő a mi urunk és* ~*nk* he is our lord and master

parancsolóan *adv*, peremptorily, imperatively, imperiously, authoritatively, domineeringly

parancsolvasás *n*, reading the order of the day

parancsőrtiszt *n*, orderly officer

parancsszerű *a*, imperative, imperious, peremptory

parancsszó *n*, (word of) command, (word of) order; *mintegy* ~*ra* as if by command

parancsteljesítés *n*. carrying out of a(n) command/order

parancsuralmi [-ak, -t; *adv* -an] *a*, dictatorial, totalitarian, autocratic, absolute

parancsuralom *n*, dictatorship, totalitarianism, autocracy, absolute rule, tyranny

paranoia [. . át] *n*, *(orv)* paranoia, paranoic psychosis

paranolás *a*, *(orv)* paranoid

parány *n*, atom, particle, corpuscle, tittle

parányi [-ak, -t; *adv* -an] *a*, *(ált)* minute, diminutive, tiny, wee, *(ellt)* puny, *(gyerm)* teeny-weeny, *[mikroszkopikus]* microscopic(al); ~ *emberke* slightly built person, midget, dwarf, manikin; ~ *rész vmből* mite of sg

parányiság *n*, minuteness

paránymérés *n*, micrometry

paránymérő *n*, micrometer, *[nóniusz]* vernier

parányomás *n*, vapour pressure

paránysebészet *n*, microsurgery

parányzó [-t, -ja] *n*, *(zene)* mordent

paraplé [-t, -ja] *n*. *(biz)* gamp

paraplégiás *a*, ~*járás (orv)* paraplegic gait

pararéteg *n*, *(növ)* corky layer

párás *a*, vaporous, vapory, vapourish, hazy, steamy, fumy; ~ *ablak* steamy/clouded window-pane; ~ *levegő* hazy/misty/steamy/humid atmosphere

parasejt *n*. *(növ)* phelloid cell

párásít [-ani, -ott, -son] *vt*, *[burgonyát]* suberize

párásít [-ani, -ott, -son] *vt*, humidify

párásító [-t] *a*, ~ *készülék* humidor

párásodás *n*, *[burgonyáé]* suberification

párásodás *n*, dimming by vapour

párásodott [-at] *a*, *(növ)* suberized; ~ *sejtfal* suberized wall

párásság *n*, *[csökkent láthatóság ha nedvesség okozza]* mist, *[ha egyéb szennyeződés]* haze

paraszemölcs *n*, *(növ)* lenticel

paraszerű *a*, *(növ)* suberose, suberous

paraszimpatikus *a*, ~ *ideg (bonct)* parasympathetic

paraszövet *n*, *élő* ~ *(növ)* phellem, cork tissue; *halott* ~ phelloderma

paraszt [-ot, -ja] I. *n*, 1. *(ált)* peasant, countryman, rustic; *dolgozó* ~ working peasant; *egyénileg dolgozó* ~ individual peasant/farmer, small-plot holder; *elnyomott* ~ exploited peasant 2. *(ellt)* boor, churl, yokel, bumkin, hind, hick *(US ◈)*, rube *(US ◈)* 3. *[sakkbáb]* pawn; *feláldozott* ~ gambit pawn II. *a*, 1. *(ált)* peasant, rustic 2. *[elit jelzőként/ állítmányként]* rude, uncivilized, unpolished, loutish, boorish, churlish

parasztállam *n*, peasant state

parasztáruló *n*, traitor to the peasants, *[nem-paraszt]* betrayer of the peasants

parasztasszony *n*, peasant woman

parasztbirtok *n*, peasant property/holding/farm, peasant's plot of land

parasztbirtokos *n*, landed peasant, peasant proprietor

parasztbizottság *n*, peasant committee

parasztblokk *n*, peasant block/group

parasztbors *n*, *(növ)* fennel-flower, nigella *(Nigella sativa)*

parasztbutító I. *a*, misleading the peasants (with false propaganda) *(ut)* II. *n*, *(kb)* sy who misleads the peasants (with false propaganda)

parasztcsalád *n*, peasant family; ~*ból származik* be of peasant origin, come from peasant stock

parasztdal *n*, peasant song

parasztdemokrácia *n*, peasant democracy

parasztélet *n*, peasant('s)/rustic/country life

parasztellenes *a*, hostile to the peasantry *(ut)*

parasztember *n*, peasant, rustic, countryman

parasztértekezlet *n*, peasant meeting

parasztészjárás *n*, peasant intuition/mentality, horse sense

parasztfelkelés *n*, peasants'/peasant revolt/rising

parasztfiatal *n*,· peasant youth

parasztfiatalság *n*, peasant youth, young peasants *(pl)*

parasztfickó *n*, (young) yokel, bumpkin, hick *(US ◈)*

parasztfiú *n*, young peasant (boy), country lad

parasztfogás *n*, eye-wash, bluff

parasztforradalom *n*, peasant revolution

parasztfőiskola *n*, *(kb)* peasant high school, countrymen's college

parasztföld *n*, smallholding, peasant-owned land

parasztgazda *n*, farmer, peasant holder

parasztgazdálkodás *n*, peasant economy

parasztgazdaság *n*, peasant farm; *apró* ~*ok* small farms; *patriarkális* ~ patriarchial farming

parasztgőg *n*, peasant pride, boorish arrogance

parasztgúnya *n*, rustic garb

parasztgyerek *n*, peasant child

parasztgyűlés *n*, peasant meeting

parasztháború *n*, peasants'/peasant rising/insurrection

paraszthajszál *n*, ~ *választotta el (vmlyen veszélytől)* he had a narrow escape (from), it was a close shave, he escaped by the skin of his teeth

paraszthallgató *n*, *[egyetemi]* student of peasant origin

paraszthallgatóság *n*, *[gyűlésen]* peasant audience, *[egyetemi]* students of peasant origin *(pl)*

parasztház *n*, peasant house

paraszti [-ak, -t; *adv* -an] *a*, peasant, rustic; ~ *észjárás* peasant mentality, horse sense; ~ *gazdálkodás* peasant proprietorship, small-scale farming; ~ *magángazdaság* individually owned peasant farm; ~ *magántulajdon* peasant's private property; ~ *sorban él* live/lead a peasant's life; *a* ~ *tömegek* the peasant masses

parasztifjú *n*. = **parasztfiatal**

parasztifjúság *n*, = **parasztfiatalság**

parasztképviselő *n*, Member of Parliament of peasant origin, peasant M.P. *(fam)*

parasztkérdés *n*, (the) peasant problem

parasztkocsi *n*, = **parasztszekér**

parasztköltészet *n*, peasant/folk-poetry

parasztköltő *n*, peasant poet

parasztkunyhó *n*, peasant-cottage, *(ellt)* hovel, hut, shanty

parasztküldött *n*, peasants' deputy/delegate

parasztküldöttség *n*, peasant delegation, delegation of peasants

parasztlakodalom *n*, peasant wedding feast, country wedding

parasztlány *n*, peasant girl, country lass, *(kissé ellt)* country wench

parasztlázadás *n*, peasant(s') revolt/rebellion/rising/ uprising/insurrection

parasztlegény *n*, peasant youth, young peasant, swain *(ref.)*

parasztmegmozdulás *n*, outbreak of peasant disaffection

parasztmenyecske *n*, young peasant woman, country wench *(fam)*

parasztmódra adv, in peasant fashion, as the peasants do

parasztmozgalom n, peasant movement

parasztnép n, peasantry, peasants (pl); öntudatosodó ~ (kb) class-conscious peasants (pl), class-conscious peasantry

parasztnyúzó I. a, exploiting peasants (ut) II. n, exploiter of peasants

parasztos [-at; adv -an] a, (ált) peasant, rustic, rural, peasant-like, (ellt) boorish, churlish, coarse, rough; ~ beszéd broad accent, rustic/rural (v. peasant-like) mode of expression, rustic/rural way of speaking, rustic/rural language; ~ kifejezésmód ruralism, villagism; ~ modor rustic manners (pl), peasant-like manners (pl); ~sá tesz rusticate, ruralize

parasztosság n, rusticity, ruralism

parasztpárt n, peasants' party

parasztpolitika n, peasant policy

parasztrend n, (the) peasantry, (the) peasants (pl)

parasztromantika n, romantic conception of rural life

parasztruha n, peasant('s) dress, rustic attire (ref.)

parasztság n, 1. [osztály] peasantry, the peasants (pl), country folk; kisárutermelő ~ small-commodity producing peasantry; nincstelen ~ landless peasantry, agricultural labourers; párholdas ~ strip-holding peasantry 2. (átv ellt) boorishness, churlishness, rudeness, roughness, coarseness, vulgarity

parasztsor n, ~ban él live the life of a peasant, be á peasant; ~ból kiemelkedik emerge from (among) the peasantry

parasztszármazású [-ak, -t] a, of peasant stock/origin (ut)

parasztszekér n, farm waggon, cart

parasztszervezet n, peasants' organization

parasztszoba n, room in a peasant house/cottage

parasztszokás n, peasants'/country/rural custom/habit

parasztszoknya n, peasant woman's skirt (usually very wide)

parasztszövetkezet n, peasants' co-operative

parasztszövetség n, peasant association/union

parasztsztrájk n, peasant strike

parasztszülő n, peasant parent

paraszttánc n, peasants'/rural/country dance

paraszttársadalom n, peasant/rural society

paraszttelek n, = parasztbirtok

paraszttömeg n, peasant masses (pl)

parasztváros n, market town

parasztvezér n, peasant leader

parasztviselet n, = parasztruha

páratartalom n, vapour content(s)/percentage, (degree of) humidity, moisture; ~tól megszabadít dehumidify

páratelt a, = párás

paratífusz n, paratyphoid (fever)

páratlan a, 1. [nem páros] odd, [csak szám] uneven; ~ oldal [utcáé] side of odd numbers, odd-numbered side, [könyvben] right-hand page; ~ számok odd numbers; ~ ujjú (áll) perissodactyl, imparidigitate 2. [ruhadarab stb.] unpaired, not matched/paired (ut); ~ kesztyű (kb) the fellow of this glove is missing 3. [ritka] unrivalled, peerless, matchless, second to none (ut), unequalled, unrivalled, unmatched, unexampled, unprecedented, unparalleled, unapproached, unsurpassed, surpassing, superlative, supreme, unique, inimitable, incomparable, without parallel/compare (ut), beyond comparison/compare (ut), (kif) it has no peer/equal/match; ~ eleganciával exquisitely; ~ mű/munka work that stands alone; ~ teljesítmény unsurpassed/singular achievement; ~ a maga nemében unique (of its kind), there is nothing to equal it, not to be equalled

páratlan a, mistless

páratlanító [-t, -ja] n, demister

páratlanság n, 1. [nem páros] oddness, [számé] unevenness 2. [ritkaság] peerlessness, matchlessness, superlativeness, uniqueness, inimitableness, incomparableness, singularity, being second to none, being without parallel, being beyond comparison

páratlanul adv, superlatively, supremely, uniquely incomparably, peerlessly; ~ érdekes extremely interesting, of extreme interest (ut); ~ szárnyalt (növ) imparipinnate

paratölgy n, cork-oak/tree, suber (Quercus suber)

paraván [-ok, -t, -ja] n, draught/folding/fire-screen

párázat n, = kipárolgás

páráz|ik [-ott, -zon] vi, steam, vapour, emit (v. send forth) steam/vapour

parazita [..át] I. a, parasitic(al) II. n, parasite

parazitaáram n, (vill) parasite current

parazitakráter n, (geol) adventive crater

parazitás a, ~ fertőzés parasitic infestation

parazitaság n, parasitism

parazitizmus n, parasitism

parazitológia [..át] n, parasitology

parázna [..át] I. a, lecherous, libidinous, [nő, dal] lewd, [szenvedély] lustful, [életmód] licentious, [vágy, gondolat] lascivious II. n, fornicator, libertine

paráznakodás n, fornication, illicit intercourse, [házasságtörésként] adultery

paráználkod|ik [-tam, -ott, -jon, -jék] vi, fornicate, [házasfél] commit adultery; ne ~jál! thou shalt not commit adultery

paráználkodó [-t, -ja] n, [férfi] fornicator, [nő] fornicatress

parázs [parazsat, parazsa] I. n, glowing embers (pl), live coal, brand; ~on sült hús grilled meat; ~on süt vmt [edényben] braise, [gesztenyét] roast (chestnuts), [krumplit] bake (potatoes) II. a, violent; ~ botrány loud scandal; ~ verekedés violent brawl/scuffle; ~ veszekedés heated quarrel, row; ~ vita heated debate/dispute/argument; ~ vitája támad vkvel have a flaming row with sy (fam)

parazsas [-at] a, ~ tál fire-pan

parázsfénylámpa n, glow-discharge lamp, glow-lamp

parázsl|ik [-ani, -ott] vi, glow, smoulder

parázssalak n, cinders (pl)

parázsszemű a, fiery-eyed

parázstartó n, brazier, charcoal-pan

párbaj n, duel' affair of honour, single combat/fight (obs); tüzérségi ~ artillery duel; ~ra kihív challenge to (a) duel, throw down the glove (to sy); ~t vív fight a duel

párbajdüh n, duelling mania

párbajhős n, duelling bully/bravo

párbajképes a, qualified for duelling (ut)

párbajképtelen a, unqualified to fight duels (ut), [sérülés folytán] unable to continue a duel (ut)

párbajkódex n, rules of duelling (pl), duello

párbajoz|ik [-tam, -ott, -zon, -zék] vi, (fight a) duel, cross swords

párbajozó [-t, -ja] I. n, duellist, dueller II. a, ~ fél principal, person fighting a duel

párbajpisztoly n, duelling pistol

párbajsegéd n, second

párbajtőr n, épée (de combat) (fr)

párbajtőrvívás n, épée-fencing

párbajtőrvívó n, épéeist

párbajvétség n, infraction of the law prohibiting duelling

párbér n, (kb) tithe

párbeszéd n, dialogue, duologue, colloquy, interlocution; ~ résztvevője interlocutor; ~et folytat talk (to sy), converse (with sy), hold a dialogue, dialogize

párbeszédes a, dialogic(al), interlocutory; ~ alakban in dialogue form, in the form of a dialogue; ~ jelenet (szính) duologue, scene in dialogue form

parcella [..át] *n*, *(mezőg)* plot/parcel of land, parcel, lot, allotment, patch

parcelláz [-tam, -ott, -zon] *vt/vi*, divide into lots/ plots/patches/parcels/strips, parcel out, parcelise, plot, allot, subdivide

parcellázás *n*, dividing into lots, parcelling (out), parcellisation, partition, subdivision

parciális [-at; *adv* -an] *a*, partial; ~ *differenciálhányados/derivált* partial derivate; ~ *integrál* particular integral; ~ *térfogat* partial volume

párdal *n*, † duet *(stand.)*

pardon [-ok, -t, -ja] I. *int*, sorry!, excuse me!, (I beg your) pardon!, pardon me!; ~(,) *tévedtem* sorry(,) my mistake II. *n*, pardon, forgiveness; *nincs* ~! no quarter (is given)

párduc [-ot, -a] *n*, panther, leopard *(Felis pardus)*

párducbőr *n*, panther/leopard skin

párducgalóca *n*, *(növ)* false blusher *(Amanita pantherina)*

párduchiúz *n*, Spanish lynx *(Lynx pardellus)*

párduckacagány *n*, cape of leopard skin

párducmacska *n*, tiger/leopard-cat, Spanish lynx, ocelot *(Felis pardalis)*

párducos [-at; *adv* -an] *a*, wearing panther/leopard skin *(ut)*

paréj [-ok, -t, -a] *n*, = **paraj** 2.

parenchima [..át] *n*, *(bonct, növ)* parenchyma; *levélhónalji* ~ axial/vertical parenchyma; *oszlopos* ~ palisade parenchyma; *szivacsos* ~ spongy/spongious parenchyma; *zöld* ~ chlorenchyma

parenchimás *a*, *(növ)* parenchymatous

parenchimszövet *n*, *(bonct, növ)* parenchyma, parenchymatous tissue

parenterális [-at] *a*, *(orv)* parenteral

paresztézia [..át] *n*, *(orv)* paraesthesia

párevezős *a/n*, ~ *csónak* sculler

parézis [-ek, -t] *n*, *(orv)* paresis

parfé [-t, -ja] *n*, parfait

parforce-vadászat *n*, fox-hunt(ing); ~*on vesz részt* hunt with hounds and horn

parfüm [-öt, -je] *n*, scent, perfume

parfümös [-et; *adv* -en] *a*, scented, perfumed; ~ *üvegcse/flakon* scent-bottle

parfümöz [-tem, -ött, -zön] *vt*, scent, (sprinkle with) perfume; ~*i magát* use scents

parfümszóró *n*, scent-spray

parget *n*, fustian

párhagyma *n*, *(növ)* leek *(Allium porrum)*

párharc *n*, single combat

párhuzam [-ot, -a] *n*, 1. parallel, comparison; ~*ba állít (átv)* compare, parallel; ~*ot von két dolog közt* draw a parallel/comparison between two things, compare two things with each other 2. *[quinté]* consecutives *(pl)*, parallelism of fifths

párhuzamfogó *n*, *(műsz)* parallel pliers *(pl)*

párhuzammérő *n*, *(műsz)* parallel

párhuzamos [-at; *adv* -an] I. *a*, parallel (with/to), *(átv)* collateral; ~ *egyenesek* parallel straight lines; ~ *fordítás* juxtalinear translation; ~ *gyűrődések (geol)* similar folds; ~ *hangnem (zene)* related key; ~ *hatáskör (jog)* parallel/concurrent jurisdiction; ~ *hatlap (mért)* parallelepiped; ~ *kapcsolás (vill)* parallel arrangement/connection, coupling in parallel; ~ *kapcsolású rendszer (vill)* parallel-wire system; ~ *mozgás (zene)* similar motion; ~ *oldalak* parallel sides; ~ *osztályok* parallel (school) classes/forms; ~ *rétegeződés (geol)* planoconformity; *satu* parallel vice; ~ *sugarak* parallel/infinite rays; ~ *távlat* parallel perspective; ~ *út* parallel road/path, *[kitérő]* bypass; ~ *üzem* operation in parallel; ~ *vágat (bány)* counter gangway; ~ *vonal* parallel (line) II. *n*, *(mért)* parallel; ~*ra állít* parallel; ~*t von* draw a parallel (to)

párhuzamosan *adv*, parallel with, collaterally, in line with; ~ *elhelyez* parallel; ~ *halad* run parallel; ~ *kapcsol* connect in parallel; ~ *kapcsolt* shunt-connected, connected in quantity *(ut)*

párhuzamosít [-ani, -ott, -son] *vt*, (make/render) parallel

párhuzamosság *n*, parallelism

párhuzamvonalzó *n*, *(műsz)* parallel rule(r), isometrograph

pari [-t, -ja] *n*, par; ~ *felett áll* be above par, be/sell/ stand at a premium; ~*n at* par; ~*n alul* below par, at a discount; ~*n alul áll* be below par, be/sell at a discount; ~*n felül* above par, at a premium; ~*n felüli összeg* premium

pária [..át] *n*, 1. pariah 2. *(átv)* a társadalom *páriája* social outcast, outcast of society

pariárfolyam *n*, par, exchange at par

parifogadás *n*, even bet/money; ~*t köt* lay evens

paripa [..át] *n*, steed, saddle-horse, mount, charger; *daruszőrű* ~ iron-grey horse

pariroz [-tam, -ott, -zon] I. *vi*, *[engedelmeskedik vknek]* obey sy, comply with II. *vt*, *[kivéd vmt]* parry, ward/ fend off

paritás *n*, parity, par, *[árfolyamé]* rate, *[árué]* terms of delivery *(pl)*

paritásos [-at; *adv* -an] *a*, parity, one for one *(ut)*; ~ *alapon* at par; ~ *bizottság* joint committee; ~ *pénzbeváltás* exchange at par/parity

parittya [..át] *n*, sling (shot), catapult; *parittyából kilő* sling

parittyahőmérő *n*, sling thermometer

parittyakő *n*, sling-stone

parittyás [-t] I. *a*, having a sling *(ut)* II. *n*, slinger

parittyáz|ik [-tam, -ott, -zon, -zék] *vi*, sling, hurl/fling/ throw with a sling, use a sling

parizer [-ek, -t, -e] *n*, = **párizsi** II. 2.

Párizs [-t, -ban] *prop*, Paris

párizsi [-ak, -t; *adv* -an] I. *a*, Parisian, of Paris *(ut)*; ~ *barna* Prussian brown; ~ *békeszerződés (tört)* the Paris Peace Treaty; ~ *fehér* Paris white; ~ *gipsz* Paris plaster; ~ *kék* French/Paris blue; ~ *köret* vegetable plate; ~ *vörös* Paris red; ~ *zöld* Paris/ imperial green

II. *n*, 1. *[ember]* Parisian 2 *[kolbász] (kb)* large-sized sausage (made with admixture of potato-meal), straight/long Bologna (sausage), *[vastag]* jumbo Bologna

párizsias [-at; *adv* -an] *a*, ~ *külső* Paris look; ~ *kiejtés* Paris pronunciation

párjavesztett *a*, 1. *[személy]* who has lost his/her mate/husband/wife *(ut)* 2. *[tárgy]* = **páratlan** 2.

párjelenet *n*, *(szính)* duologue

park [-ot, -ja] *n*, 1. *[kert]* park, garden 2. *[jármű-állomány]* park, pool, fleet

párkák *prop. pl*, the Fates, the Sisters three, the Dire/ Fatal Sisters

párkány [-ok, -t, -a] *n*, 1. *(ált)* edge, rim, border, *[ablaké]* sill, *[hegyé, szakadéké, szikláé]* shelf, ledge, ridge, *[kandallóé]* mantel(piece), *[kúté]* lip, *[védő]* parapet; *[könyöklő* ~ sill; *szárazföldi/kontinentális* ~ *(geol)* continental shelf 2. *(épít)* ledge, shelf, corbel, bracket, cornice, set-off, impost, *(vízép)* berm; *golyvázott* ~ broken cornice; *gyámsoros* ~ corbel table/cornice, corbelled cornice; *koronázó* ~ crowning cornice, crown mould; *lábazati* ~ base-moulding, plinth

párkánycsipkézés *n*, *(épít)* crenel(lation)

párkánydeszka *n*, *[ablaké]* sill, *[más]* shelf

párkánydísz *n*, (ornamental) moulding (of cornice); *csigavonalas* ~ Vitruvian scroll; *öntött* ~ billet moulding; *sakktáblaszerű* ~ billet

párkányfal *n*, parapet

párkánygerenda *n, (épít)* architrave
párkánygyalu *n,* rabbet-plane
párkányhegység *n,* border mountains *(pl)*
párkánykoszorú *n, (épít)* cornice
párkánykő *n,* mould brick, cornice stone, corbel, trim-stone
párkányléc *n, (épít)* fillet
párkánymagasság *n,* building height
párkánymező *n, (épít)* frieze
párkányoz [-tam, -ott, -zon] *vt,* edge, rim, border, mould, provide with cornice/moulding
párkányozás *n,* moulding, providing with edge/border
párkányöv *n, (épít)* cyma, ogee, moulding, dado
párkányprofil *n, (épít)* profile of moulding
párkányzat *n,* 1. *(épít)* entablature, rim, border, mould, cornice, reglet, ledge, surbase 2. *(hajó) [hajófal felett]* bullwark
parkett [-et, -je] *n,* parquet(ry), parquet/inlaid floor-(ing); *táblás ~* boarded parquet; *vikszelt ~* waxed floor; *~et kefél* polish the parquet
parkettáz [-tam, -ott, -zon] *vt,* (lay a) floor, parquet
parkettázás *n,* flooring, parquetry
parkettázó [-t, -ja] *n,* parquetry inlayer
parkettfa *n,* parquet staves *(pl),* floor-plank, strip
parkettfektetés *n,* parquet work/laying
parkettkefe *n,* (parquet) polishing brush
parkettkefélő I. *a, ~ gép* floor-polisher II. *n,* floor-polish-er; *elektromos ~* electric floor polisher
parkettkocka *n,* piece of parquet, parquet block
parkettlécek *n. pl,* (parquet) strips, (parquet) staves
parkettlemez *n,* parquet block
parkettmunka *n,* parquetry, making/laying of parquet (floors)
parkett-táncos *n,* taxi-dancer, gigolo
Parkinson-kór *n,* Parkinson's disease/mask, shaking palsy
parkinsonos [-at] *a, ~ járás* Parkinsonian gait
parkíroz [-tam, -ott, -zon] *vt,* = parkol, parkosít
parkol [-t, -jon] *vt/vi, [járművet]* park; *autót ~* park a car; *itt~ni tilos!* no parking here!, no-parking area
parkolás *n,* parking, standing, stationing (of automobiles); *~ tilos* no-parking area
parkolóhely *n,* parking place/lot/area, car-park, stall, station
parkosít [-ani, -ott, -son] *vt,* convert into a park/garden, park, landscape, embark *(obs)*
parkőr *n,* park-keeper
parkövezet *n, [város körül]* green belt
parlag [-ot, -ja] *a/n,* waste, fallow/uncultivated/un-ploughed/waste land/field; *~on hagyott [föld]* uncultivated, unreclaimed; *~on hever* lie fallow/waste, *(átv)* be unutilized; *~on hevertet* leave fallow, *(átv)* leave unutilized
parlagföld *n,* fallow ground
parlagfű *n,* ambrosia, ragweed *(US) (Ambrosia)*
parlagi [-ak, -t] *adv -an] a,* 1. *[terület]* fallow, waste; *~ baromfi* barnyard fowl; *~ kakas* dunghill cock; *~ marha* scrub cattle; *~ tyúk* dunghill hen 2. *(átv elit)* rude, rough, boorish, rustic, unrefined, untutored; *~ modor* rude/rough/boorish/unrefined manners *(pl) ; ~ nemes* squireen
parlagias [-at; *adv -an] a,* = parlagi 2.
parlagiasság *n,* rudeness, roughness, boorishness, unrefinedness, provincialism
parlament [-et, -je] *n,* Parliament, (the) House(s) of Parliament
parlamentáris [-ak, -t; *adv -an] a,* parliamentary; *nem ~* unparliamentary; *~ beszéd* parliamentary language; *~ demokrácia* parliamentary democracy; *~ ellenzék* parliamentary opposition
parlamentarizmus *n,* parliamentarism, parliamentary government

parlamentellenes *a,* antiparliamentary
parlamenter [-ek, -t] *n,* parliamentary, negotiator, bearer of a flag of truce, truce-bearer; *~ zászlója* flag of truce, white flag
parlamenti [-ek, -t] *a,* parliamentary, of parliament; *~ folyosó* lobby (in the House of Parliament); *~ gyorsíró* parliamentary stenographer/reporter; *~ módszer* parliamentary method, *(elit)* parliamentary game; *~ napló* the Journals *(pl),* Hansard *(GB),* Congressional Record *(US) ; ~ tag* member of parliament *(röv M.P.); ~ tagság* (a) seat in parliament; *~ vita* parliamentary debate; *~ vizsgálóbizottság* parliamentary commission/committee of inquiry/investigation
párlás *n,* 1. *[ételé]* steaming 2. *(vegyt)* distillation, distilling
párlat *n,* distillate, distillation
párló [-t] *a,* distilling, distillatory
párlócsésze *n,* evaporating pan/dish
párlófű *n, (növ)* agrimony *(Agrimonia eupatoria) ; közönséges ~* common agrimony
párlókészülék *n,* evaporating/distilling apparatus
parmen [-ek, -t, -je] *n,* pearmain (apple)
parmezán [-t] *n,* Parmesan (cheese)
párna [.. át] *n,* 1. *[ágyban]* pillow, *[alsó]* bolster, *[ülésre]* cushion, pad, *[hosszú tömör]* bolster; *párnára hajtja fejét* recline one's head on the pillow; *párná(ka)t rak vmre* cushion sg; *lustálkodás az ördög párnája* idleness is the source of all evil 2. *(műsz)* pillow block, *(hajó) [vasszereléken]* bolster
párnaabroncs *n, (műsz)* cushion-tyre
párnaalj *n,* bolster
párnaciha *n,* = párnahuzat
párnafa *n, (épít)* ground-sill, sole timber, filler, joist, bolster, *[padlóé]* sleeper, boarding/bridging joist, *[mennyezeté]* ragling
párnafelhő *n,* altocumulus
párnahaj *n,* = párnahuzat
párnaharc *n,* pillow-fight
párnahéj *n,* = párnahuzat
párnahuzat *n,* pillow-case/slip, tick
párnakő *n, (épít)* pillow
párnaláva *n, (geol)* pillow lava
párnalemez *n, (műsz)* bolster plate
párnás *a,* 1. cushioned, cushiony, soft, *[kitömött]* padded, upholstered; *~ kocsi* soft/upholstered carriage; *~ ülés* upholstered seat 2. *[kéz]* chubby, pudgy 3. *~ növény* polster, cushion plant, low/compact/shrubby perennial
párnaszerű *a,* pillowy, *(növ, áll)* pulvinate
parnasszista [.. át] *n/a,* Parnassian; *~ (költői) iskola* Parnassian school
Parnasszus *n,* Parnassus
parnasszusi [-ak, -t] *a/n,* Parnassian
párnatag *n, (épít)* echinus
párnatánc *n,* cushion-dance
párnátlan *a,* uncushioned
párnáz [-tam, -ott, -zon] *vt, [vánkossal]* cushion, pad, line with cushions, *[kárpitoz]* upholster, pad, stuff
párnázás *n,* 1. *[párnával]* cushioning, pillowing, *[kárpitozás]* padding, stuffing, upholstery (padding) 2. *(épít)* coussinet, cushion, pillow, *[gépen]* pad
párnázat *n, [ülőbútoré]* upholstery, bolstering
párnázatlan *a,* uncushioned
párnázott [-at; *adv -an] a, [párnás]* cushioned, pillowed, *[kárpitozott]* upholstered, stuffed, lined; *~ ajtó* padded door; *~ ülés* upholstered seat
párocska *n,* loving couple
paródia [.. át] *n,* parody, travesty, skit, burlesque; *paródiát ír vmre* parody sg
paródiaíró *n,* parodist

parodizál [-t, -jon] *vt*, parody, travesty, caricature, burlesque, skit, take (sy) off *(fam)*

paróka *n*, wig, peruke, periwig *(obs)*, *[kicsi]* toupee; *parókát hord* wear a wig

parókakészítő *n*, wig/peruke-maker

parókás *a*, wearing a wig *(ut)*, (be)wigged

parókatartó *n*, *[tömb]* wig-block, barber's block

parókia [..át] *n*, = plébánia

párol [-tam, -t, -jon] *vt*, 1. *(ált)* steam, cook in steam, stew, *[húst]* braise, *[nyúlhúst]* jug 2. *(vegyt)* distil

paroia [..át] *n*, handshake; *parolát csap* shake hands (with sy on sg)

párolás *n*, 1. *(ált)* steaming, cooking in steam, *[húst]* braising, *[nyúlhúst]* jugging 2. *(vegyt)* distilling, distillation

paroláz [-tam, -ott, -zon] *vi*, ~ *vkvel* shake/pump hands with sy

parolázás *n*, handshake, *[alku megkötésekor]* handfast

párolgás *n*, evaporation, (e)vaporization, exhalation (of moisture), *[látható]* steam, vapour, *(növ)* transpiration

párolgási [-ak, -t] *a*, (of) evaporation, (of) vaporization, (of) exhalation, *(növ)* (of) transpiration; ~ *hő* heat of (e)vaporization; ~ *képesség* evaporativity; ~ *pont* evaporation point

párolgásmentes *a*, evaporation-proof

párolgásmérő *a*, ~ *készülék* evaporimeter, atmometer

párolgó [-t] *a*, steaming, evaporating

paroli [-t, -ja] *n*, regimental facing, collar-patch, *[tiszti]* tab

paróló [-t] *a*, = párló

párolódlik [-tam, -ott, -jék] *vi*, stew

párolog [..lgok, -tam, ...lgott, -jon] *vi*, steam, evaporate, vapour, exhale, *(növ)* transpire

párologtat *vt*, evaporate, vaporize, exhale (moisture), *(növ)* transpire

párologtatás *n*, evaporation, *(növ)* transpiration; *bőrszöveten át történő* ~ cuticular transpiration; *gázcserenyíláson át történő* ~ stomatal transpiration

párologtatható *a* , vaporizable

párologtató [-t; *adv* -an] I. *a*, evaporating, vaporizing II. *n*, evaporator, vaporizer

párolt [-at; *adv* -an] *a*, steamed, steam-cooked, stewed, braised; ~ *alma* stewed apples, apple compote; ~ *káposzta* steamed cabbage; ~ *marhahús* braised/ stewed beef

paronim [-ot] *a*, *(nyelvt)* paronymous

paronimia [..át] *n*, *(nyelvt)* paronymy

páronként *adv*, in/by pairs/couples, by twos, two and two, two abreast, pair-wise

páros [-at; *adv* -an] I. *a*, 1. *[kettős]* paired, twin, geminate, *(növ)* *[levél]* binate, jugate, *[termés]* didymous, *(fil)* dichotomous; ~ *ujjú* *(áll)* artiodactyl(ous) 2. *[kettesével]* in pairs/couples; ~ *élet* married life; ~ *küzdelem* *[bajvívás]* trial by battle, wager of battle; ~ *lábbal (sp)* with both feet; ~ *rímek* couplet rhymes; ~ *tánc* dance in pairs/couples, couple dance; ~ *verseny* two-way competition, *[párok részére]* contest for doubles, *[kettő között]* match, single combat; ~ *versenyző* competition-partner 3. ~ *vagy páratlan* odd or even; ~ *függvény (menny)* even function; ~ *oldal* *[utcáé]* side of even numbers, even numbered side, *[könyvben]* left-hand page; ~ *számok* even numbers

II. *n*, *(sp)* double; *férfi* ~ men's double; *női* ~ women's double; *vegyes* ~ mixed doubles *(pl)*

párosan *adv*, = páronként; ~ *élő* monogamous; ~ *evez* double-scull; ~ *összeilleszt/összekapcsol* pair, arrange in pairs; ~ *szárnyalt (növ)* paripinnate

párosával *adv*, = páronként; ~ *elmegy/eltávozik/szétoszlik* pair off; ~ *befog [marhákat]* couple; ~ *össze-*

állít couple/join in pairs; ~ *összerak/összetesz* match pair

pároséltű [-ek, -t] *a*, *(áll, növ)* hermaphrodite

párosidegűek *n. pl*, *[puha testű állatok osztálya]* chitons *(Amphineura)*

párosit [-ani, -ott, -son] *vt*, 1. *(ált)* pair, *[kiegészít]* couple, match, complete, *[kesztyűt, harisnyát]* (as)sort, pair off, *(kif)* find the fellow of sg 2. *[nemileg]* mate, pair 3. *(átv)* join, combine, unite, associate; *kellemeset a hasznossal* ~*ja* join pleasure with profit

párosítás *n*, 1. *(ált)* pairing (off), *[kiegészítés]* coupling, matching, completing, *[kes:tyűé, harisnyáé]* assortment, pairing off 2. *[állatoké]* pairing, mating 3. *(átv)* joining, combining, uniting, associating

párosító I. *a*, ~ *oltás (mezőg)* grafting by approach II. *n*, *[népdal]* ⟨teasing song to pair off courting couples⟩, match-making song, pairing song

párosodás *n*, mating, pairing, copulation, coupling

párosodlik [-tam, -ott, -jon, -jék] *vi*, 1. *(áll)* mate, pair, copulate, couple, *[juh stb.]* tup 2. *(vm:vel átv)* = párosul 2.

párosujjúak *n. pl*, *(áll)* artiodactyla

párosul [-t, -jon] 1. *(áll)* = párosodik 1.; 2. *(vmvel)* be accompanied (by), be combined (with), be joined (to), be coupled (with)

pároszi [-ak, -t] *a*, ~ *márvány* Parian marble

paroxizmális [-ak, -t] *a*, *(orv)* paroxysmal; ~ *hemoglobinvizelés* paroxysmal haemoglobinuria; ~ *magas vérnyomás* paroxysmal hypertension

paroxizmus *n*, paroxysm

pároztat *vt*, *[állatokat]* mate, pair, couple

párrím *n*, couplet rhymes *(pl)*

parszek [-et] *n*, *(csill)* parsec

párszi [-ak, -t] *n/a*, Parsee, Parsi

párszor *adv*, once or twice, a few times, a couple of times

part [-ot, -ja] *n*, 1. *[állóvízé]* shore, *[tengeré]* coast, seashore, *[folyóé]* bank, riverside, *(költ)* strand, *[fövenyes]* beach, *[rakodó]* quay; ~ *felé* shoreward(s); *a* ~ *közelében/mellett/mentén* in shore, alongshore; ~ *mentén hajózik* coast along, lie along the shore, hug the coast, shore, tramp; ~ *mentén halad (hajó)* keep land in sight, hug the coast, range along the coast; ~ *menti* coastal, (circum)littoral, *[folyóé]* riverside. riparian, riverain, riverine; ~ *menti állam* coastal state; ~ *menti földsáv/föld(terület)* marginal land; ~ *menti hajó* tramp; ~ *menti hajózás* coasting, cabotage; ~ *menti halászat* in-shore fishery; ~ *menti kereskedelem* coasting trade, cabotage; ~ *menti őrjárat* in-shore patrol; ~ *menti sétány* *[tengeri fürdőhelyen]* waterfront; ~ *menti szigetek* off-shore islands; *ahol a* ~ *szakad (kb)* in a state of emergency, at the end of one's tether; ~*hoz*, ~ *felé* in shore; ~*hoz áll* come/draw alongside; *az angol* ~*okon* on the shores of England, on the English coast; *a* ~*on* ashore, on the shore; ~*on kikőt* put in, touch/make land; *a város a folyó* ~*ján fekszik* the town lies on the bank(s) of the river; ~*ra ashore*; ~*ra ér* touch land, get the shore; ~*ra fut* shore, ground; ~*ra húz* beach; ~*ra lép* set foot on the shore; ~*ra száll* land, disembark, debark; ~*ra szállít (vmt)* unship, unload, discharge, *(vkt)* disembark, land, put/set ashore; ~*ra szálló [sereg stb.]* landing; ~*ra szálló jármű* landing boat/craft; ~*ra szállt [utas]* landed; ~*ra tesz* put ashore, land; ~*ra úszik* swim ashore; ~*ra vet* wash/drive/cast ashore, wash up, *[hajót]* strand; ~*ra vetett tárgy* flotsam (and jetsam); ~*ra viszi a csónakot* beach the boat, ~*ra vontat* beach 2. *[emelkedés]* bank, slope 3. ~*ot dob (sp)* throw in the ball

párt [-ot, -ja] *n*, 1. party, *[szervezetlen]* side, *(elít)* faction; *élenjáró* ~ leading/vanguard party; *forradalmi* ~ revolutionary party; *harcos* ~ militant party; *koalíciós* ~ coalition(al) party; *kommunista* ~ Communist Party; *marxista—leninista* ~ Marxist--Leninist Party; *a~elén áll* be at the head of a party; *belép a ~ba* join the party; *elmegyek a ~ba* I go to party headquarters; *vmlyen ~hoz tartozik* be a member of the... party, sy's political affiliations are with the... party *(US)*; ~*on belüli* inner--party; ~*on belüli demokrácia* inner-party democracy, democracy within the party; ~*on kívüli* non--party, outside party, *[régebben]* independent, neutral, belonging to no party *(ut)*, mugwump *(US pej)*; ~*on kívüli bolsevik* non-party bolshevik; ~*on kívüli képviselő* independent (member), cross--bencher *(GB)*; ~*on kívüli újságíró/politikus* free--lance; *vmlyen ~ra szavaz* vote with a party; ~*ot vezet* lead a party **2.** ~*ot üt* rise, revolt, rebel **3.** ~*jára áll* take the part (of), espouse the cause (of), range oneself (with), stand/stick up (for), take sides (with), take the side of, side (with), throw in one's lot (with); *én is az ő ~jához tartozom* I (,) too (,) side with him; ~*ját fogja* take sy's part, back up, champion, protect, patronize, fight sy's battles

párta [.. át] *n*, **1.** *(kb)* (Hungarian) girl's headdress; *pártában maradt* she remained a maiden, she remained an old maid, she is on the shelf *(fam)* **2.** *(növ)* corolla; *ajakos* ~ labiate corolla; *bögre alakú* ~ urceolate corolla, urn-shaped corolla; *csészeszerű* ~ sepaloid corolla; *gyertyatartó alakú* ~ salverform corolla; *hasas* ~ ventricose corolla; *kerék alakú* ~ rotate corolla **3.** *[ló patája fölötti lábrész]* coronet **4.** *(épít)* drip-stone, hood-moulding

pártafal *n, (épít)* attic
pártagitátor *n*, party agitator
pártáj [-ok, -t, -a] *n, (biz)* tenant *(stand.)*
pártaktíva *n, (vk)* party active, active party worker
partalakulás *n, [folyóvizé]* bank formation, *[tengeré]* coast(al) formation
pártalakulás *n*, formation/foundation of a party *(v. of parties)*
pártállás *n*, party allegiance/affiliation; ~*ra való tekintet nélkül* irrespective of party affiliation
pártapparátus *n*, party machine(ry)/apparatus
pártás *a,* **1.** *[leány]* wearing a (Hungarian) girl's headdress *(ut)* **2.** *(növ)* corollate, corolliferous, corollaceous; ~ *virágú* corollaceal, corolliflorous
pártaszedés *n, [népzene]* ⟨ preparation of bridal headdress accompanied by singing as a wedding custom ⟩
pártatlan *a,* impartial, unbiased, fair-minded, unprejudiced, fair, equitable, objective, just, dispassionate, disinterested, neutral, even-handed
pártatlanság *n,* impartiality, fair-mindedness, fairness, equitableness, objectiveness, objectivity, justness, dispassionateness, disinterestedness, even-handedness
pártatlanul *adv,* impartially, unbias(s)edly, evenly, disinterestedly
pártáz [-tam, -ott, -zon] *vt, (épít)* head, surmount, cap, *[falat]* cope, crown
pártázat *n, (épít)* moulding, frieze, battlement
pártázó-gyalu *n*, ogee-plane
pártbeli *a,* of the party *(ut)*
pártbizalmi *n*, party (group) steward
pártbizottság *n*, party committee
partburkolat *n, (épít)* quay, paved bank, pitching
pártbüntetés *n*, reprimand from the party, party punishment/penalty
pártcél *n*, party purposes/objects *(pl)*; ~*okra pénzt ad* contribute (money) to/for party purposes
pártcsoport *n*, party group
pártcsoportbizalmi *a,* = pártbizalmi

pártcsoport-értekezlet *n*, party group meeting
pártdemokrácia *n*, party democracy, democracy vithin the party, inner-party democracy
pártdiktatúra *n*, dictatorship of the party
pártdobás *n, (sp)* throw-in
partecédula *n*, (printed) notice/notification of death (sent out by post)
partedli [-t, -je] *n*, bib, feeder
pártegység *n*, unity of the party
pártélet *n*, party life
pártellenes *a,* anti-party, disruptive; ~ *csoport* anti--party group; ~ *tevékenység* anti-party activity
pártelnök *n*, president of the party
pártember *n*, member of the party, party-man, partisan *(obs)*
partenogenézis [-ek, -t, -e] *n, (biol)* parthenogenesis
pártépítés *n*, building (up) of the party, party-building
pártérdek *n*, interest of the party
parterődítés *n*, coastal fortification
pártértekezlet *n*, party conference, party convention *(US)*
partfal *n*, quay, *[tengeré]* sea wall, breakwater, *[folyóé]* river wall, *[töltés]* embankment; *sziklás* ~ cliffed shore
pártfegyelem *n*, party discipline
pártfegyelmi I. *a,* relating to party discipline *(ut)* **II.** *n*, ~*t indít vk ellen* the party is taking disciplinary action against sy
pártfél *n*, partisan, follower, adherent
pártfeladat *n*, party objective, task/objective set by the party
pártfogás *n,* **1.** *[védelem]* protection, patronage, championship; ~*ába vesz* = pártfogol; **2.** *[jóindulatú támogatás]* support, backing, advocacy, assistance; ~*a alatt* under the auspices (of); *szíves ~ába ajánl* recommend to sy's good graces
pártfogó *n,* **1.** patron, protector, *[nő]* patroness, protectress, *(ált)* well-wisher **2.** *[támogató]* benefactor, helper, supporter
pártfogol [-t, -jon] *vt, [segít]* patronize, support, assist, advocate (the cause of), back (up), stand by, favour, be for (sg), befriend, *[véd]* protect, stand up (for), take under protection/shelter, *[ügyet]* espouse, champion, *[indítványt]* second, *[művészetet]* encourage
pártfogolt [-at, -ja] *n*, favourite, protegé, client *(obs)*, *[nő]* protegée
pártfórum *n*, party authority
pártfőiskola *n*, party college/academy, Academy of the Party
pártfunkció *n*, party function
pártfunkcionárius *n*, party functionary
partfutó *n, [madár]* sandpiper, stint *(Calidris sp.)*; *kis* ~ little stint *(C. minuta)*
partgát *n, [folyóé]* dike, dam, embankment, *[tengeré]* sea-wall, breakwater
pártgépezet *n*, party machine(ry)
pártgyűlés *n*, party meeting
parthajózás *n*, coasting, cabotage
pártharc *n*, struggle between parties, party struggles *(pl)*; *belső* ~ struggle within the party
párthatározat *n*, party decision
pártház *n*, party centre, house of the party
párthelyiség *n*, party premises *(pl)*
párthírek *n. pl*, party news
párthíve *n, vknek a* ~ sy's follower, partisan (of sy)
párthívek *n. pl*, adherents/supporters/partisans of a party, followers (of sy), the rank and file (of a party)
parthullám *n*, roller
párthű *a,* ~ *ember* loyalist, standpatter *(US fam)*
párthűség *n*, party loyalty, loyalty to one's party, partisanship

parti¹ [-ak, -t] *a*, *(dlt)* of shore *(ut)*, of water side *(ut)*, *[folyóé]* riverside, riverain, riverine, riparian, *[tengeri]* coastal, coast-, shore-, of (the) coast/shore *(ut)*, littoral, seashore, *[tengeri homokos]* beach-, *(összet.)* -side, -coast, -bank; ~ *ágyú* coastal gun, coast-defence gun; ~ *állam* riparian state; ~ *birtokos* riparian owner; ~ *csiga (áll)* winkle *(Litorina)*; ~ *daru* jetty crane; ~ *erődítmény* coastal fortification/defences; ~ *fecske* sand martin *(Riparia riparia)*; ~ *hajó* coaster, coasting vessel; ~ *hajózás* coasting; ~ *halászat* coast/inshore fishery; ~ *kereskedelem* coasting trade; ~ *köd* sea-fog; ~ *lerakódás (geol)* beach-deposit; ~ *szél* off-shore wind, land/sea--breeze; ~ *tenger* epicontinental/marginal sea; ~ *tulajdonos* riparian owner; ~ *tüzérség* sea-coast artillery; ~ *üteg* coastal battery; ~ *vizek* territorial/tidal waters; ~ *zóna* littoral zone

parti² [-t, -ja] *n*, **1.** *[kártya]* game of cards, hand; *(ne)* játsszunk egy ~ *sakkot?* shall we play a game of chess?; *összeállít egy ~t [játékosokat összegyűjt]* make up a table **2.** *[házasság]* marriageable person, eligible partner (in marriage); *jó ~* good match/prospect, *[fiatalember]* eligible/desirable young man; *jó ~t csinál* make a good match; *visszament a ~* the marriage did not come off

párti [-ak, -t] *a*, of a party *(ut)*, belonging to a party *(ut)*; *maga milyen ~* ? which party do you belong to?

partiáru *n*, *(ker)* lot

participium [-ot, -a] *n*, participle

participiumi [-ak, -t] *a*, participial

pártigazolvány *n*, party (membership) card

partiképes *a*, ~ *fiatalember* eligible/marriageable young bachelor/man

partikula [. .át] *n*, particle

partikuláris [-ok, -t; *adv* -an] *a*, particular; ~ *jogszabály* by(e)-law

partikularista [. . át] *n*, partialist

partikularizmus *n*, particularism

pártirányítás *n*, party guidance

pártiroda *n*, party office

pártirodalom *n*, party literature

pártiskola *n*, party course/school

partismerő *a*, ~ *hajókalauz* coast pilot, inshore pilot

partitúra [. . át] *n*, (musical) score, orchestral score

partizán [-ok, -t, -ja] *n*, partisan, irregular (soldier), guer(r)illa, *(pol)* one-aloner, *(ritk)* lonely wolf

partizánalakulat *n*, group/unit of guer(r)illas/partisans

partizáncsapatok *n. pl*, irregular troops, irregulars, band/troop of guer(r)illas

partizángyanús *a*, *[igével]* be a suspect partisan

partizánháború *n*, guer(r)illa warfare

partizánharc *n*, guer(r)illa fights/battles *(pl)*

partizánkod|ik [-tam, -ott, -jon, -jék] *vi*, **1.** *[háborúban]* fight as a guer(r)illa/partisan **2.** *[magánügyekben]* do things on one's own, do things without permission, do things on the sly

partizánmozgalom *n*, underground movement (manifesting itself in guer(r)illa activities)

partizántevékenység *n*, activity of guer(r)illas/irregulars

pártjelszó *n*, party slogan

pártjelvény *n*, party badge

partjelző *n*, *(sp)* linesman

partjog *n*, riparian right(s), rights of fishing *(pl)*

pártkáder *n*, party cadre

pártkapcsolatok *n. pl*, party ties

pártkassza *n*, party funds *(pl)*

pártkérdés *n*, party question/problem: *ez ~* this is a fundamental (party) problem

pártkeret *n*, frame of the party

pártklub *n*, party club

pártkonferencia *n*, party conference

pártkongresszus *n*, party congress

pártkönyv *n*, = **pártigazolvány**

pártkötelezettség *n*, obligation to the party

partkötés *n*, mattress (to prevent erosion)

pártközi [-ek, -t] *a*, inter-party, bipartisan *(US)*; ~ *egyezmény* inter-party convention/agreement

pártközpont *n*. party centre

pártkritika *n*, party criticism, criticism offered by the party

pártkülönbség *n*, ~ *nélkül* irrespective of party (affiliations)

pártküzdelem *n*, party struggle/fight

partlakó *n*, *[folyóé]* riparian dweller, *[tengeré]* coast--dweller

pártlap *n*, party organ/newspaper

pártlista *n*, party list

pártmegbizatás *n*, party commission

partmellék *n*, coastal region, littoral

partmeredély *n*, bluff

pártmunka *n*, party work

pártmunkás *n*, party worker, militant

pártnagyság *n*, *(elit)* party bigwig

pártnap *n*, party meeting; *szabad ~* open party meeting

pártnapi *a*, ~ *előadó* speaker at a party meeting

partner [-ek, -t, -e] *n*, partner, companion, *[házastárs]* spouse, consort, mate *(fam)*, *(kárty, sp)* partner, *[segítőtárs]* co-operator, collaborator, *[szövetséges]* ally, confederate, *[üzlettárs]* partner, companion, associate, co-partner; *vknek a ~e [főszereplőnek színdarabban, igével]* play opposite sy

pártnyelv *n*, party language

pártokmányok *n*. *pl*, party papers

pártoktatás *n*, party education

pártoktató *n*, party educator/propagandist; *P~k Háza* party educators' home

pártol [-t, -jon] **I.** *vt*, — **pártfogol**; ~*juk a honi ipart [Magyarországon]* buy Hungarian **II.** *vi*, = **átpártol**; *a szerencse az ellenséghez ~t* fortune *(v.* our luck) has deserted us (and passed over into the camp of the enemy), tables have turned, luck has changed hands, fortune has begun to favour the enemy

pártolás *n*, *[segítség]* patronage, support, help, assistance, advocacy, backing (up), promotion, encouragement, *[védelem]* protection, championship, advocacy; *egy ügy ~a* espousal/championship of a cause

pártoló [-t; *adv* -an] **I.** *a*, patronizing, supporting, favouring, assisting, of assistance *(ut)*, protecting, protective, advocating, advocatory; ~ *tag* supporting member **II.** *n*, pátron, patronizer, supporter, backer, advocate, protector, promoter, champion, friend

pártolólag *adv*, approvingly; ~ *terjeszti fel* submit *(v.* pass on) (to higher authorities) with (a) recommendation (that it be favourably considered)

partomlás *n*, landslide, landslip, break of banks, caving in of the shore/bank

pártonkívüli *a/n*, non-party(-man); *ld még* **párt** **1**.

pártos [-ok, -t; *adv* -an] *a*, **1.** *[munkásosztály érdekében]* party-minded/spirited, advocating the interests of the working class *(ut)*; ~ *irodalom* party literature, literature serving the interests of the proletariat, class-angled literature; ~ *művészet* partisan art **2.** *[részrehajló]*, partial, bias(s)ed **3.** *[pártütő]* factious, seditious, mutinous, rebellious

pártosan *adv*, ~ *ír (egy regényt)* class-angle (a novel)

pártoskodás *n*, **1.** *[pártütés]* dissension, variance, discord, faction **2.** *[részrehajlás]* partisanship, partiality, bias

pártoskod|ik [-tam, -ott, -jon] *vi*, **1.** *[pártot üt]* foment/cause dissent **2.** *[részrehajlik]* be partial/bias(s)ed

pártoskodó [-t; *adv* -an] *a*, factious, factional, fomenting dissent *(ut)*

pártosság *n*, **1.** *[munkásosztály érdekében]* party-

-mindedness, advocacy of the interests of the working class, advocacy of the interests of the proletarian revolution 2. *[részrehajlás]* partiality, bias, predilection 3. *[pártoskodás]* partisanship

partőr *n,* coast guard/signalman

pártpénztár *n,* party funds *(pl)*

pártpolitika *n,* party politics/policy

pártprogram *n,* party program(me), party platform *(US)*

pártpropaganda *n,* party propaganda

pártpropagandista *n,* party propagandist

partraszállás *n,* landing, disembarkation, debarkation; ~*t végrehajt* effect a landing

partraszállási [-t] *a,* ~ *engedély/kimenő* shore leave, leave to land; ~ *gyakorlatok* landing manoeuvres; ~ *hadművelet* amphibious/amphibian operation, invasion of enemy coast

partraszállítás *n, [árué]* unloading, discharge, unshipment, *[utasé]* disembarkation, landing

pártrendszer *n,* party system, partyism

pártromboló I. *a,* undermining/wrecking the party *(ut)* **II.** *n,* party wrecker

pártsajtó *n,* party press, party newspapers *(pl)* ; ~*t terjeszt* circulate the party press

pártsejt *n,* party cell

pártsovinizmus *n,* party chauvinism

pártstatisztika *n,* party statistics

partszakadás *n,* break of banks (of a river)

pártszakadás *n,* split/break in the party

partszakasz *n, [folyóé]* riverside sector, *[tengeré]* coastal/littoral sector

partszegély *n, [tengeri]* foreshore, coastline

pártszékház *n,* party centre, party headquarters *(pl)*

pártszellem *n,* party spirit, partyism

pártszeminárium *n,* party seminary

pártszempont *n,* (the) party's point of view, partisan point of view *(pej)*

pártszerű *a,* party-minded/like, in keeping with the party's attitude *(ut),* in line with the principles and practice of the party *(ut)* ; ~ *magatartást tanúsít* have/manifest the correct party attitude (towards sy/sg)

pártszerűség *n,* party attitude, party-line

pártszerűtlen *a,* contrary to the party-line *(ut)*

pártszerűtlenség *n,* violation/infringement of the party-line

pártszervezet *n,* party organization/body/machine(ry)

pártszervező *n,* party organizer

pártszolgálatos *a, [tört] (kb)* member of the shock-troops of a (fascist) party organization

pártszövetség *n,* party block

párttag *n,* party member, party-man

párttagság *n,* **1.** *[állapot]* party membership **2.** *[tagok]* party members *(pl)*

párttagsági *a,* ~ *könyv* party (membership) card

párttaktika *n,* party tactics

parttalan *a,* shoreless

parttalanul *adv,* ~ *árad* swamp everything, be in flood, there is a spate (of sg)

párttisztítás *n,* party purge

párttitkár *n,* party secretary

párttöredék *n,* party faction

párttörténet *n,* history of the (Communist) Party

párttörténeti *a,* P~ *Intézet* Institute of Party History

parttulajdonos *n,* riparian/riverain owner, river/water-side owner

pártutasítás *n,* directions issued by party authorities/headquarters *(pl)*

pártügy *n,* party affair

pártügynök *n,* party agent, party hack *(US pej)*

pártüteg *n,* coastal battery

pártütés *n,* revolt, insurrection, rebellion, faction

pártütő I. *a,* rebellious, insurrectionary, insurgent, factious, factional **II.** *n,* rebel, insurgent

pártválasztmány *n,* executive committee (of a party branch), caucus *(US pej)*

partvédelem *n,* **1.** *(kat)* coastal defence, coast-defence/watching/guarding **2.** *(műsz)* embankment, revetment

partvédő *a,* defending the coast *(ut)* ; ~ *ágyú* coast-defence gun; ~ *hajó* coast-defence ship; ~ *mű* sea-defence; ~ *üteg* coastal battery

pártversengés *n,* party rivalry

pártvezér *n,* leader of (a) party, party leader, party boss *(US pej)*

pártvezetőség *n,* (elected) party committee, leadership (of the party)

pártvezetőségi *a,* ~ *tag* party committee member

partvidék *n, [tengeré]* maritime/coastal district/region, (sea-)coast, littoral

pártviliongás *n,* = **pártviszály**

partvis [-ok, -t, -a] *n,* broom, sweeping brush

pártviszály *n,* party strife, party quarrels *(pl)*

partvonal *n,* **1.** *[tengeré]* shoreline, coastline **2.** *[futball-pályáé]* touch(-line); ~*on túlra/kívülre rúgja a labdát* kick into touch

pártvonal *n,* party-line

partvonulat *n,* trend of a coastline

parvenü [-t, -je] *n,* parvenu, upstart

párvers *n, [klasszikus]* distich, *[modern]* couplet

párviadal *n,* single combat/fight, passage of/at arms *(ref.), [középkori lovas]* joust; *perdöntő* ~ *(tört)* judicial combat; ~ *résztvevője* juster; ~*ra hív ki vkt* challenge sy (to a combat), send sy a challenge, throw down the glove (to sy); ~*t vív* fight a duel

párzás *n,* pairing, mating, copulation

párzási [-t] *a,* ~ *időszak (áll)* breeding/pairing/mating-season; ~ *hely* breeding-ground

párz|ik [-ani, -ott, pározzon, pározzék] *vi,* pair, mate, couple, copulate

pasa [.. át] *n,* pasha, pacha, bashaw *(obs)*

pasas [-ok, -t, -a] *n, (biz)* fellow, chap, customer, bloke ✧, blighter ✧, joker ✧, perisher ✧, nut ✧, bird ✧, guy *(US* ✧*),* mutt *(US* ✧*),* cove *(US* ✧*)*

pasi [-t, -ja] *n, (biz)* = **pasas**

paskol [-t, -jon] *vt/vi,* **1.** slap (mildly), flap, pat, *[vízben]* splash **2.** *[eső az ablakot]* lash

passió [-t, -ja] *n,* Passion

passiójáték *n,* Passion-play

pást [-ot, -ja] *n,* **1.** *(mezőg)* grass, pasture **2.** *(vívás)* planche

pástétom [-ot, -a] *n, [kenhető]* paste, sandwich spread, *[tésztába sütött]* pastry, pie, patty

pástétomárus *n,* pieman

pástétomsütő *n,* pastry cook, pieman; ~ *kemence* pastry (baking) oven

Pasteur-féle *a,* ~ *védőoltás* precautionary inoculation after Pasteur

pasziánsz [-ok, -t, -a] *n,* **1.** *(kárty)* solitaire, patience; ~*t rak* play patience **2.** ⟨a type of sweet brittle dry cake served with tea⟩

pasziánszoz|ik [-tam, -ott, -zon, -zék] *vi, (kárty)* play patience, play (a game of) solitaire, work out a patience, do a patience

pászít [-ani, -ott, -son] *vt,* = **passzít**

paszita [.. át] *n, (táj)* christening feast *(stand.)*

pászka *n,* unleavened/azyme bread, Passover cake

paszkonca [-át] *n, (táj)* barren woman *(stand.),* sterile man/animal *(stand.)*

paszkvillus [-ok, -t, -a] *n,* † pasquinade, pasquin

pászma [.. át] *n, (tex)* lea, cut, staple

paszomány [-ok, -t, -a] *n,* braid, trim(ming), piping, gimp, (gold) lace, lacing, galloon, edging, soutache; *paszománnyal díszít/szegélyez* lace

paszományáru *n*, trimmings *(pl)*, lace-work, passementerie *(fr)*

paszományárugyár *n*, trimming-factory

paszományos [-at; *adv* -an] I. *a*, braided, gallooned II. *n*, *[kereskedő]* dealer in passementerie, haberdasher, *[készítő]* maker of passementerie, loop maker

paszpartu [-t, -ja] *n*, *[képhez]* (picture) mount, passe-partout *(fr)*, picture mat *(US)*

paszpol [-ok, -t, ja] *n*, braid, piping

paszpoloz [-tam, -ott, -zon] *vt*, braid, pipe

paszpolozott [-at] *a*, ~ *zseb* piped pocket

passz I. *int*, 1. that's all/final! 2. *(kárty)* no bid!, pass!, go!, by!, no!, content!, push *(fam)* II. *n*, [-ok, -t, -a] 1. *[futball]* pass, place-kick 2. *(kárty)* pass, no bid; *én ~t mondok* I say no bid 3. *jó ~ban van* be in a fair way to; *rossz ~ban van* strike a bad patch

passzát [-ot, -ja] *n*, trade-wind

passzátfelhők *n*. *pl*, trade clouds

passzátszél *n*, trade-wind

passzérész *n*, *[ruhán]* yoke, *[derékban]* set-in waistband

passzló [-t, -ja] *n*, hobby, fad; *költséges ~k* extravagancies *(pl)*; *ez az egyetlen ~ja* these are his only indulgences; *~ból csinálta* it was a labour of love to him; *~inak él* follow one's pleasure; *a maga ~jára tesz vmt* do sg for one's own gratification; *~t lel vmben* find pleasure in sg; *a ~ját űzi* ride a hobby; *~val csinál vmt* do sg with gusto

passzionátus *a*, passionate, impassioned, ardent

passzlóz|ik [-tam, -ott, -zon] *vi*, ride a hobby

passzíroz [-tam, -ott, -zon] *vt*, pass through a sieve, sieve, sift, rub through a wire net, triturate, *[almát]* pound

passzírozás *n*, passing/rubbing through a sieve, *[almát]* pounding

passzírozófa *n*, wooden spoon for rubbing through a sieve, pestle

passzírozógép *n*, triturating machine, triturator

passzírozott [-at] *a*, sieved (vegetable), purée

passzit [-ani, -ott, -son] *vt*, *[hozzá]* fit (to), *[párosít]* match, pair (off), find the fellow (of sg) *(fam)*

passzív [-at; *adv* -an] *a*, passive, inactive; ~ *ellenállás* passive resistance; ~ *ellenálló* passivist; ~ *ember* passive/retiring person; ~ *külkereskedelmi mérleg* adverse/passive trade balance, trade balance showing a deficit; ~ *magatartás* passivity; ~ *rezisztencia* passive resistance; ~ *szókincs* recognition/passive vocabulary; ~ *választójog* eligibility

passzívák *n*. *pl*, liabilities, (passive) debts; *tartós ~* fixed debts; *a ~ meghaladják az aktívákat* liabilities are in excess over assets

passzivál [-tam, -t, -jon] *vt*, *(vegyt)* passivate

passziválás *n*, *(vegyt)* passivation

passzivitás *n*, passivity, inactivity

passzívum [-ot, -a] *n*, *(nyelvt)* passive voice

passzol¹ [-t, -jon] *vi*, *(vmhez)* suit (sg well/ill), go (well/ill with sg), go together, fit (sg), fit in (with), be in keeping (with), *[szinben]* match, *(vkhez vm)* become, suit, befit, be cut out (for) *(mind: sy)*; *tökéletesen ~ it is a perfect fit, it fits like a glove; *nem ~ hozzá* it does not become him, it goes ill with sg, it does not go with sg, it does not suit sg, it is out of place/keeping swhere, *[szinek]* they jar, they do not match, they swear at each other; *jól ~nak egymáshoz [tárgyak]* be a (good) match; *nem ~nak egymáshoz [emberek]* they are not made for each other

passzol² [-t, -jon] I. *vt*, *[futballban]* pass (the ball to sy), make a pass II. *vi*, *(kárty)* pass, say "no bid"

passzus *n*, 1. *[könyvben]* passage, (short) part, place 2. *[biz, útlevél]* passport, pass *(mind: stand.)* 3. *[marhalevél]* cattle ownership papers *(pl)*, cattle licence

paszta [.. át] *n*, paste; *ld még cipőkenőcs*

pászta [.. át] *n*, 1. strip (of rock), tract, section, *(bány)* wall, heading 2. *tavaszi ~ (növ)* spring timber; *őszi ~* autumn timber

pásztadőlés *n*, *(bány)* highwall, direction of strata

pasztagyöngy *n*, *(rég)* paste-bead

pásztás I. *a*, ~ *eső* local/scattered shower(s); ~ *rendszer (bány)* panel-work(ing) II. *n*, *(bány)* banksman

pásztaszélesség *n*, *(bány)* breast

pásztáz [-tam, -ott, -zon] *vt*, 1. *(mezőg)* work (a field) by strips 2. *(kat)* rake, enfilade, *[repgépről]* strafe; *távcsővel ~za a látóhatárt* sweep the horizon with a telescope 3. *(fényk)* pan

pásztázás *n*, 1. *(mezőg)* working (a field) by strips 2. *(kat)* raking, enfilading, strafing, *[távcsővel, fényszóróval]* sweep 3. *(bány)* drift slicing

pásztázó [-t] *a*, ~ *tűz (kat)* strafing/raking/grazing-fire

pásztázott [-at] *a*, ~ *tér* beaten zone

pasztell [-ek, -t, -je] *n*, pastel; ~*el fest/dolgozik* draw in pastel, draw with pastels, pastel

pasztellceruza *n*, crayon

pasztellfestő *n*, pastel(l)ist

pasztellkép *n*, crayon, picture in crayon/pastel; ~*et készít* draw in pastel

pasztellkréta *n*, crayon, chalk

pasztellszínű *a*, pastel(-hued), in pastel shades *(ut)*

paszternák [-ot, -ja] *n*, *(növ)* parsnip *(Pastinaca sativa)*

pasztilla [.. át] *n*, pastil(le), lozenge, drop, *(orv)* tablet, tabloid

pásztor [-ok, -t, -ja] *n*, 1. *(ált)* herdsman, *[birkáké]* shepherd, *[disznóké]* swineherd; *lovas ~* cowboy *(US)* 2. *(vall)* pastor; *a Jó P~* the Good Shepherd

pásztorál [-t, -jon] *vi*, *(vall)* minister (to), tend the flock *(fam)*

pásztorbot *n*, 1. *[pásztoré]* shepherd's crook, sheep-hook/crook 2. *(vall)* crosier, crozier, bishop's crook

pásztordal *n*, bucolic(s), pastoral(e)

pásztorélet *n*, pastoral life

pásztorének *n*, = pásztordal

pásztorfiú *n*, herds-boy, *[birkáké]* shepherd boy, young shepherd

pásztorfurulya *n*, shepherd's flute/pipe

pásztorgém *n*, *(áll)* cattle egret, ruff-backed heron *(Ardeola ibis)*

pásztorgyűrű *n*, *(vall)* episcopal (ring)

pásztori [-ak, -t; *adv* -an] *a*, pastoral, bucolic

pásztorjáték *n*, pastoral (play), pastorale

pásztorkodás *n*, shepherding

pásztorkod|ik [-tam, -ott, -jon, -jék] *vi*, 1. be a herdsman/shepherd/swineherd, (tend a) herd 2. *(vall)* = = pásztorál

pásztorkodó [-t] *a*, ~ *törzsek* pastoral tribes

pásztorköltemény *n*, pastoral, bucolic(s), idyl(l), eclogue

pásztorköltészet *n*, pastoral poetry

pásztorkunyhó *n*, herdsman's hut

pásztorkutya *n*, *(áll)* sheep dog *(Canis familiaris domesticus pecuarius)*

pásztorkürt *n*, herdsman's/shepherd's horn

pásztorleány *n*, (young) shepherdess, shepherd girl

pásztorlevél *n*, *(vall)* pastoral/episcopal letter, pastoral, bishop's charge

pásztormadár *n*, *(áll)* crested/rose starling, rose-coloured starling *(Pastor roseus)*

pásztornép *n*, pastoral tribe/nation, nomadic tribe, tribe of nomads

pásztoróra *n*, 1. *[időpont]* the gloaming, hour of dalliance 2. *[találka]* lovers' tryst, rendezvous *(fr)*

pásztorsíp *n*, shepherd's/pan pipe, Pandean pipe, oaten pipe *(ret.)*

pásztortánc *n*, pastoral dance

pásztortáska *n, (növ)* shepherd's-purse, cassweed *(Capsella bursa pastoris)*
pásztortűz *n,* herdsman's campfire, shepherd's fire
pasztőzus *a, (műv)* impasted, pastose
pasztőzus-festés *n, (műv)* impasto (painting)
pasztőzusság *n, (műv)* pastosity
pasztőrizál [-t, -jon] *vt,* = pasztőröz
pasztőrizálás *n,* = pasztőrözés
pasztőröz [-tem, -ött, -zön] *vt,* pasteurize, sterilize
pasztőrözés *n,* pasteurization, sterilization
pasztőröző [-t] *a, ~ készülék* pasteurizer, pasteurian sterilizer
pasztőrözött [-et] *a, ~ tej* pasteurized/sterilized milk
pasztrána [.. át] *n,* flat roll (with poppyseed)
paszuly [-ok, -t, -a] *n, (nép)* haricot/kidney bean *(stand.) (Phaseolus)*
paszulyszár *n,* bean-stalk
pát [-ot, -ja] *n, (ásv)* spar
pata [.. át] *n,* hoof
patacsont *n,* coffin-bone
patagyulladás *n,* laminitis, (foot-)founder
pataízület *n,* coffin-joint
patájú [-ak, -t] *a,* -hoofed
patak [-ot, -ja] *n,* brook, stream(let), runnel, creek *(US), [sziklás medrű]* beck, rivulet *(rej.); ~okban folyik [bor]* flow like water; *~okban ömlik* gush forth
patakhalacska *n, [díszhal]* rivulus *(Rivulus sp.)*
patakmeder *n,* watercourse, bed of a brook
pataknyelő *a, ~ mészkőüreg (geol)* swallow-hole, swallet
patakocska *n,* streamlet, rivulet, brooklet, runnel, rill, runlet
patakzás *n,* stream, gush
patakz|ik [-ani, -ott, ... kzzon, ... kozzék] *vi,* flow in torrents, stream, gush; *sebéből vér ~ik* blood is flowing from his wound; *~ott a könnye* tears gushed/welled from his/her eyes, (her) tears streamed/rained down her cheek; *homlokáról ~ott a veríték* the sweat ran down his forehead
patália [.. át] *n,* noise, row, shindy; *patáliát csap/rendez* kick up a row/shindy, have a flaming row
patanyom *n,* hoof-print
pataparta *n,* frog-pad, cushion
patarepedés *n,* sand-crack, wire-heel
patareszelő *n,* farrier's rasp, paring-knife
patás *a,* hoofed, ungulate; *~állatok* ungulates, ungulata, equidae
paténa [.. át] *n, (egyh)* paten
pátens [-ek, -t, -e] *n, 1. [parancs]* letter(s) patent, warrant; *a februári ~ (tört)* the Letters-Patent of February ⟨a short-lived constitution, granted to the Hapsburg Empire in 1861⟩ 2. *[szabadalom]* patent
patent [-et, -je; *adv* -ül] I. *n, [kapocs]* patent/snap fastener II. *a, (biz) [ötletes]* ingenious *(stand.),* topping, ripping, smashing, clever *(stand.)*
patentgomb *n,* press-button/stud, patent/snap/dome-fastener, snap
patentharisnya *n,* ribble stockings *(pl)*
patentíroz [-tam, -ott, -zon] *vt, [találmányt]* take out a patent for (an invention), patent(sg)
patentkapocs *n,* patent/snap/dome-fastener, snap
patentkötés *n, (tex)* rib-knit
patentüveg *n, [bejőző]* patent-bottle/jar, kilner/preserving jar
páter [-ek, -t, -c] *n,* Father (in addressing R.C. priests(,) especially monks)
páternoszter [-ek, -t, -e] *n, (kb)* perpetual motion lift, continuous elevator, paternoster/endless lift, *(bány)* paternoster
patetikus *a, 1. [elöadásmód]* full of pathos *(ut)* 2.

[szánalmas] pathetic, touching, moving, exciting pity/sadness *(ut)*
patics [-ot, -a] *n, (rég)* mud-flake
paticsfal *n,* wattle-and-daub, mud-and-daub wall
patika *n,* chemist's (and druggist's) shop, pharmacy, drug-store *(US); házi ~* medicine cabinet/chest
patika-párlófű *n, (növ)* (common) agrimony, liverwort *(Agrimonia) eupatoria v. officinalis)*
patikaár *n,* exorbitant price
patikajog *n, (kb)* pharmacy-owner's licence
patikamérleg *n,* chemist's/precision scales *(pl)*
patikaszer *n,* medicine, medicinal agent, drug, physics *(pl)*
patikus *n,* chemist, apothecary, pharmacist, pharmaceutist, druggist *(US)*
patina [.. át] *n,* patina, *[bronzon, rézen]* verdigris; *zöld ~ [bronzon]* verd-antique; *patinát kap* take on patina, weather
patinás *a, 1. [bronz]* patinated, *[tölgyfatárgy]* fumed; *~sá tesz* give patina to, patinate 2. *[épületet]* mellowed by age *(ut); ~ cég* firm of long standing, firm with a well-established name; *régi ~ város* town mellowed with age, mellow old town, town redolent of age
patkány [-ok, -t, -a] *n, 1. (áll)* rat *(Mus rattus/decumanus); házi ~* black rat, old-English rat; *nádi ~* ground-pig *(Aulacodus Swinderianus); sörényes ~* crested rat *(Lophiomys sp.); ~t jog* catch a rat, rat 2. *operaházi ~* young ballet-girl; *szárazföldi ~ (átv)* landlubber
patkányfarok *n,* rat-tail
patkányfészek *n, 1.* rat's nest 2. *(átv)* poky little room, wretched hole of a place
patkányfogó *n, 1. [csapda]* rat-trap 2. *[ember]* rat-catcher 3. *[kutya]* ratter
patkányirtás *n,* extermination of rats, deratization
parkányirtó I. *a,* rat-killing, deratizing II. *n,* = patkányméreg
patkányméreg *n,* rat-poison, raticide, rodenticide, *(ritk)* ratsbane
patkányrágta *a,* rat-gnawed/eaten
patkó [-t, -ja] *n, 1. [lóé]* horseshoe, *[más állaté]* shoe; *~ alakú* horseshoe/crescent shaped; *~ alakú asztal* horseshoe-table; *~ alakú vese* horseshoe kidney 2. *[cipőn]* heel-piece, heel iron, iron heel-protector 3. *[sütemény kb]* "horseshoe" cake, crescent-shaped pastry
patkóbél *n, (orv)* duodenum
patkóbélfekély *n, (orv)* doudenal ulcer
patkócím *n, (növ)* horseshoe (vetch) *(Hippocrepis pomosa)*
patkóív *n, (épit)* horse-shoe arch
patkókelés *n, (orv)* shoe-boil
patkol [-t, -jon] *vt,* shoe
patkolás *n,* (horse)shoeing
patkolatlan *a,* unshod
patkolókovács *n,* shoeing-smith, farrier, blacksmith
patkolókovács-műhely *n,* blacksmith's forge, farriery
patkolómágnes *n,* horseshoe-magnet
patkós [-at; *adv* -an] *a, 1. [patkolt]* iron-shod 2. *~ orrú denevér (áll)* rhinolophic bat *(Rhinolophus ferrumequinum)*
patkósarok *n,* calk(in), cog, steel piece (of horseshoe)
patkószeg *n,* horse(shoe)-nail, *[lábbelin]* hobnail
patkóvese *n,* horseshoe kidney
patni [-t, -ja] *n,* flap
patogenezis *n,* pathogenesis, pathogeny
patológia [..át] *n,* pathology
patológiás *a,* pathological
patologikus *a,* = patológiás
patológus *n,* pathologist
Pató Pál an afternoon farmer, a let-George-do-it man

pátosz [-ok, -t, -a] *n*, pathos, emotion, poignancy; *hamis* ~ false emotion/pathos

pátria [..át] *n*, native land/soil, motherland, fatherland, land of birth, birth-place

patriarcha [..át] *n*, patriarch

patriarchaság *n*, patriarchate

patriarchátus *n*, patriarchate

pátriárka *n*, patriarch

pátriárkai [-ak, -t] *a*, = pátriarkális

patriarkális [-ok, -t; *adv* -an] *a*, patriarchal; ~ *paraszt-gazdaság* patriarchal farming

patrica [..át] *n*, *(nyomd)* punch, raised figure

patricametsző *a*, ~ *vésnök (nyomd)* punch-cutter

patrícius *n*, patrician

patrimoniális [-at] *a*, *(tört)* patrimonial

patrióta [..át] *n*, patriot

patriotizmus *n*, patriotism

patrisztika *n*, patristics

patrisztikus *a*, patristic

patrológia [..át] *n*, patrology

patron [-ok, -t, -ja] *n*, 1. *[töltény]* cartridge 2. *[festőé]* stencil(-plate); ~*nal fest/átrajzol/megjelöl* stencil 3. *[szabáshoz]* pattern, model 4. *[autoszifonba]* cartridge

patróna [..át] *n*, patroness

patronál [-t, -jon] *vt*, patronize, protect, support

patronálás *n*, patronage, *[gyárakban stb.]* patronage-system

patronált [-at, -ja] *a*, patronized *(aki által* by), under patronage *(ut)*

patronátus *n*, *(tört)* patronate

patronázs [-t, -a] *n*, patronage

patronhüvely *n*, cartridge shell/case

patrontáska *n*, cartridge pouch

patrónus *n*, patron, protector

patrónusság *n*, patronate

patrul [-ok, -t, -ja] *n*, patrol

patt [-ot, -ja] *n*, stalemate

pattan [-t, -jon] *vi*, 1. *[ostor]* crack, *[húr]* snap, break, *[üveg]* crack 2. *[ugrik]* spring, jump, bound, bounce; *lóra* ~ jump into the saddle, jump on a horse

pattanás *n*, 1. *[zaj]* crack 2. *[ugrás]* leap, jump 3. *[hasadás, szakadás]* cracking, rending 4. *[bőrön]* pimple, blister, pustule, spot 5. ~*ig feszült* stretched to the breaking point

pattanásos [-ak, -t; *adv* -an] *a*, pimply, pimpled, pustulous, spotty

pattanóbogár *n*, *(áll)* skipjack, snap(ping)/click/spring-beetle, skipper, elater, jumping/snapping-jack *(US)* *(Agriotes sp., Elater sp.)*

pattant [-ani, -ott, -son] *vt*, *[ostort, üveget]* crack

pattantyús *n*, † gunner, artilleryman, artillerist, bombardier *(mind: stand.)*

pattint [-ani, -ott, -son] I. *vi*, *[ujjával]* snap (one's fingers), fillip II. *vt*, 1. *[kovakőszerszámot]* knap, chip (off), flake 2. *[ostort]* crack, smack

pattintás *n*, *[ostoré]* cracking, smacking, *[ujjával]* fillip, snap

pattintott [-at] *a*, *a* ~ *eszközök (rég)* chipped flint implements; ~ *kő [kőkori kés]* flake (knife), flint-flake; *apró* ~ *kőeszköz* microlith

pattog [-tam, -ott, -jon] *vi*, 1. *[tűz]* crackle, sparkle, crepitate, *[zsír, gyertya]* sputter 2. *[motor]* pop back, *[ostor]* crack 3. *(vk átv)* rail, fume

pattogás *n*, 1. *[tűzé]* crackling, crepitation, *[zsíré, gyertyáé]* sputtering 2. *[motoré]* popping back, *[ostoré]* cracking 3. *(vké átv)* railing, fuming

pattogat *vt*, *[kukoricát]* puff, pop (corn) *(US)*

pattogatott [-at] *a*, ~ *kukorica* puffed maize *(GB)*, pop-corn *(US)*

pattogó [-ak, -t; *adv* -an] *a*, 1. *[tűz]* crackling, sparkling, *[zsír, gyertya]* sputtering 2. *[motor]* popping

3. *[ember]* vociferous, quarrelling, fuming, *[hang]* snappish; ~ *hangon rendelkezik* snap out orders

pattogtat I. *vt/vi*, *[ostort, ostorral]* (make) crack II. *vt*, *[kukoricát]* puff, pop (corn) *(US)*

pattogzás *n*, 1. *[festéké]* scaling, peeling (off), flaking (off) 2. *[bőré]* chapping, fissuring

pattogz|ik [-ani, -ott, ..gozzon, ..gozzék] *vi*, 1. *[festék]* scale, peel (off), flake (off) 2. *[bőr]* chap, fissure

pattol [-t, -jon] *vt/vi*, stalemate

patvar [-ok, -t, -a] *n*, † *[veszekedés]* quarrel, dispute, tiff, squabble, *[zaj]* rumpus, row, brawl, *[felfordulás]* commotion *(mind: stand.); mi a* ~ ? what the hell; *a* ~*ba is!* dammit!

patvarista [..át] *n*, † *(kb)* lawyer's apprentice *(stand.)*

patvaristáskod|ik [-tam, -ott, -jon, -jék] *vi*, † ⟨read for the bar and serve a probationary year at a barrister's office⟩

patvarkod|ik [-tam, -ott, -jon, -jék] *vi*, † squabble, brawl, wrangle, quarrel *(mind: stand)*

patyolat *n*, cambric, lawn, voile; *tiszta mint a* ~ white as (driven) snow, as clean as a new pin *(fam)*

patyolatfehér *a*, wite as (driven) snow *(ut)*

paukol [-tam, -t, -jon] *vt*, *(biz) [vkt vizsgára]* cram, coach, stuff (sy for an exam)

paukolás *n*, *(biz) [vizsgára]* cram(ming), coaching

Paula [..át] *prop*, Pauline

pauperizmus *n*, pauperism

pausálár *n*, *(ker)* average price

pausálé [-t, -ja] *n*, lump sum, average; ~*ban* at a flat rate; ~*ban fizet* pay a lump sum, pay at a flat rate

pausálé-díjszabás *n*, inclusive rate

pausáléösszeg *n*, lump sum

pauz [-ok, t-, -a] *n*, *[rajz]* tracing, traced design, counterdrawing

pauza [..át] *n*, 1. *(ált)* break, interval, recess 2. *[zenei]* rest, pause; *general* ~ general pause

pauzál [-t, -jon] *vi*, pause, make a pause/stop

pauzol [-t. -jon] *vt*, *[rajzot]* trace (off)

pauzpapír *n*, tracing-paper, pounce paper

páva [..át] *n*, *(áll)* peafowl, *[him]* peacock, *[nőstény]* peahen *(Pavo cristatus); büszke mint a* ~ proud as Punch/Lucifer, proud as a peacock

pávacsirke *n*, pea-chick

pávafarkégő *n*, fan-tail

pávafióka *n*, pea-chick

pávagalamb *n*, *(áll)* fan-tail *(Columba livialaticauda)*

pávahal *n*, *(áll)* peacock-fish *(Crenilabrus pavo)*

pávajérce *n*, peahen

pávakakas *n*, peacock

pávakék *a*, peacock-blue

páváskodás *n*, showing off strutting, self-display, flaunting, peacockery

páváskod|ik [-tam, -ott, -jék] *vi*, strut (about), show off, (play the) peacock, plume/display/flaunt oneself

pávaszem *n*, 1. *[tollazatban]* ocellus, eye on a peacock's feather 2. *[lepke]* peacock(-butterfly), emperor *(Saturnia sp., Nymphalis sp.); éjjeli* ~ silk-moth *(S. pavonia)*

pávaszemminta *n*, *[szövésben]* bird's-eye pattern

pávatoll *n*, peacock feather

pávatyúk *n*, peahen

pávián [-ok, -t, -ja] *n*, *(áll)* baboon, mandrill *(Papio sp., Cynopithecus sp.); barkós* ~ wanderoo *(Vetulus silenus); barna* ~ sphinx(-baboon) *(Cynocephalus sphinx); galléros* ~ gray baboon, hebe, hamadryad *(P. hamadryas); üstökös* ~ black ape *(C. niger)*

pavilon [-ok, t-, -ja] *n*, pavilion, *[kisebb]* kiosk

pavilonrendszer *n*, ⟨system of isolated pavilions/wards in hospital building and organization⟩, pavilion block system

pavilonszerű *a*, ~ *kórház* pavilion hospital

pavilontető n, pavilion roof

pazar [-ok, -t; adv -ul] I. a, 1. [pazarló] prodigal, lavish, unsparing 2. [fényűző] luxurious; ~ berendezésű lakás lavishly furnished home 3. [bőséges] profuse, opulent, [lakoma] sumptuous, lavish, costly, slap-up ◇, [ruha] rich 4. (átv) capital, gorgeous, glorius, grand, splendid, sumptous II. int, (biz) (that's) ripping!, grand!, fine!

pazarlás n, 1. [anyaggal] wasting, waste(fulness), wastage 2. [pénzzel] prodigality, lavishness, squandering, profusion, extravagance; ~ra hajlamos prodigalish

pazarló [-t; adv -an] I. a, (ellt) prodigal, thriftless, unthrifty, wasteful, extravagant, lavish, profuse; ~ életmód prodigalism II. n, waster, squanderer, prodigal, spendthrift, wastrel, squanderer, spender, lavisher

pazarlóan adv, prodigally, wastefully, lavishly, extravagantly; ~ bánik a pénzzel be lavish in spending

pazarlód|ik [-ott, -jon, -ják] vi, be wasted, run to waste

pazarol [-t, -jon] vt, squander, lavish, waste, prodigalize, (kif) spend money like water; fáradságot ~ vmre waste/lavish effort on sg; ~ja a papírt waste the paper; kár szót ~ni rá forget about it, save your breath

pazarság n, 1. [bőség] lavishness, profusion, sumptousness, luxuriance 2. [fényűzés] luxury, opulence, luxuriousness 3. (ált) richness, splendour, magnificence, extravagance, costliness

pazarul adv, (ált) richly, splendidly, magnificently, extravagantly, in a costly way, [bőven] lavishly, profusely, sumptuously, luxuriantly, [fényűzően] luxuriously, opulently; ~ él luxuriate

pázsit [-ot, -ja] n, 1. [terület] lawn, plot of grass, grass-plot, greensward, green; ~tal borított lawny 2. [fű] grass, turf, sward

pázsitfű n, grass

pázsitnyírás n, mowing, cutting (of lawn), lawn mowing

pázsitnyíró n, ~ gép lawn-mower

pázsitos [-ak, -t; adv -an] a, turfy, covered with turf (ut), lawny

pázsitszőnyeg n, (green)sward

peca [..át] n, (biz) fish (stand.)

pecáz|ik [-tam, -ott, -zon, -zék] vi, (biz) dangle/wet a line, fish (stand.), go angling (stand.)

pecek [pecket, pecke] n, 1. pin, peg, bolt, toggle, pawl, dowel, drift, stud, key, tumbler, [illesztő] joggle, [sátorveréshez] picket, [csatban] tongue; áll mint a ~ stand bolt upright 2. [szájban] gag 3. [ló felső ajkának megcsavarására] training-bit

peceklyuk n, pinhole, keyhole

pecér [-ek, -t, -e] n, = sintér

pécéz [-tem, -ett, -zen] vt, (nyomd) register

pech [-et, -e] n, (biz) bad/hard/ill luck, mischance (ref.), tough luck (US); ez ~! (it's) hard lines, worse luck; ~je van be out of luck, be down on one's luck, be unlucky, be up against it, be in for it, meet with bad success; ~ed van luck is against you; ~ére unfortunately for him

peches [-et; adv -en] a, (biz) unlucky, unfortunate, luckless (mind: stand.), hapless, [igével] be down on one's luck; ~ vagy luck is against you

pechsorozat n, = pechszéria

pechszéria n, (biz) run of bad/ill luck; pechszériában van he is having a run of bad luck, he is down on his luck

peckel [-t, -jen] vt, 1. [kipeckel] stay with a pin/peg/ toggle 2. [fricskáz] fillip, flick (with finger) 3. [szájat felpeckel] gag

peckes [-et; adv -en] a, 1. [peckekkel ellátott] pinned, pegged, toggled; ~ lánc stud-chain 2. (átv) haughty, stiff, formal, [nő] prim

peckesen adv, ~ jár strut (along); ~ járó [ló] high--stepping

peckesség n, stiffness, primness

Pécs [-et, -ett, -re] prop, Pécs

pecsenye [..ét] n, 1. roast (meat/joint), joint (of meat); saját pecsenyéjét süti (átv) have an axe to grind 2. (koh) [öntvényen] scab

pecsenyebor n, dessert-wine, heavy wine, full-bodied table wine

pecsenyeforgató n, [nyárs] roasting-jack, [személy is] turnspit

pecsenyelé n, (dish) gravy, dripping

pecsenyéstál n, dish for serving roast meat, mea dish

pecsenyeszag n, smell of roast meat

pecsenyezsír n, dripping(s)

pecsét [-et, -je] n, 1. [viaszból stb.] seal, (ritk) sigil, [hivatalos] signet; egyoldalú egyszerű ~ single seal, one-faced seal; ~ alatt sealed, under seal, sub sigillo (lat); hét ~ alatt őriz vmt keep very/top secret; ~ helye locus sigilli (lat röv L.S.), place of the seal; a ~ sértetlen the seal is unbroken; ~et feltör break (open) a seal, unseal; ~et rányom affix/set/put a seal to sg; ~et ráüt vmre (átv is) stamp sg; ~tel lát el vmt place one's seal on sg, print sg; ~tel ellátott okirat sealed instrument, a document to which a seal has been attached 2. [lebélyegzés] stamp, [bélyegen] cancellation(-mark) 3. [folt] stain, blotch, spot; ~et kivesz remove a stain; sok ~ van a ruháján there are many stains on his/her dress

pecsétel [-t, -jen] vt, 1. [viasszal stb.] seal, put a seal on, (ritk) sigillate, (hiv) affix a seal 2. [lebélyegez] stamp, [bélyeget] cancel

pecsételés n, 1. [viasszal stb.] sealing, (hiv) affixing a seal 2. [lebélyegzés] stamping, [bélyeget] cancellation

pecsételetlen a, unstamped, [bélyeg] uncancelled

pecsételt [-et] a, ~ tégla (rég) tile with stamped ornament

pecsétes [-et; adv -en] a, 1. [levél] sealed, (ritk) sigillated, [lebélyegzett] stamped 2. [foltos] stained, blotched, spotted; ~ öltöny (a) suit full of stains

pecsétföld n, (ásv) pipe-stone

pecsétgyűrű n, signet/seal-ring

pecsétnyomó n, seal, (ritk) sigil, (hiv) signet, matrix (lat)

pecsétőr n, keeper of the seal

pecséttan n, sigillography, sphragistics

pecséttartó a, ~ doboz [okmányon] skippet

pecsétvésnök n, seal-engraver

pecsétviasz n, sealing-wax

pecsovics [-ot, -a] n, † ⟨an unconditional adherent and follower (v. staunch supporter) of the government (in politics)⟩, time-server, trimmer, systematic turncoat, Vicar of Bray

pedagógia [..át] n, pedagogy, pedagogics, education

pedagógiai [-ak, -t; adv -ilag] a, pedagogic(al); P~ Főiskola Teachers' Training College; ~ készség the gift of teaching; ~ pályára megy/lép go in for teaching, take up teaching

pedagógiailag adv, pedagogically

pedagógus n, pedagogue, teacher, educationalist, educator, schoolmaster; Magyar Pedagógusok Szakszervezete Hungarian Teachers' Union

pedál [-ok, -t, -ja] n, [járműé, orgonáé] pedal, [fújtatóé, köszörűé] treadle; a ~ra lép/tapos depress the pedal

pedál-billentyűsor n, [orgonán] pedal-board, pedaller

pedálgumi n, pedal-pad

pedálhárfa n, pedal harp

pedáloz [-tam, -ott, -zon] I. vt, [járművet, orgonát] pedal, [fújtatót, köszörűt] work a treadle, treadle II. n, [kerékpározik] cycle, bike (fam)

pedáltartó *n, [hárfán]* pedestal

pedáns [-ok, -t; *adv* -an] *a,* **1.** *[rendszeretô]* thorough, strict, meticulous, scrupulous, painstaking, precise, particular, scrupulously careful, *(kif)* dot one's i's and cross one's t's; ~ *vmben* be particular about/ in sg **2.** *(elit)* over-particular, over-scrupulous, tight/strait-laced, fussy, punctilious; ~ *ember* stickler, precisian

pedánsság *n,* **1.** *[rendszeretet]* meticulousness, meticulosity, attention to detail, perfectionism, preciseness, scrupulous care, primness **2.** *(elit)* hypercritical attitude, punctiliousness

pedantéria [..át] *n,* = **pedánsság**

pedellus *n,* school-porter/attendant, janitor *(US)*

peder [pedrek, -t, -jen] *vt,* twist, twirl, twiddle; *bajuszt* ~ twirl one's moustache

pederaszta [..át] *n,* p(a)ederast, sodomite

pederasztia [..át] *n,* p(a)ederasty, sodomy

pedig *conj,* but, however, yet, nevertheless, still, (al)though, albeit; *(mi elmegyünk) te* ~ *itt maradsz* but *(v.* as for you) you will stay here; ~ *még mondtam is neki* although I told him so; *ô* ~ *nem hiszi* but/ still he *(v.* he however) won't believe it; *én* ~ *azt mondom* as for me(,) I say *(v.* I can tell you ..); *há* ~ should it happen (that), and if; *vagy* ~ or else; ~ *így van!* (but) that is how it is!, but that is how things are!, but that is the way it is!, still it is like this; *pénzem* ~ *nem volt* money I had none

pedigré [-t, -je] *n,* pedrigree

pedigrés [-ek, -t; *adv* -en] *a,* pedrigreed, full-blooded, well-bred

pedikűr [-ök, -t, -je] *n,* chiropody, podiatry, pedicure, care of the feet

pedikűrös [-ök, -t, -e] *n,* chiropodist, podiatrist, pedicure, corn-cutter *(US)*

pedikűröz [-tem, -ött, -zön] *vi/vt,* pedicure, treat the toe-nails and corns/bunions

pedikűröztet *vi/vt,* have one's toe-nails and corns treated

pedológia [..át] *n,* p(a)edology

pedrés *n,* twisting, *[bajuszé]* twirling

pedrő [-t] *a, bajuszát* ~ *térfi* man twirling his moustache; *a foncat* ~ *lány* girl spinning a thread/yarn

pedz [-eni, -ett, -zen] *vt,* **1.** *[hal a horgot]* nibble at (the bait/hook) **2.** ~*i már* [= *sejti]* he is near the truth, it is dawning on him, *[= érinti, rátér]* he is getting at it

pedző [-t] *n, [horogzsinóron]* quill

Pegazus *n,* Pegasus

pehely [pelyhet, pelyhe] *n,* **1.** *[szôr, toll]* down, fluff, flue, *[még tollatlan madárkán]* floccus; *könnyű mint a* ~ light as a feather **2.** *(növ)* pubescence, pappus, *[gyümölcsön]* nap *(fam)* **3.** *[hó, szappan]* flake; *nagy pelyhekben hull a hó* snow is falling in large flakes **4.** *[gyapjúé]* flock, floss

pehelyágy *n,* down-bed

pehelyfelhô *n,* cirrus (cloud)

pehelykönnyű *a,* light as a feather *(ut),* (of) feather weight, feathery

pehelykönnyűség *n,* feather-lightness

pehelyliszt *n,* wheat-flake

pehelypaplan *n,* eiderdown quilt

pehelyréce *n, (áll)* common eider, eider(-duck) *(Somateria m. mollissima)*

pehelysúly *n, (sp)* feather-weight

pehelysúlyú *a,* feather-weight

pehelyszerű *a,* flocky, flocculent, feathery

pehelyszőr *n,* down, fluff, fuzz

pehelytoll *n,* down-feather

pej [-ek, -t, -e] *a/n,* bay, chestnut; ~ *kanca* bay/chestnut mare; ~ *ló* bay/chestnut horse

pejacsevics [-et, -e] *n/a, [nadrág]* jodhpurs *(pl)*

pejoratív [-at] *a, (nyelvt)* pejorative

pejsli *n,* = **pájsli**

pék [-et, -je] *n,* baker

pekán-dió *n, (növ)* pecan *(Carya pecan)*

pékbolt *n,* baker's shop, *[néha]* confectionery

pékinas *n,* baker's apprentice, *[kihordó]* baker's delivery boy

Peking [-et, -ben] *prop,* Peking, Peiping

pekingi [-ek, -t] *a,* Pekinese

pékkenyér *n,* baker's bread

péklapát *n,* (oven-)peel

péklegény *n,* journeyman baker, baker's man

pékmester *n,* master baker

pékműhely *n,* bakery, bakehouse

pékné *n,* bakeress

pékség *n,* **1.** *[üzem]* bakery, *[néha]* confectionery **2.** *[mesterség]* baker's trade, bakery *(obs)*

péksegéd *n,* baker's man

péksütemény *n,* baker's ware

pektáz [-ok, -t, -a] *n, (vegyt)* pectase

pektin [-ek, -t,-je] *n, (vegyt)* pectine, vegetable jelly

pektinvas *n,* pectic acid

pektóz [-ok, -t, -a] *n, (vegyt)* pectose

péküzlet *n,* baker's shop

pelágikus *a, (geol)* pelagic, pelagian

pelargonium [-ot, -a] *n,* pelargonium, *[muskátli]* geranium, strok's bill

példa [..át] *n,* **1.** example, instance, case, precedent; *találó/jó* ~ appropriate example; *alig van rá* ~ *hogy* there is hardly a precedent for; ~ *nélkül való/ álló* there is no precedent for it, unprecedented, unexampled, without precedent *(ut),* beyond/ without example *(ut);* ~ *erre* a case in point; *ô* ~ *rá* he is a case in point; *szolgáljon ez intô* ~ *gyanánt* let this be a warning; *vk példája nyomán* inspired by sy's example; ~*ként felhoz/megemlit vmt* quote/cite sg by way of example/illustration; *példának okáért* for instance/example *(röv* e.g.), by way of illustration; *példának állit vkt* hold sy up as an example, hold sy up as a model; *példán bemutat* demonstrate on/with an example; *vk/vm példájára* after/following the example of sy/sg, in imitation of sy/sg; *példát ad* set an example; *példákat sorol fel* quote examples/ precedents/instances, illustrate one's statement(s)/ point with; *jó példát mutat* set/give a good example; *példát statuáló/mutató [büntetés]* exemplary; *vkrôl példát vesz* take an example by sy, take a leaf from *(v.* out of) sy's book; *végy példát róla* take copy by him; .. *.hogy közelebb fekvô példát vegyünk* . . . to take an example nearer home . . .; *példát adja vmnek* give/furnish a good instance of sg; *vk példáját követi* follow sy's example, tread/follow in the footsteps of sy, take pattern by sy, take a leaf out of sy's book; *példájától lelkesitve/ösztönözve* inspired by sy's example; *jó példával jár elôl* give/set a good example, practise what one preaches; *példákkal szemléltet/magyaráz* exemplify, show/illustrate by example; *például szolgál* serve as an example/ precedent **2.** *(menny)* problem, exercise for practice, *[megoldott minta]* demonstration **3.** = **példázat**

példaadás *n,* exemplification, showing by example, *[csak erkölcsileg]* exemplary conduct/behaviour

példaadó *a,* exemplary

példabeszéd *n,* parable; ~*ek könyve* (the) Book of Proverbs

példakép *n,* model, pattern, example, ideal, paragon, exemplar *(ref.); vkt* ~*ül állit* make an example of sy, set sy up as a(n) model/example; ~*ül szolgál* be a model/example; ~*ül vesz vkt* take pattern by sy

példaképp *adv,* as an example, as a model, *[megemlitve]* by way of illustration/example, to furnish illustration

példaképpen adv, = példaképp
példálódzás n, hints (at), allusions (to) (mind: pl)
példálódz|ik [-tam, -ott, -zon, -zék] vi, hint at, allude (to), make/drop repeated hints, make oblique hints
példamondat n, (nyelvt) sample/specimen sentence, illustrative example/sentence, usage example (in a grammar/dictionary)
példamutatás n, = példaadás
példamutató a, exemplary; ~ munkát nyújt set a good example in one's work
példány [-ok, -t, -a] n, [könyvé, újságé] copy, issue, [minta] sample, specimen; eredeti ~ [trógépen] ribbon copy; műszaki ~ [könyvből megjelenés előtt] advance copy; rendezői ~ (szính) acting copy; szép ~ (a) nice specimen; három ~ban in three copies; két ~ban (leir) (write) in duplicate; vmt több ~ban leir make several copies of sg; ~onként (vásárol) (obtain) by the number
példányszám n, size of edition, number of copies (printed/issued/published); kis ~ban jelent meg a small/limited number of copies were printed, only a few copies were printed (fam), it appeared (v. came out) in a small edition/printing, it appeared in a limited edition; nagy ~ban jelenik meg it has a very wide circulation; az esti lapok igen nagy ~ban fogynak the circulation of the evening papers is very great
példányszámú a, számozott ~ kiadás (nyomd) limited edition in numbered copies
példás a, exemplary, model; ~ férj exemplary husband; ~ magaviselet exemplary conduct
példásság n, exemplariness
példaszerű a, exemplary, ideal
példaszerűség n, exemplariness
példatár n, collection/compilation/thesaurus of examples/paradigms; számtani ~ mathematical exercises (pl)
példátlan a, unprecedented, unexampled, unparalleled, unheard-of, without precedent/parallel (ut), beyond/without example (ut); ~ eset, ~ul álló eset it is a case without parallel
például· adv, for instance/example (röv. e.g.), by way of illustration/example, let us say, shall we/I say, say; ld még példa
példáz [-tam, -ott, -zon] vt, 1. [példával magyaráz] exemplify, illustrate by example; vmt ~ illustrative of sg 2. [jelent, ábrázol] mean, represent, symbolize
példázat n, parable, apologue, allegory; ~ba burkolt parabolic(al)
példázgat vi, = példálódzik
pele [. .ét] n, (áll) dormouse (Dyromys sp., Glis sp., Muscardinus sp.); erdei ~ Russian dormouse (D. nitedula); mogyorós ~ muscardine (M. avellanarius); nagy ~ fat dormouse (G. glis)
pelenka n, diaper, (baby's) napkin, [tetra] gauze, square, nappy (fam), diddy (baby talk), didie (baby talk)
pelenkanadrág n, pilch, [gumis] baby rubber panties/trousers (pl)
pelenkaöltés n, blanket stitch
pelerin [-ek, -t, -je] n, cape, mantle, pelerine, tippet
pelikán [-ok, -t, -ja] n, (áll) pelican (Pelecanus sp.)
pellagra [. .át] n, pellagra
pellagrás a, pellagrous; ~ beteg pellagrin
pellengér [-ek, -t, -e] n, pillory; ~re állít (put on the) pillory; ~re állítás pillorization
pelyhedzés n, becoming downy
pelyhedz|ik [-ett, -zen, -zék] vi, get/become downy/fluffy, become covered with down; ~ik az álla his chin is getting downy, he is getting some down/hair on his chin
pelyhedző [-t] a, ~ szakáll incipient beard

pelyhes [-et; adv -en] a, 1. (ált) downy; ~ állú having/with a downy chin (ut), downy-chinned, fuzz(-face), fuzzy; ~ állú ifjú callow youth 2. (tex) fluffy, fleecy 3. (növ, áll) pubescent, floccose, flocculent
pelyhesed|ik [-ett, -jen, -jék] vi, = pelyhedzik
pelyhesség n, downiness, fluffiness, fleeciness
pelyva [. .át] n, 1. (növ) glume 2. [gabonaszemről cséplёskor] chaff, husks (pl), winnowings (pl); annyi a pénze mint a ~ he is rolling in money
pelyvahordó n, chaff carrier/bearer
pelyvalevél n, (növ) glumella
pelyvapikkely n, (növ) lodicule
pelyvás a, (növ) glumaceous, glumous
pelyvások n. pl, (növ) glumaceae
pelyvaszerű a, (növ) glumaceous, glumous, paleaceous
pemet n, = pemete
pemete [. .ét] n, (long-handled) baker's oven mop
pemetefű n, (növ) horehound, marrubium (Marrubium); orvosi/fehér ~ white/common horehound (M. vulgare)
pempő [-t, -je] n, pap, mush, mash
pemzli [-t, -je] n, paint-brush; ld még ecset
penates [-ek, -t, -e] n, (rég) household gods (pl)
pendely [-ek, -t, -e] n, (nép) [női ing] shirt (stand.), long chemise (of peasant women) (stand.), [gyereké] (children's) long shirt (stand.)
pendelyes [-ek, -t; adv -en] a, (nép) wearing a long chemise (stand.); ~ gyermek toddler (stand.)
pendit [-eni, -ett, -sen] vt, [húrt stb.] sound, twang
pendliz|ik [-tem, -ett, -zen, -zék] vi, journey to and fro, shuttle [több estélyen résztvevő vendég] go from one party to another, [színész] ⟨play short roles at various theatres in the course of one evening⟩
pendül [-t, -jön] vt, 1. [megszólal] sound, (give a) twang 2. egy húron ~nek (they are) birds of a feather, they are tarred with the same brush
peneplén [-ek, -t, -je] n, (geol) peneplain
penész [-ek, -t, -e] n, mildew, mo(u)ld, must
penészedés n, moulding
penészed|ik [-tem, -ett, -jen, -jék] vi, mildew, go/get/become mouldy, mould
penészes [-et; adv -en] a, mildewy, mildewed, mouldy, musty, fusty, mucid
penészesed|ik vi, = penészed|ik
penészesség n, mouldiness, mildew, must(iness), fustiness
penészfolt n, mould (spot)
penészfoltos a, mould-spotted
penészgomba n, mould(s), mould fungus, mildew, aspergillus, hyphomycete, penicillium (Aspergillus)
penésziz n, mouldy/musty taste
penészképződés n, mould formation
penészszag n, mouldy/musty smell, mustiness, fustiness
penészszagú a, musty, mildewy
penészvirág n, 1. (növ) mildew (Filago) 2. (átv) anaemic(-looking) person/child, (chlorotic) girl suffering from greensickness
penetráció [-t, -ja] n, penetration
penetráns [-ok, -t; adv -an] a, penetrating, sharp, pervasive, obtrusive
peng [-eni, -ett, -jen] vi, sound, twang, [pénz] ring, [sarkantyú] jingle
penge [. .ét] n, blade (of knife/razor/sabre); éles pengéjű sharp-bladed; hosszú pengéjű long-bladed
pengeél n, edge of blade
pengés n, sounding, twang(ing), [pénzé] ringing, [sarkantyúé] jingling (of spurs)
penget vt, 1. (ált) (make) sound, [hangszerhúrt] pluck (the strings), twang, plunk, [hárfát] touch, [gitárt] thrum 2. [pénzt] (make) ring, [sarkantyút] (make) jingle 3. (átv) más húrokat ~ change one's tune/note, sing another tune/song

pengető [-t, -je] *n. (zene)* plectrum
pengetőhangszer *n,* stringed instrument plucked with a plectrum
pengetőzenekar *n,* orchestra of stringed instruments plucked with plectrums
pengő [-t, -je] I. *a,* 1. *(ált)* sounding 2. *[érme]* ringing, *[sarkantyú]* jingling; ~ *forint* silver florin II. *n,* pengő, pengo, pengoe
pengőérték *n,* pengő value
pengős [-ök, -t, -e] I. *a,* costing ...pengő(s) *(ut)* II. *n, [érme]* one pengő coin
penicillin [-ek, -t, -je] *n,* penicillin
penicillus *n,* † pen-knife *(stand.)*
penis [-ek, -t, -e] *n, (bonct)* penis
penitencia [..át] *n,* penance, penitence; *vkre penitenciát ró* impose/inflict a penance on sy
penna [..át] *n,* † quill *(stand.),* pen *(stand.)*
pennarágó *n,* hack writer, pen-driver/shover/pusher, word-pecker
pentaéder [-ek, -t] *n, (menny)* pentahedron
pentagonális [-ak, -t] *a,* pentagonal, five-square
pentagramma [..át] *n,* pentacle, pentagram, pentalpha
pentakkord *n, (zene)* pentacord
pentaméter *n,* pentameter
pentán [-ok, -t, -ja] *n, (vegyt)* pentane
pentapódia [..át] *n, (zene) [5 rövid ütemű sor]* five-measure phrase
pentaprizma *n, (fényk)* reversing prism
pentaszulfid *n, (vegyt)* pentasulphide
pentatlon [-ok, -t, -ja] *n,* (modern) pentathlon; *ld még* ötpróba
pentaton [-ok, -t, -ja] *a, (zene)* pentatonic; ~ *fordulatok* pentatonic turns; ~ *skála* pentatonic/gapped scale
pentatonia [..át] *n, (zene)* pentatonality
pentatonikus *a, (zene)* pentatonic
péntek [-et, -e] *n,* Friday; P~ *[Robinson szolgája]* Man Friday; ~*en* on Friday; *jövő* ~*en* next Friday; *minden* ~*en* on Fridays, every Friday; ~*en este* Friday evening/night; ~*re el kell vele készülnünk* we must finish it by Friday; *valamelyik* ~*en* on a Friday; ~*en reggel* Friday morning; ~*en este* Friday evening/night; *minden* ~*en* on Fridays, every Friday; ~*re* by Friday
péntekenként *adv,* every Friday, on Fridays
pénteki [-ek, -t] *a,* (of) Friday, Friday's; *a* ~ *nap folyamán* in the course of Friday, on Friday; *egy* ~ *napon* on a Friday; *a jövő* ~ *óra* the lesson on/of next Friday, next Friday's lesson; *a múlt* ~ *napon* last Friday; *a* ~ *viszontlátásra* see you on Friday
pentóda [..át] *n,* pentode, five-electrode tube/valve
pénz [-ek,-t, -e] *n,* money, *[mint érme]* coin, specie, cash, *[mint fizetési eszköz]* currency, coinage, oof ◈, dough *(US* ◈*),* pelf *(pej); ez nagy* ~ this is a lot of money; *régi* ~ old coins *(pl);* ~ *dolgában* in financial matters; ~ *hiányában* for want of money; ~ *megszállottja* money crazy; ~ *áll a házhoz* have a windfall, money is forthcoming; *majd felveti a* ~ be rolling in money; *a* ~ *kifolyik a kezéből* money runs through his fingers; *igen sok* ~ *fordul meg a kezén* he handles a lot of money; *a* ~ *nála nem számít* money means nothing to him; *sok* ~ *üti a markát* a lot of money is coming to him, he pockets a lot of money; *van nálam* ~ I have money by/on/with me; *nincs nálam* ~ I have no money by/with me; *van-e* ~ *nálad ?* have you any money on you?; ~ *beszél kutya ugat* money talks, money rules the world, money makes the mare to go; *a* ~ *oda megy ahol már sok van* he that hath to him shall be given; *a* ~ *nem boldogít* money cannot buy happiness; *rossz* ~ *nem vész el* turn

up like a bad penny; *se* ~ *se posztó* nought's had(,) all's spent, neither the one nor the other, it's gone(,) lock(,) stock(,) and barrel; *van* ~*e* be in funds; *kevés a* ~*e* be short of money; *nincs* ~*e (vmre)* he cannot afford it, he is out of cash, he is hard up; *már alig van* ~*e* he is at the end of his resources; *futhat a* ~*e után* he can whistle for his money; *az isten* ~*e sem elég neki* he will spend any amount of money; *nem volt (semmi)* ~*em* money I had none; *pénzbe kerül* it costs money; *anélkül hogy* ~*be kerülne* free of charge; *szép kis* ~*be kerülhetett* it must have cost a pretty penny; **pénzben** *játszik* gamble, play for money; *nagy* ~*ben játszik* play for high stakes; ~*ben kifejezve* in terms of money; ~*ben ki nem fejezhető* not measurable in cash; *kifogy a* **pénzből** run out/short of money; **pénzért** for money; *ezért a* ~*ért* for that much, *(átv)* for that matter; *jó* ~*ért* at a price; *potom* ~*ért* for a song, dirt cheap; *semmi* ~*ért* not for love or for money; ~*éért vesz el vkt* marry sy for her money, marry money; **pénzhez** *jut* come into money; ~*éhez jut* get one's money; **pénzen** for money; *drága* ~*en vette* he has bought it at a high price, he has paid for it through the nose; *a* **pénznek** *szűkében van* be short of money; **pénzre** *tesz szert* get hold of money; **pénzt** *átutal* transfer/remit money; *egyszerre ennyi* ~ *még nem láttam* I had never set eyes on such a sum; *mindenből* ~*t csinál* everything he touches turns to money; ~*t elhelyez* invest money/funds; ~*t előlegez* advance money, give money before; ~*t feldob* spin/toss a coin; ~*t felhajt/szerez* rake up money, raise money, raise the wind *(fam);* ~*t felhalmoz* pile up money; ~*t vesz fel a bankból* withdraw money from the bank, draw out money from the bank; ~*t fordít vmre* spend/expend money on/upon sg; ~*t gyűjt* collect (v. save up) money (for); ~*t kap* receive/get money; ~*t keres* make money, make/earn money *(v. a living),* turn a penny; *nagy* ~*eket keres* earn big/good money; *sok* ~*t keres* earn a lot of money; ~*t kibocsát* put (money) in circulation; ~*t kicsal vkből* cheat/swindle/financier money out of sy; ~*t kölcsönad (kamatra)* lend money (at interest), loan *(US), [jelzálog ellenében]* lend (on mortgage); ~*t kölcsönöz évi kamatra* vknek loan money to sy at an annual interest rate; ~*t költ* vmre spend/expend money on/upon sg; ~*t lebélyegez* stamp money; *minden* ~*t megér* it is worth its weight in gold; ~*t takarít meg* save (up) money, lay/put money by; ~*t nyom* print money; *a* ~ ~*t szül* money begets/makes money; ~*t vagy életet!* money or your life!, stand and deliver!; ~*t ver* coin/strike/mint money; ~*t veszít kártyán* lose money at cards; *kidobja a* ~*ét* throw money out of the window (v. down the drain); **pénzzé** *tesz* turn (sg) into money, convert into cash/money, realize; *mindenét* ~*zé teszi* turn all one's possessions into ready cash; ~*zé tétel* realization, conversion into money; **pénzzel** *támogat* support financially; ~*zel ellát* finance; ~*zel ellátás* financing
pénzadomány *n,* donation, contribution, money-gift, bounty *(obs)*
pénzalap *n,* fund(s), (capital) stock, capital; ~*ba befizet* pay into a fund; *közös* ~*ot létesítettek* they pooled their resources
pénzállomány *n,* money/monetary stock
pénzárfolyam *n,* (rate of) exchange, money/buying rate
pénzarisztokrácia *n,* aristocracy of wealth, plutocracy, haute finance *(fr)*
pénzáru *n,* money commodity, commodity acting as money
pénzátutalás *n,* money transfer, remittance (of money)
pénzbedobás *n,* insertion of the coin (in the slot)

pénzbedobós [-ak, -t] *a*, ~ *távbeszélő-készülék* penny-in--the-slot telephone apparatus, call-box; ~ *automata/ árammérő* slot-meter; ~ *készülék* (penny-in-the) slot--machine

pénzbefektetés *n*, investment (of capital)

pénzbehajtás *n*, collection, recovery, encashment

pénzbeli *a*, *[pénzben teljesített]* in money/cash/specie *(ut)*, *[pénzre vonatkozó]* monetary, pecuniary, financial; ~ *egyenérték* equivalent (in money); ~ *érték* monetary value; ~ *érték megállapítása* valuation; ~ *juttatás* money grant; ~ *kötelezettségek* pecuniary/ financial obligations; ~ *segély/támogatás* subsidy, financial aid

pénzbeszedés *n*, — **pénzbehajtás**

pénzbeszedő I. *a*, ~ *táska* money-bag, purse; ~ *ügynökség* debt-collecting agency   II. *n*, collector, collecting clerk

pénzbetét *n*, cash deposit

pénzbevétel *n*, receipt of money, receipts *(pl)*, profit, income, *(sp)* gate(-money)

pénzbevonás *n*, demonetization, calling in of currency/ coinage, withdrawal from circulation of currency/ coinage

pénzbírság *n*, fine, penalty, forfeit; ~ *terhe alatt* under pain of a penalty; *az átjárás* ~ *terhe alatt tilos* trespassers will be prosecuted; ~*ra ítél* fine, impose a fine on sy; ~*ot szabtak ki rá* a fine was imposed/ levied on him; ~*gal megússza* be let off with a fine, get off with a fine, be quit for a fine; ~*gal sújt vkit* inflict/impose a punishment/penalty/fine on sy, punish sy by/with a fine; ~*gal sújtható* liable to a fine *(ut)*

pénzbőség *n*, ease/abundance of money, inflation; ~ *van* money is plentiful

pénzbüntetés *n*, = **pénzbírság**

pénzcsoport *n*, financial group, group of financiers

pénzdarab *n*, coin, piece

pénzecske *n*, *megtakarított* ~ little savings *(pl)*, nest--egg *(fam)*

pénzegyenérték *n*, equivalent in money

pénzegység *n*, monetary unit

pénzéhes *a*, = **pénzsóvár**

pénzel [-t, -jen] *vt*, 1. supply/furnish/provide, with money/funds, finance, financier, support 2. *[elit, vesztegetés céljából]* bribe, nobble

pénzértéktelenedés *n*, depreciation of money

pénzelés *n*, 1. suppyling/furnishing/providing with money/funds, financing, support 2. *(elit)* bribing, nobbling

pénzellátás *u*, *[folyamat]* supply of money

pénzellátmány *n*, money supply, *[átutalva]* remittance; *havi* ~ monthly remittance

pénzelmélet *n*, quantitative theory of money

pénzelőleg *n*, cash advance, advance of money, loan

pénzelszámolás *n*, cash accounting

pénzember *n*, financier, money-man, plutocrat *(pej)*

pénzérmefinomság *n*, standard of money

pénzérték *n*, 1. value (of money) 2. *[ellenérték]* money value

pénzes [-et; *adv* -en] *a*, moneyed, wealthy, rich, well--heeled *(US* ◇*)*; ~ *ember* moneyed man; ~*láda* money-box, *[nagyobb]* money-chest; ~ *levélhordó/ postás (kb)* postman delivering money orders; ~ *táska* money-satchel; ~ *zacskó* purse

pénzeslevél *n*, registered letter containing money

pénzesutalvány *n*, money order, *[postai]* postal order, post-office order *(röv* P.O.O.*)*; *külföldi* ~ foreign money order

pénzeszsák *n*, 1. *(konkr)* money-bag 2. *[gazdag ember]* wealthy man, money-bag

pénzfeldobás *n*, *[sorshúzás]* toss(-up); ~*sal sorsot húz* toss a coin, toss for sg

pénzfelhalmozás *n*, accumulation of money

pénzfelvétel *n*, cashing, collection

pénzforgalmi *a*, ~ *mérleg* balance of money, turnover

pénzforgalom *n*, circulation (of money), money circulation, currency; ~ *növekedése/növelése* currency expansion; *nagy pénzforgalmat bonyolít le* handle a great deal of money

pénzforgás *n*, flux of money

pénzforma *n*, money/monetary form

pénzforrás *n*, pecuniary resource(s)

pénzgazdálkodás *n*, money economy/management, monetary policy, management of finances, financial management/administration, finances *(pl)*

pénzgazdálkodási *a*, ~ *rendszer* money economy

pénzgazdaság *n*, money economy

pénzgondok *n*. *pl*, pecuniary difficulties

pénzgyűjtemény *n*, numismatic collection, collection of coins

pénzgyűjtés *n*, *[adakozásból]* solicitation for contributions, *[halmozás]* hoarding, *[régi pénzeké]* collecting old coins

pénzgyűjtő *n*, *[régi pénzeké]* numismatist, collector of old coins

pénzhagyomány *n*, primary legacy, a gift of money by will

pénzhajhászás *n*, money-grubbing, chasing the dollar *(US)*

pénzhajhászó *n*, money-grubber

pénzhamisítás *n*, forgery, counterfeiting, false coining; ~ *büntette* coinage offence

pénzhamisító *n*, forger, coiner, counterfeiter

pénzházasság *n*, money match, mercenary marriage/ match, marriage of convenience

pénzhiány *n*, *[piacon]* want/scarcity/closeness/tightness/lack/shortage of money/funds, stringency in the money-market, monetary stringency, impecuniosity; ~*ban szenved* be pinched for money, be hard up *(mind· fam)*

pénzhígítás *n*, inflation (of currency), debasing of the coin of the realm; ~*t idéz elő* inflate the currency

pénzhígulás *n*, inflation

pénzilletmény *n*, emoluments *(pl)*

pénzimádat *n*, love of money

pénzintézet *n*, bank, banking house/institution

pénzintézeti *a*, bank(ing); ~ *tisztviselő* bank clerk; ~ *Központ* Central Corporation of Banking Companies

penzió [-t, -ja] *n*, 1. *[nyugdíj]* pension, allowance, retired/half pay 2. *[szálló]* boarding-house, *[kontinensen]* pension; *családi* ~ family/private/residential hotel 3. *[ellátás]* board(ing); *fél* ~ partial board; *teljes* ~ full board

penzionál [-t, -jon] *vt*, pension (off), superannuate, place on the retired list

penziótulajdonos *n*, boarding-house keeper

pénzismeret *n*, *[régieké]* numismatics

pénzjáradék *n*, money rent

pénzjegy *n*, bank note, bank-bill *(US)*

pénzjelleg *n*, cash/financial/money aspect

pénzjutalom *n*, cash/money reward/award, remuneration, bonus, prize, gratuity

pénzkérdés *n*, question of money, money-question, money expenditure, a question of L.s.d. *(GB fam)*

pénzkereset *n*, cash income

pénzkészlet *n*, money/cash in hand, ready money, money supply, *[cégé]* capital stock

pénzkezelés *n*, administration/management of funds

pénzkiadás *n*, expense, expenditure, outlay (of money), disbursement

pénzkidobás *n*, waste of money

pénzkopás *n*, wear, abrasion (of coins)

pénzkölcsön *n*, loan, advance, accommodation

pénzkölcsönző n, [hivatásos] money-lender
pénzkövetelés n, pecuniary claim, credit, [pénzpiacon] currency demands (pl), demands for money (pl)
pénzkövetelő n, claimant
pénzküldemény n, cash remittance, remittance in cash, remittance of funds
pénzláb n, money rates (pl), standard of coinage
pénzleértékelés n, devaluation
pénzleromlás n, depreciation, fall in value (of money)
pénzletét n, deposit of money, cash deposit
pénzmag n, (biz) [megtakarított] nest-egg, sg put by for a rainy day; egy kis ~ra tesz szert come into some money
pénzmágnás n, plutocrat, money magnate, tycoon (fam)
pénzmennyiség n, amount of money
pénzművelet n, financial transaction/operation/deal
pénznem n, currency; hazai ~ national currency
pénzösszeg n, amount, sum (of money)
pénzpiac n, money-market, Lombard Street (GB fam), Wall Street (US fam)
pénzpróba n, assay
pénzreform n, currency reform, readjustment of the currency
pénzrendszer n, monetary/currency system, coinage; egy fémvalutás ~ monometallism; két fémvalutás ~ bimetallism
pénzromlás n, = pénzleromlás
pénzrontás n, undermining the currency, debasement of the currency, deterioration/debasing of coinage
pénzsegély n, grant, subsidy, pecuniary aid/assistance/help
pénzsóvár I. a, grasping, greedy/avid/eager/longing for money (ut), mercenary, covetous, avaricious, rapacious, money-grubbing (fam) II. n, money-grubber (fam)
pénzsóvárság n, greed, graspingness, covetousness, rapacity, love of money
pénzszállítmány n, money-transport/consignment
pénzszekrény n, safe, cash-box, strong-box (US)
pénzszerzés n, money-making/getting, acquisition/making of money
pénzszerző a, money-making
pénzszűke [.. ét] n, = pénzhiány, pénzzavar; ~ van money is scarce/tight; pénzszűkében van be short of cash, be out of funds, be pressed/pushed for money
pénzszűkítés n, disinflation
pénzszükség n, = pénzhiány; ~ van a piacon there is a pressure on the money market
pénztár n, pay/cash-desk, [bankban] counter, [hivatalban] cashier's office/desk, pay-office, (szính) box-office, [vasúti] booking office, [boltban néha] till; kéretik a ~nál fizetni pay at the desk; ~t kezel be in charge of the cash, be in charge of the counting house; ~t csinál balance up one's cash, balance the cash
pénztárablak n, cash-desk, pay-desk/office, [jegykiadó] ticket window, [bankban néha] wicket
pénztárállás n, cash position
pénztárállomány n, cash in hand
pénztárca n, [bankjegynek] wallet, pocket-book, note-case, [erszény] purse; üres a pénztárcám my purse/exchequer is empty (fam)
pénztárfelülvizsgálat n, auditing/revision/verification of the cash
pénztárfiók n, till, cash-drawer
pénztárfülke n, pay box, [bankban] teller's cage, [színházi, vasúti] ticket/booking-office
pénztárgép n, cash-register, check-till
pénztárhiány n, cash deficit
pénztári [-ak, -t] a, ~ bizonylat cash voucher; ~

egyenleg cash balance, balance in hand; ~ engedmény cash discount; ~ engedményt ad allow a discount off the (cash) price; ~ felesleg cash surplus; ~ jelentés treasurer's report; ~ készlet cash in hand, till-money; ~ tartalék cash reserves (pl); ~ terv cash plan
pénztárjegy n, receipt, treasury note
pénztárkönyv n, cash book
pénztárkulcs n, safe key, strong-box key (US)
pénztárnapló n, cash book
pénztárnok [-ot, -a] n, = pénztáros
pénztárnyitás n, opening (time) of booking-office; ~ öt órakor [szórakozóhelyen] box office opens at five
pénztáros [-ok, -t, -a] n, cashier, cash-clerk/keeper, [banké ált] teller, [banké bevételező] receiver, [banké kifizető] payer, [egyesületé] treasurer, [hajón] purser, (szính) box/ticket-office clerk, [vasúti] booking clerk, ticket agent US)
pénztárosnő n, lady cashier
pénztárszámla n, cash-account
pénztartalék n, pecuniary resources (pl), store of money
pénztartozás n, (money-)debt, pecuniary debt; ~ behajtására indított kereset action of debt
pénztártöbblet n, cash surplus, surplus in the cash
pénztárutalvány n, = pénztárjegy
pénztárvizsgálat n, = pénztárfelülvizsgálat
pénztárzárás n, closing (time) of booking-office; ~ nyolckor [szórakozóhelyen] box office closes at eight
pénztelen a, impecunious, penniless, unmoneyed, moneyless, cashless, resourceless, (stone-)broke (fam), (kif) be in straits
pénztelenség n, 1. [egyéni] impecuniousness, impecuniosity, pecuniary embarrassment, (pecuniary) difficulties (pl), distress for money, low water (fam) 2. [piacon] = pénzhiány
pénztőke n, money/monetary funds (pl), (money) capital
pénztulajdonos n, owner of money
penzum [-ot, -a] n, 1. task, imposition 2. (isk) lesson
pénzuralmi a, plutocratic
pénzuralom n, plutocracy, plutarchy
pénzutalvány n, = pénzesutalvány
pénzügy n, finance; ~ek finances, financial affairs, money matters; állami ~ek public finance; ~eket intéz conduct the finances; az állam ~ei the finances of the State; a ~nél van (alkalmazva) be employed at the Ministry of Finance (v. the inland revenue)
pénzügyi [-ek, -t; adv -leg] a, financial, finance, pecuniary, monetary, fiscal; Nemzetközi P~ Alap International Monetary Fund; ~ bizottság finance committee, Committee of Ways and Means (US); ~ egyezmény financial agreement; ~ elszámolás financial settlement; ~ év fiscal year; ~ expozé [miniszteré] (budget) introductory; ~ helyzet financial position; a cég ~ helyzete financial standing of a firm; ~ igazgatás fisc(us), financial administration; ~ kormányzat financial administration/management; ~ körökben in financial circles, in the financial world, in Threadneedle Street (GB), in Wall Street (US); ~ közegek revenue authorities; ~ megvalósítás financial effectuation; ~ művelet financial operation/transaction; ~ nehézségek money troubles, financial straits; ~ osztály financial department, treasury department (US); ~ politika financial/fiscal policy; ~ szakember financial expert, financier; ~ szempontból financially; ~ talpraállítás financial rehabilitation; ~ tervezés budgeting
pénzügyigazgatás n, administration of inland revenue
pénzügyigazgató n, (kb) head of the administration of the inland revenue (of the county)

pénzügyigazgatóság n, [megyei] (county) inland revenue office, county financial directorate
pénzügyileg adv, financially, fiscally; rosszul áll ~ (vk) his finances are low (fam)
pénzügyminiszter n, Minister of Finance, Chancellor of the Exchequer (GB), Secretary of the Treasury (US); ő a ~ a családban she holds the purse-strings
pénzügyminisztérium n, Ministry of Finance(s), Exchequer (GB), Treasury (GB), Treasury Department (US)
pénzügyőr n, revenue/excise officer, exciseman, [vámőr] customs guard/officer
pénzügyőrség n, [testület] customs police, finance guard(s), revenue officers
pénzügystatisztika n, financial statistics
pénzügytan n, public finance(s), finance, financial science
pénzvágy n, = pénzsóvárság
pénzvágyó a/n, = pénzsóvár
pénzváltás n, exchange (of money)
pénzváltó n, (money-)changer, exchanger
pénzváltóbank n, exchange-bank
pénzváltóügynök n, (foreign) exchange broker
pénzverde [.. ét] n, mint
pénzverés n, minting, mintage, coinage, coining, monetization; hamis ~ false coining; ~ joga right of coinage, right to mint coins; ~t bérbe ad (tört) farm out the mint
pénzverő I. a, ~ gép coining-press, stamping machine; ~ sajtó coining/minting press, embossing punch; ~ terem pressroom II. n, 1. pénzverde; 2. [munkás] minter
pénzveszteség n, loss of money, pecuniary loss
pénzvilág n, world of finance, high finance, financial circles (pl), financial world
pénzviszonyok n. pl, financial conditions
pénzzavar n, financial/money/pecuniary difficulties (pl), financial/pecuniary embarrassment, financial pressure, straits (pl) (fam); ~ban van be in straitened/embarrassed circumstances, be in financial difficulties, be distressed/straitened/pressed/embarrassed (v. hard up) for money, be at a loss for money, his finances/stocks are (rather) low (fam), be broke (fam), be in Queer Street (fam) be hard up for money (fam)
pép [-et, -je] n, (ált) pulp, mush, mash, squash, [gyermekétel] pap, [paszta] paste, [papírgyártásban] stock; ~pé őröl/zúz pulp, pulpify, reduce to pulp
pepecsel [-t, -jen] vi, tinker/potter/piddle away (at sg), putter (US)
pepecselés n, tinkering, pottering, piddling
pepecselő [-t] a, ~ ember tinkerer, piddler, potterer; ~ munka slow (and unrewarding) work requiring much patience, tinkerer's job
pépes [-et; adv -en] a, pulpy, mushy, mashy, pasty, squashy, pappy; ~ borogatás (linseed) poultice
pépesit [-eni, -ett -sen] vt, pulp, pulpify, reduce to pulp
pépesség n, pulpiness, squashiness
pepita [.. át] a, checkered, chequered, pin check, shepherd's check, checked, squared; ~ szövet checked material
pépszerű a, = pépes
pepszin [-ek, -t, -je] n, pepsin
pepszinképző a, peptogen
pepszintartalmú a, pepsiniferous
pepszintermelő a, pepsiniferous
peptizálód|ik [-ott, -jon, -jék] vi, peptize
pepton [-ok, -t] n, (vegyt) peptone; ~ná alakit peptonize
per¹ [-ek, -t, -e] n, 1. (ált) action (at law), suit, lawsuit, legal action, legal proceedings (pl), process (at law),

case, cause, dispute at law, trial, litigation, litigated issue, controversy in court; polgári ~ civil action/case; rágalmazási ~ libel action, action for libel; semmisségi ~ action for nullity, nullity suit; ~ alatt álló in litigation (ut); ~ esetén if suit is brought; ~ folyama alatt pending suit, while the suit is pending; ~ függőben léte alatt during the pendency of an action, pending trial; ~ iratai record/documents of the case, written pleadings; ~ kimenetele the result/outcome of the suit; ~ tárgya the subject(-matter) of litigation; ~ útján by means of an action at law; ~be avatkozás intervention, interposition, interpleader; ~be avatkozik intervene, interpose, interplead in litigation, enter a litigation; ~be avatkozó intervener; ~be bocsátkozás (general/formal) appearance; ~be bocsátkozik enter an appearance; ~be fog bring/enter an action against, take action against, institute proceedings against, bring/institute a suit against (sy), bring (sy) to law, proceed against, sue (sy), try (sy), go to law with (sy); ~be fogás suing, proceeding (against sy), lawsuit, prosecution; ~be hiv give third party notice, interplead; ~be hivás interpleader; ~be hivó interpleader; ~be hivó fél interpleading party; ~be hivott the summoned (person), third party; ~be idéz summon (to appear); ~be idézés writ of summons; ~be von add (sy) as plaintiff, implead (sy); ~ben áll vkvel be engaged/involved in a lawsuit with sy, be at law/issue with sy; ~ben álló felek contesting/litigating parties; ~ben előad plead; ~ben fellépő/eljáró ügyvéd counsel, pleader, advocate; ~ben vkt képvisel appear for sy; ~ben védekezik fight an action (at law); ~en kivüli out of court; ~en kivüli egyezség settlement out of court, amicable arrangement; ~en kivüli eljárás extra-judicial procedure; ~re kerül a dolog it comes to legal proceedings, legal proceedings are resorted to, the affair/matter is taken to court; ~t akaszt a nyakába (biz) involve (sy) in a lawsuit (stand.); ~t beszüntet stop a case; ~t előkészit prepare a case; elveszti a ~t lose the suit, fail in a suit; ~t folyamatba tesz commence an action, institute legal proceedings; ~t folytat carry on a lawsuit, prosecute a suit, prosecute an action, implead, maintain an action at law, litigate; ~t indit proceed, take legal proceedings, institute proceedings, bring/institute/enter an action (against), bring/institute a suit (against), sue sy; ~t kezd commence an action; ~t visz conduct the suit; megnyeri a ~ét gain/win one's suit; ~rel fenyeget (vkt) threaten to bring an action (against sy) 2. (átv) quarrel, dispute, discussion, litigation, controversy, argument, contention, strife; ~be száll vkvel contend/dispute/argue with sy, dispute sy's point/contention
per² adv, 1. (menny) 3 ~ öt 3 is to 5, ratio of 3 to 5 2. ~ koponya (biz) per head 3. per; ~ maga szólit vkt call sy "maga"
pér [-ek, -t, -e] n, [hal] grayling (Thymallus sp.)
perakták n. pl, records of a lawsuit, pleadings
perbejelentés n, announcement of litigation; ~t tesz announce litigation
perbeli a, lawsuit-, of (a) lawsuit (ut); ~ ellátás discontinuance; ~ ellenfél adverse party, opponent, the opposing party in the suit; ~ ellenfél ügyvédje opposing counsel; ~ előadás pleadings (pl); ~ inditvány motion; ~ jogszolgáltatás contentious jurisdiction; ~ képvis.let advocacy; ~ képviselő [ügyvéd] counsel, advocate; ~ költségek = perköltség
perbeszéd n, pleading(s); ~et tart plead, make an argument in a court of law
perbeszüntetés n, discontinuance (of lawsuit)
perbiróság n, the trial court, instance court/jurisdiction
perbírósági a, ~ munka/teendők instance work

perbiztosíték *n*, caution, security for costs; ~*ot letesz* deposit security for costs

perc [-et, -e] I. *n*. **1.** *[időegység]* minute; *egy-két* ~ *múlva* in a minute or two; *öt* ~ *múlva* in five minutes (time); *pár* ~ *múlva ott leszek* I'll be along in a few minutes; *tíz* ~ *múlva hat* ten (minutes) to six, ten minutes of six *(US)* ; *bármely* ~*ben* (at) any minute; *bármely* ~*ben megérkezhet* I expect him any/every minute; *ebben a* ~*ben* just this moment/instant/ second/minute, this (very) minute; *az utolsó* ~*ben* at the last moment/second/minute; ~*ekig* for (several) minutes; *öt óra után tíz* ~*kor* at ten (minutes) past five; *tíz* ~*en belül* with(in) ten minutes, in under ten minutes; ~*re pontos volt* he was punctual to a minute, he was dead on time *(fam)* ; ~*re pontosan* to/on the minute, on time; *az állomástól öt* ~*re* five minutes from the station; *tíz* ~*et késik* (be) ten minutes late; *tíz* ~*cel múlt hat* ten (minutes) past six, ten (minutes) after six *(US)* ; *néhány* ~*cel ezelőtt* a few minutes ago **2.** *[rövid idő]* moment, instant, second, minute; *egy* ~ *alatt* in an instant, in a second/minute, in no time *(fam)*, in a sec/jiffy/wink *(fam)* ; *világos* ~ (a) clear/lucid moment; *nincs egy szabad* ~*e sem* he hasn't got a moment/second/minute to spare; *üres/szabad* ~*eiben* at odd moments; *várj egy* ~*ig!* wait a minute!, half/wait a moment, one moment!;*csak egy* ~*re* (just) half a minute, just a moment, half a mo/sec *(fam)* ; *egy* ~*re sem szabadul meg tőle* he can't get rid of him for a minute; ~*ről* ~*re (javul)* (be improving) by the minute, from minute to minute

II. *a*, of minutes *(ut)* ; *öt* ~ *szünet* intermission of five minutes, five minutes interval/recess

perceg [-tem, -ett, -jen] *vi*, **1.** *[írótoll]* scrape, scratch **2.** *[szú]* tick

percegés *n*, **1.** *[írótollé]* scraping, scratching **2.** *[szúé]* ticking sound

percenként *adv*, every/each minute, at intervals of one minute, *(tud, műsz)* per minute; ~ *100 fordulat* 100 revolutions per minute *(röv* rpm/RPM); ~ *szól a telefon* the telephone rings almost incessantly

percent [-et, -je] *n*, per cent, percentage

percentes [-et] *a*, per cent, of . . . per cent *(ut)* ; *10* ~ *kamat* interest at 10 per cent

percepció [-t, -ja] *n*, perception

perces [-et] *a*, of/lasting . . . minute(s) *(ut)*

percipiál [-t, -jon] *vt*, perceive, discern

percipiálható *a*, perceptible

percipiálhatóság *n*, perceptibility

percmutató *n*, minute/big-hand

percnyi [-ek. -t] *a*, of a minute *(ut)* ; ~ *pontossággal* on/to the minute, punctual to the minute/tick; *tíz* ~*re lakik irodájától/hivatalától* he lives ten minutes from his office

perctérfogat *n*, *(orv)* cardiac output

percvilágítás *n*, *[lépcsőházi]* time-switch

percsomó *n*, record, file

perdít [-eni, -ett, -sen] *vt*, wheel, give (sg) a spin, whirl (sg) (round), twirl (sg)

perdíta [.. át] *n*, † prostitute *(stand.)*, harlot *(stand.)*

perdöntő *a*, decisive, deciding, peremptory; ~ *bizonyíték* decisive/conclusive proof, clinching argument, clincher *(fam)* ; ~ *eskü* decisive oath; ~ *kifogás* plea in bar, special plea; ~ *tanúvallomás* conclusive evidence

perdül [-t, -jön] *vi*, spin round, make a twirl, *(vk)* pirouette; *táncra* ~ begin to dance, start dancing

perec [-et, -e] *n*, **1.** *[karékszer]* bracelet **2.** *[sütemény]* pretzel; *kerek* ~ *!* *(biz)* there's no doubt about it

pereces [-ek, -t, -e] *n*, *[eladó]* pretzel-vendor, *[készítő]* pretzel-maker

pereg [-tem, pergett, -jen] *vi*, **1.** *[forog]* spin/whirl/

turn round, twirl, rotate, revolve, gyrate, *[gurul]* roll; *könny* ~ *a szeméből* tears trickle from her eyes; ~ *a film* a (motion-)picture *(v.* film) is being shown, the film is showing; ~ *a nyelve* have a glib tongue; ~*nek a napok* time passes **2.** *[dob]* roll; *trombita harsog dob* ~ with clarions sounding and drums rolling, with the beating of drums and the sounding of clarions

peregrinus *n*, † wanderer *(stand.)*, wandering student *(stand.)*

peregyesítés *n*, consolidation of actions, joinder o causes of action

peregyesség *n*, stipulation, settlement in court, agreement between the parties in the course of litigation, arrangement

perel [perlek, -t, -jen] *vi*, **1.** *(jog)* take action, bring an action, bring suit, sue, litigate, implead, go to law, claim; *kártérítésért* ~ sue for damages, bring a suit for damages **2.** *[veszekszik]* quarrel, dispute, squabble, wrangle, bicker

perelés *n*, = **perlekedés**

perelhető *a*, suable, actionable, triable, recoverable by law *(ut)*, enforcable; *nem* ~ unenforcable, it may not be enforced; ~ *követelés* chose in action, an action that can be sued for in law or equity

pereljárás *n*, (legal/court) procedure

perelt [-et] *a*, *a* ~ *pénz vagy dolog* the money or thing sued for

perem [-et, -e] *n*, **1.** *(ált)* border, edge, margin, lip, *[edényé, kalapé]* rim, brim, *[érmén]* edge-ring, *[erdőé]* fringe, *[kráteré]* brim, *[szakadéké]* brink, verge, shelf; *behajló* ~ *[edényé]* inverted rim; *a város* ~*én* on the confines of the city **2.** *(műsz)* flange, raised edge, *[épületé]* brow, border

peremdeszka *n*, *(hajó)* gunwale

peremes [-et] *a*, *(műsz)* flanged, collared; ~ *balta (rég)* flanged axe; ~ *csavar* collar-screw

peremez [-tem, -ett, -zen] *vt*, **1.** *(ált)* border, rim, edge, *[érme szélét]* mill, knurl **2.** *(műsz)* flange, *[csövet]* bead

peremezés *n*, **1.** edge work, seam closing, *[érmén]* knurl **2.** *(műsz)* flanging, beading, joggling

peremezőgép *n*, hemming machine

peremezővas *n*, flange

peremhegység *n*, offset, spur from a mountain range

peremizs [-ek, -t, -e] *n*, *(növ)* inula *(Inula)*; *erdei* ~ fleawort *(I. conyza)*

peremkő *n*, *[járdaszegélyen]* kerb(-stone), curb-stone *(US)*

peremlemez *n*, flange plate

peremlyukasztásos *a*, ~ *kártya* marginal punched card

peremrecéző *a*, ~ *gép [pénzverdében]* milling machine

peremszókincs *n*, *(nyelvt)* peripheral (part of the) vocabulary

peremszög *n*, *(menny)* rim angle

peremű [-t] *a*, *éles* ~ sharp-edged; *kettős* ~ double--flanged

peremváros *n*, satellite/border town, suburb, outskirts *(pl)*

pereputty [-ot, -a] *n*, kith and kin; *az egész* ~ the whole tribe/boiling/lot/caboodle; ~*ostul* all and sundry

perérték *n*, amount in dispute

peres [-ek, -t; *adv* -en] *a*, litigious, disputed, in dispute *(ut)*, at issue *(ut)*, contended, contentious; ~ *eljárás* action at law, (trial) procedure, (legal) proceedings *(pl)*, suit; ~ *eljárást folytat* prosecute a/the suit; ~ *eljárást indít* institute legal proceedings; ~ *fél* party, party to an/the action (in a court), party in a litigation, litigant, suitor, party to a/the suit/ case/dispute; ~ *jogszolgáltatás* contentious jurisdiction; ~ *kérdés* question at issue, matter of dispute; ~ *tényállás* the facts at/of issue; ~ *úton* by means of legal action, by way of the law-court, by taking legal proceedings, in the law-court; ~ ügy law suit, action, matter/case under dispute, suit pending, case at issue; ~ ügyek matters under dispute, litigious matters, [cégé] legal business (of firm); ~ ügyvéd solicitor, barrister

peresít [-eni, -ett, -sen] *vt*, sue for; *követelést* ~ take legal proceedings (*v.* sue) for the recovery of a debt, claim a debt; *váltót* ~ sue on a bill

peresítés *n*, [*váltóé*] suing on a bill, suing for recovery (by law)

peresített [-et] *a*, in suit *(ut)*, sued on/for *(ut)*; ~ *kötelem* the obligation sued on; ~ *pénz* the money sued for; ~ *tulajdon/birtok* property in action

pereskedés *n*, litigation; *hosszú/áldatlan* ~*ben állottak* there was an acrimonious law-suit of long standing between them

peresked|ik [-tem, -ett, -jen, -jék] *vi*, litigate, carry on a lawsuit, conduct an action at law, engage in litigation, sue

pereskedő [-t] **I.** *a*, litigious; ~ *felek* contending/contesting/litigant parties **II.** *n*, litigant

pereszlény *n*, *(növ)* savory *(Satureia)*

perfekt [-et; *adv* -ül] **I.** *a*, perfect, accomplished; ~ *angol* he speaks good/fluent English, his English is first-rate **II.** *adv*, = **perfektül**

perfektuál [-t, -jon] *vt*, conclude, effect, carry out, accomplish, execute

perfektuálód|ik [-ott, -jon, -jék] *vi*, be executed, *(ker)* (the deal) is concluded

perfektum [-ot, -a] *n*, *(nyelvt)* perfect, the perfect tense

perfektül *adv*, perfectly; ~ *beszéli a nyelvet* speaks the language fluently, has full command of the language

perfelfüggesztés *n*, stay of proceedings

perfelvétel *n*, appearance

perfid [-et; *adv* -en] *a*, perfidious, treacherous

perforáció [-t, -ja] *n*, perforation

perforációs [-at] *a*, ~ *lyuk (film)* sprocket hole

perforál [-t, -jon] **I.** *vt*, perforate, drill, bore, indent **II.** *vi*, *a beteg* ~*t (biz)* the patient has developed a perforated appendix

perforálás *n*, = **perforáció**

perforáló [-t, -ja] **I.** *a*, perforating, perforative; ~ *készülék* perforator **II.** *n*, = **perforáló készülék**

perforálód|ik [-tam, -ott, -jék, -jon] *vi*, perforate

perforált [-at; *adv* -an] *a*, perforated, *[autógumi stb.]* punctured

perforátor [-ok, -t, -a] *n*, perforator

perfüggőség *n*, pending at law, litispendence, pendency (of the action); ~ *ideje alatt* while the suit is pending, while the proceedings are pending

pergamen [-t, -je] *n*, *[kecske, birkabőr]* parchment, *[borjúbőr]* vellum

pergamenkötés *n*, sheepskin (binding), parchment binding

pergamenlap *n*, membrane, *[hátlapja]* dorse

pergamenpapír *n*, vegetable parchment, parchment paper

pergamenszerű *a*, parchment-like, *[bőr]* dried; ~ *arc* parchment(-like) face, wizened/shrivelled face

pergamentekercs *n*, parchment scroll, scroll/roll of parchment

pergátló *a*, ~ *kifogás* plea in bar, special plea, (special) demurrer, dilatory exception/plea, plea to the jurisdiction, plea in abatement; ~ *kifogás tárgyában dönt* a demurrer is ruled on; ~ *kifogást alkot* constitute a legal bar; ~ *kifogást elutasít* deny the sufficiency of the plea to constitute a legal bar; ~ *kifogást emel* put in a plea (in bar); *alperes* ~ *kifogást emelt* the defendant entered a (dilatory) plea; ~ *kifogással visszautasított kereset* abated action, action dismissed for lack of jurisdiction

pergés *n*, **1.** *[forgás]* spinning/turning round, whirling, (rapid/quick) rotation, *[gurulás]* rolling, *[könnyé]* trickling **2.** *[dobé]* rolling (of drums), *[az r hangé]* trill

perget *vt*, **1.** *[dobot]* roll, *[r hangot]* trill, roll **2.** *[filmet]* play, show **3.** *[mézet]* run, extract (by centrifugal force)

pergetés *n*, *[mézé]* running, extraction (of honey)

pergetési [-t] *a*, ~ *idő [filmé]* screen time

pergetett [-et; *adv* -en] *a*, **1.** ~ *méz* run/extracted honey; ~ *cukor* spun sugar **2.** ~ *hang* rolled sound; ~ *mássalhangzó* trill

pergető [-t, -je] *n*, *(tex)* spindle-whorl, warve

pergető-szárító *a*, ~ *gép (nyomd)* whirler

pergettyű [-t, -je] *n*, = **pörgettyű**

pergola [.. át] *n*, pergola

pergő [-t] *a*, **1.** spinning, whirling, turning round, reeling, rolling; rapidly/quickly rotating; ~ *beszéd* fluent/glib talk, volubility; ~ *nyelv* glib tongue **2.** ~ *dob* tenor-drum, snare/side drum

pergőfurdancs *n*, bow-drill, reciprocating drill

pergőfúró *n*, auger, pump/rotary drill, drill-brace

pergőkép *n*, motion picture

pergőtűz *n*, drumfire, barrage, whirlwind/running fire; *pergőtüzet indít* lay down drum-fire, open a barrage

perhorreszkál [-t, -jon] *vt*, abhor, hold in abhorrence, detest, hate, loathe

periféria [.. át] *n*, periphery, outskirts *(pl)*, outlying districts *(pl)*; *a perifériák* the fringes (of the town), the outlying suburbs

periferikus *a*, peripheral, peripheric

perifrázis [-ok, -t, -a] *n*, periphrasis

perigéum [-ot, -a] *n*, *(csill)* perigee

perihélium [-ot, -a] *n*, *(csill)* perihelion

perindítás *n*, institution of an action; ~ *esetén* if suit is brought

periodicitás *n*, periodicity

periodikus *a*, periodic(al), cyclic(al), *[megszakadó]* intermittent, *[időszakosan visszatérő]* recurring

periódus *n*, **1.** *(ált)* period, *[időszak]* age, era **2.** *(nyelvt, zene)* period **3.** *(vill)* cycle

periódusos [-at; *adv* -an] *a*, periodic; *a* ~ *rendszer* periodic system; ~ *tábla [elemeké]* periodic table

periódusváltó *n*, frequency changer

peripatetikus *a*, *(fil)* peripatetic

perirat *n*, documents (in a case) *(pl)*, records *(pl)*, record of the case, written pleadings *(pl)*

perispermium [-ot, -a] *n*, *(növ)* perisperm

periszkóp [-ot, -ja] *n*, periscope

periszkopikus *a*, periscopic

perisztaltika *n*, *(biol)* peristalsis

perisztaltikus *a*, *(biol)* peristaltic; ~ *mozgás* peristole

perje [.. ét] *n*, meadow-grass *(Poa sp.)*, darnel *(Lolium sp.)*; *angol/kurta* ~ rye-grass, red darnel *(L. perenne)*; *francia/magas* ~ onion-couch *(Arrhenatherum elatius)*; *ligeti* ~ wood meadow-grass *(P. nemoralis)*; *réti* ~ blue/June-grass *(P. pratensis)*

perjel [-ek, -t, -e] *n*, prior, provost

perjelség *n*, *[intézmény]* priory, priorate, *[méltóság]* priorate, priorship

perjodátum [-ot] *n*, *(vegyt)* periodate

perjog *n*, rules of court/procedure *(pl)*

perkál [-ok, -t, -ja] *n/a*, cotton cambric, cambric muslin, longcloth, percale, Indian calico

perkalin [-ok, -t] *n*, *(tex)* percaline, glazed lining

perképes *a*, *[aktíve]* capable of suing, entitled to sue, with reason to sue, *[passzíve]* liable to be sued *(mind: ut)*

perképesség *n*, *[aktív]* capacity/title to sue, *[passzív]* liability to be sued

perklorát [-ot, -ja] *n*, *(vegyt)* perchlorate

perklorid *n*, *(vegyt)* perchloride

perköltség n, costs of the proceedings *(pl)*, law costs *(pl)*; ~*ek* court costs, costs of litigation, legal costs/expenses; ~*ek megfizetésére ítélték* be ordered to pay court costs of lawsuit; ~*ben elmarasztal* order to bear the costs of the proceedings; ~*et megállapít* tax costs; ~*et megítél* allow/grant costs (in a legal proceeding); *nem ítél meg* ~*et* disallow costs; ~*et visel/fizet* bear the costs/expense of trial, defray the costs of litigation

perköltség-biztosíték n, caution, security for costs

perlekedés n, 1. *(jog)* carrying on a lawsuit, litigation; *konok* ~ barratry 2. *[veszekedés]* quarrel, dispute, squabble, wrangle, altercation, broil, contention

perleked|ik [-tem, -ett, -jen, -jék] vi, 1. *(jog)* carry on a lawsuit, litigate 2. *[veszekedik]* quarrel, dispute

perlekedő [-t, -je] I. a, *(jog)* litigious, fond of going to law *(ut)*, fond of litigation *(ut)*; ~ *fél* litigant, party in a litigation, party to a(n) suit/action 2. *[veszekedő]* quarrelsome, contentious, disputateous II. n, *konok/makacs* ~ litigious person, barrator

perlit [-et, -je] n, *(ásv)* pe(a)rlite, pearl-stone

perlon [-ok, -t, -ja] n, *(tex)* perlon

permanencia [..át] n, *[készenlét]* constant preparedness/readiness

permanens [-ek. -t; adv -en] a, *(ált)* permanent, *[huzamos]* lasting, *[folytonos]* constant, continuous, *[tartós]* (per)durable; ~ *forradalom* permanent revolution

permanganát [-ot, -ja] n, *(vegyt)* permanganate

permangánsav n, *(vegyt)* permanganic acid

permangánsavas a, ~ *só* permanganate

permeábilis [-at] a, permeable, pervious

permet n, fine rain, mizzle, drizzle, spray

permeteg [-et, -e] n, = permet

permetez [-tem, -ett, -zen] I. vi, rain in fine drops, mizzle, drizzle II. vt, sprinkle, dabble, *[permetezővel]* atomize, spray, vaporize, *[szőlőt]* treat (vines) with copper sulphate spray

permetezés n, 1. *[eső]* raining in fine drops, mizzling, drizzling 2. *[permetezővel]* atomizing, spraying, vaporization

permetez|ik [-ett, -zen, -zék] vi, = permetez I.

permetező [-t, -je] I. a, ~ *eső* mizzle, Scotch mist, drizzling/mizzling rain; ~ *gyepöntöző* lawn-sprinkler; ~ *öntözés* spray irrigation II. n, *[eszköz]* atomizer, sprayer, vaporizer, oversprinkler

permetezőfej n, spray-nozzle

permetezőgép n, dispersing machine, sprayer

permetezőrózsa n, sprinkling rose

permetezőszerek n. pl, washes, sprays

permetlé n, (disinfectant) spray, pest destroying spray

permi [-ek, -t] a, *(geol)* Permian; ~ *korszak* Permian

permutáció [-t, -ja] n, permutation

permutál [-t, -jon] vt/vi, permute

permutátor [-ok, -t, -a] n, *(vill)* permutator, commutator rectifier

pernahajder [-ek, -t, -e] n, good-for-nothing, scamp, lazybones

pernye [..ét] n, flying ashes *(pl)*, flue-ash/dust, *[tüzes]* flake of fire

pernyertes a, ~ *fél* prevailing/victorious party; ~ *felperes* successful plaintiff; ~ *lesz vkvel szemben* defeat sy at law

pernyertesség n, recovery of a (favourable) judgment, the favourable result of a lawsuit

pernyitó a, ~ *(per)beszéd [ügyvédé]* opening, the first statement made by counsel to the court

peron [-ok, -t, -ja] n, *[pályaudvari, kocsié]* platform; *első* ~ front platform; *hátsó* ~ rear platform

peronjegy n, platform ticket

peronoszpóra [..át] n, peronospora, mildew

peronoszpórás a, mildewed, mildewy

perontető n, umbrella-roof, *[vasúti kocsié]* bonnet

peroráció [-t, -ja] n, peroration

perorál [-t, -jon] vi, hold forth, (per)orate, speechify *(fam)*, spout ◊

perorálás n, speechifying *(fam)*, spouting ◊

perorvoslat n, remedy, legal redress; ~*tal él* apply/ask for (legal) remedy

peroxid n, (su)peroxide, hyperoxide; ~*dal kezel* peroxidize

perpatvar n, squabble, altercation, bickering, (petty) quarrel, tiff; *családi* ~ domestic tiff

per procura by proxy/procuration

perrend n, rules of court *(pl)*, practice of the courts, trial procedure

perrendi a, ~ *szabály* rule of court, rules of procedure *(pl)*

perrendtartás n, = perrend; *bűnvádi* ~ code of criminal procedure; *polgári* ~ civil procedure; *polgári* ~ *törvénykönyve* Code of Civil Procedure

persely [-ek, -t, -e] n, 1. *[takarék]* savings/money-box 2. *[templomi]* collecting bag/box, *[csengetyűs]* hell-purse; *alamizsnagyűjtő* ~ alms-box/purse 3. *(műsz)* thimble, bush, bushing *(US)*, *[szivattyúé]* lining

perselyez [-tem, -ett, -zen] vt, 1. collect, take up a collection 2. *[csapágyat]* bush

perselyezés n, collection, collecting

perspektíva [..át] n, 1. *[távlat]* perspective 2. *[jövőre]* outlook, prospect, vista, look-out; *távolabbi perspektívából nézve* seen from a distance, *[időbelileg]* in the long run; *új perspektívákat nyit* open up new vistas

perspektivikus a, perspective; ~ *kép/rajz* scenograph; ~ *rajzolás/ábrázolás* scenography, drawing in perspective; ~ *terv* long-range plan

persze adv, of course, certainly, naturally, to be sure, sure *(US)*; ~ *hogy nem* of course not, certainly not, rather not! *(fam)*; ~ *hogy zöld* of course it is green; *te* ~ *szereted* of course you like it/her(,) don't you?; *hát* ~ why(,) certainly

persziflázs [-ok, -t, -a] n, persiflage, ridicule, satire, skit

perszóna [..át] n, individual, creature, person

perszonális [-ok, -t] I. a, personal; ~ *unió* personal union II. n, = személynök

perszonalizmus n, personalism

perszonifikáció [-t, -ja] n, personification

perszonifikál [-t, -jon] vt, *[megszemélyesít]* impersonate, *[megtestesít]* personify

perszulfát n, *(vegyt)* persulphate

perszulfid n, *(vegyt)* persulphide

perszüneteltetés n, the stay of proceedings, the staying of actions/proceedings

pertárgy n, subject matter (of action), subject of litigation, object at issue (in dispute); ~ *értékére tekintet nélkül* irrespective of the amount claimed

pertársak n, pl, co-plaintiffs, joint plaintiffs, proper/ necessary parties

pertársaság n, joinder (of parties), uniting of different persons as parties plaintiff or defendant; *alperesi* ~ majority of defendants; *felperesi* ~ majority of plaintiffs; ~*ot alakít* join parties

pertli [-t, -je] n, *(biz)* lace, tape, *[cipőé]* bootlace, shoe-lace *(mind: stand)*

pertörlés n, barring indictment, quashing of indictment, cassation; ~*i engedélyez grant a pardon before* conviction

pertraktál [-t, -jon] vt, treat (at length), deal with, discuss; *hírt* ~ spread (about) news/rumour; *ezt még nem kell* ~*nod* you'd better keep it to yourself for the time being

pertraktálás n, (lengthy) treatment, discussion

pertu [-t] I. a, ~ barátok ⟨they are on very intimate terms, they are chums, they address each other by "te", they are on thee and thou terms⟩ II. n, theeing and thouing, theeing each other; ~t iszik ⟨begin to thee and thou each other celebrating the occasion by a glass of wine⟩, (kb) chum up

perturbáció [-t, -ja] n, (csill) perturbation

Peru [-t, -ban] prop, Peru

perui [-ak, -t] a/n, Peruvian; P~ köztársaság Peruvian Republik

perújítás n, recision of judgment/sentence, re-opening of a case, new trial; ~t kér move for a new trial

perújítási a, ~ indítvány/kereset motion for (a) new trial

perújrafelvétel n, retrial

perverz [-et; adv -en] a, [kiforgatott ízlésű] perverted, [természetellenes] perverse

perverzitás n, (ált) perversity, [kiforgatott ízlés] pervertedness, [természetellenesség] perversion

perverzül adv, perversely

pervesztes a, ~ fél the party losing the suit, losing/ defeated party

pervesztés n, failure of a lawsuit, (kif) the result of his losing his case (was that . . .)

pervitel n, the conduct of a lawsuit, prosecution

perziáner [-ek, -t, -je] n, [prém] Persian lamb coat

perzsa [.. át] I. a, (ált) Persian, Iranian; ~ nyelv Persian, Iranian; ~ oszloprend the Persian order II. n, Persian, Iranian

perzsabárány n, Persian lamb

perzsabunda n, Persian lamb coat, astrak(h)an furcoat

perzsaláb n, Persian lamb paw, caracul

perzsamacska n, Persian cat

perzsaprém n, Persian lamb

perzsaszőnyeg n, Persian/Turkish rug/carpet, Turkey carpet

perzsaul adv, in Persian/Iranian

perzsautánzat n, [bunda] imitation astrakhan (furcoat)

perzsel [-t, -jen] vt/vi, 1. [nap] scorch, broil, parch (fam) 2. disznót ~ singe a pig

perzselés n, 1. [napé] scorching, broiling 2. [disznót] singeing

perzselő [-t; adv -en] a, torrid; ~ nap scorching sunshine, melting/sultry/searing sun, broiling/flaming sun (fam); ~ szenvedély hot passion

perzselőgép n, (műsz) singeing machine

perzselt [-et; adv -en] a, ~ fonal gassed yarn

Perzsia [.. át, .. ában] prop, Persia, Iran

perzsiai [-ak, -t] a/n, Persian, Iranian

pest [-et, -je] n, † oven (stand.), stove (stand.)

Pest [-et, -en, -re] prop, 1. Pest (the left-bank side of Budapest); Budáról átmegy ~re cross the Danube to Pest 2. Budapest; ~re megy/utazik go to (v. leave for) Budapest

pesti [-ek, -t] a/n, (of) Budapest; a ~ parton/oldalon on the Pest/left bank (of the Danube)

pesties [-ek; adv -en] a, characteristic of Budapest (ut)

pestis [-ek, -t -e] n, (bubonic/black) plague, pestilence, Black Death (obs); kerüli mint a ~t shun/avoid like the plague

pestisbeteg n, plague-stricken person

pestisdaganat n, plague-boil

pestises [-ek, -t; adv -en] a, [levegő] pestilential, [pestishordozó] pestiferous, [beteg] plague-stricken/ infected

pestisfészek n, plague-spot, pesthole

pestisfolt n, plague-spot

pestisjárvány n, epidemic of the plague, Black Death (obs)

pestispatkány n, (áll) mole-rat (Nesokia sp.)

pestvidéki a, of the Pest District (i. e. of the left bank of the Danube near Budapest) (ut)

Peszách [-ot, -ja] n, (vall) the feast of unleavened bread

peszérce [.. ét] n, (növ) gipsy-wort, horehound (Lycopus sp.)

pesszárium [-ot, -a] n, (orv) pessary

pesszimista [.. át; adv -án] I. a, pessimistic(al) II. n, pessimist, croaker (fam), dismal Jimmy (GB ◈)

pesszimisztikus a, = pesszimista I.

pesszimizmus n, pessimism

pesztonka n, (biz) nanny, (dry) nurse, nursemaid, nursery-maid

pesztra [.. át] n, = pesztonka

peták [-ot, -ja] n, mite, farthing; nem ér egy ~ot sem it is not worth two hoots

petárda [.. át] n, petard, maroon, (vasút) detonator

pete [.. ét] n, egg, (biol) ovule, ovum, yolk, (növ) oosphere; megtermékenyített ~ zygote; petét rak lay an egg, ovulate, oviposit

peteburok n, chorion, yolk-bag/sac, [növényi] integument

petécs [-ek, -t, -e] n, (orv) petechiae

peteérés n, ovulation

petefejlődés n, (növ) oogenesis, oocyte development

petefészek n, ovary, oophoron, female gonad

petefészek-gyulladás n, inflammation of the ovary, (orv) ovaritis

petefészek-kiírtás n, excision of an ovary, (orv) ovariectomy, ovariotomy, oophorectomy

petefészeksérv n, ovariocele

petefészektömlő n, ovarian cyst

petehártya n, yolk bag/sac, vitelline membrane

petehordó a, (term) oviferous

petél [-t, -jen] vi, 1. [nőstény] lay/deposit eggs, ovulate 2. [kakas] fecundate

Péter [-t, -e] prop, Peter

peterakás n, [rovaré] oviposition

péterfillér n, Peter's pence, Peter('s) penny, alms-fee

Péterke prop, Pete, Peterkin, little Peter, Piers (obs)

péterszeg n, timber-hitch, knot(-hole)

petesejt n, ovule, ovum

petespóra n, (növ) oospore

peteszék n, vitellus

peteszéki a, vitelline

peteszíküreg n, latebra

petetömlő n, ovisac

petevezeték n, oviduct

petevezeték-gyulladás n, salpingitis

petevezető n, Fallopian tube

petéz [-ett, -zen] vi, = petél

petézés n, [petelerakás] ovulation, oviposition

petézlik [-tem, -ett, -zen, -zék] vi, [rovar] oviposit

Peti [-t, -je] prop, = Péterke

petíció [-t, -ja] n, petition; ~t benyújt hand in a petition

peticionál [-t, -jon] vt/vi, petition, [fellebbez] lodge an appeal

Petike prop, = Péterke

petit [-et, -je] n, (nyomd) brevier, eight-point type

petőfieskedés n, (kb) imitation of the style of Petőfi (Hungarian poet 1823—1849)

petrence [.. ét] n, haycock

petrezselyem [.. lymet, .. lyme] n, 1. (növ) parsley (Petroselinum officinale); ~ zöldje leaves/green of parsley (pl) 2. petrezselymet árul be a wallflower, be left in the basket

petrezselyemmártás n, parsley-sauce

petrezselymes [-et; adv -en] a, ~ burgonya parsley/ parslied/parsleyed potato(es)

petrográfia [.. át] n, petrography

petrográfiai [-t] a, petrographic(al)

petróleum [-ot, -a] n, [kőolaj] petroleum, mineral oil, naphta, [lámpában] paraffin (GB), kerosene (US);

nyers ~ crude petroleum; *világító* ~ paraffin oil; *~ot talál* strike oil; *~mal beken/leönt/kezel* petrolize
petróleumfinomító *n*, petroleum *(v.* mineral oil*)* refinery
petróleumforrás *n*, oil-well/spring
petróleumfőző *n*, oil-stove, kerosene stove *(US)*
petróleumhordó *n*, oil drum
petróleumipar *n*, petroleum *(v.* mineral oil*)* industry
petróleumkályha *n*, oil-stove, kerosene stove *(US)*
petróleumkút *n*, oil-well
petróleumkutatás *n*, *[laboratóriumi]* petroleum *(v.* mineral oil*)* research, *[lelőhelyét]* oil prospecting
petróleumlámpa *n*, oil/paraffin/kerosene lamp
petróleummotor *n*, petroleum engine, paraffine engine/ motor
petróleumos *[-at; adv -an]* *a*, oil-, oily, petroleum-, paraffin- *(GB)*, kerosene- *(US)*; ~ *a keze* have oily hands
petróleumoshordó *n*, oil drum
petróleumoskanna *n*, oil can
petróleumpárlat *n*, paraffine oil
petróleumréteg *n*, *(geol)* oil bearing stratum
petróleumszállító *a*, ~ *hajó* oil tanker
petróleumtartály *n*, oil tank
petróleumtűzhely *n*, oil-stove, kerosene stove *(US)*
petróleumvezeték *n*, pipe-line
petróleumvidék *n*, oil-region/field
petróleumvilágítás *n*, paraffin/kerosene light(ing)
petúnia *[..át]* *n*, *(növ)* petunia *(Petunia)*
petyeg *[-tem, -ett, -jen]* *vi*, prattle, babble
petyhüdt *[-et; adv -en]* *a*, *[bőr]* loose, slack, flabby, sagging, *[izomzat]* soft, limp, flaccid, muscleless, floppy; ~ *bénulás* flaccid paralysis; ~ *kézfogás* limp handshake; ~ *lesz (vm)* sag
petyhüdtség *n*, *[bőré]* looseness, slackness, flabbiness, sagging, *[izomzaté]* softness, limpness, flaccidness, flaccidity
petymeg *[-et, -e]* *n*, *(áll)* civet-cat, genet *(Genetta genetta)*
petty *[-et, -e]* *n*, 1. *[állaton]* spot, *[szürkés]* dapple, *[rovar szárnyán]* gutta, *[pillangó szárnyán]* eyelet 2. *[minta]* (polka) dot, *[márványon, színes]* mottle 3. *[piszok]* speck(le), fleck 4. *[szeplő]* freckle
pettyeget *vt*, 1. spot, dot, dapple, mottle 2. *[piszkít]* speckle, fleck 3. *[szeplőssé tesz]* freckle
pettyegetés *n*, dotting
pettyes *[-et; adv -en]* *a*, 1. *[állat]* spotty, spotted, *[szürkés]* dappled, *[ló]* trout-coloured, leopard--spotted, *[madártoll, rovarszárny]* eyespotted, eyed, *(növ)* ruminate 2. *[minta]* spotted, dotted, *[márvány]* mottled; *egész apró* ~ pin-spotted; *kis* ~ polka-dotted; ~ *minta* polka dots *(pl)*; ~ *szövet* spotted/speckled fabric 3. *[piszkos]* speck(l)ed, flecked
pettyesség *n*, dottedness/spottedness, speckledness, fleckedness, dots *(pl)*, spots *(pl)*
pettyez *[-tem, -ett, -zen]* *vt*, = **pettyeget**
pévécé *[-t, -je]* *n*, polyvinyl acetate/chloride, PVC
pezeta *[..át]* *n*, peseta
pezsdít *[-eni, -ett, -sen]* *vt*, 1. make (sg) bubble/fizz/ sparkle 2. *(átv)* exhilarate, kindle the senses (of sy), buck/ginger (sy) up *(fam)*
pezsdül *[-t, -jön]* *vi*, start bubbling/fizzing/sparkling
pezseg *[-tem, pezsgett, -jen]* *vi*, 1. *[folyadék]* sparkle, fizz, fizzle, bubble, seethe, *[erősen]* effervesce 2. *[utcaforgalomtól]* swarm, teem, bustle, mill (with); ~ *az élet* there is a teeming life
pezsgés *n*, 1. *[folyadéké]* sparkling, fizzing, bubbling, *[erős]* effervescence 2. *[utcán]* teeming life, milling crowds
pezsgő *[-t, -je; adv -n]* I. *a*, 1. *(ált)* sparkling, *[erősen]*

fizzing, fizzy, bubbling, bubbly, effervescent 2. ~ *élet (átv)* bustling/teeming life, milling crowds II. *n*, champagne, fizz *(fam)*, bubbly *(fam)*
pezsgőbor *n*, = **pezsgő** II.
pezsgőfürdő *n*, sparkling/effervescent/bubble bath
pezsgőfürdő-tabletta *n*, effervescent bath tablet
pezsgőpor *n*, Seidlitz/Rochelle powders *(pl)*, soda bicarbonate
pezsgős *[-et; adv -en]* *a*, champagne; ~ *vacsora* champagne supper
pezsgőspalack *n*, champagne bottle
pezsgőspohár *n*, champagne glass
pezsgőzés *n*, champagne drinking
pezsgőz|ik *[-tem, -ött, -zön, -zék]* *vi*, drink champagne
pézsma *[..át]* *n*, musk
pézsmaállat *n*, = **pézsmaszarvas**
pézsmabunda *n*, musk furcoat
pézsmacickány *n*, *(áll)* desman *(Myogale sp.)*
pézsmacincér *n*, *(áll)* European musk beetle *(Aromia moschata)*
pézsmahód *n*, † = **pézsmacickány**
pézsmaillat *n*, musk (scent), musky smell
pézsmaillatú *a*, musky
pézsmakacsa *n*, *(áll)* Barbary/musk duck *(Cairina moschata)*
pézsmály *[-ok, -t, -a]* *n*, † = **pézsmaszarvas**
pézsmamályva *n*, *(növ)* musk-mallow *(Malva moschata)*
pézsmamirigy *n*, scent-gland/organ
pézsmapatkány *n*, *(áll)* 1. muskrat *(Hypsiprymnodon moschatus)* 2. = **pézsmapocok**
pézsmapocok *n*, *(áll)* ondatra, musquash *(Fiber zibethicus)*
pézsmarózsa *n*, *(növ)* musk-rose *(Rosa moschata)*
pézsmaszag *n*, = **pézsmaillat**
pézsmaszarvas *n*, *(áll)* musk-deer *(Moschus moschiferus)*
pézsmaszínű *a*, musk-coloured
pézsmatök *n*, *(növ)* cushaw, Canada/winter crookneck, *(Cucurbita moschata)*
pézsmatulok *n*, *(áll)* musk ox *(Ovibus sp.)*
pézsmavirág *n*, *(növ)* sweet sultan *(Amberboa moschata)*
pézsmazacskó *n*, scent/musk bag/sac
pfuj *int*, fie!, for shame!, *[undor]* phooey!, ugh!, faugh!, phew!; ~ *bíró!* *(sp)* kill the ump!
pfujoz *[-tam, -ott, -zon]* I. *vi*, hoot, boo II. *vt*, hoot, boo, give (sy) the bird/razz/raspberry
pfujozás *n*, hooting, booing, razzing *(US)*, raspberry *(US)*
philadelphiai *[-ak, -t]* *a/n*, Philadelphian, of/in Philadelphia *(ut)*
P-hullám *n*, *[geofizikában]* primary/compressional wave, P-wave
phű *int*, phew!, pooh
pia *[..át]* *n*, □ booze
piac *[-ot, -a]* *n*, 1. market, mart *(ref.)*; *szabadtéri* ~ open-air market; *a ~on* in the market; *~ra megy* go marketing, go to market; *a ~ról él* live from the market 2. *(ker)* market, *[pénz, tőzsde]* exchange, stock/active market; *bessz* ~ bear market; *bizonytalan* ~ unsteady market; *élénk* ~ active/brisk/ buoyant market; *elhelyező* ~ seller's market; *felvevő* ~ buyer's market; *gyenge* ~ dull/light/slack market; *határidő* ~ term/forward market; *hossz* ~ bull market; *kereskedelmi ~ok* marts of trade; *készáru* ~ spot market; *Közös P~* Common Market; *lanyha* ~ bearish market; *nyílt* ~ market overt, public market; *nyugtalan* ~ disturbed market; *szilárd* ~ firm/ buoyant market; *tengeren túli* ~ overseas market; *üzlettelen* ~ flat/inactive/sluggish market; *a ~ javul* the market comes back; *a ~ megszilárdul* the market recovers; *a ~ összeomlott* the bottom has fallen out of the market; *nincs ~a* it is a drag/

drug on the market; *elhelyez vmt a ~on* find a market for sg; *~on van* be on the market; *~ra dob* put on the market, launch; *~ra dob árucikket* put an article on the market; *~ra kerül* be for sale, come into the market, be placed on the market; *~ra talál* sell readily, meet with demand; *a ~ot befolyásolja* affect the market; *~ot keres vmnek* seek openings/market for sg, try to open up new channels/avenues for trade; *~ot kutat/megvizsgál* canvass/sound the market; *~ot talál* find a market/outlet

placelemzés *n*, market analysis
piaci [-ak, -t] *a*, market, *[tőzsdei]* exchange, stock-market; *~ adásvétel* marketing; *~ ár* market/current/ruling/spot price, *[számszerű]* quotation; *~ áron* at market price ; *~ áringadozás* market fluctuations/oscillations *(pl)*; *~ árus* huckster, market-man, stallman, stall-keeper; *~ érték* market/marketable value; *~ felhozatal* market arrival; *~ felügyelő/ellenőr* market-watchman; *~ helyzet* market conditions *(pl)*, market situtation; *~ helyzetjelentés* market report; *~ kofa* huckstress, market-woman; *~ kosár* market basket; *~ lárma* noise/hubbub of the market-place; *~ lehetőség* market potential; *helyi ~ lehetőségek* local marketing opportunities; *szemtelen mint a ~ légy* impudent as a market fly, as cheeky as a cock-sparrow
piacjelentés *n*, market report, report of a market
placképes *a*, marketable
piackutatás *n*, market/consumer research
placnap *n*, market-day
piacszabályozás *n*, market influencing
placszervezet *n*, marketing organization
piactér *n*, market-place/stead, piazza
piál [-t, -jon] *vi/vt*, □ booze, tope
pianinó [-t, -ja] *n*, upright/cottage piano, planette, pianino; *magas ~* giraffe
pianista [..át, ..ája] *n*, pianist
pianisszimó [-t, -ja] *n*, pianissimo
piano [-t, -ja] *a*,/n, piano
pianola [..át] *n*, pianola, cylindrichord, self-acting pianoforte
piarista [..át] *a*/*n*, Piarist
piás *a*, □ *[részeges]* boozy, sottish, *[berúgott]* screwed, tight, soused; *az öreg nagy ᵥ he* is a great toper
piaszter [-ek, -t, -e] *n*, piaster
pici [-t] I. *a*, tiny, diminutive, minute, liliputian, miniature, wee *(fam)*, skimpy *(fam)*; *~ gyerek* tiny tot II. *n*, 1. little one/boy/girl 2. *adj egy ~t* let me have some, let me have a little/bit
picike *a*, = pici
piciny [-t] *a*, = pici
pick-up [-öt, -je] *n*, (phonograph) pick-up
picula [..át] *n*, † mite, farthing
picurka *a*, = pici
picsa [..át] *n*, *(durv)* 1. = pina; 2. = segg
picsipacsi [-t, -ja] *n*, 1. *[parolázás]* big shaking of hands 2. *[baráti egység vm nem egészen tiszta ügyben]* manipulations *(pl)*, underhand dealings *(pl)*, collusion, *(kif)* you scratch my back and I'll scratch yours; *~ alapon* in a logrolling way *(US)*
picsog [-tam, -ott, -jon] *vi*, *(táj)* snivel *(stand.)*, blub-(ber) *(stand.)*
piedesztál [-ok, -t, -ja] *n*, pedestal; *~ra emel* put (sy) on a pedestal, pedestal
pietás *n*, piety, godliness
pietista [..át] *a*/*n*, pietist
pietizmus *n*, pietism
piezoelektromos *a*, piezo-electric; *~ hangdoboz* piezo-electric pick up
piezoelektromosság *n*, crystal-electricity
piezométer *n*, piezometer

---

piff-puff *int*, bang, pop; *~ regény* thriller, whodunit, penny dreadful, shilling shocker, western (story), blood and thunder
pigéz/ik [-tem, -ett, -zen, -zék] *vi*, play pee-wee *(US)*
pigment [-et, -je] *n*, pigment
pigmentáció [-t, -ja] *n*, pigmentation
pigmentáló [-t] *a*, pigmental, pigmentary, pigmentous
pigmentálódás *n*, = pigmentáltság
pigmentálódott [-at] *a*, pigmented, coloured
pigmentáltság *n*, pigmentation
pigmenthiány *n*, achromasia
pigmentlerakódás *n*, pigmentation
pigmentsejt *n*, pigment/colour-cell, chromoplast
pigment-túltengés *n*, hyperpigmentation
pigmentum [-ot, -a] *n*, pigment
piha *int*, = pfuj
pihe [..ét] *n*, 1. flock, floss, fluff, fuzz, flue, *[toll]* down, floccus; *könnyű mint a ~* light as a feather 2. = hópehely
piheg [-tem, -ett, -jen] *vi*, pant, gasp, *[hangosan]* wheeze, breathe hard
pihegés *n*, panting, gasping, *[hangosan]* wheezing, hard breathing
pihelégy *n*, *(áll)* volucella *(Volucella)*
pihen [-t, -jen] *vi*, 1. *(ált)* rest, take a rest/siesta, repose, relax, *[munkát abbahagyva]* stop work, take one's ease, take a breather *(fam)* ; *~ a babérjain* rest on one's laurels/oars; *~ egyet* rest for a (short) spell; *~ni megy* go/retire to rest; *nem hagyja ~ni* grant sy no rest; *nem tudtam ~ni* I could get no rest 2. *[alszik]* sleep 3. *(átv)* stand, be at a standstill
pihenés *n*, rest(ing), repose, relaxation, respite; *~ nélkül* unceasingly, ceaselessly, tirelessly, without stopping; *~re van szüksége* have need of a rest, need rest; *~t keres (a) könyvekben/olvasmányaiban* seek relaxation in books
pihenj [-t] *n/int*, *(kat)* stand at ease, *[szerelvényt igazíts]* stand easy
pihenő [-t, -je] I. *a*, resting, reposing, relaxing, *[pihenési]* rest, repose, relaxation; *~ ember* man at rest II. *n*, 1. *(ált)* = pihenés; *~re tér* retire to rest 2. *[lépcsőn]* landing, *[autóút szélén]* lay-by-out 3. *[szabad idő]* time off, *[menet közben]* halt, *[munka közben]* pause, interval, breathing space, breather *(fam)*, respite *(ref.)* *[déli]* siesta, *[szabadság]* vacation, holiday(s); *~t ad*, *~t rendel el* call/make a halt; *rövid ~t tart* halt
pihenőállomás *n*, *[menetelő katonáké]* halting-place
pihenőház *n*, rest house
pihenőhely *n*, rest, resting-place, *[piknikezőknek]* turistáknak asztalokkal]* lay-by
pihenőidő *n*, time of rest, leisure time, respite, recess
pihenőkúra *n*, rest-cure
pihenőnap *n*, day of rest, holiday
pihenőóra *n*, vacant hour, leisure hours *(pl)*
pihenőtábor *n*, rest-camp
pihent [-et; *adv* -en] *a*, rested, refreshed, fresh, reposed; *~ agyú ember (kb)* smart Aléc; *ezt csak ~ agyú ember találhatta ki* that could only have sprung from a leisurely brain; *~ erőkkel támad* attack with fresh force(s)
pihentet *vt*, 1. rest, repose, relax, refresh; *~i az agyát/idegeit* take some relaxation; *járadt tagjait ~i rest/* relax one's tired limbs; *szemeit ~i vmn* rest one's eyes on sg, let one's glance rest on sg 2. *~ egy földdarabot (mezőg)* let a piece of ground rest; *~i az ügyet* let an affair lie dormant
pihentető [-t; *adv* -en] *a*, restful, refreshing, reposeful, affording/giving rest *(ut)*
pihés *a*, downy, fluffy, fuzzy, flossy, *(növ)* pubescent, floccose, flocculent, languinose
piheselyem *n*, silk waste, waste silk

píheszőr n, down, fluff
pihetoll n, down
pika [.. át] n, † pike (stand.), lance (stand.)
pikádor [-ok, -t, -ja] n, (sp) picador
pikáns [-at; adv -an] a, 1. [arc] piquant 2. [étel], (highly) seasoned, piquant, pungent; ~ íz piquancy, pungency; ~ mártás piquant sauce 3. [történet] naughty, spicy, racy, off-colour, juicy; ~ anekdota racy anecdote, smoking-room story; ~ vicc naughty joke; a ~ a dologban az (hogy) the piquancy of the affair lies in the fact (that), the cream of the jest is (that)
pikantéria [.. át] n, 1. (konkr) piquancy 2. (átv) raciness, spiciness; a dolog pikantériája the interesting part (v. piquancy) of the affair
pikareszk [-et; adv -en] a, picaresque; ~ regény picaresque novel
pikás n, † [katona] pikeman, pike-bearer, lanceman (mind: stand.)
piké¹ [-t, -je] a/n, (cotton) piqué, quilted (goods)
piké² [t, -je] n, = pikét
pikébarhend n, swansdown
pikét [-et, -je] n, † (kárty) pique, piquet, picket
pikíroz [-tam, -ott, -zon] vt, plant out, prick out/off, bed (out) plants
pikk¹ [-et, -je] n, (kártya) spade(s); ~ ász ace of spades
pikk² [-je] n, pique, ill-feeling; ~je van rám he is picking down/(up)on me, he has a down on me, he has his knife into me
pikkel [-tem, -t, -jen] vi, ~ vkre pick on sy, have a down on sy, have one's knife in sy, have a spite against sy, have an edge on sy (US), pick at sy (US)
pikkely [-ek, -t, -e] n, 1. scale, (áll) squama, scute, scutum; ~től megtisztít scale 2. (növ) lamella
pikkelybetegség n, ichthyosis, porcupine disease
pikkelydísz n, (épít) imbrication, scale-work
pikkelyecske n, (növ) squamella
pikkelyes [-t; adv -en] a, 1. scaly, scaled, (tud) squamous, squamose, (áll) cutate, scutellate, scutellar; ~ szárnyú lepidopterous, lepidopteran 2. (növ) lamellar
pikkelyesedés n, [emberi bőré] (orv) ichthyosis
pikkelyesség n, scaliness
pikkelyesszárnyú n, lepidopter; ~ak lepidoptera
pikkelyeződik [-ött, -jön, -jék] vi, [lehámlik] desquamate
pikkelyképződés n, scalation
pikkelylevelű a, (növ) squamifoliate
pikkelypáfrány n, (növ) ceterach, finger-fern (Ceterach officinarium)
pikkelypáncél n, scale armour
pikkelysömör n, (orv) psoriasis, psora, dartre (Psoriasis), (táj) scale tetter
pikkelysömörös a, (orv) psoric, psorous
piknik [-et, -e] n, picnic, basket-lunch, [csak ivással] bottle-party; ~ alapon rendezzük a zsúrt let us make a picnic of it
piknikezlik [-tem, -ett, -zen, -zék] vi, picnic
piknikező [-t, -je] n, picnicker
piknikus a, pyknic, endomorphic
piknit [-et, -je] n, (ásv) pycnite
piknométer n, pycnometer, specific gravity bottle/flask
pikó¹ [-t, -ja] n, [kézimunka] picot; ~t készít picot
pikó² [-t, -ja] n, (áll) stickleback, prickle-back (Gastrosteus sp.)
pikoló [-t, -ja] n, 1. [kávé] (small) cup of (black) coffee 2. [pincérfiú] bus boy, young waiter 3. [sörből] small glass of beer 4.[fuvola] piccolo, octave-flute
piköltés n, picot-stitch
pikóz [-tam, -ott, -zon] vt/vi, picot, purl

píkózás n, picot-stitch, picot, purl
píkszis [-ek, -t, -e] n, (biz) small box/case (stand.), etui (stand.); tubákos ~ snuffbox
piktográf [-ot, -ja] n, pictograph
piktográfia [.. át] n, pictography
piktor [-ok, -t, -a] n, painter, dauber (pej)
pikula [.. át] n, (nép) piccolo (stand.), octave flute (stand.)
pikulás n, (nép) piccolo-player (stand.), piccoloist (stand.)
pikuláz|ik [-tam, -ott, -zon, -zék] vi, (nép) play the piccolo (stand.)
piláf [-ot, -ja] n, pilaw, pilaf
pilaszter [-ek, -t, -e] n, (épít) pilaster, pier
Pilátus prop, Pilate; úgy került bele mint ~ a krédóba (kb) it was (quite) by chance that he got involved, he was pushed into it accidentally; (küldözik) Ponciustól ~ig (be driven) from pillar to post
pilinckáz|ik [-tam, -ott, -zon, -zék] vi, = pilinckézik
pilinckézés n, tip-cat
pilinckéz|ik [-tem, -ett, -zen, -zék] vi, play at tip-cat, play at ducks and drakes, play pee-wee (US) ; ne ~z velem (átv) stop kidding me
pilis [-ek, -t, -e] n, † tonsure (stand.)
Pilis [-t, -en, -ben] prop, Pilis (mountain in Northern Hungary)
pilla [.. át] n, eyelash
pillanat n, instant, moment, second, minute, wink, flash; egy ~ wait a minute/moment!, half a second/ moment/mo!; egy ~ alatt in an instant, in a moment/ jiffy/trice/flash/snap, in the wink/twinkling of an eye, like a shot, before you could say Jack Robinson, in no time; egy ~ alatt történt it happened in an instant/flash; egy ~ alatt itt/kész vagyok I shan't be a minute; a ~ hatása alatt on the spur of the moment, under the impulse of the moment; itt a ~ (hogy) the moment has arrived (to/for); kedvező ~ propritious moment; egy ~ műve volt it was the work of an instant, it all happened in a flash; meglátni és megszeretni egy ~ műve volt it was a case of love at first sight; abban a pillanatban at that very instant/moment, on the instant; abban a ~ban amint the moment that; ebben a ~ban just now, at this very instant/moment; gyenge ~ában in one of his week moments; bármely/ minden ~ban any minute; minden ~ban jöhet he may arrive (at) any moment; minden ~ban várja expect sy (at) every moment; egy óvatlan ~ban in an unguarded moment; (az) utolsó ~ban at the last moment/instant; (egy) világos ~ában in a lucid moment; egy pillanatig sem kételkedett he never doubted a moment/second; pillanatokon belül in a few moments; egy pillanatra kérem! just a moment please!, half a tick! (fam) ; egy ~ra sem not a moment, not an instant; (az) első ~ra úgy tűnt fel at first sight it seemed/appeared (to/that); e pillanattól kezdve from this moment on
pillanatfelvétel n, snapshot, instantaneous exposure, snap (fam) ; ~t csinál take a snapshot of, snapshot, snapshoot, snap
pillanatfény n, flashlight
pillanatgyújtó n, (kat) instantaneous fuse, (bány) instantaneous detonator
pillanatkép n, = pillanatfelvétel
pillanatnyi [-at; adv -lag] a, momentary, temporary, instantaneous; ~ áram momentary current; ~ csend a moment of silence; ~ elmezavar momentary mental aberration, temporary fit of insanity; ~ elmezavarában while the balance of his mind was (temporarily) disturbed; ~ helyzet situation of the moment; ~ ihlet/inger/impulzus hatására on the spur of the moment; ~ pénzzavar momentary shortage of funds/ cash, temporary financial stringency; sajnos ~ pénz-

zavarban vagyok sorry I'm broke just now *(fam)*; *még/csak egy ~ türelmet kérek* just a moment; *~ zavar támadt* a momentary disturbance was created

pillanatnyilag *adv*, for the moment, at this/the moment, at the present moment, for the present, for the time being; *~ enyhit/csillapit [betegséget, nyomort stb.]* palliate

pillanatnyiság *n*, instantaneity

pillanatvilágitás *n*, *[lépcsőházi]* automatic¹ time-switch, staircase switch

pillanatzár *n*, instantaneous (speed) shutter, synchronized diaphragm shutter, diaphragmatic shutter

pillangó [-t, -ja] *n*, **1.** *(áll)* butterfly **2.** *éjjeli ~ (átv)* street-walker **3.** *[ruhadisz]* sequin

pillangóarany *n*, *(műsz)* fillet

pillangócsavar *n*, thumbscrew

pillangóégő *n*, bat's wing burner

pillangóezüst *n*, *(műsz)* fillet

pillangóhal *n*, *(áll)* butterfish *(Blennius sp.)*; *pávaszemes ~* butterfly-blenny, starfish *(B. ocellaris)*

pillangós I. *a*, [-at; *adv* -an] *~* virágú papilionaceous; *~ virágúak* papilionaceae **II.** *n*, [-ok, -t, -a] *~ok* papilionaceae; *élvelő ~ok* perennial papilionaceae

pillangószelep *n*, *(műsz)* butterfly-valve

pillangóúszás *n*, butterfly/overarm stroke/swimming

pillangózás *n*, *(sp)* (swimming with) butterfly-stroke

pillangóz|ik [-tam, -ott, -zon, -zék] *vi*, *(sp)* swim with butterfly strokes

pillant [-ani, -ott, -son] *vi*, **1.** *(vkre, vmre)* glance at, cast/throw/dart a glance at (sy/sg), take a peep at **2.** *[pislant]* blink, wink

pillantás *n*, glance, look, peep; *futó ~* cursory glance, squint *(fam)*; *gyilkos ~* withering look, basilisk glance; *szerelmes ~* amorous glance, sheep's eyes *(pl)*; *egyetlen ~ra* at a glance, at one view, in one seeing; *első ~ra* at first sight/blush, at the first glance, at the outset; *első ~ra úgy tűnik* it gives the impression of, at first sight it seems/appears (that to); *~t vált* exchange glances; *~t vet vkre/vmre* cast/throw/dart/shoot a glance at sy/sg, glance at sy, cast/direct a look at sy; *irigy ~t vet vkre* flash a glance of envy on sy; *sötét/fenyegető ~t vet vkre* give sy a black look, lour upon/at sy; *ha egy ~t vethetnék a jövőbe* if I could dip into the future; *elfogja (vknek) a ~át* catch sy's gaze; *egy ~sal* at a glance, at one view; *~ával keres vkt* look round for sy

pillásszőrű *a*, *(növ)* ciliate

pillaszőr *n*, eyelash

pille [..ét] *n*, moth, butterfly

pilledt [-et; *adv* -en] *a*, heavy, weary, wearied, tired, fagged out *(fam)*

pillér [-ek, -t, -e] *n*, **1.** *(épit)* pillar, column, post, pilaster, buttress, leg, rest **2.** *[hidé]* pier **3.** *(bány)* stoop, stook **4.** *(átv)* pillar, buttress, prop

pillérfej *n*, capital, *[hidé]* cap(ping)

pillérfejtés *n*, *(bány)* stret(t), pillar-and-stall work

pillérhid *n*, pier-bridge

pillériv *n*, archband

pillérképzés *n*, *[fogászatban]* anchorage

pillérkiszedés *n*, *(bány)* stumping

pillérköteg *n*, compound/bundle/clustered pillar, clustered column

pillérköz *n*, *(épit)* intercolumniation

pillérnyaláb *n*, = pillérköteg

pilléromlasztás *n*, *(bány)* pillar caving

pillértalp *n*, pedestal, plinth

pillértáv *n*, = pillérköz

pillértorony *n*, pinnacle

pillértörzs *n*, *(épit)* trunk

pillog [-tam, -ott, -jon] *vi*, = pislog

pilon [-ok, -t, -ja] *n*, pylon, column

pilóta [..át] *n*, (air) pilot, flier, flyer, airman, aero-

naut, aviator; *katonai ~* service/military pilot; *~ nélküli repülőgép* robot plane

pilótaballon *n*, pilot-balloon

pilótafülke *n*, flight deck, cockpit, cabin

pilótaigazolvány *n*, pilot's certificate/ticket/license

pilótaiskola *n*, pilots' school, pilots' training/course

pilótamikrofon *n*, throat microphone

pilótanő *n*, woman/lady-pilot, airwoman, *(ritk)* aviatress, aviatrice, aviatrix

pilótatárs *n*, co-pilot

pilótaülés *n*, pilot's seat, cockpit

pilótavizsga *n*, pilot's examination/test, test flight, *leteszi a pilótavizsgát* get one's wings *(fam)*

pilula [..át] *n*, = pirula

pimasz [-ok, -t, -a; *adv* -ul] *a/n*, impudent, insolent, impertiment, brazen(-faced), cheeky, mean, dirty, saucy, brassy *(fam)*; *~ felelet/válasz* a pert answer; *~ fráter/alak* cad, blackguard, rotter

pimaszkodás *n*, impudent/insolent/impertinent/brazen behaviour, impudence, impertinence, cheek

pimaszkod|ik [-ott, -jon, -jék] *vi*, be impudent/insolent/impertinent/brazen/cheeky

pimaszság *n*, impudence, insolence, impertinence, brazenness, cheek, cheekiness, sauciness, effrontery

pimaszul *adv*, impudently, impertinently, cheekily, saucily; *~ válaszol* give a pert answer

pimpó [-t, -ja] *n*, **1.** *[boron]* mould, beeswing **2.** *(növ)* potentilla *(Potentilla)*

pimpós [-t; *adv* -an] *a*, *~ bor* mouldy/ropy wine

pira [..át] *n*, *(durv)* cunt, keester, pussy, slot, twat, snatch

pince [..ét] *n*, **1.** cellar, *[boltozatos]* vault; *jó pincéje van (vknek)* keep a good cellar; *pincében való tárolás díja* cellarage **2.** *[borozó]* tavern, wine-cellar

pinceablak *n*, cellar window

pinceajtó *n*, cellar/cave door, *[csapó]* cellar flop

pinceászka *n*, *(áll)* wood louse *(Oniscus sp.)*

pincebér *n*, cellarage

pincebogár *n*, *(áll)* milliped, wood-louse *(Porcellio scaber)*

pinceboltozat *n*, cellar-vault

pincegádor *n*, cellar/cave entrance, hatch

pincegazdaság *n*, wine-cellars *(pl)*

pincehelyiség *n*, cellar, cave, *[vendéglő]* underground restaurant, *[alagsori]* restaurant in the basement

pincekulcs *n*, cellar-key, key of the cellar

pincelakás *n*, basement-flat, cellar-dwelling

pincelépcső *n*, cellar/cave-steps *(pl)*

pincelevilágitó *n*, *(épit)* areaway

pincemester *n*, cellarman, cellarer

pincér [-ek, -t, -e] *n*, waiter, *[hajón]* steward, *[söntésben]* barman; *kisegitő ~* waiter's helper, bus boy

pincérhad *n*, host/string of waiters

pincérlány *n*, waitress, *[hajón]* stewardess, *[söntésben]* barmaid, *[repgépen]* air hostess, stewardess

pincérnő *n*, = pincérlány

pincérség *n*, *[munka]* service as waiter

pincés *a*, with/having a cellar/cave (underneath) *(ut)*

pincesor *n*, **1.** *[borvidéken]* row/line of wine cellars **2.** *[alagsor]* basement, cellarage

pincészet *n*, = pincegazdaság

pincetok *n*, wine-bin

pincetta [..át] *n*, tweezers *(pl)*, nippers *(pl)*, pincette *(fr)*

pinceváltó *n*, fictitious bill, kite, bill drawn on a non-existing person

pincéz [-tem, -ett, -zen] **I.** *vt*, *[tárol]* cellar, keep in (a) cellar **II.** *vi*, *[pincét jár]* drink wine in the wine-cellar

pincézés *n*, cellaring, drinking in cellars

pincéz|ik *vi*, = pincéz II.

pincsi [-t, -je] n, Pomeranian dog, pom, *[japán]* Pekinese

pindaroszi [-ak, -t] a, Pindaric

pindurka a, = pici

pingál [-t, -jon] vt, *(biz)* paint *(stand.)*, daub

pingálmány n, *(biz)* daub, (primitive) painting *(stand.)*

pingpong [-ot, -ja] n, ping-pong, table-tennis

pingpongasztal n, table-tennis table

pingpongoz|ik [-tam, -ott, -zon] vi, play table-tennis, (play) ping-pong

pingpongozó [-t, -ja] n. ping-pong player, table--tennis player

pingpongütő n, (table-tennis) bat, paddle *(US)*

pingvin [-ek, -t -je,] n, *(áll)* penguin *(Aptendoytes)*

pingvintelep n, penguin rookery

pínia [.. át] n, *(növ)* parasol/stone/umbrella pine *(Pinus pinea)*

pinka n, *(kárty)* pool (in gambling)

pinkapénz n, *(kárty)* pool, kitty, pot

pint [-et, -je] n/a, † ⟨liquid measure, approximately 1,6 litre (i.e. about 3 English pints)⟩

pintér [-ek, -t, -je] n, † (wet) cooper *(stand.)*, hooper *(stand.)*

pinty [-et, -e] n, *(áll)* (chaf)finch, fringilla *(Fringilla sp., Montifringilla sp.)*; keresztcsőrű ~ crossbill *(Loxia curvirostra)*; magtörő ~ grosbeak *(Cocco thraustes)*; nőstény ~ hen finch; mint a ~ like blazes, right as rain

pintyőke n, = pinty

pióca [.. át] n, 1. *(áll)* leech *(Hirudo medicinalis)*; piócát rak vkre apply leeches to sy 2. *(átv)* leech, blood--sucker, extortioner; olyan mint a ~ stick like a leech

piócafélék n. pl, hirudinidae

piócatenyésztés n, leech-breeding, hirudiniculture

pionir [-ok, -t, -ja] n, 1. = úttörő; 2.*(kat)* = utász

pip [-et, -je] n, pip

pipa [.. át] n, 1. pipe, *[öble melyben a dohány ég]* bowl; egy ~ dohányt sem ér not worth a pin/straw; ez a ~ jól ég this pipe smokes well; pipára gyújt light a pipe; egy pipára való (dohány) a pipeful (of tobacco); meg-tömi pipáját fill one's pipe 2. *[lónak patkoláshoz]* barnacle, twitch, muzzle 3. *(műsz)* pipe-lock, *[üvegfúváshoz]* blowtube 4. jó ~ *(biz)* he is a sport, *(elit)* he is a fine one 5. *[írásjel]* stroke

pipaagyag n, pipe-clay

pipaállvány n, pipe-rack

pipacs [-ot, -a] n, *(növ)* (red/corn/field) poppy, red--weed, ponceau *(Papaver rhoeas)*; vörös lett mint a ~ she went scarlet *(v.* crimson red), she turned/ blushed as red as a peony/rose

pipacsos [-at; adv -an] a, full of poppies *(ut)*, poppied

pipacspiros a, poppy-red/coloured, flame(-coloured), ponceau; ~ szín poppy

pipacsutora [.. át] n, mouthpiece of (a) pipe

pipadohány n, pipe tobacco

pipadohánykeverék n, smoking-mixture

pipafaragó n, pipe(-bowl) carver

pipafedél n, pipe-bowl lid

pipatöld n, *(ásv)* pipe-stone

pipafüst n, pipe-smoke

pipafüstös a, full of *(v.* browned by) tobacco-smoke *(ut)*

pipakészítő n, pipe-maker

pipakupak n, = pipafedél

pipál [-t, -jon] vt/vi, 1. *(konkr)* smoke a pipe 2. ~ a hegy. the mountain is wrapped/shrouded in mist/ cloud/vapour 3. ilyet még nem ~tam well (,) I never !, have you ever seen the like of it?

pipálás n, smoking a pipe

pipamocsok n, dottle

pipás I. a, pipe-, pipe-smoking, with/having a pipe *(ut)* II. n, (a) pipe-smoker

pipaszár I. n, pipestem II. a, ~ lábak spindle-legs/ shanks, pipestems, broomsticks

pipaszárlábú a, spindle-shanked/legged, pipe-stemmed, *[igével]* have legs like pipestems/matchsticks, be a spindle-shanks

pipaszó n, ~ mellett while smoking a pipe

pipaszopóka n, = pipacsutora

pipaszurkáló n, pipe-cleaner

pipaszutyok n, dottle

pipatórium [-ot, -a] n, 1. *[gyűjtemény]* pipe collection, *[tartó]* pipe-holder, pipe-rack 2. *[helyiség]* smoking room, smokery

pipatömő n, tobacco-stopper

pipázás n, smoking (a) pipe, smoke

pipázgat vt, be smoking a pipe

pipáz|ik [-tam, -ott, -zon, -zék] vi, smoke/have a pipe, *[állandóan]* be a pipe smoker

pipázó [-t, -ja] I. a, pipe-smoking II. n, 1. *[dohányos]* pipe smoker 2. *[szoba]* (pipe-)smoking room

pipefű n, *(növ)* tormentil, shepherd's-knot *(Potentilla tormentillia)*

pipere [.. ét] I. n, 1. *[dísz]* finery, trickery, *(elit)* gew-gaw, frippery, fallals *(pl)* 2. *[kozmetika]* toilet *(article)*, cosmetics II. a, cosmetic, toilet

pipereáru n, toilet article, articles of personal adorn-ment *(pl)*, fancy goods *(pl)*

pipereasztal n, toilet/dressing/vanity-table

piperecikk n, toilet/cosmetic article, toiletry, toilet-ware

piperekészlet n, toilet-set/service, *[hordozható]* vanity case/bag

piperés a, overdressed, flashy

piperéskedés n, overdressing, flashiness

pipereszappan n, toilet soap

piperéz [-tem, -ett, -zen] vt, overdress (sy), deck/trick out; ~i magát titivate (oneself), use cosmetics

piperkőc [-öt, -e] n/a, swell, fop, dandy, clothes-horse, coxcomb, beau, jackanapes; vén ~ old fop; ~ módon in a foppish way

pipes [-ek, -t; adv -en] a, *[csirke]* suffering from pip *(ut)*

pipesked|ik [-tem, -ett, -jen, -jék] vi, prink, give one-self airs

pipetta [.. át] n, pipett(e); pipettával adagol pipette

pipettáz [-tam, -ott, -zon] vi, pipette

pipi[1] I. int, *[hívogatva]* chuck-chuck! II. n, [-t, -je] *[csibe]* chick, chickabiddy

pipi[2] [-t, -je] n, *(biz)* piss *(vulg)*

pipil [-t, -jen] vi, *(gyerm)* pee, piddle, wee-wee

pipilés n, *(gyerm)* number one

pipiske n, *(áll)* pipit *(Anthus sp.)*; erdei ~ tree-pipit *(A. arboreus)*; parlagi ~ tawny pipit, titlark *(A. campestris)*

pipitér [-t, -je] n, *(növ)* camomile *(Anthemis)*; nehéz-szagú ~ stinking camomile *(A. cotula)*; nemes ~ Roman c(h)amomile *(A. nobilis)*

pipogya [.. át] a, helpless, timid, spineless, funky, pusillanimous *(ref.)*; ~ fráter weakling

pipogyaság n, timidity, helplesness, pusillanimity *(ref.)*

pir [-t, -ja] n, 1. *[arcé]* flush, blush, glow, redness, ruddiness, bloom 2. *[hajnali]* flush of dawn, aurora

piramidális [-t; adv -an] a, pyramidal, tremendous, colossal

piramidon [-ok, -t, -ja] n, amidopyrine, aminopyrine

piramis [-ok, -t, -a] n, pyramid, *[oubliont]* ziggurat

piramispálya n, *(bonct)* pyramidal tract

piré [-t, -je] n, = püré

pireneusi [-ak, -t] a, Pyrenean

Pireneusi-félsziget prop, Iberian peninsula

Pireneusok [-at, -ban] prop. pl, the Pyrenees

Piri [-t, -je] prop, Rosette, Rosina, Prisca

pirinyó [-t; *adv* -an] *a*, tiny, wee
Piripócs [-ot, -a, -on] *prop*, Little Pedlington, Slocum--in-the-Hole, Podunk *(US)*
pirit [-et, -je] *n*, pyrite, iron pyrites *(pl)*, fool's gold *(fam)*
pirit [-ani, -ott, -son] *vt*, 1. *[arcot/bőrt a nap]* burn, tan, scorch 2. *[húst]* brown, fry, *[kenyeret, szalonnát]* toast
pirítás *n*, 1. *[arcot/bőrt a nap]* burning, tanning 2. *[húst]* browning, frying, *[kenyeret, szalonnát]* toasting
pirites [-ek, -t] *a*, *(ásv)* pyritic
pirító [-t, -ja] I. *a*, *[kenyeret]* toasting II. *n*, *[készülék]* toaster
pirítós [-ok, -t, -a] I. *a*, ~ *kenyér* toast II. *n*, *[kenyér]* toast; *sajtos* ~ toasted cheese
pirított [-at; *adv* -an] *a*, *[hús]* browned, fried; ~ *borjúmáj* calf's liver sauté; ~ *kenyér* tost
pirittartalmú *a*, *(ásv)* pyritiferous, pyritaceous
pirkad [-t, -jon] *v. imp*, the day is breaking, it is dawning
pirkadás *n*, dawn, daybreak, daypeep, the first glimmer of dawn, grey of the morning; ~ *kor* at dawn, at peep of day/dawn
pirkadat *n*, = pirkadás
pirók [-ot, -ja] *n*, *(áll)* bullfinch *(Pinicola)*; *nagy* ~ pine grosbeak *(P. e. enucleator)*
piromária *n*, pyromania, incendiarism
piromániás I. *a*, pyromaniacal II. *n*, firebug, incendiary, pyromaniac
pirométer *n*, pyrometer
prometria [..át] *n*, pyrometry
pirongat *vt*, lecture (sy), read a lecture, take to task, chide, reprove, admonish, reprehend, objurgate
pirongatás *n*, chiding, reproof, admonishment, reprehension, objurgation
pironkodás *n*, 1. *[vk/vm miatt]* being ashamed (of), *[szégyenlősség]* bashfulness 2. *[pirulás]* blushing, turning red
pironkod|ik [-tam, -ott, -jon, -jék] *vi*, 1. *[vk/vm miatt]* be ashamed of 2. *[pirul]* blush, turn red, *[szégyenlős]* be bashful
piros [-at; *adv* -an] I. *a*, 1. pink, rosy, roseate, *[bíbor]* scarlet *[karmazsin]* crimson, *[vörös]* red; ~ *ajkak* ruby/cherry lips; ~ *arc* ruddy face, *[szégyentől]* blushing face, ruddy, red-faced/cheeked, high-coloured, florid, *[egészségtől]* glowing with health *(ut)*; ~ *betűs ünnep* red-letter day, general public holiday; ~ *cédula [ahol fertőző beteg van]* notifiable-disease slip, quarantine sign; ~ *festék* red paint/colour, reddle; ~ *kréta* rose-pink; ~ *paprika* red pepper, red paprika; ~ *rózsa* red rose; ~ *szalag* red ribbon; ~ *szekfű* red carnation; ~ *színű* red (-coloured), pink; ~ *tojás* Easter egg; ~ *mint a paprika (vk)* red as a peony, red as a turkey-cock; *a kiontott vér* ~*ra festette a folyót* the river was dyed red with blood; ~*ra festi a földet* redden the ground 2. *(kárty)* of hearts *(ut)*
II. *n*, 1. *[szín]* red(ness); ~*ra állítja a lámpát* turn the traffic light(s) red; *mindig* ~*at kapunk [közlekedési lámpát]* the lights are against us 2. *(kárty)* heart('s); *itt a* ~*(,) hol a piros* here it is and here it isn't, now you see it and now you don't
pirosas [-at; *adv* -an] *a*, reddish, pinkish, *[arca]* ruddy, rosy
pirosit [-ani, -ott, -son] *vt*, 1. *(ált)* make/turn red, redden, ruddly, *[pirossal színez]* raddle, tinge with red 2. *[ajkat]* apply *(v.* put on) lipstik, *[arcot]* rouge 3. *[jószágot jelezve]* ruddle, raddle, put on raddle
pirosító [-t, -ja] *n*, *[ajak]* lipstick, *[arc]* rouge, *[jószág-jelző]* ruddle, raddle

Piroska *prop*, Rosette; ~ *(és farkas)* Little Red Riding--Hood
pirosl|ik [-ani, -ott] *vi*, 1. *[pirosat mutat]* look/shine/ show red/pink 2. *[piros kezd lenni]* = pirosodik
piroslò [-t; *adv* -an] *a*, ruddy, reddening, turning red, pink *(ut)*, *[gyümölcs]* erubescent
pirosodás *n*, *(orv)* rubefaction
pirosod|ik [-tam, -ott, -jon, -jék] *vi*, grow/become/turn red/pink, redden, *[arc]* flush, blush, *[hús]* (turn) brown, begin to brown
pirospettyes *a*, red-spotted, with red polka dots *(ut)* *(US)*
pirospozsgás *a*, ruddy-cheeked/faced, rose-cheeked florid, rubicund, chubby; ~ *arcszíne van* have roses in one's cheeks
pirosság *n*, redness, pinkness, ruddiness, glow, rubescence *(ref.)*, *(orv)* rubefaction
piroszféra *n*, *(geol)* pyrosphere
piroszkóp *n*, *(fiz)* pyroscope
pirotechnika *n*, pyrotechnics, pyrotechny
pirotechnikus *n*, pyrotechnist
pirruszi [-ak, -t] *a*, ~ *győzelem* Pyrrhic victory
piruett [-et, -je] *n*, pirouette, spin
piruettez|ik [-tem, -ett, -zen, -zék] *vi*, spin, pirouette
pirul [-t, -jon] *vi*, 1. *(ált)* redden, grow/turn/become red/pink, *[arc melegtől]* flush, *[szégyentől]* blush, be abashed 2. *[hús]* (begin to) brown, *[kenyér]* (begin to) toast
pirula [..át] *n*, pill, pilule, pastille, tablet, tabloid, globule, pellet, pillet, bole, bolus; *lenyeli a keserű pirulát* swallow the pill, bite on the bullet, submit to the humiliation; *megédesíti a keserű pirulát* gild the pill; *hogy könnyebben adhassa be a keserű pirulát* to gild the pill
pirulás *n*, 1. *(ált)* growing/becoming/turning red, reddening, *[arcról]* flush, blush, glow; ~*ra késztet* it flushes the cheeks, it puts me to the blush 2. *[húsról]* growing/becoming/turning brown, browning, *[kenyérről]* toasting
pirulásdoboz *n*, pill-box
piruló [-t; *adv* -an] *a*, flushing, blushing, *[könnyen]* blushful, bashful; ~ *orcák* blushing cheeks
pirulós [-ak, -t; *adv* -an] *a*, blushful, bashful
pisa [..át] *n*, *(durv)* piss
pisai *a*, *a* ~ *ferde torony* the leaning tower of Pisa
pisál [-t, -jon] *vi*, *(durv)* piss, make water
pisálás *n*, *(durv)* pissing
pisi [-t, -je] *n*, *(biz)* piss *(vulg)*
pisil [-t, -jen] *vi*, *(gyerm)* pee, piddle, wee-wee
pisilés *n*, *(gyerm)* number one
pisis [-t; *adv* -en] *a*, 1. *[nedves]* wet, wet with piss *(ut)* 2. *[fiatal]* young (person), green (person)
piskóta [..át] *n*, finger-biscuit, sponge-finger-cake
piskótatekercs *n*, Swiss jelly roll
piskótatészta *n*, sponge-cake/roll
pislákol [-t, -jon] *vi*, *[fény]* glimmer, shimmer, *[lámpa, tűz]* flicker
pislákoló [-t] *a*, *[fény]* glimmery, shimmery, *[lámpa, tűz]* flickering
pislant [-ani, -ott, -son] *vi*, *[hunyorgat]* blink, wink, *[titkon rátekint]* glance surreptitiously (at sy); *csak* ~*s rá* just have a quick look at it
pislantás *n*, blink(ing), wink, glance
pislog [-tam, -ott, -jon] *vi*, 1. *(vk)* blink, wink, nic-(ti)tate *(tud)* 2. *[csillag]* twinkle, *[lámpa, tűz]* flicker
pislogás *n*, 1. *[szemmel]* blinking, winking, nict(it)ation 2. *[csillag]* twinkling, twinkle 3. *[fény]* glimmer(ing), shimmer(ing), *[lámpa, tűz]* flickering
pislogó [-t; *adv* -an] *a*, 1. *[szem]* blinking, winking 2. *[csillag]* twinkling 3. *[fény]* glimmering, shimmering, *[lámpa, tűz]* flickering

pislogóhártya n, [madáré] nictitating membrane, [lóé] haw

Pista [.. át] prop, Steve, Steevie

Pisti [-t] prop, = Pista

Pistike prop, = Pista

pisze [.. ét] a, pug/snub-nosed; ~ orr snub/pug-nose, urned up nose, snubby/tiptilted nose; ~ orrú pug/ snub-nosed, puggy, puggish

piszi n, hiszi a ~t tell it to the (horse) marines!

piszkafa n, 1. [tűzhöz] poker 2. [emberről] long thin person, spindleshanks

piszkafalábú I. a, spindle-legged/shanked (ut) II. n, spindle-shanks

piszkál [-t, -jon] vt, 1. [vmt, tüzet] poke, stir, [vmt ártón] meddle/tinker with; vmt bottal ~ poke at sg with a stick; csak ~ja az ételt he picks at his food, he just toys with his food, he trifles over/with his meal; fogát/orrát piszkálja pick one's teeth/nose 2. (vkt) badger, chivvy (about), goad, [bosszantva] annoy, tease, worry, irritate (sy), [noszogatva] prod, [megjegyzésekkel] peck at (sy); nem szereti ha ~ják he resents being badgered

piszkálás n, 1. [vmé, tűzé] poking, stirring, [ártón] tinkering 2. (vké) badgering, goading, chivvying, [bosszantva] annoying, teasing, worrying, irritating, [noszogatva] prodding, [megjegyzésekkel] pecking

piszkálódás n, = piszkálás 2.

piszkálód|ik [-tam, -ott, -jon, -jék] vi, [kellemetlenkedik] nag, peck at, chivvy (about), make a nuisance of oneself

piszkálódó [-t; adv -an] a, nagging, chivvying, interfering

piszkavas n, poker, (fire-)rake, fire-iron/hook, [kohászati] slice-bar

piszke n, gooseberry

piszkít [-ani, -ott, -son] I. vi, [ürülékkel] defecate, [jószág] dung, [madár] mute; saját fészkébe ~ foul one's own nest; csúnya madár az mely a fészkébe ~ it is an evil/dirty bird that defiles/fouls his own nest II. vt, dirty, soil, sully, make dirty, defile (ref.), begrime (ref.) besmirch (ref.)

piszkol [-t -jon] vi/vt, 1. = piszkít; 2. [szid] revile, vilify, abuse, slander, defame

piszkolódás n, 1. [ruháé] soiling, becoming dirty/ soiled/grimy 2. [átv, vk ellen] revilement, vilification, abuse, slander, defamation

piszkolód|ik [-tam, -ott, -jon] vi, 1. [piszkos lesz] soil, get dirty/soiled/grimy; könnyen ~ it soils easily, it shows the dirt; nem ~ik it has no affinity for dirt, it does not pick up dirt 2. (átv, elit) have a slanderous tongue

piszkolódó [-ak, -t] a, [tárgy] soiling, easily soiled (ut), that dirties (ut); könnyen/erősen ~ anyag stuff that stains easily; nem ~ dirt/stain repellent

piszkos [-at; adv -an] a, 1. dirty, soiled, unclean, smudgy, [nagyon] filthy, grimy, squalid, sordid, mucky, grubby, foul; ~ ablaküveg smeary window-pane; ~ fehérnemű soiled linen; ~ kéz dirty hand, [gyereké] grubby/grimy hand; ~ munka dirty/messy work; a ~ munkát másra sózza have sy do the dirty work 2. [erkölcsileg] filthy, foul, [jellemű] caddish, nasty, dirty, mean, vile, sordid, [fösvény] stingy, mean; ~ adósság squalid debts (pl); ~ beszéd indecent/dirty talk; ~ csirkefogó cad, rotter, skunk, cur, bad egg; ~ dolog dirty/unsavoury business; ~ eszközök crooked means; ~ trükk mean/dirty/ mangy/shabby trick; ~ ügy dirty business/work

piszkosan adv, dirtily, filthily, sordidly, foully

piszkosfehér a, off-white

piszkoskod|ik [-tam, -ott, -jon, -jék] vi, 1. [kellemetlenkedik] behave in an annoying/unpleasant/mean

manner 2. [fösvénykedik] be mean/stingy, be close--fisted

piszkosod|ik [-tam, -ott, -jon, -jék] vi, = piszkolódik 1.

piszkosság n, 1. (átt) dirt(iness), unclean(li)ness, smudginess, filth, sordidness, griminess, foulness 2. [fösvénység] meanness, stinginess, [jellemi] nastiness, meanness, dirtiness, vileness, sordidness

piszkozat n, rough draft/copy, foul copy, draft; ~ot ír draft

piszkozatfüzet n, scribbling pad, notebook

piszlicsár a, ~ ügy tuppenny-ha'penny affair

piszmog [-tam, -ott, -jon] vi, (vmn vmvel) potter (about), piffle, dawdle, trifle (about), go to sleep over, fiddle about, putter (US)

piszmogás n, pottering (about), triffling (about), dawdling, fiddling about

piszmogó [-t, -ja; adv -an] I. a, dawdling, slow, pottering II. n, dawdler, slowcoach, potterer, putterer (US)

piszok [piszkot, piszka; adv -ul] I. n, dirt, filth, muck, grime, [folt ruhán] stain; kiveszi a piszkot remove the stain; te ~ you dirty dog II. a, ~ fráter dirty dog, cad, blackguard, mean beast, pig

piszokfészek n, 1. [hely] dirty hole, hovel, (pig-)sty, slum, rookery 2. [személy] sloven, mudlark, [férfiről] dirty fellow, [nőről] slattern, slut

piszokfolt n, stain, dirty mark, spot (of dirt), soil, black, smudge

piszokság n, caddishness, dirty trick

pisszeg [-tem, -ett, -jen] vi, hiss, say hush

pisszegés n, hiss(ing)

pisszen [-t, -jen] vi, make a slight sound; ~ni sem mert he did not dare to stir

pisszenés n, making a slight sound; ~ nélkül (elviselte) without flinching/wincing, without (saying/breathing) a word, without so much as a murmur

pisztácia [.. át] n, (növ) pistachio (Pistacia)

pisztoly [-ok, -t, -a] n, pistol, gun (fam), barker ◆, gat (US) ◆; önműködő ~ automatic (pistol); ~ra hív ki vkt challenge sy to a pistol duel; ~t elsüt fire off a pistol; ~t fog vkre level a pistol/gun at sy; ~t szegez vk fejének hold a pistol to sy's head, present a pistol at sy's head

pisztolyagy n, pistol grip

pisztolycső n, pistol-barrel

pisztolyfogantyú n, (műsz) pistol grip

pisztolygolyó n, pistol-ball

pisztolylövés n, 1. [lövészet] pistol shooting 2. [egy lövés] pistol shot, [hangja] report (of a pistol)

pisztolylövésnyire adv, within pistol-shot

pisztolypárbaj n, duel with pistols

pisztolytáska n, holster

pisztolytok n, pistol-case, [nyergen, övön] holster

piszton [-ok, -n, -ja] n, (zene) piston

pisztráng [-ot, -ja] n, (áll) trout (Trutta); sebes ~ common trout (T. fario); tavaszi ~ salmon-trout (T. lacustris); tavi ~ ferox (Salmo ferox)

pisztránghalászat n, trout-fishing

pisztrángsügér n, (áll) bass (Centrarchidae család); amerikai ~ large-mouthed black bass (Huro salmoides)

pisztrángtenyészet n, trout-farm

Pitagorasz-tétel n, Pythagorean/Phytagoras proposition/ theorem

pite [.. ét] n, fruit-flan, pie, tart, [rácsos] lattice-top pie; almás ~ apple tart/turnover

piti [-t] a, (biz) petty (stand.), small-time, fly-by-night (US); ~ dolog one horse thing (US)

pitiriázis [-ok, -t, -a] n, (orv) pityriasis

pitiz [-tem, -ett, -zen] vi, [kutya] sit up, beg

pitli [-t, -je] n, (táj) pail (stand.), bucket (stand.); menj a ~be! (biz) go to Jericho/hell piton [-ok, -t, -ja] n, (áll) python (Python sp.); kockás ~ regal/reticulate python

pittoreszk [-et; adv -en] a, picturesque

pitvar [-ok, -t, -a] n, 1. [tornác] porch 2. (bonct) auricle, atrium

pitvarcsillámlás n, (orv) auricular fibrillation

pitvarfal n, (bonct) atrial wall

pitvar-kamrai a, ~ billentyű (bonct) atrioventricular/ auriculoventricular valve

pityer [-ek, -t, -je] n, [madár] pipit (Anthus sp.); erdei ~ tree-pipit (A. t. trivialis); havasi ~ water-pipit (A. s. spinoletta)

pityereg [-tem, .. rgett, -jen] vi, whimper, whine, snivel, blubber; ~ni kezd turn on the waterworks (fam)

pityergés n, whimpering, whining, snivelling, blubbering

pityergős [-et; adv -en] a, whimpering, whining, snivelling, blubbering

pityizál [-t, -jon] vi, (biz) crack a bottle (with sg), (ellt) tipple, bib

pityke n, (metal) button

pitykés [-t; adv -en] a, having (metal) buttons (ut); ~ dolmány jacket with metal buttons

pitykéz|ik [-tem, -ett, -zen, -zék] vi, play a button game, play a game with buttons

pitymallat n, dawn, daybreak, peep/rise of day; ~kor at early dawn, at the first streak of dawn, at peep of day/dawn

pitymall|ik [-ani, -ott] v. imp, dawn, (kif) the day is breaking

pityóka n, (táj) potato (stand.)

pityókás a, = pityókos

pityókos [-at; adv -an] a, (biz) tipsy, tight, sozzly, fuddled, screewd, half-seas over, overshot

pitypalatty [-ot, -a] I. int, ⟨quail's call⟩ II. n, quail

pitypalattyol [-t, -jon] vi, call, pipe

pitypang [-ot, -ja] n, (növ) lion's tooth (Taraxacum sp.); [bóbitája, gömbje] blow/puff-ball; pongyola ~ dandelion (T. officinale)

pittyedt [-et; adv -en] a, ~ ajkú thick/blubber-lipped

Pityú [-t, -ja] prop, = Pista

pizzicato [-t, -ja] n, (zene) pizzicato

pizsama [.. át] n, pyjamas (pl), pajamas (pl) (US)

pizsamakabát n, pyjama-coat

pizsamanadrág n, pyjama-trousers (pl)

placenta [.. át] n, (bonct) placenta

placentáció [-t, -ja] n, (anat, áll, növ) placentation; centrális ~ (növ) axilar placentation; sarki ~ (növ) angular placentation; széli ~ (növ) marginal placentation

placentáris [-t] a, ~ szak [szülészetben] placental stage

plafon [-ok, -t, -ja] n, ceiling; a ~ig ugrik hit the ceiling

plafonár n, (ker) ceiling price

plafonbridzs n, (kárty) plafond

plagális [-at] a, (zene) plagal; ~ zárlat church/amen/ greek cadence

plágium [-ot, -a] n, plagiarism, plagiary, piracy, crib (fam)

plagizál [-t, -jon] vt, plagiarize, pirate, crib (fam)

plagizálás n, = plágium

plagizátor [-ok, -t, -a] n, plagiarist, plagiary, pirate, cribber (fam)

plajbász [-ok, ⋅t, -a] n, (nép) (lead) pencil (stand.)

plakát [-ot, -ja] n, [képes] poster, placard, [csak szöveges hirdetmény] bill, [színházi] showbill; ~ok felragasztása tilos! stick no bills!, bill stickers will be prosecuted; ~on hirdet bill, advertise on posters, placard

plakáthordozó n, sandwich-man

plakátoszlop n, advertisement/advertising pillar

plakátragasztó n, bill-poster/sticker

plakátrajzoló n, poster designer, commercial artist

plakáttábla n, hoarding billboard (US)

plakett [-et, -je] n, plaque(tte)

pláne aav, particularly, especially, principally, above all (things); mi benne a ~? □ but what's the point of it? (fam)

planéta [.. át] n, 1. [bolygó] planet 2. planétát huzat have one's fortune told

planetárium [-ot, -a] n, planetarium, orrery (obs)

planiméter n, planimeter, surface integrator

planíroz [-tam, -ott, -zon] vt, level, plane, even up (ground), planish, grade

planírozás n, levelling, planishing, grading

plankton [-ok, -t, -ja] n, (biol) plankton

plántál [-t, -jon] vt, 1. [növényt] plant, set out 2. (átv vkbe) instil into, inculcate upon/in, implant

plaszticitás n, = plasztikusság

plasztik [-ot, -ja] n/a, [műanyag] plastic

plasztika n, 1. [sebészet] plastic surgery, plastics (pl), [műtét] plastic operation; hüvelyi ~ vaginoplasty 2. [szobrászat] plastic art, art of modelling, [szobormű] sculpture

plasztikai [-ak, -t; adv -lag] a, plastic; ~ műtét plastic operation/surgery; ~ sebész plastic surgeon; ~ sebészet plastic/corrective surgery, plastics, anaplasty, neoplasty

plasztikál [-t, -jon] vt, (vegyt) plasticize

plasztikálás n, (vegyt) plasticization

plasztikum [-ot, -a] n, = panoptikum

plasztikus a, plastic, statuesque, sculpturesque, sculptural, sculptured, tangible, (film) stereoscopic, three-dimensional; ~ fényképezés stereoscopic/ plastic photography; ~ film stereoscopic/stereoscope film, natural vision film, three dimensional film; ~ hang stereophonic sound; ~ hanghatású stereophonic; ~ hatás plastic effect, plasticity; ~ látás seeing in relief; ~ művészet plastic art

plasztikusan adv, plastically; ~ ábrázol vmt show sg in relief

plasztikusság n, plasticity, three-dimensional quality, statuesqueness

plasztilin [-t] n, plasticine, plastiline

plasztron [-ok, -t, -ja] n, 1. shirt-front, starched shirt, dickey 2. [vívó] fencing-jacket, (fencer's) plastron 3. (kat) breast-plate

platán [-ok, -t, -ja] n, (növ) plane-tree, platan, sycamore maple (US) (Platanus)

platános [-ok, -t, -a] n, plantation of plane-trees

platform [-ot, -ja] n, platform; közös ~ common platform

platina [.. át] n/a, 1. platinum; ~ csésze platinum crucible; ~ drót platinum wire; ~ gyűrű platinum ring; ~ tű platinum needle; platinával bevon platinize 2. (text) sinker, lifting-hook

platinafekete a, (vegyt) platinum-black

platinaróka n, platinum fox

platinaszőke a, platinum blonde

platinatartalmú a, platiniferous

platiniridium [-ot, -a] n, platino/platinum-iridium

platinotípia [.. át] n, (nyomd) platinotype

platni [-t, -ja] n, = sütőlap

plató [-t, -ja] n, plateau, platform

plátói [-ak, -t; adv -an] a, Platonic; ~ szerelem Platonic love, platonics (pl) (fam)

platonikus a, Platonist, Platonic, Platonistic

platonista [.. át] n/a, Platonist, Platonic (philosopher), Platonistic

platonizmus n, Platonism

plauzibilis [-t; adv -en] a, plausible

plauzibilisan adv, plausibly

plazma [.. át] n, 1. plasm 2. (orv) (blood) plasma, [sejté] cytoplasm

plazmafehérje n, plasma protein

plazmamennyiség *n*, plasma volume; *vesén átáramló* ~ renal plasma flow

plazmatan *n*, plasmology

plébánia [.. át] *n*, 1. *[kerület]* parish 2. *[állás]* parsonage 3. *[épület]* parsonage, residence of the parish--priest, vicarage, rectory, presbytery

plébániahivatal *n*, parsonage, presbytery

plébániai [-ak, -t] *a*, parochial, of the parish *(ut)*; ~ *anyakönyv* parish register

plébániatemplom *n*, parish-church

plébániatörténet *n*, parish history

plébános [-ok, -t, -a] *n*, parson, parish priest, rector, vicar, curate in charge, incumbent

plébánosság *n*, parsonage

plebejus *a/n*, plebeian; ~ *demokrácia* plebeian democracy

plebejusság *n*, *[tulajdonság]* plebeianness

plebsz [-et] 1. *n*, *(tört)* plebs *(pl)* 2. *(elit)* plebs, the lower orders, the common people

plecsni [-t, -je] *n*, *(biz)* gong, *[több]* salad, *[sok]* ironmongery

pléd [-et, -je] *n*, (travelling-)rug

plédszíj *n*, rug-strap

pléh [-et, -je] *n/a*, tin

pléhedény *n*, tin vessel/pot, billycan

pléhgallér *n*, dog-collar (of officer/priest)

pléhlemez *n*, tin/iron-plate, iron sheeting

pléhpofa *n*, poker-face(d), straightface, wooden face, cool customer, deadpan *(US)*; *pléhpofával* unabashed, with a poker/brazen face

pléhvágó *a*, ~ *olló* tinner's/tinsmith's shears *(pl)*

pleisztocén [-ek, -t, -je] *(geol)* I. *n*, Pleistocene, glacial epoch II. *a*, Pleistocene, glacial

plektron [-ok, -t, -ja] *n*, *(zene)* plectrum

plenáris [-ok, -t] *a*, plenary; ~ *ülés* full/plenary meeting/session

plénum [-ot, -a] *n*, full/plenary meeting, plenum

pleonasztikus *a*, pleonastic

pleonazmus *n*, pleonasm

pletyka[1] *n*, (piece of) gossip, tale, tittle-tattle, *[rágalmazó]* slander, scandal(-mongering), backbiting; *megindul a* ~ *tongues start wagging; sok* ~ *kering* there are lots of rumours in the air; *a* ~ *öl* give a dog a bad name and hang him; *szívesen hallgat pletykát* revel in gossip; *pletykát terjeszt/szétbord* peddle gossip

pletyka[2] *n*, *(növ)* spiderwort *(Tradescantia)*

pletykaéhes *a*, *[igével]* have itching ears

pletykafészek *n*, 1. *[hely]* gossip place/corner/shop, whispering gallery, nest of gossip 2. *[személy]* scandal-monger, news-monger, gossip, wag-tongue

pletykahordó *n*, scandal-bearer/monger, news-monger, tale-bearer, taleteller, telltale

pletykál [-t, -jon] *vi*, gossip, (tittle-)tattle, talk scandal, spread about scandal, blab

pletykálkodás *n*, gossip(ing), tattling, tattle, talking scandal, scandal-mongering

pletykálkod|ik [-tam, -ott, -jon, -jék] *vi*, gossip, tittle--tattle, talk scandal

pletykás I. *a*, gossipy, gossiping, tattling, scandal--mongering; ~ *vénasszony* tabby, old cat II. *n*, gossip, tattler, scandal-monger, tongue-wagger

pletykasarok *n*, gossip-corner/place/shop

pletykaszenvedély *n*, craze/passion for gossip(ing)

pletykáz|ik [-tam, -ott, -zon] *vi*, = pletykál

plexiüveg *n*, plexiglass

Plinius *prop*, Pliny (the Elder/Younger)

plint [-et, -je] *n*, plinth

pliocén [-t, -je] *n/a*, *(geol)* Pliocene

pliszé [-t, -je] *n*, pleat, plait, crease, fold

pliszészoknya *n*, kilted/pleated skirt

pliszíroz [-tam, -ott, -zon] *vt*, pleat, plait, crease, fold

pliszírolzás *n*, pleat(ing), plait(ing), creasing, folding

pliszírozógép *n*, pleating machine

plomba [.. át] *n*, 1. *[ólom]* lead stamp/seal 2. *[fogtömés]* stopping, filling, plug

plombál [-t, -jon] *vt*, 1. *[pecsétel]* seal, affix a lead (to) 2. *[fogat]* stop, fill plug (a tooth)

plombálás *n*, *[fogé és fogban]* stopping, filling

plombált [-at] *a*, ~ *fog* filled tooth

plömplöm *a*, *(biz)* dotty, fiddle-foddle *(US)*, simpy *(US)*

plundra [.. át] *n*, † *[nadrág]* trunk-breeches *(pl)*

plurális [-ok, -t] I. *a*, plural; ~ *választójog* plural vote II. *n*, *(nyelvt)* plural; *pluralis maiestatis* plural of majesty

pluralizmus *n*, pluralism

plusz [-ok, -t, -a] I *n*, *[többlet]* excess, surplus, overplus, *[érték]* increase/increment in value; *plusszal zárul* show a gain II. *a*, *[előjel]* plus, *[összeadásnál]* plus, added to, and; *a hőmérséklet* ~ *10 C°* the temperature is ten degrees centigrade

pluszjel *n*, addition sign, plus

pluszmunka *n*, additional work

plutokrácia [.. át] *n*, plutocracy

plutokrata [.. át] I. *n*, plutocrat II. *a*, plutocratic

plutokratikus *a*, plutocratic

plutonikus *a*, plutonic; ~ *kőzet* plutonic rocks, plutonics *(pl)*

plutonista [.. át] *n*, *(geol)* Plutonist

plutónium [-ot, -a] *n*, *(ásv)* plutonium

plutonizmus *n*, *(geol)* Plutonism, the plutonic hypothesis

plümő [-t, -ja] *n*, ⟨short quilt filled with eider-down⟩

plüss [-ök, -t, -e] *n*, plush; *sajtolt* ~ goffered plush cover

plüss-szerű *a*, plushy

pneumatik [-ot, -ja] *n*, (pneumatic) tyre, tire *(US)*

pneumatika *n*, pneumatology

pneumatikköpeny *n*, tyre-cover/casing

pneumatikus *a*, pneumatic, air pressure, compressed air; ~ *hajtású* air-operated; ~ *kalapács* air-hammer, plugger, jackhammer; ~ *szerszám* air tool

pneumatográf [-ot, -ja] *n*, *(orv)* pneumatograph

pneumográf [-ot, -ja] *n*, *(orv)* pneumograph, stetograph

póc [-ot, -a] *n*, *[hal]* mud-minnow *(Umbra limi)*

poca [.. át] *n*, *(biz)* blot, blob, splotch *(mind: stand.)*; *pocát ejt* make a blot/splotch/smudge

pocak [-ot, -ja] *n*, *(biz)* paunch, potbelly, corporation; *nagy a* ~*ja* have a large paunch, be paunchy; ~*ot ereszt* grow a paunch, get/develop a corporation

pocakos [-at; *adv* -an] *a*, paunchy, pot/tun/big-bellied, corpulent, portly

pocakosod|ik [-tam, -ott, -jon, -jék] *vi*, become/get paunchy/corpulent

pocakosság *n*, corpulence, rotundity, embonpoint *(fr)*, portliness

poci [-t, -ja] *n*, *(gyerm)* tummy

pocok [pockot, pocka] *n*, 1. *(áll)* (field-)vole, meadow/field mouse *(Microtus p.)* 2. *[kölyök]* kiddie, moppet

pocsék [-ot; *adv* -ul] I. *a*, *[vacak]* worthless, punk *(US)*, *[komisz]* atrocious, beastly, rotten, damnable, shocking bad *(fam)*; ~ *idő(járás)* rotten weather; ~ *írás* atrocious/execrable handwriting II. *n*, ~*ká ver* beat hollow, make mincemeat of sy, smite sy hip and thigh; ~*ká tesz* ruin

pocsékol [-t, -jon] *vt*, *[pazarol]* squander, waste, spoil, run through; ~*ja a pénzét* waste one's money, throw one's money about

pocsékolás *n*, squandering, wasting

pocsékul *adv*, beastly, nohow ◈; ~ *érzi magát* he is feeling rotten, he feels miserable/wretched, he feels like nothing on the earth

pocséta [.. át] *n*, = pocsolya

pocskol [-t, -jon] I. *vi, [vízben]* (s)plash; *ld még* **pacskol**
II. *vt, [szid]* abuse, revile, decry
pocskondiáz [-tam, -ott, -zon] *vt,* abuse, revile, decry,
throw mud at
pocsolya [. . át] *n,* puddle, (muddy) pool, plash, mire,
pond
pocsolyás *a,* plashy, puddly, wet, miry
podagra [. . át] *n,* gout, podagra
podagrafű *n, (növ)* goutweed, bishopweed *(Aegopo-
dium podagraria)*
podagrás *a,* gouty, podagrous
pódium [-ot, -a] *n,* stage, platform, estrade, dais
podzol [-ok, -t, -a] *n, (mezőg)* podsol
podzolképződés *n, (mezőg)* podsolization
poén¹ [-ok, -t, -ja] *n, [viccé]* point (of a joke), cream (of
the jest)
poén² [-ok, -t, -ja] *n, [kártyában]* point
poéta [. . át] *n,* poet
poétika *n,* poetics
poétikus *a,* poetic(al)
poézis [-t, -e] *n,* poetry, poesy
pofa [. . át] *n,* 1. *[emberé, lóé]* cheek, jowl, *[állaté]*
chap, chop, snout, muzzle, *[rókáé]* mask 2. *[arc
durván]* mug; *ehhez ~ kell* what cheek/impudence/
nerve; *van pofája* have the cheek/impudence/nerve/
gall/brazeness/face (to), have the infernal neck (to);
volt pofája nekem azt mondani he had the face to tell
me so; *nagy a pofája [sokat beszél]* talk a donkey's
hind leg off, *[magabiztos]* be too cocksure of himself;
nagy pofájú alak a blustering fellow; *ńincs bőr a
pofáján* be lost to all sense of shame; *pofára megy* go
after the appearance; *két pofára eszik* tuck in might-
ily, cram; *fene a pofádat* to hell with you; *fogd be a
pofádat !, ~ be!* shut/dry up!, hold your jaw/row/noise!,
close your trap!, cut your cackle!, not so much of it!,
chuck it!; *jártatja a poféját* let the tongue wag, shoot
off one's mouth; *pofákat vág* make faces, pull a face
3. = *pasas; édes pofám !* sweet!, darling!; *jó ~* jolly
good sort, he is full of fun; *jó ~ vagy !* you are a one!;
igazi jó ~ a real sport; *remek ~* top-notcher 4.*(műsz)*
jaw, cheek, chap, *[cipész szerszám]* toe irons *(pl)* 5.
egy ~ sör a mug of beer
pofacsont *n,* cheekbone, molar bone, zygoma
pofafalak *n. pl, (épít)* wing walls
pofafürdő *n, (biz) ~t vesz* show one's face, enter an
appearance, put in an appearance *(mind: stand.)*
pofaizom *n,* cheek muscle, buccinator (muscle) *(tud)*
pofás *a, ~ fék (műsz)* shoe/block-brake; *~ törő* jaw-
-crusher/breaker
pofaszakáll *n,* (side-)whiskers, *(nép)* mutton-chops,
sideburns, burnsides, *[hosszú]* Dundreary whiskers,
dundrearies *(mind: pl)*
pofaszakállas *a,* (side-)whiskered
pofaszíj *n, [sisaké]* chin-strap
pofátlan *a,* impudent, impertinent, brazen, unabashed,
unashamed
pofátlanság *n,* impertinence, impudence, cheek
pofazacskó *n,* (cheek-)pauch, chop
pofázás *n,* 1. *[zabálás]* stuffing, cramming 2. *[sok
beszéd]* jawing, mouthings *(pl),* (much) talk
pofázik [-tam, -ott, -zon] *vi/vt,* 1. *[zabál]* stuff, guzzle,
cram 2. *[sokat beszél]* jaw, talk much, shoot off one's
mouth; *ne ~zz!* shut up!, hold your jaw, none of
your lip!, dry up!
pofézni [-t, -je] *n,* French toast
pofika *n, (biz)* (pretty) little face *(stand.)*
pofon I. *adv, ~ üt/vág* slap/strike/hit/smack/box sy in
the face, slap/smack sy's face, box sy on the ears,
box sy's ears, box the ears of sy, paste sy on the face,
cuff sy ◈; *~ tudtam volna vágni!* I could have
smacked his face!
II. *n,* [-ok, -t, -ja] 1. slap/smack in the face, box

on the ear, facer ◈; *~ egyszerű, egyszerű mint egy ~*
(it's) very simple/easy, (it's) as easy as that/anything,
(it's) as simple as ABC, (it's) as simple as shelling
peas, (it's) as clear/plain as a boot-jack *(US)* 2. *[er-
kölcsi átv]* snub, affront, humiliation
pofoz [-tam, ott, -zon] *vt,* 1. slap (sy) (repeatedly) in
the face 2. *formába ~* lick into shape
pofozkodás *n, (kb)* boxing one another on the ears
pofozkodik [-tam, -ott, -jon, -jék] *vi,* box one another
on the ear(s)
pofozógép *n,* try-your-strength machine (at fun-fairs)
pogácsa [. . át] *n,* 1. ⟨small unsweetened round cake⟩;
töpörtyűs ~ (kb) crackling cone/cake 2. *[takarmány]*
press-cake, mill cake 3. *[atomfizika]* compact
pogácsaalma *n,* small red apple
pogácsaszaggató *n,* biscuit-cutter
pogány [-ok, -t; *adv* -ul] *a/n,* 1. *[nem keresztény]*
heathen, pagan, unchristian. *[középkorban]* infidel;
a ~ok heathendom; *~ nép* pagan people, heathens
(pl) 2. *(átv)* profane, godless, barbarian, savage;
~ul elpáholták he was given a sound thrashing/hiding,
he was beaten within an inch of his life
pogánykor *n,* pagan times *(pl),* pagan era
pogánykori [-ak, -t] *a,* of pagan times *(ut)*
pogánylázadás *n,* pagan revolt
pogányság *n,* 1. *[állapot]* heathenism, heathendom,
paganism, *[középkorban]* infidelity, *(átv)* savagery,
godlessness, barbarism, wickedness 2. *[pogányok]*
heathens *(pl),* pagans *(pl)*
pogánytérítés *n,* conversion of the heathen, missionary
work among the heathens
pogrom [-ot, -ja] *n,* pogrom, Jew-baiting
poggyász [-ok, -t, -a] *n,* luggage, baggage *(US); kézi
~* hand luggage; *kevés poggyásszal utazik* travel light
poggyászbiztosítás *n,* luggage/baggage insurance
poggyászcímke *n,* tab, luggage/baggage-label
poggyászdíjszabás *n,* luggage-rate
poggyászfeladás *n,* registration/booking of luggage
poggyászfeladó *n, ~ vevény* luggage-ticket, baggage-
check *(US)*
poggyászfelvétel *n,* 1. = **poggyászfeladás;** 2. *[hivatal]*
(luggage/baggage) booking office
poggyászháló *n, (vasút)* luggage-rack, baggage-rack
(US)
poggyászhordár *n,* (railway/luggage) porter, redcap
(US)
poggyászkiadás *n,* 1. *[cselekmény]* delivery of luggage/
baggage 2. *[hivatal]* (luggage/baggage) delivery
office
poggyászkocsi *n,* luggage/guard-van, fourgon, baggage
car *(US),* *(kat)* baggage-wag(g)on
poggyászmegőrző *n,* left-luggage office, cloak-room,
checkroom *(US),* checking room
poggyász-szelvény *n,* baggage claim tag
poggyásztargonca *n,* luggage-trolley
poggyásztartó *n,* (luggage, baggage) rack, *[rács]* lug-
gage grid, *[autó tetején]* roof rack
poggyásztér *n,* luggage-room
poggyászvevény *n,* luggage/baggage ticket
poggyászvonat *n, (kat)* baggage-train
poggyászzsák *n,* duffel/kit-bag, *(kat)* valise
pohánka *n, (növ)* buckwheat *(Fagopyrum esculentum)*
pohár [poharat, pohara] I. *n,* (drinking-)glass, *[vizes]*
tumbler, *[talpas]* wine-glass, stemmed glass, goblet,
[nagy] cup; *keserű ~* cup of bitterness; *mélyen néz a
~ fenekére* drink deep; *~ra való* glassful; *poharát
emeli vkre* drink sy's health/success, raise one's
glass to, toast sy; *emelem poharam az elnökre !*
Ladies and Gentlemen(,) I give you the Pre-
sident!, here's to the President!; *poharát meg-
tölti* fill one's/sy's glass; *poharat mindenkinek* glasses
round !

II. a, egy ~ bor a glass of wine; egy ~ pálinka a glass of brandy/liquor, a snorter (fam), eye-opener (US); egy ~ sör a glass of beer; teli ~ bor bumper; vihar egy ~ vízben storm in a tea-cup

poharaz [-tam, -ott, -zon] vi, drink one glass after another (of sg), bib (fam), crack a bottle (with sy)

poharazás n, drinking, bibbing, tippling; ~ közben while drinking, over one's wine/cup

poharazgat vi, drink (one glass after another), crack a bottle (with sy)

pohárcsengés n, tinkle/chink(ing) of glasses

pohárka n, small glass, peg; igyál egy pohárkával have a drop

pohárköszöntő n, toast, pledge; ~t mond give/propose a toast, pledge (sy)

pohárnok [-ot, -a] n, cup-bearer; a király ~a cup-bearer to the king

pohárnyi [-t] a, (a) glassful

pohárpróba n, (orv) glass test

pohárruha n, = pohártörlő

pohárszék n, sideboard, buffet, credenza, [falban] cupboard

pohártartó n, ~ állvány glass-rack/stand

pohártörlő n, glass-cloth, tea-cloth/towel

pohos [-at; adv -an] a, pot/big/turn-bellied, plump-bellied, paunchy

pointillista [..át] n, (műv) pointillist(e)

pointillizmus n,, (műv) stippling, pointillism

pojáca [..át] n, clown, buffoon, merry-andrew, harlequin, jack-pudding; pojácát csinál magából make a show of oneself

pók¹ [-ot, -ja] n, 1. (áll) spider (Aranea sp); barlangi ~ cave-spider (Segestria cellaris); karoló ~ lateri-grade (Thomisida); tengeri ~ spider-crab (Maia) 2. [kézimunkán] spider-net 3. □ bloke, guy

pók² [-ot, -ja] n, (orv) spavin

póker [-t, -e] n, poker

pókerez|ik [-tem, -ett, -zen, -zék] vi, play poker

pókféle a, arachnid(an)

pókfélék n. pl, arachnidae

pókháló n, spider's-web, cobweb

pókhálóburok n, (bonct) [agyvelőé] arachnoid

pókhálócsipke n, spider-work

pókhálós a, cobwebby, cobwebbed

pókhálósod|ik [-ott, -jon, -jék] vi/vt, get covered with cobwebs, [bor] get ropy

pókhálószerű a, cobweb-like, gossamer, arachnoid

pókhálóvékony a, cobweb-like, cobwebby

pókhálóz [-tam, -ott, -zon] vt, remove cobwebs (from)

pókhálózó a, ~ seprő Pope's/Turk's head brush

pókhasú [-t; adv -an] a, = pohos

pokla [..át] n, (nép) [állati méhlepény] afterbirth (stand.)

poklos I. a, [-at; adv -an] leprous II. n, [-ok, -t, -a] leper; ld még bélpoklos

poklosság n, leprosy

pókmajom n, (áll) spider-monkey (Ateles sp.)

pokol [poklot, pokla] n, hell, [alvilág] the underworld, the lower/nether regions (pl), the bottomless pit, inferno, Hades; a ~ kapui the doors/gates of hell; ~ a tornáca limbo; igazi ~ az élete his life is hell on earth; a ~ kínjait érzi he feels the torments of hell; ördög és ~! hell and damnation; eredj a ~ba go to blazes/hell/Jericho, go to the devil; ~ba kíván vkt wish sy farther/further; a ~ba küld vkt send sy to the devil, send sy packing; hogy a ~ba (is) ... how the devil/dickens/ever, how on earth, how in the world; valahol a ~ban lakik he lives miles away, he lives at the back of beyond; ~ra való damned, (ac)cursed, confounded, execrable, wretched; ~lá teszi vknek az életét lead sy a dog's/wretched life; ég a ~ (átv) have hot coppers

pokolbeli [-ek, -t] a/n, of hell (ut), infernal

pokolfajzat n, [az ördög] devil, fiend, (ált) infernal brood, hellish crew, (vkről) hell-hound/born, [nő] hell-cat/hag

pokolgép n, infernal machine, [tágabb értelemben] (dynamite) bomb

pokolgépes a, ~ merénylet bomb outrage

pokoli [-ak, -t; adv -an] a, hellish, infernal, fiendish, devilish, of hell (ut); ~ düh infernal/hellish rage/ fury/frenzy; ~ fájdalom excruciating pain; ~ gondolat devilish idea/thought; ~ gonoszság hellishness; ~ kínokat áll ki suffer excruciating pains, suffer the pains of hell; ~ lárma infernal racket/noise/row, hell of a noise, devil of a row, pandemonium, hullabaloo; ~ meleg infernally hot; ~ zajt csap raise Cain, kick up an infernal row

pokolian adv, infernally, fiendishly; ~ drága ár hell of a price; ~ mulatságos highly amusing, killing(ly funny)

pokoljárás n, descent to hell

pokolkő n, silver nitrate, lunar caustic, caustic stone

pokolraszállás n, = pokoljárás; Krisztus ~a Harrowing of Hell

pokolvar n, malignant pustule, anthrax

pókos [-at; adv -an] a, (orv) spavined

póköltés n, spider-stitch

pokróc [-ot ,-a] n, 1. (coarse, heavy) rug, blanket, [nyereg alatti] sweat-cloth, [kocsiutas lába számára] lap robe 2. (átv) boor, churl; goromba ~ churlish fellow, cross-grained fellow

pokrócoz [-tam, -ott, -zon] vt, [dobálva] toss (sy) in a blanket

pokrócozás n, tossing in a blanket

pókszerű a, spider-like, arachnoid

polárgörbe n, (menny) polar curve

polariméter n, (fiz) polarimeter

polarimetria [..át] n, (fiz) polarimetry

poláris [-t; adv -an] a, polar; ~ egyenlet (menny) polar equation; ~ ellentétek (vkk) they are poles asunder/apart; ~ vetület/vetítés (menny) polar projection

polariszkóp [-ot, -ja] n, (fiz) polariscope

polaritás n, polarity

polarizáció [-t, -ja] n, polarization, polarizing

polarizációs [-at] a, ~ sík plane of polarization; ~ szűrő (fényk) polarization filter

polarizál [-t, -jon] vt, polarize

polarizálás n, = polarizáció

polarizálható a, polarizable

polarizálód|ik [-tam, -ott, -jon -jék] vi, (fiz) polarize

polarizátor [-ok, -t, -a] n, [prizma] polarizer, analyser

polárkoordináták n. pl, (menny) polar coordinates

polárosság n, polarity

polc [-ot, -a] n, 1. (ált) shelf, rack, [álló] stand, [falra szerelt] bracket, [bútordarab] whatnot, [olvasáshoz] lectern; ~ra rak [könyveket stb.] shelve; egy ~ra való [könyv] shelfful 2. (átv) rank, degree; magas ~ra jut attain (to) a high position

polcos [-at] a, shelved; ~ állvány set of shelves, whatnot; ~ szekrény [fehérneműnek] clothes-press

polctartó a, ~ léc fillet

polémia [..át] n, polemic(s), controversy

polémikus I. a, polemic(al) II. n, controversialist, polemist

polemizál [-t, -jon] vi, carry on polemics, polemize

polgár [-ok, -t, -a] n, [államé] citizen, national, [városé] burgess, burgher (obs), [civil] civilian, [nem nemes] commoner, [falusi] villager, countryman, [osztályszempontból nézve] bourgeois; úrhatnám ~ cit turned gentleman

polgárerény n, civic virtues (pl), good citizenship

polgárháború n, civil war; ~ előtti ante-bellum (lat) (US)

polgárház n, town-house
polgári [-ak, -t; adv -an, -lag] I. a, [élet, intézmény] civil, civic, [foglalkozás, ruha] civilian, (pol) bourgeois, middle-class; ~ állás civil status;~ bíróság civil court; ~ csökevény remnant of a bourgeois upbringing (v. way of thinking), vestiges of bourgeois mentality (pl) ; ~ demokrácia bourgeois democracy; ~ demokratikus bourgeois-democratic; ~ demokratikus forradalom bourgeois-democratic revolution; ~ diktatúra dictatorship of the bourgeoisie; ~ egyén civilian; a ~ életben in civil(ian) life, (kat) in civvy street (fam) ; ~ eljárás törvénykönyve Code of Civil Procedure; ~ erények civic virtues; ~ értelmiség bourgeois intelligentsia; ~ év civil/legal year; ~ forradalom bourgeois revolution; ~ halál civil death; ~ hatóság civil authority; ~ házasság civil/registry marriage; ~ házasságot köt be married at a registry (office), contract a civil marriage; ~ iskola higher elementary school; ~ jog civil/common law; ~ jogok civic rights; ~ jogok elvesztése loss of civil/civic rights; ~ jogellenes tortious; ~ jogellenesség tort; ~ jogi igény felperese civil suitor; ~ jogi szerződés civil law contract; jó ~ konyha good plain cooking; ~ kötelesség civic duty, duty of a citizen; ~ köztársaság bourgeois republic; ~ légiközlekedés civil aviation; ~ nacionalizmus bourgeois nationalism; ~ osztály (the) middle classes (pl), (the) bourgeoisie; ~ öltözetben in plain clothes; ~ per civil action/case, suit at law, law-case; ~ perrend(tartás) civil procedure, [törvénykönyve] Code of Civil Procedure; ~ ruha civilian dress, civ(v)ies (pl) (fam), (kat) mufti; ~ ruhás in mufti (ut), plain-clothes; ~ ruhás katonatiszt officer in mufti; ~ ruhás rendőr plain-clothes policeman; ~ sajtó bourgeois press; ~ státus citizenship; ~ szabadságjogok civic liberties; ~ szürkület [repülésmeteorológia] civil twilight; ~ temetés secular burial/funeral; ~ termelés bourgeois/capitalist(ic) production; ~ termelőmód bourgeois/capitalist(ic) manner of production; ~ törvényhozás civil legislation; ~ törvénykezés civil procedure; ~ törvénykönyv civil code/law
II. n, = polgári iskola; három ~ja van ⟨(s)he completed three classes of the higher elementary school⟩
polgáriasod|ik [-tam, -ott, -jon, -jék] vi, = polgárosodik
polgárilag adv; ~ megesküszik be married at a registry (office), contract a civil marriage
polgárista [. . át] a/n, ⟨pupil of higher elementary school⟩
polgárjog n, civic/civil rights (pl), [állami] citizenship, rights of a citizen (pl), franchise; ~ok elvesztése civil death; ~ainak elvesztésére ítél disfranchise, dispossess of the rights of a citizen; ~ot nyer be granted civic rights, [szokás] be accepted, take root, get established; számos angol sportműszó ~ot nyert a magyar nyelvben many English sporting terms have been naturalized in Hungarian
polgárkirály n, citizen-king
polgármester n, mayor, [holland, német] burgomaster, [skót] provost, [londoni] Lord Mayor
polgármesteri [-t] a, mayor's, of a mayor (ut); ~ tisztség mayoralty
polgármesterné n, mayoress (= wife of a mayor)
polgármesternő n, mayoress (in her own right)
polgármesterség n, mayoralty
polgárosít [-ani, -ott, -son] vt, = elpolgáriasít
polgárosodás n, 1. [folyamat] achievement of bourgeois (v. middle-class) status, development of bourgeois mentality, the spreading of bourgeois customs 2. [eredmény] bourgeois civilization
polgárosod|ik [-tam, -ott, -jon, -jék] vi, take on bourgeois habits, develop a bourgeois mentality, rise into the middle-class

polgárosul [-t, -jon] vi, = polgárosodik
polgárosulás n, = polgárosodás
polgárőr n, civil/national/home guard(sman), militiaman, [alkalmi] special constable
polgárőrség n, civic/national/home guard, militia
polgárság n, 1. (ált) citizens (pl), [lakosság] inhabitants (pl), citizenry, denizens (pl) 2. [jogok] citizenship, [középosztály] (the) middle classes (pl), bourgeoisie
polgártárs n, fellow-citizen
polgártársnő n, citizeness, [női honfitárs] countrywoman
polgaz [-t] n, (biz) political economy (stand.)
poliarchia [. .át] n, polyarchy
policisztás a, ~ vese (orv) polycystic kidney
poliédrikus a, (menny) polyhedral, polyhedric
poliészter n, (vegyt) polyester
polietilén [-ek, -t, -je] a/n (vegyt) polyethylene, polythene; ~ zsák polythene bag
polifilétikus a, (növ) polyphyletic, convergent
polifón [-ok, -t] a, (zene) polyphonic, polyphonous; ~ zene polyphonic music, polyphony
polifónia [. .át] n, (zene) polyphony
poligám [-ot] a, polygamous
poligámia [. .át] n, polygamy, plural marriage
poligén [-ek, -t] a, (vegyt) polygenic, polygenous, polygenetic
poligenetikus a, (vegyt) polygenetic
poligenezis n, (biol) polygenism, polygeny
poligenista n, polygenist
poligenizmus n, polygenism, polygeny; ~ hive polygenist
poliglott [-ot] a/n, polyglot(tal)
poligon [-ok, -t, -ja] n, (menny) polygon
poligonális a, (menny) polygonal
poligráf [-ot, -ja] n, (orv) [készülék] polygraph
poligráfia [. . át] n, composite book/work
polihisztor [-ok, -t, -a] n, polymath, polyhistor, person of encyclopaedic learning
poliklinika n, out-patients' department, outdoor patient department, polyclinic, dispensary
polikróm [-ot] a, (vegyt) polychromic, polychrome
polikrómia [. .át] n, (műv) polychromy
polimér [-ek, -t, -je] a, (vegyt) polymer(ic)
poliméria [. .át] n, (vegyt) polymerism
polimerizáció [-t, -ja] n, (vegyt) polymerization
polimerizálás n, = polimerizálódás
polimerizálódás n, polymerization
polimorf [-ot, -ja] a/n (biol, vegyt) polymorph(ic), polymorphous
polimorfizmus n, (biol, vegyt) polymorphism
polineuritisz [-t, -e] n, (orv) polyneuritis, multiple neuritis
Polinézia [. .át, . . ában] prop, Polynesia
polinéziai [-ak, -t] a/n, Polynesian
póling [-ot, -ja] n, (áll) curlew, whaup (Numenius sp.) ; kis ~ whimbrel (N. phaeopus)
polinóm [-ot, -ja] n, (menny) polynomial, multinomial
polip [-ot, -ja] n, 1. (áll) [8-karú] octopus, polyp, [10-karú] squid (Octopus) 2. (orv) polyp(us)
polipkar n, tentacle
poliploidia [. .át] n, (biol) polyploidy
polipszerű a, (áll, orv) polypoid(al)
políroz [-tam, -ott, -zon] vt, polish, buff, burnish
polírozás n, polishing, buffing, burnishing
polírozógép n, polishing/burnishing machine
poliszém [-et] a, (nyelvt) polysemantic, polysemic
poliszémia [. .át] n, (nyelvt) polysemy, polysemia
poliszillogizmus n, (fil) polysyllogism
poliszintetikus a, (nyelvt) polysynthetic
polisztirol [-t] n, (vegyt) polystyrene
Politbüró [-t, -ja] prop, Politburo, the Political Bureau of the Communist Party (of the USSR)
politechnika n, polytechnics, workshop practice

politechnikai *a*, polytechnic(al); ~ *képzés/oktatás* polytechnical training, polytechnization

politechnikum *n*, polytechnic school/college, technical high school

politeista [..át] *n*, *(vall)* polytheist

politeizmus *n*, *(vall)* polytheism

politika *n*, politics, *[irányzat]* policy; *magas* ~ high politics; *a kormány politikája* the policy of the government, the course of action adopted by the government; *politikából* out of policy/shrewdness; *politikára adja magát* engage in politics; *politikáról beszél* talk politics

politikai [-ak, -t; *adv* -lag] *a*, political; ~ *ábécé* elementary political knowledge, the abc of politics; ~ *agitáció* political agitation; ~ *bizottság* political committee; ~ *bűncselekmény* political offence; ~ *bűnper* state trial; ~ *egyensúly* the balance of power; ~ *fejlettség* political maturity; ~ *fejlődés* political development; ~ *felvilágosító munka* political information work; ~ *feszültség* political friction/tension; ~ *fogoly* state prisoner, prisoner of state; ~ *fordulat [választáson]* turn/change in politics, volte-face *(fr)*, *[főleg választáson]* landslide; ~ *földrajz* political geography; ~ *frakció* political group/faction; ~ *gazdaságtan* political economics/economy; *kispolgári* ~ *gazdaságtan* petty bourgeois economics; ~ *gazdaságtani* politico-economical; *vmnek a* ~ *hordereje* the political pregnancy of sg; ~ *irányvonal* policy, orientation, political policy/line/platform, course of action (adopted by the party); ~ *iskola* political school; ~ *jogait gyakorolja* exercise one's political rights; ~ *jogok elvesztése* loss of political rights; ~ *jogok felfüggesztése* deprivation of civil rights; ~ *kapcsolatok* political affiliations; ~ *munkatárs* political adviser/worker; ~ *nézetei kezdtek kikristályosodni* his views on politics began to crystallize; ~ *osztály* political department/section/administration; ~ *öntudat* political consciousness; ~ *pályára megy* go into (*v.* in for) politics; ~ *párt* political party; ~ *per* political trial; ~ *program* policy, party platform; ~ *részvétlenség* political inactivity; ~ *semlegesség* non-alignment; ~ *szeminárium* political study circle; ~ *szempontból* politically; ~ *tájékoztató munka* political publicity; ~ *tiszt* (army) political instructor; ~ *tőke* political capital; ~ *vita* political discussion/debate; ~ *vonal* policy, political line; ~ *züllöttség* political depravity

politikailag *adv*, politically, in politics

politikamentes *a*, free of politics *(ut)*, out of the political sphere *(ut)*

politikum [-ot, -a] *n*, matter of policy, political matter, policy

politikus I. *a*, *[célszerű]* politic, prudent, shrewd, diplomatic, *[átpolitizált]* politically conscious/valuable; *nem* ~ impolitic; ~ *csizmadia* pot-house politician; ~ *válasz* shrewd answer II. *n*, politician

politikusan *adv*, politically; *nem* ~ impoliticly

politizál [-t, -jon] *vi*, talk/discuss/chat politics, politicize, *[tevékenyen]* engage in politics; *nem* ~ have no(thing to do with) politics

politizálás *n*, talking/discussing politics

politizálgat *vi*, dabble in politics, politicize, play politics *(US)*

politonalitás *n, (zene)* polytonality

politúr [-ok, -t, -ja] *n*, (French) polish, varnish, lacquer

politúros [-at; *adv* -an] *a*, (French-)polished, varnished, lacquered

politúroz [-tam, -ott, -zon] *vt*, (French-)polish, varnish, lacquer

politúrozott [-at; *adv* -an] *a*, = **politúros**

polka *n*, polka

polkázik [-tam, -ott, -zon, -zék] *vi*, (dance the) polka

pollen [-ek, -t, -je] *n*, *(növ)* pollen

pollentömlő *n*, *(növ)* pollen-tube

pollenzsák *n*, *(növ)* pollen sac

pollúció [-t, -ja] *n*, pollution, nocturnal emission, wet dream *(fam)*

póló [-t, -ja] *n*, *[lovas]* polo

pólóing *n*, polo shirt

pólójátékos *n*, poloist

polonéz [-ek, -t, -e] *n*, *(zene)* polonaise

polónium [-ot] *n*, *(vegyt)* polonium

pólópálya *n*, polo-grounds *(pl)*

poloska *n*, *[növényen]* plant bug, hopper, aphid *(Heteroptera-rend)*, *[ágyi]* bedbug, house-bug *(Cimex lectularius)*; *mezei* ~ stinkbug, plant bug *(Lygus sp.)*; *vérszívó poloskák* bed bugs *(Cimicidae-család)*; *szemtelen mint a* ~ as cheeky as a cock-sparrow

poloskacsípés *n*, bug-bite

poloskafészek *n*, bug-infested/ridden place, buggy hole *(fam)*

poloskairtás *n*, destroying/cleansing of bugs, fumigating, disinfecting

poloskairtó *a*, bug-destroying; ~ *por* bug-powder; ~ *szer* bug-killer/destroyer, disinfectant, insecticide; ~ *vállalat* bugdestroyers *(pl)*, fumigators *(pl)*

poloskás *a*, bug-infected/infested/ridden, full of bugs *(pl)*, buggy, overrun with bugs *(pl)*

poloskavész *n*, *(növ)* bug-bane *(Cimicifuga racemosa)*

pólóütő *n*, polo-stick

pólózik [-tam, -ott, -zon, -zék] *vi*, play (at) polo

poltron [-ok, -t, -ja] *n*, poltroon

pólus *n*, pole

póluskereső *n*, *(vill)* pole-finder

pólusos [-at] *a*, *(vill)* polar

pólusosztás *n*, *(vill)* pole-pitch

póluspont *n*, *(menny)* pole

pólussaru *n*, *(vill)* pole-shoe/piece

pólustávolság *n*, polar distance, *(vill)* pole-pitch

pólusú [-ak, -t] *a*, -polar

pólusváltó *n*, *(vill)* pole-changer

pólya [..át] *n*, 1. *[csecsemőé]* swathing/swaddling-bands/clothes *(pl)* 2. *(orv)* bandage, banding 3. *[címerben]* fess(e)

pólyakötő *n*, swaddling band

pólyál [-t, -jon] *vt*, = **pólyáz**

pólyás *n*, babe-in-arms, babe in swaddling-clothes, babe at the breast

pólyatekercs *n*, *(orv)* roller(-bandage)

pólyáz [-tam, -ott, -zon] *vt*, 1. *[csecsemőt]* swaddle 2. *[kötöz]* bandage, swathe, bind (up)

pólyázás *n*, 1. *[csecsemőt]* swaddling 2. *[kötözés]* bandaging, swathing, binding (up)

polyva [..át] *n*, = **pelyva**

pomádé [-t, -ja] *n*, pomade, pomatum, ointment

pomádés *a*, pomaded; ~ *haj* pomaded hair

pomádéz [-tam, -ott, -zon] *vt*, pomade

pomológia [..át] *n*, pomology

pomológus *n*, pomologist

pompa [..át] *n*, splendour, display, parade, magnificence, grandeur, luxury, show, rich array, finery, pageantry, *[ünnepi]* ceremony, pomp, state; *a* ~ *amely körülveszi* the state with which he is surrounded; *teljes pompájában ragyog a május* May is in its pride; *nagy pompát fejt ki* live in great style; *szereti a pompát* be fond of display/luxury; *nagy pompával* in state, with great pageantry

pompakedvelő *a*, fond of display/show/splendour/pomp *(ut)*, sumptuous, showy *(fam)*

pompás *a*, splendid, sumptuous, superb, brilliant, gorgeous, luxurious, magnificent, pompous, grandiose, grand *(fam)*, capital *(fam)*, first-rate *(fam)*,

beyond all praise *(ut) (fam)*, smashing *(fam)*, topping *(fam)*, top-notch *(fam)*, ripping *(fam)*, ratting *(fam)*, spanking *(fam)*, swell ❖, bully ❖, *[elragadó]* delightful, charming, enchanting, divine, *[ember vmben]* excellent, first rate/class, tip-top, dandy *(US)*, *[étel]* excellent, delicious, exquisite, *[felséges]* heavenly, divine, *[idő]* lovely, fine, glorious, *[látvány]* exquisite, glorious, splendid, *[vendéglátás]* gorgeous; ~ *alkalom* excellent/golden/splendid opportunity; ~ *formában* in good/capital form, in fine fettle; ~ *lakoma* gorgeous/grand feast/meal, magnificent repast; ~ *nap* glorious day; ~ *palota* sumptuous/luxurious/magnificent mansion, stately palace; ~ *ruha* gorgeous dress, wonderful suit, smashing dress *(fam)* ; ~ *szónoklat* a brilliant piece of oratory; *(ez)* ~ *!* that's excellent/splendid/great/famous, well/bravely done!, it's a wow *(US* ❖*)*
pompásan *adv,* splendidly, sumptuously, superbly, brilliantly, magnificently; ~ *megy (vm)* everything is going on swimmingly, it goes with a swing, *(vknek)* lives like a fighting cock, he is in clover; ~ *berendezett termek* splendidly/luxuriously furnished/fitted/appointed rooms/halls; ~ *mulat,* ~ *érzi magát* have a splendid time, have a (right) royal time
pompáz|ik [-tam, -ott, -zon, -zék] *vi, (vk)* look fine, be in full radiance/bloom (of one's beauty), vaunt *(pej)*, flaunt *(pej)*, show off *(pej)*, *(vm)* be resplendent (with/in), look fine/glorious, make a fine/magnificent show, shine, glitter
pompázó [-ak, -t; *adv* -an] *a,* splendid, gorgeous, stately, radiant (with beauty), ostentatious *(pej)*, pompous *(pej)*, showy *(pej)*; ~ *stílus* luxurious style
pompeji [-ek, -t] *a/n,* Pompeian, of Pompeii *(ut)*
Pompeji [-t, -ben] *prop,* Pompeii
pompon [-ok, -t, -ja] *n,* pompon, bobble
ponc [-ot, -a] *n,* punch, stamp, *(nyomd)* counter
Poncius Pilátus *prop,* Pontius Pilate; *Ponciustól Pilátusig* from pillar to post, from one place to another
poncol [-t, -jon] *vt,* stamp, punch (out), chase
poncolás *n,* punching
pondró [-t, -ja] *n,* grub, larva, maggot, worm
Pongrác [-ot, -a] *prop,* Pancras
pongyola [.. át ; *adv* .. án] **I.** *a,* careless, negligent, untidy, *[stílus]* loose, lax, careless, slipshod, slovenly, sloppy **II.** *n,* dressing/tea-gown, wrap(per), undress, dishabille, *[csak női]* house/morning dress, negligée, robe-de-chambre *(fr)* ; *pongyolában* in dishabille/undress
pongyolapitypang *n, (növ)* dandelion, blow-ball, lion's tooth, swine's-snout *(Taraxacum officinale)*
pongyolaság *n,* carelessness, negligence, abandon, *[stílusé]* carelessness, laxity, slipshod character
póni [-t, -ja] *n,* pony, nag
pónifogat *n,* pony-carriage/cart
pónió *n,* = **póni**
ponk [-ot, -ja] *n,* 1. *[vasúti]* hump 2. *[osztrigáké]* oyster-bed, stew
pont [-ot, -ja] **I.** *n,* 1. *[térben]* point; *kiindulási* ~ starting point; *metszési* ~ point of intersection; *stratégiai* ~ strategic point; *egyszerre több* ~*on indult meg a támadás* the attack was launched simultaneously at several sectors of the front; *a Föld minden* ~*ján* in all corners of the earth 2. *[petty]* dot, *(zene)* dot, *[kártyán, kockán]* pip, spot; *a hajó csak egy* ~*nak látszott* the ship was a mere speck on the horizon; ~*ot tesz [hangjegy mellé]* dot 3. *[mondat végén]* full stop, period *(US)*, *[ékezet]* dot; *két* ~ two dots, diaeresis; *megtettem I(,)* ~ *!* I have done it and that's that! ; ~*ot tesz [i-re, j-re]* dot; ~*ot tesz vm után (átv)* put an end to sg 4. *[időben]* point; *ezen a* ~*on* at this juncture/stage/point;

már azon a ~*on van (hogy)* be on the verge/ point of doing sg, be about to do sg, be in a fair way to do sg 5. *[mérték]* point, stage, extent degree; *olvadási* ~ melting-point; *egy bizonyos* ~*ig* to a certain extent/degree, in some measure/degree 5. *[részlet]* point, head, item, paragraph, clause, article, section, passage, *[kikötés]* proviso, *[vádirat?]* count; *szerződés* ~*ja* clause/article/paragraph of a contract; *a pártprogram egy* ~*ja* a plank in/of the party platform; *a negyedik szakasz c* ~*ja* item c of paragraph 4; *az ötödik* ~ *szerint* according to item 5; ~*okba foglalja követeléseit* draw up one's claims/demands point by point; *tíz* ~*ban sorol fel vmt* arrange under ten headings, put in ten headings, give the ten items of sg, enumerate in ten paragraphs; *nem egy* ~*ban* in more than one respect; *több* ~*okban megegyeztek* they have agreed on the most important *(v.* the principal/main) points; *minden* ~*on* in every respect; ~*ról* ~*ra* point by/for point, exactly, in detail; ~*ról* ~*ra elmondta hogy . . .* he told me in so many words that . . . 7. *[sp, játék]* score, mark, point; *egy* ~ *a javunkra* one (up) for us!; ~*ot ér el* score; *harminc* ~*ot ér el* score thirty points; *egy* ~*ot nyer* score one; ~*okat szerez* score; *sok* ~*ot szerez* make a good score; *jegyzi a* ~*okat* keep the score 8. *(nyomd)* point 9. *(bonct, áll)* punctum, *(term)* punctation; ~ *alakú* punctiform
II. *adv,* exactly, precisely, just; ~ *öt óra (van)* it is exactly five; ~*(ban) két órakor* at two (o'clock) sharp; *és* ~ *az apjal* and his father(,) of all people ! ; *és* ~ *itt* and here of all places; ~ *ebben a házban lakik* he lives in this very house; ~ *a középen* full in the middle; *neki* ~ *azt kellett választania* he had to pick out just that one, he would pick out that (one) of all places! ; ~ *szemen talált* he hit me bang/slick in the eye
pontállás *n, (sp)* score
pontarány *n, (sp)* score
pontatlan *a,* 1. *[vk időben]* unpunctual, not to time *(ut)* 2. *[megbízhatatlan]* unreliable, *[hanyag]* negligent, slack, lax, remiss, *[nem precíz]* inexact, inaccurate, incorrect; ~ *fordítás* loose translation, mistranslation; ~ *válasz* loose answer 3. *[óra néha]* be behind/ahead of time
pontatlanság *n,* 1. *[vké időben]* unpunctuality 2. *[megbízhatatlanság]* unreliability, unreliableness, *[hanyagság]* negligence, carelessness, *[precizitás hiánya]* lack of precision, inexactitude, inaccuracy, inexactness, looseness
pontatlanul *adv,* 1. *[időben]* unpunctually 2. *[nem precízen]* inexactly, inaccurately; ~ *fordít (vmt)* mistranslate
pontbombázás *n, (kat)* precision bombing
pontcél *n,* pin-point target
pontelőny *n, (sp)* bisque, advantage; ~*höz jut [mérkőzés folyamán]* build up a points lead
ponteredmény *n, (sp)* score, point; ~ *nélküli [mérkőzés, játszma]* pointless
pontérintkező *n, (vill)* point contact
pontérték *n, (kárty)* high card value, honour trick
pontfény *n,* point-light
pontfénylámpa *n,* point-light/source
pontház *n,* point-block
ponthegesztés *n,* spot-welding
pontifikál [-t, -jon] *vt,* celebrate, solemnize, conduct (service); *misét* ~ celebrate a mass
pontjel *n, (műsz)* punch-mark
pontkülönbség *n, (sp)* difference of/in points; ~*gel győz* win on points
pontlövés *n,* point shooting
pontocska *n* dot, (small) point, pointlet, tick, *jor,* speck(le), tittle

ponton [-ok, -t, -ja] *n*, pontoon
pontonhíd *n*, pontoon-bridge, floating/flying bridge
pontonként *adv*, point by/for point, article by article, item by/for item
pontos [-at; *adv* -an] *a*, 1. *[időben]* punctual, exact, on time *(ut)*, right, correct; ~ *fizetés* exact/punctual/timely payment; *ő* ~ *fizető* he is exact/punctual in his payments;~ *idő* right/correct/exact time, *[telefonon]* speaking clock, Tim *(GB fam); a* ~ *időt jelzi* show the correct time; ~ *óra* right/exact/correct watch/clock; *az órám* ~ my watch keeps good time; *az órám nem* ~ my watch is wrong; ~-*e az órája?* is your watch right?; ~ *teljesítés* exact/punctual delivery; ~ *vonat* punctual train;~ *volt* he was punctual, he arrived punctually, he was (exactly) on time, he was dead on time *(fam)* ; *nyugodt lehet afelől hogy* ~ *leszek* you may rely upon it that I shall be punctual, you may rely upon my being punctual 2. *[precíz]* accurate, exact, correct, precise, scrupulous, *[megbízható]* reliable, *[részletekbe menő]* minute, detailed; *túl* ~ over-accurate; ~ *adatok* exact figures; ~ *beállítás (műsz)* fine/accu rate adjustment; ~ *beszámoló* accurate/correct/true account; ~ *fordítás* close/accurate translation, very near translation; ~ *kép (vmről)* a just/true picture; ~ *kiszolgálás* prompt service; ~ *leírás* exact/precise description, specification; ~ *másolat* true/close/faithful/identical copy; ~ *mérleg* precision balance; ~-*e ez a mérleg?* do these scales balance?; ~ *műszer* accurate/true instrument; ~ *részletekkel szolgál* give exact details; ~ *szám* exact number; ~ *számadatok* actual figures; ~ *számítás* precise reckoning; *hogy* ~ *legyek* to be correct, in fact, in reality
pontosabban *adv*, *[helyesebben]* or rather, or to be more precise, to be more exact, to put it properly, recte
pontosan *adv*, 1. *[időben]* punctually, on time, on the minute, duly, sharp *(fam)*, prompt *(fam)* ; ~ *öt óra (van)* it's exactly five (o'clock); ~ *ötkor* at five o'clock sharp; *az előadás* ~ *nyolckor kezdődik* the curtain rises at eight (o'clock) sharp; ~ *egy évre rá* just/exactly a year later; ~ *érkezik* come in (good) time, keep time, be there on the stroke; ~ *fizet* pay punctually, be punctual/exact/prompt in one's payments; ~ *közlekedik* it is running punctually to *(v.* dead on) time, it is running on time/schedule *(US)* 2. *[teljesen, egészen, pontról pontra]* exactly, precisely, minutely, correctly, rightly, strictly, properly, *[fogalmaz]* distinctly; *egészen* ~ exact to a hair, to the letter, to a T, to a nicety; ~ *annyi* quite as much; ~ *egyezik* agree exactly; ~ *erről van szó* that's exactly it; ~ *ezen a helyen* in this very/exact place; ~ *elvégzi/teljesíti a kötelességét* carry out one's duties exactly; ~ *illik* fit to a nicety; ~ *a közepébe* right in the middle; ~ *lő* shoot straight; ~ *meghatároz* state (sg) precisely; ~/*pontosabban megjelöl* specify; *nem tudom* ~ *megmondani* I cannot say exactly, I cannot rightly say, I do not know for certain; *nem tudom* ~ *hogy (valójában) mi történt* I do not know exactly what happened; ~ *megmunkált (műsz)* truly turned; ~ *ugyanaz* just the same thing, the very same thing, one and the same thing, it amounts to the same thing
pontosság *n*, 1. *[időben]* punctuality, promptness, promptitude; *számíthat a* ~*omra* you may rely upon my being punctual, you may rely upon it that I shall be punctual; *percnyi* ~*gal 6 óra 20-kor* at 6.20 to the minute 2. *[precizitás]* accuracy, precision, preciseness, exactitude, exactness, correctness, nicety, strictness, *[megbízhatóság]* reliability, *[túlzott]* pedantry, priggishness; *szereti a* ~*ot* be very precise/accurate, cross one's t's and dot one's i's; *aprólékos* ~ *gal végez vmt* do sg with minute detail

pontosvessző *n*, semicolon
pontoz [-tam, -ott, -zon] *vt*, 1. *[ponttal megjelöl]* dot, *[kipontoz]* punctuate, stop, *[vésnök]* stipple, *[retusnál]* spot 2. *[sp pontot ad]* score, evaluate/judge by points
pontozás *n*, 1. *[ponttal megjelölés]* dotting, punctuation, stippling, *[rézmetszet egy fajtája]* stipple engraving 2. *(sp)* scoring, evaluation/judging by points; ~*sal győz* win on points, *[vkkel szemben]* outpoint sy, beat sy on points, win over sy by points; ~*sal veszít* lose on points, be beaten on points
pontozásos [-at; *adv* -an] *a*, *(sp)* on points *(ut)* ; ~ *győzelem* win/victory on points; ~ *vereség* defeat on points
pontozó [-t, -ja] *n*, 1. *[szerszám]* prick/centre-punch, pointer 2. *(sp)* scorer
pontozóbíró *n*, *(sp)* scorer, judge
pontozóecset *n*, stippler
pontozógép *n*, *(műv)* pointing machine
pontozókerék *n*, pricking wheel
pontozólap *n*, *(sp)* scoring sheet/card
pontozott [-at; *adv* -an] *a*, dotted, punctate, *(műv)* stippled; ~ *vonal* dotted line; ~ *hangjegy* dotted note; ~ *negyed (zene)* dotted quarter; ~ *ritmus (zene)* dotted rhythm
pontozótű *n*, dotting-pen, punch
pontrendszer *n*, 1. *(sp)* point system 2. *(ker)* coupon system
pontsoros *a*, ~ *szalagdísz (rég)* ornament of punctured ribbons
pontszám *n*, score, points *(pl)*
pontszámítás *n*, point-count
pontszerű *a*, punctiform, *(menny)* punctual; ~ *fényforrás* pinhole source of light
pontszerzés *n*, scoring
ponttűz *n*, *(kat)* converging fire, pin-point firing
pontusi *a*, *(geol)* Pontian
pontverseny *n*, points competition
pontvéső *n*, prick/centre punch
pontvesztcség *n*, *(sp)* loss of point(s)
ponty [-ot, -a] *n*, *(áll)* carp *(Cyprinus carpio)*
pontyikra *n*, spawn of carp
pontyivadék *n*, fry of carp
ponyva [.. át] *n*, 1. *[burkoló]* canvas (covering), *[kirakati]* shop-blind, *[kocsikra]* tilt, cover, canopy, *[tető]* awning; *kátrányos* ~ tarpaulin; *vízhatlan* ~ waterproof canvas; *ponyvával letakar* cover with tarpaulin/canvas 2. *(átv)* trash, *(összet.)* trashy; *ld. még* **ponyvaregény**
ponyvafedél *n*, *[járműn]* tilt, dust hood
ponyvaíró *n*, writer of penny-dreadfuls, writer of shilling-shockers, pulp writer
ponyvairodalom *n*, trashy literature, trash, tripe
ponyvaregény *n*, trashy novel, penny-dreadful/awful *(fam)*, shilling shocker, dime novel *(US)*, blood and thunder *(US)*
ponyvás *a*, tilted, covered with a tarpaulin *(ut)*
ponyvatermék *n*, trash
ponyvatető *n*, awning, *[járműn]* tilt, cover
ponyvavászon *n*, awning-cloth, canvas
pópa [.. át] *n*, pope (of the orthodox church)
popó [-t, -ja] *n*, *(gyerm)* bum
popsi [-t, -ja] *n*, *(gyerm)* bum
populáció [-t] *n*, kevert ~ *(növ)* mixed population, multiple species population; *vegetatív* ~ *(biol)* clone
por [-ok, -t, -a] *n*, 1. *[ute]* dust; ~ *van there is dust, the* roads are dusty, it is dusty, what a dust!; ~ *és hamu* dust and ashes; *vk haló* ~*ai* sy's ashes; ~*ba dől* crumble into dust; ~*ba dönt* overthrow, abolish, reduce to dust; ~*ba hull [fej]* fall into the dust; ~*ba sújtott (átv)* overwhelmed (by grief), prostrated/crushed with/by grief *(ut)* ; ~*ba tipor vkt* humble sy into

the dust, tread under foot, drag through the mire/ mud; ~ban csúszik vk előtt crawl/creep/crouch/grovel in the dust before sy; ~ban fürdik [madár] roll/bath in the dust; ~ban hever lie in the dust; haló ~ában is even after his death; ~ig aláz vkt humiliate/humble sy to the dust, bring sy down to his knees, make sy eat the leek (fam) ; ~ig sújtott heart-stricken/struck; ~ig leéget burnt down to the ground (ut) ; ~rá ég burn to the ground, burn to ashes; ~rá lesz (re)turn to dust; elveri a ~t vkn dust sy's jacket for him, give sy a (sound) beating/thrashing/licking/hiding/leathering, lather sy (fam), (átv) criticize unmercifully, slate, slash, cut to pieces, [művét] run down, pull to pieces; nagy ~t ver fel raise the dust, kick up a/the dust, (csak átv) create a sensation, make a noise in the world; ez a beszéd világszerte nagy ~t vert fel this speech has excited world-wide interest; ~t hint vk szemébe throw dust in(to) sy's eye, blind sy to the facts, bluff sy; ~t töröl dust (the room); ~ral borit cover with dust; ~ral belepett coated with dust (ut) 2. [más és orv] powder; ~ alakban vesz be orvosságot take medicine in the form of powder; ~ alakú pulverous, pulverulent, powdery, dust-like; ~rá tör/zúz (grind to) powder, pulverize, triturate, reduce to dust/powder, comminute, atomize, smash to atoms/smithereens, [mozsárban] pound (in mortar); ~rá törés/zúzás reduction to powder
pór [-ok, -t, -ja] n, † peasant (stand.), rustic, (tört) villain, villein, feudal serf
poralakúság n, pulverulence
porálló a, dust-proof
póráz [-ok, -t, -a] n, leash, (dog-)lead, slip; ~on tart keep on leash, hold in leash; ~on vezet vkt hold/keep sy in leading-strings; ~ra köt (put on) leash; rövid ~ra fog vkt keep on a short leash, hold sy within bounds, keep a tight hand/hold over sy; ~ról elenged unleash, free from the leash
porc [-ot, -a] n, gristle, (bonct) cartilage, chondrus (tud)
porcdaganat n, (orv) chondroma
porcelán [-ok, -t, -ja] n, porcelain, china; mázatlan ~ biscuit ware, bisque; ~ áru china(ware), porcelain ware, hollowware; ~ edény china (vessel), vessel of porcelain; ~ figura china/porcelain figurine; ~ szigetelő porcelain insulator; ~ tányér china plate; ~ tárgy chinaware; ~ tömés [fogban] porcelain cement/ filling, synthetic porcelain; ~ váza china vase/bowl
porceláncsiga n, (áll) porcelain-shell, turtle-cowrie (Cypraea)
porcelánégető a, ~ kemence muffle, kiln
porcelánfestés n, painting on china, china painting
porcelánfestő n, china painter, painter on china/porcelain
porcelánföld n, porcelain/china-clay, kaolin(e), white bowl, Cornish stone
porcelángyár n, porcelain works/factory
porcelánipar n, china/porcelain industry
porcelánnadrág n, white trousers (pl)
porcelánpapír n, porcelain paper
porcelánpát n, (ásv) porce(l)lanite
porcelánragasztó n, ceramic glue
porcelánszerű a, porcel(l)aneous
porcelánvirág n, (növ) hoya (Hoya)
porcenyv n, chondrin
porcgyulladás n, (orv) chondritis
porchártya n, (bonct) perichondrium
porchártyagyulladás n, (orv) perichondritis
porcika¹ n, (átv) scrap, bit, jot, atom, crumb, particle; táj minden porcikám I ache all over, I am aching in every limb, I feel rather achy; remegett minden porcikájában he was trembling all over, he was frightened to death; minden porcikájában brit British to the quick

porcika² n, (növ) rupturewort (Herniaria sp.)
porció [-t, -ja] n, 1. (ált) portion, share, [asztalnál] helping, serving 2. (kat) ration; egy ~ széna a bottle of hay
porcióz [-tam, -ott, -zon] vt, portion (out), share out, ration, divide into portions
porcképző a, ~ zóna (bonct) chondrogenic zone
porckorong n, (bonct) (inter)vertebral disk
porckorong-elfajulás n, (orv) disc degeneration
porckorong-gyulladás n, (orv) discitis
porckorongsérv n, = porcsérv
porcközi a, (bonct) interchondral
porcleválás n, joint-mouse, chipped bone, (orv) osteochondrolysis
porcogó [-t, -ja] n, = porc
porcogóhártya n, (bonct) perichondrium
porcos [-at; adv -an] a, [hús] gristly, (orv) cartilaginous; ~ összeköttetés (bonct) synchondrosis
porcsérv n, (orv) protruded intervertebral disc, slipped disc (fam)
porcszerű a, (bonct) chondroid
porcszövet n, (bonct) cartilaginous/gristly/chondroid tissue
porcukor n, castor/pounded/icing/confectioner's/powder(ed)/ sugar
porcsin [-ok, -t, -ja] n, (növ) purslain, purslane, wax-pink (Portulaca)
porcsin-keserűfű n, (növ) knotgrass, knotweed (Polygonum aviculare)
porcsinrózsa n, = porcsin
póré [-t, -ja] n, = póréhagyma
póréhagyma n, (növ) leek (Allium porrum)
porelszívás n, (bány) dust exhaust/removal
porelszívó n, (bány) [gép] exhaust, dust collector
porérc n, (bány) dust ore
poreső n, (radioaktív) ~ (radioactive) fall-out
porfelhő n, cloud/storm/drift of dust, dust-cloud/ storm
porfelleg n, = porfelhő
porfesték n, paint (in pulverized form)
porfészek n, dustly village/hole
porfir [-ok, -t, -ja] n/a, (ásv) porphyry
porfirínvizelés n, (orv) porphyrineuria
porfirit [-et, -e] n, (ásv) porphyrite
porfír-mozsártörő n, porphyry muller
porfiros [-at] a, (ásv) porphyritic
porfogó [-t, -ja] n, 1. [köpeny] dust-coat, [női] motor-veil, [porvédő autón] dust-guard/screen, mud--guard/arrester, [szelepben] dust-cap 2. [felesleges tárgy] dust-trap; ezek a nippek csak ~nak vannak itt these knick-knacks are only good for collecting dust 3. (növ) stigma
porforgatag n, sand whirl, dust devil
porfúvás n, blowing dust
porhad [-t, -jon] vi, † = porlad
pórhad n, † peasant army, army of peasants (mind: stand.)
porhanyít [-ani, -ott, -son] vt, 1. [talajt] mellow, loosen, break up 2. [húst] make tender, [tésztát] shorten
porhanyítás n, [földé] loosening
porhanyó [-t; adv -an] a, = porhanyós
porhanyós [-at; adv -an] a, 1. [talaj] light, loose, mellow, powdery, [anyag] soft, friable, crumbly, [szikla] pulverulent 2. [hús] tender, [tészta] short, crisp(y)
porhanyósság n, 1. [talajé] powderiness, loseness, [anyagé] friability. 2. [tésztáé] crispness
porhaszt [-ani, -ott, . .asszon] vt, = porlaszt
porhintés n, eye-wash, bluff, claptrap, mystification; ez csak ~ it's all eye-wash, it's mere window-dressing
porhó n, powdery snow; finom ~ snow-dust

porhüvely *n*, human body/hull, tenement of clay *(ref.)*, *[halotté]* mortal remains *(pl)*
póri [-ak, -t; *adv* -an] *a*, † = **pórias**
pórias [-at; *adv* -an] *a*, **1.** *[paraszti]* rustic, peasantlike, plebeian, churlish **2.** *[közönséges]* common, vulgar, coarse, rough, uncouth
póriasság *n*, **1.** *[parasztiság]* rusticity, plebeianness **2.** *[közönségesség]* coarseness, roughness, uncouthness
porít [-ani, -ott, -son] *vt*, redu e to dust/powder, turn into dust, pulverize, powder, triturate, *[folyadékot]* convert into spray, carburate, atomize
porítómalom *n*, powder-mill
porított [-at; *adv* -an] *a*, pulverized, powdered; ~ *tojás* dehydrated/dried eggs, egg-powder
porképződés *n*, ~ *megakadályozása* dust prevention
porkohász *n*, powder metallurgist
porkohászat *n*, powder metallurgy
porkoláb [-ot, -ja] *n*, † gaoler, prison warder, jailer, jailor *(mind stand.)*, turnkey ✧
porköpeny *n*, dust-cloak/coat
porlad [-t, -jon] *vi*, moulder, decay, crumble (in)to dust, turn to dust, *(csak vk)* lie/moulder in the grave
porladás *n*, mouldering, crumbling away
porladó [-t] *a*, crumbling, mouldering
porladozás *n*, = **porladás**
porladoz|**ik** [-tam, -ott, -zon, -zék] *vi*, = **porlad**
porlaszt [-ani, -ott, . .asszon] *vt*, **1.** *(ált)* pulverize, powder, levigate, grind/reduce to powder, *[folyadékot]* (convert into) spray, atomize, vaporize **2.** *[motor]* carburate
porlasztás *n*, **1.** *(ált)* pulverization, levigation, reducing (in)to powder, *[folyadéké]* spray(ing), atomization, vaporization **2.** *[motorban]* carbur(iz)ation
porlasztó [-t; *adv* -an] **I.** *a*, pulverizing, *[folyadék]* atomizing **II.** *n*, **1.** *(ált)* pulverizer, *[folyadék]* sprayer, atomizer, vaporizer, *[spray]* nozzle **2.** *[motoré]* carburet(t)or; ~ *és befúvógép (orv)* insufflator
porlasztófej *n*, atomizer, nozzle
porlasztó-szóró *n*, *[permetezőgépé]* a(d)jutage
pórlázadás *n*, † peasant rising/insurrection *(stand.)*
porlepett [-et; *adv* -en] *a*, = **porlepte**
porlepte *a*, covered with dust *(ut)*, dusty, dust-covered
porl|**ik** [-ani, -ott] *vi*, powder away
porló [-t] *a*, = **porladó**
pormentes *a*, dustless, dust-free, dustproof, *[levegő]* pure, free from dust *(ut)*, clean, clear; ~ *hely* place free from dust
pormentesítés *n*, dust-laying
pormentesített [-et; *adv* -en] *a*, dustproof, freed from/ of dust *(ut)*
pormentesség *n*, lack/absence of dust, *[levegőé]* purness, purity, clearness
pórmustár *n*, *(növ)* cress *(Lepidium)*
pórnép *n*, † country-folk/people *(pl)*, peasants *(pl)*, peasantry *(mind: stand)*
pornográf [-ot] *a*, pornographic; ~ *író* pornographer; ~ *kiadványok* obscene publications
pornográfia [. .át] *n*, pornography, coprology, scatology
pórnő *n*, † countrywoman, peasant woman wench *(mind: stand.)*
porol [-t, -jon] *vt/vi*, *[ruhát]* beat the dust (out of), dust, *[szőnyeget]* beat, switch
porolás *n*, beating (the dust out of sg), dusting, carpet beating
poroló [-t, -ja] *n*, **1.** *[állvány]* stand on which carpets are beaten **2.** *[prakker]* carpet-beater, *[vessző]* duster, switch/cane for beating clothes
poroltó *n*, fire-extinguisher; ~ *készülék* (foam) fire--extinguisher/sprinkler

porond [-ot, -ja] *n*, **1.** *[küzdőtér]* arena, lists *(pl)*, cockpit, battle-ground, place of combat, scene of action, field, *[ökölvívás]* ring, floor, *[cirkuszi]* ring, arena, the tan *(fam)* **2.** *megjelenik a* ~*on (átv)* appear on the scene; *kilép a* ~*ra* enter the lists, take the floor (against)
poronty [-ot, -a] *n*, **1.** *[gyerek]* kid, brat **2.** *(áll)* brood, *[béka]* tadpole
poros [-at; *adv* -an] *a*, dusty, powdery, pulverous, pulverulent, clouded/covered/coated with dust *(ut)*, dust-covered/soiled/laden
porosod|**ik** [-tam, -ott, -jon, -jék] *vi*, become/get dusty, gather/collect dust, get covered with dust; *csak ott* ~*ik nála (átv)* he has little/no use for it, he is keeping it for no purpose (whatever)
porosság *n*, dustiness, powderiness
porosz [-ok, -t, -a; *adv* -ul] *a/n*, Prussian; ~ *út [mezőgazdaság fejlődéséé a kapitalizmusban]* Prussian course
poroszka *n*, *[ló]* ambler, horse, pad, jennet, palfrey
poroszkál [-t, -jon] *vi*, *(vk)* pad, go at foot-pace, toddle, dawdle (along), *[ló]* amble, pace, hack, pace up and down
poroszkálás *n*, amble, (foot-)pace
poroszkék *a*, *(műv)* Prussian blue
poroszló [-t, -ja] *n*, † (bum)bailiff *(stand.)*, catchpoll, catchpole, minion/myrmidon of the law
Poroszország *n*, Prussia
poroszos [-at; *adv* -an] *a*, Prussian-like; ~ *szellem* Prussianism
poroszosság *n*, Prussianism
poroz [-tam, -ott, -zon] *vi/vt*, **1.** *[port csinál]* make/ raise dust, dust; *ne* ~*z!* don't make/raise such a dust **2.** *[növényt]* pollenate, fertilize
porozás *n*, dusting
porózus *a*, porous, pervious, percolative, *(bány)* meshy
porózusság *n*, porosity
porrongy *n*, = **portörlő**
pórruha *n*, † peasant's dress/clothes *(stand.)*
pórsáfrány *n*, *(növ)* safflower *(Carthamus tinctorius)*
porseprő *n*, feather-duster/brush/whisk, sweeping--brush/broom
porszámláló *n*, *[műszer]* dust counter
porsze n *n*, grain/speck of dust, mote
porszemüveg *n*, dust goggles *(pl)*
porszén *n*, dusty/small/powdered coal, coal dust, slack, screenings *(pl)*
porszennyeződés *n*, *[radioaktiv]* fall-out
porszerű *a*, powdery, dusty, pulverulent
porszerűség *n*, powderiness, pulverulence
porszívó *n*, **1.** *[háztartási gép]* vacuum-cleaner, suction--sweeper **2.** *[üzemi porelszívó]* dust exhaust(er)/ remover
porszívóz [-tam, -ott, -zon] *vi/vt*, vacuum-clean
porszívózás *n*, vacuum-cleaning
porszűrő *n*, dust filter/chamber/catcher
porta [. .át] *n*, **1.** *(átv)* house, home; *a maga portáján* in one's own home/house(hold) **2.** *(tört)* manor, demesne, estate; *a fényes P*~ the (Sublime) Porte **3.** = **portásfülke**
portál[1] [-t, -jon] *vt*, = **pártol**, **pártfogol**
portál[1] [-ok, -t, -ja] *n*, portal, (frame of) show-window, (shop-)front, gateway; *a bank új* ~*t kapott* the bank was re-fronted
portalan *a*, dustless, free from/of dust *(ut)*, *[levegő]* pure
portalanít [-ani, -ott, -son] *vt*, (clean of) dust, free from dust, extract/draw the dust from (sg)
portalanítás *n*, **1.** dust exhaust/control **2.** = **portörlés**
portalanító [-ak, -t] *a*, ~ *berendezés* dust-extracting plant; ~ *ecset [különleges anyaggal átitatott] (fényk)* antistatic-brush; ~ *kendő* antistatic-cloth

portáldaru n, portal crane, loading-bridge
portálé [-t] n. = **portál**¹
porta mento [-t] n, (zene) portamento, glide
portás n, gate/door-keeper, janitor, concierge, doorman (US), [szállodai] porter, [szállodai fogadóportás] receptionist, reception clerk
portásfülke n, keeper's/porter's lodge/cubicle
portáspult n, [szállodai] reception desk
portéka n, 1. [áru] merchandise, stuff, goods (pl) 2. [személyi holmi] belongings (pl), goods and chattels (pl); rossz ~ (vkről) scapegrace, good--for-nothing, scamp, ne'er-do-well
portenger n, dust-bowl, a veritable Sahara
portlandcement n, Portland cement
portlandi [-t] a, (geol) Portlandian
portó [-t, -ja] n, postage, postal charge(s), carriage
portóbélyeg n, postage-due-stamp, unpaid-letter stamp, additional/extra postage stamp
portói a/n, ~ (bor) port(-wine)
portok n, (növ) anther, pollen sac; ~ felnyílása dehiscence of anther
portokcső n, (növ) synandrium
portóköltség n, postage
portokszerű a, (növ) antheroid
portómentes a, post(age)-free, free of postage, [előre fizetve] (pre-)paid, post-paid, [csomagokon] carriage paid
portómentesség n, franking privilege
portóz [-tam, -ott, -zon] vt, prepay the postage
portölcsér n, sand whirl, dust devil
portörlés n, [takarításkor] dusting
portörlő n, duster, dustcloth, dusting-cloth, (house-)flannel, rubber
portré [-t, -ja] n, portrait, likeness; ~hoz ül sit for one's portrait
portréfestés n, portraiture
portréfestő n, portraitist, portrait-painter
portugál [-ok, -t, -ja; adv -ul] a/n, Portuguese; P~ köztársaság Republic of Portugal, Portuguese Republic; ~ nyelven beszél speak Portuguese
Portugália [..át, ..ában] prop, Portugal
portüdő n, (orv) silicosis
portya [..át] n, (foreign) tour of a football/sports club
portyázás n, 1. (kat) foray, incursion, excursion, raid, [rabolva] marauding, plundering 2. [állaté] prowl 3. [taxié] cruising 4. (sp) touring
portyáz|ik [-tam, -ott, -zon] vi, 1. (kat) make incursions/inroads, (make a) foray, raid, [rabolva] maraud, plunder, [járőr] patrol 2. (áll) prowl 3. [taxi] cruise (in search of fares), crawl 4. (sp) be touring, (be on a) tour
portyázó [-t, -ja] a, ~ csapat (sp) team on tour, touring team; ~ hadviselés war of detail; ~ járőr flying patrol; ~ taxi crawling cab, crawler
pórul jár come to grief, come off badly, have bad/no luck, be unfortunate, meet with ill success/luck, fare ill, be taken in, have a bad time of it (fam), get into hot water (fam)
pórul járt discomfited, crest-fallen
pórus n, pore (of skin); kitágult ~ok open pores
pórusméret n, pore size
pórusvizsgálat n, poroscopy
póruszáró a/n, (orv) emphractic
porvédő I. a, ~ huzat dust-cover; ~ lemez dust-shield; ~ sapka dust-cap II. n, dust-cover/guard
porvihar n, dust storm
porz|ik [-anl, -ott, porozzon, porozzék] vi, form clouds of dust; ~ik az utca the road is smothered in dust, the dust whirls up from the road; úgy elverte hogy csak úgy ~ott he licked/thrashed him soundly, he gave him a good thrashing; ~ott az út utána it

disappeared in a cloud of dust, a trail of dust rose in its wake
porzó [-t, -ja] n, 1. [íráshoz] writing-sand, pounce, [tartója] sand-box 2. (növ) stamen; három ~ja van it has three stamina; steril ~ staminodium, staminode; egyenlőtlen ~k jelenléte heterostyly
porzókör n, (növ) androecium
porzós [-ak, -t] a, (növ) staminate, polliniferous
porzószál n, (növ) filament
porzótartó n, [íráshoz] pounce-box
porzsák n, 1. [porszívóban] dust/suction bag 2. (növ) pollen sac, theca
poshad [-t, -jon] vi, stale, grow foul, go bad, stagnate, rot, [tojás] addle, [gyümölcs] become damaged, be spoiling, blet
poshadt [-at; adv -an] a, stale, rotten, foul, bad, putrid
poshadtság n, staleness, putridity
poshaszt [-ani, -ott, ..asszon] vt, stale, (be)foul, defile, make filthy, addle
posíroz [-tam, -ott, -zon] vt, [tojást] poach
posta [..át] n, 1. [intézmény] post, [hivatal] post--office; ~ és távírószolgálat postal and telegraph service; a postán dolgozik be/work at the post-office; postán küld vmt post sg (to sy), send (sy) sg by post, send/dispatch/forward sg by mail; postán maradó to be (held/kept till) called for; postára ad (take to the) post, drop in the letter-box, put it in the mail, mail (US); postára megy go to the post-office, 2. [küldemény] mail, post, correspondence, letters (pl); beérkező ~ incoming post/mail; elintézendő ~ letters to be answered; elintézett ~ letters answered; kimenő ~ outgoing post/mail; mai ~ to-day's post/mail; a ~ megjött/megérkezett the post/mail has come; nincs postám? any mail/letters for me?; postát bont open the mail/post; elintézi a postáját do (v. look through) one's mail/correspondence; legközelebbi postával by return/next/first mail/post; mai postával by to-day's mail, by this day's mail; X postájával (in) care of Mr. X 3. † [sörét] buck-shot (stand.)
postaállomás n, stage, post(ing)-house, relay station
postaaltiszt n, postman
postaautó n, mail van
postabélyeg n, postage stamp; ~ kelte particulars on/of the postmark, as per postmark
postabélyegző n, postmark, cancelling stamp
postabontás n, mail opening
postacím n, postal addres, mailing address (US)
postacsekk n, postal order/cheque
postacsomag n, packet/parcel by post, (postal) parcel
postacsomag-forgalom n, parcel post traffic
postadíj n, postage, carriage, stampage
postadíjszabás n, = **postai díjszabás**
postaegyesület n, postal union; Egyetemes P~ Universal Postal Union
postaegyezmény n, (international) postal convention/treaty
postafiók n, (post office) box (röv P.O.B.)
postafogat n, mail-coach
postafordultával adv, by return of post/mail, by return/first mail; válasz~ prompt reply; kérjük postafordultával visszaküldeni please return same by return of post
postaforgalom n, postal service, mail-services (pl), postal communication(s)
postagalamb n, carrier-pigeon, homing pigeon, homer
postagalamb-jelentés n, pigeongram
postagőzös n, = **postahajó**
postahajó n, post/mail-boat, royal mail ship (röv R.M.S.), mail steamer, packet(-boat) (obs)
postahivatal n, (branch) post office (röv P.O.), post--house (obs)

postahivatalnok n, = postatiszt

postai [-ak, -t; adv -lag] a, postal, post-office; ~ díjszabás postal/mail tariff, rate(s) of postage; ~ feladóvevény post-office receipt; ~ kézbesítés postal delivery; ~ kölcsönzés [könyvtári] inter-urban lending/ circulation, lending out of towns, country lending/ circulation (US); ~ körzet postal district/area, mail zone; ~ küldemény mail, consignment sent by post, postal matter; ~ megbízás collection of money by post, payment through/via postman, postal order (for collecting money on bills); ~ szállítás jogát megvonja withdraw the right of carriage by post (v. of postal carriage); ~ szállítólevél postal way-bill

postaigazgatóság n, post-office administration

postajárat n, postal service

postajövedék n, postage revenue, revenue of the post-office

postakerületi a, ~ szám mail zone number, postal district number, postal number of district

postakezelőség n, post-office administration, postmastership

postakocsi n, 1. [régen utazóknak] stage/mail-coach, post-chaise, diligence 2. [vonaton] mail-van/car/ carriage 3. [városi csomagkézbesítő] mail-van

postakocsis n, 1. post-boy/man 2. [régen] postil(l)ion, stage-coachman

postaköltség n, (cost of) postage, expenses of postage (pl); a ~et a vevő számlájára írja charge the postage to the customer

postakönyv n, mail-register/book

postaküldemény n, consignment sent by post

postakürt n, postilion's/post/coach horn

postaláda n, pillar-box (GB), mailbox (US), [nálunk] letter-box, wallbox, posting box

postaló n, relay horse, coach/post-horse

postamérnök n, post office engineer

postamester n, postmaster

postamesternő n, postmistress

postamunka n, urgent work, rush job, post-haste work, pressing order; postamunkával post-haste

postanap n, mail-day

postarablás n, post-office robbery, robbery of the post

postarepülőgép n, mail-plane

postás n, 1. [levélkézbesítő] postman, postwoman, delivery man, letter-carrier (US) 2. [tisztviselő] post-office employee/clerk; Magyar P~ok Szakszervezete Hungarian Post Office Workers' Union

postáskisasszony n, female post-office employee/ clerk

postaszám n, postal (zone) number

postaszekrény n, = postaláda

postaszolgálat n, postal service, mail-service

postatakarékpénztár n, postal (v. post-office) savings bank

postatarifa n, = postai díjszabás

postatiszt n, post-office clerk, post-official, post clerk (US)

postatisztviselő n, = postatiszt

postautalvány n, postal/money order, postal note (US)

postautánvét n, cash on delivery, postal collection order

postaügyi a, ~ miniszter Minister of Posts (and Telecommunications), Postmaster General (GB, US); P~ Minisztérium Post-office Department

postaügynökség n, post office (v. postal) agency

postavevény n, post office receipt

postavonat n, post/mail train

postáz [-tam, -ott, -zon] vt/vi, post, mail (US)

postázógép n, postage meter

postazsák n, (postman's) delivery pouch, postman's bag, mailbag (US), mailman's bag (US)

poste restante poste restante, to be (left/held till) called for

post festa after the event, too late, a day after the fair

posvány n, 1. [mocsár] bog, fen, marshland, swamp, quagmire 2. (átv) slough; a bűn ~a sink of iniquity

posványos [-at; adv -an] a, boggy, marshy, swampy, stagnant

posványosod|ik [-tam, -ott, -jon, -jék] vi, stagnate, turn foul

poszáta [..át] n, [madár] warbler, white throat (Sylvia sp.); kerti ~ garden-warbler (S. hortensis); mezei ~ lesser whitethroat (S. corruca)

poszméh n, (áll) humble/bumble-bee (Bombus)

posszibilis a, possible

poszt [-ot, -ja] n, 1. (kat) sentry-duty, guard; ~on áll keep watch, stand sentry, be on sentry-go/duty, be on guard 2. (átv) post, position

posztdatál vt, postdate, affix/assign a later date than the actual one

posztglaciális [-at] a, (geol) post-glacial

poszthumusz [-ok, -t] a, posthumous

posztlúdium [-ot, -a] n, (zene) postlude

posztó [-t, -ja] n, (broad-)cloth, [nemez] felt, [biliárdasztalé] billiard-cloth, [borításhoz] baize; se pénz se ~ nought's had(,) all's spent, neither the one nor the other, it's gone(,) stock(,) and barrel; vörös ~ (átv) red rag (to a bull); vörös ~ a szemében it's like a red rag to him, it makes him see red; zöld ~ (átv) gaming table

posztógyár n, cloth factory

posztógyári a, ~ munkás cloth-worker

posztógyáros n, clothier

posztókalap n, felt hat

posztókereskedő n, draper, clothier, cloth merchant

posztol [-t, -jon] vi, = poszton áll

posztónyíró n, [gép munkás] cropper

posztóprés n, cloth press

posztószél n, (text) (end-)list, selvage

posztpalatális a, (nyelvt) postpalatal

posztpozíció n, (nyelvt) postposition

posztpozíciós a, (nyelvt) postpositional

posztulál [-t, -jon] vt, postulate, posit

posztulátum [-ot, -a] a, postulate, assumption

posztumusz [-ok, -t] a, posthumous

pót pref, supplementary, supplemental, extra-, additional, substitute, further, second-best (fam), ersatz (fam)

pótadag n, supplement, [élelmezési] extra allocation/ portion, (kat) extra ration

pótadó n, su(pe)rtax, surcharge, [községi] rate(s), local tax (US); ~t vet ki rá surtax, surcharge (sg)

pótágy n, spare/extra bed, [fiókszerű] truckle/trundle-bed

pótáldozat n, (rég) substitute sacrifice

pótalkatrész n, spare/service part(s), replacements (pl)

pótanyag n, substitute (material), surrogate, ersatz; szintetikus ~ synthetic substitute (material)

pótanyagmentes a, genuine, pure, [gyapjúáru] all-wool

pótbeporzás n, secondary/artificial pollination

pótbíró n, (jog) deputy/substitute/puisne judge

pótbiztosítás n, additional insurance; ~ díjas additional premium

pótbiztosíték n, additional/collateral security

pótcikkely n, additional article

pótcsapat n, (sp) second team

pótdíj n, additional/extra charge, supplementary, fee, [árunál] surcharge, surtax, [levélnél] extra, postage, surcharge, [vasúti] excess/extra fare, [vmlyen szolgálatért fizetett] bonus, (kat) extra pay; ~at szed surcharge

pótegyezmény n, supplementary agreement, additional convention, [szerződésben] codicil to treaty

pótejtőernyő *n*, auxiliary parachute
potencia [..át] *n*, (sexual) potency potence
potenciál [-ok, -t, -ja] *n*, potential
potenciálfüggvény *a*, *(menny)* potential function
potenciális [-ak, -t; *adv* -an] *a*, potential, possible; ~ *energia* potential/latent energy
potenciálisan *adv*, potentially
potencialitás *n*, potentiality
potenciálkülönbség *n*, potential difference
potenciométer *n*, *(vill)* potentiometer
potens [-ek, -t] *a*, sexually capable, coming *(fam)*
potentát [-ot, -ja] *n*, potentate
pótérettségi *n*, ⟨supplementary maturity examination⟩
póteskü *n*, supplementary oath
pótesküdt *n*, talesman, alternate/additional juror
pótfedezet *n*, collateral/additional security
pótfelajánlás *n*, supplementary pledge/offer
pótfeszültség *n*, *(vill)* boosting (voltage)
pótfuvardíj *n*, surcharge/excess freight
pótfüzet *n*, supplement(ary number)
póthatáridő *n*, extended time limit, *(jog)* peremptory term, (days of) respite
póthatározat *n*, amendment, *[törvényhez]* schedule, *[törvényjavaslathoz]* rider
póthitel *n*, additional/prolonged credit, supplementary estimate; ~*t kér [kormány]* submit the supplementary estimates
pótidő *n*, additional time
pótilleték *n*, surcharge, surtax; ~*kel sújt* surcharge
pótjegy *n*, additional/extra ticket, *[élelmiszerjegy]* extra coupon/points/ration, *[vasúton]* excess ticket/fare
pótjegyzőkönyv *n*, supplementary/supplemental minutes *(pl)*
pótjuttatás *n*, supplementary allowance
pótkávé *n*, coffee substitute/surrogate, ersatz coffee
pótkerék *n*, spare/fifth wheel, stepney
pótkeréktartó *n*, wheel-carrier
pótkérelem *a*, *[perben]* alternative request
pótkeret *n*, 1. *[pénzügyi]* reserve funds *(pl)* 2. *(kat)* army reserve, reserved list, *[helye]* replacement camp
pótkézbesítés *n*, substituted service
pótkocsi *n*, *[autónál]* trailer, *[lakható]* caravan, *[villamoson]* trailer, second (tram)car, tow-car *(US)*; ~*t kapcsol* put on an extra coach
pótkocsijelző *n*, danger signal (when trailer is in tow)
pótköltségvetés *n*, supplementary estimates *(pl)*, *[állami]* Bill of Supply
pótkötet *n*, supplement(ary volume)
pótlandó [-t] *a*, to be recovered/completed *(ut)*, to be made up for *(ut)*, *ez még* ~ that is to be made up *(v* be completed); *a hiány* ~ the deficiency/loss has to be made up
pótlás *n*, substitution, replacement, replacing, supplement(ing), offset (to), supersedure, *[függelék]* annex, *[helyettesítő]* substitute, *[hiányé]* supplying, making up, *[hozzáadás]* addition, *[ker]* additional supply, *[kiegészítés]* complement, *[könyvé]* addendum, *[közlemény]* supplement, *[összegé]* making up, *[szerződésen]* codicil, *[veszteségé]* compensation; *a hiány* ~*ára* filling in (of) the gaps, *(kat)* to make good the casualties
pótlék [-ot, -a] *n*, 1. *[vm helyett]* substitute (for), surrogate, ersatz *(pej)* 2. *[díj]* bonus, bounty,[extra] *családi* ~ child bounty, family/children's allowance; *drágasági* ~ allowance to meet the increased cost of living, cost-of-living bonus/allowance; *fizetési* ~ bonus, contribution, allowance 3. *[ráadás]* surplus, makeweight
pótlékmentes *a*, exempt from surcharge *(ut)*

pótlencse *n*, supplementary lens
pótló[1] [-ak, -t; *adv* -lag] *a*, additional, supplementary, supplemental, complementary, substitutive, further
pótló[2] *n*, *(kat)* remount
pótlódik [-tam, -ott, -jon, -jék] *vi*, *(vmvel)* be replaced / supplemented by
pótlólag *adv*, additionally, afterwards, after the event, later on, subsequently; ~ *megküld* send sg to make up a deficiency, send sg to make sg complete
pótlólagos [-at] *a*, additional; ~ *fizetést teljesít* make a subsequent payment; ~ *tervszám* supplementary target
pótlónyújtás *n*, *(nyelvt)* *[magánhangzóé]* compensatory lengthening, *[mássalhangzóé]* total/complete assimilation
pótmama *n*, *(kb)* baby-sitter
pótmérkőzés *n*, play-off
pótnagymama *n*, *(kb)* baby-sitter
pótol [pótlok, -t, -jon] *vt*, 1. *[helyére kerül]* replace (with), substitute (for), supplant (with), supersede (sg), *[helyettesítés]* deputize for, serve as substitute for, do duty for 2. *[kiegészít]* supply (with), add to, supplement, complement, fill (up gaps) in 3. *[veszteséget, hiányt]* retrieve, make/patch up, recover, stop a gap, *[kárt]* make good, refund, compensate, give compensation (for), indemnify (sy for sg); *régóta érzett hiányt* ~ meet a long-felt need/want, fill a long-felt gap; ~*ja az elveszett időt* make up for lost time; *a veszteséget ez nagymértékben* ~*ni fogja* that'll go a long way toward making up for the loss 4. *[mulasztást]* remedy, rectify (omission)
pótolhatatlan *a*, 1. *(vk, vm)* irreplaceable, not to be replaced/substituted *(ut)*; *senki sem* ~ there's as good fish in the sea as ever came out of it 2. *[kár]* irretrievable, *[veszteség]* irrecoverable, irreparable, remediless
pótolhatatlanság *n*, 1. *(vmé)* irreplaceable character/ nature of sg 2. *[káré]* irretrievability, *[veszteségé]* irrecoverableness, irrecoverability, irreparableness
pótolható *a*, 1. *(vk, vm)* (easily) replaceable, capable of being replaced/substituted *(ut)* 2. *[kár]* retrievable, *[veszteség]* recoverable, reparable
potom *a*, trifling, insignificant; ~ *ár* very low price; ~ *áron* at a ridiculously low price, at a rockbottom price, for a(n) (mere/old) song, for next to nothing *(fam)*; ~ *áron kelt el [árverésen]* it was knocked down for a song; ~ *olcsó* dirt/dog cheap, cheap as dirt; ~ *ötven forint a* (mere) trifle of fifty forints; ~ *öt dollárért* for as little as five dollars; ~ *pénzen* for a trifle, dirt/dog cheap *(fam)*, next to nothing *(fam)*
potomság *n*, trifle, a trifling sum, a mere nothing, bagatelle
potpourri [-t, -ja] *n*, musical medley, potpourri
pótrendelés *n*, repeat/supplementary order
pótrendelkezés *n*, *(jog)* codicil, additional provision
potroh [-ot, -a] *n*, 1. *[rovaroké]* abdomen 2. *[emberé]* pot/swag-belly, paunch, corporation
potrohos [-at; *adv* -an] *a*, big/pot/tun/swag-bellied, corpulent, paunchy, portly, with a corporation *(ut) (joc)*
pótsorozás *n*, *(kat)* conscription of recruits previously exempt
pótsúly *n*, overweight, supplementary/extra weight
pótszabadság *n*, additional leave, extra holiday
pótszállítás *n*, *(ker)* supplementary delivery
pótszavazás *n*, second ballot(ing)/poll(ing)
pótszék *n*, extra seat, *[autón]* dick(e)y seat, *[felcsapódó]* flap/bracket/folding-seat, *[taxiban]* folding/collapsible seat, let-down seat
pótszer *n*, substitute, surrogate, ersatz *(pej)*, succedaneum *(tud)*
pótszerelvény *n*, *(vasút)* relief train

pótszerződés n, collateral contract
pótszög n, (mért) [90°-ig] complementary angle, [180°-ig] supplementary angle
póttag n, alternate (member), substitute (member), candidate, [esküdtszéken] talesman; bizottság ~ja substitute/assistant member of a committee
póttartalék n, (kat) special/secondary reserve, second--line reserve
póttartalékos n, reservist, man belonging to the secondary reserve, reserve man
póttartály n, reserve/emergency tank
póttelep n, (vill) subsidiary battery
pótutas n, [motorkerékpáron] pillion rider
pótülés n, [motorkerékpáron] partner seat/saddle, pillion(-seat), [autóban hátul] dickey, rumble/jump--seat (US), [autóban elöl] occasional seat, [lehajtható] let-down seat; ~en utazik [motorkerékpáron] ride pillion; ld még pótszék
pótválasztás n, by-election, special election (US)
pótvám n, extra/additional duty, customs surtax
pótvégrendelet n, codicil (of/to a will)
pótvizsga n, second examination (of a referred candidate), make-up exam (fam); pótvizsgára utasít refer candidate/examinate; pótvizsgát tesz take (v. go in for) examination the second time (after failing first)
pótzászlóalj n, depot battalion
potya [..át; adv...án, ..ára] I. a, (biz) gratis, free of charge/cost (ut), gratuitous, [könnyű] requiring no effort (ut); ~ fráter sponger, cadger, scrounger, sucker; ~ tantárgy snap course (US) II. n, (elit); potyán utazik steal a ride, ride on the cheap; szereti a potyát he is a proper scrounger; ld még potyára
potyajegy n, (biz) free admission ticket, [vasúti] (free) pass (mind: stand.)
potyajegyes n, dead-head
potyaközönség n, [akik belógtak] gate-crashers (pl)
potyaleső n, ~ (alak) parasite, cadger
potyára adv, for nothing, gratuitously, for the mere asking, for love, [hiábavalóan] in vain, to no purpose; ~ dolgozik have one's labour for one's pains, work for love
potyautas n, stowaway
potyázás n, sponging, scrounging, gate-crashing
potyázlik [-tam, -ott, -zon] vi, sponge, scrounge, cadge, [járművön] steal a ride, ride on the cheap
potyázó [-t, -ja] n, scrounger, sponge(r), sucker
potyka n, (áll) carp (Cyprinus carpio)
potyog [-tam, -ott, -jon] vi, plop/fall/drop repeatedly/continuously, keep dropping, [könnyek] run, stream, trickle, course (down)
potyogtat vt, drop, keep dropping, let fall continuously, [könnyeket] shed
potyol [-t, -jon] vt, [húst] beat (steak before cooking), tenderize
potyoló [-t, -ja] n, [húst] steak tenderizer/hammer, meat-beater
pottyan [-t, -jon] vi, plop, plump, flop, drop/fall with a heavy thud/thump; a gyümölcs a fáról a földre ~t the fruit fell onto the ground (v. from the tree) with a thump/thud, the fruit thudded onto the ground; égből ~t it came as a godsend
pottyanás n, plop, flop, plump
pottyant [-ani, -ott, -son] vt, plump, drop, plop, flop
povedál [-t, -jon] vi, (biz) jaw, talk, gas ◊
póz [-ok, -t, -a] n, attitude, pose, posture; nincs benne semmi ~ there is nothing affected about it/him; ~ba helyezkedik strike an attitude, assume a pose; ~t vesz fel strike an attitude, throw oneself into a pose, posturize
pozdor [-ok, -t, -ja] n, (növ) purple goat's beard, salsify, oyster plant, comfrey (Scorzonera sp).; spanyol ~ black salsify (S. hispanica)

pozdorja [..át] n, [kender, len] harl(e) (of hemp), scutch, coarse tow, boon; pozdorjává tör/zúz [kenderi] strip, scutch, swingle, (átv) crush/stamp/shatter to pieces, smash to smithereens, smash up, shiver
pozíció [-t, -ja] n, 1. [helyzet] position, station in life 2. [állás] post, situation, place, job (fam), berth (fam)
pozícióharc n, manoeuvring/jockeying for position, scramble
pozitív [-ot, -ja; adv -an] I. a, positive; ~ csipesz (fényk) developing forceps; ~ felfogás positive turn of mind; ~ (fény)kép positive (picture); ~ hős (kb) positive figure (of a literary work); ~ mennyiség positive (quantity), plus; ~ optikai rendszer positive optical system; ~ sarok/pólus positive pole II. n, (fényk) positive (picture)
pozitíve adv, positively; ~ tud vmt be quite positive/ definite about sg, know sg positively (v. for certain)
pozitivista [.. át] a/n, positivist(ic)
pozitivizmus n, positivism
pozitívum [-ot, -a] n, fact, reality, certainty, actuality, surety
pozitron [-ok, -t, -a] n, positron, positive electron
pozitúra [.. át] n, posture, attitude, bearing, carriage, [színházias] pose
pózna [.. át] n, pole, post, staff, [kihegyezett] stake, picket
pózol [-t, -jon] vi, pose, strike attitudes, attitudinize, posturize, pretend (to be sg), give oneself airs, put on side/airs (fam), swank (fam), put on dog (US◊); nem ~ there is no pretence about him, he is unassuming
pózolás n, pose, posing, posturing(s), affectation, priggishness, side (fam), swank(ing) (fam)
pozőr [-ök, -t, -je] n, poser, attitudinizer, posturer
pozsgás a, 1. ruddy-cheeked, rubicund, florid, chubby 2. (növ) succulent
pozsgásság n, (növ) succulence
Pozsony [-t, -ban, -ba] prop, Bratislava (town in Czechoslovakia)
pöccent [-eni, -ett, -sen] vt, [lovat] flick (with the whip)
pöccintés n, flick
pöcegödör n, cesspool, cesspit, dung-pit, sink-hole, sewer, [kihordott tartalma] night-soil
pöcegödör-tisztító n, nightman, sump-man
pöcköl [-t, -jön] vt, [ujjal] flip, flick (with thumb/finger), [golyót gyerek] shoot, knuckle (a marble)
pőcs [-öt, -e] n, (durv) = fasz
pöcsik [-et, -je] n, = pöcsök
pöcsök [-öt, -je] n, (áll) gad-fly, horsefly, cleg, oxfly, breeze (Tabanus)
pödör [pödrök, -t, -jön] vt, twirl, twist [bajuszt] twiddle, twirl, [pomádéval] wax
pödörget vt, = pödör
pödrés n, twirl(ing), twist(ing), twiddling
pöfékel [-t, -jen] vi, take a whiff, puff, smoke, pull (at one's pipe)
pöfékelés n, whiff(ing), puff(ing), smoking, pulling at one's pipe
pöfeteg [-et, -e] n, (növ) puff/fuzz-ball (Lycoperdon)
pöfeteggomba n, = pöfeteg
pöffeszkedés n, haughtiness, conceit, arrogance, inflation, superciliousness, bumptiousness (fam), swank (fam)
pöffeszkedik [-tem, -ett, -jen, -jék] vi, swell, swagger, puff up, be puffed up, brag, swank (fam), put on side/airs (fam), flaunt (fam), swell with pride (fam), swell like a turkey-cock (fam)
pöffeszkedő [-t; adv -en] a, haughty, conceited, arrogant, inflated, supercilious, overbearing, swell--headed, bumptious, [igével] be full of oneself, ride the high horse, be too big for one's boots

pöfög [-tem, -ött, -jön] vi, puff, pop, whiff

pöfögés n, puff(ing)

pöfögő [-t] a, 1. puffing 2. (áll) ~ futrinka bombardier--beetle (Brachinus crepitans)

pök [-tem, -ött, -jön] vi/vt, (nép) spit, spew (mind: stand.)

pökedelem [.. lmet, .. lme] n, (átv) abomination, horror, sink of iniquity

pökhendi [-ek, -t; adv -en] a, arrogant, insolent, presumptuous, overweening

pökhendiség n, arrogance, insolence

pónálé [-t, -ja] n, forfeit, penalty

pör [-ök, -t, -e] n, = per¹

pörc [-öt, -e] n, greaves (pl), crackling

pördül [-t, -jön] vi, = perdül

pőre [.. ét] I. a, (half-)naked, undressed, stripped; pőrére vetkőzik strip (to the skin/buff), undress completely; pőrére vetkőztet vkt strip sy to the buff, (átv) skin sy II. n, [bőr] blooping, unhaired fell, blosse

pőrekocsi n, [vasúti] flatcar, flat wagon/car, dray, platform car (US)

pőreség n, nakedness, bareness, (state of) nudity

pörge [.. ét] a, ~ kalap ⟨little circular felt hat with turned/curled-up brim⟩

pörgés n, rotation, spin(ning), whirling, turning round (and round), gyration (tud)

pörget vt, spin, whirl, wheel, rotate, revolve, twirl, gyrate (tud), [labdát teniszben] twist, [teniszütőt helyválasztásnál] toss

pörgetés n, rotation, spin(ning), whirling, twirl, [labdáé] twist

pörgetett [-et; adv -en] a, ~ labda (sp) twister

pörgető [-t, -je] n, [szélkerék pálcikán] pinwheel

pörgetőgép n, centrifugal machine

pörgettyű [-t, -je] n, 1. [játékcsiga] peg/spinning/whirling-top, top, whirligig, [szerencsejátékhoz] teetotum 2. (tud) gyroscope

pörgettyűhatás n, spinning/gyroscopic/gyrostatic effect

pörgettyűmozgás n, gyration, whirling, spinning

pörgettyűnyomaték n, gyroscopic torque

pörgettyűs [-et; adv -en] a, ~ iránytű gyro(static) compass; ~ kormánygép (rep) gyro-pilot

pörk [-öt, -e] n, 1. (orv) scab, scurf, crust, slough; tapadós ~ tenacious crust 2. (műsz) rust, (bány) burnt ore

pörkképződés n, 1. (orv) formation of scurf, sloughing, crustation 2. (műsz) formation of rust

pörköl [-t, -jön] vt, 1. [szőrt, disznót] singe 2. [kávét] roast, [mandulát] brown 3. [ércet] roast, torrefy, calcine 4. [nap] burn, scorch, parch

pörkölde [.. ét] n, coffee-roasting establishment

pörkölés n, 1. [szőrt, disznót] singe(ing) 2. [kávét] roasting 3. [ércet] roasting, torrefaction, calcination 4. [napé] burning, scorching, parching

pörkölőd|ik [-tem, -ött, -jön, -jék] vi, 1. [naptól] become/get scorched/parched/burnt 2. [vmnek széle/szőre] singe, get/become singed, [fa] get/become charred

pörkölőgép n, roasting apparatus/machine, [kávépörkölő] roaster

pörkölőkemence n, roaster, calcinator. calcining-furnace, (ore-)roasting furnace/kiln

pörkölt [-et; adv -en] I. a, scorched, parched, singed, broiled, roasted, burnt; ~ kávé roast(ed) coffee; ~ szaga van have a burnt smell II. n, ⟨stewed meat with paprika and sometimes sour cream (without broth)⟩, goulash (US)

pörkösödés n, = pörkképződés

pörleked|ik vi, = perlekedik

pörög [-tem, -pörgött, -jön] vi, spin, turn round and round, twirl, whirl, rotate, revolve, gyrate

pöröl [-t, -jön] vi, = perel

pöröly [-ök, -t, -e] n, (double-hand) hammer, (up-hand) sledge, stamp

pörölycápa n, (áll) hammer-head (shark) (Sphyrna zygaena)

pörölycsapás n, (átv) sledge-hammer blow; ~ként ható érv sledge-hammer argument

pörölykagyló n, (áll) hammer-shell/oyster (Malleus vulgaris)

pörölymű n, hammer/slitting-mill, (iron-)forge, iron--works

pörölyöző [-t, -je] n, [kovács] hammerman, striker

pörölyütés n, stroke/blow with/of a sledge-hammer

pörös [-et; adv -en] a, = peres

pörsenés n, pimple, rash, boil, blotch, spot(s), eruption, papule, [foghúson] gum-boil, exanthema (tud), acne (tud)

pörsenéses [-ek, -t; adv -en] a, pimply, pimpled, covered with a rash (ut), spotty, blotchy

pösze [.. ét] I. a, lisping; ~ ejtés [s és sz hangé] sibilation; ~ gyermek lisper; pöszén beszél (have a) lisp, speak with a lisp II. n, lisper, lisping person, one who lisps

pöszeség n, lisp(ing)

pöszméte [.. ét] n, gooseberry

pöszmétearaszoló n. [lepke] magpie moth (Abraxas grossulariata)

pöszmétebokor n, (növ) gooseberry(-bush) (Ribes grossularia)

pöszörlégy n, (áll) bee fly (Bombylius sp.)

pöttöm [-öt] a, tiny, wee, minute; ~ emberke shrimp, minikin, minim, midget, hop-o'-my-thumb

pöttömnyi [-ek, -t] a, ~ lányka a little wisp of a girl

pötön a, = pöttöm

pötyög [-tem, -ött, -jön] vi, 1. [gagyog] prattle, [idegen nyelven] have a smattering of (a foreign language) 2. [vm szerkezet] tick, go pit-a-pat

pötyögő [-t] n, [pulyka nyakán] lappet, wattle

pötyögtet vi/vt, 1. [pingpongban] push (the ball) 2. [zongorán] strum (the piano)

pötty [-öt, -e] I. a, very small, diminutive, minute, puny, tiny II. n, = petty

pöttyös [-ek, -t; adv -en] a, = pettyes

pőzs [-ök, -t, -e] n, fascine

pracli [-t, -ja] n, (biz) paw, trotter

Prága [.. át, .. ában] prop, Prague, Praha

prágai [-ak, -t] I. a, of Prague (ut) II. n, inhabitant of Prague

pragmatica sanctio (tört) the Pragmatic Sanction ⟨the act containing the succession of the female line of the Hapsburgs in Hungary and the indivisible union of their countries, 1723⟩

pragmatika n, regulation, rule, order, statute; szolgálati ~ official regulations (pl), offical rule/order

pragmatikus a, pragmatic(al)

pragmatizmus n, pragmatism

prakker [-ek, -t, -je] n, carpet-beater

prakticizmus n, practicism

praktika n, (sharp) practices (pl), dodges (pl), tricks (pl), stratagem, underhand contrivance

praktikáns [-ok, -t, -a] n, = gyakornok

praktikus a, practical, [hasznos] useful, serviceable, [értelmes] sensible, [keresztülvihető] practicable, feasible, workable; nem ~ not practical, unpractical, [kivihetetlen] impracticable, unfeasible, unworkable; ~ ember businesslike man, man full of (v. having a great deal of) practical common sense; ~sá tesz practicalize

praktikusság n, practicality, practical common sense

praktizál [-t, -jon] vi, practise

praktizálás n, practising, practice

praliné [-t, -ja] n, a (soft-centred) chocolates (pl),

chocolate creams *(pl)* ; *10 deka* ~ a quarter (of a pound) of (soft-centred) chocolates, ten dekagram of chocolate creams

pravoszláv [-ot] *a,* ~ *egyház* the Eastern Church

praxis [-ok, -t, -a] *n,* **1.** *[gyakorlat]* practice, practical experience, praxis; *nagy ~a van vmben* have great practical knowledge of sg, be an old hand at sg *(fam)* ; *a ~ban* in practice **2.** *[betegek]* practice, patients *(pl),* *[ügyfelek]* clients *(pl);* *nagy ~a van* have many patients/clients

precedens [-ek, -t, -e] *n,* precedent, *(jog)* test-case, leading case; ~ *nélkül* without precedent, unprecedented; ~ *számba megy* become a precedent, ~*t alkot* create/set/establish a precedent

preceptor [-ok, -t, -a] *n,* family tutor, (private) teacher, preceptor

precíz [-et] *adv* -en] *a,* precise, exact, accurate, painstaking; *túl* ~ over-accurate; ~ *ember* painstaking/ meticulous person, perfectionist

precízió [-t, -ja] *n,* precision, exactness, accuracy

precíziós [-at; *adv* -an] *a,* precision, (of) high accuracy *(ut);* ~ *beszabályozás* fine adjustment; ~ *mérleg* precision balance/scale, gold balance; ~ *műszer* precision instrument

precizíroz [-tam, -ott, -zon] *vt,* state precisely, specify, define

precizitás *n,* accuracy, precision, exactitude, exactness, meticulousness, painstaking care; *nagy ~sal* with great accuracy, meticulously, painstakingly

préda [.. át] **I.** *n, (ált)* prey, *[áldozat]* quarry, victim, *(kat)* spoil, booty, prize, *[vadászzsákmány]* bag; *vmnek prédájává lesz* become the victim of sg, *(átv)* fall a(n easy) prey to sg; *prédára les* lie in wait for *(v.* lie to pounce on) a prey, watch for a prey; *prédát keres [vad]* go on the prowl; *préddul odadob* give sy (over) as/for a prey/quarry to(sy) **II.** *a, [tékozló]* prodigal, lavish, extravagant, wasteful, spendthrift

prédál [-t, -jon] *vt/vi,* squander (away), lavish, dissipate, throw/fling away, waste, fritter (away)

prédaleső [-t; *adv*-en] *a,* **1.** *(áll)* predatory, predacious, rapacious **2.** *(átv)* rapacious, grasping

predella [.. át] *n, (műv)* predella

predesztináció [-t, -ja] *n,* predestination, predetermination, foreordination; ~ *hívője* predestinarian

predesztinál [-t, -jon] *vt,* predestine, predestinate; *arra van ~va* he is marked/singled out by fate to/for

prédikáció [-t, -ja] *n,* **1.** *(vall)* sermon, preaching, homily, preach *(fam)* **2.** *(elit)* sermon, preaching, lecture, pi-jaw ❖

prédikációs [-at] *a,* ~ *könyv* book/collection of sermons; *nem lesz belőle* ~ *halott* he won't get/obtain celebrity/ fame/renown (in this way)

prédikál [-t, -jon] *vi/vt,* **1.** preach, deliver/preach a sermon; *vizet* ~ *és bort iszik* he does not practise what he preaches; *a pap sem* ~ *kétszer* I don't boil cabbage twice **2.** *[szemrehányóan kioktat]* sermonize, (give a) lecture, jaw ❖; *ne* ~*!* no sermonizing!, don't preach!, stop preaching!

prédikálás *n,* preaching, sermonizing

prédikáló [-t; *adv* -n] **I.** *n,* ~ *szék* pulpit **II.** *n,* preacher, predicant

predikative *adv,* ~ *használ (nyelvt)* use predicatively/ postpositively

prédikátor [-ok, -t, -a] *n,* preacher, pastor; *a P~ok könyve* Ecclesiastes

prédikátori [-t] *a,* ~ *zsinat (tört)* the preachers' synod

prédikátum [-ot, -a] *n,* **1.** *[nyelvt, logika]* predicate **2.** *[nemesi]* nobility particle

prefabrikáció [-t, -ja] *n,* = előgyártás

prefabrikált [-at; *adv* -an] *a,* = előgyártott

prefektúra [.. át] *n,* prefecture

prefektus *n,* prefect

preferenciális *a,* ~ *vám* preferential tariff, preferential customs duty; ~ *vámok rendszere* system of preferential customs duties

prefixum [-ot, -a] *n, (nyelvt)* prefix

pregnáns [-at; *adv* -an] *a,* significant, full of meaning *(ut),* pregnant, succint, pithy, laconic; ~*an fejezi ki magát* express oneself tersely

prehisztorikus *a,* prehistoric(al), antehistorical

preklasszikus *a,* preclassic

prelátus *n,* prelate

prelátusi [-t,] *a,* ~ *méltóság* prelacy

prelátusság [-ot, -a] *n,* prelature, prelacy

prelegál [-t, -jon] *vi, [egyetemen stb.]* lecture, prelect

prelúdium [-ot, -a] *n, (zene)* prelude

prém [-et, -je] *a/n,* fur, fell, *[irha]* skin; ~*mel bélel* (line with) fur; ~*mel bélelt* fur-lined; ~*mel szegett* fur-trimmed

prémáru *n,* furs *(pl),* furriery, fur goods/skins *(pl)*

prémbélés *n,* fur lining, furring

prémbélésű [-ek, -t] *a,* fur-lined

prémbőr *n,* hair skin, pelt

prémes [-ek, -t; *adv* -en] *a,* of fur *(ut),* furred, furry; ~ *állat* fur(ry) animal, animal with fur; ~ *gallér* fur collar, tippet, *[nőké]* fur cape; ~ *kabát* fur coat, pelisse

prémesállat-tenyésztő *a/n,* fur-farmer; ~ *farm* fur- -farming

prémez [-tem, -ett, -zen] *vt,* (trim/line with) fur

prémgallér *n,* fur collar, tippet

premier [-ek, -t, -e] *n,* first performance/night (of a play), première

premierlátogató *n,* first nighter *(US)*

premier plán *(film)* close-up, close shot

premissza [.. át] *n,* premise, premiss

prémium [-ot, -a] *n,* bonus, bounty, prize, premium, *[más]* reward, overpayment; *árkiegyenlítési* ~ bounty/premium for promoting exports; ~*ban része-sít* premiate

prémiumarányok *n. pl,* proportions of bonuses

prémiumfeltétel *n, [munkagazdaságtanban]* bonuses condition

prémiumrendszer *n,* bonuses system, incentive pay; *adminisztratív* ~ bonuses system of clerks; *alkalmazotti* ~ bonuses system of technical and clerical staff

premizál [-t, -jon] *vt,* award premium/bonus to, premiate

prémkereskedelem *n,* fur-trade

prémkereskedő *n,* furrier

prémmoly *n, (áll)* fur/skin-moth *(Tinea pellionella)*

premoláris [-at] *n, (orv)* premolar, bicuspid

premontrei [-ek, -t] *a/n,* Premonstratensian, Premonstrant

prémsál *n,* fur neck-tie, stole, fur-choker *(fam)*

prémsapka *n,* fur-cap

prémtenyésztés *n,* fur-farming

prémvadász *n,* fur-hunter, *[csapdával]* trapper

prepa [.. át] *n, (biz)* = preparandista

prepalatális *a, (nyelvt) [mássalhangzó]* ante-palatal

preparál [-t, -jon] *vt, [állatot]* mount, *[növényt]* dissect, *[szöveget]* write out the words (of a text)

preparandia [.. át] *n,* † training-college for elementary school teachers *(stand.)*

preparandista [.. át] *n,* † pupil of a training college for elementary school teachers *(stand.)*

preparátor [-ok, -t, -a] *n, (isk)* assistant (in laboratory), demonstrator, preparator, *(orv)* prosector, *[állatoké]* taxidermist

preparátum [-ot, -a] *n,* (anatomical) preparation, specimen, compound, demonstration object, *[górcsövi]* slide, *(bonct, növ)* dissection

prépost [-ot, -ja] *n, [katolikus]* provost, *[protestáns]* dean

prépostság n, [katolikus] provostship, district under a provost, provost's office/residence, [protestáns] deanery

prépostsági [-t] a, ~ templom provostal church

prepotens [-et; adv -ül] a, [jellem] insolent, [hang] peremptory, [modor] presumptuous, haughty

prepozíció [-t, -ja] n, (nyelvt) preposition

prepozíciós [-at] a, (nyelvt) prepositional

prerafaelita [.. át] n, (műv) pre-Raphaelite

préri [-t, -je] n, prairie, [dél-amerikai] savanna(h), [dél-afrikai] veld; magasfűvű ~ tall-grass prairie

prérifajd n, (áll) prairie-grouse (Tympanuchus americanus)

prérifarkas n, (áll) prairie-wolf, coyote (Canis latrans)

prérikutya n, (áll) prairie-dog (Cynomys sp.)

prérityúk n, (áll) prairie-chicken/hen, thick-knee (Tympanuchus cupido)

prés [-e.<, -t, -e] n, press(ing machine), [citromfélének] juicer, squeezer, [szőlőnek] wine-press, presser, (tex) presser-bar; bálázó ~ cabbaging-press; ~be tesz press

présanyag n, press-material

presbiter [-ek, -t, -e] n, lay member of councils of protestant communities, presbyter, churchwarden, (lay) elder

presbiteri [-t] a, presbyterian, presbyteral; ~ méltóság presbyterate

presbiteriánus n/a, Presbyterian

presbitérium [-ot, -a] n, presbytery, presbyterate

presbitériumi [-t] a, presbyterian

présdeszka n, (nyomd) pressing board

présel [-t, -jen] vt, press, [gyümölcsöt] squeeze, juice, [gramofonlemezt] mould, press, [papírt] couch, corrugate, [könyvkötést] stamp, tool, [fémet] stamp, [bőrt, szövetet] emboss; a kabátot még a kofferba ~i squeeze a jacket/overcoat into the suitcase/trunk

préselés n, pressing, [gyümölcsöt] squeezing, [gramofonlemezt] moulding, pressing, [fémet] stamping, [könyvkötésen] blocking

préselő [-t, -je] n, [személy] presser

préselőgép n, stamp

préselt [-et; adv -en] a, (com)pressed, (fémip) press-forged; ~ bála press-packed (v. pressed) bale; ~ bőr embossed leather, grain-leather; ~ lemez (rég) stamped plate; dombornyomású ~ szövet gauffered/embossed cloth; ~ virág dried flower

présfej n, press-head

présfogó n, (squeezing) pliers (pl)

présház n, press-house/room/shed

préshenger n, pressure/press roller

préskalander [-ek, -t, -e] n, gauffer/embossing calender

préskezelő n, presser

préskovács n, presser

préslég n, compressed air

préslégfúró n, air-drill

préslégkalapács n, pneumatic hammer, compressed-air hammer, [útburkolathoz] road breaker

préslégszerszám n, compressed-air (v. pneumatic) tool/instrument

présöntés n, (koh) die-cast(ing)

presszió [-t, -ja] n, pressure; ~ alatt under duress; ~t gyakorol vkre put pressure (v. bring pressure to bear) on sy, exert one's influence, oblige/force/compel constrain sy (to do sg)

presszionál [-t, -jon] vt, = pressziót gyakorol

presszó [-t, -ja] n, (biz) espresso bar

presztízs [-ek, -t, -e] n, prestige, high reputation, authority, (high) credit; ~ét megvédi save face, save one's grace

presztízskérdés n, matter of saving face, matter/question of prestige, point of honour

presztízssérelem n, loss of face/prestige

presztízsveszteség n, loss of prestige/face

pretenciózus a, pretentious, showy, conceited, arrogant, ostentatious

pretenzió [-t, -ja] n, pretension

pretereál [-t, -jon] vt, pass/skip over, ignore sy's claim for advancement or higher appointment

preteritum [-ot, -a] n, preterite

preventív [-et; adv -en] a, preventive, prophylactic; ~ gyógyszer preventive medicine; ~ intézkedés preventive measure

prezencia [.. át] a, ~ könyvtár repository library

prezentábilis [-at; adv -an] a, presentable; most nem vagyok ~ I am not fit to be seen, I am hardly fit for company now

prezentál [-t, -jon] vt, present

prezervatív [-ot, -ja] n, (orv) preservative, contraceptive sheath

prezideál [-t, -jon] vi, preside (over), be chairman (of), be in the chair, take/hold the chair

prezídium [-ot, -a] n, presidium, presidential council, presidency

prézli [-t, -je] n, bread-crumbs (for frying) (pl)

prézsmitál [-t, -jon] vi, (biz) grouse, grumble, growl, make a fuss, jaw ◇; ne ~j! don't argue!

pribék [-et, -je] n, hangman's assistant, torturer, henchman

priccs [-et, -e] n, plank-bed, bunk, berth, bed of boards

priccsnyereg n, pad saddle

prím [-et, -je] n, 1. [vívásban] prime 2. (zene) [alaphang] prime, (menny) prime (number)

príma [.. át] a, first-class/rate/quality, A1, A one, A plus, of prime/best quality (ut), top quality, tip-top, the best, topping (fam), rattling (fam), classy (fam), top-notch/drawer (US)

primabalerina n, prima ballerina, première ballet-dancer

primadonna [.. át] n, prima donna, leading lady, star

primadonnáskod|ik [-tam, -ott, -jon, -jék] vi, behave like a whimsical prima donna, be capricious/arbitrary

prímás n, 1. (vall) primate 2. [cigányzenekarban] leader (of a gipsy band)

prímási [-ak, -t] a, (vall) primatial, primatical; ~ méltóság/rang/tisztség primacy

prímásság n, primateship

primaváltó n, (pénz) first of exchange

primér [-ek, -t] a, primary, (geol)primitive; ~ áram primary current; ~ bibliográfia primary bibliography; ~ cella/elem (vill) primary cell; ~ tekercselés (vill) primary winding; ~ telep (vill) primary battery

prímhegedű n, first/lead violin

prímhegedűs n, leader, first/leading violin

primícia [.. át] n, (vall) first mass (of newly ordained priest)

primitív [-et; adv -en] I. a, primitive, [kezdeti, ősi] primeval, original, earliest, pristine (ref.), [egyszerű] homely, simple; ~ gazdálkodás natural economy II. n, a ~ek [a festészet történetében] the early/old masters, the Primitives

primitívség n, primitiveness, primitivity

primor [-ok, -t, -a] n, (tört) ⟨member of Székely higher nobility⟩

primőr [-ök, -t, -je] n, first-fruits (pl), firstling, early product, forced vegetable/fruit, fruit/vegetable out of season, primeur (fr)

prímszám n, (menny) prime (number)

primula [.. át] n, (növ) primrose, cowslip, oxlip primula (Primula)

princesszfűző n, corselet, sheath corset, all-in-one (fam)

princessz-szabású a, sheath (dress)

principális [-ok, -t, -a] n, principal, master, employer, chief, head, owner (of business/firm), proprietor (of hotel), governor (fam), boss (fam)

princípium [-ot, -a] *n*, principle
prior [-ok, -t, -ja] *n, (vall)* prior; *helyettes* ~ subprior
priorál [-t, -jon] *vt*, check (up on sy's past), screen
priorálás *n*, screening
prioritás *n*, priority, precedence; *a ~ törvénye* law of priority
priusz [-ok, -t, -a] *n*, past/criminal record, record of punishments (of convict); *rossz ~a van* have a bad record, have a sticky past *(fam)*
privát [-ot, -ja; *adv* -ul] *a*, **I.** *[magán]* private, personal, *[bizalmas]* confidential; ~ *értesülés* private/inside information **II.** *n*, private person/individual
privátim *adv*, in a private way, privately, confidentially, on the quiet *(fam)*
privatizál [-t, -jon] *vi*, live in privacy, live on one's private means
privilégium [-ot, -a] *n*, privilege, *(jog, tört)* franchise
privilégizál [-t, -jon] *vt*, privilege, be biassed in favour of, franchise
privilegizált [-at; *adv* -an] *a*, privileged
prizma [.. át] *n*, **1.** *[fénytani]* prism; ~ *alakú* prismatic, prism-shaped; *képfordító* ~ inverting prism; *a ~ színei* prismatic spectrum colours, prisms **2.** *(mezőg)* stack **3.** *[útjavító kőből út szélén]* stockpile
prizmarendszer *n*, optical system (of prisms)
prizmás *a*, prismal, prismatic; ~ *kereső (film)* prismatic eye; ~ *látcső* prism binocular(s); ~ *spektroszkóp* prism spectroscope; ~ *távcső* prism telescope
prizmatoid [-ot, -ja] *n, (menny)* prismatoid
prizmáz [-tam, -ott, -zon] *vt, [követ, répát]* stack, pile
prizmoid [-ot, -ja] *n, (menny)* prismoid
priznic [-et, -e] *n*, compress, packing (sheet)
próba [.. át] *n*, **1.** *(dt)* test, proof, *[kísérlet]* testing, trial, experiment, attempt, essay; ~ *szerencse* nothing venture(,) nothing win/have/gain, fortune favours the brave/bold, *[igével]* try pot-luck; *égetési* ~ *(tex)* burning test; *gyorsasági* ~ speed trial; *tartóssági* ~ test of durability; *terhelési/ellenállási* ~ test of resistance, resistance test; *próbának veti alá magát* undergo a test; *próbára* on probation/approval/ trial; *próbára bocsátás [bűntettesé]* placing (an offender) on probation, probation, parole; *próbára tesz* try, test, prove, put to the test/proof, *[csak vkt]* put sy on his/her mettle, put sy through his paces, tax sy's powers; *próbára teszi vknek a bátorságát* make trial of sy's courage; *próbára teszi vknek az idegeit* try sy's temper; *próbára teszi vk türelmét* try/ tax/strain sy's patience, be very trying for sy; *ön túlságosan próbára teszi türelmemet* you make too great demands upon my patience; *kemény próbára tették a türelmét* his patience was severely tried; *(vk) kiállja a próbát* pass/stand the test, come up to scratch *(fam)* ; *nem állja ki a próbát* he was tried and found wanting; *(vm) kibírja a próbát* stand the trial, hold water *(fam)*; *próbát tesz vkvel* give sy a chance/trial **2.** *[áruból]* sample, specimen; *próbát vesz (vmből)* take sample of (sg), sample (sg) **3.** *[ruha]* trying on, fit-on, fitting (of clothes); *próbára megy* go to the tailor's to be fitted **4.** *[nemesfémen finomsági]* testing, assaying, hall-marking, hall-mark (stamp), inspection stamp **5.** *[szính]* rehearsal, *[zenei]* rehearsal, audition, practising; ~ *nélkül(i)* unrehearsed; *a próbák folynak* the play is in rehearsal; *próbára kitűz színdarabot* put a play in rehearsal; *próbát énekeltet vkvel* give sy an audition, hear sy; *próbát tart* have/hold a rehearsal, rehearse **6.** *(menny)* proof; *megcsinálja a próbát* do the proof, prove **7.** *(orv)* test; *cukorterhelési* ~ glucose/dextrose tolerance test; *intrakután* ~ intracutaneous test; *koleszterin* ~ cholesterol test; *májfunkciós* ~ liver function test; *precipitin* ~ precipitin test; *skarifikációs* ~ scratch test; *terhelési* ~ tolerance test; *terhességi* ~ pregnancy test;

térlátási ~ depth perception test; *vesefunkciós* ~ test for renal function **8.** *[középkori igazságszolgáltatásban]* ordeal (by fire/water)
próbababa *n*, (tailor's) dummy, dress-stand, model, lay figure, stand-in, dress form, mannequin, manikin
próbacsap *n*, test/try/gauge-cock
próbacséplés *n*, sample/test-threshing (to gain advance data on yield)
próbacsésze *n*, *(vegyt)* cupel, assay crucible, copple
próbacsík *n, (fényk)* exposure test
próbacső *n, (vegyt)* test-tube/glass, eprouvette
próbadarab *n*, test-piece, sample, *[anyagvizsgálatnál]* proof-bar
próbadobás *n, (sp)* trial throw
próbaéneklés *n*, audition; *énekes* ~*e* trial hearing of a singer
próbaév *n*, year of probation, probationary year
próbaéves I. *a*, on probation *(ut)*, probationary **II.** *n*, probationer
próbafestés *n, (tex)* trial dyeing
próbafúrás *n*, trial boring
próbafutam *n*, trial/green/test run, try-out, *[bejáratás]* breaking in, *[furulyán, dudán]* practice run
próbafülke *n*, (tailor's) trying-on cubicle
próbagödör *n*, prospect/trial hole, trial pit, prospect(ing) shaft
próbaidő *n*, (term of) probation, probationership, preparatory period; ~*re* on probation, for a period of probation/instruction; ~*re szóló alkalmazásban van* hold a probationary appointment
próbaidős I. *a*, on probation *(ut)*, probationary **II.** *n*, probationer; *ld még próbaszolgálatos*
próbaív *n, (nyomd)* foul proof, galley-proof
próbajárat *n, [járműé]* test run
próbajel *n, [fegyveren]* proof-mark, *[nemesfémen]* hall-mark, inspection stamp
próbaképpen *adv*, on trial/approval, by way of trial/ experiment, experimentally, tentatively
próbakisasszony *n*, mannequin, trier-on, model
próbakő *n*, **1.** touchstone **2.** *(átv)* standard, criterion
próbakötet *n*, specimen volume/copy
próbaküldemény *n*, sample, parcel sent on trial/approval, trial lot
próbál [-t, -jon] *vi/vt*, **1.** (put to the) test, prove *(obs)*, *[kísérletezik]* try, make a trial, experiment, attempt, essay; *szerencsét* ~ try one's luck, take one's chance, take a risk; *bármennyire is* ~*ta* try as he would **2.** *[ruhát]* try on, have a fitting, fit **3.** *[darabot]* have a rehearsal, rehearse, *[művet, kórus/zenekar]* practise, rehearse **4.** *[merészkedik]* venture, dare; *ne* ~*j kimenni* do not venture/dare to go out
próbálás *n*, *[ruháé]* trying on, fitting
próbálatlan *a*, untried, untested, unsampled, unproved
próbaléggömb *n*, pilot/trial balloon, *(átv)* ballon d'essai *(fr)*
próbalevonat *n*, = **próbanyomat**
próbálgat *vi/vt*, attempt/essay repeatedly, keep trying, experiment (with), persist in
próbálkozás *n*, trial, try-out, attempt, effort, essay, endeavour; *az első* ~*ra* at one go, at the first try, straight off, at one push
próbálkoz|ik [-tam, -ott, -zon, -zék] *vi*, try, *(vmvel)* make a trial of, attempt to, try one's hand at, endeavour to
próbamegfigyelés *n*, exploratory survey, pilot study
próbamenet *n*, = **próbafutam**
próbamérleg *n*, trial balance
próbaminta *n*, sample
próbanyomás *n*, specimen copy
próbanyomat *n*, proof impression/sheet, pilot-print
próbapad *n*, testing bench
próbapéldány *n*, specimen/examination copy

próbaper n, test-case
próbareggeli n, test/Boas/bismuth meal, bismuth test; szakaszos ~ fractional test meal
próbarendelés n, trial/sample order
próbarendőr n, probationary policeman
próbarepülés n, trial/test(ing)/experimental flight, trial ascent (with an aeroplane); ~t végez test-fly
próbás a, tried, standard, [valódi] genuine, [arany, ezüst] sterling; tizenhárom~ gazember thoroughpaced villain, arrant knave (obs)
próbasütés n, baking test
próbaszám n, [folyóiratból] specimen (copy)
próbaszámítás n, trial calculation, estimate
próbaszántás n, trial ploughing
próbaszavalás n, audition
próbaszavazás n, preliminary voting, test/straw vote, instructive ballot
próbaszedés n, (nyomd) type specimen
próbaszerű a, tentative, trial-, on trial/approval (ut)
próbaszivattyúzás n, pumping test
próbaszolgálat n, probation(ary service), employment/ service on trial, trial/test job
próbaszolgálatos n, clerk/official servant on trial/ probation, probationer, probationist, sy in test job
próbatanítás n, trial/demonstration lesson (of probationary teacher)
próbatégely n, cupel, assay crucible
próbaterem n, 1. test room, laboratory 2. [szabóé] fitting-room, trying-on room/cubicle 3. (szính) rehearsal room
próbaterhelés n, test of resistance, resistance test, test load(ing), trial strain/load, [hídé] test(ing) of a bridge
próbateszt n, (műsz) test-piece/bar
próbatétel n, test proof, trial, (tört) ordeal
próbatű n, [nemesfémekhez] touch/test-needle
próbaút n, trial run/drive, test run, [hajóé] trial trip
próbaüzem n, pilot plant
próbaüzemeltetés n, trial operation
próbavágás n, [erdészetben] preparatory felling
próbavétel n, sampling, probing
próbázás n, (sp) test(s)
próbáz|ik [-tam, -ott, -zon, -zék] vi, (sp) take (the prescribed) tests
probléma [..át] n, problem, question; ez nem ~ that is no problem, that can be easily done/arranged; nem csinál magának problémát abból hogy he thinks nothing of ...ing; felállít/feltesz egy problémát set a problem; problémát megvilágít throw light on a problem; minden nehéz problémámmal N-hez fordulok I turn with all my problems/troubles to N, N is my trouble-shooter (fam)
problémafelvetés n, putting of a/the question, raising a problem
problémalátás n, attitude to problems
problémamegoldás n, problem solving/solution
problematikus a, problematic(al), [kérdéses] questionable, uncertain, doubtful, undecided
problémáz|ik [-tam, -ott, -zon, -zék] vi, raise problems, discuss problems, (vmvel) have problems (with sg)
procc [-ot, -a] n, (biz) purse-proud man, rich upstart (stand.)
proccol [-t, -jon] vi, (biz) flaunt one's wealth, be (purse-)proud, be flashy (mind: stand.)
proccos [-ok, -t; adv -an] a, (biz) stuck-up, (purse-)proud, showy, ostentatious, flashy (mind: stand.)
procedúra [..át] n, proceeding, procedure, [kínos] ordeal
processzió [-t, -ja] n, (religous) procession
processzus n, process, progress, course
prodékán n, ex-dean (of a university)
producer [-ek, -t, -e] n, (film) producer
produkál [-t, -jon] vt, 1. produce; bizonyítékot ~ fur-

nish evidence 2. ~ja magát give a display of one's talent(s), cut a dash, (elit) make a show of oneself, show off
produkció [-t, -ja] n, production, output
produktív [-at; adv -an] a, productive, fruitful, fructuous; ~ munka productive work/labour; ~ és inproduktív munka productive and unproductive labour
produktivitás n, (növ) productivity, yielding ability
produktum [-ot, -a] n, product, produce, output, yield
pro és contra pro &/and con
prof [-ot, -ja] n, (biz) prof
profán [-ok, -t; adv -ul] a, profane, secular, lay [vallástalan] unhallowed, ungodly, impious, [szentségtörő] sacrilegious, blasphemous
profanizál [-t, -jon] vt, profane, desecrate, blaspheme against
profanizálás n, profanation
professzionalizmus n, professionalism
professzionista [..át] a/n, professional, professionalist, pro (fam); ~ lesz (sp) turn professional, professionalize
professzor [-ok, -t, -a] n, professor
professzori [-ak, -t; adv -lag] a, professorial; ~ állás professorship, professorate
professzoros [-ak, -t; adv -an] a, professorial, (elit) pedantic, donnish
próféta [..át] n, prophet, seer, soothsayer (obs); senki sem ~ a saját hazájában no one is prophet in his own country, a prophet has no honour in his own country
prófétai [-ak, -t; adv -lag] a, prophetic(al)
prófétál [-t, -jon] vi, prophesy
prófétanő n, prophetess
profi [-t, -ja] n, (biz) (sp) pro
profil [-ok, -t, -ja] n, 1. [oldalnézet] profile, side-face/ view; ~ban in profile; ~ból felvett [fénykép] photographed/taken side-face 2. (műsz) profile, contour, outline, section, shape, cut 3. [üzemé] (quantity and variety of goods (v. allotted special line) of a manufacturing company), proper scope, special line; gyártási ~ range of manufacture
profilaktikus a, (orv) prophylactic
profilarckép n, side-face portrait
profilaxis [-ok, -t, -a] n, (orv) prophylaxis
profilellenállás n, (rep) profile drag
profilgyalu n, reed/profile/beading plane
profiliroz [-tam, -ott, -zon] vt, 1. (műsz) mould, shape, profile, (útépít) bring to grade 2. [üzemet] specialize, rationalize, (change the aspect of a branch of industry (by limiting the manufacturing of certain products to certain factories)), [termelést] streamline, streaming (production)
profilírozás n, 1. (műsz) profiling 2. [üzemé] specialization, streaming (regrouping the production of factories to create specializied factores)
profilképzés n, (épít) profiling
profilléc n, templet
profilmaró [-t, -ja] n, profile cutter
profiloz [-tam, -ott, -zon] vt, = profiliroz
profiltégla n, moulded brick
profilvas n, sectional iron, iron section
profimérkőzés n, professional match
profirendszer n, professionalism
profit [-ot, -ja] n, profit, [nem anyagi] benefit
profitál [-t, -jon] vt, (vmből) profit, benefit, gain, make a profit/benefit/gain, take advantage of (sg), turn (sg) to account, make sg out of (sg)
profithéség n, profiteering
profithajhászás n, chase after profits, race for gain, profiteering
profithajhászó I. a, profiteering **II.** n, profiteer

profitráta n, rate of profit
prófunt [-ot, -ja] n, † *(kat)* ration loaf *(stand.)*
prognosztika n, *(orv)* prognostic
prognosztikus a, *(orv)* prognosticatory
prognózis [-ok, -t, -a] n, **1.** prognostic, predicition, *[időjárási]* weather forecast **2.** *(orv)* prognosis
program [-ot, -ja] n, **1.** *(ált)* program(me); *milyen ~unk van estére?* what is the programme for to-night?, what is on to-night?; *ma estére nincs semmi különösebb ~om* I have nothing particular in view this evening; *~ba vesz (átv)* schedule, envisage; *ez nem volt ~ba véve (átv)* that was not on my books, that was not in my plan; *~on kívül* out of programme, not on programme, on the top of the programme *(fam)* **2.** *(pol)* platform; *az optimális ~ meghatározása* determination of the optimal programme; *~ot ad* set/draw up a programme
programbeszéd n, policy(-making) speech, speech delineating the policy of a party/government
programértekezés n, essay, study (printed in the annual of a school)
programnyilatkozat n, candidate's declaration of programme/platform
programoz [-tam, -ott, -zon] vt, program(me)
programozás n, *[matematikai]* programming, *[termelési]* scheduling; *optimális ~* optimal programming; *optimális beruházási ~* optimal investment programming; *optimális külkereskedelmi ~* programming of optimal foreign trade; *optimális termelési ~* optimal production programming
programpont n, item of programme, *[műsorszám]* number, *[párté]* plank in party platform
programszerű a, according to *(v.* in accordance with the) programme *(ut)* ; *~en [simán]* without a hitch
programtervezet n, draft (of a programme), draft programme
programzene n, programme/descriptive music
programzeneszerző n, program(m)ist
progresszió [-t, -ja] n, progression
progresszív [-et; adv -an, -en] a, progressive, advanced, in favour of progress *(ut)*, *[adó]* grad(uat)ed, progressive, *[mozgás]* onward, forward, *[fokozatos]* gradual; *~ adózás* grad(uat)ed/progressive taxation; *~ darabbér* progressive wages by results *(pl)*, progressive piece-wages *(pl)* ; *~ jövedelemelosztási rendszer* progressive system of distributing income; *~ vám* grad(uat)ed/progressive customs duty
progresszíven adv, progressively
progresszivizmus n, progressivism
projekció [-t, -ja] n, projection
projektív [-e] a, *(menny)* projective; *~ transzformáció* projective transformation
projektum [-ot, -a] n, project, plan, scheme, design
prókátor [-ok, -t, -a] n, lawyer, pettifogger *(pej)*, shyster *(US fam)*
proklamáció [-t, -ja] n, manifesto, proclamation, public announcement
proklamál [-t, -jon] vt, proclaim, announce, declare, publish; *vkt elnökké ~* proclaim sy chairman/president
prokonzul n, *(tört)* proconsul
prokonzuli a, *(tört)* proconsular
prokonzulság n, *(tört)* proconsulate
Prokrusztész ágy n, the bed of Procrustes
prokura [.. át] n, signatory power, power/authorization to sign, power of attorney
prokurátor [-ok, -t, -a] n, *(tört)* procurator
prokurista [.. át] n, head/chief/managing/confidential/signing clerk, manager who signs for the firm
proletár [-ok, -t,-ja] a/n, proletarian, proletary; *~ hadsereg* proletarian army, army of the proletariat(e);

~ nemzetköziség internationalism of the proletariat(e), proletarian internationalism; *~ tömegek* proletariar masses; *világ ~jai egyeüljetek!* proletarians/workers of the world unite!; *fel fel te éhes ~!* awake ye starvelings from your slumber!
proletárállam n, proletarian state
proletárdemokrácia n, proletarian democracy
proletárdiktatúra [.. át] n, dictatorship of the proletariat(e), proletarian dictatorship
proletárelem n, proletarian (element/individual/component)
proletárellenes a, anti-proletarian
proletárforradalom n, revolution of the proletariat(e), proletarian revolution
proletárhatalom n, rule of the proletariate
proletáriátus n, proletariat(e); *a ~ a legforradalmibb osztály* the proletariat is the most revolutionary class; *a ~ élcsapata* the vanguard of the proletariat(e), the proletarian vanguard
proletarizál [-t, -jon] vt, proletarianize, proletarize
proletarizálás n, proletarianization, proletarization
proletarizálódás n, proletarization, becoming proletarian
proletarizálód|ik [-tam, -ott, -jon, -jék] vi, become proletari(ani)zed, sink into *(v.* be absorbed by) the lower class(es)
proletárosztály n, proletarian class, proletariat(e)
proletáröntudat n, proletarian consciousness
proletárpárt n, party of the proletariat(e)
proletárság n, proletariat(e)
proletárszellem n, proletarian spirit
proletárszervezet n, proletarian organization
proletárszolidaritás n, solidarity of the proletariat(e); *nemzetközi ~* international proletarian solidarity
proletárszülők n. pl, proletarian parents; *~től származó* of proletarian stock/parentage *(ut)*
proli [-t, -ja] a/n, *(biz)* prole
prológus n, prologue *(vmhez* to)
prolongáció [-t, -ja] n, = **prolongálás**
prolongál [-t, -jon] vt, prolong, prolongate, protract, extend, *[váltót]* renew (a bill), *[vasúti jegyet]* extend, *[filmet]* retain (a motion picture for a further week)
prolongálás n, prolongation, extension, continuation, carry-over, *[váltó, hitel]* renewal, *[értékpapírüzlet]* postponement of delivery of securities *(GB)*
prolongált [-at; adv -an] a, prolonged, extended, deferred, *[váltó]* renewed
promenád [-ot, -ja] n, promenade, (publik) walk
prompt I. adv, promptly, readily, immediately; *~ fizet* pay (in) ready/spot cash, pay cash down **II.** a, *~ eladás* spot bargain; *~ inkasszó* prompt cash; *~ visszavágás* quick repartee
propagál [-t, -jon] vt, propagate, spread (abroad), popularize, propagandize, make publicity/propaganda for, noise abroad, *[sajtóban]* boost
propagálás n, propagation, boosting
propaganda [.. át] n, propaganda, publicity, public relations *(pl)* *(US)*, puff *(pej)*; *háborús ~* war-mongering; *suttogó ~* grape-vine propaganda, whispering campaign; *propagandát csinál vmnek* make propaganda for, propagate, propagandize, *(pol)* canvass for, *[sajtóban]* boost, play up (sg); *propagandával átitat* propagandize
propagandaanyag n, propaganda material
propagandaeszköz n, means/organ of propaganda
propagandafelelős n, *(pol)* propaganda secretary propagandist, *(ker)* public relations man/officer
propagandafilm n, advertising/propaganda film
propagandafüzet n, throwaway; *nyomtatott ~* booklet, brochure
propaganda-hadjárat n, propaganda campaign
propagandairoda n, public relations office

propagandakampány n, drive (US)
propagandamunka n, propaganda work/activity
propagandaosztály n, (ker) publicity department
propagandista [..át] n, propagandist, propagator, public relations officer (US)
propán [-ok, -t, -ja] n, (vegyt) propane
propeller [-ek, -t, -e] n, 1. [csavar] propeller, screw, helix, [repgépen] airscrew, [torpedóé] fan 2. [dunai] small river steamer, [Londonban] water-bus, [New Yorkban] ferry
proponál [-t, -jon] vt, propose, suggest, recommend
propozíció [-t, -ja] n, suggestion, proposition, offer, recommendation
pro rata pro rata
prorektor [-ok, -t, -a] n, ex-rector/principal, pro-rector
prospektus n, prospectus, folder, handbill, circular
prosperál [-t, -jon] vi, prosper, thrive, do well
prostituál [-t, -jon] vt, prostitute; ~ja magát prostitute oneself
prostituált [-at, -ja] n, prostitute, harlot, streetwalker, woman of the street/town, woman of pleasure, lady of easy virtue (fam), [finomkodva] fallen woman, unfortunate
prostitúció [-t, -ja] n, prostitution, the social evil
prósza [..át] n, corncake, hoecake, cornpone (US), corn-dodger (US)
proszcénium [-ot, -a] n, proscenium, fore-stage, apron (stage), front of the stage
proszcéniumpáholy n, proscenium/stage-box
proszektor [-ok, -t] n, (orv) prosector
prosztata [..át] n, prostate
prosztataeltávolítás n, prostatectomy
prosztatafájdalom n, prostatalgy, prostatalgia
prosztatagyulladás n, prostatitis
prosztatamegnagyobbodás n, = prosztatatúltengés
prosztatamirigy n, prostate gland
prosztataoperáció n, prostatectomy, prostatotomy
prosztatarák n, cancer of the prostate gland
prosztatatúltengés n, prostatic hypertrophy, enlarged prostate, prostatism
prosztétikus a, prosthetic
protegál [-t, -jon] vt, = protezsál
protein [-ek, -t, -je] n, protein
proteinszemcse n, protein granule, aleuron(e)
protekció [-t, -ja] n, patronage, influence, backing, recommendation, pushing (of sy), backstairs influence, favouritism, wire-pulling; ~ja van have friends at court (v. at high places), be well backed, have influence, have influential friends; nincs elég ~m I am not sufficiently well-connected; ~t használ, ~t vesz igénybe pull the wires, pull strings, wire-pull, bring pressure to bear on (sy), use one's influence; ~ját felhasználja (v. latba veti) vk érdekében exercise one's influence in sy's behalf; ld még összeköttetés 2.
protekcionizmus n, favouritism
protekciós [-at; adv -an] I. a, patronized, backed, supported II. n, a ~ok well-connected people
protektor [-ok, -t, -a] n, protector, patron, backer, supporter, friend
protektorátus n, protectorate
protestál [-t, -jon] vi, protest, make a protest, remonstrate (.mind: against sg)
protestáns [-ok, -t, -a] a/n, Protestant
protestantizmus n, Protestantism
protézis [-ek, -t, -e] n, pro(s)thesis, dental plate/prosthesis, denture, bridgework, [mint tudomány] pro(s)thetics
protezsál [-t, -jon] vt, patronize, back, recommend, use one's influence for (sy), put in a word for (sy), push, pull (wires) for (sy); őt a miniszter ~ja he has the minister behind him
protokoll [-ok, -t, -ja] n, protocol

protokollfőnök n, protocol officer/chief, chief of protocol, chef de protocol (fr)
protokollosztály n, protocol department
protomártír n, (vall) protomartyr
proton [-ok, -t, -ja] n, (fiz) proton
protoplazma [..át] n, cell-body, (proto)plasm, cytoplasm, archiplasm
protoplazmás a, protoplasmic
protoplazmaszármazékok n. pl, protoplasmic derivatives
prototípus n, prototype, archetype, foretype, specimen, pilot model
protozoa [..át] n, (áll) protozoa(n)
protozoonok n. pl, protozoans (Protozoa)
protrombin [-ok, -t, -ja] n, prothrombin
protuberancia [..át] n, = napfáklya
proveniencia [..át] n, provenance
provincia [..át] n, (tört) province
provinciális [-ok, -t; adv -an] I. a, provincial, country-, of the country (ut), countrified II. n, (vall) provincial
provincializmus n, provincialism, provinciality
provizórikus a, provisional, provisory, temporary
provizórium [-ot, -a] n, provisional/temporary arrangement/state
provokáció [-t, -ja] n, 1. provocation 2. [párbajra kihívás] challenge (to a duel), calling out (sy), throwing down the gauntlet (to sy)
provokációs [-ak, -t] a, provoking, provocative, challenging
provokál [-t, -jon] vt, 1. provoke 2. [párbajra] challenge (sy to a duel), call (sy) out, throw down the gauntlet (to sy)
provokatív [-at; adv -an] a, provocative, provoking, challenging, [dacosan] defiant; ~ közbeszólás heckling
provokátor [-ok, -t, -a] n, provoker
próza [..át] n, prose; prózába áttesz [verset] put into prose, render in prose, prosify, prose; prózában ír write (in) prose, prosify
prózai [-ak, -t; adv -an, -lag] a, 1. [írásmű] prosaic(al), in prose (ut), prosy (pej); ~ kifejezés/stílus prosaism; ~ költemény prose-poem; Milton ~ művei Milton's prose works 2. [földhöztapadt] unimaginative, commonplace, ordinary, workaday, pedestrian, earthbound, of the earth, earthy (ut); ~ lény matter-of-fact person; ~ gondolkodás(mód) a literal(,) rather barren mind
prózaias [-ak, -t; adv -an] a, prosaic, commonplace, unimaginative
prózaíró n, prose-writer, prosaist, proser
prózairodalom n, prose literature, literature in prose
prózaiság n, prosiness, prosaism
prozelita [..át] n, proselyte
prozódia [..át] n, prosody
prozódiai [-ak, -t] a, prosodic(al)
prozopopea [..át] n, prosopopeia
pruszlik [-ot, -ja] n, bodice/bolero of Hungarian cut, stomacher
prücsök [..csköt, ..cske] n, = tücsök
prűd [-öt, -en] a, prudish, easily shocked, tight/straight-laced, prim, prissy (US)
prüdéria [..át] n, prudery, prudishness
prűdség n, = prüdéria
prüszköl [-t, -jön] vi, sneeze, [ló] snort; ~ vmitől become nettled at, take offence at, show annoyance at (mind: sg)
prüszkölés n, sneezing, sneeze, [lóé] snort(ing)
prüsszent [-eni, -ett, -sen] vi, sneeze
prüsszög [-tem, -ött, -jön] vi, keep sneezing, have a fit of sneezing, [ló] snort
pszalmódia [..át] n, (zene) psalmody
pszaltérium [-ot, -a] n, psaltery

psziché [-t, -je] n, psyche
pszichés a, psychic, phrenic; ~ eskór psychic epilepsy; ~ vizsgálat examination for mental status
pszichiáter [-ek, -t, -e] n, psychiatrist, psychiater, mind-healer
pszichiátria [.. át] n, psychiatry
pszichiátriai [-ak, -t] a, psychiatric
pszichikai [-ak, -t; adv -lag] a, psychic(al)
pszichikum [-ot, -a] n, psyche, psychic nature, psychism
pszichizmus n, psychism
pszichoanalítikus I. a, psychoanalytical II. n, psychoanalyst
pszichoanalízis n, psychoanalysis
pszichobiológia n, psychobiology
pszichofizika n, psychophysics
pszichofizikai a, psychophysical
pszichofizikus n, psychophysicist
pszichofiziológia n, psychophysiology
pszichofiziológiai a, psychophysiological
pszichofiziológus n, psychophysiologist
pszichogalvános a, ~ reflex galvanic skin response
pszichogén [-ek, -t] a, psychogenic
pszichogenetikus a, psychogenetic
pszichogenezis n, psychogenesis
pszichognózis [-ok, -t, -a] n, psychognosis
pszichográfia [.. át] n, psychography
pszichológia [.. át] n, psychology
pszichológiai [-ak, -t; adv -lag] a, psychological
pszichológus n, psychologist
pszichometria [.. át] n, psychometry
pszichometriai [-ak, -t; adv -lag] a, psychometric
pszichomotorikus a, psycho-motor
pszichoneurózis n, psychoneurosis
pszichopata [.. át] n, psychopath
pszichopátia [.. át] n, psychopathy
pszichopatológia n, psychopathology
pszichoszomatikus a, psychosomatic
pszichotechnika n, psychotechnology
pszichoterápia n, mind-cure, psychotherapy
pszichoterápiás a, psychotherapic
pszichózis [-ok, -t, -a] n, psychosis; háborús ~ war psychosis, war-fever
pszichózisos [-at; adv -an] a, psychotic
pszichrométer n, psychrometer; szellőztetett ~ aspiration psychrometer
pszt int, hush!, 'sh!, psht!, silence!, whisht!, [hívásnál] hist!, here!, I say!; ~! gyere csak ide! here! I want you!; erről aztán ~! mum's the word
ptialin [-ok, -t, -ja] n, (vegyt) ptyalin
ptializmus n, (biol) ptyalism
ptomain [-ok, -t, -ja] n, ptomaine
ptózis [-ok, -t, -a] n, (orv) ptosis
pubertás n, puberty; ~ utáni postpubertal; ~ praecox precocious sexual development, premature puberty
publ [-t, -ja] n, (biz) bubby
publicista [.. át] n, publicist, political writer
publicisztika n, publicism
publikáció [-t, -ja] n, 1. [közlemény] publication 2. [folyamat] publishing, [könyvé] bringing out (of a book)
publikál [-t, -jon] vt, 1. publish, make public/known, proclaim, give (sg) out 2. [könyvet, lapot] issue, bring out, publish
publikum [-ot, -a] n, the public, the people, audience
puccer [-ek, -t, -e] n, (biz) 1. (kat) batman, officer's servant (stand.) 2. = szidás
puccos [-ak, -t; adv -an] a, dressed up (to the nines), decked out, dolled up; ~ dáma dressy lady
pucér [-ok, -t; adv -an] a, (stark) naked, with nothing on (ut), stripped of clothes (ut), nude (ref.), [testrész] denuded, bared, uncovered

pucol [-t, -jon] I. vt, [ruhát, ablakot] clean, [cipőt] polish, shine, [krumplit] peal II. vi, □ [eliszkol] clear off, skedaddle
puccs [-ot, -a] n, putsch, coup d'état (fr)
puccskísérlet n, attempted putsch
púder [-ek, -t, -e] n, toilet/face-powder, powder, [borotválkozás után] talcum powder, [hintőpor] dusting powder
púderdoboz n, powder-box/bowl, puff-box, [retikülbe] compact, flapjack
púderes [-et; adv -en] a, = púderos
púderez [-tem, -ett, -zen] vt, = púderoz
púderos [-at; adv -an] a, powdered
púderoz [-tam, -ott, -zon] vt, (sprinkle with) powder, puff
púderpamacs n, powder-puff, hare's foot (fam)
púdertartó n, = púderdoboz
púderzacskó n, sachet
puding [-ot, -ja] n, pudding, trifle, jelly, soufflé
pudingforma n, pudding-basin
pudingpor n, pudding powder/mixture
pudli [-t, -ja] n, (French) poodle, barbet (Canis fam. extrarius)
pudvás a, 1. [fa] mouldy, decaying 2. [retek] spongy, ligneous, woody
pudvásod|ik [-ott, -jon, -jék] vi, 1. [fa] rot, decay, putrify, moulder, go mouldy 2. [retek] become spongy/ligneous
pufajka [.. át] n, quilted jacket
puff[1] [-ot, -ja] n, 1. [női ruhaujjon] puff (of sleeve) 2. [párna] pouf(fe)
puff[2] int, bang!, pop!, plop!, whack!, plump!, waliop!, crack!
puffad [-t, -jon] vi, swell (up/out), bag, puff, become inflated/distended, be bloated/inflated/puffed/puffy/swollen/flatulent, [állat] become hoven/blown/blasted
puffadás n, inflation, distension, swell(ing), puffing (up), puffiness, [gyomorban] flatulence, wind-colic, windiness, (áll) hoove; ld még haspuffadás
puffadt [-at; adv -an] a, puffy, bloated, swollen, inflated, tumid, turgescent
puffan [-t, -jon] vi, 1. [esik] plop, plump, thump, thud, whang; ahogy esik úgy ~ as the tree falls it will lie, as the cat jumps, as it may turn out 2. [puska] go off (with a bang/crack)
puffanás n, bang, whang, thud, thump, plump, wallop
puffant [-ani, -ott, -son] vi/vt, 1. [ejt] make plop/plump, thump 2. [puskával] discharge a gun, fire, pop
puffaszt [-ani, -ott,.. asszon] vt, plump, bloat, distend, swell, inflate
puffasztó [-at; adv -an] a, [étel] windy
puffer [-ek, -t, -je] n, buffer
pufferállam n, buffer state
puffjáték n, backgammon
puffos [-at; adv -an] a, puff(ed), puffy; ~ ujj puff (v. leg-of-mutton) sleeves (pl)
puffra adv, (biz) ~ vásárol buy on tick
pufi [-t] a/n, (biz) fatty
pufog [-tam, -ott, -jon] vi, 1. [puska] crack, rattle, [petárda] detonate, [motor] back-fire 2. [frázis] rant
pufogás n, [puskáé] crack(ing), loud discharge, (promiscuous) firing (of arms), rattle, [autóé] popping back, back-fire
pufogó [-t; adv -n] a, 1. [zaj] cracking, rattling 2. [beszéd, stílus] bombastic, high-sounding/taluting, ranting
pufogtat vt/vi, 1. [puskát] make crack, shoot aimlessly, blaze away 2. [frázisokat] rant, claptrap
pufók [-ot; adv -an] a, chubby, plump-cheeked, bulgy-cheeked, pudgy

puha [.. át] *a*, soft, *[bolyhos]* fluffy, *[finom]* delicate, *[gyümölcs]* mellow, *[hajlékony]* pliant, yielding, flexible, *[húsétel]* tender, *[kenyér]* fresh, new-baked, *[laza]* lax, slack, *[párna]* downy, *[pépes]* pulpy, mushy, squashy, *[puhán lötyögő]* flabby, limp, flaccid, sloppy, pasty, *[simulékony* supple, *[talaj]* poachy, soft; ~ **ágy** springy/soft bed; ~ **áru/cikk** *(ker)* non-essential goods; ~ **bőrkötés** limp leather binding; ~ **bőr** smooth/soft skin; ~ **deviza** soft currency; ~ **ember** weakly/spineless person; ~ **fogású** soft to the touch *(ut)*; ~ **kéz** soft hand; ~ **porcelán** artificial porcelain, soft-paste porcelain; ~ **szájú ló** horse with a tender mouth, horse that handles well, horse light in hand; ~ **szőrű** soft-haired, villous, villose; ~ **testű állat** mollusc

puhafa *n*, soft-wood
puhagallér *n*, soft collar
puhakalap *n*, soft felt hat, flap-hat, trilby, *[nagy lehajló karimával]* slouch-hat, crush/squash hat *(US)*
puhány *n*, 1. *(áll)* mollusc *(Molluscus)* 2. *(átv)* weakling, weakly/effeminate/boneless/spineless person, mollycoddle, milksop, shilly-shally fellow, softy ◊
puhaság *n*, softness, *[húsételé]* tenderness, *[simulékonyság]* suppleness, *[gyümölcsé]* mellowness, *[lötyögősség]* flaccidity, limpness
puhatestűek *n. pl*, *(áll)* molluscs *(Mollusca)*
puhatol [-t, -jon] *vt/vi*, *(vmt, vk/vm után)* investigate, make inquiries, inquire into/after, sound (sy), pump sg out (of sy), spy out, look/search/seek for/after, nose around/about (for sg)
puhatolás *n*, investigation, inquiry, enquiry, sounding, search
puhatolódz|ik [-tam, -ott, -zon, -zék] *vi*, = **puhatol**
puhatüskés *a*, *(növ)* muricate
puhít [-ani, -ott, -son] *vt*, 1. soften, mellow, mollify, make soft/tender, *[gőzzel]* stew, *[húst]* make tender, *[bőrt]* drench, perch 2. *(vkt átv)* = **megpuhít** 2.
puhítás *n*, softening, mellowing, mollifying, mollification, making soft/tender, *[bőré]* drenching
puhítgat *vt*, try to weaken/soften
puhítószer *n*, emollient, demulcent, lenitive
puhul [-t, -jon] *vi*, 1. *(konkr)* soften, mellow, grow/become soft/mellow, *[hús]* become tender 2. *(átv)* soften, yield, give way
pukedli [-t, -je] *n*, curts(e)y, scrape *(fam)*
pukedliz|ik [-tem, -ett, -zen, -zék] *vi*, make/drop a curts(e)y, scrape *(fam)*
pukkad [-t, -jon] *vi*, 1. *(konkr)* crack, split, snap, burst (up), explode, burst/fly/spring asunder/apart 2. *[mérgelődik]* be bursting/exploding with rage, be deeply annoyed/vexed/irritated, be up in the air *(fam)*
pukkadás *n*, bursting, cracking, splitting, snapping; ~**ig jóllakik** have a good tuck in, cram/stuff till one is ready to burst
pukkadoz|ik [-tam, -ott, -zon] *vi*, ~**ik a nevetéstől** choke with laughter
pukkan [-t, -jon] *vi*, (go) pop, crack, clap, bang, snap, burst, detonate, *[puska]* give a report, go off with a bang
pukkancs [-ot, -a] *n*, 1. *[pukkanó tárgy]* cracker 2. *[méregzsák ember]* hotspur
pukkant [-ani, -ott, -son] *vt*, burst, break, pop, cause to explode, discharge, make (sg) crack
pukkaszt [-ani, -ott, ..sszon] *vt*, *[mérgesít]* vex, annoy, exasperate, *[heccel]* tease, jest, pull sy's leg *(fam)*, rag *(fam)*
pulár [-ok, -t, -jat] *n*, poulard
puli [-t, -ja] *n*, puli, ⟨small very shaggy black Hungarian sheep-dog⟩
puliszka *n*, (Indian) corn/maize porridge, samp *(US)*, hominy *(US)*

pullmankocsi *n*, Pullman car
pulóver [-ek, -t, -je] *n*, pull-over, jersey
pulp [-ot, -ja] *n*, pulp, dry juice
pulpa [.. át] *n*, *[fogé]* pulp
pulpitus *n*, *[templomban]* pulpit, lectern
pulpoz [-tam, -ott, -zon] *vt*, pulp
pult [-ot, -ja] *n*, 1. *[boltban]* counter; *a* ~ **alatt** under the counter; *a* ~ **alól** from under the counter 2. *[karmesteri]* rostrum
pulzál [-t, -jon] *vi*, *(műsz)* pulse
pulzálás *n*, *(orv)* pulsation
pulzáló [-t] *a*, *(orv)* pulsating; ~ **szemkidülledés** pulsating exophthalmos
pulzométer *n*, *(műsz)* pulsator
pulzus *n*, 1. pulse; ~ **nélküli** pulseless; *kihagy a* ~ one's pulse misses a beat; *megtapogatja vk* ~**át** feel sy's pulse 2. *zenei* ~ beat
pulzushullám *n*, *(orv)* pulse wave
pulzusszám *n*, *(orv)* pulse rate
pulya[1] [.. át] *n*, *(nép)* child, kid *(mind: stand)*
pulya[2] [.. át] *a*, faint, chicken-hearted, white-livered, cowardly
pulyka *n*, 1. *(áll)* turkey *(Meleagris gallopago)* 2. *(átv)* irascible person, hothead
pulykakakas *n*, turkeycock, gobbler
pulykaméreg *n*, sudden and violent anger, choler, hasty/quick/hot temper; *amikor elönti a* ~ when his hackles are up
pulykapecsenye *n*, roast turkey
pulykatojás *n*, turkey's egg; ~ **képű** freckled, freckle-faced
puma [.. át] *n*, *(áll)* cougar, puma, mountain/American lion, panther *(US)*, catamount(ain) *(US)* *(Felis cougar/concolor)*
pumi [-t, -ja] *a*, ⟨a small Hungarian sheepdog⟩, pumi
pumpa [.. át] *n*, 1. *[kerékpárnak]* inflator, (air)pump 2. *[mosdó lefolyócsövét kitisztító]* plunger, rubber suction cup, plumber's friend *(fam)*
pumpál [-t, -jon] *vt*, pump, suck up
pumpálás *n*, pumping .
pumpol [-t, -jon] *vt*, *(biz)* touch, tap (sy for money), squeeze, sponge, panhandle *(US)*
pumpolás *n*, *(biz)* touching, tapping, squeezing
pumpoló [-t, -ja] *n*, *(biz)* borrower *(stand.)*, leech *(stand.)*, panhandler, scrounger
pún [-ok, -t, -ja] **I.** *a*, Punic, Carthaginian **II.** *n*, Carthaginian
punci [-t, -ja] *n*, □ twat, cunt
puncs [-ot, -a] *n*, punch, toddy
puncsfagylalt *n*, Roman punch
puncsostál *n*, punch-bowl
puncstorta *n*, rum-cake (with pink icing)
pungál [-t, -jon] *vi*, *(orv)* puncture, aspirate
pungálótű *n*, *(orv)* aspirating needle
punkció [-t,-ja] *n*, *(orv)* tapping, puncturing, puncture
punktum *int*, *(biz) megmondtam és* ~! I've told you and that's that *(v.* and there is an end of/to it)
púp [-ot, -ja] *n*, hump, hunch, hunk, *[csak háton]* hunchback, *[ütéstől]* bump, bruise, swelling, hump, lump, protuberance *(tud)*; ~**ja van** have a hump
pupák [-ot, -ja] *n*, *(biz)* ninny, simpleton, Simple Simon
pupilla [.. át] *n*, *[szembogár]* pupil (of the eye); *fénymerev* ~ Argyl-Robertson pupil; *kitágítja a pupillát* dilate the pupil
pupillareflex *n*, pupillary reflex
pupillaszűkület *n*, constriction of the pupil, myosis, miosis
pupillatágító *a*, ~ **szer** mydriatic drug
pupillatágulás *n*, mydriasis
puplin [-ok, -t, -ja] *n/a*, poplin, cotton weft poplin, broadcloth *(US)*

púpos [-at; adv -an] I. a, humpbacked, hunchbacked, humped, crook-backed, humpy, gibbous, [igével] have a hump; ~ szövő [lepke] prominent (Notodonta sp.); ~ szúnyog black fly, gnat (Simulium sp.); ~ teve [egypúpú] dromedary, Arabian camel (Camelus dromedarius), [kétpúpú] Bactrian camel (Camelus bactrianus) II. n, humpback, hunchback, crook-back

púposod|ik [-tam, -ott, -jon, -jék] vi, 1. (vm) bulge, hunch, form a hump, bag, belly 2. (vk) grow/become hunch-backed

púposság n, gibbousness, gibbosity

púpoz [-tam, -ott, -zon] vt, 1. [kanalat] fill/heap up, (measure) to/over the brim 2. [macska a hátát] arch (the back)

púpozott [-at; adv -an] a, ~ kanál heaped spoonful; ~ mérték heaped measure

purdé [-t, -ja] n, gipsy child/lad

purgál [-t, -jon] vt, relax/cleanse the bowels, (orv) purge, drain, absterge

purgatórium [-ot, -a] n, purgatory

purgatóriumi [-ak, -t] a, purgatorial

purgó [-t, -ja] n, aperient, laxative

purim [-ot, -ja] n, (vall) Purim

purista [.. át] a/n, purist

puritán [-ok, -t; adv -ul] a/n, Puritan, (átv) puritan, strict moralist

puritanizmus n, (vall) puritanism

puritánság n, puritanism, austerity

puritánul adv, puritanically, austerely

purizmus n, purism

purparlé [-t, -ja] n, interchange of ideas, exchange of views, conversation

púrum [-ot, -a] n, clean, fair copy

puska n, 1. rifle, gun, field piece, firearm, [vadász] shotgun, [lovassági] carabine, musket (obs); ismétlő ~ magazine-rifle; kétcsövű ~ double-barrelled gun; páncéltörő ~ anti-tank rifle; mintha puskából lőtték volna ki like a shot, like a flash of lightning; puskát belő play a rifle; puskát fog vkre/vmre aim/point/level a gun at, fix a gun on; puskát tölt load a gun; puskával tiszteleg present arms 2. (isk) (biz) crib, horse, cab, [szöveg közé írott] pony; puskát használ crib

puskaagy n, butt, stock of rifle, gun-stock

puskacső n, (gun-)barrel

puskadörej n, crash/bang/report of gun

puskafogások n. pl, arms drill

puskagolyó n, (rifle-)bullet

puskagránát n, rifle grenade

puskagúla n, stack of arms

puskalövés n, (gun/rifle-)shot; ~ nélkül without firing a shot, [tágabb értelemben] without (striking) a (single) blow

puskalövésnyire adv, within rifle-shot, within gun-shot

puskaműves n, gun-maker/smith, rifle-maker, armourer

puskapor n, (gun)powder; nem találta fel a ~t he is no great light/luminary, he will not set the Thames on fire; ellövi a ~át exhaust one's ammunition, shoot one's bolt

puskaporos a, ~ hordó powder-cask/barrel/keg; ~ hangulat explosive/bellicose atmosphere

puskaropogás n, running fire, crack(l)ing of rifle-fire, rattle (of musketry)

puskás a, ~ ember man with a gun, (kat) rifleman, gunner, fusilier (fam)

puskaszíj n, (gun-)sling, (shoulder-)strap

puskaszó n, = puskadörej, puskaropogás

puskatisztító n, [kócos] pull-through; ld még puskavessző

puskatok n, gun-case

puskatus n, = puskaagy

puskatűz n, discharge of musketry, fusillade, gun/rifle fire; ~et zúdít vmre play the guns on sg

puskavessző n, gun-stick, ramrod, cleaning rod, rifle cleaning brush

puskázás n, (isk) cribbing

puskázávárzat n, rifle lock, breech-bolt

puskáz|ik [-tam, -ott, -zon, -zék] vi, (isk) crib, use a crib/pony, cab

pusmog [-tam, -ott, -jon] vt/vi, whisper, grumble, mutter

puszedli [-t, -je] n, macaroon

puszi [-t, -ja] n, peck, kiss, buss (obs)

puszil [-t, -jon] vt/vi, kiss, peck, buss (obs)

puszipajtás n, chum, crony, pal, mate, bosom/fast friend

pusziz [-tam, -ott, -zon] vt/vi, = puszil

puszpáng [-ot, -ja] n, (növ) box(-tree), boxwood (Buxus sp.)

puszta [.. át] I. a, 1. [elhagyott] deserted, abandoned, uninhabited, desolate, [kopár] bare, bleak 2. [egyedülvaló] mere, very bare, sheer; ~ erővel by sheer strength; csak a ~ falak maradtak meg only the bare walls remained; ~ feltevés it is pure guess-work; ~ ígéret (jog) naked promise; ~ kézzel megtámad vkt attack/assail sy unarmed, attack sy bare-fisted/handed; ~ könyörületből tesz vmt do sg out of compassion for sy; már a ~ látása is even the mere sight of it; ~ név a mere name, hardly a name; ~ ököllel with naked fist; ~ szemmel lát vmt see sg with the naked/unaided eye; az igazság csak ~ szó számára truth is only a name to him; ~ szóra one has but to ask; ~ tények the naked facts; ~ tulajdon-(jog) naked title; ~ udvariasság it is a mere compliment; ~ véletlen mere chance; ~ véletlenségből by sheer accident

II. n, 1. [síkság] lowland plain, waste, prairie, [magyar] puszta, (Hungarian) steppe; hideg ~ tundra, cold desert; a pusztába kiáltó szó the voice crying in the wilderness 2. [major] farmstead, ranch (US)

pusztai [-ak, -t] a, ~ csárda inn in the "puszta"; ~ növény heath-plant; ~ táj landscape of the plains, the puszta

pusztán adv, merely, only, purely (and simply), nothing but, barely; ~ azért (hogy) merely in order (to/that), by the mere fact (that); ~ csak formaság (az egész) it is entirely formal; ~ véletlenül purely accidentally

pusztaság n, lowland plain, steppe, prairie, [magány] desert, wilderness, desolation, desolate/deserted region/tract/country

pusztáz|ik [-tam,-ott,-zon,-zék]vi, live in the "puszta", ramble/range/rove on/across/over the "puszta"

puszter n, [fogorvosé] chip blower

pusztít [-ani, -ott, -son] vt, devastate, ravage, pillage, destroy, lay waste, overrun, mar, ruin, annihilate; sok cipőt ~ wear out many pairs of shoes; pestis ~ja a vidéket the plague is devastating the country; a faluban tűzvész ~ott the village was ravaged by a fire; rengeteg szendvicset ~ott (biz) do great execution among the sandwiches

pusztítás n, ravage, devastation, destruction, havoc, wrecking; nagy ~t okoz spread (v. be the cause of) desolation/havoc

pusztító [-t, -ja; adv -an] I. a, destructive, ruinous, (all-)destroying, ravaging, devastating II. n, destroyer, ravager, spoiler, devastator

pusztul [-t, -jon] vi, go to (rack and) ruin, fall/come to ruin, perish, be ruined/destroyed, (fall into) decay, be swept away, go to the dogs/devil (fam); éhen ~ die of hunger/famine, starve to death; ott ~t a tűzben perished in the fire; ~j innen! clear out from/of here!, be off!, out (with you)!, get you gone!, go away!, scram! (US), beat it! (US)

pusztulás n, **1.** (konkr) decay, dilapidation, crumbling, destruction, devastation, ruin(ation), annihilation, havoc, wreck, dissolution, .deterioration, decline, wasting away, desolation; *teljes* ~ rack and ruin; *~ba kerget* drive to perdition; *~ra ítél* doom, give over to destruction, devote to destruction; *~ra szánt város* doomed town; *~át okozta* cause its/sy's perdition **2.** (átv) death

pusztulófélben adv, on the brink of ruin

putri [-t, -ja] n, (gipsy) hovel, shanty, cabin, shack

puttó [-t, -ja] n, [gyermek] chubby child, [angyalszerű] cherub, (műv) putto; *a kép ~i* the putti in the picture

puttony [-ok, -t, -a] n, butt, dosser

puttonyos [-ak, -t; adv -an] a, **1.** -butt; *öt ~ tokaji aszú* five-butt Tokay aszu **2.** ~ *kotró* shovel-dredge(r)

puttonypermetező n, portable sprayer, sprayer carried on the back

puzdra [.. át] n, quiver

puzón [-ok, -t, -ja] n, (zene) trombone, posaune

puzónjátékos n, (zene) trombonist,. trombone

puff int, = **puff²**; ~ *neki!* now we have had it!, the game is up, our number is up!, the fat is in the fire!

püffed [-t, -jen] vi, bloat, puff out/up, distend, swell

püffedt [-et; adv -en] a, bloated, puffed up/out, swollen, inflated

püföl [-t, -jön] vt, beat, pummel, pommel, slug, slog, thrash, drub, thwack, whack; *~i vknek a fejét* slog sy over the head; *az írógépet ~i* pound/rattle away at the typewriter

pünkösd [-öt, -je] n, Whitsun(tide), Pentecost (ref.), Pinkster (US fam)

pünkösdhétfő n, Whit Monday

pünkösdi [-ek, -t] a, Whit(sun), of Whitsuntide (ut), pentecostal (ref.); ~ *királyné* ⟨the smallest girl in the Whitsuntide procession⟩; ~ *királyság* passing glory; ~ *rózsa (növ)* (common) peony (Paeonia)

pünkösdölő [-t, -je] n, [népzene] ⟨girls' Whitsuntide procession accompanied by singing⟩

pünkösdvasárnap n, Whit Sunday

püré [-t, -je] n, mash, purée (fr)

püréleves n, thick soup

püspök [-öt, -je] n, bishop, pontiff (obs); *tábori ~* Chaplain General; *~ké szentel vkt* confer a mitre upon sy, enthrone sy as a bishop; *~ké szentelés* enthronement of a bishop

püspökbot n, crosier, crozier, pastoral staff, crook

püspökfalat n, pope's/parson's nose

püspökgyűrű n, episcopal ring

püspöki [-ek, -t] a, episcopal, bishop's, [katolikus] pontific(al); ~ *egyház (tört)* episcopal church; ~ *helynök* vicar-general, chancellor of a bishopric/diocese; ~ *kar* episcopacy, the episcopate; ~ *méltóság* episcopate, bishopric; ~ *palota/székhely* (episcopal) see; ~ *város* cathedral town (GB)

püspökkenyér n, spice-cake (with raisins and almonds etc.), fruit cake

püspöklila a/n, magenta

püspökség n, bishopric, see, episcopate, episcopacy, mitre (ref.)

püspöksüveg n, mitre, miter

püspökszentelés n, enthroning/consecration of a bishop

püthiai [-ak, -t] a, [jósnő stb.] Pythian

Q

q [q-t, q-ja] n, [betű] q, the letter q/Q; *kis q-val ír* write with a small q

quadráns [-ok, -t] a, [negyed] quadrant

quaestor [-ok, -t, -a] n, = kvesztor

quaker [-ek, -t, -e] **I.** a, Quaker **II.** n, Quaker, Friend, [nő] Quakeress

quantum [-ot, -a] n, quantity

quantum-elmélet n, = kvantumelmélet

quattrocento [-t] n, (műv) quattrocento

quart [-ot, -ja] n, = kvart

quint [-et, -je] n, = kvint

quintál [-ok, -t, -ja] n/a, = métermázsa

quisling [-et, -je] n, quisling

quotiens [-ek, -t, -je] n, (menny) quotient

R

[r-et, r-je] *n, [betű]* r, the letter r/R; *kis r-rel ir* write with small r; *nagy R-rel ir* write with capital R; *pergeti/ropogtatja az r hangot* roll one's r's

-ra *suff,* **1.** *[helyhatározó]* **a)** on; *tedd az asztalra* put it on the table; *lóra száll/ül* get on horseback **b)** into; *bejár az udvarra [kocsi]* drive into the courtyard; *világra jön* come into the world; *világra hoz* bring into the world **c)** to; *az állomásra megy* go to the station; *vidékre megy* go to the country; *Kaposvárra megy* go to Kaposvár; *fölmegy az V. emeletre* go to *(v.* walk up to) the 5th floor; *balra* to the left; *jobbra* to the right **d)** at; *ujjal mutat vmre* point at sg; *tekint/néz vkre/vmre* look at sy/sg, have/direct/cast a look/glance at sy/sg; *rárohan vkre* run/rush at sy **e)** *[elöljáró nélkül:]* *innen egy kilométerre van* it is a kilometre from here; *bejár az állomásra [vonat]* enter the station; *hajóra száll* go on board a ship, go aboard; *lóra száll* mount a horse; *felszáll a hatosra* take tram/bus number six; *erre(,) kérem* this way(,) please; *szemére hány* reproach sy with, upbraid sy with/for (sg), blame sy for; *zsebre vág (konkr)* pocket, *(átv)* swallow, stomach, take it (lying down), lump it **2.** *[időhatározó]* **a)** *[időpontra]* by; *ötre ott leszek, öt órára ott leszek* I'll be there by five (o'clock); *őszre* by autumn/fall **b)** *[idő tartamára]* for; *egy hétre* for a week; *egy évre* for a year; *öt napra* for five days; *éjjelre/éjszakára itt marad* stay for the night **c)** to; *napról napra élnek* they are living from day to day; *hétről hétre* from week to week; *időről időre* from time to time **d)** *[elöljáró nélkül:]* *mához egy hétre* today week, this day week, a week today; *mához egy évre* this day next year, a year from today **3.** *[állapothatározó]* *[különféle elöljáróval v. elöljáró nélkül:]* *eszméletre/öntudatra ébred* come to (oneself), recover/regain consciousness, come to one's senses (again); *jó kedvre hangol vkt* put sy in good humour, cheer sy (up), raise the spirit of sy; *szabadlábra helyez* set at large/liberty, release, free; *könnyekre fakad* burst into tears; *koldusbotra jut* be reduced to beggary, become a beggar/pauper; *esőre áll* it looks like rain, it looks as if we are going to have rain **4.** *[vmvé válik/tesz]* **a)** to; *darabokra törik* break/come/fall/go to pieces; *izekre szed/tép (átv is)* tear to pieces/shreds, pull/pick/cut to pieces **b)** *[különféle elöljáróval v. elöljáró nélkül:]* *három részre oszt* divide into three parts; *jóra fordul* take a turn for the better; *pirosra fest* paint red; *betegre dolgozza magát* overwork oneself, fall ill with overwork; *javára válik/szolgál vknek* do good to sy, be good for sy, benefit/profit sy **5.** *[véghatározó]* **a)** at; *céloz vkre (átv)* hint at sy; *rákiált vkre* shout at sy; *rápillant vmre* glance at sg; *rámosolyog vkre* smile at sy; *rendelkezésre áll* be at (sy's) disposal; *vk kárára* at the expense of sy **b)** for; *vár vkre/vmre* wait for sy/sg, look out for sy/sg; *mindenre kész* be ready/prepared for anything; *nincs étvágya vmely ételre* have no appetite for (food); *mindenre tud válaszolni* have/find an answer for everything, be ready with an answer for everything, never be at a loss for an answer **c)** of; *emlékeztet vkt vmre* remind sy of sg, put sy in remembrance/mind of sg; *gondol vmre* think of sg; *rosszat mond vkre* speak ill of sy; *szert tesz vmre* get hold of sg, take possession of sg **d)** to, into; *hallgat vkre* listen to sy, pay heed to sy; *hallgat a jó szóra* listen to reason; *rábíz vmt vkre* entrust sg to sy; *szorítkozik vmre* be confined/restricted/limited to, restrict/limit/confine oneself to; *utal vmre/vkre* relate/refer to sy/sg, point to sy/sg; *tárgyra tér* come to the point, get down to facts; *magyarról angolra fordít* translate from Hungarian into English; *hogyan fordítod angolra?* how do/will you translate it into English?, how would you put that in English? **e)** on, upon; *hat vk vkre* exercise an influence on sy, bring to bear an influence on sy; *hat vm vkre* make an impression on sy, have/produce an effect on sy; *(rá)bukkan vmre* strike/light/stumble/happen upon sg; *számít vkre/vmre* reckon/count/depend/rely (up)on sy/sg **f)** with; *mérges/haragszik vkre* be angry with sy **g)** *[rendszerint főnévi igenévvel rövidített szerkezettel v. elöljáró nélkül:]* *kényszerít vkt vmre* strain/compel/force/make/press/oblige sy to do sg, make sy to do sg; *kér vkt vmre* ask/request/beg sy to do sg; *ösztönöz vmre vkt* urge/incite/stimulate/impel sy to do sg; *rábír vkt vmre* get/bring/induce/prompt/move/cause sy to do sg; *ráparancsol vkre* charge/order/command sy (to do) sg, enjoin sg; *hat vkre* influence/affect/move sy; *tanít vkt vmre* teach sy sg; *kérdésre felel* answer a question; *kékre fest* paint/dye (sg) blue **6.** *[módhatározó]* **a)** at; *első látásra* at first sight; *egy csapásra* at one blow **b)** *[különféle elöljáróval:]* *vmnek hasonlatosságára* in the form and likeness of sg, in the image of sg; *tövéről-hegyire kikérdez* interrogate in detail; *szóról szóra* word for word; *szavamra mondom* (up)on my word; *a bibliára esküszik* swear on the Bible **7.** *[hasonlításban]* *hasonlít az apjára* he is/looks like his father, he resembles his father **8.** *[fokhatározó]* *[különféle elöljáróval v. elöljáró nélkül:]* *felére csökkent reduce by half; *kétszeresére növel* double, increase twofold; *öt számjegyre rúg* run into five figures; *semmi esetre sem* by no means, on no account; *mire jutunk?* what will become of us?; *a dolog már annyira jutott hogy* things have/had gone so far that; *ennyire* so far as that, thus (far), so (very) much; *amennyire tudom* for aught/all I know, as far as I know; *tökélyre visz vmt* bring sg to perfection **9.** *[tekintethatározó]* *[különféle elöljáróval:]* *a fél szemére vak* be blind in one eye; *jobb lábára sánta* be lame in the right leg; *vmre nézve* as regards sg, in connection with sg, with regard to sg; *el vagyok készülve a legrosszabbra* I am prepared for the worst **10.** *[célhatározó]* **a)** to, for; *alkalmas vmre* suitable to/for sg, fit(ted)/right for sg, good/serviceable for sg; *alkalmatlan vmre* unfit for sg, unadapted for sg, unsuited to/for sg; *mire való?* what is it (good/used) for; *vk emlékére* to the memory ní sy; *segítségére siet vknek* fly to sy's assistance; *nagy örömömre* to my great joy; *vizsgára készül* prepare/read for an examination; *fáj a foga vmre* long/yearn for sg, be itching for sg, one's mouth waters for sg; *mi lesz ebédre?* what shall we have for dinner? **b)** *[különféle elöljáróval:]* gondot *fordít vmre* bestow/expend care on sg; *nagy gondot fordít vmre* bring great care to bear upon (doing) sg, pay great/ scrupulous attention to sg; *szomjazik vmre* thirst after sg, *(átv)* long/crave for/after sg; *törekszik vmre* strive/be/strain aspire/seek after sg, aim at sg, be set on sg, aspire to (do sg); *vágyódik/vágyakozik vmre* long/yearn for/after sg **c)** *[elöljáró nélkül:]* szert *tesz vmre* get/obtain/acquire sg; *befolyásra tesz szert* gain ascendancy over sy; *ügyel a nyelvére* guard one's tongue; *iszik vk egészségére* drink sy's health **11.** *[határozószókban]* messzire, egyszerre, estére, újra, elvégre, mindenesetre *végre* stb. ld a szótár megfelelő helyén

rá [rám, rád, rá(ja), ránk, rátok, rájuk] **I.** *adv, pron/ dem,* (with personal suffixes) upon/on/onto me/ you etc.; *blzd azt ~m* leave that to me, let me handle it; *haragszom ~* I am angry with him; *~ sem hederítettek* he was unheeded; *emlékszem ~* I remember him/ it; *nincs ~ időnk* we have no time for it, we cannot find time to do it; *volt ~ pénzed* you had the necessary cash/means/funds, you had the wherewithal (to do/buy it); *ez nem tartozik ~!* it is none of his business; *~nk telepedett egy teljes hétre* she has landed on us for a whole week *(fam)*

II. *adv. dem, egy hétre ~,* ~ *egy hétre* a week later/after, after a week; ~ *egy nappal* the next day, the day after; *nemsokára ~* soon after

rá- *pref,* on, onto

ráad *vt,* **1.** *ruhadarabot vkre* ~ put sg on sy, help sy on with sg **2.** *[hozzátesz]* (super-)add, *[eladó]* give into the bargain, throw (sg) in, add (to boot), *[vevő árra]* give/add an extra (amount); *adjon rá még 10 forintot* make it 10 forints more, give an extra *(v.* another) 10 forints **3.** *~ja a fejét (v. magát) vmre [érzelemre]* abandon oneself to, give oneself over/up to, give way to, *[foglalkozásra]* apply oneself to, set one's mind to, dedicate/devote oneself to, go in for, take to/up sg, *[szenvedélyre, szokásra]* become addicted to; *~ta magát az ivásra* he became addicted to drink, he took to drink **4.** *nem adok rá semmit* I have no great opinion of it/him, I don't care a fig/hang/rap for it/him *(fam),* I don't give a damn for it/him *(fam)*

ráadás *n,* **1.** sg given in addition *(v.* into the bargain), sg extra, plus, surplus(age), *[mészárosnál]* make-weight, *[vásárlónak]* lagn(i)appe, bargain-gift **2.** *[művésznél]* extra (piece), special piece, encore; *~t ad [előadóművész]* give an encore, encore; *~t kér [előadóművésztől]* call for an encore, encore

ráadásul *adv,* **1.** *[adás]* into the bargain, for good measure, over and above; ~ *ad* give sg for good measure *(v.* over and above sg *v.* as a make-weight), throw in sg **2.** *(átv)* at that *(ut),* (and) what is more, moreover, furthermore, on top of it all, additionally, added to which, in addition, on the side *(US),* to boot *(obs), [kellemetlenségnél]* to make matters worse; ~ *még ... to cap it all ...; és ~ még gyenge* is and a poor/weak one at that

ráaggat *vt,* = **ráakaszt**

ráakad *vi,* **1.** *(vm vmre)* get caught/lodged on **2.** *[vk vmre keresés után]* trace, find, discover, meet (with), *[véletlenül]* come across/(up)on/at, light (up)-on, stumble/chance/hit/happen/drop upon, *(bány)* strike (oil/gold); ~ *egy részre a könyvben* come across a passage in a book; ~ *a helyes útra* hit the right path

ráakaszkod|ik *vi,* **1.** *(vkre)* obtrude/thrust/impose oneself upon, *[vkre utcán]* buttonhole sy **2.** *[élősködik]* sponge on

ráakaszt *vt,* **1.** hang (up)on, suspend, append, attach to, hook (on/up to), *[hurokkal, horoggal stb.]* hitch **2.** *(vasút) [vagont]* couple up/on; *az étkezőkocsit Manchesterben akasztják rá a szerelvényre* the dining--car is coupled up at M.

ráakasztás *n,* **1.** hanging on(to), suspending, suspension **2.** *(vasút) [kocsikat]* coupling, putting on

rááldoz *vt, (vmre)* sacrifice (sg) to/for, devote/dedicate (sg) to, give up (sg) to

rááll *vi,* **1.** *(vmre)* stand on, place/station oneself on* get onto **2.** *[beleegyezik]* agree, consent to, accep*- (sg), lend oneself to (sg); *(nagy nehezen) ~ vmr*° bring oneself to do sg; *~t az alkura* he accepted th*r* offer, he agreed to the offer **3.** *(sp) [futballban* mark (one's opponent)

rab [-ot, -ja] **I.** *n,* **1.** prisoner, *[fogoly]* captive, *[fegyenc]* convict, lag ◇; *~ul ejt vkt* take sy captive*f* prisoner, capture sy , *(átv is)* imprison sy, *(csak átv)* captivate/enthral/charm sy, cast/put a spell on sy; *~ul ejti a szíveket (biz)* enslave the hearts **2.** = **rabszolga; 3.** *~ja vknek* be the slave of sy; *~ja vmnek (átv)* be the slave of sg, be a slave to sg, be devoted/wedded to sg; *~ja a divatnak (átv)* be a slave of fashion; *az ital ~ja* be addicted to drink; *kábítószer ~ja* be a drug-fiend; *a kötelesség ~ja* be a slave to duty; *~ja egy szenvedélynek* be the slave of sg, be a slave to a passion; *szokás ~ja* be a slave of habit, be a slave to his habit; *a társadalmi szokások ~ja* be a slave to conventions

II. *a,* captive, imprisoned; ~ *madár* caged/captive bird

rábámul *vi, (vkre, vmre)* gape/gaze/stare/leer at, stare (sy) in the face, give (sy) a stare, *[csodálkozva]* look agape at, stare in (wide-eyed *v.* open-mouthed) wonder/astonishment at, *[értelmetlenül]* look blank upon

rábámulás *n,* gaping, gazing, staring (at sy/sg), wide--eyed wonder/astonishment

rabatt [-ot, -ja] *n, (ker)* rebate (for prompt payment), rebatement, (trade) allowance, *[skontó]* discount; *~ot ad* rebate, make abatements

rabbi [-t, -ja] *n,* rabbi

rabbiképző *n,* college of rabbinical studies, rabbinical training-college/school

rabbilincs *n, (átv is)* fetters *(pl),* shackle(s), chain(s), irons *(pl)*

rabbinista [.. át] *n,* rabbinist

rabbinizmus *n,* rabbinism

rabbinövendék *n,* rabbinical student

rabbinusi [-t] *a,* rabbinic(al)

rabélet *n,* **1.** prison life **2.** *(átv)* (life of) slavery, slave--life, servitude

rábélyegez *vt, (vmt vmre)* impress (sg upon sg)

rábeszél *vt, ~vkt vmre* persuade sy to do *(v.* into doing) sg, prevail (up)on sy to do sg, talk/argue sy into doing sg, reason/talk sy into sg, talk/get round sy, tempt*f* exhort sy to do sg, *[hízelgéssel]* coax sy into doing sg; *give ~ték* at last they brought him round; *~ték hogy egyezzék bele* he was talked into giving his consent; *érvekkel ~ vkt arra, hogy egy ajánlatot elfogadjon* reason sy into accepting a proposal; *~i hogy ne tegye* persuade sy not to do, dissuade sy from doing, reason/talk sy out of doing

rábeszélés *n,* (per)suasion, pressing; *enged a ~nek* allow oneself to be persuaded/convinced, yield to sy's arguments/insistence; *~sel megnyer* talk/win sy over, talk sy round

rábeszélhető *a, (vmre)* persuadable (into), persuasible (into); *könnyen ~* easy to be prevailed upon *(ut)* rábeszélhetőség n, persuadability, persuasibility

rábeszélő a, ~ képesség (per)suasiveness, persuasive power, (power of) persuasion, persuasive eloquence, gift of the gab (fam) ; minden ~ képességét előszedi/ felhasználja/kifejti put forth all one's powers of persuasion

rabiátus a, violent, bullying, savage, brutal, hot-tempered

rabicfal n, (épít) partition/dividing-wall (of wire grating filled up with plaster), wire-lattice wall

rabiga n, yoke, slavery, bondage; népet rabigába dönt reduce a nation to slavery, oppress a nation; rabigába döntés [népet stb.] enslavement; rabigába görbed be reduced to slavery; rabigába hajt bring (sy) under the yoke, subjugate

rábír vt, (vkt vmre) get/bring/induce/prompt/move/ cause/persuade sy to do sg, prevail on sy to do sg, make sy do; mi bírta rá erre? what could his motive be?, what caused/forced him to do it?

rábírás n, persuasion, inducement

rábírható a, (vmre) persuadable (into), persuasible (into)

rábíz vt, ~ vmt vkre entrust sg to sy, entrust sg to the care keeping of sy, commit sg to sy's charge, commission sy with sg, recommend sg to the care of sy; ~ vkt vkre put/place sy in/under the care of sy, commit sy to the care of sy, give sy charge of sy; titkot ~ vkre trust/confide a secret to sy, trust sy with a secret; vmt ~ vknek a gondjaira commit sg to the trust of sy; bízza csak rám! leave that/it to me; ezt ~om önre I leave it to you, it is up to you, it rests with you; ~za magát vkre/vmre depend/rely on sy/sg, throw oneself (up)on sy/sg, fall back on sy/sg, [véletlenre] drift with the current; ~ta a munka elvégzését entrust the job to sy; bízd rám a választást let me choose for myself

rábizonyit vt, (vmt vkre) convict (sy) of, prove (sy) guilty of, [hibát] prove (sy) responsible for; bűntettet bizonyítottak rá he stands convicted of felony, he has been proved guilty of felony; ~ja a hazugságot convict sy of lying, bring a lie home to sy (fam)

rábizonyítás n, proving (sy) guilty of (sg), conviction, [tévedést] confutation

rábizonyíthatatlan a, not provable (ut), that cannot be proved of (sy) (ut)

rábizonyítható a, provable, that may be proved of (sy) (ut)

rábizonyul vi, (vm vkre) be found/proved guilty of, be/stand convicted of; ~ a bűnössége his guilt was proved

rabkórház n, prison infirmary

rabkoszt n, prison-rations/food/meal

rablajstrom n, gaol-book

rablánc n, = rabbilincs

rablás n, robbery, [fosztogatás] plunder(age), pillage, marauding, rapine (obs), [útonállás] highway robbery, hold-up (US), [jog] armed robbery, robbery under arms; szabad ~ pillage, pillaging, looting; ez kész ~! this is sheer extortion/robbery, it is nothing short of a hold-up

rablási [-t] a, (jog) megtámadás ~ szándékkal assault with intent to rob

rabló [-t, -ja] I. n, 1. robber, gangster, brigand, bandit, marauder, freebooter, pillager, plunderer, raider, [útonálló] highwayman, footpad, hold-up man (US), road-agent (US), [tengeri] pirate, corsair, buccaneer, (sea-)rover, [emberrabló] kidnapper, abductor 2. (átv) flayer, plucker, grabber, fleecer (fam)
II. a, 1. predatory, marauding, plunderous, [tolvaj] thievish, [kapzsi] grasping, rapacious, money--grabbing; ~ portyára megy/indul go marauding 2. (áll) [rovar] predacious, dulotic

rablóbanda n, 1. gang of robbers, band/company of brigands; rablóbandák predatory bands 2. (átv) gang of crooks, pack of thieves, grasping/grabbing lot

rablóbányászat n, (bány) selective mining

rablóbarlang n, robbers' den/nest, thieves' kitchen, brigand's lair (fam)

rablóérdek n, predatory interest

rablófészek n, robbers' nest/retreat/haunt

rablógazdálkodás n, extravagant/ruthless exploitation (of mine/forest/land), wasteful management (of resources)

rablógyilkos n, robber, murderer (guilty of robbery as well), robber who commits murder

rablógyilkosság n, murder and robbery

rablóhadjárat n, predatory/marauding expedition/ campaign, aggressive warfare, filibustering

rablóhadsereg n, an army which robs and pillages

rablóhangya n, (áll) red ant, blood red slave maker (Formica sanguinea)

rablóhús n, pork en brochette

rablókaland n, marauding venture, [megrabolt részéről] robbers' adventure

rablókapitány n, = rablóvezér

rablókirály n, (áll) Dirty Allan (Stercorarius parasiticus)

ráblokkol vi, [mert keveset számolt] add (sg) to the bill

rablólégy n, (áll) robber/assassin/hornet-fly, asilus (Asilus crabroniformis)

rablólovag n, robber baron/knight

rabló-pandúr n, [játék] cops and robbers (pl), cowboys and Indians (pl) (US); ~t játszik play (at) cops and robbers

rablópoloskák n. pl, (áll) assassin bugs (Reduviidacsalád)

rablóromantika n, romance of piracy/brigandry, romantic appeal of highwayman stories, robber-knight glamour

rablótámadás n, robbery with violence, [úton] highway-attack, hold/stick-up (US)

rablótanya n, = rablóbarlang

rablótárs n, fellow robber/gangster, [cinkos] accomplice

rablótörténet n, tale of robbers, gangster story, [ált rémtörténet] horror story, blood-and-thunder story, penny dreadful, thriller, shocker

rablott [-at] a, ~ holmi stolen goods, swag, booty, plunder, spoil(s)

rablóvár n, robber knight's castle, nest/stronghold of robbers/brigands

rablóvezér n, chief(tain) of robbers, gangster/robber chief

rabmadár n, cage-bird, cageling, caged/captive bird

rabmunka n, 1. work done by prisoners/convicts, labour carried on by convicts, prison labour 2. (átv) drudgery

rabnő n, 1. [börtönben] female prisoner/convict 2. [rabszolga] woman slave, slave girl

rábocsát vt, = ráereszt

rabol [-t, -jon] vt, rob, [fosztogat] pillage, plunder, maraud, loot, [útonáll] hold up, [embert] kidnap, abduct, carry off; csókot ~ steal a kiss; időt ~ take up (v. require) much time

rabomobil [-ok, -t, -ja] n, (biz) Black Maria

ráborít vt, 1. (vmre) lay/spread (sg) over (sg), cover (over), overlay with; ~ja az asztalt vkre turn the table on sy 2. [folyadékot] throw on/at 3. [műsz] lap

ráborítás n, laying/spreading (sg) over (sg), overlaying, covering

ráborított a, laid/spread over (ut), overlaying

ráborul vi, 1. [vmre rádől] fall headlong on, tumble/

topple (down) on, crash/come down on 2. *[beborít vmt]* lap (over sg) 3. *(vk)* prostrate oneself on, cast oneself down on; ~ *az asztalra* drop one's head on the table, sprawl/droop over the (edge of the) table; *a csend* ~ *a házra* deep silence reigns over the house; *az éj* ~ *a városra* night closes in on the city

ráborulás *n*, 1. *[dőlés]* falling/tumbling onto 2. *(vk)* sprawling on

ráboruló *a*, 1. *[tárgy]* falling/tumbling/crashing onto sg, be coming over sg, *[személy]* falling/drooping over, prostrating oneself on 2. *(átv)* covering, overhanging

raboskodás *n*, *[fogság]* captivity, *[fegyencé]* confinement, imprisonment, detention, custody; *hosszú* ~ *után* after many years of imprisonment

raboskodiik [-tam, -ott, -jon, -jék] *vi*, *[fegyenc]* be in prison, do one's time, serve one's sentence/term, *[fogoly]* be/live in captivity, languish/rot in jail/ prison *(ref.)*, drag on a prisoner's existence *(ref.)*

raboskodó [-t] *a*, serving one's sentence/term *(ut)*, *[fogoly]* captive, languishing in prison *(ut)* *(ref.)*

rabruha *n*, prison clothes/garb, convict's uniform, regulation dress

rabság *n*, 1. *[fogság]* captivity, *[fegyencé]* confinement, imprisonment, detention, custody 2. *[leigázottság]* bondage, unfreedom, servitude, subjection, oppression; ~*ban sínylődik* = **raboskodik**; ~*ban tart vkt* hold/keep sy in subjection, hold sy captive

rabszállító *a*, ~ *kocsi* police/prison van, patrol-van *(US)*, Black Maria *(fam)*

rabszíj *n*, *(átv is)* fetters *(pl)*, shackles *(pl)*, *(átv)* bonds *(pl)*; ~*ra fűz* fetter, *(átv)* enslave, reduce to slavery

rabszolga *n*, 1. slave, bond(s)man, bondslave, thrall, serf, *[spártai]* helot; *rabszolgának elad vkt* sell sy for a slave, sell sy into slavery; *rabszolgává tesz* enslave 2. *[átv robotos]* drudge; *szenvedélyeinek rabszolgája* be a slave to/of one's passions; *rabszolgája vknek* be sy's slave; *valósággal rabszolgája vknek* be sy's galley-slave; *úgy dolgozik mint egy* ~ drudge, work/toil like a slave/nigger *(v.* galley-slave)

rabszolgaállam *n*, slave(-owning) state

rabszolgaélet *n*, 1. slavery, slave-life 2. *(átv)* eternal drudgery

rabszolga-ellenes *a*, anti-slave, abolitionist *(US)*

rabszolgaellenesség *n*, anti-slavery attitude, abolitionism *(US)*

rabszolga-felszabadítás *n*, emancipation/freeing of slaves

rabszolgafelszabadítási *a*, ~ *mozgalom (tört)* abolitionism *(US)*

rabszolgafelügyelő *n*, slave-driver

rabszolga-gazdálkodás *n*, slave economy

rabszolgahajcsár *n*, slave-driver

rabszolgahajó *n*, 1. *[rabszolgákat szállító]* slave-trader/ ship, slaver 2. *[rabszolgáktól hajtott]* galley (propelled by galley slaves)

rabszolgahangya *n*, *(áll)* negro ant *(Formica fusca)*

rabszolgai *a*, 1. slavish, menial 2. *(átv)* servile, slavish, grovelling; ~ *alázat* prostration, abjection, humility, slavishness

rabszolgakereskedelem *n*, slave-trade/traffic

rabszolga-kereskedő *n*, slave-trader/dealer/merchant, slaver

rabszolgakiváltás *n*, redemption of slaves

rabszolgamunka *n*, 1. slave-work/labour, slavery, slaving 2. *(átv)* drudgery, *[kif]* keeping one's nose to the grindstone

rabszolganép *n*, slaves *(pl)*, enslaved people

rabszolganő *n*, woman slave, slave girl, *(tört)* bond(s)- -woman

rabszolgaplac *n*, slave-market

rabszolgarendszer *n*, slavery

rabszolgaság *n*, 1. slavery, slave-system, slavedom, servitude, servility, bondage; ~ *eltörlése* abolition of slavery; ~*ba hurcol vkt* drag into servitude, enslave, reduce to slavery; ~*ba juttat* enslave 2. *(átv)* drudgery

rabszolgaság-ellenes *a*, anti-slavery, abolitionist *(US)*

rabszolgasor *n*, = **rabszolgasors**

rabszolgasors *n*, slavedom, slavery, slave-life, servitude, enslavement; ~*ba juttat* enslave, reduce to slavery; ~*ba juttatás* enslavement; ~*ban él* live in bondage/ subjection/slavery, *(átv)* drag on/out a servile existence

rabszolgaszállító hajó slave-ship/trader, slaver

rabszolgatárs *n*, 1. fellow-slave 2. *(átv)* sharer of one's servitude

rabszolgatársadalom *n*, slave society, society based on slave labour

rabszolgatartás *n*, 1. slave-holding, slavery, enslavement 2. *(áll)* *[hangyáké]* dulosis

rabszolgatartó I. *n*, 1. slave-holder/owner, slaver 2. *(átv)* exploiter, sweater II. *a*, 1. ~ *állam* slave state; ~ *hatalom* slave-power 2. *(áll)* *[hangya]* dulotic, slave-making (ant)

rabszolgatermelés *n*, slave economy

rabszolgatörvény *n*, Slave Act, ⟨legislation aiming at the increased exploitation of the labouring class⟩

rabszolgavásár *n*, = **rabszolgapiac**

rabtárs *n*, fellow-prisoner/convict, prison-mate

rabtartás *n*, maintenance of prisoners

rábukkan *vi*, *(vkre, vmre)* come across, fall in with, come/hit/chance/happen/strike/blunder/light/pitch (up)on, find/hit by fluke, meet (with), *[hosszú keresés után]* run to earth; ~ *a hibára* find the fault; ~ *a helyes útra* hit the right path

rabulisztika *n*, sophistry, pettifoggery, specious reasoning, chicanery

rabulisztikus *a*, pettifogging, sophistic

rabvallató *n*, *[bor]* hard/sour/tart/poor wine

rác [-ot, -a; *adv* -ul] *a/n*, † Serb(ian)

rácáfol *vi*, *(vm vmre)* give the lie to, belie, disprove, confute, refute, falsify; *szavaira* ~*nak tettei* his acts belie his words; *a tapasztalat* ~ *az elméletre* experience negatives the theory; *a tények* ~*nak* the facts are against him, the facts prove him to be wrong

rácéloz *vi*, 1. *[fegyverrel]* aim/level/point (gun) at, take aim at (with gun) 2. *(átv)* allude to, hint at, imply sg

rachitikus *a*, = angolkóros

rachitis [-t, -e] *n*, = angolkór

ráció [-t, -ja] *n*, reason, sense; *ebben nincs semmi* ~ there's neither rhyme nor reason in/to it, *[nem ajánlatos]* there is little to be said for it; *hol itt a* ~? what is the good of it?

racionális [-ok, -t; *adv* -an] *a*, rational; ~ *gondolkodás* sound/sensible thinking, common-sense

racionalista I. *a*, rationalistic II. *n*, *(fil)* rationalist

racionalizál [-t, -jon] *vt*, 1. rationalize, *[rendszert]* streamline; *ipart* ~ rationalize an industry 2. *[elbocsát]* dismiss for reasons of reorganization

racionalizálás *n*, 1. rationalization 2. *[elbocsátás]* dismissal for reasons of reorganization

racionalizmus *n*, *(fil)* rationalism

rackajuh *n*, ⟨a Hungarian variety/species of sheep⟩

Rácország *prop*, † Serbia

rácponty *n*, *(kb)* devilled carp

rácság *n*, † the Serbs *(pl)*, the Serb(ian) people/nation

rács [-ot, -a] *n*, 1. grating, screen, bars *(pl)*, *[díszítő farácsozat]* lattice(-work), trellis, *[keresztrács]* cross- -bars *(pl)*, *[drótból]* wire-netting,*[korlát]* banister(s), rails *(pl)*, railing, *[rostély]* grill(e), grid, grate, *[kályharostély]* grate, *[elektrotechnikában]* grid, screen, *[védőrács]* guard, *[rajzkisebbítéshez]* graticule; ~ alakú trellised, latticed, *(tud)* reticular, retiform; ~ mögött van *(biz)* be behind prison bars; *ráccsal ellát* lattice 2. *(cím)* fret

rácsajtó *n*, barred/grated door, wicket, *[drótból]* door of wire-netting

rácsap I. *vi*, 1. strike, hit, rap, (give a) slap, smite (upon), *[asztalra]* bang; ~ a kezére rap sy's knuckles; *lóra* ~ give a horse a slash; ~ a vállára slap sy on the shoulder/back; ~ vkre egyet catch/fetch/give sy one, deal sy a blow, strike (a blow) at sy 2. *[vmre támad]* lunge/lash out at; ~ az ellenségre fall on the enemy, *[repülő]* dive down on the enemy 3. *[ajánlatra stb.]* jump/snap at, fall in with, pounce at/upon, seize upon, *(vkre)* pounce at (sy)
II. *vt*, ~ja az ajtót vkre slam/bang/fling the door in(to) sy's face; ~ja a dobozra a fedelét clap/bang/shut the lid (of the box)

rácsapás *n*, 1. striking, hitting, *[asztalra]*, banging (the table), *[vállra]* slapping (sy on the shoulder), blow 2. *[vmre támadás]* lashing out at; ~ az ellenségre falling on the enemy 3. *[ajtót]* slamming (the door), *[dobozfedelet]* clapping (the lid to)

rácsapód|ik *vi*, *(vmre)* bang down on, click into place/position; az ajtó ~ik a kezére jam/trap one's finger in the door

rácsáram *n*, *(vill)* grid current

rácsárboc *n*, lattice-mast

rácsatol *vt*, *(vmre)* buckle/fasten/fix on, attach to, *[övvel]* gird on/up, strap/hook on, *[karkötőt stb.]* clasp

rácsatolás *n*, *(vmre)* buckling/fastening onto, attaching to, *[övvel]* girding/hooking on

rácsavar *vt*, 1. *[csavarozással]* screw on, *[fedelet]* screw down, *[fonalat, kötelet]* wind on, coil on/round, twist/wreathe/twine/roll about/round; vkre vmt ~ muffle/swathe/swaddle/wrap sy in sg 2. rádiót ~ja egy állomásra tune in *(v. turn)* (wireless receiver) to a station, switch on to a station

rácsavarás *n*, *[csavarozással]* screwing on, *[fedelet]* screwing down, *[fonalat, kötelet]* winding/coiling on, twisting about

rácsavarodás *n*, entwining, winding round (sg)

rácsavarod|ik *vi*, 1. *(vm vmre)* twine about/round (sg), enwind (sg) *(ref.)*; az inda ~ik the tendril entwines it, the tendril entwines round sg 2. *(vkre vm)* get entangled in sg, *[kígyó]* coil round sg

raccsol *[-t, -jon]* *vi*, speak with uvular r (formerly often a sign of affectation), speak with a burr, burr (one's r's)

raccsolás *n*, speaking with uvular r, rolling one's r's

raccsoló *[-t]* *a*, speaking with uvular r *(ut)*

rácselem *n*, *(távk)* grid battery

rácsellenállás *n*, *(vill)* grid-resistance

rácspeg *vi*, drip on, dribble, fall in drops on, fall drop by drop on, *[szivárogva]* trickle/drizzle on, *[permetezve]* spray on

rácspegtet *vt*, pour (sg on sg) drop by drop, drop/drip/trickle on

rácseppen *vi*, *(vmre)* drop/fall (up)on

rácseppent *vt*, *(vmre)* drop on, pour a drop (of sg) on (sg)

rácsfal *n*, trellised/latticed wall, screen, grating, trellis/lattice-work

rácsfeszültség *n*, grid voltage

rácsfilm *n*, lenticular screen film

rácshálózat *n*, *(fiz, műsz)* graticule

rácsimpaszkod|ik *vi*, = rákapaszkodik

rácsinál I. *vt*, *[ráerősít vmre]* fix on/to, affix to, fasten on/to II. *vi*, *[ürüléket]* defecate/shit on; a kutya ~t a szőnyegre the dog made a mess on the carpet

rácskapu *n*, trellis(ed) gate, trellis-work gate

rácskeret *n*, lattice frame/girder

rácskerítés *n*, grating, trellis-work fence, *[drótból]* wire(-netting) fence

rácskondenzátor *n*, *(távk)* grid condenser

rácskör *n*, *(távk)* grid circuit

rácslevezetés *n*, *(vill)* grid leakage

rácslevezető *a*, *(távk)* ~ ellenállás grid leak

rácsmű *n*, *(épít)* lattice/trellis-work, lath-work, tabernacle-work, tabernacular work

rácsodálkoz|ik *vi*, 1. *(vkre, vmre)* = rábámul; 2. *[leendő anya]* be frightened by, gaze intently (up)on (and so produce a monstrous birth)

rácsos *[-at]* *adv* -an] *a*, 1. trellised, latticed, railed, grated, grilled; ~ ablak grated/barred/screened window, *[díszes]* lattice-window, trellis; ~ ágy crib railed cot; ~ híd truss/lattice-bridge; ~ kapu lattice gate; ~ tartó *(épít)* braced/lattice girder, truss-girder, truss(ing), trussed beam/girder, lattice frame; ~ tészta cake topped with a lattice 2. *(cím)* fretted, fretty; ~ pajzs fretty shield

rácsoz *[-tam, -ott, -zon]* *vt*, bar, grate, rail, *[díszrácscsal]* lattice, trellis, *[épít]* brace, truss

rácsozás *n*, *[folyamat]* making a rail/grate/lattice trellis, *[eredménye]* trellis-work

rácsozat *n*, 1. *[rácsos szerkezet]* lattice/trellis-work, trellis(ing), grid, *(épít)* bracing, railing, lathing, grating, grill(e) 2. = rács

rácsozatos *[-at]* *adv* -an] *a*, *[áttört díszítésű]* fretty

rácsozott *[-at]* *adv* -an] *a*, grated

rácsspektroszkóp *n*, *(fiz)* grating spectroscope

rácsszerkezet *n*, girder/lattice structure

rácsszerű *a*, grill-like

rácsuk *vi*, close/shut (sg) on (sy); ~ja az ajtót vkre shut sy in, lock sy up

rácsücsül *vi*, *(biz)* *(vmre)* perch (oneself) on (sg)

radar *[-ok, -t, -ja]* *n*, *(távk)* radar, radiolocator, *[víz alatt]* sonar

radaradó *n*, *(távk)* radar transmitter

radarállomás *n*, *(távk)* radar post/station

radarelhárítás *n*, radar counter-measures *(röv R.C.M.)* *(pl)*

radarernyő *n*, *(távk)* radar fence/screen

radarfelderítés *n*, *(távk)* radar coverage/reconnaissance

radarhálózat *n*, *(távk)* radar chain

radarjel *n*, *(távk)* blip

radarkép *n*, *(távk)* image on a radar screen, blip *(fam)*

radarkészülék *n*, radar set

radarkezelő *n*, radar controller/operator, radarman

radar-sugárkéve *n*, radar beam/ray

radarvevő *n*, *(távk)* radar receiver

radarvezérlés *n*, *(távk)* radar homing, *[irányított lövedéknél]* beam-rider guidance

radarvezérléses *a*, *(távk)* radar homing

radarvisszaverődés *n*, radar-echo; ~ zivatarfelhőkről precipitation echo

radiálfúró *n*, *(műsz)* radial drill(ing machine)

radiális *[-at]* *adv* -an] *a*, 1. *(műsz)* radial; ~ tengely radial axle; ~ turbina inward flow turbine 2. *(bonct)* ~ artéria radial (artery)

radián *[-ok, -t, -ja]* *n*, *(menny)* radian

radiáns *[-ok, -t, -a]* *n*, *(menny, csill)* radian

radiátor *[-ok, -t, -a]* *n*, radiator, (steam-)heater

radikális *[-ok, -t; adv* -an] *a/n*, radical; ~ párt radical party, the Radicals *(pl)*; ~ intézkedés drastic/radical measures *(pl)*

radikalizmus *n*, radicalism

radikula *[..át]* *n*, *(növ)* *[magban]* rootlet, radicle

rádió *[-t, -ja]* *n*, *[intézmény]* radio, wireless, broadcasting company, *[készülék]* wireless (set), radio receiver; az amerikai ~ the American radio; az angol ~ the British Broadcasting Corporation *(röv. B.B.C.)*; ~ doboza/szekrénye cabinet (of wireless set); ~*(ba)n* beszél be/go on the air, speak on the wireless; ~(ba)n közöl/bemond/közvetít/lead put on the air, broadcast; a ~ban hallottam I heard it on the wireless/radio; a ~ban (szerepel) (be) on the air; beállítja a ~t [állomást] tune in (the wireless set to) a station; ~t hallgat listen in (on the wireless), listen to the radio; kinyitja a ~t turn on the radio

rádióadás n, broadcast(ing)

rádióadó n, = rádióállomás

rádió-adóvevő n, (távk) radio transmitter-receiver, transceiver

radioaktív a, (fiz) (radio-)active, [atomrobbantástól] hot (fam); ~ anyag radioactive matter/substance; ~ bomlás radio-active disintegration, radio-transformation; ~ bomlás sebessége rate of decay; ~ csapadék/hamueső/pereső radioactive fall-out; ~ elem radioactive element, radio-element; ~ izotóp radio-isotope; maradandó ~ sugárzás [atomrobbanás után] residual radiation; ~vá tesz radioactivate, (radio)activate

radioaktivitás n, (fiz) radio-activity; ~t kimutató/jelző készülék Geiger-Müller counter

rádióalkatrész n, radio (spare) part, radio accessories/ supplies (pl)

rádióállomás n, wireless/radio station, [adó] transmitter, broadcaster, broadcasting/transmitting station, sender, [vevő] radio-set

rádióamatőr n, radio amateur, [saját adóvevővel] ham (fam)

rádióantenna n, radio aérial/antenna

rádió-bemondó berendezés radio locator, radar

rádióbemondó n, announcer

rádióberendezés n, radio-equipment

rádióbeszéd n, broadcasting/radio/wireless talk, speech/ broadcast by wireless; ~et mond speak/be/go on the air

rádiócső n, radio/wireless valve/tube, vacuum tube (röv V.T.), audion

rádiódarab n, radio play, broadcast drama

rádiódíj n, radio subscription fee

rádió-előadás n, broadcast/radio/wireless talk/discourse/ speech, [színdarab] (studio) perfomance; ~t tart talk on the wireless

rádió-előfizetés n, radio subscription

rádió-előfizető n, radio subscriber, wireless licence holder

rádióénekes n, radio singer, singer on wireless, [búgó hangú] crooner

rádióengedély n, radio/wireless licence, broadcast receiving licence

rádiófelvevő I. a, receiving; ~ készülék receiving apparatus/set II. n, = rádiókészülék

rádiófigyelő a, ~ szolgálat radio watch, [hírekre] monitor(ing service)

rádiófülke n, radio cabin

rádió-goniométer n, direction finder

radiográf [-ot, -ja] n, (orv) radiograph

rádiógram [-ot, -ja] n, (távk) radio(-tele)gram, wireless/radio telegram, wireless message

radiogramofon n, radiographone, radiogram (fam), radio-phonograph (US)

rádióhajózás n, (hajó, rep) radio navigation

rádióhálózat n, radio network

rádióhallgatás n, [vétel] receiving, reception, [cselekedet] listening-in

rádióhallgató n, listener-in, (radio) listener; szenvedélyes ~ wireless enthusiast/fan, radio fiend

rádióhangjáték n, radio play, auditory drama, play/ drama on wireless

rádióhangszóró n, (radio) loudspeaker

rádióhangverseny n, wireless concert

rádióhír n, broadcast news; ~ek news-bulletin (on the wireless), news broadcast, radio newscast, [rövid] news flash

rádióhirdetés n, radio advertisement

rádióhívójel n, radio call, call signal, signature (tune), theme

rádióhullám n, Hertzian/radio wave

rádióIpar n, radio/wireless (engineering) industry

rádióirányítás n, (távk) wireless/remote control; ~ után repül fly/ride the beam

rádióirányító n, (távk) directional wireless, wireless compass

rádió-irányjeladó n, (távk) radio/wireless beacon

rádióiránykeresés n, (távk) radio-direction-finding

rádióiránykereső n radio direction finder

rádió-iránymeghatározás n, (hajó) radio-bearing

rádió-iránymérés n, (távk) radio-direction-finding, radiogoniometry, radio-bearing; ~t végez (rep) take a bearing

rádióiránymérő n, (távk) radiogoniometer, radio direction finder

rádióiránytű n, radio-compass

rádióiskola n, broadcast(ing) for schools

rádiójáték n, = hangjáték

rádiójeladó n, (rep) beacon

rádiójel(zés) n, (távk) sign, signature

radiokémia n, radio-chemistry

rádióképtávírás n, (távk) radiophotography, photo-radio transmission

rádiókészülék n, [vevő] wireless/receiving set, radio (set), radio/wireless receiver

rádiókezelő n, wireless operator, wireless (telegraphy) operative, radioman, sparks (fam)

rádiókompasz n, radio-compass

rádiókommentátor n, radio commentator, announcer

rádiókörözés n, warrant of apprehension transmitted over the wireless

rádióközvetítés n, (wireless) broadcasting, [a közvetített műsor] broadcast, [helyszíni] running commentary, [egyenes] live broadcast (vmről on sg), remote pickup, broadcast account (of)

rádióközvetítő n, commentator

rádiólámpa n, = rádiócső

radiolárlák n. pl, (áll) radiolaria (Radiolaria)

rádióleadás n, transmission, broadcast(ing)

rádióleadó n, transmitter

radiológia [.. át] n, (orv) radiology

rádiólokáció [-t, -ja] n, (távk) radar, radio-location/ detection, radio-direction-finding

rádiólokátor [-ok, -t, -a] n, (távk) radar, radio locator, radio detection and ranging apparatus

rádió-magasságmérő n, radio altimeter

rádiómelléklet n, radio supplement

rádiómérnök n, radio/wireless engineer

radiométer n, (fiz) radiometer

radiometria n, (fiz) radiometry

rádióműsor n, radio/wireless program(me); a mai ~ to-day's broadcasting

rádióműsorvevő-engedély n, broadcast receiving licence

rádióműszerész n, radio mechanic

rádiónavigáció n, radio navigation

rádiónyilatkozat n, declaration/statement made on the wireless

rádióösszeköttetés n, radio connection/communication

rádióriport n, radio report, running commentary

rádióriporter n, commentator

rádiós [-ok, -t, -a] I. a, radio, broadcast; ~ helymeghatározás/távfelderítés radiolocation; ~ távolságmérő radio distance, radist; ~ távvezérlés wireless/remote control II. n, 1. [szikratávírász] wireless operator, radioman, [hajón, repgépen] signaller, sparks (fam) 2. = rádióamatőr, rádióhallgató

rádióstiszt n, [hajón] wireless (telegraphy) operator

rádióstúdió n, broadcasting studio

rádiósugárnyaláb *n, (távk)* rádio-beam
rádiószakma *n*, broadcasting (trade/world)
rádiószekrény *n*, radio cabinet, console radio
rádiószemélyzet *n, (hajó)* radio crew
rádiószeminárium *n*, radio education, education/ course by/on wireless
rádiószerelő *n*, radio fitter/mechanic/technician
rádiószinház *n*, radio play/drama, play(s)/drama(s) on the wireless
radloszkóp [-ot, -ja] *n, (fiz)* radioscope
radioszkópia [.. át] *n, (orv)* radioscopy
rádiószolgálat *n*, radio service
rádiószonda *n, (távk)* radio sonde/meteorograph
rádiószózat *n*, appeal/address/proclamation made on the wireless, radio proclamation
rádiószögmérés *n, (távk)* radiogoniometry
rádiószögmérő *n, (távk)* direction finder, radiogoniometer, *(rep)* radio-compass
rádiótájolás *n*, radio fixing, radio direction finding
rádiótájolat *n, (hajó)* radio-bearing
rádiótájoló *n, (távk)* radiogoniometer, directional wireless, *(rep)* radio-compass
rádiótársaság *n*, broadcasting company/corporation
rádió-távbeszélés *n, (távk)* radio-telephony
rádió-távbeszélő *n, (távk)* radiophone, radio-telephone
rádiótávírás *n, (távk)* radio-telegraphy, radiography
rádiótávírász *n*, radio telegraphist, wireless operator, radioman, sparks *(fam)*
rádiótávirat *n, (távk)* radio-telegram radiogram, wireless/radio telegram, wireless message, radio; ~ot küld vknek wireless to sy
rádiótáviró *n*, radio-telegraph
rádiótávmérés·*n, (távk)* radio-telemetry
rádiótechnika *n, (műsz)* radio-engineering
rádiótelefon *n*, radio telephone, radio/wireless telephony
rádiótelefon-készülék *n*, aerophone
radioterápia *n, (orv)* radio-therapeutics radio-therapy, radium therapy/treatment
radioterápiás *a, (orv)* radio-therapeutic
rádióüzenet *n*, wireless message; ~et küld vknek radio/wireless a message to sy, wireless to sy
rádióüzlet *n*, wireless shop/department, radio store *(US)*
rádióvétel *n*, (broadcast/wireless) reception
rádióvevő *n*, radio/wireless receiver
rádió-vevőállomás *n*, 1. radio receiving station 2. = = rádiókészülék
rádió-vevőkészülék *n*, = rádiókészülék
rádiózás *n*, listening-in
rádiózavar *n*, radio noise/interference
rádiózavarás *n*, jamming, barrage
rádiózene *n*, musical broadcast, broadcast music
rádiózenekar *n*, radio orchestra, B.B.C. orchestra *(GB)*
rádióz|ik [-tam, -ott, -zon, -zék] *vi*, listen in (on the wireless/radio), *[szenvedéllyel]* be a wireless fan/ enthusiast
rádiózó [-t] I. *a*, listening-in II. *n*, 1. *[hallgató]* listener, *[szenvedélyes]* wireless fan/enthusiast 2. *[adóvevő]* radio amateur, ham *(fam)*
rádiózörej *n*, static, radio noise/disturbance, bloop
radír(gumi) [-t, -ja] *n*, (india-)rubber, (pencil-)eraser, *(isk)* bungle *(fam)*, *[tintaradir]* ink-eraser
radíroz [-tam, -ott, -zon] *vi/vt*, erase, rub (out), delete, apply the eraser/rubber to (sg)
radirozás *n*, erasure
rádium [-ot, -a] *n*, radium; ~mal kezel *(orv)* *[rákot]* radiumize, treat with radium
rádiumemanáció *n*, radium emanation
rádiumkezelés *n, (orv)* radium treatment/therapy, radium-therapy
rádiumos -ak, -t; *adv* -an] *a*, *[rádiumtartalmú]*

radiferous, containing radium *(út)*; ~ gyógykezelés *(orv)* radium therapy/treatment, radium-therapy
rádiumtártalmú *a*, radiferous, containing radium *(ut)*
rádiumterápia *n, (orv)* radium treatment/therapy
rádiusz [-ok, -t, -a] *n, (menny)* radius
rádiuszvektor *n, (menny)* radius-vector
rádli [-t, -ja] *n, (tex)* tracing/pricking wheel, roulette
rádob *vt*, throw/fling/cast/toss on(to) sg *(v.* at sy)
rádöbben *vi*, realize suddenly (with dismay), suddenly realize/notice, notice/note/see to one's astonishment; ~ az igazságra he is waking up to the truth; ~t a veszélyre he bethought himself of the peril *(ref.)*; ~tem hogy ... it flashed upon me, it flashed across my mind that ...; végül ~tem hogy... at length it dawned on me that...
rádől *vi*, 1. *[vm vkre esik]* fall (headlong) on, tumble/ topple (down) on; ~t a szekrény the wardrobe/ cabinet crashed/came down on him *(v.* toppled on his head) 2. *[nekitámaszkodik]* lean/rest on/against, recline on, prop oneself firmly against, be propped up against; ~ve botjára propped/leaning on his stick, propped up by his stick
rádőlés *n*, 1. *[ráesés]* falling/tumbling/toppling/crashing onto 2. *[nekitámaszkodás]* leaning/resting/reclining on
rádupláz *vi*, 1. *[puskával]* give both barrels; ~ott a nyúlra he gave the hare both barrels, he had two shots at the hare 2. *[tétre]* double (one's bet/stake) 3. *(átv vmre)* redouble, top, *[rosszra]* pile it on, pile on/up (the agony); ~ egy anekdotára cap an anecdote 4. *(átv)* vkre ~ outbid/outdo sy, go one better than sy; ~ vkre az adakozásban outbid sy in generosity
ráduplázás *n*, 1. *(vad)* shot from both barrels, firing two shots (at the same game) 2. *[tétre]* doubling one's bet/stake 3. *(átv vmre)* redouble, topping (sg with sg), capping (sg with sg), *[rosszra]* piling it on 4. *(átv vkre)* outbidding, outdoing
ráébred *vi, (vmre)* realize, awake to (the realization of), become aware/conscious of; ~tem az igazságra I saw (day)light, the truth dawned/flashed upon me, the truth was brought home to me, I was waking up to the truth
ráébredés *n*, awakening to, realization of, becoming aware of
ráébreszt *vt, (vkt vmre)* make sy realize (sg), open sy's eyes to, awaken sy to
ráébresztés *n*, opening sy's eyes to sg, making sy conscious/aware of sg
ráég *vi, (vmre)* burn on/to, *[étel]* catch (in the pan)
ráéget *vt,, (vmre)* burn on(to)/into, *[hegesztő]* weld with/onto
ráéhez|ik *vi, (vmre)* (feel a) hunger/thirst for, covet, set one's heart upon, grow keen on, be keen (set) on
ráemel *vt*, 1. raise/put on 2. ~i kezét vkre raise/lift one's hand against sy, offer to strike sy; ~i puskáját vkre point/level/aim one's gun at sy 3. ~i a szemét vkre raise one's eyes to sy, glance to sy, look at sy
ráemlékezés *n*, recollection (of sg), calling back to one's mind, calling up the memory (of sg)
ráemlékez|ik *vi, (vmre)* recall, call (back) to mind, retrace sg (in one's mind), call up
ráenged *vt*, = ráereszt
ráépít *vt/vi*, build/construct/erect/raise sg (up)on sg, place on top of; ~ egy emeletet a házra add/build a new *(v.* another) floor/storey to the house, make the house a storey higher, raise the height of the building
ráépítés *n*, 1. *[folyamat]* adding (of sg to sg) 2. *[építmény]* superstructure, secondary structure
ráér *vi, (vmre)* have (plenty of) time/leisure, find time for *(v.* to do) sg, be at leisure/liberty, be in no hurry; nem érek rá I am busy, I am pressed for time.

I haven't a minute (to spare); ~ek [nem sürgős] I am not in a hurry, [most szabad vagyok] I am not busy just now; ~sz! take your time!; akkor csináld meg amikor ~sz do it when you have time, do it at your leisure; ejh ~ünk még! why hurry?, there is no hurry all in good time; ~ az még! there is no hurry for (v. urgency about) it!, there is plenty of time for that!; ha ~nél pár percre if you can spare a few minutes; még arra is ~ hogy ... he can even find time (v. manage) to ...

ráereszt vt, 1. [függőlegesen] let down on, [vízszintesen] let loose on, send (off) to(ward), start on; ~i a csónakot a vízre set the boat afloat/adrift, launch the boat 2.~ egy kis vizet vmre run some (v. a little) water over sg, [eláraszt] flood sg 3. állatot ~ legelőre turn the cattle loose on the pasture 4. ~ette a kutyákat vkre he set the dogs on sy

ráeresztés n, 1. [függőlegesen] letting down on, [vízszintesen] letting loose on, sending off to, [vízre] launching 2. [vizet] running (sg over sg) 3. [állatot vmre] turning onto 4. [kutyát vkre] setting on

ráérez vi, (vmre) get an inkling of, have an intuition of, apprehend/guess intuitively, have a feeling that, have a hunch that ... (US fam)

ráér|ik vi, (nép) [vkre a szükség] be taken/caught short

ráérő [-t; adv -en] a, ~ ember man of leisure, idle man; ~ idő leisure/spare/free time, leisure, odd moments (pl); van egy kis ~ időd? have you a little time to spare?; nincs ~ ideje have no time to spare; ~ idejében in one's leisure moments

ráérőltet vt, = ráerőszakol

ráérős [-ek, -t; adv -en] a, leisurely; mindent ~en csinál take a long time over everything, do everything in a leisurely fashion/way; ~en öltözködik dress by easy stages

ráerősít vt, fix/fasten/secure/bind on, attach to; csavarral ~ screw on; kapoccsal ~ hook on; szegekkel ~ nail on (to)

ráerősítés n, fixing/fastening/securing on, attachment to, [csavarral] screwing on

ráerőszakol vt, (vmt vkre) force/thrust/press/impose/put sg (up)on sy, insist on sy doing/accepting sg, thrust/force/ram sg down sy's throat; ~ja akaratát vkre enforce one's will on sy; ~ja vkre magát thrust/inflict oneself upon sy, inflict one's company on sy

ráerőszakolás n, (vkre) forcing/thrusting/pressing sg on sy, [magát vkre] thrusting oneself upon sy

ráértés n, (nyelvt) ellipsis, implication, [az első mondat alanya] ~sel benne foglaltatik is understood by implication

ráértéses [-et] a, (nyelvt) elliptical

ráérzés n, intuition, sensing, intuitive feeling

ráesés n, (vkre, vmre) falling/dropping/toppling (down) on sg

ráes|ik vi, 1. (vm vkre/vmre) fall/drop/tumble/topple/crash/come (down) (up)on 2. (vkre dühvel átv) swoop down upon, pounce upon, go for sy, attack, fall foul of, pitch into 3. [kijut] fall to one's share, fall to sy (by right), accrue to, [örökségként] come to, descend on, [kötelesség] fall/come/devolve (up)on, be incumbent on, fall to one's lot; ~ett a választása his choice fell on it, he pitched (up)on it (fam)

ráeső [-t] a, ~ rész one's share/quota, the part/portion due/falling/allotted/assigned/accruing/coming to sy; elvégzi a munka ~ részét he does his end/share of the job

ráesteled|ik vi, be benighted, find oneself benighted; lassan ránk esteledett the dusk of evening was gathering (v. the shades of night were falling) around us, night was descending on us; hirtelen rám esteledett night overtook me

ráeszmél vi, (vmre) realize (suddenly) become aware/conscious of, sg comes home to sy; ~t (hogy) he awoke to the realization (that), he suddenly realized (that), it suddenly struck him (that); ~tem az igazságra I suddenly saw/grasped the truth (v. what the truth of the matter was); ~ vmnek gyönge pontjára discover a failing/weakness in sg; nem eszmél rá vmre be blind to sg

ráeszmélés n, (sudden) realization, recognition, (ap)perception; ~ az igazságra a new-born awareness/perception of the truth, sudden realization of the truth

ráexponál vt, (fényk) [nagyításnál] give/assume a darker colour

ráf [-ot, -ja] n, = kerékabroncs

ráfaeli [-t; adv -en] a, (műv) Raphaelesque

ráfagy vi, (vmre) freeze (fast) (on)to; arcára ~ott a mosoly the smile froze on his lips

ráfagyás n, freezing (fast) onto

ráfagyaszt vt, freeze on

ráfanyalodás n, reluctant acceptance (of sg), resignation, stooping to (sg)

ráfanyalod|ik vi, (vmre) decide reluctantly to (do sg), accept (sg) reluctantly, resign oneself to (doing sg), [leereszt] condescend/stoop to, have to put up with, be reduced to stomach(ing) (sg); rá kellett fanyalodnia he had no option/choice but (to do sg), he had Hobson's choice; végül mégis ~ik swallow the (bitter) pill, grin and bear it, overcome one's reluctance; majd ~ik! he'll jolly well take it and like it!

ráfecskendez vt, spirt/squirt/spout/sprinkle on(to); vizet ~ vmre play water on sg

ráfecskendezés n, spirting/squirting/spouting/sprinkling sg on(to) sg

ráfeksz|ik vi, 1. (vk vmre) lie (v. lay oneself) down (v. at full length) on, stretch oneself out on, stretch out one's limbs on, (vm vmre) overlie sg, (orv) [törött csontvég másikra] override 2. (átv vm vkre) weigh sy down, weigh (heavily) on one's mind, [gyomorra] lie (heavy) on; mély csend feküdt rá a vidékre a heavy silence hung/brooded over the countryside 3. [belefekszik átv] address/apply/devote oneself to, throw oneself into, go in for (fam), buck into (fam); erősen ráfeküdt a feladatra he applied all his energies to the task, he gave it all he had got, he threw himself into it heart and soul, he spared no effort

ráfektet vt, lay/put on

ráfekvő a, (geol) superincumbent, superjacent

ráfér vi, 1. [hely van] hold, admit, have/find room/capacity for, go into/onto, [ülőhelyre] seat; a kocsira hárman férnek rá the carriage holds/seats/admits three; nem fér már rá there is no more room 2. (vkre vm átv) be (badly) in need of, be ripe for; ~! serves him right, he richly deserves it; rám férne egy kis pénz I could do (v. I'd know what to do) with a little money, a bit/spot of cash would come in handy; a flúra ~ egy kis fegyelmezés the boy wants taking in hand, the boy would be none the worse for some (v. a little) chastisement; ~t ez a lecke the lesson did him a lot of good, he was due for this lesson

ráfest vi/vt, 1. paint sg on sg 2. [átfest] lay on another coat of paint

ráfestés n, 1. painting on 2. [átfestés] second/another coat of paint

ráffolt [-at; adv -an] a, ~ szoknya draped skirt

rafia [..át] n, (tex) [pálmaháncs] raffia, raphia

ráfilmez vt, (film) superimpose

ráfilmezés n, (film) superimposition

ráfilmezett a, ~ felirat superimposed title

rafinál [-t, -jon] *vt, (műsz)* (re)fine
rafinálás *n, (műsz)* (re)fining, refinement
rafináló *a, (műsz)* ~ *készülék* refiner
rafinált [-at; *adv* -an] *a,* 1. *(átv) [ravasz]* cunning, artful, deep, wily; ~ *érvelés* sophisticated reasoning; ~ *fickó* crafty customer, an old fox 2. *(átv) [kifinomult]* refined, elaborate; ~ *szerkezet* intricate device 3. *(vegyt)* refined
rafináltan *adv,* 1. *[ravaszul]* cunningly, artfully, deeply 2. *[kifinomultan]* refinedly, elaborately
rafináltság *n,* 1. = **rafinéria;** 2. *[kifinomultság]* refinedness
rafinéria [..át] *n,* artfulness, cunning
rafinőr [-t, -je] *n, (vegyt)* refiner
ráfizet I. *vt, [vevő árra]* give/add an extra amount, *[vasúton]* pay the difference II. *vi,* 1. *(vmre)* lose by/on, lose money at (sg), be a loser by 2. *(átv)* come off a loser, burn one's fingers in sg; *hiszékenységére nem egyszer csúnyán ~ett* his credulity has played him many a nasty/cruel trick; *erre rá fogsz fizetni* it will cost you dear; *rövidlátására ~ (kb)* lose the ship for a ha'p'orth of tar
ráfizetés *n,* 1. *[vevő árra]* extra payment, payment of an additional amount, *[vasúton]* paying the difference, supplementary fare 2. *[veszteség]* loss, deficit; *~sel ad el* sell at loss/disadvantage, sell at a sacrificial price; *~sel dolgozik* operate/work at a loss, be in the red *(US)*
ráfizetéses [-et] *a,* operating/working at a loss *(ut),* be in the red *(US fam);* ~ *az üzlet* the business is in the red *(US fam);* ~ *üzlet* losing bargain; *a vállalkozás~* the business is losing money
ráfog *vt,* 1. *[lőfegyvert]* point/aim/level at, cover with; *vkre ~ja a fegyvert* level one's gun against/at sy 2. *(átv) ~ vkre vmt* impute sg to sy, lay sg at sy's door, accuse sy falsely of doing sg, put sg against sy, charge sy with sg, fasten sg on sy; *mindenfélét ~* make libellous insinuations against sy, fling/throw mud at sy; *~ja hogy bolond* make sy out a fool; *ne fogd rám (az egészet)* don't shove/shuffle it (all) on to me, don't put the blame on me; *nem lehet ~ni hogy szerény* he couldn't be accused of modesty
ráfogás *n,* 1. *[lőfegyvert]* aiming, levelling, pointing 2. *(vkre vmt)* (slanderous/false) imputation, slander, calumny, libel
ráfol [-t, -jon] *vt, [kereket]* put a tyre/tire on, provide with tyre/tire, tyre, tire *(US)*
ráfonódik *vi,* enwind *(ref.)*
ráfordít I. *vt,* 1. *~ja a kulcsot* turn the key (in a lock), lock the door; *kétszer ~ja a kulcsot* double-lock the door 2. *~ja a szót vmre* turn the talk to (a subject), lead up to, switch on to the subject of, broach/raise the subject of 3. *[energiát]* bend/devote/dedicate to, expend, *[gondot]* bestow (up)on, *[költséget]* assign/allocate/allot to, appropriate for/to, set apart for, earmark for, expend; *figyelmet fordít rá* pay attention to, give thought to, accord notice to, set store by, bring one's mind to bear on (sg) II. *vi,* ~ *egy könyvben vmre* open the book at a passage
ráfordítás *n, [költséget]* cost, expenditure, amount invested, input, outgivings *(pl),* outgoings *(pl);* ~ *és kibocsátás* input-output; *utánpótlási ~* cost of reproduction; *kevesebb ~sal* at a lower cost
ráfordítás-kibocsátás *n, (közg)* ~ *rendszere* input-output system
ráfordított *a, nem éri meg a ~ munkát/költséget* (the game) is not worth the candle/expense/work/bother; ~ *összeg* amount invested (in sg)
ráförmed *vi, (vkre)* bawl sy out, bawl at/against, jump down sy's throat, snarl/snap/yap/bark at, let fly at (sy), tongue (sy), turn on sy, huff (sy)

ráförmedés *n,* snapping/snarling/bawling at (sy)
rátröccsen *vi, (vmre)* splash (onto)
ráfúj *vi/vt,* blow/breathe on/at, *[szél]* drive/drift on(to)
rag [-ok, -ot, -ja] *n, (nyelvt)* (inflexional) suffix, flexional ending, *[esetrag]* case-ending
rág [-tam, -ott, -jon] *vt,* 1. chew, masticate, manducate, crunch, *[csak állat]* champ, *[rágcsáló]* gnaw, nibble, *[moly]* fret, eat, *[majszol]* munch, *[fogatlan szájjal]* mumble (on); *csontot ~ [ember]* pick a bone, *[kutya]* gnaw a bone; *körmét ~ja* bite one's nails; *folyton ~ja a fülemet miatta* I hear of nothing else, he pesters/plagues/nags me with it, he keeps dinning it into my ears 2. *[maróanyag]* corrode, gnaw, pit, eat away
ragacs [-ot, -a] *n,* mastic, cement, putty, goo
ragacsos [-at; *adv* -an] *a,* sticky, gluey, gooey, gummy, *[kenyér]* slack-baked, sodden, *[tésztaféle]* clammy
ragacsosság *n,* pastiness, slabbiness, *[tésztáé]* doughiness
ragad [-t, -jon] I. *vi,* 1. stick, cling, adhere, inhere, *[ragadós]* be sticky; ~ *mint az enyv* it sticks like pitch; ~ *a piszoktól* it is perfectly filthy/foul, it is thick with dirt; *a név rajta ~t* the name stuck 2. *(átv)* ~ *mint a kullancs/pióca* be a sticker, stick like a burr/leech/limpet; *vk vhol ~* get stuck in a place, hang about a place; ~ *vkre (sp)* guard close II. *vt,* 1. *[megragad]* seize, grasp, grip, take (firm) hold of, clutch; *galléron ~* collar/nab sy; *üstökön ~ja az alkalmat* take time by the forelock; *magához ~ (vmt)* seize, monopolize *(fam);* *magához ~ja a hatalmat* seize power; *magához ~ja a kormányzást* seize the reins of government; *kardot ~* take up the sword; *nőt ~* abduct, rape; *tollat ~* take pen in hand 2. *magával ~* snatch/whisk/carry/tear sg away/off, sweep along/down, run away with, *[falevelet stb.]* whirl, *(átv)* thrill, ravish, transport, captivate; *magával ~ja hallgatóit* carry one's hearers with one, have a grip on one's audience; *magával ~ta a lelkesedés* he was caught up in the wave of enthusiasm
ragadás *n,* sticking
ragadós [-at; *adv* -an] *a,* 1. gluey, gluish, sticky, gummy, slim(e)y, límy, dauby, tacky, adhesive, viscous, mucilaginous, tenacious, glutinous, *[tésztaféle]* clammy; *nem ~* inadherent, inadhesive; ~ *agyag* stiff/clingy clay; ~ *anyag* sticky stuff 2. *(átv)* ~ *keze van* things stick to his fingers, have sticky fingers 3. *(orv)* contagious, catching, epidemic, infectious, infective *(fam);* *a nevetés ~* laughter is infectious; *a példa ~ volt* everybody followed suit
ragadósan *adv,* stickily
ragadósság *n,* 1. stickiness, tenacity, gumminess, glutinosity, viscosity, *[agyagé stb.]* clinginess, *[talajé]* stiffness 2. *(orv)* infectiosity, infectivity
ragadozó [-t; *adv* -an] I. *a, [állat]* rapacious, predacious, predatory, carnivorous, flesh-eating, *[madár]* raptorial, accipitral; ~ *állat* beast of prey; ~ *madarak* birds of prey; ~ *ösztön [állatoké]* predacity II. *n,* ~k beasts of prey, predatory animals, *(tud)* carnivores *(Carnivora)*
ragadtatja magát *(vmre)* be carried away by, give free course to; *dühkitörésre ragadtatja magát* he lets his passion run away with him, he gives way to an angry outburst
ragadványfű *n, (növ)* cleavers *(pl),* goose-grass, burweed *(Galium aparine)*
ragadványnév *n,* by-name, surname, sobriquet, nickname, to-name, familiar tag; ~ *nélküli* surnameless
rágalmaz [-tam, -ott, -zon] *vt, [szóban]* slander, calumniate, defame, asperse, talk scandal of, fling/throw mud at, bespatter, traduce, denigrate *(ref.),* *[írásban]* libel

rágalmazás n, slander, calumniation, calumny, defamation, aspersion, traduction, traducement, obloquy, denigration *(ref.)*, backbiting *(fam)*, mud-slinging *(fam)*, *[írásban, nyomtatásban]* libel; ~ büntette criminal libel; *sajtó útján elkövetett* ~ libel
rágalmazási *[-t] a, ~ per (jog)* slander action; ~ *pert indít vk ellen* bring an action for libel against sy; ~ *sajtópert, indít* sue the paper for libel
rágalmazó *[-t, -ja; adv -an]* I. *a,* slanderous, defamatory, libellous, *[beszéd, hang]* injurious, *[ember]* vituperative; ~ *állítás* slanderous/defamatory statement; ~ *kijelentést tesz vkről* utter a libel against sy II. *n,* slanderer, calumniator, defamer, vilifier, smearer, character-assassin, traducer, denigrator *(ref.)*, backbiter *(fam)*, mud-slinger *(fam)*, *(jog)* *[írásban, nyomtatásban]* libeller
rágalom *[. .lmat, . .lma] n,* slander, calumny, aspersion, slanderous/damaging gossip, traducement, imputation, libel; *ez* ~ it is a nasty piece of mud-slinging *(v.* backbiting), it is a (whopping) lie; „A ~ *iskolája" [Sheridan vígjátéka]* "The School for Scandal"; *rágalmakat szór vkre* cast aspersions at sy
rágalomhadjárat *n,* campaign of slander, smear-campaign, scandal-mongering, defamatory campaign, mud-slinging *(fam)*, character-assassination *(US)*
ragály *[-ok, -t, -a] n,* 1. *(orv)* contagion, epidemic, infection; ~*t behurcol* introduce an epidemic 2. *(átv)* plague, pestilence
ragályos *[-at; adv -an] a,* 1. *(orv)* contagious, catching, epidemic(al), infectious, infective *(fám); nem* ~ *(orv)* non-contagious; ~ *betegség* catching/communicable disease; ~ *fertőzés* propagable infection 2. *(átv)* infectious; *a nevetés* ~ laughter is infectious
ragályosság *n,* 1. *(orv)* infectiosity, infectivity, contagiousness, *[járvanyosság]* epidemic nature 2. *(átv)* infectiousness
rágás *n,* 1. mastication, chewing, manducation, *[kis rágcsálónál]* gnawing, nibbling 2. *[maródás]* corrosion
ragasz *[-ok, -t, -a] n,* = ragasztó
ragaszkodás *n,* 1. *(vkhez)* affection (for, towards), devotion (to), attachment (to, for), loyality (to); *vk iránti* ~ love of/for/to/towards sy 2. *(vmhez)* clinging adherence (to), insistence (on), persistence (in)
ragaszkod|ik *[-tam -ott, -jón, -jék] vi,* 1. *[vkhez hűségesen]* cleave/cling/stick to, be loyal/devoted/attached to, *(vmhez)* keep to, be wedded to, hold/hang fast/tight to, hold on to; ~*ik barátjához* he sticks by his friend; *nagyon* ~*ott a barátaihoz* she was deeply attached to her friends; ~*nak egymáshoz* they are inseparable(s), they cling to one another; ~*ott hozzám* she clung to me 2. *[vmhez köti magát]* stick/cling/adhere to, insist on, persist in, hold by/to, stand upon, hang on (to), *[előítélethez]* hug, *[vitában]* persevere, stand pat on *(US)*; ~*ik álláspontjához* cling/adhere to one's opinion, insist on one's view/point, maintain one's views, persist in one's opinion, uphold one's position, abide by one's statement, stick to one's position/guns *(fam);* be a diehard/standpatter *(pej);* ~*ik elhatározásához* hold, by one's decision; ~*ik vm elnyeréséhez* insist on getting sg, stick out for sg *(fam);* ~*nak az elvekhez* there is strict adherence to the principle; *formaságokhoz* ~*ik* stand on ceremony, be a stickler for rules; ~*ik jogaihoz* stand (up)on one's rights, stick to one's rights, make a stand for one's rights; ~*ik a tényekhez* stick to (the) facts/realities; ~*ik az utasításokhoz* adhere to instructions; *véleményéhez* ~*ik* be wedded *(v.* stick) to one's opinion; *ehhez aztán* ~*ott* on that point he was firm; *feltét-*

lenül ~*om hozzá* I insist upon it; ~*ik ahhoz hogy vk vmt megtegyen* make a point of doing sg, insist that sy shall do sg, insist on sy's doing sg, insist on the necessity of doing sg; ~*ik vm megtételéhez/megtörténtéhez* be insistent that sg shall be done, insist on doing sg; *minthogy ön* ~*ik hozzá* since you desire it *(v.* insist on it); *nem* ~*om (hozzá)* I will not insist
ragaszkodó *[-t; adv -an] a,* 1. *[hű]* loyal, sta(u)nch, faithful, steadfast, devoted, affectionate; ~ *természetű* faithful, affectionate, *[főnévvel]* clinger 2. *(vmhez)* insistent (upon/on); *szabályokhoz* ~ *hivatalnok* red-tapist, jack-in-office, stickler for formalities
ragaszkodóan *adv,* 1. *[hűen]* loyally, faithfully, steadfastly, devotedly 2. *(vmhez)* insistently (upon/on)
ragaszt *[-ani, -ott, . .asszon] vt,* stick, paste, fix, cement, attach, *[enyvvel]* glue, *[gumival]* gum, *[fdlrágaszt]* post/stick/paste up; *bélyeget* ~ *vmre* stick a stamp on; *címkét* ~ *vmre* label sg
ragasztás *n,* sticking, *[enyvvel]* gluing, *[gumival]* gumming, *(film)* splicing
ragaszték *[-ot, -a] n,* appendage
ragasztó *[-t, -ja]* I. *a,* adhesive II. *n,* 1. *[anyag]* adhesive, glue, mucilage, rubber solution, gum, (glue) size, glue 2. *[címke, szalag, személy]* paster
ragasztóasztal *n, (fim)* splicing table
ragasztócímke *n,* adhesive ticket/label, sticker, stick-on ticket/label
ragasztógumi *n,* (arabic) gum
ragasztólány *n, (film)* splicing girl
ragasztómézga *n,* mastic
ragasztószalag *n,* adhesive tape/strapping/plaster gummed/scotch tape
ragasztószer *n,* lute, luting, *(fényk)* mountant; *ld még* ragasztó II. 1.
ragasztott *[-at] a, [enyvvel]* glued, *[gumival]* gummed; ~ *lencse,* ~ *lencséjű objektív (fényk)* cemented lens; ~ *színszűrő (fényk)* gelatine filter cemented between glass plates
ragasztóviasz *n,* sticky wax
ragcédula *n,* = ragasztócímke
rágcsál *[-t, -jon] vt/vi,* gnaw, chew (away) at, champ, *[majszolva]* munch, nibble (away) at, *[ropogtatva]* crunch, *[csontot]* pick (away) at, *[kutya csontot]* gnaw
rágcsálás *n,* gnawing, *[majszolva]* munching, nibble
rágcsáló *[-t, -ja adv -an]* I. *a,* gnawing, rodent II. *n, [állat]* rodent
raggat *vt,* keep pasting (things onto things)
rágicsál *[-t, -jon] vt/vi,* = rágcsál
raglán *[-ok, -t, -ja] n,* raglan (overcoat); ~ *ujj* raglan sleeves *(pl)*
rágó *[-t]* I. *a,* masticatory II. *n,* 1. *[élőlény]* chewer, masticator, gnawer 2. = rágószerv
rágódás *n,* 1. *(vmn átv)* speculation/brooding/rumination on sg, chaffing about sg, 2. *(műsz, vegyt)* corrosion, seizure
rágód|ik *[-tam -ott, -jon, -jék] vi,* 1. *(vmn)* = rágcsál; 2. *(vmn átv)* ruminate/brood/speculate on/over sg, chew sg over/upon, ponder (on/over) sg, turn sg over in one's mind, mull over sg, chew the cud *(fam)*, *[bánkódik]* worry/chafe about, eat one's heart out; *egy probléma megfejtésén* ~*ik* puzzle out a problem; *sokat* ~*ik miatta* it preys on his mind, it frets his gizzard *(fam)* 3. *(műsz, vegyt)* corrode, seize
rágófelület *n, [fogé]* masticatory/occlusal surface, face
rágógumi *n,* chewing gum, *[alapanyaga]* chicle
rágógyomor *n,* gizzard, masticatory stomach
rágóizom *n, (bonct)* masticatory/masticator muscle, muscle of mastication, masseter

rágóizomgörcs n, (orv) lock-jaw, trismus
rágókészülék n, masticator
rágombol vt, button on, fasten on with buttons
rágondol vi, (vkre, vmre) think of, turn one's thoughts to; ánélkül hogy gondolna rá without a thought to it, with never a thought; már ha csak ~ok is dühbe jövök the very/mere thought (of it) makes my blood boil; még ~ni is rossz hogy... it would be unthinkable that...; ne gondolj rá! forget about it!, put it out of your mind; gondolj rá(,) hogy utánanézz remember to look into the matter; gondoltam rád I have not forgotten about you; nem gondolt rá he left it out of account, he did not take it in consideration; nem is gondoltam rá többet I did not give it another thought
rágondolás n, thinking of sg, turning one's thoughts to sg, the thought of sg
ragos [-at; adv -an] a, (nyelvt) inflected, with/having a flexional (v. case-)ending (ut), suffixed
rágós [at; adv -an] a, tough (as leather), leathery, stringy, sinewy, whip-cordy
rágósság n, toughness, leatheriness, stringiness
rágószerv n, masticatory organ, [rovaroké] mandible
rágótetvek n. pl, (áll) bird lice (Mallophaga rend)
ragoz [-tam, -ott, -zon] vt/vi, (nyelvt) inflect, [igét] conjugate, [főnevet] decline
ragozás n, (nyelvt) inflexion, inflection, [igét] conjugation, [főnevet] declension, declining; ~ nélküli [nyelv] uninflected
ragozási [-t] a, (nyelvt) conjugational; ~ minta paradigm
ragozatlan a, (nyelvt) uninflected, [főnév] undeclined, [ige] not conjugated (ut)
ragozhatatlan a, (nyelvt) inflectionless, [főnév] indeclinable, [ige] not (v. non-)conjugable
ragozhatatlanság n, (nyelvt) indeclinability, non-conjugability
ragozható a, (nyelvt) capable of inflexion (ut), [főnév] declinable, [ige] conjugable; nem ~ undeclinable
ragozó [-t] a, (nyelvt) (in)flexional, inflectional, inflective; ~ nyelvek inflexional/inflective/inflected/agglutinative languages
ragozott [-at] a, (nyelvt) inflected, [csak főnév] declined, [ige] conjugated; nem ~ uninflected, [csak főnév] undeclined, [ige] unconjugated; ~ alak inflected form; ~ ige finite/conjugated verb
ragszám n, label number
ragtalan a, without suffix (ut), having no suffix (ut)
ragtapasz n, adhesive/sticking plaster, court-plaster, adhesive patch/tape, band-aid; ragtapasszal beköti a sebet strap the wound
ragu [-t, -ja] n, ragout, stew
raguleves n, (kb) meat soup
ragya [..át] n, 1. [arcon] pock-mark, pit, [növényen] blight, mildew, rust, canker, [szőlőn] oidium; a ~ verje ki! plague on it!, damn/dash/curse/blast it! 2. (koh) [öntvényen] scab
ragyás a, 1. [arc] pock-marked, (pock-)pitted, pocky, [növény] rusty, mildewy, cankered, cankerous 2. (koh) [öntvény] scabby, scabrous
ragyásodik [-tam, -ott, -jék] vi, (koh) [öntvény] scab
ragyavert a, = ragyá
ragyog [-ott, -jon] vi, 1. shine, glitter, glisten, gleam, glare, flare, flash, sparkle, glow, blaze, scintillate (ref.), be resplendent (ref.), coruscate (ref.); a csillagok ~tak az égen the stars twinkled in the sky 2. (átv) ~ az arca az örömtől his face is beaming with joy, his face glows with joy, his eyes are shining with joy, his eyes radiate happiness; ~ a tisztaságtól be (thoroughly) spick-and-span, it is gleaming and spotless, as neat as a pin
ragyogás n, 1. brilliance, brilliancy, brightness, light,

fulgency, glitter, flash, lustre, shine, luminousness, radiance, radiation, gloss(iness), gleam, sheen, sparkle, glow, effulgence (ref.), refulgence (ref.), coruscation (ref.), [csillagé] twinkling 2. (átv) glamour, magnificence, pomp, splendour, resplendence, grandeur, bloom, glory; hamis ~ tinsel, cheap splendour, gaudiness, showiness
ragyogó [-ak, -t; adv -an] I. a, 1. bright, shining, sparkling, gleaming, dazzling, lustrous, glossy, shiny, resplendent, radiant, luminous, effulgent, flashing 2. (átv) excellent, spleadid, brilliant, glorious, gorgeous; ~! excellent!, that's splendid!; ~ alkalom splendid opportunity; örömtől ~ arccal beaming with joy; ~ egészség excellent/roaring health; ~ formában van be in glittering form; ~ mutatvány brilliant display; ~ ötlet bright idea, brain-wave; ~ példa shining example; ~ szellemesség [képesség] sparkling/coruscating wit, [ötlet] flash of wit; ~ szemmel with eyes radiating happiness, eyes shining with joy, eyes agleam; ~ szépség dazzling/glamorous/radiant beauty; ~ színű [festmény stb.] high-coloured; nem valami ~ társalgó he does not shine in conversation; ~ tehetség exalted/unusual talent
  II. n, (hú) a ~ját! well(,) I'm dashed/jiggered!, bless my soul!, crikey!
ragyogóan adv, ~ éreztem magamat I had the time of my life, I felt like a million dollars (US); ~ játszik play brilliantly, play with verve/brio; ~ mulat, ~ érzi magát have a splendid time
ragyogtat vt, = csillogtat
rágyújt I. vi, 1. [dohányzó] light up; ~ egy cigarettára light a cigarette; ~ pipájára light one's pipe; gyújtson rá! have a cigarette, try one of these (cigars); megengedi hogy ~sak? do you mind if I smoke?, you don't mind my smoking?; nincs kedve ~ani? will you have a smoke? 2. ~ egy nótára strike up (v. break into) a tune/song II. vt, ~ja a házat vkre set fire to sy's house, set sy's house on fire
rágyújtás n, lighting (a cigar/pipe/cigarette)
ráhág vi, (vmre) tread/trample on (sg), tread/trample (sg) down/underfoot
ráhágás n, treading/trampling on/underfoot
ráhagy vt, 1. [örökséget] devise sg to, bequeath/will to, leave (by will) to, settle (up)on 2. [rábíz] leave sy to do sg; hagyd csak rám! leave it to me! 3. [nem ellenkezik] indulge sy in sg, agree to, say yes to, not contradict, let sg pass/be, leave sy alone; hagyd rá hisz bolond let him have his way he's potty, let/leave him alone he's potty; mindent ~ nod assent (v. say yes) to everything sy does; legjobb ha ~od better leave it at that 4. [műsz megmunkálásra] leave a tolerance, allow for
ráhagyás n, (műsz) tolerance, allowance; biztonsági ~ margin for safety
ráhajlás n, bending/leaning on/over, [szikla stb.] overhanging, beetling/jutting over
ráhajlik vi = ráhajol
ráhajlít vt, bend sg over sg; ~ja egyik végét a másikra bend double, double/fold up
ráhajlítás n, bending/doubling over
ráhajló a, bending/leaning over sg, [szikla stb.] overhanging sg
ráhajol vi, (vmre) bend/lean over, [szikla stb.] beetle, jut out/over (sg), overhang (sg)
ráhajtás n, [kötélen utasításban] over
ráhallgat vi, (vkre) listen to, give ear to, (átv) follow the lead of; hallgass rám és tedd meg take/follow my advice; ne hallgass rá do not listen to him
ráhamisít vt, (vmit vmre) forge (sg on sg); ~otta az aláírását he forged his signature on it
ráhangzás n, 1. [verstan] assonance 2. (fiz) resonance

ráhangz|ik vi, **1.** [vmre versben] assonate with **2.** (fiz) resound, resonate to

ráhangzó a, resonant

ráhány I. vt, [rádob] shovel/fling/dump/throw on(to) II. vi, [vmre okád] vomit on(to), be sick on (sg)

ráhányás n, [betemetés] shovelling/dumping/throwing on to (sg)

ráháraml|ik vi, [tisztség, kötelesség] fall to

ráharap vi, **1.** (átv is) bite on sg **2.** (átv biz) swallow/ take the bait, nibble at the bait, rise to the bait

ráhárít vt, = **rátol 2.**

ráhárul vi, devolve upon, be incumbent on, fall on, behove (sy to do sg); rám hárul hogy... it falls on me to...; rám hárult a megtiszteltetés hogy I had the privilege to/of; minden teher ~ have to shoulder all the burden

ráháruló [-t] a, a ~ kötelezettségek the obligations laid upon him

ráhasal vi, lie down flat (with one's stomach) on sg

rahát [-ot, -ja] n, loukoum, Turkish delight/paste

ráhat vi, (vkre, vmre) act/operate/work up(on), have/ produce an effect/impact up(on), influence, exert an influence on, bring an influence to bear (up)on, affect (sg/sy), strike (sy); meglepetésként hat rá it comes to him as a surprise; nagyon hatott rá az eset the incident impressed him deeply; nem hat rá he is not impressed, it leaves him cold, he does not respond to it, there is no response (on his part), [elzárkózik] he turns a deaf ear; hatott rá a gyógyszer the medicine has proved effective

ráhatás n, (exertion of) influence, influencing, impact, action, operation, effect (produced)

ráhederít vi, nem is hederít rá she does not take the slightest notice of, she ignores it completely, she takes no notice of; rá se hederítettem I did not give it another thought, I ignored it; rá sem hederítettek he was unheeded; ne is hederíts rá never mind, do not bother about it, take no notice of it

ráhelyez vt, place/put/set/lay (down) on, locate on, apply on(to), super(im)pose

ráhelyezés n, placing/putting/setting/laying sg on sg, application of sg to sg, superposition

ráhibáz vi, (vmre) hit up(on) sg by mistake/accident, blunder upon sg, make a lucky hit; ~tál you hit the bull's eye, that's about the size of it; nagyjából ~ott it was a round guess; ~ az igazságra blunder upon the truth; ~ a helyes megoldásra hit (up)on the right solution

ráhibázás n, blundering on sg, hitting the jack-pot (by accident)

ráhímez vt, embroider/work sg on (sg); virágot hímez rá az anyagra embroider a fabric with floral motives/ designs, embroider flowers on the material

ráhímzés n, embroidering (sg on sg)

ráhint vt, [folyadékot] sprinkle (sg) on, [főzésnél szilárdat] dredge/dust/powder with (sg)

ráhintés n, [folyadékot] sprinkling (of) sg on sg, [főzésnél szilárdat] dusting/powdering with sg

ráhív vt, (kárty) [pókerben] raise

ráhívás n, (kárty) [tételemelés pókernél] raise

ráhurkol vt, (vmt vmre) noose, (pass) rope round sg, fasten with a loop/noose; kötelet ~ vk nyakára put a halter round sy's neck

ráhurkolás n, looping, noosing, fastening with a loop/ noose

ráhúz I. vt, **1.** put/pull/draw (sg) over/on (sg); melegen ~ ʳzsugorodó abroncsot stb.] shrink on; ~za a fülére a takarót cover one's ears up; ~zák a vizes lepedőt (biz) be hauled over the coals, be taxed with (all) one's sins, catch it **2.** ~ egy emeletet az épületre add a storey to a building **3.** [ráüt vkre] give a slap, smack, deal sy a blow; bottal ~ huszonötöt administer

twenty-five strokes with the birch **4.** [szabályt vmre] apply to; mindent ~ egy kaptafára hang everything on the same peg, measure everything by the same standard, take everything in a lump II. vi. **1.** [ráüt vkre] (give a) slap, smack, deal sy a blow, cut (sy); ostorral ~ give a cut with the whip **2.** ~ egy nótára tune up a song; húzd rá cigány! strike/play up Tzigane/gipsy!

ráhúzás n, **1.** [ruhadarabot] pulling/drawing onto; ~ melegen [zsugorodó abroncsot stb.] shrinking on, (vízép) [gépelemet] shrouding **2.** [emeletet] adding (of a storey) **3.** [bottal] blow

ráígér vi/vt, (vkre vmennyit) outbid sy (by), improve on sy's offer (by), bid higher than sy, overbid sy (by), [saját ajánlatára] better one's offer

ráígérés n, (vkre vmennyit) higher bid, outbidding, overbidding, [saját ajánlatra] bettering one's offer

ráijeszt vi, (vkre) frighten/scare/alarm sy, give sy a shock/fright, put the wind up sy, [megfélemlít] cow, intimidate; alaposan ~ vkre scare sy out of his senses/ wits, give sy a scare

ráijesztés n, (vkre) frightening, scaring, [megfélemlítés] intimidation

ráilleszt vt, fit sg on, tail/adjust sg on to, apply sg (on) to, adapt sg to, superpose

ráillesztés n, fitting on, adjusting, adjustment, adaption superposition

ráill|ik vi, (vmre, vkre) suit (sg/sy), square/agree/tally with (sg), answer sg, correspond to/with (sg); pontosan ~ik suit sy to a nicety/T, fit sy like a glove; ez ~ ik! (iron) that's just like him; a leírás ~ik he answers the description, the description fits him; kitűnően illik rá a ruha the dress is an excellent fit; ~ik a szerep this role is cut out for him

ráillő a, fitting

ráimádkozás n, (attempt to cure sy by) incantation, faith-cure

ráimádkoz|ik vi, [betegre] try to cure (a patient) by incantation/prayer, practice faith-healing, subject (sy) to a faith-cure

ráír I. vt, (vmre) write on, superscribe, inscribe, mark (with) II. vi, [hatóság vkre] direct sy (to do sg) urgently)

ráirányít vt, **1.** (vkre) turn on/to, direct to, [ágyút, fegyvert, fényképezőgépet, reflektort, távcsövet, vízcsövet] train on; vkre ~ja a fegyvert point/level/aim one's gun against/at sy; a vízsugarat ~otta a lángokra he played/trained the hose (up)on/over the flames **2.** (átv) ~ja a figyelmet vmre call/draw attention to sg, point out/to sg, enlist interest in sg; ~ja a közfigyelmet vkre turn the limelight/spotlight (of publicity) on sy, spotlight sy

ráirányítás n, **1.** (vkre) turning on/to, directing to, [ágyút, fegyvert, fényképezőgépet. reflektort, távcsövet, vízcsövet] training on, [csak fegyvert] pointing/ levelling/aiming at **2.** (átv) a figyelem ~a turning the limelight/spotlight on sg, spotlighting sg/sy

ráirányul vi, be directed towards, [fegyver] be aimed/ levelled at, [távcső] be trained on; minden szem ~t all eyes were focused on him

ráírás n, **1.** writing on(to), marking with, inscription, superscription **2.** = **ráiratás**

ráírat vt, **1.** [szöveget vmre] have/make (sy) write/ inscribe (sg) on, have (sg) written on (sg) **2.** [vagyont vk nevére] make/sign over to (sy), sign away in favour of sy), convey/transfer to (sy)

ráiratás n, [vagyont] signing/making over, conveyance/ transfer to

ráismer vi, (vkre) recognize, know (again), identify; rá lehet ismerni vkről you can tell/know it by sg; először nem ismertem rá at first I did not know/ recognize him, at first I could not place him; erről

~ek! how like him!, it is just like him!, it is him all over; *nem ismer rám?* don't you remember me?

ráismerés *n*, recognition, recollection, identification

raj [-ok, -t, -a] *n*, 1. *[méheké]* swarm, *[más rovaroké]* swarm, cloud, legion, host, flight, *[madaraké]* flock, flight, *[halaké]* shoal, school; ~*t ereszt [méhcsalád]* cast a swarm; *leányok* ~*a* bevy of girls 2. *[átv tréf túlzásként]* swarms *(pl)*, heaps *(pl)*, lots *(pl)*, pack, cluster, flood 3. *(kat)* squad, section, *(hajó, rep)* squadron, *[csak rep]* group, *[úttörő]* troop; ~*okba oszt* group

rája¹ [..át] *n*, *(áll) [hal]* ray *(Raia sp., Torpedo sp.);* *közönséges mérges* ~ sting-ray *(Trygon pastinaca);* *sima* ~ (flapper-)skate *(R. batis);* *tövises* ~ thornback *(R. clavata);* *villamos/zsibbasztó* ~ electric ray, cramp/numb-fish, torpedo *(Torpedo torpedo)*

rája² *adv. pron,* = rá I.

rájár *vi,* 1. *(vk vmre)* keep (on) pilfering (sg), make frequent raids on (sg), *[vk telefonjára stb.]* make free/shameless use of (sg); ~ *a nyakára vknek* pester sy 2. ~ *a rúd* ill-luck dogs his (foot-)steps, strike a bad patch, be under the harrow, be in hot water, *[bírálják]* they are hard on his heels, he has to run the gauntlet 3. ~ *a keze vmre* have the knack *(v.* know the trick) of sg, *[könnyen csinálja]* do sg without effort; ~ *a nyelve vmlyen mondásra* it's his habitual saying/word

rajcsúloz [-tam, -ott, -zon] *vi, (biz)* = rajcsúroz

rajcsúroz [-tam, -ott, -zon] *vi, (biz)* be galloping/romping about, romp *(mind: stand.)*

rajcsúrozás *n, (biz)* galloping/romping about, caper(s) *(stand.)*

rajgyűlés *n, (úttörő)* troop meeting

rajkiképzés *n, (kat)* squad drill

rajkó [-t, -ja] *n,* gipsy child

rajkózenekar *n,* juvenile gipsy/tzigane band

Rajna [..át] *prop,* Rhine; ~ *melléki/vidéki* Rhenish; *a Rajnán túli* transrhenane

rajnai [-ak, -t] *a,* Rhine, Rhenish; ~ *bor* Rhine/Rhenish wine, hock

Rajnavidék *n,* the Rhineland

rajon [-ok, -t, -ja] *n,* 1. rayon 2. *[ker. utazoé]* territory

rajong [-ani, -tam, -ott, -jon] *vi, (vmért)* be an enthusiatic admirer of, be enthusiastic (about), adore, enthuse over/about, rave (about), be passionately fond of, have a passion for, dote (on/upon), be crazy over/about (sg) *(fam)*, be all over (sy) *(fam)*, be mad/keen on *(fam);* ~ *a moziért* be a film fan; ~ *az ötletért* be possessed/obsessed by/with the idea; ~ *a rádiózásért* be a radio fiend/fan/enthusiast; ~ *a zenéért* be passionately fond of music, love music; *valósággal* ~ *érte* he positively adores/idolizes/worships her, he is right/quite mad/crazy about it *(fam);* *nem* ~*ok a gondolatért* I cannot say I particularly like/fancy *(v.* fall for) the idea, I do not relish the prospect (of); ~*va beszél vmről* gush about sg, go into raptures over sg, rave about sg *(fam)*

rajongás *n, [forró szeretet]* passion, adoration, infatuation, devotion, admiration, worship, *[lelkesedés]* ardour, enthusiasm, rapture, craze, exaltation, *[vakbuzgóság]* fanaticism, zealotry, *[ifjúi stb.]* ravings *(pl)*, raptures *(pl)*

rajongó [-t, -ja] I. *a,* rapturous, devoted, infatuated, doting, enthusiastic, ecstatic, fanatic(al), passionate, impassioned, enraptured II. *n,* fanatic, devotee, devoted admirer/lover of, enthusiast, adorer, visionary, zealot, fan *(fam)*, fiend *(fam);* ~*i* her adorers; ~*k* ardent spirits; *Mozart* ~ Mozart enthusiast

rajongva *adv,* fanatically, ecstatically, *[beszél]* enthusiastically

rájön *vi,* 1. *[vkt elfog vm]* sg comes upon/over sy, sg befalls sy, be seized/stricken/smitten/taken with,

have a fit of; ~ *az álmosság* grow sleepy; *betegség jön rá* be visited/overcome by illness; *rájött a fogfájás* she developed (a) toothache; *gyöngeség jött rá* a sudden weakness came over her; ~ *a hasmenés* be taken short *(fam);* ~ *a roham* fall into a fit, throw a fit *(fam);* ~ *a sírás* be overcome by tears; *megint rájött a bolondóra* the fit is on him, he is in one of his tantrums/fits again, he is running wild again, he has one of his turns; *ahogy éppen* ~ *(a bolondja)* as the maggot bites him 2. *[megtud]* find out, discover, detect, spot, get to the bottom of, see through/into, become conscious of, realize, penetrate, strike/come upon (an idea), make out, get on to (sg) *(US fam);* *rájöttem!* I've got it!; *csakhogy rájöttél!* tumbled to it at last, at last the penny has dropped; *hogy jöttél rá erre?* how do/did you come to know?; *nehezen jön rá* be a bit slow in the uptake; *nem tudok* ~*ni az értelmére* I cannot make sense *(v.* head or tail) of it, I cannot make it out; *rájöttem hogy tévedtem* I find that I was mistaken; ~ *az értelmére* decipher the meaning of sg; ~ *vknek a hazugságára* find sy out in a lie; ~ *egy hibára* hit *(v.* lay one's finger) upon an error, spot the snag/mistake; ~ *az igazságra* find out the truth, come/get at the truth, *[véletlenül]* hit upon the truth; ~ *vmnek az ízére* take a liking for/to sg; ~ *a megfejtésre* puzzle out, unriddle (sg); ~ *a nyitjára vmnek* get the hang/knack/trick of sg, get into the knack of sg, acquire the knack of sg; ~ *a turpisságra* see the catch, call sy's bluff

rajparancsnok *n, (kat)* squadron/section leader/commander, sergeant commanding a section, *(rep)* wing commander, *[úttörő]* pioneer (troop) master

rajparancsnok-helyettes *n, (kat)* assistant squad-leader

rajt [-ot, -ja] I. *n, (sp)* start; *mozgó/repülő* ~ flying start; ~*hoz áll* line up (for the start), toe the line, come (up) to (the) scratch II. *int,* = rajta II.

rajta [rajtam, rajtad, rajtunk, rajtatok, rajtuk] I. *adv. pron/dem,* 1. *[helyen]* (up)on him/it, over it, there (up)on, top of it, atop *(obs);* *mi volt* ~? *[női ruha]* what had she got on?; *csak egy szál ing van* ~ with nothing but a shirt on; *új ruha van* ~ she has a new dress on; ~ *van a nevem* it has got my name on it; ~ *van a világ szeme* be very much in the public eye; *az áll* ~ it bears the inscription/lettering/legend; ~ *marad (vm vmn)* be left/forgotten on sg; *ld .még* **rajtaragad**; 2. *(átv) a döntés sora* it is for you *(v.* it is your turn) to decide; ~ *a sor* it is his turn, the ball is with him, it is up to him; *nincs* ~ *semmi különös* there is nothing much/peculiar about/in it, it is nothing to write home about *(fam);* *nem fog* ~ it is lost/wasted upon him, it has no hold on/over him; *nevet* ~ he laughs at it; ~*m kívül* besides me; *most* ~*m nevethetsz* the joke is on me; *veszekednek* ~ they quarrel over it; ~ *áll* it is (all) up to him, it lies/rests with him (to do sg); ~*d áll hogy megteszed vagy sem* you are free to do so; ~ *felejti a szemét (vkn)* keep one's eyes glued on (sy), one's gaze dwells/lingers on (sy's face), feast one's eyes on (sy), *(vkn/vmn)* his look lingers on (sy/sg), cast a long look at (sy/sg); *teljes erőmmel rajta leszek hogy* I shall do my best/utmost to, I'll do my very/level best *(v.* all in my power) to, I'll try my hardest to, I'll make every endeavour/effort to, I'll strain every nerve to, I'll leave no stone unturned; *légy* ~ *hogy minden rendben menjen* see (to it) *(v.* be sure *v.* take steps) that everything is *(v.* shall be) all right; ~ *múlik hogy...* it depends on him whether, it is up to him to...; *egyedül* ~ *múlik* the whole thing *(v.* everything) depends on him, he is the one to decide; ~ *múlt hogy nem sikerült* the failure/blame must be laid at his door; *ha* ~ *múlik sose történt volna meg* this would not have happened if it depended on him; ~ *tartja a szemét vmn* keep an eye on sg; ~ *van(,) hogy...* do one's best to... **3.** ~ *keresztül* through him/it, by his aid/agency, through his mediation/intervention, through his good offices; ~ *kívül* besides him/it, in addition to him/it, apart from him/it, with the exception of him/it; ~ *kívül senki* nobody besides him, no one other than he

II. *int, (sp)* start!, go!, away!, *[bokszban]* time!, *[biztatás]* go ahead/on/it!, *[hórukk]* come on!, now for it!, get a move on!, heigh-ho!, *[támadásra]* (go) at them!, up and at'em!; *mozgás(,) ~!* look sharp!, get a move on *(fam)*, look/be slippy about it! *(fam)*, get mobile *(fam)*; *csak ~! go* ahead!; *no ~!* now/on then! ; ~ *fiúk!* come on boys/lads!

rajtacsíp *vt,* = **rajtakap**
rajtaér *vt,* = **rajtakap**
rajtakap *vt, (vmn)* catch sy at/in, catch sy doing sg, catch/take sy red-handed, surprise/take sy in the act, nab sy, catch sy tripping *(fam)*; ~*ják [lopáson]* get copped, be caught with one's hand in the till; *a tolvajt ~ták* the thief was found (out); *alváson kapja rajta* be caught napping; ~ *hazugságon* catch sy in a lie; ~ *mulasztáson* catch sy napping, catch sy out; *csak még egyszer ~jalak!* (just) let me see you at it again! ; *most~talak!* now I have found you out!; ~*ja magát (hogy)* be(come) aware/conscious of, find/catch oneself doing
rajtakapás *n,* catching (of sy) in/at sg, *[hibán]* catch out
rajtaragad *vi, a csúfnév ~t* the nickname stuck (to him)
rajtaüt *vi,* ~ *vkn* take sy unawares, take sy by surprise, take sy off his guard, surprise sy, make a surprise attack upon sy, raid sy/sg, *[ellenségen, városon stb.]* descend (on); ~ *az ellenségen* spring a surprise on the enemy; *a rendőrség ~ött a lebujon* the police made a raid/descent upon the dive, the police descended on the dive
rajtaütés *n,* surprise, (sudden/surprise) attack, descent, raid, rush, commando raid, hit/tip and run operation, *(kat)* shock-action; ~*sel bevesz (kat)* carry/take a position by surprise, rush a position; ~*sel elfog (vkt)* take by surprise (sy)
rajtaütésszerű *a,* sudden, surprise, unexpected
rajtaütésszerűen *adv,* unawares, by surprise
rajtaveszt *vi,* fare ill, come off badly, be a loser, come to grief (with sg); *majdnem ~ettem* it was a close call/shave, it was a narrow escape; *rajta fogsz veszteni* you'll come a cropper, you'll burn your fingers, you are riding for a fall, you'll 'come to grief
rajtbíró *n, (sp) [lóversenyen]* flag-man
rajtengedély *n,* start permit
rajtfejes *n, [úszóversenyen]* starting dive
rajtgép *n, (sp) [lovaglás]* starter machine, automatic starter,*[atlétika]* starting blocks *(pl)*
rajtgödör *n, (sp)* starting hole
rajthely *n,* start(ing-place/line/point/post)
rajtjel *n,* start signal
rajtkő *n,* starting block
rajtol *[-t, -jon] vi, (sp)* start, get off the mark, get away
rajtpisztoly *n,* starting/starter's pistol
rajtpózna *n, (sp)* starting-post
rajtszámolás *n, [űrrakéta kilövésekor is]* countdown
rajtszemélyzet *n,* starting crew
rajtvonal *n, (sp)* starting-line, mark, *[futó-, úszó-, lóversenyen]* scratch
rajtzászló *n,* starting/starter's flag
rajvezető *n, (kat)* section leader/commander, *[néha]* squad(ron) leader, *[úttörő]* pioneer (troop) master
rajvonal *n, (kat)* (firing/skirmishing) line, extended

order, riflemen extended in open formation; ~*ba fejlődik* deploy (into line)
rajz *[-ot, -a] n,* **1.** *[rajzolás]* drawing, depiction, *[vázolás]* sketching, delineation **2.** *[kész rajz]* drawing, *[vázlat]* outline, sketch, *[ábra könyvben, lapban stb.]* illustration, *[minta]* design, tracery, pattern, *[textilanyagon]* figure, *[tervrajz]* plan, *[vicc-szöveghez]* cartoon; *vonalas* ~ line diagram; *amint az 5. sz. ~on látható* as shown in Fig. 5; ~*okkal ellát/díszít* illustrate (with drawings) **3.** *(átv)* description, depiction, portrayal, portraiture, delineation, representation; *egy társadalmi osztály hű ~a* true/lifelike picture (*v.* lifelike portrayal) of a class of society
rajzállvány *n,* trestle-board (for drawing), drawing easel
rajzár *n,* = **rajzolótű**
rajzás *n,* **1.** swarm(ing) **2.** *(átv)* swarming, teeming, come-and-go, *[utcán]* milling/swarming/seething crowds *(pl)*
rajzasztal *n,* drawing table/desk, trestle-board, *[rajzfilmnél]* animation table
rajzceruza *n,* drawing pencil, *[színes]* crayon
rajzdeszka *n, (műsz)* sketch/drawing board
rajzdörzsölő *n, (műsz)* stump
rajzeszköz *n,* drawing instrument; ~*ök* drawing set/ requisites
rajzfilm *n,* animated/cartoon film, (animated) cartoon, motion picture cartoon; *hangos* ~ sound cartoon
rajzfilmfelvevőgép *n,* cartoon camera
rajzfüzet *n,* sketch/drawing-book
rajzgép *n, [mérnöki rajztáblán]* drafting machine
-rajzi *[-ak, -t; adv -lag] a,* -graphical
rajz|ik *[-ani, -ott, rajzozzon] vi,* **1.** swarm, *[kas]* send out swarm, throw off (*v.* cast) a swarm; ~*anak [méhek]* they are swarming, they cluster, *[halak]* they are shoaling; *szúnyogok ezrei ~anak a levegőben* the air is thick with mosquitoes **2.** *(átv) (vmtől)* swarm/surge/teem/bristle with, be alive with; *fejében ~anak az új ötletek/eszmék* his brain teems (*v.* is teeming) with new ideas
rajziskola *n,* school of design
rajzkészség *n,* draughtsmanship
rajzkörző *n,* scribing-compass(es)
rajzkréta *n,* crayon
rajzlap *n,* (leaf of) drawing-paper
rajzlaptömb *n,* sketching-block
rajzléptek *n,* drawing scale
rajzmásolat *n, [átmásolt rajz]*copy of drawing, traced-over drawing, *[képé]* reproduction in drawing, pen-and-ink (*v.* pencil) reproduction/copy, *[kék fénymásolat]* blue print
rajzmásoló *a,~papír* tracing-paper/cloth, *[fénymásoláshoz]* blueprint paper
rajzminta *n,* **1.** *[minta rajzoláshoz]* drawing copy/ study **2.** *[mintázat]* design, pattern, motif, motive
rajzmód *n,* design, style/technique of drawing
rajzművészet *n,* art of drawing, graphic art
rajznagyító *a,* ~ *(és kicsinyítő) készülék* pantograph
rajzoktatás *n,* drawing class, instruction in drawing, drawing-course
rajzol *[-t, -jon] vt/vi,* **1.** draw, *[vázol]* sketch, trace, outline, *[tervező]* design, *[térképet]* plot, draw, chart, map, *[betűt]* letter, *[síkidomot]* describe; *jól* ~ be a good drawer; *kép után* ~ reproduce a picture; *természet után* ~ draw from nature/life; *tervet* ~ draw up a plan **2.** *(átv)* delineate, depict, portray, represent
rajzolás *n,* **1.** drawing **2.** delineation, depiction; ~ *modelről (isk)* model-drawing
rajzolat *n,* tracery, *[körvonal]* outline(s), contour(s), *[mintázat]* design(s), motif(s), motive(s)

rajzolgat *vt*, 1. draw 2. *[szórakozottan firkál]* doodle

rajzoló *[-t, -ja]* I. *a*, drawing-, graphic II. *n*, drawer, sketcher, tracer, designer, *[hivatásos]* draughtsman, *[tollal]* (black-and-white) artist, *[szöveghez]* illustrator, *[tervező]* designer, planner, *[térképező]* plotter

rajzolóállvány *n*, drawing easel, trestle-board (for drawing)

rajzolódlik *[-ott, -jon, -jék]* *vi*, take form, appear (in outlines), assume shape, be outlined; *torony ~ik az égre* a spire is silhouetted (*v*. stands out) against the sky; *bánat ~ik arcára* his face registers grief, his face is marked/lined by/with grief

rajzolóművészet *n*, graphic art, art of drawing

rajzolószén *n*, charcoal (crayon), crayon, black chalk, fusain *(fr)*

rajzolótű *n*, *(műsz)* scribble, scriber, scratch/scribe-awl

rajzóspóra *n*, *(biol)* swarm-spore

rajzpadlás *n*, *[hajógyári]* drawing/mould(ing) loft

rajzpapír *n*, drawing-paper, crayon paper, *[átmásolásra]* tracing-paper

rajzsorozat *n*, series of drawings/cartoons; *tréfás ~ [újságban]* comic strip, strip cartoon, comics *(pl)*, funnies *(pl)* *(US fam)*

rajzszeg *n*, drawing-pin, thumbtack, (tin-)tack, push--pin *(US)*

rajzszén *n*, = rajzolószén

rajszéntartó *n*, portcrayon

rajzszerek *n. pl*, drawing instruments/requisites, drawing set

rajztábla *n*, drawing/sketching-board

rajztanár *n*, drawing-teacher/master, art teacher

rajztanítás *n*, = rajzoktatás

rajztechnika *n*, technique of drawing

rajzterem *n*, schoolroom for drawing, (drawing) studio, drawing class/school(room), *[üzemé]* drafting/drawing/designing department, drawing-office

rajztoll *n*, drawing pen

rajztömb *n*, drawing-block, block-book

rajztudás *n*, knowledge of drawing, draughtsmanship

rajztű *n*, = rajzolótű

rajzú *[-ak, -t]* *a*, *(fény) lágy ~* soft-focus

rajzvászon *n*, tracing-cloth, tracing-linen

rak *[-tam, -ott, -jon]* I. *vt*, 1. put, set, lay, place, *[egymásra]* stow, stack (up), superpose, *[elrendez]* dispose, (ar)range, *[halmoz]* heap, pile, hoard, amass, *[letesz]* deposit; *aknát ~* lay a mine; *bálába ~* bale; *boglyába ~* stack, rick; *csapatokat vonatra ~* entrain troops; *falat ~* build/raise/erect a wall/stonework/masonry; *fészket ~* build a nest; *gabonát keresztekbe ~* shock/stook the corn; *helyére ~* put/tidy/stow away, put back in (its) place; *ládába ~ vmt* pack sg into boxes/crates, box sg, case sg; *partra ~ [rakományt]* unship, unload, discharge, *[utasokat]* disembark, land; *petéket/tojásokat ~* lay eggs; *polcra ~* shelve; *rakományt ~* load, lade; *rakományt hajóra ~* ship, put/take on board, put/take aboard; *a századot hajóra ~ták* the company was embarked; *téglát ~ [falazva]* lay bricks; *tüzet ~* lay the fire, make/build a fire; *zsebre ~ [tárgyat, hasznot]* pocket; *zsebre ~ja kezét* put/thrust one's hands in one's pockets; *élére ~ja a garast* take care of (*v*. look after) the pence, save up every farthing, look twice at every penny, skimp; *a legfelső emeletre ~tak* they had perched me at the top of the house 2. *[díszít vmt vmivel] trim/decorate/adorn with, [szegéllyel] border*, edge, fringe; *ékkövekkel ~* set/inlay/stud with precious stones

II. *vi, a tűzre ~* replenish/feed/fuel the fire, put (fresh) fuel/coal/wood (*v*. throw a few logs) on the fire, keep the fire burning, make up the fire

rák *[-ot, -ja]* *n*, 1. *[folyami]* (fresh-water) crayfish, crawfish (*Astacus sp., Cambarus sp.*), *[tengeri]* (sea)

crayfish, crab *(Palinurus sp. stb.)*, *[gyűjtőnév]* shell-fish; ~ *módjára* crabwise; *vörös mint a ~* red as a peony/turkey-cock, red as a boiled lobster; *(átv biz) ~ot fog [evezős]* catch a crab 2. *(orv)* cancer, carcinoma; ~ *előtti*, ~*ot megelőző* precancerous; ~*ot okozó* carcinogen; *kóros félelem ~tól* cancerophobia 3. *[növényi]* crown gall

rákacsint *vi*, *(vkre)* wink at, make eyes at, cock one's eye at, *[jeladásul]* tip (sy) a wink, bat an eye at (sy) *(US fam)*, *[rendsz. szerelmi biztatásként]* give sy the glad eye, make a pass (at a woman) *(fam)*

rákap *vi*, *(vmre)* take (a fancy) to, get/grow into the habit/way of, contract/get/have a taste/liking for (*v*. a habit of), get a taste of, make it one's practice to; ~ *az ivásra* take to drink, become addicted to drink; ~ *a kávézásra* acquire a taste for coffee; *szokásra ~* contract a habit; ~ *arra hogy vmt tegyen* form (*v*. fall/get into) the habit of doing sg; *nagyon ~ott* it has grown (up)on him, he is given to it, it has become a habit with him

rákapaszkodlik *vi*, *(vkre)* obtrude/thrust oneself upon (sy), cling to (sy), attach oneself to (sy)

rákapat *vt*, *(vkt vmre)* get sy into the habit of, give sy a taste of, make sy take to, accustom/habituate to

rákapatás *n*, *(vmre)* habituation (to)

rákapcsol I. *vt*, 1. *[kocsit stb.]* couple (sg) up, couple/hook/switch on to, *[odacsatol]* fasten/attach/buckle/clasp to, *[hurokkal, horoggal stb.]* hitch to 2. *(vill)* connect to, connect up, with, plug in (connection), *[rádiót]* switch on; *a csengőt ~ja a főáramkörre* run a bell off the main(s)

II. *vi* 1. *[sebességre]* increase speed, put on speed, open (out) the throttle, let in the clutch, step/tread on the gas, change/go/put into high/top gear, press (down) one's foot on the accelerator, *[gyaloglő]* mend/quicken/force one's pace 2. *(átv biz)* pitch in(to), step on the gas, step on it, wire into it, put wim/pep into it, put some ginger into it, put the heat on (sg), shoot the works *(US)*, snap into it *(US)*, get a hustle on *(US)*; *kapcsolj rá!* let it rip!, crack it on!, put some vim into it!

rákapcsolás *n*, 1. *[szerelvényre]* putting on 2. *(műsz)* engagement, *[motort, sebességet]* going into higher gear

rakás I. *n*, 1. *[folyamat]* putting, setting, laying, placing, placement; *boglyába ~stacking; halomba ~* heaping, piling; *ládába ~* packing into boxes, crating; *rendbe ~* disposal, arrangement, putting in order 2. = rakodás; 3. *[halom]* pile, stack, hoard, heap, parcel, *[rendetlen]* clutter, conglomeration, *[kőből stb.]* mound, *(átv biz)* sight, a world/heap, bags *(pl)*, heaps *(pl)*, power ◈; *egy ~on/~ban* in a heap, huddled/jumbled up, higgledy-piggledy, pell-mell; ~*ra öl* butcher, slaughter, massacre

II. *a*, *(biz)* a pack-string of; *egy ~ baj* a cart-load of trouble; *egy ~ gyerek* a string of brats, a nest of children; *egy ~ hazugság* a pack of lies; *egy ~ pénz* oodles of money, money galore; *úgy néz ki mint egy ~ szerencsétlenség* he looks/is the very picture of misery, he is (like) a heap of misery

rákásol *[-t, -jon]* *vt*, *[tüzifát]* stack, pile

rakásolás *n*, *[tüzifát pincében]* stacking (of firewood)

rakásolt *[-at]* *a*, ~ *fa* cordwood

rakásszámra *adv*, ~ *van(nak)* there are oodles of them *(fam)*

rakasz *[-ok, -t, -a]* *n*, crate

rákász *[-ok, -t, -a]* *n*, crab/lobster-catcher

rákászás *n*, catching of crayfish/lobsters, crab-catching

rákászháló *n*, shrimp(ing) net

rákászlik *[-tam, -ott, .. ásszon, .. ásszék]* *vi*, catch (*v*. go catching) crabs/crayfish, go prawning/shrimping, *[tengeren]* fish for lobsters

rakbér n, 1. [járműbe rakáskor] cost of lading, loading/ shipping charges, stevedorage, stowage, primage 2. [raktárbér] warehouse dues, storage (charges), [rakpartdíj] wharfage, quayage
rákbeteg I. a, cancerous, ill with cancer (ut), suffering from cancer (ut) II. n, cancer patient
rákbetegség n, cancer, carcinoma
rákdaganat n, cancerous tumour/growth, carcinoma
rákellenes a, ~ küzdelem fight against cancer
ráken vt, 1. [kenyérre stb.] spread, [vastagon] slather, [festéket vászonra] lay on, [mázol] (be)smear with, (be)daub with; ~ egy kis rúzst az ajkára give one's lips a dash/touch of lipstick, rouge/redden one's lips 2. [hibát vkre] shift/cast/lay/put the blame (up)on, lay sg at sy's door, father on, charge on, fasten (sg) on sy, [felelősséget] impute to, throw/put blame on; ne akard rám kenni don't try to shove it all off on(to) me (v. to lay it at my door)
rákényszerít vt, 1. (vkt vmre) force/compel/constrain/ oblige sy to do sg, make sy do sg, force/coerce/drive sy into (doing) sg, [ijesztgetéssel] dragoon/bully sy into (doing) sg; ~ vkt vm megtételére make it necessary for sy to do sg; ~ vkt hogy aláírja apply duress/force to make sy sign; ~ették hogy beleegyezzék they forced his band 2. (vmt vkre) impose/force/obtrude/press/ foist/enforce/urge sg (up)on sy, thrust/force sg down sy's throat (fam); ~i az akaratát vkre work one's will upon sy; hallgatást kényszerít rá enjoin silence on him
rákényszerül vi, be reduced/driven/obliged/bound/ compelled to (do sg), have no alternative but to, there is nothing for him but to, he can't help doing it, he has got to (do it)
rákerít vt, ~i a sort vmre find time for, give sg its turn
rákerül vi, 1. get on to, find/make one's way to, [jegy-zékre] be entered on, be/get included in 2. ~ a sor it is his turn; mindenkire ~ a sor everybody's turn will come, all are in for the same lot, everybody will have to take a spell at it; rád került a sor the ball is with you, it is your turn
raketa [.. át] n, 1. [tűzijátéknál] rocket, pyrotechnical light, petard, flip-flap 2. (kat) [jelző] ejtőernyős ~ Wiley flare; világító ~ flare, Very light 3. (rep) [lövedék] rocket; atomhajtóműves ~ atom rocket; ballisztikus ~ ballistic rocket/missile; interkontinentális ~ intercontinental ballistic missile
rakétaágyú n, rocket-gun, rocket cannon
rakétaalakulat n, (kat) rocket unit
rakétabomba n, rocket bomb, guided missile
rakétahajtás n, rocket propulsion
rakétahajtású a, rocket-propelled, rocket-powered; ~repülőgép rocket aeroplane; ~vadászgép rocket-propelled fighter
rakétahordozó a, rocket-carrying
rakétahüvely n, rocket-case
rakétaindító a, ~ állvány launcher, launching pad/ramp
rakétajelzés n, (kat) rocket signal, signal rocket; színes ~ pyrotechnic(al) signal
rakétakilövő I. a, ~ állomás rocket launching base, rocket range; ~ hely launching site; ~ pálya rocket launching pad/ramp, launching site for rockets II. n, launcher
rakétakivető I. a, ~ sín rocket-rail II. n, (kat) páncél-törő ~ anti-tank rocket launcher
rakétalövedék n, (kat) rocket ammunition/bomb, ballistic missile; páncéltörő ~ anti-tank rocket
rakétalövedék-indítás n, rocket launching
rakétameghajtás n, rocket propulsion
rakétamentes a, ~ övezet rocket-free zone
rakétamotor n, jet-engine
rakétapisztoly n, flare/Very/signal pistol

rakétarepülőgép n, rocket/jet-plane, jet-propelled aircraft
rakétasugár n, jet
rakétaszakértő n, rocketeer
rakétatámaszpont n, rocket-base
rakétatechnika n, rocketry, rocket technique
rakétatechnikus n, rocketeer
rakétatudomány n, rocketry
rakétavető n, rocket-launcher
rakett [-et, -je] n, (sp) racket, racquet
rákezd vi, (vmre) set out/about/to, fall to, start, switch onto, launch forth, have a go at, [nekivág] wire/pitch into, tackle, grapple with, [énekre, zenére] strike/tune up, break out into, burst into; már megint ~i l the old story again; ~ a sírásra burst into tears, start crying; ha a szél ~i when the wind begins to blow
rákfarkfű n, (növ) pimpinella (Pimpinella saxifraga)
rákfarok n, lobster-tail
rákféle I. a, 1. crustacean, cancroid, crablike 2. (orv) cancroid, carcinomatous; ~ daganat cancerous tumour/growth II. n, rákfélék crustacea
rakfelület n, platform, loading area, (hajó) stowage
rákfene n, canker, bane, curse, evil
rákfogó a, ~ kosár crab/lobster-pot
rákhéj n, carapace
rakhely n, = rakodóhely
rákiált vi, (vkre) shout/yell at/to (sy), bawl/halloo at (sy), [hívólag] call to, hail
rákikra n, berry, lobster egg
rakjegy n, [fuvarokmány] consignment note, way-bill, [hajón, vasúton] bill of lading
rákkánon n, (zene) Canon Cancrizans, crab-canon
rákkeltő a, (orv) = rákképző
rákképző a, (orv) cancerogenic, carcinogenic
rákképződés n, (orv) canceration, cancerosis
rákképződmény n, (orv) carcinomatous/cancerous formation/growth
rákközpont n, (orv) nest of cancer
rákkutatás n, cancer research, cancerology, cancrology, carcinology; a ~ úttörői pioneers in cancer research
rákkutató a, ~ intézet cancer research institute, institute for cancer research
rákláb n, crab's foot
raklevél n, [hajó- v. vasúti rakományé] bill of lading
rákleves n, bisk, bisque (fr), shellfish soup
rakli [-t, -ja] n, (nyomd) ink-slice
rakminta n, loading ga(u)ge, (vasút) track-gauge
rákmódra adv, crabwise; ~halad go/move backward(s), retrogade, retrogress
rákműtét n, (orv) carcinomectomy
rakó [-t] a, putting, laying, setting
Rákóczi-szabadságharc n, Rákóczi's insurrection (1703—11)
rakodás n, [berakodás] load(ing), lading, stowage, [vagónba] loading-up, [hajóba még] shipping, shipment, [kirakás] unloading, [hajóból] unshipment, unlading, discharging; ~ra állít hajót (ker) [szerző-dés alapján] place a vessel against a contract; ~ra engedélyezett idő (ker) days on demurrage, lay days, loading days (mind: pl)
rakodási [-ak, -t; adv -lag] a, shipping, of lading (ut); ~ bér/díj = rakbér 1.; ~ horog loader's/truckman's/ case hook; ~ idő (hajó) days on demurrage (pl), lay--days (pl), loading days (pl); ~ költség (ker, hajó) cost of loading/stowage, shipping charges (pl); ~ mérték loading gauge, clearance limit; ~ napok loading days, lav-days; ~ övezet (bány) loading area
rakodik [-tam, -ott, -jon, -jék] vi, 1. [terhet] load, lade, ship 2. [rendbe] arrange/tidy/dispose one's things, be busy (v. busy oneself with) packing/ shifting/tidying things, be busy setting things in order

rakód|ik [-ott, -jon, -jék] *vi*, be deposited *(amire* on), settle

rakodó [-t, -ja] *n*, *(vasút)* platform, ramp; *nyílt* ~ loading platform; *ld még* rakodóhely

rakodóállomás *n*, loading station/point

rakodódaru *n*, loading/lading crane, davit

rakodódereglye *n*, lighter, barge

rakodófelület *n*, 1. *[szállító eszközön]* loading surface, floorspace 2. = rakterület

rakodógém *n*, *(hajó)* derrick

rakodógép *n*, loader, loading machine, stracker, packer, putting-down machine

rakodóhely *n*, loading-dock, quay, wharf, landing--stage, *[vasútnál]* platform, ramp, *(bány)* *[gurító]* shoot, *[aknában]* station, plat

rakodóhíd *n*, charging/loading/transporter bridge, charge-bridge, *(hajó)* (loading) platform, *(vasút)* stage

rakodójegy *n*, *(ker)* bill of lading

rakodókar *n*, cargo boom, derrick

rakodóképesség *n*, (loading) capacity, burden, burthen, *(hajó)* (gross/register) tonnage, bearing capacity

rakodókikötő *n*, loading port

rakodóminta *n*, *[vasúti]* loading gauge

rakodómóló *n*, landing-stage, *[berakásra]* loading dock

rakodómunkás *n*, docker, stevedore, longshoreman, lumper, dock-worker, quay-side worker, *[alkalmi]* loader, *[fatelepen]* yard(s)man

rakodónyílás *n*, *(hajó)* hatchway, cargo door, raft--port

rakodópart *n*, = rakpart

rakodóponk *n*, = rakodórámpa

rakodórámpa *n*, loading ramp/wharf

rakodószalag *n*, *(műsz)* loading conveyor/conveyer, belt-elevator

rakodótelep *n*, *(bány)* station

rakodótér *n*, loading/storage space, stowage, tonnage, bearing capacity, rummage, *[rakparton]* quayage, *[hajófenéken]* (cargo)hold

rakogat *vi/vt*, = rakosgat

rákokozó I. *a*, carcinogenetic, carcinogenic, cancerogenic, cancer-producing, causing cancer *(ut)* II. *n*, carcino-genetic/carcinogenic/cancerogenic agent, pathogen of carcinoma

rákolló *n*, crab's nippers/pincers *(pl)*, claw of shell-fish/lobster, chela

rakomány *n*, *(ker)* load, consignment, charge, burden, *[hajóé még]* shipment, cargo, freight, shipload; *érkező* ~ inward cargo; *fedélzeti* ~ deck cargo; *hasznos* ~ useful load; *induló* ~ outward cargo; *térti* ~ homeward cargo, cargo homeward; *úszó* ~, *úton levő* ~ shipment afloat, floating cargo/freight; *vegyes* ~ general/mixed cargo

rakománybiztosítás *n*, insurance upon (the) cargo/freight

rakományelrendező *n*, *(hajó)* stower

rakományjegyzék *n*, *(hajó)* ship's manifest

rakománykísérő *a*, *(ker)* ~ *vámjegyzék* cart note

rakománykönyv *n*, *(hajó)* cargo book

rakománylevél *n*, *(ker)* bill of lading

rakonca [..át] *n*, *[vasúti pótkocsin]* stanchion

rakoncátlan *a*, unruly, naughty, unmanageable, refractory, *[állat]* prankish, prankful, pranky; ~ *gyerek* boisterous child, plague of a child, little terror/fiend, *(kif)* that child's a handful; ~ *lány* tomboy, hoyden; ~ *ló* unruly horse

rakoncátlankod|ik [-tam, -ott, -jon, -jék], *vi*, kick over the traces, romp, be wild/unruly/refractory, run wild/riot, get out of hand

rakoncátlanság *n*, unruliness, infractability, naugh-

tiness, romping, boisterous pranks/games *(pl)*, *[állaté]* prank

rákoppint *vi*, *(vmre)* rap (sg)

rákos [-at; *adv* -an] *a*, *(orv)* cancerous, carcinomatous, cancered; ~ *beteg* cancer patient; ~ *daganat* carcinoma, cancerous tumour, malignant growth; ~ *fekély* cancerous ulcer; ~ *képződmény* cancerous growth

rakosgat *vt/vi*, pack/stow/stack/dispose of *(v.* put/ tidy away) things piecemeal *(v.* bit by bit)

rakott [-at; *adv* -an] *a*, loaded, laden, *[felhalmozott]* stacked/piled up; ~ *burgonya (kb)* potato hot-pot; ~ *káposzta* layer(ed) cabbage (with sour cream(,) pork and rice); ~ *kenyér* sandwich, canapé, *[többeme-letes]* club-sandwich; ~ *padló* parquetry; ~ *szekér* heavily laden cart; ~ *szoknya* pleated skirt

rákölt *vt*, 1. spend/expend on (sg), spend on (sy), *[sokat]* spend lavishly on (sy), spend a small fortune on (sg/sy), put/pour a lot of money into (sg) 2. *[ráfog]* trump/frame up, fabricate (sg) about sy, forge (sg of sy); *mindenfélét* ~*öttek* all sorts of fabulous stories/rumours have got abroad about him

rákönyököl *vi*, *(vmre)* rest one's elbow(s) on, lean on/against (with one's elbow)

rákop *vi*, *(vmre)* spit at/on sg

ráköszön *vi*, *(vkre)* raise one's hat to sy, nod (one's head) to/at sy in salute, greet sy (in advance)

ráköszönt *vt*, ~*i a poharát a vendégre* drink the health of the guest

ráköt *vt*, 1. tie on/to, bind/fasten to 2. *(átv)* ~*i magát vkre* impose oneself upon sy, force one's company upon sy; *nem fogom* ~*ni az orrodra* it is none of your business, I am not going to let you into it

rákötöz *vt*, = ráköt 1.

rákövetkez|ik *vi*, follow upon, be subsequent to

rákövetkező *a*, following (upon), subsequent (to), consequent, ensuing; *a* ~ *napon* on the next/follow-ing day; *a* ~ *este* the night after

rakpart *n*, quay, *[rakhely]* wharf, dock, landing-stage, pier, levee, *[berakásra]* loading dock, *[kirakásra]* unloading dock, *[kövezett folyópart]* (river) embank-ment, *[kövezett szegélye]* apron; ~ *fala* quay wall; *ab* ~ *(ker)* ex wharf/quay; ~*on átadva (ker)* free alongside ship *(röv* f. a. s.*)*; ~*on átvéve (ker)* taken on the quay, ex quay; ~*on tárolás díja (ker)* wharf-age, quayage; ~*ra kirakva/kiszállítva (ker)* *[eladási kikötés]* free on quay *(röv.* f.o.q.*)*

rakpartfelügyelő *n*, wharf-master

rakparthasználati *a*, *(ker)* ~ *bér/díj* wharfage, quayage

rakparti *a*, *(ker)* ~*átvételi elismervény* quay/wharfinger's receipt; ~ *daru* wharf crane; ~ *illeték (ker)* quayage wharfage; ~ *kezelés (ker)* shore handling

ráksejt *n*, *(orv)* carcinoma cell

rákspecialista *n*, *(orv)* specialist in cancer

raksúly *n*, *[teherjárműé]* load-carrying capacity, (carrying) capacity, load weight, full service load, net load, *(hajó)* tonnage, *[vagonon]* charge

rakszelvény *n*, *(vasút)* loading/tunnel ga(u)ge, maximum structure

rákszem *n*, *(orv)* crab's eyes *(pl)*, eyestone, gastrolith *(lapides cancrorum)*

rákszemcukor *n*, *[süteménydísz]* hundreds and thou-sands

rákszerű *a*, 1. crablike 2. *(orv)* cancroid, cancerous, carcinomatous, cancriform

rákszerűen *adv*, *(áll)* crabwise

rákszűrés *n*, cancer check/examination

rákszűrővizsgálat *n*, *(orv)* cancer checking

raktár *n*, 1. *(ált)* repository, store(-room/house), depository, (storage-)yard/shed, *(ker)* warehouse

[üzleté] stock-room, [Kínában, Indiában] go-down, (hajó) [hajófenékben] locker, [gabonának] granary, barn, [takarmánynak] silo, (kat) depot, magazine, dump, [könyvtári] stack-room, stacks (pl); ab ~ (ker) ex warehouse; ~ba tesz warehouse, store, house; ~ba tett áru goods in bond, bonded goods; ~ból (ker) ex store 2. [készlet] stock, supply, stock-pile (US); ~on levő stock; ~on maradt left on hand; ~on tart vmt (have/keep sg in) stock, keep sg on hand; nincs ~on be out of stock, be unstocked with sg; van néhány meglepetésem ~on számodra I have a few surprises in store (v. up my sleeve) for you; ~ra való gyártás production for stock; nagy ~ral rendelkező üzlet well-stocked shop
raktárállomány n, stock (in/on hand), inventory
raktáráru n, stock goods (pl)
raktárbérmentes a, rent-free
raktárdíj n, warehouse dues (pl), warehousing charges (pl), storage (charges), (hajó) stowage, [rakparton] wharfage, [vasút] demurrage (charges)
raktárépület n, warehouse (premises), storage building(s), store-house
raktárérték n, value of the goods in stock
raktárfedél n, (hajó) hatch(-cover)
raktárfőnök n, [vám] officer in charge of a bonded warehouse
raktárhajó n, storeship, accommodation hulk
raktárhelyiség n, warehouse/store-room, storage (place/accommodation), depositary
raktári [-ak, -t; adv -lag] a, warehouse-; ~ alkalmazott warehouseman; ~ állványzat shelving; ~ árak (ker) ex-store prices; ~ befogadóképesség storage capacity; ~ bizonylat warehouse certificate; ~ darab stock piece; ~ díj charges for warehousing (pl), storage; rögzített ~ elhelyezés [könyveké] fixed/absolute location; ~ elhelyezési rendszer [könyvtárban] shelving system; ~ elismervény (ker) deposit receipt; ~ ellenőrzés [könyvtárban] reading the shelves, shelf-reading; ~ férőhely [könyvtárban, levéltárban] storage capacity; ~ folyosó [könyvtárban] aisle of the stack room, aisle between stacks, range aisle (US); ~ fölösleg overstock; ~ jelzet [könyvtárban] call number, location/shelf mark, shelf-number, press-mark; ~ kapacitás storage capacity; ~ katalógus shelf-list/register; ~ készlet stock (in hand), supplies, on hand (pl); ~ költségek storage costs, warehousing; ~ kutatófülke [könyvtári] carrel, research carrel/stall, cubicle; ~ méret stock size; ~ nyilvántartás stock-book, [könyvtári] shelf-list; ~ olvasóhely [könyvtárban] carrel, research carrel/stall, cubicle; ~ szám storing number, store-number; ~ szint [könyvtárban] floor of the stack room, storey
raktárjegy n, (ker) (dock-)warrant
raktárkészlet n, stock (in/on hand), inventory; ~ kimerülés depletion of stocks; a ~ kimerült stocks are depleted
raktárkészlet-felvétel n, store-audit (US)
raktáros I. a, (kat) ~ őrmester quartermaster sergeant II. n, store/stock-keeper, storeman, storer, warehouseman, material man, official (charged with the) handling (of) stored goods, [könyvtári] stack attendant
raktárkönyv n, (ker) stock-book
raktárlelet n, (rég) hoard
raktárnok [-ot, -a] n, = raktárkezelő
raktárnyílás n, (hajó) hatch-coaming, [hajófalban] port
raktáros [-ok, -t, -a] n, = raktárkezelő
raktároz [-tam, -ott, -zon] vt, store, warehouse, [készletként] stock, [vámraktárba] (put in) bond, (hajó) [szenet] bunker
raktározás n, (ker) storing, warehousing, [könyveket]

shelving, storage; kurrens szám szerinti ~, számos~ [könyvtárban] accession order; tömör ~ [könyvtárban] compact shelving
raktározási [-t] a, ~ díj(ak) storing charges; ~ vállalat warehousing company; ~ vállalkozó warehouseman
raktározható a, storable
raktározott [-at; adv -an] a, (ker) [áru] stored, warehoused, stocked, laid-up
raktárrekesz n, bunker
raktárrevízió n, [könyvtárban] reading the shelves, shelf-reading
raktárszád n, [hajón] hatch(way)
raktárszivattyú n, (hajó) bilge-pump
raktárszoba n, lumber/box-room, glory-hole (fam)
raktártér n, storage
raktártétel n, [áruból] stock lot
raktártulajdonos n, warehouseman
raktárudvar n, stock-yard
raktárvezető n, head-storekeeper
ráktenyésztés n, astaciculture, lobster-farming
Ráktérítő prop, (csill, földr) Tropic of Cancer; a ~ és Baktérítő közötti intertropical
rakterület n, loading platform
rákvirág n, (növ) aglaonema (Aglaonema sp.)
rákvörös a, lobster red; ~ lett he blushed like a peony, he went as red as a lobster; ~en a dühtől crimson with rage
rálapol vt, halve, scarf, notch; ld még összelapol
rálát vi, overlook, have a view of
rálehel vi/vt, breathe on; ~ a tükörre dim the glass with one's breath
rálehelés n, breathing on, afflation
rálel vi, = rábukkan
rálép vi, step on (to), [útra] take, strike into, set one's foot on; ~ vknek a lábára/tyúkszemére tread/trample on sy's toes; ~ a lejtőre go on the down-grade, ride for a fall, be heading for ruin (v. for a crash); végérvényesen ~ vmely útra commit oneself (irrevocably) to a course, pin oneself down to a course, burn one's boats
rálicitál vi, go one better, [történetre] heighten; ~ vkre bid over sy; ~ vk ajánlatára improve on sy's offer; ld még ráígér
rálő vi, (vkre) fire/shoot/pop at (sy), fire on (sy), fire a gun/pistol at (sy), rifle (sy), pull on (sy) (US), (vmre) fire at/on (sg), have a pop at (sg) (fam); közvetlen közelről ~ take a pot (shot) at sy
ráma [..át] n, (cipő) welt, [hímzéshez] tambour, embroidery/tapestry-fame, [képé] frame; rámán varrott (cipő) welted
rámács [-ot, -a] n, (műsz) plunger (of pump)
rámarad vi, fall to (one's lot/share), [örökség] pass/descend to/on; ~t az apja vagyona he has inherited (v. he has come into) his father's property; ~ az utókorra [hagyomány, monda] come down; ez a szokás őseinktől maradt ránk this custom has come down to us from our ancestors
rámás a, 1. (en)framed; ~ csizma welted top-boots (pl), 2. (cím) fimbriate
rámász|ik vi, 1. (vk) climb/clamber up/on, pull/hoist oneself up(on), [rovar] creep/crawl on(to); ~ik a fára climb/swarm/shin up a tree 2. (biz) [megszid] pitch into, fly at, give (sy) a dressing-down, give (sy) a wigging, blow (sy) up, crack down on (sy), jump upon (sy); alaposan ~ik jump down sy's throat, give it sy hot, let sy have it
ramaty [-ot, -a] n, chaff and broken straw
rámáz [-tam, -ott, -zon] vt, (en)frame, [cipőtalpat] welt
rámázás n, (en)framing, [cipőtalpé] welting
rámázol vt, paint on/over
ramazúri [-t -ja] n, (biz) hubbub, great to-do

rámegy vi, 1. (ált) step/go/get on, set (one's) foot on, proceed to, [elfér] find/have room on, go on 2. [pénz] be spent on, be eaten/swallowed/devoured by; ráment az egész pénze his whole fortune was spent on (v. devored by it); ráment 1000 forintja it cost him 1000 forints, he lost 1000 forints by it, he is the poorer by 1000 forints; ráment az egészsége it cost him his health; ráment erre a betegségre he died of this illness 3. (átv) minden erejéből ~ go it tooth and nail (v. hammer and tongs)

rámenős [-et; adv -en] a, assertive, energetic, red-blooded, two-fisted (US), pushful (US), pushing (US), go-getting/ahead (US); ~ ember go-getter, whole-hogger, hustler, man of push and go, pushing fellow, (kif) have plenty of push, [szerencsejátékban stb.] plunger (mind:US); ~ játék plunging, going it neck and crop

rámenősség n, assertiveness, red-bloodedness, push, vim, guts (pl), pep (US), kick (US)

rámér vt, 1. ~i a sugarat az egyenesre measure the radius on a straight line; térképre távolságot ~ mark off a distance on the map 2. inflict sg (up)on sy; csapást mér rá strike/deal a blow at, (átv is) lay it on sy, lay an ordeal on sy; büntetést mér rá inflict punishment on, mete out punishment to

rámered vi, stare/gape/gaze at

rámol [-t, -jon] vi/vt, = rakosgat

rámond vt, 1. (vmt) add (a word); ~ja az áment say amen (to sg); mit mondott rá? what did he say to that? 2. mindenfélét ~ talk scandal of, speak ill of, malign (sy)

rámordul [-t, -jon] vi, (vkre) snap/bark/snarl at sy, bawl out (at)

rámosolyog vi, smile at/on/to, give sy a smile; ~ a szerencse fortune smiles (up)on him, fortune favours him; egyszer mindenkire ~ a szerencse every dog has his day

rámpa [..át] n, ramp, (vasút) slope; (átrakodási) ~ (vasút) relay platform

ramsli [-t, -ja] n, (kárty) ⟨card-game resembling skat⟩

ramsztek [-et, -je] n, rump-steak

rámutat vi, 1. (vkre, vmre) point at/to, point up (US); ujjával ~ point a finger at, point out with one's finger 2. (átv vmre) show, point/refer to (sg), point out (a fact), call/draw attention to, put/lay one's finger on (sg), indicate; ~ a hibára/tévedésre lay/put one's finger on the flaw/mistake, point out the mistake; ~ a tanulságra [történet végén] point a moral; ~ott arra hogy he (has) suggested (that), he pointed out (that), he called attention (to the fact etc.)

ránc [-ot, -a] n, 1. [arcon] wrinkle, face-line, [homlokon] furrow, [szem körül] crow's foot, [apró ráncok] pucker 2. [ruhán] fold(-in), pleat, plait, crinkle, crinkling, gather(ing), frounce, crimp, tuck, [gyűrődés] crease, crumple, crumpling, ruck, [papiroson] fold; ~ba rak [anyagot] crease; ~ot vet [ruha, anyag] pucker (up), ruck (up), crease; ~ba szed [textilfélét] crease, plait, gather, put/draw in plaits 3. ~ba szed vkt [= fegyelmez] discipline, bring to heel, rap (sy) on the knuckles, take (sy) down a peg or two; a fiút egy kissé ~ba kellene szedni the boy wants taking in hand

ránchegység n, (geol) folded mountain

ráncigál [-t, -jon] vt, pull/haul/pluck (at) sg, pull (sy) about, lug at (sg), tug (away at) sg; ~ja vk kabátujját pluck sy by the sleeve

ráncol [-t, -jon] vt, 1. [homlokot] wrinkle, knit (one's brows), gather (one's brows), frown, furrow, crease; ~ja a homlokát wrinkle one's forehead; ~ja a szemöldökét knit/contract one's brows 2. [ruhát] pleat, plucker, goffer, ruck (up), tuck (up), drape, gore,

rimple 3. [egyebet redőssé tesz] shrivel, wizen, [barázdát vonva] furrow, line

ráncolódik [-ott, -jon, -jék] vi, wrinkle, crease, fold, crumple, ruck(le)

ráncos [-at; adv -an] a, [alma, arc] wrinkled, wizened, shrivelled (up), [homlok] lined, furrowy, furrowed, [ruha] pleated, puckered, gathered (in folds), crinkly, crinkled, rucked, [gyűrődött] crumpled, creasy, creased, (tud) rugose, rugous, rugate; ~ képű wrinkly, wizened, with a shrivelled/wizened/furrowed face (ut); ~sá válik [arc] become wrinkled/lined, wizen

ráncosodik [-tam, -ott, -jon, -jék] vi, [alma] shrivel (up), [arc] become wrinkled/lined, wizen, [homlok] furrow, [ruha] (get) crease(d), crumple up, get crumpled

ráncosság n, [arc] wrinkliness, wrinkles (pl), (tud) rugosity

ráncoz [-tam, -ott, -zon] vt, [ruhát] pleat, ruck, crinkle, pucker, gather (in folds)

ránctalan a, unwrinkled, without a wrinkle (ut), smooth

ráncvetés n, rossz ~ [anyagon] puckering

randalíroz [-tam, -ott, -zon] vi, (biz) (bally-)rag, kick up a row/shindy

randalírozó [-t] a, ~ személy disorderly person, rambunctious person (US fam)

randevú [-t, -ja] n, appointment, rendezvous (fr), assignation, date (fam), meeting, tryst (ref., oõs); elmaradt ~ [amire a másik fél nem jön el] blind date; ~t ad vknek make an appointment with sy, [főként szerelmi] date sy (US fam)

rándít [-ani, -ott, -son] vt/vi, pluck/pull/tug/haul/tear at, pull/drag abruptly, pull with a jerk; egyet ~ a vállán shrug (one's shoulders), give a shrug; nagyot ~ a gyerek karján give the child's arm a violent tug

rándul [-t, -jon] vi, 1. arcizma se ~ not move a muscle, not bat an eyelid 2. Egerbe ~t he made a trip to Eger

rándulás n, twitch, jerk, [görcsös] shock, convulsion, spasm, crick, [ficamszerű] sprain, strain, (w)rick

ránehezedik vi, 1. (vmre) weigh/press/lie heavy on (sg), lean on (sg) with one's whole weight, put one's weight on (sg), bear/press down; a bolthajtás ~ik az oszlopra the pillar takes the thrust of an arch 2. (átv) weigh heavily on; ~ett a csend a szobára a heavy silence hung/brooded over the room; ~ik a gond be burdened, be weighed/bowed down with care

ranett [-et, -je] n, renett, russet (apple)

ránevel vt, educate to, train for, [vm elviselésére] inure/accustom to; ~i magát vmre habituate oneself to (doing) sg; ~i magát a fáradtság tűrésére school oneself to fatigue

ránevet vi, (vkre) smile at, greet (sy) with a smile, give (sy) a smile, beam on (sy); rám nevetett he greeted me with a laugh, he smiled at me

ránéz vi, look/glance at, look upon, cast a glance at [futólag] run one's eyes over (sg); nézzen rá look at her; mindenki ~ett all eyes were focus(s)ed on him; örökség néz rá have expectations/expectancy of a fortune; nagy örökség néz rá he is to come into a huge legacy; rá sem nézett többé he did not even look at him any more, he ignored him (completely); jó ~ni fair to look at; rá sem tudok nézni I cannot abide/stand/suffer him, I cannot bear the sight of him; rossz ~ni it cuts one to the heart to see him, it is an eyesore, it gives one a pain to look at him (fam)

ránézés n, ~re looked at from the outside, on the face of it; egyszerű ~re at first sight/view, at a glance

ránézvést adv, 1. [ránézésre] looked at from the outside, on the face of it 2. [első pillantásra] at first sight/view, at a glance

rang [-ot, -ja] *n*, rank, grade, degree, *(hajó)* rating, *[társadalmi]* place, standing, status, state, station, position, dignity, honours *(pl)*, estate *(obs)*; ~ *szerint* in order of rank, according to precedence; ~*ja szerint* according to one's rank, as befits one's rank; *magas* ~*ban* in (a) high position, high-ranking; *vk előtt van* ~*ban* be above sy in rank, rank before sy; *emelkedik* ~*ban* be promoted, get one's promotion, *(átv)* rise in the social scale; ~*jához illő méltósággal* with dignity proper to his rank; ~*jához méltó(an)*, ~*nak megfelelő(en)* befitting his state; ~*ján alul házasodik* marry beneath one, marry below one's station; ~*ján aluli* beneath one's dignity; ~*on aluli házasság* misalliance; *vkt vmely* ~*ra emel* raise/promote/advance sy to a rank/dignity; ~*tól megfoszt vkt* degrade, *[altisztet]* reduce to the ranks, *[tengerészetben]* disrate, *[tisztet]* degrade, cashier

ráng [-ani, -tam, -ott, -jon] *vi*, jerk, twitch, squirm, wriggle, writhe, move convulsively, be in the throes of, *[arc]* be convulsed, *(tud)* vellicate; *szája* ~*ott* his mouth was working

rangadó *n*, *(kb)* decisive match/game of football championship, title bout, Derby

rángás *n*, 1. jerk, twitch(ing), squirm(ing), convulsive movement, convulsion, *(tud)* vellication, *[arcé]* tic (douloureux) *(fr)*; *görcsös* ~ *(orv)* convulsions *(pl)* 2. *[tévé-képernyőn]* jitter(s)

rángat *vt*, 1. pull/haul (at) sg, lug at, tug (away at), twitch; ~*ja a bábukat (szính)* pull the puppet-strings; ~*ja a csengőzsinórt* pull at the bellrope 2. *(átv)* pull/order about, play fast and loose with

rángatás *n*, tugging

rángatódzás *n*, convulsions *(pl)*, writhing, *[ajaké]* tremor, *[arcé]* twitch(ing), tic, *[görcsös]* spasm, jerk, vellication

rángatódzik [-tam, -ott, -zon, -zék] *vi*, squirm, jerk, wriggle, writhe, twitch, move spasmodically/convulsively, be convulsed, have the jerks *(fam)*, *(tud)* vellicate; *epilepsziás rohamban* ~*ik* have epileptic convulsions, fling about *(fam)*; *az arca szörnyen* ~*ott* his face was *(v.* his features were) working horribly

rángatott [-at] *a*, *dróton* ~ *báb* puppet, marionette, *(átv)* lay figure, stooge, dummy, figure head; *dróton* ~ *klikk* puppet clique

rangbeli I. *a*, of rank *(ut)* II. *n*, ~*ek* people of mark/distinction/note/degree/rank

rangegyenlőség *n*, equality of rank

rangelőny *n*, = **rangelsőbbség**

rangelső I. *a*, ranking, top~, II. *n*, first in rank, senior (in rank), *(isk)* top-boy/girl, *(kif, vmben)* hold the first place in sg

rangelsőbbség *n*, precedence, superiority in rank; ~ *vk felett* precedence over sy

rangemelés *n*, promotion, raising, elevation

rangfokozat *n*, order/grade/degree of rank; ~*ok összessége* hierarchy

rangfosztás *n*, degradation, *[kat altiszté]* dismissal, reduction to the ranks, *[tengerészetben]* disrating, *[tiszté]* degradation, cashiering

ranghely *n*, order of rank, gradation(s), place/position in rank

rangidős *a*, senior (in rank), *[koránál fogva]* elder, dean *(US)*; ~ *tiszt* senior/ranking officer; *ld még* **rangelső**

rangidősség *n*, seniority (in rank), length of service

rangjelzés *n*, 1. *(kat)* insignia of grade/rank, badge of rank, stripes *(pl)*, chevron, *[nem kat]* distinguishing mark; ~*t kap* win one's epaulet(te)s 2. *[tulajdonnév előtt]* prefix

rangkórság *n*, = **címkórság**

rangkülönbség *n*, difference of/in rank

ranglétra *n*, gradation of ranks, hierarchy; *társadalmi* ~ the social ladder/scale *(fam)*; *felkapaszkodik a társadalmi ranglétrán* climb a rung of the social ladder

ranglista *n*, *(kat)* active army/navy/airforce list, *(sp)* championship table

rangnév *n*, honorific

rángógörcs *n*, *(orv)* eclampsia, *[epileptikus]* convulsions *(pl)*, convulsive spasm

rangos [-at; *adv* -an] *a*, of rank *(ut)*, *(átv)* dignified, proud, haughty *(pej)*

rangosan *adv*, dignified, conscious of one's dignity, with pompous bearing *(pej)*; ~ *jár* he has a dignified air about him, strut *(pej)*, go with (one's) nose in the air *(pej)*

rangosztály *n*, order/degree of rank, *[köztisztviselői]* civil-service category

rangrejtve *adv*, incognito, incog *(fam)*; ~ *marad* preserve one's incognito

rangsor *n*, *[hivatali, kat]* order of rank/dignity/merit, precedence, gradation; *társadalmi* ~ social hierarchy; ~ *szerint* hierarchically; ~ *szerinti* hierarchic(al); ~*ba oszt/soroz* hierarchize; ~*ban Dantét Shakespeare elé teszi/helyezi* rank Dante above Shakespeare

rangsorol [-t, -jon] *vt*, grade, determine (sy's) seniority, assign (sy) to a certain grade, rank, classify

rangszám *n*, number of order/degree, number in rank

rangszervezet *n*, hierarchy

rangú [-ak, -t; *adv* -an] *a*, -rate, -ranking, ranked, of ... rank *(ut)*; *alacsonyabb* ~ of lower rank *(ut)*, humbler, subordinate; *harmad* ~ *szálloda* 'third-rate hotel; *harmad* ~ *csillag* star of the third magnitude; *magas* ~ *ember* man of high standing; *minden rendű és* ~ *ember* people of all sorts/kinds and conditions, all orders and degrees of men

rangvita *n*, dispute as to rank/precedence

ráno *vi*, 1. grow on (to), adhere to, *(orv)* become united/jointed together, heal over 2. *(átv)* ~ *a fejére* become too much for sy, grow unmanageable (for sy)

ránt¹ [-ani, -ott, -son] *vt*, 1. pluck, pull, drag, tug, tear, jerk, wrench, twitch, hitch, lug, yank *(US)* *(amit* at); *kardot* ~ draw one's sword; *pisztolyt* ~ *vkre* pull a gun on sy; ~ *egyet a nadrágján* give one's trousers a hitch, hitch up one's trousers; *egyet* ~ *rajta* give it a tug 2. *magával* ~*ott* he has dragged me down with him; *(átv) vkt magával* ~ carry along/away sy with one, involves sy in sg *(pej)*; *magával* ~*ja a lendület* be carried away by the impetus of be carried away by one's own momentum; *magával* ~*ja a szenvedély* let passion run away with him

ránt² *vt*, = **kiránt²**; ~*ani való csirke* spring/young chicken (suitable for frying in fat and breadcrumbs), (young) broiler-size chicken, broiler (chicken)

rántás *n*, 1. *[mozdulat]* pluck, pull, tug, tear, jerk(ing), wrench, twitch, hitch, lug, yank *(US)*; *egy* ~*sal* at/with one jerk 2. *[ételhez]* roux, thickening for gravy/sauce, roasted flour, liaison

rántott [-at] *a*, fried in breadcrumbs *(ut)*; ~ *csirke* fried chicken (covered with egg and breadcrumbs), chicken fried in breadcrumbs; ~ *leves* thick brown soup

rántotta [..át] *n*, scrambled eggs *(pl)*, omlet(te); *rántottát csinál* scramble eggs

ránnyit *vi/vt*, *(vkre)* open the door on (sy)

rányom *vt*, (im)print, (im)press (sg on sg), *[bélyeget, mintát anyagba]* stamp (sg on sg); ~*ja az ajkát* press one's lips on, impress a kiss on; ~*ja a bélyegét vmre* leave one's mark on sg, mark sg with one's impress, brand sg; ~*ja egyénisége bélyegét munkájára* impress one's personality upon one's work; ~*ja a pecsétet vmre* set/append/stamp/impress a seal on sg, put the seal to sg

rányomás n, impress(ion); *a pecsét ~a* impression of the seal

ráoktrojál [-t, -jon] vt, *(vkre vmt)* force (sg on sy), impose (sg upon sy); *véleményét ~ja vkre* thrust/foist one's opinion on sy

ráolt vt, *(mezőg) (vmre)* engraft (upon), *[a már oltott ágra]* double-graft

ráoltás n, *(mezőg) [már oltott ágra]* double-graft

ráolvas I. vi, *[varázslattal]* lay/cast a spell on (by incantations); *a kuruzsló ~ott a betegre* the medicine man bewitched the sick man **II.** vt, *hazugságot ~ vkre* bring a lie home to sy, prove sy a liar, catch sy in a lie, give sy the lie; *vkre~sa a bűneit* reproach/taunt/ twit/tax sy with his faults/sins, cast sy's sins/faults in his teeth/face

ráolvasás n, **1.** *[folyamata]* incantation, faith-cure; *~sal gyógyít vkt* cure sy by (using) incantations **2.** *[szöveg]* magic formula, spell

ráomlik vi, *(vkre, vmre)* fall/crumble/tumble down (on sy/sg), collapse (over sy/sg); *ránk omlott a menynyezet* the ceiling fell about our ears; *~ott a tető* the roof fell in *(v.* collapsed) above/over him; *halálos fáradtan ~ott a székre* dead-tired he dropped/flopped into a chair

ráomlott a, [-at] *a ~ szikla maga alá temette* the tumbling/falling rock buried him

ráordít vi, *~vkre* bawl/shout at sy, shout sy (full) in the face

ráölt vt, **1.** *[tűvel]* baste/stitch on **2.** *~i a nyelvét (vkre)* put out one's tongue (at sy)

ráömlik vi, *(vmre)* pour (out) on sg, be spilled on; *~ött a tinta az abroszra* the ink was spilled on the table-cloth

ráönt vt, **1.** pour (out) on/over, spill on, drench with, *[teára vizet]* infuse; *~i a mártást [az ételre]* pour on the sauce **2.** *úgy áll rajta mintha ~ötték volna* it fits him like a glove, it is a perfect fit

ráparancsol vt, *(vkre)* charge/order/command sy (to do) sg, enjoin sg (strongly) (up)on sy; *hallgatást parancsolt rá* he enjoined silence on him; *ez a körülmény hallgatást parancsolt rá* for this reason he had to keep quiet *(v.* to keep his mouth shut)

rápattan vi, *[lóra]* spring/jump on

rápazarol vt, *(vkre, vmre)* lavish/waste/heap sg (on sy/sg), waste/squander money (on sy/sg); *~ja az idejét vmre* waste one's time over/on sg, waste time doing sg; *sok energiát pazarolt rá* he wasted much of his energy on/over it

rápillant vi, *(vkre, vmre)* glance at (sy/sg), shoot/cast a glance at, look upon (sy/sg), turn/fling one's eyes upon (sy/sg), have/steal a look at (sy/sg), *[gyanakodva]* eye (sy/sg), *[gyorsan átnéz]* (cast a) glance over (sg), glance one's eye over (sg), skim (sg)

rápirit vi, *(vkre)* put (sy) to the blush, make (sy) blush, *[leszid]* run (sy) down, reprove (sy), give (sy) a talking-to, give (sy) a dressing-down

rapityára adv, = **ripityára**

rapli [-t, -ja] n, *(biz)* fad, hobby, freak, whim, crotchet *(mind: stand)*; *ahogyan rájön a ~ja* as the maggot bites her; *az a ~ja (hogy)* his hobby is (to), he took it into his head (to), that's the bee in his bonnet

raplis [-ak, -t; adv -an] a, *(biz)* dippy, barmy, loony, *[szeszélyes]* crotchety, faddy, whimsical *(mind: stand.), (kif)* have moods

rapone [-ot, -a] n, *(növ)* rampion *(Campanula rapunculus)*

raponca [..át] n, = **rapone**

raport [-ot, -ja] n, *(kat)* report(ing oneself to a superior); *~ra rendel vkt* order sy to report (to a superior)

rápottyan vi, *(vmre)* fall squash on (sg)

rapport [-ot, -ja] n, *(tex)* (pattern-)repeat

rapporttű n, *(tex)* pin-point

ráprésel vt, press on

rápróbál vt, try/fit on

rapszódia [..át] n, rhapsody

rapszodikus a, rhapsodic(al)

rapszodikusan adv, rhapsodically; *~ dolgozik* work by fits and starts

ráragad vi, stick (on/to/fast), adhere to; *~t egy kis angol* he acquired a smattering of English; *~ a betegség* catch/contract a disease, be infected/contaminated with a disease; *~t a gúnynév* the nickname stuck to him, the nickname remained with him; *~t a szokás* he adopted/acquired the habit; *a vendégekre ~t a nevetés* the guests were infected with laughter; *~ vkre vm vmből* sg remains/sticks to sy from sg; *nagyon kevés ragadt rá (átv)* very little rubbed off on him

ráragaszt vt, *(vmre)* paste/stick/glue on/to (sg)

ráragasztható a, *~ címke* stick-on label

rárak I. vt, *(vkre/vmre vmt)* lay/cast/load/put/(super)-impose/superpose sg on sy **II.** vi, *~ a tűzre/kályhára* put (a few coals) on the fire, keep/make up the fire, tend the fire

rárakás n, *(vmt vkre/vmre)* putting upon

rárakódás n, **1.** superposition **2.** *(biol)* apposition

rárakódik vi, *(vmre)* settle on, (form a) deposit (on sg), get incrusted with (sg)

ráripakodik [-tam,-ott,-jon,-jék] vi, *(vkre)* reprimand, reprove/rebuke harshly, speak harshly to sy, be down upon sy, snap at sy, bawl sy out, put sy in his place, sit on sy *(fam)*; *ld még* **ráförmed**

raritás n, **1.** *[tárgy]* rare object, curio; *~ok* old curiosities **2.** *[tulajdonság]* rarity, curiosity

rárivall [-t, -jon] vi, *(vkre)* upbraid (sy) fiercely, scold (sy), shout at (sy), snap (out) at (sy), bawl (sy) out

ráró¹ vt, *(vkre vmt)* impose (sg on sy), entail (sg on sy), *[előír]* lay down (for sy), prescribe (to sy); *vkre büntetést ~* inflict a punishment on sy; *vkre feladatot ~* devolve a task on sy, assign sy a task; *ez nagy terhet ró ránk* this lays a heavy burden on us

ráró² [-t, -ja] n, **1.** *[ló]* (jet-)black horse **2.** *[madár]* = **halászsas**

rárohan vi, *(vkre)* swoop/bear down on, pounce/charge (up)on, rush at/on, make an onrush on, make a rush at/for/towards, make a dash at, go for *(fam)*, *[támadva]* attack, assail, assault

rárohanás n, onrush, surprise

ráront vi, *(vkre)* rush/fall (up)on, (make a) rush at, charge/attack/assail/assault/pounce on, bear down on, break in (up)on, pitch into, *[meglepetésszerűen]* take by surprise, take unawares, attack suddenly, *[támadva]* assail, assault; *~ az ellenségre* break in upon the enemy

rárósólyom n, *(áll)* saker falcon *(Falco ch. cherrug)*

ráröffen vi, *(vkre)* snap (out) (at sy), snarl (at sy), huff (at sy)

rárögzít vt, hitch up

ráruház vt, *vmt vkre ~ [tulajdont, jogot]* transfer/assign/ convey sg to sy, vest sg on sy, bestow sg on sy, *[funkciót]* west sy with sg, delegate/commit/depute sg to sy, confer sg on sy

rásajtol vt, press on

rásandít vi,¹*(vkre, vmre)* glance at (sy/sg), squint at (sy/sg)

rásegít vt, **1.** *[hozzásegít]* help sy (on) to (do) sg, lend a hand to sy (to do sg) **2.** *[járműre]* help/hand sy up/in; *~t a felöltőjét* help sy into *(v.* on with) his overcoat

rásóz vt, *(biz)* **1.** *~ vkre vmt* palm/work sg off on sy, fob off sg on sy, fob sy off with sg, foist/unload/plant sg (up)on sy, pass/sham sg off on sy, sell sy a bill of goods, *[árut]* plant/graft sg on sy, shove off on sy; *értéktelen tárgyat/holmit ~ vkre* impose an object of no value on sy **2.** *egyet ~ vkre* give sy a (playful) blow

ráspoly [-ok, -t, -a] *n*, file, *[durva]* rasp(er)
ráspolyoz [-tam, -ott, -zon] *vt*, file, *[durván]* rasp, grate
ráspolyozás *n*, filing, *[durva]* rasping
ráspolyozó [-t, -ja] I. *a*, rasping II. *n, [munkás]* rasper
ráspriccel *vt, (vmre)* splash
rásuhint *vi, (vkre, vmre)* slash; ~ *botjával vkre* wipe at sy with one's stick
rásújt *vi, (vkre)* strike/deal (sy) a blow, smite (upon) (sy) *(ref.)* ; *karddal* ~ *vkre* hit sy with a sword; ~ *ostorával a lóra* give the horse the whip
rásül *vi,* = odasül
rásüt I. *vi, [nap, hold, világítótest]* shine on, illuminate, suffuse with its light, shed its light (up)on II. *vi*, 1. *[bélyeget vkre/vmre]* brand, stamp, stigmatize (sy/sg), *[gyalázatot]* brand, stigmatize (sy) 2. ~*i a fegyvert vkre* discharge *(v.* let/fire off) one's gun at sy, shoot at sy 3. *vkre* ~*i a hazugságot* bring a lie home to sy, prove sy a liar, catch sy in a lie, give sy the lie
rászab *vt*, make to measure; *úgy áll rajta mintha* ~*ták volna* it fits him as if it had been made for him, it is a perfect fit; *rá van szabva a ruha* the suit is a good/perfect fit; *a ruha nincs* ~*va* the suit does not fit him; *ezt a szerepet* ~*ták* he looks the part, this part is cut out for him
rászabadít *vt, (vkre, vmre)* let/turn loose on, *[kutyát]* set at; *a katonákat* ~*ották a városra* the town was thrown open to *(v.* at the mercy of) the troops
rászakad *vi*, 1. = ráomlik; 2. *(átv)* swoop/sweep down (up)on, pounce (up)on, *[baj, csapás]* rush upon, afflict, *[bánat]* bow/weigh down, afflict, *[felelősség, kötelesség]* bear down on, devolve upon, fall on to (one's lot); *rám szakadt az éjszaka* I was benighted, night overtook me; *váratlan örökség szakadt rá* an unexpected inheritance/fortune fell into his hands *(v.* to his lot)
rászáll *vi*, 1. *[rárepül]* fly on, *[madár]* perch/settle/(a)light on, *[korom]* settle/deposit on 2. *[tulajdon]* fall to, devolve upon to/sy; ~*ott az egész vagyon* the whole fortune devolved on him, he inherited the whole estate
rászán *vt*, 1. *[költséget vmre]* assign/allot to, appropriate/earmark/allocate/envisage for, set apart for, *[időt, fáradságot]* devote; *ez több mint amennyit* ~*tam* that is more than (I had) anticipated, that's rather steep *(fam)* ; *száz forintnál többet nem bírok* ~*ni* a hundred pounds is the most (that) I can manage/afford 2. ~*ja magát vmre* decide to do sg, make up one's mind to do sg, bring oneself to do sg, commit oneself to a course, *[nagy nehezen]* accept the inevitable, nerve oneself to, *[hosszas habozás után]* take the plunge, go over the top; ~*ta magát hogy elfogadja* he finally brought himself to accept it; *nem tudja* (v. *képtelen)* ~*ni magát* he cannot make up his mind, he cannot find it in his heart to
rászárad *vi, [sár vmre]* get caked with (mud)
rászavaz *vi, (vkre)* vote for
rászed *vt*, deceive, dupe, gull, fool, delude, outwit, cheat, trick, humbug, bluff, hoax, diddle, hocus(-pocus), hoodwink, put upon, let down/in sy, take (sy) in, impose (up)on (sy), make a game/food of (sy), play a practical joke on (sy), serve (sy) a trick, play a trick on (sy), play (sy) false/foul, bamboozle *(fam)*, draw/pull the wool over sy's eyes *(fam)*, do sy brown *(fam)*, do sy in the eye *(fam)*, get/take a rise out of sy *(fam)*, play hanky-panky (with sy) *(fam)* ; *jól* ~*tek (téged)* you have been sold!; ~ *egy baleket* pluck a pigeon; *csúnyán* ~*ett bennünket* he has done us down right enough
rászedés *n*, imposition, cheating, fraud, deception, deceit, fooling, hoax, dupery, trickery, gullery, humbugging, putting upon, hanky-panky *(fam)*, hamboozlement *(fam)*, do *(fam)*

rászegez *vt*, 1. *[szöggel]* nail up/on (to), fasten on/to (sg with nails), pin on 2. *[fegyvert]* aim/level/point a gun (at sy) 3. ~*i a szemét vkre* fix/fasten one's eye(s) on sy, stare steadily at sy; ~*i a szemét vmre* nail one's eyes on sg, keep one's eyes glued on sg
rászegeződ|ik [-ött, -jön] *vi, az összes szemek* ~*tek* all eyes were focused on him
rászerel *vt, (vmre)* fit/mount on (to)
rászokás *n, (vmre)* habituation, contracting the habit (of sg)
rászok|ik *vi, (vmre)* become/get accustomed/used to (sg), acquire/start/adopt/contract/form the habit (of doing sg), get/drop/fall into the habit (of doing sg), fall into the way (of doing sg), take to (sg), *(kif)* it becomes a habit with sy, become addicted to *(pej)*, become a ... fiend of *(pej)*: ~*ik az ivásra* take to drink, become addicted to drink; ~*ik a kávézásra* acquire a taste for coffee
rászoktat *vt*, ~ *vkt vmre* accustom/inure/habituate sy to sg, get sy accustomed to sg, get sy into a habit of doing sg, *[ránevel]* train/drill to do sg, break in to do sg, *[rosszra]* spoil sy
rászoktatás *n, (vmre)* habituation (to)
rászól *vi*, 1. *[odaszól]* speak/call to (sy), *[őr vkre]* challenge (sy) 2. *[rosszallólag]* rebuke/rebuff/upbraid sy, rap out (to sy), take (sy) to task, put (sy) in his place, dress (sy) down, call (sy) down *(US fam)* ; *élesen* ~ *vkre* take sy up sharply
rászolgál I. *vi, (vmre)* deserve, merit, have a right to, be entitled to, be worthy of; *alaposan* ~*t* he richly deserved it; *erre ugyan* ~*t (biz)* it serves him jolly well right; ~*t a segítségre* he deserves to have something done in/on his behalf II. *vt, még egy évet* ~*t* he served for yet another year
rászór *vt*, strew/sprinkle over/with, cover with
rászorít *vt*, 1. *[tárgyat]* press on/against, *[abroncsot]* drive on, *[csavart]* drive in, *[csomót]* tighten 2. *(átv, vkt vmre)* compel/force/urge (sy) to do sg, force sy's hand, make it necessary for sy to do sg
rászorul *vi, (vmre)* be reduced to (doing sg), have need of, be/stand in need of (sg); ~ *vk segítségére* want/need sy's assistance, fall back *(v.* have to rely/depend) (up)on sy's help
rászorult [-at; *adv* -an] *a/n*, ~*ak* the poor/needy/indigent; *a vmre* ~*ak* those in want/need of sg
rászorultság *n*, ~ *megállapítása* means test
raszter [-ek, -t, -e] *n, (nyomd)* screen(-plate), *[színes eljáráshoz]* tone-block
raszterceruza *n, (műv)* stump
raszteres [-et] *a, (nyomd)* ~ *nyomás* autotype
raszterklisé *n, (nyomd)* halftone engraving
rasztermélynyomás *n, (nyomd, fényk)* photogravure
ráta [.. át] *n*, rate, instalment, partial payment; *lefizeti az első (havi) rátát* pay the first (monthly) instalment
rátábláz *vt, [birtokra vmt]* mortgage, encumber (with servitude)
rátalál *vt*, 1. *[kitalál]* discover, find/make out 2. *[keresés után]* trace down, ferret out, hunt out/down, come at/on, *[véletlenül]* hit/light/pitch/strike upon, come across sy/sg (by chance), fall in with, happen upon; ~ *a helyes megoldásra* hit (up)on the right solution
rátámad *vi, (vkre)* attack (sy), fall/set (up)on (sy), rush at/on (sy), fly in the face (of sy), fly on/at (sy); ~*tak* he has been set upon
rátámaszkod|ik *vi*, 1. lean on 2. *(átv)* depend/rely on
rátapad *vi*, adhere/stick/cling to; *ajkával* ~*t* his lips were pressed/glued to (hers)
rátapaszt *vt*, paste/stick/glue on/to; ~*ja ajkát az ajkára* he glues his lips on hers, he seals her lips with a kiss
rátapint *vi, (vmre)* lay/put one's finger on, *[véletlenül]*

light upon sg; ~ *a baj gyökerére/okára* lay/put one's finger on the cause/evil, touch the spot; *gyenge/érzékeny pontra* ~ put one's finger on a weak spot

rátapos *vi,* **1.** *(vmre)* tread/trample down sg (under foot), trample/tread/stamp on (sg) **2.** *(átv)* ride roughshod over (sy)

rátarti [-ak, -t; *adv* -an] *a,* stand-offish, uppish, priggish, puffed up, inflated, self-conceited, haughty, *(kif)* ride the high horse *(fam)*, give oneself airs *(fam)*, think no small beer of oneself *(fam)*

rátartiság *n,* stand-offishness, (self-)conceit, (self-)complacency, uppishness

rátehénked|ik *vi, (vmre)* sprawl on, lean heavily on

ráteker *vt, [huzalt]* wind, coil (sg on sg), *[fonalat]* wind, spool, reel (sg on sg)

rátekered|ik *vi, ~ik vmre* get wound/coiled on sg, reel on sg, enwind sg

rátekerés *n,* winding, coiling, reeling (sg on sg)

rátekerődz|ik *vi,* = **rátekeredik**

rátekint *vi, (vkre, vmre)* look/glance at, give sy a look/glance, look upon, have a look at

ráteleped|ik *vi,* settle on, *[madár még]* perch/roost/alight on, *[vk vmre engedély nélkül]* squat in, settle down on, occupy. *[vk kényelmesen]* sprawl on, spread oneself out upon *(fam)*

rátelepül *vi, (geol)* overlie; *diszkordánsan* ~ overlie unconformably

rátelepült *a,* ~ *közettömeg* superincumbent rock-mass

rátér *vi,* **1.** *[útra]* take the (right) way to, turn to; ~*tünk a cambridge-i útra* we took the road to Cambridge; ~ *pályájára [mübolygó]* go into orbit **2.** *(átv)* ~ *a dolog lényegére* come to the point, get down to the gist of the matter, come/get down to brass tacks *(fam) ;* ~ *a tárgyra* come to the purpose, come to one's subject, tackle/approach the question/subject; ~ *egy témára* enter upon a theme; *éppen most akarok arra ~ni* I am (just) coming *(v.* getting around) to that; *mielött ~nénk erre a kérdésre* before dealing with this problem; *most ~ünk. . . (ra-, -re)* we will now turn our attention to. . .

ráterel *vt, [nyájat]* drive to; ~*i a beszélgetést vmre* bring the conversation round to sg; ~*i a figyelmét vmre* attract/bring/call attention to, focus the/sy's eye (up)on; ~*i a gyanút vkre* cast suspicion upon sy

ráterelőd|ik *vi, ~ik a beszélgetés* the conversation turns to sg; ~*ött a gyanú* suspicion was cast upon him, he became *(v.* began to be) suspected, he fell under suspicion; ~*ött az érdeklődés* he has come into the limelight; ~*ött a közfigyelem* he attracted public attention/interest

ráterít *vt, (vmt vmre)* spread/lay (sg) over (sg), cover (sg) with (sg), *[fátylat]* veil; ~*ették a vizes lepedőt (biz)* the blame was laid on him, he had to swallow the pill

rátermett [-et; *adv* -en] *a, (vmre)* suitable/suited/fit-(ted)/able/efficient/qualified for (sg *v.* to do sg), *[arra született]* be born for sg, be cut out for sg *(mind: ut) ;* *nem* ~ unsuited/inadequate/incapable/incompetent to/for *(v.* to do sg) *(ut) ;* ~ *embert állít vhová* put the right man in the right place

rátermetiség *n,* suitability, fitness, aptness, aptitude, (natural) disposition (for sg), sufficiency. efficiency, *[müvészi]* talent, gift, vocation

rátestál *vt,* ~ *vkre vmt* bequeathe/leave/will sg to sy

rátesz *vi,* **1.** *(vmt vmre)* put/lay/place (sg) on (sg), apply (sg) to (sg), *[hozzátesz]* (super)add to, heap on, *[kártyát]* play; ~*i a kezét vmre* catch/lay/take hold of sg, lay hands on, seize (upon), secure, possess oneself of, take possession of, bag sg *(fam), [vk fejére]* place one's hands upon (sy's head); ~ *a tüzre* replenish the fire **2.** *a fejemet/nyakamat teszem rá (hogy)* I'll bet anything you like (that), I'd stake my life on it

rátétel *n,* putting/laying/placing on, application (to), *(épít)* superimposition

rátétes [-et; *adv* -en] *a,* ~ *diszités* applied ornament; ~ *himzés/munka* = **rátéthimzés**

rátéthimzés *n,* appliqué (work), appliquéd trimming

rátéved *vi, ~t a tekintete* his (roaming) eyes were caught by, his look fell/lighted upon

ratifikál [-t, -jon] *vt,* ratify, countersign, confirm; *(államközi) szerződést* ~ *(jog)* ratify a treaty

ratifikálás *n,* ratification, confirmation

ratifikálatlan *a,* unratified

ratiné [-t, -je] *n, (tex)* rateen, ratine

rátol *vt,* **1.** *(vmre)* push/slide/shove/thrust on to **2.** *(átv vkre vmt)* shift (the blame) on to sy; ~*ja másra a felelősséget* shift the responsibility of sg upon sy, pass the buck(et) to sy *(US fam)*

rátolódás *n, (geol)* overthrust, overlap/thrust fault, up-leap

Rátót [-ot, -on, -ra] *prop,* **1.** Rátot (village in Hungary) **2.** *(átv)* Gotham

rátótiak [-at] *n. pl, (átv)* the Gothamites, the wise men of Gotham

rátör I. *vi,* ~ *vkre* rush/dash at sy, hurl/fling oneself at sy, pitch into sy. invade sy's privacy, attack sy, raid sy, *[váratlanul]* spring on sy, *[látogató]* barge/break in on sy; *ld még* **ráront;** ~ *az ellenségre* break in upon the enemy, set upon the enemy **II.** *vt, ~i az ajtót vkre* force/burst *(v.* break open) the door upon sy

rátörés *n, (kat)* raid

rátukmál *vt,* ~ *vkre vmt* force/thrust/plant sg (up)on sy, *[árut]* palm/fob off sg upon sy, foist sg on sy, talk sy into taking/buying sg; ~*ja magát vkre* thrust/inflict oneself (up)on sy, inflict one's company on sy

rátúz I. *vt,* stick/pin/fasten on (sg) **II.** *vi,* ~ *a nap* the sun shines/glares on sg

rátűzött *a,* ~ *zseb* patch pocket

ráugr|ik *vi, (vkre, vmre)* jump at/upon (sy/sg), leap at/to (sy/sg), spring at/on (sy/sg), make a spring at (sy/sg), pounce on (sy/sg)

ráun *vi, (vkre, vmre)* be/get/grow weary/sick/tired of, grow disgusted with, lose interest for/in, be out of conceit/love with, be/get fed up with *(fam) ;* ~ *a húsra* be put off meat

ráúsz|ik *vi, ~ik a kötélre (sp)* swim off the line

ráúszít *vt, (vkt vkre)* set (sy on sy); ~*ja a kutyát vkre* set the dog at/on sy, hound/sick the dog on sy; *ld még* **rászabadít**

ráutal *vi, rá van utalva (vmre)* be in need of, cannot dispense with, cannot do/go/manage without, have to fall back on, have got to, *(vkre)* be dependent on, need the support of, have to rely on sy('s help)

ráutaltság *n, (vkre)* being dependent (on sy)

ráül *vi,* **1.** *(vmre)* sit down (on sg); ~ *a pénzére (átv)* be stingy, be close-fisted; ~ *a nép nyakára (átv)* sit on the neck(s) of the people oppress the people **2.** *[kerékpárra]* get on

ráüt I. *vi, (vmre, vkre)* strike (at), hit, slap, spank, smite upon, give/strike a blow to/at, give (sy) a whack; ~ *az inra (orv)* tap on the tendon, percuss the tendon **II.** *vt,* ~*i a bélyeget* stamp, put a stamp on, impress, mark; ~*i egyénisége bélyegét munkájára* impress one's personality upon one's work; ~*i a patkót a lóra* shoe the horse; ~*i a pecsétet* append/affix the seal to

rávág I. *vi, (vkre, vmre)* strike (a blow) at (sy/sg), cut (sg), give/land (sy) a whack (with sg) *(fam) ; lóra* ~ give a horse a slash; ~ *vkre az ostorával* give sy a cut with one's whip **II.** *vt, gyorsan ~ja a választ* give a rapid answer/reply, make a lightning retort, answer pat

rávall *vi.* **1.** *[biróságnál]* ~ *vkre* accuse/charge/indict sy, make a deposition against sy, give evidence against sy, *[rendőrségen]* denounce/expose sy, inform against sy **2.** *ez egészen ~ it/that* is just like him, it is just what I expected of him, that is the way he would do it; *ez ~ Ferire!* that is Frank all over

rávaló *a, (vmre)* fit(ed)/suited for (sg), suitable for (sg), made expressly for (sg), appropriate for (the purpose), pertaining to, accessory/part of (sg); *nincs meg a ~ pénzem* I cannot afford it, I have not the necessary money

rávarr *vt,* **1.** sew/stitch on **2.** *~ja magát vkre* thrust oneself upon sy, grapple on to sy, cling to sy, *[társaságban]* buttonhole sy, *[élősködik]* sponge on sy

rávarrott *a, ~ gallér* attached collar, sewn-on collar; *~ zseb* patch pocket

ravasz¹ *[-ok, -t, -a] n,* finger (piece) of a trigger, trigger: *meghúzza/megrántja a ~t* press/pull the trigger

ravasz² *[-ok, -t; adv -ul] a,* sly, cunning, artful, crafty, astute, wily, sharp, deep, insidious, guileful, trickish, tricky, foxy, fox-like, shifty, shifting, canny, catchy, dodgy *(fam),* downy *(fam),* cagey *(fam),* snide *(fam),* too clever by half *(ut) (fam),* up to sniff *(ut) (fam),* *(skót)* pawky; *~ ember* artful dodger, sly boots/dog, wily bird, old fox, knowing card *(mind: fam)* ; *~ fondorlat* sharp practices *(pl),* machination; *~ képű/nézésű* sly-looking, shifty-eyed; *~ róka* cunning/sly (old) fox; *~ tekintet* shifting look *(fam)* : *~ terv* stratagem

ravaszkás *a,* arch

ravaszkodás *n,* trickery, artifice, dodge, sharp practices *(pl),* finesse, cunning, foxiness, manoeuvring, machinations *(pl)*

ravaszkod|ik *[-tam, -ott, -jon, -jék] vi,* finesse, resort to subterfuge/trickery, be/play foxy, play a deep game, play the fox, manoeuvre, dodge

ravaszság *n, [tett]* ruse, trick, wile, guile, (piece of) cunning, machination, dodge, artifice, catch, *[tulajdonság]* astuteness, artfulness, sharpness, slyness, trickishness, wiliness, finesse, craft(iness) shiftiness, shrewdness, foxiness

ravaszul *adv.* slyly cunningly, artfully guilefully, shiftily

ravaszvédő *a, ~ kengyel* trigger-guard

ravatal *[-ok, -t, -a] n,* bier, catafalque

ravataloz *[-tam, -ott, -zon] vt,* lay (out) in state

ravatalozás *n,* laying out in state

ravatalozó *[-t, -ja] n,* mortuary, undertaker's establishment, funeral home/parlor *(US)*

rávehető *a, (vmre)* amenable/responsive to, persuadable (into), persuasible (into), workable *(fam)* ; *könnyen ~* easy to persuade/convince (to do sg), easy to be prevailed upon

ráver *vi/vt,* **1.** *ráüt I—II.;* **2.** *(biz) [legyőz]* defeat, win against, beat *(mind: stand.); két játszmát ~tem* I won two games against him, I beat him twice

ráverő *a, ~ kalapács* sledge/uphand hammer; *~ kovács* hammerer, (smith's) hammerman

rávés *vt, [betűt, mintát stb.]* engrave

rávesz *vt,* **1.** *[ruhát]* put on **2.** *(vkt vmre)* get/bring/lead/induce/persuade/move/encourage (sy) to (do sg); *~ vkt arra hogy egy ajánlatot elfogadjon* reason sy into accepting a proposal; *~ másokat véleménye elfogadására* carry one's point; *~i a munkásokat hogy sztrájkoljanak* induce men to strike; *nem lehetett őket rávenni* they were not to be tempted/persuaded

rávet *vt,* **1.** *(vmt vmre)* throw/cast/fling/hurl (sg) at *(v. on the top of)* sg; *a nap ~i sugarait vmre* the sun darts its beams on sg, the sun shines upon sg, the sun irradiates sg; *~i tekintetét (vkre, vmre)* fling one's eyes on (sy/sg) **2.** *~i magát vkre* fall upon sy, jump/

spring/hurl/dash/rush/dart at sy, make a spring/dash/ pounce at sy, fly at/on sy, attack sy, pounce (on) sy; *~i magát vmre (átv)* throw oneself into, set/fall to (work); *~i magát az ételre* fall on one's food

rávetőd|ik *vi, [fénysugár]* be thrown/cast upon. impi .g (up)on *(ref.)*

rávevés *n,* persuasion

rávezet *vt,* **1.** *(vmre)* lead/guide/conduct to, show the way to, bring round to, *[járművet]* drive on/to **2.** *(átv) ~ vkt vmre* give sy a clue/hint, put sy on the way to, put sy on the right track **3.** *[ráír]* mark with, indicate, write on, put down (on); *~i a sorszámot az aktára* write the serial number on the document/ file, file under a serial number

rávezető *a, (fil)* inductive; *~ kérdés* loaded/leading question; *~ módszer* inductive method

rávicsorít *vi, [fogait]* snarl (at sy)

rávilágít *vi, (vmre) (átv is)* throw/cast light (up)on (sg), flash a beam of light (on sg) *(csak konkr.); hirtelen ~ a rejtély nyitjára* flash a sudden light on the mystery

rávisz *vt,* **1.** *[rajzot]* transfer **2.** *(átv) ~ vkt vmre* lead/ induce/impel sy to do sg, prevail upon sy doing sg, make sy do sg, inveigle sy into doing sg *(pej)* ; *nem visz rá a lelkem* I could not bring myself to do it, I cannot find it in my heart *(v.* make up my mind) to do it, my soul rebels at the thought of (doing) it, I would not have the conscience; *~ a szükség* necessity forces me; *mi vitte őt rá erre?* what made/induced/possessed him to do it?

ráz *[-tam, -ott, -zon]* **I.** *vt,* shake, brandish, *[lobogtat]* agitate, wave, *[csörgetve]* clank, jingle, *[enyhén]* jog, vibrate, *[erősen]* rock, *[ujját]* wag; *fejét ~za* shake one's head, noddle one's head *(fam); vk kezét ~za* shake sy's hand, pump sy's hand *(fam); kezet ~ vkvel* shake hands with sy; *~za az öklét* shake one's fist; *~za a rongyot (biz)* show off, swank; *a hideg ~za* be shivering with cold, feel shivery, get/have the shivers *(fam), [láztól]* be shaking with fever; *a hideg ~ott* a chill came over me; *~za a köhögés* have a fit of coughing; *egész testét csak úgy ~ta a köhögés* a cough racked his whole body

II. *vi, [járműű]* jolt. toss. joggle. bump; *~ a kocsi* the car/carriage jolts

rázár *vt,* lock up; *~ja vkre az ajtót* shut/ lock the door upon/behind sy

rázás *n,* **1.** shake, shaking, *[rezgés]* jig **2.** *[járműű]* jolt(ing), toss, jog, joggling, jumble

rázásmentes *a, ~ haladás [járműű]* smooth riding

rázendít *vi, [dalra]* intone, break into. *[zenére]* strike up (a tune), tune up, begin to play

rázkódás *n,* **1.** shake, shaking, shock, quake, quaking, quiver, percussion, *[kocsié]* jolt(ing), toss(ing), bump(ing), jerk(ing). *(műv)* vibration **2.** *(orv)* concussion

rázkódásálló *a,* shake/vibration-proof, shock-proof/free, crashproof

rázkódásmentes *a,* = **rázkódásálló**

rázkód|ik *[-tam, -ott, -jon, -jék] vi,* **1.** shake, be shaken, quake, quiver, jolt, toss. bump. jerk **2.** *(orv)* contract/get concussion

rázó *[-t, -ja; adv -n,] a,* shaking, tossing, *[mosógép, rosta, csúszda]* jigging, shaking

rázóasztal *n, (műsz)* shaking/joggling/jig(ging) table

rázócsúszda *n, (bány)* shaker (conveyer/conveyor), shaking chute/shoot

rázód|ik *[-tam, -ott, -jon, -jék] vi,* be shaken/jolted, shake, jolt, toss; *~ik a nyeregben* pound in the saddle

rázógép *n, (műsz)* bolter, bolting-machine, jolting machine, (auto)jigger, shaker

rázóhideg *n,* shivers, shivering fit

rázólemez *n, (éplt)* vibro-plate

rázórosta *n. (műsz)* vibrating screen, shaker

rázós [-ak, -t; adv -an] a, [kocsi] jolting, [út] rough, bumpy, jolty, jolting; ~ ló hard trotter
rázósság n, [járműé] joltiness
rázószekrény n, (műsz) bolting-machine, jolting machine
rázószér n. (bány) vanner
rázószita n, oscillating/reciprocating sieve, pulsating screen, [malomban] bolting machine
rázúdít vt, 1. (vkre, vmre) hurl at, heap on, flood with 2 . (átv) overwhelm/overcome with, let loose on
rázúdul vi, [folyadék] fall/pour/gush/stream on, (átv is) be flooded/flushed with; sok csapás zúdult rá many misfortunes befell him; kérdések özöne zúdult rá questions rained upon him, questions were showering on him, he was plagued/pestered/plied/badgered with questions; ~tak a hitelezők he was dunned/harried by his creditors, a flood of creditors fell on him
rázuhan vi, 1. (vkre vm) fall upon (sy), crash down (up)- on (sy), collapse on (sy); ld. még ráomlik; 2. (vk vmre) fall (down) on/into, collapse/flop/drop on/into
razzia [. . át] n, razzia, (police-)raid, comb-out (fam), shake-down (US fam), clean/round-up (US fam); razziát tart (vhol) = razziázik
razziáz|ik [-tam, -ott, -zon, -zék] vi, make a raid on, raid (a quarter), comb out (fam), make a comb-out (fam), round up (US fam)
re [-t, -je] n, (zene) [szolmizációs hangnév] re, ray
-re suff, ld -ra
reá adv. pron/dem v. pref, = rá; 6 : 10 ~ [lóverseny] six to ten on
reabszorbeál vt, (vegyt) reabsorb
reagál [-t, -jon] vi, [átv is] react upon/to, respond to, [csak átv] take notice/note/heed of, take the hint; nem ~ vmre fail to respond to sg, be irresponsive to sg; a szem ~ a fényre the eye reacts to light; erősen ~ vmre react violently to, be allergic to (US): érzékenyen ~ vmre be highly responsive to sg; hogyan ~t a hírre? what was his reaction to the news?
reagálás n, response, reaction, reagency
reagáló [-t] -a, (vmre) respondent, reactive (to sg)
reagálóanyag n, reactant
reagens [-et, -e] n. (vegyt) reagent, reactant, reactive, test; természetes ~ek natural agencies; vegyi ~ chemical agent
reagenspapír n, (vegyt) reagent/reactive paper, test-paper
reakció [-t, -ja] n, reaction, (pol még) reactionary force, (műsz még) counter-effect; a ~ erői (pol) the forces of reaction; hasadási ~ (fiz) fission reaction; savas ~ (vegyt) acid reaction; ~t vált ki evoke a reaction
reakcióidő n, reaction time
reakcióképesség n, (vegyt) reactivity
reakciókerék n, [turbinában] reaction wheel
reakciónyomás n, (fiz) reaction pressure
reakciós [-ok, -t, -a; adv -an] I. a, (pol) reactionary, obscurantist; ~ hajtású (távk) reaction-propelled; ~ turbina (fiz) reaction-type turbine II. n, reactionary, obscurant(ist), goer backward, diehard (GB), moss-back (US)
reakciósebesség n, rate of reaction
reaktancia [. . át] n, (vill) reactance
reaktív a, (fiz, vegyt) reactive; ~ áramkör reactive circuit; ~ terhelés reactive load
reaktivál [-t, -jon] vt, 1. reinstal(l), reinstate, restore sy to his post/position, [kat is] reactivate, (kat) recommission 2. (vegyt) revive
reaktiválás n, 1. reinstatement, reinstalling, [kat is] reactivation, (kat) recommission(ing) 2. [faszéné] revivification
reaktivitás n, (vegyt) reactivity

reaktor [-ok, -t, -a] n, (fiz) (nuclear) reactor, nuclear pile
reál [-ok, -t, -ja] n, = reáliskola
reálbér n, real wage(s)/income; reál és nominálbér real and nominal wages (pl); ~ indexe real wage index
reálbéremelés n, raising (of) the real wages
realgár [-t, -a] n, (ásv) realgar
reálgimnázium n, (kb) secondary school for modern languages(,) sciences and Latin, sciences grammar school
reáliák [-at] n. pl, concrete/exact sciences, (fil) realia
reális [-at; adv -an] a, real, actual, right, true, [méltányos] fair, [ár] acceptable, reasonable, [gondolkodásmód] business-like; az események ~ ábrázolása true/realistic portrayal of events; ~ képe van az ügyről see an affair in its true colours; ~ válasz (zene) [kvintváltó szerkezetben] real answer; a ~ világ the natural world; nem ~ unreal
reáliskola n, (kb) secondary school for modern languages and sciences, modern school
realista [. . át] I. a, realistic II. n, 1. realist 2. pupil of a "reáliskola"
realisztikus a, realistic; ~ felfogás positive turn of mind
realitás n, reality, actuality
realizál [-t, -jon] vt, 1. realize, (carry into) effect, carry/work out, [tervet] bring into being; eladást ~ effect a sale 2. (ker, pénz) [vagyont] realize, [részvényt stb.] sell (out)
realizálás n, realization
realizmus n, realism; szocialista ~ socialist realism
reáljövedelem n, real income; ~ indexe real income index
reálmunkabér n, = reálbér
reálpolitika n, (kb) realistic policy, political realism, "real-politik"
reálpolitikus n, (kb) adherent of political realism
rebarbara [. . át] n, (növ) rhubarb, pieplant (US) (Rheum officinale)
rebarbaragyökér n, (orv) Turkey rhubarb
rebben [-t, -jen] vi, quiver, [madár] take wing/flight, flit, flash; szeme se ~t he never turned a hair, he never batted an eyelid (US)
rebbenés n, quiver
rebeg [-tem, -ett, -jen] vi/vt, mumble, falter (out)
Rebeka [. . át] prop, Rebecca, (bec) Becky
rebellis [-ek, -t, -e; adv -en] I. a, rebellious, insubordinate, recalcitrant, insurrectionary, refractory, contumacious II. n, rebel, rebellionist, insurgent
rebesget vt, azt ~ik (hogy) it is rumoured/whispered (that), is in the wind, rumour has it that, there is a whisper that
rébusz [-ok, -t, -a] n, rebus, (picture-)puzzle, riddle
rece [. . ét] n, 1. [háló] mesh, net(ting), network 2. [pénzen] milling 3. (növ, bonct) rete
réce [. . ét] n, (áll) duck, scoter, pochard (Anas sp., Aythya sp., Clangula sp., Melanita sp., Netta sp., Spatula sp.); böjti ~ garganey (Anas querquedula); csörgő ~ teal (Anas c. crecca); fekete ~ tufted duck (Oedemia nigra); fütyülő ~ wigeon, bald-pate (Anas penelope); jeges ~ long-tailed duck (Clangula hiemalis); kanalas ~ shovel-nosed duck, shoveller (duck) (Spatula clypeata); kendermagos ~ gadwall, grey duck (Anas strepera); kékcsőrű ~ erismatura (Erismatura leucocephala); nyilfarkú/nyársfarkú ~ pintail (duck), pigeontail (Anas/Dafila acuta); sarkvidéki ~ sea-coot, yellow-bill (Anas nigra/fusca); tőkés ~ mallard (Anas p. platyrhyncha); ld még ruca, kacsa
rececsipke n, filet lace
recehártya n, (bonct) retina
recehártyaleválás n, (orv) detachment of the retina
recemunka n, [kézimunka] net(ting)/mesh/reticulated work, network, pinking, filet

recenzens [-ek, -t, -e] *n*, reviewer, critic
recenzió [-t, -ja] *n*, review, criticism
recenziós [-at] *a*, ~ *példány* press/review(er's) copy
recepció [-t, -ja] *n*, reception
recepisz [-ek, -t, -e] *n*, ‡ (postal *v*. forwarding agent's) receipt
recept [-et, -je] *n*, *[főző]* recipe, receipt, *(orv)* prescription, *(orv, vegyt)* formula, *[másféle]* wrinkle *(fam)*, (trade) dodge, trick of the trade; *~et elkészít (orv)* make/put up a prescription, dispense/fill a prescription; *~et ír* write/make out a prescription, prescribe (for sy)
receptgyűjtemény *n*, *(orv)* formulary
receptív [-et; *adv* -en] *a*, receptive, recipient
receptivitás *n*, receptivity, faculty of reception
receptkönyv *n*, receipt-book
recés *a*, **1.** *[hálószerű]* netlike, meshy, reticular, reticulated, retiform; ~ *gyomor [kérődzőké]* honeycomb bag/stomach, second stomach, reticulum; ~ *szárny* net-wing **2.** *[rajz]* chequered, *[ércpénz]* milled; ~ *fejű csavar* milled-edge screw **3.** *(növ)* aveolar
recésszárnyú *a*, *(áll)* net-winged, neuropteran
recészövet *n*, net(ting)
recéz [-tem, -ett, -zen] *vi*, reticulate, *[követ]* roughen, *(műsz) [peremet]* engrail, *[érmét]* mill, (k)nurl, *[rajzot, filmet]* chequer
recézett [-et] *a*, ribbed, corrugated, *(műsz, épit) [oszlop stb.]* fluted, *[perem érmén]* milled, engrailed, nurled
recidíva [.. át] *n*, second attack of a disease
recidivál [-t, -jon] *vi*, *(orv)* recur, suffer a second attack (of the same disease)
recipiens [-et] *a*, recipient
reciprocitás *n*, *(menny)* reciprocity, reciprocalness
reciprok [-ot, -ja] **I.** *a*, reciprocal **II.** *n*, *(menny)* invert, converse
recirkuláció *n*, recirculation
recitál [-t, -jon] *vt*, recite
recitálás *n*, recitation
recitativo [-t, -ja] *n*, *(zene)* recitative
reccs! *int*, crack!, snap!
reccsen [-t, -jen] *vi*, crack, go crack, crack(le) *[cipő]* creak, squeak, *[szakadó szövet]* zip
reccsenés *n*, crack(le), crick-crack, *[cipőé]* creak(ing)
reccsent [-eni, -ett, -sen] *vt*, crack
recseg [-tem, -ett, -jen,] *vi*, *(ált)* crack(le), rattle, crepitate, *[cipő]* squeak, creak, *[hang]* rasp, *[hanglemez, hangszer]* scrape, *[hó, kavics]* crunch, *[trombita]* bray (out a sound), blare
recsegés *n*, *(ált)* crack(ing), crackling noise, crepitation, *[cipő]* squeak(ing), creak(ing), *[hanglemez, hangszer]* scraping, *[hó, kavics]* crunch(ing), *[rádióban légkörből]* atmospherics *(pl)*, leakage/shorting noises *(pl)*, strays *(pl)*, frying, mush, grinders *(pl)*, *[hálózati késüléké]* crackling, crackle
recsegés-ropogás *n*, crash
recsegő [-ek, -t; *adv* -en] *a*, crack(l)ing, rattling; ~ *hang* rasping/raspy/harsh/scraping/strident voice, a voice like a corncrake *(fam)*, corncrake voice *(fam)*
recseg-ropog [recsegtem-ropogtam, recsegett-ropogott, recsegjen-ropogjon] *vi*, crack; *a társadalmi épitmény/ rend ~ (biz)* the social structure is cracking
recsegtet *vt*, crackle, rattle, *[cipőt]* creak, *[trombitát]* bray (a sound)
recsegve-ropogva *adv*, crick-crack
redély [-ek, -t, -e] *n*, *(mezőg)* *[alakfa neveléséhez]* espalier, trellis
redélyfa *n*, = *redély*
redélyzet *n*, = *redély*
redisztoll *n*, right-line pen
redő [-t, -je] *n*, **1.** *[ruhán]* plant, pleat, fold, tuck, *[gyűrődés, ránc]* wrinkle, pucker, crease, crinkle,

crimp, crumpling **2.** *[arcon]* wrinkle, furrow **3.** *(bonct)* plica; *áthajlási* ~ fornix of the conjunctiva; *~k közti* interplical **4.** *(geol)* fold; *átbuktatott* ~ overturned fold, overfold
redőny [-ök, -t, -e] *n*, shutter, Ventetian/roller/spring-blind, shade *(US)*, *[üzleti, eszlingeni]* (roller/rolling) shutter, *[íróasztalon]* roll-top, *[szekrényen]* roll-shutter; *lehúzza a ~t* shutter, *(átv is)* put up the shutters (of a shop); *redőnnyel lezárt [ház, ajtó, ablak]* shuttered
redőnyheveder *n*, blind strap/belt
redőnyléc *n*, lath
redőnymű *n*, *[orgonán]* swell(-box)
redőnyős [-et] *a*, ~ *ablak* screened window; ~ *szekrény [iratoknak]* roll-shutter cabinet
redőnyvas *n*, corrugated iron
redőnyzár *n*, *(fényk)* (focal) plane shutter, drop/slit-shutter, roller-blind shutter, fly-up shutter, rear shutter, flap(-shutter)
redőnyzet *n*, shuttering
redőnyzsalu *n*, *(zene)* swell-blind
redős [-ök, -t; *adv* -en] *a*, **1.** *(ált)* rumply, crinkly **2.** *[ruha]* pleated, gathered, folded **3.** *[arc]* wrinkled, puckered, puckery, creased, furrowed **4.** *(orv)* plicate, *(term)* rugose
redősöd|ik [-tem, -ött, -jön, -jék] *vi*, **1.** *[tárgy]* get/become rumpled/crinkly **2.** *[homlok]* get/become wrinkled
redőtlen *a*, **1.** *[arc]* unwrinkled, smooth **2.** *[ruha]* uncreased, uncrumpled, fresh(ly ironed)
redőz [-tem, -ött, -zön] *vt*, **1.** *[homlokot]* wrinkle, pucker, contract, knit **2.** *[szoknyát]* gather, pleat, plait, drape **3.** *[vasat]* corrugate
redőzés *n*, *[folyamat]* **1.** *[ruhát]* gathering, pleating, plaiting **2.** *[fémlapot]* corrugation
redőzet *n*, *[eredmény]* **1.** *[ruháé]* drapery, gather *(pl)*, plaiting, puckering **2.** *[fémlapé]* corrugation
redőzetsáv *n*, *(bány)* ply
redőzött [-et; *adv* -en] *a*, **1.** *[ruha]* gathered, pleated, plaited **2.** *[homlok]* wrinkled
redukál [-t, -jon] *vt*, **1.** *(ált)* reduce, *[béreket]* curtail, *[költséget]* cut down **2.** *(koh, vegyt)* deoxidize, reduce **3.** *kifejezést nullára* ~ *(menny)* equate an expression to zero
redukálás *n*, **1.** *(ált)* reducing, *[béreké]* curtailment, *[költségeké]* cutting down **2.** *(vegyt)* reduction, *(koh)* deoxidization
redukálható *a*, *(vegyt)* reducible
redukálhatóság *n*, *(vegyt)* reducibility, reductibility
redukáló [-t] *a*, reductive; ~ *láng (vegyt)* reducing flame; ~ *szer (vegyt)* reducer, reductor reducing agent; ~ *tűz* reducing fire
redukció [-t, -ja] *n*, = *redukálás*
reduktor [-ok, -t, -a] *n*, *(vill)* transformer
redundáns [-ak, -t; *adv* -an] *a*, redundant
reduplikáló [-t] *a*, *(nyelvt)* reduplicated; ~ *szóelem* reduplicated particle
redut [-ot, -ja] *n*, ‡ ball-room, casino *(stand.)*
redves [-ek, -t; *adv* -en] *a*, rotted, rotten, decayed, decomposed (wood), *(orv) [fog]* carious
reexport *n*, *(ker)* re-export(ation)
reexportál *vt*, re-export
reexportálás *n*, *(ker)* re-export(ation); *~ra vonatkozó kötelezvény* excise-bond
refakcia [.. át] *n*, *(ker)* rebate, tret
refektórium [-ot, -a] *n*, refectory, *[kollégiumé, kolostoré]* dining-hall
referál [-t, -jon] *vi*, *(vknek vmről)* report (to sy (up)on), render/give (sy) an account (of sg)
referálás *n*, *[könyvtártanban]* abstracting; *~ra ad* referendum
referáló [-t] *a*, ~ *folyóirat/lap* abstracting journal

referátum [-ot, -a] n, report, statement, *(tud)* summary of *(v.* lecture summarizing) recent research, *[könyvről]* review, abstract

reference-könyv n, reference book, work of reference

reference-könyvtár n, reference library

referencia [.. át] n, 1. reference, recommendation, information (as to one's person/character); *referenciát adó személy* referee, reference; *referenciát kér vkről (ker stb.)* take up sy's references 2. *vkt ~ként megad* give sy as a reference

referenc-minta n, *(ker)* reference/shipment/shipping sample

referens [-t, -e] n, ⟨official in charge of a certain subject⟩, rapporteur *(fr)* ; *ő a finn ~* he has the Finnish desk

reff [-et, -je] n, *(hajó)* reef

reffel [-t, -jen] vt, *vitorlát ~* reef a sail, take in a reef

reffelt [-et] a, *[vitorla]* reefed

reflektál [-t, -jon] vi, 1. *[megjegyzést tesz]* (take) notice (of), remark upon 2. *[vmre igényt tart]* expect sg (from sy), lay a claim to

reflektor [-ok, -t, -a] n, 1. *[fényszóró]* searchlight, projector, reflector, flood-light (projector), *[autón]* headlight, headlamp, dazzle lamps/lights *(pl)*, *(fények)* photo flood lamp, *(szính, film)* spotlight, *[nagy]* sun-lamp; *leoltja a ~t* dim the headlights 2. *(csill)* reflector, reflecting telescope

reflektorfény n, searchlight, spotlight, flood-light, *(átv is)* lime-light; *~ben úszik* be brilliantly floodlit

reflektoros [-at] a, *(orv)* ~ *hatás* reflex effect

reflex [-et, -e] n, 1. *(orv)* reflex; *Achilles-~* ankle-jerk; *feltételes ~* conditioned reflex; *fokozott ~* increased reflex; *tartási ~ek* postural reflexes; *~ kiesik* a reflex is abolished/lost 2. *(műv)* accidental lights *(pl)*

reflexgátlás n, *(biol, pszich)* reflex-inhibition

reflexhatás n, reflex-effect

reflexhiány n, *(orv)* areflexia

reflexió [-t, -ja] n, *[megjegyzés]* remark, reflection

reflexiós [-at] a, ~ *pont (menny) [görbéé]* point of reflection of a curve; ~ *szeizmika [geofizikában]* reflection seismics

reflexkalapács n, *(orv)* reflex/percussion hammer

reflexkiesés n, *(orv)* loss of reflex

reflexmozdulat n, *(biol, pszich)* reflex-movement

reflexmozgás n, reflex (action)

reflexszerű a, reflex-like

reform [-ot, -ja] a/n reform, *[törekvés, mozgalom, törvény stb.]* reformative, reformatory

reformáció [-t, -ja] n, reformation; *a ~ (vall)* the Reformation

reformációs [-at] a, *(vall) [törekvés stb.]* reformational

reformál [-t, -jon] vt, reform, improve

reformálható a, reformable

reformáló [-t] a, reforming

reformátor [-ok, -t, -a] n, reformer

református n/a, *(vall)* reformed, Presbyterian, Calvinist, Genevan *(obs)* ; *a ~ok (vall)* the Reformed

reformista [.. át] a/n, reformist

reformizmus n, reformism

reformkor n, reform period/era

reformkorszak n, = reformkor

reformpárt n, reformist party

reformpárti n/a, reformist; ~ *vagyok* I am for reform(s)

reformtörekvések n, pl, reform(ist) endeavours

refrakció n, *(fiz)* refraction

refrakciós a, *(fiz)* refractional; ~ *szeizmika [geofizikában]* refraction seismics

refraktométer n, *(fiz)* refractometer

refraktor [-ok, -t, -a] n, *(csill)* refracting telescope

refrén [-ek, -t, -je] n, refrain, burden (of as l ong), undersong, tag

rég adv, = régen; ~ *esedékes [fizetés]* overdue; ~ *óhajtott* long desired, long wished for, long sighed after; *~től fogva* of old

regatta [.. át] n, regatta, boat/yacht-race

regattaverseny n, the eights *(pl)*

rege [.. ét] n, tale, saga, legend, fable(dom), myth

régebben adv, before(hand), formerly, previously, further back, some time ago/back, in olden times; ~ *londoni lakos* late of London; ~ *mint ...* further/ farther (back) than ...

régebbi [-ek, -t] a, former, earlier, previous, sometime, one-time *(US)* ; *a leg~ időktől kezdve* from the earliest times

regebeli a, fabled, fabulous, legendary

regél [-t, -jen] vt/vi, relate, tell (tales/stories), romance, fable

regélés n, fabling

régen adv, long time/while ago, long ago/since, formerly, in olden times, of old, in days of yore *(ref)* ; *jó ~* it is many a day (that), a long while/time ago, long ago, back in the past, a good while back; *már ~* long since; *már ~ tudta* he knew it long before; *mint ~* as in the past, as of old; *itt ~ egy ház állt* there used to be a house here; ~ *vmt nem csinált* he used not to do sg , he did not use to do sg *(fam)* ; ~ *nem láttam* it is long *(v.* a long time) since I saw him, I have not seen him for a long time; *valamikor ~ a középkorban* far back in the Middle Ages; *az már ~ rossz ha* it is a bad show if . . .; ~ *volt az* it was long/ages ago; *ld még rég*

regeneráció n, regeneration, regrowth, *(vegyt)* recovery, *[péld. abszorpcióval]* revivification

regenerációs [-at] a, ~ *fázis [izomban]* recovery phase

regenerál [-t, -jon] vt, 1. regenerate, re-create 2. *(vegyt)* revivify, reclaim

regenerálás n, 1. regeneration, re-creation 2. *(vegyt) [gumié]* regeneration, *[fáradt olaj é, rádiócsőé stb.]* reclamation

regeneráló [-t; adv -lag] a, *[szer, hatás stb.]* recuperative; ~ *képesség* recuperability

regenerálód|ik [-tam, -ott, -jon, -jék] vi, regenerate

regenerálódó [-t] a, ~ *képesség* regenerating/regenerative capacity

regenerált [-at] a, regenerate(d)

regenerátor [-ok, -t, -a] n, regenerator

régens [-ek, -t, -e] n, regent, protector

régensherceg n, prince regent

régenskirályné n, queen regent

régensség n, regency

régenstanács n, regency council

régenstárs n, joint regent

régente adv, in the past, formerly, in the (times of) long ago, in times past, heretofore; *ld még régen*

regény [-ek, -t, -e] n, novel, *[hősi]* romance; *a ~ cselekménye* the plot of the novel; *élete valóságos ~* his life is quite a romance; *életrajzi ~* biographical novel; *~en dolgozik* be engaged upon a novel; *~t ír (vmből)* novelize (sg)

regényes [-ek, -t; adv -en] a, romantic; *ld még regényszerű*; ~ *életrajz* romantic/novelized biography; ~ *hajlam* love of romance; ~ *táj* romantic scenery

regényhős n, hero of a novel/romance, romantic hero

regényíró n, novelist, novel-writer, writer of fiction, fictionist, *[hősi]* romancer

regényirodalom n, (works of) fiction, the novel

regényműfaj n, (works of) fiction, novel, romance

regényolvasó n, novel-reader, reader of fiction

regénypályázat n, novel contest/competition

regényszerű a, romantic, novelistic, fictional

regényszerűtlen a, un-novel-like

regénytár n, collection of novels/fiction

regénytéma n, plot, subject matter of a novel, theme *(v.* subject suitable) for a novel

regés *a*, fabled, fabulous, romantic, legendary

réges-rég *adv*, very long ago, a very long time (since), far back in the past, of yore, in the dim and distant past

réges-régen *adv*, = **réges-rég**

réges-régi [-t] *a*, very/ages old

régész [-ek, -t, -e] *n*, archeologist, antiquarian

régészet *n*, archeology

régészeti [-t] *a*, archeological

régészkedlik [-tem, -ett, -jen, -jék] *vi*, antiquarianize

regeszta [.. át] *n*, abstract

regevilág *n*, fable

reggel I. *adv*, in the morning; *csütörtök ~* Thursday morning; *csütörtökön(,) másodikán ~* on the morning of Thursday the second; *holnap ~* tomorrow morning; *kora ~* early in the morning; *ma ~* this morning; *másnap ~* the morning after, (the) next morning; *minden hétfő ~* every Monday morning; *tegnap ~* yesterday morning; *~ indulunk* we shall make a start in the morning; *korán ~ kel (fel)* get up very early, rise with the lark *(ref.)*
II. [-ek, -t, -e] *n*, morning, morrow *(ref.)*, morn *(ref.)*; *a következő ~en* (the) next morning; *jó ~t!* good morning!; *jó ~t kíván vknek* say good morning to sy; *~től estig* from morning till/to night

reggeledlik [-ett, -jen, -jék] *v. imp*, dawn, daylight is appearing, the day breaks, it is growing light, it grows towards morning

reggelenként *adv*, every/each morning, in the morning; *~ egészségügyi sétát tesz* takes his constitutional in the morning(s)

reggelente *adv*, = **reggelenként**

reggeli [-ek, -t; *adv* -en] **I.** *a*, morning, of the morning *(ut)*, matutinal *(ref.)*; *~ hányás (orv)* morning sickness, vomitus matutinus; *~ hat óra* six o'clock in the morning; *~ lap* morning paper; *~ lég/levegő* morning air; *kora ~ órákban* at an early hour, in the early/small hours of the morning; *~ posta* the General Post (delivery); *~ sorakozó/szemle (kat)* morning quarters *(pl)*; *~ szellő* morning breeze; *~ torna* setting-up exercises *(US) (pl)*
II. *n*, breakfast; *leül a ~hez* sit down to breakfast

reggelizlik [-tem, -ett, -zen, -zék] *vi/vt*, (take/have) breakfast, sit at breakfast, break the fast (on sg) *(ref. és obs)*; *kávét ~tem* I had coffee for breakfast

reggelizőasztal *n*, breakfast-table

reggeliztet *vt*, *(vkt)* breakfast (sy)

régi [-ek, -t, -je] **I.** *a*, 1. *[régóta meglevő]* old, long/old--standing, of long/old standing *(ut)*, *[cég, szokás]* old--established; *igen ~* very old, ancient, time-honoured, ,)f hoary antiquity *(ut)*, old as the hills *(ut)*; *nem ~* not old, recent; *~ barátom* an old friend of mine; *~ barátság* friendship of long standing, long-standing friendship; *~ család* old/ancient family; *már ~ dolog* it is an old story/affair/song; *~ ellenség* old enemy; *~ fogás* an old dodge; *találkoztam egy ~ ismerősömmel* I met an old acquaintance; *~ keletű* long-standing; *~ mester/festő (képe)* old master; *~ munkás* old hand; *a ~ nóta (átv)* the same old story/tune, the usual thing; *megint/mindig a ~ nóta, folyton a ~ nótát fújja* it is the same (old) story, he is always harping on one string *(v. on the same subject/note/string)*; *~ óhaj/kívánság* long-felt want; *~ (fájó) sebet tép fel* reopen an old sore; *~ stílusú* old-style; *folyóirat ~ száma* back number of a periodical; *~ vágású ember* man of the old guard/school, man of the good old breed/stock, old-fashioned man; *~ vágású emberek* old-world people; *~ vágású úr* gentleman of the old school; *~ vicc* stale joke; *már megint a ~, újra a ~* he is quite his old self again; *ő még mindig a ~* he is still his former self, he has not changed a bit, he is still the man he used to be; *ő már nem a ~* he is slipping, he has

changed 2. *[a múltban megvolt]* ancient, old, early, bygone, past, olden *(ref.)*, of yore *(ut) (ref.)*; *~ jó idők* good old days, (one's) palmy days; *a ~ (jó) időkben* in the old days, in early days; *azok (voltak) a ~ jó/szép idők!* those were the days!, give me the good old days; *a ~ idők emlékére* for old time's sake; *~ dicsőség* bygone/departed glory; *a ~ világban* in days of old, in bygone/olden days, in the old order of things 3. *[előző]* former, late, ex-, quondam, past; *~ szerelem/szerető* old flame; *egy ~ szerelmem* an old love of mine; *~ tanítvány* quondam/former pupil 4. *[ócska]* dilapitated, worn(-out), rickety, old, *[ósdi]* old-fashioned, antiquated, hoary, antique, *[elavult]* obsolete; *~ divatú* old-fashioned, out-of--fashion/date, dated, antiquated; *~ könyv* old book, second-hand book; *~ ruhák* old/shabby clothes, worn-out clothes, clothes that have seen better days
II. *n*, *a ~ek* the ancients; *minden marad a ~ben* everything rests/remains/stands as it was, nothing will be altered/changed

régibb [-et] *a*, older, more ancient, (of) earlier (date); *egyik ~ korszakában* at an early/earlier stage of its history; *a leg~ idők óta* since the earliest days/times; *a leg~ tanítványom* my oldest pupil, my pupil of longest standing, X has been my pupil for a longer time than anybody else

régies [-et; *adv* -en] *a*, antiquated, archaic(al), archaistic, obsolescent, old-fashioned, out-of-date; *~ kalap* old-fashioned hat; *~ kifejezés/szó* archaism, obsolete expression/word

régieskedés *n*, (affected) imitation/appropriation of ancient customs, archeolatry, *[stílusé]* conscious archaism, Wardour-street English *(GB)*

régieskedő [-t; *adv* -en] **I.** *n*, archaist **II.** *a*, archaizing

régiesség *n*, archaism

regiment [-et, -je] *n*, 1. regiment 2. *(átv)* a host of

régimódi *a*, old-fashioned (style), out-of-fashion/date, dated, antiquated, old-style, *[felfogás]* fusty, moss--grown *(fam)*; *~ ember* old-fashioned man/person, man behind the times, old fogey *(fam)*, a fossil *(pej)*; *a ~ idők* the horse-and-buggy days

régió [-t, -ja] *n*, sphere, region, field

regionális [-at] *a*, regional, regionary; *~ geológia* areal geology

regionalizmus *n*, regionalism

régiség *n*, 1. *[tárgy]* antiquity, antiquities *(pl)*, antique(s), old curiosity, curio(s) 2. *[állapot]* antiquity, ancientness, age 3. *[kor]* antiquity

régiségbolt *n*, = **régiségkereskedés**

régiségbúvár *n*, archeologist, antiquarian, antiquary

régiséggyűjtemény *n*, collection of antiquities, archeological collection

régiséggyűjtő *n*, antiquary, collector of antiquities

régiségkereskedés *n*, antique shop, old curiosity shop, antiquarian's shop

régiségkereskedő *n*, antique/curio dealer, dealer in antiques, antiquarian

régiségtan *n*, archeology

régiségüzlet *n*, = **régiségkereskedés**

regiszter [-ek, -t, -e] *n*, 1. *[nyilvántartás]* register, record, registry, *[könyv tartalomjegyzéke]* table of contents, index, *[könyv oldalán betűsoros]* thumb--index 2. *(zene)* compass, range of pitch, *[orgonáé]* organ-stop, (stop) register (of organ)

regisztercsapongás *n*, *[énekben]* ‹ breaking the melody line by changing register ›

regiszterfogantyú *n*, *[orgonán]* stop-key/knob

regisztertartalom *n*, *(hajó, ker)* register-tonnage

regisztertonna *n*, *(hajó)* register-ton, ton register, measurement ton (100 cubic feet = *2,83 m³ v:* 20 cwts = *1016 kg) ; bruttó ~* gross register ton, gross ton register

regisztrál [-t, -jon] *vt*, 1. register, record, enter, file 2. *(átv)* note, notice; ~*ja az eseményeket* take note of events

regisztrálás *n*, registration

regisztráló [-t] *a*, ~ *készülék/műszer* register, recorder, recording/registering/graphic instrument; ~ *sebességmérő (műsz)* tachograph; ~ *szalag (fiz)* [*önműködő íróműszeren*] record chart; ~ *számlálógép* recording meter

régmúlt I. *a*, long past, bygone, gone by *(ut)*, ancient; ~ *idők* bygone days, the days of yore *(v.* long ago) *(ref.)* **II.** *n*, *(nyelvt)* past perfect, pluperfect

régóta *adv*, long (ago/since), from time immemorial, for ages, for a long time past, time out of mind; ~ *fennálló* old-established, of long standing *(ut)*,long/old--standing; *nagyon* ~ for longer than I care to remember; *már nagyon* ~ *esedékes/vártuk* it was long overdue; *egy szó amelyet már* ~ *nem használnak* a word that has long since been out of use; *már* ~ *ismerem őt* I know him of old; *már* ~ *tudta* he knew it long before; *már* ~ *várok rá* I have long been expecting him

regölés *n*, 1. *(tört)* m\ \strelsy, recital of ancient popular lays 2. *[népzene]* ⟨ ancient Hungarian folk custom at Christmas and New Year time(,) accompanied by singing⟩

regös [-ök, -t, -e] *n*, 1. *(tört)* minstrel, gleeman, bard 2. *[népzene]* ⟨ folk singer of „regös songs" ⟩, „waits" (village musicians serenading at Christmas time)

regösének *n*, *(zene)* „regös song" (kind of winter--solstice wassailing song)

regössíp *n*, *[népi hangszer]* ⟨ home made recorder of the stalk of the bottlegourd⟩

regresszió [-t, -ja] *n*, regression

regruta [.. át] *n*, recruit, rookie *(fam)*, Johnny Raw *(fam)*, draftee *(US)*

regula [.. át] *n*, rule, regulation, precept

reguláris [-at] *a*, ~ *hadsereg* regular/standing army

regulátor [-ok, -t, -a] *n*, *(műsz)* regulator, *[órán]* pendulum

regulátorsúly *n*, *(műsz)* fly-ball

reguláz [-tam, -ott, -zon] *vt*, 1. *[szabályoz]* rule, regulate, order, adjust 2. *[fegyelmez]* drill, discipline, put sy through his traces *(fam)*

regulázás *n*, *[óráé stb.]* regulation

rehabilitáció [-t, -ja] *n*, regabilitation, *[elítélté]* restitu-tion

rehabilitál [-t, -jon] *vt*, rehabilitate, re-establish sy in public esteem, *(jog)* [*vagyonbukottat, fizetésképtelent*] discharge

rehabilitálás *n*, rehabilitation, *(jog)* restitution

rehabilitáló [-t] *a*, rehabilitative

reinkarnáció [-t, -ja] *n*, reincarnation

reinkarnálódás *n*, reincarnation

reinkarnálód||ik [-ott, -jon] *vi*, reincarnate

rejl||ik [-eni, -ett] *vi*, *(vmben)* be/lie hidde\./concealed in/beneath, be implied (by/in), be contained (in), be latent (in), *[erő]* be inherent (in), *[ok]* lie (with), be due (to), *[tulajdonság]* reside (in); *vm* ~*ik e mögött* there must be sg behind it; *ez* ~*ik tette mögött* this is/lies behind his action; *érdekessége abban* ~*ik* its unusual aspect lies in, what makes it remarkable, the curious fact about it is; *fontossága abban* ~*ik* the importance lies in the fact; *gyengéje abban* ~*ik* its weakness resid\a\s/is in; *nagy kincs* \\k a *föld méhében* great treasures lie hidden within *(v.* in the depths/ bowels of) the earth; *nagy lehetőségek* ~*enek a tárgyban* the subject has great capabilities; *ebben* ~*ik a nehézség* the difficulty rests/lies in this, the difficulty consists of the following

rejlő [-t; *adv*-en] *a*, hidden, concealed, lurking, implicit, implied, latent (in), *[erő]* inherent (in); *a szavaiban*

~ *fenyegetés* the threat implied in his words; *a helyzetben* ~ *nehézségek* difficulties resident in the situation; *mélyebben* ~ *ok(ok)* deeper lying causes

rejt [-eni, -ett, -sen] *vt*, hide, conceal, secrete, keep in hiding, *[érzelmet]* mask, disguise, contain, *(kat)* camouflage; *arcát tenyerébe* ~*i* bury one's face in one's hands; *ki tudja mit* ~ *a jövő* who knows what the future has in store *(v.* will bring)

rejteget *vt*, *(vk elől)* (try to) hide/conceal/secrete (for a length of time) from, keep in hiding, keep (sy) in concealment, *[szökevényt]* shelter, harbour, give refuge to, *[értéktárgyat elásva]* make a cache of (sg); *hiába próbálta érzelmeit* ~*ni* she was unable to conceal her feelings, she could not dissemble; *ki tudja mit* ~ *a jövő?* who knows what the future may hold in store?; *lopott holmit* ~ secrete stolen goods

rejtegetés *n*, concealment, covering up, harbouring, sheltering, hiding

rejtegetnivaló *n*, *nincs itt semmi* ~ there is nothing to hide here, this is no secret, all is open and above--board in this, it is nothing to be ashamed of

rejtek [-et, -e] *n*, hiding/lurking-place, (place of) concealment, recess, hide-out *(fam)*, funk/bolt-hole *(fam)*, covert, *[les]* ambush, ambuscade, *[rablóké]* haunt, den, *[élelmiszernek, kincsnek]* cache; *kijön* ~*éből* come out of hiding; *szíve legmélyebb* ~*én* in his heart of hearts, in the secret places *(v.* recesses) of his heart, in his heart's core, in the depth(s) of his heart

rejtekajtó *n*, jib/secret door

rejtekhely *n*, = rejtek; ~*en van* be in hiding

rejtekút *n*, secret/hidden path

rejtelem [.. lmet, . . . lme] *n*, mystery, secret, enigma

rejtelmes [-et; *adv* -en] *a*, mysterious, mystic(al), enigmatic(al), puzzling, *[különös]* strange, weird, *[kiismerhetetlen]* inscrutable, cryptic, unfathomable

rejtelmesen *adv*, mysteriously, mystically, *[kiismerhetetlenül]* inscrutably

rejtély [-ek, -t, -e] *n*, riddle, puzzle, enigma, secret, *[titokzatosság]* mystery; ~ *vk előtt* be a puzzle to/for sy, puzzle sy; *ez* ~ *előttem* I cannot understand it, this beats me *(fam)*, it is beyond me, it is too much for me *(fam)*, it gets past me *(fam)*

rejtélyes [-et; *adv* -en] *a*, mysterious, mystic(al), enigmatic(al), puzzling, hidden, riddle-like; ~ *ügy* mysterious business; ~ *viselkedés* unaccountable behaviour

rejtélyesen *adv*, mysteriously, mystically

rejtélyesség *n*, puzzling nature (of sg), enigmatical character, mysteriousness, weirdness, spookiness *(fam)*

rejtett [-et; *adv* -en] *a*, hidden, concealed, out of sight *(ut)*, secret, *[felfedezetlen]* undiscovered, *[tudomány]* occult, *[tilos]* furtive, surreptitious, stealthy, clandestine, underhand, illicit; ~ *bibliográfia* concealed bibliography; ~ *célzás* indirect/cloaked/oblique/ veiled/covert hint; ~ *energia (fiz)* latent energy; ~ *értelem* hidden/concealed/indirect/secret meaning/ intent; ~ *fény* hidden light; ~ *gombolás* fly (front); ~ *gúnnyal* with one's tongue in one's cheek; ~ *helyen* in a secret place, in concealment; ~ *hiba (ker)* hidden fault, *(jog)* latent defect; *az áru* ~ *hibája* latent defect in merchandise; ~ *hő (fiz)* latent heat; ~ *kanyar* concealed turning; ~ *kép (fények)* latent image; ~ *lépcső* secret stair(case), private stairs *(pl)*; ~ *mosoly* furtive smile; *az emberi cselekvés* ~ *motívumai/rugói* the recondite motives of human action; ~ *pillantás* stealthy/furtive glance; ~ *pillantást vet vkre* steal a glance at sy; ~ *szándék* secret intention, ulterior motive; ~ *tartalék* hidden/secret reserve, marginal resource; ~ *világítás* indirect/concealed lights *(pl)*; ~ *zár* hidden/combination/concealed lock

rejtjel n, code, cipher
rejtjeles a, in code/cipher *(ut)*; ~ *irós* cryptogram; ~ *közlés* message in cipher; ~ *távirat* cipher telegram
rejtjelez vt, (en)code (a message), (put in) cipher, write in code, encipher, cryptograph, encrypt
rejtjelezés n, cipher(ing), encoding, encryption
rejtjelezett [-et; adv -en] a, coded
rejtjelező a/n, [személy] cipher officer/clerk; ~ *gép* cipher device
rejtjelíró n, cryptographer
rejtjelkódex n, cipher (key), code
rejtjelkules n, key of a cipher, cipher (key), code-book, cryptograph
rejtjelolvasás n, deciphering
rejtjel-szakértő n, cipher officer, cryptologist
rejtőháló n, *(kat)* camouflage net
rejtőzés n, concealment, hiding, *(kat)* camouflage
rejtőzik [-tem, -ött, -zön, -zék] vi, hide, hide/ conceal oneself, keep out of sight, be hidden, *[szökevény]* take shelter/refuge, harbour, *(kat)* take/seek cover, lie low *(fam)*
rejtőztet vt, *(kat)* camouflage
rejtve adv, secretly, on the sly/quiet, furtively, in an underhand manner *(pej)*, clandestinely *(pej)*, hugger-mugger *(fam)*
rejtvenőszés n, *(növ)* cryptogamy
rejtvenőszö [-t] a, *(növ)* cryptogamic; ~ *növény* cryptogam
rejtvény n, riddle, puzzle, conundrum, rebus, enigma *(ref.)*, *[betű]* charade, *[találós kérdés]* puzzle(r), poser, quiz, *[sakk]* problem; ~*ekben beszél* talk in riddles, be enigmatical; ~*t felad vknek* ask sy a riddle, put/propound a riddle/poser to sy; ~ *megfejt* guess/ solve a riddle, find the answer/clue to a riddle
rejtvénymegfejtő n, solver (of riddles/puzzles)
rejtvénypályázat n, riddle (solving) competition
rejtvényrovat n, puzzle column
rejtvényszerű a, enigmatical, puzzling
rejtvényverseny n, puzzle competition
rekamié [-t, -ja] n, (studio/bed-)couch, *[leereszthető támlájú]* sofa bed, settee/divan-bed, davenport *(US)*
reked [-t, -jen] vi, *(vm vhol, vmben)* stick (fast), remain stuck, get stuck in, *(vk is)* get stopped at, be/get held up, be compelled to remain, *[cső, pipa]* get chocked/stopped/blocked; *benne* ~*t a szó* the words stuck in his throat
rekedés n, *(orv)* *[vizeleté, váladéké]* retention
rekedt [-et; adv -en] a, 1. *(vhol)* stuck, stopped up, blocked 2. *[hang]* hoarse, husky, raucous, harsh, throaty, scrapy, croaky, muddy, *(kif)* have a frog in one's throat; ~*re kiabálja/ordítja magát* shout/roar/shriek/ scream oneself hoarse; ~*té tesz [hangot]* hoarsen
rekedten adv, hoarsely, huskily, raucously, harshly
rekedtes [-et] a, *[hang]* harsh, throaty
rekedtség n, hoarseness, huskiness, throatiness, raucousness
rekesz [-ek, -t, -e] n, 1. compartment, partition, case, (sub)division, section, cell, pane(l), bay, *[akkumulátoré]* jar, box, *[borosüvegeknek]* bin, *[csomagoló]* crate, *[iratoknak]* pigeon-hole, *[istállóban]* stall, box, *[könyveknek]* shelf, *[tüzelőpincében]* bunker; *tojásszállító* ~ egg-crate; ~*ekre osztott* divided into compartments/cells/boxes, partitioned off, bayed 2. *[írásjel]* bracket, parenthesis 3. *(növ)* diaphragm, *[magházban]* loculus, dissepiment; ~*ekre osztott* locular, loculated 4. *fényk)* diaphragm
rekeszes [-ek, -et; adv -en] a, 1. divided into compartments/cells/boxes, partitioned off *(mind ut)*; ~ *állvány* rack, set of pigeon-holes; ~ *doboz* partitioned box; ~ *zománc* cloisonné enamel 2. *(növ)* locular, loculated, septiform

rekeszfal n, 1. *(épít)* partition(-wall), dividing/separating wall, screen, *[hajón]* bulkhead 2. *(nyomd.)* partition 3. *(növ)* belső ~ septum
rekeszhártya n, *(bonct)* obturator membrane
rekeszi [-t; adv. -leg] a, *(orv)* ~ *légzés* diaphragmatic respiration
rekeszizom n, *(bonct)* diaphragm, midriff, obturator muscle; ~ *kupolája* dome of the diaphragm
rekeszizomgyulladás n, *(orv)* phrenitis
rekeszizom-mellhártya n, *(bonct)* diaphragmatic pleura
rekeszizomzsába n, *(orv)* phrenalgia
rekeszmozgások n. pl, *(biol)* diaphragmatic movements
rekesznyílás n, *(fényk)* aperture; ~ *értéke* number of stop
rekeszt [-eni, -ett, ..esszen] vt, close, block up, obstruct; *Dunát lehetne* ~*eni vele* there are heaps of it, there is enough and to spare
rekesztő [-t; adv -n] I. a, 1. barring, stopping, blocking, damming, closing, separating 2. *(orv)* retentive II. n, 1. *[záró]* tumbler 2. *[folyóé]* barrage, dam, weir
rekesztőgát n, cross-dike/dyke, barrage
rekesztőháló n, *[halászé]* moored net, kiddle
rekesztőrugó n, tumbler spring
rekeszzománc n, *(műv)* cloisonné enamel
rekettye [..ét] n, *(növ)* genista *(Genista sp.)*; *angol* ~ needle furze *(G. anglica)*; *festő* ~ dyer's greenweed *(G. tinctoria)*; *selymes* ~ hairy greenweed *(G. pilosa)*
rekettyebokor n, broom-bush, gorse
rekettyés I. a, broomy, whinny, furzy II. n, *[termesztett]* broom-field, *[vad]* furze thicket
rekkenő [-t] a, ~ *hőség/meleg* sultry/close weather, oppressive/sweltering/broiling heat; ~ *hőség van ebben a szobában* it is broiling hot in this room
reklám [-ot, -ja] n, *[reklámozás]* promotion, advertising, publicity, booming, propaganda, puffery *(fam)*, boost(ing) *(US)*, *[szöveg formája]* ad(vertisement), puff *(fam)*, boost *(US)*; *cégünk* ~*ja (kb)* leading article, article that is being sold cheap (as an advertisement); ~*ot csinál vmnek* advertise/push sg, play up sg, quack sg up, puff sg *(fam)*, drum up trade *(fam)*, bang the big drum *(fam)*, boost *(US)*, promote *(US)*, *[rádióban]* plug; *ne csinálj olyan nagy* ~*ot* don't make so much noise *(v. such a song)* about it
reklamáció n, *(ker)* complaint, claim; *pénzösszegre irányuló* ~ claim on somebody; ~ *benyújtása* filing of the complaint/claim; ~*t benyújt (vknél)* lodge *(v. bring in)* a claim/complaint with (sy); ~*t elintéz* settle/discharge a claim; ~*t elismer* acknowledge a claim; ~*t elutasít* refuse/decline a claim
reklamál [-t, -jon] vt/vi, *(ker)* lodge a complaint, complain, *[nem kézbesített küldeményt]* inquire after; *döntést* ~ urge a decision; *vkn vmt* ~ demand sg of sy; *könyvet* ~ *[könyvtár a kölcsönvevőtől]* recall a book
reklamálás n, = reklamáció
reklamáló [-t, -ja] n, *(ker)* claimant, complainer
reklámanyag n, advertising and display devices; *kirakati* ~ display equipment
reklámár n, greatly reduced price, knock-down price
reklámárucikk n, = reklámcikk
reklámcédula n, (hand)bill leaflet, broad-sheet, throwaway *(US)*, *[többlapos]* folder, prospectus, *[felragasztott]* fly-bill, *[falon stb.]* advertisement
reklámcikk n, *(ker)* leading/advertising article, leader
reklámfények n. pl, advertising lights
reklámfilm n, *(film)* advertising/publicity film
reklámfőnök n, public relations chief/adviser, publicity man, advertising manager, press-agent
reklámgrafika n, *(műv)* poster designing
reklámhadjárat n, *nagy* ~*ot folytat* conduct a wide publicity campaign

reklámiroda *n*, publicity bureau
reklámkampány *n*, = **reklámhadjárat**
reklámkocsi *n*, advertising van
reklámnyomtatvány *n*, = **reklámcédula**
reklámosztály *n*, publicity (department)
reklámoz [-tam, -ott, -zon] *vt/vi*, advertise, push, puff *(fam)*, drum up trade *(fam)*, bang the big drum *(fam)*, boost sg *(US)*, promote *(US)*, drum for customers *(US)*, *[rádióban]* plug; ~ *árucikket* push wares
reklámozás *n*, publicity, sales promotion, *[túlzottan feldicsérő]* puff *(fam)*, boosting *(US)*, promoting *(US)*
reklámszakma *n*, advertising
reklámszöveg *n*, *[újságban]* (text of) advertisement, copy, *[rádióban]* plug, *[könyv borítólapján]* blurb
reklámtábla *n*, (advertisement) sign, poster, *[útszéli]* bill-board
reklámtábla-hordozó *n*, sandwich-man
reklámügynök *n*, publicity man
reklámügynökség *n*, publicity bureau
reklámvásár *n*, *(ker)* sale
reklámvilágítás *n*, sign-lighting
rékli [-t, -je] *n*, bodice
rekompenzáció *n*, indemnification, compensation, recompense, reward, requital
rekompenzál [-t, -jon] *vt*, indemnify/compensate sy for sg, *[megjutalmaz]* recompense/reward/requite sy for sg
rekonstruál [-t, -jon] *vt*, reconstruct, *[épületet, szöveget stb.]* restore, *[múltat]* retrace; ~*ja a tényállást* reconstruct the facts
rekonstruálás *n*, reconstruction, *[épülete stb.]* rebuilding, restoration, *[régi szövegé]* restoration
rekonstrukció *n*, reconstruction, *[termelőüzemet átállító]* retooling
rekonstrukciós [-at] *a*, ~ *terv* reconstruction plan
rekonszideráció *n*, reconsideration
rekontra *int/n*, *(kárty)* redouble
rekontráz *vt*, *(kárty)* *[lapot]* redouble
rekord [-ot, -ja] *n*, *(sp)* record, an all-time high *(fam)* ; *sebességi* ~ speed record; *a*~ *megdőlt* the record fell; ~*ot beállít* return/set a record; ~*ot csinál/elér/felállít* achieve a record, *[átv árak]* (prices) hit a new high; ~*ot javít/(meg)dönt* beat/break/cut/shatter the record; ~*ot tart* hold the record
rekorder [-ek, -t, -e] *n*, *(sp)* recorder, record-holder
rekordfecskendő *n*, *(orv)* *[bőr alá, izomba]* record syringe
rekordidő *n*, record time; ~ *alatt* in record time
rekordjavítás *n*, beating/breaking/cutting the record
rekordmagasság *n*, altitude record, record height, *[repgépé]* ceiling
rekordsebesség *n*, record speed/pace
rekordtávolság *n*, record distance
rekordtermelés *n*, record output
rekordtermés *n*, record yield, bumper crop(s) *(fam)*
rekriminál [-t, -jon] *vt/vi*, recriminate
rekruta [..át] *n*, = **regruta**
rektifikál [-t, -jon] *vt*, rectify
rektifikálás *n*, rectification, rectifying
rektifikáló [-t] *a*, rectifying
rektifikált [-at] *a*, rectified
rektor [-ok, -t, -a] *n*, 1. *[magyar egyetemen]* Rector of the University, Vice Chancellor *(GB)*, President (of) University *(US)*; *helyettes* ~ *[egyetemé]* pro/ sub-rector 2. † *(isk)* head-master *(stand.)*
rektorátus *n*, rectorate
rektorhelyettes *n*, pro/sub-rector
rektori [-t] *a*, ~ *hivatal* rectorate, vice-chancellor's office *(GB)*, president's office *(US)*
rekuperátor [-ok, -t, -a] *n*, recuperator

rekuzé [-t, -ja] *n*, *[biliárd]* pull-screw-back (stroke)
rekviem [-et, -e] *n*, *(egyh)* requiem (mass)
rekvirál [-t, -jon] *vt/vi*, *(vmt)* put (sg) in requisitio,n call (sg) into requisition, requisition, commandeer, levy, indent (on sy for sg), *[élelmet, járműveket!* (im)press
rekvirálás *n*, requisition(ing), commandeering, levy, *[élelmiszereké]* impressment; ~*t hajt végre* = **rekvirál**
rekvizitum [-ot, -a] *n*, accessory, requisite, appurtenance, *(szính)* properties *(pl)*
relatív [-at; *adv* -an] *a*, relative; ~ *értéktöbblet* relative surplus-value; ~ *hallás (zene)* sense of relative pitch; ~ *lencsenyílás (fényk)* relative aperture of a lens
relatíve *adv*, relatively
relativitás *n*, relativity; *a* ~ *elmélete* (the theory of) relativity, relativity theory
relativitáselmélet *n*, *(fiz)* (the theory of) relativity, relativity theory
relativizmus *n*, *(fil)* relativism
relé [-t, -je] *n*, *(távk)* relay
reléadás *n*, *(távk)* retransmission
reléadó *n*, *(távk)* repeater, relay transmitter, *[radaré]* slave transmitter
reléállomás *n*, *(távk)* relay station/post, repeater (station), linking station
reléáramkör *n*, *(távk)* trip circuit
reléóra *n*, relay clock
relief [-et, -je] *n*, *(műv)* relief, relievo, embossing, embossment
reliefzománc *n*, *(műv)* basse-taille enamel
relikvia [..át] *n*, relic(s)
reluktancia [..át] *n*, *(vill)* reluctance, magnetic resistance
rém [-et, -e] I. *n*, *[kísértet]* spectre, wraith, ghost, apparition, spook, bugbear, phantom, bog(e)y-*[íreknél]* banshee, *[személy]* terror, horror, fright, *a* ~*e vknek* be a nightmare to sy, be an incubus on sy; *a háború* ~*e* the spectre of the war; *a tanítók* ~; *[rossz diák]* the despair of the teachers; *a vidék* ~*e* the terror of the country-side; ~*eket lát (átv)* he ie an alarmist, he is a prophet of evil, he is a croakers *[deliriumban]* have (got) the rats
II. *adv*, *[= rémesen]* terribly, horribly, awfully, extremely, dreadfully, incredibly, out of all proportions, frightfully, much too; ~ *csúnya* awfully ugly; ~ *jópofa* he is a scream ◈; *az asszony* ~ *mérges volt* Missis was mortal angry; ~ *rendes tőled hogy* it's awfully sporty of you to; ~ *sok* much too much; ~ *szereti* is awfully fond of; ~ *unalma*, dreadfully tedious/dull/boring, *[igével]* be a crashing bore
rémdráma *n*, 1. (sensational) melodrama, blood-and--thunder (drama), stage-thriller, hair-raiser 2. *[megtörtént]* catastrophic/tragic event, horrible tragedy
remeg [-tem, -ett, -jen] *vi*, tremble, quake, shake, quiver, shudder, shiver, dither *(amitől* with), have the shakes *(fam)*, *[fej]* wag, dodder, *[hang]* falter, quaver, *[láng]* flicker, *[szív]* palpitate, beat violently, throb, go pit-a-pat *(fam)*, *[tárgy]* shake, vibrate, oscillate, *[térd]* knock, *(átv)* be afraid; ~ *a keze* his hands are shaking/trembling; ~ *a lába* be shaky on one's legs; *szája* ~*ett* his mouth was working; *egész testében* ~ be trembling/shaking all over *(v. in* every limb), be all of a tremble/shake, shake all over; ~ *a dühtől/indulattól* tremble/flush with rage; ~ *a félelemtől* quake/shake/quiver/tremble/ shudder with fear/fright; *egész testében* ~ *a szenvedélytől* vibrate with passion; ~ *mint a nyárfalevél* tremble like a(n aspen) leaf; ~*ve* shakily, quakingly
remegés *n*, trembling, tremble, quake, quaking, shake, shaking, shakiness, quiver(ing), shiver(ing),

shudder(ing), *[fényé]* wavering, *[hangé]* quaver(ing), *[lángé]* flicker(ing), *[szárnyaké]* flutter(ing), *[tárgyé]* vibration, oscillation, *(orv)* tremor, tremulousness, palpitation, *(átv)* fear, fright, thrill

remegő [-ek, -t; *adv* -(e)n] *a*, trembling, quaking, quaky, shaking, shaky, quivering, shivering, shuddering, *[hang]* quavering, quavery, faltering, tremulous, *[fej]* doddering, *[tárgy]* vibrating; ~ *hangon* quaveringly, with a shake in his voice, in/with a shaky voice; ~ *kézzel* with shaky hands

remegős *a*, = remegő

remek [-et, -e; *adv* -ül] I. *a*, superb, magnificent, splendid, masterly, masterful, grand, glorious, capital, topping *(fam)*, rattling *(fam)*, A1 *(fam)*, smashing *(fam)*, corking *(fam)*, swell *(fam)*, dandy *(US fam)*, ripping *(US fam)*, top-notch *(fam)* ; ~ *egy alak l* he is a corker; ~ *alkalom* splendid opportunity; ~ *beszéd* brilliant speech/talk; ~ *étel* exquisite/delicious food, first-rate food; ~ *fickó/fiú* a grand/fine fellow; ~ *fogást csinál* get/make a good haul; ~ *idő* lovely/fine weather; ~ *ötlet/gondolat* marvellous idea, bully (idea) *(US)* ; ~ *pofa* he is great fun, he is full of fun; ~ *vacsora* excellent dinner, first-class dinner, slap-up dinner II. *n*, masterpiece, masterwork, masterly work/achievement; ~*be dolgozik* work excellently, work/do/perform wonders/marvels; ~*be készült* perfect, excellent, tip-top; ~*be szabott* of perfect cut *(ut)*, perfectly tailored; ~*et alkot* create/produce a masterpiece III. *int*, first-rate l, rattling good l, that's rich/topping/famous l, capital l, that is mighty good l, bravely done l, it is ideal l, thumbs up l, that's dandy/bully l *(US)*, it's a wow l *(US)*

remekel [-t, -jen] *vi*, *(vmben)* excel (in), distinguish oneself (in), shine (at), be master (in/at), be past master (of), work/do/perform wonders, *(szính stb.)* give of one's best; ~*t* he has succeeded to admiration

remekíró *n*, classic(al writer/author), standard author

remekmű *n*, masterpiece, masterwork, work of art, fine piece of work

remekművű *a*, exquisite, perfectly made

remekül *adv*, splendidly, brilliantly, magnificently, exquisitely, wonderfully, capitally, roaringly *(fam)* ; *minden* ~ *megy* everything is going on swimmingly; *köszönöm(,)* ~ *érzem magam* I am perfectly all right(,) thanks; ~ *érzi magát [egészségileg]* be in excellent condition, *[szórakozik]* have a real good time, have a glorious/big/great/splendid time *(fam)*, have a (right) royal time *(fam)*

remél [-t, -jen] *vt/vi*, hope (for), have hope (of), be hopeful, cherish hopes, *[vmt vár]* expect, anticipate, look forward to, trust (that sg will happen), promise oneself sg; *többet* ~ *vktől* expect more from sy; *azt* ~*i hogy...* cherish the hope that...; ~*em (hogy igen)* *[kérdésre felelve]* I hope so; ~*em hogy igaz* I hope it may be true; ~*em és elvárom hogy...* I hope and expect that...; ~*em jobban érzi magát* you are feeling better I trust; ~*jük a legjobbakat* let's hope for the best; ~*em még találkozunk* I hope to see you *(v. that we shall meet)* again; ~*em minden rendben lesz* I hope/trust that everything/all will go well; ~*em nemsokára hírt kapok Öntől* I trust to hear from you soon; ~*em nem várakoztattam meg soká* I hope I have not kept you waiting too long; *amíg élek* ~*ek* while there is life there is hope; *mindennek ellenére* ~*i* hope against hope; *nem úgy történt minden ahogy* ~*tük* it did not answer *(v. come up to)* our expectations; *jobban sikerült mint ahogy* ~*tük* we have succeeded beyond expectation

remélhető *a*, to be expected/hoped *(ut)*, hoped-for, in

view *(ut)*, expectable, *(kif)* there is every hope (that), have *(v. there is)* every reason to hope, there is a hopeful possibility

remélhetőleg *adv*, it is (only) to be hoped that; ~ *eljön* I hope/trust (that) he will come

remélt [-et; *adv* -en] *a*, expected, hoped-for, anticipated; ~ *haszon (ker)* anticipated profit; *nem* ~ unhoped(-for), unexpected, unlooked-for, unawaited; *nem* ~ *eredményre vezetett* it has lead to unexpected *surprising results; nem* ~ *viszontlátás* unexpected encounter/meeting

remény *n*, hope, expectation, anticipation, trust, faith, *[mint kilátás]* prospects *(pl)*, outlook, promise (of); *csupa* ~ be full of hope; *gyenge* ~ slender hope, bare possibility; *hiú* ~ vain hope, hope against hope, hope impossible of attainment; ~ *és félelem között* between hope and fear; *kevés* ~ *van rá* it is little to be hoped (that), there is very little prospect of it; *nincs* ~ *vmre* there is no hope of sg; *semmi/ halvány* ~*e sincs* he has not an earthly chance; *gyógyulására nincs* ~ she is past/beyond recovery; *állásra van* ~*em* I have a job in the offing; *amíg van* ~ until hope has been exhausted/spent; ~ *mindig van* there is always hope, while there is life there is hope, hope springs eternal; *nem sok a* ~ *(hogy)* there is not much hope (that/of); ~*em van arra (hogy)* I have hopes of (...ing); *minden* ~*em megvan arra* I have good hopes of; *utolsó* ~*em* my last hope, my sheet-anchor; ~*eink meghiúsultak* our hopes failed; ~*el nem válnak be* fall short of one's expectations; *vmnek a* **reményében** in the expectation/hope of sg; ~*ében csalódik* be disappointed of/in one's hope(s)/ expectation(s), fail in one's hopes, fall short of one's expectation(s), not come up to (one's) expectation(s); *ha* ~*eimben nem csalódom* if my expectations are fulfilled; *annak a* **reményének** *ad kifejezést (hogy)* express the (confident) hope (that); *vmlyen* **reményre** *jogosít* show promise; *szép/nagy* ~*(ek)re jogosít/ késztet* show great promise, be full of promise, promise well, be quite promising, raise hopes, induce the belief/hope that ...; *nagy/szép* ~*ekre jogosító ifjú* hopeful/promising lad/youth, youth of great promise, a likely man, Young Hopeful *(iron)* ; ~*ekre jogosít [bánya, ér]* prospect well; *beváltja a* **reményeket** fulfil expectations; ~*t ébreszt/éleszt* raise hope; *nagy* ~*eket fűz vkhez/vmhez* entertain hopes of sg, set/pin (one's) hopes on sg, attach hopes to sg; *minden* ~*ét vkbe/vmbe helyezi* place all one's trust in sy/sg, found all one's hopes on sy/sg, pin one's faith/hopes on sy/sg, pin one's hope to sg, *(csak vkbe)* repose/centre one's hopes in sy; ~*t kelt* induce the belief/hope that...; ~*t kelt vkben vmre* hold out a promise to sy of sg; ~*t keltő* hopeful; ~*t merít vmből* take hope from; ~*t nyújt* hold out the hope of, give hope; ~*t önt vkbe* infuse hope into sy; *vk* ~*eit összezúzza/szertefoszlatja* dash sy's hopes to the ground; *azt a* ~*t táplálja* cherish *(v. live in)* the hope of/that; **reményétől** *megfoszt* crush/dash/ destroy/shatter sy's hopes; *szép* **reményekkel** *kecsegtet (vk)* show great promise; *reménnyel tölt el vkt* infuse hope into sy

reménybeli *a*, prospective, to be *(ut)*, *[örökös]* (heir) presumptive; ~ *örökség* possession in expectation

reményel [-ni, ...nyleni, ...nylett, -jen] *vt*, = remél

reményevesztett *a*, hopeless, unhopeful, without hope *(ut)*, beyond/past (all) hope *(ut)*, out/destitute of hope *(ut)*, despairing, desperate, forlorn, baffled in his hopes *(ut)*, bereft of all hope *(ut)*, past praying for *(ut)* *(fam)*

reményevesztettség *n*, loss of hope, despondency

reménykedés *n*, hoping, hope(fulness), expectation

reményked|ik [-tem, -ett, -jen, -jék] *vi*, hope, cherish

hopes, live in the hope of, be hopeful/expectant of, trust; *abban ~ik hogy...* cherish the hope that...; *erősen ~ik* be full of hope; *tovább ~ik* hope on
reménykedő [-ek, -t; *adv* -en] *a*, hopeful, optimistic, trusting
reménykedően *adv*, = reménykedve
reménykedve *adv*, hopefully, trustingly, expectantly
reménykeltő *n*, *[hír]* heartening
reménység *n*, 1. hope, expectation, anticipation, trust, faith; *felvillanó ~* flash of hope; *a ~ megdobogtatta a szívét* her heart beat high with hope; *te vagy az egyetlen ~em* you are my sole trust; *ez az utolsó ~e* that is his last hope/resort, that is his sheet-anchor 2. *[személy]* hope, promise
reménysugár *n*, beam/ray/gleam/flush/flash of hope, *[felcsillanása]* gleam of hope; *halvány ~* glimmer of hope
reményszikra *n*, spark of hope
reménytelen *a*, hopeless, unhopeful, without/beyond/past hope *(ut)*, past praying for *(ut)* *(fam)*; *ld még* **reményevesztett**; *~ dolog/eset* hopeless matter/case, gone case; *~ játszma* losing game; *~ szerelem* unrequited love; *~ ügy* lost cause; *~ vállalkozás* forlorn undertaking; *~nek látszik* it is just about hopeless
reménytelenség *n*, hopelessness, despair, desperation, despondency, *[vállalkozásé]* forlornness
reménytelenül *adv*, hopelessly, desperately; *~ szerelmes* be love-lorn *(ref.)*
reményteli *a*, = reményteljes
reményteljes *a*, hopeful, full of hope *(ut)*, promising, bidding fair *(ut)*, showing great promise *(ut)*, brimful of hope *(ut)* *(fam)*; *~ gyermek* child full of promise
reményteljesen *adv*, promisingly
-reményű [-ek, -t; *adv* -en] *a*, *nagy~*, *szép~* promising, showing great promise *(ut)*, *[levélcímzésben kb]* young, junior
reményvesztett *a*, = reményevesztett
rémes [-et; *adv* -en] *a*, awful, frightful, dreadful, appal(l)ing, ghastly, grisly, horrid, horrible, fearsome, gruesome, dismal, formidable, atrocious, monstrous, terrible, terrific, terrifying, lurid, shocking, frightening
remese [..ét] *n*, uterus of the cow
rémesen *adv*, = rém II.
remete [..ét] *n*, hermit, recluse, solitary, eremite *(ref.)*, anchorite *(ref.)*, anchoret *(ref.)*
remetebarlang *n*, hermit's abode/cave, anchorage
remetecella *n*, reclusory
remeteélet *n*, life of a hermit, life of seclusion, solitude; *~et él* live like a hermit, live far from the madding crowd, live the life of a recluse, lead an unsociable existence
remetei [-ek, -t; *adv* -en] *a*, 1. anchoretic, hermit's, of a hermit *(ut)* 2. *(átv)* solitary, secluded, isolated
remetekunyhó *n*, hermitage, hermit's abode, anchorage
remetelak *n*, = remetekunyhó
remetenő *n*, anchoress, ancress
remeterák *n*, *(áll)* hermit/soldier-crab *(Eupagurus bernhardus)*
remeteség *n*, 1. *[állapot]* eremitism, anchoretism, *[hely]* reclusory 2. *(átv)* seclusion, solitude, isolation
remetéskedlik [-tem, -ett, -jen, -jék] *vi*, lead the life of a hermit, live a sequestered life, live in seclusion/solitude
rémhír *n*, scare-news, (disquieting) rumour, alarming rumour, alarming tales *(pl)*; *~t terjeszt*, *~t forgalomba hoz* give currency to a rumour, spread alarm
rémhíráradat *n*, spate of disquieting rumours
rémhírterjesztés *n*, spreading of (disquieting) rumours, rumour/panic/scare-mongering
rémhírterjesztő *n*, spreader/propagator of (disquieting)

rumours, alarmist, rumour/sensation/scare/news/panic-monger; *~ sajtó* panic(ky) press
rémhistória *n*, = rémmese
remilitarizál *vt*, *(kat)* remilitarize
remilitarizálás *n*, *(kat)* remilitarization
reminiszcencia [..át] *n*, recollection, memory, *[írói műben stb.]* reminiscence
remis [-t, -je] *n*, *[sakk]* drawn game, draw
rémít [-eni, -ett, -sen] *vt*, terrify, frighten, alarm, scare, horrify, affright, shock; *halálra ~* frighten/terrify (sy) out of his wits, frighten to death, scare stiff *(fam)*
rémitget *vt*, keep terrifying/scaring/alarming, frighten (sy out of his wits), terrorize
rémítő [-ek,-t; *adv* -en] I. *a*, = rémes; II. *adv*, = rém II.
remittenda [..át] *n*, *(nyomd)* *[eladatlan példányok]* returns *(pl)*
remiz [-ek, -t, -e] *n*, *[villamosé]* tram-depot, engine-shed, coach-house, wain house, (car-)barn *(US)*
rémkép *n*, *[kísértet]* phantom, phantasm, phantasmagory, phantasmagoria, spectre, apparition, *[ildérces]* nightmare, bogey, bugbear, bugaboo *(US)*, *[szörnyű látvány]* terrifying vision/spectacle, horrible sight; *~eket lát* be troubled with nightmares, have a morbid imagination, be haunted by visions/spectres (of one's own creation), *[pesszimista]* take a gloomy view of everything, look at the dark side of everything, visualize/imagine the worst, be a(n) alarmist/croaker
rémlátás *n*, phantasmagory, phantasmagoria, vision-(ary fancies), delusion, morbid imagination, *(tud)* spectromania; *~aim vannak* I see visions
rémlátó [-t, -ja] *a/n*, alarmist, pessimist
rémllik [-eni, -ett] *v. imp*, *(vknek)* seem, appear (to sy); *úgy ~ik előttem/nekem mintha* I seem to remember (that), I fancy, I have a vague idea (that *v.* as if), I have a(n) hunch/inkling/notion that, methinks *(ref, obs)*; *úgy ~ett hogy hangokat hallottam* I fancied/seemed to hear voices, I thought I heard voices
rémmese *n*, *[kísértetről]* ghost-story, *[más]* blood-freezer/curdler, hair-raiser
remonda [..át] *n*, remount
remota [..át] *n*, *[könyvtárban]* reserved book
rémregény *n*, novel of terror, blood-and-thunder story, thriller, hair-raiser, penny-dreadful/awful, blood-curdler/freezer, (shilling-)shocker, *[XVIII. századi irodalomban]* Gothic novel, *[mai filléres ponyva]* dime novel *(US)*
rémség *n*, horror, atrocity, ghastly business/sight/thing, enormity
rémséges [-ek, -t; *adv* -en] *a*, = rémes
rémtett *n*, horrible/dreadful/shocking deed/act, ghastly/heinous crime, deed of horror, atrocity
rémtörténet *n*, = rémmese
remuneráció [-t, -ja] *n*, bonus, bounty, remuneration, poundage; *újévi ~* Christmas bonus
remunerál [-t, -jon] *vt*, pay a bonus (for)
rémuralom *n*, terror(ism), reign of terror, *[tágabb értelemben]* lynch/club-law
rémül [-t, -jön] *vi*, be struck with terror/horror/panic, be horror/panic/terror-stricken/struck, stand aghast, be panicky; *vmtől halálra ~* be scared/frightened to death (at sg), be half dead with fright
rémüldöz [-tem, -ött, -zön] *vi*, be alarmed/scared, panic; *ne ~z!* don't panic
rémület *n*, terror, horror, fright, scare, dread, alarm, dismay; *halálos ~* deadly terror; *~ fogja el* be thrilled with horror; *vk ~ére* to the terror of sy; *a legnagyobb ~emre* to my utter horror; *~et kelt vkben* strike sy with alarm, put sy in a (great) fright, create a scare, give sy the creeps *(fam)*; *~től dermedt(en)/megkövült(en)* paralysed with fear

rémületes [-et; adv -en] a, = **rémes**
rémült [-et; adv -en] a, horrified, terrified, frightened, horror/terror-stricken, scared, alarmed, panicky (fam); halálra ~ scared to death (ut); ~ csend awe-stricken/struck silence; ~ felkiáltás exclamation of dismay
rémülten adv, ~ kiált fel cry out in alarm
rémültömben adv. pron, horror/panic-stricken/struck as I was, in my fright
rence [..ét] n, (növ) bladder-wort, pop-weed (Utricularia sp.)
rend [-et, -je] I. n, 1. [elrendezettség] order(ly state), orderliness, methodical/systematic arrangement, good trim, [szobáé] tidiness, [fegyelem] discipline, [közrend] law and order, public order; ~ és nyugalom peace (and order), public peace, the king's/queen's peace (GB); a ~ kedveért for order's sake, for the sake of order, in order to comply with regulations; ez a dolog/dolgok ~je this is how it should be, that is the way of the world, that is the course of nature, that is the scheme of things; a dolgok ~jéből következik it is in the nature of thing; az élet ~je the order/way of life; a paraszti élet ~je rural customs/folkways (pl); a természet ~je the order of nature; a dolgok természetes ~je szerint in the course of nature, in the ordinary course of things; annak ~je (és módja) szerint duly, in due form/order, in a suitable manner, properly, in a proper way; **rendbe hoz** put/set/get (sg/things) to rights, put/set/get (sg) right, put/set/place (sg) in order, clear up, [megjavít] repair, fix up, overhaul, (re)adjust, refit, do/touch up, regulate, recondition, [készenlétbe] ready, [dolgokat osztályozva] class, arrange; ez majd ~be hoz that'll set you right; ~be hoz/szed dolgokat/ügyeket put things/matters straight, put matters in order; ~be hozza az ügyeit settle one's affairs, put one's affairs in order; ~be hozza az egészségét repair/regain one's health; ez ~be hozta a gyomromat it settled my stomach; ~be hozza a haját tidy/fix one's hair; ~be hozza magát tidy oneself (up); nehézségeket ~be hoz straighten/smooth things out, iron out things (US); romépületet ~be hoz restore a ruin; ~be hozza ruháját put one's dress in order, mend one's suit; szobát ~be hoz clean a room, tidy/clear/do a room, put a room in order; ~be hozat vmt put sg in repair; ~be hozatja magát [egészségileg] get overhauled by a doctor (fam); ~be hozatja a szívét have one's heart put in order; ~be hozható [épület stb.] reparable, repairable, [hiba] rectifiable, mendable; ~be jön settle down, return to normal(ity), [egészségileg] recover/regain strength; a dolgok majd ~be jönnek things will straighten out, matters will work out, things will come right, things will turn out right, matters will shape up (US), [magától] it will right itself; ettől majd ~be jössz it will pick you up, it will help you to recover (v. get better); ~be jön magától az ügy that matter will take care of itself; ~be rak (put/set/place in) order, arrange (methodically), marshal, straighten (up), trim, [szobát] tidy up; ~be rakás putting away, trimming; ~be szed [fegyelmez] take (sy) to task, discipline; ~be szedi magát tidy oneself (up); ~be szedi ügyeit (ker) re-establish one's affairs; ~be tesz put/set to rights, set right, put/set/place in order, dispose (of); **rendben van** be in order, [gép] be in perfect/good trim, be in good state of repair, [elintézett dolog] be done/settled, [elszámolás] be square; ~ben van! that's (all) right!, (that's) all right!, that's quite in order!, just so!, well and good!, right (you are)!, right oh!, right ho!, Roger (GB kat), O.K.! (US), Okay! (US); minden a legnagyobb ~ben volt everything was in perfect trim;

mintha minden a legnagyobb ~ben volna as if nothing was the matter; ~ben van az útlevele? is your passport in order?; minden ~ben van all is correct; ~ben megkaptam e hó 16-i szíves sorait/levelét (ker) I duly received your favour of the 16th inst.; ~ben megy minden everything is correct (v. in order), everything goes in an orderly fashion; a legnagyobb ~ben, példás ~ben in perfect (v. in apple-pie) order, all shipshape, in proper trim; ~ben talál find sg correct, [könyvelést] approve; ~ben tart keep (in) order, maintain order (among/in); itt vm nincs ~ben there is sg (going) wrong, there is sg amiss, there is sg the matter, that is not quite right, it is not as it should be, there is a hitch somewhere, there is a screw loose somewhere, there is sg fishy about it; eddig ~ben volnánk so far so good, it is all right so far; ~ben van a szénája he is all right, his affairs are all in order; **rend(j)én** való in order (ut); nincs egészen ~jén it is not quite as it should be, it does not go on all fours; ami így is van ~jén which is as it should be; **rendet** csinál/teremt make order, set/put sg in order, set sg to rights, set things right, tidy up sg, [országban] pacify; szép ~et csinál snug everything up/down (fam); a ~et helyreállítja restore (public) order, set things right, [országban] pacify; a ~et (fenn)tartja keep/maintain order/discipline, police 2. [sor] row, line, array, [kat] rank, order, [lekaszált] swath(e), mowing; kettős ~et jobbra át! (kat) form fours, form right!; vágók olyan ~et mint te (átv) I am as good a man as you are 3. [növény- és állatrendszertanban] order (ordo) 4. [osztály] order/grade/class of society; ~ek (tört) (e)states (pl); a harmadik ~ the third estate; polgári ~ bourgeoisie, the commons (pl); nemesi ~ nobility, aristocracy, peerage (GB); karok és ~ek (kb) Estates of the Realm/Land ⟨members of the Hungarian feudal diet until 1848⟩; egyházi ~ holy order(s); országos ~ek = karok és rendek; papi ~ clergy, the cloth (fam); az alsóbb ~ek (egyh) minor orders
II. a, 1. [mennyiség] egy ~ széna windrow, swath of hay 2. egy ~ ruha a suit of clothes
rendbehozás n, 1. setting/putting in order, tidying (up), ordering, [megjavítás] reparation, repair(ing), overhauling, refit(ment), doing-up, reconstitution, [épületé stb.] restoration, rebuilding, [ruháké stb.] mending, (orv) recovery, cure 2. (átv) adjustment, rectification, settling, settlement, arrangement, ordering, [pénzügyi] rehabilitation
rendbehozatal n, = rendbehozás
rendbeli a, három~ threefold, (repeated/happening/ occurring v. taking place) three times (ut), (jog) three counts of
rendbírság n, fine, disciplinary penalty; ~gal sújt impose a fine on
rendbontás n, disturbance, brawl(ing), tumult, disorder(liness), affray, (jog) breach of peace/order, nuisance
rendbontó I. a, disturbing, subversive, unruly, tumultuous, seditious, disorderly, perturbative II. n, disturber (of the peace), trouble-maker/monger, peace-breaker, perturber
rendbüntetés n, = rendbírság
rendel [-t, -jen] I. vt, 1. [árut] order, give order(s) (for), [ételt, italt stb.] call for, [ruhát, cipőt] have (sg) made, [mérték után még] bespeak, [színházjegyet] order, book; árut ~ order goods, put goods on order; bort ~ order some wine; vknél vmt ~ give sy an order for sg, place an order with sy for sg; mit ~? [vendéglőben] Yes(,) Sir? what will you take?; what is your order Sir?, [kevésbé udvariasan] what's yours?; ön már ~t?, tetszett már ~ni? have you given your order Sir?, have you ordered?, are you being

served? **2.** *vkt vk mellé* ~ give sy to sy as (an assistant), attach sy to sy *(v.* to a group), add sy to a ...; *vkt vhova* ~ *(kat)* detail, post (to), tell off sy swhere; *egymás mellé* ~ co-ordinate **3.** *magához* ~ *vkt* summon sy, send for sy, call sy to one's house/office **4.** *[orvosságot]* prescribe/order for sy **5.** *[vmlyen célra]* intend for, destine; *a sors úgy ~te* he was fated to, it was his destiny; *a szerencse úgy ~te* as luck would have it; *hacsak a törvény kifejezetten így nem ~i* unless the statute so provides, unless it is so specifically provided by statute; *hacsak a törvény mást nem* ~ unless otherwise provided by statute

II. *vi, (orv)* give (medical) advice, have surgery; ~ *2-től 4-ig* consulting hours 2—4 p.m., the doctor attends *(v.* is in attendance) (daily) between two and four

rendelés *n,* **1.** *[árukat]* order(ing), *[külföldről még]* indent; *ld még* **megrendelés;** ~*e szerint, ~ének megfelelően* in obedience to your orders; *állandó* ~ *[könyvtári]* standing order; ~*re dolgozó cipész* practical shoemaker; ~*re készült,* ~ *szerint készült* made to order/measure, custom-made/built *(US) ;* ~*re készült/készített ruhák* clothes to order, bespoke suits, suits made to measure, tailor-made suits, custom--made suits *(US) ;* ~*t ad [művésznek]* commission; ~*t elfogad* accept an order; ~*t felad/eszközöl/tesz vknél* book/place an order with sy, give an order to sy; ~*t felvesz* book/enter an order; ~*t kér* solicit an order; ~*t kiad* issue an order; ~*t teljesít/kivitelez* fill/fulfil/execute an order, carry out an order; *újabb/ismételt* ~*t ad* reorder (sg); ~*t visszavon* cancel an order **2.** *(orv) [recept]* (medical) prescription, *[tanács]* (medical) advice, direction(s) for treatment, *[fogadás]* consultation (hours), consulting-hours *(pl) ; orvosi* ~ *[ideje]* surgery hours *(pl) ;* ~ *4-től 6-ig* consulting-hours 4—6 p.m. **3.** *egymás mellé* ~ co-ordination **4.** *(vall)* predestination; *a gondviselés* ~*e* the dispensation of Providence

rendelésállomány *n, (ker)* order-book

rendelési *[-ek, -t] a,* ~ *idő* consulting hours *(pl) ;* ~ *könyv* order-book; ~ *űrlap* order sheet

rendelésigazolás *n, (ker)* order confirmation, confirmation/acknowledg(e)ment of order

rendelet *n,* **1.** *(ált)* order, decree, enactment, ordinance, statute, *[bírói]* decision, ruling, *[kiáltvány]* edict; *miniszteri* ~ departmental order (signed by a minister), order in Council *(GB) ; 1952. július 17-én kelt* ~*ében* in his decree of 17th July 1952; *a miniszter* ~*éből* (for and) on behalf of *(v.* by order) of the minister *(v. US :* secretary of state); *orvosi* ~*re* at/on doctor's order; ~*et kibocsát* pass a decree, enact; ~*ekkel való kormányzás* government by decree; ~*tel szabályoz* regulate by decree **2.** *(ker)* fizetendő N. N. ~*ére* pay(able) to the order of (so-and-so); ~*re forgatott* endorsed to order *(ut) ;* ~ *szóló csekk* cheque to order; ~*re szóló értékpapír* instrument payable to order, order instrument; ~*re szóló hajófuvarlevél* bill of lading (made out) to order; ~*re szóló okmány* instrument payable to order; ~*re szóló váltó* bill to order

rendeleti *[-ek, -t; adv -leg] a,* edictal; ~ *úton* by order/decree

rendeletileg *adv,* by order/decree; ~ *szabályozott* decreed

rendelettervezet *n,* draft order/decree

rendelkezés *n, disposition, disposal, decree, direction, order, will, command, instruction, injunction, arrangement, [megszorító] stipulation, (jog, tört) [törvényé stb.]* provision; ~*ek* regulations; *szabad* ~ free disposition; *eme* ~ *szerint* under this act; *a rendelet főbb* ~*ei a következők* the major/main provisions of the decree/order are as follows; *halál esetére*

szóló ~ disposition mortis causa; *ellenkező* ~*ig (ker)* until countermanded; *további* ~*ig* until further orders; *notice; vknek a* ~*ére* at sy's disposal, at the disposal of sy; ~*re áll (vm)* be available/disposable, be at (sy's) disposal, be on tap *(fam), (vk)* be at/within call, *(vknek)* be at sy's disposal/service, wait upon sy; *az ön* ~*ére áll (vm)* it is at your disposal, you are welcome to it *(fam), (vknek)* place yourself at sy's service; *mindig szívesen áll* ~*re* always willing to oblige; *állok* ~*ére* I am (entirely) at your service, (I am) yours to command, I am at your command; ~*re álló* disposable, available, ready (to hand); ~*re álló áru (ker)* goods available, goods in/on hand; *a még* ~*re álló összegek* the still unappropriated/unallotted/available funds; ~*ére álló pénz* the money at his command; *a* ~*emre álló tőke* funds at my disposal/command, funds under my control *(mind pl);* *a* ~*ünkre álló rövid idő alatt* in the brief time allotted us; ~*re nem álló* unavailable, non-available; ~*re bocsát* place/put at sy's disposal/service, make available for/to sy; ~*emre bocsátotta a könyvtárát* he gave me the free run of his library; *vk* ~*ére tart vmt (ker)* hold sg at sy's disposal; ~*t tartalmaz vmre* provide (directions/instructions) for

rendelkezési *[-ek, -t] a,* ~ *alap* fund(s) for special purposes; ~ *állomány* disposability, *(kat)* non-activity, half-pay, available list; ~ *állományba helyez vkt (kat)* put sy on half-pay *(v.* the unattached list), second (an officer); ~ *állományba helyezett tiszt* half-pay officer; ~ *állományba kerül* get placed on the unattached list; ~ *állományban (levő)* unattached, on half-pay *(ut) ;* ~ *jog* right/power of disposing/disposal; *nincs* ~ *joga a föld felett* he has no power of disposing of the land

rendelkez|ik *[-tem, -ett, -zen, -zék] vi, [parancsot ad]* give orders, take (the necessary) measures, decree, order, dispose, *(vk/vm felett)* be in command of, have sg at one's disposal/command, have the disposal of sg, *(vkvel)* command sy, give orders to sy, have sy at one's disposal, *[birtokol]* possess, be in possession of, *[szerződés]* stipulate, *[törvény]* provide, enact; *sok pénz felett* ~*ik* has plenty of money in his own right; *idejével (szabadon)* ~*ik* be one's own man, dispose of one's time; *készlettel* ~*ik* command a stock (pile) (of sg); *vagyonával szabadon* ~*ik* be free to dispose of one's own property; *ha jogszabály másképp* ~*ik* if otherwise provided by statute; *hacsak a szerződés másként nem* ~*ik* unless other provision is made by the contract(ing parties); *a törvény akként* ~*ik hogy* the Act provides that; *a végzés* ~*ik a felügyeletről (jog)* the order contains provisions as to supervision; *a kérdésről a végrendelet* ~*ik* the point is dealt with by the will; *hacsak a végrendelet másképp nem* ~*ik* unless the will directs otherwise

rendelkező **I.** *a,* ~ *rész [törvényé]* operative part/clause/ provisions, enacting terms *(pl),* purview **II.** *n,* disponent

rendelkezőpróba *n, (szính)* preparatory/preliminary/ first rehearsal

rendellenes *a,* irregular, abnormal, anomalous, unnatural, atypic(al); ~ *fejlődés* irregular growth, deformity, malformation; ~ *növés* irregular growth, misgrowth

rendellenesen *adv,* irregularly, abnormally, anomalously

rendellenesség *n,* irregularity, abnorm(al)ity, abnormal character, anomaly, *(biol)* aberrance, *(fejlődésben)* malformation, deformation, deformity, *[szervek működésében]* disorder, *[lelki]* derangement

rendelő *[-t, -je]* **I.** *a, (orvosi)* ~ *és fogadó órák* consulting-hours **II.** *n,* **1.** *[árut]* orderer, purchaser, buyer, customer **2.** *(orv) [helyiség]* consulting/consultation--room, reception room, surgery

rendelőidő *n, orvosi* ~ surgery hours *(pl)*
rendelőintézet \n, clinic, out-patients' clinic/department, surgery, dispensary, ambulatory clinic, polyclinic(s)
rendelőkönyv *n, (ker)* order-book
rendelőlap *n, (ker)* order form/sheet, *[külföldi]* indent
rendelőlevél *n, (ker)* order (sheet/form), *[külföldi]* indent
rendelőóra *n,* consulting hours *(pl)*
rendelőorvos *n,* general practitioner *(röv.* G.P.), physician, medical man, doctor, consultant
rendelőszoba *n, [orvosi]* consulting-room, surgery
rendelt [-et] *a, a mai napra* ~ *evangélium* the lesson for to-day
rendeltetés *n,* **1.** *[hely]* destination **2.** *[cél]* (intended) purpose, object, designation, allocation, *[funkció]* function; ~ *megjelölése [összegé, alapé]* earmarking; *ennek az összegnek az a* ~e this amount is designed to *(v.* is allotted for); *a szívnek az a* ~e *hogy vért szivattyúzzon át a testen* the function of the heart is to pump blood through the body **3.** *[sors]* fate, destiny
rendeltetési [-ek, -t; *adv* -leg] *a,* ~ *állomás (vké)* post, station, *(vmé)* (station of) destination, *(vasút, hajó)* receiving-station; ~ *hely* place of) destination; ~ *helyére juttat* deliver (at its place of destination); *mí a hajó* ~ *helye ?* where is the ship bound for ?; ~ *kikötő* post of destination; ~ *ország* country of destination; ~ *pályaudvar* station of destination, receiving station
rendeltetésszerű *a,* **1.** ~ *használat* proper use; ~ *használat esetén* if properly used **2.** *[sors]* fated, sure/bound to happen *(ut),* inevitable, providential, predestined, foredoomed
rendelvény *n, [bírói]* judge's order, decision, ruling, *(orv)* prescription, recipe, *[adóhivatali]* assessment, *[egyéb]* order
rendérzék *n,* sense of order, orderliness, methodical tidiness
rendes [-et; *adv* -en] *a,* **1.** *[előírásszerű]* normal, standard; ~ *sebességgel* at normal speed **2.** *[szabályszerű]* regular, regulated, due, orderly, well-ordered, methodical, systematic(al); ~ *érverés* steady pulse; ~ *ige* regular verb; *orra* ~ nose normal **3.** *[szokásos]* usual, customary, *[megszokott]* accustomed, habitual, wonted, stock, set, settled, *[mindennapos]* ordinary, general, common, everyday; ~ *beszélgetés [távbeszélőn]* ordinary call; ~ *bíróságok* ordinary courts, Courts of Record; ~ *eljárás [nem-sommás bíróság] (jog)* plenary suit; ~ *időben* at the usual time; ~ *körülmények között* under/in ordinary circumstances, at/in normal times, in the ordinary way; ~ *szokása* as he is wont, as is his wont, according to his wont, usually, as a rule; ~ *üzletmenet keretében* in the ordinary course of business; ~*nél korábban* earlier than usual **4.** *[rendszerető]* of regular habits *(ut),* fond of order *(ut),* cleanly, natty, methodical, *[külsőleg]* tidy, orderly, trim, neat, *[pontos]* exact, punctual, to the minute *(ut),* on the clock *(ut) (fam) ;* ~ *háztartás* orderly household, well-managed household; ~ *kézírás* neat handwriting; ~ *kis lakás* cozy/snug little flat/apartment; ~ *szoba* tidy/neat room **5.** *[tisztességes]* decent, right, proper, correct, fair, square, honest, fine *(fam),* good *(fam) ;* ~ *életet kezd* begin to live a normal life, settle down; ~ *eljárás [vktől vk mással szemben]* fair/square deal; ~ *ember* decent/honest/nice/settled man/person, a real sport *(fam),* a real good sort *(fam),* a decent sort of person *(fam), (kif)* he's all right; ~ *emberek* decent/nice people; *nem* ~ *ember* a bad sort/type/egg *(fam),* a cad *(fam) ;* ~ *fiú* he is a decent lad/chap *(fam) ;* ~ *gondolkozású* right-thinking; ~ *gyc-*

rek trump *(fam);* ~ *kereskedői gondosság (ker)* due care and caution; ~ *lány* straight girl; ~ *munka* an honest piece of work; *(biz) nagyon* ~ *volt (vk)* he was very civil; *rém/irtó* ~ *tőled hogy* it's awfully sporty of you to ...
rendesen *adv,* **1.** *[rendszerint]* usually, normally, as a rule, generally, regularly, commonly; *mint* ~ as usual, as per usual *(joc) ;* *korábban mint* ~ earlier than usual **2.** *[rendszeretőn]* tidily, neatly, in an orderly manner, properly, shipshape, trimly, punctually, with care, cleanlily, fair; *csináld (meg)* ~ *vagy sehogy* do it properly or not at all; *viselkedjél* ~*l* behave yourself!; *nagyon* ~ *viselkedett* he was very civil **3.** *[ténylegesen]* really, actually; *a baba* ~ *tudja mozgatni a szemét* the doll can really move its eyes **4.** ~ *keres* make a decent living
rendesség *n,* **1.** *[rendszeretet]* orderliness, love/sense of order/system, tidiness **2.** *[szabályosság]* normality, exactitude, regularity, regularness, punctuality, niceness, *[külsőé]* trimness, cleanliness, *[mozgásé]* steadiness, evenness, *[érverésé]* normality, regularity, steadiness, *(tud)* eurhythmy
rendészet *n,* supervision/surveillance of/by the police, maintenance of law and order, policing
rendészeti [-ek, -t; *adv* -leg] *a,* (of the) police
rendetlen *a, [nem rendes]* untidy, disorderly, slovenly, disarranged, slipshod, slatternly, messy, *[hanyag]* careless, negligent, neglectful, *[rendszer nélkül]* disordered, irregular; ~ *életet folytat* lead/live an irregular/disorderly/disordered life; ~ *ember* unpunctual/careless/untidy/disorderly person, sloven; ~ *érverés* unsteady/irregular/unequal pulse; ~ *haj* dishevelled/unkempt/tangled/matted/untidy/ruffled hair; ~ *háziasszony* happy-go-lucky housewife; ~ *háztartás* ill-managed/run household; ~ *munka* unmethodical/slapdash labour; ~ *működés [gépé stb.]* erratic function(ing)
rendetlenkedés *n,* frivolous/inattentive/mischievous behaviour, disorderliness
rendetlenkedik [-tem, -ett, -jen, -jék] *vi, [gyerek]* be up to mischief, *(isk)* be frivolous/inattentive/mischievous/unruly, *[felnőtt]* make a disturbance
rendetlenkedő [-t] **I.** *a,* restless, turbulent, unruly, undisciplined, disorderly, *[gyerek]* boisterous, refractory, *(isk)* frivolous, inattentive, talkative **II.** *n,* trouble-maker/monger, *[gyermek]* scapegrace, naughty child, little devil/monkey *(fam)*
rendetlenség *n,* disorder(liness), disarray, disarrangement, mess, muddle, jumble, chaos, confusion, want of order, state of disorder, untidiness, irregularity, tumble, fluster, hugger-mugger, *[lompossság]* frumpery, *[pontatlanság]* unpunctuality, *[szervezetlenség]* disorganization; *szép kis* ~*l* here's a pretty mess!; *szörnyű* ~ a fearful mess; *érverés* ~*e* the unevenness of pulse
rendetlenül *adv,* out of order/place, in disarray, *[öszszevissza]* pell-mell, (in) hugger-mugger, *[tömeg]* tumultuously, turbulently; ~ *fizet* be remiss (in payment); ~ *növő növények* straggling plants
rendez [-tem, -ett, -zen] *vt,* **1.** *[elrendez]* arrange, order, dispose, put in (proper) order, adjust, regularize, *[csapatokat]* array, marshal, *[iratokat]* docket, *[leveleket]* file, *[üzleti könyveket]* make up, *[osztályoz]* (as)sort, classify; *cédulákat a második betűig* ~ sort the cards/slips two letters deep; *egyenletet* ~ reduce an equation; ~*i a gondolatait* get one's thoughts together, gather/collect one's thoughts, put one's ideas into order; *határt* ~ rectify/adjust a boundary; *kifejezést* ~ *(menny)* arrange terms in ascending or descending order; *kirakatot* ~ dress the window; *könyveket nagyság szerint* ~ range books according to size; *könyvtárt* ~ arrange the books of

a library (according to subjects); *sajtó alá* ~ prepare for the press; *sorszám szerint* ~ put in serial order, serialize; *[a kérdést] törvény* ~*i* it is provided for by statute(s), it is dealt with by/in statute(s), it is governed by statutes 2. *[elintéz]* put/set to rights, regulate, settle; *adósságot* ~ settle/meet one's debts, settle up with sy *(jam)* ; ~*te az adósságait [folyamat]* he settled his debts, *[eredmény]* he was out of debt; *(ker) számlát* ~ pay/settle an invoice, pay a bill, square one's debt; ~*i a problémát/kérdést/ügyet* put a matter in order, settle a matter, square matters *(jam)* ; *viszonyt* ~ regulate one's relations with sy 3. *[szervez]* organize, *[bált, mulatságot, ünnepélyt]* arrange, organize, get up; *botrányt* ~ create a scandal, give rise to a scandal; *vérfürdőt* ~ stage a massacre 4. *szindarabot* ~ (put on the) stage a play, direct/manage a play

rendezés n, 1. *[elrendezés]* arrangement, organization, ordering, *[osztályozás]* classification, sorting; ~ *alatt [mint felirat]* in course of arrangement 2. *(átv)* putting in order, putting/setting to rights, *[számláé]* closing, *[tartozásl]* paying, *[ügyet]* settlement 3. *[szervezés]* organizing, getting up 4. *[szinházi]* staging, (stage-)management, inscenation, direction, production, getting up

rendezési a, *(pénz)* ~ *nap* settling day

rendezetlen a, 1. disordered, disorderly, inordinate, not regulated *(ut)*, irregular, chaotic, orderless, not/badly arranged 2. *(átv)* unregulated, unsettled, *[szellemi tartalom]* inco-ordinated, indigested; ~ *adósság* unsettled/uncleared debt; ~ *számla* outstanding bill

rendezetlenül adv, ~ *hagy* leave in disorder, leave about (scattered), leave all over the place; ~ *vonulnak vissza (kat)* retreat in disarray/disorder

rendezett [-et; adv -en] a, orderly, well-ordered, regular, *[rendszerezett]* systematic, co-ordinated, *[háztartás]* well-regulated/managed, *[anyagi helyzet]* sound; ~ *anyagi körülmények/viszonyok között* in financially sound circumstances; *rosszul* ~ *darab (szinh)* badly produced play; ~ *élet(mód)* ordered/ settled/regular life; ~ *tanácsú város* corporate town

rendezetten a, in an orderly manner, regularly, well arranged

rendezkedjik [-tem, -ett, -jen, -jék] vi, make order, set (sg) in order, set (sg) to rights

rendező [-t] I. a, ordering, arranging, organizing; ~ *bizottság* organizing/arrangements committee; ~ *deszka (tex)* comber/compass-board; ~ *gárda* organizers *(pl)*, organizing staff; ~ *gép [statisztikai kártyákhoz]* sorter; ~ *mozdony (vasút)* arranging locomotive; ~ *pályaudvar (vasút)* shifting/shunting yard, (regulating station) yard, shunting depot, sorting/siding-depot, arranging/transfer station, classification/marshalling yard *(US)*, switching-yard *(US)*, switchyard *(US)*, *[guritó nélkül]* flat-yard, *[guritódombos]* hump-yard; ~ *vágány (vasút)* drill-track, sorting-siding
II. n, 1. *[ünnepélyé]* organizer, getter-up, (ball) steward, *[udvari]* Master of Ceremonies *(rövM. C.)*, *[kirándulásé, felvonulásé]* arranger 2. *(szinh)* (stage) director, stage manager, *(film)* director 3. *(mért)* ordinate

rendeződjik [-tem, -ött, -jön, -jék] vi, become settled/ regulated/fixed/arranged

rendezői [-ek, -t] a, ~ *utasítás (szinh)* stage direction
rendezőpéldány n, stage-manager's copy
rendezőség n, (organizing) committee, body of organizers
rendezvény n, program(me), social
rendfelszedő n, *(mezőg)* *[kombájnon]* swather

rendfenntartás n, maintenance/upholding/keeping of public order, policing
rendfenntartó a, maintaining/keeping order *(ut)*; ~ *közegek* police authorities/officials, authorities/ officials in charge of *(v.* maintaining/keeping) (public) order, arms of the law
rendfokozat n, *(kat)* (degree of) rank, *[hivatali is]* grade, *(hajó)* rating; ~ *nélküli* private (soldier)
rendfokozati a, concerning (the) rank/grade *(ut)*; ~ *jel* badge of rank, stripes *(pl)*, insignia *(pl)*
rendforgató n, *(mezőg)* *[kombájnon]* swath turner
rendfőnök n, *(egyh)* superior, general/provost of a religious order
rendgyakorlat n, *[torna]* marching exercises *(pl)*, *(kat)* close order drill
rendhagyás n, *(nyelvt)* irregularity
rendhagyó [-t; adv -an] a, *(nyelvt)* irregular, heteroclitic, heteroclite, anomalous; *nem* regular
rendhagyóság n, *(nyelvt)* irregularity, irregular/heteroclitic character (of a verb etc.)
rendház n, *(egyh)* monastery, convent, priory, friary, *[női]* nunnery, cloister *(ref.)*
rendi [-ek, -t; adv -leg] a, feudal; ~ *alkotmány* feudal constitution; ~ *állam* feudal state; ~ *állás (tört)* status; a ~ *Magyarország* feudal Hungary
rendiség n, *(tört)* feudalism, system of (the) Estates
rendíthetetlen a, *[szilárd]* firm (as a rock), solid, immovable, irremovable, *[ellenállás]* staunch, *[személy]* constant, resolute, uncompromising, steadfast, intransigent, unyielding, hard-set, hard-shell *(US)*, stand-pat *(US)*, *[bátorság, hit, hűség]* unflinching, *[szilárdság]* unwavering, unshakeable, inflexible, uncomplying (determination), inexorable (will), *[céltudatosság]* unswerving, *[nyugalom]* imperturbable, stoical; ~ *bátorság* unfaltering/grim courage; ~ *elhatározás* inflexible determination; a haladás ~ *hive* a loyal supporter of progress; ~ *hűség* unswerving faith, absolute loyalty; ~ *szocialista* staunch socialist
rendíthetetlenség n, *[szilárdság]* immovability, *[ellenállásé]* staunchness, *[személyé]* steadfastness, intransigency, *[nyugalomé]* imperturbability
rendíthetetlenül adv, *[szilárdan]* immovably, *[ellenállásban]* staunchly, *[nyugodtan]* imperturbably
rendjel n, order, decoration, *(kat)* distinction, medal (of a soldier)
rendjeladományozás n, conferring of an order (upon sy), investiture
rendjeleső n, shower of decorations
rendjeltulajdonos n, holder/possessor of an order *(v.* of a decoration)
rendjelviselés n, wearing *(v.* putting on) a decoration, wearing of decorations
rendjelviselési a, ~ *engedély* permit to wear (a) decoration
rendjén adv, in order, right; *ez igy nincs* ~ that is not right/correct, it will not do, that ought to be altered, I do not like it as it is, it will not pass muster *(fam)*
rendkívül adv, extraordinarily, extremely, exceedingly, remarkably, most, uncommonly, unusually, out of all proportion, beyond measure; ~ *alacsony ár* extremely low price; ~ *apró* exceedingly small, minute; ~ *bátor* remarkable for one's courage; ~ *fontos (hogy)* it is of the utmost/greatest importance (that); *számomra* ~ *fontos* ... it is of material importance to me ...; ~ *fontos állás* position of the highest importance; ~ *heves támadás* an attack of particular severity; ~ *hosszú történet* a story of inordinate length; ~ *jó* uncommonly good; ~ *jól* extremely well; ~ *kellemetlen helyzet* a most awkward situation; ~ *magas ár* exorbitant price; ~ *mulatságos* highly amusing; ~ *nagy* enormous, oversize,

outsize; ~ olcsó exceptionally cheap; ~ sajnálom I (very) much regret it; ~ sok benzint fogyaszt it burns an inordinate quantity of petrol/gasoline
rendkívüli a, [szokatlan] extraordinary, unusual, [kivételes] exceptional, [igen nagy] extreme, enormous, [különleges] singular, remarkable, special, extra(-), out of the ordinary, [különös] unusual, uncommon, odd; ~ adó emergency tax; ~ egyéniség man above the ordinary; ~ elme (átv) a mind of extraordinary range, original mind; ~ esemény singular/unexpected event/incident, [szükséghelyzet] emergency; ~ esetekben in extreme cases; ~ fontosság outstanding importance; ~ gonddal csinál/végez vmt take particular care over doing sg; ~ hatalom exceptional/emergency powers (pl); ~ hatalommal felruház furnish/endow sy with exceptional powers; ~ intézkedések emergency measures; ~ képesség exceptional talent; ~ kiadás [lapé] special/extra edition, [pénzé] extra (v. non-recurring) expenditure, extraordinaries (pl), extras (pl); ~ követ extraordinary envoy; ~ követ és meghatalmazott miniszter Envoy Extraordinary and Minister Plenipotentiary; ~ méret outsize; ~ méretek boltja the outsize shop; ~ méretű oversized, out-sized, outsize; ~ mértékben in the highest degree; ~ segély emergency allowance; ~ tanár associate/assistant professor (US); ~ (tan)-tárgy extraordinary/optional subject, non-compulsory subject, extra-curricular subject; ~ tehetség exceptional talent, prodigy; ~ teljesítmény remarkable feat; ~ történet odd/queer/strange story; ~ ülés emergency meeting; ~ ülésszak special session; ~ ülést összehív call together (v. convoke) an extraordinary meeting/session/sitting; a törvényhozás ~ ülésszaka extraordinary legislative session; ~ vágy (vm után) an inordinate desire for sg; ~ veszély extreme danger; egészen ~ extra-special
rendkívülien adv, extraordinarily, exceedingly, prodigiously
rendkívüliség n, extraordinariness, extraordinary/unusual character, inordinateness, [különlegesség] singularity, remarkableness, strangeness, oddity, uncommonness
rendőr n, 1. policeman, (police-)constable, police-officer, (lovas) mounted policeman, [női] policewoman, [őrjáratban] patrol(man), [megszólítása] officer; folyami ~ riverside policeman; közlekedési ~ traffic policeman, traffic cop (fam); ~ őrszemes ~ policeman on point-duty; polgáriruhás ~ detective, plain--clothes man 2. (bonct) [cseplesz] a hasüreg ~e epiploon
rendőrállam n, police state
rendőrautó n, police-car
rendőrbíró n, police (court) magistrate, stipendiary (magistrate), police(-court) judge (US)
rendőrbíróság n, police court
rendőrfelügyelő n, (kb) inspector (of police), police commissioner/inspector
rendőrfőkapitány n, chief commissioner of police, head of the police-department
rendőrfőkapitányság n, police-office
rendőrfőnök n, deputy commissioner of police, police superintendent, chief constable, chief of police (US)
rendőrhatóság n, police (authorities)
rendőri [-ek, -t; adv -leg] a, police, of the police (ut), relating to (v. proceeding from) the police (ut); ~ beavatkozás police interference; ~ felügyelet police supervision/surveillance; ~ felügyelet alá helyez place under police surveillance; ~ felügyelet alatt áll be under police supervision/surveillance; ~ felügyelet alatt álló nő woman/prostitute under surveillance; ~ hírek police news/intelligences; ~ készültség state of alarm; ~ nyilvántartás police registers (pl);

~ önkény police arbitrariness; ~ őrszemek police picket(s); ~ riadókülönítmény flying squad
rendőrileg adv, ~ tilos prohibited by (order of) the police, prohibited by police order
rendőrkapitány n, (kb) deputy commissioner of the police, police superintendant, chief constable
rendőrkapitányság n, (kb) central police station, police office
rendőrkém n, police-spy, sneak (fam), informer, beagle (fam), stool-pigeon (US fam)
rendőrkéz n, ~re juttatja a tolvajt turn the thief over to the police/law; ~re kerül be picked up by the police, fall into the hands of the police
rendőrkopó n, (elit) henchman (of the police), blood-hound
rendőrkordon n, police line/cordon, cordon of police
rendőrkutya n, police-dog
rendőrkülönítmény n, (a) detachment of the police, posse, body (of constables); erős ~ a strong force/company of police
rendőrlaktanya n, police barracks/quarters (pl)
rendőrlegénység n, (body of) policemen (pl)
rendőrminiszter n, (kb) minister of public safety
rendőrminisztérium n, (kb) Ministry of Public Safety
rendőrnő n, policewoman
rendőrőrmester n, police sergeant, sergeant of police
rendőrőrs n, [helyisége] guard-room/house
rendőrőrszem n, policeman/constable on point-duty, pointsman
rendőrőrszoba n, police-station, station-house, guard--room, lock-up (fam), precinct station (US)
rendőrség n, police(-force) (pl), constabulary (force); folyami ~ river(side) police; katonai ~ military police (röv M.P.); közlekedési ~ traffic and road police; városi ~ municipal police; vidéki ~ country police/constabulary; a ~ keresi the police are after him, he is wanted by the police; a ~ készenlétben áll police are standing by; átad vkt a ~nek give sy in charge (of the police); bevisz a ~re take/march/carry off to the police station; kihívták a ~et police were called in/out
rendőrségi [-ek, -t; adv -leg] a, police, of the police (ut), relating to (v. proceeding from) the police (ut); ~ autó police-van; ~ bejelentőlap police form; ~ belépő [kordonon belülre stb.] police pass; ~ fogda police-cells (pl), lock-up (fam); ~ gyorsjáró flying squad; ~ orvos (jog) medical examiner; ~ tisztviselő police official
rendőrspicli n, (biz) sneak, beagle, peacher; lásd még rendőrkém
rendőrterror n, police terror
rendőrtiszt n, (kb) police officer/commissioner
rendrakó a, [mezőg] ~ aratógép swather, windrower
rendre I. adv, by turns, in turn, one after another (v. the other), after one another, after each other, one by one, by order of succession, successively, consecutively II. int, (pol) ~! ~! chair! chair!, order!, order!
rendreutasít vt, call to order, take to task, put sy in his place, reprimand, reprove, rebuke, (read sy a) lesson, pull sy up (fam)
rendreutasítás n, calling to order, rebuke, reprimand, lecture (fam)
rendreutasító a, rebuking
rendszabály n, [intézkedés] measures (pl), steps (pl), regulations (pl); büntető ~ok sanctions; erélyes ~ok strong measures; erőszakos ~ok coercive measures; megtorló ~ok reprisals; ~okhoz nyúl, ~okat foganatosít take measures/steps (for/to), take action, adopt measures, [megelőző] take/make necessary precautions/provisions
rendszabályoz vt, regulate, make rules for (sg), brin

(sg) under regulation(s), discipline, bring (sy) under control/discipline

rendszám n, serial number, *[autóé]* (police) registration number; ~ot vált egy autó részére register a car

rendszámlámpa n, *[gépkocsin]* tail-lamp/light, classification lamp

rendszámlap n, = rendszámtábla

rendszámnév n, ordinal (number)

rendszámtábla n, *[gépkocsin]* number-plate, registration/identification/licence plate, license plate *(US)*

rendszer n, system, scheme, method, order; ~ nélküli unmethodical; *Linné~e* Linnean system, system of Linné, system of Linnaeus; *politikai* ~ political system, regime; *szocialista* ~ socialist system, socialist form of government; *~be felvesz/belefoglal vmt* incorporate sg into the system (of); *~be foglal* system(at)ize; *~be foglalás* systematization, systemizing; *~t csinál vmből* make a habit of sg, make it a rule to; *nem lehet ~t csinálni vmből* it cannot be adopted as a rule; *~t visz (vmbe)* methodize (sg)

rendszerbetegség n, *(orv)* systemic disease

rendszeres [-et; adv -en] a, *[rendszerezett]* systematic(al), methodic(al), normalized, orderly, organic, *[állandó]* constant, permanent, steady, *[megszokott]* habitual, regular; ~ *látogató* regular visitor, a regular *(fam)* ; ~ *vevő* regular customer

rendszeresen adv, *[rendszerezetten]* systematically, methodically, organically, *[állandóan]* constantly, permanently, steadily, *[megszokottan]* habitually, regularly; ~ *él* keep regular hours; ~ *közlekedő hajó* regular/line steamer

rendszeresít [-eni, -ett, -sen] vt, 1. *[rendszerez]* systematize, methodize, normalize, *[állást, szokást]* make regular 2. *[bevezet]* establish, introduce (definitively), make permanent

rendszeresített [-et] a, regular, established, institutional; ~ *állás* permanent post; *a hadseregnél* ~ *gázálarc* the regulation gas-mask of the army

rendszeresség n, systematic/methodical character, regularity,method(icalness), orderliness

rendszeretet n, love/sense of order/system, orderliness, tidiness, regularity, neatness, methodicalness, instinct for order, *[túlzott]* punctiliousness

rendszerető a, fond of order *(ut)*, orderly, tidy, methodical, regular, neat, precise, *[aprólékoskodó]* punctilious, meticulous; ~ *a cselekedeteiben* be exact in one's actions

rendszerez [-tem, -ett, -zen] vt, systematize, methodize

rendszerezés n, 1. *[folyamat]* systematization, systemizing, *(növ)* ordination, systematization, systemation, classification 2. *[eredménye]* system(atical arrangement)

rendszerező [-t] a, systematizing, methodizing; ~ *elhelyezés [könyvtárban]* classified arrangement (of books on the shelves); ~ *osztályozás [könyvtárban]* classification, classifying; ~ *tárgyszókatalógus [könyvtárban]* alphabetico-classed catalogue

rendszerint adv, as a (general) rule, usually, ordinarily, commonly, generally, in general, in a general way, mostly, regularly, in most cases, for the most part; ~ *kétszer hetenként ir* she generally writes twice a week

rendszerszerű a, systemic, of systemic character *(ut)*, organic, organismic

rendszerszerűség n, systemic quality/character

rendszertan n, *(term)* systematics, taxonomy

rendszertani a, systemic, taxonomic; ~ *kategóriák* taxonomic categories; ~ *név (áll, növ)* systematic/taxonomical name

rendszertanilag adv, taxonomically, systematically

rendszertelen a, without *(v.* devoid of) plan/system *(ut)*, unmethodical, methodless, immethodic(al), unsystematic(al), asystematic, chaotic, erratic, random,

haphazard, happy-go-lucky, go-as-you-please *(fam)* ; ~*né tesz* render unmethodical, immethodize

rendszertelenség n, want of plan/system, unmethodicalness, unmethodical character, lack of method, irregularity

rendszertelenül adv, at/by haphazard, by fits and stars, fitfully, erratically, when the spirit moves (him) *(fam)*

rendszerváltozás n, *(pol)* change of regime

rendszó n, *[könyvtári katalógusban]* entry word, heading; *szerzői* ~ author heading/entry; *tárgyi* ~ title heading; *tárgyi* ~ *alatti címleírás* title entry

rendtag n, *(egyh)* member of an order

rendtárs n, *(egyh)* fellow member (of a religious order/ brotherhood)

rendtartás n, rule, regulation, procedure, by-law, statute

rendtartomány n, *(egyh)* province (of a religious order)

rendtartományfőnök n, *(egyh)* provincial (of a religious order)

rendteremtés n, pacification

(~)rendű [-ek, -t; adv -en] a, -class, -rate, -grade, of ... grade *(ut)*, (of) .. quality *(ut)*, of the ... order *(ut)* ; *minden* ~ *és rangú ember* people of all rank/kinds, all sorts and conditions of men, all orders and degrees of men, all manner of people, people in every walk of life, people from all walks of life

rendületlen [-t; adv -ül] a, firm, not to be shaken *(ut)*, unshaken, steadfast, steady, staunch, unflinching, imperturbable, unshakable, unswerving, unwavering, unyielding

rendületlenül adv, firmly, steadily, imperturbably, truly; ~ *eszik* eat steadily; ~ *kitart/megmarad (vm mellett)* persist (in), yield not, stick (to sg) *(fam)* ; ~ *kitart véleménye mellett* be tenacious of one's opinion

rendzavarás n, disturbance, riot(ing), uproar, tumult, *(jog)* breach of (the) peace, row *(fam)*, din *(fam)*

rendzavaró I. a, disturbing, unruly, tumultuous, disorderly, riotous **II.** n, disturber (of the peace), troublemaker/monger, peace-breaker

renegát [-ot, -ja] n, *(vall)* renegade, apostate, *(pol)* changecoat, traitor, turncoat, rat ❖

reneszánsz [-ot, -a] n, renascence, renaissance, *[a történelmi korszak]* the Renaissance, the revival of learning

reneszánszkori a, of the Renaissance *(ut)*, renaissance

reneszánszstílű a, (of) Renaissance (style)

reng [-eni, -tem, -ett, -jen] vi, shake, rock, tremble, quiver, *[föld]* quake

rengés n, shake, shaking, trembling, quake, quaking, *(fiz)* vibration

rengéses [-et] a, *[geofizikában]* seismic; ~ *terület* seismic country

rengési [-t] a, ~ *középpont* epicentrum, epicentre

rengésjelző n, seismograph, seismometer, seismoscope

rengésmentes a, *[geofizikában]* aseismic

renget vt, shake, *[bölcsőt]* rock

rengeteg [-et, -je; adv -en] **I.** a, *[számra]* vast number of, countless, over-many, *[tömegre]* huge, enormous, vast, stupendous, immense, *[számra és tömegre]* heaps of *(fam)*, lots of *(fam)*, (a powerful) lot of *(fam)*, loads of *(fam)*, masses of *(fam)*, no end of *(fam)*, oceans of *(fam)*, scores *(pl) (fam)*, lashings *(pl) (fam)* ; ~ *baj* much trouble, many difficulties *(pl)*, peck of trouble *(fam)* ; ~ *barátja van* he has lots of friends, ~ *dolgom van* I have heaps of things to do *(fam)*, I have my hands full; ~ *(sok) ember* vast/ immense/huge crowd(s), a mass of people, scores of people *(fam)* ; ~ *idő* plenty of time, an unconscionable time; ~ *ideig töpreng vmn*, ~ *időt eltölt vmivel* take hours over sg; ~ *ismerőse van* he has got abundance of acquaintances; ~ *mondanivalóm van* I have a lot

to say; ~ munka immense work, a spate of work; ~ munka zúdult/szakadt a nyakába be snowed under with work; ~ nehézség mountain of difficulties; ~ pénze van he is rolling/wallowing in money, he has a mint/pot of money, he has tons/pots of money; ~ pénzbe került it (has) cost any amount of money
II. n, 1. [erdő] vast trackless forest; eltéved a~ben lose one's way in the depth(s)/heart of the wood 2. ~et dolgozik work like a horse/nigger; ~et mulattunk/ nevettünk we had no end of fun

rengetegszer adv, ever so many times, many's the time (that), heaps/lots/scores of times (fam)
renitens [-et; adv -ül, -en] a, (ált) refractory, recalcitrant, [nem vezethető] intractable, unmanageable, contrary (fam)
renitenskedlik [-tem,-ett,-jen,-jék] vi, show an unruly/ rebellious spirit, rebel/kick/go against (sg)
renomé [-t, -ja] n, renown, name
renonsz [-ot,-a] n, (kárty) renounce, revoke; ~ot csinál/ elkövet renege, revoke
renovál [-t, -jon] vt, renovate, recondition: épületet ~ repair/restore a building
renoválás n, renovation
renováló [-k, -t, -ja] n, renovator
rénszarvas n, (áll) reindeer (Rangifer sa.), [észak-amerikai] caribou, cariboo
rentábilis [-ok, -t; adv -an] a, profitable, yielding a profit (ut), remunerative, lucrative; ~ vállalkozás a paying proposition; ez nem ~ it does not pay (its way)
rentabilitás n, rentability, productiveness, payability, lucrativeness, profitableness, profit-earning capacity
rénzuzmó n, (növ) reindeer-moss/lichen, cup-moss, cladonia (Cladonia)
rénye [.. ét] n, (táj) = rántotta
renyhe [.. ét] a, inert, inactive, torpid, slothful, [lanyha] slow(-action), slack, [bélműködés] sluggish; ~ máj (orv) torpid liver
renyhekór n, [selyemhernyóé] flaccidity
renyheség n, inaction, inactivity, inertness, inertia, torpidity, slothfulness, sluggishness, torpidness, (fiz) hysteresis, magnetic lag
reorganizál vt, reorganize, rearrange
reorganizálás n, reorganization, rearrangement
reorganizálódlik [-tam, -ott, -jon, -jék] vi, be reorganized/rearranged
reoszkóp [-ot, -ja] n, (vill) rheoscope
reosztát [-ot, -ja] n, (vill) rheostat
répa [.. át] n, (növ) beet(root) (Beta sp.), [cukorrépa] sugarbeet (B. vulgaris ssp. esculenta v. altissima), [sárgarépa] carrot (Daucus carota), [takarmányrépa] mangel(-wurzel) (B. vulgaris macrorhiza); fehér ~ spinach-beet, chard, Swiss chard, sea-kale beet (B. vulgaris ssp. cicla), [angliai tarlórépafaj] turnip (Brassica rapa f. globularia)
répaaprító a, ~ gép turnip-cutter, root-cutter/slicer
répabetakarító n, [gép] root harvester
répacukor n, beet sugar, (vegyt) saccharose, sucrose
répafej n, turnip/beetroot-top
répafejező n, [gép] turnip-header, heading-machine
répaföld n, beet/turnip-field
répagyökér n, beetroot
répakiemelő n, [gép] turnip/beetroot-lifter, beetroot harvester
répalepke n, cabbageworm, small white (Pieris rapae)
répalevél n, turnip-tops (pl)
répamag n, turnip/beet-seed
reparáció n, reparation
reparál [-t, -jon] vt, mend, repair, doctor (fam)
reparálás n, = reparatúra
reparatúra n, mending, repairs (pl), [épületé] restoration

répaszedés n, gathering of turnips/beetroot
répaszedő n, turnip/beetroot lifter/harvester/puller
répaszelet n, turnip/beetroot slice
répaszeletelő n, turnip/beetroot cutter slicer
répatermelés n, cultivation of turnips/beets/carrots, turnip/beet/carrot growing
repatriál [-t, -jon] vi/vt, repatriate
repatriálás n, repatriation
répavágó n, turnin-cutter/chopper, root-cutter/slicer
répavető a, ~ gép root drill
répazúzó n, root-pulper
repce [.. ét] n, rape, colza (Brassica napus)
repcebogár n, (áll) flower-beetle (Meligethes aeneus)
repcedarázs n, (áll) turnip saw-fly (Athalia spinarum)
repce-fénybogár n, (áll) blossom beetel (Meligethes aeneus)
repcelepke n, (áll) greenveined white (Pieris napi)
repcemag n, rape seed
repceolaj n, rape(-seed) oil, colza oil, sweet-oil
repcepogácsa n, (mezőg) rape-cake
repcsény n, (növ) erysimum (Erysimum)
repcsényretek n, (növ) heckle-mustard (Sisymbrium officinalis)
repdes [-tem,-ett,-sen] vi, flutter flit(ter), fly about, flip
repdesés n, flutter
reped [-t, -jen] vi, 1. crack, crackle, burst, [bőr] chap, crack, [fa, stb.] split, [fal] crack, chink, [repeszekre] splinter, [ruha] tear, slit, (orv) cleft, fissure 2.(átv) [szív] ache, break, tear
repedékenység n, tendency to cracking
repedés n, 1. [folyamat] bursting, splitting, cracking, chapping, chinking, rending, tearing 2. [hasadás] cleft, fissure, crevice, rift, [rés] gap, slit, [autógumin] puncture, [élő bőrön] chaps (pl), [drágakövön] flaw, feather, flake, [falban] chink, cleft, gap, cranny, breach, [fán] split, crack, [fatörzsben csillagszerűen] star-shake, [fémen] fire-crack, (geol) (fault-)fissure, cleft, crevice, crevasse, joint, lithoclase(s), paraclase, (orv) cleft, fissure, rupture, infraction, [ruhán] tear, rent, [talajban] rent, [nyáron] heat-crack, [üvegen] crak, flaw, [zománcon] craze
repedéses [-et; adv -en] a, full of rents/chinks/crevices (ut), creviced, cracked, crackled, chippy, [bőr] chapped, [élőfa] cracked, [fa] split, fissured, shaky, [fal] cracked, chinked, (geol) crevassed, cleft, fissured, [szikla] jointed, (növ) rimose, rimous, (orv) cleft, fissured, ruptured, [üveg] cracked, flawy, [zománc] crazed
repedezés n, [fémen] fire-crack, fracture, (műv) [festmény] crackle, craquelure
repedezlik [-ett,-zen,-zék] vi, crack, chap, split, break, become shaky, tear, rend (easily), slit
repedt [-et; adv -en] a, cracked, flawed, ruptured; ~ hang hoarse/cracked voice; ~ tányér cracked plate; ld még repedéses
repertoár [-ok, -t, -ja] n, (szính) repertory, stock of play(s), repertoire (fr), [viccekben] stock-in-trade (fam)
repertoárdarab n, stock play
repertórium n, repertory
repertorizál [-t, -jon] vt, [könyvtarban] index, make an index (for)
repes [-tem,-ett,-sen] vi, 1. flit, flutter (about) 2. (átv) [szív] leap; a szívem ~ett örömömben my heart leapt for joy, my heart jumped
repeső [-t; adv -en] a, 1. flitting, fluttering (about) 2. (átv) leaping; örömtől ~ szívvel with an enraptured heart, with transports of joy (mind: ut)
repesz [-ek, -t, -e] n, splinter, fragment of a (bomb) shell, flinders (pl)
repeszbiztos a, [fedezék stb.] splinter-proof
repeszdarab n, shiver, splinter, flinders (pl)

repeszhatás n, (kat) fragmentation/splinter effect. [robbanószeré] brisance (fr)

repeszt [-eni, -ett, .. esszen] I. vt, crack, split, [hasít] cleave, fissure, slit, rive, [szakít] burst, rend, rip, rift, rupture, (bány) [követ ékkel] plug (and feather), [élő bőrt] chap; sziklát ~ (bány) blast a rock; szívet ~ break sy's heart, tear one's heart asunder (v. in two) II. vi, (biz) [motorkerékpá.ral] tear along, scorch, speed, pelt

repesztés n, 1. cracking, splitting, [hasítás] fissure, [szakítás] bursting, ripping, rupture 2. (biz) [autóval stb.] scorch, speeding

repesztőék n, (bány) blowing/blasting-wedge

repesztőhatás n, shattering effect

repesztőlyuk n, (bány) bore hole

repesztővas n, [kőbányában] gad

repeta [.. át] n, (biz) second helping (stand.)

repetál [-t, -jon] vt/vi, (biz) repeat, [ételt] have a second helping, repeat the helping (mind: stand.)

repgép n, = repülőgép

repít [-eni, -ett, -sen] vt, [sárkányt] let fly/soar, fly, [követ stb. hajít] let fly, throw, cast, hurl, pitch, sling; golyót ~ az agyába blow out one's brains, shoot sy/oneself through the head; levegőbe ~ették a lőszertárat the powder-maganize was blown up

repítőerő n, (fiz) centrifugal/tangential force/power

repked [-tem, -ett, -jen] vi, fly about, flit/f utter to and fro, flip, flitter; ágról ágra ~ fly from branch to branch, flit from tree to tree

repkény n, (növ) ivy (Hedera helix); kerek ~ ground--ivy (Glechoma hederacea); repkénnyet (be)futtat cover/wreathe with ivy; repkénnyel (be)juttatott/borított/benőtt ivy-clad/mantled, ivied, covered/overgrown with ivy (ut), grown ower with ivy (ut)

repkényféle a, (növ) hederaceous

replika n, (zene) replication, replicate; ld még replikázás

replikáció n, = replikázás

replikáz [-tam, -ott, -zon] vi/vt, reply, retort, cap a remark

replikázás n, (prompt) reply, retort, rejoinder, repartee, capping (of) a remark

report [-ot, -ja] n, [tőzsdeügyleteknél] contango; ~ba ad értékpapírt lend stock

reportügylet n, (ker) contango transaction

represszáliák [-at] n. pl, (jog) reprisals, repressive acts

reprezentáció [-t, -ja] n, representation, (official) state, (official) display

reprezentációs [-at; adv -an] a, ~ alap [kiadásokra] representation allowance, expense account; ~ helyiségek state apartments; ~ költségek/alap/pótlék entertainment expenses/allowance, allowance for entertainment/representation expenses, extra pay/sum (for purposes) of entertainment; ~ módszer [statisztikában] representative method, sampling method

reprezentál [-t, -jon] I. vi, (kb) maintain the dignity of one's (official) position, keep up an appearance (v. appearances), be representative II. vt, represent, appear as representative of, act/stand for

reprezentálás n, representation

reprezentatív [-et; adv -an, -en] a, representative; ~ adatfelvételt eszközöl take a sample; ~ (megjelenésű) ember man of commanding/impressive appearance; ~ kiállítás representative exhibition

repríz [-ek, -t, -e] n, revival (of a play)

reprodukál [-t, -jon] vt/vi, reproduce [tényk. művészeti alkotást] copy, [könyvet] facsimile

reprodukálandó a, ~ tárgy [rajz, írás] line original

reprodukálás n, reproduction, duplication

reprodukálhatatlan a, admitting of no repetition (ut), that does/do not bear repetition (ut), not to be repeated (ut), unrepeatable; ~ vicc joke that cannot be repeated

reprodukálható a, reproducible, reproducing; nem ~ [kijelentés] irreproducible; jól ~ nyomat print that will reproduce well

reprodukció n, reproduction, reproducing, duplication; ez a kép csak ~ this picture is only a copy

reprodukciós [-at] a, ~ arányszám reproduction rate; bruttó ~ együttható gross reproduction coefficient; nettó ~ együttható net reproduction coefficient; ~ film copying/process film

reproduktív [-at; adv -an] a, reproductive; ~ rendszer reproductive system

reprofilm n, copying/process film

reptében adv, flying, (up)on the wing/fly; vmt ~ elkap snatch sg flying, catch sg in flight; ~ fogja el a labdát catch/take the ball on the bounce; ~ lelövi/leszedi a madarat shoot the bird (up)on the wing (v. in the air v. while flying); ~ visszaütött labda (sp) volley

reptér n, = repülőtér

republikanizmus n, republicanism

republikánus a, republikan; ~ párt Republican Party (US), the Grand Old Party (fam) (röv G.O.P.)

reputáció [-t, -ja] n, reputation, repute, good name, fame

repül [-t, -jön] vi, 1. fly, [csak madár] be on the wing, (ritk) wing (the air), wing its flight/way, [denevér] flit, [labda] fly, shoot, [körözve] circle in the air, [magasan] soar, [sebesen] dart through the air, [siklórepülésben] glide, [sivítva] whizz; a város felet ~ fly over the town; támadásra ~ [repülőgép] fly a sortie; a madár a fúra ~t the bird flew onto the tree; várja hogy a sültgalamb a szájába ~jön he is waiting for the plum to fall into his mouth; ~jünk gondolatban néhány századdal a jövőbe és képzeljük el. .. let us project our thoughts forward a few centuries and imagine.. . 2. levegőbe ~ [felrobban] explode, blow up, be blasted, be blown up, go up In the air (v. in smoke) (fam), be blown sky-high (fam) 3. (átv) fly, run, speed, dash, rush, dart, [gondolat] soar, [idő] flit, run by; ~ az állásából be turned/bundled/ thrown out, be fired/dismissed, get the sack; ~ az idő time's a-flying. time is fleeting, time slips by;

repülés n, 1. flying, (vké/vmé) flight, [labdáé] shoot; alacsony ~ low flight,[repgépé] hedge-hopping (fam); felderítő ~ reconnaissance flight; gyors ~ rapid flight; lökhajtásos ~ jet-propulsion flight; magassági ~ altitude flight; sikló ~ glide, gliding flight; távolsági ~ long-distance flight; vak ~ blind flight; zavaró ~ disturbing flight; ~t végrehajt carry out a flight, (kat) fly a sortie 2. [technika] aeronautics, aviation

repüléselmélet n, theory of flying/aviation

repülési [-ek, -t; adv -leg] a, flying-, flight-, aero-, aeronautical; ~ időjárásjelzés flight forecast; ~ idő(tartam) flight/flying-time, duration of flight; ~ irány direction of flight; ~ kísérlet flying test, test/trial flight; ~ magasság flying-altitude/height, altitude/ height of flight; ~ sebesség flying speed, speed of flight; ~ távolság flying distance; ~ teljesítmény flying performance; ~ tilalom prohibition of flying; ~ útvonal flight path

repülésmeteorológiai a, ~ állomás aeronautical meteorological station; ~ szolgálat aeronautical meteorological survey

repüléstan n, aeronautics (pl), aerostatics (pl)

repüléstechnika n, aerotechnics (pl)

repülésügyi a, aeronautic(al); Nemzetközi Polgári R~ Szervezet International Civil Aviation Organisation (ICAO)

repülhető a, navigable; ~ légtér (rep) navigable airspace

repülő [-t, -je] I. a, flying, [repülési] aeronautic, aero-; ~ csészealj flying saucer; ~ támív (épít) flying buttress II. n, 1. [ember] flyer,· flier, airman, aviator,

pilot, flying man, *(kat)* aircraftsman, *[nő]* airwoman, *[léghajós]* aeronaut, balloonist 2. *[gép]* = repülőgép
repülőbaleset *n*, air/flying accident
repülőbázis *n*, air base/depot
repülőbemutató *n*, air display
repülőbenzin *n*, aviation petrol/gasoline
repülőbetegség *n*, *(orv)* *[nagy magasságban oxigénhiány következtében]* anoxia, *[idegi-emésztőszervi jellegű]* aeroneurosis
repülőbizottság *n*, flying commission/committee, visiting commission
repülőbomba *n*, air/flying bomb, aerobomb
repülőcsarnok *n*, hangar
repülőegylet *n*, flying-club
repülőelhárító *a*, anti-aircraft; ~ ágyú anti aircraft gun, ack-ack gun *(fam)*
repülőerő *n*, *[képesség]* flying power/faculty, *[haderő]* air force
repülőerőd *n*, *(rep)* flying fortress
repülőezred *n*, air wing
repülőezredes *n*, group captain *(GB)*
repülőfedélzet *n*, *[anyahajón]* flying(-off) deck
repülőfelszerelés *n*, flying trim
repülőfelület *n*, *[repülőgépé]* air-foil
repülőfőhadnagy *n*, flying officer *(GB)*
repülőgép *n*, aircraft, airplane *(US)*, aeroplane*(GB)*, *(tud)* heavier-than-air craft, flying machine, plane *(fam)*, machine *(fam)*, ship *(US)*; *bombavető/bombázó* ~ bomber (plane), bombing plane, bomb carrier; *egyfedelű* ~ monoplane; *felderítő* ~ scouting/reconnaissance plane; *forgószárnyú* ~ helicopter, gyroplane, autogyro; *harci* ~ combat plane, flighter(plane), battle-plane; *kétfedelű* ~ biplane; *kétmotoros* ~ twin--engine machine; *lökhajtásos* ~ jet-propelled aircraft, jet plane; *motor nélküli* ~ sail-plane, glider; *motoros* ~ engined aircraft; *teherszállító* ~ freighter plane; *utasszállító* ~ air liner, commercial aeroplane; *vízi* ~ seaplane, flying boat, air-boat; ~ *kifutása* taxying; ~ *teljesítménye* aircraft performance; *a* ~ *leszáll* the aircraft lands; *a* ~ *felszáll* the aircraft starts, the aircraft takes/flies off; *a* ~ *a földön fut* taxi; ~*be száll/ültet* emplane, enplane; ~*en by plane/air*, ~*en megy/utazik* travel/journey by air, plane; ~*re rak/száll/ül(tet)* emplane, enplane; ~*ről leszáll* deplane
repülőgép-alváz *n*, under-body
repülőgép-anyahajó *n*, aircraft carrier, flattop *(fam)*, *[régebben]* mother-ship
repülőgépanyahajó-cirkáló *n*, *(hajó)* cruiser-carrier
repülőgépcsavar *n*, air screw, *[propeller]* propeller, *[helikopteren]* helicopter screw
repülőgépelhárító *a*, ~ ágyú anti-aircraft gun, ack-ack gun *(fam)*
repülőgép-építés *n*, aircraft construction
repülőgép-fegyverzet *n*, aerial armament
repülőgépgyár *n*, aircraft factory
repülőgépgyártás *n*, aircraft production/manufacture
repülőgép-hordozó *n*, = repülőgép-anyahajó
repülőgépkár *n*, aircraft damage
repülőgép-leszállósziget *n*, floating aerodrome
repülőgép-lövész *n*, aerial gunner
repülőgépmodell *n*, model aeroplane
repülőgép-modellezés *n*, model-aircraft building
repülőgépmotor *n*, aircraft engine, aero-engine
repülőgéppark *n*, (air) fleet
repülőgépszárny *n*, air-wing
repülőgép-személyzet *n*, flying personnel
repülőgépszerelő *n*, air mechanic, flight rigger, airman
repülőgépszín *n*, hangar
repülőgéptan *n*, aeronautical engineering
repülőgéptörzs *n*, fuselage, body/hull of aeroplane
repülőgéputas *n*, air-passenger

repülőgépváz *n*, air-frame
repülőgépvezető *n*, pilot
repülőgyalogság *n*, airborne infantry
repülőhadosztály *n*, air-division, flying corps
repülőhal *n*, *(áll)* flying fish, swallow-fish *(Dactylopterus volitans)*
repülőhíd *n*, flying/turn(ing)/swing/roller-bridge
repülőipar *n*, aircraft industry
repülőiskola *n*, flying school
repülőív *n*, *(épít)* *[hídépítésben]* semi-arch
repülőjárat *n*, air-line
repülőjegy *n*, air(craft)-ticket
repülőjelvény *n*, aviation badge
repülőképes *a*, airportabe
repülőkiképzés *n*, pilot/flight-training, flying/pilot course
repülőkikötő *n*, *[szárazföldi]* airport, aerodrome, *[tengeri]* seaplane base, hydro-aerodrome, *[hajón]* aircraft-carrier
repülőklub *n*, flying-club
repülőkomp *n*, flying/trail-bridge
repülőkötelék *n*, *(kat)* flying unit
repülőkutya *n*, *(áll)* fox-bat, flying-fox *(Pteropus medius)*; *afrikai* ~ fruit-bat *(Rousettus sp.)*; *maláji* ~ kalong *(P. edulis)*
repülőlap *n*, 1. *[reklám]* handbill, throwaway *(US)* 2. *[írásra]* loose sheet(s)
repülőmérföld *n*, air-mile
repülőmérnök *n*, aircraft engineer
repülőmókus *n*, *(áll)* flying squirrel *(Petarurus sp.)*
repülőmotor *n*, = repülőgépmotor
repülőmutatvány *n*, air display
repülőműszer *n*, aircraft control apparatus, (navigation) controls *(pl)*
repülőműszerész *n*, aircraft mechanic
repülőnap *n*, air-display, flying display
repülőnavigáció *n*, air-navigation
repülőnövendék *n*, pilot candidate, flying trainee, pupil flyer
repülőoktatás *n*, pilot training
repülőoktató *n*, pilot/flying instructor
repülőosztály *n*, *(kat)* air-group, wing
repülőőrnagy *n*, squadron-leader *(GB)*
repülőposta *n*, air-post/mail
repülőraj *n*, flight; ~ *ék alakban* flight in V formation; *a* ~ *elrepült az elnök felett* the squadron flew past the president
repülőrajt *n*, *(sp)* flying start
repülőróka *n*, = repülőkutya
repülősárkány *n*, *(áll)* pterodactyl *(Pterodactylus)*
repülősebesség *n*, flying/air speed, speed of flight
repülősisak *n*, crash-helmet
repülősó *n*, *[ájulás ellen]* sal volatile
repülősport *n*, aviation, *[vitorlázó]* gliding
repülőszaltó *n*, *(sp)* flying somersault, flying-angel, *[repülőgéppel]* looping the loop
repülőszázad *n*, flying/air squadron
repülőszázados *n*, flight lieutenant *(GB)*
repülőszerencsétlenség *n*, air accident/crash
repülőszín *n*, hangar
repülőtámadás *n*, air raid/strike
repülőtámaszpont *n*, air-base
repülőtechnika *n*, aircraft technique, aviation engineering
repülőtér *n*, airport, airfield, aerodrome, flying field/ground, airdrome *(US)*, *[kicsi]* landing strip; ~ *kifutója* runway, taxi strip
repülőtéri *a*, ~ *időjelző állomás* *[első osztályú]* main meteorological office, *[másodosztályú]* dependent meteorological office, *[harmadosztályú]* supplementary meteorological office; ~ *jelzőfény* ground-light; ~ *(kezelő) személyzet* ground crew/staff; ~ *lámpák* ground lights

repülőtérkép n, air-map

repülőtevékenység n, air activity

repülőtiszt n, air(-force) officer, aviation officer, officer of the Royal Air Force (GB)

repülőtiszthelyettes n, non-commissioned pilot

repülőút n, flight, [tenger fölött] air-passage

repülőutas n, air passanger

repülőútvonal n, air route/line

repülővad n, feathered/winged game, feather, wild fowl

repülőverseny n, air-race

repülővitorla n, [hajón] stay-sail

repülővonal n, air-line

rés n, rift, slit, crevice, fissure, chink, crack, split, rive, scissure, interstice, lacuna, [nyílás] orifice, aperture, opening, mouth, [lyuk] hole, gap, leak, [bevágás] slot, cut, mortise, [automatán, levélszekrényen, perselyen stb.] slot(-hole), slit, (fénys) diaphragm, (geol) [kőzetekben] lithoclase(s), (kat) breach, gap, [szellőztetésre] vent; ~en van/áll be on the alert/watch, be on the look-out, keep a look-out, be/stand on one's guard, keep one's powder dry (fam), keep one's weather-eye open (fam), be on the watch-out (US); légy ~en! look out!, take care!, [cserkész] be prepared!; ~t kitölt repair/fill a breach, stop the gap(s); ~t üt make a breach (in sg); ~t üt az ellenség sorain (kat) make a breach in the enemy's lines; ~t üt a falon break through a wall

résel [-t, -jen] vt, (műsz) carve, kerve, kirve, pool, undercut, gap, (nyomd) space/lead/white out, [oány] (cross-)cut, hole, undermine, mortise, break, pool

réselés n, (műsz) carving, kerving, kirving, pooling, undercutting, (nyomd) spacing out, (bány) cut(ting), holing, mortising

réselő [-t, -je] n, (nyomd vk) spacer, (vm) space

réselőgép n, (bány) coal-cutter, iron man, (cross) cutter, cutting/breaching/jointing machine, rock-cutting machine, slitter

réselőkalapács n, hack-hammer

réselő-rakodó a, ~ gép (bány) cutter and loader; kombinált~ gép (bány) combined cutter-loader, combination cutting and loading machine

réselővájár n, (bány) coal-cutter, stooper

réselt [-et] a, (műsz) slotted

reservatio mentalis mental reservation

réshang n, (nyelvt) spirant, fricative (sound), un-stopped/soft consonant

réslámpa n, (orv) slit lamp

resó [-t, -ja] n, gas-cooker/ring, heater, hot-plate

respektál [-t, -jon] vt, respect, have respect/regard for (sy), hold (sy) in respect

respektus n, respect; ~a van vk előtt be respected by sy, be looked up to by sy

respirátor [-ok, -t, -a] n, respirator, breather, inhaler

rest [-et; adv -ül] a, lazy, slothful, idle, sluggish, careless, indolent, inert, slack, laggard, sluggard; ~ ember idler, sluggard, laggard; nem ~ he does not sit with his hands folded (but. . .), bestir oneself; ő sem volt ~ és nekem ugrott without losing a moment he flew at me, he was not idle and flew at me

restancia [. . át] n, arrears (pl), backlog (US); még sok restanciánk van we have a great deal of work outstanding; nincs restanciája be up to date with one's work, be not behindhand with one's work; a bíróságoknak restanciájuk van the courts are not abreast of their work, the courts have arrears; restanciában van be behindhand with sg; feldolgozza a restanciát overtake arrears of work

restauráció [-t, -ja] n, 1. [magyar tört] (re-)election of municipal/county officials 2. [külföldi tört] restoration (of monarchy)

restaurál [-t, -jon] vt, 1. [épületet, szobrot] restore, [iratot] repair 2. (pol) re-establish, restore, reinstate

restaurálás n, 1. restoration, [iratot] repairing 2. (pol) restoration, re-establishment, reinstatement

restaurálhatóság n, restorableness

restauráló n, = restaurátor

restaurátor [-ok, -t, -a] n, (picture-)restorer, instaurator, [iratot] repairer

restell [-eni, -tem, -t, -jen] vt, 1. [lusta vmt megtenni] be (too) lazy to do sg, be loth/reluctant to do sg; ~ felkelni be too lazy to get up; nem.~i a fáradságot not mind (taking) the trouble, spare no pains 2. [szégyell vmt] be sorry for, be ashamed of, be put out about, regret (sg); igazán/nagyon ~em I feel really very sorry about it, I am very much ashamed, I must really apologize, it is most awkward for me; nem ~em bevallani I do not blush to own

restellked|ik [-tem, -ett, -jen, -jék] vi, be ashamed/embarrassed, [szégyenlősen] be bashful/shy, [zavarban van] be ill at ease; ~ik idegenek előtt be ill at ease (v. be self-conscious) before strangers, [gyerek] be timid/shy/bashful before people

resten adv, idly

resti [-t, -je] (biz) n, (vasút) railway restaurant (stand.), refreshment room (stand.)

restituál [-t, -jon] vt, restitute

restituálás n, restitution

restitúció [-t, -ja] n, restitution

restrickió [-t, -ja] n, restriction, limitation, curtailment

restringál [-t, -jon] vt, restrict, limit, curtail, cut down

restség n, indolence, laziness, sloth(fulness), sluggishness, carelessness, inertness, inertia; jóra való ~ lack of charity

résvágó n, slot-cutter

rész [-ek, -t, -e] I. n, part, piece, [határozatlan mennyiség] deal, lot, [megszabott] portion, parcel, segment, [osztályrész] share, allotment, [részlet könyvben] section, passage, [szakasz] phase, section, [tört, töredék] fraction, fragment, [terület] stretch, section, region, [üzleti vállalkozásban] share, holding; arányos ~ proportion(ed part), quota; kiosztott ~ alloted share; külső ~ outside; semmi ~em nincs a dologban I have neither part nor lot in it, I have no art or part in it; ~e van vmben be a party to sg, have a share in doing sg, be concerned in/with sg, partake in/of sg, participate in sg, share in sg, have a hand in sg, have a finger in the pie (pej); nagy ~e van (vmben) be instrumental in (sg); ebben neki ~e volt he had something to do with it, he had a share in it, he too contributed to its success, he had his finger in the pie (pej); semmi ~e sincs vmben be· in no way concerned in sg; vmnek egy ~e be/form a part of sg; ez kötelességemnek szerves ~e this is part and parcel of my duty; vmnek java ~e a great deal of sg, the bulk of sg, a considerable part of sg; háromnegyed részben to three quarters; legnagyobb ~ben for the most/greater/greatest part, in a great measure, in a good/considerable degree, to a great/large extent, mostly, chiefly, generally; túlnyomó ~ben for the most part, almost entirely, preponderantly; ~ben vagy egészen either in part or as a whole; minden ~ében pontos exact in every particular; két részből álló bipartite, consisting of two parts; a világnak ezen a részén in that part of the world; részekre in/to pieces; ~ekre oszlik be divided/split (up) (into parts); ~ekre oszt/bont split/cut up, divide (into parts), section, separate (sg) into parts, part, dissect, [és szétoszt] parcel/portion out; ~ekre osztott parted, partitioned; vk ~ére for sy, at sy's disposal, for sy's benefit/purpose; ~emre for me; anyai részről on the mother's/maternal side; atyai ~ről on the father's side, paternal; brit ~ről on the British side, on the side/

part of Britain; *mindkét ~ről* of/on both sides; *vk ~ről* on behalf of sy; *~emről, a magam ~ről* for/on my part, as far as I am concerned, speaking for myself, I for one, as for me, as to myself, personal--ly(,) I; *Annus ~ről* on the part of Annie, as for/to Annie; *elszenved vmt vk ~ről* suffer sg at the hands of sy; *szép volna az ön ~ről (ha)* it would be extremely kind *(v.* very nice) of you *(v.* on your part) (if . . . . . .); *~ünkről* on our part, personally; **részt** *ad vknek vmből* allot/apportion sg to sy, give sy a share of/in sg; *~t kér vmből* want to have one's share in sg, *(átv)* want to do one's bit; *~t vállal vmben* take a hand in sg, *[vállalkozásban]* go shares in sg, share; *~t vesz (vmben)* take/bear (a) part in, have a share/hand in, be a party to, share/participate/ join in, partake of/in, take a share in, take a hand at/in, enter into, stand in with, assist sy in, be/sit in on *(fam)*, *(vmn, vhol)* assist/ attend at, be present at, *[versenyen]* run, participate, compete, take part, join; *~t akarsz-e te is venni benne?* would you like to join us, would you like to come into it?; *angol tanfolyamon vesz ~t* he takes an English course/class; *~t vesz a beszélgetésben* join/participate *(v.* take part) in the conversation, take a share in the conversation; *~t vesz egy bűn elkövetésében* become a party to a crime, participate in a crime; *~t vesz vk fájdalmában* share sy's sorrow, express one's heartfelt sympathy to sy; *~t vesz a háborúban* be engaged in war; *~t vesz a munkában* share/join in the work, take part in the work; *~t vesz vk örömében* participate in sy's joy; *~t vesz az összeesküvésben* participate in the plot, be a party to the plot, take a hand in the plot; *~t vesz a pályázaton* enter a competition; *~t veszek a versenyen* I am in for the competition; *~t vesz a veszekedésben* join in the quarrel; *~t kell vennem egy gyűlésen* I have to attend a meeting; *~t vevő (vmben)* participant (in sg); *a háborúban ~t vevő nemzetek* the nations which were engaged in war; *kiveszi a ~ét vmből* (take a) share in sg, participate in sg, do one's share/bit, take active part in sg; *megkapja a ~ét vmből* receive/get one's share of sg; *részéül jut vknek* fall to sy's share
II. *a,* part of; *egy ~ ecet három ~ víz* one part of vinegar to three parts of water; *egy ~ olaj egy ~ ecet* half-and-half mixture of oil and vinegar

részadat *n, [számszerű]* part figure
részajánlat *n, (ker)* partial offer
részarányos *a,* symmetric(al), proportionate, uniform; *nem ~* dissymmetrical; *kétoldalian ~ virág (növ)* zygomorphic/monosymmetrical flower; *sugarasan ~ virág (növ)* actinomorphic/radial flower, ray--shaped flower
részarányosság *n,* symmetry, proportion, *[művészetben]* balance, eurhythmy, symmetrical arrangement
részaránytalan *a,* non symmetrical, asymmetrical, unsymmetrical, disproportionate, unequal, irregular
részaránytalanság *n,* asymmetry, disproportion, dissymmetry
részbeli *a,* particular
részben *adv,* partly, in part, partially, to some extent, to a certain extent, in a/some measure; *~ jó* good in parts
részbeni *[-ek, -t] a,* partial
részbér *n,* métayage *(fr)*
részbirtokos *n,* part-owner
részcsalád *n,* part family
részecske *n,* (minute) particle, fragment, shred, *(fiz)* corpuscle; *elemi ~ (fiz)* particle
részecskebefogás *n, [atomfizikában]* capture
részecskegyorsító *n, [atomfizikában]* atomic/particle accelerator; *vonalmenti ~* linear accelerator

részecskeméret *n, (orv)* particle size
részeg *[-et, -e; adv -en]* I. *a,* drunk(en), *[kissé]* tipsy, *(átv is)* intoxicated, inebriated, fuddled, the worse for drink/liquor *(ut) (fam)*, in one's cups *(ut) (fam)*, in drink *(ut) (fam)*, three sheets in the wind *(ut) (fam)*, screwed ◇, tight ◇, soused ◇; *~ és garázda (jog)* drunk and disorderly; *nagyon ~* as drunk as a piper/owl/fiddler/lord/fish, tight as a tick *(mind: fam)*; *az eszméletlenségig ~* incapably drunk; *bortól ~* inebriated with wine *(ut)*; *~ az örömtől* mad with joy *(ut)*; *~ a szerelemtől* intoxicated with love *(ut)*; *~ mint a csap* drunk as an owl, tight as a tick *(US)*; *~ disznó* drunken sot!
II. *n,* drunk(ard), drunken/tipsy/intoxicated person
részegen *adv,* in a state of drunkenness/intoxication
részeges *[-ek, -t; adv -en] a,* drunken, given/addicted to drink(ing) *(ut)*, sottish, boozy *(fam)*, fond of tippling/boozing *(ut)*, intemperate *(ref)*; *~ ember* drunkard, tippler, toper, sot, boozer *(fam)*
részegeskedés *n,* (hard) drinking, (habitual) drunkenness, intemperance, boozing *(fam)*, toping *(fam)*, *(tud)* alcoholism, dipsomania
részegesked||ik *[-tem, -ett, -jen, -jék] vi,* drink, be given/ addicted to drinking, drink hard, be (a person) of intemperate habits, be a drunkard/toper, guzzle *(fam)*, booze *(fam)*, tope *(fam)*
részegesség *n,* = részegeskedés
részegít *[-eni, -ett, -sen] vt,* make one drunk/tipsy, get into sy's head, inebriate, intoxicate, fuddle *(fam)*
részegítő *[-t; adv -en] a,* 1. intoxicating, intoxicant, inebriating, inebriant, *[erős bor]* heady 2. *(átv)* intoxicating, exhilarating
részegség *n,* 1. (state of) drunkenness, (state of) intoxication, drunken state, (in)ebriety, inebriation; *kialussza ~ét* sleep oneself sober, sleep one's fumes off *(fam)* 2. *(átv)* intoxication, elation
reszekál *[-t, -jon] vt, (orv) [csontot]* resect
reszekció *n, (orv)* resection
reszel *[-t, -jen]* I. *vt,* 1. *[fát, fémet, körmöt]* file, *[ráspollyal]* rasp 2. *[ételt]* grate, *[almát, sárgarépát]* shred 3. *(vk) ~i a torkát* clear one's throat, hawk, hem II. *vi,* *~ a torkom* sg is irritating my throat, I have an irritation in the throat, my throat is rather achy
részel *[-t, -jen] vt,* divide (into parts), split up
reszelék *[-et, -e] n,* 1. *[fa, fém]* filings *(pl)*, scobs *(pl)*, shavings, raspings *(pl)*, file/pin-dust 2. *[étel]* gratings *(pl)*, paring, *[almáé, burgonyáé]* scrapings *(pl)*
reszelékpor *n,* file-dust
reszelés *n,* 1. filing, *[ráspollyal]* rasping 2. *[ételt]* grating
reszelő *[-t, -je] n,* 1. file, *[durva]* rasp(-file), rasper, roughener, *[kerek]* rat-tail, round-file, riffler, *[konyhai]* grater, shredder; *fogászati ~* bicuspid file;/*orvosi ~ (orv)* raspatory; *jól visz ez a ~* this file has plenty of bite; *~vel élesít/hegyez* file up 2. *[munkás]* filer, rasper
részelő *[-t; adv -en] a, (nyelvt)* partitive
reszelőgép *n,* filing-machine
reszelőkagyló *n, (áll)* lima *(Lima hians)*
reszelős *[-ek, -t; adv -en] a, [hang]* harsh, scraping, scrapy, rasping, *[felület]* grating, raspy, scabrous; *~ hang* a voice like a corncrake *(fam)*
reszelősség *n,* scabrousness, scabridity
reszelőtartó *n,* file-holder
reszelővágás *n,* file-cutting
reszelővágó *n,* file-cutter
reszelt *[-et; adv -en] a,* 1. *[fa, fém]* filed 2. *[étel]* grated
részenként *adv,* in parts/instalments, bit by bit, piecemeal, particularly

részeredmény n, partial result
részeredő n, (menny) partial resultant
részes [-ek, -t, -e; adv -en] I. a, 1. (vmben) sharing (in), participant (in/of), partaking (of), participating (in/of), [érdekelt] have a hand/share in (sg), be concerned/interested in (sg), be a party in/to (sg), be a sharer in (sg), be privy to (sg), have a finger in the pie (pej); nem ~ vmben have no hand/part in sg, have nothing to do with sg, be not concerned in sg, be uninterested in sg, be a stranger to sg; ~ az összeesküvésben be a party to the conspiracy; vmben ~sé tesz let sy share/participate in sg; vmnek ~évé lesz have a share in sg, go shares in sg, obtain/join sg, come in for (a share in/of) sg 2. ~ arató (kb) share-cropper; ~ bérlet share-farming; ~ bérlő share-farmer, métayer (fr), share-tenant (US); ~ eset (nyelvt) adjunct of benefit, indirect object, dative (case); ~ művelő labourer paid in proportion to yield; ~ üzlet (ker) co-partnership II. n, 1. participant/partaker in, sharer of, participator in, partner to, [bűnben] accomplice in, accessory to 2. (ker) privy, partner, interested/concerned party
részesedés n, [vkre eső] participation, quota, share, allotment, partion, lot (fam), [osztalék] dividend, [költségekből] contribution (pro rata), [érdek] share, interest, [megszabott] contingent; ~ arányában pro rata; a munkás~e a termelés hozamában workman's share/participation in the revenue; 3 % ~t köt ki magának contract for (v. reserve oneself) a share of 3 per cent; ~t vállal vmben go shares in sg
részesed|ik [-tem, -ett, -jen, -jék] vi, = részesül
részesedő [-t] a/n, = részesülő
részeshatározó n, (nyelvt) adjunct of benefit, indirect object, dative (case)
részesít [-eni, -ett, -sen] vt, (vkt vmben) give (sy a share in), grant (sy sg), bestow (sg on sy), let sy have (sg), accord, grant (sg to sy), favour (sy with sg); (megérdemelten) dicséretben ~ vkt accord due praise to sy; előnyben ~ prefer, [amivel szemben to], accord a favour/advantage (to sy); fenyítékben ~ chastize; szívélyes fogadtatásban ~ give sy a warm/kind reception (v. a hearty welcome); igen szívélyes fogadtatásban ~ettek bennünket we received a most hearty welcome; kitüntetésben ~ confer an order/honour on sy; támogatásban ~ back sy up, [erkölcsileg] give sy moral support; anyagi támogatásban ~ vkt support, keep, maintain sy
részesítés n, (vmben) granting, bestowing, according (of), favouring with, endowing with
részesség n, (vmben) participation, taking part in, having a share/hand in (sg); bűnsegédi ~ complicity
részestárs n, (co)partner, sharer
részestársi [-t] a, ~ viszony (co)partnership, copartnery
részesül [-t, -jön] vi, (vmben) participate in, (have a) share in, come in for a share (in sg), partake in/of, receive a share of, [kap] receive, get, obtain, be accorded/given; előnyben ~ be preferred, have the advantage of/over; szívélyes fogadtatásban ~ meet with a warm/cordial reception; igen szívélyes fogadtatásban ~tünk we received a most hearty welcome; haszonban ~ (reap) benefit by/from, (ker) share profits, have a share/percentage of the profits; vm kiváltságban ~ enjoy the distinction of, have the privilege of; nevelésben ~ receive training/education; pénzadományban ~ be given (a grant of) money, receive money
részesülő [-t, -je; adv -en] I. a, (vmben) participant, participating, sharing (in), [kapó] receiving, getting, obtaining; jó nevelésben ~ gyermekek children receiving a good training/education II. n, (nyelvt) participle

részesülői [-t] a, (nyelvt) participial
részfelosztás n, [részekre] distribution/division into parts
részfizetés n, part(ial) payment, instalment, payment of a part of a debt due; ~t teljesít pay an instalment
részhalmaz n, (menny) subset
részhang n, (fiz) partial tone
részidő n, part-time, (sp) intermediate term, fraction time
részidős a, ~ munka part-time (work)
részilletőség n, share, portion
részint I. adv, partly, in part, partially, to some extent, to a certain extent, in a/some measure II. adv/conj, ~.... ~ both ... and, on the one hand .... on the other (hand), for one thing ....for another, what with ....and; ez a könyv ~ tanít ~ szórakoztat this book is instructive as well as entertaining; könyveimet ~ elajándékoztam ~ eladtam part of my books I have given away(,) part of them I have sold
részírás n, (kárty) part-score
részjegy n, (ker) share, stock (US)
részkár n, [biztosítás] partial damage; ~ok ellen fedezet nincs (röv F.P.A. free of particular average); ~ kizárásával free from particular average; ~okra kiterjedően (röv W.A. with particular avarage)
reszket [-tem, -ett, ..essen] vi, 1. tremble, [borzong] shiver, shudder, [rezeg] tingle, vibrate, oscillate, [rázkódik] quake, shake, [vonaglik] writhe, flicker, [gyertyafény] flicker, [hang] quiver, waver, falter, quaver; ~ a feje his head is trembling/shaking/wagging/doddering; ~ a keze his hands tremble, his hands are shaky/shaking/doddering; ~ mint a kocsonya/nyárfalevél tremble like an aspen-leaf; ~ ha arra gondol hogy ... tremble at the idea/thought that...., tremble to think that....; ~ett nehogy megtudják róla he was in deadly fear of being discovered, he feared (v. he was terrified) lest he should be found out; egész testében ~ be trembling/shaking all over (v. in every limb), be all of a tremble/dither/shake, have the dither; ~ a dühtől shake with rage; félelemtől ~ tremble/quake/shake/thrill with fear, quail, shake in one's shoes (fam); ~ a hidegtől shiver/shudder with cold, be dithering with cold 2. [átv fél] tremble, be fearful/afraid/apprehensive of, be terrified, have a deadly fear of; ~ vkért tremble for sy, be much worried for sy; ~ a gondolattól shudder at an (v. the very) idea; ~ a szíve az örömtől feel a thrill of joy; (egész testében) ~ a szenvedélytől vibrate with passion; ~ a türelmetlenségtől tingle with impatience 3. (átv) vmért ~ be mad after sg, run after sg, be dead nuts on sg (fam), be all agog over/about sg (fam)
reszketeg [-et; adv -en] a, trembling, shaking, shaky, quivering, doddering, doddery, dithering, tremulous; ~ fej wobbly/shaky head; ~ írás writing by a shaky/trembling hand
reszketegség n, shakiness
reszketés n, 1. trembling, tremble, [borzongás] shiver(ing), shudder(ing), [rezgés] vibration, oscillation, [rázkódás] quake, quaking, [fényé] flicker(ing), wavering, [hangé] quiver(ing), wavering, falter(ing), quaver(ing) 2. (átv) fear and trembling, worry, anxiety, deadly fear, [izgalomtól] flutter, trepidation, [örömtől, félindulásban] thrill
reszketö [-t; adv -en] a, 1. trembling, [borzongó] shivering, shivery, shuddering, [rázkódás] quaking, quaky, shaking, shaky, [rezgő] vibrant, [fej] nodding; ~ fény flickering light; ~ hang trembling/faltering/quivering/quavering/tremulous/wavering/shaky/wobbly voice; ~ kézzel írt written by a trem-

bling/shaky hand *(ut)*; ~ *térdek* knees knocking together 2. *(növ)* tremellose; ~ *gomba* tremella *(Tremella mesanterica)*

reszketően *adv*, = reszketve

reszketős [-ek, -t; *adv* -en] *a*, = reszketeg, reszkető

reszketve *adv*, trembling, *[borzongva]* shivering, shuddering, *[rázkódva]* quakingly, shakily

reszkíroz [-tam, -ott, -zon] *vt*, risk, take chances, take a chance, hazard, stake, jeopardize

részleg [-et, -e] *n*, section, department, division, side, *(kat stb.)* unit, detail

részleges [-ek, -t; *adv* -en] *a*, partial, particular; ~ *edzés (műsz)* spot hardening; ~ *elfogadás (ker)* qualified acceptance; ~ *elfoglaltság* part-time job; ~ *elsötétítés* brown/dim-out; ~ *földelés (távk)* partial earth; ~ *gépesítés* semi-mechanization; ~ *hajókár* particular average; ~ *hajókármentesen* free of particular average; ~ *mozgósítás* partial mobilization; ~ *munkaidővel dolgozik [üzem]* be on short time; ~ *munkanélküli* part-time (un)employed; ~ *munkanélküliség* part-time work/employment; ~ *napfogyatkozás* partial eclipse; ~ *válság* partial crisis; ~ *vegyérték (vegyt)* partial valence

részlegesen *adv*, in part, partially, partly

részlet *n*, 1. *[vmt alkotó rész]* detail, particulars *(pl)*; apró ~ek particularities, minute details, minutiae; *jelentéktelen* ~ek minor details; *összes* ~ek full particulars; a ~ek *mellőzésével* disregarding details, jumping over of details; ~ek *gondos szem előtt tartásával* with attention given to details; *belemerül a* ~ekbe be lost in (the) details; ~ekbe *bocsátkozik* enter/go into (the) details/particulars, *[kifejt]* detail, particularize, enlarge on (sg), *[meghatároz]* specify; *anélkül hogy* ~ekbe *bocsátkozna* without entering into particulars; ~ekben in parts/parcels, piecemeal; ~eiben in (its) details; *bizonyos* ~eiben *jó* good in parts; *minden* ~ében in every detail/particular; *minden* ~ében *pontos* exact in every particular; *minden* ~ében *ismeri az ügyet* he knows the long and the short of the matter; ~ekből *összeállít vmt (átv)* piece out/together sg; *kitér a* ~ekre descend to particulars; *minden* ~re *kiterjedő* minute, detailed; ~ekről *tájékoztat vkt* make sy a statement of full particulars, give sy a detailed account, make sy acquainted with the details; *további* ~ekért *tessék Medgyesi elvtárshoz fordulni* for further particulars/details apply to Comrade M.; *az ügy minden* ~ével *tisztában van* he knows all the ins an outs *(v.* the long and the short) of the matter 2. *[része/darabja vmnek]* fragment, section, portion, part, stretch, aside, *[tárgyalási anyagnak]* point, item, *[könyvből stb.]* selection, passage, portion, piece, excerpt(ion), *[zeneműből]* selection, passage; *dallamos* ~ melodic passage; ~ek *Mikszáth műveiből* selections from the writings of Mikszáth; ~ekben *megjelenő mű* book appearing in parts, edition published in parts; ~et *idéz* quote a passage, extract a passage from a book 3. *[befizetésnél]* instalment, part-payment; *előre fizetendő* ~ instalment payable *(v.* to be paid) in advance; *első* ~ down/first payment; *évi* ~ yearly/annual instalment; *félévi* ~ six month's instalment, half-a-year's instalment, half-yearly instalment; *havi* ~ monthly instalment; ~ekben/~enként *fizet* pay by/in instalments, pay in parts; *az ár* ~ekben *fizetendő* the price is to be paid in instalments; *három* ~ben *fizetendő* to be paid in three instalments; ~ekben *szállít* furnish by successive instalments; *kilenc havi* ~re in nine monthly instalments; *szállítás havi* ~ekben *(ker)* in monthly part-deliveries; ~re *(való) vásárlás/vétel (jog)* hire-purchase (agreement), hire-purchasing, instalment-plan buying *(US)*; ~re *vásárol bútort* buy furniture on the hire-

-purchase; ~re *vesz* buy on the instalment system plan, buy on the hire-purchase system, buy on easy terms *(fam)*

részleteladás *n, (ker)* selling on the hire-purchase system, selling on the instalment plan

részletes [-et; *adv* -en] *a, [részletekbe menő]* detailed, circumstantial, *[kimerítő]* exhaustive, *[részletezett]* specified, *[bőséges]* ample, *[beható]* exact, accurate, minute, *[hosszas]* lengthy, diffuse, prolific, *[teljes]* full; ~ *adatok* full particulars; *nagyon* ~ *beszámoló* minute account; ~ *előirányzat* detailed estimate; ~ *elszámolás* accurate/exact statement of accounts; ~ *felvétel* minute survey; ~ *leírás* detailed description, specification; ~ *számla* specified bill/account/invoice; ~ *térkép* large-scale map; ~ *tudósítás* minute/detailed account; ~ *vita* debate on the articles of a bill, second reading (of a bill)

részletesen *adv*, in detail, circumstantially, fully, in full, with full particulars, particularly, in so many words, lengthily, at (full/great) length, at large, minutely, copiously, in extenso *(lat)*, point for point; ~ *elbeszél/elmond* give a detailed/circumstantial/complete account (of sg), relate (sg) in detail/full, go into (all) the details (of sg), go into (sg) circumstantially, give full particulars (of sg); ~ *elmondta hogy* .... he told me in so many words that ...; ~ *felsorol/megjelöl* specify, itemize; ~ *foglalkozik a tárggyal* treat a subject fully; ~ *ír (vmről)* write fully (of sg), give a full/detailed account/description (of sg); ~ *kitér vmre* expatiate on sg; ~ *leír/felsorol/elsorol* describe/enumerate in detail, particularize; ~ *megcáfol* refute point for/after point; ~ *tanulmányoz vmt* examine/study sg minutely, make a detailed study of sg; ~ *tárgyal [jogügyet, pert]* try circumstantially, *[kérdést]* discuss in detail/full, *[törvényjavaslatot]* debate (a bill) in the second reading

részletesség *n*, fullness (of details), exhaustiveness, elaborateness, elaboration, *[pontosság, tüzetesség]* minuteness of detail; *nagy* ~ circumstantiality; *teljes* ~gel in the fullest detail, with full particulars

részletez [-tem, -ett, -zen] *vt, [részletesen előad]* detail, give full details/particulars (of sg), give/relate (sg) in detail, particularize, *[előnyét/fontosságát vmnek]* enlarge (up)on, *[pontról pontra]* set out (in detail), expound point by point, *[felsorol számlán]* specify, itemize; *számla végösszegét* ~i *(ker)* extend an invoice; *kérem* ~ze *l* give details!; *nem akarom* ~ni I will not enter into the details, I do not want to enter/expatiate upon it; *ne* ~zük I would rather not discuss that, *[fájdalmast]* don't pile on the agony; *helyszűke miatt nem* ~hetem a dolgot considerations of space forbid a detailed account of it

részletezés *n, [folyamat]* detailing, particularizing, going into details, *[a felsorolás]* details *(pl)*, enumeration, *(ker is)* specification, item(izatiop); *áruk* ~e specification/itemization of goods; *vádpontok* ~e *(jog)* specification of charges; *az alábbi* ~ben specified as follows

részletezett [-et; *adv* -en] *a*, detailed, particularized, *(ker)* specified, itemized; *nem* ~ unspecified; ~ *számla* itemized account

részletező [-t] *a*, detailed, circumstantial, exhaustive, *[előadás]* voluminous

részletezve *adv*, elaborately; ~ *felsorol* itemize

részletfizetés *n*, part/time-payment, instalment (paying), payment on account, payment by/in instalments, deferred payment; *az első* ~ down payment; ~re *eladás* sale on the deferred payment system, sale on the instalment plan, hire-purchase; ~re *vásárol* hire-purchase; ~re *vásárol/vesz vmt* buy sg on the instalment system, buy sg on easy terms

részletkérdés *n*, question/matter of detail; *jelentéktelen*

~ek minor details; *ez csak* ~ but that's (mere) detail

részletkutatás *n*, research(es) into particular questions, part-research

részletletagadásra *adv*, *(tréf)* on (the) mace; ~ *vesz* buy on the never never system

részletmunka *n*, *[finom]* work going into great detail, detail work

részletosztály *n*, hire-purchase department

részletrajz *n*, detail-drawing, design with full details, *(műsz)* survey in detail, detailed plan/drawing

részletterv *n*, detail of a plan/scheme, *[épületé, gépé]* detail drawing

részlettörlesztés *n*, part payment, amortization *(v.* paying off) by/in instalments

részletügylet *n*, hire-purchase (agreement), sale on the deferred payment system, tally trade, instalment sale credit, instalment business *(US)*

részletüzlet *n*, 1. = részletügylet ; 2. *[bolt]* shop selling on the instalment *(v.* deferred payment) system, tally shop

részmegoldás *n*, partial solution

részmunkaidejű *a*, ~ *dolgozó* part-time worker

reszort [-ot, -ja] *n*, *[feladatkör]* scope, competence, line, province, sphere, *[bíróságé]* (scope of) jurisdiction; *ez nem az én* ~*om* that does not fall into my province, that does not come under my purview, that is not my line/business/branch *(fam)*; *vk* ~*jába tartozik/vág* be/fall within sy's province/competence/jurisdiction

reszortfelelős *n*, *(kb)* official in charge of a specified/special branch of (office) work

reszortmunka *n*, departmental/specialized work, *(kissé elit)* routine work

részösszeg *n*, *(ker)* part of an amount, partial amount, subtotal, *[fizetésé]* instalment, part payment

reszponzórium [-ot, -a] *n*, *[egyházi ének]* respond, response, responsory

részrehajlás *n*, *(vk/vm iránt)* partiality (for/to sy/sg), bias, *[vk javára]* prepossession (in sy's favour), favour (shown to sy), partisanship, predilection, favouritism *(pej)*; ~ *nélkül* mpartially, unbias(s)edly, without fear or favour

részrehajlatlan *a*, *(vkvel/vmvel szemben)* impartial (towards), unbiased, disinterested, unprejudiced, even-handed, *[méltányos]* fair, equitable, just

részrehajlatlanság *n*, *(vkvel/vmvel szemben)* impartiality (to), disinterestedness

részrehajló *a*, *(vk iránt, vkvel szemben)* partial (to/towards sy), bias(s)ed (against sy), prepossessed (in sy's favour), prejudiced (against sy), one-sided, unfair; ~ *bíró* partial judge; ~ *ember* partialist

részrehajlóan *adv*, partially, one-sidedly; *nem* ~ impartially

részszállítás *n*, *(ker)* part-shipment/delivery, short delivery, nstalment; *első* ~ first instalment of goods ordered; ~ *engedélyezve* part-shipments/deliveries allowed

részszállítmány *n*, *(ker)* consignment in part, part consignment

részszámla *n*, *(ker)* partial invoice

resztel [-t, -jen] *vt*, roast, fry

részteljesítés *n*, part performance, partial carrying out of an obligation (to do sg)

resztelt [-t] *a*, roasted, fried; ~ *burgonya* fried potatoes *(pl)*

resztii [-t, -je] *n*, *(biz)* remains *(pl)*, remnants *(pl)*, leavings *(pl)*, scrapes *(pl)*, *(ker)* left-overs *(pl)*, pickings *(pl)*, bits and pieces *(pl)* *(mind: stand)*

résztulajdonos *n*, part-owner, *[osztatlan jószágé]* joint owner/proprietor

résztvevő I. *n*, participant, participator, partaker, *(sp)*

entrant (for), *(ker)* sharer, co-partner; *a* ~*k* the participants, those present; ~*k száma* attendance; *a kongresszus* ~*i* the members of the congress; *a színdarab* ~*i* the actors of the play, the cast; *a verseny* ~*i* the participants of the race/contest II. *a*, *(vmben)* participant in, partaking in/of, having a share in, taking part in *(mind: ut)*

résztvevő² *a*, = részvevő²

részvény *n*, share (certificate), stock *(US)*; ~*ek* shareholdings, stocks and shares, securities; *alapítói* ~ deferred/founder's/promoter's share/stock; *bemutatóra szóló* ~ bearer share/stock; *elsőbbségi* ~ preferred/priority share/stock; *ideiglenes* ~ interim certificate, scrip; *névre szóló* ~ registered share/stock; *tőzsdén jegyzett* ~ share officially quoted on the stock exchange, stock listed on the stock exchange *(v.* on Wall Street *US)*; ~*ei vannak* hold shares; *a* ~*ek most magasan állnak* the shares/stocks are now at a premium; *a* ~*ek emelkedtek* the shares/stocks have risen/advanced *(v.* gone up), the shares/stocks are up; *a* ~*ek estek* the shares/stocks have fallen/declined/gone, the shares/stocks are down; *vagyona* ~*ekben fekszik* his money/capital is (invested) in shares; ~*eket átvesz* take delivery of stocks; ~*eket jegyez* subscribe to/for new shares/stocks, subscribe shares, take up new shares/stocks, apply for shares, make application for shares; *ezeket a* ~*eket nem jegyzik* these shares are not quoted; ~*t kibocsát* issue shares/stocks

részvényalkusz *n*, stock-broker

részvényárfolyam *n*, quotation of shares/stocks, stock quotation, share-list

részvénybirtokos *n*, share-holder, stockholder *(US)*

részvényes [-ek, -t, -e] *n*, share-holder, stockholder, holder/proprietor of shares/stocks, investor; ~*e egy vállalatnak* hold shares in a company

részvényjegyzés *n*, 1. *[részvénytársaság alapításakor]* subscription for shares/stocks; ~*t gyűjt* invite subscriptions 2. *[tőzsdei]* quotation of shares/stocks, share/stock quotation

részvényjegyző *n*, subscriber to/for shares/stocks

részvénykibocsátás *n*, issue of shares/stocks, capital issue

részvényosztalék *n*, (share/stock) dividend

részvénypakett *n*, block/parcel/portion of shares/stocks

részvénypiac *n*, stock-market

részvénytársaság *n*, share company, joint stock company, company of shareholders, (stock) corporation; ~ *vagyona/alaptőkéje* funds of a company *(pl)*

részvénytétel *n*, portion of shares

részvénytöbbség *n*, controlling stock *(US)*; *a* ~ ... *kezében van* the majority of the shares is held by

részvénytőke *n*, share capital, (capital) stock *(US)*; *kibocsátott* ~ issued capital/stock

részvénytulajdon *n*, share/stock-holdings *(pl)*

részvénytulajdonos *n*, share-holder, stockholder *(US)*, bearer

részvényutalvány *n*, share-certificate/warrant, scrip (certificate)

részvényügynök *n*, share/stock-broker, (stock-)jobber *(US)*

részvényüzlet *n*, transactions/dealings in shares/stocks *(pl)*, operating in stocks *(US)*

részvét [-et, -e] *n*, 1. *[együttérzés]* compassion, fellow-feeling, sympathy (for), concern (for), *[könyörület]* commiseration (with), *[sajnálat]* pity; ~ *kifejezése* condolence, sympathetic words *(pl)*; ~ *nélküli* unpitying; *vkt* ~*éről biztosít* commiserate with sy *(fam)*; ~*et érez vk iránt* feel sympathy for sy, be a sympathizer with sy; *fogadja* ~*emet* you have my sympathy; *mély gyászában fogadja őszinte* ~*emet* accept my heartfelt/deepest *(v.* deep-felt) sympathy in your great bereavement; ~*et kelt/ébreszt vkben* enlist/ excite sympathy in sy, move sy to pity; ~*ét kifejezi/ nyilvánítja (vknek)* offer one's condolences (to sy), condole (with sy), express one's sympathy (to/ with/for sy), commiserate (with sy) *(fam);* ~*ét jejezte ki az elszenvedett veszteségért* she condoled with him on his loss; ~*től indítva/meghatva* moved to pity (by sg); ~*tel van vk iránt* sympathize with sy, (have/take) pity (on) sy, have compassion on sy, feel for sy *(fam),* one's heart goes out to sy *(fam);* nincs ~*tel* have no pity for, *[erősebben]* be stony- -hearted; ~*tel teli* full of pity/compassion *(ut),* compassionate 2. = **részvétel**

részvétel *n,* 1. participation, share, (taking) part, joining (in), *[belebonyolódás]* implication, *[bűnrészes- ség]* complicity, *[együttműködés]* co-operation, *[segítség]* assistance, help; *a háborúban való* ~ taking part in the war, participation in the war; *a mozgalom- ban való* ~ joining the movement; ~*re jogosult* admitted (to sg); ~*t igér (vmben)* promise one's help 2. = **részvét** 2.

részvételi [-ek, -t; *adv* -leg] *a,* of participation *(ut),* participative; ~ *díj* participation/entrance fee

részvétírat *n,* letter/note of condolence

részvétlátogatás *n,* visit of condolence, visit to express one's sympathy; ~*ok mellőzését kérjük* no visitors will be received; *Szencziék jöttek* ~*t tenni* the Szenczis called to sympathize *(v.* to offer their sympathies)

részvétlen *a,* without compassion/sympathy *(ut),* passionless, unsympathetic, unsympathizing, void of pity/feeling *(ut), [érzéketlen]* unfeeling, cold, dry-eyed, *[közönyös]* indifferent (to), without interest (in) *(ut),* unconcerned (about)

részvétlenség *n,* lack of compassion/sympathy/interest, coldness, indifference, unconcern, disinterestedness *[mind:* to/towards*]; politikai* ~ political inactivity

részvétlevél *n,* letter of condolence

részvétnyilatkozat *n,* (address of) condolence, expression of sympathy

részvétnyilvánítás *n,* condolence, sympathetic words *(pl)*

részvétnyilvánító *n,* condoler

részvéttávirat *n,* telegram(me) of condolence

részvétteli *a,* commiserative, compassionate; (to/to- wards)

részvevő[1] *a/n,* = **résztvevő**[1]

részvevő[2] *a, [sajnálkozó]* compassionate, sympathizing, sympathetic, commiserating, commiserative, pitying, feeling; ~ *szavak* words of consolation/sympathy

részvevően *adv, [sajnálkozva]* compassionately, commis- eratively

rét [-et, -je] *n,* meadow, (green) field, green, mead *(ref.),* lea *(ref.), (mezőg)* grass/pasture/meadow- -land, hay-field; *virágos* ~ flowery field

-**rét** [-et, -e] *(összet)* 1. *(nyomd)* size; *iv*~ folio; *ne- gyed*~ quarto; *nyolcad*~ octavo; *tizenketted*~ duode- cimo 2. fold; *hét*~ sevenfold; *hét*~ *görnyed* bend low, ko(w)tow; *két*~ *hajt* fold in two, double

réteg [-et, -e] *n,* 1. layer, *[különálló darabokból]* course, row, *(bány, geol)* bed, layer, stratum, streak, seam, *[üledékes]* deposit, *[festékből]* coat(ing) (of paint), *[vékony]* film, *(orv)* stratum, lamina; *egy* ~ *tégla* a course/row of bricks; ~*ekbe rak* put/dis- pose/arrange in(to) layers/rows, layer, *[fát]* stack, pile up (wood); ~*ekre foszlik/hasad/hasít/fűrészel/ választ* laminate 2. *[társadalmi]* stratum, layer, circle, level; *társadalmi* ~*ek* social strata, classes of society; *az alsó* ~*ek* lower orders/classes/ranks/ walks of society, the rank and file; *a felső* ~*ek* the upper classes/circles, high life, the upper crust *(fam),* the upper ten (thousand) *(fam); a társada-*

lom különböző ~*ei* the various social strata, the various classes of society

rétegalapszint *n, (bány)* footwall

rétegáttörés *n, (geol)* transgression

rétegboltozat *n, (geol)* anticline

rétegcsoport *n, (bány)* series of strata

rétegdőlés *n, (geol)* dip (of strata)

rétegelmozdulás *n, (geol)* faultage

rétegelt [-et] *a,* ~ *fadru/lemez* plywood

rétegeltolódás *n, (geol)* faultage, leap

réteges [-et; *adv* -en] *a,* in layers/rows/beds/strata *(ut), (ásv)* layered, flaky, lamellar, lamellate(d), laminar, laminose, stratified, schistose, leafy, *(műsz)* coursed, *(orv)* stratiform, foliated, lamellar, zonular; ~ *felhő* stratus (cloud), strato-cirrus/cumulus; ~ *szerkezet (geol)* layered structure

rétegesen *adv,* ~ *hasad* foliate, laminate; ~ *hasít [csontot, növényt, sziklát]* exfoliate; ~ *leválik* come/ flake off in layers, scale/flake off, laminate, *(orv)* exfoliate, desquamate

rétegesség *n,* stratification, lamination

rétegez [-tem, -ett, -zen] *vt,* 1. dispose/arrange/put (sg) in(to) layers/beds/strata, layer, *[közéje ékelve]* sandwich in, *[fémmel]* laminate, *(tud)* stratify 2. *(átv)* superpose (sg on sg)

rétegezés *n,* 1. disposing/arranging/putting sg in(to) layers/beds/strata, *[fémmel]* lamination, *(tud)* strat- ification 2. *(átv)* superposition

rétegezett [-et] *a,* layered, stratified, streaked, streaky

rétegezettség *n,* stratification, streakiness, *(geol)* foliation, bedding

rétegeződés *n,* 1. *[folyamat]* stratification, bedding, over-lapping, foliation, superposition, *(műsz)* lami- nation, *[társadalmi]* differentiation, stratification 2. *[rétegezettség]* strata *(pl),* layers *(pl),* tiers *(pl), [társadalmi]* social strata *(pl); ld még* **rétegződés**(i)

rétegeződ|ik [-ött, -jön, -jék] *vi,* 1. be stratified/super- posed, stratify 2. *[társadalom]* differentiate *(v.* become divided) into classes

rétegfej *n, (geol)* basset

rétegfelgyűrődés *n, (geol)* overlap fault

rétegfelhő *n,* (cirro-)stratus; *fürtös* ~ cirro-stratus; *gomolyos* ~ strato-cumulus

rétegfelvétel *n, (orv) [eljárás]* tomography, *[eredménye]* tomogram

réteggyűrődés *n, (geol)* folding of layers

rétegképződés *n, (geol)* bedding, *(tud)* stratification

réteglap *n, (geol)* bedding plane

rétegleválás *n,* scaling

rétegnyelv *n, (nyelvt)* the language of a social class/ layer

rétegsüllyedés *n, (geol)* downcast fault

rétegszerkezet *n, (geol)* = **réteges** *szerkezet*

rétegtan *n, (geol)* stratigraphy

rétegtani *a, (geol)* stratigraphic

rétegteknő *n, (geol)* syncline

rétegvastagság *n, (geol)* thickness of a bed/stratum

rétegvonal *n, (földr)* contour line, *(geol, bány) [nyomás következtében]* cleavage

rétegvonalú *a,* ~ *térkép* contour map

rétegvulkán *n, (geol)* stratovolcano, layered volcano

rétegzett [-et; *adv* -en] *a, (geol)* bedded, layered, stratified

rétegzettség *n,* stratification, layering, lamination; *látszólagos* ~ *(geol)* pseudoschistosity

rétegződés *n,* 1. = **rétegeződés**; 2. *(geol)* bedding, layering, stratification

rétegződési [-t] *a, [meteorológia]* ~ *görbe* stratification curve

retek [retket, retke] *n, (növ)* radish *(Raphanus sativus); fekete* ~ black radish; *hónapos* ~ earliest red radish

retekágy *n,* radish-bed

reterát [-ot, -ja] n, (biz) backhouse

rétes [-ek, -t, -e] n, ⟨paper-thin layers of pastry baked and filled with fruit/jam/curd/cabbage or poppy seed⟩, strudel

réteslap n, ⟨ready-made thin dry layers of pastry/dough⟩

rétesliszt n, pastry flour

rétestészta n, dough/paste of rétes/strudel; húzza/ nyújtja mint a rétestésztát draw it out long

retesz [-ek, -t, -e] n, (ajtón) (sliding) bolt, push-bolt, bolting, [ablakon] fastener, [rúd] (cross-)bar, (műsz) tumbler; ~re zár shoot the bolt, bolt the door; betolja/ráhúzza a ~t put up the bolt, bolt the door; kihúzza/visszatolja a ~t undo/draw the bolt, unbolt the door

reteszállás n, (kat) cutting-off position, bolt position

reteszel [-t, -jen] vt, 1. = bereteszel, elreteszel; 2. (műsz) [rögzítve] block, (inter)lock

reteszelés n, (műsz) locking, (inter)lock

reteszelőmű n, (távk) interlocking system

reteszemeltyű n, (vasút) locking-lever

reteszgerenda n, cross-bar

reteszkallantyú n, (műsz) locking-catch

reteszrúd n, (vasút is) locking-bar

réthántás n, (mezőg) turf-paring

réti[1] [-ek, -t] a, meadow; ~ ecsetpázsit (növ) meadow- -foxtail (Alopecurus pratensis); ~ foszlár (növ) cuckoo-flower, lady('s)-smock (Cardemine pratensis); ~ héja (áll) goshawk, harrier (Circus aeruginosus sspec.); barna ~ héja (áll) duck-hawk (C. a. aeruginosus); kékes ~ héja (áll) hen-harrier(C. c. cyaneus); ~ komócsin (növ) thimothy (grass), cat's-tail, phleum (Phleum pratense); ~ perje (növ) meadow- -grass (Poa pratensis); ~ pipis (áll) meadow-lark (Anthus pratensis); ~ pipitér (növ) (nép) corn camomile (Anthemis arvensis), fetid camomile (A. cotula); ~ széna meadow hay; ~ zsálya (növ) meadow-sage (Salvia pratensis)

réti[2] [-t, -je] a/n, (geol) Rhetian, Rhetic

retikül [-ök, -t, -je] n, (hand-)bag, reticule, [kicsi] vanity case/bag, purse, pochette

retikültolvaj n, bag-snatcher

retina [..át] n, (bonct) retina

retinaleválás n, (orv) detachment/ablation of the retina, retinal detachment

retinavizsgálat n, (orv) retinoscopy

retirál [-t, -jon] vi, beat a retreat, (sound the) retreat, back out

rétisas n, (áll) osprey (Haliaëtus albicilla)

retkes [-ek, -t; adv -en] a, (átv testrész) dirty, grimy; ~ kezek han1s ingrained with dirt; ~ térd knee ingrained with dirt

rétművelés n, cultivation/irrigation of meadows

rétor [-ok, -t, -a] n, rhetor(ician), orator

retorika n, rhetoric

retorikai [-ak, -t; adv -lag] a, rhetorical

retorikus a, oratorical, declamatory; ~ szólamok rhetor- ical/oratorical effects

rétoromán a/n, Rhaeto-Romanic; ~ nyelv Romans(c)h

retorta [..át] n, retort

retortaszén n, [kohászat] cylinder-charcoal, [gázgyár- tásnál] gas-(retort) carbon, retort carbon

retorzió [-t, -ja] n, retorsion, retortion, réprisal(s), retaliation; ~val él vkvel szemben retaliate upon sy

retorzióképpen adv, by way of reprisals

retorziós a, ~ rendszabályok retaliatory measures, reprisals

retrográd [-ot; adv -an] a, retrograde

retrospektív [-et; adv -e] a, ~ kiállítás retrospective exhibition

retrovakcina n, (orv) retrovaccine; retrovakcinával olt retrovaccinate

rétség n, meadow-land/ground, grassy land, pasture (land)

retteg [-tem, -ett, -jen] vi, (vmtől) dread/fear sg, be afraid/terrified of, be (dead) scared of, live in (constant) terror of, apprehend danger from, be alarmed at, (vktől) hold (sy) in awe, dread, fear (sy), be/stand/go in fear of (sy), be in bodily fear (of sy); ~ megtenni vmt be afraid of doing sg; vk életéért ~ fear/tremble for sy; ~ a haláltól dread death; minden- től ~ everything frightens him, a mouse makes him jump (fam); ~ a veszélytől fear/dread danger/ peril, be afraid/fearful of danger/peril; ~ek tőle I stand in fear of him, I am frightened/afraid of him

rettegés n, dread, fear, fright, horror, terror; ~ fogta el horror/terror has overcome (v. taken hold of) him; ~be ejt vkt give/cause sy a fright/anxiety, fill sy with uneasiness, (af)fright/alarm/dismay/terrify sy; halálos ~ben él be in an agony of fear, live in a blue/ mortal funk (fam); ~ben tart vkt terrorize sy

rettegett [-et; adv -en] a, feared, dreaded, dreadful; ~ ember a man to be feared

rettegő [-t] a, horror-stricken

retten [-t -jen] vi, shrink back, recoil (in horror); ld még megretten

rettenet n, † = rémület

rettenetes [-et; adv -en] a, terrible, dreadful, frightful, awful, fearful, horrible, ghastly, [ellenség]formidable, redoutable; ~ ár enormous/exorbitant price; ~ csapás! what a terrible blow/misfortune!, what an affliction; ~ lárma hideous noise; ~ módon fright- fully, terribly, monstrously; ~ ügy horrible thing/ case, ghastly affair

rettenetesen adv, (biz) (átv) terribly, frightfully, awfully, formidably; ~ fél vktől go in terror of sy, have a holy terror of sy; ~ megijed get a tremendous fright; ~ sajnálom I am frightfully sorry; ~ sietek I am in a frantic hurry

rettenetesség n, terribleness, dreadfulness, frightfulness

rettent [-eni, -ett, -sen] vt, deter (from); ld még elrettent, megrettent

rettenthetetlen a, intrepid, undaunted, dauntless, un- dismayed, fearless; ~ bátorság indomitable courage

rettenthetetlenség n, intrepidity, fearlessness, indomi- table courage

rettentő [-ek, -t; adv -en] I. a, terrific, horrific, formi- dable II. adv, (biz) ~ nagy colossal, enormous, terribly/awfully large/big; ~ nagy csacsi no end of a donkey, silly fool; ~ erős terribly/awfully/incredibly strong

rettentően adv = rettentő II., rettenetesen

retúráru n, (ker) returned goods (pl), returns (pl)

retúrjegy n, return ticket, round-trip ticket (US)

retus n, = retusálás

retusál [-t, -jon] vt, retouch, touch up

retusálás n, [művelet] retouching, [eredménye] retouch, touch-up

retusálatlan a, un(re)touched, straight (US)

retusállvány n, retouching desk

retusáló [-t] n, (fényk) [személy] retoucher

retusálószer n, retouching medium

retusált [-at; adv -an] a, retouched; nem ~ fénykép un(re)touched photograph

retusasztal n, retouching desk

retusecset n, retouching brush

retuskés n, retouching knife/scraper

retusőr [-t, -je] n, retoucher; mélynyomó ~ intaglio retoucher; síknyomó (offset) ~ offset printing retoucher

-rétű [-ek, -t; adv -en] a, (összet) -fold, -ply; két~ twofold; sok~ manifold, multiple, multiplex

retyerutya [..át] n, [tárgyak] odds and ends (pl),

trash, trumpery, bits and pieces *(pl)*; *az egész retyerutyája* the whole bally lot, the whole caboodle *(US)*, every mother's son of them *(US)*; *szedje össze a retyerutyáját!* take yourself off at once!, pack up!

reuma [..át] *n, (orv)* rheumatism, rheumatics *(pl) (fam)*; ~ *elleni gyógyszer* antirheumatic drug; *reumától béna/bénult* crippled with rheumatism *(ut)*

reumakórház *n,* hospital/infirmary for rheumatics/ rheumatism *(v.* rheumatic patients/conditions)

reumaosztály *n,* ward for rheumatics

reumás *a/n, (orv)* rheumatic, rheumaticky *(fam)*; ~ *beteg* rheumatic; ~ *fájdalom* rheumatic pains *(pl)*; ~ *köszvény* rheumatic gout; ~ *láz* acute rheumatism, rheumatic fever

reumaszerű *a,* rheumatoid

reumatikus *a,* = **reumás**

reumatoid [-ot] *a,* rheumatoid; ~ *faktor* rheumatoid factor

reumatológia [..át] *n,* rheumatology

reumatológiai [-t; *adv* -lag] *a,* rheumatological; ~ *megbetegedés* rheumatological condition/disease

rév [-et, -e] *n, [folyón]* ferry, *[kikötőben]* roadstead, *[kikötő]* harbour, port, haven, *(átv)* haven, (place of) shelter, refuge; *biztos* ~ *(átv)* haven of refuge, *(konkr)* good harbourage; ~*be érljut (konkr)* come (safe) (in)to port, *(átv is)* find a berth; ~*be juttat (átv)* deliver (sy) to safety, *[ügyet]* bring to a happy issue; *befut a házasság* ~*ébe* enter the haven of matrimony; ~*ben van (hajó)* ride at anchor; *megnyeri a* ~*en amit elveszít a vámon* what is lost on the swings is made up on the round(about)s

reváns [-ot, -a] *n, [bosszú]* return, revenge, *[mérkőzés]* return match/game, *[viszonzás]* requital, return service; ~*ot ad vknek [megbosszul]* give sy his revenge, *[játékban]* play the return match/game; ~*ot vesz vkn* have/take one's revenge on sy (for sg,) pay sy back (for sg), get even with sy

revánsgondolat *n,* idea of revenge/retaliation

revansista [..át] *a/n,* revanchist, revenge-seeking/ seeker; ~ *politika* revenge-seeking policy; ~ *uszító* revenge-monger

revansizmus *n,* revanchism

revánsként *adv,* = **revánsul**

revánsmérkőzés *n, (sp)* return match/game/bout

revánspolitika *n,* policy of revenge/retaliation

revánsul *adv,* in return/compensation, to make up for, in requital for

revanzsál [-t, -jon] *vt,* requite (a good turn)

révátkelés *n,* ferry, passing-place, ferrying across, ferriage

révátkelési *a,* ~ *díj* ferry dues *(pl)*

révbér *n, (hajó)* anchorage

révdíj *n,* ferry dues, harbour-dues *(mind: pl)*

reve [..ét] *n, (koh)* scale, scum, scummings *(pl)*, cinders *(pl)*, hards *(pl)*

révedezés *n,* reverie, day-dream(ing), wool-gathering, musing

révedez|ik [-tem,-ett, -zen, -zék] *vi,* indulge in reveries, day-dream, look vacantly, look into space, be/go wool-gathering; *mosoly* ~*ett az ajkán a* (faint) smile hovered on his lips; *gondolatai a múltba* ~*tek* his thoughts strayed/roved/roamed into the past

révedező [-ek, -t; *adv* -en] *a,* day-dreaming, wool-gathering, *[szórakozott]* absent-minded; ~ *mosoly* faint/thoughtful/dreamy smile; ~ *pillantás/tekintet* distant look, far-away look, unsteady eyes *(pl)*

reveláció [-t, -ja] *n,* revelation, disclosure, bringing to light, eye-opener *(US fam)*

revelál [-t, -jon] *vt,* reveal, disclose, bring to light

revelálód|ik [-tam, -ott, -jon, -jék] *vi,* be/get/become revealed, come to light

révén *adv/post, vknek* ~ by means of, through (the intervention of), by the good offices of sy, per; *vmnek a* ~ through, by way/means of; *barátom* ~ *arról értesültem (hogy)* I have been informed by (v. I have learnt from) a friend (of mine) (that); *az ő* ~ tnrough him, through his instrumentality/ministry, through his good offices; *ennek a* ~ by this/these means; *a sajtó* ~ through the press

rever [-ek, -t, -je] *n,* lapel, revers

reverencia [..át] *n, [tiszteletadás]* reverence

reverenda [..át] *n, [szerzetesé]* cowl, frock, *[papi]* cassock, soutane

reverzális [-ok, -t, -a] *n,* letters of mutual concession *(pl)*; ~*t ad* ⟨agree (at marriage ceremony) that children issuing from the marriage shall be brought up in the faith of the other partner⟩

reves [-ek, -t; *adv* -en] *a,* decayed, carious, *[fa]* rotten, mouldy

revés *a, [fém]* scaly

revesed|ik [-tem, -jen, -jék] *vi,* decay, become carious, *[fa]* rot, become mouldy

revesség *n, [fa]* rottenness

révész [-ek, -t, -e] *n, [folyón]* ferryman, wherryman, waterman *(obs)*

révészdíj *n,* ferry-dues *(pl)*, ferriage, ferry fare

réveteg [-et; *adv* -en] *a,* = **révedező**

revétlenít [-ett, -sen] *vt, (koh)* descale

révgát *n,* mole, jetty, pier, breakwater

révhajó *n,* pilot-boat/cutter

révhajó-fuvardíj *n,* waterage

révház *n,* ferry-house

révhely *n,* harbour

révhivatal *n,* port-office/administration

revideál [-t, -jon] *vt,* revise, re-examine; ~*ja álláspontját* reconsider one's point of view, change one's mind, think better of it, outgrow an opinion; ~*ja politikáját* review one's policy

revideálás *n, [ítéletet]* reconsideration

revideált [-at] *a,* revised, reconsidered

revízió [-t, -ja] *n,* revision, revisal, *(jog) [peré]* review, *[utánszámolás]* examination, checking, *[könyvelési]* audit(ing), *(nyomd)* final proof revise; ~ *alá veszi politikáját* review one's policy

revizionista [..át] *n,* revisionist

revizionizmus *n,* revisionism

revíziós [-ak, -t; *adv* -an] *a,* revisionist, revisory; ~ *bizottság* auditing commission; ~ *ív (nyomd)* press-revise; ~ *propaganda (pol)* revisionist propaganda

revizor [-ok, -t, -a] *n,* reviser, inspector, *(ker)* auditor, *[hites]* chartered accountant *(GB)*, certified public accountant *(US)*, *(nyomd)* reviser, proof-reader

révkalauz *n,* licensed pilot; ~ *díja* pilotage

révkalauzhajó *n,* pilot-boat

révkalauzhivatal *n,* pilot-office

révkalauzi *a,* ~ *díj* pilotage (dues)

révkalauzolás *n,* pilotage

révkapitány *n,* harbour-master, port-captain, head authority of port

révkapitányság *n,* port authority/administration

révkomp *n,* ferry(-boat)

revolver [-ek, -t, -e] *n,* revolver, pistol, gat ◆; *hatlövetű* ~ six-chambered revolver, six-shooter *(fam)*; ~*t ránt (elő)* whip out a revolver; ~*t szegez vk mellének*, ~*t fog vkre* point a revolver at sy, cover sy with a revolver, pull a pistol at sy; ~*rel kényszerít* force sy at pistol-point, force sy at the point of pistol; ~*rel lelő vkt* shoot sy (down) with a revolver

revolvercső *n,* pistol-barrel

revolveres [-ek, -t; *adv* -en] *a,* revolver-, with a revolver *(ut)*; ~ *ember* man armed with a revolver; ~ *merénylet* revolver-attempt

revolveresztergapad n, (műsz) turret-lathe
revolverez [-tem, -ett, -zen] vt, blackmail (sy)
revolverfej n, (műsz) turret(-head)
revolvergolyó n, pistol-ball
revolverharc n, gun-fight (US)
revorverlap n, [újság] gutter-paper
revolverlövés n, revolver-shot
revolvermarkolat n, butt of revolver
revolverpad n, (műsz) turret-lathe
revolversajtó n, 1. (műsz) revolver press 2. [hírlapi] blackmail/gutter-press
revolvertáska n, holster, pistol case
révpart n, (hajó) roadstead
révpénz n, ferriage, ferry dues (pl)
revü [-t, -je] n, 1. [folyóirat] review, magazine 2. (szính) revue, variety show, vaudeville (US)
revüfilm n, movie musical (US)
révület n, trance, entrancement, ecstasy; ~be ejt/hoz entrance; ~be esik fall into (a) trance, [szeanszon] go under, fall under the spell; ~ben van/él be in a dream, go about in dream
révült [-et; adv -en] a, ecstatic; ~ pillantás ecstatic look
révülten adv, ecstatically
revüszám n, music-hall turn, variety turn
revüszínész n, vaudevillist
revüszínház n, variety theatre, music hall
réz [rezet, reze] n/a, 1. [vörös] copper, [sárga] brass; ~ színű cupreous; ~be metsz (műv) engrave on copper; ~ből való copper-, brass(-), -brazen; ~zel bevon (plate/coat/sheath with) copper, copperplate 2. kivágta a rezet (kb) (biz) he has done it, he has pulled it off all right, he has done the stunt
rézágyú n, bronze/copper cannon
rézárugyár n, brass-works
rézbánya n, copper mine
rézbőrű [-ek, -t, -je; adv -en] a/n, redskin, (copper/Red) Indian, [arcról] bronzed, coppery, copper-complexioned/skinned; ~ indián Redskin, red Indian/man, copper-skin
rézcső n, copper tube
rézderes a/n, [ló] red bay
rezdít [-eni, -ett, -sen] vt, make (sg) quiver, vibrate, throw into oscillation, cause to oscillate/swing/fluctuate
rézdrót n, copper wire
rezdül [-t, -jön] vi, quiver, vibrate, oscillate; arcizma se ~ he keeps a stiff upper lip, he does not turn a hair, he does not bat an eyelid; levél/szellő sem ~, egy ág sem ~ not a breath of wind/air, not a breath stirs the leaves
rezdülés n, = rezdület
rezdület n, quiver, vibration, oscillation, [szellőé] puff/waft/breath of air
rezeda [..át] n, (növ) mignonette, reseda (Reseda sp.); kerti/illatos ~ sweet mignonette (R. odorata); sárgás/festő ~ dyer's greenweed/rocket, yellow weed, weld (R. luteola); vad ~ cut-leaved mignonette (R. lutea)
rezedaszínű a, reseda(-coloured)
rézedény n, copper (vessel/utensil/pot)
rezeg [-tem, rezgett, -jen] vi, 1. [húr] quiver, [ajtó, ablak] jar, [más] tremble, shake, (fiz) vibrate, oscillate, pulsate 2. [lomb] rustle, [fényforrás] flicker
rezegtet vt, (make sg) vibrate, quiver; ~i a hangját make one's voice quiver, sing vibrato
rezegtetés n, causing of vibration, oscillation, quivering; hang ~e tremolo
rezekció [-t, -ja] n, = reszekció
rezel [-t, -jen] I. vi, □ shit, excrete II. vt, coat/cover with copper
rézérc n, copper ore

rezerva [..át] n, reserve; vmt rezervában tart have sg put by, keep sg in store, (átv) have sg up one's sleeve
rezerváció [-t, -ja] n, reservation
rezervációs [-at] a, ~ kötés (ker) contract of reservation; ~ terület reservation, [erdőben] preserve
rezervál [-t, -jon] vt, (keep sg in) reserve, pul (sg) by: helyet ~tat vknek have a seat reserved for sy
rezerválás n, reservation
rezervált [-at; adv -an] a, 1. [dolog] reserved 2. [tartózkodó] cautious, guarded, buttoned-up (fam), stand-off(ish) (fam), distant; ~ viselkedés reserved attitude
rezerváltan adv, reservedly
rezerváltat vt, ~ magának egy szobát engage a room
rezerváltság n, reservedness, reserve, guardedness, stand offishness (fam)
rezervátum [-ot, -a] n, reserve, preserve
rezervista [..át] n, reservist, reserve-man, soldier in the reserve
rezervoár [-ok, -t, -ja] n, reservoir, tank, cistern, (átv) reservoir
rezes [-ek, -t, -e; adv -en] I. a, [vörös] copper-like, coppery, copperish, [sárga] brassy, brazen, (tud) cupr(e)ous; ~ arcbőr bronzed/copper complexion; ~ arcú copper/red-faced/complexioned, mottle-faced; ~ hang metallic/brassy voice; ~ orr brandy(-blossomed) nose, strawberry/copper-nose, tippler's nose II. (zene) member of a brass-band
rezesbanda n, brass-band
rezez [-tem, -ett, -zen] vt, = rezel II.
rezezés n, coppering
rézfúvó I. a, ~ hangszer brass (wind-)instrument II. n, ~k brasses
rézfúvós I. n, brass-intrument player, member of a brass-band; a ~ok the brass, brasses II. a, ~ hangszer brass (wind-)instrument
rézfürdő n, (vill) copper bath
rezg [-eni, -ett, rezegjen] vi, = rezeg
rézgálic n, blue/copper vitriol, copper, sulphate, sulphate of copper, bluestone; ~cal permetez spray with blue vitriol
rezgés n, quiver(ing), flutter, (fiz) vibration, oscillation, (orv) fremitus
rezgésátalakító n, (fiz) transducer
rezgéscsillapítás n, damping of vibration
rezgéscsillapító n, vibration damper/absorber, damper, vibroshock, damping device
rezgésgerjesztő n, (fiz) oscillator
rezgési [-t] a, (fiz) ~ csomó nodal point
rezgésidő n, time of vibration/oscillation
rezgésíró n, [készülék] vibrograph, oscillograph
rezgésjelző n, [készülék] oscillograph
rezgéskeltő n, oscillator
rezgésküszöb n, threshold of oscillation
rezgésmentes a, vibration-free
rezgésmentesít vt, insulate against vibration
rezgésmérő n, vibrograph, vibrometer, vibroscope
rezgésszám n, number of oscillations, frequency
rezgésszámú a, alacsony ~ (vill) low-frequency; nagy ~ (vill) high-frequency
rezgéstágasság n, amplitude
rezgéstompító n, = rezgéscsillapító
rezget vt, = rezegtet
rezgő [-t, adv -(e)n] I. a, vibrant, shaking, [ajtó, ablak] jarring, [hang] tremulous, quivering, (fiz) vibrating, oscillating, vibratory, oscillatory; ~ áramkör oscillatory circuit; ~ húr vibrating chord; ~ mozgás vibratory/undulatory/oscillatory motion, oscillation; ~ nyárfa (növ) aspen, trembling poplar, quaking ash (Populus tremula) (US); ~ nyelv [oboáé, klarinété]

reed; ~ *pázsit* dithering grass, pearl-grass *(Briza media)* II. *n, (áll)* poiser, balancer

rezgőfű *n, (növ)* dodder/quaking/quivering/dithering--grass *(Briza media)*

rezgőkör *n, (fiz)* oscillating circuit

rezgőpázsit *n, (növ)* dodder/quaking-grass *(Briza media)*

rézhámor *n,* copper-mill/works

rézhangszer *n,* brass instrument

rézhuzal *n,* copper wire

Rézi [-t, -je] *prop,* Terry, Tess

rezidencia [..át] *n,* residence, residency; *királyi ~* royal residence

rezidens [-ek, -t, -e] *n,* (minister) resident, resident minister

reziduális [-at] *a,* residuary

reziduum [-ot, -a] *n,* residuum

rezignáció [-t, -ja] *n,* resignation, resignedness

rezignált [-at; *adv* -an] *a,* resigned; *~ arcot vág* have a resigned face

rezignáltság *n,* resignation, resignedness, acquiescence, meekness

rezisztencia [..át] *n,* resistance; *látszólagos ~ (növ)* pseudo-resistance

rezisztens *a, (orv) nyomásra ~ daganat* tumour resisting pressure

rézkarc *n, (műv)* etching, etched/copper(plate) engraving, copperplate, dry-point, line-engraving

rézkarcolás *n,* etching

rézkarcoló *n,* etcher

rézkarcpapír *n, (műv)* copper-plate printing paper

rézkiütés *n, (orv)* blotchiness *(rosacea)*

rézklisé *n, (nyomd)* copper-block

rézkohó *n,* copper-mill/works, brass-work

rézkor *n,* copper age

rézkorszak *n, =* rézkor

rézkovács *n,* brazier

rézkovand *n, (ásv)* yellow (copper) ore, copper-pyrites

rézlap *n,* copperplate, sheet of copper, *[sárga]* brass-plate

rézlemez *n, =* rézlap

réz-mélynyomás *n, (nyomd)* copperplate printing

rézmetszés *n, (műv)* copperplate/line engraving, copperplate, engraving on copper, dry-point, chalcography

rézmetszet *n, (műv)* copperplate (engraving), copper/ line engraving, dry-point, print, impression, chalcograph

rézmetsző *n, (műv)* (copperplate) engraver, plate--engraver, graver, (line-)etcher, chalcographer

rézműves *n,* coppersmith, brazier, brass-founder

rézművesség *n,* coppersmith's work, braziery

reznek [-et, -e] *n, (áll)* (little) bustard, field-tuck *(Otis tetrax)*

réznyomás *n, (nyomd)* copperplate printing, chalcography

réznyomat *n,* (copperplate) print

rezón [-ok, -t, -ja] *n,* reason; *ebben van ~* this is understandable, this has much to say for it, this is worth while/doing

rezonál [-t, -jon] *vi, (vmtől)* resonate (with), *[hang]* resound, reverberate, *[húr]* vibrate sympathetically, twang

rezonálás *n,* resonance

rezonáló [t] *a,* resonant, sonorous; *~ áramkörök* circuits in resonance; *~ húrok* resonant strings; *együtt ~ húrok* sympathetic strings

rezonancia [. át] *n, (fiz)* resonance, *(távk)* attunement, *(nem fiz)* sympathy

rezonanciadoboz *n, [hangszeren]* sound/resonance-box/ chest

rezonanciagörbe *n,* response curve

rezonanciatorzítás *n,* resonance distortion

rezonanciatorzulás *n,* resonance distortion

rezonáns [-ak, -t; *adv.* -an] *a, [szoba]* resonant; *~ szekrény* sound-box/chest, resonance-box

rezonátor [-ok, -t, -a] *n, (fiz)* resonator

rezorpció [-t, -ja] *n, (vegyt)* reabsorption

rézoxid *n, (vegyt)* copper/cupric oxide, metal-oxide, cuproxide

rézöntő *n,* 1. *[személy]* copper/brass-founder, copper--smith 2. *[műhely]* copper/brass-foundry

rézöntöde *n,* copper/brass-foundry, copper-works

rézötvözet *n,* copper-alloy

rézpala *n, (geol)* copper slate

rézpát *n, (ásv)* chalcopyrite

rézpatina *n, =* rézrozsda

rézpénz *n,* copper(-coin/money), coppers *(pl), (nép)* brass

rézpirit *n, (ásv)* copper-pyrites, chalcopyrite

rézrozsda *n,* copper-rust, verdigris, aerugo; *rézrozsdát kap* become/get verdigrised, become coated/covered with verdigris *(v.* green rust)

rézrúd *n,* copper-bar

rézserpenyő *n,* copper-pan

rézsikló *n, (áll)* smooth snake *(Coronella austriaca)*

rézsodrony *n,* copper-wire

rézsúly *n,* copper-weight

rézszeg *n,* copper/brass-nail

rézszerszám *n, (rég)* copper implement

rézszerű *a,* cuprous, coppery, brass-like

rézszínű *a,* copper(-coloured), coppery, brassy, cuprous, cupreous

rézszulfát *n, (vegyt)* cupric/cupreous/copper sulphate. blue vitriol, bluestone

réztábla *n,* brass/copper-plate

réztányér *n,* 1. *[edény]* copper/brass-plate 2. *[hangszer]* cymbal 3. *[borbélyé kb]* barber's shop-sign

réztárgy *n,* copper/brass object/piece/ware

réztartalmú *a,* containing copper *(at),* copper bearing, coppery, cupric, cupriferous, cuprous

rézümé [-t, -je] *n,* résumé *(fr),* abstract, digest, summary

rézüst *n,* copper-kettle/boiler/cauldron

rézvegyület *n,* copper compound

rézveret *n,* coppering, brass/copper-plating, brass ornaments *(pl)*

rézvirág *n, (növ)* zinnia *(Zinnia sp.)*

rézvitriol *n, (vegyt)* blue vitriol

rézvörös *a,* copper(-coloured), *[haj]* auburn, *[arc]* bronzed, copper-complexioned/skinned

rezzen [-t, -jen] *vi, [élőlény]* start, *[levél]* rustle

rezzent [-eni, -ett, -sen] *vt, [élőlény]* startle

rezsi [-t, -je] *n, [üzemé, intézményé]* trade/overhead/ current expenses/charges/costs *(pl),* overhead *(fam), [magánszemélyé]* general expenses *(pl),* outlay; *nagy ~* high overhead; *a ~ növekszik* the overhead is mounting; *a ~t megkeresi* break even, cover expenses, recover one's outlay, get back one's outlay, earn one's keep *(fam)*

rezsiellenőrzés *n, [költségszámításban]* overhead costs control, *[előzetes, engedélyezés]* authorization of overhead costs

rezsiköltség *n, =* rezsi

rezsim [-et, -je] *n,* government, rule, system, regime

rezsimunka *n, (kb)* work on own account

rezsitárs *n,* co/fellow-shopowner

rezsó [-t, -ja] *n, =* reső

Rezső [-t, -je] *prop,* Ralph, *(ritk)* Rudolph, Rodolph

rézsút *adv, =* rézsútosan

rézsútos [-ak, -t; *adv* -an] *a, [ferde]* askew, awry *(ut),* oblique, raking, bias, bias(s)ed, *[átlós]* diagonal, transverse, transversal, *[ferdeszélű]* bevel(l)ed, *[lejtős]* sloping, slanting, inclined, shelving, aslant *(ut),* proclivous rézsútosan *adv*, slantwise, aslant, aslope, (a)skew, skew-wise, slantways, on the skew/slant, sideling, awry, obliquely, athwart, scarf/arris/ridge-wise, *[átlósan]* diagonally, transversally; ~ *áll* slant; ~ *metsz (műsz)* bevel, chamfer, *(mat)* cut diagonally

rézsútosság *n*, slant, skew, obliquity

rézsű [-t, -je] *n*, slope, bank, batter, *[töltésé]* embankment, ramp, *[meredek]* (e)scarp(ment), *(bány)* highwall, ramp, *(geol)* splay, *(műsz)* bevel, chamfer; *1:3 arányú/hajlású* ~ bank with a gradient of one in three; ~*t vág* chamfer, bevel

rézsűfal *n*, retaining wall

rézsűmérőműszer *n*, *(műsz)* inclinometer

rézsűpad *n*, bench

rézsűs [-ek, -t; *adv* -en] *a*, *(éplt)* bevelled

rézsűz [-tem, -ött, -zön] *vt*, *[asztalosmunkát]* bevel, chamfer, slope, slant, *[csővet]* taper, *[falat]* cope, batter, splay, *[földet]* slope, bank, *[meredeken]* escarp, *[utat]* embank

rézsűzés *n*, *[úté]* embankment

rhesus-faktor *n*, *(biol)* rhesus factor/antigen, Rh factor

rhesus-majom *n*, rhesus monkey *(Macacus mulattus)*

Rhode-Islandi [ak, -t] *a*, ~ *vörös baromfi* Rhode Island Red

R-hullám *n*, *[geofizikában, orv]* Rayleigh/R wave

rí [rítt, ríjon] *vi*, *[sír]* weep, cry, pipe one's eye(s) (out) *(fam)*, *[nyöszörög]* whine, pule; *sír-~* wail, howl, groan and moan

riad [-t, -jon] *vi*, 1. start (up with fright), give a start, be startled, startle, get a fright, take alarm 2. † *[kürt]* sound, call *(stand.)*

riadalom [..lmat, ..lma] *n*, panic, commotion, excitement, fright, scare, *[megdöbbenés]* consternation, *[nyugtalanság]* alarm; *nagy* ~ *volt a városban* the town was agog with excitement, the town was in a commotion; *nagy a* ~ *a tőzsdén* there is a general panic on the 'Change; ~ *támadt* a panic set in; *riadalmat okoz/kelt* cause/create/raise a panic, cause alarm, raise/create a scare, spread terror

riadó [-t, -ja] *n*, alarm, *(kat)* alert, *[kürtjel]* bugle-call; *harci* ~ war-cry, *[indián]* war-whoop, *[skót]* pibroch; *légi* ~ air-raid alarm, *[hangjele]* raid-warning; ~*t fúj (kat)* alert the troops, blow/sound the alarm; ~*t ver (kat)* beat to quarters

riadóállás *n*, position of readiness

riadóautó *n*, *[rendőri]* prowl/cruise-car, *[rádiótelefonnal]* squad car *(US)*

riadócsengő *n*, signal alarm bell

riadógyakorlat *n*, practice alert

riadójel *n*, alarm(-signal), alert-signal

riadókészültség *n*, *[állapot]* alert, *[osztag]* flying squad; ~*ben* in readiness; ~*ben van [rendőrség]* the police are on the alert, *[katonaság]* the military stand *(v.* are standing) by; ~*et elrendeli* give the alert to the troops/police; ~*et rendelnek el* the garrison is alerted

riadoz|ik [-tam, -ott, -zon, -zék] *vi*, take fright (at), be flurried/fluttered

riadt [-at; *adv* -an] *a*, startled, alarmed, *[ijedt]* frightened, scared, terrified; ~ *hang* alarmed/frightened voice

rian [-t, -jon] *vi*, *[jég]* split (in great length)

rianás *n*, *[jégen]* split, crevasse

riaszt [-ani, -ott, ..asszon] *vt*, alarm, startle, scare, frighten, *[nyugtalanít]* disquiet

riasztgat *vt*, keep alarming/scaring, alarm/scare repeatedly

riasztó [-ak, -t; *adv* -an] *a*, alarming, startling, frightening, *[félelmetes]* fearful, frightful; ~ *berendezés/készülék* electrical alarm, alarm(-apparatus), warner, *[betörők ellen]* burglar-alarm; ~ *hírek terjedtek el* disquieting/alarming news spread abroad/around

riasztóágyú *n*, alarm-gun

riasztóállomás *n*, alert-station

riasztócsengő *n*, (signal) alarm bell

riasztójelzés *n*, alarm-signal

riasztólövés *n*, scare-shot, *(kat)* alarm-shot, warning shot

riasztópisztoly *n*, cap-pistol, pop-gun

riasztósíp *n*, alarm-whistle

riasztószolgálat *n*, warning service

ribanc [-ot, -a] I. *n*, 1. *[rongy]* rag, tatters *(pl)* 2. *[ringyó]* strumpet, trollop, harlot, trull II. *a*, sluttish, depraved, debauched

ribancos [-ak, -t; *adv* -an] *a*, ragged, tattered

ribillió [-t, -ja] *n*, uproar, stir(-up), hubbub, row, hullabaloo, to-do

ribiszke [. .ét] *n*, *(növ)* currant, ribes *(Ribes sp.)*; *fekete* ~ (European) black currant *(R. nigrum)*; *vörös* ~ red currant, garnet-berry *(R. rubrum)*

ribiszkebokor *n*, currant-bush

ribiszkebor *n*, currant-wine

ribiszkeíz *n*, (red)currant-jelly

ribiszkezselé *n*, = ribiszkeíz

ribizli [-t, -je] *n*, = ribiszke

riboflavin *n*, *(vegyt)* riboflavin

Richárd [-ot, -ja] *prop*, Richard

ricinus *n*, 1. *[növény]* castor-oil plant, castor bean, palma Christi, ricinus *(Ricinus communis)* 2. *[olaj]* castor(-oil) *(Oleum ricini)*

ricinusbokor *n*, castor-oil plant *(Ricinus communis)*

ricinusmag *n*, castor-oil bean

ricinusolaj *n*, castor oil *(Oleum ricini)*

ricsaj [-ok, -t, -a] *n*, 1. *[zaj]* shindy, din, hurly-burly, rumpus, uproar, rag, hubbub, rowdyism, kick-up, hullabaloo, ruckus *(US ◈)*; *nagy* ~*i csap* kick up a row, make a deuce/hell of a row, kick up a shindy, raise Cain, make the sparks fly, kick up a fearful pandemonium 2. *[zajos mulatozás]* high jinks

ricsajoz [-tam, -ott, -zon] *vi*, 1. *[zajong]* make an uproar, racket 2. *[zajosan mulat]* carouse, tipple, revel, paint the town red, go on the spree

rideg [-et; *adv* -en] *a*, 1. *[ember]* cold, unsociable, unfriendly, frigid, reserved, rigid, *[modor]* dry, cold, glacial, brusque, abrupt, forbidding, *[éghajlat]* rigorous, rough, inclement, *[lakás, hely]* bleak, dreary, desolate, bare, uninviting, inhospitable, cheerless; ~ *arc* hard face; ~ *elutasítás* flat refusal, cold-shouldering; ~ *érvelés* cold reasoning; ~ *fogadtatás* cold reception; ~ *józanság* hard common sense; ~ *magatartás* unfriendly behaviour; *a* ~ *tények* the hard/naked facts; *a* ~ *valóság* the sober/solemn fact, the stubborn facts *(pl)*, the stark reality, the naked truth 2. *[anyag]* brittle; ~*gé tesz* embrittle 3. ~ *marha (kb)* cattle reared in the open-air (all the year round); ~ *pásztorkodás (kb)* nomadic stock-raising/farming

ridegen *adv*, sternly, severely; ~ *beszél vkvel* be short with sy

ridegség *n*, 1. *[személyé]* coldness, unsociableness, unfriendliness, (f)rigidity, unkindliness, rigour, rigorousness, sternness, severity, *[modoré]* dryness, coldness, roughness, cold-heartedness, *[léleké, szívé]* induration, *[időjárásé]* rigorousness, roughness, inclemency, *[lakásé, helyé]* bleakness, dreariness, bareness, cheerlessness 2. *[anyagé]* brittleness

ridikül [-ök, -t, -je] *n*, = retikül

rigli [-t, -je] *n*, = retesz

rigmus *n*, verse, rhymed saying/tag; ~*t farag* perpetrate a verse

rigó [-t, -ja] *n*, thrush, dipper, reed-warbler, ousel, ouzel, turdus *(Acrocephalus sp., Cinclus sp., Turdus sp.)*; *csúfolódó* ~ mocking-bird *(Mimus polyglottus)*;

énekes ~ song thrush, throstle *(T. ericetorum)*; *fekete* ~ blackbird *(T. m. merula)*; *húros* ~ missel/mistletoe thrush *(T. viscivorus)*; *nádi* ~ great reed-warbler *(A. a. arundinaceus)*; *örvös* ~ ring-ouzel *(Merula torquata)*; *remete* ~ hermit thrush *(H. guttata)*; *sárga* ~ golden oriole *(Oriolus oriolus)*; *vízi* ~ ducker, dipper, water-ouzel *(C. cinclus)*; *jókedvű mint a* ~ merry/blithe as a lark/cricket, jolly/happy as a thrush/sandboy
rigófütty *n*, thrush-song
rigolíroz [-tam, -ott, -zon] *vi*, = **rigoloz**
rigoloz [-tam, -ott, -zon] *vi/vt, (mezőg)* trench (field), turn the soil two or three feet deep
rigolya [..át] *n*, whim, fad, freak, crotchet
rigolyás *a*, whimsical, freakish, crotchety, cracked
Rigómező [-t, -n] *prop*, Kosovo plain (in Jugoslavia)
rigópohár *n, (növ)* lady's slipper, cypripedium *(Cypripedium)*
rigorózum [-ot, -a] *n*, † = **szigorlat**
rigorózus *a*, rigorous, severe
rigyet *vi, (áll)* rut, be ruttish, be in heat
rigyetés *n, (áll)* rut(ting)
rigyető [-t] *a, (áll)* ruttish
rikácsol [-t, -jon] *vi/vt*, screech, scream, shriek, squawk, *[madár]* cry, *[páva]* scream; *dühében* ~*va* inarticulate with anger
rikácsolás *n*, screech(ing), scream(ing), shriek(ing)
rikácsoló [-t] *a*, ~ *hang* shrill/piercing/screeching/harsh/tearing voice
ríkat *vt*, make (sy) cry, move (sy) to tears, cause (sy) to weep
rikató [-t; *adv* -an] *a*, moving (to tears), affecting, pathetic, tear-compelling *(ref.)*
rikít [-ani, -ott, -son] *vi*, 1. *[hang]* squeal, scream, shriek 2. *[szín]* glare; ~ *a nyakkendője* have a loud necktie
rikító [-ak, -t; *adv* -n] *a*, *[szín]* glaring, glary, (over)loud, eye-hitting, noisy, hot, crude, staring, flaring *(fam)*, *[öltözet]* gaudy, showy, garish, flaunty, flashy, florid, *[szembeszökő]* conspicuous, striking, startling; ~ *ellentét* striking/marked contrast; ~ *mintájú* *[szövet]* jazz-patterned, jazzy; ~ *színek* strong/glaring/striking/screaming/insistent/violent/high/loud colours; ~ *színekkel fest* paint in strong/lurid colours, exaggerate; ~ *vörös* high/bright red
rikítóan *adv, [szín]* glaringly, loudly, noisily, *[öltözet]* gaudily, showily
rikkancs [-ot, -a] *n*, news-boy/man, newsvendor, news seller
rikkant [-ani, -ott, -son] *vi*, *[élesen]* (give a) scream, shriek, cry out, utter a piercing cry; *vidáman* ~ shout with/for joy, give a joyful shout, call/cry out *(v. exclaim)* merrily, cry out for joy, hurrah
rikkantás *n*, sharp/piercing/joyful cry, cry/shout of joy, hail
rikolt [-ani, -ott, -son] *vi*, 1. *[kiált]* shout, *[madár]* scream, squawk; *la még* **rikkant**; 2. *[ijedten fájdalomtól]* shriek, screach, squeal
rikoltás *n*, *[madáré]* squawk, screech; *ld még* **rikkantás**
rikoltoz [-tam, -ott, -zon] *vi/vt*, utter cries, shout/shriek/howl out *(v.* scream) repeatedly, *[bagoly]* hoot, ululate
riksa [..át] *n*, ricksha(w), jinriksha
riksahúzó *n*, rickshaw man
rím [-et, -e] *n*, rhyme, rime; ~ *nélküli* rhymeless, unrhymed, rimeless
ríma [..át] *n*, = **ribanc** I. 2.
rimánkodás *n*, entreaty, imploring, beseeching, supplication; ~*ra fogja a dolgot* resort to entreaties
rimánkod|ik [-tam, -ott, -jon, -jek] *vi, (vknek vmért)*

supplicate (sy for sg), implore, entreat, beseech (sy to do sg)
rimánkodó [-t] *a*, entreating, imploring
Rimaszombat [-ot, -on] *prop*, Rimavská Sobota (town in Czechoslovakia)
rímel [-t, -jen] I. *vi*, 1. *(vmvel)* rhyme, rime (with/to sg); *ezek a szavak jól* ~*nek* these words rhyme well, these words form/make a good rhyme 2. *(vk)* string rhymes together *(pej)*, dabble in verse-making *(pej)* II. *vt*, (put verses into) rhyme, versify, make (words) rhyme
rímelés *n*, putting (verses) into rhyme, making (words) rhyme, verse-making, rhyming, versifying, versification
rímelhelyezés *n*, rhyme scheme
rímelő [-t, -je; *adv* -en] I. *a*, rhyming; ~ *sorok* rhymed/rhyming verses II. *n*, = **rímkovács**
rímeltet *vt*, rhyme, rime
rímes [-ek, -t; *adv* -en] *a*, rhymed, rimy, in rhyme *(ut)*; ~ *próza* rhymed prose; ~ *verspár* (rhymed) couplet
rímfaragó *n*, = **rímkovács**
rímgyártó *n*, = **rímkovács**
rímképlet *n*, rhyme scheme
rímkovács *n*, rhym(est)er, would-be poet, poetaster, versifier
rímszótár *n*, rhyming dictionary, dictionary of rhyme
rímtelen *a*, unrhymed, rhymeless, rimeless; ~ *ötös jambikus vers* blank verse
-rímű [-ek, -t; *adv* -en] *a*, -rhyme(d), having... rhymes *(ut)*
ring[1] [-ani, -ott, -jon] *vi, (áll)* rock, swing, sway (to and fro), *(hajó)* dance (on the waves); *bölcsője ott* ~*ott a Duna mellett* he was born near the Danube
ring[2] [-et, -je] *n, (sp)* ring, the ropes *(pl)*
ringás *n*, rocking, swinging, swaying, balancing, *(hajó)* roll
ringat *vt*, rock, swing, sway, *[karon, térden]* nurse, dandle; *ringasd !* give her a rock!; *bölcsőt* ~ rock a cradle; *csípőjét* ~*ja* sway at/from one's/the hips; *álomba* ~ rock/lull/sing to sleep; *abban a hitben* ~*ja magát hogy győzni fog* he flatters himself that he will win; *hiú reményekben* ~*ja magát* delude oneself with *(v.* cherish *v.* nourish *v.* indulge in) false hopes
ringatás *n*, rock(ing), swinging, swaying, *[dajkálás]* dandling, nursing
ringató [-ak, -t] *a*, rocking, swinging, swaying, *[karon, térden]* dandling, nursing
ringatódal *n*, lullaby
ringatódzás *n*, rocking, swinging, swaying
ringatódz|ik [-tam, -ott, -zon, -zék] *vi*, rock, swing, sway; *illúziókban* ~*ik* indulge in illusions/dreams, live in a fool's paradise, live in one's own fancy
ringli [-t, -je] *n*, 1. *[étel]* anchovy-ring(s) 2. *[kivarrott lyuk]* eye(hole), eyelet, buttonhole
ringlispil [-ek, -t, -je] *n*, merry-go-round, roundabout, giddy-go-round, whirligig, turnabout *(US)*, carousel *(US)*, *[hullámos mozgású]* razzle-dazzle
ringliz [-tem, -ett, -zen] *vt/vi*, make eyeholes, eyelet
ringlizés *n*, eyehole-making
ringló [-t, -ja] *n*, greengage, gage *(fam) (Prunus domestica ssp. italica)*
ringó [-ak, -t; *adv* -n] *a*, rocking, swinging, swaying, rolling, *[gabona]* feathery; ~ *derék* swaying waist; ~ *hajó* rolling ship; ~ *járás* rolling/swinging/swaying/lilting gait, lilt; ~ *léptekkel jár* walk with a swing
ringókő *n, (geol, rég)* rocking-stone, logan(-stone)
ringsegéd *n, (sp)* second, bottle-holder
ringyes-rongyos [-t; *adv* -an] *a*, shagrag
ringyó [-t, -ja] *n*, strumpet, harlot, hussy, drab, slut, bitch, prostitute, whore, trollop, trull, woman of the street, steet walker
ringy-rongy [ringyet-rongyot, ringy-rongyot, ringye-

-rongya, ringy-rongya] I. *n*, odds and ends *(pl)*, rags (and tatters) *(pl)*, rubbish, trash II. *a*, tattered, ragged, shabby; ~ *népség* riff-raff, rabble

rinocérosz [-ok, -t, -a] *n*, rhinoceros, rhino *(fam)* *(Rhinoceros sp.)*

rinológia [.. át] *n*, *(orv)* rhinology

rinológiai [-t; *adv* -lag] *a*, *(orv)* *[fájdalom]* rhinal

rinya [.. át] *n*, *(áll)* scolopendra, millepede *(Scolopendra sp.)*

riogat *vt*, frighten, scare (away), startle

riolit [-ot, -ja] *n*, *(ásv)* rhyolite, liparite

ripacs [-ot, -a] *n*, **1.** *[himlőhely]* pock-mark/pit **2.** *[színész]* strolling player, barnstormer *(fam)*, board-strutter *(fam)*, busker ◈, clown *(pej)*, buffoon *(pej)*

ripacskodás *n*, barnstorming

ripacskod|ik [-tam, -ott, -jon, -jék] *vi*, *[hivatás]* lead a strolling player's life, *[játékmodor]* busk, barnstorm, play-act

ripacsos [-at; *adv* -an] *a*, *[arcbőr]* pock-marked/pitted/fretted/broken, pitted, rough; ~ *vakolat* coarse plaster(ing); ~*sá tesz [bőrt hőség/szél]* scorch

ripakod|ik [-tam, -ott, -jon, -jék] *vi*, = **ráripakodik**

ripityára *adv*, ~ *tör/zúz* smash sg to pieces/smithereens/matchwood, break to shivers, knock sg to smash; ~ *törik* come/go to smash; ~ *ver* beat (sy) to pulp/jelly, beat (sy) hollow, beat/pound (sy) into a jelly, knock (sy) into the middle of next week, lick to a frazzle, wipe the floor with (sy), beat hell out of (sy) *(US)*

riport [-ot, -ja] *n*, (newspaper) report, story, write-up *(fam)*, *[rádióban]* running commentary; *színes* ~ (lively) feature story; ~*ot ír vmről* (write a) report on sg (for a newspaper)

riportanyag *n*, copy

riporter [-ek, -t, -e] *n*, newsman, reporter, correspondent, pressman, news-hawk *(fam)*; ~*ek* reporting staff

riporter-fényképezőgép *n*, press-camera

riporteri [-t] *a*, reportorial *(US)*

riporterség *n*, press-work, pressmanship

riportírás *n*, reporting

riportsorozat *n*, reportage

riporttéma *n*, *jó* ~ *(lenne)* this would make good copy/scoop

riposzt [-ot, -ja] *n*, **1.** *(sp)* return (thrust), riposte **2.** *(átv)* repartee, retort, pat answer, cap to a remark

riposztoz [-tam, -ott, -zon] *vi*, **1.** *(sp)* riposte, counter (a blow) **2.** *(vknek átv)* counter sy, (fling back a) retort, answer pat, give repartee (to sy), cap sy's remark

ripők [-öt, -je] *n*, bounder, blackguard, rascal, knave, rogue, cad

ripsz [-et, -e] *n/a*, *(tex)* rep(s), repp

ripsz-ropsz *int*, snip-snap, *[fejetlenül]* helter-skelter

riska [.. át] *n*, *[tehén]* reddish cow

riszál [-t, -jon] *vt*, *[testet]* move/swing to and fro; ~*ja magát*, ~*ja a farát/csípőjét* sway/swing/wriggle one's hips, walk with the hips, undulate one's hips (fully)

rissz-rossz [rissz-rosszat] *a*, rubbishy, trashy

ritka *a*, *[nem gyakori]* rare, infrequent, scarce, *[rendkívüli]* singular, extraordinary, exceptional, *[szokatlan]* unusual, uncommon, sporadic, *[nem sűrű]* thin, sparse, scanty, straggling, thin, loose; ~ *erdő* thinly planted wood; ~ *eset* rare occurrence; ~ *földfém* rare earth; ~ *haj* thin hair; ~ *háló* coarse net, wide-meshed net; ~ *jó ember* an uncommonly good man, such a good man, as kind as kind can be; ~ *kivétellel* with rare exceptions; ~ *könyv* rare book, out-of-the-way book, curio (of a book); ~ *látogatások* visits few and far-between; ~ *levegő* thin air; ~ *népes-*

ség uncrowded population; ~ *szerencse* rare good luck; ~ *szövetek (tex)* loose-woven goods; *abban a* ~ *esetben* in the rare instance (of); ~ *az olyan ember (aki)* one seldom meets people (who), there are few people (who); *ritkává/ritkábbá válik* grow rare(r); ~ *szép* of rare/remarkable beauty *(ut)*, superb(ly beautiful); ~ *mint a fehér holló* it is a rare bird, it is rare as a blue diamond, it is a rarity, it is a rara avis *(lat)*

ritkán *adv*, rarely, *[nem gyakran]* rarely, seldom, not often, on rare occasions, *[nem szorosan]* sparsely, thinly, at wide intervals, far apart; *nagy(on)* ~ hardly/scarcely ever, once in a while/way/lifetime, once in a blue moon *(fam)*; *nem* ~ not infrequently; *nem nagyon* ~ now and then, off and on; *igen* ~ *jön el* his visits are few and far between, he comes as seldom as possible, he comes very rarely; *önt* ~ *lehet látni* we see very little of you, you give us very little of your company; ~ *előforduló* infrequent; ~ *lakott* sparsely populated; ~ *történik* it rarely/seldom occurs; ~ *vet* sow thinly/sparsely

ritkás *a*, *(tex)* sleazy, flimsy, *[vetés]* thin-sown, thinly scattered, sparse; ~ *szakáll* thin/straggling beard

ritkaság *n*, **1.** *[ritkán előfordulás]* rarity, rareness, scarcity, scarceness, infrequency, unusualness, uncommonness, sporadic(al)/exceptional character, *[térbeli]* scantiness, thinness, sparseness, *(fiz)* low density, tenuity; ~ *(hogy)* it is rare, it rarely/seldom occurs (that) **2.** *[ritka tárgy/dolog]* rarity, curio(sity); ~*okat gyűjt* collect curios

ritkasággyűjtő *n*, collector of rarities, curio hunter *(fam)*

ritkasági [-t] *a*, ~ *érték* rarity value

ritkaságszámba *megy* it does not happen every day, it is not of everyday occurrence, it happens/takes place (only) rarely

ritkít [-ani, -ott, -son] *vt*, make sg rare(r)/scarce(r), *[vmt ami sűrű]* cut out (superfluous material), *[átv betegség/háború]* thin, decimate, *[növ sorokat]* thin (out), *[nyomd sorokat]* lead, white out, interline, *[szavakat, betűket]* space (out); *erdőt* ~ thin/select a forest; *gázt* ~ rarefy a gas; ~*ja a kukoricát* thin out the rows of maize; *lombot* ~ prune branches, lop off/away branches; *párját* ~*ja [esemény]* it is (almost) unparalleled, it is without an equal, I never saw/heard the like, *[személy]* he is (almost) unmatched/unrivalled, he is almost/practically without a peer, he hasn't his equal/match on earth, there is no one like him, you will not find his equal, *[tárgy]* it is hard to match, there is nothing to equal it, it is not to be equalled; ~*ja a szedést* space out the matter

ritkítás *n*, making rare(r)/scarce(r), *[vmt ami sűrű]* cutting-out, *[betegség, háború]* thinning (out), decimation, *[erdőt]* thinning (down), *[lombot]* pruning, *[gázt]* rarefaction, *(nyomd)* leading, interlining, *[szavakat, betűket]* spacing (out)

ritkító [-t, -ja] I. *n*, **1.** *[kapa]* thinning hoe **2.** *(nyomd)* space/white-line, space(-rule), blank, lead, reglet II. *a*, *párját* ~ unparalleled, unmatched, matchless, unrivalled, superior, without compare

ritkított [-at; *adv* -an] *a*, *[növényzet]* thinned out, *[gáz, levegő]* rarefied, *(nyomd)* spaced/set-out, letter-spaced; ~ *betűk* spaced letters; ~ *erdő* selection forest; ~ *szedés (nyomd)* spaced-out type, leaded matter, spaced composition/matter, letters spaced *(pl)*

ritkul [-t, -jon] *vi*, **1.** *[gyérül]* grow/get/become thin(ner)/sparse(r), be thinned (out), become fewer and farther between, thin out, *[gáz, levegő]* be(come) rarefied, rarefy; ~ *a haja* his hair is getting/wearing thin **2.** *[kevésbé gyakori]* get/become rare(r)/scarce(r), abate, occur less frequently, be of less common occurrence

ritkulás *n*, thinning (out), *[gázé]* rarefaction *[fajtáé]* progressive extinction, *[csökkenés]* decrease/drop in the number (ot sg)

ritmikus *a*, rhythmic(al), *[érverés]* eurhythmic, *[mozdulat, lépés]* measured, *[vers]* cadenced; ~ *torna* eurhythmics, rhythmical dancing

ritmikusság *n*, rhythmicity, rhythm

ritmus *n*, rhythm, cadence, pulse, *(átv is)* swing, lilt; *ereszkedő* ~ *[versben]* descending rhythm; *jó* ~*a van* have a good rhythm, go with a swing (of sounds) *(fam)*

ritmusbeli *a*, rhythmic

ritmusérzék *n*, sense of rhythm; *jó* ~*e van* having/with a good sense of rhythm *(ut)*

ritmusképlet *n*, rhythm form/schema

ritmusszűkítés *n*, rhythm contraction

ritmustalan *a*, rhythmless, unrhythmical

ritornell *[-ek, -t, -je]* *n*, *(zene)* ritornel(le), ritornello

rituálé *[.. t]* *n*, *(egyh)* ritual

rituális *[-ak, -t; adv -an]* *a*, ritual; ~ *gyilkosság (tört)* ritual murder; ~ *tánc* ritual dance

rituálisan *adv*, ritually

ritualista *[.. át]* I. *a*, *(egyh)* ritualistically II. *n*, *(egyh)* precisionist

ritualizmus *n*, *(egyh)* ritualism

ritus *n*, rite, ritual (form of worship), ceremonial, ceremonies *(pl)*

rivalda *[.. át]* *n*, down-stage, float(s), footlights *(pl)*

rivaldafény *n*, *(szính)* footlights *(pl)*, stage lights *(pl)*, border-lights *(pl)*, the float(s), *(átv is)* limelight, spotlight *(US)*; ~*ben* in the limelight

rivalgás *n*, shout(ing), yell(ing), bawl(ing), clamo(u)r, whoop(ing)

rivális *[-ok, -t, -a]* *n*, rival

rivalizál *[-t, -jon]* *vi*, rival (sy), compete/vie with (sy); *erősen* ~*nak* they are all anxious to outdo each other

rivall *[-ani, -t, -jon]* *vi*, *(vk)* (give a) shout, yell, bawl, *[örömében]* whoop, *[trombita, kürt]* blare, bray (out a sound)

rívás *n*, weeping, crying, whining, puling, howling, lamentation; *ld még* sírás-rívás

rívó *[-t; adv -an]* *a*, weeping, crying, whining, puling; *ld még* síró-rívó

rizalit *[-ot, -ja]* *n*, *[épít]* projection, set/step-out

rizibizi *[-t, -je]* *n*, *(kb)* boiled rice mixed with green peas

rizikegomba *n*, orange-agaric *(Lactarius deliciosus)*

rizikó *[-t, -ja]* *n*, risk, hazard; ~*t vállal* incur/run a/the risk, take a chance, risk it, take risks

rizling *[-et, -je]* *n*, *(kb)* riesling (kind of dry white wine)

rizóma *[.. át]* *n*, *(növ)* rhizome, rootstock, underground stem

rizómás *a*, ~ *növény* rhizomatous plant

rizómaszerű *a*, rhizomatous

rizottó *[-t, -ja]* *n*, risotto

rizs *[-t, -e]* *n*, rice *(Oryza sativa)*; *fényezett* ~ polished/bright rice; *hántolatlan* ~ rough/brown rice, paddy; *hántolt* ~ husked rice

rizses *[-ek, -t; adv -en]* *a*, rice-, with rice *(ut)*; ~ *aprólék* giblets with rice *(pl)*; ~ *hús* pilaf(f), pilau

rizsevő *n*, rice-eater

rizsfelfújt *n*, rice-milk/pudding/mould/shape

rizsföld *n*, rice-field/plantation/swamp, riceland, paddy--field

rizshántoló *n*, 1. *[gép]* rice-huller, rice hulling machine 2. *[üzem]* rice-mill/refinery

rizskása *n*, 1. *[rizs]* rice 2. *[étel]* milk-rice, rice-milk/pudding, rice boiled in milk

rizskeményítő *n*, rice-starch

rizskorpa *n*, rice-polishings *(pl)*, rice-bran

rizslé *n*, rice-water

rizslepény *n*, rice-shape/cake

rizsleves *n*, rice-water/soup

rizsliszt *n*, rice flour, ground rice

rizsma *[.. át]* *n/a*, ream (of paper)

rizspálinka *n*, rice-wine, sake

rizspapír *n*, rice-paper

rizspor *n*, *[hulladék]* rice-dust, *[liszt]* ground rice, *[púder]* (face-)powder, rice/hair-powder

rizsporos *a*, powdered; ~ *doboz* powder-box/case

rizsporoz *vt*, powder; ~*za az arcát* powder *(v.*put powder on) one's face

rizsszalma *n*, rice-straw

rizstermelés *n*, growing/cultivation of rice, rice production

rizstermelő I. *a*, rice-growing II. *n*, rice-grower/cultivator

rizstorta *n*, rice-cake

rizsültetvény *n*, rice-plantation/swamp

ró *[-tt, -jon]* *vt*, 1. *[bevés jelet]* cut (in), score (tally), notch, nick, *[kőbe, fába]* cut/engrave/carve in/on; *betűket* ~ w ite; *emlékezetébe* ~ *vmt* imprint sg in one's mind 2. *vknek vmt hibául* ~ lay sg to sy's charge, blame sy for sg 3. *(vkre vmt)* entail (sg on sy); *adót* ~ *vmre* impose/levy a tax (up)on sg, make sg taxable, tax sg, *[ingatlanra]* assess sg, levy a rate on sg; *bírságot* ~ *vkre* fine sy; *büntetést* ~ *vkre* inflict a punishment (up)on sy; *feladatot* ~ *vkre* set/allot sy a task; *kötelességet* ~ *vkre* lay a duty (up)on sy; *munkát* ~ *vkre* give work to sy, impose work on sy; *sarcot* ~ *a városra* levy a contribution on a town, hold a town for ransom; *terhet* ~ *vkre* lay a burden upon sy, burden sy; *vezeklést* ~ *vkre* enjoin a penance (up)on sy 4. *az utcát* ~*ja* walk/stroll/loaf/saunter about the streets, rove/walk the streets, *[nagy léptekkel]* stride in the street, pace the street

robaj *[-ok, -t, -a]* *n*, din, loud noise, *[összeomlásé, törésé]* (sound of) crash, *[robbanásé]* detonation, (sound of) explosion, *[gépeké]* thud, *[halkabb]* hum, *[mennydörgésé]* rumble, rumbling, *[ágyúké]* roar, boom(ing), *[dübörgés]*, rumble, roar; *az autók* ~*a* the din of the motor-cars; *a ház nagy* ~*jal összedőlt* the house collapsed with a great crash

robban *[-t, -jon]* *vi*, explode, *[lövedék, kazán még]* burst, *[külső behatásra]* blow up, be blasted, *[nagy robajjal]* detonate, go bang *(fam)*, *[motor]* burn, *(vegyt)* fulminate

robbanás *n*, explosion, *[lövedéké, kazáné még]* burst(ing), *[külső behatásra]* blowing up, blast, *[robbanásé]* detonation, *(vegyt)* fulmination; *a* ~ *ereje* the force of the explosion; ~*t okoz* cause an explosion

robbanásbiztos *a*, explosion/blast-proof, *[bombabiztos]* bomb-proof

robbanási *[-ak, -t]* *a*, explosion-, of explosion/detonation *(ut)*; ~ *hő* heat of explosion; ~ *hullám* wave of the blast; ~ *veszély* danger of explosion, liability to explode

robbanásmentes *a*, inexplosive, non-explosive

robbanásszerű *a*, 1. explosion-like, resembling an explosion *(ut)* 2. *(átv)* sudden, unexpected, coming like a blast *(ut)*, coming as a surprise *(ut)*

robbanékony *[-at; adv -an]* *a*, 1. (potentially) explosive, detonable 2. *(átv)* vehement, irritable, peppery, choleric, violent, irascible, excitable, fiery

robbanékonyság *n*, *[gázé, keveréké]* explosiveness

robbanó *[-ak, -t; adv -an]* *a*, explosive; *nem* ~ non--explosive; ~ *töltőtoll* 〈booby-trap in the form of an exploding fountain-pen〉

robbanóan *adv*, *(átv is)* explosively

robbanóanyag *n*, explosive, *(műsz)* blasting agent, *[nagyerejű]* high explosive

robbanóanyag-fogyasztás *n*, explosive consumption

robbanóbomba n, (demolition/ground) bomb, high explosive (bomb/shell), light-case bomb

robbanóelegy n, = robbanókeverék

robbanóerő n, explosive force/power

robbanófej n, [torpedón] torpedo head, warhead

robbanógolyó n, explosive bullet

robbanógyapot n, (vegyt) gun-cotton, pyroxyline, trinitrocellulose

robbanóhatás n, explosive action/force, effect of blasting/explosion, brisance (fr)

robbanókamra n, (műsz) [hengerben] explosion chamber

robbanókeverék n, explosive/detonating mixture, detonating composition, [egy faja] gelignite

robbanóleg n, (bány) fire-damp, fiery vapours (pl), fulminating/black damps (pl)

robbanólövedék n, explosive bullet

robbanómotor n, (internal-)combustion engine, explosion engine

robbanóolaj n, explosive oil

robbanópor n, (bány, kat) blasting/bursting powder, (csak bány) rock powder, (csak kat) percussion powder

robbanótér n, [motorban] explosion/combustion chamber

robbanótöltény n, detonating/blasting cartridge, detonator, (bány) exploder

robbanótöltés n, [töltet] explosive/bursting charge

robbanótöltet n, (bány) charge of bursting-powder, explosive/bursting-cartridge, bursting-charge, fuse, [torpedóé] warhead

robbant [-ani, -ott, -son] I. vt, 1. blow up, burst, (bány) explode, [dinamitot] fire, [sziklát] blast, [aknát] mine, (vegyt) fulminate; fúrólyukat ~ blast holes into a rock 2. [gyűlést] break up, disperse, [pártot, mozgalmat] disrupt; bankot ~ (kárty) break the bank II. vi, [kerékpár sp] scatter

robbantás n, 1. blowing up, (bány) explosion, firing, shot, springing, [sziklát], blasting, [aknát] mining 2. [gyűlést] breaking(-up), dispersion, [pártot, mozgalmat] disruption, [bankot] breaking the bank, scattering; ~t kivált set off an explosion

robbantó [-ak, -t; adv -an] a, explosive, blasting; ld még robbanó

robbantóanyag n, = robbanóanyag

robbantócsapat n, (kat) demolition party

robbantógyújtó n, (bány) exploder

robbantógyutacs n, (bány) spring fuse, exploder, discharger

robbantókanóc n, (safety-)fuse

robbantókészülék n, (műsz) blasting-machine, exploder, [bombán] fuse, [torpedón] warhead

robbantólyuk n, blast/shot/fuse-hole, (kat) touch-hole

robbantószer n, (bány) explosive (substance/agent), blasting-agent, high explosive; ~ek explosive compounds

robbantótöltet n, = robbanótöltet

robbantózsinór n, detonating cord/fuse, (bány) quick-match exploder

robber [-ek, -t, -e] n, (kárty) rubber; ~t ment save the rubber

robberprémium n, (kárty) bonus for winning the rubber

Róbert [-et, -je] prop, Robert

Rubi [-t, -ja] prop, Bob(by), Rob(in), Dobbin

robinzonád [-ot. -ja] n, story (v. adventures pl) patterned on Robinson Crusoe

robog [-tam, -ott, -jon] vi, 1. [dübörög] roll, rumble, [kerék] rattle 2. [rohan] rush, dash (along), spin along at full speed, howl along

robogó [-t; adv -an] I. a, 1. [dübörgő] rolling, rumbling, [kerék] rattling 2. [rohanó] rushing, dashing,

going at full speed (ut); leugrik a ~ vonatról jump off the moving train; egy Budapest felé ~ vonat a train bound for (v. going at full speed towards) Budapest II. n, (motor) scooter, cyclette

roborál [-t, -jon] vi/vt roborate

roboráns [-ok, -t, -a] n, (orv) (cor)roborant, reconstituent

robot [-ot, -ja] n, 1. [hűbéri] socage, statute/duty/ forced labour, villeinage, villein services, corvée (fr) 2. (átv) hard work, drudgery, toil, plod, fagging (fam); micsoda ~! what a fag (fam); örökös ~ az élete his life is a perpetual drudgery

robotautomata n, robot

robotbér n, money paid in lieu of socage

robotember n, (műsz) robot

robotkormány n, (rep) gyro-pilot

robotmegváltás n, exemption from statute-labour

robotmunka n, = robot

robotnap n, day of socage-service, day on which socage-service is performed

robotol [-t, -jon] vi, 1. [hűbéri szolgáltatásként] do/ perform socage-service, serve as a bondman/thrall/ slave 2. (átv) drudge, slave (away), toil (and moil), work hard, plug, plod away, fag (fam), work like a (cart) horse (v. a coal-heaver v. a galley-slave v. a nigger) (fam)

robotolás n, (átv) drudgery, slavery

robotos [-ok, -t, -a] I. a, obliged to perform socage-service (ut); ~ élet life of drudgery/toil II. n, 1. (tört) socager, socman, statute-labourer, bondman 2. (átv) drudge

robotpilóta n, autopilot, automatic pilot

robotrepülőgép n, robot/pilotless plane

robusztus a, [személy] sturdy, hefty, husky (US), robust, strapping, [építmény] strongly-buillt

rocska n, pail, bucket

rocsó [-t, -ja] n, (kat biz) = rohamcsónak

rodal [-t, -jon] vt, (műsz) file

rodanid [-ot, -ja] n, (vegyt) sulphocyanate, sulphocyanide

Rodézia [.. át, .. ában] prop, Rhodesia

rodéziai [-ak, -t] a/n, Rhodesian

ródium [-ot, -a] n, (vegyt) rhodium

ródiumos [-at] a, (vegyt) rhodic

ródli [-t, -ja] n, sledge, sled, sleigh (US), [hasmánti] luge, (Swiss) toboggan; ~n húz/visz sledge

ródlipálya n, sledge-slide/run/shoot

ródlizás n, sledding, sledging, luging, tobogganing, coasting

ródliz|ik [-tam, -ott, -zon, -zék] vi, sled, sledge, luge, toboggan, coast

rododendron [-ok, -t, -ja] n, rhododendron, rose-bay, laurel (US) (Rhododendron sp.)

Ródus [-t, -a, -on] prop, Rhodes

ródusi [-ak, -t], a/n, Rhodian

rogy [-tam, -ott, -jon] vi, fall/drop down (amire on), collapse, founder; egy székbe ~ sink/flop/drop/subside into a chair; földre ~ sink on/to the ground; vk előtt térdre ~ fall (v. go down) on one's knees before sy, prostrate oneself before sy

rogyadoz|ik [-tam, -ott, -zon, -zék] vi, 1. [épület] crumble, be falling into ruin, be about to founder/ co!lapse, [gerenda] sag 2. [láb] shake, tremble, (his knees) give way, [bokszoló] be groggy, [ló] founder; ~ik a teher alatt bend under the burden, sink under the weight; ~ik a térde his knees are giving way under him, he is quaking at the knees; lábai ~ni kezdtek his legs sank under him

rogyás n, falling/break(ing)/dropping down

rogyásig adv, ~ dolgozik work till one drops, work around the clock; ~ jóllakik eat/have one's fill, gorge, overgorge/overeat oneself, (have a good) tuck-in; ~ *megrakodva* overloaded, overfreighted, *[ló]* overburdened; *gyümölcs és virág* ~ fruits and flowers galore

roggyant [-at; *adv* -an] *a*, tottaring, doddering, shaky, *[bokszolásban]* groggy, *[nadrág]* overlong and sagging

rohad [-t, -jon] *vi*, = **rothad**

rohadt [-at; *adv* -an] *a*, *(átv)* rotten; ~ *csirkefogó* cad, stinker; *ld még* **rothadt**

rohadtul *adv*, *(átv)* lousily

roham [-ot, -a] *n*, **1.** *[támadó]* attack, assault, charge, storm(ing), onset, onfall, onslaught, (on)rush, shock--action, *(sp)* *[atlétikában]* run-up, *[vívásban]* lunge, thrust; ~*ra indul vk ellen (átv is)* launch an attack against sg; *állja a* ~*ot* withstand the onslaught/onset, bear the brunt of the attack; ~*ot intéz/indít vm ellen* storm/charge/attack sg, make an assault on sg, *(átv)* go at sg tooth and nail, make an onslaught; ~*ot visszaver/elhárít* beat off an attack; ~*mal bevesz/elfoglal* take/carry by assault/storm, storm **2.** *[betegségé]* fit, bout, attack, outburst, *(orv)* accession, spasm, paroxysm, seizure, *[indulaté]* outburst, fit, rage; *ájulásos* ~ fainting spell; *dühöngési/őrjöngési/őrültségi* ~ fit of (raving) madness; *görcsös* ~ convulsion; *köhögési* ~ fit/attack of coughing, coughing fit; *nagylelkűségi* ~ fit of magnanimity; *nevetési* ~ fit/paroxysm/attack of (helpless/uncontrollable) laughter, laughing fit, the giggles *(fam)* ; *szédüléses* ~ spell of dizziness/vertigo, *(orv)* vertiginous attack; ~*a van* have a fit *(fam)* ; ~*okban fellépő* fitful, spasmodic, paroxysmal; ~*ot kap* be taken with a fit, have a fit, fall/go in(to) a fit, be suddenly afflicted (with sg), have a sudden attack of sg, throw a fit *(fam)*

rohamalakulat *n*, *(kat)* attack formation

rohamállás *n*, *(kat)* attacking/storming position, position of assault

rohambrigád *n*, shock-brigade

rohamcsapat *n*, storming/attacking/assault party, storm/shock-troops *(pl)*, commando

rohamcsónak *n*, *(kat)* storm-boat, assault boat

rohamdeszka *n*, *(sp)* spring/jumping-board

rohamgárdista *n*, *[politikai testületé]* storm-trooper

rohamjel *n*, storm/attack-signal

rohamkés *n*, *(kat)* bayonet, fighting knife, bolo(knife) *(US)*, *[dél-amerikai]* matchet, machete, *[maláj]* kris, creese, *[török]* yataghan

rohamlépés *n*, double-quick (march), double (time), rapid march/pace; ~*ben (átv)* at the double, in double(-quick) time

rohamléptekkel *adv*, = **rohamlépésben**

rohamlétra *n*, *(kat)* scaling ladder, trench-ladder

rohamlöveg *n*, *(kat)* assault gun, gun of accompaniment

rohammunka *n*, shock-work, post-haste work *(pej)*

rohammunkamódszer *n*, shock methods *(pl)*

rohammunkás *n*, shock-worker/brigader

rohammunkás-brigád *n*, shock-brigade

rohamos [-at; *adv* -an] *a*, rapid, swift, fast, speedy; ~ *emelkedés [úté]* steep/heavy ascent/gradient/grade, *[áraké]* rapid/sharp increase/rise; ~ *fejlődés* speedy development; ~ *haladás* rapid progress; ~ *javulás/gyógyulás* speedy recovery; ~ *szülés* precipitate labour

rohamosan *adv*, rapidly, by leaps and bounds *(út)*; ~ *fejlődik* advance/develop rapidly *(v.* at the double *v.* in double quick-time); *a betegség* ~ *súlyosbodott* the disease made rapid progress; *a járvány* ~ *terjed* the epidemic is swift to spread *(v.* is spreading rapidly)

rohamosság *n*, speediness, rapidity, swiftness, fastness

rohamoszlop *n*, storming column, commando

rohamosztag *n*, *(kat)* attacking/storming party, commando, *[rendőri]* (police) shock-troops, arme l police *(GB)*

rohamosztagos *n*, *(kat)* storm-trooper

rohamoz [-tam, -ott, -zon] *vi/vt*, attack, charge; *szuronnyal* ~ charge with fixed bayonets; *várat* ~ storm a fortress, advance to the assault of a fortress

rohamsisak *n*, combat helmet, steel-helmet, tin-hat *(fam)*

rohamszázad *n*, storming company

rohamszij *n*, chin-strap

rohamutász *n*, *(kat)* assault engineer

rohamzászlóalj *n*, *(kat)* assault battalion

rohan [-t, -jon] *vi*, run/race along, rush (about), hurry, scurry, *[hanyatt-homlok]* precipitate, rush headlong, *[villámgyorsan]* dart/sweep along, shoot, *[jármű]* race/tear/bowl/hurtle along, eat up the miles, go full tear, ride at breakneck/top speed, *[lovon]* gallop, race (at full speed), go hell for leather *[folyó, áradat]* flash, pour; *vhová* ~ be in a hurry t: go/get swhere; *vkhez* ~ hasten/hurry to sy; *hová* ~? where are you running/hurrying to?; *miért* ~ *(annyira)?* why are you in such a hurry?, what's your/the hurry?; *folytonosan* ~ be always on the run; ~*nak az események* one can hardly catch up with the headlong course of events; *egymás karjaiba* ~*nak* rush/fly into one another's arms; *vesztébe* ~ rush into danger, court danger/disaster, court one's ruin; *egymásnak* ~*nak [járművek]* crash, collide, run into each other, *[belefúródva]* telescope into; *fejével a falnak* ~ run one's head against the wall; *ellenfelére* ~ pounce *(v.* bear down) upon one's opponent; *segítségére* ~ *vknek* run to help sy, hasten to a person's aid/assistance/succour

rohanás *n*, run(ning), race, racing, rush(ing), hurry(ing), scurry(ing), *[hanyatt-homlok]* precipitation, *[villámgyorsan]* career(ing), dart(ing), sweep(ing), *[járműé]* tear(ing)/bowling/hurtle/hurtling along, (moving/riding at) full/top/breakneck speed, *[lovon]* gallop(ing); *az események* ~*a* rapid flow of events, headlong course *(v.* swift passing) of events

rohangál [-t, -jon] *vi*, = **rohangászik**

rohangászik [-tam, -ott, .. ásszon] *vi*, run to and fro, run/hurry/scurry/scamper/scuttle up and down, run hither and thither

rohanó [-t, -ja] **I.** *a*, hurrying, scurrying, running, racing, rushing, *[hanyatt-homlok]* precipitating, precipitant, *[villámgyorsan]* darting, sweeping, *[jármű]* bowling/tearing/hurtling along, *[ló]* galloping, *[víz]* torrential, torrent-like, *[gyors]* rapid, swift **II.** *n*, *[folyóé]* rapids *(pl)*

rohaszt [-ani, -ott, .. asszon] *vt*, = **rothaszt**

rojalista [.. át] *n*, royalist

rojalizmus *n*, royalism

rojt [-ot, -ja] *n*, **1.** *(tex)* fringe, fringed trimming, thrum, tassel, bunch, purl **2.** *(orv)* fimbria

rojtos [-ak, -t; *adv* -an] *a*, **1.** fringy, fringed, tufty, tufted, thrummy, tassel(l)ed; ~ *szegély* fringed trimming **2.** *[kikopott]* frayed(-out), fuzzy, frazzled *(US)* ; ~ *mandzsetták* frayed cuffs **3.** *(növ)* fimbriate(d), laciniate(d)

rojtosodik [-ott, -jon, -jék] *vi*, fray (out), frazzle

rojtoz [-tam, -ott, -zon] *vt*, *(tex)* fringe, trim with fringes, thrum

rojtozás *n*, *(tex)* fringing, thrumming

rojtozat *n*, *(tex)* fringe-trimming, *[drapériaszerű]* valance, tasseling

rojtszerű *a*, fringy

róka *n*, **1.** *(áll)* fox, *[nőstény]* vixen *(Vulpes vulpes)*, *[mesében néha]* reynard, pug *(obs)*, tod *(obs)*, *[mint prém]* fox-fur/skin; ~ *koma* Reynard (the Fox), Pug, Brer Fox *(US)* ; *erszényes* ~ vulpine opossum *(Trichosurus sp.)* ; *észak-amerikai vörös* ~ North

American red fox *(V. fulva)*; *kék/sarki/jeges* ~ blue/arctic fox *(Alopex lagopus)*; *pusztai* ~ corsac *(Alopex corsac)*; *sivatagi* ~ fennec (fox) *(Fennecus zerda)* **2.** *(átv)* *ravasz* ~ sly fox/dog/boots, deep/knowing one; *(ravasz) vén* ~ old fox, an old hand (at it), a knowing card, a wily old bird; *ravasz mint a* ~ cunning as a fox/serpent, sharp as needle, artful as a monkey; *egy rókáról két bőrt húz le (kb)* get double profit out of sg; *nem lehet egy rókáról két bőrt lehúzni* you cannot eat your cake and have it

rókabőr *n*, fox-skin/fur

rókacápa *n*, *(áll)* thresher/fox-shark, fox-fish, sea-ape *(Alopecias vulpes)*

rókacsapda *n*, fox-trap

rókafarktűrész *n*, fox/hand-saw; ~ *kávával/tarajjal* back-saw

rókafarok *n*, fox-tail, (fox-)brush

rókafi *n*, fox-cub

rókagomba *n*, *(növ)* chanterelle *(Cantharellus cibarius)*

rókaháj *n*, ~*jal kenték* is as cunning as a fox/serpent, is as sharp as a needle

rókaképű *a*, weasel-faced, fox-like

rókakölyök *n*, (fox-)cub

rókakölyök-vadászat *n*, cub-hunting

rókaláb *n*, fox-pad

rókalelkű *a*, artful, cunning, fox-like, foxy, crafty

rókalepke *n*, tortoiseshell (butterfly) *(Vanessa sp.)*; *kis* ~ small tortoiseshell butterfly *(V. urticae)*; *nagy* ~ large tortoiseshell butterfly *(V. polychloros)*

rókalyuk *n*, **1.** fox-hole/earth/burrow, fox's earth/hole, earth, burrow **2.** *(kat biz)* fox-hole

rókamál *n*, = rókaprém

rokambol-hagyma *n*, *(növ)* rocambole, sand leek *(Allium scorodoprasum)*

rókaprém *n*, fox-fur/skin

rókaprémes *a*, fox-fur(red), trimmed with fox(-fur) *(ut)*, lined with fox-skin(s) *(ut)*

rókászás *n*, fox-hunt (with shotgun)

rókaszerű *a*, fox-like, vulpine

rókász|ik [-tam, -ott, .. ásszon, .. ásszék] *vi*, hunt foxes

rókaszuka *n*, fox-bitch, vixen

rókatánc *n*, *(zene)* fox dance ⟨wedding play with dancing⟩

rókatorok *n*, *(koh, épít)* breeching, baffle

rókavadász *n*, *[kutyával de puska nélkül]* foxhunter

rókavadászat *n*, *[kutyával de puska nélkül]* fox-hunt(ing)

rókavas *n*, fox/spring-trap

rókaverem *n*, fox-trap

rókavörös *a*, foxy, rufous, reddish-brown, red fox (colour)

rókázás *n*, *(biz)* vomiting *(stand.)*, spewing/throwing up *(stand.)*, puking

rókáz|ik [-tam, -ott, -zon, -zék] *vi*, *(biz)* vomit *(stand.)*, spew/bring/fetch up *(stand.)*, be sick *(stand.)*, puk e, (shoot the) cat

rokendrol [-t, -ja] *n*, rock-and-roll

rokendrolozó [-t, -ja] *n*, *[táncos]* rock-and-roller

rokka [..át] *n*, spinning wheel

rokkant [-at, -ja; *adv* -an] **I.** *a*, *[ember]* disabled, invalid, *[kortól]* decrepit, broken, *[béna]* lame, crippled, game *(fam)*, *[bútor]* rickety, gimcrack, wobbly, *[épület]* tumble-down, ramshackle; ~ *katona* disabled soldier **II.** *n*, disabled person, invalid, *[nyomorék]* cripple, *(kat)* disabled/superannuated soldier, veteran, pensioner; ~*ak névsora* superannuated list

rokkantellátás *n*, maintenance of (*v.* caring for) the invalids (*v.* disabled veterans)

rokkantotthon *n*, army pensioners' hospital/home

rokkantság *n*, disablement, disability, invalidity, invalidism, infirmity, incapacity/unfitness for work; *a* ~ *foka* degree of disablement

rokkantsági [-ak, -t] *a*, invalid, old-age; ~ *fok/százalék* grade of invalidism; ~ *nyugdíj* (physical) disability pension

rokokó [-t, -ja] *a/n*, rococo; ~ *stílus* rococo style;, ~ *stílusú* rococo(-style), in rococo style *(ut)*

rokolya [..át] *n*, petticoat, skirt, slip, underskirt

rokon [-ok, -t, -ja] **I.** *a*, **1.** *(vkvel)* related (to), *[házasság révén]* allied/connected/related by marriage *(ut)*; *nem* ~ unrelated; *oldalágon* ~ related in the collateral line *(ut)* **2.** *(átv)* related, kindred, akin to *(ut)*, *(tud)* cognate, *[lelkileg]* congenial, brother, kindred, sympathetic, *[egynemű]* homogeneous, *[hasonló]* similar, affinitative, affine, *[megfelelő]* corresponding, analogous (to/with); ~ *alakú* analogous, *(nyelvt)* homonymous; ~ *elemek (vegyt)* related elements; ~ *eredetű szó* cognate word; ~ *értelmű (nyelvt)* synonymous; ~ *értelmű szók (nyelvt)* synonyms; ~ *fogalmak* cognate ideas; ~ *gondolkodású* like-minded, congenial, of the same way/manner of thinking *(ut)*, thinking alike/similarly; ~ *hangnem (zene)* related/relative key(s); ~ *hangzás [jeleké]* homophony, *[szavaké]* homonymy; ~ *hangzású (nyelvt)* homophonous, homophonic, homonymous; ~ *hangzású szó* homonym, homophone; ~ *iparok/iparágak* kindred/allied industries; ~ *jelentés (nyelvt)* synonymy, similar/related meaning; ~ *jelentésű (nyelvt)* synonymous; ~ *jelleg* kinship, kindred; ~ *lelkek* congenial/fellow spirits, soul mates, kindred souls; ~ *lelkű* congenial, kindred in soul/spirit *(ut)*, *[közönség]* sympathetic; ~ *lelkűek* congenial/kindred souls/spirits; ~ *lelkű emberek* congenial people; ~ *művészetek* kindred/sister arts; ~ *nyelvek* related/kindred/cognate languages; ~ *szakma* cognate/kindred branch/line (of work/study/science); ~ *szellemű* congenial, kindred in spirit *(ut)*, *[cselekedet, intézmény]* similar, of the same stamp *(ut)*; ~ *tárgyú* of analogous (*v.* of the same) subject *(ut)*; ~ *vonás* kindred feature, similar trait, affinity, *[hasonlóság]* similarity

II. *n*, relative, (blood) relation, kin, *[házasság révén]* connection, relation by marriage, *[férfi]* kinsman, *[nő]* kinswoman; ~*ok* kin(sfolk), people *(fam)*; ~*ai* his relatives; ~*om* he is kin to me; ~*a vknek* be of kin to sy; *közeli* ~*ok* they are near relatives/relations, they are near in blood; *legközelebbi* ~ next of kin; *oldalági* ~ collateral relative/relation; *távoli* ~ distant relative/relation; *közeli* ~*ok vagyunk* we are closely related, we are near relatives; *nagyon távoli* ~*ok* very distant/remote relatives/relations; *X nagyon távoli* ~*om* X is a very distant relation of mine; *(egyáltalán) nem* ~*om* he is not related (*v.* he is no relative) to me at all, he is no relation of mine, he is not even a connection; *nincsenek* ~*ai* he has no relations; ~*a önnek?* is he related to you?; *milyen* ~*a önnek?* how are you related to him; ~*ok nélküli* relationless

rokonalakúság *n*, *(nyelvt)* analogy, homonymy

rokonértelműség *n*, synonymy

rokonérzés *n*, fellow feeling, sympathy, congeniality, instinctive sympathy/attraction; ~*sel van vk iránt* sympathize with sy, feel drawn/attracted to sy, take to sy, be fond of sy

rokoni [-ak, -t] *adv* -an, -lag] *a*, relational, *[érzésről]* kinsmanlike, cousinly; ~ *érzelmeket ápol vk iránt* have cousinly feelings/affections for sy; ~ *kapcsolat/kötelék* family relation/connection, relationship, cousinship, ties of kindred *(pl)*; ~ *kapcsolatban áll vkvel* have family relations with sy, be related to sy, be connected with sy; ~ *szeretet* cousinly affection;

~ *viszony* (family) relationship, kinship, consanguinity

rokonít [-ani, -ott, -son] *vt*, 1. connect/ally by marriage 2. *két szót ~ egymással* trace tne relationship *(v.* the common descent) of two words

rokonlelkűség *n*, congeniality

rokonság *n*, 1. *[kapcsolat]* kinship, relationship, *[házasság révén]* connection, affinity; *[vérségi]* consanguinity, propinquity; *közeli ~* near/close relationship; *oldalági ~* collateral relationship; *távoli ~* distant relationship; *~ba hoz vkvel* ally/connect/ relate sy with sy; *~ba jut vkvel* become/get related/ connected with sy; *~ban van/áll vkvel* be related/ connected to sy, be of kinship with sy, be of kin to sy; *a macska távoli ~ban áll a tigrissel* the cat is distantly related to the tiger; *tartja a ~ot vkvel* cultivate the (family) relationship with sy 2. *[rokonok összessége]* kin(dred), family, relatives *(pl)*, relations *(pl)*, kin(s)folk *(pl)*, home-folk(s) *(pl)*, people *(fam)*, kith *(obs) ; az egész ~a* all his relatives, all his kith and kin; *a ~hoz tartozik* be one of the family 3. *(vegyt)* affinity, chemical attraction

rokonsági [-ak, -t; *adv* -lag] *a*, of relationship/affinity *(ut) ; ~ fok* degree of relation(ship)/propinquity; *~ kötelék* ties of affinity *(pl) ; ~ viszony* kinship, relationship; *milyen ~ kapcsolatban áll vele?* what relation is he to you?

rokonságnév *n*, kinship term

rokonszenv *n*, sympathy, fellow/good-feeling, instinctive attraction, congeniality, *[együttérzés]* compassion, *[vonzalom]* affection, attachment; *~ek és ellenszenvek* likes and dislikes; *vk iránti ~ből* out of sympathy for sy; *~et ébreszt vk iránt* inspire sympathy for sy; *~et érez vk iránt* feel drawn/attracted to sy, like sy, take a liking to sy, take/warm to sy

rokonszenves [-et; *adv* -en] *a*, evoking sympathy (with) *(ut)*, sympathetic, congenial, *[együttérző]* sympathetic, sympathizing, *[vonzó]* attractive, lik(e)able, pleasant, prepossessing, taking, engaging, appealing; *nem ~* unsympathetic, uncongenial, *(nem vonzó)* unattractive, unlikable, unpleasant; *~ ember* pleasant/attractive man; *~ lénye van* have engaging manners, have a winning way, have an attractive disposition; *nyomban ~ volt nekem* I took to him at once, my heart went out to him, *(vm)* it appealed to me; *egyáltalán nem ~ nekem* I do not feel drawn to him in the least, he has no attraction for me; *lassan ~sé vált* I came to like him, I warmed to him

rokonszenvesség *n*, attractive/congenial character, congeniality, attractiveness, pleasantness, appeal, likeability

rokonszenvez [-tem, -ett, -zen] *vi, (vkvel)* sympathize (with sy), feel drawn/attracted to(wards) (sy), have a soft spot for (sy); *kölcsönösen ~nek egymással* be in sympathy with each other; *~ vknek a nézetével* be in sympathy with sy's ideas; *nem ~ vknek a nézeteivel* be out of sympathy with sy's ideas; *eleinte nem ~tem vele* I did not take to him (at) first; *sohasem ~tem vele* I have never had any liking for him

rokonszenvezés *n*, sympathy, sympathizing, responsiveness

rokonszenvező [-t; *adv* -en] I. *a*, sympathetic, sympathizing (with), responsive (to) II. *n*, sympathizer, *(pol)* fellow-traveller *(fam)*

rokonszenvtüntetés *n*, demonstration of sympathy, demonstration to express agreement with sy/sg, *[sztrájkformában]* sympathetic strike

rokontalan *a*, without a relative/relation *(ut)*, kinless, *[igével]* have neither kith nor kin, *[magányos]* solitary, alone in the world *(ut)*

Rókus-kórház *prop*, Saint Roch hospital (in Budapest)

-ról, -ről *suff*, 1. *[helyhatározó]* **a)** from; *Budapestről jelentik* it is reported frcm Budapest; *Pécsről érkezik* arrive from Pécs; *kilátás a Gellérthegyről* the view from Mount Gellért; *visszajöttek külföldről* they (have) returned from abroad; *Magyarországról jött* he came from Hungary; *házról házra* from house to house, from door to door **b)** off; *gyere le a fűről* come off the grass; *leszáll a vonatról* get/step off train; *levesz vmt az asztalról* take sg off the table 2. *[időhatározó]* from; *időről időre* from time to time; *óráról órára* from hour to hour; *napról napra* frcm day to day 3. *[eredet, irányulás]* **a)** of, about, on; *értesül vmről, hírt hall vmről* hear of sg, come to know of sg, be informed of sg, have news of sg, receive news/tidings/word of sg; *tudomást szerez vmről* obtain/get knowledge of sg; *felvilágosítást ad vmről* give information about/on sg; *álmodik vkről/vmről* dream about/of a person/matter; *kiről beszélsz?* of whom do you speak?, who(m) are you speaking of?; *beszél vmről* speak/talk about/on of sg, tell of/about sg, converse/discourse of sg; *ír vmről* write on sg; *cikket ír vmről* write an article about/on sg; *gondolkodik vmről* think about/of sg; *olvas vmről* read about sg; *értekezés vmről* essay on/about sg; *vmről szóló könyv* a book on . . .; *meggyőződik vmről* be convinced/persuaded of sg, convince oneself of sg, make sure/certain of sg; *vélekedik vmről* have/express/ form/hold an opinion of sg; *meggyőz vkt vmről* convince/persuade sy of sg; *hallgat vmről* keep silent about sg **b)** *(előljáró nélkül)* említést tesz *vmről* mention sg; *megemlékezik vkről/vmről* commemorate sy/sg; *megfeledkezik vkről/vmről* forget sy/sg; *értesül vmről* learn sg, get to know sg; *lemond a dohányzásról* give up smoking c) *lebeszél vkt vmről* argue/reason/ talk sy out of sg 4. *[célhatározó]* gondoskodik *vkről/ vmről* take care/charge of sy/sg, provide for sy/sg, look after sy/sg; *gondoskodik a jövőről* care for the future 5. *[módhatározó]* szóról szóra word for word 6. *[tekintethatározó]* munkájáról ítéljük meg a munkást by the work we know the worker

róla [rólam, rólad, róla, rólunk, rólatok, róluk] *adv. pron/dem*, 1. *[hely]* from him/her/it, off it; *lehullott ~ a lepel (átv, vkről)* he was exposed, he was shown up, *(vmről konkr)* it was unveiled 2. *[felőle]* of/about him/her/it; *~ beszél* speak/talk of/about him; *ne beszélj ~!* do not speak/talk of/about it/that; *~ van szó* they mean him, his interests are at stake; *nem tehetek ~* I cannot help it, it is not my fault; *szó sincs ~* it is out of the question, no go/soap *(US fam)*; *értekezést írt ~* he wrote a treatise on it; *rólunk nélkülünk* de nobis sine nobis *(lat)*

rolád [-ot, -ja] *n, [tészta]* roll

roletta [. . át] *n*, (roller/window-)blind, (window-) shade; *felhúzza a rolettát* draw up the blind; *leereszti a rolettát* let/pull down the blind

rolettarúd *n*, curtain-roller

roller [-ek, -t, -e] *n, [játék]* (roller) scooter

rolleroz|ik [-tam, -ott, -zon, -zék] *vi*, scooter

rollnizott [-at; *adv* -an] *a*, rolled; *kézzel ~* hand-rolled

roló [-t, -ja] *n*, 1. *[roletta]* window-blind/shade, roller-blind 2. *[redőny]* (revolving) shutter, roll-up shutters *(pl)*

rom [-ot, -ja] *n*, ruin (of a building), *[maradvány]* remains *(pl)*, *[roncs]* wreck; *régi vár ~jai* remains/ ruins of an old castle; *csak a ~ja régi önmagának* she is but the ruin of what she was; *kihúz a ~ok alól* draw/pull out of the ruins; *a ~ok között keresgél* ransack the ruins, rummage about in/among(st) the ruins; *~ba dől* fall into ruins/decay, tumble to pieces, go to (rack and) ruin, become tumble-down; *~ba dőlés* ruin, wreck, decay; *~ba dőlt* ruined, ruinous; *~ba dőlt remény* blighted hope; *~ba dönt* lay in ruins, wreck, demolish, knock down, devastate, smash (in)to pieces, dilapidate, *(átv)* ruin, annihilate, destroy, *[reményt]* frustrate; ~ba döntés ruin(ation), wrecking, destruction, devastation; ~ba döntötte a várost a bombázás the bombardment/bombing laid the town in ruins, the bombardment/bombing devastated the town; ~okban in ruins; ~okban hever be/lie in ruins; ~okban heverő ruined, ruinous; ~má lő *[erődöt, várost]* batter down, batter/pound to ruins, reduce to ruins by artillery fire; ~má lőtték az erődöt the fort was battered down

roma [.. át] *a/n*, Romany, gipsy, gypsy

Róma [.. át, .. ában] *prop,* Rome; minden út Rómába vezet all roads lead to Rome

római [-ak, -t, -ja; *adv* -an] *a/n*, Roman; ~ birodalom *[ókor]* Roman Empire; *(Német-)*~ Szent Birodalom Holy Roman Empire; ~ jog Roman law; ~ katolikus Roman Catholic; ~ katolikus egyház Roman Catholic Church, Church of Rome; ~ mérleg Roman balance/ beam/steelyard; ~ pápa the Pope, sovereign pontiff; ~ számok Roman numbers/numerals; ~ székfű *(növ)* Roman camomile *(Anthemis nobilis)*

rómaias [-at] *a,* van valami ~ az arcában there is a reminiscence of the Roman type in his face

román [-ok, -t, -ja; *adv* -ul I. *a,* 1. *[romániai]* R(o)umanian; R~ Népköztársaság R(o)umanian People's Republic 2. *[nyelvcsalád]* Romance, Romanic, Romanesque; ~ nyelvek Romance *(v.* neo-Latin) languages; ~ nyelvész Romanist 3. ~ stílus Romanesque (style), Norman style *(GB)* II. *n,* R(o)umanian

románc [-ot, -a] *n,* romance, sentimental song, drawing-room ballad, love-song

románcköltő *n,* romance-writer, romancer

Románia [.. át, .. ában] *prop,* R(o)umania

romániai [-ak, -t] *a/n,* R(o)umanian

romanista [.. át] *n,* Romanist, student of the Romance languages

romanisztika [.. át] *n,* Romance philology

romanizál [-t, -jon] *vt/vi,* 1. *[rómaivá tesz]* Romanize 2. *[románná tesz]* R(o)umanize

romanizálás *n, [ókori]* Romanization

romanticizmus *n,* romanticism; gazdasági ~ economic romanticism

romantika *n,* romanticism, *[romantikusság]* romance; kedveli a romantikát lean towards romance, have a leaning for romance *(fam)*

romantikátlan *a,* unromantic

romantikus I. *a,* romantic(al), fanciful; ~ hajlamú romantic, *[igével]* lean to romance; ~ író romanticist; ~ iskola romantic school; ~ költők romantic poets; ~ környék picturesque neighbourhood, romantic surroundings *(pl)*; ~ lelkület love of romance; ~ szerelem romantic love; ~ természetű she is romantically given II. *n,* romantic author/poet, romantic

romantizál [-t, -jon] *vt,* romanticize

rombikus *a, (menny)* rhombic, rhomboidal

romboéder [-ek, -t, -e] *n, (mért)* rhomb(ohedron)

romboéderes [-t] *a, (menny)* rhombohedral

romboédikus *a, (menny)* rhombohedral

romboid [-ot, -ja] *n, (menny)* rhomboid

rombol [-t, -jon] *vt/vi, [elpusztít]* destroy, (lay) waste, ravage, devastate, *[épületet]* shatter, demolish, pull down, ruin, dilapidate; földig ~ raze to the ground; gépet ~ wreck, do wilful damage to machinery; árat ~ shatter prices, bring down prices, spoil the market, undersell (one's competitors); egészségét ~ undermine one's health; tekintélyt ~ destroy/undermine sy's authority

rombolás *n, [pusztítás]* destruction, ravage, ravaging, depredation, devastation, havoc, vandalism, *[épületet]* shattering, demolition, pulling-down, dilapidation, sabotage, undermining, subversion; ~ szelleme spirit of destruction; nagy ~t visz véghez

(vmben, vm között) make/play/work havoc (in/with/ among)

romboló [-t, -ja; *adv* -an] I. *a,* destroying, destructive, ravaging, devastating, vandal(ic), *[épületet]* shattering, demolishing, pulling-down, ruining, ruinous, *[erkölcsileg]* undermining, subversive, pernicious, pestiferous, pestilent(ial); ~ cselekmények subversive act(ivitie)s; ~ erő *(hatás)* destructive force (effect) II. *n,* 1. destroyer, ravager, devastator, vandal, *[épületet]* shatterer, demolisher, puller-down, ruiner, *[kártevő]* perpetrator of acts of sabotage, rattener, *[erkölcsi]* subverter 2. *(kat hajó)* destroyer

rombolóbomba *n,* demolition bomb

rombos [-at] *a,* 1. *(menny)* rhombic, rhomboidal 2. *(ásv)* orthorhombic; ~ kristályrendszer rhombic system

rombusz [-ok, -t, -a] *n, (menny)* rhomb(us), lozenge *(fam),* diamond *(fam);* ~ alakú diamond(-shaped)

rombuszhal *n, (nagy)* ~ turbot *(Rhombus maximus);* sima ~ brill *(Rhombus laevis)*

romeltakarítás *n,* rubble clearance, clearing away (of) the rubble/remains, removal of ruins

romeltakarító I. *a,* rubble-clearing/removing II. *n,* rubble remover

romépület *n,* ruin, ruined/wrecked/gutted building, remains of building *(pl)*

romhalmaz *n,* (heap of) ruins, shambles *(pl);* már csak ~ a város the town has been reduced to ruins *(v.* razed to the ground)

romház *n,* = romépület

romkert *n,* park/garden with ancient ruins

romladék [-ot, -a] *n,* † ruins *(pl),* remains (of building) *(pl)*

romladoz|ik [-ott, -zon, -zék] *vi,* fall in(to) ruins, dilapidate, come/fall into decay, tumble to pieces, go to (rack and) ruin, become tumble-down

romlandó [-ak, -t; *adv* -an] *a, (áru)* perishable, corruptible, damageable, liable to deterioration *(ut), [könnyen rothadó]* putrefiable, putrescible, liable to putrefaction/decomposition *(ut),* taintable; nem ~ non-perishable, incorruptible, undecaying; ~ *(élelmiszer)rakomány (hajó)* perishable cargo

romlandóság *n,* perishable nature, perishableness, corruptibility, liability to deterioration/putrefaction, putrescibility

romlás *n,* deterioration, *[anyagé]* perishing, decomposition, degradation, *[szerves anyagé]* putrefaction, rotting, *[egészségé]* impairing, impairment, failure, *[épületé]* decay, dilapidation, *[levegőé]* vitiation, *[pénzé]* depreciation, devaluation; anyagi ~ collapse, failure, downfall, ruin(ation); erkölcsi ~ depravation, depravity, corruption/degeneration of morals, moral decadence/decay; konzervek ~a *(ker)* spoilage of canned food; vk ~a sy's destruction; ~ba dönt/ taszít/visz vkt ruin/undo sy, plunge sy into ruin, be the ruin/undoing/misfortune of sy, prove the ruin of sy, bring about the downfall/ruin of sy, bring ruin upon sy, bring sy to ruin; ~ába rohan be heading for ruin; a ~hoz vezető úton van *(átv)* be on the highway to ruin; ~nak indul begin to decay/spoil, *[anyagilag]* be on the road to ruin, *[egészség, jellem stb.]* go downhill *(fam);* ~nak indult kor decadent age; ~t meggátló preservative, preservatory; ~át okozza vknek be/prove the ruin of sy, prove ruinous to sy

romlásálló *a,* incorruptible

romlatag [-ot, *adv* -on] *a,* † *[épület]* tumble-down dilapidated *(stand.)*

romlatlan *a, [anyag]* undeteriorated, undamaged, *[egészség]* unimpaired, sound, good, *[étel]* sweet, fresh, untainted, *[feddhetetlen]* upright, honest, *[leány]* pure, innocent, *[naiv]* unsophisticated, ingenuous, artless, naive, *[levegő]* untainted, pure, sweet, not vitiated, unvitiated, *[erkölcsileg]* uncorrupted, undepraved, unperverted, unimpaired, unspoiled, unvitiated

romlatlanság *n, [anyag]* undeteriorated/undamaged condition, *[étel]* sweetness, *[levegő]* purity, *[erkölcsileg]* undepraved/unperverted/unimpaired/sound character, *[feddhetetlenség]* uprightness, honesty, pureness, purity, ingenuousness, *[naivság]* absence of sophistication, artlessness, naivety, naiveté *(fr)*

romlékony [-at; *adv* -an] *a,* = **romlandó**

roml|ik [-ani, romolni, -ott, romoljon, romoljék] *vi,* **1.** *[anyag]* deteriorate, go bad, spoil, decompose, degrade, decay, *[levegő]* be vitiated, *[pénz]* depreciate, be devalued, lose in (purchasing) value, fall/decrease in value, *[időjárás]* be breaking, turn wet, *[egészség]* fall of, become impaired, deteriorate, fail, sink; ∼*ik a beteg egészségi állapota* the patient is sinking, the patient is losing (his) strength; *a körte gyorsan/hamar* ∼*ik* pears spoil quickly; ∼*ik a szeme* his sight is failing/going, he is losing his sight, his eyes are not so good as they were, his sight is not so good as it was **2.** *(átv)* worsen, grow worse, be worsening, change for the worse, *[fokozatosan]* decline, deteriorate, go down *(fam)* ; ∼*ik a helyzet* things are going wrong *(v.* the wrong way), things are getting worse; *a helyzete* ∼*ott* he is worse off; *egyre* ∼*ik* it is going from bad to worse; *napról napra* ∼*ik* decline from day to day, be steadily deteriorating *(v.* going down)

romló [-ak, -t; *adv* -(a)n] *a,* perishable, liable to deterioration/decomposition *(ut)* ; *gyorsan* ∼ *étel* food that easily goes bad, perishable food

romlott [-at, *adv* -an] *a,* **1.** *[anyag]* spoiled, deteriorated, bad, foul, damaged, *[fertőzött]* infected, tainted, *[oszladozó]* decayed, decomposed, *[rothadt]* rotten, putrid, putrescent; ∼ *fog* decayed tooth; ∼ *gyümölcs* damaged/spoiled/rotten/decayed fruit; ∼ *hús* high/tainted meat, putrid flesh, meat gone bad; ∼ *konzerv* blown canned/tinned goods *(pl)* ; ∼ *levegő* stale air; ∼ *tojás* addle(d)/rotten egg **2.** *(átv)* perverse, perverted, corrupt(ed), *[bűnös]* vicious, *[elfajult]* degenerate, *[elvadult]* depraved, *[erkölcstelen]* immoral, profligate, wicked, debauched, *[nő]* of easy virtue *(ut)* ; *nem* ∼ incorrupt; ∼ *erkölcsök* corrupted/depraved morals; ∼ *személy* man of loose morals, evil liver, libertine, profligate, rake; ∼ *szöveg* corrupt text; *velejéig* ∼ rotten to the core *(ut)*, full of vices *(ut)*

romlottság *n,* **1.** deteriorated/damaged condition, badness, foulness, rottenness, putridity, putrescence, *[levegőé]* staleness **2.** *(átv)* perverseness, perversion, corruptness, corruption, *[bűnösség]* viciousness, *[elvadultság]* depravity, depravation, *[erkölcstelenség]* immorality, profligacy, debauchery, wickedness, degeneration, degeneracy; *erkölcsök* ∼*a* depravity of morals, infamy

romol [-t, -jon] *vi,* = **romlik**

romolhatatlan *a,* imperishable, incorruptible, incapable of corruption/decay *(ut)*

romolhatatlanság *n,* incorruptibility

romos [-at; *adv* -an] *a,* (partly) ruined, ruinous

romosság *n,* ruinousness

romtalanít [-ani, -ott, -son] *vt,* remove *(v.* clear away *v.* get rid of) the rubble/ruins, pull down *(v.* demolish) the ruined parts (of building), clean the sheets of rubble/débris

romtalanítás *n,* = **romeltakarítás**

romváros *n,* city/town of/in ruins, ruined city/town

róna [. . át] *n,* plain, flat (open) country, level (country)

rónaság *n,* = **róna**

roncs [-ot, -a] *n,* **1.** fragments *(pl)*, debris, remains *(pl)*, wreckage (of sg), leavings *(pl)*, *[hajóé]* wreck-(age), *[úszó]* driftwood (of wrecked vessel) **2.** *(átv)*

wreck; *ő már csak* ∼ he is but a shadow *(v.* the wreck) of his former self, he is but the ruin of what she was

roncskiemelés *n, (hajó)* raising of sunk/wrecked ship *(v.* of parts of collapsed bridge)

roncsol [-t, -jon] *vt,* **1.** *[pusztít]* shatter, break/smash to pieces, ravage, batter, *[maró anyag]* corrode, pit, eat away, *[sziklát]* erode **2.** *(biol)* *[sejtet]* lyse, disintegrate, dissolve, *(orv)* eat away, destroy, *[húst]* lacerate, *[csontot, végtagot]* fracture, shatter

roncsolás *n,* corrosion, fracture, *[anyagvizsgálatnál]* destruction

roncsoló [ak, -t; *adv* -an] *a,* shattering, destroying, breaking/smashing to pieces, corroding, corrosive, lacerating, fracturing; ∼ *toroklob* diphteria

roncsolód|ik [-tam, -ott, -jon, -jék] *vi,* be shattered, break to pieces, be smashed to pieces, be fractured/bruised

roncsolt [-at; *adv* -an] *a, [csont, végtag]* fractured, *[seb]* lacerated

ronda [. . át] *a,* **1.** ugly, *[undorító]* disgusting, repugnant, *[disznó]* filthy, dirty, foul; ∼ *idő (járás)* wretched/beastly/rotten/nasty weather; ∼ *írás* slovenly/execrable/terrible writing **2.** *(átv)* horrid, horrible, ghastly, beastly, wretched, loathsome, nasty, pestilential, bloody *(fam)* ; ∼ *beszéd* obscene/smutty/foul language

rondaság *n,* **1.** ugliness, dirt(iness), filth(iness) foulness, horribleness, ghastliness, beastliness, loathsomeness, nastiness **2.** *[ürülék]* excrement, muck, ordure, sewage, *(tud)* faeces *(pl)*

rondella [. . át] *n, (épít)* round bastion

rondírás *n,* (ornate) round hand(writing), (ornate) round characters *(pl)*, roundhand

rondít [-ani, -ott, -son] *vi, [vhová kutya/macska]* leave/drop a parcel, make a mess swhere, *[légy]* leave its (trade-)mark; *ágyba* ∼ foul one's bed; *saját fészkébe* ∼ *(átv)* foul one's own nest

rondó [-t, -ja] *n, (zene)* roundei(ay), rondo, *[versben]* rondeau *(fr)*

rondtoll *n,* broad nib for writing ornate round characters, round steel pen, lettering pen

rongál [-t, -jon] *vt,* spoil, harm, damage, deteriorate, do damage to, dilapidate, *[erősen]* wreck, ruin, destroy, *[egészséget]* impair, do harm to (one's health), *[gépet]* damage, wreck, smash, *[szándékosan]* damage wilfully, do wilful damage to (machinery), *[készüléket]* put (apparatus) out of order, throw (mechanism) out of gear, *[plakátot]* deface (poster), *[szobrot, képet]* deface, disfigure

rongálás *n,* injuring, harm, damaging, spoiling, deterioration, dilapidation, damage, *[erősen]* wrecking, *[egészséget]* impairing, impairment, *[gépet]* (act of) sabotage, *[szobrot, képet]* defacing, disfiguring

rongálatlan *a, [szállítmány stb.]* uninjured

rongálódás *n,* wear and tear, damage

rongálód|ik [-ott, -jon, -jék] *vi,* become/get spoiled/damaged/injured/marred, be impaired/deteriorated (owing to wear and tear or lack of care in handling), wear off/away/out

rongált [-at; *adv* -an] *a,* spoilt, spoiled, damaged, injured, marred, impaired, deteriorated (owing to wear and tear or lack of care in handling), *[szándékosan]* (wilfully) damaged, *[egészség]* undermined, impaired

rongáltság *n,* spoilt/defaced/disfigured/battered/injured/marred/impaired/deteriorated condition, faultiness, defectiveness

rongy [-ot, -a; *adv* -an, -ul] **I.** *n,* **1.** *[darab]* clout, *[lógó]* tatter, shred, *[konyhai]* dish clout/cloth, kitchen--towel, *[padlóhoz]* floor cloth, *[portörlő]* duster; ∼*ot gyűjt/szed* pick/collect rags; *rázza a* ∼*ot* put on side, give oneself airs, show off, vaunt **2.** *[ruha]* tattered garment, old rag, rags (and tatters) *(pl)*, duds *(pl)* *(fam)* ; csupa~ all tattered and torn; nincs egy ~om sem *(biz)* I haven't a rag to my back; ~okban jár go about in rags, be in rags/tatters; ruhája ~okban lóg le róla his clothes are worn to rags *(v.* falling to pieces *v.* falling off his back); ~okra tép/szakít vmt tear sg (in)to shreds; ronggyá hordott worn to rags *(ut)* 3. utca ~a strumpet, harlot, trollop

II. *a,* good-for-nothing; ~ fráter cad, rotter, snot; ~ idő wretched/awful/beastly/abominable weather

rongyanyag *n,* rag-stuff, rags *(pl)*, raggy material

rongyász [-ok, -t, -a] *n,* = **rongyszedő**

rongybaba *n,* rag-doll/baby, moppet *(US)*

rongyember *n,* cad, scamp, scoundrel, rotter, scapegrace, ne'er-do-well, bad egg, heel *(US fam)*

rongyfoszlatás *n,* rag-cutting

rongykereskedő *n,* ragman

rongymalom *n,* rag-engine/mill

rongyol [-t, -jon] *vt,* tear (sg) to rags/shreds

rongyolódik [-tam, -ott, -jon, -jék] *vi,* become ragged/tattered/frazzled

rongyos [-ak, -t; *adv* -an] *a,* 1. ragged, *[ruha]* tattered, tattery, frazzled, torn, worn out, shabby, shreddy, seedy *(fam)*, *[személy]* in rags (and tatters) *(ut)*, out at elbow(s); ~ ember ragamuffin, tatterdemalion; ~ ruha torn/tattered clothes *(pl)* ; ~ ruhákban in rags 2. *[csekély]* paltry, trifling, miserable, mere; ~ ötven forintért for a beggarly/paltry fifty forints 3. ~ leves thick soup with an egg beaten into it

rongyosan *adv,* shabbily, in rags (and tatters); ~ jár wear *(v.* go in) tattered clothes, be shabbily clad

rongyoskodik [-tam, -ott, -jon, -jék] *vi,* wear rags, wear tattered clothes, go ragged, go in tattered clothes

rongyosság *n,* ragged/tattered condition, raggedness, shabbiness

rongypapír *n,* rag-paper

rongypép *n,* rag pulp

rongyszedés *n,* rag-picking/gathering, ragman's trade; nagyban űzi a ~t *(átv)* be upon the high rope, cut a figure/swagger, put on side

rongyszedő *n,* ragman, rag-and-bone man, rag-picker/gatherer/peddler, dustbin racker, *[szeméttelepen]* rubbish-hunter, *[nő]* ragwoman, old-clothes-woman; ~ kiáltása *[népzene]* ragman's cry

rongyszőnyeg *n,* ragcarpet, strip carpet *(US)*

rongytépés *n,* rag tearing/grinding/cutting

rongytépőgép *n,* rag-tearing/cutting machine, rag grinder/devil, willow(er), willow(ing)-machine

rongyzsák *n,* rag-bag

ront [-ani, -ott, -son] I. *vt,* 1. spoil, damage, injure, mar, impair; árat ~ bring down the price, spoil the market, undersell sy; ~ja a beteg állapotát make the patient worse; egészséget ~ impair/harm/undermine one's health; ~ja az erkölcsöket be injurious/harmful to morals, corrupt morals, demoralize (people); ~ja az esélyeket harm/prejudice one's chances; ~ja vk hírnevét/jóhírét derogate/detract from sy's reputation; vk hitelét ~ja discredit sy; ~ja a levegőt taint/vitiate the air, *(átv)* be a nuisance, be in the way; ~ja vk örömét mar sy's pleasure, be a kill-joy, *[társaságét]* be a wet blanket, put a damper on (a company); ~ja a szemet *[apró betű]* strain/spoil the eyes; ~ja vknek tekintélyét bring discredit on sy's authority 2. *(vkt)* corrupt, pervert; ~ja a gyerekeit spoil/indulge/pamper one's children 0. *[babonában szemmel ver]* cast an evil eye on (sy), bewitch

II. *vi,* 1. *(vmn)* spoil, mar, set back, make a hash of, worsen, make worse, deteriorate, alter (sg) for the worse, *[torzítva]* deface, disfigure; csak ~ a dolg(ok)on he is only making things worse; csak ~ott rajta he has but spoiled it; ezzel csak

~ott a helyzetén he only made his position worse *(v.* even more precarious), he weakened his position further, he only made matters worse (for himself); ezen már nem lehet ~ani it could not be (made) worse 2. *[rohan]* vlvá ~ rush, dash (to), *(vkre, vknek)* go for sy, attack, rush at sy, assail, pitch into sy; a szobába ~ dash into the room

rontás *n,* 1. *(ált)* spoiling, impairment, damaging, injury (to), *(vmn)* making worse, deterioration, marring, *[levegőt]* vitiation, *[erkölcsöket]* corruption 2. *[szemmel]* bewitching, the evil eye; ~ van rajta somebody has bewitched/charmed him, sy cast an evil eye upon him

rontó [-t; *adv* -an] *a,* spoiling, impairing, damaging, injurious (to), destructive, marring, *[erkölcsöket]* perverting, corruptive, depraving; ~ hatás baleful/evil influence; R~ Pál destructive child, bull in the china-shop; szem~ injurious to the eyes *(ut)* ; ~ varázslat malefic/malign spell/enchantment/charm

rontom-bontom *int,* oh! oh!, *[haragosan]* well(,) I never!, *[korholó]* you little devil!

rop [-tam, -ott, -jon] *vt,* táncot ~ dance (briskly), shake a leg *(fam)*

ropog [-tam, -ott, -jon] *vi,* crack, make a cracking sound, crisp, *[bankjegy]* crackle, crunch, rustle, *[bútor]* creak, *[fegyver]* rattle, *[jogak között]* (s)crunch, *[hó, homok]* crunch, grit, *[tűz]* crackle; úgy megver/megrak vkt hogy minden csontja (csak úgy) ~ belé give sy a sound thrashing, beat sy within an inch of his life

ropogás *n,* crack(ing), *[bankjegyé]* crack(l)ing, crunch(ing), rustling, *[bútoré]* creak, *[fegyveré]* rattle, *[hőé, homoké]* crunching, *[rádió]* crackling/sizzling/shorting/leakage noises *(pl)*, atmospherics *(pl)*, strays *(pl)*, mush *(fam)*, *[tűzé]* crackling, crackle

ropogó [-t] *a,* cracking, *[bankjegy]* crackling, rustling, *[fegyver]* rattling, *[tűz]* crackling; ld még **ropogós**

ropogós [-ak, -t; *adv* -an] I. *a,* *[kenyér]* crisp(y), *[péstétom]* crusty, *[sütemény]* crisp(y), scrunchy; ~ cseresznye heart-cherry; ~ra sült cooked to a crisp *(ut)* II. *n,* *[étel]* croquette, potato-ball(s)

ropogósság *n,* *[kenyéré]* crispness, *[sülté]* crustiness

ropogtat *vt,* crackle, rattle, creak, *[fogat között]* (s)crunch, munch, *[kavicsot, havat]* crunch; ~ja a havat tread on the crunching snow; ~ja az „r"hangot roll/bur(r) one's r's; ujjait ~ja crack/snap one's fingers

ropp *int,* crack!, snap!

roppan [-t, -jon] *vi,* crack (once), make a cracking sound, snap, go crack/snap

roppanás *n,* crack, snap, crick-crack, crunch, *[ágé, jégé]* crack

roppant² [-at; *adv* -ul] I. *a,* huge, enormous, vast, immense, formidable, *[óriási]* stupendous, tremendous, colossal, gigantic; ~ nagy immense, enormous; ~ sok a vast deal/quantity of, heaps of, no end of sg II. *adv,* ~ érdekes exceedingly/awfully interesting; ez ~ kedves tőled it is frightfully nice of you; ld még **roppantul**

roppant² [-ani, -ott, -son] *vt,* crackle, snap

roppantul *adv,* hugely, enormously, vastly, immensely, stupendously, extraordinarily, uncommonly, excessively, wonderfully, colossally; ~ érdekel vkt vm interest sy tremendously; ~ meghatódott deeply moved; ~ megkönnyit vmt facilitate sg enormously; ~ örül be exceedingly/awfully glad; ~ szeret vmt be passionately fond of sg, ld még **roppant II.**

rorate [. . ét] *n,* *(egyh)* mass for the aurora

rosál [-t, -jon] *vi,* *[sakk]* castle (one's king)

rósejbni [-t, -je] *n,* chips *(pl)*, chip(ped) potatoes *(pl)*, (potato-)crisps *(pl)*

roseola [. . át] *n,* *(orv)* scarlet-rash

rosíroz [-tam, -ott, -zon] *vi*, = rosál

roskad [-t, -jon] *vi*, *[épület]* be in a tumble-down condition, fall/cave in, be dilapidated, (be about to) collapse; *földre* ~ fall down, fall to the ground; ~ *a teher alatt* bend/sink beneath a burden; *egy székre* ~ flop/drop on a chair; *térdre* ~ fall/sink on/to one's knees, prostrate oneself; *magába* ~ sink into oneself

roskadásig *adv*, ~ *megterhel vmt* overload/overburden/overcharge sg, *(vkt)* burden sy till he is ready to drop

roskadó *a*, *gyümölcstől* ~ *ág* heavy clustered branch

roskadoz|ik [-tam, -ott, -zon, -zék] *vi*, (begin to) fall/cave in, be tumble-down, be dilapidated, dilapidate, break down (under sg); ~*ik a teher alatt* sink under the burden; *az asztal* ~*ik a pompás ételektől* the boards groan with/under the rich food

roskadozó [-t; *adv* -an] *a*, *[láb]* sinking; *gyümölcstől* ~ *fák* trees covered with fruit; *ld még* roskatag

roskadt [-at; *adv* -an] *u*, 1. *[ház]* ramshackle, tumble-down, dilapidated 2. *[személy]* decrepit, broken down, worn out, emaciated with age *(ut)*

roskatag [-ot; *adv*-on] *a*, dilapidated, out of repair *(ut)*, *[épület]* tumble-down, ramshackle, ruinous, crumbly, *[bútor]* rickety, broken-down, crazy, shaky, tottery, wobbly, dilapidated; ~ *aggastyán* a decrepit old man

roskatagság *n*, dilapidation, ricketiness, decrepitude, instableness, frailness

rosseb *n*, *a* ~ *egye meg* the devil take it, pox on it

rost [-ot, -ja] *n*, 1. *[szerves ált]* fibre, fiber *(US)*, *(növ még)* filament, staple, *[kicsi]* fibril(la), *[fáé]* grain (of wood), *[rágós húsé]* string, *[kenderé, lené]* harl(e), *(tex)* bast; ~*okra bont* defiber; ~*ra merőlegesen* across the grain 2. *[hússütéshez]* grill(er), grid(iron), broiler; ~*on sül/süt* grill, broil

rosta [.. át] *n*, riddle, sifter, cribble, *(műsz)* screen, jig(ger), *[liszthez]* bolter-sieve, bolting-machine, *[szita]* sieve (with large mesh), *[mozgó]* cradle, rocker

rostaalja *n*, siftings *(pl)*, riddlings *(pl)*, screenings *(pl)*

rostacsont *n*, *(bonct)* ethmoid bone

rostacsonti *a*, *(bonct)* ethmoid

rostacsontszerű *a*, *(bonct)* ethmoid

rostál [-t, -jon] *vt*, 1. riddle, *(műsz)* screen, sift, jig, *[gabonát]* sift, screen, winnow, fan, *[árpát]* husk, *[lisztet]* bolt, *[szitál]* (pass through a) sieve 2. *(átv)* select, screen, *[jelölteket]* test (candidates)

rostálás *n*, 1. riddling, *(műsz)* screening, sifting, jigging, *[gabonát]* sifting, screening, winnowing, *[lisztet]* bolting 2. *(átv)* selection

rostálatlan *a*, unsifted, unscreened

rostalerakódás *n*, screenings *(pl)*

rostálógép *n*, *[gabonáé]* sifting-machine, sifter, winnowing-machine/mill, winnow(er), *[ércé, széné]* screening-machine

rostált [-at; *adv* -an] *a*, *(műsz)* sifted, screened, *[liszt]* bolted; ~ *kavics* hoggin; ~ *szén* screened coal

rostamérkőzés *n*, elimination match

rostanyag *n*, fibre, fiber *(US)*, *(vegyt)* fibrin

rostanyagszerű *a*, fibrinous

rostaszekrény *n*, *[malomban]* bolting-hutch

rostaszén *n*, screened coal

rostaszövet *n*, screening mesh

rostavizsga *n*, screening test

rostdaganat *n*, *(orv)* fibrous tumour, fibroma, fibroid

rostély [-ok, -t, -a] *n*, grate, grating, *[ablakon]* grating, bars *(pl)*, trellis, *[ajtón]* grille, *[kályhán]* fire-grate, *[kazáné]* lattice, *[konyhai hússütő]* grill, grid(iron), *[lefolyón]* grate, grating (of drain/sink), *(műsz)* screen, *[sisakon]* vizor, visor, beaver, *[szitáló berendezés]* grid, *[turbinán]* rack (of turbine); forgó ~ revolving grate; *mozgó* ~ jigging grate; *rostéllyal ellát* lattice; *leeresztett rostéllyal* vizored, with vizor down *(ut)*

rostélyfelület *n*, *(műsz)* grate-area/surface

rostélyinga *n*, *[óráé]* gridiron/compensation pendulum

rostélylap *n*, grate-plate

rostélyos [-ok, -t; *adv* -an] I. *a*, grated, trellised, grilled II. *n*, *[étel]* stewed sirloin cutlet

rostélyrúd *n*, *(műsz)* grate bar/rod

rostélysisak *n*, vizored helmet

rostélyzat *n*, lattice-work, trellis, grating

rostkagyló *n*, *(áll)* aspergillum *(Aspergillum)*

rostkender *n*, fibre hemp, hemp for fibres

rostkender-termelés *n*, fibre hemp production

rostlen *n*, fibre flax, flax for fibres

rostlen-termelés *n*, fibre flax production

rostmályva *n*, *(növ)* kenaf *(Hibiscus cannabinus)*

rostnövény *n*, fibre/fibrous/thread plant, fibre crop

rostocska *n*, *(tex)* fibril(la), filament

rostokol [-t, -jon] *vi*, idle, be kept waiting, tarry *(ref.)*, cool one's heels *(fam)*, *[vm természeti akadály miatt]* be (ice/snow/weather-)bound

rostonsült *n*, grilled meat

rostos [-ak, -t; *adv* -an] *a*, fibrous, fibrillar, fibrillate(d), fibriform, fibrillose, fibroid, *[csak növ]* filamentary, filamentous; ~ *daganat* fibroid tumour; ~ *érc* fibrous ore; ~ *gipsz* striated gypsum; ~ *hús* stringy/tough/shreddy meat; ~ *húsdaganat* fibro-sarcoma

rostosodás *n*, fibrillation

rostsejt *n*, fibre-cell

rostszál *n*, fibre, fiber *(US)*, *[elemi]* filament

rostszálacska *n*, fibril(la), fibril

rostszerű *a*, fibroid, fibri(lli)form

rostú [-ak, -t] *a*, *haránt/átlós/csomós/kusza* ~ cross-grained

roszbif [-et, -je] *n*, roast(beef)

roszog [-tam, -ott, -jon] *vi*, *[alsó és felső fogak között]* (s)crunch, grate

rossz [-at, -a; *adv* -ul] I. *a*, bad, *[elvont ért]* ill, evil, *[gonosz]* wicked, vicious, *[káros vmre]* injurious (to), bad (for), *[nem megfelelő]* wrong, inadequate, unsuitable, inconvenient, *[pocsék]* wretched, poor, sorry, miserable, *[értéktelen]* worthless, useless, of poor quality *(ut)*, inferior, *[ember]* good-for-nothig, *[téves]* wrong, *[nem működő]* out of order/gear *(ut)*, *[érvénytelen]* not valid *(u.)*; ~ *alkalmazás/használat [szóé, módszeré, orvosságé]* wrong use, misapplication; ~ *állapotban van* be in bad/poor condition; *a beteg* ~ *állapotban van* the patient is in poor health, the patient's condition is low *(fam)*; ~ *angolság* bad/broken/imperfect English; ~ *bánásmód* ill treatment/usage, maltreatment, mishandling; ~*beállítás/beigazítás* wrong adjustment, misadjustment; ~ *bőrben van* look ill/seedy, be in bad/poor shape, be in a bad way, be a shadow of one's former self, be off colour; ~ *cselekedet* bad deed, wrong; ~ *csillagzat alatt született* he was born under an unlucky star; ~ *dolga van* it goes hard with him, he has a bad time of it, he is badly off; ~ *egészségben van*, ~ *egészségi állapotban van* be in poor/ill health, be in bad/poor shape, be unfit; ~ *előérzet* presage of evil, foreboding; ~ *ember* bad/evil/wicked man, bad egg/hat/lot ❖; ~ *emlék(ezet)ű* of evil memory *(ut)*; ~ *emlékezőtehetség* shortness of memory, short/unretentive memory; ~ *értelemben* in a bad/wrong sense; ~ *fát tesz a tűzre* be up to mischief; ~ *felhasználás* misuse; ~ *fényt vet rá* it reflects on him; ~ *festő* a poor hand at painting, sorry painter, dauber; ~ *fogak* bad/decayed teeth; ~ *fordítás* mistranslation; ~ *formában van (sp)* be off one's game/form, be unfit; ~ *gyerek* naughty/mischievous child; ~ *hallása van* be hard of hearing, *[zeneileg]* have no ear for music, have a not true ear; ~ *hangulat* poor/low spirits *(pl)*; ~ *helyre tesz* misplace, put in the wrong place/position; ~ *hír* bad/sad news, a sad piece of news, Job's news; ~ *híre van*, ~ *hírben áll* have a bad reputation, be in bad repute, be ill reputed, there are evil reports abroad about him; ~ hírét költi vknek speak ill of sy, discredit/defame/vilify/slander/backbite sy, cast a slur upon sy, throw dirt/mud at sy, run sy down; ~ hírű ill-famed, of ill repute/fame *(ut)*, disreputable, notorious, with a bad name *(ut)*, of bad reputation *(ut)*, *[igével]* have a bad reputation, be in bad repute, be ill reputed; ~ hírű ház house of ill repute/fame, bawdy/disreputable house; ~ hírű hely place of ill repute; ~ hírű nő woman of ill fame; ~ idegek/idegállapot shattered nerves *(pl)*; ~ idő(járás) bad/foul/vile/inclement/rotten/beastly weather; ~ idő esetére szóló biztosítás weather insurance; ~ időben jön come at the wrong time, come at an inconvenient time, arrive at an awkward moment; ~ információ wrong information, misinformation; ~ írás bad/illegible (hand-)writing; ~ íz bad taste (in the mouth); ~ ízlés bad/low/poor/detestable taste; ~ ízű unsavoury, of a bad taste *(ut)*, bad-tasting, *[igével]* have a bad taste; ~ karban/állapotban van be in bad repair, be out of repair, in bad condition, out of condition; ~ kedvében van be in a bad humour; ~ képet vág look anything but pleased; ~ kézbe kerül get into (the) wrong hands; ~ kiejtés wrong pronunciation, mispronunciation; ~ kifogás poor/lame/shabby excuse; ~ közérzet sense of (physical) ill-being, malaise; ~ a közérzete feel unwell/low, feel queer all over *(fam)*; ~ kritika unfavourable criticism; ~ külsejű/arcú evil-looking, ill-favoured, of formidable appearance *(ut)*; ~ lábon van vkvel be on bad terms with sy; ~ lelkiismeret bad/uneasy conscience; ~ levegő bad/vitiated/mephitic/foul/close air; ~ magaviselet misbehaviour, misconduct; ~ megfigyelő man of no observation; ~ memória unretentive memory; ~ minőség poor/inferior quality; ~ minőségű of poor/inferior quality *(ut)*, low grade; ~ modor unpleasant/churlish/rude manners *(pl)*, bad form; ~ munkát végez do bad work, bungle one's work, not do one's job properly, be a poor hand at one's work; ~ napja volt it was one of his off days; ~ napokat látott he has suffered much, he had a bad time of it, it went hard with him, he fell on evil days; ~ néven vesz vmt take offence/umbrage at (*v*. exception to) sg, take sg in bad part, take sg ill/amiss, resent sg; ne vegye ~ néven I hope you won't mind, no offence (meant), don't take it ill/amiss/unkindly/wrong(ly) (if); ~ néven veszi a kritikát resent criticism; ~ nő woman of easy virtue; a ~ nyelvek scandalous tongues; ~ nyelve van have a venomous tongue, have a bad mouth *(fam)*; ~ nyomon jár be on the wrong track; vmnek jó és ~ oldala the rights and wrongs of sg; ~ órában született born in a luckless hour; ~ osztályzat bad mark; ~ pénz spurious/counterfeit/base/false coin(age)/money; ~ pénz nem vész el ill weeds grow apace, come back like a bad penny; ~ priusza van have a bad record; ~ szag bad/unpleasant/disagreeable smell, smelliness; ~ szaga van have a bad/unpleasant smell, smell (horrible/bad), stink; ~ szagú evil-smelling, malodorous, stinking, *[igével]* smell badly, stink, have a bad smell, reek (of sg); ~ számolás/számítás miscalculation; ~ szándék evil/wrongful/criminal intent; ~ szándékú malicious, wilfully wrong *(ut)*; ~ szelleme vknek be the evil spirit of sy, be the undoing of sy; ~ szeme van have bad eyesight, *(átv)* have an evil eye; ~ szemmel néz vmt disapprove of sg, dislike sg, object to sg, take exception to sg; ~ szemmel nézik be under a cloud; ~ szereposztás miscasting; ~ színben van look ill/pale/haggard; ~ szíve van *(konkr)* suffer with the heart, have a weak heart; nagyon ~ szíve van *(átv)* have a hard/unfeeling heart, have a heart of stone; ~ szóhasználat

wrong usage, misusage; ~ szokás bad/inimical habit; felhagy a ~ szokással overcome a bad habit; ~ szomszédság unneighbourliness; ~ táplálkozás malnutrition; ~ társaság bad/disreputable/low company; kerüli a ~ társaságot shun evil company; ~ tekintet evil eye; ~ termés poor crop/harvest, crop failure/miscrop; ~ természet ill(-)nature; ~ természete van, ~ természetű be (very) difficult to get on with, have a difficult nature, be ill-tempered; ~ tett misdeed; ~ útra csábít vkt lead sy astray, mislead sy; ~ útra téved *(konkr)* go astray, lose one's way, *(átv)* get into evil ways; a fia ~ útra tévedt his son turned out badly; ~ üzlet a losing bargain, a bad job; ~ vége lesz *(vknek)* he will come to no good, he will come to a sticky end, it will go ill with him, *(vmnek)* come to a bad end; ~ véget ér come to a bad end; ~ vélemény unfavourable opinion; ~ vezetés/gazdálkodás ill management, mismanagement; ~ vezető *(vill)* non-conductor, bad conductor; ez nagyon ~ vicc volt that was in very bad taste; ne csinálj ~ vicceket don't be silly! ; ~ viszonyok között él be badly off, be hard up, be in straitened circumstances, be out at elbows *(fam)*, be down at heel *(fam)* ; ~ vonatra száll take the wrong train; egészen/végképp ~ altogether bad; *(ez)* nem ~ that is not so bad, not half bad *(fám)*, I like that! *(iron)*, not bad! *(iron)*, well. I never! *(iron)* ; ~ a hangulata be out of spirits; ~ mint az ördög he is the devil incarnate; nem is olyan ~ it is not (so) bad, it is not half so bad; nem is olyan ~ mint amilyennek látszik his bark is worse than his bite; ~ neki it is bad for him; régen ~ neki! now he is in for it

II. *n*, *(ált)* evil, ill, harm, trouble, *[helytelenség]* wrong; jó és ~ good and evil, right and wrong; az a ~ *(hogy)* the trouble is (that); ebben nincs semmi ~ there is no harm in that; mi ~ van abban ha én... what is the harm of my... ing, what is wrong with it if I...; két ~ közül kell választania have the choice of two evils; két ~ közül a kisebbiket választja the lesser of two evils, of two evils one must choose the lesser; szükséges ~ necessary evil; a falu ~a the terror/scapegrace/scamp of the village; rosszban sántikál be up to mischief, be up to no good, be up to some hanky-panky; *(mindig)* ~ban töri a fejét be bent on mischief, be up to no good; jóban ~ban for better(,) for worse; minden ~ban van vm jó is there is a good side to everything, every cloud has its silver lining, misfortune has its uses; ~ban vannak they are on bad terms, there is no love lost between them, there's bad/ill blood between them; rossznak talál dislike, disapprove of, take exception to; rosszra csábít vkt lead sy into evil, lead sy astray; ~ra fordul take a turn for the worse, fall out for the worst; ~ra hajlik be bent on mischief, be inclined to do evil; ~ra magyaráz vmt put the worst interpretation/construction on sg, distort the meaning of sg; rosszat álmodik have a bad/evil dream, have a nightmare; ~at akar vknek wish sy evil; nem akarok ~at neked I mean you no harm; ~at cselekszik do ill; ~at forral be up to no good, be bent on mischief, brew mischief, hatch a plot; ~at gondol vkről think ill of sy; ~at jelent ha... it is an evil omen if, it is bad luck to...; ~at mond *(vkről)* speak ill/evil (of sy), abuse (sy), run (sy) down, *(vmről)* speak badly/ill (of sg); ~at sejt have misgivings, have an evil presentiment/foreboding, smell a rat *(fam)* ; ~at tesz do wrong/ill, *(vknek)* do (sy) an ill turn, injure (sy); nem is gyanit ~at see no harm in sg, he had no hunch of it; jóváteszi a ~at undo the mischief; jóval viszonozza a ~at return good for evil

rosszabb [-at; adv -ul] *a*, worse *(aminél* than), inferior *(aminél* to); már ~ dolgokat is megértem I have seen

(v. been through) worse than that; ~ minőségű vmnél inferior to sg; ~ vagy nála you are worse than him; annál ~! so much the worse, more's the pity; ami még (ennél is) ~ what is still/yet worse; ez egyre ~ this is worse and worse; mindig ~ lesz (be going) from bad to worse; ~ is lehetne it might be worse; ~ mint valaha worse than ever; ~ra fordul(ás) change for the worse; láttam már ~at is that is not too bad (v. not the worst), there are worse still (v. than that); nem hiszem hogy ~ul csinálhatta volna I'll bet you could not have done it worse; ~ul van mint valaha be/feel worse than ever; semmivel sem ~ul mint in no way inferior to

rosszabbít [-ani, -ott, -son] vt, make (sg) worse, worsen, impair, deteriorate, [helyzetet] aggravate

rosszabbodás n, growing/getting worse, worsening, change for the worse, deterioration, degeneration, decline, aggravation

rosszabbod|ik [-tam, -ott, -jon, -jék] vi, grow/get/become worse, worsen, change for the worse, [elfajul] degenerate, [hanyatlik] grow worse, decline, [javulás után] relapse, [helyzet] worsen, become aggravated, deteriorate; egyre ~ik become worse and worse, go from bad to worse; a helyzet ~ik things are shaping badly; a helyzete ~ott he is worse off

rosszabbodó [-t] a, [betegség, állapot] getting worse (ut), taking a turn for the worse (ut), (orv) recrudescent, ingravescent

rosszakarat n, ill-will, malice, malevolence, malignity, malignancy, rancour, animosity, hostility, spite-(fulness); minden ~ nélkül without a grain of malice; ~tal tesz vmt do sg with malice, do sg maliciously, do sg out of spite

rosszakaratú [-ak, -t; adv -an] a, ill-willed/disposed/intentioned/meaning, evil-minded, malevolent, malicious, malignant; ~ megjegyzés spiteful/hostile remark

rosszakaró [-t, -ja; adv -an] I. a, = rosszakaratú; II. n, ill-wisher, enemy, snake in the grass (ref.); sok ~ja van he has many ill-wishers

rosszalkodás n, naughtiness, mischief

rosszalkod|ik [-tam, -ott, -jon, -jék] vi, misbehave, [gyerek] be mischievous/naughty, be full of mischief, make/do mischief, be/get up to mischief

rosszall [-t, -jon] vt, disapprove of, find fault with, frown at/upon, discountenance, censure, take exception to, count/take as bad, be against (sg), reprehend, rebuke, deplore, disfavour, condemn, reprove

rosszallás n, disapproval, disapprobation, censure, reprehension, rebuke, disfavour, condemnation; ~át fejezi ki (vmvel szemben) disapprove of sg, take exception to sg, express one's disapproval of sg

rosszalló [-ak, -t; adv -an] a, disapproving, disapprobatory, reproving; ~ értelemben in a pejorative/derogatory sense, pejoratively; ~ pillantást vet vkre frown disapproval; ~ szavak words of censure/disapproval; ~ tekintet look of disapproval, frown(ing look)

rosszallóan adv, = rosszallólag

rosszallólag adv, disapprovingly, reprovingly, reproachingly, dispraisingly; ~ csóválja a fejét shake the head in disapproval; ~ néz vkre look askance/critically at sy, give sy a black look, frown/scowl at sy, give sy the raised eyebrow; ~ nyilatkozik vkről disapprove of sy, voice one's low opinion of sy, give bad information about sy, run sy down

rosszaság n, badness, [tárgyé] bad/poor/inferior quality, [gonoszság] wickedness, depravity, evil character (of sy), nastiness, [rosszindulatúság] ill nature, malice, maliciousness, spitefulness, un-

kindness, [gyereké] naughtiness, mischievousness, te ~! you little rascal/rouge!

rosszcsont n, bad egg/lot/hat, rogue, rascal

rosszhangzás n, discord, cacophony, (zene) dissonance, disharmony

rosszhangzású a, discordant, disharmonious, inharmonious, ill-sounding; ~ név ill-sounding name

rosszhiszemű a, dishonest, unfair, perfidious, disloyal, spiteful, mala fide (lat); ~ feljelentő mala fide denunciator; ~ ember ill-deemer

rosszhiszeműen adv, (jog) in bad faith, (ker) mala fide

rosszhiszeműleg adv, = rosszhiszeműen

rosszhiszeműség n, bad faith, dishonesty, unfairness, disloyalty, perfidy, mala fides (lat), malice

rosszindulat n, spite(fulness), malice, maliciousness, malignancy, malignity, malevolence, ill-will/nature, animosity, hostility, undkindliness, viciousness, nastiness; ez tiszta ~ részéről it is rank malice on his part; minden ~ nélkül without any malice, no harm is meant; ~ból from spite, out of spite; merő ~ból out of pure mischief; mindenben ~ot lát look for an evil intention in everything; ~tal viseltetik vkvel szemben bear malice to(wards) sy, bear sy malice, bear sy ill-will, have a spite against sy

rosszindulatú [-ak, -t; adv -an] a, malicious, evil-minded/hearted, spiteful, malevolent, ill-willed/natured/disposed/meaning, evil/ill-intentioned, unkind, malignant, viperish, wicked, mischievous, nasty, [állat] vicious, [cselekedet] ill-meant, (orv) malignant; nem ~ [daganat] non-malignant; ~ daganat malignant/morbid tumour/growth; ~ ember black-hearted man; nem ~ ember there is no harm in him; ~ hazugság spiteful lie; ~ láz malignant fever; ~ megjegyzés malicious/hostile remark; ~ összehasonlítás invidious comparison; ~ pletykálás/híresztelés scandal-mongering; ~ rongálás wilful damage, sabotage; ~ tett/cselekedet a nasty piece of work

rosszindulatúan adv, maliciously, malevolently, spitefully, wickedly; ~ viselkedik vkvel szemben be nasty to sy

rosszkedv n, bad humour/temper, poor/low/bad/depressed/droopingspirits(pl), moodiness, depression (of spirits), ill-humour/temper, dejection, moroseness, crossness, grumpiness

rosszkedvű a, moody, bad humoured/tempered, out of humour/sorts/temper/spirits (ut), in a bad humour (ut), dejected, depressed, ñl-humoured/tempered, sulky, morose, splenetic, peevish, gloomy, testy, snappish, pettish, cross (fam), hipped (fam), hippish (fam), grumpish (fam), grouchy (fam), liverish (fam), dumpish (fam), offish (fam), [igével] be out of humour/temper/tune/sort(s)/trim, be in a bad temper, be in low spirits, feel gloomy, be moody/upset/chippy, be in a pet, have the sullens/hip, have the hump(s)/blues (fam), be in the dumps/blues (fam), have a liver (fam), be off one's oats (fam)

rosszkedvűen adv, morosely, gloomily, sullenly, crossly (fam), grumpily (fam), huffily (fam); ~ csinál vmt it goes against the grain for sy to do sg, do sg with bad grace

rosszkedvűség n, bad humour, spleenishness

rosszképű a, evil/foul-faced, evil/bad-looking

rosszkor adv, [helytelen időben] at the wrong time, untimely, at an unseasonable hour, [alkalmatlanul] at an inconvenient time, at an awkward moment, [rossz alkalommal] not to the point, at the wrong place, [nem időszerűen] out of season, unseasonably; ~ jön come at the wrong time, arrive at an awkward moment; ~ nevet laugh at/in the wrong place, laugh inadvertently

rosszlelkű *a*, evil-minded/hearted, malevolent, malignant, wicked, spiteful
rosszlelkűség *n*, evil-mindedness, malevolence
rosszmájú [-ak, -t; *adv* -an] *a*, malicious, scurrilous, bilious, sarcastic, ill-tongued; ~ *megjegyzés* a nasty remark
rosszmájúság *n*, spitefulness, maliciousness, malice, sarcasm; *nem minden* ~ *nélkül* not without malice
rossznéven vesz vmt take sg amiss/ill
rossznyelvű *a*, evil-speaking, ill-tongued, malicious, slanderous, abusive, backbiting, [*igével*] have a venomous/biting tongue, have an evil/foul mouth; ~ *ember* backbiter, scandal-monger
rossz-szívű *a*, [*szívtelen*] heartless, unfeeling, hard-hearted, callous, [*igével*] have a heart of stone, have a bad/cruel/unkind heart, [*irigy*] envious, invidious, covetous
rossz-szívűség *n*, heartlessness, hard-heartedness, callousness, enviousness
rosszul *adv*, ill, badly, poorly, wretchedly, [*helytelenül*] wrong(ly), [*nem előírásosan/rendesen*] not properly, out of order, amiss; ~ *ad el vmt* sell sg at a loss; ~ *áll* [*anyagilag*] be badly off, it goes hard with him (financially), be on the rocks (*fam*), be hard up (for money) (*fam*), be hard pushed (*fam*), [*politikailag*] be under a cloud, [*tanuló vmlyen tantárgyból*] have rather bad marks; *ez a kalap* ~ *áll neki* this hat does not suit/fit her; *ez az öltöny* ~ *áll* this suit misfits (him); ~ *áll a ruha vkn* the suit/ dress fits badly (*v*. is a bad fit); ~ *áll a szénája* he is in a bad way, he is in a fix/plight, his stocks are rather low, his stock is failing; ~ *bánik vkvel* treat/ use sy badly, mistreat/maltreat/mishandle sy, be unkind to sy, ill-use sy, (*vmvel*) mismanage sg; ~ *beszél angolul* speak bad/broken English; ~ *címez* misdirect; ~ *ejt ki* mispronounce; ~ *ellátott/felszerelt* inadequately supplied, ill-found; ~ *értelmez* misconstrue, misinterpret, misunderstand, misconceive; ~ *értelmezi feladatát/kötelességeit* misconceive of one's duty; ~ *értelmezi vk szavait* put a bad construction on sy's words; ~ *érzi magát* [*mert beteg*] be/feel unwell/ill, feel low, feel out of sorts, [*mert feszélyezett*] feel ill at ease, feel out of place; ~ *esik vm vknek* feel sore about sg, pain/grieve/hurt sy, be cut up about sg badly (*fam*); ~ *fejezi ki magát* use the wrong expression; ~ *fejlett* underdeveloped; ~ *fordít* (*vmt*) mistranslate; ~ *gazdálkodik vmvel* mismanage sg; ~ *hangol* mistune; ~ *helyezkedik* (*átv*) come down on the wrong side of the hedge; ~ *idéz* misquote; ~ *ír* [*szót*] mis-spell; ~ *irányít* misdirect; ~ *ttél meg vkt* misjudge sy; ~ *jár* [*póruljár*] come to grief, come a cropper (*fam*), [*üzletnél*] be out of pocket (by a losing bargain), the business does not answer/ pay (*fam*), [*óra*] go wrong, lose, gain, be (too) slow/fast; ~ *javít* (*ki*) miscorrect; ~ *keltez* [*levelet*] misdate; ~ *kezelt könyvtár* badly managed/run library; ~ *kormányoz* misgovern; ~ *lép* miss one's footing; ~ *leplezett/titkoit/palástolt* ill-concealed; ~ *lett* (*vmtől*) he was taken ill, he became unwell, [*ételtől*] sg upset him, disagree with him, [*elájult*] he fainted; ~ *megy* [*az üzlet, a dolog*] things are going badly; ~ *megy a boltja* be in a bad way of business, business is slow; ~ *megy a sora* he is badly off, he is doing badly, it goes hard with him; ~ *néz ki* he looks ill/drawn, he does not look up to the mark, he does not look very fit; ~ *nyel* swallow the wrong way; ~ *olvas* misread; ~ *öltözött* badly/tastelessly/ dowdily/shabbily dressed; ~ *sikerül* fail, miscarry, go/succeed badly; ~ *sikerült kísérlet* abortive attempt; ~ *számít* (*ki*) miscalculate, misreckon, make a mistake (in calculation), be out in one's reckonings; ~ *számol* miscalculate, miscompute; ~ *tájékozott*

ill-informed; ~ *táplált* ill/under-nourished, underfed, badly nourished/fed, half-starved; ~ *tápláltság* under-nourishment, malnutrition, (*orv*) hypotrophy; ~ *tetted* you ought not to (*v*. you should not) have done it, you did wrong, you acted wrongly; ~ *vagyok ha csak rágondolok* it makes me sick just to think of it; ~ *választ* choose wrongly; ~ *van* be ill/unwell/ indisposed, feel ill/faint/bad/poorly, [*gyomra kavarog*] feel sick; *a beteg nagyon* ~ *van* the patient is very law (*v*. in a very bad way/state); ~ *végzett munka* botched work; ~ *végződött* it resulted (*v*. turned out) badly; ~ *vezet* mismanage, misconduct, misdirect; ~ *viselkedik* misbehave, behave badly; ~ *viszonyul a kritikához* resent criticism
rosszullét *n*, indisposition, sickness, [*ájulás*] fainting, swoon; ~ *érzése* sickly feeling, feeling' of indisposition; ~ *fogta el* he was taken/seized by an indisposition, he felt faint; ~*et okoz vknek* [*étel*] upset sy, disagree with sy, make sy feel very sick, sicken sy
rotáció [-t, -ja] *n*, rotation
rotációs [-ak, -t; *adv* -an] *a*, rotating, rotative, rotational; ~ *fénynyomat/fényképnyomás* (*nyomd*) rotogravure; ~ *gép/sajtó* (*nyomd*) rotary (printing-)press, rotary machine/printer, web machine/press; ~ *mélynyomás* (*nyomd*) rotogravure; ~ *papír* web paper, (rotary) newsprint
rotacizál [-t, -jon] *vi*, (*nyelvt*) rhotacize
rotacizmus *n*, (*nyelvt*) rhotacism
rotángpálma *n*, (*növ*) rat(t)an (*Calamus*)
rotaprint [-et, -je] *n*, rotaprint
rothad [-tam, -ott, -jon] *vi*, rot, decay, become rotten/ putrid, putrefy, decompose, [*hús*] be(come) high/ tainted, [*étel*] go bad, [*széna*] ret; *börtönben* ~ *rot in prison*
rothadás *n*, rot(ting), decay, putrefaction, putrescence, decomposition, (*növ*) rot, mould; *baktériumos* ~ bacterial rot; *barna* ~ brown rot (*Minilinia, Stromatinia etc.*); *fehér* ~ storage rot, watery soft rot (*Sclerotinia, Sclerotiorum*); *nedves* ~ wet/soft rot; *nemes* ~ pourriture noble, "noble rot" *száraz* ~ dry/sap rot; *szürke* ~ gray mould rot; *zöldpenészes* ~ blue mold rot; ~*nak indul* begin to rot, show signs of rotting, rot away/off; ~*nak indult* putrescent
rothadásgátló *n*, [*szer*] anti-putrefactive, antiputrescent, antiputrid
rothadási [-ak, -t; *adv* -lag] *a*, rotting, decaying, putrefying; ~*folyamat* process of putrefaction/decomposition; ~ *termék* putrefaction/decomposition product
rothadásmentes *a*, rot-proof, imputrescible
rothadékony [-at; *adv* -an] *a*, putrescible, liable to putrefy/decay/rot (*ut*)
rothadó [-ak, -t; *adv* -(a)n] *a*, rotting, rotted, decaying, decomposing, putrid, putrescent, mouldering, festering; ~ *anyagok* putrescible/putrefiable matters; ~ *kapitalizmus* decaying capitalism
rothadt [-at; *adv* -an, -ul] *a*, **1.** rotten, decayed, decomposed, putrid, [*étel*] gone bad, tainted, rotten, [*fa*] rotted, [*gyümölcs*] unsound, rotten, (*orv*) septic; ~ *alma* rotten apple **2.** (*átv*) wretched, rotten; *velejéig* ~ rotten to the core
rothadtság *n*, rot(tenness), decay(edness), putridity, putridness, putrefaction
rothaszt [-ani, -ott, . .asszon] *vt*, rot, render rotten/ putrid, decay, decompose, putrefy, [*kendert, lent*] rot, ret
rothasztás *n*, putrefaction
rothasztó [-t; *adv* -n] *a*, putrefactive, rotting, (*orv*) saprogenic
rotor [-ok, -t, -ja] *n*, rotor, inductor
rótt [-at; *adv* -an] *a*, notched, scored (up), noted (down); ~ *betű* rune; ~ *írás* runes (*pl*), runic letters/charac-

ters *(pl)*; *köbe* ~ *jelek* marks graven in stone; *vkre* ~ *munka* work imposed (up)on sy; *vállaira* ~ *teher* ɔurden laid on sy; *vk terhére* ~ *cselekmény* action imputed to sy, action for which the blame falls on sy; *tagadja a terhére* ~ *tettek elkövetését* he denies the actions with which he is charged

rotyog [-ott, -jon] *vi*, bubble, seethe, stew, simmer

rotyogás *n*, bubbling, seething, simmering, stewing

rottyant [-ani, -ott, -son] *vt*, *nadrágjába* ~ make a mess in one's trousers/pants

rovancs [-ot, -a] *n*, = **rovancsolás**

rovancsol [-t, -jon] *vi/vt*, audit, take stock *(v. check up on sg)* unexpectedly, *[leltárt, számlákat]* examine, *[pénztárat]* take stock of the cash (unexpectedly), check

rovancsolás *n*, (unexpected) stock-taking, check-up, checking, audit(ing), recension

rovancsoló [-t, -ja] *n*, auditor, stock-taker

rovar [-ok, -t, -a] *n*, insect, vermin, bug *(US jam)*; ~*t gyüjt* entomologize

rovarálca *n*, larva; *rovarálcában élő* larvicolous

rovarálló *a*, vermin-proof

rovarbáb *n*, pupa

rovarcsípés *n*, insect-bite

rovarevő I. *a*, *(áll)* insectivorous, *(növ)* entomophagous **II.** *n*, *(áll)* insect-eater, insectivore, *(növ)* entomophaga *(pl)*

rovarféle I. *a*, insectile, entomoid **II.** *n*, *rovarfélék* insecta *(lat pl)*

rovarfertőzés *n*, infestation

rovarfogó *a*, ~ *árok* insect-trench; ~ *háló* sweep-net

rovargyüjtemény *n*, collection of insects, entomological collection, insectarium *(lat)*

rovargyüjtő *n*, 1. *[személy]* collector of insects, insect collector, bug-hunter *(jam)* 2. *[doboz]* specimen--case (of entomologist on field-work); ~ *kábítópalackja* killing bottle

rovarirtás *n*, destruction of bugs/insects

rovarirtó I.*a*, insecticide, bug-expelling; ~ *szer* = **rovarirtó II.**; ~ *szerrel befúj vmt* insufflate sg with an insecticide **II.** *n*, *[szer]* insecticide, insect-killer, beetle exterminator, parasiticide, pesticide, *[por]* insect--powder

rovarkár *n*, damage done by (noxious) insects (to fruit/crops)

rovarkártevő *n*, insect pest

rovarmegporzás *n*, *(növ)* insect pollination

rovarmegporzású *a*, *(növ)* entomophilous, insect--pollinated

rovarölő I. *a*, insecticidal; ~ *vegyület* insecticide **II.** *n*, insecticide, insect-killer; *ld még* **rovarirtó**

rovarpiszok *n*, frass, flyspeck

rovarpor *n*, insect-powder

rovarporozta *a*, *(növ)* insectiphilous, entomophilous

rovartan *n*, entomology, insectology; ~*nal foglalkozó tudós* entomologist

rovartani [-ak, -t; *adv* -lag] *a*, entomological

rovartenyésztő *a*, ~ *telep* insectarium

rovarürülék *n*, frass, flyspeck

rovarűző *a*, ~ *szer* insectifuge

rovás *n*, 1. *[bevágás]* notching, nicking, scoring, tallying, incision, *[jel]* notch, nick, score (on tally--stick), *[falapon, pálcán]* tally, *[írás]* runes *(pl)*, runic letters *(pl)*; ~*ra iszik* drink on tick; ~*sal bejegyez* tally 2. *[megrovás]* reprimand 3. *(átv)* account, expense, deb(i)t; *sok van a* ~*án* he has much to answer for, he has much on his conscience; *vknek a* ~*ára* at sy's cost/expense(s), on sy's account, to the prejudice of sy; *vmnek a*~*ára* to the detriment/ prejudice of sg, at the expense/price of sg; *a becsület* ~*ára* at the price of honour; *az egészség* ~*ára* at the expense/cost of health, to the detriment of health;

az általános jólét ~*ára* at the expense of the general good; *az én* ~*omra nevetnek* they laugh at my expense; *mások* ~*ára* at the expense of others, to the detriment of others; *a minőség* ~*ára* to the detriment of quality; *vk* ~*ára ír vmt* impute/ascribe/ attribute sg to sy, lay the blame for sg at sy's door; *betegségét a kedvezőtlen éghajlat* ~*ára írták* his disease was put down to the unfavourable climate; *vk tudatlanságának a* ~*ára ír vmt* put down *(v.* ascribe) sg to sy's ignorance; *természetfölötti erők* ~*ára írták* it was attributed to supernatural forces

rovásbetű *n*, rune

rovásfa *n*, tally, scoring stick

rovásírás *n*, runic writing/script, runic/characters/ marks *(pl)*

rovásírásos *a*, runic

rovásos [-ak, -t; *adv* -an] *a*, notched, tallied, *[írás]* runic

rováspálca *n*, tally/scoring-stick, tally

rovat *n*, *(ker)* side (of account), *[újságban]* column, *[táblázaté]* head(ing), *(nyomd)* rubric; *állandó* ~ permanent column; *bevételi* ~ side of receipts; *házassági* ~ marriage column; *kiadási* ~ side of expenses; *külön* ~*ban* under separate heads; *ugyanebben a* ~*ban* under the same head(ing); ~*ot kitölt* fill in the blank

rovatbeállító *a*, ~ *szerkezet [írógépen]* tabulator

rovatcím *n*, title of column, heading, caption

rovátka *n*, 1. groove, notch, nick, score, dent, indent(ation), scotch, kerf, snick, hack, nock, cut, *[oszlopon]* flute, fluting (of column), *[rajzolt]* hatch(ing), *(műsz)* groove, channel, furrow, slot, jag, rabbet, *[csavarfejen]* tommy-hole, *[jában]* chamfer, grain 2. *(áll)* striga, *(geol)* stria, *(növ)* crenation, crenature, *[finom]* crenulation

rovátkás *a*, 1. grooved, groovy, notched, nicked, scored, indented, *[ja]* chamfered, *[oszlop]* fluted 2. *(term)* striated

rovátkáz [-tam, -ott, -zon] *vt*, = **rovátkol**

rovátkázat *n*, = **rovátkolás**

rovátkázott [-at; *adv* -an] *a*, = **rovátkás**

rovátkol [-t, -jon] *vt*, groove, notch, nick, score, indent(ure), dent, nock, *[fát]* chamfer, *[oszlopon]* flute, *[rajzolva]* hatch, *(mezőg)* furrow, *(műsz)* channel, furrow, mortise, *[fémip]* *[peremet]* chase, engrail, *[egymásba illő fadarabokat]* dovetail, *[puskacsövet, löfegyvert]* rifle

rovátkolás *n*, 1. *[folyamat]* grooving, notching, nicking, scoring, indentation, *[fát]* chamfering, *[oszlopot]* fluting, *(műsz)* channel(l)ing, *[egymásba illő fadarabokat]* dovetailing 2. = **rovátka**

rovátkolt [-at; *adv* -an] *a*, grooved, notched, scored, indented, nicked, *[ja]* chamfered, *[oszlop]* fluted, *(műsz)* channel(l)ed, slotted, *[perem érmén]* engrailed

rovatol [-t, -jon] *vt*, *[papírt]* subdivide, line, rule, *[részletez]* itemize, *[táblázatba szed]* tabulate, list

rovatolás *n*, *[papírt]* subdivision, lining, ruling, *[részletezés]* itemizing, *[táblázatba szedés]* tabulation, listing

rovatolt [-at] *a*, *(ker)* ~ *ügy* matter under reference, subject matter

rovatos [-ak, -t; *adv* -an] *a*, *[papír]* subdivided, lined, ruled, *[részletezett]* itemized, *[táblázatba szedett]* tabular

rovatoz [-tam, -ott, -zon] *vt*, = **rovatol**

rovatvezető *n*, editor; *irodalmi* ~ literary editor, *katonai* ~ military editor; *közgazdasági/pénzügyi* ~ financial editor, city editor *(GB)*; *színházi* ~ dramatic critic; *társasági* ~ gossip writer/columnist

rovott [-at; *adv* -an] *a*, = **rótt**; ~ *múltú* previously convicted *(ut)*; ~ *múltú bűnöző* recidivist, habitual criminal, old offender, man who has done time, old lag *(fam)*; ~ *múltú egyén/ember* person with criminal record

royalista [..át] *a/n*, royalist

Róza [..át] *prop*, Rose, Rosa, Rosalie

Rozália [..át] *prop*, Rosalie, Rosalia

rozetta [..át] *n*, *[szalagdísz]* rosette, bow of ribbon, flower, *[ablak]* rose/wheel-window, rose-work, *[mennyezeten]* ceiling-rose, (ceiling) rosetta

rozettaminta *n*, *[bankjegyeken stb.]* rose-engine pattern

rozettás *a*, ~ *dísz (épít)* guilloche ornamentation

Rozi [-t, -ja] *prop*, Rosie

Rozika *prop*, = Rozi

rozmár [-ok, -t, -ja] *n*, *(áll)* walrus, sea-ox, morse *(Odobenus sp.)*

rozmaring [-ot, -ja] *n*, *(növ)* rosemary *(Rosmarinus officinalis)*

rozoga [..át] *a*, shaky, shaking, tottering, *[épület]* dilapidated, ramshackle, tumble-down, *[igével]* be in disrepair, *[bútor]* rickety, crazy, broken down, wobbly, decrepit, battered, *[egészség]* frail, shattered, precarious; ~ *autó* jalopy ♦, flivver ♦

rozogaság *n*, shakiness, dilapidation, ricketiness, decrepitude

rozzant [-at; *adv* -an] *a*, = rozoga

rozs [-ok, -t, -a] *n*, *(növ)* rye *(Secale cereale)*

rózsa [..át] *n*, 1. *(növ)* rose *(Rosa sp.)*; damaszkuszi/ olasz/hónapos ~ Damascene rose, monthly/Indian/ China rose *(R. damascena)*; *jeslő* ~ rose in its first bloom; havi/karácsonyi ~ hellebore *(Helleborus niger)*; japán ~ (Camellia) japonica *(Camellia japonica)*; jerikói ~ rose of Jericho, resurrection plant *(Anastatica hierohuntica)*; parlagi ~ French rose *(R. gallica)*; százlevelű ~ cabbage-rose *(R. centifolia)*; rózsát tűzött a hajába she stuck a rose in her hair; a türelem rózsát terem everything comes to him who waits, patience is a virtue(,) a little more won't hurt you; *Rózsák Háborúja (tört)* Wars of the Roses; nincsen ~ tövis nélkül no rose without (a) thorn, every rose has its thorn, no joy without alloy 2. *[dísz]* rosette, rose, bow (of ribbon), flower, *[kokárda]* cockade, *[iránytűé]* card, face (of compass), *[locsolón]* rose(-head) (of watering can), sprinkling-rose, *[zuhanyon]* spreader, sprinkler (of shower-bath), *[szarvasagancsé]* bur(r), pearl; mérműves ~ *(épít)* ball-flower 3. *[vk kedvese]* lover, sweetheart, darling; rózsám my pet/love, sweetheart, darling, honey, true-love, *(ref.)*, beloved *(ref.)* 4. *(áll)* tengeri ~ actinia *(Actinia)*

Rózsa [..át] *prop*, Rose, Rosa, Rosalind, Rosalie

rózsaablak *n*, *(épít)* rosette, rose(-window)

rózsaág *n*, rose-branch

rózsaágy *n*, bed of roses, rose-bed, rosery, rosary

rózsabimbó *n*, rosebud

rózsabogár *n*, *(áll)* rose-chafer/beetle/bug/fly, gold-smith-beetle *(Cetonia aurata)*

rózsabokor *n*, rose-bush, rosier, *[vad]* dog-rose, briar/ brier bush, wild briar

rózsaburgonya *n*, pink(-eye) potato

rózsácska *n*, little rose

rózsadísz *n*, *(épít)* rosette, rose, *[mérmüves]* ball--flower

rózsaér *n*, *(orv)* saphena

rózsafa *n*, *(növ)* rose-tree, bois de rose *(fr)* *(Rosa sp.)*, *[anyag]* rosewood, tulip-wood, rosetta-wood; brazíliai ~ pinkwood *(Physocalimma scaberrimum)*

rózsaféle I. *a*, *(növ)* rosaceous II. *n*, rózsafélék rosaceae

rózsafűzér *n*, 1. *[csokor]* garland of roses 2. *(vall)* string of beads, beads *(pl)*, rosary, chaplet; ~t imádkozik tell one's beads

rózsagubacs *n*, *(növ)* rose-gall

rózsagubacsdarázs *n*, *(áll)* bedeguar *(Cynips rosae)*

rózsagyémánt *n*, rose-diamond

rózsagyökérpipa *n*, brier pipe

rózsaház *n*, rose-house

rózsahimlő *n*, *(orv)* rubeola, rubella

rózsaillat *n*, scent/perfume/fragrance of roses, rose scent

rózsaillatú *a*, rose-scented

rózsakabóca *n*, *(áll)* rose leafhopper *(Typhlocyba rosae)*

rózsakenőcs *n*, rose-liniment, pomade prepared with roses

rózsakeresztes *a/n*, *(tört)* Rosicrucian

rózsakert *n*, rose-garden, rosary, rosery, rosetum, rosarium

rózsakertész *n*, rose-fancier, rosarian

rózsakoszorú *n*, garland/crown/wreath of roses

rózsakvarc *n*, *(ásv)* Bohemian ruby

rózsalánc *n*, 1. chain/garland of roses 2. *(átv)* matrimony

rózsaláz *n*, *(orv)* rubeola, rubella

rózsaleány *n*, † ⟨maiden to whom is awarded the wreath of roses (and a small dowry) for virtuous conduct⟩

rózsalevél *n*, rose-leaf

rózsalevéltetű *n*, *(áll)* rose aphid *(Marcosiphum rosae)*

rózsaliget *n*, rose-garden

rózsalovag *n*, chevalier aux roses *(fr)*

rózsalugas *n*, arbour/bower of roses

rózsaméh *n*, *(áll)* leaf-cutter, megachile *(Megachile centuncularis)*

rózsaméz *n*, rose honey

rózsanád *n*, *(növ)* Indian-shot *(Canna Indica)*

rozsanya [..át] *n*, *(növ)* *(nép)* ergot(a), spurred rye *(Claviceps purpurea)*

rózsaolaj *n*, rose oil, attar/otto of roses

rózsapirók *n*, *(áll)* rose-finch *(Erythrina rosea)*

rózsapiros *a*, rose-red/coloured/hued/pink, roseate, pink, peony-red, *[arc]* rosy

rózsarend *n*, *(növ)* rosaceae *(pl)*

rózsás *a*, 1. *[rózsában bővelkedő]* full of roses *(ut)*, adorned with roses *(ut)* 2. *[rózsaszínű]* rose(ate), pink, rosy, of a rosy hue/tint *(ut)*, tinged with rose *(v. a rosy colour) (ut)*, rosy-coloured/tinted; ~ ajkú rose/rosy-lipped; ~ arc rosy cheeks *(pl)* ; ~ arcszíne van have roses in one's cheeks; ~ arcú/arcbőrű rosy-cheeked/faced/complexioned; ~ árnyalat roseate/rosy hue/tint; ~ fény rosy light; ~ kiütés rose-rash, German measles, *(orv)* roseola; ~ márna *[hal]* barbel *(Barbus barbus)* 3. *(átv)* bright, optimistic; ~ kedvű in high spirits/glee *(ut)*, in a merry humour *(ut)* ; ~ kilátások rosy/bright prospects; ~ nézet optimistic view(s); nem ~ a helyzet the situation is not *(v*. is far from being) bright/rosy; nem vm ~ az élete his life is not a bed of roses; mindent ~ színben lát see (only) the brightest side of everything, see everything through rose-tinted/ coloured spectacles; ~ színben látja a jövendőt feel optimistic about the future; ~ színekkel festi/ ecseteli a helyzetet paint things in rosy/bright colours

rózsásan *adv*, rosily; mindent ~ állít be paint everything in rosy/bright colours

rózsáskert *n*, = rózsakert

rózsásság *n*, rosiness, pinkiness

rózsaszagú *a*, rose-scented

rózsaszál *n*, one (single) rose; olyan volt mint egy ~ she was like a new-blown rose

rózsaszerű *a*, rose-like

rózsaszín *a*, rose-red/colour(ed)/pink/pinkish; ~ben látja a világot see everything/things through rose--tinted/coloured spectacles//glasses, take a sunshine/ roseate view of everything/things

rózsaszínű *a*, pink(ish), rose(ate), rose-red/coloured/hued/pink, *[arc]* rosy(-tinted); ~ *ruha* pink dress

rózsaszirom *n*, rose-leaf

rózsaszüret *n*, rose-gathering/picking

rózsatermelés *n*, rose-growing

rózsatermelő *n*, rose-grower

rózsatetű *n*, rosebush louse

rózsatő *n*, (foot of) rose-tree, *[magas törzsű]* standard rose-tree

rózsaujjú *n*, *(vál)* rosy-fingered; ~ *hajnal* rosy-fingered Aurora/dawn/morn

rózsavirág *n*, rose

rózsavíz *n*, 1. rose-water 2. *(átv)* fair promises(,) empty words *(pl)*, cajolery, blarney *(fam)*, taffy *(US)*

rozsda [...át] *n*, 1. *[vason]* rust, corrosion, *[rézen]* verdigris, *[folt]* iron-stain/mould; *a ~ marja a vasat* the rust eats (into) *(v.* corrodes) the iron; *rozsdától védő festék* rust-proof colour/coating 2. *(növ)* rust, brand, *(tud)* rubigo, *[gabonán]* smut, blight, *[hüvelyeseken is]* mildew, *[levélen]* brown-rot, leaf blight; *nemes ~* patina

rozsdaálló *a*, rust-resistant/resisting/proof, corrosion-proof/resistant; ~ *ötvözet* unoxidizable alloy

rozsdaállóság *n*, resistance to corrosion

rozsdabarna *a*, rusty (brown), rust-coloured, oak-leaf brown, ferrugineous, rubiginous, russet

rozsdaellenes *a*, ~ *szer* rust-preventive, anti-corrosive

rozsdaette [...ét; *adv* -n] *a*, rust-eaten, worn/corroded/pitted by rust *(ut)*, eaten away by rust *(ut)*

rozsdafakó *a*, ~ *ló* red roan

rozsdafarkú *n*, *[madár]* redstart, fire-tail *(Phoenicurus sp.)*

rozsdafolt *n*, iron stain/mould

rozsdafoltos *a*, iron stained/moulded, pitted

rozsdagátló *a*, ~ *olajfesték* rust-proof oil-paint; ~ *szer* rust-preventive

rozsdagomba *n*, *(növ)* rust (fungus), the rusts *(pl)*, blight

rozsdamarta [...át; *adv* -n] *a*, rust-eaten, rusty, rusted, worn/corroded/pitted *(v.* eaten away) by rust *(ut)*

rozsdamentes *a*, *[nem rozsdásodó]* rust-proof/resisting, non-rusting/corrodible/corrosive/oxidizing, corrosion resistant, anti-corrosive/rust, inoxidizable, unoxidizable, *[nem rozsdás]* rustless; ~ *acél (koh, műsz)* rustproof/stainless/untarnishable steel

rozsdanyom *n*, rust-stain/mould

rozsdarágás *n*, rusting, corrosion

rozsdarágta [...át; *adv* -n] *a*, = rozsdamarta

rozsdás *a*, 1. *[fém]* rusty, rusted, rust-eaten, covered with rust *(ut)*, ferroginous; ~ *lesz* rust, corrode 2. *(növ)* rusty, mildewy, mildewed, rubiginous, smutty 3. *(áll)* ~ *csaláncsúcs* whinchat *(Saxicola rubetra)*

rozsdásodás *n*, 1. growing/getting/becoming rusty, rusting, corrosion, corrosiveness; *~nak ellenálló* = rozsdaálló, rozsdamentes 2. *(orv)* siderosis

rozsdásod|ik [-tam, -ott, -jon, -jék] *vi*, 1. *[fém]* grow/get/become rusty, rust, be corroded, corrode 2. *[növény]* become mildewed

rozsdásodó [-t] *a*, *nem ~* = rozsdaálló, rozsdamentes

rozsdásság *n*, rustiness

rozsdaszínű *a*, rust-coloured, rusty (brown), russet(y), ferruginous, *(tud)* rubiginous, rubiginose

rozsdavédő *a*, protecting against rust *(ut)*, anti-rust; ~ *szer* antirust composition, rust-preventive/resister/preventer, rust-protecting agent

rozsdavörös *a*, rust(y)-red, rusty, rust-coloured, russet, ferroginous, rubiginous

rozsféreg *n*, *[bagócslégy lárvája]* bot *(Oestrus)*

rozsföld *n*, rye-field

Rózsi [-t, -ja] *prop*, Rosie, Rosa, Rose, Rosetta, Rosette

rozskenyér *n*, rye-bread, brown bread

rozsláng *n*, superfine *(v.* first of) rye-flour

rozsliszt *n*, rye-flour/meal

rozsnok [-ot, -a] *n*, *(növ)* brome(-grass) *(Bromus sp.)* ; *árva/magyar ~* smooth/Hungarian brome-grass *(B. inermis)*

rozsólis [-t, -a] *n*, rosolio (cordial)

rozsomák [-ot, -ja] *n*, *(áll)* carcajou, glutton, wolverine *(US) (Gulo gulo)*

rozsos [-at; *adv* -an] *a*, ~ *búza* (mixed crop of) wheat and rye, bread-corn, mancorn, mongcorn, maslin, meslin; ~ *kenyér* wheat-and-rye bread, mangcorn/mongcorn bread

rozspálinka *n*, rye-brandy/whisky, rye *(fam)*

rozsszalma *n*, rye-straw

rozsszár *n*, rye-stalk/ha(u)lm

rozsszem *n*, rye-grain

rozstábla *n*, rye-field

rozstermés *n*, rye-crop

rozstermő *a*, rye-producing; ~ *föld/vidék* rye-land

rőf [-öt, -je] I. *n*, *[hosszmérték]* ell, *[angol]* yard, *[eszköz]* yard-stick; *~fel mér* measure by the ell, measure with a yard-stick II. *a*, (an) ell of; *egy ~ hosszú* an ell('s length) of; *fél ~* a cubit

rőffen [-t, -je] *vi*, *[sertés]* (give/emit a) grunt

rőffent [-eni, -ett, -sen] *vi/vt*, (give a) grunt

rőfike *n*, *(gyerm)* piggy-wig(gy), piggy

rőfnyi [-ek, -t; *adv* -n] *a*, an ell's (length), *[posztó]* an ell of (cloth); *egy ~ szó* sesquipedalian word; *két ~ hosszú* two ells long; *~ szakálla volt* he had a very long beard

rőfög [-tem, -ött, -jön] *vi*, grunt(le)

rőfögés *n*, grunt(ing), grumph

rőfögőhal *n*, *(áll)* grunter *(Therapon ellipticus)*

rőfös [-ök, -t, -e; *adv* -en]I. *a*, 1. an ell long 2. *(átv)* very long II. *n*, haberdasher, small-ware dealer/merchant, draper, mercer

rőfösáru *n*, draper's soft goods *(pl)*, drapery, small-ware, haberdashery, mercery

rőföskereskedés *n*, small-ware shop, haberdashery

rőföskereskedő *n*, = rőfös II.

rőfösüzlet *n*, small-ware shop, draper's/mercer's/haberdasher's shop, haberdashery

rőf-rőf *int*, grunt-grunt

rög [-öt, -e] *n*, 1. *[göröngy]* clod, lump, sod, *[arany]* nugget; *kis ~ [szén stb.]* nub 2. *(átv)* soil, glebe *(ref.)*; *hazai/honi ~* native soil; *~höz kötött (vál)* bound to the soil *(ut)*, soil-bound, terrestrial; *~höz tapadt* clinging/adhering to the earth/soil *(ut)*, of the earth earthy *(ut)* 3. *(orv) [vér]* clot

rögbi [-t, -je] *n*, *(sp)* rugby (football), rugger *(fam)*

rögbipálya *n*, *(sp)* football field, gridiron *(US fam)*

rögeszme *n*, monomania, monomaniacal idea, obsession, fixed idea/delusion, crotchet, fad, craze, crank, kink *(fam)*, maggot *(fam)* ; *az a rögeszméje (hogy)* he is obsessed by/with the (fixed) idea (that), he is dominated by the idea

rögeszmés [-ek, -t; *adv.* -en] *a*, monomaniac, monomaniacal, obsessional, crotchety, cranky, hobby-horsical, screwball *(US fam)*, *(kif)* have a bee in the bonnet, have bats in the belfry

röghegység *n*, *(geol)* block-mountains *(pl)*

rögláva *n*, *(geol)* block-lava

rögös [-et; *adv* -en] *a*, 1. ~ *talaj* cloddy/cloddish/lumpy/uneven soil, *[tágabb értelemben]* rough/rugged country; ~ *út* rough/bumpy road 2. *(átv)* ~ *életpálya* life of adversity, thorny path

rögösség *n*, *[talajé]* cloddishness, *[úté]* roughness

rögtön *adv*, at once, immediately, without delay, promptly, right away, directly, instant(-aneous)ly, readily, forthwith, outright, right/straight off, straight/right on end, straight(a)way, in a moment, at a moment's/minute's notice, off-hand, first thing *(fam)*, off the hooks *(fam)*, right away/how/off *(US); ott ~* there and then, on the spot; *~ amint* as/so soon as; *~ azután(,) hogy* immediately/right after; *~ érkezése után* immediately/right after his arrival; *~ irtam neki mihelyt/amint megérkezett* immediately on his return I wrote to him; *~ jövök* just a minute/second, I shan't/won't be a minute, I'll be here presently, I'll be along in a moment, just a sec *(fam)*, *[pincér]* (I'm) coming, *[ajtóra kiírva]* coming back soon, will be back immediately; *~ láttam* I saw it at once, I saw at a glance, I saw at the first glance; *~ lejövök* I will be down directly; *~ meglesz* it won't take a minute; *~ megcsinálom* I'll do it right away, I'll do it first thing; *~ megnézem* I am going to see it at once; *~ utána* immediately after; *~ visszajövök* I'll be back in a moment, I'll be right back, I shall come straight back

rögtönbíráskodás *n,* summary jurisdiction/justice, *(kat)* martial law

rögtönbíráskodási *a, ~ eljárás* summary procedure/ proceeding

rögtöni [-ek, -t] *a,* immediate, instant(aneous), prompt, short-order *(US), (ker)* spot; *~ elintézés* speedy dispatch; *~ fizetés* cash down, spot payment/ cash; *~ ítélkezés* summary justice, *(kat)* martial law

rögtönítélő *a, ~ bíráskodás* summary jurisdiction/ procedure, military law; *~ bíróság* summary court; *~ eljárás* summary jurisdiction/proceedings/procedure; *~ és gyorsított eljárás* summary and accelerated proceedings *(pl)*

rögtönöz [-tem, ..nzött, -zön] *vt/vi,* improvise, extemporize, dash/hit off, *(szính)* interpolate, gag, ad-lib, *[gyorsan elkészít/létrehoz]* improvise, arrange *(v.* get up).at a moment's notice *(v.* on the spur of the moment); *beszédet ~* improvise an address, make an extempore speech; *zongorán ~* improvise/extemporize on the piano; *hangos jelenetet ~* provoke a tumultuous/scandalous scene

rögtönözve *adv,* extempore, extemporaneously, impromptu, offhand, at a moment's notice, on the spur of the moment, off the cuff *(US); ~ beszél* speak offhand/extempore

rögtönzés *n,* improvisation, extemporization, *[beszéd]* extempore speaking/speech, *(szính)* gag, ad-lib, *[irodalom, zene]* impromptu

rögtönzött [-et; *adv-*en] *a,* improvised, extempore, offhand, extemporaneous, impromptu, unpremeditated, *[hevenyészett]* improvised, improvisational, unprepared,temporary, makeshift, rough and ready, rough-and-tumble, slap-up; *~ beszéd* extempore/ offhand/unprepared speech; *~ ebéd* impromptu/ scratch dinner; *~ emelvény* emergency platform; *~ ételek* short-order dishes, food prepared while you wait; *~ gyűjtés* scratch collection; *~ híd* emergency bridge; *~ tánc* impromptu dance

rögtönzöttség *n,* extemporaneity

rögtörő *n, (mezőg)* clod/grub-crusher/breaker/beetle

rögvest *adv,* = rögtön

rögzít [-eni, -ett, -sen] *vt,* lay down, secure, fix, fasten, stabilize, firm, make (sg) firm/fast/rigid/set, immobilize, *(vmt vhol)* keep/hold (sg) in position, set, *(vmt vhova)* fix (sg) in position, calk in, block, *(vegyt, fény)* fix; *árat ~* fix/peg a price, put a ceiling on prices, *berktei ~ fieene wagoot ecavort ~ block a* screw; *emlékezetében ~ vmt* fix sg in one's memory; *időpontot ~* fix/determine/set the time, name/appoint the day; *írásban ~ vmt* put down in writing, put it on record; *pénzt ~* stabilize the currency; *törött végtagot ~* secure/immobilize a fractured limb

rögzítés *n,* fixing, fixation, fastening, making firm, fixing/keeping/holding in position, immobilization,

setting, blocking, *[árakat]* pegging, freezing, *[árbocot]* staying, *[időpontot]* fixation, fixing, determining, appointing, appointment, *[írásban]* laying/ putting down (in writing), *[pénzt]* stabilization, *(músz)* locking, *(orv) [műtét segítségével]* anchorage, *[tört kart]* immobilization; *kettős ~ (músz)* double lock

rögzítetlen *a,* unfixed

rögzítetlenség *n,* unfixedness

rögzített [-et; *adv* -en] *a, (elv)* established, fixed, set, laid down *(ut), [tárgy]* secured, fastened, fixed, immovable, immobile, *[fogalom, színvonal, mennyiség]* pegged, stabilized, stationary; *~ árak* pegged/ standing prices; *~ árfolyam (pénz)* pegged exchange; *~ árú árucikkek* price-controlled articles/goods; *~ bérek/fizetések* frozen/pegged wages/salaries; *~ bútor* fixture; *~ raktári elhelyezés [könyveké]* fixed/ absolute location

rögzítetten *a,* immovably

rögzítettség *n,* fixedness, immobility, immovability, fastness

rögzíthető *a,* fixable

rögzítő [-t] I. *a,* fixing, fixative, locking, arresting II. *n,* fastener, *(fényk, vegyt) [szer]* fixer, *(műv)* fixative

rögzítőanya *n, (músz)* retaining/lock/set nut

rögzítőcsap *n, (músz)* yoke-pin

rögzítőcsapszeg *n, (músz)* hold-down bolt, set/holding/ pin bolt, securing pin, yoke-pin

rögzítőcsavar *n, (músz)* retainer/lock(ing)/fastening/ tangent screw, tommy-screw

rögzítőék *n,* key, wedge, block, stretcher, fid

rögzítőfürdő *n, (fényk)* fixing bath, stop-bath; *savanyú ~* acid fixing bath

rögzítőkapocs *n, (músz)* binding clasp, binding-clip, lock cramps *(pl)*

rögzítőkarom *n, (músz)* claw-stop

rögzítőkilincs *n, (músz)* click, (catch) pawl, preventer pin, lock

rögzítőkötél *n,* fastening cord, *(hajó)* lanyard

rögzítőkötés *n, (orv)* splint

rögzítőléc *n, [széklábak között]* batten

rögzítőpecek *n, (músz)* check/locating/set/catch pin/ peg, detent

rögzítőpofa *n, (músz) [munkapadon]* bench-holdfast/ hook

rögzítőrúd *n,* stay rod, stretcher-bar

rögzítőrugó *n,* click-spring, *[fegyvernél]* trigger-spring, *[órában]* damper

rögzítősó *n, (fényk)* hypo, sodium hyposulphite

rögződés *n, (pszich)* fixation

rögződ|ik [-tem, -ött, -jön, -jék] *vi,* take root, become fixed

röhej [-ek, -t, -e] *n,* guffaw, horse-laugh, (brutal) sneer; *kész ~.* it's (simply/perfectly) ridiculous

röhög [-tem, -ött, -jön] *vi,* 1. guffaw, laugh immoderately/unpleasantly, haw-haw, *[vkn gúnyosan]* sneer at (sy), *[hangosan]* roar/shake/shriek/yell/ split with laughter, cachinnate *(ref.); mit ~sz!* what is so funny about it?, why are you laughing? 2. *[ló]* neigh, hinny, snicker

röhögés *n,* 1. immoderate/unpleasant/coarse laugh(ing), horse-laugh, guffaw(ing), haw-haw, *[gúnyos]* sneer(ing), cachinnation *(ref.)* 2. *[lóé]* neigh(ing), snicker

-röl *suff, ld* -ről

rőmi [-t, -je] *n, (kárty)* rummy

rőmiz|ik [-tem, -ett, -zen, -zék] *vi,* play rummy

rön [-ök, -t, -je] *n,* run (on sg), rush

rönk [-öt, -je] *n,* saw-log (of timber), stump(wood), log (of firewood), billet, lumber

rönkfa *n,* = rönk

rönköl [-t, -jön] vi, log
rönkölés n, logging
rönkös [-et] a, [terület] stubbed
rönkvágó n, logger
röntgen [-ek, -t, -e] n/a, X-ray, radiography, roentgen, Röntgen; a ~ azt mutatja (hogy) the X-ray examination shows (that)
röntgenárnyék n, radiographic shadow
röntgenasszisztensnő n, X-ray nurse
röntgenátvilágítás n, fluoroscopy, (orv) radioscopy
röntgenberendezés n, X-ray outfit/apparatus, radiographic installation
röntgenbesugárzás n, X-ray exposure; ~sal gyógyit/ kezel X-ray
röntgencső n, X-ray tube
röntgenes [-ek, -t, -e] n, radiologist
röntgenez [-tem, -ett, -zen] vt/vi, X-ray, radiograph, examine by/with X-rays
röntgenezés n, X-ray examination
röntgenfelvétel n, (orv) X-ray photograph, radiograph, radiogram, sciagraph, skiagram, roentgenograph, roentgenogram, shadowgraph; ~t készit vmről radiograph sg, take an X-ray photograph of sg, X-ray sg
röntgenfényképezés n, radiophotography, sciagraphy
röntgenfilm n, X-ray film
röntgenintézet n, radiologic/radiographic institute, X-ray institute
röntgenkép n, roentgen image/picture, X-ray (photograph), skiagraph, skiagram, shadowgraph, shadowgram, radiograph, radiogram; ~et felvesz record a roentgen image
röntgenkészülék n, radiographic apparatus, X-ray outfit/apparatus, fluoroscope
röntgenkezelés n, (orv) X-ray therapy/treatment
röntgenlámpa n, X-ray-tube
röntgenmérő n, roentgenometer
röntgenográfia n, radiography, sciagraphy
röntgenológia n, roentgenology, radiology, radioscopy
röntgenológus n, radiologist, radiographer
röntgenometria n, roentgenometry
röntgenosztály n, radiologic(al) (v. X-ray) department
röntgensugár n, X-ray, Roentgen (ray); ~ral átvilágit radiograph, X-ray
röntgensugárzás n, X radiation, X-streams (pl)
röntgenszemű a, (kb) with eyes like a hawk/gimlet (ut), with eyes seeing through brick walls (ut)
röntgentan n, roentgenology
röntgenvizsgálat n, radiographic(al) (v. X-ray) examination; üres ~ plain X-ray examination; ~tal igazol confirm radiologically
röpcédula n, leaflet, [hirdetési] fly-bill/sheet, handbill, hand-out, [reklám jellegű] throwaway (fam); röpcédulákat osztogat give out handbills
röpcsi [-t, -je] n, (biz) [repülőgép] plane, machine, speedbird
röpdös [-tem, -ött, -sön] vi, = repdes
röpgyűlés n, improvised (political/propaganda/protest) meeting, ad-hoc meeting, (lightning) rally, get-together
röphártya n, (bonct) [szemen] pterygium
röpima n, (kb) short prayer, ejaculation
röpirat n, leaflet, pamphlet, brochure, [vallási] tract(ate), [vk ellen] lampoon, scurrilous/controversial pamphlet
röpiratszerző n, pamphleteer, pamphlet-writer, lampooner, lampoonist
röpit [-eni, -ett, -sen] vt, = repit
röpítőerő n, (fiz) centrifugal force
röpítőgép n, (műsz) centrifugal machine, (kat tört) ballista, catapult, robinet, tormentum
röpítőhólyag n, (növ) pneumatocyst

röpke a, 1. [repkedő] flying, whisking about (ut), flitting, fluttering 2. [mulandó] fugitive, fleeting, ephemeral, transient, passing; ~ csók flying kiss; ~ élet transitory life; ~ látogatás flying visit; ~ mosoly flitting smile; ~ öröm fleeting joy; ~ perc/ pillanat fugitive moment/minute; ~ pillantás cursory glance
röpköd [-tem, -ött, -jön] vi, = repked
röplabda n, (sp) volley-ball
röplabdajáték n, (sp) volley-ball
röplabdázik vi, play volley-ball
röplap n, = röpcédula
röppálya n, trajectory, flight
röppen [-t, -jen] vi, take wing/flight, flush, flip
röppentyű [-t, -je] n, rocket, popper (fam), [robbanó] petard, maroon; jelző ~ signal rocket, rocket signal; világító ~ flare
röptartam n, time of flight, flight-time
röpte [.. ét] n, (sp) volley; fonák ~ backhand volley; tenyeres ~ forehand volley
röptében adv, = reptében
röptéz [-tem, -ett, -zen] vi/vt, (sp) volley (a ball)
röptézés n, (sp) volleying
röptű [-ek, -t] a, gyors/sebes ~ fast flying, swift winged
röpül [-t, -jön] vi, = repül
röt [-et; adv -en] a, red(dish), russet(y), rubiginous, tawny, [ló] bay, sorrel, [madár] rufous, ruddy; ~ hajú red/ginger/sandy/carroty-haired; ~ szakállú red-bearded
rötes [-et] a, rusty, auburn
rötli [-t] n, [kréta] red crayon, bole, sanguine
rötszakállú a, R~ Frigyes Frederick Barbarossa; ld még röt szakállú
rötvad n, red/fallow deer
rövid [-et; adv -en] I. a, short, [idő] brief, short(-term), of short duration (ut), [tömör] brief, concise, succinct, compendious, terse, epigrammatic; ~ és vastag squat(ty), stubby; ~ és velős short and pithy, short and to the point (ut), concise, succinct, brief/short but to the point (ut); ~ alsónadrág shorts (pl); ~ áttekintés summary review, short conspectus; ~ beszámoló summary/brief account; ~ beszéd laconic/brief address/speech; ~ csőrű short-billed/beaked, (tud) brevirostrate; ~ életű short-lived, (csak átv) transitory, passing, fleeting, [igével] have but a short life; ~ emlékezet unretentive memory; ~ eszű [feledékeny] forgetful, [ostoba] dull(-witted), stupid; ~ farkú short-tailed, (tud) brevicaudate, brachyural; ~ fejű short-headed, (tud) brachycephalic; ~ fogú short-toothed, (tud) brachydont; ~ gyeplőn tart vkt keep a tight hold on sy, rein sy in; ~ haj short hair, close-cropped hair, hair cut short, [rövidre nyirt női] bobbed/shingled hair; ~ hajú [férfi] short-haired, close-cropped, [nő] with bobbed/shingled hair (ut); ~ határidőre at a short term, at short notice/shrift/date; ~ hatású (orv) short-acting; ~ hírek [rádió, újság] news in brief; ~ ideig for a short time; ~ ideig tartó short-term, [hatás stb.] short-time, [szerelem stb.] short-lived; ~ idő short time/span/while; ~ idő alatt (with)in a short time, at short notice/date, [igen ~] in no time; ~ időn belül in a short time, at an early date; ~ idő múlva in a short time, shortly, shortly after(wards), before/ere long, soon, after a little while; ~ időre for a short time/while; ~ időre szóló [befektetés stb.] short-term; ~ idővel ezelőtt a short time ago; ~ időközökben at short intervals; ~ ital short drink; ~ a kabátod ujja your coat is short in the sleeves/arms; ~ kivonat brief extract, summary, précis, epitome, abridgement, abstract, digest; ~ lábú short-footed/legged, (tud) breviped, brachypodine; ~ látogatás short/flying visit, look-in; ~

látogatást tesz vknél pay sy a flying visit, look sy up, pop in at sy's *(fam)* ; ~ *lejárat* short respite/term; ~ *lejáratra ad kölcsönt* lend at short interest; ~ *lejáratú* short-term, *[kölcsön stb.]* short-notice; ~ *lejáratú betét* deposit at short notice; ~ *lejáratú hitel* short(-term) credit; ~ *lejáratú kölcsön* short-term loan/credit, call-loan; ~ *lejáratú kötelezettség* short--term obligation; ~ *lejáratú váltó* short(-dated/term) bill; ~ *lélegzetű [ember]* short of breath, short--winded, *[ló]* broken-winded, *(átv)* short-winded, brief, of few words *(ut)*; ~ *magánhangzó* short vowel; ~ *magyarázat vmről* short/brief commentary; ~ *mássalhangzó* short consonant; ~ *memória* unretentive memory; ~ *nadrág* shorts *(pl)*, panties *(pl)* *(fam)*, knee-pants *(pl)* *(US)*; ~ *nadrágos* in/wearing shorts *(ut)*; ~ *nyakú [személy]* short-necked, high-shouldered; ~ *néhány nap alatt* in a few days (time); ~ *összefoglalás* short/brief summary, compendium; ~ *pihenő* breather; ~ *pórázra fog [kutyát]* tie up on a short leash, *(vkt)* keep sy within bounds *(v.* on leading-strings), keep a tight hand/rein on sy; ~ *ruhás* short-dressed/frocked/skirted; ~ *szálú gyapot* short-stapled cotton; ~ *szárnyú* short-winged, *(tud)* brevipennate, brachyptereous; ~ *szárú* short--stemmed/stalked, *(tud)* subsessile, subpedunculate; ~ *szarvú* short-horned; ~ *szoknyás* short-skirted; ~ *szótag* short/light syllable; ~ *szőrű (áll)* short-haired, *[bársony]* short-napped; ~ *szőrű vizsla* short-haired pointer; *adásunkat* ~ *szünet után folytatjuk* we will/shall resume *(v.* be resuming) our transmission after a short interval, the programme will continue *(v.* be resumed) after a short interval; ~ *tartamú* short; ~ *távon* in/for short distances; ~ *távú* short-distance; ~ *távú verseny* short-distance race; *Magyarország* ~ *története* short history of Hungary; ~ *ujjú [ruha]* short-sleeved; ~ *úton* shortly, summarily, without much ado, directly, right away *(fam)* ; ~ *úton elvégez/elintéz vmt* make short work of sg; ~ *vágta* hand gallop; ~ *válasz* laconic/curt/short answer; ~ *zongora* semi/half-grand piano, baby grand; *a* ~ *lába* be short in the leg, be short-legged; *az ingnek* ~ *az ujja* the shirt is short in the arms; ~ *leszek, hogy* ~ *legyek* to cut it *(v.* to be) short, to cut a long story short, in short, briefly, to come to the point (at once); ~*re fog (vmt)* cut sg down/ short, abridge sg, summarize/epitomize/condense/ *(v.* sum up) sg (in a few words/sentences), tether (sy) by a short rope; ~*re fogja a beszédet* cut a long story short, cut it short, put in briefly; ~*re fogja a gyeplőt [lovas]* keep a tight hand on the reins; ~*re fogja a lovat* curb/check a horse; ~*re fogott* brief, concise, summary, terse, compendious, a-bridged; ~*re fogott leírás* compendious description; ~*re fogva (az a helyzet)* to make a long story short, in short, the sum and substance of the matter is; ~*re nyír [hajat]* crop (hair) close/short, *[nőit]* bob, *[lósörényt]* hog, *[sövényt]* clip (hedge), trim, *[szövetet]* shear (cloth); ~*re nyírt [haj]* short/close--cropped, *[szövet]* short-napped; ~*re vágott [dohány stb.]* short-cut; ~*re zár(ódik) (vill)* short-circuit; ~*et lép* step short

II. *n*, *[verstanban]* short, *[Morse-jel]* dot; ~*del ezelőtt* a short time ago; ~*del azután* shortly after-(wards); ~*del két óra előtt* shortly before two o'clock; ~*del a tárgyalás előtt* shortly before the trial; *a vonat* ~*del hat óra után érkezett* the train arrived soon after six o'clock

rövidáru *n*, small ware(s), haberdashery, dry goods *(US)*

rövidáru-kereskedés *n*, haberdasher's, haberdashery, outfitter's, mercer's, mercery, small-ware shop, dry goods store *(US)*

rövidáru-kereskedő *n*, haberdasher, outfitter, mercer, small-ware dealer/merchant, dealer in sundries

rövidáru-üzlet *n*, = rövidáru-kereskedés

rövidebb [-et; *adv* -en] *a*, shorter; *a napok* ~*ek lesznek* the days are drawing in; ~*re fogja a gyeplőt [lóét]* tighten the reins, curb, check (a horse), *(átv)* keep a tight hand on sy, keep sy short of money; *tíz centiméterrel* ~*re veszi a ruhát* take the dress/frock up four inches; ~*et húzza* come off badly *(v.* second-best), get the worst of it *(v.* of the bargain), be given the short end; *leg*~ the shortest; *a leg*~ *út* the nearest/shortest way

rövidecske *a*, *[ruha stb.]* shortish

rövidéletűség *n*, short life, ephemeral existence

röviden *adv*, in short/brief, briefly, in a word, in a few words, to cut a long story short, *(for)* short, *[tömören]* concisely, succinctly, summarily; *Nagy-Britannia vagy* ~ *Anglia* Great Britain or England for short; ~ *csak Bobnak hívják/becézik* he is called Bob for short; ~ *és csak a lényeget !* be short and to the point !; ~ *és velősen* be brief/short but/and to the point; ~ *elbeszél vmt* recount sg briefly *(v.* in a few words); ~ *előhívott (fényk)* underdeveloped; ~ *felel* answer curtly/laconically/briefly; ~ *összefoglal/összegez* sum up, recapitulate; ~ *szólva* (to put it) briefly, to cut a long story short, in a word; ~ *végez (vkvel)* be short with sy, *(vmvel)* make short work of (sg); *ez* ~ *a dolog története* that is briefly the whole story

rövidesen *adv*, shortly, in a short time, before/ere long, very soon, soon after, in a little while, at an early date, by and by, one of these days, in the short run; *a könyv* ~ *megjelenik* the book will *(v.* is to) appear shortly

rövidfejűség *n*, *(tud)* brachycephaly, brachycephalism

rövidfilm *n*, short (film)

rövidhullám *n*, **1.** *(fiz)* short wave **2.** *(orv)* short wave diathermy

rövidhullámsáv *n*, short-wave band

rövidhullámú [-ak, -t; *adv* -an] *a*, short-wave; ~ *adó* *állomás* short wave (transmitting) station, short--wave transmitter; ~ *kezelés (orv)* short-wave treatment/therapy, radiothermy, (neo-)diathermy; ~ *vétel* short-wave reception; ~ *vevőkészülék* short--wave receiver

rövidít [-eni, -ett, -sen] *vt*, shorten, cut/make short(er), reduce the length of, curtail, *(műv)* foreshorten, *[úton]* take a short cut; *előhívást* ~*i* curtail the development; *farkot* ~ *[lóét, kutyáét]* bobtail; *kabát ujját* ~*i* take up the sleeve; *szót* ~ abbreviate a word; *szöveget* ~ abridge/epitomize *(v.* cut down) a text; *törtet* ~ simplify/reduce a fraction; *ez is* ~*i az életét* that is another nail in his coffin

rövidítés *n*, **1.** shortening, cutting/making short(er), *(műv)* foreshortening, *[szót]* abbreviation, *[szöveget]* abridgement, epitomizing, *[törtet]* simplification, reduction **2.** *[jel]* abbreviation, *[gyorsírásban]* phonogram, logogram, *[oklevélben]* contraction; ~*ek jegyzéke* list of abbreviations

rövidítésgyűjtemény *n*, dictionary of abbreviations

rövidített [-et; *adv* -en] *a*, *[térben]* shortened, made/ cut short(er) *(ut)*, *(menny)* curtate, *[szöveg]* reduced, abridged, epitomized, cut down, *[szó]* abbreviated; ~ *formában* short for . . . , short form, in a shortened form; ~ *kiadás* abridged edition

rövidítve *adv*, in a shortened/reduced/abridged/abbreviated form; *társa* ~ *tsa.* Co. is short for Company

rövidke *a*, brief, very short, *[röpke]* passing, transitory, fleeting, ephemeral, fugitive

rövidlátás *n*, **1.** short/near-sightedness, short/near sight, *(orv)* myopia, myopy **2.** *(átv)* short-sightedness, narrow-mindedness, shortness of sight, short sight

rövidlátó [-ak, -t; *adv* -an] I. *a*, 1. *[személy]* short/ near sighted (person), *[szem]* myopic (eye) 2. *(átv)* narrow-minded, short-sighted, *[igével]* take a short view; ~ *politika* short-sighted policy II. *n*, short/ -near-sighted person, myope

rövidlátóan *adv*, *(átv is)* short-sightedly

rövidre *ld* rövid

rövidsánc *n*, *[sakkban]* king's side castling

rövidség *n*, 1. *[térben]* shortness, insufficient length, *[időé]* shortness, briefness, brevity (of time), short duration, *[beszédé]* brevity, curtness, *[tömörség]* conciseness, compendiousness, succinctness, summariness; *a* ~ *kedvéért* for the sake of brevity, for brevity's sake, for short; *az élet* ~*e* the short span of life; *az idő* ~*e miatt* for lack of time 2. *[hátrány, kár]* loss, prejudice, detriment, injury, disadvantage; ~*et szenved* be curtailed, come off a loser *(vm által by sg)*

rövidtávfutás *n*, *(sp)* short-distance running, sprint-(ing)

rövidtávfutó *n*, sprinter

rövidtávúszás *n*, sprint swimming

rövidtávúszó *n*, sprint swimmer

rövidtonna *n*, short ton

rövidül [-t, -jön] *vi*, shorten, grow/become shorter, be reduced in length, *[nappal]* be drawing in, *(műv)* foreshorten; ~*nek a napok* the days are getting shorter, the days are drawing in

rövidülés *n*, shortening, being shortened, being reduced in length, becoming/growing shorter, *[napok]* drawing-in, *(műv)* foreshortening; ~*ben fest/rajzol/ ábrázol (műv)* foreshorten; ~*ben festett/rajzolt/ábrázolt (műv)* foreshortened

rövidzárlat *n*, *(vill)* short circuit, *[autón]* ignition trouble; ~*ot okoz* short-circuit

rőzse [.. ét] *n*, brushwood, windfallen wood, twigs *(pl)*, lopping, lop-wood, lop and top, kindling(s), forest-weeds *(pl)*, small sticks *(pl)*, *[csomóba kötve]* fag(g)ot(-wood), bundle-wood; *rőzsét köt* fag(g)ot; *rőzsét szed/gyűjt* pick up brushwood/twigs, gather sticks/brushwood/twigs

rőzsegát *n*, fascine dam, mat(tress) of canal/river bank, wattle fencing

rőzsehenger *n*, gabion

rőzsekerítés *n*, wattle-fence, hurdle, wattling

rőzseköteg *n*, fag(g)ot(-wood), bundle-wood

rőzsekosár *n*, gabion

rőzsekötő *n*, *[munkás]* fag(g)ot-maker

rőzsemű *n*, fascine (work), *(kat)* hurdle

rőzsenyaláb *n*, fag(g)ot, fascine (of brushwood)

rőzsetűz *n*, brushwood/fag(g)ot-fire

rőzséz [-tem, -ett, -zen] *vt*, wattle

rubel [-ek, -t, -e] *n*, rouble

rubeola [.. át] *n*, German/French measles *(pl)*, rubella

Rubicon [-t, -on] *prop*, átlépi a ~*t* cross/pass the Rubicon

rubin [-ok, -t, -ja] *n/a*, ruby, *[csak órában]* jewel; *cseh* ~ rose quartz

rubinköves *a*, ~ *óra* jewel(l)ed watch

rubinpiros *a*, ruby(-coloured), ruby red; ~ *ajak* ruby lips *(pl)*

rubint [-ot, -ja] *n/a*, = rubin

rubintos [-at; *adv* -an] *a*, 1. ruby(-) 2. *(átv)* dear, sweet

rubrika *n*, column, head(ing), *(nyomd)* rubric

rubrikáz [-tam, -ott, -zon] *vt/vi*, arrange in columns, set out in columns, provide with headings, head

ruca [.. át] *n*, *(áll)* duck *(Anas sp.)*; *böjti* ~ teal *(A. querquedula)*

rúd [rudat, -ja] *n*, bar, rod, stang, mast, *[fából]* pole, perch, (wooden) batten, *[hegyes]* stake, *[csónakhoz]* punt-pole, setting pole, *[kalitkában]* perch, *[műsző]* pole, *[merevítő]* bracing, *[rácsé]* bar, *[rúdugráshoz]* (vaulting) pole, *[támasztó]* prop, *[vitorláé]* yard; *egy* ~ *borotvaszappan* a stick of shaving-soap; *egy* ~ *fahéj* a roll of cinnamon; *egy* ~ *pecsétviasz* a stick of sealing-wax; *egy* ~ *szalámi* a whole salami; *aknafúró* ~ miner's bar; *áramszedő* ~ trolley-arm; *egyensúlyozó* ~ *[kötéltáncosé]* balancing--pole, *(rep)* balancer; *a dárda* ~*ja* shaft/stave of spear; *az eke* ~*ja* beam of plough; *a függöny* ~*ja* curtain-rod, tringle; *a horgászbot* ~*ja* shank (of fishing-rod), rod; *a kocsi* ~*ja [lovaskocsié]* shaft, thill (pole); *lóállások közötti* ~ *[istállóban]* bail; *zászló* ~*ja* staff, pole (of flag), flagstaff, flagpole; *kifelé áll a (szekere)* ~*ja* be about to be dismissed/ fired, be about to get the sack; *rájár a* ~ misfortune dogs his footsteps; *rájárt a* ~ it was rough on him; ~*dal hajt/lök/taszít [csónakot]* punt

rúdacél *n*, *(koh)* bar steel

rudacska *n*, small bar/rod, wedge, stick, roll, pencil, rodlet, *[árpacukorból, csokoládéból]* stick, *[fém]* ingot

rudal [-tam, -t, -jon] *vt*, = rudaz

rúdantenna *n*, *[gépkocsin]* whip-antenna

rúdáramszedő *n*, *(vill)* trolley arm

rúdarany *n*, gold in bars/ingots, ingot gold, (gold-) bullion

rudas [-at, -a; *adv* -an] I. *a*, provided with poles/bars/ rods *(ut)* II. *n*, *[ló]* wheel/pole-horse, wheeler, near horse *(US)*

rudasló, *n*, = rudas II.

rudaz [-tam, -ott, -zon] *vt*, 1. *[fémet]* cast into bars/ ingots 2. *[kocsit]* fit out (a carriage) with poles

rúdeszterga *n*, bar lathe

rúdezüst *n*, silver in bars/ingots, (silver) bullion

rúdforma *a*, rod-like

Rudi [-t, -ja] *prop*, Rudy, Ralph

rudimentum [-ot, -a] *n*, rudiment

rúdkén *n*, stick/roll sulphur, roll (brimstone)

rúdkormány *n*, rudder, (pole-)helm

rúdkörző *n*, trammel, beam-compass

rúdlétra *n*, rack/peg-ladder

Rudolf [-ot, -ja] *prop*, Rudolph, Rodolph, Ralph

rúdón *n*, *(koh)* bar tin

rúdréz *n*, *(koh)* pig copper

rúdsajtó *n*, extruding machine/press

rúdszappan *n*, bar soap, *[borotválkozó]* shaving--stick

rúdtengely *n*, pole-axis

rúdugrás *n*, *(sp)* pole-jump(ing)/vault(ing); ~*t végez* pole-jump/vault

rúdugró I. *a*, pole-jumping/vaulting II. *n*, pole-jumper/ vaulter

rúdvas *n*, bar/round-iron, iron in bars

rúdvég *n*, *(rég)* pole-top

rúdvezető *n*, *(műsz)* guide

rúdzár *n*, *(műsz)* stock-lock

rué [-t, -ja] *n*, profligate, rake, debauchee, roué *(fr)*

rúg [-tam, -ott, -jon] I. *vi*, 1. kick, *[állat]* kick (up its heels), fling/lash/let out, let fly *(fam)*; *vk vkbe/ vmbe* ~ kick/boot sy/sg; ~ *és harap* fight tooth and nail 2. *[puska]* kick, jump (on recoil), recoil 3. *[összeg]* *vmre* ~ amount/come to sg, reach/total sg, mount/tot/foot up to sg, work out at sg; *bizonyos összegre* ~ run to certain amount; *adóssága ezrekre* ~*ott* his debts mounted (up) to thousands, his debts footed up to thousands; *jövedelme ezrekre* ~ his income runs into thousands; *az összeg tíz forintra* ~

the total comes to ten forints, the total works out at ten forints; *öt fontra* ~ the sum-total reaches five pounds; *öt számjegyre* ~ run into five figures **4.** *a ház a folyóra* ~ the house fronts the river

II. *vt,* **1.** *(vkt)* kick (sy), give (sy) a kick, boot (sy) *(fam);* *fenéken* ~ *vkt (biz)* kick sy's bottom, kick sy in the pants **2.** *(sp) [labdát]* kick, shoot (the ball), *[levegőből]* punt; *gólt* ~ score/shoot a goal; *három gólt* ~*ott* he made the hat-trick *(fam);* *kapufát* ~ hit the post; *szabadrúgást* ~ shoot a free kick

rugalmas [-at; *adv* -an] *a,* **1.** elastic, resilient, springy, self-expanding, stretchy, *[hajlíthatóan]* flexible, pliable, supple, non-rigid, limber, whippy; ~ *alak-változás* elastic deformation/deflection; ~ *alátámasz-tás* elastic support; ~ *fém* yielding metal; ~ *izom* contractible muscle; ~ *nyúlás* elastic expansion; ~ *test* lithe/lissom/elastic/supple body; ~*sá tesz* elasticize, make elastic, impart springiness/elasticity to sg, supple; ~*sá válik* supple **2.** *(átv)* nimble, buoyant, springy, *[alkalmazkodó]* adaptable, versatile, adapting itself/oneself to conditions *(ut);* ~ *gondolkodás* adaptable mind; ~ *politika* flexible politics; ~ *személy* he is a resilient person, he has resilience

rugalmasan *adv,* **1.** elastically, *[hajlíthatóan]* flexibly, supply, pliantly **2.** *(átv)* nimbly, buoyantly, *[al-kalmazkodóan],* supplely, yieldingly; ~ *elszakadó (kat) [hadmozdulat]* evasive (action)

rugalmasság *n,* **1.** elasticity, resilience, resiliency, bounce, give, springiness, stretch(iness), *[hajlítható]* flexibility, pliancy **2.** *(átv)* elasticity, nimbleness, buoyancy, *[személynél]* resilience, *[alkalmazkodó]* adaptability, versatility

rugalmassági [-ak, -t] *a,* elastic, of elasticity *(ut);* ~ *együttható* coefficient of elasticity; ~ *erő* elastic force/strength; ~ *határ (fiz)* elastic limit/strength; ~ *tényező* modulus/coefficient of elasticity

rugalmatlan *a,* inelastic, stiff, rigid, inflexible, incompressible, *[fém]* immalleable, brittle

rugalmatlanság *n,* inelasticity, inflexibility, rigidity, rigidness

rugany [-ok, -t, -ja] *n,* (wire) spring, coil of spring

ruganyos [-ak; *adv* -an] *a,* elastic, springy, *[ember/test mozgásban]* lithe(some), lissom, supple, *(átv még)* buoyant; *nem* ~ inelastic; ~ *léptekkel* with springy/buoyant steps, with rapid strides; ~ *matrac* spring/wire matress, spring-bed; *ld még* rugalmas

ruganyosan *adv,* = rugalmasan

ruganyosság *n,* elasticity, springiness

rúgás *n,* **1.** kick(ing), *[állaté]* lashing/hoofing/flinging out, kick, buck, *[lőfegyveré]* recoil(ing), kick **2.** *(sp) [labdát]* shot, kick; ~ *levegőből/kapásból* punt(ing); *kezdő* ~ kick-off, place-kick

rugaszkod|ik [-tam, -ott, -jon, -ték] *vi,* = elrugaszkodik, nekirugaszkodik

rugby [-t, -je] *n, (sp)* Rugby (football), rugger *(fam)*

rugdal [-t, -jon] *vt, (vkt, vmt)* keep (on) kicking (sy/sg), kick (sy/sg); ~*ja az ajtót* be kicking at the door

rugdalódz|ik [-tam, -ott, -zon, -zék] *vi,* **1.** *(konkr)* kick (about), fling about (with one's legs) **2.** *(átv) vm ellen* ~*ik* rise in protest against sg, jib/kick at/against sg, kick against the pricks

rugdos [-tam, -ott, son] *vi/vt,* = rugdal

rugékony [-ok, -t; *adv* -an] *a,* = rugalmas

ruggyanta *n,* † rubber, gum (elastic), elastic gum, resin elastic (mind: stand.)

ruggyantabélyegző *n,* † rubber-stamp *(stand.)*

ruggyantagyár *n,* † rubber factory *(stand.)*

rúgkapál [-tam, -ott, -jon] *vi,* kick (and strike) about, fling about (with one's legs), flounder; ~ *vm ellen* jib/kick at sg

rugó [-t, -ja] *n,* **1.** *[tárgy]* spring; ~*t megszorít/meg-feszít* load a spring **2.** *(átv)* motive, incentive, stimulus, spur, force; *cselekedeteinek* ~*ja* the motive for his action, the reason of his action, the motive/reason for doing...; *az emberi cselekvés rejtélyes/rejtett* ~*i* the recondite motives of human action

rúgó [-t] *a,* **1.** kicking **2.** *[összegre]* amounting to (sg), mounting up to (sg); *ezer forintra* ~ *költség* expenses mounting up to a thousand forints *(pl);* *száz forintra* ~ *számla* bill that tots/foots up to a hundred forints; *hat számjegyre* ~ *összeg* amount running into six figures

rugóacél *n,* spring-steel

rugódoz|ik [-tam, -ott, -zon, -zék] *vi,* = rugdalódzik

rugóték *n,* spring-brake

rugóház *n, [órában]* barrel

rugómérleg *n,* spring balance, spring scales *(pl)*

rugós [-at; *adv* -an] *a, [rugóval ellátott]* elastic, springy, sprung, provided with springs *(ut),* spring-actuated/controlled; ~ *ágybetét* spring/box mattress; ~ *csap-szeg* spring-bolt; ~ *csat/kapocs* snap fastener, snap-lock; ~ *érintkező* spring-contact; ~ *fék* spring-brake; ~ *felvevőgép (film)* clockwork camera; ~ *gomb (fényk)* spring stud; ~ *horog* spring hook; ~ *játékszer* clockwork toy; ~ *kalapács* spring-hammer; ~ *kocsi* spring-cart/carriage/van, sprung carriage; ~ *lakat* spring-lock, clasp lock; ~ *légnyomásmérő* spring/aneroid barometer; ~ *meghajtású* spring-driven; ~ *mérleg* = **rugómérleg**; ~ *szerkezet* spring-mechanism, *[játékszeré]* clockwork; ~*szorítólemez [fény-képezőgép hátlapjában]* back-lock spring; ~ *tolózár/tolóretesz* (spring-)latch, spring-bolt

rúgós [-at; *adv* -an] *a, [ló]* kicking, ill-tempered

rugóshorog *n,* carabine-swivel, carbine

rugószelep *n,* spring-valve

rugószem *n,* spring-eye

rugószerkezet *n,* spring mechanism

rugószerű *a,* springlike

rugótlan *a,* = rugózatlan

rugótok *n,* spring gaiter, *[órában]* spring-box

rugótörés *n,* breakage of a spring, broken spring

rúgott [-at; *adv* -an] *a,* kicked; ~ *borjú* weaned calf

rugóz [-tam, -ott, -zon] *vt,* provide/fit with springs, spring

rugózás *n,* **1.** *[zökkenések kiegyenlítése]* absorption of shocks **2.** *[ugrósportban]* bouncing **3.** *[szerkezet]* springs *(pl),* springing, spring suspension; ~*sal ellát vmt* spring, provide/fit with springs

rugózású [-ak, -t] *a, jó* ~ *kocsi* shake-proof car, smooth-riding car; *rossz* ~ *kocsi* hard-riding car

rugózat *n,* springs *(pl), (műsz) [záré]* tumbler

rugózatlan *a,* unsprung, springless

rugóz|ik [-tam, -ott, -zon, -zék] *vi,* recoil, spring/fly back, be elastic/resilient/springy, bounce

rugózott [-at; *adv* -an] *a,* = rugós; ~ *villa [kerékpáré]* spring-fork

rugtat *vi, [lóval vhová]* gallop, ride hard; *az ellenségre* ~ charge on the enemy

ruha [.. át] *n,* **1.** *[öltözék]* clothes *(pl),* clothing, dress, garment, costume, (wearing) apparel, attire, raiment *(ref.),* vesture *(ref.),* array *(ref.),* things *(pl fam),* togs *(pl, fam)* slop *(fam),* duds *(pl, fam),* get-up *(fam),* rig *(fam),* toggery *(fam), [férfiöltöny]* suit (of clothes), *[női]* (woman's) dress, frock, gown, costume, *[gyermeké hosszú]* frock, *(ker)* suitings *(pl), (kat)* uniform, regimentals *(pl); [délutáni]* ~ tea-frock/gown, afternoon dress, party frock; *elnyűtt* ~ worn-out *(v.* threadbare *v.* cast off) clothes *(pl),* rags *(pl, fam); előnyös* ~ becoming dress; *estélyi* ~ evening-dress/frock, party dress; *estélyi* ~ *nem kötelező* (evening) dress optional;

használt ~ second-hand clothes *(pl)*, cast-off clothes *(pl)*; *házi* ~ house frock/coat/dress; *hétköznapi* ~ day-wear, everyday/ordinary clothes *(pl)*; *hosszú* ~ long dress; *kétrészes* ~ two-piecer; *királyi* ~ royal robe(s); *kisestélyi* ~ semi-evening dress, dinner gown; *kivágott* ~ low-necked dress; *mértékre/rendelésre készült* ~ clothes made to order *(pl)*; *nyakig érő* ~ high-necked dress; *otthoni* ~ tea/hostess gown; *özvegyi* ~ widow's weed(s), mourning; *papi* ~ canonicals *(pl)*, clerical attire/garb; *polgári* ~ civilian/plain clothes, ci(v)vies *(pl, fam)*, mufti *(fam)*; *rövid* ~ short dress; *szerzetesi* ~ habit, frock; *utcai* ~ *[férfi]* loungesuit, morning suit, business suit *(US)*, *[női]* morning/walking dress, outdoor frock; *ünneplő* ~ one's Sunday best, best dress; *várandós/állapotos* ~ maternity dress; *egy öltözet/rend* ~ a suit of clothes; ~ *hossza* dress length; *nem a* ~ *teszi az embert (közm)* it is not the cowl that makes the monk, the cowl does not make the monk, it is not the (gay) coat/clothes that makes the (gentle)man, fine feathers do not make fine birds; *fekete ruhába öltözik* put on black clothes, dress in black; *ruhában alszik* sleep in one's clothes, sleep with one's clothes on; *fekete ruhában volt* she had on a black dress; *ruhát felvesz* put on one's clothes; *női ruhát vesz fel [férfi]* dress up as a woman; *ruhát kiereszt/kienged* let out a garment; *ruhát levet* take off one's clothes; *ruhát rád vkre* help sy on with his clothes; *ruhát tisztít* clean clothes; *ruhát vált* change (one's clothes), *[színész]* change costume(s); *magára kapja a ruháját* fling oneself into one's clothes; *mérték után csináltat ruhát* have a suit made to measure 2. *[ágynemű]* bed-clothes, *[fehérnemű]* linen, underwear; *kimosott* ~ washing, laundry; *szennyes* ~ dirty linen, dirty clothes *(pl)*, washing, laundry; *ruhát kicsavar/kifacsar* wring clothes (out) 3. □ thrashing, sound beating, hiding, licking *(mind: stand.)*; *nagy ruhát kapott* he was beaten black and blue, he had a thorough drubbing

ruhaakasztó *n*, 1. *[fogas]* clothes-peg/pin/hook, coat-peg, *[vállfa]* (coat/skirt/dress-)hanger, clothes-hanger/horse 2. *[csiptető]* clothes-peg 3. *[a ruhára varrott]* loop

ruhaállvány *n*, clothes stand/rack, *[előszobában]* hall-stand

ruhaanyag *n*, dress material, *[egy ruháravaló]* dress-length; ~*ok* dress materials/goods

ruhacsat *n*, buckle/clasp of a dress

ruhacsavaró *n*, *[gép]* wringing-machine

ruhácska *n*, *[kislányé]* little dress, *[kisfiúé]* little suit

ruhadarab *n*, article of clothing/dress, wearing apparel, garment; ~*ok* wearables, things *(fam)*, togs *(fam)*, toggery *(fam)*, duds *(fam)*

ruhaderék *n*, bodice, body of dress, corsage *(fr)*, waist *(US)*

ruhadísz *n*, (costume) ornament, costume jewelry

ruhadivat *n*, fashion(s) (in clothes)

ruhaféle *n*, clothing, clothes *(pl)*, wearing apparel, clothing articles *(pl)*

ruhafesték *n*, dye (for clothes)

ruhafestés *n*, dyeing (of clothes)

ruhafestő *n*, dyer; ~ *és vegytisztító* dyer and cleaner

ruhafogas *n*, *[akasztó]* clothes-hook/peg/hanger, *[álló]* clothes-stand/rack/horse, hall-stand

ruhagyár *n*, clothes/clothing-factory

ruhagyártás *n*, manufacture of clothing

ruhaipar *n*, garment trade

ruhajegy *n*, clothing coupon

ruhajuttatás *n*, clothes allotment

ruhakapocs *n. pl*, sister-hooks, hooks and eyes

ruhakefe *n*, clothes brush

ruhakelme *n*, dress material, cloth, fabric

ruhakereskedés *n*, clothier's (shop), *[női]* dress shop, reach-me-down shop *(fam)*, slop-shop *(fam)*

ruhakereskedő *n*, (ready-made) clothier, gentlemen's/ ladies' outfitter, slop-seller *(fam)*, *[női még]* wardrobe dealer

ruhakészítés *n*, manufacture of clothes/clothing

ruhakészlet *n*, stock of clothes, wardrobe

ruhakötél *n*, clothes-line/rope

ruhamoly *n*, *(áll)* (clothes-)moth *(Tinea sp.)*

ruhanemű *n*, clothes *(pl)*, clothing, (wearing) apparel, garment(s), (articles of) wear

ruharaktár *n*, clothes depot

ruhás *a*, in ..... dress/clothes *(ut)*, clad/dressed in ..... *(ut)*, wearing .... *(ut)*; *estélyi* ~ full-dressed; *fehér* ~ *lány* girl (dressed) in white; *fekete* ~ *asszony* woman in black/mourning; *hosszú* ~ long-robed

ruhaseprő *n*, clothes-whisk

ruháskosár *n*, clothes/buck-basket, flasket

ruhásláda *n*, clothes-chest, *(hajó)* locker

ruhásszekrény *n*, wardrobe, garderobe, clothes-press

ruhástul *adv*, clothed, dressed, without taking off one's clothes; ~ *fekszik az ágyra* lie down on the bed without taking off one's clothes

ruhaszárító I. *a*, ~ *csipesz* clothes-peg, clothes-pin *(US)*; ~ *keret [fregoli]* clothes airer; ~ *kötél* clothes-line/rope, wash-line II. *n*, *[állvány]* clothes-horse, *[összecsukható]* folding indoor dryer

ruhaszövet *n*, cloth(ing material), clothing, dress material, dress goods *(pl)*, *(ker)* suitings *(pl)*

ruhatár *n*, 1. *[raktár]* clothes depot 2. *[megőrző]* cloak-room, check(ing)-room *(US)*; ~*ba teszi a kabátját* check one's coat, leave/put one's coat in the cloak-room 3. *[vasúti málhának]* left luggage office 4. = ruhakészlet

ruhatári [-t] *a*, ~ *cédula/szám/jegy* cloak-room ticket, check; *vasúti* ~ *jegy* left-luggage ticket

ruhatáros [-ok, -t, -a] *n*, cloak-room attendant, check-room attendant, *[fiú]* (hat-)check boy, *[nő]* (hat-)check girl

ruhatárosnő *n*, (hat-)check girl

ruhatervező *n*, dress-designer, *(szính, film)* costumier

ruhatetű *n*, *(áll)* human/body louse, cootie *(fam)*, grayback *(fam)* *(Pediculus humanus)*

ruhatisztítás *n*, dry-cleaning

ruhatisztító I. *n*, (dry-)cleaner II. *a*, ~ *intézet* cleaner's (shop)

ruhátlan *a*, unclothed, undressed, unattired, without clothes (on) *(ut)*, *[meztelen]* naked, nude, bare

ruhátlanság *n*, want of clothes, *[meztelenség]* nakedness, nudity

ruhatömés *n*, wadding

ruhaujj *n*, sleeve; *buggyos/puffos* ~ bag-sleeve, balloon sleeves *(pl)*; *irodai* ~ oversleeves *(pl)*, sleeve-protecter

ruhaüzem *n*, *[gyár]* ready-made clothes works

ruhaváltás *n*, change (of clothes/dress)

ruhavarrás *n*, *[férfi]* tailoring, *[női]* dressmaking

ruhavasaló *n*, smoothing-iron

ruhavászon *n*, linen cloth, *[pamut]* cotton suiting

ruhaviselet *n*, dress, costume, *[divat]* fashion

ruhavizsga *n*, *(kat)* kit inspection

ruház [-tam, -ott, -zon] *vt*, 1. *[ruhával ellát]* clothe, dress, provide with clothes, keep (sy) in clothes, habilitate *(ref.)* 2. *(vmt vkre)* confer, bestow, grant, award (sg to sy); *hatalmat* ~ *vkre* lodge power in the hands of sy 3. □ thrash, beat, lick (sy) *(stand.)*

ruházás *n*, *(vké)* providing (sy) with clothes

ruházat *n*, clothes *(pl)*, clothing, garments *(pl)*, (wearing) apparel, dress, gear, habit, raiment *(ref.)*

attire *(ref.)*, guise *(ref.)*, things *(pl, fam)*, togs *(pl, fam)*, garb *(fam)*, get-up *(fam)*, rig(-out) *(fam)*

ruházati [-ak, -t; *adv* -lag] *a*, clothing, dressing, vestimentary *(ref.)*, sartorial *(ref.)*; ~ cikkek wearing apparel, (articles of) clothing, personal wear, (body-)clothes *(pl)*, *[férfié]* men's wear, *[női]* ladies'/women's wear, *[gyermeké]* children's wear; ~ ipar tailoring/dressmaking/clothing industry, clothing trade

ruházkodás *n*, clothing, dressing; *keresetéből nem telik* ~ra he does not earn enough to clothe himself

ruházkodási [-ak, -t; *adv* -lag] *a*, of clothing/dressing *(ut)*: ~ ipar tailoring/dressmaking/clothing industry, clothing trade; ~ költség clothing expenses *(pl)*

ruházkod|ik [-tam, -ott, -jon, -jék] *vi*, clothe oneself, procure/order one's clothes

ruházsák *a*, = szennyeszsák, molyzsák

rukkol [-t, -jon] *vi*, move along, push, advance, *(kat)* march; *ld még* klrukkol

rukkolás *n*, push(ing), advance, *(kat)* march(ing)

rulád [-ot, -ja] *n*, *[étel]* roulade, roll

rulett [-et, -je] *n*, roulette

rulettasztal *n*, roulette table

rulettez|ik [-tem, -ett, -zen, -zék] *vi*, play roulette

rulettjáték *n*, roulette

rulettkerék *n*, roulette wheel

rulírozó [-t] *a*, *(ker)* ~ akkreditív revolving credit

rum [-ot, -ja] *n*, rum

rumba [.. át] *n*, rumba

rumbatron [-ok, -t, -ja] *n*, *(fiz)* rhumbatron

rumén [-ok, -t, -je] *n/a*, Ro(u)manian

rumli [-t, -ja] *n*, *(biz)* bustle, mess, hubbub, hullabaloo, hurly-burly, commotion *(stand.)*, confusion *(stand.)*, upset *(stand.)*, stir *(stand.)*; *nagy* ~ *volt* there was a great to-do *(v. stir)*; *nagy* ~ban vannak they are all agog

rumlis [-ak, -t; *adv* -an] *a*, *(biz)* in (an) eternal bustle *(ut)*; ~ *nap* a day full of incidents, busy/hectic day

rumliz|ik [-tam, -ott, -zon, -zék] *vi*, *(biz)* bustle, make a commotion/fuss; *ne* ~zatok itt don't fool around here

rumos [-ak, -t; *adv* -an] *a*, with rum *(ut)*; ~ *fekete* laced coffee, coffee laced with a dash of rum; ~*tea* tea with rum; ~ *tej* milk punch, milk laced with rum

rumosüveg *n*, rum-bottle

rumpli [-t, -ja] *n*, *(biz)* *[mosáshoz]* scrubbing-board, washboard *(mind: stand.)*

rúna [.. át] *n*, rune

rúnairás *n*, runic letters *(pl)*, futhark

rúnás *a*, runed, inscribed with runes *(ut)*

rund [-ot, -ja] *n*, *fizet egy* ~ot *[italból]* *(biz)* stand a round of drinks, pay for drinks all round *(stand.)*

rúpia [.. át] *n*, rupee

rusnya [.. át] *a*, *[csúf]* ugly, unsightly, hideous, *[piszkos]* dirty, filthy, sordid

ruszin [-ok, -t, -ja; *adv* -ul] *a/n*, = rutén

Ruszinszkó [-t, -ban] *prop*, Transcarpathian Ukraine, *[régebben]* Ruthenia

ruszki [-t] *a/n*, *(biz)* Russian *(stand.)*, Ruski

ruszli [-t, -ja] *n*, 1. *[hal]* sprat, small pickled fish 2. = ruszni

ruszni [-t, -ja] *n*, 1. *[rovar]* cockroach, black beetle *(Blatta orientalis)* 2. = ruszli 1.

rusznyák [-ot, -ja] *a/n*, Russniak; *la még* rutén

russzicizmus *n*, *(nyelvt)* Russicism, Russianism

russzisztika [.. át] *n*, Russian studies *(pl)*, studies in Russian language and literature *(pl)*

rusztika *n*, *(épít)* rustic/rock-work, rustication

rusztikáz [-tam, -ott, -zon] *vt*, *(épít)* rusticate

rusztikus *a*, rustic, country-, boorish *(pej)*

rusztikusság *n*, rusticity, boorishness *(pej)*

rút [-at; *adv* -ul] *a*, 1. *[csúnya]* ugly, unsightly, hideous, foul-faced, disfigured 2. *[aljas]* base, mean, despicable, abominable, dirty; ~ hálátlanság downright/black/vile ingratitude; ~ önzés despicable/ loathsome/revolting/odious/base/beastly/vile selfishness/egoism; ~ szokás evil habit

ruta [.. át] *n*, 1. *(növ)* herb of grace *(Ruta sp.)*; *kerti* ~ rue *(R. g-aveolens)* 2. *(cím)* lozenge

rutapajzs *n*, *(cím)* lozenge shield

rutén [-ek, -t, -je; *adv* -ül] *a/n*, Ruthenian, Ruthene, *[helyesebb]* Transcarpathian Ukrainian

Ruténföld *prop*, Ruthenia, Transcarpathian Ukraine

rutil [-ok, -t, -ja] *n*, *(ásv)* rutile

rutin [-ok, -t, -ja] *n*, *[megszokott]* routine, routinism, groove *(fam)*, *[tudás]* knowledge of the tricks of the trade; *nagy* ~ja van be an old hand (at sg), know the ins and outs (of sg), have an extensive knowledge (in his line)

rutinírozott [-at] *a*, ~ *ember* routinist

rutinmunka *n*, routine work, daily round (of business)

rutinos [-at; *adv* -an] *a*, experienced, practised, routine, routinish, well up in one's branch/line *(ut)*, groovy; ~ *zongorista/zongoraművész* an accomplished pianist

rutinszerű *a*, routinish; ~vé *válik számára [a munka, stb.]* settle/sink into a rut

rútit [-ani, -ott, -son] *vt*, disfigure, make ugly, deface, *[összhatást]* mar, spoil

rút-rút-rutol [-t, -jon] *vi*, *[pulyka]* gobble-gobble

rútság *n*, *[állapot]* ugliness, unsightliness, hideousness

rútul [-tam, -t, -jon] I. *vi*, become/grow ugly/hideous II. *adv*, basely, despicably; ~ *becsap vkt* play sy a dirty trick

rúzs [-ok, -t, -a] *n*, *[ajakra]* lipstick, *[arcra]* rouge, make-up; ~t *használ* use lipstick/rouge; ~t *ken fel* rouge (oneself)

rúzsfolt *n*, trace of lipstick

rúzsos [-at; *adv* -an] *a*, rouged, painted; ~ *ajkak* rouged/carmined lips

rúzsoz [-tam, -ott, -zon] *vt*, *[arcot]* rouge, *[ajkat]* put lipstick on; ~za *magát* rouge oneself

rüeskös [-et; *adv* -en] *a*, ~ *arc* pitted face, pock-marked face; ~ *fa* gnarled/rugged tree/bark; ~ *felület* rough/scabrous surface; ~ *papír* rough-surface paper; ~ *szövet* rough/coarse cloth; ~ *vakolat* coarse plastering, single-coat plaster(ing), squirted skin

rügy [-et, -e] *n*, bud(let), burgeon, *[kisebb]* gemmule, *[gumón]* eye; ~ *alakú* gemmiform; *alvó* ~ resting bud; *fedett* ~ protected bud; *járulékos* ~ adventitious bud; *lappangó* ~ latent bud; *levélhónalji* ~ axillary/lateral bud; *növekedő* ~ active bud; *szaporítóf generatív* ~ reproductive bud, gemmule; *vegyes* ~ mixed bud; ~et *hoz/hajt/fejleszt* = rügyezik

rügyborulás *n*, *(növ)* prefoliation, aestivation

rügyecske *n*, budlet

rügyes [-et; *adv* -en] *a*, budding, budded, *(tud)* gemmary, gemmate, gemmaceous, gemmiform; ~ *ág* budding/budded branch

rügyezés *n*, budding, shooting, *[levélrügyeké]* gemmation, *[ideje]* budding time

rügyez|ik [-tem, -ett, -zen, -zék] *vi*, (be in) bud, shoot, burgeon, put forth buds, push out, button, gemmate

rügyező [-t; *adv* -en] *a*, budding

rügyfakadás *n*, sprouting, budding, springing, shooting, opening, vernation, gemm(ul)ation

rügyfakasztó [-t; *adv* -an] *a*, gemmiferous, proliferous; ~ *meleg* germinating heat

rügyképződés *n*, = rügyborulás

rügypikkely *n*, scale (of leaf-bud), *(tud)* perule, pesula, raments *(pl)*, ramenta *(pl)* rügytakaró *n*, teg(u)mentum

rüh [-öt, -e] *n*, *(orv)* itch, scabies, *(áll)* scab, (follicular) mange

rühatka *n*, ich-mite, *(tud)* acarus *(Acarus siro)*

rühell [-eni, -tem, -ett, -jen] *vt*, *[vmt tenni]* be loath/unwilling/reluctant (to do sg)

rühes [-et; *adv* -en] *a*, itchy, scabby, scabious, *(áll)* mangy

rühesed|ik [-tem, -ett, -jen, -jék] *vi*, get the itch/scab(ies), become itchy/scabby, *(áll)* get the mange, become mangy

rühesség *n*, itch(iness), scab(biness), *(áll)* manginess

rühös [-et; *adv* -en] *a*, = rühes

rüpök [-öt, -je] *n*, = ripők

rüss [-t, -e] *n*, *[női ruhán]* ruche, frill, quilling; ~be rak/szed ruche, quill

rüssöl [-t, -jön] *vt*, ruche, quill

rüszt [-öt, -je] *n*, instep

S

s¹ [-et, s-e] *n*, the letter s/S

s² *conj*, and; ~ *a többi* and so on/forth, etcetera; ~ *aztán?* and then?, so what?

Sába [.. *át*] *prop*, Sheba; ~ *királynője* the Queen of Sheba

sáber [-ek, -t, -e] *n*, *(nyomd)* eraser

sablon [-ok, -t, -ja] *n*, **1.** *(műsz)* model (used in foundry), mould, (master) pattern, *(műsz)* shape, *[rajzoláshoz]* stencil, pattern (for pounced drawing); ~*nal fest/átrajzol/megjelöl* stencil **2.** *(átv)* commonplace, conventional saying, pattern, stereotype, cliché; ~ *szerint kezel* squeeze into the same mould; ~ *levél* form letter; ~*ra megy* run to a pattern

sablonmunka *n*, routine/repetition work, routine duties *(pl)*

sablonos [-ak, -t; *adv* -an] *a*, **1.** made after the same pattern *(ut)* **2.** *(átv)* stereotyped, hackneyed, commonplace, trite, cut-and-dried; ~ *munka/foglalkozás* routine; ~ *lesz* it tends to run to pattern; ~*sá tesz* stereotype

sablonszerű *a*, = sablonos

saccol [-tam, -t, -jon] *vt*, *(biz)* guess, estimate, reckon *(US) (mind: stand.)*

saccolás *n*, *(biz)* guessing, guess-work, estimate *(mind: stand.)*, rule of thumb *(fam)*

sáfár [-ok, -t, -a] *n*, † manager, intendant, steward; *hűtlen* ~ unfaithful steward

sáfárkod|ik [-tam, -ott, -jon, -jék] *vi*, † act as a manager/steward, manage, administer

sáfrány [-ok, -t, -a] *n*, *(növ)* crocus *(Crocus); jóféle* ~ saffron *(C. sativus)*

sáfrányfesték *n*, saffron(-yellow)

sáfrányillat *n*, *megérezte a* ~*ot* he scented the danger, he thought it better to leave because of storms ahead

sáfránylepke *n*, *(áll)* clouded yellow *(Colias croceus)*

sáfrányolaj *n*, saffron oil

sáfrányszínű *a*, saffron-coloured, croceate

sah [-ot, -ja] *n*, shah; *a perzsa* ~ (the) Shah (of Persia)

saját [-ot, -ja] **I.** *a*, own, proper, private, personal; ~ *akaratából tesz vmt* do sg of one's own choice; *a* ~ *apám* my own father; ~ *anyag* self material; ~ *autója van* he owns a car, he has a car (of his own); ~ *céljaira felhasznál* use for one's own purposes, make use of sg for one's own ends; ~ *érdeke* one's own interest; *a* ~ *erejéből boldogul* paddle one's own canoe *(fam); a* ~ *feje után megy* she has a will of her own; ~ *felelősségére tesz vmt* do sg on one's own responsibility; ~ *fészkébe piszkit* defile/foul one's own nest; ~ *gyártmányú* of one's own making *(ut); a* ~ *jogán* in his own right; *a* ~ *jogán bir/birtokol vmt* possess sg in one's own right; ~ *jogkörében*, ~ *hatalmánál fogva* on his own authority; ~ *jószántából* willingly, of one's own free will; ~ *kárán tanult* once bitten twice shy; ~ *készítményű* of one's own making *(ut); ~ *kezébe [levélen]* private, to be delivered to the addressee, to be delivered to sy in person *(v. into sy's own hands); ~ *kezével vet véget életének* die by one's own hand; ~ *kockázat (ker)* own risk; ~ *költségén/költségére* at one's own expense, at one's own charge; ~ *maga* he himself, she herself, oneself; ~ *maga készítette* he/she made it (all) by himself/herself, it is his/her own make; ~ *magam(at)* myself; ~ *nevében* in one's own name; ~ *pálya (sp)* home ground; ~ *pályán (sp)* at home; ~ *pályán játszik* play a home game; ~ *pénze van* have money of one's own; ~ *számlájára és veszélyére (ker)* on one's own account and risk; *ezek a* ~ *szavai* these are his own/ exact words; ~ *személyében* in (one's own) person, personally; ~ *szemével* with one's own eyes; ~ *szememmel láttam* I saw it with my own eyes; ~ *tapasztalás/ tapasztalat* self-experience; ~*termelésű* own-produced; ~ *termésű* home grown; ~ *termésű bor* wine of one's own vintage; ~ *termesztésű dohányom* tobacco of my own raising; ~ *terület [munkában stb.]* speciality; ~ *tervezésű* self-devised; ~ *tulajdon* property; ~ *ültetésű fáim* trees of my planting; ~ *váltó (ker)* note of hand, promissory note, house bill; ~ *vér [oltásra]* autovaccine; ~ *veszélyére és felelősségére (ker)* at one's own risk and responsibility

II. *n*, own property; *(vknek)* ~*ja* (sy's) own; *ez az ő* ~*ja* it is his, it belongs to him; *ez a könyv a* ~*om* this book is my own; ~*jában lakik* he lives in a house of his own; ~*jából fizetett* he paid from his own

sajátérték *n*, *(menny)* eigenvalue

sajátfüggvény *n*, *(menny)* eigenfunction

sajátképpen *adv*, peculiarly, specifically, particularly

sajátkezű *a*, authographic; ~ *aláírás* autograph, signature, sign manual; *X. Y.* ~ *felbontására* to be delivered to sy in person *(v. into sy's own hands)*

sajátkezűleg *adv*, with one's own hand; ~ *írott* (h)olographic; ~ *írt okmány* holograph (testament etc.)

sajátlagos [-at; *adv* -an] *a*, particular, specific, characteristic, especial

sajátlengés *n*, *(vill)* natural oscillation/vibration

sajátmozgás *n*, *(fiz)* self-movement, proper motion

sajátos [-at; *adv* -an] *a*, particular, peculiar, proper, specific, characteristic, *[egyéni]* individual, *[ízlés]* original, *[jellegzetesség stb.]* idiopathic(al); ~ *eset* special case; ~ *hangok* individual sounds; ~ *kifejezésmód* idiom; ~ *módon* in a peculiar way; ~ *színezet/ szín* local colour; ~ *szint ad* give zest to sg; ~ *véralkat/ vérmérséklet/gondolkodásmód* idiosyncrasy

sajátosan *adv*, particularly, peculiarly, specifically; *vkre* ~ *jellemző* be peculiar to sy; ~ *magyar* specifically Hungarian

sajátosság *n*, = sajátság; *a magyar nyelv* ~*ai* peculiarities/characteristics of the Hungarian language

sajátság *n*, characteristic, particularity, peculiarity, feature, characteristic/peculiar/special/specific feature/quality/point, special(i)ty, nature, quality, *(csak vkről)* trick

sajátságos [-at; adv -an] a, characteristic, particular, peculiar, specific, proper, especial, sui generis, [különös] queer, singular, odd, strange, fantastic; ~ eset a strange/queer case; ~ módon csinál vmt do sg in a particular way; Bartók ~ zenéje the unique music of Bartók

sajátsavó n, (orv) autoserum

sajátsavó-kezelés n, (orv) autoserotherapy

sajátsúly n, dead weight

sajátszerű a, = sajátos

sajátszerűség n, peculiarity; ld még sajátság

sajdít¹ [-ani, -ott, -son] vt, ~ja a vállát he complains of a pain in his shoulder, his shoulder aches

sajdít² [-ani, -ott, -son] vt, = sejt¹

sajgás n, ache, smart, shooting/throbbing pain

sajgatóhal n, (áll) electric eel (Gymnotus electricus)

sajgó [-t; adv -an] a, aching, smarting, [emlék] haunting, [fájdalom] burning, smarting, keen, [seb] rankling; ~ fájdalom burning/smarting/throbbing/mordant pain, smart

sajka [.. át] n, (small) boat; ~ alakú boat-shaped, (orv) scaphoid

sajkacsont n, (bonct) navicular/scaphoid bone (of hand and foot)

sajkadal n, boat-song

sajkás n, † boatman

sajna int, alas; ld még sajnos

sajnál [-t, -jon] vt, 1. (vkt) be sorry for, feel sorrow/pity for, pity, sympathize with; ~om ezt az embert I am sorry for him 2. (vmt) be sorry for, deplore, regret; igen ~om! I am very/frightfully/awfully sorry! ; őszintén ~om [bocsánatkérésben] I am really and truly sorry; ~ja hogy vmt tett regret doing sg, regret having done sg 3. [kímél] spare, (vktől vmt) (be)grudge sy sg, stint sy of sg; nem ~ja a fáradságot grudge/spare no pains; nem ~ja a költséget és a fáradságot he spares neither trouble nor pains; ~ tőle minden falatot begrudge sy every bite/crumb he eats; ~ják tőle az ételt they begrudge him his food; ~ vmt magától stint oneself of sg; nem ~ magától semmit he does himself well; nem ~ja az elismerést not grudge sy one's admiration, give one one's dues

sajnálat n, pity, regret; ~ra méltó [személy] exciting/deserving pity (ut), to be pitied (ut), pitiable, compassionate, regretful, poor, piteous, deplorable, [tény] rueful, lamentable, pitiable; ~ra méltó ember a man to be pitied; ~ra méltó látvány volt bánatában she was/presented a piteous sight in her grief; (nagy) ~omra to my sorrow; legnagyobb ~omra to my deepest sorrow, to my greatest regret, much to my regret; ~tal értesültünk hogy we regret very much to hear that, we are grieved to learn that, we are sorry to lea~ that; ~tal hallom hogy I am concerned to hear ~tal közlöm hogy I regret to inform you that; ~tal kell közölnöm/értesítenem hogy I regret to have to inform you that; ~tal látom I am sorry to see; ~tal nélkülözzük híreit we regret being still without your news

sajnálatos [-at; adv -an] a, sad, pitiable, deplorable, lamentable, regrettable, unfortunate, to be pitied (ut) ; ~ dolog/ügy (it's) a bad business/job, (it is) a bad/sorry business, it is a matter of/for regret, it's a pity; ~ esemény regrettable/sorrowful event; ~ tévedés sad/regrettable mistake; ~ hogy... it is regrettable that..., it is to be regretted that..., it is unfortunate that... ; rendkívül ~ it is a thousand pities (fam) ; ~ módon regrettably; annál ~abb the more's the pity

sajnálatosan adv, regrettably, unhappily, sadly

sajnálkozás n, [történtekért] regret, [bocsánatkérően] apology, repentance, [szánalom] pity, [részvét]

sympathy, commiseration; legmélyebb ~át fejezte ki [halálesetkor] he expressed his deepest sympathy, [bocsánatkéréskor] he apologized, he expressed his deepest regret

sajnálkoz|ik [-tam, -ott, -zon, -zék] vi, [történtekért] be sorry for, regret, [bocsánatkérően] apologize for, [részvéttel] sympathize with, feel pity for, grieve over (sg), commiserate (sg v. with sy)

sajnálkozó [-t] a, regretful, commiserative, pitying

sajnos int, I am sorry, unfortunately, sorry (to say), alas, sad to say, unhappily, it is to be regretted that..., it is a pity that... ; ~ igen yes(,) I'm sorry to say; ~ azt kell közölnöm it is my unfortunate duty to inform you that. I regret to inform you that; ~ nem jött el I am sorry to say she has not come

sajog [sajgott, -jon] vi, smart, ache, throb, shoot, rankle; ~ a foga his tooth aches; ~ benne vm it rankles in his mind; ~ minden tagom/porcikám I feel rather achy

sajt [-ot, -ja] n, cheese; reszelt ~ grated cheese

sajtár [-ok, -t, -a] n/a, pail

sajtárus n, = sajtkereskedő

sajtbura n, cheese-cover

sajtfa n, (növ) bombax (Bombax ceiba)

sajthéj n, cheese-rind

sajtkáva n, cheese-tub/vat, chessel

sajtkereskedő n, cheesemonger

sajtkés n, cheese-cutter

sajtkészítő n, cheese-maker

sajtkukac n, 1. (áll) cheese-hopper/mite (Piophila casei) 2. olyan mint a ~ he is constantly fidgeting/wrinkling

sajtlégy n, (áll) cheese-fly (Piophila casei)

sajtó [-t, -ja] n, 1. [prés] press, pressing machine, presser, [bornak] wine-press, [fémip] stamp 2. [nyomd, nyomógép] printing-press/machine, press; ~ alá bocsát publish; ~ alá rendez prepare for the press, edit, redact; ~ alá rendezte. .. edited by..., editor... ; ~ alá rendezés [irodalmi műé] redaction; ~ alatt van be in the press, be at press, be now printing, it is being printed; ~ alatt (levő) at press, in the press; most került ki a ~ alól, most hagyta el a ~t be now/just ready, fresh from the press 3. (átv) the press, [újságírás] press-work; a napi ~ the daily press, the newspaper press; jó ~ja van [szerzőnek, könyvnek] get/have/receive a good press; rossz sajtója van have a bad press; a ~ útján through the medium of the press

sajtóakció n, drive (US)

sajtóanyag n, press-matter

sajtóattasé n, press attaché

sajtóbemutató n, press view/preview, [színdarabé] dress rehearsal, preview, [filmé] trade première/show, preview, [kiállításé] press view

sajtóbíróság n, ⟨special court dealing with press matters/offences⟩

sajtócenzúra n, censorship of the press

sajtódeszka n, [könyvkötészetben] press-board

sajtóelőadó n, information officer

sajtóértekezlet n, press-conference, [ha TV és rádió is szerepel] news conference

sajtófigyelő szolgálat clipping/monitoring bureau

sajtófogadás n, press-conference

sajtófőnök n, press chief, head of the publicity/press department, [intézményé] public relations man/manager/officer, [vállalatnál] publicity man, public relations man

sajtógép n, printing press

sajtóhadjárat n, press campaign

sajtóhiba n, misprint, typographical/literal/printer's error, erratum; sajtóhibák jegyzéke errata, corrigendum; sajtóhibát vét misprint

sajtóhibajegyzék *n*, errata, corrigendum
sajtóhíranyag *n*, press-matter
sajtóíroda *n*, public relations office
sajtójog *n*, press-law(s)
sajtójogi *a*, ~ kihágás/vétség violation of the laws governing the Press
sajtókarzat *n*, press-gallery
sajtókihágás *n*, breach of the press-law
sajtókommüniké *n*, = sajtóközlemény
sajtókonferencia *n*, press-conference
sajtóközlemény *n*, article, communiqué, news bulletin, release, statement
sajtol [-t, -jon] *vt*, press, squeeze, *[fémet]* stamp, extrude, *[gramafonlemezt]* mould (a gramophone record); *hidegen* ~ cold-press; *melegen* ~ press-forge
sajtólakáj *n*, newspaper hack
sajtolás *n*, pressing, squeeze, *[fémet]* stamping, extrusion, *[gramafonlemezé]* moulding
sajtoló [-t; *adv* -an] I. *n*, presser, pressman II. *a*, ~ kenés lubrication under pressure
sajtolóforma *n*, mo(u)ld, (stamping) die
sajtológép *n*, stamper, stamping machine/press, press, presser, squeezer, punching-machine
sajtolóhenger *n*, pressing cylinder
sajtolóprés *n*, stamping-press
sajtolószerszám *n*, (stamping) die
sajtolt [-at; *adv* -an] *a*, (com)pressed, moulded, stamped; ~ áru moulded article; ~ munkadarab moulded part, pressing; ~ pogácsa press-cake; ~ szén briquet(te); ~ üveg pressed/moulded glass
sajtónyilatkozat *n*, declaration, statement (to the press), communiqué *(fr)*, hand-out *(fam)*
sajtóorgánum *n*, press organ, organ (of press), (news)-paper, *[szervé]* official paper
sajtóosztály *n*, publicity department, *[minisztériumban]* press-department, press division
sajtópáholy *n*, press-box
sajtópéldány *n*, press-copy, reviewer's copy, review copy
sajtóper *n*, libel suit/case
sajtóprés *n*, *(fémip)* stamping-machine
sajtórendelet *n*, press order
sajtos [-ok, -ak, -t; *adv* -an] I. *a*, cheesy, made with cheese *(ut)*; ~ makaróni macaroni cheese; *meleg (olvasztott)* ~ pirítós Welsh rabbit; ~ rudacska cheese-finger/straw; ~ sütemény ramekin, ramequin; ~ szendvics cheese sandwich II. *n*, cheesemonger
sajtószabadság *n*, liberty/freedom of (the) press
sajtószemle *n*, press review, *[rádióban]* review of comment in today's British etc. newspapers, press opinions *(pl)* *(US)*
sajtószolgálat *n*, press-service
sajtótermék *n*, publication, printed matter; *idöszaki* ~ek periodicals
sajtótörvény *n*, press-law(s)
sajtótudósító *n*, pressman, journalist, press-correspondent, newspaper correspondent, reporter (for the Press); ~ként müköḋik report for the Press
sajtóügynök *n*, press-agent, *[vállalatnál]* publicity man
sajtóügynökség *n*, press/news agency, syndicate
sajtóvétség *n*, offence againt press-laws, *[becsületet érintő]* libel; ~et követ el vk ellen utter a libel against sy
sajtóvisszhang *n*, press reaction, echoes/repercussions in the press *(pl)*, press echo
sajtpapír *n*, butter-paper
sajtprés *n*, cheese-press
sajtreszelő *n*, cheese grater
sajtszag *n*, cheesy smell/odour, smell of cheese
sajtszagú *a*, cheesy
sajtszerű *a*, cheese-like, cheesy, *(tud)* caseous
sajtvég *n*, heel

sakál [-ok, -t, -ja] *n*, *(áll)* jackal *(Canis aureus)*; *egyiptomi* ~ wolf-like jackal *(C. lupaster)*; *ordít!* üvölt mint a ~ howl like the damned
sakk [-ot, -ja] I. *n*, chess; *a király* ~ban van/áll the king is in check; ~ot ad give check to, check; ~ban tart vkt keep sy in check, keep sy at bay, hold sy at bay *(v. in check)*; ~ban tartja az ellenséget keep/hold the enemy in check *(v. at bay)* II. *int*, check! ; ~ és matt ! checkmate
sakkbáb *n*, = sakkfigura
sakkbajnok *n*, chess champion
sakkbajnokság *n*, chess championship
sakkbarát *n*, chess fan/enthusiast
sakkcsapat *n*, chess team
sakkfeladvány *n*, chess problem, problem game
sakkfigura *n*, chessman, piece; *sakkfigurák* chess-pieces
sakkhúzás *n*, move; *alattomos* ~ok underhand manoeuvres; *ügyes* ~ clever move; *ez ügyes* ~ volt this was a clever trick/move; *ügyes diplomáciai* ~ a master--stroke of diplomacy
sakkírás *n*, chess notation
sakkirodalom *n*, literature of chess
sakkjáték *n*, (game of) chess
sakkjátékos *n*, chess player
sakkjátszma *n*, game of chess
sakk-klub *n*, = sakk-kör
sakk-kör *n*, chess club
sakklap *n*, chess periodical
sakklépés *n*, = sakkhúzás
sakk-matt *n*, checkmate; ~ot ad a királynak give checkmate to the king, checkmate
sakkmester *n*, chessmaster, master chessplayer
sakk-nagymester *n*, great master
sakkóra *n*, chess clock
sakkozás *n*, (playing) chess
sakkoz|ik [-tam, -ott, -zon, -zék] *vi*, play (a game of) chess, play at chess; *ne* ~zunk egyet? what about a game of chess?; *jól* ~ik he is good at chess
sakkozó *n*, chess player
sakkrovat *n*, chess column
sakktábla *n*, chess-board
sakktábla-lepke *n*, *(áll)* marbled white (butterfly) *(Melanargia galathea)*
sakktábla-mérleg *n*, *[tervezésben]* chess-board type balance
sakktáblaszerű *a*, of a chess-board pattern *(ut)*, of a chequerboard pattern *(ut)*, chequered, checked
sakkverseny *n*, chess competition/tournament
sákramentum [-ot, -a] *n*, *(vall)* sacrament
sakter [-ek, -t, -e] *n*, Jewish/Kosher butcher
sakterol [-t, -jon] *vt*, kill animals for meat according to the Jewish/Kosher rite
sál [-at, -ja] *n*, scarf, comforter, muffler, *[vállkendő]* shawl
salabakter [-ek, -t, -e] *n*, 1. *[könyv]* old/antiquated tome, old/outdated book, old volume 2. *(vk)* fussy old man; *vén* ~ old fogey/fossil
salak [-ot, -ja] *n*, 1. *(áll)* slag, *[fémé]* dross, scoria, *[széné]* cinders *(pl)*, clinker, *[betonba rostált]* breeze; *fűtési* ~ cinders *(pl)*; *kiszedi a* ~ot *[kályhából]* rake out the cinder; *leszedi a* ~ot *(fémip)* dross, free (sg) from dross 2. *(átv)* scum, refuse, trash; *az emberiség* ~ja the scum of the earth; *a társadalom* ~ja the scum of society, mud-sill *(US)*
salakbeton *n*, slag concrete, ash/cinder-concrete
salakcement *n*, slag cement
salakdomb *n*, slag-heap/tip, cinder-bank
salakdugasz *n*, *(koh)* (old) horse, salamander
salakgödör *n*, cinder-pit, *[vasúti]* drop pit
salakgyapot *n*, slag-hair/wool
salakhab *n*, *(fémip)* scum, scummings *(pl)*

salakhabarcs n, black mortar
salakhányó n, slag-heap, tip, waste/slag-tip
salakhúzó n, slice bar
salakképződés n, scorification, slag-formation
salaklerakodó n, dross-hole, slag-dump/tip/heap
salakmentes a, drossless, undrossy
salaknyílás n, (koh) floss-hole
salakolás n, scorification, slagging
salakoltás n, (koh) ash-quenching
salakos [-ak, -t; adv -an] a, drossy, slaggy, scoriaceous, [szén] clinkery, cindery; ~ teniszpálya hard (cinder) court; ~ út cinder-path, dirt track
salakosodás n, = salakképződés
salakosod|ik [-tam, -ott, -jon] vi, scorify
salakpálya n, [motoré] dirt track, [futóé] cinder-track/ path, [labdajátéké] hard (cinder) court
salakpálya-verseny n, (sp) cinder-track race
salakpor n, coom(b)
salakrakodó a/n, ~ (hely) cinder-bank, (fémip) ash-heap
salakréteg n, [olvasztott fém tetején] skim
salaktégla n, slag brick
Salamon [-t, -ja] prop, Solomon; ~ pecsétje (növ) Salamon's seal (Polygonatum)
salamoni [-ak, -t; adv -an] a, Solomonic; ~ bölcsesség wisdom of Solomon; ~ ítélet Solomonic judg(e)ment
saláta [..át] n, 1. (növ) lettuce (Lactuca sativa); fejes ~ cabbage lettuce (Lactuca sativa/capitata); egy fej ~ a head/loaf of lettuce; tengeri ~ green laver (Ulva latissima) 2. [étel] salad; francia ~ macédoine, mixed salad; vegyes ~ mixed salad; salátát (el)készít dress/mix the/a salad
salátaboglárka n, (növ) pilewort, lesser celandine (Ranunculus Ficaria)
salátafej n, loaf, head
salátaízesítő n, salad-dressing
salátakatáng n, (növ) endive, broad-leaved chicory (Cichorium endivia)
salátaolaj n, salad-oil
salátaöntet n, French dressing, (salad-)dressing
salátáskanál n, salad-spon
salátástál n, salad-bowl/server
salétrom [-ot, -a] n, salpetre, sal(t)peter (US), potassium nitrate, nitre, niter (US); kiüt a falon a ~ [nedvességtől], kivirágzik a ~ saltpetre crystals appear on the walls; ~mal bevon nitrify; ~mal kezel talajt treat the ground with salpetre
salétrombánya n, salpetre works
salétromgyári a, ~ munkás salpetre worker
salétromos [-ak, -t; adv -an] a, nitrous; ~ kivirágzás [falon] salpetre rot
salétromsav n, nitric/salpetre acid
salétromsavas a, nitric; ~ só nitrate
salétromtelep n, salpetre bed, nitre-bed
sálgallér n, roll-collar
Salgótarján [-t, -ban, -ba] prop, Salgotarján (town in Northern Hungary)
sálkendő n, [nőké] scarf
sallang [-ot, -ja] n, 1. [szegélyező] fringe 2. (átv) irrelevant matter, tawdry/superfluous ornaments (pl), [beszédben, írásban] flourish, [stílusban] frill, frippery
sallangos [-at; adv -an] a, 1. fringed, fringy; ~ (ló)szerszám (over-)decorated harness, caprison (obs) 2. [beszéd] bombastic, highfalutin(g), [stílus] flowery
sallárium [-ot, -a] n, † salary
sailer [-ek, -t, -je] n, vulcanizing patch for tyre-repairs, tyre-repair plaster
salto mortale dangerous jump/leap/sommersault (in the air)
salvus conductus safe-conduct

sámán [-ok, -t, -ja] n, shaman, medicine-man
sámánhívő n, shamanist
samanizmus n, Shamanism
samesz [-ek, -t, -e] n, (biz) bottle-holder, man Friday, bottom sawyer
sámfa n, shoe/boot-tree/stretcher, bootlast, filler; sámfára húz = sámfáz
sámfáz [-tam, -ott, -zon, -zék] vt, put a tree into (a shoe), put (a shoe) on to a shoe-tree, put shoe/boot-trees into (footwear), tree (a shoe)
sámli [-t, -ja] n, stool, cricket
samoa [..át] a/n, [bőr] buff, chamois, [fényk másoló-papír] buff paper
samott [-ot, -ja] a/n, fire-clay, chamot(te)
samottbélés n, fire-clay lining
samott-tégla n, fire-brick, refractory brick, chamot(te)
sampinyon [-ok, -t, -ja] n, [gomba] common/field mushroom (Psalliota campestris)
sampion [-ok, -t, -ja] n, = sampinyon
sampon [-ok, t-, -ja] n, shampoo
Sámson [-ok, -t, -ja] prop, Samson
sámsoni a, ~ ereje van a veritable Samson
Samu [-t, -ja] prop, Sam, Samuel
Sámuel [-ek, -t, -je] prop, Samuel
Samuka [..át] prop, Sam(my)
sánc [-ot, -a] n, [erdőrész] rampart, [földből] mound, [árokszerű] dug-out, entrenchment, [önálló erőd] fortification, erathwork, redoubt, [kicsi] outwork, [röplabdában] block, [siugráshoz] ski jump; ~ot ás entrench
sáncárok n, trench, ditch, [vízzel telt] moat, fosse
sáncásás n, digging of trenches, making of earthworks
sáncásó n, 1. [személy] trench digger, (kat) sapper 2. [eszköz] spade
sáncépítés n, building of fortifications
sánckaró n, stake, post, palisade, picket-fence
sánckerítés n, palisade
sánckosár n, gabion
sáncmunka n, earthwork, entrenchment
sáncol [-t, -jon] I. vt, fortify, (en)trench, ensconce (obs) II. vi, [sakkban] castle
sáncolás n, fortification, intrenchment, entrenchment, ensconcement (obs), [sakkban] castling
sanda [..át] a, 1. [személy] squint/cross-eyed, cock--eyed, squinting, [szem] squint(y); ~ pillantás oblique glance; ~ pillantást vet vkre cast a sidelong glance on sy; ~ szemmel néz look askance at 2. (átv) envious, jealous, ill-willed; ~ gyanú (lurking) suspicion; gyanúm hogy ... I (strongly) suspect that ...., I have a hunch that (US)
sandán adv, ~ néz vkre cast a sidelong glance on sy, skew at sy
sandít [-ani, -ott, -son] vi, (vkre, vmre) squint (at), (vmre) cast a stealthy/mischievous glance at (sg)
Sándor [-ok, -t, -ja] prop, Alexander; Nagy ~ Alexander the Great
Sándor-vers n, alexandrine(s), dodecasyllable
Sanghaj [-t, -ban] prop, Shanghai
sánker [-ek, -t, -e] n, (orv) chancre; kemény ~ initial syphilitic lesion
sankroid [-ot, -ja] n, chancroid
sánsz [-ot, -a] n, chance; nincs semmi ~a he has not a dog's chance
sánta [..át] a/n, lame, limping, game-legged, cripple, [ló] swayed; jobb lábára ~ be lame in the right leg; kifejezetten ~ he has a decided limp
sántán adv, lamely, limpingly
sántaság n, limp, lameness
sántikál [-t, -jon] vi, limp, hobble (along), walk with a halt/limp, have a limp, walk lamely, cripple along; ~va jár have a hobble in one's gait 2. vmben ~ be up to sg; rosszban ~ be up to sg, be up to some mischief,

brew mischief, be on the mooch; *sose tudta az ember miben ~nak* one never knew what they were up to
sántikálás *n*, hobble, halting walk, limp
sántikáló *a*, limping
sántít [-ani, -ott, -son] *vi*, **1.** limp, have a limp, walk with a limp/drag, walk lame(ly), hobble (along); *kifejezetten ~* he has a decided limp; *jobb lábára ~* be lame in the right foot/leg; *nagyon/erősen ~* have a bad limp **2.** *[rím stb.]* hobble, *[vers]* halt; *~ a dolog* it does not go on all fours; *vm ~ ebben a dologban* there is a hitch somewhere; *a hasonlat ~* the simile is rather inappropriate; *minden hasonlat ~* comparisons are odious; *kifogása ~ott* his excuse was lame; *a te meséd is ~* your story is just as thin
sántítás *n*, limp, lame walk, lameness, hobble; *intermittáló ~* intermittent claudication
sántító [-t] *a*, *~ vers* halting/lame verse
santung [-ot, -ja] *a/n*, shantung, pongee
sanzon [-ok, -t, -ja] *n*, chanson, song
sanzonénekes *n*, diseur *(fr)*, crooner
sanzonénekesnő *n*, diseuse *(fr)*
sanyargás *n*, starving, misery, affliction, penury, living a wretched life
sanyargat *vt*, *[gyötör]* torment, torture, distress, crucify, *[népet]* oppress, scourge; *testét ~ja* mortify the flesh; *~ja a parasztságot* screw the peasantry
sanyargatás *n*, *[gyötrés]* torment, torture, mortification, chastisement, *[népet]* oppression
sanyarog [..rgok, -tam, ..rgott] *vi*, be scarcely able to keep body and soul together, live from hand to mouth, linger in misery
sanyarú [-ak, -t; *adv* -an] *a*, wretched, miserable, destitute, *[élet, munka]* hard; *~szükség* dire necessity
sanyarúság *n*, misery, starvation, distress, destitution, penury
Sanyi [-t, -ja] *prop*, Sandy, Alec, Alex, Aleck *(US)*
Sao Paulo [-t, -ban] *prop*, Sao Paolo
sáp [-ot, -ja] *n*, illegal/illicit profit, sop, rake-off, palm-oil, *[vesztegetésszerű]* kickback *(US fam)*; *leszedi a ~ot* solicit/accept bribes
sápad [-t, -jon] *vi*, get/grow/turn pale, turn white, lose one's colour, sallow
sápadozás *n*, getting pale
sápadoz|ik [-tam, -ott, -zon, -zék] *vi*, = sápad
sápadt [-at; *adv* -an] *a*, pale, pal /pasty/sallow/whey-faced, white(-faced), pallid, *[betegesen]* anaemic, sickly, sallow; *~ arcú* pale/pasty/sallow/white-faced, *[indiánoknál]* paleface; *kísértetiesen ~* as white as a ghost/sheet; *~ a dühtől* white/pale with rage; *~ az ijedtségtől* he looks green about the gills, he looks pale with fright; *~abb lesz* lose colour
sápadtan *adv*, palely
sápadtas *a*, palish
sápadtság *n*, paleness, pallor, wanness, sickliness, whiteness, colourlessness; *halálos ~ [arcé]* cadaverousness
sápaszt [-ani, -ott, ..asszon] *vt*, make sy turn pale, sallow
sápatag [-ot; *adv* -on] *a*, pale, palish, wan
sápít [-ani, -ott, -son] *vi*, lament, wail
sápítozás *n*, lamentation(s), wailing(s), bemoaning(s)
sápítoz|ik [-tam, -ott, -zon, -zék] *vi*, = sápít
sapka *n*, **1.** *[fejre]* (cloth) cap, *[fejbúbon]* skull-cap, *[fülre húzható]* bonnet, *[tiszti]* hat **2.** *(műsz)* cap, cover piece, hood, bonnet
sapkacsavar *n*, *(műsz)* cap-screw
sapkaellenző *n*, vizor, visor, bill *(US)*
sapkajelvény *n*, cap-badge, badge worn on cap
sapkakészítő *n*, capmaker
sapkarózsa *n*, cap button
sapkás I. *a*, -capped, wearing/in/with a cap *(ut)*, *(áll)* pileated **II.** *n*, = sapkakészítő

sapkatánc *n*, *[népzene]* cap dance (wedding custom)
sápkór *n*, greensickness, chlorosis
sápkóros *a*, greensick, chlorotic
sápog [-tam, -ott, -jon] *vi*, *[kacsa]* quack, gabble
sápogás *n*, quack(-quack), gabble
sáp-sáp *n*, quack-quack
sár [sarat, sara] *n*, **1.** mud, mire, *(átv)* dirt; *híg ~* slush, ooze, sludge; *csupa ~* be all over mud; *csupa ~ a cipője* his boots are muddied/muddy all over; *a föld csupa ~* the ground is a sop; *~ba ránt/tipor* defame, profane, sully, trample into the dust, treat like dirt (under one's feet), treat/consider sy as mud, treat/consider sy as the mud beneath one's feet; *~ba rántja vknek a becsületét* drag sy's name in the mud; *~ba tapossa vknek a hírnevét* trample sy's reputation under foot; *~ba süllyed* sink into the mire; *~ban fetreng* wallow in the mire; *~ban megfeneklett/megrekedt kocsi* carriage stuck in the mud; *~ban tapicskál* puddle (about); *~ban tapos* poach; *~ral borított* overlaid with mud *(ut)*; *megállja a sarat* hold one's own/ground, come up to the mark/scratch, stand one's ground, stand the test/racket; *~ral dobál (átv)* sully sy's reputation, backbite, smirch/besmirch sy's name **2.** *[agyag]* clay, loam
Sára [..át] *prop*, Sara(h)
sarabande [-ot, -ja] *n*, *[tánc, zene]* saraband
sarabol [-t, -jon] *vt*, hoe (weeds), *[utat]* scuffle, *[gyepet]* cut/trim/weed the grass/lawn
sarabolás *n*, hoeing, scuffling, weeding
saraboló [-t, -ja] *a/n*, *~ (kapa)* scuffle, weeder, Dutch hoe, scraper; *~ művelés* subsurface tillage, subtillage
sarangol [-tam, -t, -jon] *vt*, stack
sarangolt [-at] *a*, *~ tűzifa* stacked/piled firewood
sárarany *a*, † yellow dirt *(joc)*, gold nugget, *[tiszta]* pure gold
sarc [-ot, -a] *n*, ransom, tribute(-money), contribution, levy; *~ot vet az ostromlott városra* exact ransom from a besieged town; *~ot fizet [hódítónak]* tribute
sárcipő *n*, galoshes, goloshes, (rubber) overshoes, gum-shoes/boots, rubbers *(US) (mind: pl)*
sarcol [-t, -jon] *vt*, hold to ransom, levy a contribution on, *[zsarol]* blackmail
sarcolás *n*, levying a contribution, exacting ransom from sy, holding sy to ransom, *[zsarolás]* blackmail-(ing)
sárda [..át] *n*, *(növ)* abutilon, mallow *(Abutilon sp.)*
sardózás *n*, ⟨folk custom of boys on Shrove Sunday accompanied by singing greeting spring, inviting warm weather⟩
sárellenző *n*, mudguard, fender, splasher, dashboard, splash-board, wing *(US)*
sárfal *n*, mudwall
sárfészek *n*, muddy hole/place
sárfogó *n*, = sárellenző
sárfolt *n*, mud stain/spot/blemish, spatter of mud
sárfoltos *a*, mud-stained; *~ a csizmája* his boots are muddy
sárfürdő *n*, mud-bath
sárga [..át]**I.** *a*, *[szín]* yellow; *nápolyi ~ (műv)* Naples yellow; *~ bőrű* yellow-skinned, with a yellow skin/complexion *(ut)*; *~ cukor* candy/brown sugar, *[folyékony]* golden syrup; *~ csikó* yellow-boy; *~ csillag* 'yellow star'; *~ érés (növ)* dough stage; *~ faj* yellow race; *~ fény [közl. lámpán]* amber light; *~ ferment* yellow enzyme, flavoprotein; *~ folt [retinán]* yellow spot, macula (lutea), *[zsidókon]* yellow patch/sign; *~ folyás (orv)* yellow discharge; *~ föld* yellow soil/earth, ochre loess; *~ földig lehord vkt* tell sy off severely; *~ földig leissza magát* get dead-drunk; *~ internacionálé* yellow international; *~ irigység* green-eyed envy; *~ az irigységtől (be)* green with envy; *~okker* yellow ochre/pewter;

~ **rózsa** yellow rose, *[fajta]* Austrian brier rose *(Rosa foetida)* ; ~ **szakszervezet** yellow/sham trade--union; ~ **szemű** yellow-eyed; ~ **szinű** yellow; ~ **szűrő** *(fényk)* sky filter; ~ **veszedelem** yellow peril; ~ **viola** ld **viola¹;** ~ **zászló** *(hajó)* yellow/siek flag
II. *n*, 1. *[szin]* yellow 2. *tojás sárgája* yolk, *(tud)* vitellus
sárgabarack *n*, *(röv)* apricot *(Prunus armeniaca)*
sárgabillegető *n*, *(áll)* *[madár]* (blue-headed) wagtail *(Motacilla flava)*
sárgaborsó *n*, split/dry/dried peas *(pl)*
sárgadinnye *n*, *(növ)* muscat/musk/honeydew melon *(Cucumis melo)*
sárgafa *n*, yellowwood
sárgafenyő *n*, *(növ)* bull-pine *(Pinus Jeffrey)*
Sárga-folyó *prop*, Yellow River
sárgaföld-réteg *n*, layer of ochre
sárgahasú unka *(áll)* *[harangnyelvű béka]* yellow bellied toad *(Bombina variegata variegata)*
sárgája [..át] *n*, *[tojásé]* yolk, *(tud)* vitellus
sárgalátás *n*, *(orv)* yellow vision
sárgaláz *n*, *(orv)* yellow fever/Jack, black vomit, Saint Domingo fever
sárgaláz-szúnyog *n*, *(áll)* yellow fever mosquito *(Aedes aegypti, Stegomyia fasciata)*
sárgáll|ik [-ani, -ott, -jon, -jék] *vi*, be/look/gleam/show yellow
sárgarépa *n*, *(növ)* carrot *(Daucus carota)*
sárgarépa-főzelék *n*, (dish of) boiled cubed carrot
sárgaréz *n*, (yellow) brass; ~ **áru** brass-ware; ~ **drót** brass wire; ~ **lap/lemez** leaf/sheet-brass; ~ **tábla** brass (plate)
sárgarézműves *n*, brazier
sárgarigó *n*, *(áll)* golden oriole, yellow-bird *(Oriolus oriolus)*
sárgás *a*, yellowish, yellowy, *[közlekedési lámpa]* amber-coloured, *[arcszin]* sallow, green
sárgaság *n*, 1. *(orv)* icterus, jaundice; ~**ban szenved** have the jaundice, be jaundiced 2. *[tulajdonság]* yellowness
sárgásbarna *a*, tan, tawny, fawn-coloured, biscuit, russet, russety
sárgásfakó *a*, sallow
sárgásfehér *a*, yellowish white, cream, jonquil (yellow)
sárgásszürke *a*, drab; ~ **ló** flea-bitten horse
sárgásvörös *a*, gingery
sárgászöld *a*, yellowish green, olive-green, viridian, goose/gosling-green
Sárga-tenger *prop*, *(földr)* Yellow Sea
sárgerenda *n*, *(épit)* (wall) plate, raising-piece, roof sill
sárgít [-ani,-ott, -son] *vt*, (make) yellow, *[arcot]* sallow
sárgolyó *n*, 1. ball of mud 2. *[földgolyó]* terrestrial globe
sárgul [-t, -jon] *vi*, *(ált)* (become, turn) yellow, *[levelek]* wither, *[gabona]* ripen, *[arc]* sallow
sárhal *n*, *(áll, nép)* = **compó**
sárhányó *n*, mudguard, fender, splasher, mud-shield, dashboard, splash-board/guard, wing *(US)*
sárhányókötény *n*, *[gépkocsin]* valance
Sári [-t, -ja] *prop*, Sal(ly), Sadie
Sárika *prop*, = **Sári**
sarj [-at, -a] *n*, 1. *(növ)* young/rudimentary shoot, sprout, offset 2. *(vké)* offspring, descendant, scion *(ref.)*, progeny *(ref.)* ; *a család utolsó* ~**a** last descendant/scion of the family
sarjad [-t, -jon] *vi*, 1. bud, shoot, sprout, spring, germinate 2. *(átv)* originate, proceed, take origin, germinate
sarjadás *n*, 1. *[folyamat]* shooting, sprouting, springing forth, germination 2. *[növényen]* offshoot, offset, sprout shoot, sprig, runner

sarjadék [-ot, -a] *n*, = **sarj** 1., **sarjadás** 2.
sarjadzás *n*, 1. *(növ)* proliferation with budding, sprouting 2. *(orv)* granulation, granuloma, granulation tissue, pullulation 3. *(biol)* proliferation, gemmation; ~**sal szaporodó** gemmiparous
sarjadz|ik [-ott, -zon, -zék] *vi*, 1. = **sarjad;** 2. *(orv)* granulate, proliferate, pullulate
sarjadzó *a*, *(orv)* granulating, granulated, granular, pullulant, incarnant; ~ **hús** proud flesh
sárjáró *n*, *(áll)* *[madár]* broadbilled sandpiper *(Limicola j. falcinellus)*
sarjerdő *n*, brush-wood, copse, coppice, young growth, second growth, residual stand
sarjhagyma *n*, bulbil, offset bulb
sarjhagymácska *n*, bulbil
sarjhajtás *n*, *(növ)* turion, sprout, offshoot, coppice--clump
sarjképződés *n*, sprouting
sarjú [-t, -ja] *n*, second growth/crop, latter grass, aftergrass, aftermath, rowen *(US)*, aftercrop, after-growth; ~**t kaszál** mow a second time
sarjúerdő *n*, = **sarjerdő**
sarjúkaszálás *n*, second mowing, aftermath
sarjúköltés *n*, second brood of chickens
sarjúrend *n*. swath of aftergrass
sarjuszéna *n*, second harvest hay, hay of second mowing; *ld még* **sarjú**
sarjútakarmány *n*, foggage
sark [-ot, -a, 2. jelentésben: -at, -a] *n*, 1. *(csill)* pole; *északi* ~ North Pole; *déli* ~ South Pole; ~ **alatti** *[klima]* sub-polar; ~ **felé** polewards 2. = **sarok**
sarkal [-t, -jon] *vt*, *[cipőt]* heel
sarkalás *n*, *[cipőé]* heeling, having one's shoes (re)--heeled
sarkalatos [-at; *adv* -an] *a*, cardinal, fundamental, essential
sarkall [-t, -jon] *vt*, *(vkt vmre)* stimulate, encourage, prod, prompt, impel, urge, spur on, goad, propel, incite (to), provoke (sy to do sg), *[rosszra]* instigate; ~**ja őt kissé** give him a prod; *vkt vmnek a megtételére* ~ stimulate sy to do sg, move sy to do sg
sarkallás *n*, stimulation, encouragement, impelling, prompting, incitation, incitement, spur, *[rosszra]* instigation
sarkall|ik [-ani, -ott, -jon, -jék] *vi*, be based/founded on, depend upon, hinge/turn on, pivot
sarkantyú [-t, -ja] *n*, 1. spur; ~**ba kapja a lovat** set/put spurs to one's horse; ~**ját a ló vékonyába/oldalába vágta** he dug his spurs into the side of his horse 2. *(áll)* spur, spine, *[kakasé]* heel, spur, *[virágon]* spur, unguis; *párta* ~**val** calcarate/spurred corolla 3. *(épit)* dam (of river); *vágó* ~ counterfort 4. *[hadihajóé]* ram 5. *[szárnyas mellcsontja]* wish bone 6. *[népi hangszer]* ⟨small bells like jinglers tied on the feet of dancers⟩
sarkantyúcserje *n*, *(növ)* shrimp plant *(Beloperone guttata)*
sarkantyúka *n*, *(növ)* tropaeolum *(Tropaeolum)*
sarkantyúpengés *n*, ringing/clinking of the spurs, jingling
sarkantyús *a*, 1. spurred, wearing spurs *(ut)* 2. *[kakas]* heeled, *(term)* calcarate; ~ **bársonylégy** *(áll)* fever--fly *(Dilophus vulgaris)*
sarkantyúszíj *n*, spur-strap/leather, instep strap
sarkantyútaraj *n*, rowel, *(cim)* molet, mullet
sarkantyúvirág *n*, *(növ)* delphinium *(Delphinium)*
sarkantyúz [-tam,-ott, -zon] *vt*, 1. spur, set spur(s) to (a horse), prick (horse with spurs), extend (a horse) 2. *(átv)* spur on, stimulate, encourage, prod, prompt, impel, instigate
sarkantyúzás *n*, 1. spurring; 2. = **sarkallás**

sárkány n, 1. (áll) dragon, cockatrice, basilisk, earth-drake, [címerben] wivern, wyvern; (csill) a S~ [csillagkép] the Dragon 2. [játék] kite; ~t ereszt/ereget fly a kite, send up a kite 3. [asszonyról] virago, termagant, vixen, shrew, Xanthippe 4. [fegyveren] cock

sárkányeregetés n, kite-flying

sárkányeresztés n, = sárkányeregetés

sárkányfa n, dragon-tree, dracaena (Dracaena)

sárkányfajzat n, dragon's brood

sárkányfej n, (épít) gargoyle

sárkányfog n, dragon's tooth

sárkánygyík n, 1. (áll) (repülő) ~ (flying) dragon, flying lizard (Draco volans) 2. [mesebeli] basilisk

sarkányhal n, (áll) sting-fish, weever (Trachinus vipera)

Sárkányrend n, (tört) the Order of the Dragon (founded by King Sigismund)

sárkányrepülőgép n, glider

sárkánytej n, dragon's milk

sárkányvér n, 1. [mesében] blood of the dragon 2. [gyanta] dragon's-blood 3. (növ) blood-wort

sárkányviadal n, dragon-fight

sárkaparó n, mud-scraper, [ajtó előtt] shoe-scraper

sarkas [-t; adv -an] a, = sarkos

sarkcsillag n, pole-star, polar star, North Star, Pole Star

sarkcsont n, = sarokcsont

sárkefe n, hard brush (for shoes to remove mud)

sarkgörbe n, polar curve

sarki [-ak, -t] a, 1. (földr) polar, [északi] arctic, [déli] antarctic; ~ éj polar night; ~ expedíció polar expedition, voyage to the Pole, [északi] arctic expedition, [déli] antarctic expedition; ~ fény northern light, aurora . borealis/polaris (lat); ~ kutya Eskimo dog (Canis familiaris domesticus borealis); ~ medve polar bear (Ursus maritimus); ~ öv high latitudes (pl), arctic/polar regions (pl), the frigid zones (pl); ~ róka polar/artic fox (Alopex lagopus) 2. [utcán] being/standing at the corner (ut); ~ hordár ⟨messenger stationed at street corner⟩; ~ rendőr policeman on the beat

sarkigazság n, fundamental truth, axiom

sarkit [-ani, -ott, -son] vt, (fiz) polarize

sarkítás n, (fiz) polarization

sarkító [-t] n, (fiz) polarizer

sarkított [-at] a, 1. ~ balta (rég) angular axe 2. ~ fény (fiz) polarized light

sarkkör n, polar circle; északi ~ Arctic Circle; déli ~ Antarctic Circle; ~ közelében levő subarctic

sarkkutató I. a, ~ expedíció polar expedition II. n, (ant)arctic explorer

sarkmagasság n, polar distance/height

sarkos [-ok, -t; adv -an] a, 1. [cipő] heeled 2. (műsz) angular, angled, having (v. full of) corners (ut), rectangular, (fiz) polar

sarkosan adv, cornerwise, (rect)angularly

sarkosság n, angularity, being full of corners/points, having many corners, (fiz) polarity

sarköv n, polar zone

sarkpont n, centre of motion, pivot, fulcrum, pole, hinge, (átv) pivot, turning-point, central point; a kérdés ~ja (kif) the question turns on whether. . .

sarkponti a, (átv) pivotal

sarktávolság n, polar distance

sarktengely n, polar axis

sarktenger n, [északi] Arctic Sea, [déli] Antarctic Ocean

sarktétel n, axiom, fundamental truth

sarkú [-ak, -t; adv -an] a, 1. [cipő] heeled; alacsony ~ cipő low-heeled shoes (pl); magas ~ cipő high--heeled shoes (pl); félretaposott ~ cipő down-at--heel shoe 2. (műsz) -cornered, -angled

sarkul [-t, -jon] vi, become polarized

sarkulás n, polarization

sarkulásmérő n, polarimeter

sárkunyhó n, mud hut

sarkutazás n, polar expedition, voyage to the Pole

sarkutazó n, (ant)arctic explorer

sarkvidék n, polar region, [északi] arctic region, [déli] antarctic region

sarkvidéki a, polar, [északi] arctic, [deli] antarctic; ~ front arctic front; ~ hideg övezet frigid zone; ~ légtömeg arctic air mass; ~ réce (áll) surf-duck (Anas/Oidemia nigra/fusca)

sarlach [-ot, -ja] n, (orv) scarlet fever, [enyhébb lefolyású] scarlatina

sárlás n, heat, rutting

sarlatán [-ok, -t, -ja] n, charlatan, sham(mer), quack, medicaster

sarlatánság n, charlatanry

sárlehuzó-vas n, [cipőtörlőn] door-scraper

sárl|ik [-ani, -ott] vi, be in heat, rut

sarló [-t, -ja] n, sickle, reaping hook; ~ és kalapács sickle and hammer; ~ alakú crescent(-shaped), falciform, half-moon-shaped, lunular, lunulated, (növ) falcate

sárló [-t] a, in heat (ut), rutting, horsy; ~ kanca mare in season

sarlós [-t; adv -an] a, having/carrying a sickle (ut); Sarlós Boldogasszony (napja) Visitation of Our Lady, Festival of the Visitation (July 2)

sarlósejt n, sickle cell

sarlósejtes a, ~ vérszegénység sickle cell anemia

sarlósfecske n, (áll) swift (Micropus/Apus apus)

sarlószárny n, (rep) crescent wing

sarlótoll n, sickle-feather

sarlóz [-tam, -ott, -zon] vt, cut with a sickle, reap

sarlózás n, cutting/reaping with a sickle

sárma [-.át] n, (növ) star-flower, Star of Bethlehem (Ornithogalum)

sármány n, (áll) [madár] bunting, yellow-hammer (Emberiza); kerti ~ ortolan (E. hortulana)

sarnír [-ok, -t, -ja] n, hinge

saroglya [..át] n, 1. [szekéren] forage ladder/rack 2. [istállóban] (hay)rack 3. [teherhordáshoz] two--man tray, handbarrow, handcart, [betegszállításhoz] stretcher

sarok [sarkot, sarka] n, 1. [cipőé, lábé, harisnyáé] heel; roggyantott ~ squash heel; vknek a sarkában van dog the heels of sy, follow sy closely, dog/shadow sy, dog sy's footsteps, be/follow close behind sy; a rendőrség a sarkában van the police are on to him; a sarkában van vk have sy at one's heels, be hard pressed; sarkára áll put down one's foot (on sg), put one's foot down, take one's stand, assert oneself, dig one's toes in; állj sarkadra! be firm!, stick to your guns! 2. [szobáé] corner, nook, [könyvé, utcáé] corner; kényelmes/meghitt ~ cosy corner; gyereket ~ba állít put a child in the corner; vkt ~ba szorit drive sy into a/the corner, drive to the wall, bring to bay, have sy up a tree; ügyesen ~ba szorit vkt manoeuvre sy into a corner; ~ba szorítva be like a rat in a hole; ~ba vág dash away; sarkon fordul turn on one's heels, turn round sharply, round on one's heels, turn tail (fam); sarkon fordult és sarkából távozott she turned and went away in a rage; a sarkon túl round the corner 3. (mért) angle, (épít) sarok, corner 4. [ajtóé] hinge; sarkaiba beilleszt/beakaszt [ajtót] hinge (a door); kiemel a sarkából [ajtót] unhinge, (mást átv) overthrow, upset 5. [szemé] corner, (tud) canthus; a szeme sarkából néz vkre cast a sidelong glance on sy 6. (fiz, vill) pole; egynemű sarkok like poles 7. a világ négy sarka the (four) cardinal points

sarokablak *n*, corner window

sarokbaszorítás *n*, cornering, bringing to bay, discomfiture

sarokbaszorítottság *n*, stalemate, impasse *(fr)*, being cornered, being driven in a corner, being driven to the wall

sarokbőr *n*, *[cipőben]* rand

sarokcölöp *n*, corner-post

sarokcsont *n*, *(bonct)* heel bone, calcaneum

sarokdísz *n*, *[szobáé, könyvé]* corner-piece

sarokdobás *n*, *(sp)* corner throw

sarokház *n*, **1.** corner house **2.** *[cukrásznál]* ⟨wedge--shaped pastry with whipped cream⟩

sarokillesztés *n*, *(épít)* mitre

sarokkő *n*, cornerstone, quoin(-stone), headstone

sarokkötés *n*, cornerstones *(pl)*, quoin (bonding), angle joint/brace/tie, edge-bond

saroklevél *n*, *[oszloplábazaton]* spur

saroklövés *n*, *(sp)* = sarokrúgás

sarokmérő *n*, try(ing)-square

sarokoszlop *n*, corner pillar, corner-post

sarokpánt *n*, *(műsz)* joint, hinge, (angular) iron band, angle-iron/hinge

sarokpillér *n*, butt pier

sarokráma *n*, *[cipőn]* rand

sarokrúgás *n*, corner (kick)

sarokszekrény *n*, corner-cupboard

sarokszoba *n*, corner-room

sarokszög *n*, *(épít)* corner-angle

saroktelek *n*, corner site/lot

saroktorony *n*, *(rég)* corner turret

sarokülés *n*, corner-seat

sarokvas *n*, **1.** *[ajtón]* hinge; ~ és csuklópánt!forgópánt hook and hinge/ride **2.** *[cipőn]* heel iron, iron heel--protector, heel-plate

sarokzászló *n*, corner-flag

Sarolta [..át] *prop*, Charlotte, Sarah

sáros [-at] *adv* -an] *a*, *[út]* muddy, miry, splashy, slushy, sludgy, greasy, poachy, sloppy, *[víz]* muddied, *[ruha]* mud-caked/bespattered, dirty, *[lábbeli]* muddy, mud-caked; *fülig/nyakig* ~ (be) bespattered all over with mud, (be) muddied/mudded all over, be all in a muck; ~ *lesz* get mudded, poach; ~sá tesz *[talajt taposással]* poach (up) the ground

sároz [-tam, -ott, -zon] *vt*, **1.** = besároz; **2.** *[kályhát]* line oven/furnace/stove with fire-clay

sárrét *n*, marshy/swampy/boggy meadow, moor, fen

sárszalonka *n*, *(áll)* *[madár]* snipe *(Capella sp., Lymnocryptes sp.)*; *kis* ~ red-shank(s), gambetta, tattler *(Gallinago)*; *nagy* ~ great snipe *(G. major)*

sártapasz *n*, mud and straw coating, *(rég)* mud-plaster

sárteke *n*, = sárgolyó

sártenger *n*, sea of mud, quagmire, bog

sártisztító *n*, (door-)scraper

sártök *n*, *(növ)* bitter-apple/gourd/cucumber *(Citrullus colocynthis)*

sartrőz [-ök, -t, -e] *n*, chartreuse *(fr)*

saru [-t, -ja] *n*, **1.** *[lábra]* sandal, moccasin *(US)*; *könnyű* ~ *[gyermekeké]* scuffer; *arra sem méltó hogy vk ~ját megoldja* be not worthy to unloose the latchet of sy's shoes, be not fit to tie sy's shoe-laces **2.** *[bajonetté]* frog, *[lándzsáé]* couch, *(fények)* *[gépvázra rátolható]* accessory clip/shoe **3.** *(műsz)* rocker, cradle, *[csúszó]* slide, *[fék]* skid, brake, slipper(-drag), clog, trig, *[vasúti]* (railway-)chair, cradle, *(épít)* buttress

sarus **I.** *a*, -shod, sandal(l)ed **II.** *n*, sandal-maker

saruszíj *n*, sandal/ankle-strap; *arra sem méltó hogy o ~át megoldja* be not worthy to unloose the latchet of sy's shoes, be not fit to tie sy's shoe-laces, be not fit to blacken sy's boots *(fam)*

sarutlan *a*, barefooted, *(vall)* discalced

sárvakaró *n*, footscraper

sárvédő *n*, mud-guard, splasher, splash-board/apron/ guard

sarzsi [-t, -ja] *n*, *[rendfokozat]* rank, (military-)grade, *[hajón]* rating, *[jelzés]* stripes *(pl)*; ~t *kap* win one's epaulet(te)s

sas [-ok, -t, -a] *n*, **1.** *(áll)* eagle *(Aquila sp., Haliaeetus sp.)*, Jove's bird *(ref.)*, king of birds *(ref.)*; *csonka* ~ *(cím)* allerion; *kétfejű* ~ double-headed eagle; *kőszáli* ~ = *szirti* ~; *nőstény* ~ female eagle, eagless; *parlagi* ~ imperial eagle *(A. heliaca)*; *réti* ~ bald eagle, white-tailed eagle *(H. leucocephalus)*; *szirti* ~ golden eagle *(A. chrysaëtos)*; *olyan szeme van mint a* ~nak have eyes like a hawk **2.** *(műsz)* (key of a) bolt, fastening-pin, peg, bolt-key **3.** *[lópatkón]* calkin, rough

sás [-ok, -t, -a] *n*, *(növ)* sedge *(Carex)*

sasbérc *n*, *(geol)* horst *(ném)*, uplifted block

sasfa *n*, fence/head-post, picket, principal post

sásféIék *n. pl*, the sedge family *(Cyperaceae)*

sasfészek *n*, aerie, eyrie, eyry

sasfiók *n*, eaglet

sashal *n*, *(áll)* bar *(Sciaena aquila)*

sasharaszt *n*, *(növ)* eagle-fern, bracken *(Pteridium aquilinum)*

sáska *n*, *(áll)* grasshopper, locust *(Acrididae-család)*; *imádkozó* ~ mantis *(Mantis religiosa)*; *mint a sáskák* like a host/swarm/cloud of locusts

sáskafelhő *n*, cloud of locusts

sáskahad *n*, *(átv)* gang of greedy marauders

sáskajárás *n*, **1.** invasion/migration of locusts **2.** *(átv)* invasion of greedy bands

sáskarák *n*, *(áll)* mantis-shrimp *(Squilla mantis)*

saskeselyű *n*, *(áll)* *(szakállas)* ~ bearded vulture, lammergeyer, gypaetus *(Gypaetus barbatus)*

saskő *n*, *(ásv)* eagle-stone

saslengés *n*, *[tornában]* ⟨swinging (on the parallel bar) from the bent to the stretched arm position⟩, eagle wing, *[korcsolyázásban]* spread-eagle

sasorr *n*, aquiline/hawk/Roman nose

sasorrú *a*, hawk-nosed

sásos [-at] *adv* -an] *a*, sedgy

sasrája *n*, *(áll)* *[hal]* eagle-ray *(Myliobatis aquila)*

sasszeg *n*, (eye) bolt, (cotter)pin, cottar, split pin

sasszem *n*, eagle eye, eyes like a hawk, *(átv)* piercing look; ~e *van* have eyes like a hawk, see far into a millstone *(fam)*

sasszemű *a*, eagle/hawk/gimlet/lynx/sharp-eyed, sharp-sighted; ~ *ember* sharp-eyes

sasszeműség *n*, sharp-sightedness

sásszerű *a*, sedgy

saszla [..át] *n*, *[szőlő]* chasselas, sweetwater

sasszé [-t] *n*, *[táncban]* chassé *(fr)*, side-step, shuffle

sasszélépés *n*, = sasszé

sasszézik [-tam, -ott, -zon, -zék] *vi*, chassé

sátán [-ok, -t, -ja] *n*, Satan, Lucifer, arch-enemy, Evil--One, prince of darkness, the Adversary, the Fiend; ~ *kutyája* hell-hound

sátánfajzat *n*, devil's *(v. hellish)* brood

sátángomba *n*, *(növ)* devil's boletus *(Boletus satanas)*

sátáni [-ak, -t] *adv* -an] *a*, satanic, *[ördögi]* diabolical, devilish, *[pokoli]* infernal, hellish; ~ *gonoszság* satanism; ~ *vigyorgás* diabolical grin

sátánmajom *n*, *(áll)* saki monkey *(Pithecia sp.)*

satíroz [-tam, -ott, -zon] *vt*, *[rajzot]* hatch, *[térképen vonalkat]* hachure

satírozás *n*, *[rajzé]* hatch(ing), *[térképen]* hachures *(pl)*

satnya [..át] *a*, stunted, backward, puny, retrograde, sickly, *[sovány]* lean, thin; ~ *gyerek* puny child; ~ *növény* stunted plant; ~ *növés* incompleteness of growth; ~ *testalkatú* weakly built, slight of frame, of a frail constitution *(ut)*

satnyaság *n*, stunted growth, weakness, degeneracy

satnyít [-ani, -ott, -son] *vt*, stunt, dwarf, check/hinder/ arrest the development of (sg)

satnyul [-t, -jon] *vi*, be(come) stunted, degenerate, become arrested/checked in growth, *[növény]* wither

satnyulás *n*, *(biol)* retrogradaticn

satnyuló [-t] *a*, *(biol)* retrogressive

sátor [sátrak, -t, -sátrat, sátra] *n*, **1.** tent, *[nagyobb]* pavilion, *[dísz]* marquee, *[cirkuszi]* big top, *[kocsin]* tilt, *[indián]* tepee, wigwam; ~ *alatt (kat)* under canvas; *sátrat üt/ver* pitch/spread a tent; *felszedi a sátrat* take down a tent, unpitch a tent **2.** *[vásári]* booth, stall **3.** *[mozdonyon]* cab, cabin **4.** *[biblikus]* tabernacle **5.** *(növ)* corymb

sátorajtó *n*, *[lengő]* fly

sátoralja *n*, interior of a tent; *egy* ~ *cigány* a band of gipsies

sátorcövek *n*, tent-peg/pin, tent-pole spike

sátorfa *n*, tent-pole; *felszedi a sátorfáját* make off, make (oneself) scarce, take oneself off, decamp, strike camp; *hordd el a sátorfádat!* off you go!, make yourself scarce!, scram!, beat it!; *felüti a sátorfáját* take up one's abode, pitch one's tent

sátorfedél *n*, roof of a tent, tilt, top, *(épít)* pavilion- -roof

sátorfenék *n*, ground-sheet

sátorkaró *n*, tent-pole

sátorkötél *n*, tent-rope/guy, cord, guy-rope

sátorlakó *n*, tenter, tent-dweller, camper(-out), *(ált)* nomad

sátorlap *n*, side/flap of tent

sátoros [-ak, -t; *adv* -an] *a*, **1.** *[sátorban lakó]* tent- -dwelling; ~ *cigány* strolling/nomadic gipsy; ~ *kereskedő* stall/booth-keeper (at a fair) **2.** *[sátorral fedett]* canopied, tent-like, covered; ~ *szekér* hooded cart, covered waggon **3.** ~ *ünnep* Feast of Taber- nacles, *(tréf)* great day; *minden* ~ *ünnepen* once in a while, once in a blue moon, on special/great occa- sions **4.** *(növ)* corymbose, corymbiferous

sátoroz [-tam, -ott, -zon] *vi*, **1.** camp out, live in tent, tent **2.** *[pávakakas]* spread (its) tail

sátorozás *n*, camping (out), tenting, living in tent

sátorozó **I.** *a*, **1.** *[virágzat]* corymbose **2.** ~ *páva (cim)* peacock in his pride **II.** *n*, tenter, camper

sátorponyva *n*, tent-cloth, canvas (for tents), tarpaulin, duck fabric/cloth, awning

sátorpózna *n*, tent-pole

sátortábor *n*, camp (formed of tents), canvas town *(fam)*

sátortető *n*, *(épít)* tent roof

sátorváros *n*, canvas town

sátorvas *n*, *[puskán]* trigger guard, guard-trigger

sátorvászon *n*, = sátorponyva

sátorverés *n*, pitching a tent

sátorvirágzat *n*, corymb

sátorvirágzatú [-t] *a*, corymbose, corymbiferous

satrafa [.. át] *n*, hag, harridan, termagant; *vén* ~ old hag

satu [-t, -ja] *n*, *(műsz)* vice, vise *(US)*, hand/pin/ screw-vice, *[munkapadon]* bench-clamp/vice, table- -vice, *[esztergapadon]* mandrel, chuck, *[asztalosé]* joiner's cramp, *álló* ~ standing vice; *párhuzamos* ~ parallel vice; ~*ba fog vmt* grip sg in a vice

satuorsó *n*, vice-spindle

satupad *n*, file/vice-bench, filing-table, filer's bench, work-bench

satupofa *n*, chuck, vice-jaw, vice-grips *(pl)*

sav [-at, -a] *n*, acid; ~*vá válik* acidify; ~*vá válás* aci- dification

sáv [-ot, -ja] *n*, *(ált)* stripe, streak, *(épít)* band, fillet, *(tex)* strap, *[fény]* streak (of light), ray, *[föld]* strip (of land), zone, belt, stretch, *[rádióban]* (wave)band, *(fiz)* band

sava-borsa [savát-borsát] *n*, *(vmnek)* savour, relish, flavour, sapor, piquancy, the pith and marrow (cf sg); *az élet~|the* salt of life; *se sava se borsa* savourless, saltless; *megadja vmnek a savát-borsát* do sg properly/ accurately

saválló *a*, acid-resistant/resisting/proof, incorrodible, corrosion-proof/resistant, *(orv)* acid-fast; ~ *bakté- riumok* acid-fast bacteria; ~ *előhívótank* acid-proof developing tank; ~ *festék* acid seal paint, acid-proof paint; ~ *kőedény* chemical stoneware; ~ *tégla* acid brick

savállóság *n*, acid resistance

savállósági [-t] *a*, ~ *próba* acid test

savanyít [-ani, -ott, -son] *vt*, (make) sour, flavour with an acid, *(vegyt)* acidify; *káposztát* ~ sour/pickle cabbage, make sauerkraut

savanyítás *n*, *[káposztát stb.]* pickling, *(vegyt)* acidifi- cation, *(műv, nyomd)* pre-etching

savanyítatlan *a*, unsoured, unpickled

savanyított [-at; *adv* -an] *a*, ~ *káposzta* pickled cab- bage, sauerkraut

savanykás *a*, sourish, acidulous, slightly sour, subacid, acidulent, *[gyümölcs]* sour-sweet, *[alma]* tartish, *[bor]* tart; ~*sá tesz* acidulate

savanykásság *n*, acerbity, sourness, tartishness

savanyod|ik [-tam, -ott, -jon, -jék] *vi*, turn/get/go sour

savanyú [-ak, -t; *adv* -an] *a*, **1.** sour, acid(ic), acerb, *[fanyar]* tart, *[íz]* acrid, vinegarish, vinegary, *(vegyt)* acid, acetous; *kissé* ~ acidulent, acidulated; ~ *alma* sour apple; ~ *festék (orv)* acid stain; ~ *fosz- fatáz [biokémiában]* acid phosphatase; ~ *hematin [biokémiában]* acid haematin; ~ *káposzta* sauer- kraut, pickled cabbage, chopped and fermented cabbage; ~ *rögzítőfürdő* acid fixing bath; ~ *só* acid salt; ~ *tej* curdled/clotted/sour milk; ~ *uborka* pickled cucumber/gherkin; ~ *vegyhatás* acid reaction; ~ *vizelet* acid urine; ~ *mint az ecet* as sour as vinegar; ~ *a szőlő* sour grapes **2.** *(átv)* sour, dour, bitter, *[ábrázat]* wry, glum, vinegarish; ~ *arc* sour/wry face, sour/wry looks *(pl)*; ~ *ember* morose person, wet blanket, sourpuss *(US ◈)*; ~ *képet vág* make(/pull a sour/long/wry face, with a face as long as a fiddle; ~ *képű* vinegar-faced

savanyúcukor *n*, acid/lemon drops *(pl)*, *[vegyesgyü- mölcsizzel]* mixed fruit drops *(pl)*

savanyúság *n*, **1.** *[tulajdonság]* sourness, tartness, acidity, acidness **2.** *[ételhez]* pickles *(pl)*

savanyúvíz *n*, mineral water, acid-water

savanyúvíz-forrás *n*, acidulous spring, mineral-water spring

savas [-at; *adv* -an] *a*, acid(ic), acidiferous, acidulous, acidulated, acidified, acid-containing; ~ *eljárás* acid practice/process; ~ *festék* acid dye(-stuff); ~ *kőzet* acidic rocks *(pl)*; ~ *só* acid salt; ~*sá tesz* acidulate

savasít [-ani, -ott, -son] *vt*, acidify, acidize

savasítás *n*, acidification

savasodás *n*, acidification

savasod|ik [-tam, -ott, -jon] *vi*, acidify

savasság *n*, *(orv)* acidity

savaz [-tam, -ott, -zon] *vt*, *(bőrip, fémip)* pickle, *(vegyt)* acidify

savazás *n*, acid treatment

savazókád *n*, pickling tank

savballon *n*, acid carboy

savbántalom *n*, *(orv)* cardialgia, heartburn *(fam)*

savbázis *n*, *(orv)* acid-base; ~ *egyensúly* acid-base balance

savbő *a*, hyperacid
savbőség *n*, *(orv)* hyperacidity
sávdísz *n*, *[ruhán]* panel
savfehérje *n*, acidalbumin(ate)
savfelböfögés *n*, belch, water-brash, pyrosis
savfok *n*, degree of acidity, titre
savgőz *n*, acid fume
savgyár *n*, acid plant
savgyök *n*, acid radical
savhiány *n*, *[gyomoré]* inacidity, subacidity, hypacidity, hypoacidity
sávkapcsoló *n*, *(távk)* band-switch
savkátrány *n*, acid sludge/tar
savképző I. *a*, acidifying, acid-forming, acidic II. *n*, acidifier
savlekötő *a*, *(orv)* antacid
savmentes *a*, acid-free, free from acid *(ut)*
savmérgezés *n*, *(orv)* acidosis, acidaemia
savmérleg *n*, acid scale/weigher
savmérő *n*, acidometer
sávnyújtás *n*, *(távk)* band spread
sávnyújtós vevő *(távk)* bandspread receiver
savó [-t, -ja] *n*, *[tejé]* whey, *[véré]* (blood-)serum, plasma
savógyülem *n*, *(orv)* hydropsy
savóképű *a*, pasty-faced
sávoly [-ok, -t, -a] *a/n*, *(tex)* twill
sávolykötés *n*, *(tex)* twill
sávolykötésű *a*, ~ szövet twilled fabric
savós [-at; *adv* -an] *a*, wheyey, wheyish, watery, *(orv)* serous
sávos [-at; *adv* -an] *a*, striped, streaked, streaky, *(geol)* banded; kék-fehér ~ blue-and-white striped; ~ kisülés *(vill)* striated discharge
savószemű *a*, pale blue-eyed, with watery blue eyes *(ut)*
savószerű *a*, wheyey
savószínű *a*, whey-coloured, wheyey, fallow
sávoz [-tam, -ott, -zon] *vt*, streak, stripe, band
sávozott [-at; *adv* -an] *a*, = sávos
savpróba *n*, acid test
savszám *n*, acid number
savszegénység *n*, = savhiány
sávszélesség *n*, *(távk)* band-width
sávszűrő *n*, *(távk)* band-pass filter
savtalan *a*, acid-free
savtalanít [-ani, -ott, -son] *vt*, *(vegyt)* disacidify
savtartalmú *a*, acidiferous, acid containing
savtartalom *n*, acidity, *(vegyt)* proportion/percentage/admixture of acid
savtartály *n*, acid container
savtermelés *n*, *(biol)* acid production
savtúltengés *n*, *(orv)* hyperacidity
se *conj*, neither; szóba ~ áll vele *(kb)* cut sy cold; azért ~ no(,) come what may!, less than ever!, I just won't; el ~ mondd(,) úgyis tudom you need not tell me for I know all about it anyhow; ~ nem ivott ~ nem evett he neither ate nor drank; egy szót ~! don't breathe a word!; egy sort ~ írj neki do not write him a line; ~ nem hall ~ nem lát she neither hears nor sees; ~ nem oszt ~ nem szoroz it makes no difference/t odds, it is neither here nor there; ~ szó ~ beszéd without a word; ne nézz ~ jobbra ~ balra don't look left or right; nem mondott ~ igent ~ nemet he didn't say yes or no, he didn't say either yes or no; ~ ilyen ~ olyan neither fish(,) flesh nor good red herring, it's like the curate's egg *(fam)* ; ~ pénz ~ posztó neither goods nor money, to lose both ways, fall between two stools; annyi ~ mint not (even) so much as
seb [-et, -e] *n*, 1. wound, sore, *[sérülés]* injury, hurt, *(orv)* trauma, lesion, *[égett]* burn, *[harapott]* bite,

[horzsolt] bruise, *[kígyómarta]* sting, *[szúrt]* stab, *[tátongó]* gash; lőtt ~ bullet wound; *(lőtt)* ~ kijárati része/vége exit wound; csupa ~ volt a teste his body was covered with *(v.* full of) wounds/injuries; ~eibe belehal die of one's wounds/injuries, succumb to one's injuries; ~et bekötöz bind up a wound; ~et ejt/üt vkn inflict a wound (up)on sy, wound/injure sy; súlyos ~et ejt wound severely; ~et kap be/get wounded, cop it ◊; halálos ~et ejt wound mortally, wound to death; ~et összevarr put stitches in a wound 2. *(átv)* wound; régi ~et tép/szakit fel (re)open an old sore
sebaj *int*, no matter!, does not matter!, never mind!, worse luck!, *[vigasztalóan]* don't bother!, cheer up!
sebbalzsam *n*, vulnerary balsam/unguent, balm/ointment for wound
sebbel-lobbal *adv*, headlong, post-haste, in hot haste; ~ távozik bustle off
sebelzáró *a*, ~ réteg *(növ)* wound periderm
sebes[1] [-et; *adv* -en] *a*, *[gyors]* quick, swift, speedy, rapid, fast, hurried, *[növekedés]* hasty; ~ érverés/pulzus quick pulse; ~ hajtás speeding, exceeding the speed limit; ~ iramú rapid, speedy; ~ lábú nimble-footed, fleet footed *(ref.)*
sebes[2] [-et; *adv* -en] *a*, wounded, hurt, sore, covered with wounds *(ut)* ; ~ láb sore/wounded foot; ~ lábú footsore
sebesed|ik [-tem, -ett, -jen, -jék] *vi*, get wounded, become sore, quicken
sebesen[1] *adv*, *[gyorsan]* speedily, quick(ly), swiftly, rapidly, at a good/great/quick/smart pace; ~ vágtatva at full gallop
sebesen[2] *adv*, wounded
sebesség *n*, 1. speed, quickness, swiftness, celerity, *[tempó]* rate, pace, *(műsz)* velocity, rapidity; a hang ~e the velocity of sound; forgalmi ~ *[bármilyen járműé]* cruising speed; föld/hőz viszonyított ~ ground speed; induló/kezdő ~ initial velocity/speed, *[lövedéké]* muzzle velocity; kis ~ low speed; legnagyobb ~ full speed, maximum velocity; megengedett legnagyobb ~ speed-limit; nagy ~ high speed; pályamenti ~ orbital speed; vágási ~ cutting capacity, *[szerszámgépé]* surface speed; ~ben túlszárnyal outspeed; fokozza a ~et accelerate, step on the gas, raise/increase (the) speed, change up; ~et csökkent decelerate, lower/reduce speed, change down; nagy ~gel at high speed/pressure, at a good/great/quick/smart pace; a legnagyobb ~gel full speed, at top speed; teljes ~gel at full speed/stretch/tilt, with all speed, all out; hajmeresztő ~gel hajt drive at a dangerous rate; vmlyen ~gel at the rate of, at a speed of; óránként 80 kilométeres ~gel haladt he went/drove at (a rate of) 50 miles an hour, he drove at a rate of fifty miles an hour, he *(v.* the car) was doing fifty, he went an 80 kilometer clip *(US)* 2. *[gépkocsinál]* gear; első ~ low/bottom gear, low, first; második ~ second gear; harmadik ~ high hear; közvetlen/legnagyobb ~ top-gear; nagyobb ~re kapcsol change up; a második ~re kapcsol go into second gear; negyedik ~ről visszakapcsol a harmadikra change down from fourth to third; ~et rákapcsol throw into gear; ~et kikapcsol throw out of gear; ~et vált change/swift gear(s), shift; ~et csökkent step down the gear
sebességcsökkenés *n*, dropping of speed, slowing-down
sebességfokozás *n*, speed-up, speed multiplication
sebességfokozat *n*, gear; első ~ first/low gear
sebességi [-ek, -t; *adv* -leg] *a*, of speed *(ut)* ; ~ fokozat rate of speed; ~ csúcskísérlet/próba speed trial; ~ rekord speed record; ~ versenypálya speedway
sebességjelző *n*, speed-indicator

sebességmérés n, measurement of velocity, tachometry

sebességmérő n, speedometer, velocimeter, tachometer, speed-indicator/recorder/counter, [hajón] log-line

sebességszabályozás n, speed-control

sebességszabályozó n, speed-control, (speed) governor

sebességű [-t] a, kis ~ low-speed; nagy ~ high-speed/velocity

sebességváltás n, gear/speed change, gear-changing

sebességváltó n, (change-speed) gear, speed-gear, [szekrény] gear-box/case, speed-box, drive box, [kar] (change-)gear lever, gear-shift lever, change(-speed) lever, shifter

Sebestyén [-t, -je] prop, Sebastian

sebesülés n, wound(ing), hurt, injury, [vágás/szúrás által] cut; könnyű/szerencsés ~ light wound, cushy wound (fam); súlyos ~ serious wound; ~ébe belehal die of a wound

sebesülési érem (kb) wound-stripe, the Purple Heart (US)

sebesült [-et, -je; adv -en] I. a, wounded, hurt; könnyen ~ lightly wounded; súlyosan ~ badly/seriously wounded II. n, wounded, stricken, the wounded man; a ~ek the wounded/injured; járóképes ~ ambulant wounded

sebesültgondozás n, care of the wounded

sebesültszállító a, ~ (gép)kocsi ambulance (car), ambulance waggon; ~ repülőgép ambulance aeroplane, air ambulance, nurse plane; ~ vonat ambulance train

sebesültvivő n, stretcher-bearer, ambulance-man

sebesvonat n, (kb) accelerated/fast train

sebész [-ek, -t, -e] n, surgeon, operating surgeon, operator, (iron) saw-bones

sebészet n, 1. [tudományág] surgery 2. [kórházi osztály] surgical department/division

sebészeti [-ek, -t; adv -leg] a, surgical, operative; ~ beavatkozás surgical intervention/operation, operative interference; ~ beavatkozásra van szükség the case demands surgical treatment; ~ bonctan surgical anatomy; ~ kezelés surgical treatment; ~ kórtan surgical pathology; ~ műszer surgical instrument; ~ műtéttan chirurgical operation, operative surgery; ~ osztály surgical department/division/ward; ~ plasztika plastic surgery; ~ varrótű suture needle; ld még sebészi

sebészhorog n, retractor

sebészi [-ek, -t; adv -leg] a, surgical, operative; ~ altatás surgical an(a)esthesia; ~ altatás fázisai planes of surgical an(a)esthesia; ~ megbetegedés surgical disease; ld még sebészeti

sebészileg adv, ~ nem kezelhető surgery cannot be employed

sebészkés n, scalpel, surgical knife, lancet, [tompa, lapos] spud; ~sel felvág lance

sebészmaszk n, face-mask

sebész-röntgenológus n, surgeon-radiographer

sebészterpesztő n, retractor

sebésztű n, suture needle

sebez [-tem, sebzett, -zen] vt, wound, hurt, injure, vulnerate (obs)

sebezhetetlen a, invulnerable, [igével] bear a charmed life (ref.)

sebezhetetlenség n, invulnerability, impassibility

sebezhető a, vulnerable, woundable, (átv) easily wounded, touchy; ~ pont vulnerable spot/point, [érzékeny] sore spot

sebezhetőség n, vulnerability

sebfelület n, area of the wound

sebfertőtlenítő a, ~ por disinfecting/antiseptic powder

sebfertőzés n, infection (of the wound)

sebforradás n, healing/closing of the wound, cicatrization, cicatrice, (formation of a) scar

sebhegesztő a, ~ szövet (növ) callus

sebhely n, cicatrice, scar, mark (of a wound), seam, sore, [kapart sebé] scratch; ~ekkel eléktelenít cicatrize

sebhelyes a, scarred, scarry, covered with scars/marks (of wounds) (ut) ; ~ arcú ember scar-face

sebhintőpor n, vulnerary powder

sebhormon n, (növ) wound hormone

sebkampó n, retractor

sebkapocs n, wound-clip, suture forceps, agraffe

sebkenőcs n, ointment/salve for wounds, healing ointment, [égésre] burning ointment

sebkezelés n, (surgical) treatment of wound

sebkötés n, bandage, dressing (of wound), wound-dressing, bolster, [ragtapaszos] strapping, adhesive bandage, [leszedett és eldobott/elhasznált] gubbins (pl)

sebkötöző a, ~ csomag field dressing; ~ hely dressing-station; ~ orvos surgeon, (kat) military surgeon; ~ pólya [steril] roll of sterile bandage; ~ szalag dressing strip

sebláz n, wound-fever, traumatic fever

sebmosószer n, lotion for wound, wash

seborvos n, † surgeon

Sebő [-t, -je] prop, = Sebők

Sebők [-öt, -je] prop, Sebastian

sebösszetapadás n, intention; sima(,) komplikáció nélküli ~ healing by first intention; gennyedés utáni ~ healing by second intention

sebpara n, (növ) wound cork, callus

sebpólya n, bandage

sebszáj n, lip/edge/margin/border of a wound

sebszél n, lip (of wound)

sebszer n, remedy/cure for wounds

sebszövet n, (növ) callus(-tissue)

sebtapasz n, surgical plaster

sebtében adv, hastily, in haste, hurriedly, in a hurry, quickly, in a slap-dash manner, fleetingly; ~ cselekszik act with precipitation; ~ csinál vmt do sg in haste, do sg in a slap-dash manner, slap-dash sg; ~ elintéz dash off; ~ végez el munkát huddle over/through a piece of work, scurry through one's work; ~ eszik take/have a snack, snatch a meal; ~ ír write in a hurry; ~ megkötött házasság speedily concluded marriage; vknek ~ megmutatja a látnivalókat/nevezetességeket rush sy round the sights; ~ (fel)öltözik fling one's clothes on, fling oneself into one's clothes; ~ összeüt [ruhát stb.] run up; ~ összetákolt/összecsapott (munka) makeshift, skimping; ~ végzett munka rush job

sebten adv, = sebtében

sebtiben adv, = sebtében

sebtisztító a, ~ pálca style(t); ~ szer detergent

sebtömő n, tampon

sebváladék n, sanies

sebvarró a, ~ bélhúr catgut; ~ selyem surgical silk; ~ tű fibula, surgical needle

sebzetlen a, unwounded, unhurt

sebzett [-et; adv -en] a, wounded, injured; ~ lelkű broken-hearted; ~ önérzet/büszkeség wounded pride

sédbúza n, (növ) erdei ~ tussock(-grass) (Deschampsia flexuosa)

sédkender n, (növ) eupatorium, hemp agrimony, thoroughwort, kidney-root (Eupatorium cannabinum) ; virginiai ~ agneweed (Eupatorium perfoliatum)

sét [-et, -je] n, 1. [főszakács] chef 2. (biz) [főnök] boss

seftel [-t, -jen] vi, (biz) buy and sell, do business, [nem tisztességesen] have shady deals, work the market, do dark/shady business, [alkudozik] bargain, haggle, dicker (US)

sefűsefa n, (növ) boxthorn (Lycium halimifolium)

segéd [-et, -je] n, 1. [áll segítség] aid, help(er), helpmate, assistant, famulus, [bolti] shop assistant, salesman, salesclerk (US), [ipari] journeyman 2. [párbaj] second, witness (in a duel), [boksz] supporter, second (of pugilist), bottleholder 3. [bűnsegéd] accomplice 4. (összet.) auxiliary, subsidiary, ancillary

segédadó n, (távk) relay station

segédakna n, (bány) tender/service shaft, by-pit

segédaltiszt n, sub-assistant

segédanyag n, base, ingredient, subsidiary/auxiliary material

segédápolónő n, assistant nurse

segédattasé n, assistant attaché

segédberendezés n, auxiliary plant

segédcirkáló n, (hajó) auxiliary cruiser, armed merchant cruiser

segédcsapat n, auxiliary/subsidiary troop/force, auxiliaries (pl), reinforcements (pl); ~ok auxiliary/subsidiary troops, subsidiaries

segédcsapat-tábor n, (rég) auxiliary camp

segédcső n, [fúvós hangszeren] tuning-slide

segédcsörlő n, (hajó) donkey-winch

segedelem [.. lmet,.. lme] n, † aid, help, relief, succour, support

segéderő n, help, assistant, hand, aid

segédeszköz n, help, aid, resource, expedient, device, (orv) appliance, [könyvről] manual, reference book; nélkülözhetetlen ~ standby

segéfték n, [gépkocsiban] servo-brake

segédfogalmazó n, (kb) fourth-class clerk, supernumerary clerk

segédfogalom n, (biz) halvány segédfogalma sincs róla have not the faintest idea, I haven't the ghost of a notion

segédforrás n, (auxiliary) resource, reserve

segédfűtő n, (hajó, vasút) assistant-stoker

segédgép n, auxiliary machine, [nagy gőzgép forgatására] turning-engine

segédhad n, auxiliary army, auxiliary forces (pl), relief-force

segédhajó n, tender

segédhajtómű n, servo-motor, accessory drive

segéd-házfelügyelő n, (kb) assistant-concierge/caretaker, vice-house-porter, underjanitor (US)

segédhivatal n, chief clerk's office, subsidiary office, filing department

segédhivatali a, ~ tisztviselő dispatching/filing clerk

segédidő n, (műsz) down time

segédige n, auxiliary (verb); segédigével képzett/szerkesztett igealakok periphrastic tenses

segédjegyző n, notary's assistant

segédkazán n, auxiliary boiler, (hajó) donkey-boiler

segédkerék n, [óraműben] third wheel

segédkertész n, under-gardener

segédkezés n, aiding, helping, ministration

segédkezet nyújt (vknek) lend (sy) a (helping) hand, give a helping hand to (sy), bear/lend/give (sy) a hand, help (sy) to do sg, be of help/assistance to (sy)

segédkez|ik [-tem, -ett, -zék, -zen] vi, help, assist, aid, further, be of help/assistance, (vknek) lend (sy) a helping hand, hold out a helping hand to (sy), [párbajban] (act as) second, [bokszban] give a knee to (a pugilist)

segédkormány n, (rep) servo-control

segédkönyv n, handbook, book/work of reference, reference book/work, manual, ~ek (ker) auxiliary/subsidiary books

segédkönyvelő n, assistant accountant

segédkönyvtár n, reference library/collection

segédkönyvtári a, ~ gyűjtemény reference collection

segédkutató n, research assistant

segédlelkész n, assistant minister, [anglikánoknál] curate

segédlet n, 1. [segédkezés] aid, assistance, help, ministration; rendőri ~ police assistance; misét celebrál fényes főpapi ~tel celebrate pontifical high mass 2. [könyv] study-aid, work-help, reference/text book, handbook, vade-mecum (lat)

segédlevél n, journeyman's certificate

segédlevéltáros n, assistant archivist

segédmérnök n, assistant engineer

segédmotor n, (hajó) servo-motor, donkey engine, auxiliary engine, relay motor, [csónakon] outboard motor, [kerékpáron] auxiliary/attachable/booster motor, bicycle engine, clip-on motor, minimotor, petrol engine attached to bicycle

segédmozdony n, booster locomotive

segédmunkás n, unskilled worker/workman/labourer, labourer, help(er), hand (fam)

segédmunkatárs n, [tudományos intézetben] junior member

segédnyelv n, auxiliary language

segédorvos n, assistant doctor/surgeon, intern(e), house-surgeon/physician

segédőr n, under-keeper

segédpüspök n, coadjutor, suffragan (bishop), auxiliary/assistant bishop

segédrakéta n, auxiliary/booster rocket

segédrendező n, assistant director, assistant stage manager

segédrendőr n, probationer policeman, [polgári] special constable

segédszakács n, under-cook

segédszárny n, (rep) wing-flap

segédszemélyzet n, assistant/auxiliary staff/personnel

segédszerkesztő n, assistant editor, [hírlapnál] sub-editor, copy editor (US), [könyvnél] associate editor

segédszerv n, subsidiary organ/body

segédszínész n, supernumerary, super

segédszolgálat n, auxiliary/secondary service, army supplementary reserve

segédszolgálatos a, of the (army) auxiliary service (ut)

segédtáblázat n, [könyvtárban] auxiliary table

segédtanár n, assistant master/teacher, usher (obs)

segédtanító n, undermaster

segédtétel n, (fil) subsidiary/amplifying proposition, helping theorem, (menny, fil) lemma

segédtiszt n, 1. (kat) adjutant, aid(e)-de-camp (röv A.D.C.), [tengernagyé] flag-lieutenant 2. (mezőg) bailiff's assistant

segédtisztviselő n, assistant/junior clerk, assistant

segédtitkár n, assistant-secretary, under-secretary

segédtudomány n, auxiliary science, tool-subject (US)

segédüzem n, ancillary plant, ancillary, branch-work

segédüzemág n, auxiliary branch

segédváltozó n, (menny) parameter, auxiliary variable

segédvitorla n, (hajó) cross-jack

segédvonal n, 1. (mért) auxiliary line 2. (zene) le(d)ger/added line, ledger

segél [-t, -jen] vi, † = segít; Isten engem úgy ~jen so help me God!

segély [-ck, -t, -e] n, help, aid, support, assistance, [mentés] rescue, succour, [nyomorenyhítő] relief, assistance, [pénzbeli] grant, subsidy, subvention; elhalálozási ~ death allowance; házassági ~ marriage allowance; munkanélküli ~ dole, unemployment benefit; rendkívüli ~ emergency allowance; szülési ~ maternity allowance/benefit; ~ben részesülő subsidized, financially supported, subventioned; ~ben nem részesülő unsubsidized, unassisted; ~re szorul require help, be in want of help, depend on charity, be destitute/needy/indigent; ~t nyújt (vknek) help/aid/assist/relieve sy, give aid to sy

segélyakció n, organized charity
segélyalap n, relief fund(s)
segélyállomás n, relief/dressing station, first-aid-station, first-aid post, (kat) (medical) aid-post, collecting station, ambulance station
segélycsapat n, troop on support, succour(s)
segélyegylet n, relief/benefit/friendly/benevolent society, charitable institution, lend-a-hand club (US)
segélyez [-tem, -ett, -zen] vt, assist, support, subsidize
segélyezés n, assistance, support, subsidy, relief
segélyezési [-t] a, ~ alap aid fund; ~ albizottság financial aid sub-commission
segélyforrás n, resource, resort, stand-by; még van egy ~om (biz) I've still got a shot in the locker; utolsó ~ anchor sheet
segélygép n, (rep) air-sea rescue plane
segélyhely n, = segélyállomás
segélyjuttatás n, ~ok grants-in-aid
segélykérés n, 1. supplication, [koldusé] begging 2. [eposzban] invocation
segélykérő I. a, ~ jelzés distress signal; ~ levél letter asking for help, begging letter II. n, suppliant, supplicant, [koldus] beggar
segélykiáltás n, cry/call for help/assistance, SOS
segélykocsi n, [autó] towing car, repair truck; műszaki ~ break-down lorry, wrecking lorry, crash-vehicle
segélymozdony n, helper (engine)
segélynyújtás n, assistance, (rendering of) help, aid, succour, [pénz] subvention, grant
segélynyújtási a, kölcsönös ~ egyezmény mutual assistance pact
segélyösszeg n, allowance, grant, amount of subsidy/ subvention
segélyszolgálat n, relief service
segélytelen a, succourless, supportless, unassisted, unaided, [elhagyott] destitute, abandoned, [nagy veszélyben] distressed
segélyvonat n, rescue-train, train of rescue, relief train; műszaki ~ break-down train
segg [et, -e] n, (durv) arse, bottom, bum, buttock(s); posterior(s); ~be rúg kick in the pants; a legszívesebben ~be rúgnám I'd warm his little tail; ~re esik fall flat, fall on one's bottom; két lovat ül meg egy ~el bestride two horses at the same time
seggel [-t, -jen] vi, (durv) drudge
seggnyaló a, (durv) brown-nosed
seggreesés n, (durv) pratfall
segít [-eni, -ett, -sen] I. vt, 1. (vkt) help, aid, assist, succour, support, stand by, be at the back of (sy), lend/give/bear a hand, back (sy) up (fam), give (sy) a lift (fam), give a knee to (sy) (fam), hold out a hand to (sy) (fam); ~i a munkájában help/assist/aid sy at/in his work; vkt pénzzel ~ subsidize sy, grant financial aid to sy, give financial assistance to sy; ~i a szegényeket help the poor; ~ik egymást they help one another, they hang together 2. (vkt vmhez) help sy to get sg, assist sy in obtaining sg II. vi, 1. (vknek) help (sy), aid (sy), assist (sy), lend/give/bear a hand to (sy), lend/give/bear (sy) a hand; ~s nekem ezzel az autóval give me a hand with this car; ~s elmosogatni go and help wash up; ~hetek? can I be of help?, may I help you?; vk nem ~ will not help, be unco-operative; ~hetek önnek vmben? can I be of any use to you?; ~ vknek boldogulni give sy a leg up, give a knee to sy 2. (vkn) help sy, minister to sy's needs; ~ magán do self--help, work out one's own salvation; tud magán ~eni he knows how to help himself, knows how to shift for himself, can find a way out of difficulty, can take care of himself; ~s magadon és az Isten is megsegít God helps him who helps himself, God helps those who help themselves; már nem lehet

rajta ~eni be past praying for, be past help; ~eni akarás solicitude 3. (vmn) be of avail/help; semmi sem ~ it is past help, there is no help, nothing can help, nothing will do, nothing is of any avail; ezen nem lehet ~eni there is no help for it, it is past help; ezen nem tudok ~eni I can't help (you there); ~eni fog (vm) it will do you a good turn, it will do you good; ez ~eni fog Önön that will be of aid to you; mit ~ a bánkódás? of what avail is it to grieve?
segítés n, help, aid, assistance, succour
segítő [-t, -je; adv -en] I. a, helping, assisting, supporting, ministering; ~ kezet nyújt vknek lend sy a helping hand; kölcsönös ~ takarékpénztár mutual savings bank II. n, helper, aider, assister, backer
segítőegyesület n, relief/benefit society, charitable institution, mutual benefit society
segítőeszköz n, recourse, expedient
segítőkész a, ready to help (ut), furthersome
segítőkészség n, readiness to help
segítőtárs n, aid, help(er), helpmate, ally, associate, [bűnben] accomplice; ~a vknek a szenvedélyei kielégítésében be a panderer to sy's vices
segítség n, 1. help, aid, assistance, succour, [helyrehozó] remedy, [könnnyítő] relief, [mentő] rescue, [támogatás] support; ~! help! help!; hatalmas ~ powerful/mighty aid/help; ~ nélkül unhelped, unaided, unassisted, unsupported, single-handed, singly; vmt minden ~ nélkül csinál do sg unsupported, do sg single-handed; ~ és remény nélküli helpless and hopeless; ~ért kiált cry/call (out) for help; ~ért folyamodik ask/send for help; ~ért könyörög implore (sy's) help/aid/support; ~ért küld send for help/aid/ rescue; vmnek a ~éhez folyamodik have recourse to the help of sg; vknek a ~éhez folyamodik have recourse to sy's help; ~ére jön succour, come to the aid/assistance of, go to sy's aid, come to sy's assistance; vk ~ére siet fly to sy's assistance, come/go to the rescue of sy, go to sy's relief, relieve, rescue, aid (sy); ~ére van be of great help to sy, stand sy in good stead, do sy yeoman('s) service; lehetek-e vmben ~ére önnek? can I be of any use to you?; miben lehetek ~ére? what can I do for you?; vknek a ~ére épít/számít/támaszkodik lean on sy (for aid); ~re szorul be in need of help/assistance; ~et kér ask/send for help; ~et kér vktől beg one's kind offices, call upon sy's help, invoke sy's aid; ~et hív/hoz get help; vm kis ~et kaptam I got some help; ~et küld vknek send aid/help to sy; vknek ~et nyújt help/aid/assist/succour/relieve sy, render help to sy, lend sy a helping hand, give sy a knee up (fam), hold out a hand to sy (fam); nem nyújt ~et be unhelpful; igénybe veszi vmnek a ~ét have recourse to sg; vknek a ~ével by the help/favour/aid/assistance of sy, with the aid/assistance of sy, by dint of sy (obs); vknek szíves ~ével through the good offices of sy, through sy's good offices, through the kindness of sy; vknek a ~ével kap meg vmt obtain sg through the instrumentality of sy; a barátok ~ével by the agency of friends; vmnek a ~ével by means of sg, by the help of sg, by/with the aid of sg, making use of sg 2. [személy] help(er), [eszköz is] stand-by; ~ül hív call sy to help, ask/invoke sy's help; vmhez ~ül fordul/folyamodik have recourse to sg; ~ül szolgál vknek be help to sy; ~ül hívás appeal, [fohászban, eposzban] invocation
sehány a/n, indef, none
sehogy adv. indef, ~ (se, sem) by no means, in no way/ wise, nowise, noways, nohow; ~ se érzi magát feel shaky (fam); ezt ~ se(m) tudom megérteni I am at a loss to understand it
sehogyan adv. indef, = sehogy
sehol adv. indef, ~ (sem) nowhere, not anywhere;

~ *a világon* nowhere on earth, nowhere in the world; ~ *a közelben* nowhere near

sehonnai [-ak, -t] *a/n*, vagabond, good-for-nothing

sehonnan *adv. indef*, from nowhere, not from anywhere

sehonnét *adv. indef*, = **sehonnan**

sehova *adv, indef*, ~ *(sem)* nowhere, not anywhere, in no direction, nowither *(obs)*, no place *(US)*

seizű *a*, = **íztelen**

sejdit [-eni, -ett, -sen] *vt, (vál)* = **sejt¹**

sejdítés *n*, = **sejtés**

sejk [-et, -je] *n*, sheik(h)

sejllik [-ett, -ene] *vi*, occur (faintly), make itself felt

sejt¹ [-eni, -ett, -sen] *vt*, guess, have a presentiment/ hunch, surmise, conceive dimly, suspect, conjecture, forebode, foresee, presume, feel, have an inkling (of sg); ~ *vmt* have a foreboding/presentiment of, smell sg *(fam)*, have the wind up *(fam)*; *mit sem* ~ not suspect a thing, have no idea of, be free from (any) presentiment/misgiving; *mit sem* ~*ve* unsuspectingly; *mit sem* ~*ve arról ami történik* witless of what was happening; *úgy* ~*em hogy* ... I suspect that, I have a hunch that *(US fam)*; *rosszat* ~ have misgivings/forebodings/apprehensions, smell sg, smell a rat *(fam)*; *rosszat* ~*ek* my heart/mind misgives me; ~*em!* I guess/think so!; *mint* ~*em* as I guess/suspect, I presume; *kezdem* ~*eni* it begins to dawn on me; ~*ettem hogy baj lesz* I felt trouble brewing; *ezt* ~*ettem (is)* I suspected/thought/surmised as much, I thought so; *ahogy* ~*heted* as you may suppose; *nem* ~*i* he little knows/suspects, he does not suspect (it); *nem is* ~*i* have not the slightest/remotest idea

sejt² [-et, -je] *n*, 1. *(biol)* cell, [*méhé]* cell, alveolus; ~ *alakú* cellular, celliform, alveolar, alveolate; ~ *körüli* pericellular; *anizodiametrikus* ~ prosenchyma; *csontképző* ~ osteoblast; *egysejtmagvú* ~ monoenergidic cell; *izodiametrikus* ~ parenchyma; *kis* ~ cellule; *levált* ~ desquamated cell; *magvas* ~ nucleated cell; *testi/vegetatív* ~ *(növ)* somatic cell; *többsejtmagvú* ~ polyenergidic cell; *tüskés* ~ prickle cell; ~ *élő elemei* protoplasm, protoplasmic elements; ~ *élettelen elemei* nonprotoplasmic elements; ~ *festése* cell staining; ~ *kémiája* cytochemistry; ~ *részei* subcellular components; ~ *rögzítése* cell fixation; *operatív beavatkozás* ~*ben* micrurgical operation in cell; ~*ekből álló* cellular, cellulous, cellulate, cellated; ~*en belüli* intracellular; ~*en kívüli* extracellular; ~*eket képez* form cells 2. *(pol)* cell

sejt- *(összet)* cellular

sejtállatka *n, (áll)* amoeba *(Amoeba proteus)*

sejtállomány *n*, protoplasm

sejtanyag *n*, cellulose, celluline, *(biol)* plasm, karyotin

sejtbomlás *n, (biol)* karyoclasis

sejtburjánzás *n, (biol)* cellular proliferation, macroplastia, *(növ)* hyperplasia; ~*ra képes/alkalmas* proliferative

sejtburok *n*, = **sejthártya**

sejtcsalád *n, (biol)* colony of cells, meris

sejtdifferenciálódás *n, (biol)* cytodifferentiation

sejtdús *a, (biol)* cell-rich

sejtecske *n, (biol)* cellule

sejtegyed *n, (biol)* idioblast

sejtelem [.. lmet, .. lme] *n, [előérzet]* presentiment, anticipation, divination, augury, surmise, hunch, presage *(ref.)*, *[elképzelés]* idea, inkling, *[rossz]* suspicion, augury, misgiving; *sejtelme sincs vmről* have no idea/notion of sg; *sejtelmem sincs róla* I have no(t the least) idea, I do not know the least thing about it, ask me another *(fam)*; *halvány sejtelmem sincs* I haven't the remotest/faintest/foggiest idea (of/about it), I do not know the least thing about it, I haven't the ghost of a notion; *sejtelmem sem volt*

I had no inkling; *sejtelme sem volt a dologról* he had no(t the least) idea of it, he had no inkling of it

sejtelemek *n. pl, (biol)* cell(ular) elements; ~ *elkülönítése* isolation of cell elements; ~ *szétválasztása* fractionation of cell elements

sejtélettan *n*, physiology of cell

sejtelhalás *n, (biol)* necro(bio)sis (of cells)

sejtelmélet *n*, cell(ular)-theory

sejtelmes [-et; *adv* -en] *a*, 1. *[titokzatos]* mysterious, enigmatical, *[baljós]* ominous 2. *[rejtett értelmű]* obscure, secret, occult, *[célzást tartalmazó]* allusive 3. *[sejtéssel teli]* full of presentiment *(ut)*

sejtes [-ek, -t; *adv* -en] *a, (biol)* cellular, cellulous, cellulate, cellated; ~ *elfajulás (orv)* cellular degeneration

sejtés *n*, conjecture, guess, boding, intuition, divination, presentiment, surmising, foreknowledge, glimpse; *vmlyen* ~*e van* have a presentiment of sg; *ha* ~*em valóra válik* if my expectations are fulfilled

sejtet *vt*, suggest (to), make sy think sg, indicate, forecast, foreshadow, intimate, adumbrate, insinuate, augur *(ref.)*, presage *(ref.)*, *(vkvel)* hint (to sy); *szavai sokat* ~*nek* from his words much can be gathered, his words give food for thought, his words convey a lot, what he said is most suggestive; *vkvel* ~ *vmt* give sy an inkling of sg

sejtetés *n*, adumbration, intimation, insinuation, implication

sejtető [-ek, -t; *adv* -en] *a*, indicative, indicatory, *[jelek]* presageful; *sokat* ~ *[megjegyzés]* insinuating

sejtett [-et; *adv* -en] *a, sohasem* ~ unsuspected, unguessed

sejtfal *n, (biol)* cell-wall

sejtfalás *n, (biol)* phagocytosis

sejtfal-vastagodás *n, (biol)* cell-wall thickening

sejtfonal *n, (biol)* plasmodesma

sejthalál *n, (orv)* necrocytosis

sejthártya *n, (biol)* cellular membrane, cell-membrane

sejthasadás *n, (biol)* scissiparity

sejthető *a*, that may be divined/guessed *(ut)*, guessable

sejtképző *a, (biol)* celluliferous, cytogenetical

sejtképződés *n, (biol)* cell-formation, cytogenesis

sejtkötés *n, (tex)* basket-weave, honeycomb weave

sejtköz *n, (biol)* intercellular space

sejtközi *a, (biol)* intercellular; ~ *állomány/anyag* matrix

sejtközötti *a, (biol, növ)* intercellular; ~ *járatok* intercellular spaces; *hasadá os* ~ *járat* schizogenous intercellular space; *oldásos* ~ *járat* lysigenous intercellular space; *szakadásos* ~ *járat* rhexigenous intercellular space

sejtközpont *n, (biol)* nucleole, nucleolus, *(növ)* cytocentrum, cell centre

sejtlemez *n, (növ)* cell plate

sejtmag *n, (biol, növ)* nucleus (of a cell), cytoblast; *nyugalomban levő* ~ resting nucleus; ~ *nélküli* enucleate; ~ *működése* karyokinesis; ~*on belüli* intranuclear; ~*gal kapcsolatos* nuclear, karyologic

sejtmaghártya *n, (biol, növ)* nuclear membrane

sejtmagnedv *n*, karyolymph, nuclear sap

sejtmagocska *n, (biol)* nucleole, nucleolus

sejtmagosztódás *n, (biol)* karyokinesis

sejtmagú *a, több* ~ *sejt (biol)* multinucleate cell, coenocyte

sejtmegnyúlás *n, (biol)* cell enlargement

sejtméreg *n, (vegyt)* cytotoxine

sejtnedv *n*, sap of cell, cell-sap/fluid,

sejtoszlás *n*, = **sejtosztódás**

sejtosztódás *n, (biol, növ)* cell-division, cytokinezis; *közvetlen* ~ direct cell-division, amitosis, cell-division amitotically

sejtő [-ek, -t; *adv* -en] *a*, anticipating, divining, foreseeing, surmising; *mit sem* ~ having no presentiment *(ut)*, unsuspecting, unsuspicious of *(ut)*

sejtplazma *n, (biol)* cytoplasm

sejtrendszer *n,* **1.** *(biol)* cellular system **2.** *(pol)* cell--system

sejtréteg *n, (biol) belső* ~ ganglionic layer; *külső* ~ outer nuclear layer; *középső* ~ inner nuclear layer

sejtszám *n, (biol)* cell count

sejtszaporulat *n, (biol)* cell-growth

sejtszerű *a,* cellular, cellulous, cell-like

sejtszervek *n. pl, (biol)* cell organoids

sejtszövet *n, (biol)* cell-tissue, cellular tissue, parenchyma

sejttan *n, (biol)* cytology

sejttársulás *n, (biol)* cell aggregation

sejttégla *n, (épit)* air-brick

sejttelep *n, (növ)* cell colony, cell aggregate

sejttest *n,* protoplasm, cell-body

sejttevékenység *n, (biol)* cellular activity

sejttörmelék *n, (biol)* cellular debris

-sejtű *[-ek, -t; adv -en] a,* cellulous, -celled, -cellular; *egy~* one-celled

sejtüreg *n, (biol)* cell lumen/cavity, vacuole

sejtvizsgálat *n, (biol, orv)* cytologic study; *műszeres* ~ micromanipulation

sékel *[-ek, -t, -e] n, (bibl)* shekel

sekély *[-ek, -t; adv -en] I. a,* **1.** *[víz]* shallow, shoaly, depthless, flat; ~ *víz* shallow/white water; ~ *vizű hely* shoal **2.** *(átv)* shallow, flat, insufficient, poor, insipid **II.** *n,* shallow (place), shoal, *[gázló]* ford

sekélyedlik *[-tem, -ett, -jen] vi,* (become) shallow, shoal

sekélyen *adv,* ~ *szánt* plough (land) lightly

sekélyes *[-et; adv -en] a,* **1.** *[víz]* not deep, shoaly, shallow **2.** *(átv)* shallow, flat, poor, insipid, *[ember, szellem]* shallow, shallow-minded/brained, *[stílus]* flimsy, vapid, insipid, washy, *[társalgás]* vapid, insipid, flat, *[tudás]* skin-deep, superficial

sekélyesség *n, (átv)* shallowness, insipidity, flippancy, *[stílusé]* flimsiness, washiness

sekélyfúrás *n, (geol)* shallow boring/well

sekélység *n, [vizé]* shallowness, shoalness

sekk *[-et] n/int, [sakkban]* check to the queen; *a királynő* ~*ben van/áll* the queen is in check; ~*et ad [a királynőnek]* check

sekrestye *[.. ét] n,* sacristy, vestry(-room)

sekrestyés *n,* sacrist(an), sexton, vesturer,'parish-clerk

selejt *[-et, -je] n,* trash, rubbish, refuse, wastage, scrap, spoilage, waste, *[termék]* faulty product, shoddy/ inferior/substandard goods *(pl)*, (manufacturer's) reject(s), rejections *(pl)*, throw-outs *(pl)*, waste (matter), spoilage, wasters *(pl)*, defective work, defective goods *(pl)*, outshot, *(bány)* shorts *(pl)*; *ipari* ~ industrial refuse

selejtanyag *n,* scrap, refuse material, waste matter

selejtáru *n,* shoddies *(pl)*, throw-outs *(pl)*, riff-raff, job lot

selejtcsökkentés *n,* elimination/decrease/lessening of waste

selejtes *[-et; adv -en] a,* inferior, substandard, rejected, *[szövet]* sleazy, *[értéktelen]* shoddy, rubbishy, trashy, drossy, *[áru]* waste, flawy; ~ *gyártmány* faulty product; ~ *holmi* refuse ld *még* selejt; ~ *munka* scamped/inferior work

selejtez *[-tem, -ett, -zen] vt, [árut]* sort out (those which will be rejected/eliminated/discarded), scrap, *[iratokat]* select (for destruction), discard, *[könyveket]* weed out

selejtezés *n,* sorting out, scrapping, *[iratoké]*selection (for destruction), *[könyveké]* weeding out

selejtező *[-t, -je] I. n,* **1.** *(sp) [mérkőzés]* qualifying round/heat, eliminating heat(s) **2.** *[személy]* eliminator **II.** *a,* ~ *mérkőzés* qualifying match/round, eliminating heats/bouts *(pl)*

selejtgyártó *n,* spoilage producer, waster

selejtmentes *a,* free of waste/reject *(ut)*, without wastage *(ut)*

selejtpapír *n,* waste paper

selejtszázalék *n,* percentage of waste, percentage of substandard goods

selejttehén *n,* cow no more lactiferous

selejttermelés *n,* spoilage

selejtveszteség *n,* losses due to spoilage *(pl)*

sellak *[-ot, -ja] n,* shellac, lac-varnish, gum-lac; ~*kal bevon* shellac

sellakoz *[-tam, -ott, -zon] vt,* shellac

sellakrúd *n,* shellac-stick

sellő *[-t, -je] n,* **1.** *[hableány]* nix(ie), nixy, water--sprite, water/river-nymph, nereid, mermaid **2.** *[folyó zuhogója]* rapids *(pl)*, race

sellős *[-ek, -t] a,* ~ *folyószakasz* rapids *(pl)*

selma *[.. át]* **I.** *a,* impish, waggish, roguish, mischievous, *[regény]* picaresque **II.** *n,* wag, rogue, sly-dog/ boots

selmaregény *n,* picaresque novel

Selmecbánya *[.. át, .. án] prop,* Banská Štiavnica (town in Czechoslovakia)

selyem *[selymet, selyme]* **I.** *a,* silk, silken *(ref.);* ~ *puhaságú/tapintású* silky **II.** *n,* silk; ~*be öltözik* dress in silk; ~*be(,) bársonyba öltözött/ öltözve* dressed in silks and satins; ~*mel átszőtt/áttört* broché

selyemalja *n,* silk waste, waste silk

selyemanyagok *n. pl,* = **selyemáru**

selyemáru *n,* silk goods *(pl)*, silks *(pl)*, mercery

selyemárus *n,* silk-mercer

selyembársony *n,* (silk) velvet, silk feather shag

selyembevonat *n, (vill)* silk-covering

selyembojt *n,* bob

selyemcérna *n,* doubled silk, silk-thread, thrown silk, silk twist

selyemcérnázó gép silk throwing machine, silk reel mill

selyemcsipke *n,* silk lace

selyemdamaszt *n,* silk damask, damassin, valance

selyemenyv *n,* silk-gelatine, silk glue, *(tud)* sericin

selyemfény *n,* silky gloss/lustre; ~ *kikészítés* silk finish, lustre finish, silk lustre finishing

selyemfényű *a,* silky, silken, glossy

selyemfestő *n,* silk-dyer

selyemfiú *n, (elit)* pimp, gigolo, bully *(obs)*

selyemfonál *n,* silk thread/yarn, spun silk, *[nyers]* filament of row silk, *[szétbontott]* sleave

selyemfonó **I.** *a,* ~ *munkás* silk-weaver, throw(st)er **II.** *n,* **1.** = **selyemfonó** *munkás* **2.** *[üzem]* silk mill

selyemfonoda *n,* silk mill/filatory

selyemgombolyító *n, [munkás]* silk reeler, *[gép]* silk--winder

selyemgubó *n,* (silk) cocoon; ~ *fonal* cocoon-fibre

selyemgubó-termelő *a,* ~ *telep/helyiség/üzem* cocoonery

selyemgyár *n,* silk mill/factory

selyemgyári *a,* of a silk-mill *(ut);* ~ *munkás* worker in a silk-mill, silkman

selyemhajtókás *a,* faced with silk *(ut)*

selyemhajú *a,* silk(y) haired

selyemharisnya *n,* silk stocking(s)

selyemhernyó *n, (áll)* silkworm (moth) *(Bombyz mori)*

selyemhernyó-gubó *n,* cocoon, cod

selyemhernyó-tenyésztés *n,* breeding of silkworms, silkworm breeding, silk-culture, *[üzem]* cocoonery, silk farm, *(tud)* seri(ci)culture

selyemhernyó-tenyésztő **I.** *n,* silk farmer, silkworm breeder, silk-breeder/grower, seri(ci)culturist **II.** *a,* ~ *telep/helyiség/üzem* cocoonery, silk farm

selyemhímzés *n,* silk embroidery, embroidery in silks *(v.* on silk)

selyemipar *n,* silk industry, production of silk

selyemkárpit *n,* silk tapestry, silk hangings *(pl)*

selyemkendő *n*, silk-shawl/square/wrap/muffler/neckerchief/scarf
selyemkóc *n*, floss/waste-silk
selyemlepke *n*, silkworm *(Bombyx mori)*
selyemmajom *n*, *(áll)* marmoset *(Hapale sp.)*; törpe ~ pygmy marmoset *(H. pygmaea)*
selyemmályva *n*, *(növ)* abutilon *(Abutilon)*
selyemmotolla *n*, silk-reel/winder
selyemmorsózó *n*, *[munkás]* silk spooler/stretcher
selyempántlika *n*, silk-ribbon
selyempapír *n*, tissue/silk-paper
selyempaplan *n*, silk counterpane/(bed)quilt
selyempaszomány *n*, silk braid, ferret
selyempille *n*, = szederfa-selyempille
selyempincsi *n*, King Charles spaniel
selyemplüss *n*, silk plush/shag
selyemraszter *n*, *[papírfelület]* silk-grain
selyemruha *n*, silk dress
selyemsál *n*, silk scarf/wrap, *[vállkendő]* silk shawl
selyemszál *n*, silk thread/yarn/fibre
selyemszalag *n*, silk ribbon/band
selyemszatén *n*, sateen
selyemszerű *a*, silken, silky
selyemszigetelés *n*, silk covering
selyemszita *n*, silk, tiffany
selyemszitaszövet *n*, silk bolting cloth
selyemszőrű [-ek, -t] *a*, silken haired, with silky hair *(ut)*, *(növ)* (holo)sericeous
selyemszövés *n*, silk weaving
selyemszövet *n*, silk cloth, silk (tissue); ~ek silks, mercery
selyemszövő *n*, silk weaver
selyemszövőlepke *n*, *(áll)* silkworm moth *(Sericaria mori)*
selyemtenyésztés *n*, = selyemhernyó-tenyésztés
selyemtenyésztő *a/n*, = selyemhernyó-tenyésztő
selyemtermelés *n*, silk production; *a* ~ hazája Kína silk production originates from China
selyemzsinór *n*, silk cord/lace/braid, *[törököknél]* bow-(-string) (as instrument of execution)
selyma [...át] *a/n*, = selma
selymes [-et; *adv* -en] *a*, *[selyemből való]* silken, of silk *(ut)*, silk, *[tapintású, fényű]* silky, silk-like, smooth, silken *(ref.)*, glossy *(ref.)*, *(tud)* sericeous, *[hang]* mellow; ~ fényű silken, silky; ~ suhogás silken rustling
selymesít [-eni, -ett, -sen] *vt*, mercerize
selymesítés *n*, mercerization
selymesség *n*, silkiness
selyp [-et, -e] *n*, lisper
selypes [-et; *adv* -en] *a*, lisping
selypít [-eni, -ett, -sen] *vi*, lisp
selypítés *n*, lisp(ing), *(nyelvt)* sigmatism
selypítő [-t] *a*, ~ gyermek lisper
sem *conj*, 1. neither, not...either, nor; egy ~ not any, none; egy ... ~ not a...; egyik ~ neither; egyikük ~ neither of them, none (of them); egyik kijelentés ~ igaz neither statement is true: én ~, ~ én nor I (either); én ~ tudom no more can I, no more do I know; ha te nem mégy akkor én ~ megyek if you do not go(,) neither shall I; ő ~ látja én ~ látom he doesn't see it nor do I; és az ~ nor that either 2. *[erősítés]* not.. even; még látni ~ akarja he will not even see him; még akkor ~ ha not even if; még csak el ~ kell olvasnom I do not even need to read it; meg ~ ízlelte he did not even taste it 3. senki ~ nobody, no one; semmi ~ nothing (whatever) 4. *[nyomatékot adva]* not: *(egyáltalán)* senki ~ not one, not a man, not anybody; egy lélek ~ not a soul; távolról ~ not by a long chalk, not in the least; egy percig ~ not for a moment; de az ~ nor that either 5. ~ ... ~ neither... nor; ~ apja ~ anyja

nem él neither his father nor his mother is living; ~ egyik ~ másik neither; ~ itt ~ ott neither here nor there 6. úgy ~ not... anyhow; úgy ~ látja he does not see it anyhow/anyway 7. azt ~ tudja hol *(áll)* a feje he doesn't know which way to turn; mintha mi ~ történt volna as if nothing had happened; azért ~ all the less, all the more reason for not...
séma [..át] *n*, pattern, design, model, stereotyped form (of sg), schema, scheme, sketch-plan, diagram, *(zene)* schema
sematikus *a*, schematic, diagrammatic
sematikusan *adv*, schematically
sematizál [-t, -jon] *vt*, schematize
sematizmus *n*, 1. *[művészeti stb.]* schematism 2. *[névjegyzék]* directory, *(kat)* Army List
semeddig *adv. indef*, 1. *[táv]* no distance at all 2. *[idő]* not (for) a moment; ~ se tart *[elkészítése]* it takes no time, you can do it in no time, *[hatása, eredménye]* it won't last; ~ sem fog tartani *(biz)* it won't last a sec, it will be done in a jiffy
semekkora *a/n. indef*, infinitesimally small, no size at all *(ut)*
semelyik *a/n. indef*, none, not one of them, *[a kettő közül]* neither of them; ~et sem ismerem I do not know any (one) of them
semennyi *a/n. indef*, nothing at all, nothing whatever, not a bit, not any; ~ért sem not for (all) the world, not for love or money
semerre *adv. indef*, nowhere at all, in no direction, no-whither
semerről *adv. indef*, from nowhere at all, not from anywhere, not from any direction
semfűsemfa *n*, *(növ)* = sefűsefa
semhogy *conj*, rather than; okosabb volt ~ bevallja he was too clever to admit it; inkább meghalnék ~... I would/had sooner die as..., I had/would as soon die as...; inkább meghalt volna ~ megadja magát he rather would have died than surrender
sémi [-ek, -t, -je] I. *a*, Semitic; ~ jelleg Semitic character, Semitism; ~ nyelvek Semitic languages II. *n*, Semite
sémita [..át] *a/n*, = sémi
semleges [-et; *adv* -en] I. *a*, *(ált)* neutral, *[állást nem foglaló]* non-committal, *[közömbös]* indifferent, disinterested, impartial, *(biol, nyelvt)* neuter, neutral, *(vegyt)* inactive, inert, indifferent, *(vill)* neutral; ~ állam a neutral state; ~ festék *(orv)* neutral stain; ~ fok *(zene)* *[skálában]* neutral degree; ~ kémhatás neutrality; ~ szín neutral colour; ~ tengely *(műsz)* neutral axis; ~ terc *(zene)* neutral third; ~ terület/övezet *(pol)* neutral zone; ~ marad remain neutral, stand neuter; ~ vonal *(vill)* neutral line/position; ~sé tétel neutralization
II. *n*, a ~ek the neutral powers 2. *(nyelvt)* neuter (gender)
semlegesít [-eni, -ett, -sen] *vt*, *(ált)* neutralize, inactivate, *[mérget]* frustrate, *(vegyt)* neutralize, *[péld. cinkkel sósavat]* kill
semlegesítés *n*, neutralization, *[hatáséstb.]* counteraction
semlegesnem *n*, *(nyelvt)* neuter (gender)
semlegesnemű *a*, *(nyelvt)* neuter (gender), in the neuter *(ut)*: ~ főnév neuter noun
semlegesség *n*, neutrality, *(fiz)* inertness (of a body), *(vegyt)* neutrality, inactivity; fegyveres ~ armed neutrality; politikai ~ neutrality, *[el nem kötelezettség]* non-alignement; megőrzi ~ét remain/stand neutral, observe neutrality, stand neuter
semlegességi [-ek, -t; *adv* -leg] *a*, neutral; ~ nyilatkozat declaration of neutrality
semlyék [-et, -e] *n*, *(növ)* fen window
semlyékes [-et; *adv* -en] I. *a*, moory, moorish, fenny, boggy, marshy II. *n*, moor, marshland

semmi [-t, -je] I. *n.* indef, nothing, nil, none, *[szám]* nought, naught, zero, *[tenisben]* love; *az ~* it is *(v. that's)* nothing, it does not matter, *[vigasztalva]* never mind; *ez neki ~* that's nothing for him, he does not care for it; *a maga számára ez ~* that is nothing for you; *~ de ~* nothing whatever, absolutely/positively nothing; *~ sem* nothing (whatever), not a scrap of sg; *~ sem lehetetlen* everything is possible, the sky is the limit; *~ nem maradt* not a scrap was left; *mintha ~ sem történt volna* as if/though nothing had happened; *majdnem/szinte/úgyszólván ~* next (door) to nothing, scarcely anything, almost nothing, little or nothing; *annyi mint (a) ~* next door to nothing; *abból nem lesz ~* nothing will come of it, *[tiltakozva]* that's out of question; *nem lett belőle ~* it came to nothing, it did not come to anything, it *(v. the scheme)* fell through; *~ sem lesz belőle (vkből)* he will never amount to anything, he will make no progress in life; *~ a világon* nothing in the world; *ez ~ (ahhoz képest...)* that's nothing in comparison to; *(igazán) ~ az egész* it doesn't matter (a bit *v.* in the least), it's a mere trifle; *egy nagy ~* a mere cipher; *nincs ~je* he has nothing at all, he is penniless, he has nothing to his name; *a semmibe bámul* gaze/ stare into vacancy; *szinte ~be se került* it cost next to nothing; *~be (se) vesz* make nothing of sg, ignore, slight, set at naught, pooh-pooh, disregard, neglect, jibe, despise, take no account of, be contemptuous of (sg), hold (sg) cheap; *~be se vesz vkt* treat sy slightingly/disrespectfully; *~be vesz tanácsot* scorn a piece of advice, flout a person's advice; *~ben sem hasonlít vkhez* be in no way similar to sy; *semmiből kezdte* he started with nothing, he started on a shoestring *(US)*; *a ~ből kezdi újra* start from scratch again *(fam)*; *~ből jön* be a self-made man, be an up-start; *~ből jött* he rose from obscurity; *~ből nem lesz ~* nothing comes out of nothing, you cannot get something for nothing; *nem tud a ~ből megélni* he can't live on air *(fam)*; **semmiért** for nothing, for no reason whatever, *[vásárol]* for a song; *~ért a világon* not for the life of him; *nem adom ~ért* I won't give it for anything; *~ért nem kapni ~t* you cannot get something for nothing; **semmihez** *sem értő* skilless; **semminél** *is kevesebb* less than nothing; **semmire** *se emlékszem* I can't remember a thing; *~re sem jó/használható* good/fit for nothing, it will serve you nothing; *~re sem megy vmivel* have no use for sg; **semmit** *sem* not a jot, not one jot or title; *~t sem használ/ér, nem ér ~t* be of no use (at all), be worthless, be not worth a straw/pin, it is no good, (it is) fit for nothing; *~t sem értek hozzá* I don't know the least/first thing about it; *~t sem hasonlít vmhez* not bear the slightest resemblance to sg; *ez magának ~t sem jelent* that is nothing to you; *~t sem mentettek meg* not a stick was saved; *~t sem/nem mondhatok* I cannot say anything *(v.* a thing); *nem tesz ~t* never mind, it does not matter; *~t sem aludt* he didn't sleep a wink; *~t sem tud* does not know a thing; **semmitől** *sem riad vissza* nothing will deter him, he sticks at nothing; **semmivé** *lesz/válik* come to nothing, dissolve/melt into thin air, end in smoke, extinguish, dwindle to nothing, disappear, pass away, *[terv]* peter out; *~é lett [remény]* extinct, *[birodalom]* perished; *~é lesz* reduce to nothing/ nought, annihilate, *[reményt]* scatter; *~é zsugorodik* dwindle (down) to nothing; **semmivel** *egyenlő* equal to nothing; *~vel kezdi* start with nothing, start on a shoestring *(US)*; *~vel sem [jobb, rosszabb]* not a bit/ whit...; *~vel sem rosszabb vmnél* in no way inferior to sg; *~vel sem boldogabb* he is none happier **II. a.** indef, no; *~ áron/pénzért* not at any price, not for love or money, at no price, not for anything, not on any account, not on your life; *~ baj!* never mind!,

does not matter,! it doesn't matter a bit *(v.* in the least)!, no offense !; *csak ~ bolondság!* no nonsense !; *~ de !* without ifs and ans, buts will not be accepted, but me no buts!; *~ efféle* no such thing; *~ ember* a nobody, a nonentity/nullity, a man of naught; *~ eredményre nem vezetett a kísérlet* the attempt was barren of results; *~ értelme sincs* it does not mean a thing; *~ esélye(d) sincs* you haven't the ghost of a chance; *~ esetre (sem)* by no (manner of) means, not by any means, on no account, under no circumstances, in no case; *~ fontos (vm)* nothing of worth; *nincs ~ gondja* have no cares; *~ haszna* (it is) of no use, (it is) useless, it profits nothing; *~ ilyesféle* nothing of the sort/kind; *~ kertelés* no jiggery-pikery; *~ köze sincs vmhez* have nothing to do with sg, have neither part nor lot in sg; *mind ennek ~ köze a kérdéshez* all that is off the point; *~ köze hozzá* it is no business of his/yours; *~ közöd hozzá* it is no business of yours, it has nothing to do with you, that is nothing to do with you; *~ köze sem volt hozzá* he had nothing to do with it, it had nothing to do with him; *~ különös(ebb)* nothing extraordinary, nothing out of the common, nothing (in) particular, nothing to write home about *(fam)*, not so hot *(US ◈)*; *~ más* nothing else; *más mint... nothing short of...*; *hozzá nem nyúlnák ~ pénzért* I would not touch it with a pair of tongs; *~ reménye sincs* he hasn't an earthly chance; *~ része sincs vmben* be in no way concerned in sg; *~ szín alatt* by no means, in no case, under no circumstances **III. int,** *[felkiáltásban]* tut !, nothing to speak of !, nothing at all !, don't mention it !, that's nothing! **semmibevevés** *n,* disdain, disregard, disesteem, *[törvényé]* contempt (of the law), *[parancsé]* neglect (of a command); *a következmények ~e* neglect of consequences
semmiféle *a.* indef, no kind/sort/manner of, no, not any; *~ formában* in no way
semmiféleképpen adv, not in any shape or form
semmiházi I. *n,* good-for-nothing, waster, ne'er-do-well, rapscallion, rascal, scoundrel, jerker, scapegrace, scamp, blighter, whippersnapper, scalawag *(US)*, bad egg/hat/lot ◈ **II. a,** good-for-nothing; *~ fickó* ragamuffin, reprobate
semmiképpen adv. indef, *~ (sem)* by no means, (in) no wise, noway(s), in no way, not at all, absolutely not
semmikor adv. indef, never, at no time
semmilyen *a.* indef, ... of any sort, not ... any, no, none; *~ ételhez ne nyúljatok* do not touch any food whatever
semminemű *a,* indef, no kind/sort/manner of, not ... any, no
semmint conj, *~ (hogy)* (rather) than
semmirekellő *n, =* semmiházi
semmirevaló *a,* 1. *[dolog]* good-for-nothing, useless, of no use *(ut), (kif)* it isn't any good 2. *[ember]* good-for-nothing
semmis [-ek, -t] *a,* invalid, null, void, *(jog)* null and void, *[házasság]* invalid, *(ker)* cancelled; *~nek nyilvánít* invalidate, annul, nullify, quash, abrogate, *[megállapodást]* call off, *[szerződést]* avoid; *~nek tekint vmt* consider sg as cancelled
semmiség *n,* nothingness, nullity, *[csekélység]* (a mere) nothing, trifle, nullity, frivolity, fribble, fribblery, small matter; *~ az egész* it is nothing to speak of; *kedves ~ek* sweet inanities; *~eken lovagol/nyargal* fuss, niggle, strain at a gnat, be a stickler for trifles; *édes ~eket csacsog* gurgle out sweet nothing; *~ekkel tölti idejét* fool/fritter away one's time
semmisség *n,* *(jog)* nullity; *~ és megtámadhatóság* voidness and voidableness
semmisségi [-ek, -t] *a,* of nullity *(ut)*; *~ kereset/per* plea for nullity

semmitmondó a, meaningless, unmeaning, ineffectual, of no weight (ut), platitudinous, (átv üres) insipid, inane, [szintelen] colourless; ~ arc plain/uninteresting/everyday/vacant face, inexpressive countenance; ~ arckifejezés/tekintet vacant/inexpressive/expressionless look; ~ megjegyzés pointless remark; ~ módosítás a milk-and-water amendment; ~ szavak empty words, superfluous words that convey nothing

semmitőszék n, Court of Cassation

semmittevés n, idleness, idling, inactivity, inaction, faineance, do-nothingness, [pihenés] leisure; édes ~ pleasing inactivity, dolce far niente; lázas ~ busy idleness; ~re van kárhoztatva be compelled/constrained to inactivity; ~sel tölti az idejét idle one's time away, lounge away the time

semmittevő [-t, -je] adv -n, -en] a/n, idler, loafer, drone, lounger, sluggard, lazy, faineant, lotus-eater (ref.); a ~k the leisured class, the idle rich

senki [-t, -je] I. a. pron, nobody, no man, none, no one/person; ~ emberfia no man living; ~ földje no man's land; ~ közülük none of them; ~ más nobody else, no one else: ő és ~ más none but he; ~ sem érti nobody understands it/him; ~ sem járt rosszul nobody was a penny the worse; ~ sem próféta saját hazájában no one is a prophet in his own country; ~ szigete no man's island; ~ többet? harmadszor no more bids? gone!; ~ben sem bízik not trust anybody, have no faith in anybody; nem láttam ~t I saw no one, not a person did I see II. n, egy nagy ~ an absolute nonentity, a mere cipher, a nobody; nem vagyok neki ~je I am not related to him, I am no relation of his: ~m he is no kin to me; ~m sincs I am entirely on my own, I have nobody; nincs neki ~je have neither chick nor child

senkiházi I. n, = semmiházi; két-három ~ two or three anybodies II. a, good-for-nothing

senyved [-tem, -ett, -jen] vi, 1. (vk) suffer, languish, decline, pine (away), (vk vm alatt) suffer from/under 2. (növ) grow/be sickly 3. [tűz] the fire is not burning up, the fire is not drawing well/properly

senyvedés n, 1. (vké) suffering, languishing, (orv) cachexy 2. (növ) sickliness

senyvedő [-t] a, 1. (vk) suffering, languishing, declining, pining, (orv) cachectic 2. (növ) sickly 3. (ker) [forgalom] depressed

seper [-t, -jen] vt, = söpör

sepreget vt, = söpröget

seprés n, = söprés

seprő¹ [-t, -je v. sepreje] n, 1. [boré] lees, dregs, grounds of (wine) (mind: pl), sediment, feculence, (vegyt) deposit 2. a társadalom sepreje the dregs/scum of society; az emberiség sepreje the dregs of humanity, scum

seprő² [-t ,-je] n, = seprű¹

seprőgép n, sweeper, sweeping machine, brusher, [gumihengeres] squeegee

seprőkötő n, = seprűkötő

seprőpálinka n, marc-brandy

seprős [-et; adv -en] a, [ital] full of lees (ut), dreggy

seprű¹ [-t, -je, sepreje] n, 1. [takarító eszköz] broom, besom, [kicsi] wisp; új ~ jól seper new brooms sweep clean 2. [dobverő] wire brush

seprű² [-t, -je] n, = seprő¹

seprűcirok n, (növ) broomcorn (Sorghum vulgare technicum)

seprűkötő n, broom-maker/man

seprűnyél n, broom-handle/stick, [amin boszorkányok lovagolnak] witch-broom

seprűs a, [-ek, -t] a, ~ szempilla long and (slightly) curved eyelashes, long curving eyelashes (pl)

seprűtánc n, [népzene] broom dance (wedding custom)

seprűtartó n, brush-hanger

seprűz [-tem, -ött, -zön] vt, birch, flog

seprűzanót n, (növ) broom (Cystisus scoparius)

seprűzinór n, [szövet aljára] brush-braid

Septuaginta [. . át] prop, (vall) Septuagint

ser [-ek, -t, -e] n, = sör

serbet [-et, -je] n, sherbet

serbli [-t, -je] n, □ ;erry, (chamber-)pot, tea-voider

serceg [-tem, -jen] vi, crackle, crepitate, sputter, sizzle, fizzle, fizz, [irótoll] splutter, scrape, [rádió] crackle, sizzle, sizz, [étel] frizzle, frizz, [zsir] crepitate, spit

sercegés n, crackle, crackling (noise), crepitation, sizzling, sizzle, fizz(ing), fizzle, sputter(ing), [tollé] splutter(ing), scraping, scratch, [rádióban] mush crackle, stew, leakage noises (pl)

sercegő [-t] a, 1. crackling, sputtering, sizzling, fizzling, fizzing 2. ~ üszög blackleg

sercint [-eni, -ett, -sen] vi/vt, spit (out, forth)

sercli [-t, -je] n, (biz) heel (of a loaf), first cut of loaf, outside piece (v. crusty end) of loaf, loaf end

serdül [-t, -jön] vi, reach puberty, grow up, mature, grow to maturity; férfivé ~ reach manhood

serdülés n, puberty, adolescence, [folyamata] growing up, pubescence; ~ előtti prepubveral

serdüléses [-et] a, ~ elmezavar adolescent insanity, precocious dementia, hebephrenia

serdülési [-t] a, puberal, hebetic

serdületlen a, under age, not of age (ut), of tender age (ut), [nemileg] impuberal

serdülő [-t] I. a, adolescent, pubescent, growing (up), teen-age, in one's teens (ut) ; ~ fiú/ifjú youth, teen-ager, adolescent, young lad, youngster, teener, [skót] laddie; ~ l(e)any flapper, teen-ager, teener, bobby-soxer (US); ~ nemzedék rising generation II. n, adolescent, teen-ager, teener

serdülőkor n, puberty, adolescence, the awkward age, teen-age, teens (pl) (fam); ~ban van be in one's teens; kilépett a ~ból be out of one's teens

serdülőkori a, adolescent, puberal, juvenile

serdülőkorú I. a, juvenile, teen-age II. n, [fiú, lány] boy/girl in his/her teens, teen-ager

serdült [-et, adv -en] a, adult, grown up, mature; a ~ebb ifjúság számára for young people, for the youth

sereg [-et, -e] n, 1. (kat) army; a fekete ~ (King Mathias') Black Army; ~et állít raise troops, raise an army 2. [ember] lot, crowd, host, multitude, crowd, mass, legion, flock, [fiatal lányoké] bevy, (elit) pack, set, horde; egy ~ gyerek a host/string of children; egész ~ unokája van have whole crowd of grandchildren; tanúk ~e a cloud of witnesses 3. [madár] flock, bevy, congregation, [baromfi] run, [csirke] brood, [galamb] flight, [fogoly] covey, [veréb] host, [hal] shoal, school, [rovar] swarm, [farkas] pack, herd, rout, [kutya] pack, [rőtvad, ló] herd, [majom] tribe, troop 4. [dolog] heap, pile, lot, quantity, great/any number of; egy (egész) ~ any number of, lots of, heaps of, a host of; egy ~ hiba van benne there are lots of errors/mistakes in it, it is full of mistakes, it is riddled with mistakes

seregély [-ek, -t, -e] (áll) [madár] starling (Sturnus vulgaris)

seregesen adv, in hosts/bands/troops, in large numbers; ~ érkeztek they came in bands/crowds (v. great numbers)

seregestől adv, = seregesen

sereghajtó n, lagman, file-closer, straggler, laggard, [kerékpárversenyen] hound, [igével] bring up the rear

sereglet n, (ritk) crowd, flock, multitude

sereglik [-eni, -ett, seregeljen] vi, assemble, come in great numbers/hordes, crowd, flock/troop together, herd, troop, swarm; vk köré ~ik flock about sy; hívei köré sereglettek his partisans rallied round him

seregszámla n, enumeration (of participants), catalogue
seregszámra adv, = seregesen
seregszemle n, review (of troops), muster
seregtest n, (kat) regiment, division, corps, army
seregvonat n, waggon-train; *ll még* trén
sérelem [-lmet, -lme] n, 1. *[erkölcsi]* affront, grief, injury, offence, wrong, *[súlyos]* mortification, *[panasz]* complaint, grievance, gravamen, *(jog)* injury, grievance, wrong; *a parasztság sérelmei* the grievances of the peasantry;~*éri* suffer/experience insults; *nagy ~ esett rajta* he suffered a great wrong; *sérelmein rágódik* nurse one's grievance; *mély ~nek érezte* he was cut to the quick *(fam)* ; *vknek a sérelmére* to the injury of sy; *sérelmet orvosol* redress a grievance; *sérelmet szenved* sustain injury, experience insults; *sérelmet szenvedett [személy]* injured; *sérelmet szó nélkül eltűr/zsebrevág* take an insult lying down 2. *[anyagi]* disadvantage, prejudice, damage; *vmnek sérelme nélkül* without prejudice to sg
sérelmes [-et; adv -en] a, injurious, deleterious, detrimental, harmful, *[anyagilag]* prejudical, damaging, *[becsületre]* derogatory, humiliatory; *anélkül hogy ~ lenne vkre/vmre nézve* without detriment to sy/sg; *a jogsérelmet szenvedett felek fellebbezéssel élhetnek a ~ ítélet ellen* the aggrieved parties may appeal from an adverse judgment
sérelmesség n, injurious/prejudicial/detrimental character/quality of sg
sérelmez [-tem, -ett, -zen] vt, find sg deleterious/prejudicial (and lodge a complaint/protest), criminate, make a grievance of (sg), have a grievance
sérelmi [-t] a, ~ *politika* policy of venting grievances
serény [-et; adv -en] a, 1. *[tevékeny]* active, busy, industrious, *[szorgos]* diligent, strenuous, forward, *(kif)* always on one's toes, *[buzgó]* zealous, *[kitartó]* assiduous, sedulous 2. *[fürge]* brisk, nimble
serényen adv, actively, busily, industriously, diligently, assiduously, strenuously; ~ *dolgozik* work busily/hard, work like a Trojan, make things hum *(fam)*
serényked|ik [-tem, -ett, -jen, -jék] vi, be active/busy/industrious/diligent/assiduous/brisk/nimble, busy oneself with sg, work strenuously/hard, exert oneself, bustle about, make things hum *(fam)*, hu tl *(US)*, be up and coming *(US)* ; *mindig ~ik* be (always) on the trot, be kept on the trot; ~*ik vmben* busy oneself with/in/about sg
serénység n, 1. activity, industriousness, diligence, assiduity, strenuousness 2. *[fürgeség]* briskness
seres [-ek, -t; adv -en] a, = sörös
serét [-et, -je] n, = sörét
serif [-et, -je] n, sheriff
serinchal n, ruff (fish)
serke [. . .ét] n, nit
serked [-t, -jen] vi, 1. *[bajusz, szakáll]* begin to grow, shoot up, sprout (forth); ~ *a bajusza* his m(o)ustache is sprouting 2. *[vér]* trickle, (blood) shows
serkedez [-ett, -zen] vi, = serked
serkedező [-t] a, ~ *bajusz* fledgeling moustache; ~ *szakáll* downy beard, a slight indication of a beard *(joc)*, the beginnings of a beard *(joc)*
serken [-t, -jen] vi, 1. *[álomból]* wake suddenly *(v.* with a start) 2. *[vér]* (blood) shows
serkent [-eni, -ett, -sen] vt, 1. *(vkt)* urge/spur on, encourage, quicken, animate, stimulate, stir up, rouse, startle, *[példával]* inspire (by example), *[étvágyat, ideget]* excite, *[képzeletet]* quicken; *vkt vm megtételére* ~ move sy to do sg, egg sy (on) to do sg, exhort/provoke sy to do sg; ~*i a szívműködést* stimulate (the action of) the heart; ~*i a vérkeringést* give a stimulus to the circulation 2. *[állatot]* goad, prod
serkentés n, urging, spurring, encouragement, quicken-

ing, stimulation, stirring, *(vmre)* exhortation to (do) sg, hortative, *(növ)* promotion
serkentő [-t; adv -en, -leg] I. a, urging, spurring, stimulating, rousing, stirring, encouraging, animating; ~ *hatás (növ)* stimulus; ~ *hatással van* have a stirring/tonic effect; *a csírázást ~ anyagok (növ)* stimulatory substances of germination; ~ *szer* stimulant, *(fényk)* agitamen II. n, *ez az ő legnagyobb ~je* that's his main stimulus *(v.* most effective tonic)
serkentőleg adv, ~ *hat* have a stirring effect, quicken; ~ *hat a kereskedelemre* give stimulus to trade
serkés a, *[haj]* nitty
serleg [-et, -e] n, 1. *[ivóedény]* cup, goblet, beaker, *(vall)* chalice 2. *(műsz)* bucket
serleges [-et] a, ~ *felvonó* bucket conveyer/elevator; ~ *kerék* bucket-wheel; ~ *kút* paternoster-pump
serlegmérkőzés n, challenge-cup, cup-tie
serlegmű n, bucket conveyer/elevator/carrier
serpenyő [-t, -je] n, *[konyhai]* (frying) pan, fryer, dripping-pan, skillet. saucepan, casserole, *[fedett]* stewpan, *[palacsintasütő]* griddle, *[háromlábú]* spider, *[mérlegé]* scale, dish, plate (of a balance); ~ *nyele* panhandle; *kis ~* pannikin; *nyeles ~* saucepan; *egy ~re való* panful
serpenyős [-ök, -t; adv -en] a, 1. ~ *mérleg* scale balance 2. *[étel]* braised; ~ *rostélyos* steak roasted in (a) pan
sért [-eni, -ett, -sen] vt, 1. *[testileg]* injure, damage, harm, hurt, *[késsel]* cut 2. *[érzékszervet]* offend, displease, jar; ~*i a fülét* grate upon the ear, jar on the ear, shock the ear; ~*i a szemet* hurt/offend the eye 3. *[érzelmileg]* offend, affront, insult, outrage; ~*i vknek az érzését* jar on sy's feelings; ~*i a büszkeségét* be hit in one's pride; *vérig ~ vkt* outrage sy, offend sy mortally; *ez vérig ~i* that cuts him to the quick; ~*ve érzi magát* feel offended/insulted/piqued, take offence, be/feel huffed 4. *[alkotmányt, jogot, törvényt]* contravene, infringe, trespass (on), violate, damage, prejudice, wrong, *[vk érdekeit]* interfere with (sy's interests), *[tekintélyt]* encroach on (sy's authority), *[becsületet]* reflect upon (sy's honour), be a blow (to sy's reputation); ~*i vk becsületét* reflect (up)on sy's honour; ~*i vknek az érdekeit* hurt sy's interests, come into collision with sy's interests, interfere with sy's interests, be detrimental to sy's interests, run against sy's interests, collide/collision with sy's interests, be hurtful to sy's interests; *érdekében ~ vkt* prejudice sy's interest; ~*i vk jogait* infringe upon sy's rights; ~*i vk tekintélyét* encroach on sy's authority; ~*i a jó erkölcsöket* be morally offensive, offend morals
serte [. . .ét] n, = sörte
sertefarkú a, *(áll)* ~ *hal (Trichiurus lepturus)*
sérteget vt, *(vkt)* keep offending/insulting/affronting sy, call sy names, abuse sy, gibe (at) sy, fling out at sy, be offensive to sy, inveigh against sy
sértegetés n, continual/repeated insult, torrent of abusive words, railing, reviling, vituperation
sértegető [-t] a, insulting, affronting, abusive, reviling
sertepertél [-t, -jen] vi, ramble, rove, tramp about, wander
sertés[1] n, hog, swine *(pl)*, pig *(Sus domestica)*, porker, grunter *(fam)*
sértés[2] a, = sörtés
sértés n 1. *[érzelmi]* offence, insult, affront, injury, defamation, *[durva]* outrage, *[megalázó]* humiliation, slight; ~ *nélkül* hurtlessly; ~ *éri* be insulted, sustain injury; *a ~ek özöne* a flood of insults; ~*nek vesz vmt* take sg amiss *(v.* as an offence); *ne vegye ~nek* I intended no insult, I did not intend to insult you; *a ~re ökölcsapással válaszolt* his answer to the insult was a blow; ~*t lenyel* digest an insult, lie

down under an insult, take an insult lying down; ~*t zsebre rak* suffer/pocket an insult; *a ~t gúnnyal tetézi* add insult to injury; ~*t ~re halmozott* she added insult to injury 2. *[törvény/szabály ellen]* transgression/contravention/breach of (a) law; *testi ~* bodily harm/injury, wound, hurt, damage, *(jog)* (assault and) battery

sertésállomány *n,* pig population
sertésbehozatal *n,* pig-import
sertésbél *n, tisztított ~ [kolbászkészítéshez]* pig-casing
sertésborda *n,* pork-chop
sertéscomb *n,* leg of pork
sertésfajta *n,* breed of pigs
sertésgondozó *n,* = **kanász**
sertéshizlalás *n,* fattening of pigs
sertéshizlalási *a, ~ szerződés* contract for pig fattening
sertéshizlalda *n,* = **sertéshizlaló**
sertéshizlaló *n, [hely]* hog-farm, farm for fattening pigs, pig-farm, piggery, *[személy]* swine-grower
sertéshús *n,* pork, *[nyers]* hog's flesh
sertéskaraj *n,* pork-chop
sertéskivitel *n,* pig export
sertésól *n,* pigsty, hogsty, pig-pen, piggery
sertésoldalas *n,* pork-chop
sertésorbánc *n,* swine erysipelas
sertésorja *n,* chine/fillet of pork
sertéspestis *n,* = **sertésvész**
sertéssonka *n,* ham
sertéssörte *n,* bristle
sertéssült *n,* roast pork, roast of pork
sertéstenyésztés *n,* pig-breeding
sertéstenyésztő *n,* hog raiser
sertésvágás *n,* pig-slaughtering
sertésvágóhíd *n,* pig slaughter-house
sertésvész *n,* swine-fever/pest, hog-cholera
sertészsír *n,* (hog-)fat, grease, lard
sértetlen *a,* unhurt, uninjured, unharmed, unwounded, sound, unscathed *(ref.),* safe and sound *(ref.),* scatheless *(obs),* *[ép, egész]* intact, unimpaired, undamaged, entire, whole; *~ állapotban* in good condition/order, undamaged, in a good state of preservation/repair; *a pecsét ~* the seal is unbroken; *~ marad* remain intact; *a maga ~ egészében* in its entirety, as a whole
sértetlenség *n,* soundness, intactness, safety, integrity, immunity
sértetlenül *adv,* unharmed, uninjured, hurtlessly, safely, soundly; *~ elmenekül* get off scot-free; *~ hazakísérte őket* he saw them safe home; *~ hoz vissza vmt* bring sg back safe; *~ kerül ki go (v.* get off) scot-free, *[szerencsétlenségből]* be uninjured/ unhurt, get off without a scratch
sértett *[-et, -je; adv -en]* **I.** *a, [testileg]* hurt, injured, wounded, *[erkölcsileg]* harmed, wounded; *~ büszkeség* wounded pride; *a ~ fél (jog)* the injured/offended/ complaining party; *~ hiúság* wounded vanity; *~ önérzet* wounded self-esteem, injured/hurt pride; *~ önérzetből tette* he was shamed into doing it
II. *n,* injured/offended party, injured/aggrieved person, affrontee, *[perben panaszos]* complainant, plaintiff
sérthetetlen *a,* inviolable, invulnerable, *[egyezmény stb.]* infrangible; *szent és ~* sacred, sacrosanct, intangible
sérthetetlenség *n,* inviolability, invulnerability, sanctity, *[képviselőé, diplomatáé]* immunity, intangibility
sértő *[-t, -je; adv -en]* **I.** *a,* offending, offensive, injurious, insulting, affronting, hurtful to the feelings *(ut),* *[megalázó]* humiliatory, humbling, slighting, *[felháborítóan]* outrageous, *[szemtelen]* insolent, scurrilous, galling, *[támadóan]* aggressive; *~ fél* injurer; *~ hang* aggressive tone; *~ kifejezés* insulting

words *(pl),* insulting language, scurrilous remarks *(pl),* abusive language, word of abuse, term of reproach; *~ kifejezések özöne* torrents of abuse; *~ magatartás* offensive behaviour; *~ módon* hurtfully; *~ módon beszél vkről* speak slightingly of sy; *~ módon viselkedik* be insolent; *~ nevetés* derisive laughter; *~ szándékkal (mond vmt)* with the intention to insult, with an insulting purpose, meaning to be offensive/insulting, meaning it offensively; *nem volt benne ~ szándék, nem ~ szándékkal mondtam* no offence was meant; *~ szavakkal illet* use insulting language to sy, abuse sy, revile sy; *~ válasz* offensive answer
II. *n,* offender, insulter, affronter, provoker, *[jogszabályt]* infringer, violator
sértődékeny *[-ek, -t; adv -en]* *a,* easily offended, very sensitive, touchy, thin-skinned, miffy, tetchy, apt/swift to take offence *(ut),* *(kif)* have a thin skin
sértődés *n,* taking offence, ruffling of susceptibilities, hurt, resentment; *~ nélkül* no ill-feeling! ; *~ nélkül fogad vmt* take sg on good part
sértőd|ik *[-tem, -ött, -jön, -jék]* *vi,* be/feel offended, take sg amiss, take offence/umbrage (at); *könnyen ~ik* be easily offended, take offence at the slightest thing, be touchy, be easily huffed, be very thin-skinned, have a thin skin
sértődő *[-t]* *a,* könnyen *~ (természetű)* (be) easily offended, have a thin skin
sértődős *[-et]* *a,* = **sértődékeny**
sértődött *[-et; adv -en]* *a,* offended, huffed *(fam),* huffy *(fam) ;* *~ arckifejezés* pained expression; *~ hangon* in an injured tone (of voice)
sértődötten *adv,* offended, resentfully
sértődöttség *n,* sulkiness, offendedness, huffiness *(fam) ;* *nem mutatott ~et* did not visibly bridle
sértően *adv,* hurtfully; *~ beszél vkről* speak slightingly of sy
sérülés *n,* **1.** *[sebesülés]* hurt, wound, *(orv)* injury, lesion, trauma, sore, *[balesetnél]* casualty, *[lelki]* trauma; *belső ~* internal lesion; *~t szenved* sustain an injury; *súlyos belső ~eket szenvedett* he sustained/ suffered serious/severe internal injuries **2.** *[tárgyé]* damage, defect, *[hajóé]* damage, average; *külső ~ (ker)* external damage
sérüléses *[-ek, -t; adv -en]* *a, (orv)* traumatic, lesional
sérülési *[-t]* *a,* = **sérüléses**
sérült *[-et, -je; adv -en]* **I.** *a,* **1.** *[személy, testrész]* hurt, injured, wounded, traumatic **2.** *[tárgy]* damaged, injured; *~ állapotban* in damaged condition
II. *n,* injured (person), wounded (person)
sérv *[-et, -e]* *n, (orv)* hernia, rupture, breach; *hasi ~* ventral hernia; *a hasüreg ~e* hernia of the abdominal cavity; *kizárt ~* strangulated hernia; *~et kap* contract (a) rupture/hernia; *~et okoz* rupture; *nem kap ~et vmtől* he won't break his back doing it *(v.* working)
sérveltávolítás *n, (orv)* herniotomy
sérves *[-ek, -t; adv -en]* *a, (orv)* hernial, suffering from hernia *(ut),* herniated, ruptured
sérvkötő *n,* hernia support/truss, truss, hernial bandage
sérvmetszés *n, (orv)* herniotomy
sérvműtét *n, (orv)* operation for a hernia, herniotomy
seszínű *a,* colourless, of uncertain colour *(ut),* *[haj]* washed-out
séta *[..át]* *n,* walk, promenade, stroll *(fam),* run *(fam),* airing *(fam),* *[rövid]* turn, *[nagyobb]* outing, *[kényelmes]* saunter, *[kocsival]* drive; *egészségügyi ~* constitutional (walk), regulation walk; *~ közben* when out walking; *sétát tesz* take/have a walk, go for a walk
sétabot *n,* walking-stick/cane/staff; *bambusz ~* Malacca cane

sétafedélzet n, promenade/sun deck
sétafikái [-t, -jon] vi, = sétifikál
sétagalopp n, ~ban győz win hands down
sétahajó n, pleasure boat/steamer
sétahajózás n, water trip, sail
sétahangverseny n, promenade concert, prom (fam)
sétahely n, walk(ing place), promenade, esplanade, parade
sétakocsizás n, (pleasure) drive, promenade, joy-ride, joyhop; ~ra megy go for a ride in a carriage; ~ra ·visz take sy (out) for a ride (csak GB), give sy a ride (fam)
sétál [-t, -jon] vi, walk (about), take a walk, promenade, be out walking, take the air, stroll (fam), take a stroll (fam), go for a stroll/saunter, ramble (fam); ~ (egyet) have a walk, take an airing; ~ egyet a kertben take a turn in the garden; elmegy ~ni take a walk, go for a walk, go for a stroll, [sok ülés után] stretch one's legs; elvisz vkt ~ni take sy for a walk; fel és alá ~ walk up and down, stroll about; cél nélkül ~ air one's heels (fam)
sétálás n, walk(ing), promenade
sétálgat vi, walk about
sétáló [-t, -ja] I. a, walking, strolling, sauntering II. n, walker, stroller, promenader
sétalovaglás n, (pleasure-)ride; vkt elvisz ~ra take sy for a ride
sétáltat vt, take (out) for a walk, [új kalapot stb.] sport (one's new hat etc.)
sétány n, promenade, esplanade, walk, prom (fam), walkway (US), [fürdőhelyé stb.] parade; kavicsolt ~ a gravel walk
sétapálca n, walking-stick, cane, (GB kat) swagger--stick/cane, [tiszti] switch
sétarepülés n, circular/pleasure flight, joy-ride, joyhop
sétatér n, = sétahely
sétaút n, = sétahely
setesuta [..át] a, lefthanded, [ügyetlen] clumsy, [félszeg] awkward
setét [-et; adv -en] a, = sötét
setétség n, = sötétség
sétifikál [-t, -jon] vi, stroll about, loiter, promenade, ' parade, take a walk, walk (about)
settenkedés n, prowling about
settenked|ik [-tem, -ett, -jen, -jék] vi, (vk körül) hang around sy, (vhol) sneak, prowl (about); folyton ott ~ik vhol hang about a place; a ház körül ~ik sneak about the house
seviot [-ot, -ja] a/n, Cheviot cloth, cheviot, tweed
sevrő [-t, -ja] a/n, kid(skin), glacé kid
sevrókesztyű n, kid gloves (pl)
sezlon [-ok, -t, -ja] n, couch, lounge (without a back)
shakespeare-i [-t; adv -en] a, Shakespearean, Shakespearian; ~ szöveg Shakespeare's text, Shakespearean text
Shakespeare-kommentár n, commentary on Shakespeare's text
Shakespeare-kritika n, Shakespeare criticism
Shakespeare-kutató n, Shakespeare/Shakespearean/Shakespearian scholar, Shakespearean
Shakespeare-rajongás n, cult of Shakespeare, Shakespearolatry (pej); bardolatry (pej)
shaw-i [-t; adv -an] a, Shavian
Shaw-tól származó Shavian
shelleyi [t; adv on] Shelleyan
shetlandi [-ak, -t, -ja] I. a, Shetlandic; ~ nyelv Shetlandic; ~ póni Shetland pony, Shetlander II. n, [ember, lakos] Shetlander
shilling [-et, -je] n, shilling, bob ◆; egy ~ és hat penny, másfél ~ one and sixpence; hat ~ [ár] six shilling, [pénzdarabok] six shillings
si [-t, -je] n, 1. [léc] ski 2. [sízés] skiing

síbakancs n, ski(ing) boots (pl)
síber [-ek, -t, -e] n, 1. currency smuggler, defrauder of currency regulations, [tágabb értelemben] (currency-)profiteer, shark 2. (biliárd) top (forward drive),· run-through
síbol [-t, -jon] vt, smuggle currency, defraud currency regulations
síbolás n, smuggling, currency manipulation
síbot n, ski-stick
sicc int, shoo!, boo!, scat! (US)
sicipő n, ski(ing) boots (pl)
síel [-t, -jen] vi, = sízik
síelés n, = sízés
síelő [-t, -je] a/n, = sízō
siet [-tem, -ett, ..essen] vi, 1. hurry (up), hasten, speed, be quick, make speed/haste, nip along (fam), pelt (fam), hie (ref.), [gyors rövid léptekkel] scurry, [sürögve]· bustle, hustle, [szaladva] scamper, scud, (kif) stir one's stumps ◆, go full bat ◆, [nem ér rá] be in a hurry, have no time (to spare); ~ vmt megtenni be in a hurry to do sg, hasten to do sg; ~ vmvel be quick about sg, press sg forward, lose no time in doing sg; siess(en) ! hurry up!, be quick!, come along/on!, make haste!, look sharp/alive! (fam), look smart (about it)! (fam), pull hard! (fam), step on the gas! (US), sharp's the word! (US), make it snappy! ◆, buck up! ◆; siess vele ! be quick about it! ; ne siess(en) don't hurry, take your time; ~ünk tudatni önnel we hasten to let you know; ~ett megragadni az alkalmat he was not slow to seize the opportunity; jó lesz ~ni you (had) better hurry, there is no time to lose, you had better trot along; minek ~ni? (biz) why hurry?; nem ~ válaszolni he is in no hurry to answer 2. (vhová) hasten to, hurry to, [vk után] hurry after, [vk felé fenyegetőleg] bear down on sy; vkt fogadni ~ run/hasten to meet sy; az ablakhoz ~ett he hurried (v. moved quickly) to the window; vknek segítségére ~ run to help sy, hasten/fly to sy's aid/help/succour, come to sy's help 3. [óra] be fast, gain; az órám 5 percet ~ my watch is 5 minutes fast, [naponta] my watch gains 5 minutes a day
sietés n, 1. hurry, haste, hustle, scuttle, [fokozott] precipitation 2. [óráé] gain
sietős [-ek, -t; adv -en] a, 1. [sürgős] urgent, pressing, hasty, [távozás] hasty; ~? is there any hurry; ~ ebéd quick luncheon; de nagyon ~ (neked) what a hurry you are in! ; a dolog ~ the matter is urgent; a dolog nem ~ there's no hurry, take it easy, take your time 2. [léptek] hurried; ~ járás trot, quick pace
sietősség n, speediness, [sürgősség] urgency
sietség n, hurry, haste, dispatch, bustle, hustle, flurry, precipitation, precipitancy, scurry, expedition; a nagy ~ben elfelejtettem in my hurry I forgot it; a legnagyobb ~gel (ker) with all possible dispatch, with the utmost dispatch; lázas ~gel in hot (v. with feverish) haste
siettében [siettemben, siettedben, siettünkben, siettetekben, siettükben] adv, in his haste, as he was hurrying, hurrying as he was
siettet vt, 1. hasten, hurry on/up, press (forward), push/urge on, rush, bustle, expedite, dispatch, precipitate, [mozgást] accelerate, speed, [vm megtörténtét] anticipate, [eseményt] precipitate; nem nagyju hogy siettessük he refuses to be rushed; egyre/folyvást ~tek levélírás közben I was hurried when I wrote that letter; nem akarom ~ni I don't want to rush you; ne siettess ! don't rush me; ~i vk halálát hasten sy's death; ez is ~i a halálát that's another nail in his coffin 2. [növényi fejlődést] force, [beérést] forward

siettetés n, 1. pressing, urging (of sg), acceleration, rushing, quickening 2. *(növ)* forcing

sietve adv, hurriedy, in a hurry/haste, hastily, hurryingly, quickly, *[kapkodva]* helter-skelter; ~ *bevisz/ becipel/betaszit (vkt)* hurry in; ~ *cselekszik* act with precipitation; ~ *csinál vmt* do sg in haste; ~ *csinált [munka]* hurried; ~ *küld/visz vmt* rush sg; ~ *lemegy* hurry down; ~*távozik* hasten away; ~ *végez [munkát]* rush; ~ *visszatér* hurry back; *nagy* ~ hotfoot

sifelszerelés n, ski-outfit/equipment

sifelvonó n, *(sp)* ski-lift

sifon [-ok, -t, -ja] n, chiffon

sifonér [-ok, -t, -ja] n, chest of drawers, chiffonier; *olyan nincs a ~ban! (kb)* not on your life!, (it is) out of question!

sifre [..ét] n, cipher, (secret) code

sifrekulcs n, key (to a cipher), cipher (key)

sifriroz [-tam, -ott, -zon| vt, (en)cipher, write in cipher(s), write (a dispatch) in code

sifrirozás n, enciphering, (writing in) cipher

sifrirozott [-at; adv -an] a, enciphered, written in chiphers *(ut);* ~ *közlés* message in cipher; ~ *távirat* cipher/code-telegram

sifutás n, cross-country ski-race/racing

sifutó I. n, cross-country skier *(v.* ski-racer), ski-runner **II.** a, ~ *terep* ski-running ground; ~ *verseny* cross-country skiing competition

siheder [-ek, -t, -e] n, stripling, lad, youngster

sihó n, good skiing snow

sijárör n, ski patrol

sijöring [-et, -je] n, ski jöring/joring

sijöringez|ik [-tem, -ett, -zen, -zék] vi, ski-jore

sijöringező [-t, -je] n, ski-jorer

sik [-ot, -ja] I. a, even, flat, level, plain, smooth, horizontal; ~ *tenger* open sea; *a* ~ *pályán* on the level course/track; ~ *vidék* flat/open/level country II. n, 1. plain, level/flat ground, *(mért)* plane; ~*ba állít* flush; *egy* ~*ban a fallal* flush/level with the wall 2. *elméleti* ~*on* theoretically, on a theoretical plane/ basis; *gyakorlati* ~*on* (looked at it) from a practical point of view, in (actual) practice; *más* ~*ra terel a beszédet* turn/change the conversation/subject

sikál [-t, -jon] vt, *[padlót]* scrub, swab, *[edényt]* scour, *[fényesre]* burnish, polish, furbish

sikálás n, *[padlót]* scrub(bing), swabbing, *[edényt]* scouring

sikáló [-t] a, scouring, scrubbing

sikálókefe n, scrubbing-brush

sikálórongy n, swab, floor cloth

sikamlós [-ak, -t; adv -an] a, 1. *[sikos]* slippery, lubricous 2. *(átv)* indecent, improper, scabrous, lascivious, lewd, eely, slippery, *[erősen]* obscene; ~ *adoma/anekdóta* highly seasoned anecdote; ~ *beszéd* ribaldry, indelicacy; ~ *történet* slippery/salty/ nasty/piquant/clubby/scabrous/sultry story, club story, hot stuff; ~ *vicc* naughty/saucy/scabrous joke, off-colour joke, broad story

sikamlósság n, lubricity, levity, scabrousness, *[beszédé]* ribaldry, *[történeté]* slipperiness, *[erős]* obscenity

sikárfű n, *(nép)* cock's-foot grass *(Andropogon ischaemum)*

sikasztal n, *(műsz)* plane-table

sikátor [-ok, -t, -a] n, mews, alley, lane, passage, back-street alley, passageway, areaway *(US)*

sikattyú [-t, -ja] n, † hand-vice

sikbeli [-t] a, *(menny)* plane; ~ *erők* planar forces

sikdombormű n, low relief, bas-relief, basso relievo

sik-domború a, plano-convex

siker [-ek, -t, -e] n, success, *[eredmény]* result, achievement, *[feltűnéssel járó]* éclat *(fr)*, *[színdarabé]* hit, *[szerencse eredménye]* fortune, piece of luck; *erkölcsi* ~ moral success; *őrült* ~ frantic/prodigious success;

részleges ~ partial success; *teljes* ~ complete success; *színházi* ~ box-office hit; *a* ~ *lépcsőfokai* ladder of success; *a* ~ *titka* the trick/secret of success; *fáradozásait* ~ *koronázta* his efforts were crowned with success; *a* ~ *elkerülte* success has passed him by; *fejébe szállt a* ~ be dizzy with success, success has turned his head; *ez aztán a* ~! that's something like success!; *(nagy)* ~*e van* succeed, be a (great) success, take/catch on, have a (great) success, score success, sweep the board, make headlines, win one's way, carry all before one, *[színdarabnak]* be a hit, get across, catch on, *[színészeknek]* bring the house down; *nincs* ~*e* be unsuccessful, fail, have no success, fall flat, *[színdarabnak]* it does not make a hit *(v.* catch on), it won't take; *biztos* ~*e lesz* be sure of success; ~*ekben gazdag* highly successful; *a* ~*hez vezető úton van* be on the highway to success; *ezt nevezem* ~*nek!* that's something like success!; ~*re juttat* establish the success of, make successful, get/put across, pull off, make a go of sg, put over *(US);* ~*re vágyó* desirous to succeed *(ut);* ~*re viszi a darabot* make the play a hit, get the play across (the footlights), get the play over; ~*re visz tárgyalást* bring negotiations to a successful conclusion; ~*t arat* achieve success, be successful, meet with success, succeed, make a go, carry all before one, bring home the bacon *(US);* *nagy* ~*t aratott* it was a huge success; ~*t ér el* score a success/ victory, succeed, meet with success; *nem keresem a könnyű* ~*t* I am not out for a cheap success; ~*t kiaknáz* follow up a success; ~*t* ~*re halmoz* add success to success, carry the world before one; *ez újabb* ~*t jelent számodra* that's another feather in your cap *(fam);* *szerencséjének köszönheti a* ~*ét* owe one's success to luck; ~*rel biztató üzlet* promising business; *nem kis* ~*rel* with no mean success; *kevés* ~*rel biztat/kecsegtet* it is not calculated to succeed; *teljes* ~*rel jár* meet with full success

sikér¹ [-t, -je] n, *(növ. vegyt)* gluten, aleuron(e)

sikér² [-t] a, = **sekély I.**

sikeres [-ek, -t; adv -en] a, successful, crowned with success *(ut)*, fortunate, effectual, *[anyagilag]* prosperous, paying, rewarding; ~ *vizsga* pass; ~*nek bizonyul* turn out a success

sikeresen adv, successfully, with colours/banners flying, *[anyagilag]* prosperously; ~ *elintéz vmt* settle/ arrange sg successfully; ~ *elvégez egy munkát* manage a piece of work

sikeresség n, successfulness, *[anyagi]* prosperousness

sikersorozat n, success after success, a run of luck *(fam)*

sikértányér n, shallow/flat/dinner/meat plate

sikértartalom n, proportion of gluten

sikertelen [-ek, -t; adv -ül] a, unsuccessful, having no success *(ut)*, successless, without success *(ut)*, attempted (sg), *[hiábavaló]* futile, abortive, *[eredménytelen]* resultless, fruitless; ~ *kísérlet* unsuccessful attempt/trial, unsuccessful experience/test; ~ *támadás* abortive attack; ~ *vállalkozás* enterprise unblessed with success; ~ *marad* remain unsuccessful

sikertelenség n, failure, unsuccess, ill-success, want of success, fiasco, *[tervé]* miscarriage, failure, *(szính)* frost *(fam)*, wash-out ◈; ~*re van kárhoztatva* be condemned to fail(ure)

sikertelenül adv, without success

sikerű [-t] a, *biztos* ~*ü* certain of success *(ut)*, sure-fire *(US);* *nagy* ~ *ld* **nagy I. 2.**

sikerül [-t, -jön] vi, 1. *(vm)* succeed, be a success, turn out right/well, come off, come to fruition, go through, *[fénykép]* come out; *jól* ~ be successful, be a (great) success, go off well, turn out a success, turn out well; *nem* ~ fail, miscarry, come to nothing/

naught, fall through; *egyáltalán nem ~t* it got nowhere; *nem ~ a tervünk* our plan miscarried/failed, our plan fell through, our scheme did not work; *a kép nem ~t* the picture is a failure; *nem ~t az élete* his life was a failure, he made a mess of his life; *ha ~ne* should it go through, should I be able to...; *vagy ~ vagy nem* it is hit or miss; *alig ~t* he had trouble in doing it, he hardly succeeded (in getting it done) **2.** *(vknek vm)* succeed in (doing) sg, manage (to do sg), carry it off *(fam)*, pull off *(fam)*; *ez ~t neki* in this he succeeded, he brought it off, he made a good go of it; *nem ~t neki* he failed, he had no success with/in it, he got nowhere, he was unsuccessful; *ez nem ~t neki* in this he failed; *minden ~ neki* he succeeds in everything, he carries everything off; *nekem semmi se ~* nothing goes right with me; *éppen csak hogy ~t* we could just manage it; *~t elbuknia a vizsgán* he managed to fail at the exam; *~ elintéznie/ elvégeznie/(meg)tennie vmt* manage to do sg, succeed in doing sg; *még idejében ~t figyelmeztetnem* I contrived to warn him in time; *~t idetalálnod?* did you manage to find your way here? ; *~t neki meggyőzni(e)* he managed/succeeded/contrived to convince him; *~t rávenni* I contrived to persuade him **3.** *(vmlyennek)* prove (to be), turn out (to be); *rövidre ~t* it turned out too short

sikerületlen *a*, miscarried, abortive; *~ gyerek* failure

sikerült [-et; *adv* -en] *a*, successful, *[munka]* successfully done *(ut)*, neat, *[színházi előadás]* well performed *(ut)* ; *~ estély volt* the party was a great success; *~ gyerek* gifted/talented child, lad of parts; *rosszul ~ fénykép* blurred photo(graph); *rosszul ~ spekuláció* dud speculation ◈

síkeszterga *n*, surfacing-lathe, chuck-lathe, face-lathe

síkesztergálás *n*, facing

síket *a/n*, = **süket**

siketfajd *n*, *(áll)* capercaillie *(Tetrao urogallus)*

siketnéma **I.** *a*, deaf-mute, deaf and dumb; *~ beszéd* finger-language **II.** *n*, deaf-mute

síkfelület *n*, plane (surface)

síkfésülőgép *n*, *(tex)* rectilinear combing machine

síkfilm *n*, cut/sheet film

síkfilmbetét *n*, cut film adapter

síkfutás *n*, flat-race/racing, flat *(fam)* ; *100 méteres ~* 100 metre race/dash, *[férfi]* 100 metre race for men, men's hundred metres, *[női]* 100 metre race for women, women's hundred metres; *három mérföldes ~* three-mile race

síkgörbe *a*, plane-curve

síkgyalugép *n*, surfacer

síkháromszög *n*, plane-triangle

síkháromszögtan *n*, plane trigonometry

síkhengeres *a*, plano-cylindrical

síkhomorú *a*, plano-concave

síkdom *n*, geometrical/plane figure, two-dimensional (*v.* bidimensional) figure/diagram

síkidomszer *n*, plane gauge

sikít[1] [-ani, -ni, -ott, -son] *vi*, scream, shriek, screech, squeal, yell, squall, squeak

síkít[2] [-ani, -ott, -son] *vt*, □ = **sikkaszt**

sikítás[1] *n*, scream, shriek, screech, squeal, yell, squall, squeak

síkítás[2] *n*, □ = **sikkasztás**

sikító [-t] *a*, screaming, shrieking

sikítoz [-tam, -ott, -zon] *vt/vi*, be screaming/shrieking

sikk [-et, -je] *n*, chic; *csupa ~* very chic, having chic *(ut)*

sikkaszt [-ani, -ott, .. asszon] *vt*, embezzle, defalcate, defraud, *[közpénzt]* peculate, misappropriate (funds), default, *[levelet, táviratot]* intercept, suppress

sikkasztás *n*, embezzlement, defalcation, *[közpénzt]* peculation, misappropriation (of funds), malver-

sation, fraudulent misuse of funds, *[levelet]* interception

sikkasztó [-t, -ja] **I.** *a*, embezzling, defalcating, peculating, defaulting **II.** *n*, embezzler, defalcator, peculator, defaulter, defrauder

síkkerék *n*, plane wheel

sikkes [-ek, -t; *adv* -en] *a*, chic, stylish, dashing *(fam)*, *[igével]* have style; *~ kis kalap* saucy little hat; *~ nő* she has style, there's style about her

síkköszörű *n*, surface grinder

síkkötőgép *n*, *(tex)* flat knitting machine

síklap *n*, plane

síkláp *n*, *(növ)* fen

siklás *n*, gliding, glide, sliding, slide, slip(ping), glissade, *[kígyóé]* crawl, *(rep)* *[vízen]* taxiing

siklik [-ani, -ott, .. koljon, .. koljék] *vi*, glide, slide, slither, slip, *[kígyó stb.]* crawl; *a hajó ~ik a hullámokon* the ship rides the waves; *vízen ~ik [hidroplán]* taxi along the water

sikló [-t, -ja; *adv* -n] **I.** *a*, gliding, sliding, slithering **II.** *n*, **1.** *[jármű]* funicular (railway), wire/cable/ gravity/rope railway **2.** *[lejtő]* ramp, slope **3.** *(áll)* *vízi ~* ringed snake, grass-snake *(Natrix natrix)* ; *erdei ~* Aesculapian snake *(Elaphe longissima)* ; *fakúszó ~* racer *(Coluber sp.)*

siklóhajó *n*, légpárnás *~* hovercraft

siklópálya *n*, *(sp)* slide, sliding-place, *(rep)* glide path, *(műsz)* slide-way, shoot, chute

siklórepülés *n*, glide, gliding(-flight), volplane, sail-planing; *~t végez* glide, volplane; *~sel leszáll* volplane (to the ground), glide/plane down

siklórepülő *n*, glider

siklórepülőgép *n*, glider(plane), sail-plane

siklószög *n*, *(rep)* gliding angle

síkmarógép *n*, *(műsz)* surface-milling machine, plano-miller

síkmértan *n*, plane geometry, planimetry

síkmértani *a*, planimetrical

síkmetszet *n*, *(menny)* plane section

síknyomtatás *n*, *(nyomd)* flat-surface printing, plano-graphic printing, planography

sikolt [-ani, -ott, -son] *vi*, = **sikít**

sikoltás *n*, = **sikítás**

sikoltoz [-tam, -ott, -zon] *vi*, = **sikítoz**

sikoly [-ok, -t, -a] *n*, = **sikítás**

sikong [-ani, -tam, -ott, -jon] *vi*, scream/screech repeatedly, keep/be screaming/screeching, *[csecsemő]* crow

sikos [-at; *adv* -an] *a*, slippery, skiddy, *[zsírtól]* greasy, lubricous; *~ út* greasy road

síkosítószer *n*, lubricant

síkosság *n*, slipperiness, greasiness, lubricity, oiliness

síkpárhuzamos *a*, plane-parallel

síkpor *n*, talcum powder, powdered soapstone/rosin, French chalk

síkrajz *n*, planimetry

síkrajzi *a*, *[térkép]* planimetric(al)

síkraszáll *vi*, *~ vmért/vkért* enter the lists for, advocate sy's cause, take the field, enter upon a campaign, join battle for sg, come out for sy/sg, take up the cudgels for sy (*v.* on sy's behalf *v.* in defence of sy), go to bat for, strike a blow for

síkság *n*, **1.** *[terület]* plain, lowlands *(pl)*, flat (land), flatland, flat/level country, champaign *(obs)* **2.** *[tulajdonság]* evenness, flatness, levelness, level character

síksin *n*, plate-rail

síkszárnyúak *n. pl*, *(áll)* planipennes, planipennia

síkszítás papírgép Fourdrinier (machine)

síkszög *n*, plane angle

síkszövőgép *n*, plain loom

síktárcsa *n*, face-plate

síktengeri a, of the high/open seas (ut)
síktükör n, plane-mirror
-síkú [-ak, -t] a, -plane, -planar
síküveg n, plate-glass
síkverseny n, flat-race
síkvidék n, flat/level/even/smooth country/land, flatland, [vízparti] holm
silány [-at; adv -an] a, inferior, of inferior quality (ut), mean, poor, shoddy, worthless, wretched, paltry, miserable, low-grade, pitiable, [anyag] base, poor, [eredmény] mediocre, poor, [munka] makeshift;~ alu inferior (v. low-class) goods (pl), trash, shoddy; ~ ebéd a putrid dinner; ~ épltkezés/épület jerry-building, jerry-built house; ~ eredmény poor result; ~ gyapjú cast wool; ~ holmi gimcrackery; ~ minőségű of inferior quality (ut); ~ munka makeshift; ~ utánzat paltry imitation
silányít [-ani, -ott, -son] vt, deteriorate, mar, spoil, impair
silányod|ik [-tam, -ott, -jon, -jék] vi, deteriorate, (vk) degenerate
silányság n, 1. [minőség] inferiority, poverty, poorness, shoddiness, paltry/mean/poor character, paltriness, badness, [talajé] poverty 2. [áru] trash, rubbish
silbak [-ot, -ja] n, † sentinel, sentry
silbakol [-t, -jon] vi, † stand sentry, mount guard, do sentry-duty
sild [-et, -je] n, = 1. pajzs; 2. [ellenző] eye shade, visor
siléc n, ski
silift n, ski-lift/train
sillabizál [-t, -jon] vt, spell out, read with difficulty, decipher
sillabizálás n, spelling out, deciphering
sillabusz [-ok, -t, -a] n, draft (of speech/lecture), conspectus, synopsis
siller [-ek, -t, -e] n, ⟨light-bodied pink table wine⟩, "Siller" wine, rose wine
siló [-t, -ja] n, silo, [kisebb] storage bin, store-pit; ~ba rak/önt silo
silókukorica n, maize for silage
silónövények n. pl, (en)silage crops
silótakarmány n, (en)silage
silóz [-tam, -ott, -zon] vt, [takarmányt] silo, ensile, (en)silage
silózás n, ensilage, ensilation
sima [.. át] a, 1. (ált) smooth, [lapos] flat, [bőr] smooth, [haj] sleek, lank, straight, [vízszintes] level, [egyenletes] even, plain, unwrinkled, [fénylő] glossy, satiny, sleek, oily, slick, [tenger] calm,[víztükör] waveless, unruffled; ~ mint a tükör [tengerről] like (v. calm as) a mill-pond; ~ áll smooth chin, well razored chin; ~ bor soft wine; ~ csövű smooth-bore; ~ haladás [járműé] smooth running/riding; ~ izom unstriped/involuntary muscle, non-striated muscle, smooth muscle; ~ járás/üzemelés [gépé] smooth working; ~ kenyér plain bread; ~ kéz soft hand; ~ liszt pure wheaten flour; ~ őrlés low grinding; ~ pamutszövet plain cotton good; ~ pcpir (nyomd) art paper; ~ szőrű smooth/sleek haired; ~ szövet cloth with plain surface; ~ víz plain water (as opposed to aerated water); simára borotvál shave clo :e; simára borotváltatja magát have a close shave; simára borotvált smooth-chinned/shaven/faced, clean-shaven; simára gyalul plane down/away the irregularities; simára hengerel/kalapál planish; simára vakol float, shape/level off; simává tesz [kelmét stb.] smooth (out) 2. [nem díszített] plain; ~ hajviselet flat/straight coiffure (v. hair-do); ~ elejű ing French front shirt, no-panel front shirt 3. ~ kötés [kézimunka] plain knitting; ~ szem [kézimunka] garter stitch;egy ~ egy fordítot knit one(,) purl one 4. [egyszerű] plain,

simple; ~ dolog it's all clear sailing (fam); ~ gémi játék love game; ~ győzelem easy/runaway victory, walk-over; ~ szedés (nyomd) plain composition/matter, bookwork; három ~ szetben in three straight sets 5. [modor] smooth, polished, suave; ~ beszédű smooth-spoken;~ módor easy manners (pl), easiness, smoothness, urbanity, (ellt) sleek/slick/smooth manners (pl); ~ modorú having easy manners (ut), plausible, smooth-spoken, oily; ~ szájú/szavú smooth-tongued/spoken
simán adv, 1. smoothly, evenly; ~ viseli a haját she wears her hair flat 2. (átv) straight, easily, without difficulty, without a hitch; ~ megy it goes quite smoothly, it's all plain/smooth sailing, it goes without a hitch (v. with a swing); ~ ment a dolog it was smooth sailing; ~ elintéz settle easily
simaság n, 1. [felületé] smoothness, flatness, [bőré] smoothness, [hajé] sleekness, straightness, [vízszintesség] levelness, [egyenletesség] evenness, plainness 2. [egyszerűség] plainness, [vmnek a lebonyolításában] smoothness 3. [modoré] smoothness, suavity, oiliness, [stílusé] smoothness, polish
simáz [-tam, -ott,-zon] vt, smoothen, [csiszolva] polish, burnish, [hengerrel] planish
simi [-t, -je] n, [tánc] shimmy
simít [-ani,-ott,-son] I. vt, (ált) smooth, level, even, sleek, make smooth/even, smoothen, [fényesre] burnish, polish, [talajt] level, even, plane, planish, [fémet] polish, [kelmét] smooth out, [követ] (sur)face, [papirost] glaze, enamel, satin, hot-press, mangle, roll, [vásznat] calender, [vakolatot] float, [dörzspapírral] sandpaper 2. (átv) ease, palliate, extenuate, smooth over II. vi, [művön] touch up, [utolsót] give/add the finishing touches to; ~ egy költeményen polish up a poem
simítás n, 1. (ált) smoothing, levelling, evening, making even, sleeking, [fényesre] burnishing, polishing, [talajé] planing, planishing, [hőé] facing, [papíré] glazing, mangling, rolling, [vászoné] calendering, [dörzspapírral] sandpapering, [bőré] dressing, [vakolaté] floating 2. (átv) easing, palliation, extenuation, smoothing over 3. az utolsó ~okat végzi add/give the finishing touches (to sg), put the final touches to sg, round sg off (by, with), give the finishing strokes to (one's work); az utolsó ~okat végzik rajta be in process of completion
simítatlan a, unsmoothed, unpolished, unglazed; ~ papír unglazed paper
simító [-t, -ja] I. a, smoothing, sleeking, polishing, burnishing, levelling; ~ munkás glazer, polisher, burnisher; ~ vakolás setting coat II. n, smoother, sleeker, burnisher, polisher, planer, planisher, calender
simítóacél n, burnisher, polishing-iron
simítóbárd n, adze
simítócsont n, (paper-)folder, folding/smoothing-bone, [cipészé] polishing-stick, [könyvkötőé] folding knife/stick
simítódeszka n, (épít) handle-board, quirk-float, darby
simítófa n, smoothing stick, [űrmértékhez] strickle
simítógép n, satining/glazing/pressing machine, (tex) hot-press, ironing machine, [papíriparban] (super-) calender, rolling-machine/mill
simítógyalu n, jointer, smoothing/finishing Cornish/cooper's plane, jointing-plane
simítóhenger n, [gumiból] squeegee, (mezőg) field-roller, [papíripari] calender
simítókanál n, flat/smoothing trowel
simítókés n, sleeking-knife, [bőrhöz] whitening-knife, slicker, [esztergályosé] flat-tool, broad-chisel, [könyvkötészetben] paper-knife

símítókorong *n*, polishing-disc
simítókő *n*, sleek/polishing-stone, smoother
simítólap *n*, *(épít)* float, *(tex)* calender
simítóléc *n*, float(er), hand-float, smoothing board
simítóreszelő *n*, smooth/soft/cut-file
simított [-at; *adv* -an] *a*, ~ *(felületű)* surface-coated; ~ *papir* glazed/slick/calendered paper
simítóvas *n*, slick-chisel, polishing/scraping-iron, burnisher
simítóz [-tam, -ott, -zon, -zék] *vt/vi*, use a smoothing harrow, smooth, even, level
simítózás *n*, *(mezőg)* using a smoothing harrow, smoothing
simléder [-ek, -t, -e] *n*, peak, eye-shade, visor, vizor (of cap), bill *(US)*
simli [-t, -je] *n*, *(biz)* = simléder
simogat *vt*, stroke, pet, *[becézve]* caress; ~*va* strokingly
simogatás *n*, stroking, petting, *[becézve]* caressing
simogató [-t] *a*, ~ *masszázs* gentle stroking massage, effleurage
Simon [-t, -ja] *prop*, Sim(e)on
simónia [. .át] *n*, simony
simul [-t, -jon] *vi*, 1. *[simává válik]* become smooth/sleek 2. *(vm vmhez)* fit/sit close/tight to, stick/adhere closely to, *(vk vkhez)* nestle/cling/press close to, snuggle/cuddle to *(jam)*, *(vk vmhez)* stand/sit/be close to; *testhez* ~ *[ruha]* fit close; *egymáshoz* ~*nak* cling to one another; *szorosan a falhoz* ~*t* stood close to *(v.* pressed close against) the wall 3. *(átv vk vmhez)* accommodate/adapt oneself to, comply (with), conform (to)
simulás *n*, 1. *(vk vkhez)* nestling close, clinging to 2. *(átv vk vmhez)* compliance with
simulékony [-at; *adv* -an] *a*, *(átv)* accommodating, pliant, pliable, supple(-minded) *(pej)*, *[helyzethez]* flexible
simulékonyság *n*, pliability, suppleness, adaptability, pliancy
simuló [-t] *a*, *(nyelvt)* ~ *kérdés tag* question, question tag; ~ *hang* semi-vowel; ~ *szó* conjuct
sin [-ek, -t, -je] *n*, 1. *(vasút)* rail, metals *(pl)*, *[sinpár]* track; ~*re van téve (átv)* *[el van indítva és halad]* be launched 2. *[szerkezetben]* rail, bar, band, bearing, guide, rod screed, splint, *[csúsztató]* groove, slide 3. *(orv)* splint, cradle, solen; ~*be tesz [tört tagot]* splint, secure by splint(s) 4. *[szekérkeréken]* (wheel-)tyre
sínadrág *n*, ski pants *(pl)*
sínautó *n*, rail-car/motor
sínautóbusz *n*, rail-bus
sincs *vi*, is not. . .either, is not even. . . ; *ott* ~ it isn't there either; *meg* ~ *még jelölve* it isn't even marked yet; *neked* ~ *nekem* ~ neither have you nor have I; *sehol* ~ I can't find it anywhere, there is no trace *of* it; *semmije* ~ he's got absolutely nothing *(v.* nothing at all), he hasn't got a thing; *köszönöm semmire* ~ *szükségem* I'm perfectly all right(,) thanks; *senki* ~ *otthon* no one *(v.* not a soul) in, nobody is at home; *szó* ~ *róla* (it is) out of question, by no means; *ők* ~*enek itt* they are not here either
sincsavar *n*, sleeper-screw, stud-bolt
sincsen *vi*, = sincs
sincsenek *vi*, *ld* sincs
sincsere *n*, re-laying of rails
sinemelő *n*, *(vasút)* rail-jack, railroad jack
sine qua non indispensable condition/qualification, sine qua non *(lat)*
sinezés *n*, *(orv)* splinting
sínfej *n*, *(vasút)* rail-head
sínfogó *n*, rail tongs *(pl)*
sing [-et, -je] *n*, † ell, cubit
singcsont *n*, *(bonct)* cubit-bone, ulna, cubitus

singcsonti *a*, *(bonct)* ulnar
sínhálózat *n*, rail system, rail net-work
sínhengermű *n*, rail mill
sínheveder *n*, fish/rail-plate
sínillesztés *n*, 1. *(műsz, vasút)* coupling of rails, rail-joint, rail fastening 2. *(orv)* fixing of splints
sínkapocs *n*, 1. *(műsz)* rail cramp, fish-bar/joint/piece/place 2. *(orv)* splint-fastener/clip
sínkeresztezés *n*, (rail) crossing
sínkófál [-t, -jon] *vt*, filch, pinch
sínkötés *n*, 1. *(műsz, vasút)* rail-coupling/fixing, rail joint, railway-joint 2. *(orv)* splint-bandage
sínköz *n*, gauge (of track), rail-gauge
sinológia [. .át] *n*, sinology
sinológiai [-t] *a*, sinological
sinológus *n*, sinologist
sínpár *n*, track(-way), (railway-)line; ~*ok közti távolság* six-foot way
sínrakó *n*, rail/track/plate-layer
sínsaru *n*, rail/railway-chair, supporting shoe, cradle, carriage
sínszál *n*, rail
sínszeg *n*, hooknail, spike(-nail), track-spike
síntalp *n*, rail-foot, lower flange, patten of a rail
síntávolság *n*, distance between rails, rail-gauge, width of track, gauge (of tracks)
síntér [-ek, -t, -je] *n*, 1. dogcatcher, poundmaster, *[nyúzó]* flayer 2. *(átv)* sawbones
síntérlegény *n*, dogcatcher's man
síntértelep *n*, pound, flaying-house
sinto [-t] *a*, *(vall)* Shinto
sintoizmus *n*, *(vall)* Shintoism
síntörés *n*, breaking/rupture of rail/track
sinus [-ok, -t, -a] *n*, 1. *(menny)* sine, *[röviditve]* sin 2. *(bonct)* sinus; ~ *caroticus* carotid sinus; ~ *cavernosus* cavernous sinus
sinusgörbe *n*, *(menny)* sine curve/line, sinusoid
sínvándorlás *n*, rail-creep, creep of rail/track, creepage
sínvas *n*, flatiron, flat bar iron
sínvégződés *n*, rail-head
sínyli [sínyleni, sínylette] *vt*, be adversely affected by, smart/suffer for, feel the (evil) consequences (of)
sínylőd|ik [-tem, -ött, -jön, -jék] *vi*, pine away, languish, *[betegségben]* be ailing/sickly, suffer (from), *[börtönben]* languish (in prison), *[járomban]* groan (under the yoke of), *[nyomorban]* be in want, drag on a wretched life, *[vegetál]* vegetate
sínyomok *n. pl*, ski tracks/trails
Sion [-t, -ja] *prop*, *[hegye]* Zion
síöltözet *n*, ski(ing) suit/attire
síp [-ot, -ja] *n*, whistle, *[pásztoré]* (shepherd's) pipe, reed, *(zene)* fife, *[dudáé]* blow-pipe, *[orgonáé]* (organ) pipe, *[gőz]* steam-whistle, *[hangoló]* pitch-pipe, *[madárcsalogató]* birdcall, *[vadcsalogató]* decoy-pipe; *riasztó* ~ alarm-whistle; *a* ~ *szól* the whistle shrieks/blows; ~*on eljátszik [dalt]* pipe (a tune), play (a tune) on a pipe
sípálya *n*, ski-track/run
sípcsont *n*, *(bonct)* shin-bone, tibia; ~*on rúg vkt* shin sy, kick sy on the shin(s)
sípcsontfekély *n*, fistula of the shin-bone
sípcsontvédő *n*, shin-guard/pad
síphang *n*, whistle, whistling (sound), piping, sound of pipes
sipirc *int*, off you go!, get along/away!, off/out with you!, clear out!, *[macskariasztó]* scat
sipista [. .át] *n*, cheat, rook, card-sharp(er)
sípit [-ani, -ott, -son] *vi*, screech, scream, pipe, yell, shrill
sípító [-t] *a*, ~ *hang* piping; ~ *hangon énekel* screech
sípítoz|ik [-tam, -ott, -zon, -zék] *vi*, *vt* keep screeching/yelling

sípjel *n*, whistle (signal)
sipka *n*, = sapka
sípláda *n*, barrel/street organ, hurdy-gurdy *(fam)*, *[orgonán]* organ-case/chamber, buffet
sípol *[-t, -jon] vi*, 1. *[sippal]* whistle, blow the whistle, *(hajó)* pipe, *[mozdony]* hoot, scream 2. *[mell, tüdő]* wheeze
sípolás *n*, 1. *[sippal]* whistling, *(hajó)* piping 2. *[mellben, tüdőben]* wheeze
sípoló *[-t] a, [hang stb.]* whistling, *[lélegzés]* stridulous
sípolófazék *n*, pressure-cooker, autoclave, whistling cooker
sipoly *[-ok, -t, -a] n, (orv)* fistula
sipolyos *[-at] a, (orv)* fistular
sípos *[-ok, -t, -a] n*, whistler, piper, pipe-player
sippal-dobbal *adv*, with song and chime, *[népi dalszöveg]* with pipe and tabor, with whittle and dub
sípszó *n*, whistle, whistling, piping
sír[1] *[-t, -jon] vi*, 1. *[hangosan]* cry, *[halkan]* weep, be in tears, shed tears, *[jajveszékelve]* wail, *[zokogva]* sob, blubber *(fam)*, *[gyerek]* pule, snivel *(pej)*, turn on the waterworks *(joc)*; hangosan ~ cry, boohoo, blubber *(fam)*, sob; álomba ~ja magát cry oneself to sleep; ~ örömében weep/cry for joy; ~ni kezd start crying; ~ni tudnék I could cry; majd jog még ~ni is! he will laugh the other side of his mouth; ~va crying, weeping, in tears; ~va jakad burst/melt into tears, fall a-crying/sobbing *(ref.);* ~va jakad a méregtől weep from vexation; ~va kér vmt cry for sg; ~va vigad *(kb)* take one's pleasure sadly, make merry in tears, *[elérzékenyülő részeg]* be maudlin in one's cups 2. *[nyúl]* squeak, *[malac]* squeal 3. ~ a hegedű the violin wails/sobs 4. *(átv)* complain, groan, whine, moan, grumble
sír[2] *[-ok, -t, -ja] n*, grave, tomb, sepulchre *(ref.);* a ~ long/last home *(fam);* hallgat/néma mint a ~ be as silent as the grave, button up one's mouth, be mute as a fish *(fam);* a ~ szélén áll/van be on the brink/ edge of the grave, be at the point of death, be at death's door; ~ba száll die, go down into the tomb; vkt ~ba tesz/helyez lay sy to rest, lay sy in the grave, entomb sy, sepulchre sy; ~ba teszik a holttestet entomb the body; ~ba jog tenni engem *[= túl jog élni]* he will outlive me, he will see me into my grave; ~ba viszi a bánat die of a broken heart; ez engem ~ba vinne it would kill me (to); ~ba visz (s)he'll be the death of me; ~ba vitte a titkot/titkát he carried the secret to the grave, his secret died with him; ez vitte őt a sírba this/it broke his heart, this put him into his grave; közös ~ba temet bury in a common grave; a ~ban in the grave, in his/her tomb, below ground, under the sod; jél lábbal a ~ban van have one foot in the grave; megfordul/forog a ~jában turn in one's grave, sy's bones would rattle with rage (if he knew . . .); a ~ig to one's dying day; ~ig hű true till death *(ut)*, faithful unto death *(ut)*, ever-loving; a ~on túl beyond the grave, hereafter; ~on túli (from) beyond the grave *(ut)*, of the other world *(ut)*
síralmas *[-at; adv -an] a, [állapot]* deplorable, lamentable, miserable, pitiful, *[látvány]* pitiable, sorrowful, *[történet]* piteous, heartbreaking, *[hang]* lugubrious, woeful, *[idő, helyzet, esemény]* miserable, *[tény]* rueful, *[gyenge]* sorry, poor, wretched; ~ állapotban van be in a sorry/sad plight; ~ benyomást tesz *(vk)* cut a poor figure; ~ kudarc lamentable failure; ~ népség/társaság/banda sorry crew; ~ szereplés sorry performance
síralmasan *adv*, deplorably, lamentably, piteously, pitifully, woefully, wretchedly, sadly; ~ hat look (sadly) out of place; ~ szerepel he cut a sorry figure
síralom *[. . almat, . . alma] n, [állapot]* misery, piteousness, wretchedness, *[panasz]* lament(ation), wailing;

~ volt ránézni he was a pitiable sight; ~ völgye vale of tears; siralmak jeremiad; Jeremiás siralmai Lamentations of Jeremiah
siralomház *n*, condemned cell
siralomvölgy *n*, vale/valley of tears; e *(földi)* ~ this vale of tears/woe
sirály *[-ok, -t, -a] n, (áll)* gull, mew *(Larus sp.)*, *[tengeri]* sea-gull/mew; ezüst ~ herring gull *(L. argentatus);* kis ~ little gull *(L. minutus)*
sirályfélék *n. pl, (áll)* laridae *(Laridae)*
sirályhojsza *n, (áll)* fulmar (petrel) *(Fulmarus glacialis)*
sirálytanya *n*, gullery
sirám *[-ot, -a] n*, lament, complaint, jeremiad; elregéli ~ait go through a long jeremiad
siránkozás *n*, continual lamentation/complaint/wailing lament, *(elit)* whimpering, whining, snivelling
siránkoz|ik *[-tam, -ott, -zon, -zék] vi*, lament, wail, moan, make complaints, *[vm jelett/miatt]* bewail sg, lament for/over sg, *(elit)* whimper, whine, snivel, pule
siránkozva *adv*, wailingly
siránkozó *[-t; adv -an] a*, lamenting, wailing, *(elit)* snivelling, whimpering, whining; ~ hangon in a whining voice, in a whimpering tone
sírás *n*, 1. crying, weeping, shedding of tears, *[gyereké]* puling; a ~ határán van, a ~hoz közel áll be on the verge of bursting into tears; torkát szorongatja/fojtogatja a ~ have a lump in one's throat; semmi okod a ~ra you have nothing to complain of, you needn't grumble; ~ra áll a szája make a face as if to cry, pull a crying face, a sob is lurking in the corner of her mouth 2. *[nyúlé]* squeak
sírásás *n*, grave-digging
sírásó *[-t, -ja] n*, grave-digger, sexton; saját ~ját megteremti/megszüli bear the seeds of its own destruction
sírás-rívás *n*, whining, wail(ing), howl(ing), piping *(fam)*
sirat *vt*, bewail (for), mourn for/over, *[siratóasszony]* keen, *[általában]* cry/weep *(v. shed tears)* for/over sy/sg, *(átv)* deplore, lament; ~ja az ifjúságát he is mourning for his lost youth; elpazarolt ifjúságát ~ja sigh for his misspent youth; most már ~hatod no use crying over spilt milk
siratás *n*, mourning, lamentation, Krisztus ~a *(műv)* Lamentation over (the Dead) Christ
sirató *[-t, -ja] I. a*, mourning, lamenting, weeping, bemoaning, bewailing II. *n*, 1. *[személy]* mourner, weeper 2. *[ének, szertartás]* dirge, lament, threnody
siratóasszony *n*, hired/professional mourner, mute, beadswoman, wailer
siratóének *n*, funeral-song, dirge, death-song
siratóest *n, [népzene]* ⟨a wedding custom accompanied by ancient ritual songs⟩, *(kb)* eve of wailing
siratófal *n, [Jeruzsálemben]* the Wailing Wall
sírbatétel *n*, burial, burying, committal to the earth, inhumation, interment, sepulture, *(műv)* entombment, deposition, sepulture of Christ
sírbolt *n*, family/sepulchral vault, tomb, *[templomi]* crypt; családi ~ family grave/vault
sírdogál *[-t, -jon] vi*, be (softly) crying
sírdomb *n*, burial-mound/hill, sepulchral mound, grave, *[őskori]* tumulus, *[kőkori, bronzkori]* long barrow, *[kőrakásos]* cairn
síremlék *n*, tomb, sepulchre, sepulchral monument, *[épület]* mausoleum
sírépítmény *n, kupolás* ~ domed sepulchral structure
sírfa *n*, head-board (of grave)
sírfelbontás *n*, exhumation
sírfelirat *n*, epitaph, inscription (on grave)
sírgondozás *n*, care/maintenance of tombs
sírgödör *n*, grave, pit

sírgyalázás *n*, desecration of a tomb
sírhalom *n*, = sírdomb
sírhant *n*, = sírdomb
sírhatnékja van she is in a crying mood, it looks like crying with her, she feels as if she could have a (good) cry
sírhely *n*, burial/resting-place, place of interment, *[parcella]* lot, *[megjelölt]* grave, tomb, sepulchre
síri [-t] *a*, 1. *[sírral kapcsolatos]* sepulchral, funereal 2. ~ *csend* lugubrious/gloomy/dead silence; ~ *csendben figyeltek* they listened in dead silence; ~ *hang* sepulchral/hollow/funereal voice
sí-rí [íni-ríni, sítt-rítt, sírjon-ríjon] *vi*, = sír-rí
sírirat *n*, = sírfelirat
sírkamra *n*, burial vault, crypt
sírkápolna *n*, sepulchral chapel
sírkereszt *n*, cross (on a grave)
sírkert *n*, cemetery, churchyard, graveyard, God's acre *(ref.)*
sírkő *n*, grave/tomb/burial-stone, headstone, monument, sepulchral stone, *[dombormüves]* stele
sírkőavatás *n* dedication of a tomb-stone
sírkőfaragó *n*, monumental mason, tomb-stone engraver
sírkőlap *n*, flatstone, ledger (stone), *[sír alján]* foot-stone
sírlámpa *n*, tombstone/grave lamp, lamp on grave
sírleírás *n*, description of the grave(s)
sírmelléklet *n*, *(rég)* grave-goods *(pl)*, grave-furniture
sírmező *n*, graveyard, necropolis *(ref.)*
síró [-t] I. *a*, crying, weeping, *[gyerek]* puling, crying; ~ *gyermekek* crying children; *anyja után* ~ *gyermek* mammy-sick child; ~ *hang* whining/whimpering tone, tearful/plaintive voice II. *n*, weeper
sírógörcs *n*, crying-fit, convulsive/hysterical/spasmodic sobbing, fit of weeping/crying
sirokkó [-t, -ja] *n*, s(c)irocco
síró-rívó *a*, crying, weeping, whining, whimpering, sobbing; ~ *gyerek* cry-baby, fractious child
sírós [-at; *adv* -an] *a*, weepy, *[hang]* lacrimose, lachrymose, whimpering, snivelling, maudlin *(fam)*, *[tulajdonság]* doleful, peevish, fractious, weepy *(fam)*; ~ *gyermek* fractious child, cry-baby
sírrablás *n*, despoiling/rifling of a tomb, *[hulláé]* body-snatching
sírrabló *n*, despoiler/rifler of a tomb, *[hulláé]* body-snatcher
sír-rí [sírni-ríni, sírt-rítt, sírjon-ríjon] *vi*, weep, wail, *(ellt)* snivel, mewl
sirting [-et, -je] *n*, *(tex)* shirting
síruha *n*, ski(ing) suit/attire
sírvavigadás *n*, *(kb)* taking one's pleasures tearfully, merry-making in/amongst tears
sírverem *n*, = sírgödör, sír
sírvers *n*, rhymed epitaph
sisak [-ot, -ja] *n*, 1. *(tört)* helm(et), casque, head-piece, *(cím)* helm; *nyílt* ~ helmet with visor up; *nyílt* ~*kal harcol* put one's cards on the table 2. helmet, battle bowler, *[tüzoltóé]* (smoke-)helmet, smoke-helm 3. *(sp)* *[autóversenyzóé]* crash helmet, steel-cap, *[rögbi játékosé]* scrum-cap, *[vivóé]* (fencing, fencer's) mask, fencing-hat; *trópusi* ~ sun/tropical helmet 4. *(müsz)* bonnet, cap, head, hood, *(épít)* cap, cope, roof, coping, *[tornyon]* spire, dome; *tört vonalú* ~ *(épít)* curved roof 5. *(növ)* *[virágé]* hood, *[pártáé]* galea, helmet; ~ *alakú* galeiform
sisakbokréta *n*, crest/plume of helmet, panache
sisakdísz *n*, crest/comb of helmet, *(cím)* crest, timbre
sisakellenző *n*, visor, vizor, beaver, *(cím)* trellis, lattice
sisakfedél *n*, *[tornyon]* cupola, calotte, dome, *[falon]* cap-stone
sisakforgó *n*, = sisakbokréta
sisakkő *n*, *(épít)* cap-stone

sisakos [-at; *adv* -an] *a*, 1. helmeted, crested, *(cím)* helmed 2. *(növ)* galeate(d), hooded
sisakrostély *n*, = sisakellenző
sisaktaréj *n*, crest
sisaktartó *n*, *(cím)* mantle
sisaktoll *n*, plume/feather of/on a helmet
sisakvirág *n*, *(növ)* monk's-hood, wolf's-bane, aconite *(Aconitum)*
sisalkender *n*, *(növ)* sisal (hemp) *(Agave sisalana)*
siserehad *n*, (like) a swarm of locusts, rout, rabble
sistereg [..rgett, -jen] *vi*,*[tüzes vas vízben]* hiss, fizz(le), crackle, crepitate, *[sülő hús v. lvlámpa]* sizzle, sizz
sistergés *n*, *[tüzes vasé vízben]* hiss(ing), crackling, crepitation, fizzing, fizzling, *[sülő húsé]* sizzling
sítalp *n*, ski
síterep *n*, ski-ground
síti [-t, -je] *n*, ☐ clink, jug, quod, coop, san *(US)*
sittimfa *n*, *(bibl)* shittim (wood)
síugrás *n*, ski-jump(ing)
síugró *n*, ski-jumper
síugrósánc *n*, ski-jump, jumping hill
síút *n*, ski run
sivalkodás *n*, scream(ing), screech(ing)
sivalkod|ik [-tam, -ott, -jon, -jék] *vi*, scream, screech
sivár [-at; *adv* -an] *a*, *[látvány]* bleak, dingy, dismal, drear(y), *[vidék]* desolate, barren, inhospitable, *[élet]* dreary, cheerless, flat, workaday, *[jövő]* dreary, *[kilátások]* gloomy, *[téma]* meagre, barren, *[történet]* juiceless; ~ *látványt nyújt [elpusztult város stb.]* present a dismal spectacle
sivárság *n*, *[látványé]* bleakness, dismalness, dreariness, *[vidéké]* desolation, barrenness, *[életé]* dreariness, flatness, cheerlessness; *szellemi* ~ emptiness
sivatag [-ot, -ja] *n*, desert, waste (land), vilderness, Sahara; *a* ~ *hajója* the ship of the desert, camel
sivatagi [-ak, -t; *adv* -an] *a*, desert-, of *(v.* pertaining to) the desert *(ut)*; ~ *máz (geol)* desert varnish; ~ *róka (áll)* fennec *(Fennecus zerda)*
sívax [-ot, -a] *n*, = sívíasz
síverseny *n*, ski competition
sívíasz *n*, ski wax, wax for skis, klister
sivít [-ani, -ott, -son] *vi*, scream, screech, shriek, squeal, pipe, *[golyó]* ping, zip, whizz, *[szél]* whistle; *szél* ~ *a fák között* the wind whistles through the trees
sivítás *n*, shriek, squeal, *[szélé]* whistle
sivító [-t] *a*, screaming, shrieking, *[hang]* shrill; ~ *hangon* stridently
sívó *a*, ~ *homok* quicksand(s)
sívó-rívó *a*, = síró-rívó
Sixtusi kápolna *prop*, the Sistine Chapel
sízés *n*, skiing, ski-running
síz|ik [-tem, -ett, -zen] *vi*, ski, go in for skiing
sizofrénia [.. át] *n*, = szkizofrénia
síző [-t] I. *a*, skiing II. *n*, skier, ski-runner
skála [.. át] *n*, 1. *(zene)* scale, gamut; *diatonikus* ~ diatonic scale; *F-dúr* ~ scale of F major; *H-dur* ~ B major 2. *(átv)* range, scope, gamut; *vmnek a teljes skálája* the whole gamut of sg; *a társadalmi jelenségek gazdag skálája* a wide range of social phenomena 3. *[beosztás müszeren stb.]* graduation, division, scale, *[hőmérőn]* (thermometer) scale, *[rádión]* dial; *mozgó* ~ sliding scale 4. *[fizetéseké, díjaké]* scale
skálabeosztás *n*, scale division
skálaizzó *n*, *(távk)* dial bulb
skálamegvilágítás *n*, *(távk)* dial illumination
skaláris [-t; *adv* -an] *a*, *(menny)* scalar; ~ *mennyiség* scalar (quantity)
skálázás *n*, practising (the) scales
skáláz|ik [-tam, -ott, -zon, -zék] *vi*, practise (the) scales

kalp [-ot, -ja] n, scalp
skalpella [.. át] n, (orv) scalpel
skalpol [-t, -jon] vt, scalp
skalpvadász n, scalp-hunter, scalper
skandál [-tam, -t, -jon] vt, [verset] scan (verse), [zenében] mark, stress (a phrase)
skandálás n, [versé] scansion, scanning, [zenében] marking
skandálható a, scannable; (jól) ~ it scans
skandáló [-t, -ja] a/n, scanner; ~ beszéd (orv) scanning speech
skandalum [-ot, -a] n, scandal, [botránycsinálás] row
skandináv [-ot, -ja] a/n, Scandinavian, Norse (obs)
Skandináv-félsziget prop, Scandinavian Peninsula
Skandinávia [.. át, .. ában] prop, Scandinavia
skandináviai [-ak, -t] a/n, Scandinavian
s-kanyar n, (sp) "S" bend, goose-neck bend, S
skarabeusz [-ok, -t, -a] n, scarab
skarlát¹ [-ot] a, scarlet, crimson, vermilion
skarlát² [-ot, -ja] n, (orv) scarlet-fever, (tud) anginose scarlatina; enyhébb lefolyású ~ scarlatina
skarlátpiros a, = skarlátvörös
skarlátvörös a, scarlet(-red), vermilion
skart [-ot, -ja] n, (kárty) discard, discarding; ~ba tesz vkt/vmt (átv biz) cast/move/thrust/set sy/sg aside, park sy/sg, put sy/sg on the shelf, shelve sy/sg, [kártyát] discard; ~ba van téve (vk) be on the shelf, be sent to Coventry (GB), be rowing up Salt River (US)
skartol [-tam, -t, -jon] vt, ~ja magát (kárty) discard
skartolás n, (kárty) discard(ing)
skatulya [.. át] n, box; egy ~ gyufa a box of matches; mintha skatulyából húzták/vették volna ki be natty, look very spick and span, look as if one had just stepped/come out of the band-box, look/be as neat as a new pin; vén ~ old hag, frump
skatulyáz [-tam, -ott, -zon] vt, (elit) pigeonhole
skicc [-et, -e] n, [festőé stb.] sketch, [arckép] thumbnail sketch, [tervé] outline, rough draft; ~et készít sketch, make a sketch of, delineate
skiccel [-t, -jen] vt, sketch, make a sketch of, make a rough draft of, [festő rendszeresen] make (v. go in for) sketches/croquis
skiz [-ek, -t, -e] n, (kárty) highest trump, in the tarot/ taroc game
Skócia [.. át, .. ában] prop, Scotland
skóciai [-ak, -t] a, of Scotland, (ut), Scottish, Scots, [kutya, whiskey stb.] Scotch
skófium [-ot, -a] n, † gold thread, spun gold; ~mal varrott embroidered/wrought with gold (ut)
skolaszticizmus n, (fil) scholasticism
skolasztika n, (fil) scholasticism, scholastic theology
skolasztikus a/n, (fil) scholastic; a ~ok the schoolmen
skolasztikusan adv, (fil) scholastically
skoliaszta [.. át] n, scholiast
skontó [-t, -ja] n, (ker, pénz) discount, cash discount, trade allowance, rebate for prompt payment
skorbut [-ot, -ja] n, (orv) scurvy, scorbutus, scorbute; ~ elleni (szer) antiscorbutic
skorbutos [-ok, -t, -an] a, (orv) scurvied, scorbutic; ~ beteg scorbutic
skorpió [-t, -ja] n, 1. (áll) scorpion (Scorpio) ; vizi ~ water-scorpion (Nepa cinerea) 2. (csill) Scorpion
skorpióhal n, (áll) father-lasher, short-spined cottus (Cottus scorpius)
skorpiólégy n, (áll) scorpion-fly (Panorpa communia)
skorpiópók n, (áll) pedipalp (Pedipalpus)
skót [-ot,-ja] I. a, 1. [ember, nép, nyelv, szokás, történelem, könyv, egyház] Scottish, [nyelv, törvény, mérték, pénz, kat] Scots, (ritk) North British, Caledonian (ref.), [whisky, szövet, leány, kutya] Scotch; ~ bal oda Scottish popular ballad; ~ duda bagpipe; a ~ egyház

the Church of Scotland; ~ férfi Scotsman, Scot, Scotchman; ~ minta tartan (design); a ~ nép the Scottish people, the Scotch; ~ nő Scotswoman, Scotchwoman; ~ nyelv/nyelvjárás Scots/Scottish language, Scotch; ~ szoknya kilt; ~ szólás (v. nyelvi sajátosság) Scotticism, Scots phrase/idiom; ~ terrier Scotch terrier; ~ törzs clan; ~ whisky Scotch whisky; ~ zuhany (orv) Scotch douche 2. (tréf, iron) niggardly, stingy
II. 1. n, [személy] Scot, Scotsman, Scotchman, Scotswoman, Scotchwoman, Scotty (fam), Scottie (fam), Sawny (fam), Jock (fam) ; a ~ok the Scotch/Scots, the Scottish people 2. [nyelv] Scots/ Scottish language, Scots, Scotch 3. (tréf, iron) miser, niggard, cheese-parer, tightward, skinflint
Skótország prop, Scotland, Scotia, Land of the Thistle, (ritk) North Britain, Caledonia
skótos a, Scotchy
skótosan adv, Scottice
skótul adv, in the Scots language, Scottice
skribler [-ek, -t, -e] n, 1. [rossz író] scribbler, penny-a--liner, quill-driver, hack-writer 2. [írnok] pen-pusher
skrofula [.. át] n, scrofula, king's evil
skrofulás a, (orv) scrofulous, scrofulide
skrupulózus a, scrupulous, meticulous; ~ ember scrupler
skrupulus n, scruple, qualm; (lelkiismereti) ~ai vannak vm miatt have scruples about (doing) sg, make scruple to do sg; a legcsekélyebb ~ nélkül megtesz vmt have no scruples/qualms about doing sg, make no scruple about doing sg; (minden) ~ nélkül unscrupulously, without the least scruple; nincsenek ~ai have no scruples/qualms about sg, be unscrupulous
skurc [-ot, -a] n, (műv) foreshortening, foreshortened view; ~ban fest/rajzol/ábrázol foreshorten; ~ban festett/rajzolt/ábrázolt foreshortened
slafrok [-ot, -ja] n, dressing-gown, [női] boudoir wrap, tea-gown
sláger [-ek, -t, -e] n, hit, draw, [dal] song-hit, hit--tune
slágercikk n, (ker) sales leader, leading article
slágfertig [-et] adv -en] a, quick/ready-witted, ready at/with a repartee (ut)
slágfertigség n, ready/quick wit
slamasztika n, (biz) (a deuce of a) mess, strait(s), scrape, jam, fix, hole, pickle, quandary, tight place; benne van a slamasztikában be in a fix/hole, be in a tight corner, be in a fine pickle, be up a (gum) tree, be in the soup, be in hot water, be in a nice mess, be in the mire
slampet [-et; adv -ül, -en] a, = slampos
slampos [-ak, -t; adv -an] a, (vk) slovenly, sluttish, dowdy, slipshod, [munka] careless, scamped, slipshod; ~ férfi/nő sloven; ~ külső slovenliness
slamposság n, slovenliness, sluttishness, dowdiness, muddle
slapaj [-ok, -t, -a] n, (biz) (kb) novice, tyro
slejm [-et, -je] n, phlegm, rheum
slejmos [-at; adv -an] a, phlegmy; ~ köhögés loose phlegmy cough
slemil [-ek, -t, -je] n, muff, sad sack (US)
slendrián [-ok, -t, -ja] a, careless, negligent, slack, slipshod; ~ munka slap-dash work
slepp [-et, -je] n, 1.[ruháé] train 2. [hajó] barge, towboat 3. [kíséret] attendants (pl), suite, retinue, train, escort, tail, hangers-on (pl)
slicc [-et, -e] n, (biz) slit (in trouser/skirt), fly (of trouser)
sliff [-et, -je] n, (biz) van egy kis ~je have a certain polish
sligovica [.. át] n, plum brandy
slingel [-t, -jen] vt, festoon, [cakkosan] scallop
slingelés n, festoon, [cakkos] scallop

slingelt [-et; *adv*-en] *a*, festooned, *[cakkosan]* scalloped
slukk [-ot, -ja] *n*, *(biz)* *[dohányból]* pull (at a fag/pipe/ cigarette), *[italból]* gulp, nip, godown, pull; *egy ~ra* at one gulp, at a/one draught; *adj egy ~ot* let me have a pull/nip
slussz [-ok, -t, -a] **I.** *int*, *[kész van]* finished !, done !, ready !, that's all !, *[elég volt]* shut up !, that's enough **II.** *n*, **1.** *[lapzárta]* deadline; *mikor csinálunk ma ~t ?* when shall we have deadline today?, what is the time limit? **2.** *[üzemben]* closing time **3.** *[derék-méret]* waist
slusszkulcs *n*, ignition (switch) key
smaciz|ik [-tam, -ott, -zon, -zék] *vi*, □ neck (and spoon)
smafu [-t, -ja] *n*, □ *ez nekem ~* I dont' care a rap/fig *(v.* two hoots), as if I cared, I couldn't care less, it doesn't matter a scrap
smakkol [-t, -jon] *vi*, *(biz)* *(vknek vm)* suit sy well, go down well with sy
smaragd [-ot, -ja] *n/a*, emerald
smaragdszínű *a*, emeraldine
smaragdzöld *a*, emerald (green)
smarni [-t, -ja] *n*, = **császármorzsa**
smárol [-t, -jon] *vi/vt*, □ neck (and spoon), fondle and kiss *(stand.)*
smasszer [-ek, -t, -e] *n*, □ screw, yard dick *(US)*, turnkey, prison-guard *(stand.)*
smink [-et, -je] *n*, make-up
sminkel [-t, -jen] *vt/vi*, make up (one's face for theatrical performance), do the make-up
sminkelés *n*, making/make-up, painting (of face)
sminkelt [-et] *a*, *[arc]* made-up
sminkmester *n*, make-up man, maker-up
smirgli [-t,-je] *n*, emery(-cloth), emery-paper, sandpaper
smirglipapír *n*, emery/glass-paper, sandpaper, smoothing paper; *~ral csiszol/dörzsöl* emerize, paper
smirglivászon *n*, emery-canvas/cloth
smirgliz [-tem, -ett, -zen] *vt*, polish/grind/rub with emery, glaze, glass-paper, emerize, sandpaper
smirol [-t, -jon] *vi*, *[zenész]* his playing is untidy
smizett [-et, -e] *n*, lowboy
smokk [-ot, -ja] **I.** *a*, prig(gish) **II.** *n*, prig
smokkság *n*, priggery, priggishness
smonca [..át] *n*, blether, blather; *elég a smoncából !* cut the cackle !
smucig [-ot] *a*, *(biz)* niggardly, stingy, close/tight-fisted *(US)*, *[főnévvel]* cheese-parer, skinflint, tightwad
smucigság *n*, niggardiness, stinginess, sordidness, cheese-paring, close-fistedness *(US)*
snájdig [-ot; *adv* -an] *a*, *(biz)* *[fellépés]* dashing, *[elegáns]* smart, spruce, spick and span
snapsz [-ot, -a] *n*, *(biz)* brandy, schnap(p)s
snapszli [-t, -ja] *n*, *(kárty)* ⟨a Hungarian card-game⟩, snap
snassz [-ok; *adv* -ul] *a*, *(biz)* *(vk)* mean, *[ruha]* paltry, shabby
sneff [-et, -je] *n*, = **szalonka**
snidling [-et, -je] *n*, chives *(pl)*
snúrozás *n*, pitch/chuck-farthing
snúroz|ik [-tam, -ott, -zon] *vi*, pitch pennies
só [-t, -ja, sava] *n/a*; salt; *bázikus ~* basic salt; *élet-fontosságú ~k* biogenic salts; *~ nélküli* saltless; *~k felhalmozása [a talajban]* (földr) illuviation (in soils); *~ban gazdag* with a high salt content; *~ban eltesz [húst stb.]* salt, salt away, pickle; *~ban eltett* salted; *~t hint/szór vmbe/vmre* salt sg; *~t hint a farkára* put a pinch of salt on his tail; *~t tör* break salt; *ld még* **sótörés**; *~val telit (vegyt)* salify
sóadó *n*, salt-tax/excise
sóágy *n*, salt bed
sóakna *n*, salt-pit, *[kút amelynek vízéből sót főznek]* brine-pit, *[tengerparti]* salt-pans *(pl)*

sóbálvány *n*, *(bibl)* pillar of salt; *a csodálkozástól sóbálvánnyá válik* be flabbergasted, be stupefied/ paralysed with astonishment, be dumbfounded, remain rooted to the spot, become a pillar of salt
sóbánya *n*, salt-mine/works/pit
sóbányász *n*, salter
sóbányászat *n*, salt-mining
sódar [-ok, -t, -a] *n*, ham, gammon
sódaráló *n*, salt-mill
sóder [-ek, -t, -(j)a -(j)e] *n*, sand and gravel, ballast (gravel), gravel, river-sand
sóderes [-ek, -t] *a*, gravelled
sóderez [-tem, -ett, -zen] *vt/vi*, cover with sand and gravel, gravel, spread gravel on
sodó [-t, -ja] *n*, *(kb)* custard, candle
sódóm [-ot, -ja] *n*, *(geol)* salt plug/dome
sodor¹ [-ni, sodrani, sodrok, -t, sodrott, -jon] *vt*, **1.** *[fonalat]* twist, twine, *[selymet]* throw, *[bajuszt]* twirl, twiddle, *[cigarettát, tésztát]* roll, *[papírtöl-csért]* form/make a paper-bag, *[kötelet]* twist, twine, close, spin; *cigarettát ~* roll cigarettes, roll a smoke; *tésztát ~* roll (out) paste **2.** *magával ~* whirl along, *[víz]* carry along, drift; *a szél magával ~ja a lehullott leveleket* the wind whirls along the fallen leaves; *vkt bajba ~* land sy in a mess; *háborúba ~* embroil in *(v.* plunge into) war; *veszélybe ~ vkt* plunge/ involve sy in *(v.* drag sy into) danger
sodor² [-t, sodrát, sodra] *n*, **1.** *[vizé]* current, *[hajóé]* wake **2.** *az események sodra* the drift/succession of events **3.** *kijön a sodrából* lose one's temper, lose self-control, get/become upset, get/have one's monkey up, get a monkey on one's back; *nehezen jön ki a sodrából* be slow to rouse; *ne gyere ki a sodrod-ból* keep your hair/shirt on; *kihoz vkt a sodrából* make sy lose his temper, put sy out of countenance/ humour, bring sy to the end of his tether, rattle sy, upset sy, ruffle sy's feathers, get/take a rise out of sy
sodorható *a*, rollable
sodorint [-ani, -ott, -son] *vt*, give sg a twirl/twist; *egyet ~ a bajuszán* gives his m(o)ustache a twirl
sodorvíz *n*, *(hajó)* wake
sodrás *n*, **1.** *[fonálé]* twisting, twining, spinning, *[papíré, cigarettáé]* rolling, *[kötélé, vezetéké]* cabling **2.** *[eredménye]* twist **3.** *[folyóé]* current, *[ellenirány-ban]* backwash; *a víz ~a* the current of water
sodrásszög *n*, *(hajó)* drift-angle
sodrat *n*, *(tex)* twist, twine; *hamis ~* false twist; *laza ~* open twist
sodratszámláló *n*, *(tex)* twist tester
sodróállatkák *n. pl*, rotifera
sodródás *n*, *[vízben]* drift(ing)
sodródeszka *n*, pastry board
sodród|ik [-tam, -ott, -jon] *vi*, **1.** *[fonál]* be twisted/ twined **2.** *[folyadékban]* drift, be carried off, *[leve-gőben]* float; *~ik az árral (átv is)* drift with the current, swim with the tide/stream **3.** *(vk vmbe)* be involved in sg, be dragged into sg, *[vk társaságához]* join *(v.* get in touch with) accidentally, *[opportu-nista]* jump the bandwaggon; *háborúba ~ik* drift into war
sodróerő *n*, strength of flow
sodrófa *n*, rolling-pin
sodrógép *n*, *[tésztának]* rolling-machine, *[kötélnek]* twister, *(tex)* twisting machine
sodrony [-ok, -t, -a] *n*, wire, cable; *sodronnyal elkerít* wire off
sodronyágy *n*, wire mattress
sodronybetét *n*, spring/wire mattress
sodronyháló *n*, wire-netting/mesh, wire network, metal gauze
sodronyhúr *n*, *(zene)* wire string

sodronyhúzás n, wire-drawing
sodronyhúzó I. a, wire-drawing; ~ műhely wire-works/mill, drawing mill II. n, wire-drawer/maker
sodronykészítő n, wire-maker
sodronykötél n, wire rope/cable/cord, stranded/cable wire, cabling, [folyami hajóké] stream-cable
sodronykötélpálya n, cableway, aerial tramway/ropeway, carrying-rope track; ~ kocsi(ja) cable-car/carriage
sodronymunka n, [ékszer] filigree/wire-work
sodronyos [-at] a, ~ ágybetét spring/wire mattress
sodronyszeg n, wire-nail
sodronyszövet n, wire-gauze/work, woven wire
sodronyzománc n, cloisonné (enamel)
sodrott [-at; adv -an] a, [fonál] twisted, twined, [selyem] thrown, [bajusz] twirled, [cigaretta, tészta] rolled; ~ arany/ezüst hímzőszál [szegélyezésre] purl; ~ fonál twist; ~ kábel stranded cable; ~ kötél stranded/twisted cord, spun yarn; ~ selyem thrown--silk; ~ szegélydísz (épít) rope-moulding
sóegyedárúság n, salt-monopoly
sóér n, salt-bed
só- és vízháztartás (biol) salt and water metabolism, electrolyte and water metabolism
sófelvétel n, (növ) salt uptake
sófinomító n, salt-works
sofőr [-ök, -t, -je] n, (car) driver, chauffeur, [taxié] cabman, taximan, cabbie (fam), cabby (fam)
sofőrigazolvány n, driver's licence
sofőriskola n, school of motoring, motor-school
sofőrség n, driver's profession
sofőrszemüveg n, driver's goggles (pl)
sófőzde n, = sófőző 2.
sófőzés n, salt-making/boiling
sófőző n, 1. (vk) salt-maker 2. [üzem] saltern, salt furnace, brine pit, salt-works (pl)
sógor [-ok, -t, -a] n, 1. brother-in-law, [tágabb ért.] a relation by marriage, persons related by marriage (pl) 2. [nem rokon] friend, neighbour, brother; megint jól megadta nekünk az osztrák ~ our Austrian brothers (v. our friends the Austrians) did us a good turn again
sógorasszony n, sister-in-law
sógorházasság n, (tört) levirate
sógorné n, = sógorasszony
sógornő n, = sógorasszony
sógorság n, 1. [viszony] affinity, relationship (by marriage); ~ban van be connected/related by marriage; közvetlen ~ban vannak they are closely/nearly related 2. [személyek] relatives (pl), brothers and sisters-in-law (pl)
sógorsági a, ~ viszony connection/relation by marriage, relationship by marriage; ~ viszonyban van vkvel be connected/related with sy by marriage, be affined to sy
soha adv. indef, never, not ... ever, at no time; ~ az életben never in one's life; még ~ never yet; (még) ~ életemben never in (all) my life, never in all my born days; szinte ~ hardly/scarcely ever, seldom if ever, almost never; ~ jobbkor! well met!; ~ nem hallott unheard-of, unprecedented; ~ nem látott unprecedented; ~ többé/többet never again, nevermore, never to the end of one's days, no longer
sóhaj [-ok, -t, -a] n, sigh, moan, groan; ~ok hídja Bridge of Sighs
sóhajt [-ani, -ott, -son] vi/vt, sigh, heave/breathe/fetch/utter a sigh, moan, suspire (ref.); ~ egyet breathe a sigh; nagyot ~ heave a heavy/deep sigh, sigh deeply; nagyokat ~ sigh from one's boots (fam); elégedetten ~ sigh with satisfaction; tessék mélyet ~ani (orv) say ninety-nine
sóhajtás n, sigh, moan, groan, heave

sóhajtozás n, sighing
sóhajtoz|ik [-tam, -ott, -zon, -zék] vi/vt, be (v. keep-on) sighing, heave/utter/breathe sighs; ~ik vm után sigh for sg, pant after/for sg, aspire sg
sóhajtozó n, heaver of sighs
sohanapján adv, tomorrow-come-never, when the sun shines on a rainy day, when two Sundays come in one week, when hell freezes over, not till the cows come home, when the pigs begin to fly, on (Saint) Tib's Eve, on/at the Greek calends
sohase adv. indef, = sohasem
sohasem adv. indef, never, not ....ever, at no time; még ~ láttam I have never seen him before; (eddig) még ~ hallottam I have never yet heard; ~ fogja semmire sem vinni he will never be anybody, he will never set the Thames on fire; ~ történik semmi nothing ever happens
sóház n, salt-depot/house/loft, saltern
sóhegy n, (geol) salt-dome
sóher [-ek, -t; adv -en] a, (biz) [pénztelen] penniless, [fukar] stingy
sóhiány n, lack of salts
sóhivatal n, 1. † salt-office (of State monopoly) 2. (átv tréf) the Circumlocution Office; menj a ~ba go to Jericho, [durvábban] go to hell; ~ba küld send sy to Jericho/hell/Coventry
sóilleték n, salt-tax
sójövedék n, salt monopoly/regie
sok [-at; adv -an] num. a/n, [egyes számmal] much, many (a), [többes számmal] many, plenty of, a quantity/lot/number of, a great deal of, numerous, a good/great many, a host of, heaps/loads of, a fat lot of, no end of, any number/amount of, lots of; ~ a jóból it's too much of a good thing, it's more than enough, that's rather a tall/large order; jóból is megárt a ~ it's too much of a good thing, it's more than one bargained for, more than enough; ~ beszédnek ~ az alja the least said the better, least said soonest mended, you talk a great deal too much, the more spoken the less said; ~ ember many people, many a man/one, lots of people, a large number of men; túlságosan ~ ember too many people; ~ esetben in many instances/cases; ~ezer (many/several) thousands (of), thousands and thousands; ~ fáradságba került it cost a lot (v. a/great deal v. plenty of) trouble/labour; ~ helyütt in many/different/various places (pl); ~ idő a long time, much time, a lot of time; ~ igazság van abban amit mond there is a lot of truth in what he says; ~ kicsi ~ra megy little drops make an Ocean, little streams make great rivers, many a little makes a mickle, (ker) it's the numbers that pay; ~ könyv many books; ~ minden many things, all kinds of things; ~ mindent nem értek ebből there is a lot in this I don't understand/get, a lot of this is above my head; ~ pénz much money, a lot (v. a great deal) of money, lots/heaps/pots of money (fam); ~ szempontból in many respects; ~ szótagú polysyllabic, of many syllables (ut), sesquipedalian (joc); ~ tapasztalata van have a wealth of experience; ~ volt belőle there was (too) much of it; ami ~ az ~! too much is too much, that's the limit!, that takes the cake!; elég ~ quite a lot; igen ~ too much, loads of ..., overmuch; jó ~ a good deal/many; ez egy kicsit ~ that's a bit thick/stiff, it is too much of a good thing, that's coming it rather strong, that's hard to swallow, that was a bit too much; nagyon is ~ much too much, more than enough; nem ~ not much; nem valami ~ nothing much; ilyesmit nem ~ helyen látni it can't be seen often; nem ~ kell hozzá (hogy) it needs little to; sokba kerül cost a lot, cost much, be expensive/costly,

cost sy a pretty penny *(fam)*, run into a lot of money; *nem kerül ~ba* come cheap; **sokban** in many respects; *~ban emlékeztet* in many respects he/it reminds one of; *~ban hozzájárult* he/it contributed a great deal to, it added greatly to; *~ban igazat adok neki* in many things I agree with him; *~ban különbözik* it differs in many respects/ways; **sokért** *nem adnám ha .* . . . I would give a lot to . . . ., it would mean a lot to me if . . . . . ., I would do anything to . . . .; *~ért nem adta volna ha* . . . . he would have given a lot to . . . .; *ez már több a* **soknál** that's the limit, that is coming it too strong; **sokra** *becsül* set a high value on (sg), set high valuation on (sg), have a high opinion of (sy), set great store by, set a high value upon; *~ra becsülöm képességeit* I rank his abilities very high; *~ra megyek vele!* a fat lot of good it'll do me!; *nem ~ra megy a munkájával* do not get far/anywhere with one's work, work to little avail; *~ra mehet vele* much good may it do you; *azzal ugyan ~ra megyek* that'll do me a fat lot of good; *~ra megy fel* it amounts to a lot; *~ra tart (vkt)* esteem/ value sy highly, think highly of, think a lot of, set much store by (sy); *~ra viszi még* he will make his mark in the world, he will get on/far, he will make a name for himself, he will succeed (in a high degree); *~ra viszed* you will go far in life; *nem ~ra vitte* he hasn't made great headway, he did not amount to much; *jó* **sokat** a great/good deal; *~at ad vkre/vmre* have a high opinion of, set great store by, set a high value upon; *~at adnék érte, ha tudnám* I would give a lot to know; *nem ~at adok az életéért* he's done for, it's all up with him, his number's up, I wouldn't give a pin for his life; *~at beszél/fecseg* have a long tongue; *~at van együtt Pappékkal* he sees a great deal of the Papps; *~at emlegette szegény apámat* he often remembered/mentioned my father; *~at emlegetett* much talken/spoken of, often-mentioned; *~at érő* precious, valuable, of a great/high value *(ut)*; *~at igérő* (very) promising, full of promise *(ut)*, hopeful; *~at igérő helyzet* situation full of potentialities; *~at iszik* drink heavily; *~at jár társaságba* go out a good deal, go places, be much in the world; *ha ~at mondok at* (the) most, at the very most; *~at mondok ha 20 éves* I bet she is not twenty, she is twenty on the outside; *ez nem mond ~at* this is not saying too much; *~at nyom* weigh heavy; *~at remél* have great hopes; *~at tart vkről* have a high opinion of sy; *ez ~at tesz* it makes a great difference, it is of great importance, it does much; *nem ~at törődik vele* he does not trouble/bother much about it; *~at vitatott* much disputed, hotly debated, controversial; *ld még* **sokan, sokkal**

soká *adv*, for long, for a long time, a long time/while, for some time (to come), at (some) length; *elég ~* to some length; *igen ~* for very long, a good while, till all is blue ◊; *túl ~* over-long; *~ csinál vmt* be long in doing sg, take a long time over sg; *~ dolgozik* work long hours; *~ jön* he takes a long time coming, he is a long time in coming; *még ~ tart?* will it take/be a long time?; *~ váratott magara* it was long before he came; *nem fog ~ élni* he hasn't long to live; *nem fog ~ ottmaradni* he won't be long; *nem fog ~ tartani* it will not take long *(v.* a long time)

sokác [-ot, -a] *n,* (name of a Slavonic ethnic group), 'sokác'

sokadalom [. . lmat, . . lma] *n,* multitude, *[tömeg]* crowd, concourse, throng, *(kif)* a sea of people

sokadik [-at, -a] *a,* umpteen(th); *~a van* it is late in the month, we are well on in the month, *[fizetés szempontjából]* it is a long time since payday; *~án* on the umpteenth

sokadmagával *adv*, with a lot of other people; *~ érkezett* he arrived with a lot of people

sokadrangú *a,* of a low order *(ut)*

sokágú *a,* many-branched, branchy, having/with many branches *(ut)*, ramifying far *(ut)*, *(tud)* ramose

sokáig *adv,* = **soká**

sokalakú *a,* many-shaped, multiform, diversiform, *(tud)* polymorphous, polymorphic

sokalakúság *n,* polymorphism

sokall [-ani, -ott, -jon] *vt, [soknak tart]* find sg too much, *[összeget]* find sg too dear/expensive, *[árat]* find (the price) too high, *[megun]* be/get tired of, be fed up with

sokan *adv,* (a great) many people, a number/lot of people, many a man/one, many (of), numbers *(pl)*; *igen ~* very many; *jó ~* a respectable number of people; *nem túl ~* none too many; *~ helyeslik* many (of them) approve of it; *~ közülünk* many/ several of us; *~ látták* many have seen it

sókanál *n,* salt-spoon

sokára *adv,* after a long time/pause, long afterwards, much later; *~ jön vissza* he won't be back *(v.* he'll be away) for a long time; *de ~ jön vissza!* he takes his time in coming back!

sokaság *n,* **1.** *[élők]* crowd, host, multitude, numbers *(pl)*, masses *(pl)*, a mass of people, (a) sea (of people), legion, *[mozgó]* throng, swarm, concourse; *a ~* the many **2.** *[tárgyak]* lot, mass, number, abundance, multitude **3.** *[sokféleség]* multiplicity, plurality

sokasít [-ani, -ott, -son] *vt*, multiply, augment/increase the number of, *[tenyésztéssel]* propagate

sokasodás *n,* multiplication, proliferation

sokasod|ik [-tam, -ott, -jon, -jék] *vi*, multiply, increase (in number), *(biol)* proliferate

sokatmondó *a,* significant, meaningful, suggestive, telling, expressive, purposeful, pregnant, *(kif)* it speaks volumes; *~ pillantás/tekintet* look full of meaning, eloquent/knowing look, telling look

sokatmondóan *adv,* meaningly, eloquently, expressively, pregnantly

sokbeszédű *a,* talkative, loquacious, garrulous

sokemeletes *n,* multi-storied/storey

sóképzés *n,* salification

sóképző *a,* salt-forming, salifiable, saliferous, *(vegyt)* halogen

sóképződés *n,* salification

sókert *n,* salt garden, salt-pond

sokértelmű *a,* ambiguous, having many (different) meanings/significations *(ut)*, *(nyelvt)* polysemic, multisense

sokéves *a,* = **sokévi**

sokévi *a,* of many years *(ut)*, many years', long lasting/standing; *~ tapasztalat* many years of experience

sokfajta *a,* many kinds of, of many kinds *(ut)*, manifold

sokfejű *a,* many-headed

sokfelé *adv,* **1.** *[irány]* in many directions; *~ oszlik* be divided into many parts, crumble into many parts, disperse in many directions **2.** *[hely]* in many/ different/various places

sokféle *a,* many kinds of, of many kinds *(ut)*, (great) variety of, all sorts of, diverse, manifold, multifarious, various, variegated, varied; *~ virág* many kinds *(v.* all sorts) of flowers

sokféleképpen *adv,* in many/different/various ways, diversely, manywise

sokféleség *n,* (great) variety, diversity, manyfoldness, multifariousness, multiplicity, variousness, diverseness, diversity; *az üzletek ~e (ker)* multiplicity of business

sokfeleségű [-ek, -t] a, = **soknejű**
sokfelől adv, from many directions/quarters/sides
sokférjű [-ek. -t] a. polyandrous
sokférjűség n, polyandry, polyandria
sokfiókos a, ~ szekrény nest of drawers
sokgyermekes a, having many children (ut), with a quiverful (v. a quiver full) of children (ret.); ~ anya mother of a large family, mother of many children; ~ család large family
sokhengeres a, polycylindrical
sokideggyulladás n, (orv) polyneuritis
sokirányú a, (átv) many-sided, manifold
sokistenhit n, polytheism
sokistenhívés n, polytheism
sokistenhívő n/a, polytheist(ic)
sókivirágzás n, salt efflorescence
sokízű a, multi-articulate, many-jointed
sokízületi a, ~ gyulladás polyarthritis
sokjelentésű a, (nyelvt) polysemic, polysemantic; ~ szó polysemic/multisense word
sokk [-ot, -ja] n, (orv) shock, trauma; inzulin ~ insulin shock; nedves ~ wet shock; száraz ~ dry shock; ~ot okoz shock
sokkal adv, 1. [összehasonlításban] far, much [és középfok], by far, a good deal, a lot, by a long chalk (fam); ~ jobb (it is) far/much better, (it is) miles better (fam), a jolly sight better (fam), a heap/ lot better (US); ~ jobban far/much better; ~ jobban érzem magamat I feel very much better, I feel lots better, I feel a lot better; ~ jobban fogod magad érezni ha jól kialszod magad az éjjel you will be all the better for a good night's rest; ~ jobban ismerem semhogy feltételezzem I know him much too well to suppose (so/that); ~ jobban van be much (v. a good deal) better, feel/be a heap (v. heaps) better; ~ jobban vagyok I feel very much better; ~ okosabb semhogy he is much too clever to 2. [mérték] ~ elhagyta left him far behind, got much ahead of him; ~ előbb long before; ~ később much later, long after; nem ~ később shortly/soon afterwards, a little later; a vonat nem ~ 6 óra után érkezett the train arrived soon after six o'clock; ~ többet a lot more
sokkalta adv, many times; ~ jobb(an) (ever so) much better
sokkarú a, many-armed, with/having many arms (ut), (áll) polybranch(ian)
sokk-gyógymód n, (orv) shock therapy
sokkötetes a. [mü] many/multi-volumed, in/of many volumes (ut), voluminous, [könyvtár] great (library)
soklábú a, (áll) many-footed, multiped, (tud) polypod
soklakásos a, of many flats (ut)
soklap n, (mért) polyhedron
soklapú [-ak, -t] a, polyhedric, polyhedral
soklevelű n, (növ) multifoliate, polyphyllous, leafy
soklyukú tégla air/perforated brick
sokmagvú [-ak, -t] a, (növ) many-seeded, [termés] polyspermatous (fruit)
soknejű [-t; adv -en] a, polygamous, many-wived; ~ férfi polygamist
soknejűség n, polygamy, polygyny
soknemzetiségű a, multinational, multiracial
soknevű a, having/with many names (ut), (menny) multinominal, polynominal, multinominous; ~ bűnöző criminal having many aliases
soknyelvű a, multilingual, polyglot(tal), [személy] many-languaged, speaking many languages (ut), [ország] where many languages are spoken (ut)
sokoldalú a, 1. (ált) many-sided, (csak vk) versatile, [csak tudás] comprehensive, extensive; ~ elfoglaltság varied/various occupations (pl); ~ ember

many-sided man, versatile man, all-round man; ~ program comprehensive programme; 2. (mért) multilateral, polyhedral, polygonal
sokoldalúság n, many-sidedness, [csak vké] versatility, [csak tudásé] comprehensiveness, extensiveness
sokoszlopú [-ak, -t] a, polystyle
sokrétű [-ek, -t; adv -en] a, 1. multifold, multiple, manifold, [rétegű] of many layers (ut), (tud) multilaminated, [redőjű] of many folds (ut) 2. (átv) varied, various; ~ feladat involved task; ~ probléma a problem of many aspects/facets
soksejtű a, 1. (biol) polycellular; ~ állatok multicellular animals, tissue animals (Metazoa) 2. (épít) porous
sokszázados a, multi-centenarian, of many centuries (ut), many centuries old
sokszínű a, many-coloured/hued, multi-colour(ed), variegated, (nyomd) polychromatic
sokszirmú [-ak, -t] a, many-petalled, (tud) polypetalous
sokszólamú a, (zene) polyphonic, many-voiced
sokszólamúság n, (zene) polyphony
sokszor adv, many times, many a time, frequently, often, lots (v. a number) of times (fam), scores of time (fam); igen ~ times without number, numbers without times
sokszori [-t] a, repeated, frequent, occurring many times (ut)
sokszoros [-at; adv -an] I. a, 1. multiple, manifold, (összet) multi-, poly- 2. [ismételt] repeated, frequent, reiterated; ~ bajnok (kb) many times champion (in sg) II. n, (menny) multiple; ~a vmnek large/ high multiple of sg; legkisebb közös ~ least common multiple (röv L. C. M.)
sokszorosan adv, many times; ~ fizet vissza vknek vmt repay a service with interest, pay back many times over; ~ jobb (ever so) much better
sokszorosít [-ani, -ott, -son] vt, multiply, manifold, reproduce, multigraph, duplicate, [zselatinnal] hectograph, [stencillel] stencil, mimeograph, cyclostyle
sokszorosítás n, multiplication, manifolding, copying, duplication, reproduction, [zselatinnal] hectographing, [stencillel] stencilling, cyclostyling; könyomásos ~ autolithography
sokszorosítási [-t] a, ~ eljárás process of reproduction
sokszorosítható a, multipliable; jól ~ nyomat print that will reproduce well
sokszorosító [-t] I. a, multiplying, manifolding, reproductive; ~ eljárás process of reproduction II. n, multiplier
sokszorosítógép n, manifolding/duplicating machine, (office) duplicator, polygraph, mimeograph
sokszorosítóiroda n, multiplier's office
sokszorosítópapír n, multiplicating/duplicating/manifold/duplicator paper
sokszorosított [-at] a, (géppel) ~ mimeographic; ~ irat manifold; ~ levél form-letter
sokszorosíttat vt, have (sg) multiplied/reproduced/ duplicated/mimeographed
sokszoroz [-tam, -ott, -zon] vt, multiply
sokszorozás n, multiplying, multiplication
sokszorozó [-t, -ja; adv -an] I. n, multiplier II. a, multiplying
sokszorta adv, = **sokszor**, **sokszorosan**
sokszög n, (mért) polygon
sokszögelés n, [földmérésben] traverse-survey, traversing
sokszöges a, ~ alaprajz (épít) polygonal plan
sokszögletű a, multangular
sokszögű a, (mért) polygonal, multangular; ~ csont (bonct) trapezium; ~ záródás (épít) polygonal termination

soktagú *a*, many-limbed/jointed, multiarticulate, of many members *(ut)*; ~ *kifejezés* polynomial, multinomial

sokujjú *a*, many-fingered, *(áll)* polydactyl

sokvirágú *a*, many-flowered, multifloral, polyanthous

sol [-ok, -t, -ja] *n,(zene)* sol

sólé [-t, -je] *n*, brine, souse, pickle, *[fűszeres pác]* marinade

sólepárló [-t, -ja] *n*, salt furnace, salt-pond

sólerakódás *n*, salting(s), salt-bed(ding), *(geol)* stratification of salt, *[kirsapódás]* deposition/sediment of salt, *(műsz)* salt/saline deposit

sólet [-et, -ot, -je, -ja] *n*, ⟨Hungarian dish containing beans⟩

solluxlámpa *n*, *(orv)* heat lamp

sólya [. .át] *n*, *(hajó)* *[berendezés]* poppet, building berth, cradle, *[pálya]* (building-)slip, shipway, slip-way, launching way

sólyadaru *n*, *(hajó)* slipway crane

sólyaépítő *n*, *(hajó)* wayman

sólyapálya *n*, *(hajó)* slip(-way), ship-way, launching way

sólyatér *n*, *(hajó)* boat-yard, building slip

solymár [-ok, -t, -ja] *n*, falconer, hawker; ~ *módra ül a lóra* mount a horse on the off side

solymász [-ok, -t, -a] *n*, = **solymár**

solymászás *n*, falconry, hawking

solymászat *n*, = **solymászás**

solymász|ik [-tam, -ott, . .ásszon] *vi*, hunt with falcons, hawk, falcon

sólyom [sólymot, sólyma] *n*, *(áll)* falcon *(Falco sp.)*, *[hím]* t(i)ercel, *[kicsi]* falconet; *kis/törpe* ~ merlin, pigeon/stone-hawk *(Falco aesalon)*; *idomított* ~ gentle falcon; ~*mal vadászik* = **solymászik**

sólyomfőveg *n*, hood (of a falcon/hawk)

sólyomszem *n*, hawk-eye

sólyomszemű *a*, hawk-eyed

sólyomvadászat *n*, = **solymászás**

som [-ot, -ja] *n (növ)* cornel *(Cornus)*; *veresgyűrű* ~ dogwood *(C. sanguinea)*

Soma [. .át] *prop*, Cornelius, *(ritk)* Sam(uel)

sómalom *n*, salt-mill

sombokor *n*, *(növ)* bunch-berry *(Cornus)*

sómentes *a*, salt-free

somfa *n*, 1. *(növ)* bunch-berry, Cornel (tree) *(Cornu)* 2. *[keményfa-fajta]* dogwood

somfapálca *n*, cornel-wood rod/stick

somfordál [-t, -jon] *vi*, slink, sidle

somkóró *n*, *(növ)* melilot *(Melilotus)*; *fehér* ~ white melilot, Bokhara clover *(M. albus)* *közönséges* ~ sweet/common melilot *(M. cfficinclis)*

somlai [-ak, -t, -ja] *a/n*, ~ *(bor)* Somlyó wine

somlyai [-ak, -t, -ja] *a/n*, = **somlai**

sommás¹ [-at; *adv* -an] *a*, *(jog)* summary; ~ *eljárás* summary jurisdiction/treatment/procedure/proceedings *(pl)*; *ezek a bűnselekmények* ~ *elbírálás alá esnek* such offences are dealt with summarily; ~ *ítélet(hozatal)* summary judgement; ~ *joghatóság* summary jurisdiction

sommás² [-ok, -t, -a] *n*, = **summás²**

sommásan *adv*, summarily, in a summary manner

semolyog [-tam, . . lygott, -jon] *vi*, smile enigmatically, *(iron)* grin

sómócsing [-ot, -ja] *n*, *(növ)* saltwort, pickleweed *(Salicornia)*

sompolyog [-tam, . . lygott, -jon] *vi*, creep, steal slink, sidle, sneak, *[állat]* prowl; *az ajtó felé* ~ edge towards the door

sonka [. .át] *n*, ham, *[füstölt, pácolt]* gammon; *első* ~ fore-leg ham; *főtt* ~ boiled ham; *kötözött* ~ roll (of boned) ham

sonkacsont *n*, ham-bone

sonkacsülök *n*, knuckle of ham, ham-bone

sonkalé *n*, *(kb)* water ham was boiled in

sonkás [-at; *adv* -an] *a*, ham-, made with *(v.* containing) ham *(ut)*; ~ *kenyér* ham sandwich; ~ *kocka* ⟨squares of boiled pastry strewn with minced ham⟩; ~ *omlett* ham omelet(te); ~ *szendvics* ham-sandwich; ~ *zsemle* ham-roll

sonkasüldő *n*, young bacon pig

sonkaszelet *n*, slice of ham

sonkaujj *n*, *[ruhán]* puff sleeve, leg-of-mutton sleeve, mutton-sleeve

sonkavágógép *n*, ham-slicing machine

sonkazsír *n*, fat of ham

sonkoly [-ok, -t, -a] *n*, 1. *[lép]* (pressed) honeycomb, cake of wax 2. *[olajpogácsa]* oil-cake, olive-husks *(pl)*, dross of oil-pressing

sónyalató *n*, salt-lick

sóoldat *n*, brine, salt solution, *[páchoz]* souse, pickle, marinade

sopánkodás *n*, lamentations *(pl)*, complaint, wail(ing)

sopánkod|ik [-tam, -ott, -jon] *vi*, lament, yammer, complain, wail, whine, repine (at)

sópároló *a*, ~ *üzem* saltern, salt-works

Sopron [-t, -ban, -ba] *prop*, Sopron (town in Western Hungary)

sor [-ok, -t, -a] *n*, 1. *[tárgyakból, személyekből]* row, line, *[kat egymás mellett]* rank, *[egymás mögött]* file, *[iskolás lányokból]* crocodile *(fam)*, *[sorállásnál]* queue, waiting line, *[járműveknél]* string, *(szính)* tier, row, *[kötésnél]* row, round (of knitting), *[gyöngyökből]* string, rope, *(mezőg)* row, drill; *a házak* ~*a* a long row of houses; *a munkások* ~*ai* the ranks of the workers: *egy* ~ *[kötésben]* round of stitches: *hossrú* ~ *[embereké, kocsiké]* queue, long row; **sorba!** in alignment!; ~*ba áll* (form a) queue, stand in a queue, stand in line, form line, queue/line/tail up, *(kat)* fall in(to) (rank, line), line up, draw up in a line, align oneself, come up to scratch *(fam)*; ~*ba állít* arrange/ place in a row, bring into line, array, line (up), range, align, rank, draw up in a line; *egy* ~*ba állítják vmvel/ vkvel* be ranked with sg/sy, *(vmt)* line up with sg, put flush with sg; ~*ba kapcsol (vill)* connect/put in series; ~*ba kapcsolt* series-connected; ~*ba kapcsolt elemek* series of cells; **sorban** *áll* stand in a queue/line, *(vmért)* queue up for (sg); *egy* ~*ban* in single file/ rank; *egy* ~*ban* küzdenek fight side by side; *az első* ~*ban* in the front/first row/rank/line; ~*ban az első (átv)* rank first; *hármas* ~*okban* in ranks of three; *szép* ~*ban* in single file, one after another; *zárt* ~*ok-ban* in close order, in serried ranks *(ref.)*; *kiáll a* **sorból** *(vk)* break ranks, fall out, *(vm)* be out of alignment; *kilép a* ~*ból* break rank(s), fall out; *eltávozik az élők* ~*ából de*part this life, de part from life; **sort** *áll* stand in line, stand in a row, be drawn up in line, line up, *(vmért)* stand in queue, queue up (for); *bezárja a* **sort** bring up the rear; *áttöri az ellenség* ~*ait* break the enemy lines 2. *[írott, nyomtatott]* line, *[szedőgépen]* slug, *[versben]* verse, line; *új sor!* new-line/paragraph!, next line!; *legalsó/ utolsó* ~ bottom-line; ~*t behúz (nyomd)* indent; ~*t kihajt (nyomd)* make the lines even; ~*okat ritkít (nyomd)* white out; ~*ok között olvas* read between the lines; *egy pár* ~ *(írás)* a few lines *(pl)*, a note; *egy pár* ~*t ír vknek* drop sy a line; *e* ~*ok írója* the present writer; *jelen* ~*ok vételekor* on receipt of this letter; *folyó hó 5-i* ~*aink (ker)* our respects of the 5th inst.; *megkaptam szíves* ~*ait (ker)* I am in receipt of your favour/letter; ~*onként* by the line, per line; ~*onként fizet* pay by the line 3. *(menny)* progression, series; *harmónikus* ~ harmonic progression; *mértani* ~ geometrical progression; *számtani* ~ arithmetical progression; *váltakozó* ~*ok* alternating series **4.** *[egymásutániság, sorozat]* series, sequence, *[vkre kerülő]* turn, *[bélyeg]* series; *egész* ~ *vm* a whole series of sg, an indefinite number of sg; *épületek (egész)* ~*a* a (whole) range of buildings; *az események hosszú* ~*a* a long series of events; *az évek* ~*a* series of years; *a kocsik hosszú* ~*a* an interminable string of cars; *kin van a* ~ *?* whose turn is it?; *rajta a* ~ (it's) his turn; *amikor rá került a* ~ when his turn came; *rajtad a* ~ you in play, (it's) your turn; *ha arra kerül a* ~ if it comes to that; *ha a legrosszabbra kerül(ne) a* ~ if it comes to the worst, if the worst comes to the worst; **sorba** *csókol* kiss everybody in turn, kiss along the line; ~*ba járja az üzleteket* visit one shop after the other, shop-crawl *(pej)*; ~*ba kezet fog* shake hands with everybody; ~*ba vesz* take one after the other, take one by one; **sorban**, **sorjában** in turn/line/succession, one after the other, by turns, successively; ~*ban mindenki* each in turn; ~*jában mindegyik* one after another, one after the other; *mindenki sorjában* turn and turn about; *ki van soron?* who is/comes next?, whose turn is it?; *én vagyok* ~*on* (it is) my turn; *ön van* ~*on [borbélynál]* I will do you next sir; ~*on kívül* out of *(v.* before) it's/one's turn, exclusive of turn, *[sietve]* with special dispatch; ~*on kívül ment be* he passed (in) before his turn; ~*on kívüli* out of turn/ order *(üt)*; ~*on kívüli elintézés* specially prompt despatch/execution/arrangement/settlement; ~*on kívüli előlépés* extraordinary/special advancement/promotion, advancement/promotion out of turn *(v.* over the heads of others); ~*on kívüli előléptetés* extraordinary promotion; ~*on következik* follow, come after/next, succeed, *(vk)* be sy's turn; ~*on következő* next, forthcoming, following; ~*on levő* next in turn, *[szolgálatban]* on duty *(üt)* ; **sorra** one after the other; ~*ra elolvas* read one after the other, read in succession; ~*ra jár* make a round; ~*ra kerül* take one's turn, one's turn comes, come on; ~*ra látogat* visit everybody in turn; *várjon* ~*ára* wait (till it is) your turn; **sort** *kerít vmre* manage to find time for sg; *mindenkire* ~*t kerítek* I'll get round to everybody in turn; *majd* ~*át ejtem* I shall attend to it in due course **5.** *[sorozás]* ~ *alá kerül* be called up for military service **6.** *[ügy] tiszta* ~ *!* clear enough!, evident!, no doubt (about) it; *nagy* ~ *ez !* it's no trifling matter!; *hosszú* ~*a van annak* it's a long story **7.** *[sors]* lot, fate; *hogy megy* ~*od?* how goes the world with you?, how is the world treating you?, how are you getting on?, how are things going?, how is the world using you? *(US)*; *jó* ~*a van* he is comfortably/well off; *rossz* ~*a van, rossz* ~*ban van* be badly/poorly off, be hard put to it, be in reduced circumstances, be down one's luck; *rosszul megy a* ~*a* has a hard time (of it), is badly off, is having bad luck, has struck/fallen on bad times; *nehéz* ~ *a* hard lot, hard line; *nehéz a* ~*a* his lot is a hard one; *a világ* ~*a* the order of things *(v.* the world); *ez a világ* ~*a* such is life, that is the way of the world; *paraszti* ~*ban marad* remain/stay a peasant; *alacsony* ~*ból származik* be of humble birth/origin, be base-born *(pej)* **8.** *vm* ~*án* in the course of sg; *az idők* ~*án át* for years, over a period of years, through many years, through years of time; *vitánk* ~*án* in the course of *(v.* during) our discussion

sorakozás *n*, lining up, forming a row/file/line, *(kat)* assembling, gathering, muster

sorakoz|ik [-tam, -ott, -zon, -zék] *vi*, **1.** *[személyek]* align, rally, line up, fall in, range, rank; ~*z !* fall in !; *egy emberként* ~*tak mögéje* they rallied behind him to a man **2.** *[tárgyak]* be set/put in order, be arranged

sorakozó [-t, -ja; *adv* -an] **I.** *n*, fall-in, line-up **II.** *a*,

aligning, lining up, falling in, gathering **III.** *int*, fall-in !, form-up !

sorakoztat *vt*, range, align, line/draw up, *[vk mellett]* range on sy's side

sóraktár *n*, salt-depot/house/magazine/store

sorállás *n, (ált)* alignment, *(vmre várva)* standing in line/queue, queuing up (for), cue *(US)*, *[csak élelmiszerért]* bread-line

sorbafejtés *n, (menny)* series developement, (series) expansion

sorbakapcsolás *n, (vill)* series/cascade-connection

sorbanállás *n*, standing in line/queue, line-up, *[pénztár/ üzlet előtt]* queuing (up) (for)

sordély [-ok, -t, -a] *n, [madár]* corn bunting *(Emberiza calandra)*

sordíjazás *n, [cikké]* linage

soregyen [-ek, -t, -je] *n, (nyomd)* register; ~*t állít* register

soregyengető *a*, ~ *regiszter (nyomd)* register

soremelő *n, [írógépen]* line space lever, line-spacer

sóréteg *n*, salt(y) deposit

sorfa *n*, ornamental tree, fully grown tree, tree used for avenues

sorfal *n*, line, row (of persons), range, *(kat)* hedge, barrage, *(sp)* line/lining-up, wall of players; ~*at áll* line (up), form into line, *(sp)* line up; ~*at álltak az utcán* they lined the streets

sorgyalogság *n, (kat)* line infantry, infantry of the line, line

sorhajó *n*, battleship, line-of-battle ship, ship of the line

sorhajóhadnagy *n*, lieutenant-commander

sorhajókapitány *n*, commodore, commander, (post) captain, captain of the (Royal) Navy *(GB)* ; *sorhajókapitánnyá kinevez vkt* post sy as a captain

sorház *n*, terrace house, (undetached) house in a row, row house

sorhely *n, (menny)* place

sorhosszabbító *n, [írógépen]* margin release

sorhossz-szabályozó *n, [írógépen]* regulator, margin(al) stop bar

sorja [.. át] *n, (fémip)* flash, burr, fin

sorjázó [-t, -ja] *n, (nyomd)* composing/setting stick; ~*val szed [betűt]* stick

sorkatona *n*, conscript, soldier of the line, regular (soldier), private; line(s)man; *sorkatonák* rank-and-file

sorkatonaság *n*, standing/regular army, regular troops *(pl)*, troops of the line *(pl)*, regulars *(pl)*

sorkihajtás *n, (nyomd)* making even

sorkizárás *n, (nyomd)* justification, quadding

sorköteles *a, (kat)* liable to conscription, liable to be called up, of military age, eligible for national service *(mind: ut)*

sorköz *n*, space between two rows/lines, spacing, *(nyomd)* lead, reglet, line-space, *(műsz)* line space; *kettős* ~ *[gépírásnál]* double spacing; *szabályozható* ~ adjustable line space; ~ *nélkül* single-spaced; ~*t tágít (nyomd)* lead out; ~*öket hagy* space (out) the lines/type; ~*zel* double-spaced

sorközi *a, (nyomd)* interlinear

sorköz-szabályozó *n, [írógépen]* line-space gauge

sorköztag *n, (nyomd)* slug

sormetszet *n*, caesura

sorművelő traktor (rowcrop) tractor

sorol [-t, -jon] *vt*, **1.** *(vkt vhová)* rank, range (with), reckon, *(vmt vhová)* put, place (among, with), count, classify (as), *[vm osztályba]* class (among), graduate, include (in); *barátai közé* ~ *vkt* rate/count sy among one's friends; *a legnagyobb írók közé* ~ *vkt* rank/set sy amongst the greatest writers, reckon sy among the greatest writers; *a nagy költők közé* ~*ják* range with the great poets; *Keats-et mindig a* *legnagyobb angol költők közé fogják ~ni* Keats will always rank with/among the greatest English poets; *hová ~nád ezt a könyvet?* where would you class/put this book? **2.** *[elszámlál]* enumerate

sorolás *n,* **1.** *(vkt)* ranking, setting, ranging, *(vmt)* classing, classification, including **2.** *[elszámlálás]* enumeration

sorompó *[-t, -ja] n, [vasúti]* (rail) barrier, (rail) bar, (level-crossing) gate, lift gate, gate barrier, *[rácsos]* lattice barrier; *forgó ~* swing(ing) gate; *gördülő ~* sliding gate; *gyalogos ~* turnstile; *~ba lép (vk ellen)* enter the lists (against sy), have a tilt at sy *(fam)*

sorompóőr *n,* (railway) gate-keeper, gate(s)man

soronként *adv,* by the line, per line; *~ fizet* pay by the line; *hat penny ~* sixpence a line

soros *[-ak, -(a)t; adv -an] a,* **1.** *[sorokra osztott]* -lined, -line, -row(ed); *15 ~* of fifteen lines *(ut),* arranged in fifteen rows; *~ növények* row crops; *~ vetés* sowing in lines **2.** *(vill) ~ kapcsolás* series connection **3.** *[soron levő]* next; *ő a ~* it is his turn, he is next, he follows, *[szolgálatban]* he is on duty

soroz *[-tam, -ott, -zon] vt,* **1.** *(vkt/vmt vhová)* = soro**l 1.**; **2.** *(kat)* muster (for service), recruit, conscript, enlist, levy (troops) **3.** *[ökölvívás]* batter, pound, hit in series

sorozás *n,* **1.** = sorolás 1.; **2.** *(kat)* recruiting, conscription, mustering, enlistment, enlisting, draft *(US),* levy *(US); ~ra megy* be summoned before the recruiting commission **3.** *[ökölvívás]* series

sorozat *n, (ált)* series, sequence, succession, round, run, *(áll)* series, *[bélyeg]* series, set, *[biliárd]* break, *[épületekből]* range, *[eseményeké]* train, cycle, chain, *[gépekből]* bank, *[kárty]* suite, *[pókerban]* straight, *[könyvtárban]* serial, *[levéltári egység]* series, *[lövedéké]* round, *(növ)* order, *[tárgyakból]* set, suite; *hajóraklevél ~ (ker)* set of bill(s) of lading; *események ~a* chain of events; *az események teljes ~a* the whole range of events; *~ban gyárt* mass-produce; *~ban gyártott autó* mass-production car; *100 darabos ~okban* in series of 100 pieces; *csak teljes ~ban [bélvegből]* only as complete sets; *~ban megjelenő [írásmű]* serial, appearing in series *(ut),* published serially *(v.* in series *)(ut); lead egy ~ot [lövést]* fire a round

sorozatcím *n, [könyvtártanban]* serial title

sorozatfelvétel *n, (fényk)* serial exposures/shots, surveys *(mind: pl)*

sorozatgyártás *n,* mass/standardized production

sorozatgyártási *a, ~ model* production model

sorozati *[-t] a,* serial; *~ kiadvány* serial (publication); *~ nyilvántartás [könyvtárban]* continuation record, continuation check list

sorozatkép *n,* film-strip

sorozatkiválasztás *n,* selection of series

sorozatlövő *a/n, ~ (fegyver)* automatic weapon

sorozatmegjelölés *n, [könyveké]* series note

sorozatos *[-at, adv -an] a,* serial, cyclic(al), in succession *(ut); ~ balszerencse* run of ill(-)luck; *~ előadások* a course of lectures; *~ kapcsolás (vill)* connection in series, series connection; *~ kiadvány* serial (publication); *~ szerencse* a run of luck; *~ támadások érik* he was repeatedly attacked, he suffered a series of attacks in succession

sorozatosan *adv,* serially, in series/sequence, *[esetről esetre]* in one instance after the other

sorozatrobbantás *n, (bány)* volley-firing

sorozatszám *n,* serial/running number

sorozattűz *n,* ranging/salvo fire

sorozatvető *n,* rocket-thrower/launcher

sorozó *[-t] a,* recruiting, conscription, mustering; *~ bizottság* recruiting/drafting commission/committee, draft-board *(US)*

sörög *n,* salt-cat

sorrend *n,* order (of succession), succession, sequence, *[folyamat]* course; *betű szerinti ~ben* in alphabetical order; *fontossági ~* order of importance; *a megfelelő ~ben* in due course/succession; *rossz ~ben* out of order; *szám szerinti ~* numerical order; *~ben* in rotation; *a beérkezés ~jében* in/order of arrival, in rotation; *~ben halad* proceed one after another, proceed in a line; *időrendi ~ben* in chronological order

sorrendcsere *n, (nyelvt)* interversion

sorrendi *a,* in order (of succession/sequence) *(ut),* ordinal, of order/sequence *(ut)*

sors *[-ot, -a] n,* fate, *(vké)* lot, portion, *[meghatározott]* destiny, *[tragikus]* doom, *[bizonytalan]* fortune; *a ~ iróniája* irony of fate; *a ~ játékszere* fortune's fool; *üldözi a ~* have/experience reverses, be dogged by ill-luck/fortune; *szerencsétlen ~* unfortunate lot, bad fortune; *a ~ úgy akarja hogy én ...* it falls to my lot to ..., the lot falls to me to ..., it falls to me as my lot to ..., fate *(v.* it was) ordered that I ...; *így hozta/akarta a ~* fate willed it so, as luck would have it; *a ~ máskép határozott* fate has decided otherwise; *így volt megírva a ~ könyvében* it was in the books (for sy); *úgy reméltük de másképp volt megírva a ~ könyvében* so we hoped but it was otherwise ordered; *a ~ próbára tette* he has been tried in the furnace *(fam); nem tudjuk mit hoz számunkra a ~* we don't know what fortune has in store for us; *~a beteljesedett* he met *(v.* went to) his fate; *jó ~a hozta ide* his good fortune brought him here, his lucky star guided him here; *~unk meg van pecsételve* our fate/doom is sealed; *belenyugszik ~ába* be reconciled to one's fate; *osztozik vk ~ában* share sy's fortune, cast/throw in one's lot with sy, be in the same boat with sy; *rossz ~ban él/van* be badly/poorly off, be hard put to it, be in reduced circumstances; *megadja magát ~ának* submit to one's fate/lot; *jobb ~ra érdemes [igével]* deserves a better lot; *rossz ~ra jut* fall on evil days; *~ára hagy vkt* leave sy to his fate, leave sy to his own devices, throw sy overboard, cut/turn sy adrift; *mindent a ~ára hagy* let everything/things slide; *ő is a földi dolgok ~ára jutott* he too has gone the way of all flesh; *gondoskodik vknek a ~áról* settle the future of sy; *vk ~át intézi* sway sy's destiny; *~át a ~ához kötötte* he threw in his lot with her; *~át senki el nem kerülheti* no one can avoid/escape his destiny, there is no striving against fate; *ő intézi ~omat* my fate is in his hands; *~ot húz* draw/cast lots (for), settle sg by lot, *[szalmaszálakkal]* play long-straws, toss (up) for sg *(fam), (vkre)* choose sy by lot; *~ot vet* cast lots; *dacol a ~sal* he defies fate; *elégedett a ~ával* be content with one's lot

sorscsapás *n,* stroke of fate, blow of fortune; *~ok érik* have/experience reverse; *~októl sújtott ember* a man hit by adversity

sorsdöntő *a,* decisive, *[elhatározás, pillanat]* fatal, decisive, *[esemény]* historic, *[nap]* fateful

sorsedzett *a,* schooled in adversity *(ut)*

sorsfordulat *n,* (sudden) change of fortune, reversal of fortune, peripet(e)ia *(ref.),* peripety *(ref.), [elönytelen]* set-back

sorsharag *n,* the wrath of fortune, disaster

sorshúzás *n,* drawing (of lots), *[szalmaszállal]* drawing cuts, cutting lots, playing long-straws, *[fej-vagy--írás]* toss (up); *~ útján* by drawing/cutting lots; *~sal dönt* decide by lot, ballot for sg

sorsjáték *n,* lottery, *[tárgyra]* raffle

sorsjegy *n,* lottery/raffle ticket

sorsjegyárus *n,* (lottery) ticket vendor/seller

sorskérdés *n,* vital question/problem/matter, decisive

question, question/matter of vital importance, question/matter of life and death

sorsközösség *n*, community of fate, common lot/fate; ~et vállal vkvel throw in one's lot with sy

sorsol [-t, -jon] *vt*, draw (lots for), raffle, *[fej-vagy-írás?]* toss (up), *[szalma:-rállal?]* draw cuts

sorsolás *n*, = **sorshúzás**

sorsolási [-ak, -t; *adv* -lag] *a*, of drawing/ballot/raffle *(ut)*; ~ jegyzék lottery list, list of winners, list of numbers drawn (in lottery)

sorsszerű *a*, fatal, fateful, (pre)destined, inevitable

sorstárs *n*, fellow sufferer; ~ak comrades in misfortune, companions in distress

sorstragédia *n*, *[görög]* tragedy of destiny, *[német]* fate-tragedy, fate drama

sorsú [-ak, -t] *a*, of ... fate *(ut)*, -fated

sorsüldözött *a*, pursued by fate *(ut)*, afflicted (by misfortune), overwhelmed by misfortunes *(ut)*, fate-stricken

sorszám *n*, *[jegyzékben]* serial number; ~ szerint rendez serialize

sorszámbélyegző *n*, follow die

sorszámnév *n*, ordinal (numeral), ordinal number

sorszámozás *n*, numbering

sorszedő *n'a*, *[ember]* piece-hand; ~ gép linotype, line(-setting), composing machine, lino *(fam)*

sorszélesség *n*, lengett of (a) line, type-area

sortágító *n*, *(nyomd)* lead

sortatarozás *n*, repainting a row of houses, (mass) redecoration, giving a street a face-lift *(fam)*

sortávolság *n*, *[írásnál]* space (between lines), interline spacing, line-space, *[egyéb]* row space

sortérző *n*, *(nyomd)* lead

sortöltelék *n*, stop-gap expression/word, expletive

sortöltő I. *a*, expletive **II.** *n*, 1. *[szó]* expletory word, expletive (word) 2. *(nyomd)* lead, quad, justification

sortűz *n*, volley(-firing), salvo, line-firing, discharge, *[ágyué]* round of cannon, fusillade, salute with the guns, *[hajóé]* broadside; *sortüzet ad* fire a volley/ salvo/broadside, volley, *[végigsöpörve]* rake, enfilade; *sortüzet vált [két hajó]* exchange broadsides

sorvad [-t, -jon] *vi*, atrophy, waste away, become emaciated, be consumed, lose flesh, *(növ)* wither, decline, *(vm átv)* decay, decline, dwindle, *(vk átv)* pine (away), languish

sorvadás *n*, consumption, atrophy, decline, decay, dwindling, wasting (away), *(növ)* atrophy, withering, *(orv)* atrophy, marasmus, cachexia, tabescence, *[tüdővészes]* consumption, phthisis, *(átv)* pining (away); *vénségi* ~ senile atrophy

sorvadási *a*, = **sorvadásos**

sorvadásos [-ak, -t; *adv* -an] *a*, atrophic, consumptive, phthisic(al), hectic

sorvadó [-t; *adv* -an] *a*, emaciating, wasting

sorvadozik [-tam, -ott, -zon] *vi*, = **sorvad**

sorvadt [-at] *a*, ~ izom atrophied muscle

sorváltó *n*, *[írógépen]* line space lever

sorváltós [-at] *a*, ~ letapogatás *[televíziónál]* interlaced scanning

sorvaszt [-ani, -ott, .. asszon] *vt*, atrophy, consume

sorvasztó [-t; *adv* -an] *a*, consuming, emaciating, wasting

sorvég *n*, *[dallamé]* line-ending, cadence

sorvégi [-t] *a*, ~ rím end rhyme

sorvégző [-t] *a*, ~ hang *(zene)* final note (of a tune-line), final

sorvetés *n*, drill(ing), drill husbandry

sorvető gép seed-drill, drill(-barrow), ridge-drill

sorvezető *n*, underlines, black/guide/writing lines, ink-lines *(mind: pl)*

sorzár *n*, *[írógépen]* margin(al) stop

sorzárás *n*, *(nyomd)* justification

sorzó [-t, -ja] *n*, *(nyom1)* composing/setting stick

sós [-at; *adv* -an] *a*, salt(y), salted, pickled, in salt *(ut)*, briny *(ref.)*, brinish *(ref.)*, brackish *(ref.)*, *[kissé]* saltish, *(vegyt)* saline, salinous; *kissé/enyhén* ~ saltish; ~ fürdő salt-bath, brine-bath, salt-water--bath; ~ hering pickled/salted herring, pickle-herring; ~ íz saline taste, salt-twang, saltness, saltiness; ~ ízű salty, *[igével]* have a saline taste; ~ kő *[istállóban]* salt-lick; ~ kút salt/saline-spring; ~ lé souse, brine, pickle; ~ levegő salt/sea-air; ~ mocsár salt--marsh; ~ oldat salinous solution; ~ pác souse; ~ tó salt-lake/pond, saline lake; ~ víz *[tengeri]* salt/sea-water, brine, *[pácoló]* pickling, *(vegyt)* muriated/chlorinated water

sósav *n*, hydrochloric acid, hydric chloride

sósavas *a*, hydrochloric

sósavhiány *n*, achlorhydria

sósborszesz *n*, spirit(s) of salt, alcohol rub

sose *adv. indef*, = **soha**; ~ lehet tudni you never can tell

sóska *n*, *(növ)* garden sorrel *(Rumex scutatus)*

sóskafa *n*, *(növ)* berberis, barberry, berberry *(Berberis)*

sóskamártás *n*, sorrel sauce

sóskasav *n*, *(vegyt)* oxalic acid, oxalate

sóskasavas *a*, *(vegyt)* oxalic

sóskasó *n*, salt of sorrel, *(tud)* acid potassium oxalate

sóskeksz *n*, cracker

sóskifli *n*, *(kb)* salted crescent/roll

sósmandula *n*, salted almonds *(pl)*

sósperec *n*, pretzel

sósság *n*, saltiness, brininess, brackishness, *(vegyt)* salineness, salinity

sósvízi *a*, salt-water

sószegény *a*, salt-free, deficient in salt(s) *(ut)*

sószemcse *n*, grain (of salt)

sószóró *n*, salt-shaker/cellar/sprinkler, shaker *(US)*

sótalan *a*, 1. unsalted, saltless; ~ diéta salt-free diet 2. *(átv)* insipid, flat, tasteless, saltless, *[ember]* colourless, insipid, flat, *[történet]* pointless

sótalanít [-ani, -ott, -son] *vt*, desalt

sótalanság *n*, 1. unsaltedness 2. *(átv)* insipidity, flatness

sótartalmú *a*, briny, containing salt, pickled, saline, *(geol)* saliferous, *(vegyt)* saliniferous

sótartalom *n*, salinity

sótartalommérő *n*, salinometer, salt-gauge

sótartó *n*, 1. *[konyhai]* salt-holder/box, *[asztali]* salt-cellar/shaker 2. *[ember vállán]* cavity of the neck, hollow formed by collar-bone, clavicular fossa, 'salt-cellar'

sótelep *n*, 1. *(geol)* salt-bed 2. *[raktár]* salt-house/ magazine/store

sótermelés *n*, salt-making, production of salt, *[főzéssel]* salt-boiling, obtaining salt (from sea-water)

sótermelő I. *a*, salt-making/producing; ~ ország salt--producing country **II.** *n*, salt-maker, salter

sótiszt *n*, † collector of the salt-tax, *[bányában]* official of the salt-mine

sótlan *a*, = **sótalan**

sótlanság *n*, = **sótalanság**

sótörés *n*, ⟨test of strength in which two men stand back to back and take it in turns to lift each other⟩, *(kb)* salt-breaking

sottis [-t] *a/n*, tartan, plaid

sótűrő *a*, *[növény]* halphyte

sóvám *n*, salt-tax/excise

sovány [-at; *adv* -an] *a*, 1. *[élőlény]* lean, thin, scrawny, lank, skinny *(fam)*, spare *(fam)*, *[nagyon]* haggard, fleshless, peaky, emaciated, scraggy, gaunt *(ref.)*; ~ arc haggard/lenten/bony face, sharp-set face;

olyan ~ mint a hét szűk esztendő, ~ mint az agár, ~ mint egy gebe as thin as a lath/rake 2. *[hús]* lean, fatless, *[étel]* meagre, poor, insubstantial, skimpy; ~ ebéd miserable dinner; ~ koszt thin/low diet; ~ koszton él live/feed low, be on short commons *(fam)*, skimp the food *(fam)*; ~ tej skimmed milk 3. *[talaj]* barren, hungry; ~ legelő poor grazing land 4. *[eredmény, fizetés]* meagre, poor, *[bevétel]* paltry, scanty; ~ esztendők lean years 5. ~ vigasz cold/poor comfort

soványérc n, low grade ore

soványít [-ani, -ott, -son] vt, 1. make/render thin/ slim, reduce the weight (of sy), reduce in weight, *[étrend, orvosság stb.]* slim 2. *[ruha]* make sy appear/ look slim, have a slimming effect

soványítás n, slimming

soványító [-t] a, ~ kúra slimming/banting cure

soványka a, thinnish, slight

soványodás n, growing thin/lean, emaciation, loss of flesh

soványodik [-tam, -ott, -jon, -jék] vi, grow thin(ner)/ lean, thin, lose flesh/weight, reduce, slim, fall away/ off *(fam)*, *[erősen]* emaciate, waste away

soványság n, 1. *[tulajdonság]* thinness, leanness, gauntness, spareness, scragginess, *[nagyfokú]* emaciation 2. *(vkről tréf)* bag of bones, rattlebones *(pl)*, skin and bones 3. *[húsé]* leanness, *[ételé]* meagreness 4. *[talajé]* barrenness 5. *[eredményé, fizetésé]* meagreness

sóvár [-at; adv -an] a, desirous (of), eager (for), longing (for), yearning (for), wishful (to), keen (on), covetous (of), avid (for), thirsty; ~ pillantás longing/yearning look, eager glance/look; ~ szemmel with longing eyes; ~ szemmel néz (vmt) cast covetous glances on (sg); ~ szemű eager-eyed; ~ tekintet yearning eyes *(pl)*, longing look

sóvárgás n, yearning, craving, hankering, longing, hungering

sóvárgó [-t; adv -an] a, = sóvár

sóvárog [-tam, . . rgott, -jon] vi, *[vm után]* covet (sg), crave (for), long (for), yearn (for), be mad (on, for), starve (for), hunger (sg), languish (after, for), weary (for), be covetous/desirous (of), hanker (after), *[vk után]* languish, pine, sigh *(mind :* for)

sóvárság n, desirousness, eagerness, longing, covetousness

soviniszta [. . át] I. a, chauvinist(ic), jingoist(ic), overpatriotic II. n, chauvinist, jingo, ultra-nationalist; kardcsörtető ~ rabid nationalist; amerikai ~ a hundred-percenter *(US)*, spread-eagle *(fam)*

sovinizmus n, chauvinism, jingoism, jingo spirit, flag-waving

sóz [-tam, -ott, -zon] vt, 1. *[ételt]* (season with) salt, *[meghintve]* dust/powder with salt, sprinkle with salt, *[tartósítva]* salt (down), pickle, *[sonkát]* cure 2. *(vmt vkre elit)* palm/work sg off on sy, fob off sg on sy, foist (off) sg on sy, unload sg on sy *(fam)*; rossz pénzt ~ott a nyakamba foisted some bad money on me 3. *[ütést vkre]* give sy a smack(er), fetch sy a stinging blow

sózás n, *[ételt]* salting, *[tartósítva]* pickling, sousing, *[főleg sonkát]* curing

sózódézsa n, salting-tub, salter, pork-barrel

sózóhordó n, salt tub, pork-barrel

sózott [-at; adv -an] a, salt(ed), pickled, in salt *(ut)*, soused, *[hús]* salted, corned, *[hal]* salt, dry (fish); ~ élelmiszer salt provisions *(pl)*; ~ hal salt-fish; ~ hering pickled/salted herring; ~ hús salted meat, meat in salt, *[hajón]* junk, salt horse; ~ szalonna *[füstöletlen]* green bacon; ~ vaj salt butter, crock-butter; nem ~ unsalted, unpickled, fresh

sömör [-ök, -t, -e] n, tetter, lichen, herpes, ringworm,

pimple, fever-blister, dry scab *(fam)*, *[ló lábán]* rat-tail, rat's-tail, grapes *(pl)*

sömörös [-et; adv -en] a, herpetic, lichenous

sönt [-öt] n, *(vill)* shunt

söntés n, *(kb)* tap-room, bar, saloon *(US)*

söntöl [-t, -jön] vi/vt, *(vill)* shung, put in shunt

söpör [-t, -jön] vt, sweep, broom, *[utcát]* scavenge clean, *[port lesöpör]* dust, whisk (off), *[lekefél]* brush; kiki a maga háza előtt ~jön l sweep before your own door!, mind your own business!

söpredék [-et, -e] n, 1. *(átv)* riff-raff, mob, rabble, dregs *(pl)*, scum; a társadalom ~e the scum/dregs of society, the scum of the earth, the sweepings of society 2. *[szemét]* offscourings *(pl)*, sweepings *(pl)*, refuse

söprés n, 1. sweeping, brooming, *[utcát]* scavenging 2. légcsavar ~e *(rep)* propeller race

söpröget vt, be sweeping/brooming

söprű¹ [-t, -je] n, = seprő¹

söprű² [-t, -je] n, = seprű¹

sör [-ök, -t, -e] n, beer, *[erős]* stout; barna ~ porter; gyönge ~ small beer; palack(ozott) ~ bottled beer; világos ~ *[angol]* (pale) ale, *[magyar]* lager(-beer); egy pohár ~ a glass of beer; ~t főz brew (beer)

sörárpa n, malting barley

sörbet n, sherbet

sörcefre n, wort (of beer), beer wort

sörcsarnok n, ale/beer-house/shop, pot-house *(pej)*

sörecet n, beer vinegar

sörélesztő n, beer-yeast, brewer's yeast, (sweet) barm

sörény n, mane

sörényes [-et; adv -en] a, maned

sörét [-et, -je] n, (lead) shot, small/hail-shot, *[durva]* swan-shot, *[legapróbb]* dust-shot

sörétes [-et; adv -en] a, shot-; ~ puska shot-gun, fowling-piece; ~ töltény shotshell

söréthatás n, *(távk)* shot effect

sörfőzde n, = sörfőző II. 2.

sörfőzés n, (beer-)brewing

sörfőző I. a, (beer-)brewing; ~ üst/kád wort-copper, ale-vat. gyle II. n, 1. *[személy]* brewer 2. *[hely]* brewery, brewhouse; a ~ the brewing interest

sörgyár n, brewery

sörgyáros n, brewer

sörgyártás n, brewing, beer-making

sörház n, = sörcsarnok

söritaI n, malt liquor

sörivó n, beer-drinker, drinker of ale/beer, beer-bibber/ swiller *(pej)*, ale-knight *(pej)*, beer-guzzler *(US)*

sörke n, nit

sörkert n, beer-garden

sörkorcsolya n, cocktail savouries *(pl)*, savoury snack(s), salty titbits (to increase thirst for beer) *(pl)*

sörkóstoló n, ale-tasting, *[szakemberé]* beer-conning

sörlé n, brewage

sörleves n, beer-soup, hot ale

sörmelegítő n, beer-warmer; ~t alkalmaz mull beer

sörnyitó n, crown-cork opener

sörös [-t; adv -en] a, beery

söröshordó n, beer barrel, keg, *(átv)* corpulent beer-drinker, froth-blower

söröskancsó n, beer-mug, ale/beer-pot, tankard, *[nagy]* ale-pitcher, jug, stein, *[ember alakú]* Toby

söröskocsi n, beer cart/van, (brewer's) dray

söröskocsis n, drayman

söröskorsó n, beer-mug, tankard, stein, schooner *(US)*

söröslÓ n, dray-horse

söröspalack n, beer-bottle

söröspohár n, beer-glass, *[stucni típusú]* pilsner glass; ~ alátét beer-mat

sörösüveg n, beer-bottle

söröz [-tem, -ött, -zön] vi, drink beer, sit over one's beer

sörözés n, beer drinking, sitting over one's beer
sörözget vi, be drinking beer
söröző [-t, -je] I. a, beer-drinking II. n, 1. [hely] brasserie, beer-house, porter-house 2. (vk) beer--drinker
sörszivattyú n, beer-engine/pump
sörte [.. ét] n, bristle, (növ) seta, bristle, awn, beard, [madárcsőr tövén] cirrus, [kalapdísz] tuft (of bristles), tuft of chamois-beard; ~ alakú (növ) setiform, bristle--shaped; sörtével borított setose
sörtehajú a, crew-cut, badger-haired
sörtelábú a, setireme
sörtermelés n, beer production
sörtés a, bristly, bristled, setaceous, bearing bristles (ut), hispid
sörteszerű a, setaceous
sőt conj, nay (more), (and) indeed, in fact, moreover, actually, even, on the contrary; gyanítom(,) ~ biztos vagyok benne hogy igaza van I suspect(,) nay(,) I am certain that she is right; nem buta(,) ~ igen okos he-isn't a fool(,) in fact(,) he is very clever; ez a szer haszontalan(,) ~ káros the remedy is useless(,) what is more(,) harmful; ~ még ha így is volna even if it should be so; ~ még most is even now; ~ ellenkezőleg! quite to the contrary; ~ mi több and what is more; ~ mi rosszabb and what is worse
sötét [-et; adv -en] I. a, 1. dark, sombre (ref.), darkling (ref.), tenebrous (ref.), [bőr] swarthy, dark, [helyiség] unlit, unilluminated; ~ alapon against a dark background; ~bőrű dark-skinned, dusky, swarthy; ~ éjszaka volt it was a dark night, the night was pitch dark; ~ lakás dark flat; ~ rész [képen] shadow; ~ ruhában darkly dressed; megjelenés ~ ruhában subfusc (v. dark clothes/suits) will be worn; ~ szemű dark-eyed; ~ szín dark/deep colour; ~ színekben fest paint a picture in the darkest colours; ~ színárnyalat a sombre shade of colour; ~ színű dark(-coloured), dusky, blackish; ~ tónusú (műv) low in key, low keyed; ~ tónusú kép low-key picture; mindent a leg~ebb színben lát see the worst of everything, be an out-and-out pessimist, look on the dark side of things only; a helyzetet a leg~ebb színekkel festi draw a picture of the situation in the darkest colours; ~ebbnek festi az ördögöt mint amilyen paint the devil blacker than he is 2. (átv) [homályos] murky, dark, gloomy, obscure, [buta] dull, [gonosz] evil-minded, [baljós, fenyegető] sinister, ill-omened, of evil omen, dismal, fatal, [reménytelen] dark, hopeless (and sad), [szándék, tekintet] sinister, [ügy] queer; ~ alak (elit) dismal/shady character, shady customer, bad lot, cad; ~ arcú evil-looking; ~ befolyás murky influence; ~ cél sinister purpose; ~ gazember scoundrel/villain of the deepest dye; ~ gondok dark cares; ~gondolatok gloomy/dismal thoughts, doldrums; ~ középkor dark Middle Ages; ~ külsejű evil-looking; egy ~ külvárosban lakik lives in an obscure/dismal suburb; ~ lelkű evil-minded, depraved, vicious, venomous, sinister; ~ múlt murky past; végzik ~ munkájukat prosecute their nefarious ends; ~ oldaláról nézi/látja a dolgokat see (v. look on) the dark side of things; ~ szándék evil intention, dark purpose; ~ terv dark/sinister/shady plan/plot/project; ~ tett dark deed; ~ tudatlanság black ignorance, monumental ignorance (fam) ; ~ ügy shady business, unsavoury affair, skulduggery (US) ; ~ üzelmek obscure doings/dealings, hole-and-corner dealings; a középkor legsötétebb része the midnight of the Middle Ages
II. n, 1. dark(ness); ~ van it is dark; ~be boru va plunged in darkness; ~be ugrás a leap in the dark; az éjszaka ~jében through the womb of night; csak teljes ~ben hívható [film] to be developed only

in total darkness; ~ben tapogatódzik grope about in the dark; a ~ben minden tehén fekete when lights are away all cats are grey 2. [sakk] black
sötét-alkalmazkodás n, dark adaptation
sötétbarna a, dark brown, dun
sötétedés n, darkening, obscuration, dimming, [estele-dés] dusk, twilight, nightfall; ~ után after dark
sötéted|ik [-ett, -jen, -jék] vi, 1. [anyag] darken, become/grow/get dark(er) 2. [esteledik] night is falling, it is growing/getting dark, it is growing dusk
sötéten adv, 1. dark(ly), black; ~ szereti? [kávét] do you like it strong? 2. (átv) gloomily; ~ látja a dolgokat look on the dark side of things; túl ~ lát be much too pessimistic, see only the gloomy side of everything; ~ látó pessimistic, [főnévvel] pessimist, croaker (fam) ; ~ látás pessimism; ~ mered maga elé stare gloomily; ~ néz look black/daggers, (vkre) look darkly at sy
sötétes [-(e)t; adv -en] a, darkish, dim(mish), darksome (ref.), darkling (ref.)
sötétít [-eni, -ett, -sen] vt, darken, dim
sötétkamra n, dark-room, camera obscura (lat)
sötétkamra-berendezés n, dark-room equipment
sötétkamra-lámpa n, safe-light-lamp; ~ szűrőüveg safe-light-screen
sötétkamra-töltés n, unspooled film
sötétkamra-világítás n, dark-room safelight/illumination
sötétkarikás a, ~ szemek black-ringed eyes, eyes with dark rings around them
sötétkék a, dark/deep/navy/Oxford-blue, mazarine
sötétl|ik [-eni, -ett, .. teljen, .. teljék] vi, appear/ show dark, darkle (ref.), [derengve] loom
sötétlila a, purple
sötétpiros a, dark/deep-red, crimson
sötétsárga a, dark-yellow, tawny; ~ szűrő (fényk) deep-yellow filter
sötétség n, 1. dark(ness), gloom, murk(iness) (obs), [erdőé, éjszakáé] obscurity, [színé, képé] sombreness; a ~ beállta előtt before nightfall; a ~ beálltával after dark, at nightfall/dusk; a ~ leple alatt under a shroud of darkness; hirtelen ránk borult a ~ darkness overtook us; ~be borult plunged in darkness; ~be borít gloom; ~be borítja a szobát plunge the room in darkness 2. (átv) obscurity, gloom
sötétszürke a, dark-grey, dun-coloured
sötétül [-t, -jön] vi, = sötétedik, sötétlik
sötétvörös a, dark/deep-red, crimson, [haj] dark auburn, [bor] ruby; ~ szűrő deep-red filter
sötétzárka n, dark-cell, dungeon (fam)
sötétzöld a, dark/bottle/rifle-green
sövény [-ek, -t, -e] n, 1. [élő] hedge(row), fence, fencing, hedging, picket-fence, [galagonyából] quickset, [fonott] wattle, wicker-work; sövénnyel elkerít hedge in/off 2. (bonct) septum
sövényfonadék n, wattle(-work)
sövénygát n, fence, hurdle
sövénykaró n, hedge-stake/pale/picket/post/pole
sövénykerítés n, hedgerow, quickset/living/wicker hedge, fence, paling, [nem élő] wattle (fence); ~sel elkerít telket hedge off a ground
sövénynyírás n, hedging, lopping
sövénynyíró n, hedger, lopper; ~ olló hedging shears (pl), hedging machine, hedge-clipper(s)/trimmers (pl)
sövényrózsa n, (növ) eglantine (Rosa rubiginosa)
sövénysármány n, (áll) cirl-bunting (Emberiza cirlus)
spachtli [-t, -ja] n, palette knife, (painting) spatula, scraper
spácium [-ot, -a] n, space, (nyomd) blank space, white; nyolcadpetit/egypontos ~ hair-space; ~ egalizálva letters spaced

spáciumoz [-tam, -ott, -zon] *vt, (nyomd)* space, set out
spádé [-t, -ja] *n,* † (double-edged(,) narrow(,) straight) sword
spagetti [-t, -je] *n,* spaghetti, Italian paste
spájz [-ok, -t, -a] *n,* = éléskamra
spaletta [.. át] *n,* box(ed)/folding shutters *(pl),* window-shutter/blind; *spaletták* shuttering
spaniel [-ek, -t, -e] *n,* spaniel
spanyol [-ok, -t, -ja; *adv* -ul] I. *a,* Spanish, Hispanic *(ref.);* ~ *ember* Spaniard; ~ *gallér [nyakon]* ruff (collar on dress); ~ *nyelv* Spanish; ~ *nyelvész* Hispanist II. *n,* 1. *[ember]* Spaniard; *a* ~*ok* the Spaniards, the Spanish people 2. *[nyelv]* Spanish 3. = spanyolnátha
spanyol—amerikai *a,* Spanish/Hispano-American
spanyolbak *n,* knife rest
spanyolcsizma *n, (tört)* torture of the boot
spanyolfal *n,* folding/draught-screen
spanyolgallér *n, (orv)* capistration
spanyollovas *n, (kat)* chevaux de frise *(pl fr),* barbed wire entanglement, *[forgatható]* herisson, turnpike
spanyolnád *n, (növ)* rattan, malacca/rattan cane, calamus *(Calamus rotang)*
spanyolnátha *n,* Spanish grippe, influenza, Spanish catarrh, flu *(fam)*
Spanyolország *prop,* Spain
spanyolországi *a,* from/of Spain *(ut),* Spanish
spanyolos [-ak, -t; *adv* -an] *a,* Spanish-like/looking
spanyolul *adv,* in Spanish; ~ *beszél/tud* speak Spanish
spanyolügetés *n,* passage
spanyolviasz *n,* sealing wax; *nem ő találta fel a* ~*t* he is no genius, he will never set the Thames on fire; *feltalálta a* ~*t* he set the Thames on fire
spárga[1] [.. át] *n,* 1. *[madzag]* string, twine, pack-(ing)/shop-cord/thread 2. *[tornában, balettben]* splits *(pl);* spárgát *csinál* do the splits
spárga[2] [.. át] *n, (növ)* asparagus *(Asparagus officinalis);* egy ~ a stick of asparagus
spárgaágy *n, (növ)* asparagus-bed
spárgabogár *n, (áll) (közönséges)* ~ asparagus-beetle *(Crioceris asparagi)*
spárgakel *n, (növ)* broc(c)oli *(Brassica oleracea)*
spárgaleves *n,* asparagus soup
spárgaszár *n,* stick of asparagus
spárgatalp *n,* rope-soles *(pl)*
sparhert [-et, -je] *n,* (cooking-)range, cooking-stove, *[nagy méretű]* kitchener
Spárta [.. át, .. ában] *prop,* Sparta
spártai [-ak, -t; *adv* -an] *a/n,* Spartan, Lacedaemonian; ~ *szellem* Spartanism
spartaklád [-ot, -ja] *n,* Trade Union athletic championship, spartachiade
spartakista [.. át] *n, (pol, tört)* Spartacist
spatulya [.. át] *n,* spatula, putty/palette-knife, *[kőművesé]* stopping-knife, paring chisel
speciális [-at; *adv* -an] *a,* (e)special, particular, peculiar, purpose-made; ~ *érdeklődési kör/terület* special subject; ~ *értelem/jelentés [szóé]* specific meaning
speciálisan *adv,* (e)specially, particularly, peculiarly
specialista [.. át] *n,* specialist; *orr-(,) fül-(,) gége*~ laryngologist, aurist, nose and ear man *(fam)*
specialitás *n,* special(i)ty, special article, feature; *ez a* ~*om* that's my speciality
specializáció [-t, -ja] *n,* specialization
specializál [-t, -jon] *vt/vi,* specialize; *vmre* ~*ja magát* specialize in sg, become a specialist in sg, make a special study of sg
specializálódás *n,* specialization, specializing
specializálód|ik [-tam, -ott, -jon, -jék] *vi, (vmre)* become specialized (in sg)
specifikáció [-t, -ja] *n, (ker)* specification
specifikus *a,* specific; ~ *betegség [= tbc]* morbid specif-

icity; ~ *hatás [orvosságé stb.]* specificity; ~ *hő (fiz)* specific heat
speditőr [-ök, -t, -je] *n,* forwarder, forwarding/shipping agent
spejz [-ot, -a] = éléskamra
spékel [-t, -jen] *vt, [húst]* lard, *(átv is)* interlard, *[hogy érdekesebb legyen]* needle; ~*ni való szalonna(szelet)* lardon; *idézetekkel* ~*i a beszédét* interlard/sprinkle one's speech with quotations
spékelőtű *n,* larding-pin/needle
spektrálanalízis *n, (fiz)* spectr(oscopic)al analysis
spektrálsáv *n, (fiz)* band of the spectrum
spektrofotométer *n, (fiz)* spectrophotometer
spektrofotometria *n, (fiz)* spectrophotometry
spektrográf [-ok, -t, -ja] *n, (fiz)* spectrograph; *prizmás* ~ prism spectrograph
spektrogram *n, (fiz)* spectrogram
spektroszkóp [-ot, -ja] *n, (fiz)* spectroscope
spektroszkópia [.. át] *n, (fiz)* spectroscopy
spektroszkópiai [-t] *a, (fiz)* spectroscopic(al)
spektroszkopikus *a, (fiz)* spectroscopic(al)
spektrum [-ot, -a] *n, (fiz)* spectrum; *abszorpciós* ~ absorption spectrum; *emissziós* ~ emission spectrum
spektrumsáv *n, (fiz)* spectrum-band
spektrumvonal *n, (fiz)* spectrum-line
spekuláció [-t, -ja] *n,* 1. *[elmélkedés]* speculation, cogitation, pondering 2. *(ker)* speculation, gambling, venture; ~*ra vesz vmt* buy sg on speculation, buy sg as a speculation
spekulációs [-at; *adv* -an] *a,* speculative; ~ *üzlet* speculative/stag transaction, jobbery; ~ *építkezés* jerry--building
spekulál [-t, -jon] *vi,* 1. *[töpreng vmn]* speculate/cogitate/meditate/ruminate on, ponder over 2. *(ker)* speculate, gamble, hazard, *[tőzsdén]* job, play the market *(US), (vmvel)* speculate in, do sg on speculation, *(vmre)* speculate for; *ár(folyam)emelkedésre/hosszra* ~ speculate for a rise (in prices), go a bull, bull (the market); *ár(folyam)esésre/besszre* ~ speculate for a fall, bear (the market)
spekuláns [-ok, -t, -a] *n,* speculator, *(ellt)* commercial adventurer, profiteer, *[tőzsdei]* gambler (on the Stock Exchange), stock-jobber, stag
spekulatív [-at; *adv* -an] *a,* speculative, notional
spelunka *n,* □ dive, disreputable, drinking-den, pot--house
spenót [-ot, -ja] *n, (növ)* spinach *(Spinacia oleracea)*
sperhakni [-t, -ja] *n,* □ skeleton key, screw
sperma [.. át] *n, (biol)* sperm, semen
spermaképződés *n, (biol)* spermatogeny
spermatológia [.. át] *n, (biol, növ)* spermatology, spermology
spermatozoid [-ot, -ja] *n, (biol)* zoosperm
spicc[1] [-et, -e] *n,* 1. *[kutya]* spitz/Pomeranian dog, pom *(fam)* 2. *[cipő]* toe-cap 3. *[tánc]* toe-dance/dancing; ~*en táncol* = spiccel
spicc[2] [-et, -e] *n, (biz) [ivástól]* slight elevation/intoxication/tipsiness, a drop too much, bibulosity; ~*e van* be tipsy, be slightly elevated, be a bit tight/screwed/squiffy, be mellow, be off the nail, have a jag on, be a bit on
spiccel [-t, -jen] *vi,* dance on one's toes, dance on the points, dance on tiptoe
spiccelés *n,* toe-dance/dancing
spicces [-et; *adv* -en] *a, (biz)* tipsy, (slightly) elevated, mellow, a bit tight/screwed/squiffy, squiffy, lit up *(amitől* with sg), sprung, elated, fuzzy, pixilated
spicli [-t, -je] *n, (biz),* informer, squealer, denouncer, *[rendőri]* police-spy, grass ✧, stool-pigeon *(US), [diák]* peacher, sneak
spicliskedés *n,* spying, sneaking, snooping, *(isk)* peaching

spicliskedǀik [-tem, -ett, -jen, -jék] *vi, (biz) (vkre)* spy/peach/split on (sy), inform (against sy), snoop, *(isk)* peach, squeak, sneak, tell tales (out of school), squeal

spin [-ek, -t, -je] *n, (fiz)* spin

spinakker [-ek, -t, -e] *n, (hajó)* spinnaker

spinakkerrúd *n, (hajó)* spinnaker pole/boom

spiné [-t, -je] *n,* □ judy, jane

spinét [-et; -je] *n, (zene)* spinet, virginal, harpsichord

spion [-ok-, -t, -ja] *n, (biz)* = kém

spionkodǀik [-tam, -ott, -jon, -jék] *vi, (biz)* = kémkedik

spirál [-ok, -t, -ja] *n,* spiral

spiráldísz *n, (rég)* spiral ornament

spirálfúró *n, (műsz[* twist drill/bit

spirálfüzet *n,* siral notebook, spiral-bound book

spirális [-ok, -t, -a] I. *a, [síkbeli]* spiral, whirled, *[térbeli]* helical, *(épít)* wreathed, whorled; ~ virág spiral/acyclic flower II. *n,* spiral, helix, *[egy fordulata]* whorl

spirálisan *adv,* spirally, helically

spirálkörző *n,* volute compasses *(pl)*

spirálkötésű *a,* spiral-bound

spirálrugó *n,* volute spring

spiráns [-ok, -t, -a] *n, (nyelvt)* spirant, fricative

spiritiszta [.. át] I. *a,* spiritualist(ic); ~ médium medium, spirit-rapper *(fam);* ~ szeánsz séance II. *n,* spirit(ual)ist, spookist ◆

spiritizmus *n,* spiritu(al)ism

spiritualista [.. át] *n, (fil)* spiritualist

spiritualizmus *n, (fil)* spiritualism, immaterialism

spiritusz [-ok, -t, -a] *n,* 1. *[szesz]* spirit(s of wine), (ethyl) alcohol 2. ~ rektor instigating spirit, (mental) ringleader, spark-plug, *[társaságban]* the life and soul of the party

spirituszégő *n,* spirit/alcohol-lamp, spirit stove, alcohol burner, chafing dish

spirituszforraló *n,* = spirituszégő

spirituszfőző *n,* = spirituszégő

spirituszkocka *n,* solidified alcohol, canned heat *(US)*

spirituszlámpa *n,* spirit-lamp

Spitzbergák *prop. pl,* Spitsbergen

spondeusz [-ok, -t, -a] *n,* spondee, spondaic verse

spondeuszi [-t] *a,* spondaic

spondeuszos [-at] *a,* spondaic

spongya [.. át] *n,* sponge; *vmt spongyával letöröl* pass the sponge over sg

spongyaszerű *a,* sponge-like, spongy, *(tud)* spongiform

spontán [-ok, -t; *adv* -ul] I. *a,* spontaneous, unprompted, uncompelled, *[készséges]* voluntary, willing, *[felelet stb.]* unprompted, off-hand; ~ ajánlat free offer; ~ felújulás *(pszich)* spontaneous recovery; ~ javulás *(orv)* spontaneous remission; ~ jelleg *[cselekvésé]* spontaneity, spontaneousness; ~ módon spontaneously II. *adv,* spontaneously, willingly, freely, unasked for

spontaneitás *n,* spontaneity, spontaneousness

spór [-ok, -t, -a] *n, (biz) [takaréktűzhely]* kitchen range *(stand.)*

spóra [.. át] *n, (növ)* spore, sporule; *mozgó* ~ zoospore, planospore; *nem mozgó* ~ aplanospore; *rajzó* zoospore, swarmcell; *egyenlő spórájú* isosporous

sporadikus *a,* sporadic(al), scattered

ɔóraképző *a, (növ)* sporogenous; ~ szerv sporangium

spóraképződés *n, (növ)* sporation, sporulation

spórás *a, (növ)* sporophoric, sporiferous, sporular, sporulated; ~ növények spore bearing plants

spórásodás *n, (növ)* sporulation

spóratartó *n, (növ)* sporangium

spóratermő *a, (növ)* sporiferous; ~ levél sporophyll

spórátlan *a, (növ)* asporogenous

spóratok *n,* spore-capsule/case, sporangium, sporange

spóregylet *n,* thrift society

spórol [-t, -jon] *vi/vt,* economize (by doing sg), save (up), spare; ~ a vajjal be sparing with the butter; *régóta* ~ok erre az alkalomra I've long been waiting for this occasion, I've saved up for this for a long time

spórolás *n,* economy, economizing, saving, thrift, sparing, *[kicsinyes]* penny-pinching, cheese-paring

spórolós [-at; *adv* -an] *a,* economical, thrifty, sparing, cheese-paring, close-fisted, skimpy, niggardly; ~ ember saver, sparer

spórolt [-at] *a,* ~ pénz savings *(pl)*

sport [-ot, -ja] *n,* 1. sport, sports *(pl), [labdás]* game, *[nehezebb]* athletics *(pl); a mai nap* ~ja today's sport(ing events); *kiegészítő* ~ complementary sport; *vízi* ~ aquatics; ~ érdemérem sport badge; ~ban *ügyes* be good at games/sport(s); *rajong a* ~ért, *él-hal a* ~ért be mad on sport(s); *vmlyen* ~ot *űz* cultivate/ pursue some sport, go in for some sport, engage in *(v.* take part in) some sport 2. *(átv) puszta* ~ból *tette* he did it out of sheer fun

sport- *(összet)* sports, sporting

sportág *n,* branch/kind of sport, sport

sportaktíva *n,* sport activist

sportautó *n,* = sportkocsi

sportbarát *n,* sports-fan

sportbemutató *n,* sports/sporting exhibition

sportbolond *a, [igével]* be mad on sport(s)

sportcikk *n,* sports requisite, sporting goods *(pl)*

sportcipő *n,* sports shoe, brogue, hiking shoe

sportcsapat *n,* team

sportcsarnok *n,* sports hall, covered stadium

sportegészségügy *n,* sports hygiene

sportegyesület *n,* sport(s) club/association

sportélet *n,* sporting life

sportember *n,* sportsman, athlete, sporting man; ~ hez *méltó* sportsmanlike, sportsmanly; ~ hez méltatlan unsportsmanlike

sporteredmény *n,* sports results *(pl),* sporting results *(pl)*

sporterkölcsök *n. pl,* sports morals

sportesemény *n,* sports/sporting event, fixture

sporteszköz *n,* sports implement

sportfegyelem *n,* sports discipline

sportfejlesztés *n,* promotion/encouragement/development of sports

sportfelelős *n, (kb)* sports leader (of factory/institution), official in charge of sports/games

sportfelszerelés *n,* sports equipment

sportférfi *n,* sportsman

sportfilm *n,* film of a(n) sporting/athletic event

sportfogadás *n, (kb)* state (football) pools *(pl)*

sporthajlam *n,* interest taken in sports

sporthajó *n,* sports boat

sportharisnya *n,* golf hose

sporthét *n,* sports week

sporthír *n,* sports/sporting news

sporthíradó *n,* sports news-reel

sporthorgász *n,* sport fisher, angler

sporthorgászat *n,* sport fishing

sporting *n,* sports shirt, football jersey

sportirodalom *n,* sporting literature

sportjelvény *n,* sports badge/emblem, sporting emblem

sportkabát *n,* sports-jacket/coat, casual jacket, *[GB színes]* blazer

sportkedvelő I. *a,* sport-loving II. *n,* sports-fan, sporting man

sportklub *n,* sport(s) club

sportkocsi *n,* 1. *[autó]* sports car/model, hiker *(fam), [nyitott]* roadster, *[kicsi]* two-seater, *[csukott]* sports coupé; *kis* ~ roadster 2. *[kisbabáé]* baby stroller

sportkör *n,* sports circle, sport(s) club

sportlap n, sporting (news)paper, sports news
sportlétesítmény n, sport(s) establishment
sportmellény n, [ujjas] lumber-jacket, lumberjack
sportmérkőzés n, competition, match
sportműsor n, sports programme
sportnadrág n, trunks (pl)
sportnem n, brach/kind of sport
sportnő n, sportswoman
sportol [-t, -jon] vi, cultivate/pursue some sports, be a sportsman/sportswoman, go in for sports, engage in (v. take part in) some sport, engage in sports
sportolás n, sports, sporting, athletics (pl)
sportoló I. a, sporting, taking part in sports (ut); ~ nő sportswoman II. n, sportsman, athlete; női ~ sportswoman
sportorvos n, ⟨doctor specializing in the treatment of sportsmen⟩, sports physician/doctor
sportorvosi a, ~ vizsgálat sports medical examination
sportöltöny n, sports suit
sportöltözet n, [sportnál viselt] sports-wear, sports clothess (pl); ld még sportruha
sportőrület n, sports craze, sport mania
sportpálya n, sports ground, playing field, playground, grounds (pl), play-field, [tenisz] court, [futó] track; sportpályát létesít lay (out) a sports-ground
sportrajongó n, sports-fan, [igével] be devoted to sport; szenvedélyes ~ be enamoured of sport
sportrepülés n, amateur flying
sportrepülő n, amateur/private pilot
sportrepülőgép n, sporting/sports aircraft/plane
sportrovat n, sports/sporting column/section; ő vezeti a ~ot he writes the sports column
sportrovat-vezető n, sports-editor, sporting editor
sportruha n, [sportnál viselt] sport-swear, sports clothes (pl), [utcán viselt] sports-jacket/coat and flannels, [öltöny] sports-suit
sportsapka n, sporting cap, cloth cap
sportszakember n, sporting expert
sportszakosztály n, sport section
sportszatyor n, sports holdall, duffel-bag
sportszellem n, sporting spirit, sportsmanship; ~ben in a sporting spirit
sportszenvedély n, sport mania
sportszer n, sports requisite/gear/implement, sporting goods (pl)
sportszerető a, sport loving
sportszerű a, sportsmanlike, fair; ~ magatartás/viselkedés sportsmanship; ~ viselkedés sporting conduct; ez nem ~ that's not cricket (fam)
sportszerűen adv, in good sporting spirit, gamely; ~ viseli el a vereséget/vesztést be a good loser
sportszerűség n, sportsmanship, fairness
sportszerűtlen a, unsporting, unsportsmanlike, unfair, (kif) it's not cricket (fam)
sportszerűtlenség n, unsportsmanlike/unsporting behaviour
sportszervezet n, sport(s) organization/establishment
sportszív n, athletic heart
sportszövetség n, sport association
sporttalálkozó n, meet(ing)
sporttárs n, fellow sports(wo)man, sports-mate
sporttáska n, (duffel-)bag
sporttehetség n, sports talent
sporttelep n, sports ground/base, sport establishment, stadium
sportteljesítmény n, achievement (in some branch of sports)
sporttiszt n, (kat) athletic officer, physical training instructor
sporttrikó n, sports jersey
sportújság n, = sportlap
sportuszoda n, swimming pool (for competitions)

sportünnepély n, sports/sporting festival, sports day, gymkhana (GB)
sportverseny n, match, contest, meet, race, competition, gymkhana (GB)
sportvezér n, sports leader
sportvezető n, sports leader, games master
sportvilág n, a ~ the sporting world
sportviselet n, sports-wear, sport-suit
sportvonat n, ⟨excursion/special train run in connection with a sports event⟩
sportzakó n, = sportkabát
spotlámpa n, (szính, film) spotlight, spot, (fényk) spotlamp
spratt [-ot, -ja] n, (hal) sprat (Clupea sprattus)
spriccel [-t, -jen] vi/vt, 1. squirt, spurt, spirt, [sugárban] jet 2. = fröcsköl
spriccelt [-et] a, ~ szövet flecked material
spriccer [-ek, -t, -e] n, ⟨two parts of wine mixed with one part of soda/mineral water⟩, (kb) wine and soda, split soda
spriccerezik [-tem, -ett, -zen] vi, drink wine mixed with soda/mineral water, be sitting by one's wine and soda (v. split soda)
sprint [-et, -je] n, 1. [atlétikában] sprint, dash, sprinting 2. [úszásban] trudgen (stroke), hand-over-hand swimming, crawl(ing)
sprintel [-t, -jen] vi, 1. [atlétikában] sprint 2. [úszásban] swim hand over hand
sprinter n, 1. [atlétikában] sprinter 2. = gyorsúszó
spulni [-t, -ja] n, bobbin, spool, reel; ld még orsó
spulniz [-tam, -ott, -zon] vt, = csévél, orsóz
spuri [-t, -ja] n, □ 1. [futás] run; ~! (let's) scram! 2. [megérzés] hunch, presentiment; az a ~m hogy I've got an inkling/hunch that
srác [-ot, -a] n, (biz) kid, kiddie, scamp, urchin, shaver, little chap/lad (stand.), youngster (stand.), nipper, moppet (US); kis ~ little man/chap/fellow (stand.)
sraffiroz [-tam, -ott, -zon] vt, shade, hachure, hatch
sraffirozás n, shade-lines, hachures, hachure lines (mind: pl)
srapnel [-ek, -t, -je] n, shrapnel(-shell), case shot (US)
srég [-et; adv -en] a, cater-cornered; ~ szoknya bias skirt
srégen adv, aslant; ~ szabott cut on the bias
srét [-et, -je] n, = sörét
sróf [-ot, -ja] n, 1. [csavar] screw 2. (átv) pressure, extortion
srófhúzó n, screw-driver, turn-screw
srófol [-t, -jon] vt, 1. screw 2. [árat] raise, screw up
srófos [-at; adv -an] a, screwed, screwy; ~ eszű wily, crafty
stáb [-ot, -ja] n, (film) staff
stabil [-ak, -t; adv -an] a, stable, steady, stationary, steadfast, secure; ~ vitorlás boat that carries its canvas well
stabilitás n, stability, stableness, [piacé] stiffness: kisparaszti gazdaság ~ának elmélete theory of the stability of the smallhold
stabilizáció [-t, -ja] n, stabilization
stabilizál [-t, -jon] vt, stabilize, render stable, establish firmly, (fényk) make constant
stabilizálódik [-tam, -ott, -jon] vi, become stable/ steady/firm, settle, [piac] grow steady
stabilizátor [-ok, -t, -a] n, stabilizer, (rep) balancer
stáció [-t, -ja] n, 1. [úton] stage, phase, lap (of journey) 2. (vall) station (of the Cross)
stadion [-ok, -t, -ja] n, stadium, sports ground, bowl (US)
stádium [-ot, -a] n, phase, stage, [állapot] state, condition; még nincs abban a ~ban it hasn't yet reached the phase (when)

staféta [..át] n, 1. [futár] courier, estafette, [lovas] estafet(te) 2. (sp) relay (race)
stafétabot n, 1. (sp) (relay) baton 2. (átv) átadja a ~ot vknek pass on the torch to sy
stafétafutás n, (sp) relay (race)
staffázs [-ot, -a] n, (műv) staffage
staffliszámla n, equated account
stafíroz [-tam, -ott, -zon] vt, provide with a trousseau
stafírung [-ot, -ja] n, trousseau
stagnál [-t, -jon] vi, stagnate, be stagnant
stagnálás n, stagnation, stagnancy
stagnáló [-t] a, stagnant; ~ betegség stationary disease
stájer [-ek, -t, -e] a/n, Styrian
Stájerország prop, Styria
stájgerol [-t, -jon] vi, raise the rent
stallum [-ot, -a] n, † 1. [állás] post, appointment, office, berth (fam), [egyházi állás] prebend(aryship), benefice, living 2. [ülőhely] stall (in choir)
stampedli [-t, -je] n, (biz) liqueur glass; egy ~ pálinka a small glass of brandy/spirits, a shot of brandy
stanca [.. át] n, stanza
stand [-ot, -ja] n, (biz) [piacon, kiállításon stb.] stand, pitch
standapé adv, (biz) = stante pede
standard [-ot, -ja] n, standard
standardizál [-t, -jon] vt, standardize
standardizálás n, standardization, standardizing
stangli [-t, -ja] n, (biz) finger
stanicli [-t, -ja] n, [zacskó] paper-bag, [sodrott] cornet(-bag), paper-screw, (paper) twist
staniol [-ok, -t, -ja] n, tinfoil
stante pede instantly, at once, right away, directly, on the spot, immediately, there and then
stanza [.. át] n, stanza
stápel [-ek, -t, -e] n, (tex) staple
staphylococcus [-ok, -t, -a] n, (orv) staphylococcus
start [-ot, -ja] n, start, [lóversenyen] getaway; mozgó ~ flying start; sikertelen ~ missed start; ~hoz áll start, be at starting point, toe the line/mark, (átv) enter the lists
startgép n, [atlétikában] starting blocks (pl), [lóversenyen] automatic starter
startgödör n, starting hole
starthely n, starting place/point
startol [-t, -jon] vi, start, be off, [repgép] hop off (fam); jól ~t he's off to a good start now
startolás n, start(ing)
startoltat vt, start
startoszlop n, post
startszalag n, starting gate/post
startvonal n, starting-line/mark, [biliárdban] balk line
statáriális [-at; adv -an] a, summary; ~ bíráskodás summary jurisdiction; ~ bíróság court of summary jurisdiction, summary court, (kat) court-martial; ~ eljárás summary jurisdiction/procedure/proceeding(s)
statárium [-ot, -a] n, summary justice/jurisdiction, (kat) martial law
statika n, statics
statikai [-ak, -t; adv -lag] a, static, of statics (ut); ~ számítás statics calculation
statikailag adv, statically
statikus I. a, static II. n, structural engineer
statikusan adv, statically
statiszta [.. át] n, (szính) mute, super(numerary), extra, walking gentleman/lady, walker-on, crowd artist, [felvonulásokban] procession-man, (film) extra; statiszták extras, the crowd
statisztál [-t, -jon] vi, be a super(numerary), be an extra, walk on, do the walking-on part, [tömegjelenetben] do crowd work
statisztaszerep n, walking-on part, walk-on
statisztéria [.. át] n, extras (pl), the crowd

statisztika n, statistics; ágazati ~ branch statistics; általános ~ general statistics; egészségügyi ~ sanitary statistics; forgalmi ~ [könyvtárban] statistics of circulation, [kölcsönzésé] loan statistics; hírközlési ~ telecommunication statistics; mezőgazdasági ~ agricultural statistics; népességi ~ population statistics; népmozgalmi ~ vital statistics; város- és községgazdálkodási ~ municipal statistics
statisztikai [-ak, -t; adv -lag] a, statistic(al); ~ adatok statistical figures, statistics, data, returns; ~ becslés statistical estimation; ~ csoportosítás statistical grouping; ~ elemzés statistical analysis; ~ feldolgozás statistical treatment; Központi S~ Hivatal Central Statistical Office; ~ mérleg statistical balance; ~ norma statistical standard, timestandard based on statistical records; ~ számbavétel statistical record; ~ tábla/táblázat statistical table
statisztikailag adv, statistically
statisztikus n, statist(ician)
statuál [-t, -jon] vt, példát ~ set an example
státus n, 1. [hivatali] established/permanent post, [állomány] list of civil servants, list of officers/employees; ~ba felvesz enter (sy) in the permanent staff; ~ban van be on the payroll 2. (jog) status 3. [állapot] situation, condition, status
státusférfiú n, † statesman
status quo (lat) status (in) quo, status quo ante
státusrendezés n, readjustment of salary scales, regrading of salaries
statútum [-ot, -a] n, statute, charter, rule(s)
stearin [-t, -ja] n/a, stearin(e); ~ gyértya stearin candle
Stefánia [..át] prop, Stephanie
Stefi [-t, -je] prop, Stev(i)e
stég [-et, -je] n, (landing-)stage
stelázsi [-t, -ja] n, (biz) shelf, stand, whatnot, tier-stand
stempli [-t, -je] n, (biz) stamp
stencil [-ek, -t, -je] n, stencil, wax-sheet, [betűrajzoláshoz] lettering guide; ~re ír, ~t gépel cut a stencil, cut stencils
stenciles a, ~ sokszorosítógép stencil duplicator, mimeograph
stencilgép n, = stenciles sokszorosítógép
stenografál [-t, -jon] vi/vt, = sztenografál
stenográfia [.. át] n, = sztenográfia
stenográfus n, = sztenográfus
stenogram [-ot, -ja] n, = sztenogram
steppe [..ét] n, = sztyepp
steppel [-t, -jen] vt, (tex) stitch down, quilt, [matracot] tuft
steppelés n, (tex) quilting, stitching
steppelt [-et] a, (tex) quilted, stitched; ~ takaró quilt, comforter (US)
steppöltés n, (tex) quilting
stepptakaró n, quilt
stereotip [-et; adv -en] a, 1. (nyomd) stereotype; ~ sor [lap alján] key-line 2. (átv) hackneyed, conventional, stereotyped; ~ kifejezés set phrase
stereotipál [-t, -jon] vt, stereotype
stereotipálás n, stereotypography
stereotípia [.. át] n, stereotype
steril [-ek, -t; adv -en] a, 1. (orv) sterile, sterilized; ~ géz sterilized/antiseptic gauze; ~ vatta sterilized cotton 2. [meddő] sterile, barren, unfruitful 3. (átv) sterile
sterilitás n, sterility
sterilizáció [-t, -ja] n, sterilization
sterilizál [-t, -jon] 1. [fertőtlenít] sterilize, render germfree 2. [meddővé tesz] sterilize
sterilizálás n, sterilization, sterilizing
sterilizáló [-t, -ja] I. a, sterilizing II. n, sterilizer
sterilizátor [-ok,-t,-a] n, sterilizer, sterilizing apparatus

sterling [-et, -je] n, sterling
sterlingblokk n, = sterlingövezet
sterlingövezet n, (pénz) sterling area, scheduled sterling territory
stetoszkóp [-ot, -ja] n, = sztetoszkóp
stewardess n, [repülőgépen] stewardess, air-hostess
stichpróba n, = kémlőpróba
stiglic [-et, -e] n, (áll) goldfinch (Carduelis carduelis)
stigma [.. át] n, stigma
stigmás [-at] a, stigmatic
stikában adv, □on the sly, secretly, surreptitiously; ~ történt this was done in a corner
stikkel [-t, -jen] vt/vi, = hímez
stikli [-t, -je] n, trick, hoax, skylark(ing), spree, [bolond] mad prank, [vidám] piece of fun; minden ~re kapható he is ripe for mischief
stil [-ek, -t, -je] n, = stílus
stiláris [-at; adv -an] a, stylistic, concerning style (ut) ; ~ érték stylistic/emotive value; ~ jelölés/minősítés [szótárban] status label/note, (restrictive) usage label; ~ módosítás slight (textual) alteration, stylistic change/modification/emendation, re-wording; ~ réteg stylistic layer, level of usage, usage/speech level
stilbútor n, period piece/furniture
stilét [-et, -je] n, sword-stick/cane, stiletto, stylet
stiliszta [.. át] n, stylist, accomplished writer
stilisztika n, stylistics
stilisztikai [-ak, -t; adv -lag] a, stylistic
stilizál [-t, -jon] I. vt, 1. [fogalmaz] compose, pen, word, couch in suitable language, [javítva] improve the style of; rosszul van ~va it is written in bad style 2. (műv) conventionalize, stylize II. vi, jól ~ he writes well, he has a fine style
stilizálás n, 1. [fogalmazás] composing, penning, wording, [javítva] styling 2. (műv) conventionalizing, stylization
stilizált [-at; adv -an] a, (műv) conventional(ized), stylized; ~ díszítés stylized ornament; ~ rajz/minta conventional design
stilizáltság n, conventionalized/stylized character/quality
stílművész n, master of style
stilruha n, robe-de-style
stílszerű a, in style (ut), suitable, in keeping (with) (ut), fitting, appropriate
stílus n, 1. (áll) style, [íróé/szónoké még] diction, language, idiom, [művészé még] manner, [festőé még] touch, stroke, pencil, [csak szövegé néha] wording, [öltözeté] get-up, [magasugróé] manner; élettelen/lélektelen ~ bloodless style; geometrikus ~ (műv) geometric style; hieratikus ~ (műv) hieratic style; lendületes és erőteljes ~ sweeping and powerful style; merész ~ bold style; nehézkes ~ laboured style; jó ~a van he has style; ez nem az én ~om that's not my style; Dickens ~ában in the manner of Dickens, in the Dickens manner; ~ának nagy kifejezőereje van his style has great expressiveness 2.[íróeszköz] stylus, style 3. (összet) stylistic
stílusegység n, unity of style
stílusérzék n, sense of style, stylistic sense, artistic feeling/taste, feeling for style
stílusfejlődés n, stylistic development, development of style
stílusgyakorlat n, style practice, stylistic exercise
stílushiba n, fault/error of style/diction, solecism
stílusjegy n, stylistical characteristic/mark
stíluskorszak n, period
stíluskritika n, style criticism, critical analysis of style
stílusminősítés n, [szótári] = stiláris minősítés
stílusos [-ak, -t; adv -an] a, in good style (ut) ; ld még stílszerű

stílusosan adv, in good/correct style/manner
stílusréteg n, = stiláris réteg
stílusszótár n, dictionary of style
stílustalan a, without any style (ut), wanting (v. lacking in) style, (elit) in bad taste (ut)
stílustalanság n, want/lack of style, bad taste, inelegancies of the style (pl)
stílustisztaság n, purity of style
stílustörés n, violation of style, abrupt change in/of style, stylistic anticlimax/incongruity
stílustörténet n, history of styles
stílusú [-ak, -t; adv -an] a, in/with ... style (ut), -style; amerikai ~ American-style, American-angled; régi ~ old-style; román ~ bolthajtás intersecting roof
-stílű [-ek, -t; adv -en] a, in ... style (ut), -style; nagy~ grand(iose), of uncommon stature/dimensions (ut) ; nagy~en in the grand style
stimmel [-t, -jen] I. vt, [hangszert] put in tune, tune II. vi, 1. [zenekar] tune up 2. (biz) [egyezik] be correct, agree/tally/square with (sg); ~! that's right! ; itt vm nem ~ there is sg wrong/amiss (here), the story does not hold together, the answers do not add up, there is a hitch swhere
stimulál [-t, -jon] vt, (vkt vmre) stimulate, animate, incite (sy to do sg)
stimulálás n, stimulation
stimuláló [-t] a, suggestive, stimulating
stimuláns [-ot, -a] n, stimulant, pick-me-up, stimulus
stipendium [-ot, -a] n, † scholarship, bursary
Stockholm [-ot, -ban] prop, Stockholm
stoikus a/n, stoic(al)
stokkol [-t, -jon] vt, [kőműves] bush(hammer)
stokkoló [-t] a, ~ kalapács bushhammer
-stól suff, ld -stul
stóla [..át] n, 1. (egyh) stole 2. [járandóság] surplice fee 3. [kendő] stole
stoplámpa n, stop lamp, stop-light (flasher), brake lamp/light, brake-operated tail light
stopli [-t, -ja] n, cleat, stud
stoppautó n, ~val utazik hitch-hike, thumb a ride
stopper [-ek, -t, -e] n, = stopperóra
stopperóra n, stop-watch, chronograph, chronometer, timer; stopperórával mér clock
stoppol¹ [-t, -jon] vt, [lyukat] darn, mend, sew up
stoppol² [-t, -jon] vt, 1. [sp időt] clock, minute 2. [helyet] reserve, grab 3. (sp)[futball-labdát] kill, stop (the ball)
stoppolás n, 1. [művelet] darning, mending 2. [hely] darn
stoppolófa n, darning-ball/egg/mushroom, darner, plover egg, darning-last
stoppolófonal n, [gyapjúból] darning-wool
stoppolókészlet n, darning set, mending outfit
stoppolópamut n, mending/darning cotton/wool, darning thread
stoppolótű n, darning needle, darner
stoppolt [-at; adv -an] a, darned, mended
storníroz [-tam, -ott, -zon] vt, [rendelést stb.] cancel, annul, revoke, countermand, withdraw, [követelést] write off, [könyvelési tételt] reverse (an entry), write back, transfer, [könyvelési ellentétellel] countervalue, effect a contra-entry
stornírozás n, [rendelést] cancellation, annulment, countermand, [könyvelésben] contra-entry, transfer (entry), reversing (of entry), reversal, set-off
stornó [-t, -ja] n, (ker) annulment, set-off
stornódíj n, (ker) forfeit
stornókönyvelés n, transfer entry
stornótétel n, contra-entry, cancelling entry, reverse entry, cross-entry
stósz [-ok, -t, -a] I. n, pile, batch II. a, egy ~ könyv a pile of books

-stől *suff, ld* **-stul**

Stradivari-hegedű *n,* Stradivarius, Strad *(fam)*

stráf [-ot, -ja] *n,* = **csík 1.**

stráfkocsi *n,* dray, lorry, *[alacsony]* float

stramm [-ot; *adv* -ul] *a, (biz)* strapping, hale, *(vm)* rattling (good)

strand [-ot, -ja] *n, [természetes]* beach, sands *(pl), [mesterséges]* lido, open-air bath/pool; ~ra *megy* go to the beach/lido

strandcipő *n,* bathing sandals *(pl)*

strandfelvétel *n,* beach photograph

strandfürdő *n,* open-air bath/pool, lido, open bath

strandköpeny *n,* beach wrap/gown

strandol [-t, -jon] *vi,* bathe, be on the beach, be at the lido; *menjünk* ~ni let's go to the beach/lido

strandőr *n,* beach attendant, Human Society man *(GB),* beachboy *(US), [tengerparton]* coast guard, life-guard/saver *(US)*

strandruha *n,* sun-dress, play-suit, beach suit, bare- -back (dress) *(US)*

strandtáska *n,* bathing bag

strandviselet *n,* beach wear

strapa [..át] **I.** *n,* drudgery, toil(ing), sweat, fatigue; *strapának kitett részek [ruhán]* main wear points **II.** *a, (összet)* for hard wear *(ut)*

strapabíró [-t; *adv* -an] *a,* resistant to wear and tear *(ut),* for hard wear *(ut),* hard/long-wearing, heavy- -duty, long-lasting, everlasting, *[igével]* wear well, withstand wear

strapacipő *n,* brogues, walking shoes/boots, boots/ shoes for heavy wear, strong shoes *(mind: pl)*

strapál [-t, -jon] *vt, (vmt)* wear (sg) out/away/down; ~ja *magát* over-exert (v. overwork) oneself, drudge, toil, work like a nigger, slog away (at sg), slave away *(fam), (átv)* spare no pains; *nem nagyon* ~ja *magát* he doesn't overwork himself

straparuha *n,* every-day clothes, walking-clothes, clothes for hard wear *(mind: pl)*

strapás *a, (fam)* tiring, exhausting, arduous, exacting *(mind: stand.),* uphill *(fam),* against the collar *(fam)*

strapaszövet *n,* cloth for hard wear

strassz [-ok, -t, -a] *n,* strass, imitation diamond, paste, rhinestone

stratéga [..át] *n,* strategist

stratégia [..át] *n,* strategy, strategics, warcraft, art of war

stratégiai [-t; *adv* -lag] *a,* strategic(al); ~ *fontosságú* strategic; ~ *hely* strategic locality; ~ *pont* strategic point; ~ *vasútvonal* strategic line

strazza [..át] *n,* waste/day-book, petty journal

strázsa [..át] *n, [őr]* sentinel, sentry, guard, post, *[őrállás]* sentry-duty/go

strázsál [-t, -jon] *vi/vi, [őrködik]* do sentry-duty/go, be on guard/duty, *[ácsorog]* wait, *(elit)* be cooling one's heels

strázsamester *n,* sergeant

stréber [-ek, -t, -e] *n, (biz)* pushing/pushful fellow/per- son, climber, pusher, *[kitűnni vágyó]* eager-beaver *(US), [társadalmi]* tufthunter, *[talpnyaló]* toady, *(isk)* teacher's pet

stréberked|ik [-tem, -ett, -jen, -jék] *vi, (biz)* push (forward), thrust oneself (forward), *[hízelegve]* suck up to sy, toady

stréberség *n, (biz)* push, pushing spirit/character, toadying, *(isk)* course crabbing *(US)*

streptomicin [-t, -je] *n,* streptomycin

stretta [..át] *n, (zene)* stretto, stretta

strichel [-t, -jen] *vi, □ [prostituált]* walk (in) the streets, solicit, work the streets *(US)*

strichelés *n,* □ *[prostituálté]* walking the streets, so- liciting

strici [-t, -je] *n, (biz)* **1.** *[kitartott]* fancy(man), *[kerítő]* pander, pimp **2.** *[gazember]* cad, rotter, *[enyhébben]* rascal, rogue

strimfli [-t, -je] *n, (tréf)* stockings *(pl)*

stroboszkóp [-ot, -ja] *n,* stroboscope

strófa [..át] *n,* strophe, stanza, *[dalé]* verse

strófás *a,* strophic, stanzaic

stróf szerkezet *n, (zene)* stanza structure

strófikus *a,* strophic

stróman [-ok, -t, -ja] *n, (biz)* ⟨person who lends his name to an enterprise⟩, dummy, coverer

stroncium [-ot, -a] *n, (vegyt)* strontium

strózsák *n,* = **szalmazsák**

strucc [-ot, -a] *n,* ostrich, camel-bird *(Struthio camelus)*

struccpolitika *n,* ostrichism, ostrich policy, ostrick-like behaviour; *struccpolitikát folytat* pursue an ostrich policy

strucctenyésztés *n,* ostrich-farming

strucctenyésztő *a,* ~ *telep* ostrich-farm

strucctojás *n,* ostrich-egg

strucctoll *n,* ostrich-feather/plume, *(eim)* ostrich plume

struktúra [..át] *n,* structure, *[szöveté]* fabric, texture; *gazdasági* ~ economic structure

strukturális [-at; *adv* -an] *a,* structural

strukturalizmus *n,* structuralism

struma [..át] *n, (orv)* struma, goiter

strumás [-at] *a, (orv)* strumous

strux [-ot, -a] *n,* corduroy, twill-backed cloth

stuccol [-t, -jon] *vt,* trim, cut short

stuccolás *n,* trimming

stucni [-t, -ja] *n, [söröspohár]* pilsner/tall galss, schoon- er *(US)*

stúdió [-t, -ja] *n,* studio; *közvetítés a* ~ból transmission from the studio

studíroz [-tam, -ott, -zon] *n,* study

stúdium [-ot, -a] *n,* **1.** *[tanulás]* study, learning, read- ing, curriculum **2.** *[tanulmány]* treatise, essay, dissertation, *(műv)* study

stuka [..át] *n, (rep)* dive-bomber

stukatúr [..át] *n,* pargeting, parget(-work)

stukatúrgipsz *n,* gypsum plaster

stukatúrozás *n,* pargeting

stukatúrszeg *n,* tack, *[lapos fejű]* clout-nail

stukkó [-t, -ja] *n,* stucco, plaster, stuck moulding; ~val *díszít* stucco; ~val *díszített* stuccoed

stukkódísz *n,* parget(ing), stucco(work)

stukkódíszes *a* stuccoed

stukkódíszítés *n,* plaster ornamentation/decoration, stucco/plaster-work

-stul [-stül, (-stől, -stől) *suff,* **1.** *[vkvel mint hozzátartozó- val együtt]* családostul with all his/her family; *felesé- gestül* with/and his wife; *gyermekestül* with (all) his children **2.** *[vmvel mint tartozékával, részével, rajta levővel együtt]* gyökerestül by the roots, *(átv)* radically, altogether, thoroughly, root and branch; *ruhástul* without taking off his clothes; *mindenestül* bag and baggage, lock stock and barrel, with all goods and chattels, entirely, completely

suba [..át] *n, (kb)* wide sheepskin-coat (reaching down to the heels); ~ *alatt* surreptitiously, clandes- tinely, privately, secretly, on the quiet/sly, (in) hugger-mugger; ~ *alatt csinál vmt* do sg on the sly; ~ *alatt megkérdez* ask sy on the quiet; ~*alatti* under- -the-table, hugger-mugger, clandestine

subás *a,* wearing a "suba"

subickol [-t, -jon] *vt,* black(ball), black (shoes)

subler [-ek, -t, -e] *n,* vernier/slide ca(l)lipers *(pl),* slide/sliding gauge, cal(l)iper square

sublót [-ot, -ja] *n,* chest of drawers, bureau, commode, *[alacsony]* lowboy *(US)*

sub specie aeternitatis taking a long view, sub specie aeternitatis

sudár I. *a*, [-ak, -t; *adv* -an] slender, slim, *[végefelé vékonyodó]* tapering, *[termetű]* slender(ly-built), *[mint a nádszál]* reedy **II.** *n*, [sudarat, sudara] **1.** *(hajó)* topgallant **2.** *[fáé]* treetop, crest, arrow (of tree); ~*ba szökken [növény]* spear **3.** *[ostoré]* cracker, lash, whipcord **4.** *[kúté]* pole of‚a draw-well, sweep (of well)

sudárvitorla *n*, topgallant (sail); *felső* ~ (fore, main, mizen) royal

sufni [-t, -ja] *n*, *(biz)* lean-to

súg [-tam, -ott, -jon] *vt/vi*,¡**1.** *(vknek vmt)* whisper, buzz, breathe (sg in sy's ear); *vm azt ~ja nekem* I have a hunch, it's just a pricking in my toes **2.** *(isk, szính)* prompt; *ne ~j!* no prompt(ing)!; ~ *a színésznek* give an actor a prompt

sugall [-t, -jon] *vt*, *(vmt vknek)* suggest, prompt sy sg, instill sg into sy, inspire; *szerelem/szeretet ~ta* love-inspired

sugallat *n*, suggestion, impulse, *[isteni]* (divine) afflatus

sugalmaz [-tam, -ott, -zon] *vt*, = **sugall**

sugalmazás *n*, suggestion, inspiration

sugalmazó [-t, -ja; *adv* -lag] **I.** *a*, suggesting **II.** *n*, suggester, *[bűnre]* prompter

sugalmazott *a*, inspired

sugár [sugarat, sugara] *n*, **1.** *[fény]* ray, beam, *[víz]* jet, spirt, stream; *beeső* ~ incident ray; *keskeny/kis* ~ raylet; ~*ban kitör* spirt out **2.** *(mért)* radius; ~ *alakú* radiate(d), radiating, radial, radiant, *(tud)* actiniform; ~ *irányban* radiately; ~ *irányú* radial, radiating, radiant, spoke-like; ~ *irányú tengely* radial axle

sugáradag *n*, *(orv)* rayage

sugárállatka *n*, radiolarian, acantharian

sugárártalom *n*, *(orv)* radiation injury, *[bőrön]* radio-dermatitis; *foglalkozási* ~ occupational radiation/exposure

sugaras [-at; *adv* -an] *a*, radiating, radiate(d), *(mért)* radial, radiant

sugarasan *adv*, radially, spokewise

sugárbetegség *n*, radiation sickness/illness/disease

sugárbiztos *a*, radiation proof, *(fiz)* ray-proof

sugárcsomó *n*, *[fénytan]* pencil/beam of rays, luminous pencil, light pencil, *[kúp alakú]* cone of rays, *(mért)* (system of) radiating lines, bundle/pencil of rays, *(vill)* luminous brush/aigrette

sugárcső *n*, (jet) nozzle

sugárdózis *n*, *megengedett* ~ occupational tolerance (of radiation)

sugárelhajlás *n*, *(fiz)* diffraction (of rays)

sugárfelület *n*, conical surface

sugárgomba-betegség *n*, *(orv)* actinomycosis

sugárgombák *n. pl*, *(növ)* ray fungi, *(tud)* actinomyces

sugárhajtás *n*, jet/reaction propulsion

sugárhajtású *a*, jet-propelled; ~ *bombázó* jet bomber; ~ *vadászgép* jet fighter

sugárhajtómű *n*, jet-engine, jet propulsion unit

sugárideg *n*, *(bonct)* ciliary nerve

sugárizom *n*, *(bonct)* ciliary muscle

sugárkápolna *n*, *(épít)* radiating chapel

sugárkéve *n*, *(fiz)* light pencil, pencil of lightrays, cone/beam of rays

sugárkezelés *n*, irradiation, ray treatment

sugárkorona *n*, radiant/luminous crown, *[dicsfény]* halo, glory, aureole, aureola, nimbus, gloriole

sugárkoszorú *n*, = **sugárkorona**

sugármentes *n*, *(fiz)* ray-proof

sugárnyaláb *n*, **sugárcsomó**

sugároz [-tam, -ott, . . . rzott, -zon] *vt*, **1.** *[fényt, hőt stb.]* radiate, beam, shoot (v. cast forth) rays (of light) **2.** *[rádió]* transmit, broadcast, beam; *újra* ~ *[műsorszámot]* re-broadcast **3.** *(átv)* radiate, diffuse; *arca jóindulatot* ~ his face is instinct with benevo-

lence; *arca jóságot* ~ her face irradiates (v. beams with) goodness; *örömöt* ~ be beaming with joy

sugársérülés *n*, radiation injury

sugárszerű *a*, resembling rays *(ut)*, beam-like, *(áll, növ)* radiate, radiatiform; ~ *hasadás [fában]* star-shake

sugárszerűen *adv*, ~ *terjed* radiate forth

sugárszivattyú *n*, jet-pump

sugártalan *a*, rayless

sugárterápia *n*, ray therapy

sugártest *n*, *(bonct)* ciliary body

sugártolerancia *n*, radiation tolerance

sugártörés *n*, *(fiz)* refraction, diffraction, ray-deviation;

sugártörésű *a*, kettős ~ *(fiz)* doubly refractive

sugártörő *a*, *(fiz)* refracting, refractive, refringent

sugárút *n*, avenue, *[fasorral]* boulevard

sugárvédelem *n*, radiation protection

sugárveszély *n*, radiation danger/hazard/risk; ~*nek teszi ki magát* expose oneself to the dangers of radiation

sugárvető *n*, search-light, projector, reflector

sugárvirág *n*, ray-flower

sugárzás *n*, **1.** *(fiz)* radiation, radiance, radiancy, *[fényforrásé]* effulgence **2.** *(átv)* beaming, radiance

sugárzásdetektor *n*, Geiger-Müller counter, monitor(ing instrument)

sugárzási [-t] *a*, radiant, radiation; ~ *betegség* radiation sickness; ~ *éghajlat* solar/radiation climate; ~ *egyensúly* radiation balance/equilibrium; ~ *elmélet* theory of radiation; ~ *energia* radiant energy; ~ *hő* radiant heat; ~ *szint* radiation level; ~ *veszély* radiation danger/risk/hazard

sugárzásos [-at] *a*, ~ *betegség* radiation sickness; ~ *vérszegénység* radiation an(a)emia, roentgen-ray an(a)emia

sugárz|ik [-ani, -ott, . .rozzon, . .rozzék] *vi*, radiate, beam, shine; *arca ~ik az örömtől* be beaming/effulgent with joy; *arca ~ott az örömtől* his face shone with happiness; *szeretet és öröm ~ik szeméből* her eyes radiate love and joy; ~*ik róla a fiatalság* be radiant with youth

sugárzó [-t; *adv* -an] *a*, **1.** *(konkr)* radiating, radiant; ~ *anyag* radiating matter; ~ *energia* radiant energy; ~ *hő* radiant heat **2.** *(átv)* beaming, radiant, *[szépség]* brilliant; *boldogságtól* ~ *arc* face radiant/beaming with happiness; *örömtől* ~ *arc* face radiant with joy; *tetterőt* ~ *arc* face that denotes/betokens/expresses energy

sugárzóképesség *n*, transmitting power, emissivity

súgás *n*, **1.** whisper(ing), breathing (sg in sy's ear) **2.** *(isk, szính)* prompting, prompt

súgás-búgás *n*, whisper(ing)

súg-búg [súgtam-búgtam, súgott-búgott, súgjon-búgjon] *vi*, whisper, susurrate; *mindig együtt súgnak-búgnak* they are always putting their heads together

sugdolódzás *n*, whisper(ing)

sugdolódz|ik [-tam, -ott, . .óddzon, . .óddzék] *vi*, be whispering, speak in a whisper, keep whispering

sugdos [-tam, -ott, -son] *vi/vt*, = **sugdolódzik**

sugdosás *n*, whisper(ing)

súgó [-t, -ja] *n*, whisperer, *(isk, szính)* prompter

súgókönyv *n*, *(szính)* prompt-book

súgólyuk *n*, *(szính)* prompter's box, prompt-box

súgópéldány *n*, *(szính)* prompt-copy/book

suhan [-t, -jon] *vi*, flit, fleet, glide, slide, swoop, shoot, *[nállhatóan]* swish, zip, *[autó stb.]* slip along

suhanás *n*, flit(ting), glide, slide, swish, shooting

suhanc [-ot, -a] *n*, youngster, stripling

suháng [-ot, -ja] *n*, **1.** *[fiatal fa]* sapling, young tree spear **2.** = **husáng**

suhant [-ani, -ott, -son] *vi/vt*, = **suhint**

suhint [-ani, -ott, -son] *vi/vt*, flick, flip, swish, whisk

suhintás *n, [kaszával stb.]* sweep, *[ostorral]* slash
suhog *[-tam, -ott, -jon] vi,* swish, *[szárny]* whirr, *[ruha]* rustle, *[selyem]* rustle, scroop, *[ostor, kard]* whiz(z), *[szél]* whistle
suhogás *n,* swish(ing), *[ruha, selyem]* rustle, rustling, scroop, *[ostor]* whizz(ing), *[szél]* whistle, whistling, *[szárnyé]* whirr
suhogó *[-t, -ja; adv -an]* I. *a,* swishing, rustling, whizzing, whistling II. *n, [ostorvég]* cracker (of whip), snapper *(US),* switch *(US),* shoot *(US)*
suhogtat *[-tam, -ott, .. asson] vt,* swish, *[kardot]* brandish, flourish
suhogtatás *n,* swish, *[kardé]* brandish, flourish
sújt *[-ani, -ott, -son] vt/vi,* 1. *[üt]* strike, hit, smite *(ref.), [egyet]* deal/strike a blow, *[villám]* blast, strike; *ököllel ~ vkt* thump/cuff/punch sy, take a swing at sy; *öklével az arcába ~ott* she hit him in the face with her fist, she gave him a punch in the face; *földre ~ vkt* strike sy to the ground, crush sy to earth; *villám ~otta* was blasted/struck by lightning 2. *(átv)* afflict, *[csapás]* come upon sy, overtake sy, visit; *betegség ~ja* be stricken with a disease; *a szerencsétlenség sok embert ~ott* the catastrophy fell on many people; *a tanító haragja őt ~otta* the teacher's anger descended upon him; *ez őt érzékenyen ~ja* he is hard hit by it; *bánattól ~va* overpowered with grief; *átokkal ~* curse, anathematize, *[egyházi átokkal]* excommunicate; *vkt büntetéssel ~.* punish sy, inflict/impose punishment on sy; *(pénz)bírsággal ~ vkt* fine/mulct sy; *10 ft pénzbírsággal ~ották* he was fined 10 forints (for)
sujtás *n,* braid(ing), gold lace, soutache, *(csak kat)* frog, *[rangjelzés]* stripe
sujtásos *[-at; adv -an]* a, braided, (gold-)laced, frogged
sújtó *[-t] a, (átv)* afflicting; *~ kéz* avenging arm
sújtógáz *n, =* sújtólég
sújtólég *n,* fire-damp, fulminating damp, pit-gas, *(tud)* carburetted hydrogen
sújtólégbiztos *a,* anti-firedamp, explosion-proof
sújtóléges *[-et] a,* gassy
sújtólégjelző *a, ~ készülék* gas-detector/indicator
súly *[-ok, -t, -a] n,* 1. *[nehézség]* weight, heaviness, *(fiz)* gravity, *[teher]* load, weight, burden, charge, *[méréshez]* weight, *[halászatnál]* sinker, *[ingáé]* bob, weight, *[faliórdé]* weight, *[amit a ló a versenyben visz]* weight handicap; *becsült ~* estimated weight; *bruttó ~* gross weight; *érkezési ~* arrival weight; *feltételezett ~* fictitious weight; *hasznos ~* pay load; *hiteles ~* legal weight; *kétkilós ~* two-kilogram(me) weight; *~a van* have weight, weigh; *mi a ~a?* how much does it weigh?; *a ~a 5 kiló* it weighs 5 kilos; *nincs meg a ~a* fall short of weight; *~ok és mértékek* weights and measures; *~ban gyarapodik* gain *(v.* put on) weight; *veszít a ~ából* lose weight; *híja van a ~ának* this is short/under weight; *~ra ad/mér (vmt) (ker)* sell (sg) by weight; *~t eloszt [hajón]* stow (away) cargo 2. *(sp) ~t dob/vet* put the weight 3. *(átv) [gondoké]* weight, burden, onus, load, *[fontosság, jelentőség]* emphasis, stress, momentum, importance, consequence, *[tekintély]* authority; *-agy ~ nyomja lelkét* have a load on one's mind; *minden szónak ~a van* every word tells; *~a van a szavának* his word carries authority/weight; *nincs ~a a szavának* have no authority; *~a van (vknek)* have influence, carry authority; *alig van ~a, csekély ~a van* carry little weight, *[tekintélye]* have little standing; *nagy ~a van vknek* have/hold great sway; *nagy ~a van a képviselőházban* have great sway in the House; *nincs nagy ~a (vmnek)* it is of little amount; *nevének nagy ~a van* his name goes a long way; *saját ~ának növelése céljából teszi mindezt* he does it all for his own agrandizement; *~t helyez/fektet vmre*

lay stress (up)on sg; *~t helyezek arra hogy eljöjjön* I am very anxious that he should come; *nagy ~t helyez vmre* attach/attribute great value/importance to, lay stress upon, accentuate sg, make a point of sg; *egész ~ával* with all his weight/authority; *súllyal a szervezésről van szó* essentially it is a question of organization, stress is on the question of organization; *kellő súllyal* with due stress/emphasis; *nagy súllyal esik a latba* be of great moment, count for much
súlyadat *n* weighting data *(pl)*
súlyállandóság *n (biol)* body-balance
súlyapadás *n* loss/decrease in/of weight
súlybeli *a, ~ különbség* difference in weight
súlybevallás *n, (ker)* declaration of weight
súlybizonylat *n, (ker)* weight-attest
súlycsonkítás *n,* (giving) short weight
súlycsoport *n, (sp)* weight(-class)
súlycsökkenés *n,* loss/decrease in/of weight
súlydobás *n, (sp)* putting the weight/shot, shot-put(ting)
súlydobó *(sp)* I. *n,* weight/shot putter II. *a, ~ golyó* shot
súlyegység *n,* unit/measure of weight, weight unit; *~re eső teljesítmény (fiz)* power-to-weight ratio
súlyellenőr *n, (ker)* check weigher/weighman
súlyellenőrzés *n, (ker)* supervision of weight/weighing, *[zsokéé]* weight-out
súlyeloszlás *n,* load-distribution, distribution of weight/load(s)
súlyelosztás *n,* load-distribution, proportion of weight, *[hajón]* stowage
súlyeltérés *n,* deviation in weight
súlyemelés *n, (sp)* weight-lifting
súlyemelő *n, (sp)* (weight-)lifter
súlyengedmény *n, (ker)* tret, allowance for weight
súly- és mértékrendszer weights and measures
súlyfelesleg *n,* overweight, excess weight
súlyfuvardíj *n,* weight rate
súlyfürdő *n, (orv)* (subaquean) traction bath, medicinal weight bath
súlygarancia *n, (ker)* weight guarantee
súlygolyó *n,* shot, weight (to be thrown/put)
súlygyarapodás *n,* increase/augmentation in/of weight, gain in weight, weight gained
súlyhatár *n,* weight limit; *~ fölötti* excess weight
súlyhiány *n,* short weight, shrinkage, loss of weight, underweight, deficiency in weight, leakage; *engedmény ~ért* allowance for short weight
súlyjegyzék *n, (ker)* weight note/certificate/list, weight returns *(pl),* bill of weight
súlyjóváírás *n,* weight allowance
súlykészlet *n,* set of weights
sulykol *[-t, -jon] vt,* 1. beat (with beetle/mallet), beetle, mall, paddle, buck, *[földet]* tamp, ram, pound, *[ruhát]* dolly 2. *[leckét]* hammer in (knowledge), cram
sulykolás *n,* 1. beating; beetling, tamping, ramming, pounding 2. *[leckét]* hammering in, cramming, *(kat)* drilling
sulykoló *[-t, -ja] n, [eszköz]* beater, beetle, mall(et), ram, *((fémip)* stamp, *[gép]* monkey
súlykülönbözet *n,* difference in/of weight
súlylemérés *n, (ker)* weighing
súlylevonás *n, (ker)* deduction from the weight
súlylökés *n, =* súlydobás
súlymegállapítás *n, (ker)* checking of the weight
súlymegállás *n, (orv, kif)* no gain/loss in weight
súlymegoszlás *n,* distribution of load(s)
súlymérés *n,* weighing
súlymérési *a, (tud)* gravimetric
súlymérték *n,* (measure of) weight

sulyok [sulykot, sulyka] *n*, beater, beetle, mall(et), maul, *[ruhához]* dolly, beater; *elveti a sulykot* overshoot the mark, go too far, draw the long bow

sulyom [sulymot, sulyma] *n*, water-chestnut, saligot *(Trapa natans)*

súlyos [-at; *adv* -an] *a*, **1.** *[mérhető]* heavy, weighty, ponderous, *[építmény, tömb]* massive; ~ *lépés* heavy tread; ~*abb vmnél* outweigh sg, overbalance sg, (be) heavier (than); ~*abb lesz* gain *(v.* put on) weight; ~*abbá tesz* add weight to (sg) **2.** *(átv ált)* heavy, *[adó]* onerous, heavy, *[betegség]* serious, grave, *[büntetés, felelősség, veszteség]* heavy, *[bűn, probléma]* grave, *[csapás]* crushing, severe, terrible, *[érv, egyéniség]* weighty, *[étel]* coarse, *[felelősség, feladat, kötelesség]* onerous, *[gond]* pressing, *[helyzet]* grave, tight, *[hiba]* serious, grave, grievous, fatal, *[indiszkréció]* blazing, *[indok]* weighty, cogent, *[kollapszus]* massive, *[sebesülés]* severe, serious, *[vád, tévedés stb.]* grave; ~ *beteg [igével]* be desperately/seriously/critically ill; ~ *gondatlanság* gross negligence; ~ *fájdalom* severe pain; *a jelenlegi* ~ *helyzet* the present acute crisis; ~ *hiba* serious mistake, gross error; *ez* ~ *következményekkel jár* it involves grave consequences; ~ *műtét* capital/major operation: ~ *seb* heavy wound; ~ *sorscsapás* heavy blow; ~ *székrekedés (orv)* coprostasis; ~ *testi sértés* grievous bodily harm; ~ *testi sértés bűntette* aggravated/malicious assault, assault with a dangerous instrument; ~ *vétség* misdemeanour; *a beteg állapota* ~*ra fordult* the patient's condition has deteriorated *(v.* has changed for the worse); *ez sokkal* ~*abb* this is far more serious; *[bajt]* ~*abbá tesz* aggravate; *leg*~*abb hibám/tévedésem* my worst mistake

súlyosan *adv*, seriously; ~ *beteg* (be) seriously ill; ~ *megsebesült* be gravely/seriously wounded/hurt, be badly wounded

súlyosbít [-ani, -ott, -son] *vt*, *[betegséget]* aggravate, exacerbate, *[bűnt]* aggravate, *[bn tetést]* increase, augment, *[fájdalmat]* sharpen, exasperate, exacerbate, *[helyzetet]* worsen, render more serious, *[nehézségeket]* increase; *ez(zel) csak még* ~*otta helyzetét* this only made his position worse

súlyosbítás *n*, *[betegsége, bűné]* aggravation, *[büntetésé]* increase, *[fájdalomé]* sharpening, exacerbation, *[helyzeté]* worsening, rendering more serious; *büntetés* ~*a* increase in/of punishment; *az ügyész* ~*ért fellebbezett* the Public Prosecutor appealed against the leniency of the sentence

súlyosbító [-t; *adv* -an] *a*, aggravating; ~ *körülmény* aggravating circumstance

súlyosbodás *n*, worsening, *(orv)* exacerbation

súlyosbod|ik [-ott, -jon, -jék] *vi*, worsen, grow worse

súlyosbodó [-t] *a*, ingravescent, *[betegség]* progressive,

súlyosít [-ani, -ott, -son] *vt*, = **súlyosbít**

súlyosság *n*, **1.** *[teheré]* heaviness, *(vmé)* ponderosity, ponderousness **2.** *(átv)* *[betegségé, bűné, hibáé, oké, problémáé]* gravity, seriousness, severity, *[adóé]* heaviness, *[büntetésé]* severity, *[helyzeté]* seriousness, gravity, *[kötelességé]* onerousness, *[operációé]* seriousness, *[sebesülésé]* dangerousness, *[vádé stb.]* gravity

súlyoz [-tam, -ott, -zon] **I.** *vi*, *[súlyemelő]* do weightlifting, weightlift **II.** *vt*, **1.** *[hangsúlyoz]* accentuate, give prominence to **2.** *[statisztikában]* weight

súlyozás *n*, *[statisztikában]* weighting

súlyozásl [-l] *a*, ~ *hiba* weight bias

súlyozatlan *a*, ~ *átlag* unweighted average

súlyozott [-at] *a*, ~ *eltérés* weighted bias/deviation

súlypát *n*, *(ásv)* heavy spar, baryte, barite

súlypont *n*, **1.** *(fiz)* centre of gravity, center of gravity *(US)* **2.** *(átv)* main *(v.* most important) point, crux/pith of the matter, centre of interest

súlypontképződés *n*, finding/establishment of points of main effort

súlypontoz *vt*, *[tananyagot]* concentrate on essentials (and simplify)

súlypótlás *n*, makeweight

súlyserpenyő *n*, weight pan

súlyszám *n*, weight number

súlyszázalék *n*, percentage of the weight of sg

súlytalan *a*, **1.** weightless, imponderable, imponderous, *[igen könnyű]* feather-weight **2.** *(átv)* insignificant, unimportant, of no weight/account *(ut)*, light-weight, *[érv]* unsubstantial, insubstantial; ~ *ütemrész (zene)* weak beat

súlytalanság *n*, weightlessness; ~ *állapota* state of weightlessness; *a* ~ *állapotát jól bírja* withstand the state of weightlessness well

súlytöbblet *n*, overweight, excess weight, overload

súlyú [-ak ; *adv* -an] *a*, weighing . . . , in weight *(ut)*; *tíz font* ~ weigh/scale ten pounds

súlyvám *n*, *(ker)* duty by weight

súlyveszteség *n*, underweight, reduction in weight, loss of *(v.* deficiency in) weight, shrink(age), normal/natural loss, *[folyadéké]* leakage, *[boroshordóé]* ullage; ~ *beszáradás által* shrinkage

súlyzó [-t, -ja] *n*, dumb-bell, weight; *kis kézi* ~ barbell

súlyzógyakorlat *n*, dumb-bell excercise

súlyzóz|ik [-tam, -ott, -zon, -zék] *vi*, practise with dumb-bells, do dumb-bell excercises

súlyzsinór *n*, *[tolóablakhoz]* sash-cord

sumákol [-t, -jon] *vi*, slink/snoop around

sumér [-ok, -t, -ja] *a/n*, Sumerian

summa [. .át] *n*, **1.** *[összeg]* amount, total; *szép kis* ~ *a pretty penny/sum* **2.** *[lényeg]* summary, digest, abstract, résumé

summa cum laude with the highest praise, first class honours

summál [-t, -jon] *vt*, sum up

summás[1] [-at; *adv* -an] *a*, = **sommás**[1]

summás[2] [-ok, -t, -ja] **I.** *n*, jobber, season/contract worker, seasonal contract labourer **II.** *a*, ~ *arató* (seasonal) reaper/harvester paid partly in kind

sundám-bundám *adv*, surreptitiously, clandestinely, secretly, on the sly

sunyi [-t; *adv* -n] *a*, shifty, sneaking, sly, hang-dog; ~ *fráter* sneak; ~ *arca van* have a hang-dog look; ~ *tekintet* shifty look; ~ *ábrázatú/arcú/képű/tekintetű* sly-looking; ~ *képű* weasel faced

sunyiság *n*, slyness

sunyít [-ani, -ott, -son] *vi*, lie doggo/low, *[vk előtt]* sneak to sy

super [-ek, -t, -e] *n*, shipwright

surló [-t, -ja] *n*, = **zsurló**

súrlódás *n*, **1.** *[tárgyaké]* friction, *[szerszámgépnél]* trailing; *belső* ~ internal friction **2.** *[személyek között]* disagreement; *állandó* ~*ok vannak közöttük* there is always friction/disagreement between them

súrlódáscsökkentő *a*, = **súrlódásgátló**

súrlódásgátló *a*, anti-friction

súrlódási [-ak, -t; *adv* -lag] *a*, frictional, *(csak összet)* friction-; ~ *együttható* frictional coefficient, coefficient of friction; ~ *ellenállás* friction resistance; ~ *erő* frictional force; ~ *felület* friction surface; ~ *hő* friction heat, heat due to friction; ~ *réteg [meteorológiában]* frictional layer

súrlódásmentes *a*, friction-proof, anti-friction; ~ *áramlás* flow without friction

súrlód|ik [-tam, -ott, -jon, ·jék] *vi*, *(vmhez)* rub (against), grate (against)

súrlófa *n*, = **zsurló**

súrol [-t. -jon] *vi*, **1.** *[edényt]* scour, clean, *[padlót,* *bútort]* scrub 2. *[érint]* rub (against), brush (against), skim, touch lightly, brush against/past sy, *[golyó]* graze (by); ~*ja a falat* scrape along the wall; *könnyedén* ~*ja a földet* skim the ground; *a hajó* ~*ta a zátonyt* the ship scraped the rock 3. *(átv)* come very near (sg), touch (sg); *a cselekmény* ~*ja a polgári jogellenesség határát* the action savours of tort, the action is bordering on tort; ~*ja a pornográfia határát* it dangerously skirts pornography

súrolás *n, [edényt]* scouring, cleaning, *[padlót]* scrub(bing)

súroló [-t; *adv* -an] I. *a,* 1. *[edényt]* scouring, cleaning, *[padlót]* scrubbing 2. *[érintő]* rubbing, brushing, grazing, scraping II. *n,* scrubber

súrolóasszony *n,* charwoman, scrubwoman

súrolókefe *n,* scrubber, scrub(bing) brush

súrolórugia *n,* floor-cloth, *[edényhez]* dish-cloth, rubber, *[nyeles]* mop, *[hajón]* swab, swob

surran [-t, -jon] *vi,* scuttle, scurry, slide, glide, slip, flash, whisk

surrantó [-t, -ja] *n,* chute, runway, overflow chute

suskus *n, (biz, elit)* underhand work, machination, intrigue, trickery, horse-trade, skulduggery *(US); ebben valami* ~ *van* some underhand work is going on there, I do not like the sound of it, it's fishy, it looks fishy

susog [-tam, -ott, -jon] *vi,* whisper, talk in undertones, buzz, converse in murmurs, *[falevél]* whisper, rustle, *[patak]* murmur, sough, *[szél]* breathe, sough, sigh; *szél* ~ *a fák között* the wind sighs in the trees

susogás *n,* whisper(ing), buzz(ing), *[lombé]* susurration, whisper, rustle, *[pataké]* murmur(ing), sough(ing), purl(ing), *[szélé]* sigh(ing)

susogó [-t; *adv* -an] *a,* whispering, buzzing, *[lomb]* susurrant, rustling, *[patak]* murmuring, purling, *[szél]* sighing

sustorog [-tam, ..rgott, -jon] *vi,* fizz(le), hiss, sputter, simmer

susulyka *n, (növ)* inocybe *(Inocybe sp.)*

suszter [-ek, -t, -e] *n,* 1. shoemaker, *[foltozó]* cobbler; ~ *maradj(on) a kaptafánál* each man to his trade, every man to his craft; *a* ~*nek nincs cipője,a* ~ *nek lyukas a cipője* the shoemaker's wife is always the worst shod 2. *(átv elit)* botcher, bungler, patcher

suszterinas *n,* cobbler's apprentice

suszternatt *n,* fool's mate

suszterszék *n,* shoemaker's stool

sut [-ot, -ja] *n,* chimney corner, (ingle)nook, ingle-side; ~*ba dob* throw/cast away, discard, cast off, throw to the dogs, scrap; ~*ba dobja az illendőséget* offend *(v.* sin against) the proprieties; ~*ba dobják it* goes by the board, it is ditched *(US)*

suta [..át] I. *a, [balog]* left-handed, *[ügyetlen]* awkward, clumsy, unhandy, ungainly; ~ *ember* clumsy fellow II. *n, (áll)* doe, roe

sutabogarak *n. pl,* hister beetles *(Histeridae család)*

sután *adv,* ~ *fog hozzá* set about it in a clumsy manner, fumble at sg

sutaság *n,* clumsiness, awkwardness, ungracefulness

suttog [-tam, -ott, -jon] *vi/vt,* whisper, talk in undertones, speak under one's breath, murmur, *(vkről)* gossip about; *azt* ~*ják (hogy)* rumour has it (that), it is rumoured (that); ~*va* below one's breath; ~*va beszél* speak under one's breath

suttogás *n,* whisper(ing), hushed conversation, undertone

suttogó [-t; *adv* -an] *a,* whispering; ~ *bariton* crooner; ~ *beszéd* hushed conversation; ~ *hiresztelés* grapevine telegraph *(US fam);* ~ *kupola (épít)* whispering gallery; ~ *propaganda* whispering campaign/ propaganda, propaganda spread unostentatiously

suttol [-t, -jon] *vt, (sp)* shoot, kick (the ball)

suttyó [-t] *a/n,* country lad, callow youth, young yokel

suttyomban *adv,* stealthily, by stealth, surreptitiously, furtively, on the sly

suvadás *n,* (land)slide, (land)slip, falling-in of bank, mud avalanche

suviksz [-ot, -a] *n,* 1. (shoe) blacking 2. *(biz) nekem az* ~ I don't care a pin for it

suvikszol [-t, -jon] *vt,* black(ball)

súgér [-ek, -t, -e] *n, (áll)* perch, bass *(Perca fluviatilis)*

súgérlazac *n, (áll)* sand-roller *(Percopsis guttatus)*

süket [-et; *adv* -en] I. *a,* 1. *[hallásra]* deaf; *teljesen* ~ stone deaf; *fél fülére* ~ deaf in/of one ear; ~ *mint az ágyú* deaf as a door-post; *kérése* ~ *fülekre talált* a deaf ear was turned to his entreaties 2. *[hang]* hollow (voice) 3. ~ *a telefon* the receiver has gone dead 4. □ *[ostoba]* dumb *(fam),* idiotic *(stand.);* ~ *duma* empty talk, gassing, ballyhoo, baloney, hot water/air, malarkey, moonshine; *ez mind* ~ *duma* that's all moonshine! II. *n,* deaf (person); *a* ~*ek* the deaf

süketfajd *n, =* siketfajd

süketít *vt,* deafen

süketítő [-t; *adv* -en] *a,* deafening

süketnéma I. *a,* deaf-mute, deaf and dumb; ~ *(jel)- beszéd* finger-language II. *n,* deaf-mute

süketnéma-ábécé *n,* deaf-and-dumb alphabet, finger- -alphabet, manual alphabet

süketnéma-intézet *n,* asylum for the deaf and dumb

süketnémaság *n,* deaf-mutism, deaf and dumbness

süketség *n,* deafness, *(tud)* surdomutism, surdity

sül¹ [-t, -jön] *vi,* 1. *[tésztaféle]* bake, *[zsírban]* fry, *[pecsenye]* roast, brown, *[roston]* broil, *[egész ökör] sertés]* barbecue; *saját zsírjában* ~ fry in one's own fat 2. *[napon]* srill, scorch

sül² [-ök, -je] *n, (áll)* porcupine *(Hystrix sp.); tarajos* ~ short-tailed porcupine, common porcupine *(Hystrix cristata)*

süldő [-t, -je] I. *n, [malac]* piglet, young pig, porkling, *[nyúl]* leveret II. *a,* ~ *leány* girl in her teens, teen- -ager, teen(er) *(fam),* junior miss, bobby-soxer *(US)*

sületlen *a,* 1. *(konkr)* underbaked, underdone, un- baked, half-baked, *[kenyér]* slack-baked, sodden, vapid 2. *[izléstelen]* in bad taste *(ut),* *[ostoba]* silly, stupid, nonsensical, foolish, half-baked; ~ *tréfa* silly/bad joke, *[durva]* practial joke

sületlenség *n, (átv)* nonsense, bosh, foolishness, fool- ery, silliness, twaddle, flummery, rubbish, *[megjegyzés]* foolish-silly remark, tripe *(fam),* boloney *(US);* *micsoda* ~*!* what nonsense!, fiddlesticks!; *ez tiszta* ~*!* that's all tripe; ~*eket beszél* twaddle, haver

süllő [-t, -je] *n, (áll)* pike-perch, wall-eye(d pike/perch) *(Stizostedion vitreum)*

sült [-et, -je] I. *n,* roast, fried meat, fry, *[csontos]* joint II. *a,* 1. *[tésztaféle, gyümölcs]* baked, *[húsféle]* roast(ed); ~ *alma* baked apple, hot codling; *héjában* ~ *burgonya* potatoes baked in their jackets *(pl),* baked potatoes *(pl);* *zsírban* ~ *burgonya(szeletek)* fried potatoes *(pl);* ~ *csirke* fried/rost(ed) chicken; *várja hogy a* ~ *galamb a szájába repüljön* he is waiting for the plums to fall into his mouth; *ne várd hogy a* ~ *galamb a szádba repüljön* he who waits for dead men's shoes is in danger of going barefoot; ~ *hús* roast(ed meat), (roast) joint, fry, fried meat; ~ *krumpli* baked potatoes *(pl),* potatoes baked in their jackets *(pl);* ~ *marhahús* rost beef; ~ *tészta* (baked) pastry; ~ *tök* baked pumpkin 2. *(biz elit)* ~ *bolond* stark/staring/raving mad, (as) mad as a hatter, mad as a March hare, plump crazy, blether- ing idiot; ~ *német* German to the core; ~ *paraszt* boor, churl, clown, country bumpkin

sülve-főve adv, ~ együtt vannak they are thick as thieves, they are inseparable, they are hand in glove

sülzanót n, (növ) európai ~ furze (Ulex europaeus)

süly [-t, -e] n, † scurvy

süllyed [-t, -jen] vi, 1. (ált) sink, [föld, épület] sink, subside, dip, give way, settle, [gyorsan] dive, plunge, [vízszintről] subside, [folyadék színtje] sink, ebb, [hajó] be sinking, [hőmérő, légnyomásmérő] fall, [hőmérséklet] go down, [kocsi sárba] get bogged down, sink in the mud; a hajó a vízfenékre ~t the ship went (down) to the bottom, the ship touched bottom 2. [erkölcsileg] sink; odáig ~ hogy... descend to (doing sg), abase oneself so far as to ...; nagyon mélyre ~t has sunk very low; majd a föld alá ~t szégyenében he could sink through the floor with shame; ~tek az erkölcsök morals have declined/degenerated; magába ~ve [kétségbeesve] sunk in deep dejection, [gondolatokba] lost in thought, brooding, sunk in a brown study; sokat ~t előttem has fallen/sunk in my estimation

süllyedés n, 1. (ált) sinking, [áré] decline, fall, falling off, [barométeré, hőmérőé] fall, [hőmérsékleté] descent, [épület alapozásáé stb.] yield, subsidence, dip, depression, [talajé] settling, settlement, sagging, (orv) sinking, lowering, depression 2. [erkölcsileg] sinking, decline, degeneration, downcome, lowering

süllyedési [-t] q, vörösvérsejt ~ sebessége erythrocyte sedimentation rate

süllyedő [-t] a, 1. (ált) sinking, [épület stb.] subsiding, settling, [hőmérő stb.] falling; menekül a ~ hajóról flee from the sinking vessel, abandon the ship in danger 2. (átv) sinking, declining, degenerating, on the decline (ut); ~ irányzat (ker) downward/falling/drooping/declining tendency

süllyeszt [-eni, -ett, .. esszen] vt, sink, lower, [hajót] sink, submerge, [megfúrással] scuttle, [szegecset] countersink (a rivet); kezét a zsebébe ~i thrust one's hand in one's pocket; dive into one's pocket (fam)

süllyesztés n, sinking, lowering, [hajót] submersion, sinking, [fúrással] scuttling

süllyesztett [-et; adv -en] a, (műsz) (counter)sunk, recessed, pocketed, flush, set-in, concealed; ~ csavar protected/sunk screw; ~ ék sunk key; ~ fejű csavar countersunk screw; ~ fejű szegecs (counter)sunk/flush rivet; ~ foglalat sunk mount; ~ tábla/mező (épít) sunk panel; falba ~ vezeték concealed wiring; ~ világítás recess lighting

süllyeszthető a, sinkable, [víz alá] submersible

süllyesztő [-t, -je] n, (szính) trap(-door), sink, slot, (műsz) countersink; eltűnt a ~ben (átv) disappeared from the scene, was not heard of any more

süllyesztőfúró n, rose-bit, countersink/counterbore bit

süllyesztőgödör n, [fűtőházban] drop-pit

süllyesztőón n, [halászhálón] sink(er)

süllyesztőszekrény n, (floating) caisson, box caisson, cofferdam, coffer

sün [-ök, -t, -je] n, (áll) hedgehog, urchin (Erinaceus europaeus); tengeri ~ök sea urchins, sand dollars (Echinoidea)

sündisznó n, = sün

sündisznóállás n, (kat) hedgehog (position)

sündörög [-tem, ..rgött, -jön] vi, [ólálkodik] lurk, skulk, slink, prowl (about), [vk körül hízelegve] hang on the sleeve of, fawn (upon)

sünhal n, (áll) porcupine fish, sea-egg, globe-fish (Diodon hystrix); tengeri ~ emperor-fish (Holacanthus imperator)

sünzanót n, (növ) whin-bush (Ulex Europaeus)

süpped [-t, -jen] vi, [talaj] sink, give way, subside, settle, [homokba] sink, be sucked down (into quicksand), [sárba] get bogged/caught

süppedékes [et; adv -en] a, boggy, marshy, swampy, soft

süppedés n, sinking, subsiding, subsidence, [sárba] bogging, [talajé] settling, settlement, sagging, yield, sag

süppedez|ik [-tem, -ett, -zen, -zék] vi, be sinking/subsiding, give (way)

süppedő [-t] a, sinking, subsiding, settling, [talaj] sagging, boggy, marshy; ~ párna soft pillow; ~ szőnyeg soft-springy carpet

sürgés n, activity, bustle, stir, ado, to-do, movement

sürgés-forgás n, bustle, hurry, hustle, commotion, stir and movement

sürget I. vt, (vkt, vmt) urge, press, hurry (on), hasten, (vmt) urge on/forward, rush, expedite, [kölcsönzésben] recall (a book); erélyesen ~ vmt press for sg; erélyes rendszabályokat ~ urge for energetic measures; ~i az idő be pushed for time, be (hard-)pressed for time; ~i a kérését press one's suit; vkt ~ hogy fizessen; push sy for payment; vm végrehajtását ~i insist on sg being done, urge that sg should be done (immediately), urge that sg be done; ~i a választ press for an answer; nem akarom ~ni I don't want to rush you; nem hagyom magam ~ni I refuse to be rushed; egyre/folyvást ~tek levélírás közben I was hurried when I wrote that letter

II. vi, az idő ~ time presses

sürgetés n, urge, urging, pressing, [könyvkölcsönzésben] overdue notice, reminder, follow-up notice; a tagok ~ére on the insistent solicitation of the members

sürgető [-t; adv -en] a, urgent, pressing, imperative, [szükség] compelling, immediate; ~ intézkedés measure of pressing necessity; ~ levél urgent request for payment, dun(ning letter), hastener

sürgő-forgó a, bustling, stirring

sürgölödés n, bustle, stir, hustle

sürgölöd|ik [-tem, -ött, -jön, -jék] vi, be bustling about, bustle, stir/buzz about, hurry, be on the go, be (always) on the move/run, run about, hustle (US), rustle (US), be up and coming (US); ~ vk körül dance attendance on sy, be all over sy

sürgölödő [-t] a, bustling, stirring

sürgöny [-ök, -t, -e] n, telegram, wire, [kábelen] cable(-gram), [rádión] radiogram

sürgönyblanketta n, telegraph form/blank

sürgönycím n, telegraphic/cable address, [rövidlen] cables

sürgönydíj n, telegram-rate, price of telegram

sürgönydrót n, telegraph-wire, telegraph cable

sürgönyfeladás n, 1. [cselekmény] sending/dispatching a cable/wire 2. [hivatal] telegraph-office

sürgönyhordó n, = sürgönykihordó

sürgönyöz adv, by wire/telegram/cable; ~ értesít vkt telegraph/wire sy, cable (to) sy

sürgönykézbesítő n, = sürgönykihordó

sürgönykihordó n, telegraph boy/messenger

sürgönyöz [-tem, ..nyzött, -zön] vt, telegraph, wire, cable, send a wire/telegram

sürgönypózna n, telegraph post/pole

sürgönystílus n, telegraphese; ~ban beszél talk telegraphese, speak laconically

sürgönyválasz n, telegraphic reply/answer, reply by wire/cable; ~ fizetve reply/answer paid (röv. RP); ~t kérek wire answer, reply/answer by wire

sürgönyváltás n, exchange of telegrams/cables

sürgős [-et; adv -en] a, urgent, pressing, [kellemetlenül] importunate, [szükséglet] immediate, [levélen] urgent, express, rush!, (ker) "for immediate delivery"; ~ beszélgetés urgent/express call; ~ dolga van have some pressing business on hand; ~ eset emergency case; ~ esetben in case of urgency;

~ *hívás* emergency call; ~ *intézkedést kér* call for urgent/immediate action; ~ *kérés* urgent entreaty/ request; ~ *küldemény/kézbesítés* express delivery; ~ *levél* express letter; ~ *(meg)rendelés* pressing/ rush/urgent order; ~ *munka* press of business, rush job; ~ *műtét* emergency operation; ~ *szükség van vmre* there is pressing/instant/urgent need of, sg is urgently required; ~ *szüksége van vmre* have instant need of sg; ~ *telefonhívás* urgent/express call; ~ *ügy* urgent case, emergency; ~ *válasz* urgent reply; ~? is there any hurry?; *nem* ~ I am not in a hurry; *a dolog nem* ~ there is no haste, take your time about it; *ez* ~! the matter *(v.* this) is urgent, rush it!; *az ügy* ~ the cause is pressing; *nincs* ~*ebb dolga (mint)* have nothing more pressing (than to)

sürgősen *adv,* urgently, speedily; ~ *küld* send express; ~ *visszatér* hurry back

sürgősség *n,* urgency, pressure, dispatch, high priority, instancy, *[szükséglet]* immediacy; *a* ~ *kimondását kéri* ask for priority; *kimondják a* ~*et* urgency is declared, (the declaration/motion of) urgency is accepted, *[parlamentben]* the business is reported as urgent

sürgősségi [-ek, -t] *a,* of urgency *(ut);* ~ *díj* urgent rate; ~ *indítvány* motion of urgency/priority; ~ *indítványt tesz* call for a vote of urgency

sűrít [-eni, -ett, -sen] *vt,* thicken, *[anyagot]* compact, solidify, *[folyadékot]* concentrate, condense, *[oldatot]* boil down, *[gázt]* compress, *[tejet]* concentrate, *(nyomd) [ritkán szedett sorokat]* unlead

sűrítés *n,* thickening, condensation, concentration, densification, compression

sűrített [-et; *adv* -en] *a,* thickened, compacted, concentrated, condensed, condensated, compressed; ~ *gyümölcslé* dry juice; ~ *levegő* compressed air; ~ *levegővel működtetett szerszám* pneumatic tool; ~ *paradicsom* tomato purée; ~ *tej [higabb, édesltett]* condensed milk, *[sűrűbb, cukrozatlan]* evaporated milk

sűrítmény *n,* concentrate, condensate, *[élelmiszer]* purée

sűrítő [-t, -je] *n, (vegyt, műsz)* condenser, *[gáz]* compressor, *[motoré]* supercharger, blower, (air) compressor, *(vill)* condenser, condensator

sűrítőanyag *n,* coagulant

sűrítőgép *n,* = sűrítő

sűrítőszivattyú *n,* compression pump

sűrítőtér *n, [motorban]* compression chamber

sürög [-tem, sürgött, -jön] *vi,* = sürgölődik

sürög-forog [sürögtem-forogtam, sürgött-forgott, sürögjön-forogjon] *vi,* = sürgölődik

sűrű [-t;. *adv* -n] I. *a,* 1. *(ált)* thick, dense, compact, *[erdő]* thick, dense, *[felhő]* compact, *[folyadék]* thick, heavy bodied, consistent, *[füst]* dense, *[homály]* murky, *[levegő]* close, thick, *[massza]* stiff, *[sövény]* close-set, thickset, *[szita]* close-meshed, *[szövés]* close, *[tömeg]* dense; ~ *bozót* coppice; ~ *cserje* clump; ~ *embertömeg* dense crowd; ~ *erdő* thick/dense forest, crowded wood; ~ *eső* heavy rain; ~ *fűgyep* close-set grass; ~ *füst* dense smoke, smudge; ~ *haj* thick hair; ~ *köd* dense/thick fog; ~ *köd ül a városon* a thick fog hangs over the town; ~ *kötés (tex)* tight stich; ~ *lakosság* dense population; ~ *leves* thick soup; ~ *mártás* thick gravy/sauce; ~ *népesség* dense population, populousness; ~ *népességű* densely populated, populous; *túl* ~ *népességű vidék* congested arca; ~ *pép* stiff paste; ~ *rosta* fine wire screen; ~ *sorok* serried lines/ ranks; ~ *sötétség* intense/dense darkness; ~ *szedésű (nyomd)* closely printed; ~ *szita* close-meshed sieve, fine sieve, sifter; ~ *szövés [szövet]* closeness; ~ *szövésű [kelme]* close-woven/textured; ~ *szövet* close woven good; ~ *vonalazás* close ruling 2.

[gyakori] frequent, *[bocsánatkérés]* profuse; ~ *bocsánatkérések közepette* apologizing profusely; ~ *érverés/pulzus* quick pulse; ~ *látogatás* frequent visits *(pl);* ~ *látogató* regular visitor 3. *[ember]* thickset
II. *n, [erdő, bozót stb.]* (close) thicket, coppice, copse, brushwood, *[trópusokon]* jungle; *erdő* ~*je* depths of the forest; *visszafut a* ~*be [vad]* turn back to cover; *erdő* ~*jében* in the thick of the forest

sűrűfésű *n,* fine-tooth comb, small-toothe(d) comb, toothcomb

sűrűn *adv,* 1. thick, densely; ~ *folyó* viscous, stiff, thick; ~ *gépelt* closely typed; ~ *hullik mint a jégeső* fall as thick as hail; ~ *lakott* densely populated, populous; ~ *lakott ország* densely populated/peopled country; ~ *lakott terület* densely populated area; *(túl)* ~ *lakott vidék* congested area; *túl* ~ *lakott [területek]* overcrowded, overbuilt (areas); ~ *szedett (nyomd)* close-spaced; ~ *szőtt szövet* close/tightly woven stuff; ~ *telepít [cserjéket]* clump; ~ *ültetett [növény]* thickset, close-set 2. *[gyakran]* frequently, at short intervals, often; *milyen* ~? how often?; ~ *látogat egy helyet* frequent a place, repair to a place often; ~ *megesik (hogy)* it often happens/ occurs (that); ~ *mentegetőzik* be profuse in one's apologies

sűrűnfolyósság *n,* viscosity, stiffnes,

sűrűnlakottság *n,* populousness

sűrűség *n,* 1. *(ált)* thickness, denseness, density, compact(ed)ness, *(fiz, vill)* density, *[festéké]* ful(l)ness, body (of paint), *[folyadéké]* thickness, consistence, consistency, viscosity, *[füsté]* denseness, *[levegőé]* closeness, thickness, *[pépé]* stiffness, *[sötétségé]* intensity, density, *[szövésé]* closeness, *[tömegé]* denseness 2. *[bozótos hely]* thicket 3. *[gyakoriság]* frequency

sűrűségmérés *n,* densimetry, *[folyadéké]* areometry

sűrűségmérő *n,* densimeter, areometer

sűrűsödés *n,* thickening, condensation

sűrűsödik [-ött, -jön, -jék] *vi,* thicken, condense, become more compact/dense, *[folyadék]* clot, coagulate, curd(le), congeal

sűrűvérű *a,* full/hot-blooded, sanguine(ous), *(orv)* plethoric

sűrűvérűség *n,* full-bloodedness, sanguineness, *(orv)* plethora

süsü [-t] *a, (biz)* ga-ga, queer (in the head), nutty *(US)*

sü-sü *(gyerm) [vonat]* chuff-chuff

süt [-ött, süsson, süsd, sssed] I. *vt,* 1. *[ételt, kenyeret, tésztát, almát]* bake, *[szárazon húst stb.]* roast, broil, *[zsírban]* fry; *nyárson* ~ roast on a/the spit; *roston* ~ grill, broil; *bő zsírban* ~ deep-fry; ~*ni való alma* codling; ~*ni való csirke/szárnyas* roasting chicken, roaster; *kis* ~*ni való hurka* fag(g)ot; *ld még* sütnivaló 1.; 2. *[hajat]* curl, crisp, frizz 3. *szemét földre* ~*i* cast down one's eyes
II. *vi,* 1. *[égitest]* shine, *[nap erősen]* burn, scorch, parch; ~ *a nap* the sun is shining, it is sunny, there is sunshine; *ide soha nem* ~ *a nap* it is a place never visited by the sun; ~ *a hold* there is a moon to-night, it is moonlight 2. *[nagyon meleg tárgy, péld. kályha, éget]* burn, scorch

sütemény *n,* 1. *[tészta]* cake, pastry, *[cukrászé]* fancy cake(s), confectionery, comfit, sweetmeat, pastry; *ánizsos* ~ aniseed cake; *apró* ~ tea/small cakes *(pl),* cooky, cookie *(US)* 2. *[péké]* baker's ware

sütés *n,* 1. *[ételt, kenyeret, tésztát]* baking, *[húst]* roasting, *[zsírban]* frying, *[roston]* grilling, broiling 2. *[hajat]* curling, frizzing, crisping 3. *[nap]* shining

sütés-főzés *n,* cooking, *[nagy]* feverish culinary activity sütet n, ovenful, batch, (one) baking

süt-főz [sütött-főzött, süsson-főzzön] vi/vt, do great cooking and baking, [rendszeresen] do the cooking

sütkérezés n, basking in the sun, sun-bathing

sütkérez|ik [-tem, -ett, -zen, -zék] vi, [napon] bask in the sun, sun, sun-bathe; a napon ~tem I was roasting under the sun; ~ik a tűznél warm oneself by the fire

sütnivaló n, 1. [étel] food to bake/roast, [kenyérsütéshez, folyékony] emptings (pl); ld még süt 1. 2. (tréf [ész] brains (pl), commonsense, gumption (fam), horse sense (fam); van ~ja have gumption, have a head-piece 3. [élesztőpótló] sourdough

sütő [-t, -je] I. a, [tésztát stb.] baking, [zsírban] frying, [húst] roasting, [roston] broiling, grilling II. n, 1. [személy] baker 2. [tűzhelyrész] (cooking) oven

sütöde [..ét] n, [üzem] bakery, bakehouse, [üzlet] baker's shop

sütőház n, bakehouse, bakery

sütőipar n, baking (v. bread-making) industry, (ritk) bakery

sütőkemence n, oven

sütőlábas n, frying-pan

sütőlap n, [tűzhelyé] cooktop, oventop, sheet

sütőlapát n, (baker's) peel, shovel; akkora keze van mint egy ~ has a mutton fist, is a ham-fisted man

sütőminta n, [lepénynek, mézeskalácsnak] crustullum form

sütőmunkás n, bakery worker

sütőpléh n, baking tin/tray

sütőpor n, yeast/baking powder, baking soda

sütőrostély n, gridiron, griller

sütőszóda n, carbonate of soda, baking soda (US)

sütőteknő n, kneading trough

sütőtepsi n, frying pan, cake-tin, oven pan

sütőtök n, (növ) (winter) squash, turban squash (Cucurbita maxima)

sütővas n, curling irons/tongs (pl), crisping-iron

süttet vt,1. [étellt] have sg baked/roasted 2. ~l magát a nappal bask in the sun, sun

süveg [-et,-e] n, [prémes] high fur cap, [püspöké] mitre

süvegcukor n, loaf-sugar, sugar-loaf

süvegel [-t, -jen] vt, raise/take off one's hat (to)

süveges [-ek, -t; adv -en] a, wearing/with a high fur cap (ut), [apát] mitred; ~ boltozat (épít) cope; ~ tánc furcap dance

süvegfa n, cap(ping), head tree, door lintel, top-binding, (bány) head-piece, cross-bar

süveggerenda n, (épít) ridge-piece

süvít [-eni, -ett, -sen] vi, [szél] howl, roar, whistle, whine, [lövedék] whizz, whirr, ping, zip, shrill (ref.); nyilak ~ettek fejünk mellett the arrows whiz(z)-ed past our heads

süvítés n, [szélé] whistle, whistling, [kilőtt golyóé] whizzing, whiz(z), zip

süvítő [-t; adv -en] a, = süvöltő

süvölt [-eni, -ött, -sön] vi, = süvít

süvöltő [-t; adv -en] I. a, [szét] howling, roaring, whistling, [lövedék] whizzing, whirring, [hang] piercing II. n, 1. [madár] bullfinch (Pyrrhula pyrrhula)

2. [népi hangszer] ⟨shepherd's pipe in the great Hungarian Plain⟩

süvölvény n, lad, youngster, urchin, scapegrace (joc); ld még suttyó

sva [-t, -ja] n, (nyelvt) ~ (hang) schwa

sváb¹ [-ot, -ja; adv -ul] a/n, Swabian, Suabian, [Magyarországon] German

sváb² [-ot, -ja] n, = svábbogár

svábbogár n, (áll) (oriental) cockroach (Blatta orientalis)

Svábország prop, (földr) Suabia

svábság n, the Swabians (pl)

sváda [..át] n, gift of the gab, a glib tongue, [rábeszélő képesség] power of persuasion; jó svádája van have the gift of the gab

svádájú a, jó ~ [igével] have the gift of the gab

svadron [-ok, -t, -ja] n, (kat) squadron (of cavalry/horse)

Svájc [-ot, -ban] prop, Switzerland, Helvetia (ref.)

svájci [-ak,-t,-ja] I. a, Swiss, Helvetian (ref.), Helvetic (ref.); S~ Államszövetség Swiss Confederation; ~ férfi Swiss man; ~ közlársaság (tört) Swiss Republic, the Republic of Switzerland; ~ nő Swiss woman; ~ (állam)polgár Swiss citizen; ~ óra Swiss watch; ~ testőr Swiss guard II. n, Swiss (man, woman, citizen); a ~ak the Swiss

svájcisapka n, beret

svájfolt a, tapered, tapering, nipped in waist (ut), nipped-in; ~ kabát (kb) jacket tight at the waist

svartli [-t, -ja] n, (biz) = disznósajt

svéd [-et, -je; adv -ül] I. a, Swedish; ~ csavar [vízilabdában] reverse screw, Swedish throw; ~ ember Swede; ~ gyufa safety match; ~ here bastard trefoil Swedish clover; ~ nyelv Swedish (language) II. n, 1. [ember] Swede 2. [nyelv] Swedish

svédacél n, Swedish steel

svédbarát I. a, pro-Swede, pro-Swedish II. n, 1. [ember] Swede 2. [nyelv] Swedish

Svédország [-ot, -ban] prop, Sweden

svédországi [-ak, -t] a, Swedish, of Sweden (ut)

svédtorna n, Swedish/Ling movements (pl), kinesiatrics, Swedish gymnastics/exercises (pl)

svédül adv, Swedish; ~ tanul learn Swedish

svert [-et, -je] n, (hajó) centre-board

svihák [-ot, -ja] a/n, (biz) humbug, fraud

svihákság n, (biz) roguery, fraud, mischief

svindler [-ek, -t, -e] n, (biz) swindler, humbug, cheat, rogue, fraud, charlatan, chiseler, dodger, racketeer, (kárty) card-sharper

svindli n, (biz) swindle, dupery, racket, fraud, plant, spoof, ramp, (kárty) cheating at cards

svindlizés n, = svindli

svindliz|ik [-tem, -ett, -zen] vi, (biz) swindle, cheat, humbug, lay bogus schemes; ne próbálj ~ni! no monkey business!

svung [-ot, -ja] n, [lendület] momentum, swing, impetus, [elevenség] animation, liveliness, vivacity; ~ba jön gather momentum, get well under way

Swaziföld prop, Swaziland

Sydney [-t, -ben] prop, Sydney

SZ

sz [sz-et, sz-e] *n*, the letter sz/Sz
szab [-tam, -ott, -jon] *vt*, **1.** *[ruhát]* cut (out), tailor; *az alakra ~ja a ruhát* shape a dress to the figure; *mintha rád ~ták volna* it fits you like a glove, it fits to a nicety, it is a perfect fit **2.** *árat ~* charge/fix a price; *büntetést ~ vkre* inflict/impose penalty/fine on sy, mete out punishment to sy *(ref.); feltételeket ~* make/name one's conditions/terms, lay down conditions (to sy), impose conditions (on sy); *határt ~ vmnek (átv)* keep sg in bounds, delimit(ate) sg, circumscribe sg; *nem ~ határt vmnek* set no stint upon sg; *vmhez ~ja magát* accommodate oneself to sg, comply with sg, conform to sg
szabad [-ot, -ja; *adv* -on] **I.** *a*, **1.** *[akadálytalan]* clear, open, unobstructed, unhampered, unfettered, unimpeded, *[sehova nem tartozó]* unattached, uncommitted, *[nem foglalt]* free, unoccupied, vacant, disengaged, unengaged, *[megengedett]* permissible, permitted, allowed *(ut), [nem eljegyzett, nincs programja]* disengaged, *[nem fogoly]* free, unenslaved, *[független]* independent; *~ akarat* free will, self-determination; *az embernek ~ akarata/elhatározása van* man has free agency; *~ akaratú* having free will *(ut), [önkéntes]* voluntary, spontaneous; *~ alaprajzú ház (épít)* open-plan house; *arany ~ állapotban* free gold; *~ ár* uncontrolled price; *~ asszociáció* free association; *~ átjárás* free/unimpeded passage; *~ belátása szerint (jog) [bíróságról]* by exercising its discretion; *~ bemenet* admission free; *~ cukor* off-the-ration sugar, unrationed sugar, coupon/point-free sugar; *~ délelőtt* morning off; *(ma) ~ délutánja van* have the afternoon off; *~ deviza* free currency; *a ~ ég alatt* outdoors, out-of-door(s), under the open sky, in the open/free, alfresco; *~ ég alatt alszik* sleep under the stars, doss out ◈; *~ elhatározás* free will; *~ elhatározásából* of one's own free will *(v.* accord); *~ elvonulást enged* grant free (and honourable) withdrawal; *~ ember [rabszolgarendszerben]* freeman; *~ ezüst* native silver; *~ felhajtás [ballóné]* free lift; *~ fogalmazás [iskolai dolgozaté]* free composition; *~ foglalkozás* liberal profession; *~ foglalkozású* member of a liberal profession, self-employed; *~ folyást enged a dolognak* sit back, drop the reins, let things take their course, let nature take her course; *~ folyást kell engedni a dolgoknak* things must run their course; *~ folyást enged a dühének/haragjának* give rein *(v.* the reins) to one's anger, give vent to one's anger; *~ folyást enged érzelmeinek* give full vent to one's feelings, give free course/play to one's feelings, give way to one's emotions, pour out one's feelings, let/blow off steam *(fam)*, uncork one's feelings *(fam); ~ folyást enged felháborodásának* let loose one's indignation; *~ folyást enged a természetnek* let nature take her course; *~ fordítás* free/loose/liberal translation; *~ forgalmú út* open route; *~ forgalom* freedom of trade, free/unfettered trade/commerce, free circulation of goods, *[tőzsdei]* curb market;

~ forgalomban elad [értékpapírt] sell on the curb; *~ föld (tört)* freehold-land; *~ gondolkodás* free-thinking; *~ gondolkodású* free-thinking, liberal-minded; *~ idejében* in one's leisure hours, in one's spare/free time, in one's unoccupied/leisure moments; *~ idő* free/leisure/spare time, leisure, spare moments *(pl)*, ease; *~ időbeli* spare-time; *~ idejében olvasni szokott* he used to read in his leisure time; *~ játék (műsz)* free play, margin, clearance; *„~" jelzés (vasút)* open signal; *~ kereskedelem* free trade; *a ~ kereskedelem híve* he is for free trade, he is a free-trader; *~ kéz* freedom of action; *~ keze van (vmre)* have free play, have a free hand (to), act with full powers; *~ kézből elad* sell by private contract/treaty, sell privately; *~ kezet ad/biztosít (v.* teret enged*) vknek vmben* give/allow sy a free hand/rein, give sy full powers/discretion *(v.* carte blanche), let sy have full play/scope, give full scope to sy, furnish sy with full powers, give sy (plenty of) rope *(fam)*, give sy line enough *(fam); ~ kikötő* free port, open harbour/berth, treaty-port; *~ kilátás* open/clear/unobstructed/unobscured view; *~ királyi város (kb)* royal (free) borough; *~ költözködés* free migration; *~ költözködési jog* freedom to move from place to place, right/privilege to settle in or move from a place; *~ lakás* free tenancy (of flat/apartment); *~ láng* open flame; *~ levegő* open air; *a ~ levegőn* in the open (air), outdoors, out-of-door(s); *~ liszt* unrationed flour; *~ mozgás* freedom of movement, egress and regress, *(átv)* scope, full play; *~ mozgása van* be free to go/move wherever one likes; *~ napja van* it is his day off, he is off duty; *~ óra* leisure/free hour; *~ ország* free country; *~ pálya* open profession; *~ példány* free/presentation/author's copy; *~ percek/pillanatok* vacant/odd moments, left-over moments *(fam); nincs egy ~ percem* I haven't got a free moment *(fam); ~ piac* open/free market; *~ poggyász* free (allowance of) luggage; *~ polc [könyvtárban]* open shelves *(pl); ~ raktár [könyvtárban]* open access; *~ rendelkezési jog* complete power of disposal; *~ sajtó* free press, freedom of the press; *~ stílusú birkózás* all-in wrestling; *~ súly* weight of luggage carried free; *~ szájú* free-spoken, free of speech *(ut), [malac]* foul-mouthed/spoken, loose-tongued, have a loose tongue; *túlságosan ~ szájú* be too free in one's speech; *~ szakszervezet* free trade-union; *~ szellemű* free thinking, emancipated; *~ szem* unaided eye; *~ szemmel lát vmt* see sg with the unaided eye; *~ szemmel látható* visible to the naked *(v.* with the unaided) eye; *~ szemmel alig/nem látható* unperceivable, indistinguishable; *~ szerelem* free love, promiscuous sexual relations *(pl)*, promiscuity; *~ szoba* vacant room; *~ telek (tört)* freehold, al(l)odium; *~ tér/lehetőség* (free) scope; *~ teret ad vknek* give free/full scope to sy; *ld még* **szabad** *kezet ad vknek; vknek ~ teret enged (v.* lehetőséget *ad)* képességei kifejtésére give sy free scope for

his abilities; ~ *tere van* have full scope, have a clear field; ~ *természet* Nature; ~ *terület/tér* open space; ~ *tulajdon* freehold *(GB)* ; ~ *út/pálya* open road, passage-way; ~ *választás* free choice; ~ *választása szerint* at one's option, at will; ~ *választása van* have free choice; ~ *választású* optional, facultative; ~ *vallásgyakorlás* freedom/liberty of worship/religion; ~ *város* free town/city; *kötél* ~ *vége* loose end of rope; ~ *vers* free verse, vers-libre *(fr)* ; ~ *verseny* (free) competition; ~ *vezeték (vill)* overhead/open wire, *[távíróé]* land-line; ~ *vonal* free line; ~ *mint a madár* as free as the air; *hat órára valószínűleg* ~ *leszek* I ought to be free at six; ~*dá tesz vkt* liberate, free, *[utat, forgalmat]* unblock, clear, *[állást, ülést]* vacate, *[hajót]* refloat; ~*dá teszi a pályát (vasút)* clear the line; ~*dá teszi az utat* clear the way, unbar the way *(fam);* ~*dá tétel* release, setting free, disengagement; *[helyé]* vacation, *[úté, pályáé]* clearing; ~*dá válik [gáz, hő]* evolve; *ld még* szabadon; 2. *[állítmány-kiegészítőként]* ~ *a csók* kissing is allowed; ~ *ez a hely/asztal?* is this seat/table vacant/free/unoccupied/unengaged?; ,,~" *[taxi]* 'For hire'; ~ *ez a kocsi/taxi?* are you engaged?; ~ *a levegő (biz)* the coast is clear; ~ *a pálya (vasút)* line clear; ~ *a szíve* he is heart-free; ~ *az újság?* may I take/have the paper?; ~ *az út* the way/road is clear/open; ~ *a választás* take your choice, you can/may choose; ~ *a vásár* the coast is clear, it is anybody's guess; *jelzőt/szemafort* ~*ra állít (vasút)* throw a signal "off"

II. *n, a* ~*ba* outside; *menjünk ki a* ~*ba!* let's go outdoors *(v.* into the open); *a* ~*ban* outside, in the o-pen (air), in the open field, outdoors, out of doors, without doors, alfresco *(obs)* ; ~*ban készült arckép-felvétel* portrature outdoors; ~*ban levő* open-air; *a* ~*ban történő* outdoor, out-of-door(s), open-air

III. *[-jon, -na]* vt, *[vknek vmt tenni]* may, *[kopogtatás helyett]* may I come in?, am I not disturbing you?, *[kopogtatásra feleletül]* come in!, please walk in; ~? *[udvariasan kérdezve]* may I?, *[nem foglalt?]* are you engaged?; ~ *(egy tánc-ra)?* may I have the pleasure of a/this dance?, *[kevésbé udvariasan]* excuse me; ~ *kérem? [utat kérve]* excuse me please!, sorry!, *[vmt elkérve]* may I trouble you (to *és inf) (v.* for a/the . . .); ~ *a sót(,) kérem?* may I trouble you for the salt(,) please; ~ *lesz becsuknom az ajtót?* do you mind my shutting the door?; ~ *volna kinyitni az ablakot?* do you mind if I open *(v.* my opening) the window; ~ *megnézni/megtekinteni?* may I have a look?; ~ *vmt megtennie* be at liberty to do sg; ~ *egy pillanatra?* excuse me for a moment, have you a minute to spare?, just a sec *(fam)* ; *ennek nem* ~ *így lenni* this is inad-missible, it cannot go on like this; *nem* ~ *[tenni]* it must not be done, it is not permitted, it is forbidden (to); *ezt nem* ~ *mondani* you must not say so; *ezt nem lett volna* ~ *megtenned* you ought not to *(v.* should not) have done this; *ezt nem* ~*na tennem* I am not supposed to do it; *ha* ~ *kérdeznem?* if it's a fair question(,) why . .?; *ha* ~ *azt mondanom* if I may say so; *itt nem* ~ *dohányozni* smoking (is) prohibited, you must not smoke here; *legyen* ~ *megemlítenem* allow me to *(v.* let me) mention *(v.* remind you); *nem* ~ *azt hinni (hogy)* one/you should not think/believe (that); *oda nem* ~ *menni* you/one must not go there; *azt hiszi hogy neki mindent* ~ he thinks everything becomes him

szabadállam *n,* free state

szabadalmas [-ak, -t, -a] I. *a,* 1. patent(ed) 2. *(pol)* privileged, chartered II. *n,* patentee

szabadalmaz [-tam, -ott, -zon] vt, 1. *(ker)* (issue a) patent 2. *(pol)* privilege, grant charter to (company, community)

szabadalmazott [-at; *adv* -an] *a, (ker)* patent(ed), proprietary; ~ *áru* patented commodity; ~ *cikk* proprietary article, patent(ed) goods; ~ *eljárás* patented/protected process; ~ *találmány/gyártmány* patent

szabadalmaztat vt, patent, take out *(v.* obtain) a patent for, have sg patented, *(jog)* apply for a patent

szabadalmaztatható *a, (jog)* patentable; ~ *újítás/talál-mány* a(n) invention/discovery upon which a patent may be issued

szabadalmaztató *n,* applicant for a patent

szabadalmazva *adv,* patented

szabadalmi [-ak, -t] *a,* patent; ~ *bejelentés* giving notice of a patent, taking out *(v.* applying for) a patent; ~ *díj* royalty; ~ *elsőbbség* anticipation of a patent; *Sz* ~ *Hivatal* Patent-Office; ~ *illeték* patent tax/fee; ~ *jog* patent law, patent rights *(pl)* ; ~ *lajstrom* patent roll(s)/register; ~ *leírás* patent specification, specification(s) of a patent; ~ *okirat (jog)* letters patent; ~ *törvény* patent act; ~ *ügyvivő* patent agent/attorney, *[mérnök]* patent engineer

szabadalom [. . lmat, . . lma] *n,* patent (rights), *[gyártásra]* licence, *(jog)* letters patent; ~ *át-ruházása* assignment; ~ *bejelentve* patent applied for; *ideiglenes* ~ provisional patent; *szabadalmat adó* patentor; *a* ~ *fennáll* the patent subsists; *a* ~ *lejár* the patent lapses/expires

szabadalombitorlás *n, (jog)* infringement (of the patent), piracy; ~*t követ el* infringe a patent

szabadalombitorlási *a,* ~ *eljárás (jog)* interference; ~*per/kereset* infringement suit, action for infringement

szabadalombitorló *n,* pirate, one who infringes an-other's patent/copyright

szabadalomképes *a, (jog)* patentable

szabadalomleírás *n,* patent specification, specification(s) of a patent

szabadalomlevél *n, (tört)* patent, letters patent *(pl),* charter

szabadalomsértés *n,* infringement of the patent, piracy; ~*t követ el* infringe a patent

szabadalomtulajdonos *n,* patentee, patent holder

szabadalomvédelem *n,* protection by patent

szabadbirtok *n,* freehold, *[hűbéri korban]* allodium

szabadcsapat *n,* guerilla band, irregular troops *(pl),* irregulars *(pl),* free company, raiding force

szabaddobás *n, (sp)* free throw

szabadegyetem *n,* people's high school, university ex-tension course

szabadegyetemi *a,* ~ *oktatás* extramural studies *(pl)*

szabadegyház *n,* free church

szabadelvű [-t; *adv* -en] *a,* broadminded, liberal, catholic, *(pol)* liberal; *alkotmányos kérdések* ~ *kezelé-séről ismert* he is noted for his liberal approach to constitutional questions; ~*vé/bbé tesz [nézeteket]* liberalize

szabadelvűség *n,* liberality, liberalism

szabadesés *n,* free fall

szabadfogású *a,* ~ *birkózás* all-in *(v.* free style) wrestling catch-as-catch-can

szabadforgalmi *a,* ~ *ár* unsubsidized price, non-point/ coupon price, free market price; ~ *áru* goods not subject to restrictions/rationing, non-point/coupon goods

szabadföldi *a, [növény]* hardy; ~ *kísérletezés* field experi-mentation; ~ *vízkapacitás* field capacity

szabadfutás *n,* ~*sal való leereszkedés [völgymenetben kerékpárral/gépkocsival]* coasting; ~*sal leereszkedik [kerékpárral]* coast (down a hill)

szabadgondolkodó I. *a,* free-thinking II. *n,* free-thinker, esprit-fort

szabadgyakorlatok *n. pl, (sp)* free exercises, gymnastics, Swedish gymnastics/exercises, cal(l)isthenics

szabadgyalog *n, [sakkban]* passed pawn
szabadharcos *n, (kat)* franc-tireur, guerilla fighter, partisan
szabadiskola *n,* free school
szabadít *[-ani, -ott, -son] vt,* free, liberate
szabadítás *n,* 1. freeing, liberation 2. *[evezésnél]* finish of the stroke
szabadító *[-t, -ja; adv -an]* I. *a,* liberating, freeing II. *n,* liberator, deliverer, rescuer
szabadjára *adv,* ~ *enged* slacken the reins, let go, untie, unleash, unchain, set free, *(átv)* give the rein to, give vent *(v.* free play/hand) to, cut the painter, give the green light to, give full swing to sg *(fam);* ~ *engedtet/eresztett [szenvedély stb.]* unbridled, reinless; ~ *engedi/ereszti gondolatait* let one's thoughts wander, let one's ideas run freely; ~ *engedi a gyeplőt (átv)* (ride) with a loose rein; ~ *engedi haragját* give vent to one's anger; ~ *engedi képzeletét* allow/give full play to one's imagination, give free/full scope to one's imagination, give a free range to one's fancy, give vent to one's imagination; ~ *engedi szenvedélyeit (biz)* unbridle/unchain one's passions; ~ *ereszti a kutyát* let the dog loose; ~ *hagy vkt* give sy a free hand; *hagyd* ~ let it rip *(fam)*
szabadjárat *n, [órában]* detached escapement
szabadjegy *n, [járművön]* free travelling/pass/ticket, pass *(US), [színházban]* complimentary/free ticket, order; ~*e van vhova* have free admission to a place
szabadjegyes *n,* holder of complimentary/free ticket
Szabadka *[.. át, .. án] prop,* Subotica (town in Jugoslavia)
szabadkereskedelmi *a,* ~ *övezet* free trade area/zone; ~ *politika* policy of free trade, policy of the open door
szabadkézi *a,* ~ *rajz(olás)* free-hand(ed) drawing
szabadkozás *n,* excuses, evasions, protestations, remonstrations *(mind: pl), [vonakodás]* reluctance
szabadkoz|ik *[-tam, -ott, -zon, -zék] vi,* offer excuses, make evasions, protest, remonstrate, *[vonakodik]* be reluctant to, show reluctance, shy; *mindnyájan* ~*ni kezdtek* they all began to make excuses
szabadkozó *[-t] a,* protesting, remonstrant, reluctant
szabadkőműves I. *a,* (free)masonic; ~ *kézfogás* masonic grip II. *n,* (free)mason
szabadkőműves-páholy *n,* (masonic) lodge
szabadkőművesség *n,* freemasonry, Masonry
szabadkutatási *a, (bány)* ~ *jog* right of search (for oil/minerals)
szabadlábon *adv, (jog)* at large/liberty; *a bírák a vádlottat* ~ *hagyhatják* the magistrates may allow the defendant to go at large; ~ *levő* free; *feltételes* ~ *van* be out on ticket of leave, be out on parole
szabadlábra *adv,* ~ *helyez* set at large/liberty, release, (make, set) free, discharge, let out; ~ *helyezték* he got restored to liberty; *feltételesen* ~ *helyez* let sy out on parole, release a prisoner on ticket of leave, place sy on probation; *óvadék ellenében* ~ *helyez* admit sy to bail, let sy out on bail *(fam),* accept/take bail *(fam),* admit sy to bail *(fam);* ~ *helyezés* release(ment), liberation, discharge; *feltételes* ~ *helyezés* (release of prisoner on) ticket of leave, probation; *óvadék ellenében való* ~ *helyezés* bailment, release on bail; ~ *helyezési határozat/okmány* ticket-of-leave; ~ *helyezett* set at large/liberty *(ut), [feltételesen, főnévvel]* ticket-of-leave-man; ~ *helyezett fegyenc* returned convict; ~ *helyező végzés/rendelet* order of release; ~ *helyeztet* order sy's release, bail sy out
szabadlégkör *n,* free air, free atmosphere
szabadnap *n,* free day, holiday, day off, off day, *[háztartási alkalmazotté]* day off/out
szabadnapos *a,* having one's day off *(ut), (kif)* be off duty
szabadoktatás *n,* free instruction

szabadon *adv, [nyíltan]* openly, frankly, unreservedly, *[korlátozás nélkül]* without restriction, unimpeded, without (let or) hindrance, *[büntetlenül]* with impunity, *[igével]* be free to, *[függetlenül]* independently, *[önként]* freely, *(műsz)* free; *teljesen* ~ without restraint; ~ *ad elő* lecture on sg without (consulting one's) notes; ~ *álló* detached, solitary, free-standing, standing alone *(v.* by itself) *(ut),* exposed; ~ *átváltható deviza* freely convertible currency; *itt* ~ *beszélhet* you may speak your mind *(v.* speak freely) here; ~ *bocsát* (set *v.* allow to go) free, release, set at liberty/large, discharge, *[rabszolgát]* manumit, *[kutyát]* let loose; ~ *bocsátás* release, setting free, liberation, discharge, *[rabszolgát]* manumission; *feltételes* ~ *bocsátás* release on parole, probation; *elrendeli a letartóztatott* ~ *bocsátását (jog)* order the detained person to be released; ~ *bocsátható [ember]* releasable; ~ *cselekedhetsz* it is entirely up to you; ~ *engedi a gyeplőt (átv)* (ride) with a loose rein; ~ *ereszti a kutyát* let the dog loose; ~ *fordul elő (vegyt)* occur in a not-combined state; ~ *futó őrült* a lunatic at large; ~ *hagy* disclose; ~ *használ vmt* make free with sg; *haja* ~ *hullott vállára* her hair fell loose over her shoulders; ~ *járkál* move freely/unimpeded, move without restriction, move without let or hindrance, be at large; ~ *jár-kel* (v. *jön-megy)* go about loose, go on the loose; ~ *levő [alkatrész]* unprotected, exposed to sg; ~ *mozog* work free; ~ *rendelkezik egy földbirtokkal* have entire disposal of an estate; *tartsák* ~ *a bejáratot!* stand clear of the entrance!; ~ *választható/választott* facultative, optional; ~ *választható/választott tantárgy* optional/selective subject; ~ *választható/választott gyakorlat (sp)* free exercise/figure, voluntary exercise; ~ *választhatsz (belőlük)* you may choose whichever you like
szabadonfutás *n, (műsz)* free running
szabadonfutó *a, (műsz)* free wheel/wheeled/wheeling, free-running, running free *(ut),* out of gear *(ut);* ~ *görgő (film is)* idle roller; ~ *kerék* idler, *[járművön]* free-wheel; ~ *tárcsa* pulley mounted free
szabados *[-t, -a; adv -an]* I. *a,* 1. licentious, loose, libidinous; ~ *beszéd* indecent talk; ~ *életmód* loose/fast/gay life; ~ *életet él* live fast, run off one's leg *(fam);* ~ *viselkedés* indecent manners *(pl)* 2. *(vkvel)* make free with (sy) II. *n, (tört)* libertine, freeman
szabadosan *adv,* loosely; ~ *él* live gaily/loosely/fast
szabadosság *n,* licentiousness, (absolute) licence, libertinism, libertinage, looseness, fastness, *[beszéde, viselkedésé]* indecency; ~ *vkvel szemben* taking freedoms/liberties with sy
szabadpiac *n,* open/free market
szabadpiaci *a,* ~ *ár* free market price, price on the uninfluenced market
szabadrablás *n, [háborúban]* pillage
szabadraktár *n, (ker)* bonded warehouse
szabadrúgás *n, (sp)* free kick, penalty kick/shot; ~*t ítél* award free kick
szabadság *n,* 1. *[veleszületett]* liberty, *[kivívott]* freedom, freeness, *[pol függetlenség]* independence; *költői* ~ poetic licence; *lelkiismereti* ~ liberty/freedom of conscience; *szólás-(,) gyülekezési(,) sajtó- és szervezkedési* ~ freedom to speak(,) to meet(,) to organize and freedom of the press; *teljes* ~ uncontrolled liberty; ~ *hiánya* lack of freedom; ~*ában áll,* be free to, It is open (for sy) to, be at liberty to; *teljes* ~*ot ad vknek* give sy free play/scope/hand, give sy full liberty; *túl sok* ~*ot enged meg magának vkvel szemben* take liberties with sy, make free/bold with sy; *visszaadja vk* ~*át* restore sy's liberty 2. *[vakáció]* holiday, *[hosszabb]* leave, *(kat)* furlough, leave/permission of absence; *fizetés nélküli* ~ non-paid holiday(s); *fizetett*

~ holiday(s) with pay, paid holiday/vacation/leave; ~on van be (away) on holiday(s), be on one's holiday(s), be on leave (of absence), be on furlough; ~ra megy take one's holidays, go on leave/furlough; egy heti ~ot ad/engedélyez give a week's holiday; egy heti ~ot kap get a week's holiday; egy heti ~ot kér ask a week's holiday; kivesz ~ot take a holiday

szabadságbüntetés n, imprisonment, detention

szabadságév n, [zsidóké] jubilee, sabbatical year (US)

szabadságharc n, war of independence, fight for freedom

szabadságharcos n, champion/defender of freedom, freedom-fighter, [partizán] guerilla (soldier), partisan

szabadságharcos-kiképzés n, training/drill of freedom-fighters

szabadsághős n, champion/hero of freedom

szabadságidő n, = szabadság 2.

szabadságjog n, ~ok human rights, rights of man, right to liberty, basic freedoms; demokratikus ~ok democratic liberties; négy alapvető ~ four freedoms; emberi alapjogok és ~ok human rights and fundamental freedoms

szabadságlevél n, 1. (tört) charter (of emancipation/liberation) 2. (kat) = szabadságos levél

szabadságol [-t, -jon] vt, grant/give leave (of absence to), give sy a holiday, [büntetésből] send on leave, (kat) put (an officer) on half-pay

szabadságolás n, sending on leave; minden ~ szünetel all leave is stopped

szabadságolási [-t] a, ~ igazolvány certificate of leave

szabadságolt [-at; adv -an] a, on leave/holiday(s) (ut), (kat) on short leave, on pass, [büntetésből] on half-pay

szabadságos [-at] a, on leave/pass (ut) ; ~ katona returnee (US) ; ~ levél (kat) (written) pass for leave/furlough

szabadságszeretet n, love of liberty/freedom/independence

szabadságszerető a, freedom loving

szabadságutas n, (pol) liberty passenger

szabadságünnep n, Independence Day

szabadságvágy n, desire/thirst/wish/longing for freedom

szabadságvágyó a, desirous of (v. eager for) freedom (ut)

szabadságvesztés n, loss of liberty, confinement, detention, imprisonment; ~re ítél condemn to prison/imprisonment; 6 hónapi ~re ítélték he was sentenced to six months imprisonment; rövid tartamú ~re ítélt foglyok short-term prisoners

szabadstílusú a, ~ birkózás all-in wrestling

szabadsúly n, 1. weight (of luggage) carried free of charge, uncharged (for) weight, (rep) luggage free of charge 2. (sp) catch-weight

szabadtéri a, open-air, outdoor, out-of-door(s); ~ előadás/játék open-air performance/show; ~ filmszínház open-air movie; ~ gyűlés field-meeting; ~ pálya (sp) outdoor court; ~ színház/színpad open-air (v. outdoor) theatre

szabadugrás n, (sp) free jump/dive

szabadul [-t, -jon] vi, 1. [börtönből] be set free, be freed/released, [fogságból, elnyomásból] be freed/liberated, [munkából] get off; csak öt órakor ~ok [a hivatalból] I am not free before five (o'clock), I am only free at five; az értekezlet miatt nem ~hattam előbb the conference prevented my (v. kept me from) coming earlier; nem tudok olyan korán ~ni I cannot get away so early 2. (vktől, vmtől) get rid of, shake sy/sg off, rid oneself of, escape from, [gondtól] banish (care); végre sikerül ~ni tőle! good riddance!; nem tudok ~ni a gondolattól the thought keeps running through my head, I cannot get away from the thought/idea; nem tud ~ni félelmeitől he cannot dis-

miss his fears, he is unable to free himself of his fears 3. ~ egy helyzetből get out of a fix/situation, be delivered from a situation 4. [tanonc] finish (term of apprenticeship)

szabadulás n, 1. [börtönből] discharge, release, liberation, get(ting)-out 2. (vktől, vmtől) escape, riddance

szabadúszás n, (sp) free-style swimming

szabadúszó n, 1. [vízben] swimmer (in deep water) 2. (átv kb) free-lance

szabadütés n, (sp) free hit

szabadvagyon n, (jog †) női ~ paraphernalia

szabály [-ok, -t, -a] n, rule, ruling, law, [erkölcsi] precept, maxim, (menny, vegyt) formula, theorem, [mérték] norm, [rendelkezés] order, ordinance; nagyon is általános ~ rough-and-ready rule; társadalmi ~ok social conventions/rules; a ~ok megtartásával amenably to the rules; ~nélküli irregular; ~ szerint, ~ként as a rule; az a ~ (hogy) it is the rule to. . .; ez a ~! that's the rule, that's the way to do about it; ~okba foglalás formulation; ez a ~okba ütközik this is against the rules; ~ként állít fel vmt set sg down as a rule; a ~oknak megfelelő [eljárás stb.] regular; általános ~okat megállapít/lefektet lay down general rules; ~t megszeg deviate from a rule; eltér a ~tól it is an exception, it deviates from the rule; vmt ~ul állít make sg a rule, make a maxim of sg

szabályalkotás n, rule making; a ~ joga a bírákat illeti the rule-making power is vested in judges

szabályellenes a, contrary to the rules/regulations (ut), against the rules (ut), irregular, abnormal, anomalous, incorrect, (sp) foul; ez ~ that is against the rules

szabályellenesen adv, contrary to the rules/regulations, against the rules, irregularly, anomalously, incorrectly, improperly; ~ előz [kocsit, autót] overtake improperly

szabályellenesség n, irregularity

szabályos [-at; adv-an] a, 1. [alak, elrendezés] regular, symmetrical; ~ arc/vonások) clean-cut face/features, regular features; ~ sokszög regular polygon; ~ vetődés (geol) true fault; ~sá tesz (vmt) regularize 2. [állandó, egyenletes] orderly, regular, steady, well-regulated, methodical; ~ életmód regular/steady/orderly/level life; ~ érverés steady/regular/normal pulse; ~ időközökben at regular intervals; ~ ismétlődés [évszakoké] revolution; ~ mozgás even motion 3. [előírásos] standard, normal, true (to type) (ut), in conformity with the rules/conventions (ut), according to regulations (ut), properly constituted, formal, formular(y); ~ ár regular price; ez nem ~ játék that is not playing the game; ~ nyomtáv standard gauge; ~ nyugtaf elismervény receipt in due form, proper receipt; ~ őrült (biz) he's certifiable; ~ ütközetet vívtak they fought a pitched battle

szabályosan adv, 1. [alakban, elrendezésben] regularly, symmetrically 2. [állandóan, egyenletesen] orderly, regularly, steadily, smoothly, [lélegző, forgó] evenly; ~ visszatérő periodic(al) 3. [előírásosan] standardly, normally, truly

szabályosság n, 1. [alakban, elrendezésben] regularity 2. [állandóság, egyenletes] orderliness, regularity, steadiness, evenness, [vmnek a lebonyolításában] smoothness 3. [előírásosság] conformity, normality, trueness

szabályoz [-tam, -ott, -zon] vt, 1. [intézkedéssel] regulate, order, make rules for sg, bring sg under regulation/control, [együttműködést] co-ordinate, [vm körülmény vmt] condition, [életfolyamatot, ügyvitelt, termelést] control; kérdést ~ settle a question; újból ~ readjust; jól ~ott well-regulated; a 8. paragrafus 3. bek. ~za Section 8 subsec. 3 deals with 2. [szerkezetet] control, regulate, adjust, set, rate (mechanism), [hőmérsékletet] attemperate, temper, regulate,

[légnedvességet és hőmérsékletet] condition; *iránytűt* ~ adjust a compass; *órát* ~ regulate a watch, rate a chronometer 3. *[folyót]* control, regulate
szabályozás *n,* regulating, regulation, bringing under regulation, ordering, *[forgalomé]* controlling, *[születést, folyót]* control, *[ügyé]* settlement, adjustment; *külön törvényi* ~ *alá esnek (jog)* they are subject to special regulatory enactments
szabályozási *[-t]* a, ~ *terv* lay-out plan
szabályozatlan a, inordinate, unregular, uncontrolled
szabályozhatatlan a, *[mozgás]* uncontrollable
szabályozható a, adjustable, regulable, variable (at will); *nem* ~ non-adjustable
szabályozó *[-t, -ja; adv -an]* I. a, regulating, adjusting, of regulation/settlement/control *(ut)*, regulative, normative; ~ *berendezés/készülék* regulating apparatus, governing device, regulator, distributor; ~ *csavar* regulation/adjusting/balancing/setting/focus-(s)ing screw, regulation nut; ~ *elem (vill)* regulating cell; ~ *ellenállás (vill)* rheostat, variable resistance; ~ *szelep* governor/regulator/timing valve, safety-valve, regulator; ~ *személy* regulator; ~ *szerkezet (műsz)* governing apparatus/device, controls *(pl);* ~ *tengely* regulating shaft
II. *n,* 1. *[szerkezetben műszer]* regulator, controller, adjuster, *[gőzgépet stb.]* governor, *[lámpáé]* moderator 2. *a Tisza~ja* the regulator of the Tisza river
szabályozóék *n,* stay wedge, adjusting gib
szabályozógomb *n, [rádión]* control/adjusting knob
szabályozókar *n,* regulating/regulation/governor-lever, control arm
szabályozónyelv *n, (műsz)* guide-blade
szabályozott *[-at]* a, regular, regulated; ~ *élet* a regular life; *a 4. és 5. paragrafusban* ~ *eljárási módok bármelyikén* by any of the methods provided in Articles 4 and 5; ~ *folyó* embanked river
szabályrendelet *n,* by-law, statute, (municipal) ordinance *(US),* local law/regulation *(US);* ~*ek* municipal law
szabálysértés *n,* 1. *(jog)* contravention, transgression, petty/summary/minor offence; ~*t követ el* commit a summary offence, infringe the (administrative) regulations 2. *(sp)* break(ing) of law, foul, irregularity
szabálysértési a, *(jog)* ~ *ügyekben* in/concerning petty offences
szabálysértő a, against the regulations *(ut),* contrary to the regulations *(ut),* in contravention of the law/regulation(s) *(ut)*
szabályszerű a, regular, *(átv)* normal, formal, properly constituted, standard, *[megengedett]* legitimate, above board *(ut),* according to the rules *(ut),* in accordance with the rules *(ut),* after the rules *(ut);* ~ *átvétel* formal taking over; ~ *(boksz)mérkőzés* stand-up fight; ~ *élet* a regular life; ~ *minőség (ker)* standard quality; ~ *nyugta/elismervény* receipt in due form
szabályszerűen *adv,* regularly, duly, *(átv)* normally, formally, truly; ~ *játszik (kárty)* play the game
szabályszerűség *n,* regularity, *(átv)* normality, propriety, conformity to rules, accordance with regulations
szabálytalan a, 1. irregular, abnormal, anomalous, erratic, random *[arányaiban]* out of proportion *(ut),* asymmetric(al), unsymmetrical, *[gépműködés]* erratic; ~ *csipkézés* jag; ~ *érverés* irregular/erratic/arrhythmic/intermittent pulse, flutter; ~ *idom* irregular figure 2. *(sp) [futball]* kick-and-rush; ~ *ütés* foul/disqualifying blow
szabálytalankod|ik *[-tam, -ott, -jon, -jék]* vi, *(sp)* break the rules (of a game), play foul

szabálytalanság *n,* 1. *[tulajdonság]* irregularity, anomaly, asymmetry, abnormality; *szívverés* ~*a* arrhythmia, arrhythmy, arrhythmic pulse, irregularity of heart/pulse 2. *[jogi tény]* contravention of regulations/laws/rules, malpractice; *komoly* ~*ok mutatkoznak* serious irregularities appear; ~*okat követ el [könyvelésben stb.]* commit irregularity 3. *(sp)* foul; ~*ot vét* foul
szabálytalanul *adv,* irregularly, abnormally, anomalously, erratically; ~ *közlekedik [gyalogos]* jaywalk *(fam);* ~ *küzd (sp)* fight foul; ~ *működő* out of adjustment; ~ *üt/bokszol* hit foul
szabályzat *n,* regulation(s), statutes *(pl),* rules *(pl),* by(e)-laws *(pl),* code, book of rules; *a párt szervezeti* ~*a* party rules *(pl)*
szabás *n,* 1. *[kiszabás]* cutting (out), making (up), tailoring 2. *[fazon]* cut, fashion, style; *jó* ~*a van* has a good cut, be well cut
szabásív *n,* pattern (for dress cutting on paper)
szabásminta *n,* pattern design (for dress), model, (dress-)pattern
szabásmód *n, (tex)* make
szabásos *[-at]* a, ~ *harisnya* fully fashioned stocking
szabásrajz *n,* cutting (out) design, drawing for pattern
szabású *[-t]* a, *[ruha]* bő ~ loose-fitting; *egyenes* ~ straight cut; *jó* ~ well-tailored; *régi* ~ *ember* old-fashioned person, a back number
szabász *[-ok, -t, -a]* n, (tailor's) cutter (of clothes)
szabászat *n,* 1. *[foglalkozás]* tailoring 2. *[műhely]* cutting department/(work-)shop
szabászati *[-ak, -t]* a, sartorial
szabászgép *n,* cutting-out machine, garment-cutter
szabászolló *n,* cutting-out scissors *(pl)*
szabatos *[-at; adv -an]* a, precise, exact, correct, accurate, distinct, strict, explicit, regular, right, punctual, succinct; *nem* ~ inaccurate, inexplicit, indistinct, inexact, not regular, unpunctual; ~ *előadás (zene)* precise execution/playing; ~ *válasz* a definite answer
szabatosan *adv,* precisely, exactly, explicitly, correctly, strictly, regularly, punctually; ~ *beszél* speak correctly/distinctly
szabatosság *n,* precision, exactitude, correctness, accuracy, particularity, punctuality, *[nyelvé]* explicitness; *a fogalmazás* ~*a* preciseness of composition; *a kifejezés* ~*a* clearness/propriety of expression; *a leírás/másolás* ~*a* correctness of copy
szabdal *[-t, -jon]* vt, slash, cut up, cut into pieces, cut/slash into strips /shreds/ribbons
szabdalt *[-at]* a, *(növ) [levél]* pinnatifid
szabelliánus a/n, *(vall)* Sabellian
szabin *[-ok, -t, -ja]* a, Sabine; *a* ~ *nők elrablása* the rape of the Sabines
Szabina *[.. át]* prop, Sabina
szablya *[.. át]* n, sabre, light (curved) cavalry sword, falchion *(ref.)*
szabó *[-t, -ja]* n, tailor, sewer, knight of the needle/shears *(fam);* *férfi-női* ~ tailor, garmentmaker; *férfi/úri* ~ (men's) tailor, tailor for gentlemen; *katonai* ~ military/army tailor; *női* ~ ladies' tailor, dressmaker; *a* ~*nál* at the tailor's; ~*nál rendel [ruha]* tailor-made; *mindig a* ~ *gyereke a legrongyosabb, a* ~*nak szakadt/rongyos a ruhája (közm kb)* the shoemaker's wife is always the worst shod
szabócég *n,* tailoring firm, firm of tailors
szabócéh *n,* tailors' guild
szabódás *n,* taking a lot of asking/persuading; *ld még* szabadkozás
szabód|ik *[-tam, -ott, -jon, -jék]* vi, require (a lot of) pressing; *ld még* szabadkozik
szabógallér *n, [étel kb]* mince-meat pockets *(pl)*
szabóinas *n,* tailor's apprentice
szabóipar *n,* tailoring trade/industry

szabóizom n, tailor's muscle, sartorius (muscle)
szabókréta n, French/Venetian chalk, soapstone
Szabolcs [-ot, -a] prop, ⟨masculine name⟩, Szabolcs
szabólegény n, journeyman tailor, tailor's mate/assistant
szabóméh n, (áll) leaf-cutter bee (Megashile spp.)
szabómester n, master tailor
szabómesterség n, tailoring, dressmaking, tailor's/tailoring trade, sartorial art (ref); ~et űz/folytat he has taken to tailoring
szabóműhely n, tailor's workshop
szabónő n, dress maker, tailoress, sewer
szabólló n, tailor's (v. cutting-out) scissors/shears (pl)
szabórádli n, tracing/pricking-wheel, roulette
szabóság n, 1. = szabómesterség; mérték utáni ~ bespoke tailoring 2. = szabócég
szabószámla n, tailor's/dressmaker's bill
szabotál [-t, -jon] vt/vi, sabotage, [rombolva] wreck (machinery), put/throw grit in the bearings, throw a monkey-wrench into the engine, [időhúzással] go slow, ca'canny
szabotálás n, = szabotázs
szabotáló [-t, -ja] I. a, obstructionist, saboteuring, ca'canny II. n, saboteur, wrecker, obstructionist, perpetrator of acts of sabotage
szabotázs [-ok, -t, -a] n, sabotage, wrecking, malicious destruction of (machinery etc.), go-slow (methods), ca'canny; csendes ~ ca'canny; ~ért felelősségre von be made responsible for sabotage
szabott [-at; adv -an] a, 1. [ruha] cut (out), tailored; jól ~ szoknya well-cut skirt, skirt that sits/fits well; részekbe ~ szoknya gored skirt; tökéletesen ~ a perfect fit 2. ~ ár fixed/set price
szabóvasaló n, tailor's iron, seam-presser, goose (fam)
szabóvászon n, tailor's canvas, interlining, padding/wadding linen, foundation
szabóvatta n, [válltömésnek, paplanhoz] batt(ing), wad-(ding)
szabvány n, standard, norm, [idomszer] gauge; szerkesztési ~ design standard; ~ szerint to specification; [melléknévként] ~ méretű/nagyságú of regulation/standard size
szabványarany n, [900-as finomságú] standard gold
szabványellenes a, contrary to norm/standard, irregular
szabványhivatal n, (kb) weights and measures office, Bureau of Standards (US)
szabványjegyzék n, norm list, list of norms/standards
szabványlap n, [kiadvány] standardizing sheet
szabványméret n, standard/prescribed/normal/stock size, dimension
szabványmérték n, standard (of weight/measure), standard measure, gauge, reference instrument
szabványminta n, standard
szabványos [-at; adv -an] a, standard, normal, according to the norm (ut), typical, (kat) regulation; ~ gyertyafényesség standard candle; ~ idő standard time; ~ méret standard/regulation size
szabványosít [-ani, -ott, -son] vt, normalize, standardize, specify
szabványosítás n, normalization, standardization, standardizing, gauging
szabványosítható a, standardizable
szabványosító n, [személy] standardizer
szabványrajz n, standard/norm design
szabványsúly n, standard weight
szabványszerű [-t; adv -en] a, normal, according to norm (ut), standard
szabványügyi a, ~ intézet Bureau of Standards
szacharát [-ot, -ja] n, (vegyt) [cukrok fémsója] saccharate
szacharáz [-t, -a] n, [biokémia] sucrase, saccharase
szacharid [-ot, -ja] n, (vegyt) saccharide

szachariméter n, (vegyt) saccharimeter
szacharimetria [..át] n, (vegyt) saccharimetry
szacharin [-ok, -t, -ja] n, saccharin(e)
sacharinos [-at; adv -an] a, made with saccharine (ut)
szacharinsav n, (vegyt) saccharic acid
szacharóz [-t, -a] n, (vegyt) saccharose
szád [-ot, -ja] n, mouth, aperture opening, orifice, [barlangé] entrance, mouth, (hajó) graving-piece, [hordón] bung-hole; fél ~ (tex) semi-open shed; kettős ~ (tex) double shed; nyílt ~ (tex) open/full shed
szádal [-t, -jon] vt, (épít) bevel, (faip) flute
szádalás n, (épít) bevelling, (faip) fluting, [hordón] bung
szádaló [-t, -ja] n, bung, plug of barrel, stopper
szádalófa n, bung, plug
szádalógyalu n, tonguing/grooving-plane, plough (plane)
szádcölöp n, (épít) interlocking pile
száddeszka n, (épít) pile-plank
szádfal n, (épít) grooved and tongued piling, casing (of shaft/gallery) with timber, pile-plank, (bány) sheet, (vízép) cofferdam, caisson, sheet piling, curtain
szádfúró n, (műsz) [hordóhoz] tap-auger
szadista [..át] I. a, sadistic II. n, sadist
szadizmus n, sadism
szádkeresés n, (tex) pick finding
szádla [..át] n, drain
szádnyílás n, (tex) shed opening
szádol [-t, -jon] vt, = szádal
szádolás n, = szádalás
szádorgó n, (növ) broomrape, beech-drops (pl) (Orobanche)
szádpalló n, (épít) sheet pile, pile-plank
szafaládé [-t, -ja] n, (kb) saveloy, knackwurst
szaffói [-t] a, [versforma] Sapphic; ~ vers Sapphic verse
szaft [-ot, -ja] n, (biz) 1. juice, [húsételé] (dish) gravy, [mártás] sauce; ~ nélküli juiceless 2. □ (vill) juice
szaftos [-at; adv -an] a, juicy, succulent; ~ kiszólás spicy/vulgar remark
szag [-ot, -a] n, 1. smell, odour, [illatszeré, dohányé, virágé és vad nyomán maradt] scent, [sülő zsíré, húsé] nidor; rossz ~ stink, stench; ~a van már it stinks/reeks, has a stale smell, is beginning to smell/stink; jó ~a van smell good, have a pleasant smell (v. fragrance); nincs ~a be scentless; rossz ~a van smell (bad), have a stench, have a bad smell, reek; rossz ~a van a szájának/leheletének his breath stinks, he has halitosis; vmlyen ~ot érez smell sg; ~ot kap [kutya] (get) wind; megérzi a ~át (vmnek) nose/smell sg 2. = = illat; jó ~a van smell sweet
szagelzáró n, [kiöntőben] P-trap
szagérzék n, (sense of) smell, smelling, (tud) olfaction, [kutyáé] scent, nose
szagérzés n, sense of smelling, feeling of smell, smell sense
szagérzet n, (tud) olfactory sensation
szagfogó n, (műsz) syphon, trap, stink/stench-trap
szaggat I. vt, 1. tear, rend, rip, shred, mangle, tear/slash to pieces/bits (v. into tatters), tear up, lacerate (ref.), [kendert, rongyot] pick, [ruhát] rend, tear, wear away/out (clothes) 2. [fület] pierce, [szívet] rend 3. [pogácsát] cut (out) II. vi, [fájdalom, testrész] shoot, (tud) lancinate; ~ a fejem my head is slitting; ~ a tagjaimban I have racking/shooting/acute/stabbing/piercing pains in my limbs
szaggatás n, 1. tear(ing), rending, tattering, (tear and) wear, [kendert, rongyot] plucking, picking 2. (átv) shooting/throbbing/stabbing pain, [nyakban, hátban] crick, [reumatikus] joint gout
szaggató [-t, -ja; adv -an] I. a, tearing, rending, lacer-

ating; ~ *fájdalom* racking/shooting/acute/stabbing/throbbing/lancinating pain, pang II. *n*, *[pogácsát]* cake/biscuit cutter; *(konyhai)* ~ jagger, jagging iron

szaggatótekercs *n*, *(vill)* vibrator coil

szaggatott [-at; *adv* -an] *a*, **1.** *[alvás, hang]* interrupted, broken; ~ *mondat* ragged sentence; ~ *mondatokban beszél* chop one's sentences; ~ *stílus* jerky/jumpy/choppy/unconnected/disconnected/discursive/spasmodic style; ~ *szavak* broken/disconnected/disjointed/incoherent words **2.** indented, jagged, rugged; ~ *vonal* dotted/broken/jagged line, *[térképen]* pecked line **3.** *(zene)* staccato; ~ *kötőív* broken slur; ~ *ütemvonal* broken bar

szaggatottan *adv*, jerki(ng)ly, haltingly, spasmodically, ruggedly, with a catch in one's breath; ~ *beszél* (speak with a) halt

szaglál [-t, -jon] *vt/vi*, scent, smell (out), nose, sniff, snuff

szaglálás *n*, scenting, smelling, sniffing, snuffing

szaglálódlik [-tam, -ott, -jon, -jék] *vi*, smell, nose, sniff (to smell), *[kutya]* seek game, *[hallhatóan szívja be a levegőt]* snuffle

szaglás *n*, (sense of) smell, smelling, *(tud)* olfaction, *[kutyánál]* scent, nose; *finom ~a van* has a keen sense of smell, *[kutyánál]* have a good nose, be keen-scented

szaglásérzék *n*, (sense of) smell

szagláshiány *n*, bad sense of smell, *(tud)* anosmia, anosmy

szaglási [-t] *a*, olfactory

szaglásmérő *n*, *(fiz)* osmometer

szaglástan *n*, *(biol)* osmology

szaglású [-ak, -t] *a*, *éles* ~ sharp-nosed; *jó* ~ *kutya* dog keen of scent, keen-scented dog

szaglász [-tam, -ott, . . .ásszon] *vt/vi*, **1.** *[kutya]* scent, smell/nose out, sniff (sg), *[hangos levegőbeszívással]* snuffle, *[nyomot, vadat]* seek game, track, follow one's nose; *ide-oda* ~ *[vadászkutya]* cast about **2.** *[ember, átv elit]* snoop, nose (a)round/about, *[vm után]* nose for

szaglászás *n*, = **szaglálás**

szaglászlik [-tam, -ott, . . ásszon] *vt/vi*, = **szaglász**

szaglászó [-t] *n*, sniveller

szagllik [-ani, -ott] *vi*, smell (of sg), have smell, give out/off scent/smell, emit smell, *[büdös]* reek, stink

szagló [-t] *a* ,*(tud)* olfactory, olfactive

szaglóérzék *n*, = **szagérzék**

szaglóideg *n*, *(bonct)* olfactory nerve

szaglóközpont *n*, olfactory centre

szaglórés *n*, *(orv)* olfactory groove

szaglószerv *n*, organ of smell, olfactory (organ), nasal organ

szaglószervi *a*, *(bonct)* nasal, olfactory

szágó [-t, -ja] *n*, sago

szagol [-t, -jon] *vt*, **1.** smell (odour, flower), sniff, *[kutya]* scent, smell (out), nose out; *alulról ~ja az ibolyát* be pushing (up) daisies, push up the daisies **2.** *(átv)* guess, surmise, suspect; *honnan ~jam hogy itt vagy* how could I guess/know you are here

szagolgat *vt*, keep smelling/sniffing

szagolható *a*, olfactable

szagoltató [-t] *a*, ~ *üvegecske* vinaigrette

szágópálma *n*, sago-palm/tree

szagos [-at; *adv* -an] *a*, smelling, odorous, sweet-smelling, fragrant, odoriferous, aromatic, *[hús]* high, tainted, strong-smelling, *[illatszertől]* scented, perfumed, *[kellemetlenül]* smelly, *[virág]* scented, scenting; ~ *mise (kb)* mass on Sunday at noon (to which perfumed society ladies used to go); ~ *müge (növ)* woodruff *(Asperula odorata)*; ~ *szőlő* muscadine, muscat; ~ *víz* scented water

szagosít [-aní, -ott, -son] *vt*, scent, perfume; *ld még* **illatosít**

szagosított [-at] *a*, *[szappan, cigaretta]* scented

szagtalan *a*, odourless, scentless, smell-less, savourless, unscented, *[gáz stb.]* inodorous

szagtalanít [-ani, -ott, -son] *vt*, deodorize, *[leheletet]* sweeten (breath)

szagtalanítás *n*, deodorization, odour control

szagtalanítószer *n*, deodorant, deodorizer, antibromic

szagtalanság *n*, lack/want of odour/scent, scentlessness

szagú [-ak, -t; *adv* -an] *a*, *[igével]* smell/smelling of sg, of . . .smell/scent *(ut)*, -scented; *állott* ~ musty; *dohány* ~ smelling of tabacco; *erős* ~ redolent; *jó* ~ pleasant/sweet-smelling, savoury, *[igével]* smell good; *rossz* ~ evil/nasty smelling, reeking, malodorous, malodorant; *rossz* ~ *a szája* have a bad/foul breath, have halitosis *(US)*

száguld [-ani, -(ot)tam, -ott, -jon] *vi*, move at full/utmost speed, tear/scorch/dash along, run at top speed, race (along), shoot, go at a spanking pace, hot-rod *(US)*, *[felhő]* scud, *[folyó, áradat]* flash, *[ló]* gallop, *[szél, járvány]* sweep (along), *[vonat]* rush; *autók ~tak az országúton* cars were bowling along the road

száguldás *n*, moving at full/utmost speed, tearing/dashing/rushing/sweeping along, dash, *[lóé]* gallop(ing), *[vonat]* rush

száguldó [-t; *adv* -an] *a*, passing at full/utmost speed *(ut)*; ~ *iram* scud; ~ *sofőr* scorcher, road hog

száguldozllik [-tam, -ott, -zon, -zék] *vi*, keep moving about at full/utmost speed

szagundor *n*, *[bizonyos szagokkal szemben]* osmophobia

Szahara [. .át, . .ában] *prop*, Sahara

szaharai [-ak, -t] *a*, Sahar(i)an; ~ *forróság* tropical heat

száj [-at, -am/szám, -ad/szád, -a] *n*, **1.** *[emberé]* mouth, *(tud)* os, *[állaté]* mouth, muzzle, *[oroszláné stb.]* maw, *(összet)* oral; ~ *alakú* mouth-shaped, *(növ)* ringent (corolla), *(tud)* stomatomorphous; *fogd be a szád!* shut up, shut your shop!; *ne szólj szám nem fáj fejem* (the) least said (the) soonest mended, a still tongue makes a wise head; *a falu ~a (vk)* the newsmonger/echo/voice of the village, *[a közösség]* village gossip; *be nem áll a ~a* chatters like a magpie, talks nineteen to the dozen, does not stop talking, his tongue is always running; *jár a ~a* he is wagging his tongue/mouth; *kemény ~a van [lónak]* be hard-mouthed; *megnyalja a ~a szélét* lick one's lips/chaps; *nagyobb a szeme mint a ~a* cut off more than one can chew; *sírásra áll/görbül a ~a* be on the verge of tears, be about to burst into tears, she was well-nigh crying, her mouth screwed (up) in a cry; *szájába rág* spoon-feed sy, half-do sy's work for him, explain/teach sy sg by constant repetition, drum sg into sy; *~ába rágja/adja vknek hogy mit mondjon* put (the) words into sy's mouth; *~ba vesz* mouth, take into one's mouth; *saját szájából hallottam* I had it from his own mouth/lips; *egymás ~ából szedik ki a szót* cut into each other's words; *szájához emel/illeszt [fúvós hangszert]* lip; *~ához emeli poharát* raise one's glass to one's lips; *sok éhes szájnak kell enni adnia* he has many mouths to feed; *ma is él a nép száján* people still remember/repeat it, it is still a living memory, it is still talked about; *szájon át* orally; *~on át adott/bevett [gyógyszer] (orv)* peroral; *gyógyszer ~on át történő beadása (orv)* oral administration of a drug; *~on át való/történő lélegzés* oral respiration; *~on vág* strike sy in the face, slap sy's face; *kiszaladt a számon* I let it (slip) out, I blurted it out, it slipped out of my mouth; *szájról olvas* lip-read; *~ról olvasás* lip/speech-reading; *~ról szájra* from mouth to mouth;

~ról szájra jár|száll|terjed it spreads (v. is spread) from mouth to mouth, it goes the rounds, it gets round, be in everybody's mouth, be the talk of the town; betömi a száját stop sy's mouth, gag sy, [elhallgattat] shut sy up, silence, muzzle; ~át biggyeszti pucker one's lips; csücsöríti a ~át prim (up) one's lips/mouth; kinyitja a ~át [= mer beszélni] speak/tell 〈v. give a bit of) one's mind, open one's mouth, dare to speak; ~át tátja [csodálkozástól] drop one's jaw, look at sg with parted lips, gape, stand gaping 〈v. open-mouthed); tele szájjal beszél speak with one's mouth full; csak ~jal csinálja pay lip-service only; tele ~jal eszik eat greedily, eat with stuffed mouth 2. (átv) [alagúté, barlangé] opening, mouth, aperture [belső szervé] orifice, [edényen] orifice, [csőrszerű] (pouring) lip, [kannán] spout, [palacké] mouth, [hordón] bang hole, opening, [lőfegyveré] muzzle, [sebé] lip, edge, [zsáké] opening, mouth, aperture

szájacska n, little mouth

szájal [-t, -jon] vi, = szájaskodik

szájápolás n, care of the mouth, mouth/oral hygiene

szájas [-ak, -t; adv -an] a, mouthy, insolent, loud-mouthed, cheeky, fresh (US), [lármás] noisy, vociferous, bawling, [hencegő] braggart, boasting, swaggering

szájaskodás n, mouthings (pl), back-chat, bawling, bragging, swaggering, jaw ◊, lip (US)

szájaskod|ik [-tam, -ott, -jon, -jék] vi, mouth, talk insolently, jaw ◊, [felesel] answer back, [henceg] swagger, bluster, talk big, brag

szájbeli a, (bonct) intra-oral

szájbetegség n, oral affection, illness of the mouth

szájbűz n, foul/bad breath/mouth, (orv) halitosis

szájdoromb n, [hangszer] Jew's-harp

száj- és körömfájás foot-and-mouth disease, murrain, (tud) aphthous fever, epizootic stomatitis

szájfék n, [lónak] muzzle

szájfekély n, ulcer of the mouth, [csecsemőé] thrush, (orv) aphtha

szájfesték n, [rúd alakú] lipstick

szajga [..át] n, (áll) saiga (Saiga tartarica)

szájgyógyászat n, stomatology

szájgyulladás n, inflammation of mouth, thrush, (tud) stomatitis, cacostomia, aphtha; hólyagos ~ [állatoké] aphthous stomatitis

szajha [..át] n, strumpet, whore, drab, harlot, bitch, trollop, trull, slut, doxy ◊

szájhagyomány n, oral/auricular/unwritten tradition, handed-down tradition

szájhang n, (nyelvt) oral (sound)

szájharmonika n, mouth-organ, harmonica, harmonicon

szajhaság n, harlotry

szájhős n, braggart, boaster, swaggerer, talker, swashbuckler, braggadocio, blusterer, roisterer, bully, Hector (fam)

szájhősködés n, bragging, swagger, rodomontade, bluster, tall/big talk, boast, braggadocio, boasting, cracker (fam)

szájhősköd|ik [-tem, -ött, -jön, -jék] vi, brag, swagger, boast, talk big, bluster, hector

száji [-ak, -t] a, (bonct) oral

szájíz n, taste in the mouth; kellemetlen ~t hagy maga után leave a nasty taste in the mouth; keserű ~ bitter taste in the mouth; szája íze szerint (vknek) to sy's taste/liking, to suit sy(s taste); szájam íze szerint beszél he speaks to my liking

szájjártatás n, (biz) rattle

szájkarika n, [kutyának] muzzle

szajkó [-t, -ja] n, (áll) jay (Garrulus glandarius); ~ módra beszél = szajkóz

szájkosár n, (strap, wire) muzzle; szájkosarat tesz fel (átv is) muzzle; szájkosarat levesz unmuzzle

szájkosaras a, muzzled

szajkóz [-tam, -ott, -zon] vt, 1. [ismétel] repeat like a parrot, be a mere parrot 2. [magol] learn by heart/ rote (mechanically), cram, grind

szajkózás n, parrot-like repetition, parroting, parrotry

szajkóztat vt, (vmt vkvel) drum/din sg into sy, teach sy sg by constant repetition

szájköltő-hal n, (áll) mouth breeder (Haplochromis sp.)

szájlábú n, (áll) stomatopod (Stomatopoda)

szájlob n, = szájgyulladás

szájmikrofon n, lip-microphone

szájmosó I. a, ~ pohár = szájmosó II. ; ~ víz water for rinsing mouth, tooth/mouth-wash, [készen árusított] dentifrice, gargle II. n, [csésze, pohár] tooth-glass, glass/bowl for rinsing mouth /teeth

szájmozgatás n, moving of mouth/lips

Szajna [..át, ..án, ..ára] prop, Seine

szájnyílás n, 1. [élőlényé] opening of the mouth, orifice, oral aperture, (bonct, növ) peristome 2. [hangszeré] vent, blow(ing)-hole, (műsz) lip

szájonvágás n, muzzler

szájöblítés n, rinsing of mouth, gargle

szájöblítő a, ~ pohár = szájmosó II. ; ~ víz = szájmosó víz

szájpad n, = szájpadlás

szájpadcsontok n. pl, (bonct) palatines

szájpadlás n, palate, roof of mouth; hasadt/hasított ~ cleft palate; kemény ~ hard/bony palate, hard roof of the mouth; lágy ~ soft palate, (tud) velum; mesterséges ~ artificial palate

szájpadláscsont n, palatine bone

szájpadlásdaganat n, (orv) [lónál] lampas

szájpecek n, (mouth-)gag

szájpenész n, (orv) thrush, stomatomycosis

szajré [-t, -ja] n, □ hot-goods (pl), pickings (pl), swag

szájrész n, [szúvócsőé, hangszeré, maszké] mouthpiece

szájrúzs n, lipstick

szájrúzsbetét n, lipstick refill

szájsebész n, oral/dental surgeon, surgeon-dentist, odontologist

szájsebészet n, oral/dental surgery, operative dentistry, stomatoplasty

szájszag n, büzös/rossz/kellemetlen ~ foul breath, (tud) halitosis, ozostomy

szájszeglet n, corner of the mouth

szájszél n, lip

szájtartás n, position of the speech organs

szájtáti [-ak, -t; adv -an] a, gaping, open-mouthed

szájtátiság n, (pol) lack of vigilance

szájtátó [-t; adv -an] I. a, = szájtáti; II. n, gaper, starer, rubber-neck (US)

szájtátva adv, agape, open-mouthed, gaping

szájtölcsér n, funnel

szájtükör n, (orv) dental mirror, stomatoscope

szájú [-ak, -t; adv -an] a, -mouthed, -lipped, -tongued; csorba ~ [edény] chipped, chippy; csúnya/mocskos ~ foul-mouthed/spoken; mézes ~ honey-tongued/ mouthed, [főnévvel] coaxer, cajoler, wheedler; szabad ~ ld szabad szájú; tátott ~ open-mouthed

szájüreg n, cavity of (the) mouth, mouth/oral/buccal cavity

szájvíz n, = szájmosó víz

szájzár n, [főleg tetanusznál] lockjaw, (tud) trismus

szájzáródás n, = szájzár

szak [-ot, -(i)ja] n, 1. [időé] period, age, era, stage, phase, a szülés mai stages ur labo(u)r; kitolási ~ [szülészetben] stage of expulsion; placentáris ~ [szülészetben] placental stage; tágulási ~ [szülészetben] stage of dilatation 2. [vmnek egy része] section, part, division, [osztálya] class, branch 3. [versé] verse, stanza, strophe 4. [képesítés] profession, branch, line, speciality; ~ba vágó professional, in

one's line *(ut)* ; *ez nem vág az ő ~jába* that is not (in) his line, that is out of his line, that does not come within his province, that is outside his scope/field; *~ok szerint rendez* arrange/dispose in classes, classify; *~ot változtat* change one's branch/line (of studies)
szakács [-ot, -a] *n*, (man) cook, chef; *sok ~ elsózza a levest* too many cooks spoil the broth
szakácskod|ik [-tam, -ott, -jon, -jék] *vi*, (act as) cook, do the cooking
szakácskönyv *n*, cookery/receipt-book, cook-book *(US)*
szakácsmesterség *n*, cookery, cooking
szakácsművészet *n*, art of cooking, culinary art, cookery
szakácsné *n*, = szakácsnő
szakácsnő *n*, (woman) cook, lady cook
szakácsság *n*, = szakácsmesterség
szakad [-t, -jon] *vi*, 1. *[ruha]* tear, get torn, rend, be rent, split, *[cipő]* wear out, *[ami feszül]* snap, break; *két ágra ~* divide into two branches; *pártokra ~* break up into factions 2. *~ az eső* the rain is pouring/ streaming, it is pouring with rain, the rain came pouring down, it is raining in torrents/sheets/buckets *(fam)*, it is raining cats and dogs *(fam)* ; *~ a hó* it is snowing hard; *~ róla az izzadság* be streaming with perspiration, the sweat pours off him; *homlokáról ~t a veríték* the sweat ran down his forehead; *a ház a fejükre ~t* the house collapsed *(v.* came down) about their ears; *minden gond az ő nyakába ~t* overwhelmed by worries, he had all the cares of the world on his shoulders 3. *[folyó vhová]* fall into, discharge itself, empty 4. *[elszármazik vhonnan]* come from swhere, *(vhová)* get swhere; *magva ~* die out, become extinct; *ha törik ha ~* by hook or (by) crook; *vége ~* (have an) end, terminate, come to an end
szakadár [-ok, -t] *n*, heretic, schismatic, seceder, dissident, sectary, *[anglikán egyház]* nonconformist; *~ manőverek* disruptive tactics; *~ tevékenység* disruprive action/activity
szakadárság *n*, schismatism, dissent
szakadás *n*, 1. *[ruháé]* *[folyamat]* tearing, rending, *[eredménye]* tear, rent, slip, rip, *[lyuk]* hole, *[gáté]* bursting, *[kötélé]* breaking, rupture, *(orv)* rhexis, *[éré]* breaking, rupture 2. *(átv)* *[egyházé]* schism, *[erőszakos]* disruption, *[közösségben]* rent, scission, *[barátok/országok közt]* rupture, *[párté]* division, cleavage, secession, split; *~t idéz elő egy családban* disunite a family
szakadásálló *a*, tear-proof
szakadási [-t] *a*, *~ pont (műsz)* breaking(-down) point, *(vill)* cut-off point
szakadásos [-at] *a*, *~ függvény (menny)* discontinuous function; *~ sor (menny)* discrete series *(pl)*
szakadatlan *a*, unceasing, ceaseless, endless, incessant, continuous, uninterrupted, never-ending/ceasing, everlasting, eternal *(fam)*, *[haladás]* steady; *~ gondoskodás* unremitting care; *~ tevékenységre ösztönzi* it keeps him on his toes *(fam)*
szakadatlanul *adv*, unceasingly, without interruption/ stop/end, continuously, ceaselessly, everlastingly, perpetually, without interruption, week in week out *(fam)*, (a)round the clock *(US)*
szakadék [-ot, -a] *n*, precipice, abyss, chasm, *[árokszerű]* pit, *[gleccserben]* crevasse, *[hegyoldalban]* couloir, *[sziklán]* cleft, rift, *[vízmosta]* gully, ravine, gulch *(US)*, *(bány)* vug(h), *(geol)* escarpment, ledge; *egyre nagyobbodó/kiszélesedő/elmélyedő ~* an ever widening gulf; *álláspontjaik között áthidalhatatlan ~ tátong* there is an unabridgeable gap between their views; *nagy a ~ köztük (átv)* there is a great gulf between them
szakadékpolitika *n*, brink of war policy
szakadó [-t] *a*, 1. rendible 2. *~ eső* pouring torrential rain, soaking downpour

szakadós [-at; *adv* -an] *a*, easily torn/rent, flimsy; *~ szövet* cloth that tears easily
szakadoz|ik [-tam, -ott, -zon, -zék] *vi*, 1. tear (gradually in many places), rend, go to bits, get tattered, be breaking; *~nak a felhők* the clouds are thinning off 2. *[rendekre] ~z! (kat)* form fours!
szakadozott [-at; *adv* -an] *a*, 1. torn, ragged, tattered, worn to rags *(ut)* 2. = szaggatott
szakadozottság *n*, raggedness
szakadt [-at; *adv* -an] *a*, torn, rent; *~ a ruhája* his clothes are torn
szakajt [-ani, -ott, -son] *vt*, *kenyeret ~ (kb)* lift the swelled dough out of the kneading-trough and form into loaves; *ld még* szakít
szakajtó [-t, -ja] *n*, *(kb)* bread/dough-basket
szakáll [-ak, -t, -a] *n*, 1. beard, *[oldal]* whisker(s), *[állati]* barb, *[baromfié]* jowl, *[madár nyakán]* gill; *háromnapos ~* a three days (growth of) beard, stubble *(fam)*, scrub *(fam)* 2. *[kulcsé, szerszámé]* key-bit, *[nyílvesszőé]* feather(ing); *~al lát el [nyílvesszőt]* feather 3. *(növ)* barb, *[magon]* egret, *[gabonáé]* awn, husk 4. *(átv)* saját *~ára* on one's own hook/account, off one's own bat; *saját ~ára jár el* play a lone hand; *ennek (az adománák) ~a van (biz)* that's stale/slow!, an old chestnut!; *~a van a viccnek* the joke stinks
szakállas [-at; *adv* -an] *a*, 1. bearded, barbated, unshaven, *[pulyka stb.]* wattled; *~ keselyű* bearded vulture, lammergeier *(Gypaëtus barbatus)* 2. *(növ)* *[mag]* comate, *[kalász]* awned; *~ szegfű* sweet- -william *(Dianthus barbatus)* 3. *~ puska (rég)* harquebus; *~ ágyú* wall-piece/gun 4. *~ vicc* stale/ bewhiskered joke, chestnut, Joe Miller; *a történet már ~* the story has whiskers
szakállasod|ik [-tam, -ott, -jon, -jék] *vi*, get one's whiskers
szakállka *n*, 1. *[gyermeké]* bib, feeder 2. *(növ)* erianthus *(Erianthus)*
szakállsömör *n*, *(orv)* sycosis
szakállszőr *n*, hair of the beard, *[macskáé]* smeller
szakállszőrzet *n*, hairs of the beard; *első ~* pappus
szakálltalan *a*, beardless, smooth-faced, *[borotvált]* clean-shaved/shaven
szakállú [-ak, -t; *adv* -an] *a*, bearded; *ősz ~* grey- -bearded; *vörös/rőt ~* red-bearded; *Rőt~ Frigyes* Frederic Barbarossa
szakállzuzmó *n*, *(növ)* greybeard lichen *(Usnea sp.)*
szakasz [-ok, -t, -a] *n*, 1. *[határolt rész]* section, part, portion, sector, stretch, department, *[folyóé]* reach, *[jármű vonalában]* stage 2. *[folyamatban]* period, phase, stage; *új ~ába lép* enter a new phase 3. *(tört)* epoch, period; *a kapitalista fejlődés imperialista ~a* the imperialist stage of capitalist development 4. *[könyvben]* passage, paragraph, division, *[versben]* strophe, stanza, verse, *[törvényben]* section, clause, article, *[szerződésben]* provision(s of a treaty), clause, article; *a szerződés 6 ~a értelmében* in pursuance of *(v.* in accordance with) clause 6 of the contract; *~okra beoszt/feloszt [oldalt stb.]* paragraph; *~okra osztott* paragraphic; *~t beiktat* add a new clause 5. *(kat)* platoon, section, unit, *[gyalogos]* half-company, *[lovas]* troop 6. *[vasúti kocsiban]* compartment 7. *(menny)* *[tizedestörté]* period, repetend 8. *(nyomd)* break, section 9. *(műsz)* *[mérőműszer-skálán]* quadrant 10. *(orv)* *[betegségé]* stadium, *[visszatérő rohamoknál stb.]* period 11 *(vill)* sector
szakaszbeosztás *n*, division into stages/sections
szakaszhatár *n*, end of stage, fare stage; *~ok [buszé, villamosvonalon]* (stage) points
szakaszjegy *n*, *(kb)* penny-fare
szakaszjel *n*, *(nyomd)* paragraph, section mark

szakaszonként *adv*, by sections, in divisions, *(kat)* in platoons

szakaszonkénti [-t] *a*, *(műsz)* ~ *számlálás* step-by--step counting

szakaszos [-at; *adv* -an] *a*, **1.** divided in sections/portions/paragraphs *(ut)*; ~ *kocsi* compartment car, compartmental car *(US)*; ~ *mozgós* discontinuous motion **2.** *[vers]* -verse, strophic(al), of several verses *(ut)*, stanzaic **3.** *(menny)* recurrent, periodical; ~ *(tizedes)tört* repeater, repetend, recurring/repeating/circulating/periodic decimal, circulating fraction **4.** ~ *próbareggeli* fractional test meal

szakaszosan *adv*, seriatim; ~ *ismétlődő* periodic(al)

szakaszosság *n*, periodicity

szakaszparancsnok *n*, *(kat)* platoon-commander/leader

szakaszparancsnok-helyettes *n*, *(kat)* platoon sergeant

szakaszt [-ani, -ott, .. asszon] *vt*, **1.** *[kenyeret]* = **szakajt 2.** *gyümölcsöt* ~ pick fruit; *virágot* ~ pluck flowers

szakasztás *n*, **1.** = **szakítás; 2.** *[kenyéré kb]* lifting the swelled dough out of the kneading-trough (and forming it into loaves)

szakasztott [-at; *adv* -an] *a*, ~ *olyan* exactly the same; ~ *mása (vknek)* living image of sy, *(vmnek)*exact replica of sg; ~ *olyan volt mint* ... he was for all the world like ...; ~ *(olyan mint) az apja* the dead/ very spit *(v.* spitting image) of his father *(fam)*, a dead ringer for his father *(US fam)*

szakaszvezető *n*, *(kat) (kb)* lance sergeant, buck sergeant *(US fam)*

szakavatott [-at; *adv* -an] *a*, expert, skilled, experienced, practised, well up (in) *(ut)*, competent, scientific *(US)*; ~ *kézzel* in a craftsmanlike manner, with the hand of an expert, with real craftsmanship

szakavatottan *adv*, expertly

szakavatottság *n*, competence, professional ability, skill, expertness, expert knowledge

szakbarbár *n*, (be an) ignoramus outside one's own field, narrow-minded specialist

szakbeli *a*, **1.** = **szak***ba vágó*; **2.** = **szakmabeli**

szakbibliográfia *n*, special/subject bibliography

szakbizottság *n*, committee of experts, special/expert committee, technical commission

szakcédula *n*, subject entry

szakcikk *n*, *[újságban]* professional article

szakcsoport *n*, specialized group; *mezőgazdasági* ~ specialised agricultural group; *termelői* ~*ok* specialized producers groups

szakdolgozat *n*, *(kb)* thesis (submitted for a degree)

szakelőadás *n*, technical lecture, lecture on a specialized subject

szakember *n*, expert, specialist, proficient, *(műsz)* technician; *állattenyésztési* ~ zootechnician; ~ *vmben* be expert at/in sg; ~ *szerepét adja/játssza*, ~*nek adja ki magát* pose as *(v.* set up for) an expert

szakérettségi *n*, *(kb)* specialized matriculation exam-(ination); ~ *tanfolyam* specialized matriculation course

szakérettségis [-ek, -t, -e] *n*, *(kb)* student at a specialized matriculation course

szakérettségizett *n*, *(kb)* with a specialized matriculation exam *(ut)*, *[hallgató]* student/undergraduate with a specialized matriculation exam

szakérettségiz|ik *vi*, *(kb)* take one's specialized matriculation degree

szakértelem *n*, expertness, expertise, special knowledge, (professional) skill, competence, proficiency, know--how *(US fam)*; ~ *nélküli* inexpert; *szakértelmet igényel* it requires specialized knowledge; ~*mel* proficiently; ~*mel jár el* apply expert knowledge; ~*mel jár el egy ügyben* handle a matter with address

szakértelmiség *n*, vocational intelligentsia

szakértő **I.** *a*, expert, competent, professional, practised; ~ *szemmel néz vmre* look on sg with a critical eye **II.** *n*, expert *(amiben* in/at), specialist, technician, past-master *(fam)*, pundit *(fam joc)*, *[bírósági]* expert witness, *(műv)* connoisseur, judge; *nagy* ~*je vmnek* be a connoisseur/judge in/of sg; *a* ~ *szemével* with the eye of an expert; ~ *megvizsgálja* expertise, *(ker)* appraise, value, *(hajó)* survey; ~*nek adja ki magát*, ~ *szerepét adja/játssza* pose as *(v.* set up for) an expert; ~*től kér tanácsot* consult an expert, call in a specialist; ~*vel megvizsgáltat* take/get expert opinion

szakértőcsoport *n*, expert advisory panel

szakértői [-ek, -t; *adv* -en] *a*, expert, professional; ~ *jelentés* expert's report, expert opinion; ~ *szemle* expert examination, survey by judicial experts; ~ *vélemény* expertise, expert('s) opinion, opinion of an expert, *(ker)* expert appraisement/valuation; ~ *vélemény szerint* according to expert advice/ evidence

szak- és szerelőipar specialized building and fitting industry

szakfelügyelet *n*, technical supervision, *(isk)* school--inspectorate

szakfelügyelő *n*, (primary, secondary) school-inspector

szakférfiú *n*, expert

szakfolyóirat *n*, *[tudományos]* scientific review, learned journal, *[vmlyen szakmáé]* trade paper, technical journals *(pl)*

szaki [-t, -ja] *n*, *(biz)* **1.** *(kat)* sarge **2.** *[más]* mate; *figyelj(en) ide* ~*kám!* I say mate!

szakigazgatási *a*, ~ *szervek* specialized agencies of local administration; *a községi tanács végrehajtó bizottságának* ~ *szerve* special administrative agency of the executive committee of the communal council; ~ *szervezet* special administration department

szakíró *n*, specialist

szakirodalom *n*, **1.** special/technical literature **2.** *[jegyzéke]* special bibliography

szakiskola *n*, training college, technical institute, specialized secondary school, trade/technical/vocational school, academy; *ipari* ~ industrial school

szakismeret *n*, expert/special knowledge, skill *(US)*

szakít [-ani, -ott, -son] **I.** *vt*, tear, rend, rip, split, *[fonalat]* snap, break, *[gyümölcsöt]* pick, *[virágot]* pluck; *darabokra* ~ tear to pieces; *időt* ~ *vmre* spare/find time for sg; ~*ok majd egy órát a számodra* I shall fit in an hour for you; *végét* ~*ja vmnek* make/ put an end to sg, bring sg to an end **II.** *vi*, **1.** *(vkvel)* break with (sy), break (it) off with (sy), cut oneself adrift from (sy) *(fam)*, *[szokással]* break away from; ~ *korábbi életformájával/életmódjával* break with his former ways of living; ~*ottam vele* I am out of friends with him, I have done with him; ~*ottunk [jegyesek]* we broke off our engagement **2.** *[súlyemelésben]* wrench, snatch

szakítás *n*, **1.** *[ruhán]* tear, rent, *[folyamat]* tearing, rending **2.** *[súlyemelésben]* snatch, wrenching **3.** *(átv)* breach, break

szakítási [-ak, -t] *a*, ~ *hossz (tex)* breaking length; ~ *igénybevétel/alakváltozás (műsz)* breaking strain; ~ *terhelés (műsz)* ultimate/breaking load

szakító [-ak, -t] *a*, ripping, tearing, renting; *a virágot* ~ *lány* the girl picking flowers; ~ *impulzus (vill)* break impulse

szakítófeszültség *n*, *(műsz)* ultimate/maximum tensile stress

szakítófűrész *n*, *(műsz)* ripper

szakítógép *n*, tensile testing-machine, tensiometer

szakítónyomaték *n*, *(fiz, műsz)* moment of rupture

szakítópróba *n*, *(műsz)* tensile/tearing test

szakítószilárdság *n*, *(műsz)* tensile strength, *(tex)* tearing/breaking resistance/strength

szakítóterhelés n, (műsz) ultimate/breaking-load
szakított [-at] a, ~ seb lacerated wound
szakítóvizsgálat n, (tex) breaking/tearing test
szakjelzet n, [könyvtári könyvé] class mark/number
szakkatalógus n, subject/classified/classed/systematic catalogue
szakképesítés n, qualification
szakképzés n, professional/vocational training
szakképzetlen a, ~ munkaerő unskilled labour
szakképzett [-et] a, qualified, skilled, trained, professional; nem ~ [munkás] untrained; ~ ápolónő trained nurse; ~ dolgozók professional workers; ~ munkás trained/skilled worker
szakképzettség n, qualifications (pl), competence; ~gel nem bíró unqualified, unspecialized, without professional training (ut); ~re tesz szert vmben specialize in sg
szakkifejezés n, technical term/expression; ~ek terminology
szakkórház n, special hospital
szakkönyv n, technical/trade book
szakkönyvtár n, technical/trade library, special library of .., reference library; tudományos ~ research library
szakkör n, 1. (isk) study circle 2. [szakma] the profession, expert/professional circle; ~ökben in professional/expert circles
szakközépiskola n, vocational/special(ized) secondary school
szakközlöny n, = szakfolyóirat
szaklap n, = szakfolyóirat
szaklektor n, [szótárhoz] special consultant
szakma [..át] n, trade, line, province, branch, department, craft, profession, occupation, speciality, (ker) line/branch of business, [szakmabeliek összessége] the professional/trade; a Sz~ Ifjú Mestere Young Master of the Trade; mi a szakmája? what is his line (of business)?; szakmája van have a trade, be a qualified journeyman; nem vág a szakmájába does not fall within his province, it is not in his line; szakmába vágó = szakba vágó; a leghasználhatóbb/ legjobb ember a szakmában the ablest man in the trade; ugyanabban a (v. azonos) szakmában dolgozik work/be in the same line; a szakmában marad remain at his trade; a szakmához tartozók those belonging to a profession, the profession; vkt vmlyen szakmára ad put sy to a trade; ismeri a szakmáját he knows his job, he's an old hand (at it) (fam)
szakmabeli I. a, of the line/trade (ut), technical, professional; nem ~ not of the trade/branch (ut), [főnévvel] outsider; ~ dolgokról beszélnek talk shop; (kiváló) ~ tudás/ügyesség (expert) craftsmanship II. n, colleague, [igével] be in the trade; a ~ek the profession
szakmai [-ak, -t; adv -lag] a, of/concerning the profession/trade (ut), professional, trade; ~ bemutató (film) trade première/show,(szính) preview; ~ betegség occupational disease; ~ dolgokról beszélget talk shop; ~ felszerelés trade kit; ~ féltékenység professional jealousy; ~ folyóirat/lap trade paper; ~ gyakorlat practice, apprentice training, [tanulóé] field work; ~ illem/etikett professional etiquette; ~ irányítás vocational guidance; ~ jártasság/gyakorlat/rutin professional skill; ~ képzés/oktatás vocational training; ~ név occupational name; ~ nyelv = szaknyelv; ~ pályafutás (sy's) professional life; ~ sovinizmus professional narrowness/favouritism, guild spirit; letöri a ~ sovinizmust break down the close guild spirit; ~ szakszervezet vertical union; ~ tanácsot kér vmlyen ügyben take professional advice on a matter; ~ terminológia terminology, nomenclature; Nemzetközi Sz~ Titkárságok Secretariats of Trade

Unions Internationals; ~ titoktartás professional secrecy; ~ tudással rendelkezik be skilled in an art; ~ zsargon cant, lingo
szakmaközi a, ~ bizottságok inter-trade committees; Városi Sz~ Bizottság City Inter-Trade Committee
szakmány n, 1. [munka] (work) by contract 2. [műszak] shift, turn; nappali ~ day-turn 3. ~ban dolgozik do job/piece/task work, work by the job 4. (átv) ~ban by the route
szakmánybér n, contractual/piece wage(s)
szakmánymunka n, 1. [darab] piece/task/job work, jobbing 2. [rendszer] work by contract, contract work, force account work, tut-work
szakmánymunkás n, piece/tut-worker, jobbing workman, jobber
szakminiszter n, departmental/competent minister
szakmunka n, 1. [könyv] work/book on a special subject 2. [munka] skilled work/labour
szakmunkás n, skilled labour(er)/worker/workman; nyomdai ~ printer journeyman
szakmunkáshiány n, lack/scarcity of skilled workers/ workmen
szakmunkásképzés n, vocational training, training of skilled workers/workmen
szakműveltség n, special/professional knowledge
szaknévsor n, classified list/directory
szaknyelv n, professional/special/technical language, technical jargon, professional terminology, cant (fam), lingo (fam), [mint szókészlet] technical vocabulary; ~en technically (speaking), in technical terms
szaknyelvi a, terminological; ~ jelentés specialized meaning
szakóca [..át] n, (rég) clet
szakoktatás n, professional/vocational training, technical instruction/education, professional/special teaching
szakorvos n, (medical) specialist; ~hoz fordul call in a specialist
szakorvosi a, of specialist (ut) ; ~ rendelés specialist's consultation; ~ rendelőintézet polyclinic (for specialist consultation); ~ rendelőóra consulting hour at polyclinic; ~ vizsgálat specialist's examination
szakos [-at; adv -an] a, of ... line/profession (ut), taking honours in (ut), specialist/specialized/specializing in (a branch of study) (ut), majoring in (a branch of study) (ut) (US); angol ~ hallgató student specializing in English (studies), student of English (studies) (US)
szakosít [-ani, -ott, -son] vt, specialize, departmentalize
szakosítás n, specialization, departmentalization
szakosítatlan a, unspecialized
szakosító [-t] a, ~ tanfolyam specialized course in ...
szakosított [-at; adv -an] a, az ENSZ ~ intézményei specialized agencies of the United Nations
szakosodás n, specialization
szakosod|ik [-tam, -ott, -jon, -jék] vi, specialize (oneself, itself)
szakosztály n, department, section; sportkör ~ai sport club sections
szakoz [-tam, -ott, -zon] vt, [könyvet] classify (books on the Dewey system)
szakrajz n, mec.anical/specialized drawing
szakramentalista [..át] n, (vall) sacramentalist
szakramentalizmus n, (vall) sacramentalism
szakramentum n, (vall) sacrament
szakrend n, [könyvtárban] classified order
szakrendelés n, consultation by specialists
szakrendi a, ~ elhelyezés/felállítás [könyvtárban] classified arrangement (of books on the shelves)
szakrendszer n, classification system, system of special sections, division into special departments/subjects
szakrészlet n, technicality

szakrövidítés *n*, abbreviation(s) of technical terms
szaksajtó *n*, trade press; *ld még* szakfolyóirat
szakszemélyzet *n*, staff with special training, specialized staff, staff workers *(pl)*
szakszempont *n*, technical/professional point of view
szakszerű *a*, expert, technical, businesslike, workmanlike, professional, knowing, specialistic; *nem ~* unprofessional
szakszerűen *adv*, expertly, professionally, in a businesslike/workmanlike manner; *~ csomagolt (ker)* properly packed; *vmt ~ tanulmányoz* specialize in sg
szakszerűség *n*, competency, competence, skill, technicalness, technicality
szakszerűtlen *a*, unworkmanlike, amateurish, inefficient, untechnical, unprofessional, dilettantish; *~ kifejezés* unscientific/uncritical term
szakszervezet *n*, trade union; *szakmai ~* vertical union; *Magyar Sz~ek Országos Tanácsa* Central Council of the Hungarian Trade Unions; *Sz~ek Megyei Tanácsa* Trade Union County Council; *~be tömörit* unionize
szakszervezeti *a*, (belonging to) trade union, trade-union(ist); *~ aktivista* active trade-unionist; *~ alapszabályok* trade-union rules; *~ bizalmi* trade-union steward, shop steward; *~ bizottság* Trade Union Committee; *~ bizottsági elnök* Chairman of the Trade Union Committee; *~ bizottsági tagok* Members of the Trade Union Committee; *~ csoport* trade-union group; *~ főbizalmi* chief trade-union steward; *~ funkcionárius* (trade-)union official; *~ könyvtár* trade-union library; *~ megbízott* trade-union representative, activist; *~ megoszottság* trade-union duality; *~ mozgalom* trade-unionism, trade-union movement; *~ rendszer* trade-unionism; *~ segélyezés* trade-union aid; *~ szervezkedés* trade-union organizing campaign, campaigning for trade-union members; *~ tag* trade-unionist, union man, unionist, member of trade union; *~ tagdíj* (trade-)union due; *~ tagkönyv* union card; *Sz~ Tanács* Trades Union Council *(GB)*; *Sz~ Társadalombiztositási Központ (SzTK)* TU Social Insurance Centre (TUIC); *~ választott vezető* elected trade-union official; *~ vezető* trade-union officer/official; *Sz~ Világkongresszus* World Trade Union Congress; *Sz~ Világszövetség (SzVSz)* World Federation of Trade Union (WFTU)
szakszó *n*, technical term
szakszofon [-ok, -t, -ja] *n*, saxophone
szakszofonos [-ok, -t, -a] *n*, saxophonist
szakszolgálatos *a*, *~ altiszt* underofficial/NCO with special qualification
szakszótár *n*, special/technical/trade/technologic(al) dictionary; *orvosi ~* a dictionary of medical terms
szaktanács *n*, **1.** expert advice, advisement; *~ot kér* consult an expert, take professional advice (on sg) **2.** *[testület]* board of experts **3.** *Sz~ =* Szakszervezeti Tanács
szaktanácsadó *n*, consultant, *[mérnök]* consulting engineer
szaktanácskozás *n*, conference of experts, consultation
szaktanár *n*, teacher/professor of a particular/special subject, subject teacher
szaktanfolyam *n*, special/technical course/class
szaktanítás *n*, vocational training, special/technical instruction/education
szaktanító *n*, = szaktanár
szaktanulmány *n*, **1.** professional/special(istic) study **2.** *[írott]* essay, paper, treatise (on a specialized subject)
szaktárgy *n*, special subject, major *(US)*
szaktárs *n*, colleague, fellow-worker, fellow-member (in a profession/trade), (workman's) mate *(fam)*,

comrade *(fam)*, confrère *(fr) (ref.)*; *~ak vagyunk* we are in the same line, we are colleagues
szaktársnő *n*, colleague, fellow-worker
szaktekintély *n*, authority (on a special subject), luminary *(joc)*; *~ vmben* be an authority on sg
szakterület *n*, *[tudósé]* field of research/interest, professional field/line, special field, speciality
szaktudás *n*, special/technical/professional knowledge/attainments/learning/skill, expertness, expertise, competence, erudition, know-how *(fam)*, *[ipari, kézi]* craftsmanship
szaktudomány *n*, specialized branch of science/learning
szaktudósító *n*, special correspondent
szaküzlet *n*, specialist('s) shop, shop specializing in sg, dealer in sg
szakvállalat *n*, specialized enterprise
szakvélemény *n*, advisory opinion, expert('s) opinion/report, expertise, *[ker becslés]* appraisal, appraisement, valuation, *[jogi]* expert evidence; *~t ad/terjeszt elő* give an expert opinion/evidence/appraisal; *~t kér vmiyen ügyben* take professional advice on a matter
szakvizsga *n*, special(ist) examination
szakzsargon *n*, lingo, cant
szál [-at, -a] *n*, **1.** *[fonál]* thread; *~ alakú (növ)* filiform; *egy ~ cérna* a (piece of) thread; *befüzi a ~át a tűbe* thread a needle **2.** *(tex)* fibre, fiber; *sodrott ~* yarn, *[sodrat zsinegben stb.]* ply; *szintetikus ~* synthetic fibre, man-made fibre; *vágott ~ [műanyagból]* staple; *végtelen ~* filamen; *~ban fest* dye in grain; *~ában festett [gyapjú]* dyed-in-the-wool, *[pamut is]* stock-dyed; *három ~ból font* three-ply; *~aira bont [fonalat]* unspin, *[drótkötelet]* strand **3.** *[izzószál]* filament **4.** *(cím)* fillet **5.** *egy ~ bútor nélkül* without a stick of furniture; *három ~ cigány* three gipsies; *szép ~ férfi* a well-built *(v.* well set-up) man; *szép ~ fiatalember* (a) fine upstanding young fellow, a strapping fellow, a fine strapping lad; *egy ~ fű* a blade of grass; *egy ~ gyertya* a single candle; *egy ~ haj* a (single) hair; *egy ~ ingben* in one's shirt(tails), with nothing but a shirt on (him); *egy ~ kolbász* one (large) sausage; *egy ~ nadrágban* with nothing on but a pair of breeches; *két ~ rózsa* two roses; *egy ~ szalma* a straw; *mind egy ~ig* (all) to a man **6.** *(átv)* baráti/érzelmi *~ak* attachment(s); *gyengéd ~ak fűzik vkhez* be tenderly attached to sy; *a ~ak az ő kezében futnak össze* he pulls the strings/wires **7.** *(átv)* az elbeszélés *~ai* the threads of a story
szálacska *n*, little thread/fibre/filament
szalad [-t, -jon] *vi*, **1.** run, *[egér]* scamper; *vk elébe ~* run to meet sy; *~ vm/vk után* run after sg/sy; *egymásba ~* run into each other, run into one another, *[jármű]* collide, telescope; *folytonosan ~* be always on the run; *~ a konyhám [= szörnyű a rendetlenség]* my kitchen is in an awful mess *(v.* upside down); *~ a szem a harisnyán* there is a ladder in the stocking; *~ a pénze után* run after (one's) money, try to recover one's investment **2.** *[vm elől]* flee, fly (from), take (to) flight, run away/off
szaladás *n*, run(ning)
szaladgál [-t, -jon] *vi*, run around/about, be/keep running to and fro, scamper about
szaladgálás *n*, running to and fro, running around, *[ügyben]* running errands/messages
szaladó [-t] *a*, running
szalag [-ot, -ja] *n*, **1.** ribbon, band, riband *(obs)*, *[bőr]* strap, thong, *[papír, ragasztó]* tape, strip, *(sp)* tape, strip; *~ alakú (növ)* lorate **2.** *[keskeny, selyem]* silk favour/ribbon, *[női kalapon]* band, ribbon, *[állon át]* strings *(pl)*, *[női ruhán szétes]* sash, *[lelógó, kalapon, ruhán]* lappet, vitta, braid *(ref.)*, *[szegéshez]* webbing, *[vászon]* tape, strip;

a fejkötő ~jai the strings of the bonnet; hajlekötő ~ fillet, hair-band; a kislány hajában piros ~ volt there was a red bow in the little girl's hair; a magnetofon ~ja the tape of the (tape-)recorder; új ~ot tesz az írógépbe put a new ribbon into the typewriter; derekán széles kék ~gal with a blue sash at the waist 3. [polgármesteré, anyakönyvvezetőé] shoulder sash, municipal sash, [kitüntetésé] ribbon 4. (rég) fillet, [múmián] wrappings (pl) 5. [rajzon felirat számára] banderol(e), balloon 6. végtelen ~ (műsz) endless belt 7. (bonct) ligament 8. (cím) cot(t)ise

szalagacél n, band steel, steel strip; hidegen hengerelt ~ cold-rolled steel strip

szalagachát n, (ásv) banded agate

szalagáru n, ribbons (pl), small-ware(s), narrow goods (pl)

szalagátállító n, [írógépen] ribbon-reverse lever; önműködő ~ automatic ribbon-reverse

szalagavató a, ~ bál (kb) sixth-former's dance

szalagcím n, [újságcikké] banner headline

szalagcsokor n, bow/bob of ribbon(s)/silk, bow, (lover's) knot, cockade, rosette

szalagdiagram n, band chart

szalagdísz n, [ruhán] ribbon trimming(s), [épületben] string-course/moulding, banderol(e); pontsoros ~ (rég) ornament of punctured ribbons

szalagdíszes a, (rég) ~ kerámia ribbon-ornamented ware/pottery

szalagdíszű a, (rég) tűzdelt ~ kerámia stroke-ornamented pottery

szalagegyesítő gép (tex) sliver lapper, Derby doubler

szalagfék n, (műsz) band/ribbon/strap/belt-brake

szalagféreg n, (áll) tapeworm, taenia (Taenia sp.); ld még galandféreg

szalagfül n, (rég) [edényen] strap handle

szalagfűrész n, (műsz) band/ribbon/belt/ring/whip-saw

szalagfűrész-tárcsa n, (műsz) band-saw pulley

szalaggyáros n, ribbon-weaver/maker

szalaghal n, (áll) bandfish, ribbonfish (Cepola sp.)

szalaghengermű n, (műsz) strip mill

szalagkereskedés n, small-ware shop, mercery (GB)

szalaglánc n, [gépé] band-chain

szalaglobogó n, [vitorláson] burgee

szalaglyukasztó n, perforator; ~ gép [távírógépen] tape-perforator

szalagmásolat n, [filmről] strip-print

szalagmunkás n, (műsz) assembly worker

szalagorsó n, [írógépen] ribbon spool

szalagos [-at; adv -an] a, 1. (be)ribboned, striped, decorated with ribbons (ut) 2. (bonct) ligamental, ligamentary, ligamentous

szalagosodás n, (növ) fasciation

szalagoz [-tam, -ott, -zon] vt, beribbon, decorate/trim (sg) with ribbons

szalagpárkány n, (épít) string-course

szalagperforáló a, ~ gép [géptávírónál] puncher

szalagrózsa n, cockade, rosette

szalagrugó n, plate-spring

szalagsoros a, ~ település ribbon development

szalagszövés n, ribbon manufacture/weaving

szalagszövő n, 1. ribbon-maker/weaver 2. [gép] ribbon loom

szalagtag n, (épít) string-course

szalagtan n, (bonct) syndesmology

szalagtár n, = töltényheveder

szalagtárcsa n, band-wheel/pulley

szalagvas n, hoop/strip/band-iron, flat bar-iron, flat iron

szalagvillám n, ribbon/streak lightning

szalagzászló n, streamer, pennon, pennant, burgee

szalajt [-ani, -ott, -son] vt, = szalaszt

szálal [-t, -jon] vt, [erdőt] select

szálalás n, [erdőé] select-cutting

szálaló [-t] a, ~ erdőművelés selection system

szálalt a, ~ erdő selection forest

szalamander [-ek, -t, -e] n, = szalamandra

szalamandra .. át] n, (áll) salamander (Salamandra sp.); amerikai óriás ~ hellbender (Cryptobranchus alleganiensis); foltos ~ yellow-and-black-spotted land-salamander (S. maculosa); óriás ~ gigantic salamander (Megalobatrachus maximus); vízi ~ ld gőte

szalámi [-t, -ja] n, salami, salame

szálanként adv, thread by thread, by threads, thread-wise, [haj] hair by hair

szálas [-ak, -§ a, 1. (vál) [ember, fa] tall; ~ fickó/ legény fine upstanding young fellow 2. [hús] stringy, shreddy 3. [huzalszerű] thread-like,thready 4. (bonct) fibrillate(d), (növ) [fonalas] filiform, linear, [rostos] fibrous, filamentary, fibrillar, fibrillate(d); ~ anyag (tex) fibrous material; ~ anyagot bont (tex) open the fibres; ~ levél linear leaf; ~ takarmány (tame) hay, rough fodder, straw of hay, roughage (US)

szalaszt [-ani, -ott, ..asszon] vt, (vkt vkért) send sy running for (v. to fetch) sy

szaldíroz [-tam, -ott, -zon] vt, [áruszámlát] receipt (a bill), write/stamp "paid for" on a bill

szaldírozatlan a, unreceipted

szaldírozott [-at] a, ~ számla receipt(ed bill)

szaldó [-t, -ja] n, (ker, pénz) balance; ~ per ... balance as at ...

szaldóátvitel n, (ker, pénz) balance to next account

szaldókontó n, (ker, pénz) balance

szálem-alejkum [-ot, -ja] n, salaam, sweeping bow

szálerdő n, forest of (full-grown trees), high/open/ matured forest, seedling-forest

szaletli [-t, -je] n, little garden-house, summer-house

szalézi [-t] a/n, Salesian

szaléziánus a/n, Salesian

szálfa n, 1. [élőfa] timber (tree), full-grown tree, [levágott] rough/undressed timber, log; egyenes mint a ~ as straight as a ramrod 2. [öklelő] lance

szálfaöklelés n, joust, tilt(ing), tournament

szálfatutaj n, timber float

szálfaúsztatás n, floating (of timber down a river)

szálfeszítő n, [varrógépen] tension(-device)

szálfeszültség n, fibre stress

szálfű n, (mezőg) top-grass

szálhossz n, (tex) woven length, length of staple/fibre

szálhullámosság n, (tex) waviness of the fibre

szálhúzás n, open-work, drawn(-thread) work

szálhúzásos a, ~ kézimunka drawn(-thread) work

szalicil [-ek, -t, -je] n, (vegyt) salicyl(ate)

szalicilát [-ot, -ja] n, (vegyt) salicylate

szalicilmergezés n, (orv) salicylism

szalicilos [-at; adv -an] a, salicylic

szalicilsav n, (vegyt) salicyl(ic) acid

szalicilsavas a, (vegyt) ~ só/észter salicylate

szalicin [-ek, -t, -ja] n, (vegyt) salicin

szalinométer n, salinometer

szálka n, 1. splint(er), chip, [bőr alatt] splinter, prickle, thorn; ~ ment az ujjába a splinter has (got) lodged under the skin of his finger, he has got a splinter in his finger, a splinter has run into his finger 2. [halé] fish-bone, bone (of a fish); ~ akadt meg a torkán a fish-bone got stuck in his throat 3. [hús] awn, beard, spikelet, arista 4. (átv) ~ vk szemében thorn in sy's flesh/side, pain in sy's neck, eyesore; más szemében a szálkát is meglátja a magáéban a gerendát sem veszi észre he beholds/sees the mote in his brother's eye and not the beam in his own

szálkás a, 1. [deszka] raw (board), [fa] full of splinters (ut), splintery 2. [hal] bony 3. [hús, zöldbab] fibrous, stringy 4. (növ) [kalász] bearded, aristate awned, barbed, barbate, comate; ~ *termés* barbed fruit 5. ~ *(kéz)írás* scratchy writing, angular hand-(writing)

szálkátlan *a*, 1. without splinters *(ut)* 2. *[gabona]* beardless, awnless 3. *[hal]* boneless, *[kiszálkázott]* boned

szálkátlanít [-ani, -ott, -son] *vt*, 1. *[halat]* bone, fillet 2. *[zabot, árpát]* awn

szálkátlanított *a*, 1. *[hal]* boned 2. *[zab, árpa]* awned

száll [-(a)ni, -tam, -(ot)t, -jon] *vi*, 1. *[repül]* *(átv is)* fly, *[magasba]* rise (into the air), soar, *[felhő]* drift, *[gép, madár]* fly, *[hópihe]* feather 2. *[madár fára]* settle/alight/perch on a tree, *[repgép]* land, alight, come to ground; *a madár egy fára ~t* the bird alighted on a tree; *a pillangó virágról virágra ~* the butterfly flitted from flower to flower 3. *[más szintre kerül]* *az árak feljebb ~nak* prices are rising *(v.* going up); *az árak lejjebb ~nak* prices are falling, the prices are coming down 4. *örökség ~ vkre* heritage devolves to/upon sy, heritage descends to sy, heritage passes/falls/goes to sy 5. *(átv) fejébe ~t a bor* the wine has gone to his head; *fejébe ~t a dicsőség* his successes have gone to his head; *fejébe ~ a vér* the blood rushes to his head 6. *[vhol megszáll]* put up, settle down, take a room *(v.* lodgings); *fogadóba ~* put up *(v.* stay) at an hotel, take lodgings at an inn 7. *perbe ~ vkvel* contend with/against sy; *ütközetbe ~* give battle; *vitába ~ vkvel* be engaged in a dispute with sy, enter the lists against sy, break a lance with sy 8. *hajóra ~* embark, take ship, go on board a ship, go aboard, board a ship; *kocsiba ~* get into a car-(riage); *lóra ~* mount *(v.* get on) a horse; *tengerre ~* put (out) to sea, set sail; *vonatra ~* take a train (for), board a train *(US)* 9. † *~ok az úrhoz* your (good) health(,) Sir!

szálladék [-ot, -ja] *n*, *(vegyt)* sublimate

szállás *n*, 1. (living) quarters *(pl)*, lodgings *(pl)*, lodg(e)ment, accommodation, housing, rooms *(pl)*, dig(ging)s *(pl)* *(fam)*, *[egyszeri]* abode, shelter, berth *(fam)*, *(kat)* quarters *(pl)*, *[kat magánházban]* billet; *~ nélküli* roofless; *éjjeli ~* night shelter, sleeping accommodation; *téli ~* *(kat)* winter quarters *(pl)*; *~t ad vknek* accommodate, put up, lodge, house, shelter, offer hospitality *(v.* a home) to, harbour *(mind:* sy), *[szívességből]* take in, *[üldözöttnek]* give harbour; *~t csinál* arrange for accommodation, make quarters, house, quarter, billet (troops); *~t kap* get/find lodging/room/accommodation, be taken in, be accommodated, be put up; *~t kér* ask for accommodation/shelter/lodging; *éjjeli ~t keres* look for a night's lodging 2. *(tört)* dwellings *(pl)*, abodes *(pl)*

szállásadás *n*, lodging, housing (of people), accommodation

szállásadó *n*, landlord, host, *(kat)* occupier on whom soldier is billeted

szállásadónő *n*, landlady, hostess

szállásbér *n*, rent, lodging-money, price of lodging

szálláscédula *n*, *(kat)* billet-ticket

szálláscsináló I. *a*, *(kat)* ~ *tiszt* billeting-officer II. *n*, 1. *(kat)* assistant to quartermaster, quarterer, *[hadseregé, utazó uralkodóé]* harbinger 2. *(átv)* precursor, vanguard, trail-blazer

szálláshely *n*, *[csapaté]* quarters *(pl)*, *[magánlakásban]* billet

szálláskörlet *n*, *(kat)* quarters *(pl)*

szállásmester *n*, *(kat)* quartermaster, billet master

szállásmesteri *a*, ~ *munkakör* logistics

szállásol [-t, -jon] *vt/vi*, *(vhol)* lodge, accommodate, house (swhere), *(kat)* quarter (in), billet (on, in)

szállásőrség *n*, *(kat)* quarter guard

szálláspénz *n*, living-out allowance, board-wages *(pl)*, *[lakbér]* rent

szállásutalvány *n*, *(kat)* billet(-ticket)

szállaszt [-ani, -ott, .. sszon] *vt*, *(vegyt)* sublimate, sublime

szállasztás *n*, *(vegyt)* sublimation

szállasztó [-t] *a*, *(vegyt)* ~ *készülék* sublimator(y)

szálldogál [-t, -jon] *vi*, fly about, flit, flitter

szálldos [-tam, -ott, -son] *vi*, fly about *(v.* to and fro), flit, float, flitter

szállingóz|ik [-tam, -ott, -zon, -zék] *vi*, 1. *[hópihe]* feather, spit; *a hó ~ik* be snowing softly, be snowing a little 2. *[csapat]* straggle; *hírek ~nak* rumours circulate, rumours are afloat; *a vendégek ~nak* the guests come in one by one *(v.* arrive slowly)

szállít [-ani, -ott, -son] *vt/vi*, 1. carry, transport, convey, transfer, forward, dispatch, ship, *[vonaton]* (transport by) rail; *kórházba ~ották* he was taken to the hospital 2. *(ker)* deliver, *[cikket állandóan]* supply, furnish, provide, *[élelmiszert]* purvey, *[házhoz]* deliver (at sy's house), bring/send round 3. *vmnek az árát lejjebb ~* lower the price of sg 4. *áramot ~* supply current 5. *(átv)* deliver, produce; *adatokat ~* furnish data; *naponta ~ja neki a híreket* he keeps him posted *(fam)*

szállítandó [-t] *a*, to be delivered *(ut)*, for delivery *(ut)*

szállítás *n*, 1. *[szállítóeszközzel]* transport(ation), conveyance, carriage, shipping, shipment, forwarding, freightage, cartage, port(er)age, haulage, *[feladás vhová]* dispatch(ing), sending, delivery; *~ alatt* in transit, on the way; *~ közben* in transport; *~ módja* mode of transport; *belső ~ [gyári]* interplant transport; *házhoz ~* delivery; *háztól házig ~* door to door transport; *vízi úton való ~* water-borne transport; *~ra alkalmas (ker)* fit for transport, transportable, ready for conveyance; *nem bírja a ~t* travels badly, does not stand travelling, is easily injured by travelling 2. *(ker)* delivery; *állami ~ra pályázik* tender for a government contract; *azonnali ~* immediate delivery; *~ elmulasztása* non-delivery; *~ utánvételezve* carriage forward; *~kor fizetendő* payable/payment on delivery 3. *(bány)* drawing, tramming, *[csővezetéken]* piping, *[villanyt, vizet]* supply

szállítási [-ak, -t] *a*, of transport/delivery *(ut)*; *~ akadály* obstacle preventing conveyance, hindrance to conveyance; *~ alapfeltételek [belkereskedelmi jogban]* fundamental trading conditions; *~ biztosítás* transport insurance; *~ díj* forwarding cost, carriage/ shipping charges *(pl)*, port(er)age, freight/transport charges *(pl)*, cost of transport/carriage, *[vasúton]* railage, cost of carriage; *~ engedély* transport/ delivery permit; *~ értesítés* notification of dispatch, delivery note, shipping/forwarding advice, advice/notification of delivery/dispatch; *~ feltételek* delivery terms/conditions, trading conditions, terms of delivery, specifications for delivery; *~ haladék* delay in delivery, days of grace; *~ határidő* term/time of delivery, delivery data; *~ határidő április 6.* delivery 6th April; *hosszú ~ határidő* lengthy delivery date; *~ határidő áthágása* transgression of the time allowed for delivery; *~ időtartam* transport/transit time; *~ jegyzék [egész szállítmányról]* shipping invoice; *~ késedelem* delay in delivery; *~ költség* carriage, haulage, port(er)age, *[hajón]* freight, shipping expenses; *~ okmányok* shipping documents/papers; *~ súly* shipping-weight; *~ szerződés* delivery contract, contract of carriage/shipment, contract for the supply of sg, forward contract, purchase-contract; *~ távolság* length of haul, *[szénbányától vasútig/ kikötőig]* leadage; *~ terv* freightage plan; *~ tilalom alatt áll [áru]* be under an embargo; *~ utasítás* forwarding/delivery/shipping instructions *(pl)*; *~ útirány* route of transport; *~ vállalat* carrying/forwarding/shipping firm/company/agency; *~ vállal-*

kozó haulage contractor, carrier; ~ *veszteség* conveyance loss

szállíthatatlan *a*, untransportable, undeliverable

szállítható *a*, 1. *[mozgatható]* (trans)portable, removable; *jól* ~ *(ker)* ship well; *nem* ~ untransportable, cannot be transported *(ut)*, *[sebesült]* not fit to travel *(ut)*; ~ *beteg* patient fit to be (re)moved 2. *[kapható]* deliverable 3. *[szállításra kész]* ready for delivery/conveyance *(ut)*, conveyable; ~ *híd* portable bridge

szállíthatóan *adv*, *[mozgathatóan]* (trans)portably, removably, *[kaphatóan]* deliverably

szállíthatóság *n*, (trans)portability, transferability

szállítmány *n*, consignment, *[sebesültekből]* batch, *[postán]* parcel, *[hajón]* shipment, *[rakomány]* cargo, freight, transport, carriage, *[rendszeresen érkező]* supply; ~*t lehív (ker)* call forward goods, give delivery instruction

szállítmánydarab *n*, *(ker)* package

szállítmánykísérő *n*, *(kat)* officer in charge of convoy, *(ker)* lorry/truck guard

szállítmányoz [-tam, -ott, -zon] *vi*, 1. = **szállít**; 2. *[szakmája]* be in the forwarding business

szállítmányozás *n*, 1. = **szállítás**; 2. *[szakma]* forwarding business, carrying trade 3. *[vállalkozás]* transportation, conveyance (of goods etc.), transport-(ation)/conveyance of goods by forwarding/shipping agency

szállítmányozási [-ak, -t] *a*, ~ *költségek* shipping/transport charges; ~ *osztály* traffic/forwarding/shipping/ delivery department; ~ *tisztviselő* shipping-clerk; ~ *ügylet* forwarding business/transaction; ~ *ügynök* freight broker; ~ *vállalat* carrying/forwarding/shipping firm/company/agency

szállítmányozó [-t, -ja] I. *n*, *[hajóval]* shipper, shipping agent, *[fuvaros]* carrier, *(ker)* sender, forwarder, forwarding/transport agent, transporter, freighter, supplier, conveyer, conveyor, haulage contractor, freight-agent *(US)* II. *a*, ~ *vállalat* carrying company/business/trade, haulage contractor

szállítmányparancsnok *n*, *(kat)* commanding officer of train

szállító [-t, -ja] I. *a*, carrying, forwarding, transporting, *(biol)* *[véredények]* advehent, *(növ)* conducting; ~ *szövet (növ)* vascular/conducting tissue II. *n*, 1. *[foglalkozás]* carrier, deliverer, transporter, forwarder, forwarding agent, shipper, *[bútort]* remover 2. *[rendszeresen ellátó]* supplier, contractor, purveyor, provider, *[élelmiszert]* caterer; *állami* ~ contractor to the government; *udvari* ~ purveyor by special appointment to His/Her Majesty

szállítóakna *n*, *(bány)* hoisting shaft

szállítóberendezés *n*, conveyer, conveyor, transporter, *[könyveké]* book conveyor/carrier

szállítóbödön *n*, *(bány)* bucket

szállítócég *n*, forwarding agency/firm, (common) carrier(s) *(pl)*, express company *(US)*

szállítócsiga *n*, spiral/screw conveyer/conveyor, conveying screw, transport-screw, conveyance/conveyor worm

szállítódaru *n*, travelling crane

szállítóedény *n*, *(ker)* container

szállítóeszköz *n*, means of transport *(pl)*, vehicle of transport/conveyance, transportation facilities *(pl)*, conveyor, conveyance, common/public carrier

szállítógépkocsi *n*, delivery car/van

szállítóhajó *n*, freighter, cargo boat/ship/steamer, freight vessel, merchant ship, tramp *(fam)*, *[csapatszállító]* transport(-ship), troop-ship

szállítóheveder *n*, *(tex)* webbing sling; *ld még* **szállítószalag**

szállítójegyzék *n*, *(ker)* shipping specification

szállítókas *n*, elevator-cage

szállítóképes *n*, *(ker)* transportable

szállítókészülék *n*, conveyer, conveyor

szállítókocsi *n*, utility car, *[kombinált]* station wagon

szállítókosár *n*, *(bány)* cage

szállítókönyv *n*, *(ker)* delivery book

szállítókötél *n*, *(bány)* bull-rope

szállítólevél *n*, bill of delivery, delivery note/order, *[postai]* registered parcel form, parcel registration form, *[vasúti]* waybill, consignment note. *[légi]* airwaybill

szállítómunkás *n*, transport worker, *[bútorszállító]* furniture (re)mover, *(bány)* drawer

szállítómű *n*, conveyer, conveyor

szállítórekesz *n*, skeleton case

szállítórepülőgép *n*, air-carrier, freighter

szállítószalag *n*, *(műsz)* belt-conveyor/conveyer, conveyor, conveyer, conveyer/conveying belt, transporter, (conveyance) band

szállítószerkezet *n*, = **szállítómű**

szállítószíj *n*, = **szállítószalag**

szállítótér *n*, hold, loading/carrying capacity

szállított [-at] *a*, ~ *áruk* goods carried; *folyón* ~ river--borne

szállítóvállalat *n*, forwarding/shipping agency/firm, forwarding/carrying company, forwarding/carrying agents *(pl)*, (public, common) carriers *(pl)*, conveyors *(pl)*, contractors *(pl)*

szálló [-t, -ja] I. *a*, flying; ~ *korom* loose soot; *faágra* ~ *madár* bird settling/alighting on a tree II. *n*, hotel, *[kisebb vidéki]* inn, *[diák, munkás stb.]* hostel; *Bika* ~ Bull Hotel

szálloda [..át] *n*, hotel, hostelry *(obs)*; *Carlton* ~ Carlton Hotel; *szállodában megszáll/lakik* stay at a hotel

szállodabérház *n*, (house of) service flats

szállodai [-ak, -t; *adv* -lag] *a*, hotel-, of hotel *(ut)*; ~ *alkalmazott* hotel employee; ~ *inas* hotel servant, boots *(GB fam)*, bell-boy/hop *(US fam)*, *[libériás GB]* buttons; ~ *portás* (hotel-)porter, receptionist, reception clerk *(US)*; ~ *szoba* hotel room; ~ *szolga* porter; ~ *szolgáltatás* hotel services *(pl)*; ~ *titkár* hotel-clerk; ~ *vendég* guest, customer

szállodaipar *n*, hotel/catering trade

szállodás *n*, hotel proprietor, hotel-keeper, hotelman, hotelier, innkeeper

szállodásnő *n*, hotel proprietress, hostess

szállodatolvaj *n*, hotel thief

szállodatulajdonos *n*, = **szállodás**

szállóige *n*, adage, winged words *(pl)*, common saying, (old) saw, household word, dictum, maxim

szállong [-ani, -ott, -jon] *vi*, 1. fly about, flit 2. *hírek* ~*anak* there are rumours of, rumours are afloat *(v.* going round), rumour has it; *ld még* **szállingózik**

szállongó [-t] *a*, flying about, flitting; ~ *hírek* rumours

szállóvendég *n*, staying/lodging/overnight guest; ~*eink vannak* we have friends staying with us

szalma [..át] *n*, 1. straw, *[tetőfedéshez]* thatch, ha(u)lm; *szalmával beburkol/befon* cover/protect with straw, mulch, *[széket]* straw (a chair); *széna vagy* ~? yes or no?, good news or bad?, were you successful?; *Csáki szalmája* (unclaimed) property in/under nobody's care, derelict property/chattels, waif and stray, wreck; *Csáki szalmája lett az ország* the country has gone to the dogs, the country has run/gone to waste *(v.* gone to rack and ruin); *üres szalmát csépel (átv)* beat the air, waste (one's) time/energy/words 2. *[öntési hiba fémben]* cleft 3. = **szalmaözvegy**

szalmaágy *n*, straw mattress/bed, paillasse, palliasse, pallet

szalmabáb *n*, man of straw, jack-straw, dummy, lay--figure

szalmabálázó n, straw baler
szalmaborítás n, litter
szalmaburgonya n, crisps (pl), shoestrings (pl) (US)
szalmaburkolás n, covering with straw, matting, (mezőg) mulching
szalmacellulóz n, straw cellulose/pulp
szalmacséplés n, (átv) twaddle, wasting time, empty words (pl), beating the air
szalmacsóva n, bundle of straw
szalmacsutak n, wisp/handful of straw, straw wisp
szalmadarázs n, (áll) wheat-stem sawfly, cephus (Cephus pygmaeus)
szalmafedél n, thatched roof, straw-roof
szalmafedeles a, (straw-)thatched; ~ ház thatched cottage
szalmafonás n, plait, braiding/plaiting of straw, matting
szalmafonat n, braid, straw-plait(ing), [fagy ellen] (straw) matting, [szék ülése] straw-bottom, [lábtörlő] straw mat
szalmafonatú a, straw-rope, [szék stb.] matted
szalmafonó n, plaiter
szalmagyopár n, (növ) immortelle, everlasting (Helichrysum sp.)
szalmakalap n, straw(-hat), brimmer, [kerek] sailor hat, [zsírardi] boater
szalmakas n, bee-skep
szalmakazal n, rick (of straw), straw-stack, stack of straw
szalmakéve n, bundle of straw
szalmakoszorú n, straw wreath, [aratási dísz] corn baby, [fejre teher alá] straw pad
szalmaköteg n, bundle/truss of straw
szalmakötél n, straw rope, twisted straw
szalmakunyhó n, straw-built hovel/cottage, tiny (thatched) cottage, thatch
szalmakupacoló n, [kombájnnál] straw handling equipment
szalmaláng n, (biz) (a) flash in the pan, ephemeral enthusiasm, stray impulse
szalmaözvegy n, [nő] grass-widow, [férfi] grass-widower; ~ vagyok my wife/husband is away/absent
szalmapadlás n, straw loft
szalmapajta n, straw loft
szalmapapiros n, straw-paper
szalmapapucs n, straw-rope shoes (pl)
szalmaprés n, straw-baler/press
szalmarázó n, straw-shaker, [cséplőnél] straw-rack
szalmás a, 1. of straw (ut), covered with straw (ut), straw-laden, strawy; ~ szekér straw-cart/waggon 2. (növ) culmiferous, straw-bearing; ~ szár culm 3. [fém] scaly
szalmasajtó n, = szalmaprés
szalmasárga a, straw-yellow/colour(ed), strawy, stramineous; ~ kesztyű straw-coloured gloves (pl); ~ szín straw-colour
szalmaszál n, (stalk of) straw, haulm (of straw); szívó/ ivó ~ drinking straw, sucker stick; minden ~ba belekapaszkodik (biz) clutch at every straw; utolsó ~ként in bottom of bag; két ~at nem tesz keresztbe not do a stroke of work
szalmaszár n, culm
szalmaszék n, straw-bottomed chair
szalmaszerű a, strawy
szalmaszerű a, straw yard
szalmaszín I. a, straw-coloured/yellow, stramineous II. n, straw-colour
szalmaszínű a, = szalmasárga
szalmatető n, thatched/straw roof, thatch
szalmatetős a, thatched
szalmatok n, [üveghez] straw-case (for bottle)
szalmatűz n, = szalmaláng

szalmavágó n, chaff/straw-cutter/chopper
szalmavirág n, (növ) everlasting/immortal flower, immortelle
szalmáz [-tam, -ott, -zon] vi, = hasal 2.
szalmazsák n, straw matress, paillasse, palliasse, pallet
szalmiák [-ot, -ja] n, (vegyt) [só v. szesz] salmiac
szalmiáksó n, (vegyt) sal-ammoniac
szalmiákszesz n, ammonia hydrate/liquor/solution/ water, household/liquid ammonia, spirit of hartshorn, volatile caustic
szalmométer n, salt-gauge
szalon [-ok, -t, -ja] n, drawing/sitting-room, reception room, salo(o)n, parlour, parlor (US), [szállodában, hajón, fogadó, kiállítási] saloon, [női ruha/kalap] dressmaker's/milliner's showroom; ld még szalongarnitúra
szalonagár n, whippet
szaloncigány n, café musician
szaloncukor n, fondant, fudge (in Christmas wrapping)
szalondarab n, (zene) drawing-room piece
szalonember n, society man, man about town, lounge lizard (pej)
szalongarnitúra n, drawing-room suite
szalongulyás n, (mild) goulash
szalonhölgy n, society woman, woman of fashion
szalonhős n, carpet-hero/knight
szalonka n, (áll) snipe, longbill (Scolopax sp.); erdei ~ woodcock (S. r. rusticola); észak-amerikai ~ bogsucker (Rubicola minor); szalonkára vadászik snipe
szalonkabát n, frock(-coat)
szalonkahal n, (áll) snipe-fish, trumpet/bellows-fish (Centriscus scolopax)
szalonkahúzás n, wisp
szalonkaraj n, wisp
szalonkatona n, carpet-hero/knight
szalonkáz|ik [-tam, -ott, -zon, -zék] vi, go woodcock/ snipe shooting, snipe
szalonképes a, [ember] well-bred; mannerly, fit for good society (ut), [ruha is] presentable, [dolog] propér
szalonképesség n, fitness for (good) society, good form, proper manner(s), [dologról] correctness, propriety
szalonképtelen a, unfit for good society (ut); ~ vicc improper (v. off-colour) joke
szalonkocsi n, (vasút) saloon-car/carriage, open/saloon coach, palace/state car, drawing-room car, (day-) saloon, Pullman (US), parlour/chair-car (US)
szalonkommunista n, drawing-room communist, parlour pink/bolshevist (fam)
szalonköltészet n, drawing-room poetry
szalonna [.. át] n, lard, [csemege] bacon, [tüzdeléshez] lardo(o)n; kövér ~ fat bacon; sovány ~ streaky bacon; sózott ~ green bacon; kutyából nem lesz ~ the leopard does not change its spots, boys will be boys, nature breaks through, you cannot turn chalk into cheese; kutyára bízza a szalonnát set the fox to keep the geese; szalonnát pirít/süt toast bacon; szalonnával (meg)tüzdel/spékel [húst] lard
szalonnabőr n, rind (of bacon), bacon/pork-rind
szalonnabörke n, = szalonnabőr
szalonnakocka n, diced bacon
szalonnakő n, (ásv) soapstone, steatite
szalonnás a, 1. [kövér] fat(ty), lardy, bacony, (orv) lardaceous 2. [étel] larded; ~ rántotta chopped-bacon omelet(te) 3. [kenyér] doughy, slack(-baked), streaky, clammy 4. [ruha] greasy, shiny
szalonnásság n, [kenyéré] doughiness, streakiness
szalonnasütés n, bacon toasting
szalonnaszeletke n, [pirításra] rasher, [tüzdelésre] lardo(o)n, [göngyölésre] slice of bacon, bard

szalonnaszerű *a*, lardy, bacony
szalonnáz [-tam, -ott, -zon] I. *vt, [húst tűzdel]* lard
II. *vi, [eszik]* eat bacon
szalonnázás *n*, larding, eating bacon
szalontüdő *n*, lights *(pl)*
szalonvicc *n*, mild joke/story, clean joke, joke for the
ladies, drawing-room story
szalonvígjáték *n*, genteel comedy
szalonzene *n*, salon music, drawing-room piece
szalonzenekar *n*, light music orchestra
szálosztályozó *n, [munkás]* stapler
szálszakadás *n*, thread breakage, felter
szaltó [-t, -ja] *n*, somersault; ~ *hátra* backward somersault
szaltóz|ik [-tam, -ott, -zon, -zék] *vi*, turn somersaults
szálú [-ak, -t] *a*, -threaded, -ply, -stapled; *hosszú ~
gyapot* long-stapled cotton; *rövid ~ [pamut, gyapjú]
(tex)* short-stapled
szalutál [-t, -jon] *vi*, (give a) salute
szalutálás *n, (kat)* saluting, salute, salutation
szalvarzán [-t, -ja] *n*, salvarsan
szalve [.. ét] *n, (kat)* salvo, salute with the guns
szalvéta [.. át] *n*, (table-)napkin, serviette, handcloth,
[nagyobb] tea-cloth
szalvétagyűrű *n*, napkin-ring
szám [-ot, -a] I. *n*, **1.** number, round figure; *nagy ~
[tárgyaké stb.]* multitude; *kalandjainak nincs ~a*
he has had innumerable *(v.* no end of) adventures;
barátságos ~ok (menny) amicable numbers; *egész
~ (menny)* whole number; *a nagy ~ok törvénye* the
law of averages, the law of great numbers; **számba**
jön count, be of account, not to be overlooked, has
to be considered, *[kombinációba kerül]* be eligible;
nem jön ~ba [kombinációba] be ineligible, *[verseny
eldöntésében, válogatásnál stb.]* be out of the running;
~ba se jön be of no account, be unimportant; *minden
~ba jöhető embert megkérdezett* he asked every likely
person; *~ba jövő* respectable; *~ba vehető* consider-
able, notable, appreciable, worthy of note/consider-
ation *(ut) ; ~ba vesz [körülményt]* take into account/
consideration, make allowance for, *[összeszámol]*
take stock of, compute, calculate, reckon (with/up),
evaluate, *[vmnek tekint]* take (as), regard (as); *~ba
veszi a költségeket* add/tot up expenses, strike the
balance of expenses; *mindent ~ba véve* taking
everything in account/consideration, taking all things
into consideration, all (things) considered, when all
is said and done, when all comes to all, after making
every allowance, on the whole, taking it by and
large, taking it all in all; *kellő* **számban** in the requi-
site/required number; *kellő ~ban jelentek meg a hatá-
rozatképességhez* they had formed a quorum; *kerek
~ban* in round figures, roughly, in the rough; *nagy ~-
ban* a great many, strong in numbers; *nagv ~ban van
jelen* be present in great strength; *fiatalok is szép
~ban voltak jelen* there was a fair sprinkling *(v.*
were a good number) of young people; *teljes ~ban*
complete; *nem lehet ~okban kifejezni (kif)* is in-
expressible in numbers; **számon** *kér (vmt)* demand an
account/explanation of sg, *(vktől)* call upon sy to account
for sg, call sy to account, bring sy to book for sg,
haul sy up for (doing) sg; *~on kéri vktől ígéretét* nail
sy down to his promise; *~on kéri a leckét [iskolában]*
make pupils recite their lesson, check homework;
~ tart (vmt) take note, record, bear/keep in mind,
keep an eye on, watch (closely), control, keep in
evidence, count of sg, keep tally on sg; **számra** *többen
voltak* they were numerically superior *(v.* more
numerous), they have outnumbered them; **számot** *ad
vmről* give account of sg, render an account of sg,
account for sg; *~ot tart vmre* count/reckon on sg,
(lay) claim (to) sg; *~ot vet vmvel* take sg into account/

consideration, reckon with sg, realize sg, be aware of
sg, size up sg; *~ot vet magával* examine oneself *(v.*
one's conscience); *adom a ~ot! [= tessék beszélni GB]*
you are through; *nagy* **számmal** in large numbers, a
large number of; *teljes ~mal* all, in full (number);
~ szerint in number, according to number, numeri-
cally; *~ szerint húszan* twenty in number; *~ szerinti*
numerical; *se szeri se ~a (vmnek)* countless **2.** *[jegy]*
figure, number, numeral, *[házé, szobáé]* number;
hivatkozási ~ (ker) reference number; *leltári ~*
accession number; *Balaton utca 12 ~ alatt* at number
twelve Balaton Street; *~mal jelöl* number; *~okkal
ellátott* numbered **3.** *(nyelvt)* number; *többes ~*
plural; *kettős ~ (nyelvt)* dual number **4.** *[műsor-
ban]* turn, number, item; *felkapott ~ (zene)* fashion-
able hit **5.** *[napilapé]* issue, copy; *egyes ~ ára* price
of a number/copy **6.** *[ruháé, cipőé]* size; *a következő
~ [kesztyűben, cipőben stb.]* the next larger size;
egy ~mal kisebb [kesztyű, cipő stb.] the next smaller
size; *két ~mal nagyobb* two sizes larger, two sizes
too large
számadás *n*, (rendering of) account, statement; *~
szerint (ker)* as per *(v.* to) account rendered; *~ lezá-
rása (ker)* closing of accounts; *eljött a ~ napja* the
day of reckoning has come; *~om van vele* I shall
settle accounts with him, I shall square up *(v.*
square my accounts) with him, I have a bone to
pick *(v.* a crow to pluck) with him; *~ba tesz* enter sg
(v. charge a sum) to sy's account; *~ra kötelezett*
accountable, responsible, required to make public
accounts *(ut); ~t összegez/összead* add up an account,
foot an account *(US fam)*
számadási [-ak, -t] *adv* -lag] *a*, of account(s) *(ut);
~ kötelezettség* obligation of keeping/giving account,
accountability; *~ tétel* entry/item of an account
számadat *n*, figure, data *(pl)*, particulars *(pl);
hivatalos ~ok* official figures/data
számadó [-t, -ja] I. *a, ~ juhász* (head) shepherd; *~
tiszt* quartermaster II. *n*, accountant
szamár [szamarat, szamara] I. *n*, **1.** ass, donkey,
moke *(fam)*, burro *(US fam)*, *[hím]* jackass,
[nőstény] she-ass *(Equus asinus) ; kis ~* ass's foal/
colt; *ha ló nincs (a) ~ is jó* half a loaf is better than
no bread, we must put up with what we can get
2. *(átv, biz)* jackass, dunce, duffer, dolt, ninny,
nincompoop, neddy, mutton-head, simp *(US);
szamarak hídja [vizsgán]* pons asinorum *(lat)*, the
asses' bridge; *szamarak padja [iskolában]* dunce's
seat; *nagy ~* perfect ass; *vén ~* old fool; *ó én ~!*
how silly/stupid of me!, what a silly ass I am! ;
ne légy ~! don't be an ass/mutt! ; *~ vagy fiam!*
you are a duffer (,) son, fool that you are; *annál
nagyobb ~ vagy hogy megtetted* the more fool you are
to have done it
II. *a*, asinine; *~ beszéd* = **szamárság II.**
számára [számomra, számodra, számunkra, számo-
tokra, számukra] *adv/post*, for him/her; *vk ~* for sy;
számomra for me; *könyv az ifjúság ~* book for young
people, juvenile book; *senki ~ nem vagyok itthon*
I cannot see anybody, I am not in *(v.* at home)
for/to anybody; *~ teljesen ismeretlen környék/vidék/
ország* a country quite new to him
szamaragol [-t, -jon] *vi*, ride a donkey, go for a donkey
ride
szamaragolás *n*, donkey ride
számarány *n*, numerical ratio/proportion, quota
szamaras [-at; *adv* -an] *a*, with/of/owning a donkey
(ut) ; ~ ember donkey/ass driver, donkey-man;
~ kocsi donkey cart
szamárbogáncs *n, (növ)* cotton-thistle, Scotch thistle,
scotch *(Onopordum acanthium)*
szamárbőgés *n*, = **szamárordítás**

szamárbőr n, ass's skin, donkey-hide, shagreen
szamárcsikó n, ass's foal/colt
szamártej n, ass's head, ass-head
szamárfül n, 1. ass's ear, *[csúfolás]* snook;~et mutat vknek *[csúfolás]* make a long nose at sy, cock/cut a snook at sy, pull bacon at sy, take a sight at sy 2. *[papíron]* crease, *[füzetben, könyvben]* dog's-ear, earmark; ~et csinál dog's-ear
szamárfüles a, *[könyv]* dog-eared
szamárhajcsár n, donkey/ass-driver, donkey-man/boy
szamárhát n, donkey's/ass's back, back of an ass
szamárhátív n, *(épít)* ogee/keel arch
szamárhátú a, ridged, razor-backed, saddle-shaped; ~ boltív ogee arch
szamárhurut n, (w)hooping cough, chin-cough, pertussis; ~ja van (w)hoop, have (w)hooping cough, suffer from (w)hooping cough
szamaritánus n, Samaritan; az irgalmas ~ the good Samaritan
szamárkanca n, she-ass
szamárkenyér n, *(növ)* globe-thistle, echinops *(Echinops sp.)*
szamárkod|ik [-tam, -ott, -jon, -jék] vi, do/say silly things, play the fool, behave like an ass, make an ass/fool of oneself
szamárkóró n, = szamárbogáncs
szamárköhögés n, = szamárhurut
szamárköröm n, *(növ, nép)* horse/colt's/bull/foal-foot, horseshoe *(Tussilago farfara)*; ld még **martilapu**
szamárlapu n, *(növ, nép)* horse/colt's/bull/foal-foot, horsehoe *(Tussilago farfara)*; ld még **martilapu**
szamárlétra n, *(tréf)* promotion by seniority *(stand.)*; vkt átugrik a szamárlétrán be promoted over sy's head; felfelé megy a szamárlétrán rise slowly in the hierarchy through promotion by seniority
szamárordítás n, bray(ing) (of an ass), hee-haw(ing)
szamáröszvér n, mule
szamárpad n, sluggard's bench
szamárrakomány n, donkey-load
szamárság I. n, *[tulajdonság, tett]* stupidity, foolish act/remark, folly, silliness, nonsense, stuff, jackassery, imbecility, piece of carelessness, piffle *(fam)*; ~ot csinál make a fool of oneself, put one's foot in it, drop a brick; elkísértem nehogy vm ~ot tegyen I went with him to save him from doing sg wrong; csupa ~ot mond talk a lot of punk II. int, nonsense!, bosh!, fiddlesticks!, stuff and nonsense!, (tommy) rot!, nuts!, schucks!, piffle!, tosh!, hoots!, poppy cock!, kibosh!, it's asinine!, drat!, (what) rubbish!
szamártej n, 1. ass's milk 2. *(növ)* spurge, euphorbia *(Euphorbia sp.)*
szamártetű n, *(áll)* sucking horse louse *(Haematopinus asini)*
szamártövis n, *(növ, nép)* 1. water chestnut *(Trapa sp.)* 2. field eryngo *(Eryngium campestre)* 3. burweed *(Xanthium spinosum)*
szamárverseny n, donkey-race
szamárvezető n, *(tréf)* writing/guide-lines *(pl)*, black lines *(pl)*
szamba [..át] n, *[tánc]* samba
szambár-szarvas n, *(áll)* sambar *(Rusa unicolor marianus)*
számbavétel n, 1. *[figyelembevétel]* consideration, taking into account/consideration, respect 2. *[összeszámolás]* taking stock of, reckoning, calculation, evaluation, recording, measuring, accounting, enumeration, muster; kétszeres ~ double accounting
számbavevés n, = számbavétel
számbeli a, numerical; ~ fölény numerical superiority; ~ fölényben van *[vkvel, vmvel szemben]* outnumber;

~ túlsúllyal állnak szemben they find themselves outnumbered
számbelileg adv, numerically, in point' of numbers; ~ kisebbségben van be outnumbered, be in the minority
számbélyegző n, figure stamp
számbeütő a, *(műsz)* ~ szerszám number punch
számcsoport n, *(menny)* period; három számjegyből álló ~ group of three figures
számelmélet n, number theory, arithmetic of integers *(v. whole numbers)*
számérték n, numerical value
számfejt vt, audit, calculate, check, verify an account
számfejtés n, audit, accountancy, calculation, verification, auditing/checking of accounts
számfejtő [-t, -je] I. a, ~ hivatal accountancy department, audit(ing)-office II. n, auditor, verifier, inspector, checker
számfejtőség n, audit(ing) office, accountancy department
számfölötti a, supernumerary, odd in excess *(ut)*, ~ tisztviselő temporary/supernumerary official, super *(fam)*
számháború n, *[játék]* ⟨Hungarian children's game in which a player is out when the number attached to his head has been read and called out by a member of the opposing team⟩, 'number war'
számhalmaz n, mass/labyrinth of figures
számhatározó n, *(nyelvt)* numeral adverb, adverbial modifier of frequency
számhely n, *(menny)* *[számológépen]* position
számít [-ani, -ott, -son] I. vt, 1. *(vmt)* count (up), calculate, reckon (up), compute, number; hibásan/rosszul ~ miscalculate, calculate erroneously, miscount, be out in one's reckoning; forintban ~ count in forints; jutalékot ~ charge a commission; mennyit ~ érte? how much will you charge for it?; mennyit nekem ennek a búzának a vagonjáért? what will you tax me per wag(g)on for the wheat?; ...tól ~va as from; holnaptól ~va reckoning/counting from tomorrow; nem ~va not/without counting, not including, not to mention, exclusive of, let alone; engem nem ~va not counting me, without/besides me; a külföldieket nem ~va not including/counting strangers, exclusive of strangers/foreigners; az időt... -tól ~ják the time is reckoned from... 2. *[vkk közé vkt]* number/count sy among..., include (among), regard (as), rank/set/range sy (amongst); barátai közé ~ja rank/reckon/number/include/count/rate sy among one's friends, regard/count sy as a friend; a legjobbak közé ~ják rank among the best; a legnagyobb költők közé ~ vkt reckon sy among the greatest poets; Keats mindig a legnagyobb angol költők közé fog ~ani Keats will always rank with/among the greatest English poets
II. vi, 1. *(vm)* count, matter, be of importance/consequence; ez mind nem ~ semmit all that goes for nothing; *(ez)* nem ~ that goes for nothing, that/it does not count/matter, it matters not, no matter/object, it makes no difference, what of that?, never mind!, it does not matter a scrap, it is of no account, a matter of indifference, it is out of the picture, it cuts no ice *(US)*; ez nagyon is ~ it counts/matters much, it matters a good deal; minden fillér ~ every penny counts; mindenki aki ~ anybody/everybody who is anybody, the cream of society; mit ~ az hogy? what does it matter/signify?, what recks/skills it? *(obs)*; az ő szava nem sokat ~ his word does not go for much 2. *(vmre, vkre)* reckon/count/depend/rely (up)on, count (up)on *(fam)*, back on *(US)* *(mind: sy, sg)*; arra ~ *(hogy)* rely on sg to, count that; biztosan ~

vmre reckon with certainty (up)on sg; *joggal ~ vkre* have a claim on sy; *arra ~ hogy*... cherish the hope that...; *~ok rád* I build on you; *~ok reá* I count on it, I bank on it *(fam)* ; *~ok rá hogy rendbe hozod a dolgokat* I look to you to put things right; *nem ~hat vk jótékonyságára* have no claim on sy's charity; *~hat a pontosságomra* you may rely upon it that I shall be punctual, you may rely upon my being punctual; *~hatott rá [rosszra]* he had it coming to him; *~hatsz rá* you may reckon/depend on it; *a legrosszabbra ~hatunk* we may expect/fear the worst; *szükség esetén rám mindig ~hat* you can always count on me, you can always fall back on me; *rám ne ~s!* don't count on me!, don't count me in!, (you can) count me out (of that business); *erre ne ~son!* do not count/rely upon it! ; *nem ~ottam rá (hogy)* I did not expect to; *több mint amire ~ottam* more than I bargained for; *rá nem lehet ~ani* you cannot build/rely on him, one cannot depend on him, no reckoning upon him; *okt. 25-től ~va* as of October 25 *(US)* **3.** *(vm vmnek)* pass (muster) for, be considered/ accounted sg, rate as, *[szellemi/társadalmi rangban]* place; *az együttélés ezt követő megtagadása hűtlen elhagyásnak ~ (jog)* the refusal thereafter to co--habit is ranked as desertion; *ez az ember kettőnek ~* this person counts as two; *ez őt pontnak ~ it scores* (*v.* counts as) five points

számítás *n,* **1.** *[számtani]* arithmetic, ciphering, *[számvetés]* counting, account, reckoning, calculation, calculating, computation, *[statisztikai]* measuring; *hozzávetőleges/durva ~ szerint* at/on a rough estimate/ calculation; *közelítő ~ (menny)* approximate, approximation **2.** *(ált)* estimate, calculation, *[spekuláció]* speculation; *szerény ~* modest estimate; *~a szerint* (according) to his calculations/reckoning; *~om szerint három évre lesz szükség hogy...* I estimate that it will take three years to...; *~ba jön* count, has to be taken into consideration, rate (as) *(US)* ; *~ba se jön* be counted out *(fam)* ; *~ba vesz vmt* take sg into account/consideration, make allowance for, allow for, consider sg, reckon with sg, lay one's account with sg; *~ában csalódik* be disappointed in one's calculations, it was a disappointment to his expectations; *kihagy a ~ból* leave out of count; *~on kívül hagy* leave sg out of account/ consideration, disregard sg; *megtalálja ~át* get something out (of sg), profit by it, turn it to account, find one's account (in sg); *nem találja meg ~át* be sadly out in one's calculations, be out with one's reckoning, be wide of the mark, it doesn't pay **3.** *ravasz ~* scheme, trick; *~ból cselekszik* act from selfish motives; *~ nélkül beszélek* I do not speak interestedly/selfishly

számításbeli *a,* = **számítási**

számítási [-ak, -t] *adv* -lag] *a,* of/in calculation/reckoning *(ut)*, calculative; *~ hiba* error of calculation, mistake in calculating/calculation, miscalculation; *~ kulcs/táblázat* calculator

számításos [-at] *a, (menny) ~ eljárás* calculus

számítgat *vt,* calculate, keep calculating

számító [-t; *adv* -an] **I.** *a,* calculating, reckoning, *ʳönző]* selfish, self-seeking; *~ emberek* designing people **II.** *n,* computer, calculator, reckoner

számítód|ik [-tam, -ott, -jon, -jék] *vi, (vmtől)* be reckoned/counted/calculated (from), *[kamat]* interest accrues/dates (from), is due (as from)

számítógép *n, [elektronikus]* (electronic) computer, computing machine, calculating machine, calculator

számított [-at; *adv* -an] *a, (vmtől)* reckoned (from)

számjegy *n,* figure, numeral, number, cipher, digit; *három ~ből álló szám* three-figure/digit number

számjegyes *a,* digital

számjel *n,* = **rejtjel**

számjelez *vt, [basszust]* figure

számjeltávirat *n,* cipher telegram

számjelzés *n,* numbering, numeration, *(hajó)* number -signal, *(zene)* figuring

számjelző *n, (nyelvt)* numerical/quantitative attribute

számkerék *n, [számológépé]* figure wheel

számkivet *vt,* banish, relegate, exile, ostracise, proscribe

számkivetés *n,* banishment, exile, ostracism, proscription, relegation; *~be megy* go into exile

számkivetett I. *a,* banished, exiled, outlawed, ostracized **II.** *n,* exile, outcast, castaway, *[régen]* outlaw

számkivetettség *n,* banishment, *[régen]* outlawry

számkukac *n,* obscure pen-pusher (in the inland revenue office), human adding machine

számla [.. át] *n,* **1.** *[áruról]* bill, invoice, *[vendéglői]* bill, reckoning, check, *[jegyzék]* receipt; *esedékes/ kintlevő ~* outstanding invoice; *hátralékos ~* account in arrear, *[kintlevőség]* outstanding invoice; *hitelesített ~* certified/legalized invoice; *kitöltetlen ~* blank invoice; *konzuli ~* consular invoice; *követel ~* credit account; *nagy ~* long bill; *(régen) esedékes ~* overdue invoice; *~ szerint/értelmében (ker)* as per invoice; *~ bemutatása ellenében* against presentation of invoice; *~ kiállítása/összeállítása* invoicing; *a ~ kitesz...* invoice amounts to... ; *számlába állít (ker)* invoice; *számlára írandó* chargeable to; *számlát benyújt/ bemutat* present an invoice, render an account, present the bill; *nagy számlát csinál* run up a bill; *számlát kifizet/kiegyenlít* pay a bill, settle an invoice, strike a balance; *számlát állít ki* make out a bill, strike a balance; *számlát küld* send invoice/bill **2.** *[könyvelési]* account; *analitikus ~ [könyvvitelben]* detailed account; *eladási ~* account of sale(s); *évközben lezárt ~* broken account; *fedezetlen ~* overdrawn account; *közös ~* joint account; *nyereség és veszteség ~* profit and loss account; *szintetikus ~ [könyvvitelben]* aggregate account; *zárolt ~* blocked account; *számlája javára (ker)* to the credit of one's account, to one's credit; *számlájuk teljes kiegyenlítésére* in full settlement of your account; *számlája terhére* to the debit of his account; *megrendelésére és számlájára* by order and for account of; *számlájára és veszélyére (ker)* for account and risk (of); *számlát kifizetetlenül hagy* let an account stand over; *számlát lezár* close/settle/balance an account; *számlát megterhel (ker)* charge an account; *számlát nyit* open (up) an account; *számlát vezet* keep an account **3.** *(átv) saját számlájára* on one's own account, on one's own hook *(fam)* ; *vmt vknek számlájára ír* place/ enter sg (v. put sg down) to sy's account, impute an action to sy

számlabélyeg *n,* receipt stamp

számlabirtokos *n,* account holder

számlaegyenleg *n,* balance of (an) account

számlaegyeztetés *n,* checking of accounts

számlaellenőrzés *n,* checking the bills

számlaérték *n,* amount of (the) invoice

számlafejléc *n, (ker)* bill-head

számlaforgalom *n,* turnover of an account, account turnover

számlahátralék *n,* balance of (an) account

számlailleték *n,* tax (paid in connection with an invoice), invoice stamp

számlakeret *n, (ker)* chart/scheme of accounts

számlakiállító *n, [alkalmazott]* invoice clerk

számlakivonat *n,* statement of account(s), abstract/ extract of account; *~ot ad* state an account

számlakönyv *n,* book of accounts/invoices, account/ warrant/purchase/sales-book, reckoning book

számlakövetelés *n,* balance of account

számlál [-t, jon] *vt/vi,* **1.** count, reckon, compute, number; *ezer lakost* ~ has a thousand inhabitants, its population amounts to 1000; *nyolcvan évet* ~ he is eighty years old, his years number fourscore *(ref.),* he numbers fourscore years *(ref.); a hadsereg százezer főt* ~ the army numbers hundred thousand; *tízig* ~ count up to ten **2.** = **megszámlál, elősorol**
számlálás *n,* counting, numbering, enumeration, census
számlálatlan *a,* **1.** *[meg nem számolt]* not counted/numbered *(ut),* uncounted, unnumbered, without having been counted *(ut)* **2.** *[igen sok]* innumerable, numberless, countless, untold; ~ *milliók* uncounted/untold millions; ~*ul vásárol* buy sg in the lump
számlalezárás *n, (ker)* closing of accounts
számlálgat *vt/vi,* keep counting
számlálhatatlan *a,* = **számlálatlan 2.**
számláló [-t, -ja; *adv* -an] **I.** *a,* reckoning, counting; ~ *gép/készülék* counting-mechanism, counter, recorder, register; ~ *műszer* totalizing meter **II.** *n,* **1.** *[aki számol]* counter, reckoner **2.** *(menny) [törté]* numerator **3.** *(vill) [eszköz]* computer
számlálóbiztos *n,* teller (of votes), census-taker, enumerator, scrutineer *(obs)*
számlálókorong *n, [fényképezőgépen]* film counter
számlálólap *n,* enumeration/statistical form, schedule, registry card
számlamásolat *n, (ker)* invoice copy
számlamásolati *a,* ~ *könyv* invoice book
számlámpa *n, [autón]* number-plate light
számlaösszeg *n,* amount of bill/account/invoice
számlap *n,* dial(-plate), (clock-)face, *[járművön]* number-plate; *világító* ~ *[óráé]* luminous dial
számlarendezés *n,* payment of invoice, *[folyószámláé]* rendering/regulation of accounts
számlarendszer *n,* system of accounts
számlarovat *n,* column (of invoice)
számlaszám *n,* invoice number, number of invoice
számlaszerű *a,* agreeing (v. in comformity) with the books *(ut)*
számlaszerűleg *adv,* ~ *kimutat* state/prove according to the (returns of the) books
számlaszerződés *n,* account contract
számlatétel *n,* item
számlatulajdonos *n,* holder of an account, customer
számlaügynök *n,* bill-broker
számláz [-tam, -ott, -zon] *vt,* invoice, charge for (sg) on the invoice, bill
számlázás *n,* invoicing, billing; *áruk* ~*a* invoicing of goods
számlázó [-t, -ja] *n, [alkalmazott]* invoice clerk
számlázógép *n,* billing-machine
számlázott [-at] *a,* ~ *ár* price invoiced
számmisztika *n,* numerology
számnév *n, (nyelvt)* numeral
számóca [..át] *n,* strawberry *(Fragaria sp.)* ; *erdei* ~ wood/wild/field strawberry *(F. vesca); kerti* ~ hautboy strawberry *(F. elatior) ; számócát szed* berry
számócafa *n, (növ)* strawberry-tree, apple of Cain *(Arbutus unedo)*
számócalevél *n,* strawberry-leaf
számócáz [-tam, -ott, -zon] *vt/vi,* pick/eat strawberries
számojéd [-ot, -ja] **I.** *a,* Samoyedic **II.** *n,* Samoyede, *(nyelv)* Samoyedic
számol [-t, -jon] **I.** *vt/vi,* reckon, calculate, compute, count, figure, work out figures, do sums, cipher, *[megszámol]* number, keep count of, numerate; *jól* ~ be smart/quick at figures; *tízig* ~ count up to ten; *fejben* ~ reckon in one's head, do mental arithmetic; ~*ja a napokat amikor...* count the days when/till; *jól tud* ~*ni* he is good at sums, he is quick and accurate at figures; *olyan mintha háromig sem tudna* ~*ni (biz)* he looks as if butter wouldn't melt

in his mouth, he looks as if he could not say "bó-o" to a goose **II.** *vi,* **1.** *(vmért)* render/give (an) account. of, account for; ~ *tetteiért* give an account of his deeds/conduct, bear the responsibility for his deeds/conduct; ~*ok érte* I accept the responsibility, I shall account for it **2.** *(vmvel)* reckon with sg, take sg into account/consideration, make allowance for sg, calculate upon sg, *(vkvel, vmvel)* count on sy sg; ~ *a tényekkel* face the facts; *teljes mértékben* ~*t azzal hogy* he was well/fully aware of; *ezzel* ~*ni kell* one has to reckon with that, it cannot be left out of account **3.** *(vkvel)* = **leszámol;** ~*ni valója van vkvel* have a crow to pluck with sy
számolás *n,* **1.** *[tantárgy]* arithmetic, ciphering **2.** *[művelet]* count(ing), calculation, reckoning, computation, *[számokat egymás után]* numbering, numeration
számolásbeli *a,* of calculation/reckoning *(ut)*
számolási [-t; *adv* -lag] *a,* of calculation/reckoning *(ut),* calculative; ~ *hiba* miscalculation, mistake in the reckoning, miscount, miscomputation; ~ *okmány (ker)* voucher
számolatlan *a,* = **számlálatlan 1.**
számolnivaló *n, (biz) van egy kis* ~*ja vkvel* have a crow to pluck with sy
számoló [-t, -ja; *adv* -an] **I.** *a,* calculating-, counting-**II.** *n,* counter, reckoner, calculator; *gyönge* ~ be a poor hand at figures, be not much of a mathematician; *jó* ~ he is good at sums, he has a good head for arithmetic, he is an accurate reckoner; *rossz* ~ he is bad at sums
számolócédula *n,* slip of paper (to make out bill in restaurant), bill, bill slip/form
számológép *n,* computer, calculator, adder, *(isk)* abacus; *irodai* ~ desk-computer; *ld még* **számítógép**
számolókészülék *n,* counting mechanism, meter, recorder, counter, *[bejárati]* turnstile
számolókönyv *n,* (ready) reckoner
számolólap *n,* = **számolócédula**
számolóléc *n, (menny)* slide-rule
számolómérleg *n,* counting balance
számolótábla *n, (ker)* table of calculations, (ready-) reckoner, abacus
számolótárcsa *n,* watch-calculator
számonként *adv,* a number at a time, by the number, per number/copy *(ut);* ~ *vásárolja (a lapot)* buy (a journal/paper/periodical) by the number/copy
számonkénti [-ek, -t] *a,* per number/copy *(ut)*
számonkérés *n,* calling sy to account, *[napja]* (day of) reckoning, bringing sy to book for sg, *(isk)* recitation
számonkérő *a,* calling to account *(ut)*
számontartás *n,* record(ing), bearing in mind, keeping in evidence, watching, keeping an eye on
szamorodni [-t, -ja] *n,* ⟨ a variety of Tokay wine ⟩
Szamos [-t, -on, -ra] *prop,* Somes, Szamos
számos [-at; *adv* -an] *a,* numerous, many, numbersome, a number of... *(fam);* ~ *esetben* in many *(v.* a number of) cases
számosállat *n, (full-grown)* standard animal
számosan *adv,* ~ *látták* many have seen it; ~ *megjelentek a (gyűlésen)* a good many people attended ⟨the meeting); *a szónokot* ~ *üdvözlik* the speaker was complimented by a number of people
számoszlop *n,* column of figures/numbers
számottevő *a,* considerable, notable, important; ~ *tudós* a famous/distinguished scholar, no mean scholar
számottevően *adv,* considerably
szamovár [-ok, -t, -ja] *n,* samovar, tea urn
számoz [-tam, -ott, -zon] *vt,* number, mark with a number, *[lapokat sorba]* pag(inat)e

számozás *n*, numbering, numeration, paging, pagination, *[cipőnél stb.]* size marking, *(zene) [basszusban]* figuring; *folytatólagos* ~ consecutive number

számozatlan *a*, unnumbered, not numbered *(ut)*, without a number *(ut)*, *[kézirat]* unpaged, *[könyv]* not paginated, *[ülés]* unreserved

számozóbélyegző *n*, *[mozgó számokkal]* numbering stamp

számozógép *n*, numerator, numbering machine/stamp, *[lapé]* paging machine; *önműködő* ~ automatic numbering machine

számozott *[-at; adv -an]* *a*, numbered, *[könyv]* paged, paginated; ~ *basszus (zene)* figured bass, (basso) continuo; ~ *példány* numbered copy

számrendszer *n*, numerical system, system of numeration; *kettős* ~ binary system; *tizes/arab* ~ decimal notation/system/scale, algorism; *tizes* ~ *szerint* decimally

számsor *n*, 1. *[vízszintes]* sequence/series of numbers, row of figures, *[függőleges]* column of figures 2. *(tex) [csipkeverőgépen]* tier

számszék *n*, Court of Accounts

számszerij *n*, † cross-bow, arbalest

számszerű *a*, numerical; ~ *adatok* numerical data/particulars; ~ *eltérés* discrepancy; ~ *érték* numerical value; ~ *meghatározás* quantification

számszerűen *adv*, numerically; ~ *meghatároz* numerically define, quantify, in point of numbers

számszerűleg *adv*, = számszerűen

számtábla *n*, *[járművön]* number-plate

számtalan *a*, innumerable, numberless, innumerous, countless, untold, unnumbered, uncounted, uncountable; ~ *esetben* in cases without number, in innumerrable/countless cases/instances. in an infinity of cases/instances, in ever so many cases/instances, hundreds of times; ~ *nemzedék* untold generations *(pl)*

számtalanszor *adv*, very often, ever so many times, times without *(v. out of)* number, dozens and dozens of times, numbers of times, many and many a time, over and over (again), often and often, many a times and oft *(ref.)*, full many a time *(ref.)*, heaps of times *(fam)*, scores of times *(fam)*

számtan *n*, arithmetic, algebra, mathematics, figures *(pl)*, maths *(fam)*; *kereskedelmi* ~ commercial arithmetic; *politikai* ~ political arithmetic

számtanácsos *n*, commissioner of audit

számtanfüzet *n*, maths (exercise) book

számtani *[-ak, -t; adv -lag]* *a*, arithmetic(al), mathematical; ~ *arány* arithmetic(al) proportion; *mérlegelt* ~ *átlag* weighted arithmetical mean; ~ *feladat* arithmetical problem; ~ *haladvány/sorozat* arithmetical progression; ~ *középár* arithmetic(al) medium/average price; ~ *közép(arányos)* arithmetical mean; ~ *levezetés* arithmetical/mathematical derivation/deduction; ~ *művelet* arithmetical/mathematical operation, *(isk)* sums *(pl)*; ~ *sor* arithmetical series; ~ *tétel* theorem; ~ *viszony* arithmetical ratio

számtankönyv *n*, text/class-book of arithmetics, arithmetic/sum book

számtanlecke *n*, arithmetical problem; *a számtanleckét csinálja* do maths

számtanóra *n*, arithmetic(al) lesson, lesson in arithmetic(s)

számtanpélda *n*, arithmetic problem, sum; *számtanpéldát megcsinál/megold* do a sum

számtantanár *n*, professor/teacher/master of arithmetic, arithmetic master, professor in math

számtárcsa *n*, (number) dial, *[telefoné még]* calling disc, finger-disc

számtárcsalap *n*, dial-plate

számtartó *n*, bailiff (of estate), steward/agent (of estate)

számtartóság *n*, stewardship (of estate), steward's office, intendance, intendancy

számtiszt *n*, auditor, accountant

számú *[-ak, -t; adv -an]* *a*, azonos ~ *elektronnal bíró [atom] (fiz)* isoelectronic; *csekély* ~ a low number of...; *egész* ~ *(menny)* integral; *4-es* ~ *szoba* room No. 4; *a 10.* ~ *ház* house number ten; *milyen* ~ *cipőt adhatok/parancsol/hord?* what size do you take?, what is your size?; *milyen* ~ *(kalap)?* what size (in hats)?; *kilences* ~*t viselek* I take nines (in gloves etc), I take a nine

számum *[-ot, -ja]* *n*, simoom, sand-storm

száműz *[-tem, -ött, -zön]* *vt*, *(vkt)* (send sy into) exile, ban(ish), *(tört)* ostracise, proscribe, *[gondot]* brush off; ~ *vkt vhonnan* banish sy from a place, banish sy from swhere; ~*ték a társaságukból* he was hunted out of their society

száműzés *n*, exile, banishment, *(tört)* ostracism, proscription

száműzetés *n*, exile, banishment, relegation, expatriation, *(tört)* proscription; *önkéntes* ~ voluntary exile; ~*be kényszerítették* he was forced from the country; ~*be küld* send into exile, exile, banish, relegate; ~*be megy* go into exile; ~*ben halt meg* he died in exile; *visszatér* ~*ből* return from exile

száműzetési *a*, of exile *(ut)*, exilic *(obs)*

száműző *a*, *[intézkedés stb.]* proscriptive

száműzött *[-et, -je; adv -en]* I. *a*, banished, exiled II. *n*, exile, fugitive, outcast, castaway, outlaw, expellee, *(tört)* proscript

számvetés *n*, 1. *[számtan]* arithmetic 2. *[számolás]* calculation, reckoning, computation; ~*t csinál* cast an account

számvevő *n*, accountant, auditor, controller, comptroller

számvevőség *n*, audit(ing) office, accountancy department

számvevőszék *n*, Audit Office

számvitel *n*, (public) accountancy, accounting; *operatív* ~ operational accountancy, records of operations *(pl)*; *társadalmi* ~ national/social accounting

számvitelgépesítés *n*, mechanization of accounting

számviteli *a*, *Sz~ Főiskola* School of Public Accountancy; ~ *osztály (ker)* counting-house

számviteltan *n*, accountancy, book-keeping

számvivő *n*, accountant, book-keeper, *(kat)* paymaster, pay clerk; ~ *altiszt* quartermaster-sergeant

számvivőség *n*, accountancy (department)

számvivőtiszt *n*, *(kat)* paymaster

számvizsgálat *n*, *[folyamat]* audit(ing)/checking of accounts, *[eredménye]* revision/examination of accounts

számvizsgáló I. *a*, ~ *bizottság* auditing commission II. *n*, auditor; *hites* ~ chartered accountant

szán[1] *[-t, -ja]* *vt*, 1. *[sajnál]* pity, have pity on, be sorry for, feel (sorrow) for, feel/have/take pity/ compassion on (sy) *(amiért* for), commiserate (with sy for/over/about/on sg), *[bűnt]* regret, repent, rue; ~*om őt* I feel sorry for him; ~*om-bánom bűnömei* I repent it bitterly, I make confession of my sin 2. *(vknek)* intend/mean/reserve sg for sy/sg, destine for, design for; *neked* ~*tam* I intended it for you; *a csapást neked* ~*ta* he meant the blow for you; *a golyót neki* ~*ták* the bullet was aimed at him; *neked* ~*tam ezt a könyvet* I meant/intended this book for you 3. *összeget* ~ *vmre* allot/assign/appropriate/earmark a sum to; *időt* ~ *vmre* find time to; *ezt a napot arra* ~*om* I devote this day to 4. *(vkt/vmt vmre)* mark sy/sg (out) for sg, mark sy/sg as...; *fiát orvosnak* ~*ta* he (had) intended that his son should be(come) a doctor, he intended his son to become a doctor; *ügyvédi pályára (v. ügyvédnek)* ~*ja a fiát* design/

intend one's son for the bar **5.** *nem ~nám megtenni* I should have no compunction/scruples about *(v. in doing)* it, I would do it without (the slightest) hesitation, I would not hesitate to do it

szán² [-ok, -t, -ja] *n,* **1.** sleigh, sledge, *[fa szállítására]* woodsledge, dray *(US); ~on utazik* (travel by) sledge, sleigh, ride in a sleigh; *~on visz/szállít* sledge **2.** *(műsz) [szerszámgépen]* saddle, skate

szánakozás *n,* compassion, pity, commiseration; *~ fogja el* take compassion on, be touched by *(v.* seized with) pity/compassion for; *~t kelt* arouse compassion

szánakoz|ik [-tam, -ott, -zon, -zék] *vi, (vkn)* pity sy, feel pity for sy; *~ik vknek a sorsán* commiserate with sy (over his fate), commiserate sy

szánakozó [-t; *adv* -an] *a,* compassionate, pitiful, pitying, sympathizing, commiserative, regretful; *~ pillantással nézi* look compassionately at

szánakozóan *adv,* compassionately, commiseratively

szanál [-t, -jon] *vt, [pénzügyeket]* reorganize (the finances), put finances *(v.* financial matters) on a sound/healthy basis, *[vállalatot]* refloat, *(vkt)* put sy on his feet, start sy off again

szanálás *n,* reorganization/rehabilitation/reconstruction of finances, economic rehabilitation

szánalmas [-at; *adv* -an] *a,* **1.** pitiable, pitiful, lamentable, pathetic, deplorable, piteous, woeful, remorseful; *~ állapotban* in a lamentable/deplorable condition, in a sad/sorry/miserable plight; *~ külsejű* sorry/shabby-looking; *~ külső/megjelenés* forlorn appearance; *~ vigasz* it is a wretched solace **2.** *(elit)* miserable, sorry, *[művész, előadó stb.]* wretched, poor; *~ alak* a sorry figure, a poor devil/blighter; *~ szereplés* sorry performance

szánalmasan *ad* **1.** pitiably, pitifully, lamentably, pathetically, deplorably, woefully *(ref.),* sadly; *~ fest* look (sadly) out of place; *~ ostoba* be sadly deficient in intelligence; *~ szerepel* cut a poor figure **2.** *(elit)* miserably, *[előadásról]* wretchedly, poorly

szánalmasság *n,* pitiableness, woefulness, sadness, *[állapoté]* miserableness, piteous/pitiful state

szánalom [.. lmat,.. lma] *n,* pity, compassion, commiseration, sympathy; *~ nélküli* unpitying; *a ~ tárgya* object for/of pity; *~ fogja el* be seized with pity; *~ látni* what a sorry sight! , what a pity to see!; *~ból* out of pity; *~ra képes* open to pity; *~ra késztet, vkt* move sy to pity; *~ra méltó* pitiable, pitiful, deplorable, lamentable, pathetic, regretful, remorseful, *(vk)* (sy) to be pitied *(ut); szánalmat ébreszt vkben* move sy to pity, excite someone's pity/sympathy; *szánalmat keltő [tény]* rueful; *~tól indíttatva* prompted by a feeling of pity

szánalomkeltő *n,* = szánalomra *méltó*

szánandó [-t; *adv* -an] *a,* = szánalomra *méltó*

szanaszéjjel *adv,* = szanaszét

szanaszét *adv,* on all sides, far and wide, higgledy-piggledy, scattered, in a confusion; *~ futottak* they ran in every direction; *~ hagy vmt* leave sg lying/hanging about; *mindent ~ hagy* leave everything at loose ends; *~ hever* lie about; *a földön ~ szórt ruhák* clothes littering the floor; *minden ~ van* we are all at sixes and sevens *(fam),* everything is at sixes and sevens *(fam)*

szanatórium [-ot, -a] *n,* sanatorium, sanitarium, convalescent/nursing home, health-resort, private asylum

szanatóriumi [-ak, -t; *adv* -an] *a,* sanatorial, of/in a sanatorium *(v.* nursing home) *(ut); ~ kezelés* sanatorium/sanitarium care, treatment in a nursing home

szán-bán [szánt-bánt, szánjon-bánjon] *vt;* repent bitterly, rue; *szánja-bánja hibáját* sigh over his mistake; *ld még* szánom-bánom

száncsengő *n,* sleigh-bell

szandál [-ok, -t, -ja] *n,* sandal

szandálos [-at; *adv* -an] *a,* sandalled

szandarakgyanta *n,* gum-juniper

szándék [-ot, -a] *n,* **1.** intention, purpose, purport, design, resolution, resolve, *[terv]* plan, scheme, project, idea, *[cél]* aim, object, determination; *~ és cél* end and aim; *~ vmnek megtételére* disposition to do sg; *mi a ~a?* what do you intend doing *(v.* to do)?; *az a ~a hogy* have sg as/for an object; *~om hogy* I intend/mean to; *az volt a ~a hogy...* his aim was to... ; *~a ellenére* against his will/intention; *nincs rossz ~a* he means no harm; *~a vmt megtenni* have the intention of doing sg, he intends/means to do (sg); *~ai vannak vkvel* he has. designs on sy; *~ában áll/van (vm)* intend (to do sg), have the intention (to do sg *v.* of doing sg), have (sg) as one's purpose, (bear a) purpose, plan; *(egyáltalán) nincs ~omhan hogy. . . .* I have not the slightest intention to... , it is no part of my intentions to... ; *~ában volt (hogy)* it was his intention to, he had intention to, his intention was to; *nem volt ~omban megbántani önt* I had no thought of offending you; *~ában van vmt megtenni* be purposed to do sg; *nincs ~omban megváltoztatni/megjavítani a világot* I am not out to reform the world; *nincs ~ában megvenni* he has no intention to buy it; *~áról letesz* change his plans, renounce his intentions, give up one's design; *~ot keresztülvisz* carry a plan into execution; *~át leplezi* lie low *(fam); a legjobb ~tól indíttatva/eltelve* animated by/with the highest motives; *azzal a ~kal hogy* for/with the purpose of, with the intention/view of, with a view/desire/design to* (doing); *nem~kal* unintentionally, undesignedly; *elhatározott ~kal* purposely; *jó ~kal* with good intent; *komoly ~kal udvarol* court sy with honourable intentions; *a legjobb ~kal tesz vmt* do sg with the best (of) intentions **2.** *(jog)* intent; *bűnös/gonosz ~* criminal/wrongful intent; *előre megfontolt ~kal* designedly, wilfully, deliberately, with intent, *(jog)* with malice aforethought/prepense; *előre megfontolt ~kal elkövetett emberölés* wilful murder/homicide, voluntary homicide/manslaughter, murder in the first degree *(US),* first degree murder *(US); a törvény ~a* the object (and policy) of the law

szándékol [-t, -jon] *vt,* have sg in view/mind, mean (to), intend to, have the intention (to), propose (to), purpose, meditate, design, be up to *(fam)*

szándékolatlan *a,* unintentional, unwilful, *[cselekedet]* unwitting

szándékolt [-at] *a,* intended, wilful; *nem ~* unintentional; *~ hanyagság* studied carelessness

szándékos [-at; *adv* -an] *a,* intentional, wilful, deliberate, intended, conscious, purposive, *[sértés]* studied, *(jog)* wilful, premeditated, aforethought, designed in advance *(ut),* malicious, intentional; *ez ~ volt?* was that intended?; *nem ~* unpremeditated, inadvertent; *~ bűncselekmény* malicious act; *~ cselekvés/viselkedés* purposive behaviour; *~ emberölés* wilful murder/homicide, voluntary homicide/manslaughter, murder in the first degree *(US),* first degree murder *(US); ~ kártétel* wilful/malicious injury; *~ mulasztás (jog)* wilful neglect/default; *~ rongálás* malicious mischief

szándékosan *adv,* intentionally, wilfully, deliberately, designedly, purposely, on purpose, of set purpose, by/through design, voluntarily, wittingly, *(jog)* with/of/through malice, prepense, with malice aforethought; *nem ~* without meaning it; *nem ~ csinálta/tette* he did not mean (to do) it, he did not do it intentionally; *~ nem vesz észre vkt* give sy/sg a miss; *~tesz vmt* do sg with intent, do sg deliberately szándékosság n, intention, deliberateness, wilfulness, intentional character (of sg), aforethought

szándékoz|ik [-tam, -ott, -zon, -zék] vi, plan, mean, purpose, intend, aspire, design, presume (to do sg), have the intention of, have in view, contemplate, propose, think of doing sg; meddig ~ol maradni? how long do you think of staying?; mit ~ik csinálni? what do you mean to do?; mit ~ik tenni? what do you intend doing?; vhová ~ik menni intends/means to go swhere

szándéksz|ik vi, = szándékozik

szándéktalan a, unintended, unintentional

szándékú [-ak, -t; adv -an] a, disposed; jó ~ well--intentioned/meaning, [vk iránt] (be) well-disposed towards; rossz ~ ill-willed, malevolent, mischievous, (vk iránt) (be) ill-disposed/intentioned towards

szander [-ek, -t, -e] n; (földr) outwash plain, sandr

szandolin [-ok, -t, -ja] n, (single-seater river) canoe, sandolin, single-sculler

szandzsák [-ot, -ja] n, sanjak (of Turkish vilayet)

szanforizálás n, (tex) sanforizing, sanforset process/ treatment

szangvinikus a, sanguine, full-blooded, quick-tempered

szangvinizmus n, sanguineness

Szaniszló [-t, -ja] prop, Stanislaus

szanitéc [-et, -e] n, (kat, biz) stretcher/litter-bearer, ambulance man/orderly, medical orderly, corps-man (US)

szanitéctáska n, medical/surgical haversack

szánka n, sma l!sledge/sleigh, sled (US), luge (US), [kormányozható] bob-sled/sleigh, [alacsony] toboggan; szánkán visz sleigh, sledge, sled (US)

szánkázás n, sledging, sleighing, sleigh-ride, sledding (US)

szánkáz|ik [-tam, -ott, -zon, -zék] vi, sledge, sleigh, go sledging/sledding, toboggan, bob

szankció [-t, -ja] n, 1. [szentesítés] sanction, approbation, assent 2. [büntető rendelkezés] (vindicatory, punitive)sanction, coercive measures (pl), coercive weapon, [idegen állammal szemben] reprisal; ~kat alkalmaz vk ellen penalize sy, apply (v. have recourse to) sanctions against sy, impose penalties against sy

szankcioná !-t, -jon] vt, 1. [megerősít] approve, confirm, sanction 2. [törvényt] sanction

szankciós [-ok, -t] a, of/concerning sanctions (ut)

szánkó [-t, -ja 'i, ánka

szánköz|ik vi, = szánkáz|ik

szánom-bánom [-ot, -ja] n, repentance; ld még szán--bán

szánszerkezet n, [szerszámgépen] slide/sliding-rest, cross-slide

szanszkr i [-ot; adv -ul , Sanscrit(ic), Sanskrit, Old Indic

szánt¹ [-ani, -ott, -son] vt/vi, (drive the) plough, [néha] till (the soil), follow the plough (ref.), furrow (ref.), plow (US), [arcot, homlokot | stb.] line; ~ja a hullámoka i [haj] plough/cut the water/waves

szánt² [-at; adv -an] a, (vknek vmre) destined for, (ut) intended for (ut); bukásra ~ doomed to fail/miscarry/ fall/destruction; az erre ~ összeg the sum allotted/ appropriated/earmarked (v. set apart) for this purpose; levágásra/vágóhídra ~ marha cattle marked for slaughter; az önnek ~ munka the work I have for you to do

s zantálfa n, 1. sandal(-wood), sanders(wood) 2. [élő] sandal-tree (Santalum album)

szántalp n, 1. runner of sleigh, bob (US) 2. (műsz) sled, sledge runners (pl)

szántás n, 1. [munka] ploughing, plough (fam), plowing (US), [föld] ploughed/plowed land, plough-land, tilling 2. (átv) tillage, cultivation of the soil, farming, husbandry

szántás-vetés n, cultivation of the soil, tillage, farming

szántatlan a, unploughed, unplowed, untilled, uncultivated

szántható a, arable, tillable (land), plough(-land)

szántó [-t, -ja] I. a, who/what ploughs II. n, 1. ploughman, farmer, tiller (of the soil) 2. = szántóföld

szántóföld n, plough-land, ploughed field/land, arable land, (land in) tillage, the sown, fieldland (US)

szántóföldi a, ~ gazdálkodás tilling of arable land; ~ gyom segetal weed; nem ~ gyom ruderal weed; ~ kísérletezés field experimentation; ~ növénytermesztés field growing of plants; ~ termények field crops; ~ vízkapacitás field capacity

szántogat vt/vi, keep ploughing/plowing, plough quietly

szántógép n, = gőzeke

szántóterület n, tillage/arable area/land

szántóvas n, = ekevas

szántóvető I. a, ~ eszközök farm tools, agricultural (tillage, farming) implements II. n, ploughman; (tillage) farmer, tiller (of the soil), cultivator

szántszándékkal adv, wilfully, intentionally, deliberately, purposely, on purpose, (with) set purpose/ intention; ld még szándékosan

szántszándékos a, = szándékos

szánt-vet [szántott-vetett, szántson-vessen] vi, cultivate/farm/till the land

szánút n, 1. sledge-road/slide, dray-road (US) 2. = szánkázás

szanzadu n, (kárty) [bridzsben] no-trump

szapoly [-ok, -t, -a] n, (hajó) scoop

szapora [.. át] a, 1. [jól szaporodó] prolific(al), fruitful, fecund, copious, fertile, progenitive, progenital; ~ mint a nyúl breed like rabbits 2. [gyors] quick, rapid, hurried, hasty; ~ beszédű voluble/rapid of speech (ut), [igével] talk twenty to the dozen; ~ érverés/pulzus quick/rapid/frequent/high pulse ; ~ lélegzés shortness of breath, rapid/short breath(ing), hurried inspiration; ~ léptekkel with short quick steps; ~ szívműködés (orv) tachycardia

szaporán adv, 1. [termékenyen] prolifically 2. [gyorsan] quickly, rapidly, hurriedly, swiftly, fast, trippingly, fleetly, at a brisk pace; csak ~ hurry up!, be quick/nippy about it!, look smart (about it)! get a move on

szaporaság n, 1. prolification, prolificacy, copiousness, prolificness, prolificity, fecundity, fertility 2. quickness, rapidity, [beszédben] abruptness, quickness of speech, fluency; lélegzetvétel/lélegzés ~a frequency of respiration, respiratory rate

szaporátlan a, ~ munka painstaking work with little yield

szaporáz [-tam, -ott, -zon] vt, [lépteket] accelerate, quicken (pace); ~za a lépést quicken/hasten/mend the/one's pace, step out, hurry up, press on

szaporít [-ani, -ott, -son] I. vt, 1. [növel] increase, augment, multiply, add to, [vmnek a számát] swell 2. ~ja a szót talk volubly, be loquacious, gabble, palaver; de hogy ne szaporítsuk tovább a szót ... to cut a long story (v. the matter) short ... 3. [növ magról] multiply/grow/propagate by seed, [dugványozással] propagate by cuttings, [állatot] propagate, breed
   II. vi, [kötésnél] increase, single over, make/add a stitch, make/cast on, widen; tíz szemet ~ cast on ten stitches

szaporítás n, 1. increase (of), augmentation, multiplication, multiplying, [állaté] propagation, [növényé] propagation, dissemination; ivartalan ~ (növ) vegetative/asexual propagation; ~ gyökérosztással (növ) division of roots; ~ tőosztással (növ) division of plant 2. [kötésnél] increasing, singling over, casting on

szaporítható *a*, increasable, multipliable

szaporodás *n*, multiplication, multiplying, reproduction, proliferation, prolification, propagation, pullulation, increase; *az emberi faj ~a* multiplication of the human species; *osztódás útján való ~* schizogenesis; *természetes ~* natural increase

szaporodási [-t] *a*, reproductive; *~ százalék* increment per cent; *~ szervek (növ)* reproductive organs

szaporod|ik [-tam, -ott, -jon, -jék] *vi*, 1. *[élőlény, növ]* be propagated, multiply, *[élőlény]* breed, proliferate, reproduce oneself, *[túlságosan]* pullulate; *kettéosztódással ~ (biol)* multiply by bipartition 2. *[mennyiség]* increase, grow, be augmented; *ötre ~ott a számuk* their number increased to five

szaporulat *n*, 1. *[állat ivadéka]* progeny 2. *[népességé]* increase, growth 3. *[értékben]* augmentation, increment, accretion, *[jövedelemé]* accession (to one's income), *[könyvtári]* intake

szapotilfa *n, (növ)* bully tree, sapodilla plum *(Achras sapota)*

szappan [-ok, -t, -ja] *n*, soap; *egy darab ~* cake/piece of soap, bar of (washing) soap; *~ ízű/szagú* soapy; *hegyi ~ (ásv)* mountain soap; *~t főz* make/boil soap

szappanbogyó *n, (növ)* soapberry *(a Sapindus saponaria termése)*

szappanbuborék *n*, soap-bubble; *~ot fúj/ereget* blow soap-bubbles

szappanbuborék-eregetés *n*, blowing bubbles *(pl)*

szappanfa *n, (növ)* soap-bark tree, sappan wood, Brazil redwood, *(Caesaepinea sappan)*, soap-tree sopaberry *(Sapindus sapanaria)*

szappanforgács *n*, soap-flake

szappanfőzés , soap-making/boiling

szappanfőző I. *a*, *~ üst* soap-boiler/kettle; *~ üzem* soap-work(s) II. *n*, soap-maker/boiler, soaper, *[üzem]* soap-work(s)

szappanfű *n, (növ)* soapwort, fuller's grass, saponaria *(Saponaria sp.)*

szappangyár *n*, soap-work(s), soap factory

szappangyártás *n*, soap making/boiling, soap industry

szappangyökér *n, (növ)* soap-root *(Saponarie radix)*

szappanhab *n*, lather (of soap), (soap-)suds *(pl)*, sud

szappanhabos *a*, soapy. *[arc]* lathery, sudsy *(US)*

szappanképződés *n*, saponification

szappankő *n, (ásv)* soap-stone, steatite, agalmatolite

szappanlé *n*, (soap-)sud, buck, suds *(pl)*

szappanos [-ak, -t; *adv* -an] *a*, soapy, saponaceous, full of *(v.* covered with) soap *(ut)*, *[arc]* lathered; *~ kenyér* doughy/clammy bread; *~ krumpli* waxy potatoes; *~ víz* soapy water, soap-water, (soap-)sud, suds *(pl)*

szappanosít [-ani, -ott, -son] *vt*, saponify

szappanosítás *n*, saponification

szappanosodás *n*, saponification

szappanosod|ik [-tam, -ott, -jon, -jék] *vi*, saponify

szappanosság *n*, soapiness, saponaceousness

szappanoz [-tam, -ott, -zon] *vt*, *(vmt)* (wash sg with) soap, *[borotválkozáshoz]* lather

szappanozás *n*, soaping, *[borotválkozáshoz]* lathering

szappanozótál *n*, *[borotváláshoz]* shaving-dish, barber's basin

szappanpehely *n*, soap-flakes *(pl)*, flaked soap

szappanpor *n*, soap-powder

szappanszerű *a*, soapy, *(tud)* saponaceous

szappantartó *n*, soap-holder/dish/box

szappanügynök *n*, traveller in soap

szaprofiton [-ok, -t, -ja] *n, (növ)* saprophyte

szaprogén *a, (orv) [baktérium]* saprogenic

szapropél [-ek, -t, -je] *n*, *(geol)* sapropel, putrid slime

szapu [-t, -ja] *n*, bucket, (wooden) pail

szapuka *n, (növ)* lady's-fingers, kidney-vetch *(Anthyllis sp.)*

szapul [-t, -jon] *vt*, 1. wash (in lye), pass lye through the wash, buck, boil (linen), steep 2. *(átv)* slander, vilify, backbite, talk scandal, run sy down, gossip (unkindly) about sy, lace into sy

szapulás *n*, 1. bucking, steeping/boiling/washing sg (in lye) 2. *(átv)* slander(ing), vilifying, backbiting, scandalmongering, running down of sy

szapuló [-t, -ja] I. *a*, 1. bucking 2. *(átv)* slandering, backbiting, vilifying, finding fault *(ut)* II. *n*, *[szapu]* (wooden) pail, bucket, bucking-tub, lye vat

szapulókád *n*, = szapuló II.

szar [-t, -ja] *n*, *(durv)* 1. shit, turd, *[állaté]* droppings *(pl, stand.)* 2. *(átv)* muck, dung, tripe; *egy ~ alak* mucker, fucker; *benne van a ~ban* he is regularly in the soup *(stand.)*; *kiránt vkt a ~ból* give sy a lift out of the mud *(stand.)*; *~t!* rot!, bosh! *(stand.)*, hell(,) no! *(fam)*

szár [-at, -a] *n*, 1. *[növényé]* stem, stalk, tige *(fr)*, strig, scape, ha(u)lm, caulis, *[fűféléké]* blade, spear, *[fiatal fáé]* twig, *[virágé]* flower-stalk; ld még **kocsány**; *~ nélkül* stemless; *levél nélküli ~* rhizophore; *elsődleges (fő) ~* primary (main) stem/axis; *föld alatti ~* rhizome, rootstock, underground stem; *földön fekvő ~* humifuse stem; *heverő ~* decumbent stem; *ízelt ~* articulate stem; *tagolt ~* jointed stem; *üreges ~* cane; *~ba szökken/szökik* spear, shoot (up); *~on termő virág* cauliflower; *~át leveszi/letépi, ~ától megfoszt* stem 2. *[csizmáé]* leg, upper *[harisnyáé]* shank, leg, *[nadrágé]* leg 3. *[madártollé]* scape, shaft, *[írótollé]* holder, barrel, *[ollóé]* shank, *[pipáé]* tube, stem, *[reszelőé, pengéé]* tang, *[szemüvegé]* bow, temple, *[szögé, körzőé]* side, leg; *~ nélküli kotta (zene)* black note without stem

szaracén [-ok, -t, -ja] I. *a*, Saracenic II. *n*, Saracen

száracska *n, (növ)* plumule

szárad [-t, -jon] *vi*, dry (up), become dry, *[növény]* wither, *[falevél]* crisp; *nem hagyom magamon ~ni* I refuse to put up with it, I refuse to swallow/pocket it; *(ez) az ő lelkén/lelkiismeretén ~* he will have it on his conscience, he will have to answer for it, the fault lies at his door

száradás *n*, drying (up), becoming dry

száradási [-ak, -t] *a*, *~ folt keletkezése [filmen]* formation of drying marks

száradóképes *a*, siccative

száradt [-at; *adv* -an] *a*, dried, *(növ)* withered, parched

szarakod|ik [-tam, -ott, -jon, -jék] *vi*, take too long time in doing sg, fuss

száras [-at; *adv* -an] *a*, stalked, *(növ)* tigellate, caulescent, cauliferous, stalky, stemmed; *~ növények* cauline plants

szárasod|ik [-ott, -jon, -jék] *vi*, put forth *(v.* shoot out) stems/ha(u)lms

száratlan *a*, 1. *[növény]* stalkless, without a stalk *(ut)*, acaulescent, stemless 2. *[nyeletlen]* shankless

száraz [-at; *adv* -an, -on] I. *a*, 1. *[nem nedves]* dry, *[nem szaftos]* juiceless; *~ helyen tartandó* to be kept dry *(v.* in a dry place;); *~ lábon/lábbal* dry-foot(ed)/shod, without getting wet *(ut)*; *~ szemmel* with dry eyes; *a szeme egész idő alatt ~ maradt* he looked on dry-eyed, his eyes remained dry all the time; *~ vegytisztítás* dry-cleaning ? *[éghajlat]* arid, droughty; *~ idő* dry/fair/fine weather; *~ vihar* rainless storm; *~ villám(lás)* heat/corn lightning 3. *[kiszáradt]* dry, dead; *~ bab* dry/dried beans *(pl)*; *~ borsó* dry peas *(pl)*, *[feles]* split peas *(pl)*; *~ fa/ágak* dry/dead wood; *~ kenyér* dry/stale/old bread; *~ kenyéren és vízen tart* keep on bread and water; *~ sövény* dead hedge; *~ talaj* dry/arid ground;

~ *a torkom* I am thirsty, I am parched with thirst, my throat feels dry 4. ~ *bor* dry wine 5. *(orv)* ~ *köhögés* dry cough, hack; ~ *mellhártyagyulladás* dry pleurisy; ~ *szülés* dry labor 6. *(vegyt)* anhydrous 7. *(átv)* dry, dull, prosaic, prosy, unpoetical, insipid, flat, uninteresting, matter-of-fact, cut and dried, school-bookish, dryasdust ~(*fam*); ~ *ember* dry customer; ~ *hangon in a dry (v.* matter of fact) voice, drily; ~ *humor* dry humour; ~ *könyv* dull book; ~ *nevetés* dry/harsh laugh; ~ *stílus* barren/dry style; ~ *tények* bare/plain/dry facts
II. *n, csecsemőt* ~*ba tesz* put a clean diaper/nappy on the baby, change the baby's nappy; ~*on és vízen* by/on land and sea/water, on land and at sea; *vkt* ~*on hagy (biz)* leave sy high and dry; ~*ra fut (hajó)* run aground; ~*ra vontat* bring ashore; *úgy érzi magát mint a* ~*ra vetett hal* he feels like a fish out of water; *ld még* **szárazon**
szárazbab-főzelék *n,* baked beans *(pl)*
szárazbetegség *n,* (pulmonary) consumption, tuberculosis
szárazdajka *n,* (dry-)nurse, day-nurse
szárazdokk *n,* dry/graving-dock, graving-beach, careening basin; ~*ba vontat* dry-dock
szárazelem *n, (vill)* dry battery/cell/pile, voltaic pile; *nagyteljesítményű* ~ power-pack
szárazföld *n,* 1. *[kontinens]* mainland, continent, (dry) land 2. *[föld]* firm ground, earth, terra firma *(lat)*; ~*ön* by land, on shore; ~*ön át* overland; ~*ön és tengeren* by land and sea, on land and at sea; ~*re lép* go ashore, disembark, (step onto dry) land, set foot on shore; ~*ről és tengerről egyszerre támad* attack by land and sea
szárazföldi *a,* continental, terrestrial, overland, inland, land-; ~ *akna* land-mine; ~ *állat* land-animal, terrestrial/terrene animal; ~ *csapatok* land forces; ~ *éghajlat* continental climate; ~ *félteke (földr)* land hemisphere; ~ *háború* war on land, land warfare; ~ *haderő/hadsereg* land army/forces; ~ *hadviselés* land-warfare; ~ *jég (földr)* land ice, *[poláris]* inland ice; ~ *kereskedelem* continental/overland trade; ~ *kockázat (ker)* land risk; ~ *légtömeg* continental air mass; ~ *lejtő (geol)* continental slope; ~ *növény* terrene/terrestrial plant; *növény* ~ *alakja* land-form; ~ *párkány (geol)* continental shelf; ~ *patkány* land-lubber; ~ *szállítás (ker)* (over)land transport, transport/conveyance by land, land-carriage; ~ *szállítmányozás* land transport; ~ *szél* land breeze; ~ *(üzleti) forgalom (ker)* (over)land trade
szárazfőzelék *n,* dehydrated vegetable
szárazgőz *n,* dry vapour/steam
szárazjég *n,* dry-ice
szárazkolbász *n,* dry sausage
szárazkotró *n, (épít)* dry dredge
szárazlégkamra *n, [gőzfürdőben]* sweating-room
szárazlemez *n, (fényk)* dry-plate
szárazmalom *n,* horse-driven mill
szárazmásolás *n, (fényk, nyomd)* xerography
szárazművelés *n,* dry farming
szárazoltó készülék chemical extinguisher
szárazon *adv,* 1. *[szárazföldön]* overland 2. *[nem nedvesen]* ~ *tart vmt* keep sg dry; ~ *tisztít* dry-clean, apply dry cleaning; *ezt nem viszi el* ~ *(biz)* he won't get away with it, he won't go scot free this time 3. *[unalmasan]* drily, prosily; ~ *ír* he has a bald/dry/jejune style; ~*on válaszol* answer dryly/wryly, give a curt ansver; *ld még* **száraz II.**
szárazporoltó készülék = szárazoltó készülék
szárazság *n,* 1. dryness, aridity, aridness, *[aszály]* drought, barrenness 2. *(átv) [stílusé]* prosaism, jejunity
szárazságkedvelő *a, (növ)* xerophilous, xeric

szárazságtűrés *n, (növ)* drought-resistance
száraztakarmány *n,* stover, dry fodder, provender; ~*ra fog lovat* take a horse off grass
száraztészta *n,* vermicelli, noodles *(pl)*, Italian paste
szárazváltó *n, (pénz)* promissory note, note of hand
szárbél *n, (növ)* pith
szárbeles *n, (növ)* pithy
szarcina [. .át] *n, (orv)* sarcina
szárcsa [. .át] *n, (áll)* (common) coot *(Fulica)*
szárcsomó *n, (növ)* multilacinar node, nodum; ~ *egy levélnyíllással* unilacunar node, a node with one leaf gap; ~*több levélnyíllással* a node with more leaf gaps
szárcsont *n,* shin-bone, tibia *(lat)*, *[lóé]* splint
szárd [-ot; *adv* -ul] *a/n,* Sardian
szardella [. .át] *n,* anchovy, anchovies *(pl) (Engrualis encrasicholus)*
szardellagyűrű *n,* rings of anchovies *(pl)*, anchovy ring
szardellapaszta *n,* anchovy-paste
szardellás *a,* ~ *doboz* anchovy-box/tin
szardellavaj *n,* anchovy-butter
szardina [. .át] *n, =* **szardínia**
szardínia [. .át; *adv* . .án, . .ában] *prop,* Sardinia
Szardínia [. .át; *adv* . .ában] *prop,* Sardinia
szardíniahalász *n,* sardine-fisher
szardíniai [-ak, -t] *a,* Sardinian
szardíniásdoboz *n,* sardine box/tin/can
szardonikus *a,* sardonic
szardonix [-ot, -a] *a,* sard(onix)
szárfa *n, (épít)* post, stake, prop
szárfogyasztás *n, (tex)* leg narrowing
szargasszó [-t, -ja] *n,* saragasso
szárharisnya *n,* knee-socks, gamash
szarházi [-ak, -t, -ja] *n, (durv)* rotter, dirty dog/swine, bastard, turd
szar|ik [-t, -jon] *vi/vt, (durv)* shit; ~*ok rá!* to hell with it!
szárít [-ani, -ott, -son] *vt,* 1. (make) dry, *[levegőn]* air(-dry); *mocsarat* ~ drain a marsh 2. *[dohánylevelet]* fire, *[gyümölcsöt]* dehydrate, exsiccate, desiccate 3. *(műsz)* torrefy, *[kemencében]* kiln
szárítás *n,* 1. drying, airing, *[rámán]* toggling, *[mocsarat]* draining 2. *[gyümölcsöt]* dehydration, *[szénát stb.]* (ex)siccation 3. *(műsz)* torrefaction
szárítgat *vt,* be drying sg; *a tűznél* ~*ja magát* he is drying himself by the fire
szárítkoz|ik [-tam, -ott, -zon, -zék] *vi,* dry oneself
szárító [-t, -ja] I. *a,* drying, siccative; ~ *berendezés* exsiccator, desiccator, drier II. *n, [anyag]* siccative, desiccator, drier, drying substance, *[helyiség]* drying room; ~*ban szárít* stove
szárítóállvány *n, [edénynek]* draining-board/rack, drainboard *(US)*, *[halnak, sajtnak]* hack, *[nyerstégla szárítására]* hake, haik, hack
szárítócentrifuga *n, (műsz)* centrifugal drier, whizzer
szárítódob *n,* rotary drier, *[papírip, tex]* cylinder-drier, *(tex)* drying cylinder
szárítófesték *n,* dryer
szárítógép *n,* drying apparatus/machine, drier, dryer, *[papírokhoz]* drying press, flat bed drier, glazing machine; *tűs fesztítőrőmás* ~ *(tex)* pin chain stenter
szárítóhenger *n, (koh)* desiccator
szárítókályha *n, (koksz, épít)* brazier
szárítókamra *n,* drying-room/place/cupboard/closet, dryhouse, *[lőporgyártásnál]* stove, *(vegyt)* desiccator
szárítókemence *n,* drying oven/kiln, *[lőporgyártásnál]* stove
szárítókence *n,* siccative
szárítókészülék *n,* 1. *[állvány]* dripping board, *[fregoli]* (ceiling) clothes' drier/dryer (and airer) 2. *(vegy)* exsiccator

szárítókötél n, [fehérneműnek] clothes line
szárítópolc n, draining-rack
szárítórács n, [halnak, sajtnak, téglának stb.] hack, rack
szárítórúd n, drying-pole
szárítószekrény n, exsiccator
szárítószer n, drier, dryer, drying-agent, desiccator, siccative, (orv) desiccant, exsiccant, exsiccative
szárított [-at; adv -an] a, dried, desiccated, dehydrated; levegőn ~ air-dried; napon ~ sun-dried; ~ bolha [haleledel] dry-fly; ~ borsó parched peas; ~ burgonya dehydrated potatoes (pl); ~ gyümölcs dry/dried fruit; ~ hal dried fish
szarjankó n, (durv) little squit of a man, turd
szarka [..át] n, 1. (áll) magpie, pie(t) (Pica pica galliae); sokat akar a ~ de nem bírja a farka (biz) he would if he could but he can't, he bites off more than he can chew 2. (biz) [tolvaj] pilferer, filcher, shoplifter (US)
szarkaláb n, 1. (növ) common larkspur, delphinium (Delphinium sp., Consolida sp.); csípős ~ stavesacre (D. staphisagria); kerti ~ lark('s)-heel, larkspur (D. Ajacis) 2. [ránc] crow's foot (wrinkle); ~ betűk scrawl, spidery/scratchy (hand)writing
szarkalábas a, [szem] crow's-footed; ~ írás spidery handwriting
szárkapocs n, (bonct) splinter-bone, splint(-bone), brooch-bone, calfbone, fibula (lat)
szárkapocs-csont n, = szárkapocs
szarkasztikus a, sarcastic
szarkatövis n, (nép) = csipkerózsa
szarkazmus n, sarcasm
szarkoblaszt [-ot, -ja] n, (biol) sarcoblast
szarkoderma [..át] n, (növ) [húsos héj] sarcoderm
szarkofág [-ot, -ja] n, sarcophagus
szarkokoll [t, -ja] [húsenyv] sarcocolla
szarkéma [..át] n, (orv) sarcoma
szarkómás [-at] a, (orv) sarcomatous
szarkomatózis n, (orv) sarcomatosis
szarkoplazma n, (orv) sarcoplasm(a)
szarmácial [-ak, -t] a/n, (geol) Sarmatian
szarmata [..át] a/n, 1. [nép] Sarmatian, Sarmatic 2. (geol) Sarmatian
származás n, 1. [személyé] descent, extraction, (social) origin, birth, parentage, pedigree, lineage, ancestry, genetics, strain, paternity (fam), [családi] (class) background; ~uk alapján/szerint according to their social extraction/origin; ~ára nézve kanadai he is Canadian by birth/origin, he is from Canada 2. [dologé, fogalomé] origin, genesis, derivation, source 3. [szóé] derivation, etymology, pedigree 4. [régészeti emléké] provenience, provenance
származáselmélet n, theory concerning the origin of species, evolutionary theory, theory of evolution
származásfa n, family-tree, genealogical tree, [állaté] pedigree; ld még törzsfa
származáshely n, place of origin, provenience, provenance
származási [-ak, -t; adv -lag] a, of origin (ut); ~ bizonyítvány (ker) certificate of origin; ~ hely the place where he comes from, provenance, provenience; ~ jelzés indication of origin; ~ könyv [telivéré] stud-book, [marháé] herd-book; ~ ország country of origin, provenance
származásrend n, genealogy, lineage
származástábla n, genealogical-table, genealogy, [állaté] pedigree
származástan n, [emberi] (science of) genealogy, (biol) phylogenetics, "darwinism"
származástani [-ak, -t; adv -lag] a, [emberi] genealogical, (biol) phylogenetic(al), evolutionary

származású [-ak, -t; adv -an] a, of origin/lineage/birth/descent/extraction/parentage (ut); alacsony/alantas/egyszerű ~ of low extraction (ut), of mean birth/parentage (ut), meanly born, low-born; azonos ~ (növ) monophyletic; bizonytalan/homályos ~ of obscure birth (ut); előkelő/nemesi ~ of noble birth/race (ut), high born; ismeretlen ~ of unknown origin (ut); különböző ~ (növ) polyphyletic; különböző ~ (de hasonló) (növ) convergent; magyar ~ Hungarian by birth/origin (ut); munkás ~ of working-class origin/extraction (ut); népi ~ sprung from the people (ut)
származék [-ot, -a] n, 1. [személy] offspring, descendant, scion, issue 2. (vegyt) by-product, derivative 3. (nyelvt) derivative, derivation, filiation; összetétel ~a derivative of compound, decompound
származékos [-at] a, ~ állampolgárság derivative citizenship; ~ jog derivative right; ~ jogcím derivative title; ~ jövedelem secondary/regrouped income
származékszó n (nyelvt) derivative, formational word; másodlagos ~ subderivative
származ|ik [-tam, -ott, -zon, -zék] vi, 1. [személy] descend, issue, originate, spring (from), come (of a family), be descended (from), be a descendant of; munkáscsaládból ~ik come of a working-class family; a népből ~ik be sprung from the people; régi tanítói családból ~ik come from a long line of teachers; a Szovjetunióból ~ik he comes from the USSR, he hails from the USSR, he is a Sovjet citizen by birth; házasságukból két gyermek ~ott they had/produced two children 2. (vm) derive, spring, come, proceed, [következmény] rise (from), result (from), originate (in, from with), ensue (on, from), be due (to), be the result (of), be derived (from), issue (out of), [időbelileg] date (from v. back to); a szokás még a középkorból ~ik the custom dates back to the Middle Ages; a veszekedés egy félreértésből ~ott the quarrel originated (v. rose from) a misapprehension/misunderstanding; honnan ~nak ezek a nehézségek? where do these difficulties arise/come from?; baj ~ott belőle it caused trouble; sok baj ~ott ebből much harm resulted from this; minden belőle/ebből ~ik everything evolves from it; a végzés a bíróságtól ~ik the writ emanates from the court; a terv tőle ~ik the plan originated with him 3. [szó] derive, stem (from); ez a szó az angolból ~ik this word comes from the English, this is a word of English origin, this word is derived (v. derives from) English
származó [-t; adv -an] a, descending, originating, issuing (from), coming (of, from), going back (to), originating (in), arising (from), resulting (from), resultant (from); az ebből ~ bajok the resulting troubles/misfortunes; igen jó forrásból ~ hír news from a very reliable source, news straight from the horse's mouth (fam); külföldről ~ áru import(ed) goods, goods from abroad; az abból ~ kár the resulting damage; a házasságból ~ gyermekek the children issuing from (v. born of) the marriage
származtat vt, 1. (vmt vmből/vhonnan) derive, originate, trace (sg from sg), trace the descent (back to), [eredményt] attribute (to), trace (back to) 2. [szót] etymologize
származtatás n, 1. derivation, tracing, the origin/descent (of sg), deduction 2. (nyelvt) derivation, etymology, origination
származtató [-t ; adv -an] a, genetic, deductive, etymological
szárny [-at, -a] n, 1. [madáré] wing, pinion (ref.), (tud) ala; ~ alakú wing-shaped/like, (tud) aliform, (bonct) pterygoid; a szelek ~án on the wings of the wind; ~a alá vette csibéit she gathered the chicks

under her wing; vkt a ~a alá vesz take sy under one's wing/protection/shelter; a rossz hír ~on jár ill news flies apace; ~ra kap/kel take wing, [madár] take/ wing flight/way, [hír] the news spread like wildfire; ~ra kap vkt a hír become famous (overnight), be catapulted into fame; ~akat ad vknek lend/add wings to; a félelem ~akat adott neki fear lent him wings; ~at bont take wing, wing the air, wing its flight/way, [madár] take/wing its flight; ~át megnyesi [madárnak] pinion; ~ait próbálgatja try one's wings (at sg); ~ait próbálgató költő fledg(e)ling poet; kiterjeszti ~ait spread one's wings; vknek ~át szegi clip sy's wings, take the wind out of sy's sail 2. [ablaké, ajtóé, kályhaellenzőé] leaf, [épületé] wing, flank, [kabáté] tail, lap(pet) [oltáré] panel, volet, (műsz) fly, [radiálfúróé] arm, [hajó- és légcsavaré] blade, vane, (rep) plane, [szélmalomé] flyer; alsó ~ (rep) bottom-wing; a ház északi ~a the north side/wing of the house 3. [hadseregé] wing, flank

szárnyacska n, winglet, bastard-wing, (tud) alula

szárnyal [-t, -jon] vi, soar, be on the wing, take flight, fly, wing the air, wing its flight/way, winnow

szárnyalás n, 1. soar(ing), wing 2. (átv) soaring, flight, luxuriance; a fantázia ~a soaring/flight of fancy/imagination

szárnyaló [-t; adv -an] a, 1. soaring; magasan ~ madár high-flying bird 2. (átv) lofty, winged, dithyrambic; magasan ~ ékesszólás lofty/winged diction; ~ képzelet flight of fancy/imagination; magasan ~ szónoklatot mondott he delivered a lofty (v. high--soaring) oration/speech

szárnyalt [-at; adv -an] a, winged, (term) pinnate(d), pennate; kétszeresen ~ bipinnate; páratlanul ~ imparipinnate; páratlanul ~ levél odd-pinnate leaf compound; párosan ~ paripinnate; párosan ~ levél even-pinnate leaf compound

szárnyaltság n, (növ) pinnation

szárnyas [-ak, -t; adv -an] I. a, winged, pinioned, (term) alated, pennate, penniform, pinnated, [rovar] wing--bearing, aliferous, aligerous; ~ ablak casement (espagnolette) window, [földig érő] French window/ casement; ~ ajtó double/leaved door, folding doors (pl); ~ alakzat [levélé] pinnation; ~ anya (műsz) thumb/fly/finger-nut, wing(ed) nut, earnut; ~ apró- lék giblets (pl); ~ bomba (kat) winged bomb; ~ csavar wing(ed) thumb/finger-screw, wing-nut/ bolt, wing (screw), butterfly; ~ csiga (áll) wing--shell/conch, stromb (Strombus lentiginosus); ~ fúrógép radial drill(ing machine); ~ hajó hydrofoil, hydroplane; ~ kerék [vasút jelképe] winged wheel; ~ lábú wing-footed, with winged feet (ut), aliped; ~ ló hippogriff, winged horse; ~ oltár winged altar, triptych, [egy szárnya] panel, volet; ~ vad feathered/small/ winged game, wing-game, game birds (pl), wild-fowl II. n, poultry (pl), fowl; ~ra vadászik fowl, go fowling; ~t megtölt stuff a fowl; ~t töm feed a bird forcibly

szárnyasan adv, ~ összetett (növ) pinnated, pinnatifid, lyrate

szárnyasegér n, (nép) = denevér

szárnyasvad n, = szárnyas vad

szárnyasvadászat n, fowling

szárnyaszegett [-et; adv -en] a, (átv) broken/clip-winged

szárnyaszegetten adv, with clipped wings

szárnyatlan a, wingless, unwinged, without wings (ut), (tud) apteral, apterous

szárnybillentés n, (rep) side-slip

szárnyborda n, wing rib

szárnyburkolat-mező n, (rep) panel

szárnycsapás n, wing-beat/stroke/flap, flutter, flap/ stroke/waft/winnow of wings

szárnycsapkodás n, flutter (of wings)

szárnycsattogás n, = szárnycsapkodás

szárnyék [-ot, -a] n, lean-to roof, wind-screen

szárnyelcsavarodás n, (rep) wing twist; negatív ~ wash--out; pozitív ~ wash-in

szárnyépület n, annex(e), extension (US)

szárnyfal n, (épít) wing-wall

szárnyfedél n, (áll) [bogaraké] wing-case

szárnyfedő n, wing-case/sheath, (tud) elytron

szárnyfelület n, (rep) wing-area/panel, flying-surface, deck

szárnyhegy n, pinion, (rep) wing-tip

szárnyhosszabbító n, (műsz) [fúróé, csavarkulcsé] lengthening-rod

szárnyjelző n, identification tally (on wing of a fowl), wing band

szárnykapocs n, (rep) wing-support

szárnyköz n, (rep) wing gap

szárnyközi a, (rep) ~ merevítés interplane bracing/strut

szárnykürt n, (zene) cornet, saxhorn; billentyűs ~ keyed bugle

szárnylábúak n. pl, (áll) pteropoda

szárnymerevítő n, (rep) wing-strut

szárnymetszet n, (rep) aerofil

szárnyösszekötő n, (rep) wing-support

szárnypáfrány n, (növ) brake (Pteris sp.)

szárnypróbálgatás n, trying one's wings; az első ~ok first wing-beats (pl), (csak átv) first attempts (pl); az író első ~ai the first literary attempts of the author, first heir of sy's invention (obs)

szárnysegéd n, (kat) aid(e)-de-camp (röv A.D.C.), adjutant, galloper (fam)

szárnyszélesség n, [fesztáv] (wing-)spread, span, width of wings

szárnyszelvény n, (rep) air-foil, aerofil

szárnyszivattyú n, winged pump

szárnytámadás n, flank attack, attack in the wings/ flanks

szárnytávolság n, = szárnyszélesség

szárnyterhelés n, wing load

szárnytoll n, wing feather, pinion, pen-feather, quill- (-feather)

szárnytő n, (rep) wing-root

szárnyú [-ak, -t; adv -an] a, -winged, bladed, [repgépj -plane; hosszú ~ long-winged

szárnyvasút n, branch/junction/side line, siding-line, branch (railway), rail spur, feeder/secondary line, feeder

szárnyvég n, (rep) wing-tip/toe

szárnyverdesés n, flutter (of wings)

szárnyvitorla n, (hajó) [rúdvitorlához] studdingsail, stud-sail, stunsail, [fája] yard-arm

szárnyvitorla n, yard-arm

szárnyvonal n, = szárnyvasút; kisegítő ~ (vasút) refuge siding; vasúti ~ branch/loop-line

szárogat vt, = szárítgat

szárogató [-t] a, ~ kötél wash(ing)-line

szárontermés n, [virágé] cauliflory

száros [-ak, -(a)t; adv -an] □ I. a, 1. [fehérnemű] soiled; ~ alsónadrág dirty pants (pl) 2. (átv) mean, dirty, ruddy (fam); ~ gazember dirty dog/swine (stand.), fucker II. n, shit(e), shit-sack, fucker

szárölelő a, (növ) stem-clasping, perfoliate, amplexi- caul (amplexicaulis)

száröltés n, end-to-end stitch, stem-stitch

szárspóra n, (növ) stylospore

szártag n, (növ) internode, articulation

szártalan a, (növ) stemless, acaulous, acaulescent (acaulis)

szártetőző a, ~ levél terminal leaf

szártőbetegség n, (növ) foot-disease

szártőrothadás n, (növ) foot-rot

szaru [-t, -ja] I. n, horn(y matter); ~ból való horny II. a, (összet) horny, corneous, (tud) keratoid

szárú [-t] a, egyenlő ~ (menny) [háromszög] isosceles; hosszú ~ [növény] with a long stalk (ut)

szaruállomány n, keratin, ceratin

szaruanyag n, (vegyt) keratin, ceratin

szaruáru n, hornwork

szaruesztergályos n, bone-turner

szarufa n, 1. (épít) rafter, spar, roof tree, joist 2. (clm) cheveron

szarufaék n, (épít) heel

szarufal n, (áll) [patáé] quarter

szarufésű n, horn comb

szaruforgács n, horn-clippings/shavings (pl)

szarugomb n, horn-button

szaruhártya n, (bonct) cornea; fehér folt a szaruhártyán albugo

szaruhártya-eltávolítás n, (orv) keratectomy

szaruhártyafekély n, (orv) corneal ulcer

szaruhártyafolt n, leucoma

szaruhártyagyulladás n, (orv) inflammation of the cornea, corneitis, keratitis

szaruhártyahomály n, (orv) corneal opacity

szaruhártyalágyulás n, (orv) keratomalacia, xerophthalmia

szaruhártya-metszés n, (orv) keratotomy

szaruhártya-mikroszkóp n, (orv) corneal microscope

szaruképlet n, corneous/horny matter

szarukéreg n, [patán] crust

szarukeretes a, (szemüveg) horn-rimmed

szarukorall n, sea fan (horny), gorgonia (Gorgonia)

szarukő n, (ásv) hornstone, hornfels, horn flint, chert

szarul adv, (durv) hogy vagy? — ~! how are you? — up to shit!

szarulemez n, horn-sheet/slate

szaruliszt n, horn-meal

szarumák n, (növ) glaucium (Glaucium)

szaruműves n, horn maker, comb-maker, horner

szarunemű n, hornwork

szarunyelű a, [kés stb.] horn-handled

szarupikkely n, horn-scale

szaruréteg n, horn layer

szarus [-ak, -t; adv -an] a, horny, keratose

szarusodás n, hornification

szarusodjik [-ott, -jon, -jék] vi, hornify, become hornified

szaruszerű a, keratose, horny

szaruszövet n, corneous/horny tissue

szaruzat n, (éplt) rafting, trussing

szarv [-at, -a] n, 1. (áll) horn, [csigáé] horn, feeler, [szarvasbogáré] mandible; ~ alakú serleg drinking horn; megnő a ~a (átv) give oneself airs, become conceited/arrogant; ~ánál fogja meg a bikát take the bull by the horns; ~at hordó/viselő horned; letöri a ~át (átv) take sy down a peg or two, have sy cold; ~akat kap be cuckolded; ~at visel [megcsalt férj] (biz) be cuckolded, be a cuckold, go round Cape Horn; ~val megsebesít gore 2. [ekéé] a handle, stilt 3. [holdé] horn; eltalálta a ~a közt a tőgyét (kb) put the cart befor the horse

szarvacskák n. pl, [edényfülön, kettős] (rég) ansa lunata (lat)

szárvágó n, (mezőg) stalk cutter

szarvas [-ok, -t; -a; adv -an] I. a, horned, horny, with horns (ut)

II. n, 1. (áll) (red) deer (Cervus elaphus), [hím] stag, hart, buck, [nőstény] hind; fületlen amerikai ~ jumping-deer (Odocoileus macrotis); pampaszi amerikai ~ pampas deer (Blastocerus sp.); kanadai ~ wapiti (C. canadensis); nyársas ~ brocket (Mazama sp.); pettyes/tarka ~ chital (Axis axis);

sörényes ~ timor deer (C. timoriensis); tizenkettes ~ royal 2. [trágyából] dunghill

szarvasagancs n, antlers (pl), stag/buck-horn, buck's-horn, head (of horn)

szarvasállomány n, stock of deer; nagy ~ú erdő orest with a large head of deer

szarvasbak n, (hajó) belaying(-cleat); kötélfo~ ~ horncleats (pl)

szarvasbéka n, (áll) horned frog (Ceratophrys sp.)

szarvasbika n, stag, hart; tizes ~ hart of ten points

szarvasbogár n, (áll) stag-beetle, lucanus (Lucanus cervus)

szarvasborjú n, fawn

szarvasbőgés n, bell(ing), troat(ing of hart)

szarvasbőr n, deerskin, buckskin, tan/wash/oil-leather, suède

szarvasbőrkesztyű n, deerskin/buckskin gloves (pl), tan-leather gloves (pl), doeskins (pl)

szarvasbőrnadrág n, buckskins (pl)

szarvascsapás n, slot/foil/track/spoor of stag

szarvasfaggyú n, buck's grease/suet

szarvasfélék n. pl, (áll) cervidae, the deer tribe

szarvasgím n, = szarvas II. 1.

szarvasgomba n, (növ) truffle, swine-bread, tuber, earth-nut/ball, club-top mushroom (Tuber sp.); nyári ~ summer truffle; vörös ~ red truffle; szarvasgombával töltött/ízesített truffled

szarvasgombafélék n. pl, (növ) tuberaceae (Tuberaceae)

szarvasgombatelep n, truffle-bed

szarvasgombatenyészet n, truffle-growing

szarvasgombatermelés n, truffle-growing

szarvasgombatermelő n, truffle-grower

szarvasgyilok n, hanger

szarvasgyökér n, (növ) hartwort (Tordylium sp.)

szarvashal n, (áll) zanclus (Zanclus cornutus)

szarvashere n, = szarvaskerep

szarvashiba n, blunder, gross error/mistake, blatant error, howling mistake (fam), howler (fam)

szarvashívó n, stag call, horn for imitating the call of stags

szarvasidény n, stag-hunting season

szarvaskerep n, (növ) bird's-foot trefoil, shoes and stockings (pl), five-finger (Lotus corniculatus)

szarvasmarha n, (horned) cattle, neat; hús-tejtipusú ~ granger's cattle; szimmentáli ~ Simmenthal cattle

szarvasmarhaállomány n, cattle population, beasts (pl)

szarvasmarhafélék n. pl, bovines, bovidae

szarvasmarhatenyésztés n, stock-raising/farming, cattle-breeding, herding (US)

szarvasmarha-tuberkulózis n, bovine tuberculosis, grapes (pl)

szarvasmoha n, (növ) (nép) club-moss, vegetable sulphur, lycopod(ium) (Lycopodium clavatum)

szarvasnyak n, [lóé] deer/lop/ewe-neck

szarvasnyelv n, (növ) hart's tongue, scolopendrium (Scolopendrium sp.)

szarvasokoskodás n, (fil) dilemma, horned syllogism

szarvassánc n, (épít) hornwork

szarvassíp n, = szarvashívó

szarvassuta n, = szarvastehén

szarvastehén n, hind

szarvastőr n, hanger

szarvasüllő n, beak-iron

szarvasünő n, hind calf, [1 éves] hearst

szarvasvadászat n, stag-hunt(ing), [cserkészve] deer-stalking

szarvasvipera n, (áll) horned viper (Cerastes sp.)

szarvatlan a, hornless, without horns (ut), polled, poll-, [tehén stb.] hummel; ~ ökör poll-beast

szarvaz [-tam, -ott, -zon] vt, horn
szarvcsőrű n, [madár] hornbill (Dichoceros bicornis)
szarvkötél n, (hajó) [vitorláshajón] sheet
szarvorrú n, = orrszarvú
szarvszár n, (hajó) [vitorláshajón] sheet
szarvú [-ak, -t; adv -an] a, horned; hosszú ~ szarvas-
marha long-horn; rövid ~ marha short-horn
szarzsák n, (durv) shit-sack
szász [-ok, -t, -a; adv -ul] a/n, Saxon; erdélyi ~ Saxon
of Transylvania, Transylvanian Saxon
szászkék n, Saxon blue, saxe
Szászország prop, Saxony
szaszsza [.. át] n, (áll) [hegyiantilop-faj] klipspringer
(Oreotragus oreotragus)
szatelloid [-ot, ja] n, satelloid
szatén [-ek, -t, -je] n, (tex) satin
szaténcsíkos n, (tex) satin-striped
szaténkötés n, (tex) satin-weave
szaténselyem n, (tex) satinette
szatinoz [-tam, -ott, -zon] vt, [papírt] calender
szatír [-ok, -t, -ja] n, satyr, (rég) goat-foot; ~ok tánca
dance of satyrs
szatíra [.. át] n, satire, lampoonery
szatíraíró n, satirist
szatiraköltő n, satirist
szatírdráma n, satyric drama
szatíriázis n, (orv) satyriasis
szatirikus 1. a, satiric(al) II. n, satirist; ~ éposz mock-
-heroic
szatirikusan adv, satirically
szatirizál [-t, -jon] vt, satirize
szatirizálás n, satirizing
szatmári a, ~ béke (tört) the Peace Treaty of Szatmár
(1711)
Szatmárnémeti [-t, -ben] prop, Satu-Mare (town in
Rumania)
szatócs [-ot, -a] n, general dealer, chandler, grocer
szatócsáru n, groceries (pl), chandlery
szatócsbolt n, grocery, grocer's/chandler's shop, grocers'
szatócskodik [-tam, -ott, -jon, -jék] vi, be a grocer, be
in the grocery business
szatócsszellem n, shopkeeper mentality, mercantilism
szatócsüzlet n, grocery
szaturál [-t, -jon] vt, saturate
Szaturnusz prop, Saturn
szatyor [szatyrot, szatyra] n, shopping bag, marketing
net, carrier-bag, satchel, [zsinórból] string/net-bag;
bevásárló ~ carrier-bag; vén ~ (átv) old hag/cat
szattyán [-ok, -t, -ja] n, morocco, saffian, cordovan
szattyánbőr n, morocco/cordovan-leather, saffian,
cordovan
szattyánpapír n, Morocco paper
szattyu [-t, -ja] n, (növ) hogweed (Tusillago farfara)
Szaud-Arábia prop, Saudi Arabia
szaud-arábiai a, Saudi Arabian
Száva [.. át, .. án, .. ára] prop, Sava, Save
szavahihető a, [személy] trustworthy, truthful, worthy
of belief (ut), reliable (authority), whose word can be
trusted (ut), veridical, (dolog is) veracious, credit-
able; nem ~ [ember] untrustworthy; ~ tanú reliable
witness
szavahihetőség n, trust(worth)iness, truthfulness,
veracity, authenticity, reliability, authoritativeness
szavajárás n, [beszédmód] way/manner of speaking,
[szó] favourite/usual expression/saying/phrase; ez a
~a it's a usual phrase with him
szavaku [-t, -ja] n, (áll) boat-bill (Cochlearius
cochlearia)
szaval [-t, -jon] vt/vi, 1. recite, declaim, give a reci-
tation, rehearse 2. (elit) spout, rant, harangue,
cant (about sg), hold forth, declaim (against)
szavalás n, 1. recitation, recital, declamation 2.

(elit) ranting, spouting, harangue, high-falutin
speech
szavalat n, recitation, recital
szavaló [-t, -ja; adv -an] I. a, 1. declamatory, declaim-
ing, reciting 2. (elit) ranting, spouting II. n, =
szavalóművész
szavalóest n, recital
szavalókórus n, 1. [személyek] speaking choir, speech
choir, [meccseken] rah-rah boys (pl) (US) 2. [mű-
faj] choral speaking
szavalókönyv n, reciter, book of passages for recitation
szavalóművész n, reciter, declaimer, elocutionist, diseur
szavalóművészet n, declamation
szavalóművésznő n, (szính) diseuse
szavalóstílus n, style/manner of declamation/recital,
declamatory manner
szavanna [.. át] n, savanna(h); braziliai ~ campo
szavas [-at; adv -an] a, -word, having ... words (ut)
szavatartó a, reliable, trustworthy, (kif) as good as his
word (ut); ~ ember (he is) a man of his word, his
word is as good as his bond, he always keeps his word
szavatol [-t, -jon] vi/vt, (vmt) guarantee, warrant,
vouch, give/stand security for, (vkért, vmért) become/
stand bail, answer, go guarantee, be answerable,
stand sponsor (mind: for), [számlát] back (a bill),
[részvényt] underwrite; ~ok érte I guarantee; ~va
(ker) guaranteed
szavatolás n, guarantee(ing), guaranty, warrant(y),
security, bail, standing security/bail, backing, under-
writing
szavatolható a, warrantable
szavatolt [-at; adv -an] a, guaranteed, warranted, bailed,
backed
szavatoltan adv, guaranteed, warrantably, unwarrant-
ed; ~ eredeti authentically genuine; ~ színtartó
colour fast, guaranteed fadeless (v. not to fade)
szavatos [-ok, -t, -a] n, guarantor, guarantee, warran-
tor, surety; ~ra hivatkozás voucher to warranty
szavatosság n, guarantee, guaranty, warranty, respon-
sibility, assurance, [számlđé] backing, [részvényé]
underwriting; kifejezett ~ [adásvételnél] express
warranty; magától értetődő ~ok (ker) implied war-
ranties; ~ nélkül without prejudice/engagement/war-
ranty; ~ot vállal vkért stand bail for sy, touch/take
the responsibility for sy, go guarantee for sy,
undertake a guarantee for sy; ~gal (ker) guaranteed
szavatossági [-ak, -t; adv -lag] a, ~ alap guarantee-
-fund; ~ biztosítás (ker) insurance against civil
liability, third-party insurance, (public) liability in-
surance; mentesül a ~ felelősség alól be relieved of
warranty; ~ hiba redhibitory defect; ~ idő guaran-
teed time; ~ igény right of guaranty; ~ kötelezettség
(ker) liability; ~ szerződést köt (jog) make a con-
tract of guaranty
szavaz [-tam, -ott, -zon] vi/vt, vote, give/cast/register
one's vote, go to the polls, poll, [titkosan] (take a)
ballot, [parlamentben] vote, divide, come to a
division, ~hat have the vote; igennel ~ vote for;
nemmel ~ vote against; ~zunk! let's vote, let's
put it to the vote, [parlamentben] divide!; vk
mellett ~ give one's vote to/for (v. in favour of)
sy, cast one's ballot with sy, (poll a) vote for sy,
ballot for sy; én a hazamenetel mellett ~ok (biz)
I vote for going home, I'd rather go home; ~ni megy
go to the poll; a kommunistákra ~ vote Communist;
köszönetet ~ vknek pass a vote of thanks to sy;
kézfelemeléssel ~ vote by (a) show of hands
szavazás n, vote, votation, [gyűlésen] voting, [titkosan]
ballot(ing), suffrage, poll(ing), [parlamentben] divi-
sion; név szerinti ~ vote by call-over; név szerinti
~sal by a roll-call vote; nyílt ~ open vote/ballot;
titkos ~ secret vote, (secret) ballot(ing); ~ ered-

ményét kihirdeti declare the poll, declare the results (pl) ; ~ alá bocsát put to the vote; ~ nélkül without a division; ~ útján on a division; az első ~nál at the fi^st turn/poll/round; ~t követel challenge a division; ~t lezár close the polls

szavazási [-ak, -t; adv -lag] a, voting, balloting, polling; ~ ellenőr polling-clerk; ~ jegyzék poll, electoral register, register of electors/voters; ~ mód voting--system

szavazat n, vote, voice, suffrage, [golyó, cédula] ballot; érvénytelen ~ annulled ballot; kevés ~ poor/small poll; sok ~ heavy poll; a ~ok megoszlása splitting/distribution of votes; a ~ok összeszámlálása scrutiny/ counting of the votes, returning operations, canvass of the votes (US) ; ~át adja vkre (cast a) vote for sy, give sy the vote

szavazatarány n, proportional number of votes; szükséges ~ quota

szavazategyenlőség n, ticd vote, equality of votes; ~ esetén in case of an even number of votes cast, in case of a tie vote

szavazatgyűjtő n, scrutineer, [korteskedő] canvasser

szavazati [-ak, -t; adv -lag] a, of vote/voting (ut) ; ~ arány proportional number of votes; ~ jog (right to) vote, right of voting, [nyilvános választáson] (right of) suffrage, (elective) franchise; ~ joggal bíró enfranchised, entitled to vote; ~ joggal nem bíró voteless, unqualified to vote; ~ joggal felruház enfranchise

szavazatjog n, right to vote (v. of voting), [nyilvános választáson] suffrage, (elective) franchise

szavazatszám n, number of votes; a szükséges ~ quorum, requisite number of votes

szavazatszámlálás n, official counting of the votes, canvass of the votes (US), [parlamentben] telling (of division)

szavazatszámláló a, (pol) ~ bizottság returning board

szavazatszedés n, scrutiny, collecting the/of votes

szavazatszedő I. n, scrutineer, [parlamenti] teller II. a~ bizottság scrutineers (pl), election-committee; ~ bizottság elnöke (v. megbízott) returning officer

zavazattöbbség n, majority (of votes)

zavazó [-t, -ja] I. a, elective, voting, balloting, having a vote (ut) II. n, voter, poller, balloter, elector, [képviselőé] constituent

szavazóbíró n, assessor, associate/assisting-judge, puisne judge

szavazóbiztos n, polling-clerk

szavazócédula n, ballot/voting-paper, ballot(-ball); üres ~ blank voting-paper

szavazófülke n, polling-booth

szavazógép n, voting machine

szavazógépezet n, voting machinery

szavazógolyó n, ballot(-ball)

szavazóhelyiség n, polling-place/station, poll

szavazójegy n, = szavazócédula

szavazójegyzék n, register of electors/voters, electoral register

szavazójog n, = szavazati jog

szavazókerület n, constituency, electoral district, polling-district, [városi] ward, [régen ritk] borough

szavazókörzet n, (kb) ward, precinct (US)

szavazólap n, ballot/voting-paper, vote; érvénytelen ~ bad/spoilt voting-paper

szavazóurna n, ballot-box

szavojai [-ak, -t] a, Savoyard; Sz~ Jenő Eugene (prince) of Savoy

szavú [-ak, -t; adv -an] a, -voiced, -spoken, tongued, -worded; nyájas/síma ~ well-spoken, [igével] have a smooth tongue

szaxkürt n, (zene) saxhorn, [bariton, basszus] euphonium, [magas szoprán] saxhorn soprano, soprano

cornet; alt ~ althorn; kontrabasszus ~ contrabass tuba, bombardon; nagy ~ sax-tuba

szaxofón [-ok, -t, -ja] n, saxophone

szaxofonos [-ok, -t, -a] n, saxophonist

szaxofonista [.. át] n, saxophonist

szaxoni [-t] a/n, (geol) Saxonian

száz [-at, -a] num. a/n, hundred, fivescore (ref.) ; ~ évenként every hundred years, once in a century; ~ éve tartó centennial; ~ fokos centigrade, of hundred degrees (ut), [víz] boiling; ~ példányban in centuplicate; ~ és egy oka van vm megtételére have umpteen reasons for doing sg; ~ közül egy is alig scarcely one in a hundred; ~ közül egy sem not one in a hundred; egy szó mint ~ otthagyta to cut a long story short she left him; ~ esztendeje hogy nem láttam (biz) I haven't seen him for ages (v. donkey's years); minden ~ évben egyszer ha találkozunk (biz) I see him once in a blue moon; ha ~ keze is volna se bírná he could not manage it even with a hundred hands, if he had a hundred hands he could not do it; ~ szónak is egy a vége to come to the point, the long and short of it is, to make a long story short, to cut the cackle (fam) ; az emberek ~ai hundreds of people, people by the hundred(s); ~nál többen nem férnek be ebbe a szobába the room will not hold more than a hundred persons; ~akra rúg [szám, összeg] reach three figures; ~at egy ellen hogy nem fog sikerülni a hundred to one it will be a failure; ~ával by hundreds, by the hundred; ~ával halnak meg die in hundreds

század [-ot, -a] n, 1. [idő] century; ~ eleji of/towards the beginning (v. early part) of the century (ut) ; a ~ elején at/towards the beginning of the century; a múlt ~ban in the last century; az ötödik ~ban időszámításunk kezdete előtt in the fifth century before our era; a tizenkilencedik ~ban in the nineteenth century; ~okig for centuries/ages 2. [mérték] hundredth, centesimal; (... egész) egy ~, ...,01 ... point nought one; nulla egész öt ~ százalék point nought five per cent 3. [kat gyalogos] company, [lovas] squadron

századbeli a, 1. (of the) ... century; a múlt ~ of the last century 2. (kat) of the company/squadron (ut)

századforduló n, [váltás] turn of the century, [centenárium] centenary

századik [-at, -a; adv -ként, -nak] num. a/n, hundredth; ~ előadás hundredth night/performance; ~ évforduló centenary; minden ~ of the order of one in a hundred; minden ~ sem tudia not one person in a hundred knows it; minden ~ szava sem igaz there is no grain (v. not a word) of truth in what he says, he is a habitual liar

századirnok n, company clerk

századiroda n, (kb) orderly room

századközép n, mid-century

századonként adv, 1. [időszak] (in) a/every century; ~ egyszer once (in) a century 2. [mérték] by the hundred 3. (kat) by companies/squadrons

százados [-ak, -t; adv -an] I. a, 1. [idő] secular, centenarian, centennial, century-old, hundred year old, (átv) age-long, time-honoured; ~ küzdelmek alatt during the struggles lasting for centuries; ~ mulasztás century-old neglect; ~ tölgyek hundred year old oaks, centenarian/secular oaks 2. [mérték] centesimal, centigrade; ~ beosztás centigrade scale, centesimal division; ~ mérleg centesimal (weighing) balance II. n, (kat) captain, company/battery/squadron commander, [repülő] flight-lieutenant ; ~sá lép elő get one's company, be promoted to captain

századosi [-ak, -t] a, of captain (ut) ; ~ rang rank of a captain, captaincy; ~ rangban in/with the rank of (a) captain

századparancsnok n, (kat) company/squadron commander, captain of a company

századparancsnokság n, company headquarters (pl)

századrész n, hundredth (part); ~e sem igaz a meséjének not a particle of his yarn/story is true

századsorban adv, in the hundredth place

századszor num. adv, for the hundredth time

századszorra adv, on the hundredth occasion, at the hundredth attempt/time/try, for the umpteenth time (fam)

századvég n, end/close of the century, fin de siècle (fr)

századvégi a, of the close of the century (ut), fin de siècle (fr)

százalék [-ot, -a] n/a, per cent, percent, percentage; száz ~ban one hundred per cent, entirely, completely, perfectly; száz ~ig igaza van he is perfectly (v. a hundred per cent) right

százalékarány n, percentage; magas ~ heavy percentage; ~ban at a rate per cent; ~ban kifejezve expressed in percentage

százalékláb n, (pénz, ker) percentage, rate per cent

százalékos [-ak, -t; adv -an] a, percentile, percental, (expressed in) percentage (v. per cent) (ut); ~ alapon in percentile terms, on a percentage basis; ~ arány percentage; ~ elosztás/megoszlás percentage distribution/relationship of sg; ötven~ hadirokkant a fifty per cent war-cripple; hat~ kamatra at the rate of six per cent; ~ (lég)nedvesség (fiz) relative humidity; ~ növekedés increment per cent; harminc~ oldat (vegyt) thirty per cent solution; ~ részesedés percentage

százalékszámítás n, calculation of interest/percentage(s)

százan num. adv, a hundred (of); ~ voltak there were a hundred of them

százanként adv, per hundred, per cent(um)

százannyi adv, hundredfold, a hundred times as much/many

százas [-ak, -t, -a] I. a, [beosztás] centesimal, centigrade, [köteg] a hundred ..., containing/comprising one hundred 100; ~ szoba room number 100; ~ bankjegy = százas II. 2.; II. n, 1.[szám] hundred, the centenary number 2. [bankjegy] a hundred forint/pound/dollar etc. note/bill; ~okkal fizet pay with (one) hundred notes/bills

százegy num. a/n, a hundred and one

százesztendős a, = százéves

százéves a, centenarian, centenary, centennial, of a hundred years (ut), secular; ~ évforduló centenary, centennial; Sz~ Háború The Hundred Years' War; ~ korban at the age of hundred

százezer num. a/n, one hundred thousand; százezrek hundreds of thousands; százezrével haltak meg they died in hundreds of thousands

százfejű a, hydra-headed

százfelé adv, in all (v. a hundred different) directions; ~ futottak they fled/ran in all (v. in a hundred different) directions

százféle a, a hundred (different) kinds/sorts (of), of all kinds/sorts (ut)

százféleképp|en adv, in a hundred (different) ways/manners

százforintos a, ~ bankjegy a hundred forint note; ~ fű (növ) lesser/common centaury (Erythraea centaurium)

százhúsz num. a/n, one hundred and twenty, sixscore

százkarú a, hundredarmed

százkettő num. a/n, hundred and two

százlábú [-ak, -t, -ja] I. n, (áll) centipede (Chilopoda-osztály), myriapod (Myriopoda-osztály) II. a, (áll) myriapodous

százrétű [-ek, -t adv -en] I. a, hundredfold, centuple II. n, (áll gyomor] stomach, omasum, psalterium, manyplies

százszámra adv, by/in hundreds

százszázalékos a, 1. one-hundred-per-cent 2. (átv) thoroughgoing, dyed-in-the-wool, out-and-out, straight-out (US fam); ~ úr a hundred-per-cent gentleman

százszor num, adv, a hundred times, heaps of times; ~ is megmondtam már I told you so again and again; ha ~ olyan bűnös volna is had he been guilty twenty times over

százszoros [-ak, -t; adv -an] a, hundredfold, centuple

százszorosan adv, a hundredfold; ~ visszafizet pay back a hundredfold (v. hundred times more)

százszorszép n, (növ) (common English) daisy, moon-flower (Bellis perennis)

százszorszép-füzér n, daisy-chain

százszorta adv, hundredfold, a hundred times (more)

szcéna [.. át] n, (biz) scene; szcénát csinál/rendez make a scene

szcenárió [-t, -ja] n, scenario, screen-play

szcenárium [-ok, -t, -a] n, scenario, script

szcenáriumíró n, (film) screenwriter, [operáé stb.] scenarist (US)

szcenikus n, scenist

szcintillál [-t, -jon] vi, (fiz) scintillate

szeansz [-ok, -t, -a] n, seance, sit (fam)

szebb [-et; adv -en] a, more beautiful/attractive, [nő] prettier, [férfi] more handsome, [jövő] brighter; ~ nem is lehetne it could not be more beautiful; nincs ~ dolog mint nothing can be (v. is) nicer than; a leg~ az volt a dologban the beauty (v. funniest part) of it was ...; ~é tesz beautify, embellish, make more beautiful, enhance the beauty of; ~nél ~ one more beautiful than the other

szebbül [-t, -jön] vi, become more beautiful

szeborrea [.. át] n, (orv) seborrhea

szeborreás a, (orv) seborrheic

szecesszió [-t, -ja] n, (műv) secession, Art Nouveau (fr); ~ híve disunionist

szecessziós [-ak, -t, -a; adv -an] a/n, secessionist; ~ háború (tört) war of secession

szecska n, chaff, chopped hay/straw, chop(-feed)

szecskavágó n, chaff-cutter/chopper, chopping-machine, chopper, feed/food/straw-cutter

szecskavágógép n, = szecskavágó

szecskáz [-tam, -ott, -zon] vt, cut chaff/straw, chop

szecskázás n, cutting chaff/straw

szed [-tem, -ett, -jen] vt, 1. [gyűjt] gather, collect, [anyagot lelőhelyről] collect, cull, [burgonyát] dig up, [ételt tálból] help oneself, [gyümölcsöt] pluck, pick, [kalászt] glean, [kat újoncot] levy, raise/enlist/draw (recruits), [virágot] pluck, pick, gather; honnan ~i ezt? where do you take (v. have you taken) that from?; málnát/szamócát/epret ~ berry; ~i a szőlőt gather the grapes; tessék ~ni [a tálból] help yourself 2. [magába szivacs] suck in/up, (átv) receive, take up, absorb, assimilate, imbibe; orvosságot ~ take medicine (regularly); mit ~sz fejfájás ellen? what do you take for headache 3. [díjat, vámot] collect, levy, get in 4. ráncba ~ (tex) crease, plait, gather, put/draw in plaits, [homlokot] wrinkle, knit, [fegyelmez] discipline, bring to heel, rap sy on the knuckles, take down a peg or two; a fiút egy kissé ráncba kellene ~ni the boy wants taking in hand 5. (nyomd) set (up, type in), compose 6. [lábát] step out briskly, use one's legs, leg it (fam), stir one's stumps (fam), [ló] step high; ~d a lábad! step lively!, run along!, look smart (about it)!, make it snappy!, stir your stumps!, pretty damn quick!; nehezen ~i a lábát plod along 7. (biz) ~i a sátorfáját pack up bag and baggage, hop the stick/twig, hop off, hump it, hump one s swag

szedeget vt, be/keep gathering/picking/collecting, [aá~

tokat] gather, cull, collect, *[kalászt]* glean, *[madár szemet]* peck, pick

szédeleg [-tem, .. lgett, -jen] *vi,* **1.** *[szédül]* giddy; ~ *a fejem* my head goes round and round, I feel giddy/dizzy; *már szédelgek az éhségtől* I am famishing, I've got (such) a twist **2.** *[szélhámoskodik]* swindle, humbug, be a swindler/cheat/humbug

szédelgés *n,* **1.** = **szédülés; 2.** *[szélhámosság]* swindle, deceit, fraud, cheat, humbug(ging), humbuggery, roguery, roguishness, imposture, fake, quackery, charlatanry, sharp practice(s), ramp *(fam)*, sell *(fam)*, plant *(fam)*, take-in *(fam)*, dodge *(fam)*

szédelgő [-t, -je; *adv* -en] **I.** *a,* swindling, cheating, fraudulent, humbugging **II.** *n,* swindler, cheat, impostor, humbug, fraud, charlatan, mountebank

szédelgős [-ök, -t; *adv* -en] *a,* be subject to *(v.* suffer from) giddiness/vertigo

szedelőzköd|ik [-tem, -ött, -jön, -jék] *vi,* (gather one's things together and) be preparing to leave/start; ~*jünk* let's be off

szedendő [-t] *a, étkezés után* ~ *[orvosság]* to be taken after meals

szeder [szedret, szedre *v.* -je] *n, (növ)* **1.** bramble *(Rubus sp.);* hamvas ~ dewberry *(R. caesius);* hegyi ~ blackberry *(R. fruticosus)* **2.** *(nép)* mulberry *(Morus sp.)*

szederbokor *n, (növ)* bramble(-)berry cane, blackberry cane/bush

széder-est *n, (vall)* (celebration of the) Seder

szederfa-selyempille *n, (áll)* silk-moth *(Bombyx = Sericaria)* mori

szederinda *n,* runner (of a bramble)

szederjes [-ek, -t; *adv* -en] *a,* violaceous, purple-blue; ~*sé vált az arca* he went blue (in the face), he became livid

szedés *n,* **1.** *[burgonyát]* digging up, *[kalászé]* gleaning, *[lelőhelyről]* culling, collecting, *[terményé]* gathering, collecting, pick, harvest, *[virágé]* plucking, picking **2.** *[adóé, illetéké]* collecting, gathering, levying **3.** *[nyomd művelet]* (type-)setting, composing, *[a kész szedés]* composition, matter, *[szöveg]* type; *gépi* ~ machine-composition/setting; *kevert* ~ mixture; *kézi* ~ hand-composition/setting; *(nyomásra váró) jó* ~ good-matter; *sima* ~ straight matter; *sűrű* ~ cramped work, close spacing; *szétesett* ~ printer's reader, pie *(fam);* törlendő ~ cancel matter; ~ *alatt (levő) a* at press, in the press; ~*be ad* have sg set/composed; ~*ben van* be at press, be in the press, gone to press; ~*t ritkít* lead out matter, white out

szedésforma *n,* form

szedéshasáb *n, (nyomd)* column

szedési [-ek, -t; *adv* -leg] *a,* typographic(al); ~ *hiba* typographical/printer's error, misprint; ~ *utasítások [kiadóvállalatnál, szerkesztőségben]* style book/sheet

szedésminta *n,* sorts *(pl)*

szedésritkítás *n, (nyomd)* making even, whiting out

szedéstükör *n, (nyomd)* type (page) area, page-size, lay-out

szedetlen *a,* **1.** *[termény]* ungathered, unpicked **2.** *(nyomd)* not set/composed *(ut)*

szedetlenül *adv,* ~ *maradt [mű]* it remained in manuscript form, it was left uncomposed

szedett [-et; *adv* -en] *a,* **1.** gathered, collected, picked **2.** *(nyomd)* set, composed

szedett-vedett [-et, *adv* -en] *a,* trashy, shoddy, riff-raff, scrappy, snippety; ~ *mű/munka* patchwork; ~ *népség* (shoddy) riff-raff, mixed company, motley, ·abble, mob, Tom(,) Dick and Harry *(fam)*

szediment [-et, -je] *n, (vegyt)* deposit, sediment

szedimentáció [-t, -ja] *n, (geol)* sedimentation

szédít [-eni, -ett, -sen] *vt/vi,* **1.** stun, daze, make (one

feel) giddy/dizzy/reel, make one's head swim/spin **2.** *(átv)* bluff, swindle, cheat, humbug, hoodwink, *[nőt]* turn sy's head

szédítés *n,* bluff(ing), hoodwinking, swindling, cheating, quackery, bamboozlement, dope, hocus-pocus, *[nőé]* turning sy's head

szédítő [-ek, -t; *adv* -en] *a,* giddy, dizzy, vertiginous; ~ *árak* exorbitant prices; ~ *magasság* dizzy/giddy/heady height; ~ *mélység* terrific/giddy depth; ~ *pályafutás* dazzling career; ~ *sebesség* dizzy/giddy speed; ~ *siker* dazzling/tremendous success

szédítően *adv, (átv)* fantastically, fabulously

szedő [-t, -je] **I.** *n,* **1.** *[terményt beszedő]* gatherer, picker (of fruit), gleaner **2.** *(nyomd)* (type-)setter, compositor, comp *(fam), [órabéres]* stab-hand **II.** *a, [gyümölcsöt]* gathering, picking

szedőállvány *n, (nyomd)* case-rack, composing frame

szedőasztal *n, (nyomd)* work-bench

szedőbrigád *n, (nyomd)* companionship

szedődeszka *n, (nyomd)* wetting-board

szedődob *n,* picking drum

szedőgép *n,* **1.** *(nyomd)* composing-machine, type-setting machine, type-setter, *[betűket]* mono(type), *[sorokat]* lino(type); *kombinált szedő- és nyomógép* printer and typesetter **2.** *(mezőg)* grubbing-plough, grubber

szedőgépmatrica *n, (nyomd)* matrix

szedőgyerek *n,* **1.** *(nyomd)* printer's help/apprentice/devil **2.** *[tenisz]* ball boy

szedőhajó *n, (nyomd)* (make-up) galley, setting-rule

szedőkanál *n,* **1.** *[lyuggatott]* skimmer, skimming ladle, *[főlöző]* scummer, *[étkezési]* ladle, *[leveshez]* soup-ladle, *[mártáshoz]* gravy-spoon **2.** *(nyomd)* composing/setting stick

szedőkeret *n,* composing frame

szedőlénia *n,* *(nyomd)* (setting, composing) rule, reglet

szedőosztály *n, (nyomd)* composing department

szedőregál *n, (nyomd)* frame

szedőszekrény *n, (nyomd)* (type) case, typesetter's stand, job-case, composing-frame; ~ *rekesze* box (of type case)

szedőszerkezet *n,* picking mechanism

szedőtanuló *n, (nyomd)* apprentice-compositor

szedőterem *n, (nyomd)* printing-office, compositor's/composing room, case-room

szedővas *n, (nyomd)* composing/setting stick; ~*sal szed [betűt]* stick

szedővasnyi *a, (nyomd)* stickful

szedres [-et; *adv* -en] **I.** *a,* mulberry/blackberry-stained **II.** *n,* blackberry/brambleberry/mulberry ground/place/garden

szedrez|ik [-tem, -ett, -zen, -zék] *vi,* bramble, berry

szedtevette [. .ét] **I.** *int,* by jingo!, the deuce! **II.** *a,* rascally; ~ *gézengúz* little rascal

szedtevette-teremtette *int,* blimey

szedtevettéz [-tem, -ett, -zen] *vi,* storm, swear, rail (at sy)

szédül [-t, -jön] *vi,* be/feel giddy/dizzy, feel faint, one's head swims, reel, turn, have an attack of vertigo; ~*ök* I feel/am/turn giddy, my head turns/swims, my head is going/turning round, my brain/head reels, my head is all of a swim; ~ *a feje* his head is swimming/reeling *(v.* going round and round); ~ *a fejem a sok lármától* this din makes me feel giddy; ~*ve* dizzily

szédülés *n,* **1.** giddiness, di??iness, swimming (of the head), staggers *(pl),* swim *(fam), [mélység láttán]* height fear; ~ *fogja el az embert* become giddy, feel dizzy, be overcome by/with giddiness, have an attack of giddiness **2.** *(orv)* vertigo, dinus **3.** *(áll) [kergeség]* megrim

szédülési [-ek, -t] *a*, ~ *roham* attack/fit/spell of vertigo/ giddiness/dizziness, vertiginous attack

szédület *n*, ~ *rágondolni* the mere thought of it makes one giddy

szédületes [-et; *adv* -en] *a*, **1.** = **szédítő**; **2.** *(biz átv)* *[óriási]* colossal; ~ *ostobaság* mere/plump nonsense; ~ *siker* colossal/enormous/giddy success

szédülő [-t] *a*, giddy, dizzy; *ld még* **szédülős**

szédülős [-et; *adv* -en] *a*, subject to giddiness/vertigo, light-headed

szédült [-et; *adv* -en] *a*, *(biz)* ~ *ötlet* crazy idea; ~ *pali* sucker, bloody fool, blithering idiot

széf [-et, -je] *n*, strong-box, safe

szeg¹ [-tem, -ett, -jen] *vt*, **1.** *[szegélyez]* border, hem, fringe, bound, edge, *[szoknyát]* pipe **2.** *[kenyeret]* cut **3.** *vk kedvét* ~*i* put/bring sy out of conceit/ humour; *nyakát* ~*i* break one's neck; *szavát* ~*i* break one's word; *ld még* **megszeg**

szeg² [-et, -e] *n*, nail, pin, *[cipészé]* sparable, *[cipőn csúszás ellen]* spike, *[fa]* peg, dowel, *[fej nélküli]* brad, sprig, *[jancsi]* hobnail, *[kicsi]* tack, *[nagyfejű disznek]* stud, *[patkóba]* spike, *[széles kerek fejű]* stub nail, *[U-alakú]* staple; ~ *nélküli* nailless; ~ *kiálló hegyét leveri* rivet/clinch a nail; *kibújik a* ~ *a zsákból* show the cloven hoof, come out in one's proper colour, show one's real intention/purpose; ~*re akaszt [foglalkozást]* lay aside, cast off, abandon, hang up the fiddle, *[élvet]* waive, hang on the peg, shelve; *fején találja a* ~*et* hit the nail (squarely) on the head, strike/hit home; ~*et kihúz* take/draw pull out a nail; ~*et* ~*gel* tit for tat, an eye for an eye, measure for measure; ~*et üt/ver a falba* drive/hammer a nail into the wall; ~*et üt a fejébe* set one thinking, cause uneasiness/anxiety, puzzle, put a suspicion in one's mind; ~*gel kirak/kiver/díszít* stud, ornament with nails, nail, *[cipőtalpat]* hobnail; ~*ekkel kivert/ díszített bőr* studded leather; ~*ekkel megjelölt átjáró [úttesten]* pedestrian/studded crossing, zebra *(fam)*; ~*ekkel ráerősít* nail on (to)

szegcsavar *n*, stud(-bolt)

szeges [-et, -e] *n*, rivet, pin, clinch, stud, *[fej nélküli]* brad, *(műsz)* bolt; *süllyesztett* ~ countersunk/flush- -rivet; ~*et kiránt* punch out; ~*et meglazít* start a rivet

szegecsel [-t, -jen] *vt*, (drive/set a) rivet, clinch

szegecselés *n*, riveting, clenching, clinching; *hideg* ~ cold-riveting

szegecselő I. *n*, **1.** *[személy]* riveter, hammerer **2.** = **szegecselőkalapács; II.** *a*, riveting

szegecselőgép *n*, riveter; *nehéz* ~ bull-riveter

szegecselőkalapács *n*, riveter, riveting/clinch-hammer, nail-set

szegecselőrúd *n*, *(műsz)* punch

szegecselt [-et; *adv* -en] *a*, riveted, clinched

szegecsfej *n*, rivet-head; ~*et lerepeszt* start a rivet

szegecsfejező I. *n*, *[szerszám]* rivet snap/set, die, dolly **II.** *a*, ~ *gép* (rivet) heading machine; ~ *prés* burr-removing press; ~ *szerszám* rivet snap/set, rivet(t)ing punch

szegecsfogó *n*, rivet tongs *(pl)*

szegecshúzó *n*, rivet-drawer, rivet extractor

szegecslyuk *n*, rivet-hole

szegecsosztás *n*, (rivet) pitch

Szeged [-et, -en, -re] *prop*, Szeged (town in Southern Hungary)

szegel [-t, -jen] *vt*, nail, *[ritkábban]* spike, tack, stud, *[talpat fejes szegekkel]* clout, hobnail, *[faszeggel]* peg

szegelés *n*, nailing, *[ritkábban]* spiking, tacking, studding, *[talpat fejes szegekkel]* clouting, *[faszeggel]* pegging

szegelőkalapács *n*, *(műsz)* nail-punch

szegély [-ek, -t, -e] *n*, **1.** border, edge, ledge, *[arany, ezüst]* lace, *[cipőtalpé, kesztyűé]* welt, *[szőnyegé]* styling, *[szöveten]* selvage, selvedge, hem edging, trim, *[zsebkendőn]* hem; *függöny* ~*e* trimming of a curtain; *ruha* ~*e* border/hem/list/trimming/binding/ facing of a dress/suit, *[paszományféle]* braid **2.** *(épít)* moulding, skirting, lip, listel; *falon körülfutó* ~ frieze; *járda* ~*e* kerb, curb *(US)* **3.** *[kertben]* bordering, *[erdőé]* skirt(s), fringe, verge, *[sövény]* hedging; *erdő* ~*e* skirt(s)/fringe/verge of a forest; *város* ~*e* outskirts of a town **4.** *[keret]* frame, framing, *[papíré, fényképé]* margin **5.** *(cím)* border, bordure

szegélyárok *n*, *[kocsiút szélén]* gutter

szegélybevarró gép listing machine

szegélycsík *n*, *[törülközőben, asztalkendőben]* border stripes *(pl)*, lacing

szegélycsipke *n*, seam-lace

szegélydeszka *n*, gunwales *(pl)*

szegélydísz *n*, **1.** *(épít)* listel, fillet, plain moulding, stria, *[érmén]* rim, edge-ring **2.** *(nyomt)* ornamental border **3.** *[ruhán]* trimming, purfling, purfle, *[zsinór, paszomány]* gimp, galloon, lacing

szegélydöntés *n*, *(mezőg)* strip felling

szegélyez [-tem, -ett, -zen] *vt*, **1.** border, edge, *[keretszerűen]* margin, frame, *[peremszerűen]* rim **2.** *[női ruhafélét]* hem, trim, pipe, *[tex, arany, ezüst]* lace, *[díszesen]* trim, fringe, *[paszománnyal]* braid; *rojttal* ~ border with fringes **3.** *(vmt)* skirt, flank, line; *az utat nyárfák* ~*ik* the road is lined/ flanked with poplars

szegélyezés *n*, **1.** *[folyamat]* bordering, edging, *[keretszerűen]* margining, framing, *[peremszerűen]* rimming, **2.** *[ruhát]* hemming, trimming, piping, *[arannyal, ezüsttel]* lacing, *[paszománnyal]* braiding; *ld még* **szegély; 3.** *[városé, erdőé]* lining, skirting

szegélyezett [-et; *adv* -en] *a*, **1.** bordered, edged, *[keretszerűen]* margined, *[ruha]* selvaged, selvedged, hemmed, rimmed; *csipkével* ~ trimmed with lace *(ut)*; ~ *zseb* piped pocket **2.** *[erdővel, fákkal]* lined, skirted

szegélyezőgép *n*, listing machine

szegélyfa *n*, wall/edge-tree

szegélyfátyol *n*, *(fényk)* marginal/edge fog

szegélyfonal *n*, *(tex)* selvedge thread

szegélyhurok *n*, *(tex)* picot

szegélykioldó *n*, *[írógépen]* margin release

szegélykő *n*, border/edge/cheek/trim-stone, *[útépítés]* ˡ'erb/curb-stone, nose block, border, *[kúté]* curb, puteal

szegélyléc *n*, plinth, ledge, framing strip, batten, frieze, *[szobában padlón]* skirting-board, washboard, *(hajó)* gunwale

szegélylemez *n*, flange plate

szegélyöltés *n*, *[kézimunkán]* seam/hem-stitch

szegélypala *n*, eaves slate

szegélyszalag *n*, ribbon for trimming

szegélytenger *n*, shelf sea

szegélyű [-ek, -t; *adv* -en] *a*, -bordered, -edged, -hemmed, -listed, -margined *(ut)*; *fekete* ~ *papír* black-edged note-paper; *hullámos* ~ *(növ)* crispate

szegélyvetés *n*, bordering

szegélyzet *n*, = **szegély**

szegélyzsinór *n*, braid, piping, cord(ing), galloon, edging, leech-line

szegény I. *a*, **1.** poor, needy, in want *(ut)*, penurious, *[nyomorúságos]* miserable, wretched, *[pénztelen]* impecunious, penniless, moneyless, badly off *(ut)* *(fam)*, broke *(fam)*, shirtless *(fam)*, *[szükséget szenvedő]* indigent, needy, necessitous; ~ *anyám* rhy poor mother; ~ *asszony két fillérje (vall)* widow's mite; ~ családból való low-born; ~ feje/ördög poor fellow/thing/chap/devil; te ~! poor you!; ~ mint a templom egere poor as Job, poor as a church mouse; ~ (megboldogult) anyám my poor mother; ~ ember szándékát boldog Isten bírja (kb) man proposes God disposes; szegénnyé tesz depauperate 2. (vmben) destitute of, poor in, deficient in; ásványban ~ poor in minerals

II. n, poor indigent, [közalapból támogatott] pauper, [magánalapból] beadsman; lelki ~ the poor in spirit; ~ek felsegélyezése assistance of the poor; ~ek perselye alms-box

szegényadó n, poor rate

szegényalap n, relief funds (pl)

szegényedés n, = elszegényedés

szegényed|ik [-tem, -ett, -jen, -jék] vi, = elszegényedik

szegényellátás n, maintenance of the poor

szegényen adv, poorly, wretchedly; ~ halt meg he died a poor man

szegényes [-et; adv -en] a, poor(ish), penurious, beggarly, paltry (pej), pitiful (pej), pitiable (pej), [szűkös] scanty, slender, skimpy, meagre, [nyomorúságos] miserable, sorry, miserly, seedy (fam), [kopott] shabby, bare, [lecsúszott] reduced; ~ díszítés poor adornment, miserable decorations (pl); ~ ebéd meagre/wretched dinner, poor/lenten lunch; ~ háztartás straitened household; ~ külsejű/megjelenésű poor/pitiable/shabby-looking

szegényesen adv, poorly; nagyon ~ él live in reduced circumstances, live in a meagre/small way, lead a dog's life; ~ öltözött humbly clad

szegényesség n, poor-ness, [szűkösség] scantiness, [állapoté, étkezésé] miserliness

szegénygondozás n, poor-relief, district-visiting

szegénygondozó n, district-visitor

szegényház n, poorhouse, alms-house, common lodging-house, pauper asylum, charitable institution, work-house, the House (GB fam), [alapítványi] beadhouse; ~ba kerül come/go on the parish

szegényházi a, institutional; ~ öregek alms-folk

szegényiskola n, ragged school

szegényít [-eni, -ett, -sen] vt, = elszegényít

szegényjog n, benefit of poverty, gratuitous help in judicial matters, privilege of the poor (in law suits); ~ kedvezményét megvonja vktől dispauper sy, withdraw the privilege of suing in forma pauperis; ~on perel sue in forma pauperis

szegényke n, poor (little) thing, poor creature/dear/lamb

szegénylegény n, highwayman, outlaw; beáll ~nek take (to) the road

szegénynegyed n, the district of the poor, poor part/district, slum, [Londonban] East End, [New Yorkban] East Side

szegényparaszt n, poor peasant, agricultural labourer

szegényparasztság n, village proletariate/poor, poor peasants/peasantry

szegénység n, poverty, indigence, want, penury, destitution, neediness, beggary, poorness, scantiness, [általános] pauperism; a ~ vasmarka (biz) grip of poverty; a ~ nem szégyen (közm) poverty is no crime/disgrace/sin/vice; ~be juttat impoverish; ~ére hivatkozik plead poverty

szegénysegélyezés n, (poor-)relief

szegénységi [-ek, -t; adv -leg] a, (of) poverty; ~ bizonyítvány certificate of poverty, poverty affidavit (US); ~ bizonyítványt állít ki magáról (átv) prove one's own incapacity/poverty; ~ fogadalom vow/pledge of poverty

szegénysor n, 1. [sors] poverty, indigence, penury; ~ban in indigence, leading a life of poverty, hard up (fam) 2. [utca] slum, street of the poor

szegénysorsú a, poor, impecunious, needy, resourceless, badly off (ut) (fam), hard up (ut) (fam)

szegényügy n, poor relief, Poor Law Administration (GB)

szegényügyi a, (jog) ~ nyomozó poor-law officer

szegényül[1] [-t, -jön] vi, = elszegényedik

szegényül[2] adv, poorly, wretchedly

szegényvitéz n, ⟨slices of white bread soaked/dipped in egg and fried⟩

szeges [-et; adv -en] a, nailed, naily, studded, spiked (down), spiky, fastened with nails (ut); ~ bakancs spiked shoes; ~ bot alpenstock, iron-tipped stick; ~ cipő (hob)nailed boots/brogues, (sp) track and field shoes (pl), track-shoes (pl), spikes (pl); ~ korbács knout; ~ talp hobnailed sole

szegés n, 1. [anyagon] = szegély; 2. [mint folyamat] hemming, bordering, trimming 3. [kenyéré] cutting first cut

szegesdrót n, barbed wire

szegetlen a, 1. [anyag] unhemmed, edgeless 2. [kenyér] uncut, unbroken, whole 3. [nem szeges] not nailed, nailless

szegett [-et] a, bordered, edged, seamed; ~ zseb piped flap pocket

szegez [-tem, -ett, szegzett, -zen] vt, 1. nail (on, to), spike, tack, stud, [faszeggel] peg, [cipőt] clout 2. [pillantást, szemet] fix, rivet (on); szemeit az ajtóra ~te his eyes were sealed on the door; vkre ~i a tekintetét rivet one's eyes on sy 3. [vk ellen fegyvert] point/aim at, train on, [lándzsát] couch, [szuronyt] fix; mellének ~te a pisztolyt he clapped the pistol to his breast; pisztolyt ~ vk fejének level/present a pistol at sy's head; szuronyt ~z! charge bayonets! 4. [vádat] level/aim at

szegezés n, 1. nailing, spiking, tacking, studding, [faszeggel] pegging 2. [pillantást, szemet] riveting 3. [nyilallás] stitch (in one's side)

szegezetlen a, nailless

szegeződ|ik [-tem, -ött, -jön, -jék] vt, be set on sg, be/remain fixed/riveted; minden tekintet az ajtóra ~ött everyone stared at the door, all eyes were fixed/riveted on the door

szegfej n, nail-head, [mint díszítés is] bolthead

szegfogó n, = szeghúzó

szegfúró n, gim(b)let

szegfű [-t, -je] n, 1. (növ) pink (Dianthus sp.); kerti ~ carnation, clove pink, gillyflower (D. caryophyllus); mezei ~ maiden pink (D. deltoides); török ~ sweet William (D. barbatus) 2. (áll) tengeri ~ sea anemone (Metridium dianthus)

szegfűbagoly n, [lepke] coronet (Harmodia sp.)

szegfűbors n, (növ) allspice, Jamaica pepper (Pimenta officinalis), [fűszer] allspice, pimento

szegfűgomba n, (növ) fairy-ring (mushroom), marasmius (Marasmius oreades)

szegfűszeg n, clove

szegfűszegfa n, (növ) clove-tree (Eugenia caryophyllata)

szegfűszegolaj n, oil of cloves

szeggyár n, nailery, nail-works/factory/forge

szeggyártás n, nail-making

szeggyártó a, ~ műhely/üzem nail-works (pl)

szeghúzó I. n, nail/tack-claw/drawer/extractor/wrench, pincers (pl) II. a, ~ kalapács claw-hammer

szegkovács n, nailer, nail-smith/maker, blacksmith

szeglet n, = szöglet

szegletes a, = szögletes

szegletesség n, = szögletesség

szeglyuk n, nail-hole

szegmens [-ek, -et, -e] n, 1. (menny) segment, section 2. (vill) segment

szegmentum [-ot, -a] n, (bonct) segment: ld még szegmens

szegő [-t, -je; adv -(e)n] I. a, (csak összet) breaker/violator of ... II. n, 1. (text) end-list 2. [anyagon] = szegély

szegőcske n, [ruhán] pin-tuck

szegődés n, 1. engagement, hiring oneself out, taking a situation, going into (v. entering) service 2. (pol) adhesion, adherence

szegőd|ik [-tem, -ött, -jön, -jék] vi, 1. [szolgálatba] hire oneself out, be enlisted in sy's service, obtain a situation/post, (vmnek) enter as, [háztartási alkalmazottnak] go into (domestic) service, [mezőg munkásnak] engage oneself for the season, [katonának] enlist, join up, join/enter the army, [tanulónak] bind oneself (v. be bound) apprentice, be indented; új helyre ~ik take/enter a new place 2. (vkhez vmhez) join/attack oneself (to), take to, [politikában] join (a party), rally to (a party), side (v. throw in one's lot) with a party; hozzánk ~ött a hajón on the ship he joined (company with) us; az ellenséghez ~ött he ratted, he joined (v. went over to) the enemy

szegődisz n, [öltönyön] border

szegődmény n, engagement, contract, hiring, hire

szegődményes [-ek, -e; adv -en] a/n, [mezőg munkás] farmhand

szegődtet vt, engage, hire, take on, [matrózt] sign on, [háztartási alkalmazottat] take into (domestic) service, [tanulót] indent(ure); munkásokat ~ engage/enrol workmen

szegőléc n, (épít) band, strip, counter-lath; keretező ~ listel, fillet, plain moulding

szegőöltés n, hemming, hem-stitch, overcast (stitch)

szegőszalag n, (tex) edging, webbing, [könyvé] head-band

szegőzött [-et; adv -en] a, seamed

szegőzsinór n, braid, piping, (plaited) cord, gimp, edging, binding

szegregáció [-t, -ja] n, apartheid

szegről-végről adv, csak ~ rokon only a distant relation, a sort of relation

szegül [-t, -jön] vi, = ellenszegül

szegvény n, (menny) absciss(e), abscissa; ~ek coordinates

szegy [-ek, -e] n, [borjúé] breast, [marháé] brisket, thin flank

szegycsont n, (bonct) breast-bone, sternum, [madaraké] fourchette; ~ alatti fájdalom (orv) substernal pain; ~hoz és bordához tartozó (bonct) sternocostal

szegycsonti a, (bonct) sternal

szegycsont-nyelvcsonti a, (bonct) sterno-hyoid

szegycsonttaraj n, [madáré] furcula

szegycsontvéső n, (orv) sternum chisel

szégyell [-t, -jen] vt, be/feel ashamed (of); ~d magad! (you ought to) be ashamed of yourself, for shame!, shame (on/upon you)!; ~ vmt megtenni be/feel ashamed of doing sg; nem ~ vmt megtenni be unashamed of doing sg; nem ~em bevallani I do not blush to own; ~i magát shame oneself, feel mean/cheap; ld még szégyenlős; ~i magát vmért vk előtt be ashamed for/of sg before sy; annál inkább ~heted magad all the more shame to/on you; ~tem magam miattad I was ashamed for you, you put me to the blush, you made me blush for you; ~em de be kell vallanom hogy to my shame I must confess that

szégyellnivaló a/n, sg to be ashamed of; nincs abban ~ nothing to be ashamed of

szégyen [-ek, -t, -e] n, 1. [érzés] shame; majd meghalt ~ében he almost died for shame, he wished the earth would swallow him; ég az arca a ~től his face was burning with shame 2. [szégyellnivaló] disgrace, dishonour, ignominy, discredit, disrepute, scandal, opprobrium; ~ (hogy) it is a scandal/disgrace (that); ~(,) gyalázat! it's a burning shame/disgrace, it is

a crying shame, it's a (sin and a) shame, what a shame!, for shame!, this is an outrage!; milyen ~! what a shame!; nincs abban semmi ~ there is no disgrace in doing it; ~e vmnek be a reproach to sg; ő a család ~e he is the disgrace/scandal (v. black sheep) of the family, he is the skeleton in the cupboard; ~ben maradt [megszégyenítették] he was put to shame, he was made ashamed, [sikertelen volt] he made himself ridiculous, he came back with a flea in his ear; ~t hoz vkre, ~be hoz vkt bring shame/disgrace/dishonour on sy, be a disgrace to sy, put sy to shame, put sy to the blush; ~t vall disgrace oneself, fail shamefully; ~ a futás de hasznos he who fights and runs away may live to fight another day, discretion is the better part of valour

szégyenbélyeg n, brand, stigma, infamy

szégyenérzés n, = szégyenérzet

szégyenérzet n, sense of shame, [szégyenlősség] bashfulness, shyness; minden ~ét elvesztette be lost/dead to (v. be past) all sense of shame

szégyenfa n, pillory, whipping post

szégyenfolt n, (a foul) blot, slur, blemish, stain, taint, disgrace, discredit, stigma; ~ja vmnek be a reproach to sg; a család ~ja be a disgrace to (v. the disgrace/shame of) one's family

szégyenkezés n, shame, humiliation

szégyenkez|ik [-tem, -ett, -zen, -zék] vi, (vmért) be/feel ashamed (of), be shamefaced, feel shame/cheap at sg, hide one's diminished head (ref.); nem kell ~ni miatta one need not feel ashamed

szégyenkező [-t; adv -en] a, ashamed, embarrassed, confused, abashed, shamefaced

szégyenkezve adv, shamefacedly, embarrassedly, confusedly

szégyenlet n, = szégyenérzet; majd elsüllyed ~ében he nearly went through the floor for/with shame, he wished the earth would swallow him

szégyenletes [-t; adv -en] a, shameful, disgraceful, ignominious, infamous, discreditable, dishonourable, disreputable, odious, heinous, opprobrious; ~ csata inglorious battle; ~ cselekedet infamous deed; ~ dolog (biz) it's a burning disgrace; ~ kudarc an ignominious failure; ~ ügy degrading affair

szégyenletesen adv, shamefully, disgracefully, disreputably, ignominiously

szégyenletesség n, shamefulness, disgrace, ignominy, odium

szégyenlős [-ek, -t; adv -en] a, bashful, shy, diffident, shamefaced, prudish, sheepfaced; nem ~ unashamed; ~ pofával with a hangdog/sheepish countenance/look

szégyenlősen adv, bashfully, shyly, shamefacedly, prudishly

szégyenlősség n, bashfulness, shyness, diffidence, shamefacedness, pudency, prudishness

szégyenoszlop n, pillory

szégyenpad n, dunce's seat, sluggards' bench

szégyenpír n, blush/flush of shame; ~ban égett az arca it made her blush all over, she turned red for shame, her face burned with/in shame

szégyenszemre adv, to (one's) shame, with the tail between one's legs

szégyentelen a, shameless, impudent, lost/dead to all sense of shame (ut), without shame (ut), devoid of shame (ut), never-blushing; ~ viselkedés shameless/disgraceful behaviour

szégyentelenül adv, shamelessly, disgracefully, without shame

szégyenteljes a, = szégyenletes

szégyenteljesen adv, = szégyenletesen

szégyenvallás n, shameful failure/disgrace

szegyhús n, [borjúé] breast-cut, [marháé] brisket

szeizmikus *a*, seismic; ~ *asztal* seismic control table; ~ *hullám (geol)* earth wave; ~ *jelenségek* seisms; ~ *mérés* seismometry; ~ *terület* seismic country

szeizmográf [-ot, ja] *n*, seizmograph

szeizmográfia [.. át] *n*, seismography

szeizmogram *n*, seismogram

szeizmológia [.. át] *n*, seismology

szeizmológiai [-t] *a*, seismological

szeizmológus *n*, seismologist

szeizmométer *n*, seismometer

szeizmotektonikai [-t] *a*, seismotectonic

széjjel *adv*, 1. *[irány]* asunder, apart 2. *[helyzet]* distant/separated from one another

széjjel- ld még szét-

szejm [-et, -je] *n*, *(pol)* Seym

szék [-et, -e] *n*, 1. chair, seat, *[bírói]* bench, *[fejedelmi]* throne, *[tánla nélküli]* stool; *forgóülésű* ~ swivel/pivot chair; *két* ~ *között a pad alá esik* fall between two stools; ~*re ül* take a seat, sit down on a chair; *felkel a* ~*ről* get up from the chair, rise from one's seat; ~*kel kinál* ask/beg sy to be seated 2. *[mészárosé]* carving board, *[az üzlet]* butcher's stall/shop, butcher's (shop) 3. *(vál)* = széklet

székács [-ot, -a] *n*, *(nép) (áll)* = örvös galamb

székál [-t, -jon] *vt*, nag, worry, bother, tease, chaff, annoy, rag, be always at sy, plague, badger, find fault, continually. macerate, twit, kid, gripe *(US fam)*, *[kínoz]* torment, pester, vex, *[kisdiákot]* fag, haze *(US)*; *egyre* ~ *vkt vmért* pester sy to do sg *(v. for sg)*

székálás *n*, nagging, worry(ing), bother(ing), teasing, chaff, rag(ging), annoying, badgering, harassing, *[kínzás]* torment(ing), pestering, hazing

székálló legény butcher's shopman

szekáns¹ [-at; *adv* -an] *a*, nagging, testy

szekáns² [-ok, -t, -a] *n*, *(mért)* secant

szekánt [-ot; *adv* -an] *a*, = szekáns¹

szekatúra [.. át] *n*, = székálás

szekció [-t, -ja] *n*, section

székdúc *n*, *(épít)* purlin-post

székel [-t, -jen] I. *vi*, 1. *(vhol)* reside (in), have (one's) residence (swhere), have the headoffice, be resident in a place, *(kat)* have headquarters, *[püspök]* hold his set, *[testület]* sit 2. *[betegség]* be seated II. *vi/vt*, *[ürít]* defecate, (go to) stool, have a motion, relieve nature *(fam)*

székelés *n*, *[ürítés]* defecation, stool, movement, alvine discharge; *fájdalmas* ~ pain in passing the motion; *könnyű* ~ loose bowels *(pl)*, looseness of the bowels

szék-ellenőr *n*, *[parkban, Buchwald néni]* chair-keeper

székelő [-t] *a*, residentiary, resident

székely [-ek, -t, -e; *adv* -ül] *a/n*, Székely (i. e. Magyar of Eastern Transylvania), *(ritk)* Székler; ~ *keserves (zene)* Székler lament

Székelyföld *n*, Székely land (in Eastern Transylvania), *(ritk)* Széklerland

székelygulyás *n*, *(kb)* Székely goulash, ⟨stew of pork with sauerkraut⟩

székelység *n*, the Székely people

szekér [szekeret, szekere] *n*, (farm-)wag(g)on, cart, wain, dray, *[vándornépségé]* caravan; *ekhós* ~ covered wag(g)on, canvas-top *(US)*; *egy* ~ *széna* a (cart)load/wag(g)onload/cartful of hay; *ne fuss olyan szekér után amely nem vesz fel (kb)* don't run after a car wich won't give you a lift, don't strive after the society of those who won't accept you; *nincsen olyan megrakott* ~ *amelyre még egy villával ne férne (kb)* there is always room for one more; ~*be fog [lovakat]* (harness in) team, harness (horses) to wag(g)on; *(egy)* ~*re való* (a) carriageful; *más szekerét tolja* put one's shoulder to sy's wheel, lend sy a helping hand, *(elit)* play into the hands of sy, be sy's satellite/toady

szekerce [.. ét] *n*, adze, hatchet, chopper, (hand-)axe, twibill; *hadi* ~ battle/war-axe, *[indiánoké]* tomahawk

szekercenyél *n*, helve of hatchet

szekércsináló *n*, cartwright, wheelwright

szekérderék *n*, body (of cart); *egy* ~ *széna* a cartful of hay

szekeres [-ek, -t, -e; *adv* -en] I. *n*, carter, carrier, carman, wag(g)oner II. *a*, ~ *gazda* teamster

szekerész [-ek, -t, -e] *n*, † *(kb)* private/soldier in the Army Service Corps

szekerésztiszt *n*, † officer in the Army Service Corps

szekerez [-tem, -ett, -zen] *vt/vi* 1. *[árut]* convey, transport (in a cart), carry, cart, *[foglalkozás]* be a carter/carrier, drive a cart/wag(g)on 2. *[szekéren megy]* drive along in a cart

szekerezés *n*, 1. *[árut]* cartage, carriage, conveyance, haulage, carting, wag(g)on-traffic 2. *[foglalkozás]* driving a cart, carting

szekérfuvar *n*, 1. *[szállítmány]* cartload 2. *[fuvarozás]* cartage, carriage (by cart), carting, transport in a cart *(v.* farm wag(g)on)

szekérgyártó *n*, = szekércsináló

szekérkas *n*, wicker framework of cart

szekérkenőcs *n*, cart/carriage/axle-grease

szekérnyom *n*, rut, cart-track

szekéroldal *n*, side/rack/rail of cart, cart-ladder

szekérponyva *n*, (corse canvas) covering for carts, tilt of cart

szekérrakomány *n*, cart-load, wag(g)onload; *(egy)* ~*nyi* cartful

szekérrúd *n*, pole, *[ritk páros]* shafts *(pl)*, *[villás]* thill

szekérsor *n*, row-line of carts/wag(g)ons

szekérszín *n*, cart-shed, coach/cart-house

szekértábor *n*, encampment/camp formed by carts/wag(g)ons, *(kat)* barricade/fortification formed by chariots, *[Dél-Afrikában]* laager

szekértengely *n*, axle-tree (bolster)

szekértoló *(átv)* satellite, toady, associate

szekérút *n*, cart-road/track/way, carriage-road/way

szekérvár *n*, = szekértábor

szekérzörgés *n*, rumble, rattle (of cart/wag(g)on)

székesegyház *n*, cathedral, minster

székesegyházi *a*, ~ *zene* cathedral music

Székesfehérvár [-ott, -on, -ra] *prop*, Székesfehérvár (town in Central Hungary)

székesfőváros *n*, capital town (which contains a royal/princely residence)

székeskáptalan *n*, (cathedral) chapter, *[épülete]* chapter-house

székestánc *n*, *[népzene]* chair dance (wedding custom with singing)

székfoglaló I. *a*, inaugural; ~ *beszéd* inaugural address, inaugural *(US)*; ~ *előadás* inaugural lecture II. *n*, *[beszéd]* inaugural address, inaugural *(US)*

székfonás *n*, cane-bottoming of chairs, *[náddal]* caning, *[szalmával]* rush

székfonó *n*, cane-worker, chair-mender, one who makes straw-bottoms for chairs, one who makes/bottoms cane-chairs

szekfű [-t, -je] *n*, † = szegfű

székfű *n*, *(növ)* c(h)amomile *(Matricaria sp.)*; *orvosi* ~ Hungarian/wild c(h)amomile *(M. chamomilla)*

székhát *n*, chair-back

székház *n*, centre, seat, *[intézményé]* headquarters, *(ker)* registered offices *(pl)*, head office, *[egyleté]* club-house, *[kongresszusé]* site, *(rendé)* religious house, convent, *[testületé]* hall

székhely *n*, seat, centre, residence, *(ker)* head-quarters *[betegségé]* seat, *[megyéé]* country town, *[területé]* chief town

székinger n, need to go to stool (v. to excrete), desire for stool, [heves] gripe

szekíroz [-tam, -ott, -zon] vt, = szekál

székkar n, arm of chair, [könyöktámla] arm/elbow-rest

szekkó [-t, -ja] n, (műv) fresco secco

székláb n, chair-leg

széklap n, seat

széklet n, 1. [folyamat] movement/motion of the bowels, defecation, passing of faeces, excretion, evacuations (pl) 2. [eredménye] stool, excrement, excreta, faeces (pl), (tud) faecal matter, dejecta (pl), rejectamenta (pl); volt (már) ~e? did your bowels move?; nem volt ~em I had no evacuation/stool; ~e rendes have open/free bowels; kásás ~ pasty stool; kemény ~e van be constipated/costive; könnyű ~ easy motion; könnyű ~et okoz open/relate the bowels; palaszürke ~ chalky stool; rendetlen ~e van he is constipated, his bowels are not regular in their motion; szurkos ~ tarry stool; véres ~ (orv) melaena

székletürülés n, defecation, discharge of the bowels, expulsion of faeces, dejection, movements (pl)

székoszlop n, (épít) king/crown/purlin-post

szekréció [-t, -ja] n, (biol) secretion, excretion; belső ~ endocrine/internal secretion, [mint tudomány] endocrinology

szekréciós [-ok, -t; adv -an] a, (biol) secretory, of secretion (ut); belső ~ endocrine; ~ mirigyek secretory/secreting/ductless glands; belső ~ mirigyek endocrine/ductless glands (v. internally secreting) glands

székrekedés n, stoppage, constipation, costiveness, hardness of the bowels; krónikus ~ habitual constipation; súlyos ~ (orv) coprostasis; ~t okoz (v. idéz elő) constipate, bind, render costive

székrekedéses [-ek, -t; adv -en] a, constipated, costive, bound

szekrény n, 1. [ruhának] wardrobe, [ételnek fali] cupboard, [ruhának fali] closet, [fürdőben, öltözőben, bérelhető] locker; akasztós ~ (hanging) wardrobe; fehérneműs ~ linen-press; fiókos ~ bureau, chest (of drawers), commode, [értéktárgyaknak stb.] cabinet; tükrös ~ mirror-wardrobe; üveges ~ glass-case/ cabinet 2. (műsz) boot, seat-box, [géprészé] casing, [keszon] caisson; hiányos/„defekt" ~ (nyomd) barged case

szekrényágy n, box/press-bed

szekrényajtó n, cupboard/wardrobe door, door of a wardrobe

szekrénybőrönd n, = szekrénykoffer

szekrényes [-et] a, (tex) ~ etető feeding hopper

szekrényke n, locker, [ékszernek] (jewel-)case, casket, [pénznek] money box, [szerszámnak] tool-box/chest, case, [üveges, polcos, fiókos] cabinet

szekrénykoffer n, cabin/wardrobe trunk, dress-trunk, saratoga (trunk) (US)

szekrényműves a, ~ gát cofferdam, coffered dike

szekrénysüllyesztés n, (épít) caisson sinking

szekrénytartó n, (épít) box-girder

szekrényváz n, [autóé] carcase

szekreter [-ek, -t, -e] n, davenport, secretaire, secretary, writing-cabinet, bureau, escritoire (US)

szekretin [-ek, -t, -je] n, (biol) secretin

széksértés n, contempt of council/court, violation of rules (in a council-sitting)

széksó n, soda

széksor n, row/line of seats/chairs

Szekszárd [-ot, -ra, -on] prop, Szekszárd (town in Southern Hungary)

székszorulás n, (orv) constipation

szekta [.. át] n, sect, denomination, [párton belül] faction

széktámla n, chair-back, back of a chair, dorsal; magas ~ lazy-back

szektáns [-at] a, sectarian, bigot; ~ nézetek (pol) sectarian views

szektarianizmus n, sectarianism, factionalism; baloldali ~ left wing factionalism

szektariánus a/n, = szektás

szektárius a, = szektás

szektarizmus n, = szektarianizmus

szektás I. a, (pol) sectarian, factional(ist), (vall) denominational, dissenting (GB); ~ elhajlások factional/ sectarian deviations; ~ nézetektől mentes unsectarian II. n, (pol) sectarian, factionalist, denominationalist, conventicler (pej, obs), (vall) follower/member of a sect, dissenter (GB); baloldali ~ Left sectarian

szektaszellem n, sectarianism, factionalism

szektor [-ok, -t, -a] n, 1. (mért) sector, section, segment 2. [terület] district area, [rendőré] beat 3. [társadalmi] sector, domain, field; állami ~ public sector, state-owned sector; szocialista ~ socialist/ collectivized sector; ~ I. [pol, mozgalmi] Department I 4. (műsz) quadrant, [mozivetítőgépeken] sector, rotary shutter

szektorállítás n, [filmfelvevőgépen] shutter-setting

szekularizáció [-t, -ja] n, secularization, conversion to secular uses, laicization, disendowment

szekularizál [-t, -jon] vt, secularize, convert (church property ec.) to secular uses, laicize, disendow, deconsecrate

szekularizálás n, = szekularizáció

szekularizmus n, secularism

szekund [-ot, -ja] n, (zene) second; ~ akkord third inversion (the seventh in the base); kis ~ minor second; nagy ~ major second

szekunda [.. át] n, bad (school-)mark

szekundál [-t, -jon] vi, 1. (vmhez) chorus sy's words, second, support, lend effective help, further, encourage, back up (fam) 2. (zene) accompany on the second violin 3. [párbajnál] act as a second (in duel)

szekundálás n, 1. seconding, lending effective help, encouragement, support(ing), backing up 2. (zene) accompaniment on the second violin 3. [párbajnál] acting as second

szekundáns [-ok, -t, -a] n, second (in a duel)

szekundáztat vt, give a bad mark, plough (fam)

szekunder [-ek, -t; adv -en] a, secondary; ~ áram (vill) secondary current; ~ áramkör (vill) secondary circuit; ~ bibliográfia secondary bibliography

szekundvágás n, (sp) [vívásban] seconde

szekváni [-t] a/n, (geol) Sequanian

székváros n, capital (town), (town with a royal/princely) residence

szekvencia [.. át] n, (zene) sequentia, sequence (of chords)

szekvenciaszerű a, (zene) sequential

szel [-t, -jen] vt, 1. slice, cut, [húst asztalnál] carve 2. [levegőt] cleave, slice, [hajó vizet] cut/plough (through the waters), cleave, stem, [úszó a vizet] breast, slice (the waves); ~i a hullámokat cut through the waves; ~i a vizet/habokat cleave through the water, sheare the water; a sólyom nyllsebesen ~i a levegőt swift as an arrow the hawk wings its way through the air 3. (menny) cut, bisect, intersect, cross

szél¹ [szelet, szele] n, 1. wind, [gyenge] breeze, [erős tengeri] gale; ~ alatt (i) (hajó) (a)lee, in the lee (of sg) (ut), leeward; ~ ellen against the wind, in the wind's eye, in the teeth of the wind; ~ feletti oldal (hajó) luff; ~ felől(i) windward; ~ felőli oldal (hajó) weather-board; gradiens ~ gradient wind; három-negyed ~ wind blowing on the quarter, (hajó) broad reach; hegyi ~ (földr) upslope/katabatic wind; hegyvölgyi ~ mountain and valley breeze; kedvező ~ fair/favourable wind; tengeri-parti ~ sea and land breeze; termikus ~ thermal wind; uralkodó ~ prevailing wind; *völgyi* ~ valley wind; *zonális szelek* planetary winds; *9-es* ~ force nine gale; *a* ~ *elült/elcsendesedett/elállt* the wind grew quiet, the wind is down; *a* ~ *felkapta* the wind lifted him off his feet; *fütyül a* ~ the wind is whistling *(v.* whistles); ~ *kerekedik/támad* the wind rises; *megfordul a* ~ the wind changes/shifts/veers; *(hát téged) mi* ~ *hozott ide?* what (good) wind *(v.* lucky chance) blows/brings you here?; *honnan fúj a* ~*?* how is the wind?, how sits the wind?; *tudja honnan fúj a* ~ he knows which way the wind blows; *ez mutatja honnan fúj a* ~ it is a straw in the wind; *a* ~ *északról (v. észak felől) fúj* the wind blows north, the wind is blowing from the North, a north wind is blowing; *forradalmi szele fújnak* there is revolution in the air; *az új idők szele* the breath of new times; ~ *ellen nem lehet . . . (biz)* he who spits against the wind spits into his own face; *olyan sovány majd elfújja a* ~ as thin as a lath/rake, he is so thin a breeze could blow him over; *jó szele van* have a good/fair wind; ~*be áll [hajó]* catch the wind, haul up; ~*nek ereszt vkt* send sy away, let sy/sg go, *[alkalmazottat]* dismiss, sack, *[személyzetét]* pay/lay off, *[csapatot]* disband, *[rabot]* release, give sy the sack *(fam)*, fire sy *(fam)*, *(vmt)* throw sg to the winds, pay no heed to sg, take no heed of sg, wing the air, wing its flight/way; ~*nek vitorlázik/tart (hajó)* haul (to) the wind, luff; *nagyon ki van téve a* ~*nek* open to every wind, exposed to the four winds of heaven, exposed to every wind that blows, be in the wind's eye; *ki szelet vet vihart arat (közm)* he who sows the wind shall reap the whirlwind, sow wind reap whirlwind; *szelet csap* make a draught, fan the air; *csapja a szelet (vknek)* court, woo, make advances to, pay one's attentions to (sy); *szelet fog [vitorla]* fill; *hátba kapja a szelet* have the wind right/dead aft, have leading-wind, sail/run before/down the wind; *szembe kapja a szelet* have a head wind, have the wind in one's face; *szelet megnyergel [(hegy)fokndl]* weather a headland; *szelét veszi (vmnek)* get wind/scent of sg, get to hear sg, smell a rat *(fam)* ; ~*től is óv (biz)* cuddle, cushion, cocker; ~*től védett* not exposed to winds; ~*lel fordul (hajó)* gybe over; ~*lel fut* bring the wind aft; ~*lel halad* drop/fall to leeward; *a* ~*lel szembe(n)* in the wind's eye, in the teeth of the wind; ~*lel szemben hajózik* sail near the wind, sail in the teeth of the wind 2. *[bélben]* wind, flatulence, flatus *(lat)* ; *szelek bántják* suffer from flatulence; *szelet ereszt, megy tőle a* ~ break/expel wind 3. *[guta]* stroke, apoplexy, cerebral haemorrhage, apopletic seizure; *meglegyintette a* ~ he has had an apopletic fit/seizure; *megütötte a* ~ he had a stroke (of apoplexy)

szél² [-ek, -t, -e] *n,* 1. *[papíré, úté, asztalé]* edge, *[kalapé, edényé]* rim, brim, *[csészéé]* lip, *[könyvé]* margin; *seb* ~ margin/edge/lip of a wound; ~*ről a harmadik* third from the right/left; *levágta a* ~*ét vmnek* trim, clip (sg) 2. *[ruháé]* border, hem, selvedge 3. *[szakadéké, stré]* brink, verge; *a járda* ~*e* kerb, curb *(US)* 4. *[városé, erdőé]* skirts *(pl),* fringe, edge, *[városé, harci területé]* perimeter; *terület külső* ~*e* perimeter, circumference; *a város* ~*én* on the confines/skirts of the city *(pl)* 5. *(átv) vmnek a* ~*én* on the verge/brink of sg; *a sír* ~*én áll* be on the brink/edge of the grave, have one foot in the grave, be at death's door; *a tönk* ~*ére juttat* bring sy to the brink/verge of ruin

szeladon [-ok, -t, -ja] *n,* † beau, lady killer

száramlás *n,* draught, air-current, current of air

száramlat *n,* stir of wind

szélárnyék *n,* place sheltered from the wind

szélbal *n,* † extreme left

szélbali *a,* † of the extreme left *(ut)*

szélcsatorna *n,* 1. air-duct 2. *[dudáé]* mouth-tube,

[orgonáé] wind-trunk 3. *(rep)* wind-tunnel/channel, air-channel

szélcsend *n,* 1. (period of) calm, calmness, stillness (of air), lull, *[tengeren]* doldrums *(pl),* no wind conditions; *teljes* ~ dead calm, *(hajó)* flat calm; *vihar előtti* ~ calm before a storm; ~ *miatt vesztegel* be becalmed 2. *(átv)* period of quiet

szélcsendes *a,* calm, windless; ~ *átkelés [vízen]* a smooth crossing/passage; ~ *nap* a day free from wind

szélcsendövezet *n,* *(földr)* doldrums *(pl),* calm belt, the calm belts *(pl) ; egyenlítő körüli* ~ equatorial doldrums *(pl),* equatorial calm belt

szélcső *n,* *(sp)* wing

szelcsuktörök *n,* Seljuks *(pl),* Seljukians *(pl)*

szeldel [-t, -jen] *vt,* keep cutting/slicing/cleaving, cut continually

szeldelt [-et] *a, (növ) [levél]* divided (leaf)

széldeszka *n,* flitch/slab of timber, bridgings *(pl)*

széldeszkavágó *a,* ~ *fürész* slabbing-saw

széldöntött *a,* windfallen; ~ *fa* windfall, windfallen tree

széldöntvény *n,* windfall, wind-break, breakage

széle [. . ét] *n,* ~ *vmnek* ld **szél²**.

szeleburdi [-ak, -t, -ja; *adv* -an] I. *a, [személy]* harum-scarum, rattle-brained/pated, feather-brained, light-headed, giddy, fly-away, thoughtless, flighty, coltish *(ref.),* flibbertigibbet *(fam),* fluffy-minded *(fam), [cselekedet]* rash, inadvertant, unconsidered II. *n,* harum-scarum, feather-brain

szeleburdiság *n,* thoughtlessness, inconsiderateness, inadvertence

széled [-t, -jen] *vi,* disperse, scatter, break up, melt away

széledez [-tem, -ett, -zen] *vi,* begin to disperse/scatter, break up *(v.* melt away) slowly

szelekció [-t, -ja] *n,* selection, choice, choosing, weeding out *(fam)*

szelektál [-t, -jon] *vt,* select, choose, weed/pick out *(fam), [rádió]* be selective

szelektív [-et; *adv* -en] *a,* selective

szelektivitás *n, [rádióé]* selectivity

szelel [-t, -jen] I. *vi, [kémény, szivar]* draw; *nem* ~ *a pipám* my pipe doesn't draw *(v.* isn't drawing) II. *vt,* 1. *[szellőztet]* ventilate, air 2. *[gabonát]* winnow, fan, sift, *[árpát]* husk

szelelés *n,* 1. *[szellőzés]* draught, ventilation, airing 2. *[légáramban való szeparálás]* winnowing, fanning, sifting

szélellenző *n, [kéményen]* cowl, *[kertben, erkélyen]* windscreen

szelelő [-t, -je; *adv* -en] I. *a,* 1. *[szellőztető]* ventilating, drawing, airing, 2. *(mezőg) [szeparáló]* winnowing, fanning, sifting II. *n,* air/draw/draught hole, vent, ventilator, *(bány)* air/ventilating shaft, funnel, vent-lator, *[hajón]* air-funnel, *(mezőg)* air-blast, corn-van

szelelőablak *n,* ventilating window, *[autón]* ventilation slider

szelelőakna *n, (bány)* ventilating shaft/course, air-pipe/shaft, airway, suction-shaft, upcast, uptake

szelelőcső *n,* air channel/pipe/shaft/passage/duct/tube/ intake, ventilation shaft, vent-tube

szelelőlyuk *n,* 1. *(műsz)* ventilation/ventilating aperture, vent/breathing-hole, vent(age), flue 2. *(bonct) [gégén]* air-hole

szelelőnyílás *n,* vent, air/vent-hole, *(épít)* louver, *[kályhán]* register, draught-hole, *[motorban beszívónyílás]* breather, intake

szelelőrosta *n,* winnow(grad)er, winnowing machine, fanner, suction-fan, air-blast, cleaner

széleltérési *a, (rep)* ~ *szög* drift-angle

szeleltet *vt,* winnow, fan

szelemen [-ek, -t, -e] *n, (épít)* (roof) purlin

szelemenfa *n,* = szelemen

szelemengerenda n, = szelemen
szelén [-ek, -t, -je] n, (vegyt) selenium
szelence [..ét] n, 1. box, etui, [cigarettának] case, [ékszernek] casket, [tubáknak] (snuff) box 2. (növ) lilac (Syringa)
szeléncella n, (vill) selenium cell
szelencés [-et] a, ~ barométer aneroid barometer
szélenergia n, (műsz) wind-power
szelenit [-et, -je] n, (ásv) selenite, crystalline/foliated/satin gypsum
szelénium [-ot, -a] n, = szelén
szelenográfia [..át] n, (csill) selenography
szelenográfiai [-ak, -t; adv -lag] a, (csill) selenographical
szelenográfus n, (csill) selenographer
szelénsav n, (vegyt) selenic/selenious acid
szelep [-et, -e] n, (műsz) valve; a ~ megakad the valve hangs; bebocsátó/beömlő ~ admission valve; biztonsági ~ safety valve; golyós ~ ball-cock; ~et becsiszol grind in a valve
szelepbesülés n, (műsz) sticking
szelepbetét n, [gépkocsiabroncsé] valve inside
szelepbőr n, leather (gasket, packing)
szelepcsappantyú n, (műsz) clack/flap valve, clappet
szelepemelő a, (műsz) ~ kar rocker
szelepfej n, (műsz) valve-cap
szelepfészek n, (műsz) seat of a valve
szelepgumi n, [kerékpár] valve hose
szelepház n, (műsz) valve-cage/enclosure/chamber/case
szelepkupak n, (műsz) valve-bonnet/cap
szeleprugó n, (műsz) valve-spring
szelepsapka n, (műsz) valve-cap
szelepszár n, (műsz) valve stem/shaft, [gépkocsitömlőn] tube stem, plunger
szeleptányér n, (műsz) valve-disc
szeleptok n, (műsz) valve-chamber
szelepülés n, (műsz) seat of a valve; lengő ~ dancing seat of a valve
szélerő n, = szélerősség
szélerők n. pl, (épit), lateral forces
szélerősség n, strength of the wind, (tud) force/velocity of wind
szélerősségi a, ~ skála Beaufort scale
szélerősségmérő n, anemometer, wind-gauge
szeles [-et; adv -en] a, 1. [időjárás] windy, blowy, gusty, [széljárta] draughty; ~ idő windy weather; ~ oldal weather-side, windward; ~ vidék wind-swept country 2. [meggondolatlan] thoughtless, flighty, inconsiderate, irresponsible, heedless, reckless, scatter/feather/rattle-brained, rattle/giddy-pated, giddy, rash, harum-scarum, fluffy-minded; ~ ember rattle-brain/pate; ~ kislány she is the harum-scarum (of a girl)
széles [-et; adv -en] a, broad, wide, [terület] vast, spacious; derékban ~ she is rather broad in the beam; egy hüvelyk ~ an inch wide; öt cm ~ és tíz cm hosszú 5 centimetres wide and 10 centimetres long, 5 centimetres in width and 10 (centimetres) in length; ~ gesztusokkal with sweeping gestures; ~ karimájú broad-brimmed; ~ karimájú kalap broad-brimmed hat, wide-awake, sombrero; ~ kör(ök)ben widely, extensively; ~ körben elterjedt babona wide-spread superstition; ~ körű wide, wide-ranging/spreading, large, vast, expansive, on a large scale (ut), [befolyás] far-reaching, [engedmény] big, considerable, [tudás] wide, comprehensive, all-embracing, extensive; ~ körű hatalom large/great powers (pl); ~ körű ismeretek wide/comprehensive knowledge; ~ körű olvasottság reading of very wide range; ~ körű tudás a wide range of knowledge; ~ körű vizsgálatot folytat make far-reaching investigations; ~ látókör breadth of

outlook; ~ látókörű open-minded; ~ levelű (növ) latifoliate; ~ margójú broad-margined; ~ mellű full-chested; ~ metélt ribbon-vermicelli (pl); ~ mosoly-a broad smile, a smile from ear to ear; ~ mozdulat sweeping/embracing gesture; a ~ néprétegek/néptömegek the great masses of the people; ~ nyomtávú (vasút) broad/wide-gauge, having broad tracks (ut); ~ orrú flat/snub/pug/broad-nosed, [szerszám] broad-nosed; ~ polcok deep shelves; ~ szájú üveg wide-necked bottle; ~ szirmú (növ) platypetalous; a ~ tengerek the spacious seas; ~ teret nyújt vknek give sy (plenty of) elbow-room; ~ vállú broad/square-shouldered, square-built; ~ vállú ember a man with broad shoulders; ~ változatban (film) wide-screen version; ~ szoknyu wide/full skirt; szinte túlárad jókedvében be bubbling over with high spirits; ~ e világon nem találni párját (biz) he has no equal on earth, there is no one like him; ~re tár fling open; ~re tárt/nyitott/tárva/nyitva wide open; ~ebb körben megvitatja/felöleli a tárgyat approach the subject on a much broader front; ~ebb körökben megvitat discuss widely; ~ebb terjedelmű broader in scope; ~ebbre vesz/méretez widen
szélescsőrű a, (áll) latirostral, latirostrate
szélesed|ik [-tem, -ett, -jen, -jék] vi, 1. widen/broaden out, grow/become/get wider/broader, [ablaknyílás falban] splay, [ruha] flare out 2. (átv) increase, [ismeretségi kör] grow, extend
szélesen adv, broadly, widely
szélesít [-eni, -ett, -sen] vt, widen (out), broaden, [kört] enlarge, extend, [tudást, kapcsolatokat] deepen; ~ árkot widen a ditch
szeleskedés n, flightiness, thoughtlessness, inadvertence, inconsiderateness, harum-scarum manners (pl), rashness, giddiness
szeleskedik [-tem, -ett, -jen, -jék] vi, act inconsiderately/rashly/thoughtlessly/precipitately, act without reflection, cut capers (fam)
széleskörűen adv, expansively, widely, comprehensively
széleskörűség n, wideness, extensiveness, comprehensiveness
szelesség n, 1. = szeleskedés; 2. [időjárásé] windiness
szélesség n, 1. breadth, width, [hajóé] (breadth of) beam, [ivé] span; [vágányé] gauge, [vállé] breadth across/of the shoulders; legnagyobb ~ (hajó) extreme breadth; teljes ~(ben) (nyomd) full width; háromszor a ~e kell neki egy szoknyához she needs three widths for the skirt 2. [látóköré] breadth of outlook 3. (földr) latitude
szélességi [-ek, -t; adv -leg] a, of breadth/width (ut), lateral, (földr) latitudinal, of latitude (ut); ~ fok degree (of latitude), latitude; a ... ~ fok alatt in the latitude of ...; ~ kör parallel; repülés ~ kör mentén parallel flying; ~ méret breadth, width, [hajóé] beam; ~ szórás (kat) lateral dispersion; ~ tűz sweeping fire
szélességjelző n, [autón] width indicator, feeler
szélességmérő n, anemometer, wind-gauge
szélesvásznú a, ~ film wide screen picture, wide-angle cinema screen system/picture
szeleszt [-eni, -ett, ..esszen] vt, disperse, scatter; a rendőrség ~i a tömeget the police are dispersing the crowd
szélesztés n, 1. dispersing, scattering 2. (orv) surface streaking
szelet n, 1. [kenyérből, stb] slice, piece, cut, [vékony] sliver, [húsételből] cutlet; kirántott ~ breaded cutlet; egy ~ csokoládé a bar/cake of chocolate; egy ~ kenyér a slice/slab of bread; egy ~ sajt a slice/piece/wedge of cheese; ~ sütemény a piece/slab of cake; egy ~ papír a slip of paper; egy ~ szalonna a slice/rasher of bacon; vmt ~ekre vág/oszt cut sg in slices; húst ~ekre vág.

cut meat into slices, carve meat 2. *(mért)* segment, section, *[futball-labdáé]* layer

szeletel [-t, -jen] *vt*, cut into slices, slice, *[húst]* carve, *[sonkát]* slice

szeletelődeszka *n*, *[húsnak, kenyérnek]* trencher

szeletelőgép *n*, *[kenyérhez, sonkához stb.]* slicer

szeletelőkés *n*, carver, carving-knife

szeletke *n*, thin/small slice, sliver, shaving, fritter, *[papír]* slip (of paper)

szeletsütő *n*, frying-pan

szeleverdi [-ek, -t; *adv* -en] *a*, = **szeleburdi**

szélez [-tem, -ett, -zen] *vt*, hem, edge, border, *[díszítőleg]* trim, *(nyomd)* bevel

szélezés *n*, hemming, edging, bordering, *[díszítőleg]* trimming

szélezetlen *a*, *(faip)* unedged

szélezett [-et] *a*, *(faip)* edged

szélezőfűrész *n*, edge-saw

szélezővas *n*, tracing-wheel

szelfaktor [-ok, -t, -a] *n*, *(tex)* selfactor, (self-acting) mule, mule-jenny

szelfaktor-fonógép *n*, self-acting mule, self-actor mule

szelfaktorkötél *n*, *(tex)* self-acting/actor band, mule band

szélfél *n* *(hajó)* luff

szélfeszítő *n*, *(tex)* tension-frame/roller, temple, templet

szélfogó I. *a*, break-wind, wind-break, *[járművön]* (wind)screen, wind-shield *(US)* II. *a*, ~ *pászta* protective belt

szélfrissítés *n*, *(műsz)* puddling

szélfújás *n*, = **szélfúvás**

szélfújta *a*, *[arcbőr]* weather-beaten, rough; *ld még* **széljárta**

szélfútta *a*, = **széljárta**

szélfúvás *n*, (the blowing of the) wind, puff

szélfű *n*, *(növ)* mercury *(Mercurialis sp.)*; egynyári ~ annual/French/garden mercury *(M. annua)*

szélgörcs *n*, *(orv)* flatulence, wind-colic, spasm of wind, griping pains *(pl)*

szélgyakoriság *n*, frequency of wind

szélhajtó *a/n*, ~ *(szer)* *(orv)* carminative

szélhajtó küsz *[hal]* bleak, ablet *(Alburnus alburnus)*

szélhámos [-ok, -t, -a] *n*, swindler, impostor, cheat, fraud, humbug, windbag ◈, *[álszakértő]* charlatan, quack(salver), fake, mountebank, *[beugrató]* (confidence) trickster, con(fidence) man *(US)*, chiseller *(US* ◈*)*, *(kárty)* sharper

szélhámoskodás *n*, swindling, swindle, imposture, fraud, humbug(gery), *[álszakértői]* charlatanism, quackery, fake, mountebankery, *[beugratás]* confidence game/ trick(ery), trickstering, con-game *(US)*, *(kárty)* card-sharping, *[szervezett]* racket ◈; ~*ból él* live by/on one's wits

szélhámoskod|ik [-tam, -ott, -jon, -jék] *vi*, swindle, make bogus schemes, be a swindler/fraud/humbug, humbug, *[mint álszakértő]* practice quack, mountebank, *[mint beugrató]* be on the con-game, *(kárty)* be a card-sharper

szélhámosság *n*, = **szélhámoskodás**

szélházi *a/n*, feather/scatter-brained (person)

szélhordalék *n*, wind deposits *(pl)*

szélhűdés *n*, = **szélütés**

szelíd [-et; *adv* -en] *a*, 1. *[ember]* meek, quiet, kind, sweet, calm, gentle, placid, *[hang, érzelem]* soft, gentle, tender; ~ *hangon* in a subdued tone/voice; ~ *lelkű* meek-hearted; ~ *természet* sweet temper; ~ *természetű* mild/sweet-tempered; ~ *mint a bárány* *(biz)* *(kb)* meek/gentle as a lamb, as mild as a dove 2. *[állat]* tame, domesticated, gentle 3. *(átv)* gentle, sweet, soft; ~ *klíma* mild/soft/genial/temperate climate; ~ *lejtő* gentle slope; ~*ebb húrokat penget* moderate one's tone, come down a peg (or two) *(fam)*, sing small *(fam)*

szelíden *adv*, gently, sweetly; ~ *mosolyog* smile sweetly

szelídgesztenye *n*, *(növ)* sweet/Spanish/European chestnut, maron *(fr)* *(Casranea sativa/vesca)*

szelídít [-eni, -ett, -sen] *vt*, *[állatot]* tame, domesticate

szelídítés *n*, *[állaté]* taming, domestication

szelídíthetetlen *a*, 1. *[állat]* untamable, *(ritk)* feral 2. *[makacs]* stubborn, obstinate, indomitable

szelídítő [-t, -je; *adv* -en] I. *a*, taming, *(átv)* soothing II. *n*, tamer

szelídlelkűség *n*, meek-heartedness

szelídség *n*, 1. *[állaté]* tameness 2. *[jellemvonás]* gentleness, kindness, mildness, sweetness, placidity, *[engedékenység]* submissiveness, softness, docility, *[túlzott]* meekness 3. *[időjárás]* mildness, geniality, clemency, calm, softness

szelídül [-t, -jön] *vi*, 1. *[állat]* grow/become tame 2. *[ember]* be appeased/softened, become more sociable/ amenable, tame down 3. *[fájdalom]* be assuaged/ mitigated, grow less, calm down

szelídülés *n*, softening, getting milder

szelindek [-et, -e] *n*, *(áll)* mastiff *(Canis familiaris molossus)*

szelindekcápa *n*, *(áll)* Port Jackson shark *(Heterodontus sp.)*

szelindekdenevér *n*, *(áll)* bulldog/mastiff bat *(Molossus sp.)*

szélirány *n*, direction of wind, *[szélrózsán]* point of compass, rhumb *(obs)*; ~*ban lő* *[vadra]* hunt/ shoot down (the) wind; ~*ban/~t repül* *[vad stb.]* fly down/before the wind; ~*tól eltér* *[hajó]* keep off the wind

szélirányjelző *n*, anemoscope, *[háztetőn]* wind-vane, weather-cock, *(rep)* wind-sleeve/cone

szélirányváltozás *n*, veer, veering of the wind; ~ *az óramutató járásával egyezően* veering; ~ *az óramutató járásával ellentétesen* backing

szélirat *n*, 1. = **széljegyzet**; 2. *[pénzen]* legend, exergue

szélíró *a*, ~ *készülék* anemograph

széljárás *n*, direction of wind, *(hajó)* the courses *(pl)*

széljárástan *n*, anemography

széljárta [..át] *a*, windy, breezy, draughty, *[terület]* wind-swept/blown, exposed to the wind(s) *(ut)*; ~ *oldal* *(hajó)* luff, weather side

széljegyzet *n*, 1. marginal/side/shoulder note, gloss, apostil(le), *[főleg klasszikus szöveghez]* scholium; ~*ek* marginalia; ~*ekkel ellát* make marginal notes, annotate (a book) on the margin, comment (on), gloss, admarginate 2. *(átv)* comment; *politikai* ~*ek* political commentary

széljegyzetez *vt*, margin, annotate (a book), make marginal notes, comment, admarginate

széljegyzetező *n*, annotator, glossator, glossist, scholiast

szélkakas *n*, 1. weather-cock, (weather-)vane 2. *[átv emberről]* weather-cock, turncoat, time-server

szélkelep *n*, 1. *[madárijesztő]* clapper 2. *(átv)* chatter-box; *úgy forog a nyelve mint egy* ~ he is a chatter-box, his tongue goes nineteen to the dozen

szélkerék *n*, wind-motor/engine, air-motor/wing/vane, *[vízemelő]* windmill pump

szélláda *n*, *[orgonán]* wind-chest/box

széllapát *n*, *[szélmalmon]* wind-board

széllelbélelt *a*, 1. *[léha]* light-minded, empty-headed and unreliable ? *[sovány]* lank, weedy, elcsolcdel, spindly, *[ruha]* flimsy; ~ *kabát* thin overcoat

szellem [-et, -e] *n*, 1. *[erkölcsiség]* spirit, mentality, *(kat)* morale; *erkölcsi* ~ morality; *testületi/kollektív* ~ corporate feeling, collective spirit, esprit de corps *(fr)*; *üzleti* ~ business mentality; *a katonák* ~*e* the morale of the troops; *baráti* ~*ben* in a friendly/

amicable spirit/way **2.** *[kísértet]* spirit, ghost, spectre, phantom, apparition, wraith, shade, *[mesebeli]* fairy, hobgoblin, spirite, jinnee, imp; *gonosz* ~ evil spirit, demon; *Nagy SZ~ [indiánoknál]* the Great Spirit, Manitou; *ő az én rossz ~em* he is my evil genius/spirit; *~et idéz* raise *(v.* conjure up) a spirit; *~et űz* lay a ghost **3.** *[elme]* mind, wit, intellect; *átfogó* ~ comprehensive mind; *csupa* ~ (a man) of exuberant wit; *megértő* ~ broad mind; *sziporkázó* ~ brilliant/sparkling intellect/wit; *világos* ~ clear mind, bright intellect; *a* ~ *embere* an intellectual **4.** *[személy]* genius, great brain; *nagy ~ek* master minds; *nagy ~ek tatálkoznak* great minds think alike; *korának egyik legnagyobb ~e volt he* was one of the noblest spirits *(v.* master minds) of his age **5.** *[felfogás]* spirit, turn of mind, mentality, attitude; *a parancs ~e* the spirit/sense *(v.* inner meaning) of a command; *a törvény ~e* the spirit of the law; *helytelen ~ben fogadja a bírálatot* he t kes criticism in the wrong spirit; *vk utasításainak ~ében jár el* follow out the spirit of sy's instructions
z **ellemdús** *a,* witty, full of wit *(ut);* ld még **szellemes;** ~ *arc* spiritual face
szellem-ellenesség *n,* anti-intellectualism
szellemes [-et; *adv* -en] *a,* witty, full of wit *(ut),* sparkling, smart, ready-witted; ~ *gúny/csipkelődés* Attic salt; ~ *megoldás* ingenious solution; ~ *mondás/ megjegyzés* witty/salty remark, witticism, quip, crack *(US);* ~ *szerkezet* ingenious/clever contraption/gadget; *nem valami ~ társalgó* he does not shine in conversation *(fam);* ~ *visszavágás/válasz* repartee, smart reply, snappy/spirited answer, capping of remark(s), a neat retort, sally (of. wit)
szellemesen *adv,* wittily; ~ *válaszol* answer smartly
szellemeskedés *n,* (affected) witticism, cracking of (poor) jokes, trying to be funny, punning, quibbling
szellemesked|ik [-tem, -ett, -jen, -jék] *vi,* crack jokes, try to be funny, say smart things, *[szójátékokkal]* pun, quibble, quipp
szellemesség *n, [ötletesség]* wit, sparkle, wittiness, *[mondás]* witty remark, witticism, *[szerkezeté, gondolaté stb.]* ingenuity; *elkésett ~* after-wit; *finom ~* Attic salt, esprit, wisecrack *(US ◈)*
szellemi [-ek, -t; *adv* -leg] *a,* mental, intellectual, rational, spiritual; ~ *állapot* mental state; ~ *áramlat* intellectual trend; ~ *export-import* intellectual export-import; ~ *fejlődés* intellectual/mental development, spiritual growth; ~ *foglalkozás* intellectual occupation; ~ *fogyatékosság* mental deficiency; ~ *frisseség* mental alertness; ~ *kapcsolatok* intellectual contacts/relations/links/relationships; ~ *képesség* mental ability/gifts/efficiency/power, power of mind; ~ *képességek* mental faculties; ~ *képességeinek (teljes) birtokában van* be of sound (disposing) mind, be sound in mind, be right in one's mind; ~ *kultúra* intellectual/spiritual/mental culture; ~ *légkör* mental climate; ~ *lény* spiritual being; ~ *munka* mental/intellectual occupation/work, brain/head work, white collared work *(fam);* ~ *munkás* intellectual, brain worker, white collar(ed) worker *(fam);* ~ *nagyság* greatness of mind, *(vk)* master mind; ~ *pályán levő* professional; ~ *rokonság* spiritual relationship, congeniality of mind; ~ *szabaaság* liberty of the mind, intellectual freedom; *a ~ szegények* the lacking in wit; ~ *színvonal* intellectual level; ~ *sziporka* spark/flash of wit, sally (of wit); ~ *táplálék* mental/intellectual food/nourishment; ~ *tartalom* intellectual content; ~ *téren* in the mental sphere; ~ *tespedés* backwater; ~ *tevékenység* intellectual/literary activity; ~ *torna* mental gymnastics/exercise; ~ *tulajdon* intellec-

tual/literary property; ~ *vetélkedés* skirmish of wit, battle of wits, the trust and parry (of debate); *az emberiség ~ javai* the intellectual wealth of mankind; *meghaladja a ~ képességeit* it is above/beyond his (mental) capacity/powers
szellemidézés *n,* conjuration (of spirits), necromancy, psychomancy, spiritism
szellemidéző I. *n,* conjurer (of spirits), conjurator, invoker, evocator, necromancer **II.** *a,* evocatory
szellemileg *adv,* mentally, intellectually, spiritually; ~ *fejletlen* infantine, infantile; ~ *még teljesen friss* his mental vigour is unimpaired; ~ *visszamaradt* mentally retarded/defective, backward; ~ *visszamaradt gyermek (orv)* mentally retarded child
szellemiség *n,* intellectuality, mentality, spirituality, *[gondolkodásmódé]* inwardness
szellemke *n, (áll)* weaver, psyche *(Psyche sp.)*
szellemóriás *n,* master mind, genius
szellemtelen *a,* insipid, dull, flat, witless, colourless, vapid, inanimate, *[személy]* dull, witless, dumb *(US), [vicc]* indifferent, poor, flat
szellemtelenség *n, (átv)* insipidity
szellemtörténet *n, (kb)* history of ideas
szellemtörténeti *a, (kb)* of/concerning the history of ideas *(ut);* ~ *módszer* comparative study of/in the history of ideas
szellemtudomány *n, (kb)* arts *(pl),* humanities *(pl),* social/moral sciences *(pl)*
szellemű [-ek, -t; *adv* -en] *a,* -minded; *alantas ~* low--minded; *éles ~* quick-sighted/witted; *fogékony ~* have a recipient mind; *haladó ~* progressive; *haladó ~ egyén* progressist; *liberális ~* broad-minded; *modern/korszerű/újszerű ~* modernistic; *rokon ~* a congenial/kindred mind/spirit *(ut); szabad ~* free/broad-minded, liberal
szelleműzés *n,* exorcism
szellemvasút *n,* scenic railway (at a fun-fair)
szellemvilág *n,* **1.** *[szellemi]* intellectual world **2.** *[szellemeké]* fairy-land, invisible world, land of spirits
szellent [-eni, -ett, -sen] *vi, (biz, tréf)* break wind *(stand.),* toot
szellentyű [-t, -je] *n,* valve
szellet *n,* † gentle breeze
szellő [-t, -je] *n,* (winnow of) breeze, breath, waft *(ref.),* zephyr *(ref.); enyhe ~* balmy breeze; ~ *se fúj* there is not a breath of wind/air; ~ *se lebbent/ rezdült* there was not a stir in the air, there was not a whiff of wind
széllökés *n,* squall, blast of wind, gust (of wind), whole gale, blow, flaw, scud
széllökéses *a,* gustful
széllökésíró *n, [meteorológia]* gust recorder
szellőrózsa *n, (növ)* anemone, wind flower, dane-flower, gardener's delight *(Anemone sp.); erdei ~* snowdrop/ wood anemone *(A. silvestris); koronás ~* garden anemone *(A. coronaria)*
szellős [-et; *adv* -en] *a,* breezy, *[levegős]* airy, well aired, *[huzatos]* draughty
szellősen *adv,* ~ *öltözött* lightly clad
szellősség *n, [épületé]* airiness
szellőzés *n,* ventilation, airing
szellőzetlen *a,* unaired, unventilated, fuggy *(fam), [áporodott]* stuffy, frowzy, fusty, airless
szellőzetlenség *n, [szobáé]* fugginess *(fam), [áporodottság]* stuffiness, fustiness
szellőz|ik [-tem, -ött, -zön, -zék] *vi,* be aired, be exposed to the air
szellőző [-t, -je] *a/n,* = **szelelő**
szellőzőajtó *n,* trap, *(bány)* bearing/check door, regulator
szellőzőakna *n,* = **szelelőakna**

szellőzőcsatorna n, (műsz) air passage, (épít) air--drain

szellőzőcső n, = szelelőcső

szellőzőkürtő n, (műsz) air funnel, cowl ventilator, [hajó fedélzetén, gyárban stb.] air-feeder

szellőzőnyílás n, = szelelőnyílás

szellőztet I. vt/vi, ventilate, air, aerate, let fresh air in; szobát ~ let some fresh air into the room **II.** vt, ~i a kérdést ventilate/air (v. draw public attention to) the question; titkot ~ expose a secret

szellőztetés n, ventilation, airing, aeration

szellőztető [-t] a, ventilating; ~ berendezés (műsz) ventilation (plant)

szellőztetőablak n, (épít) [ajtó fölött] transom(-window)

szellőztetőakna n, = szelelőakna

szellőztetőcső n, = szelelőcső

szellőztetőkészülék n, ventilator, fan, [kályhán] wind--valve

szélmalom n, (trunk-)windmill, [holland rendszerű] smock-mill; szélmalmokkal hadakozik fight/tilt at windmills

szélmalomharc n, (biz) fighting windmills, quixotic/futile struggle, quixotism; ~ot folytat/vív fight windmills, tilt at windmills, beat the air

szélmalomkerék n, sail of windmill, [karja, szárnya] sail-arm, vane, [szárnyrúdja] whip

szélmegporzás n, (növ) wind pollination

szélmentes a, **1.** [szélvédett] sheltered from the wind (ut), wind-tight, weather-proof, [nem szeles] wind-less, not windy (ut); ~ nap a day free from wind **2.** ~ oldal (hajó) lee(-side)

szélmérés n, anemometry

szélmérő n, anemograph, anemometer, wind-gauge, anemo-dynamo-meter; forgókanalas ~ hemispheri-cal-cup anemometer; húdrótos ~ hot wire anemo-meter; kanalas ~ cup anemometer

szélmérőléggömb n, pilot-balloon

szélmolnár n, windmiller

szélmotor n, wind-motor/engine, aeolian engine

szélmotoros a, ~ áramfejlesztő wind-driven generator

szélmutató n, anymoscope

szélnyíródás n, shear of wind

szélnyírta a, [fa] wind-beaten/blown/trimmed/stumped tree

szélnyomás n, wind-pressure, (jémip) blast-pressure

széloldal n, (hajó) weather-side/board, windward side, luff

széloldali a, windward, weather-

szelő [-t, -je] n, (mért) secant, sector

szélörvény n, whirlwind, wind-storm, eddy

szélporozta a, [növény] anemophilous (plant)

szélpuska n, = légpuska

szélrács n, (épít) wind tie

szélrázta a, wind-shaken

szélroham n, blast/gust/gush/rush of wind, a capful of wind, squall, flurry, blow, flaw, puff, scud

szélrohamos a, squally

szélrosta n, winnow

szélrózsa n, rhumb/compass-card, compass dial/rose, (hajó) fly; a ~ irányai the points of the compass; a ~ minden irányában in all quarters of the globe, in all directions, to the four winds

szélről adv, ~ beadja a labdát center the ball (from the side); bal~ az első the first on the left

szélsebesen adv, with lightning speed, swift as (the) wind, swift as an arrow; ~ fut scud; ~ jár go like the wind

szélsebesség n, velocity of (the) wind

szélsebességmérő n, anemometer, wind-gauge

szélső [-t; adv -en] **I.** a, **1.** outside, [legszélső] outer-most, furthermost, extreme; a ~ bal the extreme

left; ld még szélsőbal; ~ gyalog [sakkban] rook pawn; a ~ jobb the extreme right; ld még szélsőjobb; ~ méret overall measurement; ~ pont/határ extremi-ty **2.** (menny) extreme; ~ értékek extreme/outside/end values **II.** n, [futballban] outside, wing(er); elülső ~k [rögbi] wing-forwards; bal ~ outside left, left winger; jobb ~ outside right, right winger

szélsőbal n, [pol értelemben] = szélsőbaloldal

szélsőbaloldal n, extreme left (wing of a party)

szélsőbaloldali a, (of the) extreme left (ut)

szélsőfedezet n, (sp) the wing halves (pl)

szélsőjobb n, [pol értelemben] = szélsőjobboldal

szélsőjobboldal n, extreme right (wing of a party)

szélsőjobboldali a, (of the) extreme right (ut), diehard/high Tory (GB)

szélsőradikális a/n, ultra-radical

szélsőség n, extreme, extremity; az éghajlat ~ei the extremes of climate; az időjárás ~ei the extremities of the weather; a ~ek találkoznak extremes meet; ~be csap run to an extreme; ~be esik break out into excesses; egyik ~ből a másikba esik from one extreme to another (v. to the other)

szélsőséges [-ek, -t; adv -en] **I.** a, extreme, immoderate, inordinate, exorbitant, [nyelv, beszédmód] exagerá-tive, [fanatikus] rabid; ~ álláspont the extremist point of view; ~ elveket vall hold extreme views; ~ esetekben in extreme cases; ~ eszközökhöz nyúl take extreme measures; ~ forradalmár ultra-revo-lutionary; ~ irány (pol) extremism; ~ nacionalizmus ultra/extreme-nationalism; ~ nacionalista ultra--nationalist, jingo, [Írországban] die-hard; ~ nézete-ket vall be extreme in his views, hold extreme views **II.** n, [személy] extremist, ultra

szélsőségesen adv, extremely, immoderately, inordi-nately, exorbitantly, exaggeratedly

szélsőségesség n, extremism, immoderateness, exaggera-tiveness

szélszorulás n, (orv) flatulence

szélszorulásos a, (orv) [személy] flatulent

széltében adv, **1.** [szélességben] broadwise, broad-ways, crosswise, transversely, breadthways, breadth-wise; ~ csíkozott cross-striped **2.** [mindenütt] every-where, abroad, all over the place; ~ terjeszt egy hírt set a rumour about

széltében-hosszában adv, far and wide, throughout the country, up and down the country, everywhere, through the length and breadth of sg, all over, abroad; ~ beszélik it is a matter of current report

széltoló n, = szélhámos

széltörés n, windfall(en tree)

széltörte [..ét] a, ~ fa windfall(en tree)

szélugrás n, shift/chop of the wind, wind-shift

szélű [-t] a, edged; éles ~ sharp-edged

szélütés n, (orv) apoplectic fit/seizure, (paralytic) stroke, stroke of appolexy/paralysis, apoplexy, palsy, congestive failure (US); ~ elleni (szer) antapoplectic; ~ éri have a stroke (of apoplexy), have an apoplectic stroke/fit, be struck/seized with apoplexy

szélütött a, **1.** [testrész] paralysed, palsied, palsy--stricken **2.** [ember] paretic, paralytic, struck by apoplexy (ut)

szélvágás n, edge-cutting

szélvédett a, sheltered/fenced from the wind (ut), windless

szélvédő n, [autón] wind-screen/shield, screen glass, [ablaktömítő zsinór] wind-filling

szélvédő-fagytalanító n, [autón] windshield defroster

szélvédő-törlő n, [autón] windscreen-wiper

szelvény n, **1.** [szelet] coupon, ticket, check (US), [részvényé] coupon, dividend-warrant; ~ nélkül (pénz) ex **2.** [papír] coupon, ticket, check (US), [részvényé] coupon, dividend-warrant; ~ nélkül (pénz) ex coupon/dividend **3.** *[műsz, metszet]* profile, cut, section, segment, *(rep) [szárnyé]* profile; *földtani ~* geological profile **4.** *(biol)* segment

szelvényes [-et] *a*, segmental, segmentary

szelvényfüzet *n*, coupon/counterfoil-book

szelvényív *n*, **1.** coupon-sheet **2.** *(vasút)* form

szelvénykönyv *n*, counterfoil(-book), stub-book *(US)*

szelvénymaró *n*, *(műsz)* formed/profiled/milling cutter (of shaped type), form-cutter

szelvényrajz *n*, (sketch in) profile

szelvényutalvány *n*, coupon-sheet, renewal coupon, certificate of renewal, share warrant, talon

szelvényvas *n*, profil/section(al)/structural iron

szélverte *a*, *[vidék]* windy; *ld még* **széljárta**

szélvész *n*, *[vihar]* (wind-)storm, gale, tempest, *[erős szél]* hurricane, typhoon, tornado, squall; *gyors mint a ~* quick as lightning swift as an arrow

szélvezeték *n*, *(koh)* blast-pipe/main

szélvihar *n*, wind-storm, gale, tempest, squall, hurricane; *~ba kerül (hajó)* meet with a gale

szélvitorla *n*, vane

szélzászló *n*, wind vane, weather cock

szélzúgás *n*, roaring/bluster/booming/moaning/howling/ whistling of wind

szélzsák *n*, *(rep)* wind cone/vane/sleeve

szem [-et, -e] *n*, **1.** *[látószerv]* eye, *(összet)* eye-, *(tud)* opthalmic, optic; *~ alakú/formájú* eye-shaped; *egyszerű ~ (áll) [gerinctelenéké]* eyespot; *fél ~* one eye; *kidülledt ~* bulging eyes *(pl)* *könnyektől fátyolos ~ek* eyes bedimmed with tears; *monoklis ~ (átv)* black eye; *nagy ~ek* big eyes; *táskás ~* baggy eyes *(pl)*; *~ belseje (bonct)* interior of the eye; *~ eltávolítása (orv)* ophthalmotomy; *~ fehérje* white of the eye, *(tud)* sclera, sclerotica *(US)*; *vk ~e fénye* the light/pupil/apple of one's eye, *(átv)* one's greatest treasure; *ez az ő ~e fénye* he is the light/apple of his eyes, he is his pet/darling, he is his number one *(US)*; *a ~em fénye volt* he has meant everything to me; *úgy vigyáz rá mint a ~e fényére* cherish sg/sy as the apple of one's eye; *~e sarkából* out of the corner of his eye; *~e világa* (eye)sight; *gyengülő ~e világa* her failing eyesight; *elveszti a ~e világát* lose one's sight; *visszaadja a ~e világát* restore sy *(v.* give sy back) his (eye)sight; *visszanyeri ~e világát* regain one's (eye)sight; *fáj a ~e* have a sore eye, his eye hurts, his eye gives him pain; *jó a ~e* have (a) good sight, one's sight is good, have good eyes/eyesight, *(átv)* have a clear/good/sound judg(e)-ment; *hátul is van ~e* he has eyes at the back of his head; *majd kiesett a ~e, ~ei kidülledtek* his eyes were starting from *(v.* out of) his head, his eyes nearly popped out; *meg se rebbent a ~e (biz)* he didn't turn a hair, he didn't bat an eye, he didn't even flinch, without flinching; *mindenki ~e feléje fordul* every eye turns toward him, he attracts everybody's attention/notice, be in the public eye; *még a ~e sem áll jól* I do not like the look of him, he looks the rogue he is; *nagyobb a ~e mint a szája* cut off more than one can chew, his eye is bigger than his belly; *~ei villámokat szórtak* his eyes flashed with anger; *~csupa ~ vagyok* I am all eyes; *mit látnak ~eim!* what a sight!, this beats me!, what do I see!, well I never!; *mit látnak ~eim(,) te dohányzol?* fancy you smoking!; *kit látnak ~eim!* what a surprise!, fancy meeting you here!; *hát nincs ~ed?* are you blind?, where are your eyes?; *~ük van de nem látnak* eyes have they(,) but they see not; *több ~ többet lát* two heads are better than one; *vknek a ~e elé kerül* come before sy, show one's face; *csak kerüljön a ~em elé* let me only catch/get a sight of him, wait till I catch him; *ne kerüljön többé a ~em elé* get/keep out of my sight, don't let me see you(r face) again;

~ünk elé tárul presents itself to our eyes/view, meet/greet the eyes; *új táj tárult a ~ünk elé* a new landscape broke upon *(v.* spread out before) us; *~ elől téveszt/veszít* lose sight of; *ne tévessze ~ elől!* keep him in sight; *vknek a ~e előtt lebeg* be always in one's mind, be always before one's eyes; *~ előtt tart (vmt)* keep to the fore, keep in view, have sg in sight, keep track of sy; *ennek ~ előtt tartásával, ezeket ~ előtt tartva* with this (end) in view; *ugyanezt a célt ~ előtt tartva* with the same object in view; *~ előtt van* be in view, be exposed to view; *lelki ~ei előtt* in one's mind's eye; *saját ~ünk előtt* under our very eyes; *~e közé nevet* laugh in sy's face; *vknek erősen a ~e közé néz* look sy full/straight in the face/eyes, look sy squarely in the eyes; *vk ~e láttára* in sight of sy, before one's face, before one's very eyes, in full view of sy, under one's nose; *az egész hallgatóság/közönség ~e láttára történt* it happened in the eye of the whole audience; *mindenki ~e láttára* within sight of all, publicly, under the public eye, openly, in full view; *szemébe húzza a kalapot* pull one's hat over one's eyes; *~ébe mondja az igazat vknek* tell the truth to sy's face; *~ébe nevet vknek* laugh in sy's face; *~ébe néz vknek* look into sy's eyes, look sy in the face, look in the face of sy; *~ébe néz vmnek* face sg (boldly); *~ébe nézett* she looked in his face; *egyenesen/nyíltan néz vknek ~ébe* look sy straight/squarely in the face/eye; *nem mertem a ~ébe nézni* I dared not meet his eye; *~ébe ötlik* it draws/ strikes him in the eye, it leaps him to the eye; *~ébe süt a nap* the sun shines in his face, he has the sun in his eyes; *~ébe vág vknek vmt* cast/fling sg in sy's face/teeth; *~ébe vágja a kalapját* cock one's hat; *vk szemében kedves* find favour in sy's eyes, pleasesy, look favourably on sy; *vk ~ében* in one's view/opinion/ esteem, as one looks upon it, in the eye/sight of; *az én ~emben* in my eye; *a szeméből látom* I can tell it from his eyes, I see it written on his face, his face betrays him *(v.* gives him away); *szemen belüli (orv)* entoptic; *épp ~en talál vkt* hit sy slap in the eye; *csak a szemének hisz* believe only what one sees; *alig tudtam hinni a ~emnek* I could hardly believe my eyes; *nem hisz a saját ~ének* he cannot believe his (own) eyes; *úgy szemre* to look at, at (a) first glance, on the surface, seemingly, by judg(e)ment, *[nagyjából]* by guess-work, at a rough estimate; *úgy ~re rendben van* outwardly *(v.* to judge by the outside) it seems to be all right, to all appearences it is O.K. *(fam)*; *~re sokat mutat* show (off) well, look well; *fél ~ére megvakul* lose an eye, lose the use of an eye; *fél ~ére vak* be blind in one eye; *a szemüveg jó a ~ére* the glasses are suitable for his eyes; *~ére vet/hány vknek vmt* reproach sy with sg, blame sy for sg, cast/throw sg in sy's eye/teeth, cast sg up against/to sy, upbraid sy with/for sg, censure/rebuke sy; *~ére vetettem hibáját* I rebuked his fault; *főként fiatalságát vetik ~ére* his youth is the chief objection to him; *semmit sem vetek a ~ére* I do not blame him, I have nothing on him *(US)*; *nincs mit egymás ~ére vetniök/hányniok* one is as bad as the other, it is six of one and half a dozen of the other, they are birds of a feather; *az ő szép szeméért* out of love for, do sg for love, for the love of him, for his sake; *szemet huny [vm felett]* shut one's eyes to sg, be blind to sg, wink/connive at sg, turn a blind eye to sg, overlook sg; *~et huny vk hibái fölött* shut/close one's eyes to the faults of sy, blink at a fault of sy; *~et huny. az igazság felett* blink the facts; *~et huny egy visszaélés fölött* wink at an abuse; *a szülők gyakran ~et hunynak gyermekeik hibái felett* parents often shut their eyes to the faults of their children; *nagy ~eket mereszt* open one's eyes wide, be all eyes, stare (open mouthed),

glare, look all wonder, give sy a stare; *nagy ~eket meresztve* with a stare of astonishment; ~ *~et ~ért (fogat fogért)* an eye for an eye (a tooth for a tooth), tit for tat, measure for measure; *~et szúr vknek* strike one, strike/catch the eye, be conspicuous, rouse suspicion/curiosity, jump to the eye; *~et szúró* striking, conspicuous, glaring, attracting attention, rousing curiosity/suspicion *(ut), (kif)* it stares one in the face; *hanyagságuk ~et szúrt neki* his attention/curiosity was roused by their negligence, he was struck with their negligence; *~et vet vkre/vmre* set one's eye on sy/sg, covet/lust after, set one's heart upon; *fél ~ét elveszti* lose an eye; *kinyitja a ~ét vknek* open sy's eyes, make sy wise to sg *(fam)*, enlighten sy *(fam)*; *egész éjjel nem hunyta le a ~ét* he did not sleep a wink all night, he did not have a wink of sleep all night; *nem veszi le róla a ~ét* he doesn't/can't take his eyes off (her), fix/rest one's eye(s) on sy; *lezárja vk ~ét* close sy's eyes in death; *rajta tartja a ~ét* keep one's eye on sg, fix one's eye on; *hová tette a ~ét?* where were his eyes?, was he blind?; *~ét végigfuttatta a hallgatóságon* his eyes ranged over the audience; *szemtől ~be* eye to eye, face to face; *~től ~ben áll vkvel* stand face to face *(v.* front to front) with sy, face sy squarely; *behunyt szemmel* with eyes closed, with one's eyes shut, *(átv)* blindfolded; *jó ~mel nézi* approve of, encourage, look favourably on *(mind:* sg/sy); *nem jó ~mel vmt* take a dim/poor view of sg; *nyitott ~mel jár* have one's eye about oneself, keep one's eyes open/skinned/peeled; *rossz ~mel néz* disapprove of, discourage; *rossz ~mel nézik* be under a cloud; *~mel látható* visible (to the naked eye), perceptible (to the eye), marked, noticeable, *(átv)* manifest, obvious, evident, *[nagyon]* conspicuous; *~mel láthatólag/láthatóan* visibly, to all intents and purposes, evidently, markedly; *szabad ~mel látható* visible to the naked eye *(ut), [csillag]* lucid; *~mel megver vkt* cast an evil eye on sy; *~mel méri a távolságot* judge distance by the eye; *~mel tart* keep an eye on, have/keep in sight, watch, eye *(mind:* sg/sy); *~mel tarthatö* followable; *tartsa ~mel!* keep him in sight; *lelki ~eivel lát* see sg in one's mind's eye; *saját ~ével* with his own eyes; *saját ~ével látta* saw it with his own eyes, saw it personally/himself; *követi ~ével* one's eyes follow sg, follow sy('s progress) with one's eyes, not (to) lose sight of sy, watch 2. *[gabonáé, mag]* grain, corn, *[oltó]* bud, eye, graft; *egy ~ szilva* a plum; *egy ~ szőlő* a/one (single) grape; *~et keres [madár]* pick for food 3. *egy ~ [kevés]* touch; *egy ~ igazság sincs abban amit mond* there is not a speck of truth in what he says 4. *[homok]* grain (of sand), *[por]* speck, particle (of dust) 5. *[kötés]* stitch, *[lánc]* link, *[háló]* mesh; *fordkott ~* purl stitch; *sima ~ [kötésben]* garter/plain stitch; *szalad a ~ a harisnyámon* I have a ladder in my stocking; *~et leejt* drop a stitch; *2 ~et szaporít* cast on two stitches 6. *[madár tollazatán]* speculum, ocellus, *[lepkeszárnyon]* speculum, eye(let), *[rovar szárnyán]* ocellus

szemafor [-ok, -t, -ja] *n,* semaphore, signal

szemaforhíd *n, (vasút)* (signal) ga(u)ntry

szemaforjelzés *n, (vasút)* semaphore-signal

szemaforjelző *n, (vasút)* air-flapper

szemaforkar *n, (vasút)* semaphore arm, signal-arm

szemaforkörpont *n, (vasút)* signal-station

szemaforoszlop *n,* signal-mast

szemág *n, [agancson]* tray(-antler)

szemantika [. .át] *n, (nyelvt)* semantics

szemantikai [-ak, -t; *adv* -lag] *a, (nyelvt)* semasiological, semantic; *~ rövidülés* shortening

szemantikus *n, (nyelvt)* semantician

szembaj *n,* disease/illness/complaint of the eye, eye complaint/disease

szembajos *a/n,* (person) suffering with/from an eye--complaint *(ut),* eye-patient, *(tud)* ophthalmiac

szembe *adv,* opposite, in the face; *gyerünk ide ~* let us go over there; *szemtől ~* face to face; *~ dicsér* *hátulról gyaláz* smile sy in the face and stab him in the back; *~ kapja a. szelet* have the wind in one's face, *(hajó)* be/hang in stays; *~ találja magát vkvel* meet sy face to face, come face to face *(v.* nose to nose) with sy, confront sy

szembeáll *vi, (vmvel)* face (sg), stand opposite (to); be opposed to, oppose (sg)

szembeállít *vt,* 1. *(vkt vkvel)* set/turn sy against sy, *[küzdelemben]* pit/match sy against sy, oppose sy to sy; *~ja a vezetőséget a tagsággal* counterpose the leaders (of the organization) to the members 2. *(vmt vmvel)* oppose sg to sg, set sg against sg; *de ezzel az előnnyel ~andó az a tény hogy* but against this advantage must be offset the fact that; *~va vmvel* as contrasted with sg, as opposed to sg, as against sg, in contradiction to sg 3. *[hasonlít vmt vmhez]* contrast/compare sg with sg, draw a parallel between . . . and . . . , weigh one thing against the other; *az 1963. évi termeléssel ~va* as compared to the production of 1963

szembeállítás *n,* 1. *[tanúké]* confrontation, confronting 2. *[hasonlítás]* contraposition, contrast(ing), *[szövegeké]* comparison, collation, *[szónoki]* dissimilitude, *[tudományé, ideológiáé]* counterposing

szembecsukva *adv,* with eyes closed, with closed eyes, with one's eyes shut

szembefordít *vt, (vkt vkvel)* turn sy against sy

szembefordított *a, (cím)* affrontee

szembefordul *vi,* 1. turn to face (sy), turn one's face (to sy), face (sy); *széllel ~ (rep)* turn into the wind 2. *(átv)* turn against (sy)

szembefordulás *n, (vmvel, átv)* opposition (to)

szembehelyez *vt,* = szembeállít

szembehelyezkedés *n,* opposition, antagonism, hostility, resistance

szembehelyezked|ik *vi, (vkvel, vmvel)* set oneself *(v.* one's face) against, place oneself in opposition to, oppose, be opposed to, offer opposition to, stand against, be up against sg, antagonize *(US)*; *~ik a közvéleménnyel* defy public opinion, place oneself in opposition to the general/public opinion; *~ik egy véleménnyel* counter an opinion; *vk akaratával ~ve cselekszik* act adversely to sy

szembejön *vi,* come from the opposite direction, *[elébejön]* come to meet; *~ velünk* he is coming towards us

szembejövő *a, a ~ járókelők* passers-by coming from *(v.* moving/walking in) the opposite direction; *a ~ kocsik* cars passing in the opposite direction

szembekerül *vi,* 1. *(vkvel)* find oneself face to face (with sy) 2. *(átv)* come into antagonism with sy, come up against sy, *[érdekek egymással]* clash, conflict, *[üggyel]* lose sympathy (for a cause), *[önmagával]* get into contradiction *(v.* be at odds) with oneself

szembeköp *vt, [főleg konkr]* spit sy in the face, spit in sy's face

szembekötősdi [-t, -je] *n,* blind-man's buff, hoodman-blind

szemben *adv/post,* 1. *[térben]* opposite to, facing, in front of, over against, *[szemközti oldalon]* over the way, vis-à-vis *(fr)*; *~ áll (vkvel, vmvel)* face, front (sy, sg), *(mért)* subtend, *(átv)* oppose (sg), be opposed to (sg), be against (sg); *~ álló [szemközti]* opposite, vis-à-vis *(fr)*, facing, *[ellenségesen]* opposed (to), opposing, warring, antagonistic, contrary;

~ *lakik* live (in the house) over the street, live over against *(v.* right opposite) us; ~ *levő* opposite, facing; *lásd a* ~ *levő* 4. *ábrát* see fig 4. opposite; ~ *ül (vkvel)* sit face to face (with sy), sit opposite sy; *éppen* ~ *van (az út másik oldalán)* it is straight across the road; *az árral* ~ upstream, *(átv)* against the grain; *egymással* ~ facing each other; *széllel* ~ in the wind's eye, in the teeth of the wind; *a templommal* ~ opposite the church, facing the church 2. *[ellentétben]* in contradiction/contradistinction to, as opposed/to, as against, contrar(il)y, conversely, *[érzés, magatartás]* towards, with respect/regard to, in relation to; ~ *álló felek* parties in opposition, contending parties; *egymással* ~ *álló vélemények* conflicting opinions; *vkvel* ~ *rosszul viselkedik* ill--treat sy, behave badly towards sy, treat sy badly/ shabbily; *álláspontja vmvel* ~ *ben megváltozik* shift one's ground, change one's mind, alter one's opinion about *(v.* in relation to) sg 3. *ezzel* ~ on the other hand, whereas, whilst, on the contrary; *ezzel* ~ *ő azt mondja* on the other hand he insists (that, on); *kivitele 1010 millió fontot tett ki az 1950 évi 780 millióval* ~ her exports amounted to £ 1 010m as against £780m in 1950
szembenállás *n,* opposition
szembenéz *vi, (vkvel)* look (sy) full/straight in the face/ eye, face sy, *[nehézséggel]* cope with, *[balsorssal]* bear up against; *bátran* ~ *a halállal* look death boldly in the face; *nézzünk nyugodtan szembe a helyzettel* let us face the situation calmly; ~ *a következményekkel* face/take *(v.* put up with) the consequences, stand the racket *(fam) ;* ~ *a tényekkel* face the issue, meet the emergency, look facts in the face, face the music *(fam),* keep one's powder dry *(fam) ;* ~ *szembe kell nézni a tényekkel* there is no getting away from it *(v.* the fact), we've got to face facts *(fam) ;* ~ *szembe kell nézni azzal a ténnyel hogy* you cannot blink the fact that; ~ *a veszéllyel* face/meet the danger (bravely)
szembenéző *a,* 1. opposite, facing 2. *(cim)* guardant
szembeni *[-ek, -t]* a, 1. opposite, facing 2. concerning, towards; *a vele* ~ *érzéseim* my feelings/sentiments towards him
szembénulás *n, (orv)* ophthalmoplexy
szembeötl|ik *vi,* draw/strike/catch one's eye, leap to the eye, stick out; *azonnal* ~ *ött* it hit me right in the eye; *erősen* ~ *ik* it sticks out a mile
szembeötlő *a,* conspicuous, striking, drawing/catching the eye *(ut),* obvious, blatant, *[nyilvánvaló]* evident; *nem* ~ inconspicuous; ~ *sajátosság* striking feature; *az első* ~ *tárgy/dolog* the first object that salutes the eyes
szemberánc *n,* box pleats/plaits *(pl),* inverted pleats *(pl)*
szembesít *[-eni, -ett, -sen]* vt, *(vkvel)* (con)front (sy with), bring sy face to face (with)
szembesítés *n,* confrontation, (con)fronting
szembeszáll *vi, (vkvel, vmvel)* brave, oppose, square up to, fight (sy, sg), face (up to), (con)front, stand up against/to, *[ellenséggel]* encounter, engage, *[hatósággal]* offer resistance (to); *határozottan* ~ *vmvel* set oneself against sg, set one's face against sg; ~ *az elemekkel* brave the elements; *bátran* ~ *t az ellenséggel* counter the foe valiantly, encounter/engage the enemy; ~ *az előítélettel* run counter to a prejudice; ~ *a hullámokkal* breast the waves; ~ *a paranccsal* resist an order, command; ~ *minden tekintéllyel/ hatósággal* fly in the face of all authority; ~ *vk terveivel* counter sy's designs; ~ *a haragos tömeggel* stem the angry crowd; ~ *a veszéllyel* face/meet/fight the danger
szembeszállás *n,* opposition, resistance
szembeszéd *n,* language of the eye; ~ *et folytat vkvel*

ogle, exchange (amorous) glances with sy, consult, question sy with one's eyes
szembeszegül *vi,* resist (sy, sg), rebel against (sy, sg), defy (sy, sg)
szembeszél *n, (hajó)* wind ahead
szembeszök|ik *vi,* = **szembeötlik**
szembeszökő *a,* striking, glaring, well-marked, *[meglepő]* remarkable; ~ *változás* marked change; ~ *volt* it jumped to the eyes; *ld még* **szembeötlő**
szembetalálkoz|ik *vi, (vkvel)* meet (sy), come across (sy), encounter (sy)
szembeteg *a/n,* = **szembajos**
szembetegség *n,* disease/illness of the eye, eye disease
szembetűn|ik *vi,* = **szembeötlik**
szembetűnő *a, [látható]* visible, apparent, conspicuous, striking, flagrant, glaring, *[nyilvánvaló]* well-marked, *(átv) [kiváló]* prominent, salient, *[jellegzetesség]* outstanding; *nem* ~ inconspicuous; ~ *különbség* a decided/marked difference; *ld még* **szembeötlő, szembeszökő**
szembetűnően *adv, [láthatóan]* visibly, apparently, *[kiválóan]* prominently, outstandingly
szembevilágítás *n, (fényk)* front illumination
szembiztos *a, [harisnya]* ladder/run/snag-proof, non--ladder
szembogár *n,* pupil, apple of eye, the black of the eye
szembogáreltolódás *n, (orv)* corectopia
szembogárelzáródás *n, (orv)* coreclisis
szembogártágulás *n, (orv)* corectosis
szemből *adv,* front-wise
szemburok *n, (bonct) a három* ~ the three concentric coats
szemcsapágy *n, (műsz)* plain/integral·bearing
szemcsarnok *n, (bonct) elülső* ~ anterior chamber
szemcsavar *n, (műsz)* eye-screw/bolt
szemcse *[. . ét] n,* little grain, granule, a small particle, speck, *(fémip)* button, particle, *[fotonegatívon]* grain, *(orv)* globule; ~ *alakú* granular, granulose
szemcséjű *a, durva* ~ rough-grained; *finom* ~ fine grained, pulverescent
szemcsementes *a,* grainless
szemcseméret *n,* granulation
szemcsepegtető *n,* eye-drop(per), dropping-tube for eyes, undine
szemcseppentő *n,* = **szemcsepegtető**
szemcsés *[-et; adv -en] a,* granular, granulous, granulated, *(ásv)* arenaceous, arenose, *(fényk)* grainy, gritty, *(fiz)* particulate, *(geol)* granulose, *[kőzet, márvány]* grainy, *(növ)* acinaceous, *(orv)* acinose; ~ *bőr* grain-leather, shagreen, *[szemcsézett]* granulated; ~ *kőzet* granular/grainy stone/rock; ~ *mészkő* granular limestone; ~ *sejt* granule-cell; ~ *szerkezet [kőé, ásványé]* grain; ~ *vakolat [épít]* rough-cast mortar; ~ *vas* grain-iron; ~ *sé válik* granulate
szemcsésed|ik *vi,* granulate, *[só stb.]* grain
szemcsésség *n,* granularity, *[ásványé]* grain, *[klisénél]* coarseness
szemcseszerkezet *n, [kőé]* grit
szemcseszerű *a,* granuliform
szemcséz *[-tem, -ett, -zen] vt,* granulate, grind, reduce to grains, *[bőrt]* grain, *(épit)* scabble, *[fémet]* corn, comminute, *(nyomd) [papírt]* pebble, *[litográfiai követ, offset-lemezt]* grain, *[sót, puskaport stb.]* grain, corn
szemcsézés *n,* granulation, *[bőré]* graining, *(műsz) [fémé]* comminution
szemcsézet *n, [durva]* granularity, *[filmé]* graininess, *[kőé]* grit
szemcsézett *[-et] a,* = **szemcsés**
szemcséző *[-t] a,* granulating, graining; ~ *kalapács [kőművesé]* bush hammer
szemcsézőgép *n, [papírgyártásban]* graining machine

szemcsöpögtető n, = szemcsepegtető
szemecske n, 1. little eye, (ritk) eyelet 2. = szemcse
szemégés n, (orv) smarting of the eyes
szemel [-t, -jen] vt, pick/sort out, select
szemelget vt, keep selecting, keep picking/sorting out, [szemet madár] peck
szemellenző n, [lóé] blinkers (pl), eye-flap, lunette, goggles (pl), blind (US), [szemvédő], eye-shade, [sapkán] peak, nib, [lámpán] lamp-shade
szemellenzős a, 1. with/having blinkers on (ut), blinkered 2. (átv) with a dogmatist's blinkers (ut), blinkered, hooded, [igével] have blinkers on
szemelosztás n, grain-size distribution
szemeltávolítás n, (orv) enucleation (of the eye)
szemelvény n, selected/choice piece/passage, selection, excerpt(ion), extract(ion); ~ek Shakespeare színműveiből selections from Shakespeare's plays; költői ~ek anthology, (zene) selection (from); válogatott ~ek selected passages
szemelvényes [-et] a, ~ kiadás selected passages
szemelvénygyűjtemény n, collection/book of selected passages, selected passages (pl), [isk idegen nyelvű] chrestomathy
személy [-ek, -t, -e] n, person, personage, individual, [színdarabban] character, personage, persona, (jog) party; ~ek (szính) characters, persons, dramatis personae (lat); harmadik ~ javára szóló szerződés contract in favour of a third person; jogi ~ artificial person, legal entity, corporate body; képzelt ~ imaginary being, fictitious/imaginary person; néma ~ (szính) super(numerary), dummy, walking lady/ gentleman; az a pár ~ aki ott volt the few people present; őfelsége ~e körüli miniszter Minister of the Royal Household; ~ szerint personally, in person; ~ szerinti azonosság personal identity; ~ szerinti szavazás roll-call vote; első ~ben beszél speak in the first person; szerkesztő és kiadó egy ~ben editor and publisher in one person, editor and publisher rolled into one (fam); ...~ében in the person of ...; ~ében felelős be personally responsible; saját ~ében in one's own person; ~hez fűződő jogok rights pertaining to persons in their capacity as such; ~enként öt forint five forints a/per head; ~re szóló meghívó personal (v. not transferable) invitation; ~ekre való tekintet nélkül without respect of persons; jogi személylyé alakít (jog) incorporate
személyautó n, (motor, passenger) car
személyazonosság n, identity; ~ megállapítása identification, establishment of identity; ~át igazolja prove one's identity; vknek a ~át megállapítja establish the identity of sy, identify sy
személyazonossági a, ~ igazolvány/könyv identity card, identity papers (pl); ~ iratok identification papers, credentials
személybiztonság n, personal security/safety
személycsere n, 1. [kicserélés] replacement of staff, 2. [tévedésből] mistaken identity
személydíjszabás n, passenger tariff, tariff for passengers, fare
személyenként adv, per/a head, each, [egyesével] one by one; belépti díj ~ ennyi és ennyi admission so much per/a head
személyes [-et; adv -en] a, 1. personal, [egyéni] individual; ~ barát personal friend; ~ bemutatkozás personal interview; ~ gondoskodás personal solicitude; ~ hitel personal/blank credit; ~ kérdésben szólal fel speak on a personal matter; ~ megbeszélés personal interview; ~ megjelenés kéretik you are requested to appear/apply in person; ~ névmás (nyelvt) personal pronoun; ~ szabadság personal/individual freedom/liberty; ~ szabadság megsértése violation of personal freedom; ~ szolgálatok tétele the rendition

of personal services; ~ tapasztalat/tapasztalás self-experience; ~ ügy private/personal matter/affair/ business; ~ ügyben keresem I want to see him on a private matter 2. 400 ~ szálloda hotel that can sleep/ accommodate 400 people
személyesen adv, personally, in person, privately, individually; ~ ad/nyújt át vknek vmt deliver sg to sy personally; ~ felelős personally responsible; ~ ismer vkt be personally acquainted with sy, know sy personally; ~ ismert personally known, of known identity (ut); ~ megjelenik appear in person, appear in the flesh, appear in flesh and blood, make appearance show up (fam)
személyesít [-eni, -ett, -sen] vt, = megszemélyesít
személyeskedés n, personalities (pl), personal remark(s); hagyjuk a ~t! (biz) don't be/get personal!
személyeskedjik [-tem, -ett, -jen, -jék] vi, be/become personal, indulge in personalities, make (offensive) personal remarks; ne ~jünk! let us not be personal
személyeskedő a, personal; ~ megjegyzés personal remark
személyfelvonó n, lift, elevator (US)
személyforgalom n, passenger traffic
személygazdálkodás n, = munkaerő-gazdálkodás
személygépkocsi n, = személyautó
személyhajó n, = személyszállító hajó
személyi [-ek, -t; adv -leg] a, personal, private, individual, existential; ~ adatok particulars (pl), personal data; ~ adatait bemondja give particulars of one's person, give one's name abode and registry data; ~ állapot status; ~ bibliográfia author bibliography; ~ biztonság personal safety; ~ biztosíték personal security; ~ hírek personal/society news, [rovat] personal column, personal(s) (US); ~ hitel personal/blank loan/credit; ~ igazolvány/lap identification/identity card; ~ ingóságok personal effects, tangible personal property, personalia; ~ jogok personal rights; ~ kérdés personal issue; ~ kereset (jog) personal action; ~ kiadások personal expenses; ~ kölcsön character loan, loan on overdraft; ~ kultusz cult of personality, personal(ity) cult; ~ okmány personal document(s), certificate of birth/marriage/ death, credentials (pl); ~ pótlék additional allowance/grant, personal bonus; ~ rendelkezésű for personal disposal (ut); ~ rovat personal column; ~ statusú (jog) personable; ~ tulajdon individual/personal property, severalty; ~ unió (közg) personal alliance, amalgamation on personal basis; ~ változások personal changes, rotation of office, change (brought about) in the personnel, reshuffling (fam); ~vé formál/alakít personalize
személyileg adv, personally, individually, in person
személyiség n, personality; kiemelkedő/kimagasló/kiváló ~ personage, personality, prominent/outstanding figure, person of rank/distinction/consequence/ standing
személyiséglélektan n, personalistic psychology
személykocsi n, (vasút) passenger-carriage/coach, passenger-car (US)
személyleírás n, description (of a person); ~t ad vkről describe sy, give a description of sy
személylétszám n, personnel, staff, number of persons employed, (kat) effective (force), total strength (of army)
személylift n, = személyfelvonó
személymérleg n, scales (pl), weighing machine
személynév n, (nyelvt) proper/personal name; ld még keresztnév
személynévkutatás n, study of personal names
személynévmás n, (nyelvt) personal pronoun
személynök [-öt, -e] n, † (kb) Chief Justice (representing the king in the highest court)

személypályaudvar *n, (vasút)* passenger station

személypoggyász *n,* luggage, baggage *(US); ~t felad* register luggage, have one's luggage registered; *~t kivált* collect one's luggage

személyrag *n,* personal suffix/termination *(v.* flexional ending)

személyragozás *n, (nyelvt)* conjugation, inflexion by personal suffixes

személyszállítás *n,* transport/carriage/conveyance of passengers, passenger transport

személyszállító *a, ~ hajó* passenger-boat/steamer, liner; *~ kocsi =* **személyautó**

személytelen *a,* impersonal; *~ ige (nyelvt)* impersonal verb

személytelenít [-eni, -ett, -sen] *vt,* depersonalize

személytelenség *n,* impersonality

személytelenül *adv,* impersonally

személyügyi *a,* personnel; *~ tiszt* personne officer

személyvagon *n, =* **személykocsi**

személyválogatás *n, ~ nélkül* indiscriminately, without distinction/respect/exception/acceptance of persons, *[nem részrehajlóan]* impartially, without partiality

személyvonat *n,* passenger train, *[nem gyors]* stopping/ slow train, accommodation/way-train *(US)*

személyzet *n, (ált)* personnel, *[intézeté, iskoldé, hivatalé]* staff, employees *(pl), [házi]* servants *(pl),* establishment, *[hajóé]* crew, *[munkás]* hands *(pl), [üzleté]* attendants *(pl), [vonaté]* (train) crew, *[kat ágyúé]* manning; *állandó ~* permanent staff; *irodai ~* clerical staff; *repülőgép ~e* air-crew; *a ~hez tartozik* be on the staff/establishment; *nem rendelkezik elegendő ~tel* be understaffed/undermanned

személyzetcsökkentés *n,* reduction of personnel/staff

személyzethiány *n,* shortage of staff

személyzeti [-ek, -t; *adv* -leg] *a,* of personnel/staff *(ut); ~ bejárat* tradesmen's entrance; *~ ebédlő* servant's hall; *~ előadó* personnel man; *~ főnök* chief of staff, staff manager; *~ igazgató* director of personnel; *~ jegy* service season ticket, railway employee's ticket, concession ticket; *~ kocsi (vasút) [pályamunkások részére]* caboose; *~ lajstrom (hajó)* station-bill; *~ lakás [házi]* servants quarters *(pl), [hivatali]* official residence; *~ osztály* personnel department/office; *~ osztály vezetője* personal director/manager; *~ szállás [kereskedelmi hajón]* forecastle; *~ szoba* servant's/domestic's room

szeméma [.. át] *n, (nyelvt)* sememe

szemenszedett *a, (biz) ~ hazugság* barefaced/blatant/ whopping/rousing/unmitigated/monstrous lie, pack/ concoction of lies

szemer [-ek, -t, -je] *n, [súlyegység = 0,0648 gramm]* grain

szemereg [.. rgett, -jen] *v. imp,* drizzle, sprinkle, spit; *~ az eső* it is drizzling/mizzling, it is spitting with rain

szemérem [.. rmet, .. rme] *n,* pudency, (sexual) modesty, bashfulness, (sense of) decency, (sense of) shame, coyness, shyness, *[szerénység]* modesty; *~ elleni cselekmény (jog)* public act of indecency, indecent behaviour; *~ elleni bűncselekmény/vétség* indecency/immoral offence, offence against decency, indecent assault (without violence), indecent exposure

szeméremajak *n, (bonct)* labium (of vulva); *szeméremajkak* labia; *kis szeméremajkak* nymphae

szeméremcsont *n, (bonct)* pubic bone, sharebone, pubis

szeméremdomb *n, (bonct)* mount of Venus, pubes, mons pubis/Veneris *(lat)*

szeméremív *n, (bonct)* pubic arch

szeméremrés *n, (bonct)* vaginal orifice, entrance to the vagina, pudendal/urogenital cleft

szeméremsértés *n,* outrage upon decency, indecent exposure

szeméremsértő *a,* obscene, unchaste, indecent, lewd, pornographic; *~ bűncselekmény/vétség* indecency/immoral offence, offence against decency, indecent assault (without violence), indecent exposure; *~ iró* pornographer; *~ kiadványok* obscene/pornographic publications

szeméremtájék *n, (bonct)* pubic region, pubes *(pl)*

szeméremtest *n,* genitals *(pl),* pudenda *(pl),* vulva, the (secret, privy) parts *(fam)*

szemerkél [-t, -jen] *v. imp, =* **szemereg**

szemerkélés *n,* drizzling, drizzle, spitting

szemérmes [-et; *adv* -en] *a,* chaste, bashful, shy, coy, *[szerény]* modest, *[túlságosan]* prudish, prude, prim, *[szigorú erkölcsű]* strait-laced; *~ nő* prude/coy/ blushing woman; *~ szegények* the proud poor; *adja a ~t* act the prude

szemérmesen *adv,* chastely, bashfully, shyly, coyly; *[szerényen]* modestly

szemérmeskedés *n, =* **szemérmesség**

szemérmesked|ik [-tem, -ett, -jen, -jék] *vi,* behave bashfully/coyly, be prim/prudish; *~ve* prudish!

szemérmeskedő [-t] *a, =* **szemérmes**

szemérmesség *n,* pudency, pudicity, chasteness, chastity, bashfulness, coyness, shyness, shame(facedness), prudishness; *túlhajtott ~* prudery

szemérmetes [-ek, -t; *adv* -en] *a,* 1. coy, prudish, prim, pudent 2. = **szemérmes**

szemérmetesség *n, =* **szemérmesség**

szemérmetlen *a,* 1. *[nem szemérmes]* shameless, unabashed, unchaste, lewd, indecent, unashamed; *~ nő* Jezebel *(fam)* 2. *[arcátlan]* impudent, bare/ bold/brazen-faced, insolent, unblushing, blushless; *~ hazugság* a bald lie 3. *(növ) ~ szömörcsög* stinkhorn, common stinkwort, phallus *(Phallus impudicus)*

szemérmetlenked|ik [-tem, -ett, -jen, -jék] *vi,* behave unchastely/lewdly/indecently/shamelessly

szemérmetlenség *n,* 1. *[szemérem hiánya]* shamelessness, unchastity, *[illetlenség]* indecency 2. *[arcátlanság]* impudence, insolence, barefacedness, *[szerénytelenség]* immodesty

szemérmetlenül *adv,* 1. shamelessly, indecently; *~ öltözködik* dress indecently 2. *[szerénytelenül]* immodestly, *[arcátlanul]* impudently, insolently, brazenly; *~ hazudik* tell a brazen lie, lie brazenly/shamelessly/ unblushingly

szemernyi [-t; *adv* -en] *a,* a grain of *(ut); egy ~ esélye* sincs have not a shadow of a chance; *~ igazság sem* not a scintilla/iota of truth; *nincs benne egy ~ jó érzés* be destitute of good feeling; *egy ~ sem (vmből)* not a grain/shred/tithe/atom/spot/particle of sg, not the slightest trace of sg, no trace of sg; *egy ~t sem enged vmből* not yield an inch, not yield a jot

szemernyő *n,* eye-shade

szemérzékenység *n,* sensitivity of the eye

szemes [-et; *adv* -en] *a,* 1. *[szeme van]* possessing eye(s) *(pl)* 2. *(növ)* corn, grain; *~ bab* broad beans *(pl),* lima beans *(pl) (US); ~ bors* peppercorn; *~ gabona* cereals *(pl),* cereal plants *(pl); ~ kávé* whole coffee, coffee-beans *(pl); ~ takarmány* corn/cereal fodder, hard feed/food, mixed corn for feeding; *~ termények* cereals, grain/bread crops 3. *(barna) ~ lepke* grayling *(Eumenis semele); erdei ~ lepke* speckled wood *(Pararge aegeria); vörös ~ lepke* wall brown *(Pararge megaera)* 4. *(átv)* wide-awake, clever, sharp, shrewd, cute; *~nek áll a világ (kb)* keep your eyes open/skinned/peeled (if you want to get on), it's the clever people who get along

szemesed|ik [-tem, -ett, -jen, -jék] *vi,* (run/go to) seed, form unto grains, grain

szemész [-ek, -t, -e] n, (orv) oculist, ophthalmologist, eye-specialist, eye-doctor (fam)

szeme-szája: ~ eláll vmtől stand in open-mouthed wonder, stand gaping/agape before sg, be dumb-founded/flabbergasted; ~ eláll a bámulattól cry out in admiration

szemészet n, ophthalmology, oculistics

szemészeti [-ek, -t; adv -leg] a, ophthalmologic(al), ophthalmic; ~ (éles) kanál (orv) evisceration scoop; ~ kórház/klinika eye-hospital; ~ kórterem/osztály eye-ward; ~ megbetegedés ocular/ophthalmological disease; ~ osztály ophthalmic ward

szemeszter [-ek, -t, -e] n, semester, term

szemét [.. metet, .. mete] n, 1. rubbish, dirt, filth, muck, litter, [házi] refuse, garbage, offscourings (pl), [kisöpört] sweepings (pl), dust, [papírhulla-dék] litter, [törmelék] debris, offal; ~ lerakása tilos shoot no rubbish; ~re dob discard, junk, scrap, throw/chuck away; ~re való (átv) rubbish, trash, things fit for the dust bin; hozzá nem nyúlnék ehhez a ~hez I would not touch it with a pair of tongs; az emberiség szemete the scum of the earth; a társadalom szemete the scum of society, the sweepings of society (pl); annyi van mint a ~ they are as common as blackberries/dirt 2. [áruról elit] junk, trash 3. (átv) [jelzői használatban] ~ ember dirty fellow, mean rascal, scurf; ~ népség dirty lot

szemétdomb n, rubbish/garbage/waste/scrap/junk-heap, refuse dumps (pl), [trágyadomb] dunghill, muck-heap

szemétégetés n, incineration (of waste)

szemétégető I. a, ~ kazán/kemence/készülék refuse (burner), destructor, (garbage) incinerator; ~ telep reduction works II. n, refuse/waste/dust destructor

szemetel [-t, -jen] vi, 1. scatter rubbish, make a mess, litter (up); ne ~j! don't leave waste paper about! 2. [eső] drizzle 3. [szemetet elhord] remove rubbish/refuse

szemetelés n, 1. making a mess, littering 2. [szemét elhordása] removal/disposal of rubbish/refuse 3. [esőé] drizzling

szemételtakarítás n, = szemetelés

szemetes [-et, -e; adv -en] I. a, full of (v. strewn/littered with) rubbish, rubbishy II. n, dustman, scavenger, refuse collector, garbage man (US)

szemetesember n, = szemetes II.

szemeteskocsi n, dust/rubbish-cart, dustman's cart, dirt wagon (US)

szemetesláda n, dustbin, rubbish/refuse/litter-bin, [bádogból] garbage-can, ash/trash-can (US)

szemétgödör n, dust-hole, dung-hole/pit, refuse pit, (mezőg) cesspit

szemétgyűjtő n, 1. = szemétgödör; 2. [telep] dust-shoot

szemétkihordás n, removal/disposal of rubbish/refuse, carting (away) of dust

szemétkosár n, waste(paper)-basket

szemétláda n, = szemetesláda

szemétlapát n, dust-pan

szemétlerakás n, ~ tilos shoot no rubbish, no rubbish shot here

szemétlerakodó a, ~ hely = szeméttelep

szemétrakás n, garbage heap/pile, dump (US)

szeméttelep n, (rubbish-)shoot, (refuse) dump(ing ground), rubbish heap, layatall (CD)

szemétvödör n, garbage-can/disposer

szemez [-tem, -ett, -zen] I. vt, (mezőg) inoculate, bud, graft a shield-bud on (fruit-tree), slip (a tree) II. vi, (vkvel) ogle, exchange (amorous) glances with sy, look at sy coquettishly, cast amorous/coquettish glances, give sy the glad eye, make eyes at, leer at sy, cock one's eye at sy

szemezett [-et] a, (mezőg) inoculated; hibásan ~ misgrafted

szemfájás n, pain in the eye(s), aching eyes

szemfájós a, eye-sick

szemfedél n, shroud, winding-sheet, pall, face-cloth, cerecloth (obs), cerement (obs)

szemfedő n, = szemfedél

szemfehére [.. ét] n, [inhártya] white of the eye, (tud) sclera, sclerotica (US)

szemfelszedés n, ladder-mending, stopping a ladder/run in a stocking, invisible mending of laddered hose

szemfelszedő n, invisible/ladder-mender, stocking repairer

szemfenék n, (bonct) eyeground, fundus (of the eye)

szemfenékvizsgálat n, examining (of) the fundus of the eye

szemfényvesztés n, 1. = bűvészkedés; 2. (átv) deception, delusion, trickery, thimblering(ging), hum-bug(ging), humbuggery, mountebankery; ez (mind csak) ~ (biz) (that's all) humbug!, that's all eye-wash, that's all mere window-dressing

szemfényvesztő I. a, 1. [bűvészi] of juggling/conjuring (ut), prestigious 2. (átv) delusive II. n, 1. = bűvész; 2.=csaló

szemfeszesség n, (orv) glaucoma

szemfog n, eye-tooth, (tud) canine (tooth), [emberé] cuspid, [lóé] tusk, tush

szemforgatás n, 1. rolling of the eyes, goggle 2. (átv) hypocrisy, sanctimoniousness, sanctimony

szemforgató I. a, hypocritical, sanctimonious; ~ áhitatosság pietism II. n, (sanctimonious) hypocrite, pietist, Pecksniff (ref.)

szemforgatva adv, sanctimoniously

szemfüles a, sharp, shrewd, wide-awake, open-eyed, smart, watchful, alert, up to snuff (fam); ld még szemes 4.

szemfülesen adv, sharply, shrewdly, smartly, watchfully

szemfülesség n, shrewdness, smartness, alertness

szemfürdető a, (orv) ~ csésze eye-cup

szemfürdő n, eye-bath

szemgolyó n, eye-ball, globe (of the eye), bulb, orb (ref.), apple of the eye

szemgödör n, (bonct) eye-socket/pit, socket of the eye, eyehole, (tud) orbit(al cavity)

szemgyengeség n, weak(ness of the eye)sight, weak-sightedness

szemgyönyörködtető a, ~ látvány a feast to the eye

szemgyulladás n, (orv) inflammation of the eye, ophthalmia; szimpatikus ~ sympathetic ophthalmia

szemhártya n, 1. (bonct) sclera 2. (növ) [cseresznyéé, szőlőé] episperm

szemhártyaleválás n, (orv) detachment of the retina

szemhatár n, (local) horizon, sky-line, [látótávolság] eyeshot, eye-reach, eyesight; ~on belül within eye-shot

szemhegyezés n, [örlésnél] pointing

szemhéj n, (eye)lid, (bonct) palpebra, (összet) palpe-bral; alsó ~ lower lid; felső ~ upper lid; ~ kifordítása eversion of the eyelid; ~ nélküli [szem] lidless; kifor-ditja a ~at evert the lids

szemhéjbefordulás n, (orv) trichiasis

szemhéjbénulás n, (orv) ptosis

szemhéjfesték n, eye-shadow

szemhéjgörcs n, (orv) blepharospasm

szemhéjgyulladás n, (orv) blepharitis

szemhéji a, (bonct) palpebral; ~ kötőhártya palpebral conjunctiva

szemhéjrángás n, (orv) cillosis

szemhéjszél-gyulladás n, (orv) blepharitis

szemhéjvizenyő n, (orv) oedema of the lids, palpebral oedema

szemhunyás *n, egész éjjel egy ~(nyi)t sem aludtam (biz)* I haven't slept a wink all night, I didn't have a wink of sleep all night, I didn't sleep a wink all night, I could not get a wink of sleep all night

szemhunyorintás *n,* twinkle, wink(ing), blink(ing), flicker of the eyelids, the twinkling of an eye; *~ nélkül* without wincing/blenching, without moving a muscle *(v.* turning a hair)

szemideg *n, (bonct)* optic nerve

szemideggyulladás *n, (orv)* ophthalmoneuritis, optic neuritis

szemideghártya-elhalás *n, (orv)* retinosis

szemideghártya-gyulladás *n, (orv)* retinitis

szemidegsorvadás *n, (orv)* atrophy of the optic/ophthalmic nerve

szeminarista [.. át] *n,* (Roman Catholic) theological student, seminarist, student at a theological college

szeminárium [-ot, -a] *n,* 1. *[papi]* seminary, divinity school 2. *[egyetemi intézet]* seminar, institute, *[óra]* practice lesson, tutorial group 3. *(pol)* political/ideological seminary, political/ideological lectures *(pl), [csoport]* political/ideological study group

szemináriumi *a, ~ füzet* leaflet for political/ideological study groups; *~ tag* seminarist

szemináriumvezető *n, (pol)* leader of political study group

szeminhártya-gyulladás *n, (orv)* sclerotitis

szemiotika [.. át] *n, (nyelvt)* semiotics

szemita [.. át] I. *a,* Semitic II. *n,* Semite

szemitizmus *n,* Semitism

szemitológia [.. át] *n,* Semitics, study of semitism

szemizom *n, (bonct)* muscle of the eye, ocular/ciliary muscle, abductor oculi *(lat)*

szemizombénulás *n, (orv)* ophthalmoplegia

szemizom-gyógyászat *n, (orv)* orthoptics

szemjáték *n,* play of eyes, ogling, language of the eye

szemkáprázás *n, [szemgolyó megnyomása következtében fellépő]* phosphene

szemkápráztató *a,* dazzling, amazing, marvellous, wondrous, fascinating; *~ ügyesség* amazing/marvellous dexterity

szemkendő *n, [fekete]* eye-patch

szemkenőcs *n,* eye-salve

szemképződés *n, [gabonaneműben]* seeding, corning, formation of grains

szemkidülledés *n,* bulging/protruding of the eyes, *(orv)* exophthalmia, exophthalmus

szemkitörlés *n, (átv)* eye-wash, window-dressing

szemklinika *n, (orv)* ophthalmic hospital

szemkocsány *n, (áll)* eye-stalk

szemkórház *n, (orv)* ophthalmic hospital

szemkönnyezés *n, (orv)* watering

szemkötő *n,* eye-patch/bandage

szemközt *n. adv/postp.* = szemben

szemközti [-ek, -t, -je] *a,* opposite, vis-à-vis *(fr); J ~ házak* the houses (right) across the street, the houses opposite *(v.* over the way)

szemlátomást *adv,* visibly, obviously, perceptibly, markedly

szemle [.. ét] *n,* 1. review, inspection, examination, looking over, survey, view, visit(ation); *~ hajóbarakás előtt (ker)* preshipment survey; *szemlére tesz [tárgyat]* exhibit; *szemlét tart vm felett* review/examine /survey sg, run over sg, *[beszédben]* give a brief summary/survey, make a general survey of the situation/subject 2. *(kat)* review, inspection, muster, parade; *szemlén (kat)* on parade; *szemlére vonul* parade; *szemlét tart* muster/review/inspect troops, hold a(n) review/parade/inspection; *szemlét tart a csapatok felett* make/take muster of troops, pass troops in review 3. *[folyóirat]* review

szemlefutás *n, [harisnyán]* (ladder) run

szemlehunyva *adv,* with closed eyes; *~ is megcsinálom* I could do it blindfold

szemleív *n, (nyomd)* clean/machine proof

szemlejegyzőkönyv *n,* constat, minute(s) of survey/examination, survey report, *(ker)* surveyor's report

szemlél [-t, -jen] *vt,* 1. view, behold, gaze at/upon, consider, *[passzívan]* look on, stand by, *[televíziós adást]* teleview, televise, *(fil)* contemplate, *[vizsgál]* inspect, examine, survey 2. *[szemlét tart]* muster, review (troops)

szemlélés *n,* 1. viewing, *(fil)* contemplation, *(vall)* intuition, *[vizsgálás]* inspection, examination, looking over 2. *[szemle tartása]* review

szemlélet *n,* 1. view (of sg), way of looking (at things), attitude (to sg), contemplation (of); *festői ~ (müv)* pictorial view; *müvészi ~* artistic(al) approach 2. *(fil)* intuition, observation 3. *[igéé]* aspect

szemléletes [-et; *adv* -en] *a,* clear, expressive, suggestive graphic, vividly/forcibly descriptive, having the faculty of vivid description *(ut),* lifelike, picturesque; *~ leírás* graphic/lively description, word-picture

szemléletesség *n,* clearness, graphic quality, descriptiveness, suggestiveness

szemléletmód *n,* attitude, outlook (upon life)

szemléletlen *a, (pszich)* imageless

szemlélő [-t, -je; *adv* -en] *n,* spectator, onlooker, bystander, stander-by, beholder, viewer, *[megfigyelő]* observer, *[televíziót]* televiewer; *a honvédség ~je* Inspector General of the Hungarian/Honvéd Army

szemlélődés *n,* 1. *[nézegetés]* looking around, looking in every direction, *[turistáé]* sight-seeing 2. *[belső]* contemplation, meditation, introspection, musing

szemlélődik [-tem, -ött, -jön, -jék] *vi,* 1. look round, look about (one) 2. *[elmélyül]* meditate, reflect (upon sg), contemplate

szemlélődő [-t, -je; *adv* -en] I. *a,* 1. looking around *(ut)* 2. *(átv)* meditating, meditative, contemplative II. *n,* 1. observer, *[turista]* sight-seer 2. *[gondolkodó]* thinker, meditator, contemplator

szemléltet *vt,* demonstrate, exemplify, illustrate, make clear/evident/manifest, give a clear idea (of)

szemléltetés *n,* demonstration, illustration, showing, exemplification

szemléltető [-ek, -t; *adv* -en] *a,* demonstrative, illustrative, graphic(al); *~ eszközök* (audio-)visual aids; *~ leírás* graphic description; *~ módszer* visual education/instruction; *~ oktatás* intuitive/demonstrative method of instruction, object-teaching; *~ példa* object lesson, a telling example; *~ szótár* pictorial dictionary

szemléltetően *adv,* demonstratively, illustratively, graphically

szemlencse *n, [szemé]* crystalline lens (of eye), *[müszeré]* ocular, eye-piece/lens/glass

szemlesütve *adv,* with downcast eyes, with eyes downcast

szemlész [-ek, -t, -e] *n,* custom-house officer, examiner

szemleút *n,* tour of inspection, visit; *a felügyelő napi ~ját végzi* the inspector is on his round

szemmagasság *n,* eye level; *~ban* at eye level; *felvétel készítése ~ból* eye-level shot

szemmegerőltetés *n,* eye-strain

szemmeltartás *n,* watching, observation, surveillance *(ref.)*

szemmelverés *n,* witch's glance, the evil eye

szemmeresztve *adv,* with fixed/staring eyes *(ut), [erőlködve]* with strained eyes

szemmérték *n,* estimate by the eye, measure taken by the eye, rule of thumb; *~ után* at/on a rough estimate; *jó ~e van* have a correct/straight eye, have an eye for proportion

szemmozgás *n,* eyeball movement

szemmozgató *a,* ~ *ideg* oculomotor nerve; ~ *izom* = -szemizom

szemműködés *n,* function(ing) of the eves

szemnyilás *n, [átarcon]* eyelet

szemnyomás *n, (orv) belső* ~ intraocular tension

szemnyomásmérő *n, (orv)* ophthalmic tonometer

szemorvos *n,* = szemész

szemorvosi *a,* oculistic, ophthalmologic(al)

szemorvoslás *n,* = szemészet

szemoszlop *n, (tex) [kötésnél]* wale

szemöblögető *a,* ~ *edény* eye-bath

szemölcs [-öt, -e] *n,* **1.** *[kiütés]* wart, *(tud)* verruca, *[húsos]* caruncle **2.** *[nyelven stb.]* papilla; *ízlelő* ~ gustatory bud

szemölcsös [-et; *adv* -en] *a,* **1.** warty, full of warts *(ut),* verrucose, verrucous, *[nyelven]* papillate **2.** *(áll)* warted

szemöldök [-öt, -e] *n,* (eye)brow. *(tud)* cilia; *összehúzza a* ~*ét* knit/pucker one's brows, frown, scowl; ~*ét festi* pencil one's eyebrows; ~*ét tépi* pluck one's eyebrows

szemöldökceruza *n,* eyebrow pencil

szemöldökcsipesz *n,* tweezers *(pl),* cilia forceps *(pl)*

szemöldökfa *n, (épít)* lintel, transom, yoke, architrave, ledge, cornice

szemöldökgyámos *a, (épít)* ~ *ív* shouldered arch

szemöldökív *n,* **1.** *[arcon]* arch of eyebrow, superciliary brow/arch/ridge **2.** *(épít)* mélyített ~ door-arch

szemöldökizom *n, (bonct)* corrugator

szemöldökkő *n, (épít)* ledger

szemöldökköz *n, (bonct)* glabella

szemöldökpárkány *n, (épít)* hood mould, label, drip-stone

szemöldökű [-t] *a, vozontos* ~ *szem* eyes overhung with beetling brows *(pl)*

szempajzs *n, (növ)* shield-bud

szempajzskimetszés *n, [növényojtásnál]* budding

szempár *n,* pair of eyes, eyes *(pl)*

szempilla *n,* (eye)lashes *(pl), (tud)* cilia *(pl); seprős* ~ curling eyelashes; ~ *nélküli* lashless; *még a szempillája sem rebbent/rezzent (biz)* he never raised an eyebrow, without wincing/blenching, without moving a muscle *(v.* turning a hair), without the flutter/ stir of an eyelid, he never turned a hair, he never batted an eyelid/eyelash *(US)*

szempillabenövés *n, (orv)* trichiasis, trichoma

szempillafesték *n,* mascara

szempillagöndörítő *n,* eyelash curler

szempillanat *n,* = szempillantás

szempillantás *n,* **1.** glance, look **2.** *[pislantás]* wink **3.** *[pillanat]* instant, moment, second; *egy* ~ *alatt* in a trice/twinkle/flash/snap, in the twinkling of an eye, in a split second, as quick as lightning/thought, in (less than) no time *(fam),* in a jiff(y)/crack *(fam),* in half a sec(ond) *(fam),* before you could say Jack Robinson *(fam),* in two shakes of a lamb's/duck's tail *(fam)*

szempont *n,* point of view, standpoint, view/standing-point, respect, angle, slant, aspect (of a case), phase; *az emberi* ~ the personal point; *önző* ~*ok* selfish motives/reasons; ...~*jából* from the point of view of ...; *bizonyos* ~*ból* in certain/some respect, in a manner (of speaking); *ebből a* ~*ból* in this respect/regard, from this point of view; *minden* ~*ból* in every respect; *minden* ~*ból megvizsgálja a kérdést* consider all angles of the question; *sok* ~*ból* in many respects/ways; *takarékossági* ~*ból* with a view to economy; *abból a* ~*ból indul ki hogy* his starting point is; *attól függ milyen* ~*ból fogjuk fel* it depends on how you look at it; *a te* ~*odból* from your point of view; *bizonyos* ~*októl eltekint* prescind from certain considerations

szemrebbenés *n,* wink(ing), blink(ing), twinkling, flicker of the eyelids, flutter; ~ *nélkül [fájdalomnál]* without a wince, without wincing/flinching/blenching, unflinchingly, *[tréfánál]* without wincing, with a straight face, *[kijelentésnél]* without the wink of the eyelid, without turning a hair, like winking, in cold blood, brazenly, without batting an eyelid *(US)*

szemrehányás *n,* reproach, reproof, censure, rebuke, ~*okat kap* incur reproaches, be reproached (with sg); ~*t tesz magának* be vexed with sy; ~*t tesz (vknek vmért)* reproach/reprove/rebuke/chide/upbraid sy, take sy to task (for sg), twit sy (with sg), tax sy with (doing) sg; ~*okkal áraszt/halmoz el* (v. illet) *vkt* cast/heap reproaches (up) on sy, load sy with reproaches, address reproaches to sy, cast sg in sy's eye/teeth, haul sy over the coals *(fam),* pin sy's ears back *(US fam)*

szemrehányásképpen *adv,* by way of a reproach, reproachfully; *nem* ~ without meaning to reproach/ blame you..., (I am) far from reproaching you

szemrehányó *a,* reproachful, accusing; ~ *pillantást tekintet* reproachful glance/eye/look, look of reproach; ~ *pillantást vet rá* cast a reproachful glance/eye/look at sy, look reproachfully at sy, fasten sy with a reproachful eye

szemrehányóan *adv,* reproachingly, accusingly; ~ *nézett rám* he cast a reproachful glance/eye/look at me, he looked reproachfully at me, his eyes reproached me

szemrés-zóna *n, (bonct)* interpalpebral zone

szemrevaló *n,* attractive, good-looking, seemly, sightly, pleasing/agreeable to the eye *(ut)*

szemrevételez *vt,* survey, make/take a survey of, *(kat)* reconnoitre

szemrevételezés *n,* survey, (ocular) inspection, autopsy *(ref.), [becslést eljárás]* ocular estimate, *(kat)* reconnaissance, reconnoitring; *ld még* szemügyrevétel

szemrezgés *n, (orv)* nystagmus

szemrontó *a,* straining *(v.* injurious to) the eye *(ut)*

szemsebészet *n,* optical surgery

szemsérülés *n,* ocular lesion

szemsor *n, [kötöttárunál]* wale, course

szemsugár *n,* line of sight

szemszaporítás *n, [kötésnél]* casting on

szemszög *n,* **1.** = látószög; **2.** = szempont; *ebből a* ~*ből nézve* if one looks at it (in) this way, from this point of view

szemszöglet *n,* corner of the eye, *(tud)* canthus

szemszőr *n,* eyelashes *(pl)*

szemtanú *n,* (eye)witness, spectator

szemtapasz *n,* eye-patch

szemtávolság *n,* **1.** interocular distance **2.** = látó-távolság

szemteke *n,* = szemgolyó

szemtelen *a,* impudent, impertinent, insolent, pert, perky, brazen(-faced), arrogant, shameless, bold(-faced), flippant, jaunty, cheeky *(fam),* saucy *(fam),* brassy *(fam),* puppyish *(fam),* fresh *(US),* brash *(US);* ~ *felelet* impertinent/insolent reply, insolent answer, back-answer/chat/talk; ~ *fráter* impertinent/ insolent fellow; ~ *kis nő* saucy baggage/bit *(v.* little thing)

szemtelenkedés *n,* impertinence, impertinent/impudent/ cheeky behaviour, sauciness *(fam)*

szemtelenked|ik [-tem, -ett, -jen, -jék] *vi,* behave impertinently/insolently/impudently (to sy), give a lip (to sy), *[nővel]* take liberties (with sy), get fresh (with sy); *ne* ~*j!* no more cheek!, enough of your insolence!, don't be saucy/fresh *(fam),* none of your back-chat! *(fam),* none of our impudence!

szemtelenség *n,* impudence, impertinence, insolence, pertness, flippancy, cheek(iness) *(fam),* sauciness *(fam)*, sauce *(fam)*, freshness, *(US)*, *[tett]* piece ot impudence, *[válasz]* back-answer/chat/talk; *ez aztán* ~ I call it pretty nervy/cheeky/fresh, I call that cool!; *a* ~ *netovábbja* the height of impertinence; ~*ért nem megy a szomszédba* she has plenty of cheek

szemtelenül *adv*, impudently, impertinently, insolently, pertly, shamelessly, cheekily *(fam)*, saucily *(fam)*, cockily *(fam)*; ~ *viselkedik vkvel (szemben)* be impertinent to sy; *ld még* **szemtelenkedik**

szemtengely *n*, axis of the eye, optical axis

szemtengelyferdülés *n*, *(orv)* astigmatism

szemtermények *n. pl*, grain/bread crops, cereals

szemtermés *n*, *(növ)* grain (crop), caryopsis

szemtükör *n*, *(orv)* ophthalmoscope, retinoscope, funduscope

szemtükrös *a*, *(orv)* ~ *vizsgálat* ophthalmoscopic examination

szemtükrözés *n*, *(orv)* ophthalmoscopy, pupilloscopy

szemű [-ek, -t; *adv* -en] *a*, **1.** -eyed, of ... eye(s), with/ having eyes; *csillogó* ~ spark-eyed; *éles* ~ sharp-eyed, *(átv is)* sharp/keen/quick-sighted; *ferde* ~ slit-eyed; *kék* ~ blue-eyed; *kék* ~ *lány girl* with blue eyes; *kerek* ~ round-eyed; *nagy* ~ *[ember, állat]* big/large/ broad-eyed, full-eyed, *[háló]* wide/open-meshed, wide-knit; *nagy* ~ *ld még* **nagy I. 1.**; *szelíd* ~ soft- -eyed **2.** *[mag]* -grained; *durva* ~ coarse-grained; *nagy* ~ *[mag]* coarse(-grained), rough-grained **3.** *[háló]* -meshed; *apró* ~ *[háló, kötés]* narrow-meshed/ knit

szemügyre vesz *(vkt)* eye, examine, scrutinize (sy), have/take a (good) look at (sy), take stock of (sy) *(fam)*, *(vmt)* eye, examine, inspect, view, look in, scrutinize *(mind:* sg), take a look (at sg), *(átv)* subject sg to an examination; *alaposan* ~ *vkt* scrutinize sy, look sy through and through; *alaposabban* ~ have a closer look at it

szemügyrevétel *n*, examination, inspection, autopsy *(ref.)*, scrutiny; *ld még* **szemrevételezés**

szemüreg *n*, *(bonct)* = **szemgödör**; ~ *alatti* suborbital

szemüregi [-t] *a*, *(bonct)* orbital

szemüveg *n*, a pair of spectacles, spectacles *(pl)*, eye-glass, glasses *(pl)*, lenses *(pl)*, gig-lamps *(pl)* *(fam)*, specs *(pl)* *(US fam)*, *[szemhéj alatt viselt]* contact lens; *keret nélküli* ~ frameless spectacles *(pl)*; *olvasó* ~ reading glasses *(pl)*; *szarukeretes* ~ horn-rims *(pl)*; ~*et tesz fel* put on one's spectacles/glasses; ~*et visel* wear glasses

szemüveges *a*, (be)spectacled, wearing glasses *(ut)*; ~ *kígyó* spectacled snake/cobra, hooded snake

szemüveggyártás *n*, manufacture/making of spectacles

szemüvegkeret *n*, spectacle-frame, (spectacle) rim

szemüvegkészítő *n*, spectacle-maker, optician

szemüvegtok *n*, spectacle-case, eyeglass-holder

szemvédő I. *a*, eye-protecting; ~ *szemüveg* eye-guard, goggles *(pl)*, eye-preserver, preserves *(pl)* **II.** *n*, *[ernyő]* eye-shade/shield, blinker, *(orv)* *[műtét után]* eye-cell

szemvérzés *n*, *(orv)* haemophthalmia, ophthalmorrhagia

szemveszteség *n*, *(mezőg)* loss of grain, shack

szemvidító I. *a*, delighting the eye **II.** *n*, *(növ)* eye-bright, euphrasy *(Euphrasia sp.)*

szemvillanás *n*, **1.** wink/cock of the eye **2.** *(átv)* moment, split second

szemvíz *n*, (eye) lotion, eye-water/wash/lotion, wash, *(tud)* collyrium

szemvizsgálat *n*, sight-testing

szemvonal *n*, visual line

szemzés *n*, *(növ)* budding, *[oltás]* inoculation, graft-(ing), engraftment

szemző [-t, -je] *n*, = **szemellenző**

szemzőkés *n*, grafting/budding knife, grafter

szemzug *n*, *(bonct)* corner, *(tud)* canthus; *belső* ~ greater/medial/nasal canthus; *külső* ~ later/lesser/ temporal canthus

szén [szenet, szene] *n*, **1.** coal, *[rajzoló]* charcoal (crayon, pencil), drawing charcoal, *[vörös]* red chalk; *állati* ~ animal charcoal, char, animal/ivory black; *darabos* ~ block-coal; *lefejtett* ~ broken coal; *palás/rétegezett* ~ banded coal; *zsíros/bitumenes* ~ fat coal; ~ *után kutat* explore for coal; *szenet beszerez* get some coal in; *szenet fejt* hew/cut/ pick/break/mine/raise coal; *szenet felvesz [hajó, mozdony]* coal; *szenet hord/kirak* heave coal; *szenet jöveszt/kitermel* draw coal from a mine; ~*nel fűt [hajót, mozdonyt stb.]* burn coal; ~*nel rajzol* draw with charcoal; ~*né ég* get charred, carbonized, burn to (char)coal; ~*né éget* carbonize, *[ételt]* burn to a cinder; ~*né égett (holttest)* burnt to death, charred corpse, burnt to a cinder **2.** *(vegyt)* carbon; *szenet vesz be (orv)* take carbon

széna [.. át] *n*, hay; ~ *begyüjtése* hay-harvest; ~ *illatú* hay-scented; *szénát forgat* toss/ted hay; *szénát kaszál/szárit/gyüjt/forgat* (make) hay; ~ *vagy szalma?* good or bad?; *nincs rendben a szénája (biz)* there is something fishy about him, *[bajban van]* he is in a bad way, he is in a precarious position, he is in a (bad) fix, there is sg amiss/wrong with him

szénabálázó *n*, hay-baler

szénaboglya *n*, haycock, hayrick, haystack, *[pajtában]* hay-mow

szénaforgató *n*, *(mezőg)* *[gép]* (hay-)tedder, tedding-machine, *[személy is]* haymaker

szénagereblye *n*, hay-rake

szénagyüjtés *n*, haymaking, hay-harvest

szénagyüjtő I. *n*, haymaker, tedder **II.** *a*, ~ *dal (zene)* hay-gathering/stacking song

szénahordás *n*, getting in of hay

szénaillat *n*, smell of (new-mown) hay

szénakas *n*, hayrack

szénakaszálás *n*, haymaking, mowing/cutting of hay; ~ *ideje* haying, mowing-time

szénakaszáló *n*, *[terület]* hay-field/meadow, *[gép]* hay-maker, mower

szénakazal *n*, haystack, *[pajtában]* hay-mow

szénakazalozó *n*, hay stacker

szénaköteg *n*, bundle of hay, bottle

szénakötegelő *n*, *[gép, szerszám]* hay-binder

szénakötő *a*, ~ *zsineg* hay-band

szénaláz *n*, *(orv)* hay-fever, pollinosis, pollenosis, allergic coryza, summer fever, rose-fever, June-cold

szénállomás *n*, *(bány)* coaling station

széna-marokrakó *n*, *(mezőg)* *[gép]* reaper for hay

szénanátha *n*, = **szénaláz**

szénapadlás *n*, (hay)loft

szénapajta *n*, hay-shed, barn, hayloft, haymow, hay--barrack *(US)*

szénapetrence *n*, haycock, hay-rack

szénapiac *n*, haymarket

szénapor *n*, hayseed

szénaprés *n*, hay-press/baler/packer

szénarács *n*, hay-rack

szénarakás *n*, *[pajtában]* haymow

szénarakó *n*, *[gép]* hay-loader

szénarend *n*, *(mezőg)* windrow, swath of hay

szénarendlazító *n*, *(mezőg)* *[gép]* aerator

szénás *a*, hay-, producing/containing *(v.* covered with) hay *(ut)*

szénásszekér *n*, hay-cart/wag(g)on

szénatartó *n*, hack

szénatér *n*, haymarket

szénatermés *n*, yield of hay

szenátor [-ok, -t, -a] *n*, senator

szenátori [-ak, -t] *a*, senatorial

szénatörek n, hayseed
szenátus n, senate, the conscript rathers (pl) (obs)
szénavilla n, hay-fork, pitchfork, groom
szénbánya n, coal-mine/pit, colliery
szénbányaművelés n, = szénbányászat
szénbányász n, collier, (coal-)miner, pitman, digger
szénbányászat n, coal-mining/getting/winning, coal industry
szénbányászati a, ~ tröszt main colliery
szénbányatulajdonos n, (coal)mine owner, coal-owner/master
szénbányavidék n, coal(mining) district
szénbogsa n, charcoal-pile
szénbrikett n, coal-brick/cake
széncinege n, (áll) great tit(mouse), tom-tit (Parus m. major)
széncinke n, = széncinege
széncsata n, battle for coal
széncseppfolyósítás n, liquefaction of coal
széncsúcs n, carbon-point/stick, carbons (for arc--lamps) (pl)
széncsúszda n, coal ramp, coal-chute/drop/deposit, [hajón] coal-shoot, [telep] coal yard/depot
széndara n, granulated carbon, carbon granules (pl)
széndarab n, piece/lump of coal
szende [.. ét] I. a, meek, artless, simple, gentle, naive, unsophisticated, [szemérmes] coy, blushing II. n, (szính) ingénue (fr)
szender¹ [-t, -je] n, (rég) = szendergés
szender² [-t, -je] n, (áll) sphinx/hawk-moth, sphinx (Sphinx sp., Macroglossa sp.); piros ~ small elephant hawk (Deilephila porcellus)
szenderedik [-tem, -ett, -jen, -jék] vi, = elszenderedik
szendereg [-tem, .. rgett, -jen] vi, doze, (take a) nap, slumber, nod, drowse
szendergés n, slumber, nap, dozing, doze, nod, short sleep, dog-sleep, (iud) torpor
szendergő [-t; adv -(e)n] a, napping, dozing
szenderül [-t, -jön] vi, álomba ~ doze off, drop off to sleep, fall asleep; jobblétre ~ pass away, breathe one's last
szendeség n, meekness, gentleness, naivece (fr), artlessness, simplicity, naivety, coyness
széndioxid n, carbon dioxide
széndiszulfid n, carbon disulphide
szendvics [-et, -e] n, (open) sandwich, [kisebb, pirított kenyérből] canapé
szenegál [-ok, -t; adv -ul] a/n, Senegalese
Szenegál [-t, -ban] prop, (földr) Senegal
szenegáli [-ak, -t, -ja] a/n, Senegalese
szénégetés n, charcoal-burning, scorching of wood
szénégető n, [ember] charcoal-burner, [kemence] charcoal-furnace/kiln
széneke n, (bány) mining plough
szenel [-t, -jen] vi, coal, (hajó) recoal, fill up (the freight) with coal
szénelektród n, carbon electrode
szenelés n, coal extraction
szénellátás n, coal supply
szenelőállomás n, coaling-station
szenelőkikötő n, coaling-port
szenelőműszak n, coal extracting shift
szenelőnyílás n, bunker scuttles (pl)
szenes [-ek, -t, -e; adv -en] I. a, coaly, [elszenesedett] charrod, carbonized, (összef) coal-, (vegyt) carbonic II. n, (ker) coal-merchant, [kicsi] coalman
szenesedény n, fire-basket
szenesedés n, = elszenesedés
szenesedik [-tem, -ett, -jen, -jék] vi, = elszenesedik
szenesember n, coal-man/heaver
szenesít [-eni, -ett, -sen] vt, = elszenesít
szenesítés n, carbonization, char(r)ing

szeneskamra n, coal-hole/cellar/bunker
szeneskanna n, scuttle
szeneskocsi n, coal cart/truck/wagon
szeneskosár n, coal basket/scuttle
szenesláda n, coal-box/scuttle, hod
szeneslapát n, coal-shovel/scoop, fire-shovel
szeneslegény n, coal-man/heaver/lumper, coaley
szenespince n, coal-cellar/hole
szenesvödör n, coal scuttle/bucket, scuttle, hodₛ (coal) scoop (GB)
szeneszsák n, coal-sack/bag
szénfátyolpapír n, (fényk) autotype tissue
szénfejtés n, coal-cutting/drawing, groundbraking
szénfejtő I. n, (coal-)hewer, coal-cutter II. a, ~ gép = szénfejtő I.; ~ kalapács coal-hammer
szénfekete a, coal/jet-black, coaly
szénfesték n, lamp-black
szénfogó n, fire-tongs (pl)
szénfogyasztás n, coal consumption, consumption of coal
szénfolt n, coal-stain
szénfront n, (bány) coal face
szénfúró n, coal-auger
szénfűtés n, coal-heating, heating with coal
széngáz n, coal-gas, (bány) sweat damp, (vegyt) carbon monoxide
széngázmérgezés n, carbon-monoxide poisoning
széngyalú n, (bány) stripper
szénhiány n, coal shortage, lack of coal
szénhidrát n, hydrate of carbon, carbonhydrate
szénhidrogén n, (vegyt) hydrocarbon, carburetted hydrogen
szénhordó n, heaver
szénhulladék n, slack, coal-dust
szénhuta n, char(coal-)kiln/works
szenilis [-et; adv -en] a, senile, decrepit, doting, doddering; ~ alak/ember dotard; ~sé lesz/válik fall into one's dotage, dote
szenilisség n, = szenilitás
szenilitás n, senility, dotage, senile decay, caducity, anility (ref.)
szénior [-ok, -t, -a] I. a, senior, [diplomáciai testületben] doyen II. a, senior
szenít [-ett, -sen] vt, (koh) [betétet] carburize
szenítés n, carburation
szenítő [-t] a, (vegyt)~ láng carburizing flame
szénjegy n, coal coupon/ticket
szénkamra n, (hajó) bunker
szénkátrány n, coal-tar
szénkefe n, (vill) carbon-brush, collecting brush, motor carbon
szénkefeköz n, (vill) brush pitch
szénkefetartó n, carbon-holder
szénkéneg n, carbon(ic) bisulphide/disulphide
szénkénegez [-tem, -ett, -zen] vt, sulphurize, sulphurate, [szőlőt] treat/spray/dress (vines) with (carbonic) disulphide
szénkénegezés n, sulphur(iz)ation
szénkénegező n, [készülék] (carbonic) disulphide sprayer
szénkereskedő n, coal-merchant/man
szénkészlet n, stock of coal, coal supplies (pl), coal reserve, [nem kitermelt] coal deposits (pl)
szénkitermelés n, coal-mining
szénkorom n, soot coal
szénlánc n, carbon cycle
szénlapát n, = szeneslapát
szénlapátoló n, (hajó) bunker-hand
szénlerakódás n, carbon deposit
szénmásolat n, carbon copy
szénmásolópapír n, carbon paper
szénmedence n, coal-basin/field

szénmikrofon n, carbon-granule microphon, granular microphone, carbon transmitter

szénmonoxid n, carbon monoxide, carbonic oxide

szénmosás n, leaching

szénmosó I. n, coal-washer II. a, ~ berendezés coal- -washer; ~ üzem leaching plant

szénmosómű n, coal washery, coal washing plant, jig

szenna [.. át] n, (növ) senna (Cassia sp.)

szennacserje n, (növ) senna (Cassia acutifolia)

szennalevél n, senna-leaf, senna-pods (pl)

szénosztályozás n, coal separation

szénosztályozó I. n, coal separator II. a, ~ szita coaling- -screen

szénövezet n, coal belt

szénpad n, (bány) bench

szénpala n, coal-slate/schist, sterile coal

szénpálca n, (vill) carbon stick/rod/pencil

szénpapír n, carbon paper

szénpor n, coal-dust/slack, grime, chippings (pl), [mik- rofonban] carbon-powder/granule

szénporrobbanás n, (bány) coal-dust explosion, dust- -storm

szénrajz n, charcoal drawing/scetch

szénrajzoló n, (műv) fusinist, artist in charcoal

szénrakodó n, coaler, coaling dock, [gép] coal-crane/ loader, [munkás] coal-heaver/wader/lumper

szénraktár n, coal depot/store/shed, (bány) coaling station, (hajó) (coal-)bunker

szénraktárnyílás n, [kis hajón] stokehold

szénréteg n, coal-seam/rake/bed, coal-measures (pl)

szénrúd n, = szénpálca

szénsav n, carbonic acid, carbon dioxide, fixed air (fam); ~val telít aerate

szénsavas a, carbonic; ~ forrás aerated spring; ~ fürdő effervescent bath; ~ mész carbonic chalk; ~ só car- bonate; ~ üdítő italok carbonate soft drinks; ~ víz aerated water, carbonic acid water

szénsavhó n, carbonic acid snow, [préselt] dry-ice

szénsavmérgezés n, carbonic acid (v. carbon dioxide) poisoning

szénsavpalack n, carbonic acid drum

szénsavpatron n, [autoszifoné] sparklet

szénsavtartalom n, carbonic acid content

szénserpenyő n, brazier, charcoal-pan

szénszál n, (vill) carbon filament/pencil

szénszálas a, ~ izzólámpa/égő carbon filament (incan- descent) lamp

szénszállító a, ~ akna (bány) coal-shaft; ~ berendezés coal conveyer/conveyor; ~ gőzhajó steam collier; ~ hajó coaler, coal-lighter/barge, coaler, coal-barge, collier

szénszita n, coal-screen

szénsztrájk n, coal strike

szénszünet n, (isk kb) school holiday due to shortage of coal, closing of schools for lack of fuel

szent [-et, -je; adv -ül] I. a, 1. (átt) holy, [szentelt] sacred, hallowed, consecrated, sanctified, sainted, [ünnepélyes] solemn, [vallásos] saintly, [személy- névvel] Saint (röv St., S.); ~ és sérthetetlen intangible, sacrosanct; Sz~ Anna harmadmagával (műv) Madon- na and Child with S. Anne; Sz~ Bertalan-éj Massacre of St. Bertholomew; a ~ család the Holy Family; ~ élet saintly/godly life; ~ életű [személy] holy, sainted, saintly, pious, godly; ~ emlékű [hely] sainted; ~ ének religious/sacred song, psalm, hymn; ~ eskü gos- pel-oath; ~ fogadalom solemn vow; ~ föld hallowed ground; minden ~ időben (egyszer) once in a blue moon; Sz~ Ilona füve (növ) adiantum (Adianthum); ~ Isten! God Almighty, dear/bless me, heavens!, my sainted aunt (fam), good gracious! (fam), Great Scot(t)! (fam); Sz~ István St./Saint Stephen; Sz~ István napja Saint Stephen's day (20th of August);

~ jelkép/szimbólum (rég) hierogram; a ~ könyvek the (Holy) Scriptures; ~ kötelesség solemn duty; Sz~ László pénze (geol, áll) nummulite; Sz~ Péter hala (áll) John Dory (Zeus faber); a Sz~ sír (egyh) the Holy Sepulchre; Sz~ Szűz (egyh) the Blessed Virgin; ~ tűz holy fire; a haza ~ ügye the sacred cause of the country 2. (átv kissé biz) [igaz] annyi ~ that's a certainty!, that's for certain/sure 3. [nyo- matékosító] ~ igazság gospel-truth

II. n, 1. saint; oszlopos ~ (egyh) pillar saint; ~ek élettörténete/élete hagiography, hierology; ~ek imádása hagiolatry; ~ek rendje/uralma hagiarchy; a ~ek ~je the Holy of Holies; ~hez illő saintlike, sainted, saintly; ~té avat canonize, saint, raise to the altars of the Church 2. kis/kicsi ~em my dear/ love, (my) darling, dear

széntabletta n, medicinal charcoal; széntabletták tablets of medicinal charcoal

szentartalmú a, coaly, coal-bearing, (tud) carbonif- erous, carbonaceous

széntartalom n, carbon content/ratio

széntartó n, coal-box/scuttle/bin, (hajó) bunker

szentatya n, 1. [pápa] a ~ the Holy Father 2. [egyház- atya] szentatyák Fathers of the Church 3. (biz) szentatyám Father

szentbeszéd n, 1. (egyh) sermon, preaching, predica- tion, homily; ~et mond preach 2. (biz) (isk) pi-jaw

Szent-Család-járás n, [népszokás] Holy Family Walk (folk custom at Christmas accompained by singing)

széntégla n, coal-brick

szentegyház n, 1. Holy Church 2. † = templom

szentel [-t, -jen] vt, 1. consecrate, dedicate, [pappá] ordain, [tárgyat] bless 2. (átv) devote, [pénzt vmre] assign; életét vmnek ~i dedicate one's life to; erejét vmre ~i bend/devote one's energies to; figyelmet ~ vmnek bestow/pay attention to; időt ~ vmre bestow/spend time upon; a művészetnek ~i életét devote one's life to art; a tudománynak ~i magát/ életét addict oneself to science

széntelen a, coalless

széntelenít [-eni, -ett, -sen] vt, decarbonize, decar- burize, decoke (fam)

széntelenítés n, decarbonization, decarburization

széntelep n, coal-depot/store, [lelőhely] coal-bed/deposit vein/seam

széntelepülés n, (bány) deposit of carbon

szentelés n, 1. [püspökké] consecration [pappá] ordination, ordaining 2. [beszentelés] benediction

szentéletűség n, sanctity

szentelmények n. pl, the sacraments

szentelt [-et; adv -en] a, 1. blessed, consecrated 2. (vmnek, vknek) sacred (to), devoted to

szenteltvíz n, holy/consecrated water; ez csak ~ (biz) that's nothing but empty words

szenteltvízhintő n, holy-water sprinkler, aspergillum, asperges

szenteltvíztartó n, holy-water basin/stoop/stoup, asper- sorium, font

szentély [-ek, -t, -e] n, 1. (egyh) sanctuary, shrine, tabernacle, (épít) chancel, choir, presbytery, sanc- tum (ref.), holy of holies, penetralia 2. (átv) (biz) sanctum

szentélyasztalka n, (egyh) credence(-table)

szentélykorlát n, choir-rail, rood-screen/loft

szentélykörüljáró n, (épít) ambulatory, encircling aisle

szentélynégyszög n, (épít) sanctuary bay

szentélyrekesztő n, (épít) rood-screen, [görögkeleti templomban] iconostas(is)

szentencia [.. át] n, [bölcsesség] maxim, [ítélet] sentence, judg(e)ment; kimondták a szentenciát judg(e)ment has been passed on him; kimondja a szentenciát cut short every contradiction, declare/

pronounce one's opinion, decide the question, dogmatize

szentencláz [-tam, -ott, -zon] *vt*, sentence sy (to)

széntermelés *n*, coal production/output, output/recovery, yield of coal

szénterület *n*, coal-bed/basin/field

Szentes [-t, -re, -en] *prop*, Szentes (town in Southern Hungary)

szentes [-et; *adv* -en] *a*, 1. *[jámbor]* saintly, pious, godly, *[túlzó]* bigoted, churchy *(fam)* 2. = **szenteskedő**

szentesít [-ett, -sen] *vt*, *[szokást]* sanctify, hallow, consecrate, canonize, *[törvényt]* sanction, *[király]* give royal assent to, *[szerződést]* ratify, *[megerősít]* approve, confirm, sanction, *a cél ~i az eszközt* the end justifies the means; *szokás által ~ve* sanctioned by usage

szentesítés *n*, *[szokásé]* sanction(ing), sanctifying, consecration, *[szerződésé]* ratification, *[megerősítés]* approval, confirmation, sanction; *királyi ~* royal assent

szentesített [-et] *a*, sacred, sanctified; *nem ~* unsanctioned; *szokás által ~* sanctioned by usage; *idővel ~ szokás* custom sanctified by time

szenteskedés *n*, sanctimoniousness, sanctimony, hypocrisy Pharisaism, Phariseeism, cant

szenteskedlik [-tem, -ett, -jen, -ték] *vi*, affect piety/ sanctify, (play the) saint, cant, put on a saintly air; *ne ~j!* don't saint it!

szenteskedő [-t; *adv* -en] I. *a*, sanctimonious, goody-goody, hypocritical, Pharisaic(al), pi, *[hang, magatartás]* canting, holier-than-thou (attitude); *~ ember* holy Joe II. *n*, hypocrite, pietist

szenteskedően *adv*, sanctimoniously

szenteste *n*, Christmas eve

szentév *n*, *(vall)* *[katolikusoké]* jubilee

Szentföld *prop*, Holy Land

szentföldi *a*, of the Holy Land *(ut)*

szentháromság *n*, *(vall)* the Holy/Blessed Trinity; *~ tana* Trinitarianism; *~ot valló* Trinitarian

szentheverdelnapja *n*, *(biz)* blue/saint Monday

szentignáci *a*, *(egyh)* Ignatian

szentimentális [-ak, -t; *adv* -an] *a*, sentimental, emotional, soulful, milk-and-water *(fam)*, soppy *(fam)*, mawkish *(fam)*, namby-pamby *(pej.)*; *~ ember* sentimentalist; *~ történet/darab* sob-stuff

szentimentalizmus *n*, sentimentality, sentimentalism, sickliness

szentírás *n*, 1. *(vall)* the Holy Scripture/Writ, the Scriptures *(pl)*, Bible, God's book, the Book (of God), divine Book, the Good Book; *megesküszik a ~ra* swear by/on the Book 2. *(átv)* gospel truth; *ez ~* it's gospel truth; *nem ~ az amit mond* you need not take for gospel what he says; *~nak vesz/tekint vmt* take sg for gospel

szentírási *a*, scriptural

szentírásmagyarázat *n*, interpretation of the Bible, exegesis, exegetics *(pl)*

szentírásmagyarázó *n*, interpreter/expounder of the Scripture, exegete, exegetist

Szentivánéji Álom A Midsummer Night's Dream

szentiváni *a*, *~ ének [népzene]* Midsummer day's song; *~ tűzugrás* ⟨jumping of St. John's blaze (folk custom accompanied by singing)⟩

szentjánosáldás *n*, *[eltávozás előtt]* stirrup-cup, one (glass) for the road, *[lefekvés előtt]* nightcap

szentjánosbogár *n*, glow-worm, firefly *(fam)*, fire-bug *(fam)*, lightning-beetle/bug *(US)* *(Lampyris sp., Phausis sp.)*; *kis ~* luciola *(Ph. splendidula)*; *nagy ~* common European glowworm *(L. noctiluca)*

szentjánoskenyér *n*, St./Saint John's bread, carob/ locust(-bean), *[fája]* carob/locust-tree

szentjánoskenyérfa *n*, *(növ)* carob(-tree), locust-tree, algarroba *(US)* *(Ceratonia siliqua)*

szentjobb *n*, the Holy Right hand of St. Stephen

szentkép *n*, sacred image, devotional picture, icon, ikon, (image of a) saint, *[kicsi]* devotional picture

szentkorona *n*, holy crown

szentlászlófű *n*, *(növ)* crosswort *(Gentiana cruciata)*

szentlecke *n*, *(egyh)* lesson, lection, epistle

szentlélek *n*, *(vall)* Holy Ghost/Spirit; *a ~ az Atyától és Fiútól származik* the Holy Ghost proceeds from the Father and the Son; *megszállta a ~ (átv biz)* turned over a new leaf, was taken by a sudden zeal

szentmihálylova *n*, bier, feretory

szentmise *n*, (holy) mass

szentostya *n*, host

szentség *n*, 1. *[állapot]* sanctity, holiness, sainthood, saintliness, sacredness; *~ hírében hal meg* die in the odour of sanctity; *a magántulajdon ~e* the sanctity of private property 2. *(egyh)* *[intézmény]* sacrament; *a ~ek* the sacraments, the means of grace; *a ~ek kiszolgáltatása* administration of the sacraments; *a ~ekhez járul* partake of the sacraments; *a ~it neki! (durv)* dammit!

szentségárulás *n*, simony

szentségáruló *n*, simoniac(al)

szentséges [-et; *adv* -en] *a*, holy, sacred; *~ isten* good heavens/gracious, dear/bless me!

szentségház *n*, *(épít)* tabernacle, sacrament house

szentség! [-ek, -t; *adv* -leg] *a*, *(vall)* sacramental; *~ megkenyéresülés* impanation

szentségimádás *n*, adoration, Act of Adoration

szentségkiszolgáltatás *n*, administration of the sacraments; *~tól eltilt* lay a priest under an interdict

szentségkitétel *n*, exposition (of sacrament)

szentségmutató *n*, monstrance, ostensory

szentségtakaró *n*, *(vall)* pyx-cloth

szentségtartó *n*, *(egyh)* pyx, ciborium, monstrance

szentségtelen *a*, *[istentelen]* ungodly, unhallowed, unholy, impious, sacrilegious, blasphemous

szentségtörés *n*, sacrilege, desecration, profanation, profanity, profaneness; *valósággal ~ ... (biz)* it is an abomination before the Lord to ...

szentségtörő I. *a*, ungodly, sacrilegious, impious, profane II. *n*, profaner, desecrator, sacrilegist

szentségtörően *adv*, impiously, profanely

szentsír *n*, *(egyh)* (the) Holy Sepulchre

Szentszék *n*, 1. *[pápai]* The Holy/Papal/Apostolic See 2. *[egyházi bíróság]* court Christian, ecclesiastical court

szentszéki *a*, of the Holy See *(ut)*

Szentszövetség *prop*, Holy Alliance

szenttéavatás *n*, canonization

szentül *adv*, *~ hiszi* believe firmly, take it for gospel truth; *~ hiszem hogy ...* I solemnly and sincerely believe that ..., it is my persuasion that ...; *~ ígéri hogy* promise solemnly to

széntüzelés *n*, heating by coal, coal heating

széntüzelésű *a*, coal-fired/fed; *~ hajó* coal-burner

szénutalvány *n*, coal coupon/ticket

szenül [-t, -jön] *vi*, turn to coal, become converted into carbon, carbonify, get carbonized

szénvagyon *n*, coal resources *(pl)*

szénvagyoncsökkenés *n*, *(bány)* depletion of coal deposits

szénválogató *n*, coal-sorting apparatus

szénvasaló *n*, charcoal iron, flat/laundry iron heated by charcoal, box-iron

szenved [-tem, -ett, -jen] I. *vi*, suffer, *[fájdalomtól]* be in pain, *[lelkileg]* anguish; *~ vm miatt* be a prey to sg; *vmben ~* suffer from, be afflicted/ill with, be a victim to (sg), labour under; *reumában ~* suffer from *(v.* be afflicted/cursed with) rheumatism; *~ bűneiért* suffer for one's sins/misdeeds; ~ az éhségtől go hungry, be miserable with hunger; sokat ~ a hidegtől he suffers badly from the cold, he feels the cold badly

H. *vt*, **1.** suffer, *[fájdalmat]* suffer, bear, endure, undergo, feel, experience (pain); halasztást ~ have to be postponed, suffer delay; semmiben sem ~ hiányt he wants for nothing; súlyos belső sérüléseket ~eit he suffered severe internal injuries; vereséget ~ suffer/sustain defeat, get licked (fam); veszteséget ~ suffer/incur/sustain/have (v. meet with) a loss **2.** nem ~hetem (vkt) (biz) I cannot suffer/stand/abide/endure/bear him, I can't bear the sight of him, I hate the very sight of him; nem ~hetik egymást there is no love lost between them; nem ~het vmt cannot tolerate/bear (v. put up with) sg

szenvedelmes [-et; adv -en] a, = szenvedélyes

szenvedély [-ek, -t, -e] n, **1.** passion, intense emotion, violent love, fire, ardour, flame; ~ nélkül dispassionately; ~ nélküli dispassionate; fő/legfőbb ~ ruling passion; vad ~ fury, mania; ~re lobbant impassion; ~t ébreszt/kelt arouse/provoke a passion; nagy szenvedéllyel játszik [színész] act with fire; szenvedéllyel üz vmt be all in for sg, be passionately fond of doing sg, be mad on sg (fam) ; szenvedéllye fajul become an infatuation/obsession **2.** [időtöltő szórakozás] hobby; bélyeggyűjtési ~ a craze for stamp-collecting; az ő ~e his hobby is, he makes a hobby of

szenvedélyes a, passionate, vehement, fervid, fierce; ~ beszédet tartott he delivered an impassioned speech; ~ buzgalom zeal; ~ dohányos inveterate smoker, tobacco maniac; ~ futballszurkoló soccer fan, football enthusiast; ~ gyűlölet passionate hatred; ~ hívő fanatic, devotee, zealot; ~ hódoló enthusiastic admirer; ~ horgász enthusiastic angler; ~ játékos a passionate/enthusiastic/keen player, [igével] be keen on play; ~ jellem passionate/fiery character; ~ kártyás passionate gambler; ~ kertész have a passion for gardening; ~ kokainista [igével] he is a cocaine addict; ~ mozdulat vehement gesture; ~ rádióhallgató radio-fiend; ~ sakkozó passionate chess player, a chess fiend; ~ szerelem passionate love, passion; ~ vágy ardent/burning desire; ~ vita heated/hot debate/argument;~sé tesz impassion; ~sé válik [vita stb.] get/grow hot, run high

szenvedélyesen adv, passionately, vehemently, ardently, fervidly, fiercely; ~ dolgozik work enthusiastically, work with zeal; ~ keresi az igazságot search passionately for/after the truth; ~ kertészkedik have a passion ior gardening; ~ szeret vkt love sy passionately, be infatuated with sy, be madly in love with sy, love sy to distraction, be crazy about sy (fam), be (dead) struck on sy (fam), be (dead) nuts on sy (fam); ~ szeret vmt be passionately fond of sg, be a (..) fiend, be all (in) for sg

szenvedélyesség n, passionateness, vehemence, ardour, violence, impetuousness, [lelkesedés] enthusiasm, [vallási] fanatism

szenvedélymentes a, unemotional, unimpassioned, disimpassioned, stoic(al), uninfluenced by passion (ut)

szenvedélytelen a, impassive, dispassionate, unimpassioned, passionless, [hidegvérű] cool, cool-headed/blooded/tempered; ~ arckifejezés immovable face; ~ beszédmód even/quiet talk

szenvedélytelenség n, impassiveness, impassivity, immovability

szenvedélytelenül adv, impassively, impassionately, immovably

szenvedés n, suffering, torment, anguish, agony, [fájdalom] pain, [lelki] sorrow, grief, woe, tribulation; a ~ bélyege/nyomai imprint of suffering; a ~ek

iskolája (átv biz) the school of adversity; a ~ek keserű pohara the bitter cup; hosszú ~ után after long suffering, after a prolonged and painful disease; véget vet vk ~einek put sy out of misery; ~t okoz vknek give sy trouble/pain, put sy to trouble

szenvedhetetlen a, insufferable, unbearable, inendurable, intolerable

szenvedő [-t, -je; adv -en] I. a, **1.** suffering, [betegségben] afflicted (with), ailing; a ~ fél the injured party, endurer **2.** (nyelvt) passive; ~ ige passive verb; ~ (ige)alak passive (voice) II. n, sufferer, victim, martyr

szenvedőleges [-et; adv -en] a, passive

szénvegyület n, carbon compound

szenveleg [-tem, .. lgett, -jen] vi, put on an affected air, behave/act affectedly, simper, [ömleng] gush

szenvelgés n, affectation, affectedness, affected manners (pl), gush (fam)

szenvelgő [-t; adv -en] a, affected, gushy (fam); ~ piperkőc lardy-dardy (fam); ~ stílus mawkish style

szénvidék n, coal-basin, coal district

szénvonó n, oven-peel

szénvödör n, coal-scuttle, (coal) scoop

szenvtelen a, detached, dispassionate, impassive, unemphatic, disimpassioned, passionless, emotionless, emotionally unmoved, [eltompult] callous, apathetic, [közönyös] indifferent, unconcerned, casual, insensitive

szenvtelenség n, detachment, impassibility, dispassionateness, impassivity, [eltompultság] callousness, apathy, [közönyösség] indifference, unconcern, (fil, orv) ataraxy

szenvtelenül adv, dispassionately, impassibly, aloof

szenzáció [-t, -ja] n, sensation, stir, [hírlapi] scoop (fam), beat (US fam); ~t kelt create/make/cause/produce sensation, make a (big) splash/stir (fam); nagy ~ headliner; nem nagy ~ (biz) nothing to write home about

szenzációéhes a, sensation-hungry, avid/hungry/thirsty of sensation (ut)

szenzációhajhászás n, sensation/scoop-hunting, sensationalism

szenzációhajhászó a, sensation/scoop-hunting; ~ cím sensational title, scare headline; ~ sajtó yellow/tabloid press (US)

szenzációs [-at; adv -an] a, sensational, [izgatóan] thrilling, lurid, [elismerően] sensationally good, [sajtóban így is] front-page (news); ~ (újság)hír stunt; ~ siker enormous success; ~ teljesítmény marvellous/sensational feat/accomplishment

szenzál [-ok, -t, -ja] n, † broker, agent

szenzibilitás n, sensitivity

szenzibilizál [-t, -jon] vt, sensibilize, sensitize

szenzitív [-et; adv -en] a, sensitive

szenzitométer n, sensitometer

szenzoros [-at] a, (orv) sensory; ~ afázia sensory aphasia, word deafness; ~ eskór sensory epilepsy

szenzualista [.. át] n, (fil) sensualist, sensationist

szenzualizmus n, sensualism

szenny [-et, -e] n, dirt, filth, muck, garbage, [főleg emberi testen] grime, [lelken, jellemen] blot, blemish, defilement, spot, [nyomoré] squalor

szennycím n, (biz) = szennycímoldal

szennycímoldal n, (nyomd) half/bastard title, half-title page

szennycsatorna n, sewer, drain

szennycsatorna-rendszer n, sewerage

szennyes [-ek, -t, -e; adv -en] I. a, **1.** dirty, filthy, grubby, unclean, mucky, grimy, [fehérnemű] soiled, dirty, [ház, lakás], squalid **2.**(átv) foul, sordid, smutty, unclean, filthy, [pornográf] obscene;~gon-

dolatok foul/impure thoughts; ~ *ügy* sordid matter, foul/dirty/unsavoury business II. *n, [ruha]* dirty/foul/soiled linen/clothes/clothing (going to the wash), laundry *(fam)* ; *kiteregeti a ~ét* wash one's dirty linen in public; *mosásba adja ~ét* send (one's soiled) linen to the wash/laundry

szennyesláda *n,* laundry chest/box

szennyesség *n,* dirtiness, filthiness, smudginess

szennyeszsák *n,* wash-bag, laundry bag, (dirty) clothes-bag

szennyez [-tem, -ett, -zen] *vt,* = **beszennyez**

szennyezetlen *a,* undefiled, unpolluted, unvitiated

szenyezett [-et] *a,* impure, defiled, contaminated, *(átv is)* tainted, polluted

szennyezettség *n,* impurity, pollution, *[levegőé]* foulness

szennyeződés *n,* soiling, spot (of dirt), stain, dirt(ying), *[levegőé]* vitiation, fouling, *[vízé]* pollution, *(vegyt)* impurity, contamination

szennyeződ|ik [-tem, -ött, -jön, -jék] *vi,* become dirty/filthy, get dirty/soiled, *[levegőé]* get vitiated/contaminated, *[víz]* get/become polluted

szennyfolt *n,* 1. *[piszok]* stain, smudge, spot (of dirt), *[zsíros]* smear 2. *[szégyenfolt]* blemish, slur, stigma, stain, blot, defilement, taint, sully

szennyirat *n,* rag, (scurrilous) sheet

szennyirodalom *n,* pornography, pornographic literature; *ld még* ponyvairodalom

szennylap *n,* 1. *(elit)* rag, (scurrilous) sheet; ~*ok* the gutter-press/papers 2. *[könyvé]* = **szennycímoldal**

szennyláp *n, (geol)* sew

szennylé *n,* = **szennyvíz**

szennysajtó *n,* gutter-press, gutter papers *(pl)*

szennytelen *a,* 1. stainless, spotless 2. *(átv)* unsullied, unblemished, undefiled, *[szennyezetlen]* clear, unpolluted

szennyvíz *n,* dirty/slop/outlet water, cess/sewage-water, sew(er)age, drainage, sullage, slops *(pl)*, *[csatornázásnál]* refuse water, *[gyári]* waste(-water), process-water

szennyvízcsatorna *n,* sewer, soil/drain/waste-pipe, gully-drain, cloaca, *[hálózat]* sewerage, the drains *(pl)*

szennyvízderítés *n,* sewage filtering/purification, *[telepe]* sewage farm

szennyvízelvezetés *n,* disposal of sewage, sewage disposal

szennyvíziszap *n,* sewage-sludge/slime

szennyvízkiöntő *n, [konyhai]* sink

szennyvízleeresztő *a/n,* ~ *(akna)* gully

szennyvízlerakódás *n,* sullage

szennyvízlevezetés *n, (mezőg)* well-drain

szennyvízlevezető I. *a,* ~ *cső/csatorna* drain, sullage-pipe II. *n, (épít)* launder

szennyvíznyílás *n,* wash-out door

szennyvízvödör *n,* slop-pail

szép [-et, -e; *adv* -en] I. *a,* 1. beautiful, beauteous *(ref.), [irodalmi]* bonny, *[nő]* nice/fine-looking, lovely, pretty, fair, *[férfi]* handsome, good-looking, *[testalkat]* fine, well-made/built/shaped; ~ *álmokat !* happy/sweet dreams; ~ *arc/külső* good looks *(pl)* ; ~ *arcú* fair-faced; ~*beszédű* fair-spoken; ~ *cselekedet* handsome gesture, noble deed; ~ *hajzat* a fine head of hair; ~ *hangú* endowed with a good/fine voice *(ut)* ; ~ *hangzás* euphony; ~ *hangzású* euphonic, euphonious, sweet-sounding; ~ *idő* fine/fair weather; ~ *idők !* *[hajdan]* palmy/halcyon days; ~ *írás* good/neat hand(writing), copperplate writing *(fam)* ; ~ *jövedelem* nice/comfortable income; ~ *kép* fine picture; ~ *kerek kis összeg* nice little sum, a good round sum; ~ *kis pénzbe fog kerülni* it will cost a pretty penny; ~ *lassan* leisurely, at an easy pace, step by step; ~ *lélek* a noble mind; ~ *nap volt* it was a great day; ~ *növésű* *[ember]* well-made/shaped/

formed/built, clean-limbed, of a fine stature *(ut)*, a fine figure of a (wo)man *(ut), [fa]* well-grown, of fine growth *(ut)* ; ~ *örökség* a fair heritage; ~ *szál legény (biz)* strapping fellow; ~ *számban* a good many, a fair number of; *emberek* ~ *számban* respectable number of people; ~ *szó* fair word, fine words *(pl) (pej)* ; ~ *szavú* fair/fine-spoken; ~ *táj/vidék* beauty spot; ~ *vers* a fine piece of poetry; *vknek a* ~ *szeméért* out of love for sy, for the beaux yeux of sy; ~ *szóval* többre megyünk mint erőszakkal gentleness achieves more than violence, fair and softly goes far a day; *egy* ~ *napon* one/some fine day/morning, one of these fine days; *azok voltak a* ~ *idők !* those were happy days !; *ez mind igen/nagyon* ~*(,) de (hát)* that is all very well/fine/good but; *ez nem* ~ it is not fair; *ez nem* ~ *tőle* that is very unkind of him; *ez igazán nem* ~ *tőle* that is very small/mean of him; *igen* ~ *tőle hogy* . . . it is damned white of him to . . . *(US fam)* ; *olyan* ~ *volt mint az álom (biz)* she looked a perfect dream 2. *(iron)* fine, pretty; ~ *híreket hallok rólad* I hear fine things about you; ~ *kis história !* that is a pretty piece of business/news, a pretty kettle of fish; ~ *kis ügy !* fine doings these !; *no ez* ~ *!* that's not bad

II. *n,* 1. *a falu* ~*e* the belle/beauty/rose of the village 2. *[fogalom]* beauty, the beautiful; ~*et álmodik* have beautiful dreams; *sok* ~*et hallottam Önről* you were well/highly spoken of, I heard a lot of good (things) about you 3. *teszi a* ~*et vknek* court *(v.* pay marked attention to) sy, pay one's address to, make/pay court to sy

szépanya *n, [nagyszülő nagyanyja]* great-great-grandmother

szépapa *n, [nagyszülő nagyapja]* great-great-grandfather

szeparációs [-at; *adv* -an] I. *a,* separative, separating, *(ritk)* separatory II. *a/n,* = **szeparatista**

szeparál [-t, -jon] *vt,* separate, disunite, part, isolate, cut off; *tejet* ~ *(mezőg)* separate the milk

szeparált [-at] *a,* separated; ~ *tej* skim(med)-milk

szeparatista [. . át] *a/n,* separatist, secessionist

szeparatisztikus *a,* separatist, seceding

szeparatizmus *n, (pol)* separatism

szeparátor [-ok, -t, -a] *n,* separator, *(műsz)* centrifugal machine/extractor

szeparé [-t, -ja] *n,* private box

szépasszony tenyere *(növ)* Chinese bellflower, American jute, abutilon *(Abutilon sp.)*

szépecske *n, (növ)* coreopsis *(Coreopsis)*

szépecskén *adv,* pretty well, fairly (well), *[apránként]* little by little, *[meglehetősen]* considerably

szepeg [-tem, -ett, -jen] *vi,* whimper (for/in fear), *(átv)* show fear

szepegés *n,* whimper(ing), whine

szepegő [-t; *adv* -en] *a,* whimpering, whining

szépeleg [-tem, . . lgett, -jen] *vi,* 1. *[tetszeleg]* peacock (about), strut, try to please 2. *[szépet teszi]* pay attention (to), flirt (with), dally (with), talk soft nonsense, say silky nothings

szépelgés *n,* 1. *[tetszelgés]* peacockery, strut(ting) 2. *[udvarlás]* flirt(ing), dalliance

szépen *adv,* 1. beautifully, nicely, prettily, finely, gracefully, neatly; ~ *beszél* be a good speaker, *[barátságosan]* speak gently; ~ *foglalt [gyémánt]* well-set; ~ *győz* win in fine style; ~ *hangzó* sweet-sounding, melodious, euphonic, euphonious; ~ *ír* write a good hand, *[író]* have a fine style; ~ *irott* calligraphic; ~ *keres vmn* make a handsome profit on sg; ~ *öltözködik* dress (oneself) handsomely; ~ *sikerül* come off all right, come off nicely/well; ~ *viselkedik vkvel szemben* do the handsome (thing) by sy; ~ *kérem* ~ will you please/kindly, may I trouble you for . . , please, kindly; *köszönöm* ~ thank you very much, (many) thanks, ta *(baby-talk, fam)* 2.~*l (iron)* you don't say so, tell that to the (horse-)marines, *[hát még mit nem]* you may whistle for it, shucks; ~ *vagyunk* we have had it, we are in a nice mess

szépérzék *n*, (artistic) taste, sense of beauty, sense of the beautiful

szépészet *n*, † aesthetics

szépfiú *n*, dandy, fob, beau *(fr)*, sheik(h)◆

széphistória *n*, romance, *[középkori]* lay

szépia [.. át] *n*, 1. *(áll)* cuttle(-fish), ink(-fish), sea--sleeve, sepia *(Sepia officinalis)* 2. *[festék]* sepia

szépiafesték *n*, sepia

szépiafürdő *n*, *(fényk)* sulphide toning

szépiahal-csont *n*, cuttle-bone

szépiaszín *n*, *(műv)* sepia

szépiaszínű *a*, sepia(-coloured)

szépidő-felhő *n*, fair-weather cloud

szépírás *n*, calligraphy; ~ *és külalak (kb)* penmanship

szépírási *a*, calligraphic, of calligraphy *(ut)*

szépírástanár *n*, master of calligraphy

szépíró *n*, *[irodalmár]* belletrist, man of letters, literary man, penman

szépirodalmár *n*, = szépíró

szépirodalmi *a*, belletristic, literary

szépirodalom *n*, fiction, belles-letters *(fr pl)*, polite letters *(pl) (ref.)*, polite learning *(ref.)*

szépít [-eni, -ett, -sen] *vt*, 1. *[díszít]* embellish, adorn, *[szebbé tesz]* beautify, improve the look of, set off; ~*i magát* make (oneself) up, pretty up, beautify oneself 2. *(átv)* palliate, extenuate, *[kimagyaráz]* gloss (over), blanch over, whitewash, smooth (over), find excuses for, put a good complexion (on sg); *a távolság* ~ distance lends enchantment to the view; ~*i vk hibáit* glaze over sy's faults; ~*ve fejez ki* euphemize 3. *[történetet, elbeszélést]* embroider, touch up, embellish, improve upon, put a gloss on the truth

szépítés *n*, 1. *[díszítés]* embellishment, embellishing, improving, beautifying, prettification 2. *(átv)* palliation, glossing over extenuation, embroidery (of a tale); *minden* ~ *nélkül* without mincing matters, without any adornments

szépítetlen *a*, ~ *igazság (biz)* the plain/ungarnished truth

szépített [-et] *a*, euphemistic

szépítget *vt*, 1. *[díszít]* keep beautifying/embellishing, prettify 2. *(átv)* try to gloss over, ld még **szépít**; *nem* ~*i szavait* not to mince one's words

szépítgetés *n*, retouch, *[hibát stb.]* palliation

szépítő [-t; *adv* -en] *a*, 1. embellishing, beautifying, adorning, *(nyelvt)* meliorative 2. *(átv)* extenuating, palliating

szépítőbizottság *n*, *[városi]* (town) improvement commission

szépítőszer *n*, cosmetic(s), make-up, beauty preparation, complexion requisites *(pl)*, aids to beauty *(pl)*, beautifier *(fam)*

széplélek *n*, bel esprit *(fr)*, *(iron)* prig, highbrow

szeplő [-t, -je] *n*, 1. freckle, sun-spot, *(tud)* lentigo, ephelis 2. *(átv)* blot, blemish, stain, flaw; ~ *esett a becsületén* he lost his good name, his name was tainted, a stain/slur was cast on his reputation/honour

szeplőlapu *n*, *(növ)* wax-plant *(Cerinthe sp.)*

szeplős [-et; *adv* -en] *a*, 1. freckled, freckly,*(tud)* lentiginous; ~*sé tesz* freckle 2. *(átv)* stained

szeplősít [-eni,-ett,-sen] *vt*, 1. freckle 2. = megszeplő-sít 2.

szeplősség *n*, freckledness

szeplőtelen *a*,1. unfreckled, clear/free from freckles *(ut)* 2. *(átv)* stainless, unstained, unsmudged, unsmirched, untainted, undefiled, spotless, unblemished; ~ *jellem* character without spot or stain 3. *[szűz]* immaculate,

innocent, pure; *(vall) a* ~ *fogantatás* the Immaculate Conception

szeplőtelenség *n*, immaculacy, immaculateness, *(átv)* chastity, innocence, (immaculate) purity, spotlessness, pureness, flawlessness

szeplőtelenül *adv*, immaculately, flawlessly, spotlessly, purely

szeplőtlen *a*, = szeplőtelen

szépművészet *n*, (fine, figurative) arts *(pl)*

szépművészeti *a*, of (the) fine arts *(ut)*; ~ *múzeum* Museum of Fine Arts, art gallery

szépnem *n*, fair/gentle sex

széppróza *n*, (artistic) prose (writing), (works of) fiction

szépreményű [-ek, -t] *a*, promising, hopeful, *[címzésben fiúnak]* Master, *[leánynak]* Miss; ~ *fiatalember* a likely young man

szépség *n*, *[vk és állapot]* beauty, fairness, *[tulajdonság]* prettiness, handsomeness, good looks *(pl)*, fineness; ~*e teljében* in the full bloom of her beauty/loveliness; *rendkívüli* ~*gel megáldott* endowed with great beauty

szépségápolás *n*, beauty treatment/care, cosmetics

szépségápoló *a*, cosmetic; ~ *intézet* beauty parlour; ~ *szerek* cosmetics, beauty preparations, aids to beauty

szépséges [-et; *adv* -en] *a*, fair, most beautiful, beauteous, ravishing, bewitching

szépségflastrom *n*, beauty-spot

szépséghiba *n*, (physical) defect (that mars the beauty of sy/sg), flaw, blemish; *az ügynek van egy kis szépséghibája* there is a fly in the ointment

szépségkirálynő *n*, *[báli]* the belle of the ball, *[versenygyőztes]* beauty queen; *az olasz* ~ Miss Italy

szépségtapasz *n*, beauty-spot, mole

szépségű [-t] *a*, of ... beauty *(ut)*

szépségverseny *n*, beauty parade/competition/contest/rally

szépszerével *adv*, gently, *[vita nélkül]* in a friendly/amicable way, *[meggyőzéssel]* by persuasion, *[önként]* willingly, of one's own accord, *[lassacskán]* step by step; ~ *megúszta a dolgot (biz)* he got off cheaply

szepszis [-ek, -t, -e] *n*, *(orv)* sepsis, septicaemia, septemia, blood-poisoning

széptan *n*, † aesthetics

széptani *a*, † aesthetic(al)

szeptember [-ek, -t, -e] *n*, September

szeptemberi [-ek, -t; *adv* -en] *a*, (of, in) September

szeptemvir [-ek, -t, -je] *n*, *(tört)* septemvir

szeptemvirátus *n*, *(tört)* septemvirate

szeptett [-et, -je] *n*, *(zene)* septet(te), septuor

széptevés *n*, court(ing), courtship, flirting, gallantry, philander

széptevő I. *a*, gallant, *[hízelgő]* flattering II. *n*, gallant, wooer, admirer, flirt, philanderer, *[hízelgő]* flatterer, fop *(pej)*, masher *(pej)*

szeptikus *a*, septic

szeptim [-et, -e] *n*, 1. *(sp)* *[vívásban]* septime 2. *(zene)* seventh; *nagy* ~ major seventh, heptachord

szeptola [.. át] *n*, *(zene)* septolet, septuplet

széptudomány *n*, † = széptan; ~*ok* the liberal arts

szépunoka *n*, *[unoka unokája]* great-great-grandchild

szépül [-t, -jön] *vi*, grow more beautiful, get prettier, improve in looks/appearance, *[dolog]* improve, look better

szépülés *n*, growing more beautiful, improvement (in looks/appearance)

szer [-ek, -t, -e] *n*, 1. *[eszköz]* implement, appliance, instrument, tool 2. *[orvosság]* remedy, drug, medicine, medicament, *[titkos, kuruzslóé]* nostrum, physic *(fam)*; *fertőtlenítő* ~ disinfectant 3. *[torna]* fittings (of gymnasium), gymnastic apparatus 4. ~*t tesz vmre* get/obtain/acquire sg, get hold of sg, pick up sg, lay hands on *(fam)*, take possession of *(fam)*, come by *(fam)*, *[népszerűségre]* win; *új barátokra tesz ~t* pick up new friends; *nyereségre/haszonra tesz ~t* make profits; *pénzre tesz ~t* raise/obtain/find money, come by money; *~ét ejti vmnek* take care to do sg, bring oneself to do sg, manage sg, contrive (a means) to do sg; *~ét ejtette hogy* he managed/contrived *(v.* found a means) to, he succeeded in, he took (good) care to (do sg); *könnyű ~rel* easily, with (the greatest of) ease, without any special effort

szér [-ek, -t, -je] *n, (bány)* table, frame
szeráf [-ot, -ja] *n, (vall)* seraph
szeráfi [-t] *adv* -an] *a,* seraphic
szeráj [-ok, -t, -a] *n,* seraglio
szeráru *n, (ker) mezőgazdasági ~* agricultural implements
szerb [-et, -je; *adv* -ül] *a/n, [nyelv is]* Serb(ian)
szerb-horvát *a/n, [ember, nyelv]* Serbo-Croatian
Szerbia [.. át, .. ában] *prop,* Serbia
szerbtövis *n, (növ)* zanthium *(Xanthium sp.); szúrós ~* bur-weed *(X. spinosum)*
szerbusz [-ok, -t] *n,* = szervusz
szerda [.. át] *n,* Wednesday *~ reggel* Wednesday morning; *~ este* Wednesday evening; *szerdán* on Wednesday; *jövő szerdán* next Wednesday; *most szerdán* this Wednesday; *minden szerdán* on Wednesdays; every Wednesday
szerdai [-ak, -t] *a,* (of) Wednesday
szerdék [-et, -je] *n,* † booty, spoil, plunder, loot
szerecsen [-ek, -t, -je] I. *a, [arab]* Moorish, Saracen(ic), *[néger]* Negro II. *n,* Moor, Saracen, blackamoor, Negro, black(y), colored man *(US), [bántóan]* nigger; *~t mosdat (biz)* try to wash a blackmoor white, whitewash sy
szerecsendió *n,* nutmeg, *[másodrendű]* mace
szerecsendiófa *n, (növ)* nutmeg-tree *(Myristica sp.)*
szerecsenlepke *n, (áll)* Scotch argus *(Erebia aethiops)*
szerecsenmajom *n, (áll)* mangabey *(Cercocebus sp.); közönséges ~* sooty mangabey *(S. fuliginosus); szürkepofájú ~* grey-cheeked mangabey *(C. albigena)*
szerecsenmaki *n, (áll)* black lemur *(Lemur macaco)*
szerecsenmosdatás *n, (kb)* whitewashing (of a hopeless sinner)
szeredás *n, (nép)* haversack, knapsack, bag
szeredella [.. át] *n, (növ)* bird's foot *(Ornithopus satirus)*
szerel [-t, -jen] *vt,* 1. *[gépet egybe]* mount, assemble, erect, set/fit up, fit together, *[villamos berendezést]* install, *[kerékpárabroncsot]* mount, *[vízvezetéket]* plumb 2. *[iratot]* attach relevant papers (to document) 3. *(sp)* tackle, take off/away (ball), break up sy's dribble
szérel [-t, -jen] *vt, (bány)* wash, cleanse, buddle
szereide [. ét] *n, (műsz)* assembly/erecting shop/department
szerelék [-et, -e] *n,* requisites *(pl),* accessories *(pl),* appurtenance, fitting, attachment, *(kat)* equipment, kit, *(műsz)* armature, gadget, appliance, fitment
szerelékfal *n, (műsz)* dashboard panel, *[gépkocsin, rep]* (instrument) panel
szerelékkocsi *n,* tool-and-gear wag(g)on
szerelem [.. lmet, .. lme] *n,* 1. love *(aki iránt* of/for/ towards); *első ~* first love; *futó ~* passing fancy; *~ gyermeke* love-child; *a ~ istene* Cupid, Eros, the God of Love; *szerelmünk záloga* the token/pledge of our love; *az első látásra* love at first sight; *~ fűzi vkhez* be attached to sy, be in love with sy; *a ~ nem játék/tréfadolog* never trifle with love; *~ből* for love; *~ből nősül* marry for love; *~re gerjeszt (vk iránt)* enamour; *forró ~re gyullad vk iránt* conceive a passion for sy; *az isten szerelmére* for the love of God/ Mike, for God's/Christ's/goodness(')/mercy s/pity's

szakel; *szerelmet vall vknek* declare *(v.* make known) one's love to sy, make love to sy; *megnyeri vk szerelmét* win sy's love/affection; *~től ittas* intoxicated with love; *a ~mel nem lehet tréfálni* never trifle with love 2. *[mint személy]* love, sweetheart, beloved; *(egyetlen) szerelmem!* my own (one)!, my (own) love!, my lady-bird!; *egy régi szerelmem* an old love/flame of mine; *régi szerelmem volt* he used to be a flirt of mine
szerelemféltés *n,* jealousy
szerelemféltő *a,* jealous
szerelemgyermek *n,* love child
szerelemittas *a,* intoxicated/drunk with love *(ut)*
szerelés *n,* 1. *(műsz)* mounting, installation, assembly, assembling, equipping, equipment, setting up, fitting (on, up), construction, *[vízvezetéké]* plumbing; *technológiai ~* technological fitting work 2. *(sp)* tackling
szerelési [-t] *a, ~ költség* cost of installation/mounting/ fitting/plumbing; *~ vázlatrajz* installation (scheme), mounting diagram
szerelmes [-ek, -t, -e; *adv* -en] I. *a,* 1. in love *(ut),* enamoured, sweet/gone on *(fam), [szerelmet tanusító]* loving, amorous, *[szerelemmel kapcsolatos]* love-, gallant; *~ asszony* woman in love; *~ levél* love-letter, billet-doux *(fr) (joc.), [Bálint-napi népszokásként]* valentine; *~ pillantás* loving/amorous look; *~ pillantásokat vet vkre* cast/make sheep's eyes at sy, sheep's-eye sy, goo-goo *(fam); ~ szerep* lover's part; *~ természetű* of amorous disposition *(ut),* amative, spoony *(fam); ~ vers* love-poem, *[erotikus]* amatory/amorous verse; *~ vkbe* be in love with sy, love sy, be enamoured of/with sy, be sweet on sy *(fam)* be (dead) nuts on sy *(fam); ~ lesz vkbe* fall in love with sy, fall for sy; *~ek voltak egymásba* they were lovers, they were in love with each other; *nem ~* heart-whole; *fülig/bödülten/vakon ~ vkbe (biz)* be gone/spoons on sy, be quite taken up with sy; *halálosan ~* be desperately in love 2. † *[szeretett]* dear, (well-)beloved
II. *n,* 1. sweetheart, *[férfi]* lover, admirer, suitor, wooer, swain *(obs), [nő]* sweetheart, mistress *(pej),* paramour *(obs); a ~ek* the (two) young people in love, the lovers *(pl)* 2. első *~ (szính)* leading man
szerelmeskedés *n,* 1. *[enyelgés]* love-making, love affair, *[felületes]* flirtation, flirting, philander(ing), dalliance, *[turbékolás]* cooing, spooning 2. *[közösülés]* making love, love making, sexual intercourse
szerelmesked|ik [-tem, -ett, -jen, -jék] *vi,* 1. *[enyeleg]* make love, have a love-affair, *[flörtöl]* flirt, philander dally, *[turbékol]* bill and coo, spoon 2. *[közösül]* make love, have sexual intercourse
szerelmeskedő [-t] *a,* amative, spoony *(fam)*
szerelmespár *n,* amorous/loving pair/couple, the lovers *(pl),* the two young people in love, a lover and his lass *(ref.),* a pair of turtle-doves *(fam)*
szerelmetes [-ek, -t; *adv* -en] *a,* † = szerelmes I. 2.
szerelmi [-ek, -t; *adv* -leg] *a,* love-, of love *(ut),* amorous, amatory, amative, erotic; *~ ajánlat* love proposal, gallant proposition; *~ bájital* amatory/love potion, (love-)philtre; *~ bánat* lovesickness, pangs of love *(pl),* throes of infatuation; *~ boldogság* happiness/bliss of love; *~ csalódás* disappointment in love; *~ csalódás érte* she has been crossed/disappointed in love; *~ dal* love-song/lay; *~ dráma* love-tragedy; *~ düh* love-frenzy/fit, *[beteges]* erotomania, *[férfié]* satyriasis, *[nőé]* nymphomania; *~ élet* love-life; *~ háromszög* the eternal triangle; *~ házasság* love-match, union of hearts; *~ házasságot köt* marry for love; *~ hév/hevület* passion; *~ jelenet* love-scene; *~ kaland* amorous/gallant adventure, intrigue, love-

-affair; ~ kapcsolat/kötelék love-bond/affair; ~ költészet love/amorous poetry; ~ mámor ecstasy/transport of love; ~ történet/regény love-story; ~ tűz flame/ardour of love; ~ vallomás declaration of love; ~ viszony liaison, amour, love-affair;~ viszonyt létesítettek (jog) [nem házastársak] intimacy took place; ~ zálog love-token

szerelő [-t, -je] n, (repair) mechanic, fitter, technician, assembler, mounter, engine-man, trimmer, (ritk) mechanician, (rep) rigger, [víz, gáz] plumber, (vill) electrician

szerelőállvány n, assembly jig, (épít) scaffolding, false-work

szerelőasztal n, (assembly) desk

szerelőberendezés n, assembly jig

szerelőcsarnok n, erecting shop/yard, assembly floor/hall/shop

szerelőcsavar n, drift-bolt, field bolt

szerelőgödör n, [gép felállításához] erection pit, [gépkocsinál, vasút] inspection/repair pit

szerelőkészlet n, repair outfit

szerelőkocsi n, (músz) tool wag(g)on

szerelőmechanikus n, (vill, rep) rigger

szerelőmunka n, mounting, installation, fitting, [vízvezetéki] plumbing

szerelőmunkás n, mechanic, fitter, technician, adjuster

szerelőműhely n, mounting/fitting/adjusting/plumber's/electrician's shop, assembly place/workshop, [gépgyári] erecting shop

szerelőpad n, bench

szerelőrúd n, stay transom

szerelőruha n, overalls (pl), (engineer's) dungarees (pl), boiler suit, union suit (US), jeans (pl) (US)

szerelőszalag n, (músz) assembly line

szerelőtanuló n, apprentice fitter

szerelőtér n, = szerelőcsarnok

szerelővonat n, trolley train

szerelvény n, 1. [felszerelés] outfit, equipment, (kat) [fegyver nélkül] kit 2. (músz) mounting(s), setting, fitting(s), appliance 3. (vasút) train, train/set of carriages/trucks, made-up train

szerelvényfal n, (músz) instrument-board, [gépkocsin, rep] fascia-board, dash(-board)

szerelvénytábla n, (músz) instrument/switch-board, dash-board

szerelvényterhelés n, train-load

szerelvényvágány n, (vasút) body-track

szerelvényvizsgálat n, (kat) kit inspection

Szerémség [-et, -ben] prop, Syrmia

szerenád [-ot, -ja] n, serenade, (zene) serenata; ~ot ad vknek serenade

szerencse [..ét] n, (piece of good) luck, fortune, [véletlen] chance, (átv) pleasure, honour; a ~ kegyeltje the pet of fortune; a ~ megfordulása turn of the tide; váratlan ~ a bit/piece/stroke of (unexpected) good luck, godsend, fluke, windfall (fam); az a ~ éri he has the (v. it is his) good fortune (to), he has the luck (to); nagy ~ ért bennünket we (have) had a windfall; váratlan ~ érte he struck oil; [mellészegődött a ~ he had a run of luck, he was in luck's way; rámosolygott a ~ fortune favoured him, fortune smiled upon him; a ~ ellenem fordul the run has set in against me, my luck has turned/changed; ~ fel! good luck (to you), god-speed; ez aztán ~ jam sandwich; ilyen/ez az én szerencsém (iron) just my luck!; milyen/micsoda ~! how lucky!, what a mercy!; részemről a ~! the pleasure is mine; ~ hogy fortunately, it is lucky/well that, it is a mercy to, it is a good job that; ~ hogy el tudott/tudtál jönni it is a mercy you were able to come; szerencsém volt I had fortune on my side, I've had a streak of luck (US fam); szerencséje van be in luck, be lucky, make a lucky hit,

strike oil (fam); egy ideig szerencséje volt he had his spell of luck; nincs szerencséje have no/hard luck, be unlucky, be down on one's luck, be out of luck, meet with no success, strike a bad patch; olyan szerencséje van hogy ... have the luck to ...; kihez van szerencsém? you have the advantage of me; már volt szerencsém we have met already; legyen szerencsém máskor is please do come again, I hope to see you again; nem volt még szerencsém hozzá I have not had the pleasure of his acquaintance (v. of knowing him) yet; nincs szerencsém ismerni I have not the pleasure of knowing him (v. of his acquaintance); van szerencsém bemutatni I have the honour to introduce Mr, So and So to you, meet Mr....(fam); van szerencsém értesíteni (I) beg to inform you, it is my pleasure to inform you that; van szerencsém mellékelni I/we beg to enclose; örülök a szerencsének [bemutatkózáskor] how do you do, [máskor] glad/happy to see you, pleased to meet you (fam); nagyon örültem a szerencsének so glad to have met you, so glad to have made your acquaintance; szerencséjének köszönheti a sikerét owe one's success to luck; kiki a maga szerencséjének kovácsa every man is the master of his (own) fortune; szerencsére luckily, happily, fortunately, by good fortune, as (good) luck would have it; szerencsémre luckily for me; mindent a jó szerencsére bíz leave/commit everything to chance; szerencsét hoz vknek bring sy good luck; szerencsét kíván vknek congratulate sy (on sg), felicitate sy, wish sy good luck, offer sy one's felicitations, [utazáshoz] wish/bid sy god-speed; sok szerencsét (kívánunk)! good luck to you!, we wish you success!; ez csinálta meg a szerencsémet it was the making of me, this brought me luck; szerencsét próbál take one's chance, try one's fortune/luck, chance one's luck, seek one's fortune, chance it (fam); van szerencsénk megküldeni we have pleasure in forwarding; van szerencsém (kb) how do you do, good day

szerencsecsillag n, lucky star; ~a hanyatlik his star is waning, his star is on the wane

szerencsefia n, lucky person/chap/dog, favourite/pet of fortune, (kif) he was born under a lucky star

szerencsefillér n, luck-penny

szerencsehozó I. a, bringing good luck (ut), favourable, auspicious II. n, charm, amulet, mascot

szerencsejáték n, game of hazard/chance, gambling, gamble, (átv) lottery; tiltott ~ illegal game of chance/hazard

szerencsejátékos n, gambler, gamester (obs), plunger (fam)

szerencsekerék n, [sorsjátéknál] lottery-wheel

szerencsekívánat n, congratulation, good wishes (pl); születésnapi ~ birthday wishes; (fogadja) legőszintébb ~aimat my heartiest congratulations; ~okkal halmozták/árasztották el congratulations showered (down) on him (fam)

szerencselovag n, man who lives by his wits, adventurer, soldier/gentleman of fortune

szerencséltet vt, honour, favour sy (with one's presence), give sy the pleasure of; ~ vkt vmvel honour/favour/bless (v. make happy) sy with sg

szerencsemalac n, (kb) lucky pig(let) (either as New Year's Day dish or amulet worn on watch-chain)

szerencsepénz n, luck-money, lucky-penny/coin, pocket-piece

szerencsés I. a, 1. lucky, happy, fortunate, [sikeres] successful, having success (ut), favoured; nem ~ unfortunate, unhappy; ~ csillag(zat) alatt született he was born lucky; ~ eset a piece of luck; ~ esetben if everything turns out well, at best/most; ~ fickó lucky chap/dog; ~ fogás good catch, a scoop, lucky strike/hit, slice of (good) luck; ~ szériában van he is having a run of luck, he is in luck('s way); ~ találat

lucky hit/shot, pick-up; ~ utat I farewell I, pleasant journey I, god-speed I, good-bye to you I; ~ utat kíván vknek wish/bid sy god-speed, speed the parting guest; ~ véletlen godsend; ~ véletlen következtében/ folytán by a fortunate accident, by a stroke of luck; olyan ~ hogy .... have the luck to ....; ~ a kártyában szerencsétlen a szerelemben lucky at cards(,) unlucky at love; ~nek érezheted magad you may consider yourself lucky, you can congratulate yourself; ~nek tart vkt deem sy lucky; ~nek tarthatjuk magunkat (ha) we may congratulate ourselves (if); ~sé tesz vkt bring sy luck, make sy happy; ~ebb more fortunate than 2. [kedvező] happy, propitious, providential, felicitous; ~ gondolat volt it was an excellent idea, it was a brainwave (v. a happy thought) (to); ~ kifejezés apt/felicitous/effective phrase, felicity in writing; ~ kimenetel [történeté] happy ending; ~ menekülés merciful escape; ~ óra lucky/propitious hour; ~ pillanat [kedvező] opportune moment
II. n, néhány ~ the fortunate few
szerencsésen adv, luckily, fortunately, happily, successfully, by good hap/luck, favourably, prosperously; ~ elmenekül get off scot-free; ~ el is puskázta a dolgot clever as he is he botched/bungled (v. made a mess of) it; ~ megérkeztem I arrived here without mishap/difficulty, I arrived safely; ~ megmenekült got off cheaply, came off clear, had a narrow escape, came out of it with a whole skin, escaped by the skin of his teeth
szerencsesorozat n, run of luck, streak of luck (US)
szerencseszerződés n, (jog) aleatory/hazardous contract
szerencsetalizmán n, charm
szerencsetárgy n, porte-bonheur, mascot
szerencsétlen a, (vk) unlucky, unfortunate, unhappy, luckless, wretched, miserable, hapless, poor, [esemény, dolog] disastrous, calamitous, fatal, sad, catastrophic, ill-starred/fated, woeful, [körülmény] adverse, untoward; a ~ asszony I the poor woman I; ~ csillagzat alatt született born under an unlucky star, fate is against him; ~ flótás unlucky/wretched fellow, poor blighter/devil, wretched/luckless wight, sad dog; ~ házasság unhappy marriage, a bad match; ~ kifejezés infelicitous/misplaced term/expression; ~ körülmények adverse circumstances; ~ külsejű ill--favoured; ~ nap evil/unlucky (v. ill-starred) day; egy ~ pillanatban in an evil moment; ~ szerelmesek star-crossed lovers (ref.); ~ ügy/dolog it is a bad/ sorry business; ~ véletlen következtében by misfortune/mischance; ó én ~ I oh miserable me I, wretch that I am I, oh (poor) me I; ~né teszi vknek az életét make sy's life miserable; ~nek érzi magát feel miserable; ~nek látszik/tűnik look unhappy
szerencsétlenkedlik vi, be clumsy, get under sy's feet
szerencsétlenség n, 1. [balszerencse] misfortune, bad/ ill luck, unhappiness, calamity, fatality, distress, disaster, reverse, adversity, mischance, mishap, misery, plague, hard lines/luck (fam), ills (pl); ~érte őket misfortune befell them; ~ üldözi have a run of ill-luck; olyan mint egy rakás/határ ~ he is (like) a bundle of misery, he is like a broken bulrush; ~be dönt/taszít vkt plunge sy into misery, ruin/ undo sy, be the cause of sy's misfortune; ~re as ill--luck would have it; ~ére elkésett most unfortunately for him he arrived too late 2. [baleset] accident, catastrophe; vasúti ~ railway accident, smash; végzetes/halálos ~ fatal accident; az úton ~ érte on the way he met with an accident; a ~nek halálos áldozata nem volt there were no fatalities
szerencsétlenül adv, unhappily, unfortunately, miserably, fatally; ~ üt ki turn out ill, fail, miscarry, prove

unlucky, prove (v. turn out) a failure; ~ jár meet with an accident, come to grief
szerencsevadász n, fortune hunter, adventurer, soldier of fortune
szerény [-ek, -t; adv -en] a, modest, humble, (vk) demure, blushing, meek, unpretentious, unpretending, unassertive, unpresuming, unobtrusive, unassuming, unambitious, mousy (fam), [mérsékelt] moderate, temperate; túl ~ over-modest; ~ anyagi eszközök slender/moderate/limited means; ~ ár reasonable price; ~ életmód plain living, humble/ simple way of life; ~ ember man of no pretension(s); ~ étkezés frugal meal; ~ hajlékomban under my humble roof; ~ ház modest house; ~ ibolya (átv) blushing/shrinking violet; ~ igény moderate wishes/ claims/aspirations (pl); ~ jövedelem small/slim/ slender income; ~ keretek köz(öt)t in a small way; vmt ~ keretek közt csinál/űz do sg on a small scale; ~ kis virág inconspicuous/modest flower; ~ megélhetés modest/spare existence/livelihood; ~ méretekben on a small/humble scale, in a small way; ~ öltözék simple/homely dress; ~ véleményem szerint in my humble opinion; ~ viselkedés discreet/retiring behaviour
szerényen adv, modestly, humbly, in a small way, simply, frugally; ~ él live in a quiet way, live plainly
szerénykedés n, bashfulness, modesty, timidity
szerénykedlik [-tem, -ett, -jen, -jék] vi, behave modestly/bashfully, keep in the background, belittle oneself
szerénység n, modesty, unpretentiousness, unobtrusiveness, self-effacement, [mérsékeltség] temperateness, moderation; ~e jól állt neki her modesty beseemed her well
szerénytelen a, immoderate, immodest, bold, hard to please (ut), pretentious, pushing, forward, [öntelt] conceited, self-satisfied
szerénytelenség n, immodesty, self-conceit, pretentiousness, pretensions (pl), want/lack of modesty; ~ volna azt kívánni (hogy) it would be asking too much (if ....)
szerénytelenül adv, immodestly
szerep [-et, -e] n, part, role, [drámai műben] character, personage, [feladatszerű] mission, function; kis ~ underpart; ~e van vmben have a share in doing sg; vmnek nagy ~e volt vmben sg played a great part in sg, sg had a great deal to do with sg; jelentős ~e van (vmnek a létrehozásában) be instrumental in sg; nincs benne ~e be out of the picture; semmi ~e nincs vmben (átv) have no part (or lot) in sg; itt lesz majd neked ~ed this is where you come in; vm ~ben jelenik meg (szính) play (the part of sy), impersonate sy, appear as sy, take the part of sy; láttam őt Macbeth~ében I have seen him do Macbeth; ~et cserélnek turn the guise; vmlyen ~et vesz fel (elit) posture as, pose as, take (up) the role of; ~et játszik/alakít play/fill a part, invest oneself in a character, bear a part in sg; Hamlet ~ét játssza act Hamlet; alárendelt ~et játszik/vmben play a minor part/role; nagy/fontos ~et játszik (vmben) plays an important part/role, take a prominent part (in sg), he has a great part/role in sg, he comes to play a great part in sg; pénz nem játszik ~et money no object, money is (of) no consideration, money plays no part; ~et szán vknek assign a part to sy (szính) cast sy for a part; ~et vállal take a back-seat
szerepcsere n, exchange of roles/functions/duties
szerepel [-t, -jen] vi, 1. [jelen van] figure, occur, have/ play a part/role, appear as ...., [felsorolásban] be included; ebben keveset ~t had little to do with it; ez a cikk nem ~t a kontingenslistán this article is

not included in the quota 2. *[színpadon]* appear as, perform, act a character, take the part of a character, play (role), *[hangversenyen]* perform (at a concert); *a rádióban* ~ be on the air; *a televizióban* ~ appear on television; *sokat* ~ *a nyilvánosság előtt* be in the limelight, be very much in the public eye; *jól* ~*t* he acted *(v.* played his part); *a magyar bokszolók jól* ~*tek* the Hungarian boxers did well; *gyengén/siralmasan* ~*t* he cut a sorry/poor figure; *ez a három atléta aki szerepel(ni fog) (egy nemzetközi atlétikai találkozón)* the three athletes who are to compete (in an international athletics meeting) 3. *[vmlyen minőségben]* profess (a business), act/pose as; *tanuként* ~ appear as witness; *szűrőként* ~ act/function as a filter

szerepeltet *vt*, *[alakot]* put (sy) on the stage, *[színészt]* make/have (sy) appear in a part
szerepezés *n*, casting.
szerepjátszás *n*, 1. impersonation, interpretation 2. *(átv)* play-acting, make-believe, pretence
szerepkör *n*, 1. *(szính)* line 2. *(átv)* province, sphere of action, field of activity; ~*t betölt* play a part
szereplés *n*, 1. role, part; *első* ~ *[közéletben stb.]* entry, coming out 2. *[csak szính]* appearance (in a play), acting, playing
szereplő *[-t, -je]* I. *a*, 1. acting, playing, performing 2. *[előforduló]* acting, figuring, occuring *(mind: ut);* ...*ben* ~ *adatok* data figuring in ....; *a darabban* ~ *színészek* the actors of/in the play; *az ügyben* ~ *személyek* the persons involed in *(v.* having to do with) the affair II. *n*, 1. person, taking *(v.* playing a) part in sg 2. *[színész]* performer, actor, player, *[alak irodalmi műben]* character, personage; ~*k* characters, persons, dramatis personae *(lat)*
szereposztás *n*, *(szính)* cast (of the play), *[folyamat]* casting; *rossz* ~ miscast(ing); *új* ~ recast
szere-száma *n*, = **szeri-száma**
szeret *vt/vi*, 1. *[vkt szeretettel]* love, like, be fond of, have a liking/fondness/kindness for, hold in great affection, bear love to/towards sy, *[szerelemmel]* be in love (with), care for; ~*lek* I love you; *vkt vknél jobban* ~ like better (than), prefer (to); *fia után engem* ~ *legjobban* she loves me next her own son; *igen* ~*i az unokaöccsét* he is very fond of his nephew; *nagyon* ~ be very fond of, love dearly, adore, be much in love with; *őszintén* ~ entertain a sincere affection for sy; *teljes szívéből* ~*i* love with all his heart; *mindenki* ~*i* be beloved of/by all, be a universal favourite, be loved by all; *mindenütt* ~*ik* make friends everywhere, be loved everywhere; *senki sem* ~*i* nobody likes her *(v.* cares for her), she is disliked *(pej)*; *(többé) már nem* ~ *vkt* fall out of love with sy; *vkbe* ~ = **beleszeret**; ~*ik egymást* they are in love (with each other), they cling to one another, they are lovers; ~*(,) nem* ~ she loves me(,) she loves me not 2. *(vmt)* like, care for, be fond of, cherish, have a liking/taste/relish for, hold dear, be keen on; ~ *autózni* go in for motoring, be keen on motoring; ~*i a csokoládét?* do you like chocolate?; ~*i a hasát* he worships his stomach; ~ *játszani* be fond of play; ~*i a jókedvet* he loves a laugh; ~ *olvasni* like to read, like *(v.* be fond of) reading; ~ *öltözködni* like to dress, *(ritk)* be dress-conscious; ~*ek tanítani* I enjoy teaching; *a whiskyt tisztán* ~*em* I prefer whisky neat; ~*i a zenét* love music, be fond of music *(fam)*; *Igen/nagyon* ~ *vmt* be very fond of sg, delight in sg, hold sg dear, be partial to sg; ~*i az erős feketét* be fond of strong coffee; *szeresd a hazádat* love thou thy land; ~*i a meszes talajt (növ)* it likes chalky soil, it does well in *(... thrives in)* chalky soil; *jobban* ~*i Londont ...... prefer London to;* ~ *vmt tenni* he likes to do

sg, he is wont to do sg; *nem* ~ *vmt* he does not/ care for, he has little liking for, he has no taste palate for, he dislikes it; *nem* ~*em de nem is utálom* I neither like nor dislike it; *nem* ~*i az édességet* he does not care for sweets; *nem* ~*i ha énekelek* she objects to my singing; *nem* ~*i ha zaklatják* he resents being badgered 3. *[vágy, óhaj]* ~*ném*, ~*nék* I wish I could, I long (to), I should not mind; ~*ne vmt* long after/for sg; ~*nék egy új kabátot* I could do with a new coat, I am in need of a new coat, I want/need a new coat; *nagyon* ~*ném* I should very much like to; ~*ném ha megismerné a családomat/hozzátartozóimat* I should like you to meet my people; ~*ném tudni* I should be glad to know, I should like to know, I am curious to know, I wonder; *igazán nem* ~*nék elkésni* I should hate to be late; *jobban* ~*ném ha nem* I had/would rather not; ~*nék vmt inni* I should like a drink, I could do with a drink; *jobb* ~*nék itt maradni* I would rather/sooner stay here, I would prefer staying here; *mit* ~*nél hogy csináljak?* what would you have me do?; ~*tem volna széttépni dühömben* I could have pulled him to pieces in my rage; *gondolni sem* ~ *rá* loathe thinking of it, hate the idea, cannot bear the thought of it; *gyakrabban mint ahogy* ~*em* on more occasions than I care to count
szeretet *n*, affection, love, fondness, liking (for), *[ragaszkodás]* attachment (to), *[könyörület]* charity, loving kindness; *vmnek a* ~*e* love of/for/to sg; *vk iránti* ~ love of/for/to/towards sy; *embertársai iránti* ~ love for one's neighbours/brethren *(v.* fellow creatures), philantropy, altruism; *testvéri* ~ fraternal/brotherly love/affection; ~ *árad vk felé* be the object of universal affection; *tedd meg iránta való* ~*ből* do it for her sake; ~*ének jelei* the tokens of his affection; ~*re méltó* likeable, amiable, lovable, winsome, endearing, agreeable, loveworthy, love-inspiring, worthy of affection *(ut)*, deserving to be loved *(ut)*; *ld még* **szeretetreméltó**; ~*et érez vk iránt* be fond of sy, be (deeply) attached to sy; ~*ét vkre pazarolja* lavish one's love on sy; ~*tel* fondly; *(sok/igaz)* ~*tel* with love, affectionately, tenderly, *[levél végén]* with (much) love, yours affectionately, lovingly yours; ~*tel csinál vmt* do sg with feeling; ~*tel néz vkre* look fondly at sy; ~*tel üdvözli* send one's love; ~*tel üdvözlöm* my love to him/her, give her my love; *mindenkit* ~*tel várunk* everybody is welcome; ~*tel viseltetik vk iránt* bear sy love, have a liking for sy, entertain love *(v.* sincere affection) for sy
szeretetadomány *n*, (charitable) gift
szeretetcsomag *n*, unsolicited gift (parcel), gift parcel/ package, *[élelmiszeres]* food parcel
szeretetház *n*, alms-house, asylum, hospice
szeretetlakoma *n*, † 1. reunion of old friends/comrades 2. *(vall)* love feast, agape
szeretetlen *a*, 1. *[keményszívű]* loveless, unloving, unfeeling, hard/cold-hearted, uncharitable 2. *[nem szeretik]* unloved, unlovable
szeretetlenül *adv*, unkindly; ~ *bánik vkvel* treat sy unkindly
szeretetreméltó *a*, *igen* ~ *egyéniség* congenial disposition; *nagyon* ~ *volt hozzám* he was very kind to me; *ld még* **szeretetre méltó**
szeretetreméltóság *n*, amiability, amiableness, lovableness, lovability, likeableness, likeability, agreeability, congeniality
szeretett *[-et, -je]*; *adv* *-en]* *a*, beloved, cherished, well-beloved, much-loved, darling, favourite; ~ *anyám [levélmegszólítás]* dearest mother, mother darling; ~ *főtitkárunk* our dear general secretary; *mindenki által* ~ beloved of all
szeretetteljes *a*, loving, affectionate, fond, kind, tender

szeretetvendégség n, *(egyh)* love-feast, agape
szeretkezés n, love-making, sexual intercourse
szeretkez|ik [-tem, -ett, -zen, -zék] vi, *(vkvel)* make love (to), have sexual intercourse (with)
szeretkező a, amative
szerető [-t, -je; adv -en] I. a, loving, affectionate, fond; ~ anyád *[levél végén]* your loving mother; ölel ~ bátyád your affectionate brother, yours affectionately; ~ feleség és anya a devoted wife and mother; ~ gondoskodás/gondosság tender care, solicitude; ~ szívű loving-hearted; ~ üdvözletét küldi send one's love II. n, lover, sweetheart, paramour *(obs)*, *[férfié]* mistress, sweetheart, dame *(obs)*, flame *(joc)*, *[nőé]* lover, valentine *(joc)*; régi ~ old flame
szeretteim [-et] n. pl, my loved ones
szerez [-tem, szerzett, -zen] vt, **1.** *[magának]* obtain, get, acquire, gain, get hold of, come by, *(vknek vmt)* procure (sg for sy), find (sg for sy), get (sg for sy v. sy sg); állást ~ find/get a job; bajt ~ cause/make trouble; barátokat ~ make friends; betegséget ~ contract/catch an illness/disease; valahol szerzett egy deszkát he found/got/procured a board (from) swhere; egyetemi képesítést/diplomát ~ take one's degree; ellenséget ~ magának make an enemy (of sy); hírnevet ~ earn/gain fame; igazságot ~ obtain justice, *(vknek)* see justice done to sy; oklevelet ~ take a degree, get a diploma; pénzt ~ raise money, raise the wind *(US)*; vagyont ~ acquire wealth, be coining money *(fam)* **2.** zenét ~ compose (music); zenéjét ~te ... music by... **3.** *(átv)* cause, produce, win; dicsőséget ~ win/reap praise *(v.* laurels *(pl)*, cover oneself with glory; örömöt ~ please, give pleasure; nagy örömet szerzett nekem it gave me pleasure; tudomást ~ obtain knowledge/information, get to know of/about sg
szerfa n, rig timber
szerfelett adv, = szerfölött
szerfeletti a, = szerfölötti
szerfölött adv, excessively, immoderately, enormously, inordinately, hugely, beyond measure, overmuch, to excess, exceedingly, immeasurably, extremely, remarkably; ~ kicsi much too small
szerfölötti a, excessive, immoderate, enormous, inordinate, huge, extreme, exceeding, unmeasured
szergyakorlat n, (gymnastic) apparatus exercises/work
szerház n, † arsenal, *(kat)* armoury depot
-szeri [-ek, -t] a, repeated ... times *(ut)*; négy~ étkezés meals four times a day
széria [..át] n, series, *(kárty)* suite, *(zene)* *[Schönberg féle „Tonreihe"]* note-row; szériában serially; szériában előállít/készít produce by machinery, produce on the line, mass-produce; szériában gyártott kocsi car of standard model/design, mass-production car; rossz szériában/szériája van strike a bad patch
szériagyártás n, standardized/serial production/manufacture, production line, wholesale manufacture *(fam)*
szériagyártmány n, standardized/serial product
szériakocsi n, mass-production car, car of standard model
szericin [-ek, -t, -je] n, *(vegyt)* sericin
szerin [-ek, -t, -je] n, *(vegyt)* serine
szerint I. *post,* according to, accordingly, in accordance/conformity/compliance with, conforming to, as per, in pursuance of/with, pursuant to, pursuantly, plotted (against sg), by; Arisztotelész ~ as Aristotle has it; érték ~ *(ker)* ad valorem *(lat)*; értesítés ~ as per advice; ezek ~ accordingly, consequently; igazság ~ to be just, in justice bound, in the name of justice; ígérete ~ cselekszik act upon one's promise;

ízlés ~ to taste, at discretion; ízlésem ~ to my liking; kedve ~ at will, as one's heart pleases, to one's heart's content, after one's own heart, arbitrarily; kívánsága ~ at/by sy's whish/request; a legenda ~ legend has it; a maga módja ~ in his own way, after his own manner/fashion; Marx ~ according to Marx; megegyezés ~ as agreed; menetrend ~ according to the time-table, *(átv)* according to schedule; mérték ~ *[ruha, cipő]* made to measure; minden valószínűség ~ in all probability; nagyság ~ according to size/ height; név ~ említ mention by name; az én órám ~ négy óra van by my watch it is four; parancs ~ in pursuance of the order; rangsor/rendfokozat ~ according to seniority; a rendelkezések ~ according to the orders; sorrend ~ in/by turns, in due course/ succession; súly ~ by *(v.* according to) weight; legalacsonyabb·számítás ~ at the lowest computation; szívem ~ to my heart's content; tetszés ~ at will/ pleasure/discretion, as you whish/please, ad libitum *(lat)* *(röv* ad lib); utasítás ~ as directed, according to instructions, in accordance with one's instructions; véleményem ~ = szerintem **II.** adv, ~em in my opinion/sight/estimation, to my mind/thinking, as I think ...., I take it that, what I say is...; ez ~em legalább 10 kilométer I call it ten kilometres at least; ~em nem I should say not; ~ed hány óra *(v.* mennyi idő lehet)? what do you make of the time?, what time do you make it?; ~ed még élne? do you think he can yet be living?; ~e according to him
szerinti [-ek, -t; adv -en] a, in conformity/agreement with *(ut)*; Toldi a serdülők szíve ~ hős Toldi is a hero after the adolescents' heart
szeri-száma n, se szeri se száma abound in, be numberless/ countless/innumerable, without number, no end of; szerét-számát sem tudja vagyonának have money to burn, roll in wealth
szerkeszt [-eni, -ett, ..esszen] vt, **1.** *[össze, egybe]* combine, construe, contrive, devise; gépet ~ design/ construct/build a machine **2.** *[fogalmaz]* write, word, compose, set down in writing; ~ette xy *[folyóiratot, lapot, kritikai kiadást]* edited/redacted by, *[gyűjteményes munkát, szótárt, táblázatot]* compiled by, *[csak könyvkiadó]* published by; levelet ~ write a letter, indíte a letter *(joc)*; okiratot ~ draft *(v.* draw up) a legal instrument **3.** *[ábrát]* draw, construct; szerkesszünk egy egyenlőszárú háromszöget describe/construct an equilateral triangle
szerkesztés n, **1.** *[össze, egybe]* combining, construeing, contriving, fitting together, building, *[gépé stb.]* design(ing), construction; ~ alatt álló gép machine in the design stage **2.** writing, wording, *[lapé]* redaction, editing, editorship, *[szótáré stb.]* compilation, *[okiraté]* drafting, drawing up; ~ében edited/ arranged/compiled by; ...~ében megjelent sorozat series published under the editorship of .... **3.** *[ábráé]* drawing, construction **4.** *[osztály]* (technical and) design department
szerkesztési [-ek, -t] a, constructional, structural, of construction *(ut)*; ~ hiba faulty construction; ~ utasítások *[kiadóvállalatnál, szerkesztőségben]* style book/sheet
szerkesztésileg adv, structurally
szerkesztéstan n, theory of construction/composition
szerkesztő [-t -je] I. n, **1.** *[gépé]* constructor, *(engine)* -builder, designer **2.** *[lapé]* editor, member of the editorial staff, redactor, *[igével]* be on the staff (of) **3.** *[iraté]* writer, drafter, *[szótáré]* compiler, editor; a ~ tolla/beavatkozása the amending hand; szervező ~ managing editor **II.** a, **1.** *[gépet]* constructing, designing, *[lapot]* editing, editorial, **2.** *[okiraté]* drafting, writing, *[szótárt]* compiling

szerkesztőbizottság *n*, editorial board, editing commission, drafting committee

szerkesztődiagram *n*, nomogram, nomograph

szerkesztőgárda *n*, (editorial) staff

szerkesztői [-t] *a*, ~ *üzenetek (kif)* the editor answers, replies to readers' queries, answers to correspondents

szerkesztőség *n*, **1.** *[helyiség]* editor's/editorial office, (newspaper) office(s), office of a paper **2.** *[személyzet]* editorial staff, editors *(pl)*; *állandó* ~ permanent staff; *újság ~ében dolgozik, újság ~ének tagja* be on a newspaper **3.** *[állás]* editorship

szerkesztőségi [-ek, -t; *adv* -leg] *a*, editorial, of the (newspaper) office(s) *(ut)*; ~ *órák* (editorial) office hours; ~ *szoba [szótárszerkesztőségben stb.]* scriptorium; ~ *titkár* editorial secretary, sub-editor

szerkezet *n*, **1.** *(vmé)* structure, construction, lay-out, fabric, texture, system, build (up), mechanism, make-up; *~ükből kifolyóan* perforce of their construction **2.** *[maga a szerkezet]* mechanism, machinery, apparatus, device, action, contrivance, contraption, gadget *(fam)*; *az óra ~e* the works of the watch *(pl)*; *a növénytársulások ~e* pattern of a plant community **3.** *[irodalmi műé]* composition, construction, structure, contexture, *(nyelvt)* construction, locution, collocation; *határozós* ~ adverbial phrase; *tömör* ~ pregnant construction; *mondat ~e* structure/pattern/cast of a sentence **4.** *[geol, kristály]* structure

szerkezeti [-ek, -t; *adv* -leg] *a*, mechanical, constructional, structural, constructive, tectonic; ~ *elem* part/component of machine, *(épít)* architectonic/architectural organ/part, member; ~ *földtan/geológia* structural geology, (geo)tectonics; ~ *hiba* faulty construction, constructional/structural flaw/fault, defect; ~ *idomok/idomrudak* structural shapes; ~ *kép* pattern; ~ *képlet* constructional/graphic/rational/structural formula, graph *(fam)*; ~ *rajz* constructional design, draught/draft/drawing plan (of construction/machine), construction drawing; ~ *rész (műsz)* structural detail/member, component, *(épít)* strength member

szerkezetileg *adv*, structurally

szerkezetkeverés *n*, *(nyelvt)* hypallage

szerkezetszakadás *n*, *(nyelvt)* anacoluthon

szerkezettani *a*, *(épít)* tectonic

szerkezetű [-t] *a*, structured; *hasonló* ~ *(vegyt) [anyag]* isomeric

szerkocsi *n*, *[vasúti]* tender, *[tűzoltó]* fire-engine, fire-brigade equipment wag(g)on/van/carriage, *(kat)* general service wag(g)on

szerkocsis *a*, ~ *mozdony* tender engine, tank-engine/locomotive

szerkovács *n*, toolsmith, maker of edge-tools *(pl)*

szerkő *n*, *[madár]* tern *(Chlidonias sp.)*

szerkönyv *n*, *[gyári, üzemi]* tool-book, register of tools/implements, *(vall)* ritual (book)

szérő [-t, -ja] *n*, *(áll)* serow *(Capricornis sumatrensis)*

szerológia [.. át] *n*, *(orv)* serology, immunology

szerológiai [-ak, -t; *adv* -lag] *a*, *(orv)* immunological

szerorezisztens *a*, *(orv)* serum-fast

szerpap *n*, deacon

szerpapi *a*, *(egyh)* diaconal

szerpapság *n*, *(egyh)* diaconate, deaconship, deaconry

szerpent [-et, -je] *n*, *(zene)* *[régi kürt]* serpent

szerpentáriagyökér *n*, *(növ)* snake-root/weed *(Aristolochia serpentaria)*

szerpentin [-ek, -t, -je] *n*, **1.** *(ásv)* serpentine, snake-tone, ophite **2.** *[papír]* serpentine, paper coil/streamer, snake **3.** = **szerpentinút**

szerpentines [-et] *a*, *(ásv)* serpentinous, serpentinoid

szerpentinösvény *n*, serpentine path

szerpentinszalag *n*, (paper) streamers

szerpentinút *n*, serpentine road/course, winding/twisting/meandering/zigzag/switchback road

szerszám [-ot, -ja] *n*, **1.** tool, implement, instrument, gear, utensil, *[készlet]* set of tools; *~ok* tool equipment, fittings *(pl)*; *számbeütő* ~ *(műsz)* number punch; *~ot beállít* set a tool; *~ot megélesít/kiélesít/kiélez* put an *(v.* a new/fine) edge to a tool, give a point to a tool; *~ot rongál* ratten **2.** *[lóé]* harness, trappings *(pl)*, *[lovagló]* saddlery

szerszámacél *n*, *(műsz)* tool steel, steel for tools

szerszámbefogó *n*, *(műsz)* tool-head

szerszámbélés *n*, harness-pad

szerszámfa *n*, agricultural timber, hardwood, lumber *(US)*

szerszámfogantyú *n*, tang -

szerszámgép *n*, *(műsz)* machine-tool; *automata* ~ automatic; *fémmegmunkáló* ~*ek* metal working machine tools

szerszámgyártás *n*, tool engineering

szerszámkamra *n*, tool-house/shed, hovel, *[üzemben]* tool-shop

szerszámkészítés *n*, tool-making/engineering

szerszámkészítő *n*, toolmaker, toolman, tool designer

szerszámkészlet *n*, tool-outfit/kit, tool gear, string/kit of tools, stock-in-trade, gang

szerszámkocsi *n*, tool (and gear) wag(g)on, tool car/carriage, construction car, repair truck

szerszámkosár *n*, tool-basket

szerszámkovács *n*, toolsmith

szerszámláda *n*, tool-chest/box/kit, tool equipment, work-box

szerszámlakatos *n*, toolman, tool mechanic

szerszámlyuk *n*, *[üllőben]* hard-hole

szerszámnyél *n*, stem, handle, strig, tang, helve

szerszámszán *n*, *(műsz)* tool slide, ram

szerszámszekrény *n*, tool-chest

szerszámtartó *n*, *[befogó]* tool-head/post/rest, toolplate, *[állvány]* tool-rack, *[megőrző]* kit of tools, tool-box/crib/chest

szerszámtáska *n*, work/tool-bag, tool equipment, wallet, *[kerékpáron]* tool-kit bag

szertár *n*, **1.** *(ált)* tool-house/shed **2.** *(kat)* arsenal, arms supply depot, armoury **3.** *(isk)* laboratory, collection; *fizikai* ~ collection of physical/physics apparatus, physical laboratory; *vasúti ~* railway depot

szertáros *n*, **1.** store-keeper, storeman **2.** *(isk)* custodian (of collection)

szertartás *n*, **1.** *(ált)* ceremony, formalities *(pl)*, observance; *felvételi* ~ initiatory rites *(pl)*; *~on részt vesz* assist at a ceremony **2.** *(vall)* rite, service, religious ceremony/observance, *[összességük]* liturgy, ritual; *temetési* ~ funeral rites *(pl)*; *a ~t X végezte* X officiated at the service/ceremonies, the service was conducted by X **3.** *[diplomáciai]* protocol, ceremonial

szertartási [-ak, -t; *adv* -lag] *a*, **1.** ceremonial **2.** *(vall)* liturgic(al), ritual

szertartáskodás *n*, = **szertartásoskodás**

szertartáskodó [-t] *a*, ceremonious

szertartáskönyv *n*, *(vall)* ritual (book), pontifical, sacramentary

szertartásmester *n*, **1.** master of ceremonies *(röv M.C.)*, marshal **2.** *[diplomáciai]* Chef de Protocole *(fr)*, Marshal of the Diplomatic Corps *(GB)*

szertartásos [-at; *adv* -an] *a*, **1.** *(egyh)* ritual, liturgical **2.** *(átv)* ceremonial, formal, solemn, punctilious, ceremonious, *[diplomáciai]* protocolar; ~ *köszöntés* ceremonial/formal/stiff greeting

szertartásosan *adv*, **1.** *(egyh)* ritually **2.** *(átv)* ceremonially, formally, with ceremony *(ut)*

szertartásoskodás *n*, ritualism, standing (up)on ceremony

szertartásosság n, ceremonialism, ceremoniousness, formalism, formality, punctilio, punctiliousness

szertartásrend n, ritual

szertartástan n, (egyh) liturgy, liturgics, liturgiology, ritualism

szerte I. adv, all over, everywhere, here and there, from one end to the other, right and left, high and low, in every corner/place, on all sides, far and wide, in all directions, hither and thither (ref.), [rendetlenségben] in disorder/confusion, all over the place, at sixes and sevens, pell-mell, higgledy-piggledy; ~ a világban flung across the globe II. post, ország~ from one end of the country to the other, all over the country, the country over III. pref, away, asunder

szerteágaz|ik vi, = szétágazik

szerteágazó a, = szétágazó

szertefoszlás n, reményeinek ~a ruin of one's hopes

szertefoszl|ik vi, = szétfoszlik

szertehull|ik vi, = szétesik

szertelen a, (vm) immoderate, exorbitant, inordinate, (vk) unbridled, unrestrained, indulgent, eccentric, un-controlled,extravagant,Intemperate, incontinent; ~ becsvágy excessive ambition; ~ büszkeség wanton pride; ~ ember hothead; ~ nevetés uncontrolled/ immoderate laughter, extravagant roar of laughter; ~ ötlet whimsical idea; ~ remény high-flying hope; ~ vágyakozás exorbitant desires (pl)

szertelenkedés n, excess(es), exuberance, extravagance, immoderate/exuberant/foolish conduct

szertelenked|ik [-tem, -ett, -jen, -jék] vi, behave extravagantly, go beyond bounds, carry (sg) to excess, be extravagant/eccentric/uncontrolled, indulge in excesses, commit excesses

szertelenség n, immoderation, immoderateness, exaggeration, want of moderation, extravagance, eccentricity, extremity, excess, incontinence, [erkölcsi] profligacy

szertelenül adv, immoderately, exorbitantly, inordinately, indulgenty, extravagantly, excessively, out of measure, beyond measure

szertenéz vi, = szétnéz

szerteszéjjel adv, [rendetlenségben] in disorder/confusion, pell-mell, in utter confusion, all in a litter, over hill and dale, far afield; ~ hagy leave about; ~ hány mindent turn everything upside down; ~ hevernek a könyvek the books are lying about (v. in every corner); minden~van we are all (v. everything is) at sixes and sevens (fam)

szerteszét adv, = szerteszéjjel

szerteszór vt, = szétszór

szerteszóród|ik vi, = szétszóródik

szertorna n, (gymnasium) apparatus work/exercise, gymnastics on apparatus

szérum [-ot, -a] n, (orv) (blood) serum; önkötő ~ anticomplementary serum

szérumbetegség n, (orv) serum-sickness

szérumkezelés n, (orv) serotherapy

szérumkiütés n, (orv) serum eruption

szérumos [-at; adv -an] a, serologic, of/with serum (ut)

szérumreakció n, sero-reaction

szérumsokk n, serum accident

szérumtan n, serology

szérumterápia n, (orv) serotherapy, immunotherapy

-szerű [-ek, -t; adv -en] a, -like, resembling (ut), in the nature of sg (ut); alkalom ~ opportune; szükség~ inevitable

szérű [-t, -je] n, 1. (mezőg) barn/threshing/corn-floor, barn/threshing yard; ld még szérűskert 2. [szénégetésnél] charcoal pit

-szerűség suff, sort of...; vm kert~ a garden of a sort, a garden after a fashion, a kind of garden

szérűskert n, farm/straw/rick/stack-yard; ld még szérű

szerv [-et, -e] n, 1. [emberi, állati] organ, [sorozatuk] tract; emésztő ~ek (bonct) digestive apparatus; kifejlődött|kész ~ mature/adult organ; ~ fejlődési ideje (növ) plastochrone; ~ek fejlődésével kapcsolatos organogenetic; ~ek tana organology 2. [kormányé] instrument, organ, body (of a government); kormányközi ~ek inter-governmental agencies; közigazgatási ~ organ of administration, administrative organ; a kormány ~ei government organs

szerva [.. át] n, (sp) service

szervál¹ [-t, -jon] vi, (sp) serve; maga ~ it is your service, you serve

szervál² [-ok, -t, -ja] n, (áll) serval, bush-cat (Leptailurus/Felis serval)

szerválás n, (sp) [teniszben] serving, serve, service

szerválmacska n, (áll) servaline cat (Leptailurus servalina)

szerváló n, (sp) [sorsolásnál teniszben] service or end

szerves [-et; adv -en] a, organic, (tud) organismic; ~ anyag organic/vegetable matter; ~ élet organic life; ~ fémvegyület (vegyt) organometallic compound; ~ kémia/vegytan organic chemistry; ~ összefüggés interdependence, mutual dependence, close/organic connection; ~ összefüggésben van vmvel be in close connection with sg, form integral part of sg; a tőke ~ összetétele organic composition of capital; ~ része (vmnek) an integral/organic part (of), part and parcel (of sg); ~ üledék (geol) organogenous/organogenic sediment; ~ vegyipar organic chemical industry; ~ vegyület organic compound

szervesen adv, organically, functionally

szervesség n, organicism, organic character/nature

szervestrágya n, manure, dung

szervetlen a, inorganic, unorganized; ~ anyag inorganic matter; ~ vegytan/kémia inorganic chemistry

szervez [-tem, -ett, -zen] vt, organize, create, [intézményt] set up, found, institute, establish, frame; hadsereget ~ form/raise an army; pártot ~ organize/ form a party

szervezés n, organization, institution

szervezéselmélet n, [üzemgazdaságtanban] organizational theory

szervezési [-ek,-t; adv -leg] a, organizational, organizatorial, of organization (ut); ~ feladatok tasks of organization; súlyos ~ hibák grave defects of organization; ~ költségek initial costs/outlay; Sz~ Osztály Organizational Department; ~ titkár organizational secretary

szervezet n, 1. [emberi, állati] organism, structure, physique, frame, constitution, system, make-up, (növ) organism; egészséges ~ sound constitution; apró élő ~ microorganism; teljesen kifejlődött ~ (növ) mature/adult organism, fully developed organism, organism that has completed its differentiation; erős ~e van have a sound constitution, have a good physique 2. [létesített] organization, corporation, federation, association, machinery, establishment, institution; helyi ~ local chapter/branch/organization; katonai jellegű ~ para-military organization; egy olyan ~ mint amilyen az ENSZ a body such as the United Nations

szervezeti [-ek, -t; adv -leg] a, 1. [emberi, állati] constitutional, of constitution/organism (ut), (biol) organismic; a legmagasabb ~ forma the highest of all forms of organization; ~ megbetegedés systemic disease 2. [létesített] constitutional, of system/organization (ut), organizational; a termelőszövetkezetek anyagi és ~ megszilárdítása financial and organizational consolidation of production cooperatives; ~ önállóság organizational independence; ~ összeforrottság organizational consolidation; ~ szabályok|

szabályzat organizational statute(s), rules of organization, articles, party rules
szervezetileg *adv*, organically
szervezetlen *a*, unorganized; ~ *munkás* non-union (man), non-unionist
szervezetlenség *n*, lack of organization, unorganized state, inorganization
szervezett [-et; *adv* -en] *a*, organized, constituted, organic; *nem ~ [felépítésű stb.]* inorganic; ~ *dolgozó* organized worker; ~ *ellenállás* organized resistance; ~ *játék/sport (isk)* organized games *(pl)*; ~ *kapitalizmus elmélete* theory of organized capitalism; ~ *munkás* organized worker, union man, member of a trade union, trade unionist; ~ *munkásokat foglalkoztató üzem* closed shop; ~ *munkásság* workers organized into trade unions, organized labour; ~ *munkaverseny* organized emulation; ~ *társasutazás* conducted/organized tour; ~ *testület* corporate body; *kitűnően* ~ highly organized; *r.emzeti alapon* ~ organized on national basis
szervezetten *adv*, organically
szervezettség *n*, organization
szervezetű [-ek, -t] *a*, physiqued; *erős* ~ have a good physique, be strongly constituted
szervezkedés *n*, organizing, organization (of people), *[különféle személyeké]* combination, *[szakszervezeti]* trade union movement, trade-unionism; *erős* ~ *folyik országszerte* efficient organizing/organizatory work embraces/covers the whole country
szervezkedési [-ek, -t; *adv* -leg] *a*, ~ *jog* right of combination; ~ *szabadság* freedom of organization
szervezked||ik [-tem, -ett, -jen, -jék] *vi*, organize (oneself), become organized, group together, *[munkások]* form a trade-union
szervező [-t, -je; *adv* -en] I. *a*, organizing; ~ *bizottság* organizing committee; ~ *erő* organizing power/strength; ~ *munka* organizational work; ~ *titkár* field secretary *(US)* II. *n*, organizer, getter-up, *[kirándulásé, felvonulásé]* arranger, *[részvénytársaságé, vállalkozásé]* promoter
szerveződés *n*, *(biol)* organization; *egyedi szinten aluli* ~ subindividual organization; *egyedi szinten felüli* ~ supraindividual organization
szerveződésű [-ek, -t] *a*, *magas* ~ *telep (növ)* coenobium
szervezőképesség *n*, organizing/executive ability, administrative power
szervi¹ [-ek, -t; *adv* -leg] *a*, *(bonct)* organic, *(orv)* *[bántalom]* constitutional; ~ *baj* organic/constitutional disease; ~ *mellhártya (orv)* visceral pleura; ~ *nedvesség (növ)* inherent moisture; ~ *szívbaj* organic heart disease/trouble, organic cardiac lesion
„szervi"² *a*, *(kárty)* I am satisfied
szerviens [-ek, -t, -e] *n*, *[királyi]* serviens regis *(lat)* ⟨a mounted warrior, dependent of the king only, in the 13th century⟩
szervileg *adv*, organically
szervilis [-ek, -t; *adv* -en] *a*, servile, cringing, mean-spirited, creepy-crawly, *[opportunista]* time-serving
szervilizmus *n*, servilism, cringe
szervíroz [-tam, -ott, -zon] *vt*, serve/wait at table, *(vknek vmt)* serve sy with sg, serve sg to sy
szervísz [-ek, -t, -e] *n*, 1. *[készlet]* set, *[tea/kávé fogyasztására]* server; *asztali* ~ sevice 2. *[felszolgálás]* waiting (at table) 3. *[terítékára]* table money, house-charge 4. *[gépkocsi, rádió stb.]* service, servicing
szervíszel [-t, -jen] *vt/vi*, *[gépkocsit]* service
szerviszelés *n*, *[rádiót, gépkocsit]* service, servicing
szervita [.. át] *a/n*, Servite
szervképződés *n*, *[magzatban]* organ-formation
szervoberendezés *n*, *(műsz)* servo-mechanism
szervofék *n*, *[gépkocsiban]* servo-brake

szervomechanizmus *n*, *(műsz)* servo-mechanism
szervomotor *n*, *(hajó)* servo-motor, steering-engine, *(vill)* relay motor
szervusz [-ok, -t, -a] *n/int*, *(kb)* hello, howdy *(US)*, *[távozásnál]* cheerio; ~*tok* hello everybody, cheerio *(fam)*
szerzemény *n*, 1. *[kereset]* earning, *[szerzett tulajdon]* acquisition, purchase, purchasing, *[szellemi]* attainment, accomplishment, *[váratlan]* windfall, godsend; *közös* ~ property acquired in common; *saját* ~ *(jog)* perquisite; *új* ~*ek* accessions, additions, recent acquisitions 2. *[mű]* composition, work
szerzeményezés *n*, accession, *[könyvtártan]* acquisition (of books)
szerzeményi *a*, ~ *napló [könyvtárban]* accession register/book; ~ *osztály* accession/acquisition department; ~ *vagyon* property acquired in common (by husband and wife)
szerzés *n*, acquisition, acquiring, procurement, procuration, obtainment, contraction, *[vétel utján való]* purchase
szerzési [-ek, -t] *a*, ~ *vágy* acquisitiveness
szerzet *n*, 1. *(egyh)* monastic/religious order, confraternity; ~*be lép* take the vows, enter an order, *[nő]* take the veil 2. *[alak]* guy, figure; *különös egy* ~ a funny/rum chap, a queer fish/customer/card
szerzetes [-ek, -t, -e] *n/a*, monk, friar, regular, monastic, frater, frate, *[női]* nun; ~ *papság* regular clergy
szerzeteshad *n*, monkdom, shavelings *(pl)* *(pej obs)*
szerzetesi [-ek, -t; *adv* -en] *a*, monastic, monkish, professed; ~ *élet* monastic/cloistered life, celibacy, monasticism; ~ *életet él* live a cloistered/sequestered life, live the life of a recluse; ~ *fegyelem* monastic rule; ~ *fogadalom* monastic vow, profession; ~ *fogadalmat tett* (v. *fogadalmas*) professed; ~ *iskola* monastic school; ~ *rendszer* monasticism; ~ *ruha* monk's frock/cowl/gown
szerzetesnő *n*, nun
szerzetesrend *n*, religious/monastic order; ~*be lép (be)* enter into religion
szerzetesség *n*, (con)fraternity, monastic life, *[intézmény]* monasticism, monkhood, *[női]* sisterhood
szerzetház *n*, convent, monastery, *[kisebb]* priory, *[női]* nunnery
szerzett [-et; *adv* -en] *a*, *[betegség]* acquired, adventitious, *[pénz]* earned; ~ *cimer (cím)* assumptive arms; ~ *jogok* acquired/established rights, vested interests; ~ *tulajdonok* acquired properties; ~ *tulajdonságok* acquired character(istic)s; ~ *vagyon [nem örökölt]* perquisition
szerző [-t, -je] *n*, 1. *[okozó]* author, maker, originacor, founder, contriver, *[bűncselekményé]* perpetrator, *[tervé]* promoter, initiator; *értelmi* ~ originator, author, instigator, initiator 2. *[szellemi műé]* author, writer, *(zene)* composer; *ugyanattól a* ~*től* from the same pen/author; *a* ~ *engedélyével/hozzájárulásával* under licence from the author 3. *[házt alkalmazotté]* servant's go-between 4. *[pénzé]* getter, *[vagyoné]* acquirer, perquisitor
szerződés *n*, 1. *[művelet]* contracting, concluding (of an agreement/treaty/contract) 2. *[magánjogi]* contract, *[nemzetközi kisebb]* convention, *[nagyobb]* treaty, compact, covenant, *(csak pol)* pact; ~ *szerinti ár* contractual price; ~ *szerinti minőség (ker)* contract grade; ~ *alapján perel* sue under a contract; ~ *értelmében* according to (v. by virtue of) the contract; ~ *értelmezése* interpretation/construing of contract/treaty/agreement; ~ *felbontása/érvénytelenítése* rescission of a contract, avoidance of an agreement; ~ *felmondása* denunciation of a treaty; ~ *feltételei* terms of contract/agreement; ~ *időtartama* duration/currency of contract/agreement; ~ *joga* law of the con-

tract; ~ *megszövegezése* drafting of a treaty/contract/ agreement; ~ *odaltélése [versenytárgyaláson]* allocation of contract; ~ *pontjai* Articles of Agreement/ treaty; *adásvételi* ~ contract of sale, purchase agreement; *barátsági* ~ treaty of amity; *bilaterális* ~ bilateral treaty/agreement; *dologi* ~ conveyance; *egyoldalú* ~ unilateral contract; *feltételes* ~ aleatory contract; *fix tartamú* ~ agreement for fixed term; *harmadik személy javára szóló* ~ contract in favour of a third person; *haszonbérleti* ~ contract of tenancy, (contract of) lease; *hosszú lejáratú* ~ long-term agreement; *ingyenes* ~ gratuitous contract, *[néha]* contract of beneficence; *kereskedelmi* ~ trade agreement; *kétoldalú* ~ bilateral contract; *kollektív* ~ collective labour contract; *megbízási* ~ contract of agency; *munkavállalási* ~ contract for work, contract of work and labour; *opciós* ~ option agreement; *peresíthető* ~ enforceable contract; *színleges* ~ fictitious/ sham/bogus contract; *szóbeli* ~ verbal/oral contract, parol agreement; *szolgálati* ~ service agreement; *teljesített* ~ executed contract; *többoldalú* ~ multilateral contract; *végleges* ~ final agreement; *visszteher nélküli* ~ gratuitous/naked/nude contract; *visszterhes* ~ onerous contract; *~be foglalt jogügylet* privity in deed; *~be ütköző* contrary to the stipulations of a contract; *a ~ben az áll hogy* the contract declares/ stipulates *(v.* lays down) (that); *~ben részes fél* signatory of an agreement; *~ből folyó* arising out of the contract *(ut)* ; *~en alapuló* contractual, created by contract *(ut)* ; *~en alapuló kötelezettség* liability under a contract; *~hez csatlakozik* accede to a treaty/ convention; *~re lép vkvel* make/conclude contract, enter into contract/treaty with sy; *~ről tárgyal* negotiate a contract; *~t aláír (ker)* become a party to an agreement; *~t aláíró felek* signatories to a contract; *~t felbont/hatálytalanít* cancel/terminate/ rescind/void a contract, resile from a contract; *~t felmond* give notice of termination of a contract; *~t írásba foglal* reduce a contract/agreement to writing ; *~t köt* contract, conclude/enter into an agreement, become a party to an agreement; *~t köt vkvel* enter into a contract with sy, make a pact with sy; *~t szeg* break a contract; *~t teljesít* fulfil a contract, perform (the terms of) a contract; *~től visszalép* recede/resile from a contract 3. *[szolgálati, szính]* engagement, contract; ~ *nélküli* disengaged

szerződésbeli *a*, contractual; ~ *kötelezettség* contractual obligation/commitment

szerződésellenes *a*, contrary to (the terms of) a contract *(ut)*, violating a contract *(ut)*

szerződéses [-ek, -t; *adv* -en] *a*, contractual, contracted, conventionary, conventional, based on contract *(ut)*, created by contract/agreement *(ut)* ; ~ *ár* contract price; ~ *díjszabás* conventional tariff; ~ *(érdekeltség)* privity of contract; ~ *felek* signatories; ~ *felvásárlás* contracting; ~ *határidő* contractual term; ~ *igény* a claim in contract; ~ *kikötés* stipulation; ~ *kötelem* contractual obligation; ~ *kötelezettségek* treaty engagements; ~ *megállapodás hiányában* in the absence of specific contractual arrangement; ~ *munkaerő* contract labour; ~ *örökös* contractual heir; ~ *viszony* contractual relation(ship), privity; ~ *viszonyban* be bound by (a) contract

szerződési [-ek, -t; *adv* -leg] *a*, contractual, conventionary, of contract *(ut)* ; ~ *feltételek* conditions of contract; ~ *okirat deed;* ~ *pont clause;* ~ *szabadság* freedom of contract; ~ *záradék* protocol

szerződésileg *adv*, by contract, under a contract; ~ *biztosított jogok* rights granted by contract; ~ *jár* it is owed under a contract; ~ *kötelezi magát* bind oneself by (signing) a contract

szerződésjog *n*, law of treaties

szerződéskötés *n*, entering into a contract, drawing up *(v.* signing) a contract *(ut)* ; ~ *helye* locus contractus *(lat)* ; ~ *helyének joga* the law of the piace of the making

szerződéskötési *a*, *(szabad)* ~ *jog* freedom of contract; ~ *képesség* contractual capacity

szerződésszegés *n*, breach/violation of (a) contract, infringement of (a) protocol, failure to perform the terms of a contract; ~ *miatt perel* sue for the breach of contract; *~re alapított kereset* suit for breach; *~t alkot* it constitutes a breach of contract; *ez ~t képez* this constitutes a break of contract

szerződésszegő *n*, violator/infringer of (a) contract, defaulting party

szerződésszerű *a*, according to contract *(ut)*, contractual, stipulated/agreed by contract *(ut)*

szerződésszerűen *adv*, ~ *megállapított* stipulated

szerződéstervezet *n*, draft (of an) agreement, draft-contract/treaty

szerződik [-tem, -ött, -jön, -jék] *vi*, 1. *(vkvel)* contract (with), conclude an agreement (with), enter into agreement (with), make a contract/covenant (with) 2. *[állam állammal]* make/conclude a treaty (with) 3. *(vhová)* get *(v.* enter into) engagement/contract (swhere), *(vkhez)* go into *(v.* take) service with sy, accept an engagement/post

szerződő [-t, -je] I. *a*, ~ *fél* signatory, party to the contract, contracting party, privy; *a magas* ~ *felek* the high contracting parties; ~ *társ* co-contracting party II. *n*, party to the contract, contracting party

szerződtet *vt*, engage, take/sign on, hire, *[színészt]* engage (actor), *[tanulót]* bind, indenture, indent (apprentice)

szerzői [-ek, -t; *adv* -leg] *a*, author's, of (the) author/ writer *(ut)*, authorial, auctorial; ~ *díj* author's royalty/fee; *a művek után* ~ *díj fizetendő* the works are subject to royalty; ~ *est* author's night; ~ *ív* author's sheet; ~ *jog* copyright, rights of literary property, "copyright in all countries"; ,,~ *jog fenntartva*" "copyright reserved"; ~ *jog védelme* (legal) protection of copyright; ~ *jogbitorlás* infringement of copyright, literary piracy; ~ *jogbitorlási per* copyright case, action for infringement of copyright; ~ *jogvédelmi osztály* copyright division; ~ *katalógus* author catalogue; ~ *kézirat* autograph; ~ *korrektúra* author's correction/proof; ~ *minőségemben/mivoltomban* in my authorial capacity; ~ *mutató [könyvtárban]* author index; ~ *példány* author's copy; ~ *rendszó* author heading/entry; ~ *tiszteletdíj* author's fee, royalty; ~ *tiszteletdíjak kettős megadóztatása* double taxation of copyright royalties; ~ *tulajdon(jog)* literary property

szerzőség *n*, authorship, paternity; *nem vállalja a ~et* repudiate the authorship

szerzőtárs *n*, joint author, co-author, collaborator

szerzs [-et, -e] *n*, *(tex)* (woolen, silk) serge

szesz [-ek, -t, -e] *n*, alcohol, spirit(s) of wine, spirits *(pl)* ; *80 fokos* ~ spirit of 80 degrees (of) alcoholic strength; *tiszta* ~ alcohol; ~ *szagú* alcoholic

szeszadó *n*, tax on spiritous liquors

szeszcsempész *n*, bootlegger *(US)*

szeszcsempészet *n*, bootlegging *(US)*

szeszégetés *n*, distillation, distillating (of spirits)

szeszélesztő *n*, alcoholic/spirituous yeast

szeszély [-ek, -t, -e] *n*, caprice, whim(sy), fancy, freak, fad, crotchet, kink, humour, eccentricity, extravagance, extravaganza, maggot *(fam)*, tantrum *(fam)* ; *futó* ~ passing whim; *a divat ~ei* the vagaries of fashion; *az időjárás ~ei* extremities of the weather; *ahogy pillanatnyi ~e megkívánja* as the fancy takes him; *puszta ~ből tesz vmt* do sg out of sheer freak; *minden ~ét eltűrik* all his whims are pardoned/ex→

cused/overlooked; ~ét kielégíti satisfy one's whim for sg

szeszélyes [-et; adv -en] a, capricious, whimsical, fanciful, faddish, faddy, moody, fickle, freakish, full of whims (ut), flighty, fitful, wayward, pettish, inconstant, [igével] have moods, [állat] ill-tempered; ~ ember man of moods, crotchety man; ~ hangulat capricious/uncertain mood; ~ időjárás changeable/unsettled weather; ~ ötlet freak

szeszélyesen adv, capriciously, whimsically, waywardly, by fits (and starts)

szeszélyeskedés n, whimsicality, fancifulness, capricious behaviour, whims (pl)

szeszélyesked|ik [-tem, -ett, -jen, -jék] vi, indulge in whims, take fancies, behave whimsically/capriciously/waywardly, [igével] have vagaries

szeszélyesség n, capriciousness, flightiness, unevenness of temper, whimsicality, whimsey, waywardness, crotchetiness, [lóé] freakishness

szeszes [-et; adv -en] a, alcoholic, spirituous; ~ ital (spirituous, alcoholic, intoxicating) liquor, (ardent) spirits (pl), intoxicant, tipple, hard liquor/drink (US), alcoholic drink (GB)

szeszesít [-eni, -ett, -sen] vt, [bort] load

szeszez [-tem, -ett, -zen] vt, alcoholize, [bort] fortify (wine)

szeszfinomítás n, rectification of alcohol, re-distillation

szeszfinomító n, distillery, [készülék] distilling apparatus/plant, still

szeszfogyasztás n, alcohol consumption

szeszfok n, alcohol(ic) strength, titre, potency, potence

szeszfőzde n, distillery

szeszfőzés n, distillation, distilling

szeszfőző I. n, distiller, owner of a distillery, [mester] stillman **II.** a, ~ üzem distillery, still

szeszgyár n, distillery, distillation plant

szeszgyártás n, distillation, distilling

szeszipar n, distilling industry

szeszkereskedelem n, spirit-trade

szeszmérgezés n, alcohol-poisoning, alcoholism

szeszmérő n, alcoholmeter, alcohol gauge, oenometer

szeszpárlat n, liquor condensate

szesztartalmú a, előírt ~ proof; nagy ~ spirituous

szesztartalom n, alcohol content, percentage of alcohol, alcoholic strength, potency

szesztartalommérés n, alcoholometry

szesztestvér n, fellow-tippler, bottle-friend, boon (companion), compotator

szesztilalmi a, ~ törvény prohibition law (US)

szesztilalom n, prohibition (of alcoholic drinks) (US); ~ elve prohibitionism (US); ~ híve prohibitionist (US)

szesztilalompárti n, prohibitionist, pussyfoot (US)

szet [-et, -je] n, (sp) set

szét I. adv, asunder, apart, in different directions; ld még szerte, szerteszéjjel; **II.** int, [boksz] break!

szétágazás n, 1. ramification, branching out/off, separation, division into branches, embranchment, divarication 2. [út] (bi)furcation, parting (of ways), fork(ing) 3. vélemények ~a divergency/difference/divergence of opinions, disagreement

szétágaz|ik [-ott, -zon, -zék] vi, 1. ramify, branch (off, away, out), separate, divide into branches, divaricate 2. [út] part, furcate, fork, [több vonal stb.] diverge 3. a vélemények ~nak opinions differ

szétágazó [-t; adv -an] a, 1. ramifying, branching off/out, divaricate 2. [út] parting, bifurcating 3. (átv) far-reaching, far flung; ~ vélemények diverging/divergent opinions

szétágaztat vt, ramify

szétáll n, stand apart, gape

szétálló a, standing apart, open, divided, diverging; ~ fülek projecting ears; ~ szarvak diverging horns

szétapróz vt, = elapróz

szétaprózód|ik vi, = elaprózód|ik

szétárad vi, flow/pour/spread in all directions, diffuse, effuse

szétáz|ik vi, come apart (by agency of water), get soaked and become pulpy

szétbomlás n, 1. dissolution, disintegration, breaking up into constituent parts, decay, rotting, putrefaction, disaggregation, decomposition, [vegyületé] dissociation, [időjárás behatására] weathering 2. (átv) breaking up, dispersion, decomposition, [hadseregé] rout (of troops/army), [országé] collapse; ez a kapitalizmus ~ának csupán egyik szakasza it is merely a phase in capitalist disintegration

szétbomlaszt vt, 1. dissolve, disintegrate, decompose, disaggregate, [időjárás] weather 2. (átv) split/break up, [hadsereget] disorganize, [belülről] incite (army) to mutiny

szétbomlaszthatóság n, dissolubility

szétboml|ik vi, 1. dissolve, decompose, [kő, ásvány] disintegrate, [időjárás behatására] weather, [vegyület stb.] dissociate 2. [csomag, öltözékdarab] come undone, [haj] come down 3. (átv) break up, fall/split into parts, disperse, divide, [hadsereg] disband, scatter

szétbontás n, 1. dicomposition, disintegration, [darabokra] taking to pieces, [vegyületé] dissociation 2. [telefonösszeköttetése] disconnection, interruption, cutting off 3. [csomagé] untying, undoing, loosening, [fonalé] unthreading, [kötélé] untwisting, [széthajtogatás] unfolding, [varrásé] unpicking, unstitching, ripping up

szétbont vt, 1. decompose, disintegrate, [darabokra] take to pieces, (vegyt) dissociate 2. [telefonösszeköttetést] disconnect, interrupt, cut off 3. [csomagot] untie, undo, [csomót] untie, loosen, undo, [fonalat] unthread, [kötelet stb.] untwist, [ruhát] unpick, unstitch, rip up, [takarót, újságot] unfold; ~ja a haját undo/loosen the hair, let the hair down

szétbontható a, disintegrable, decomposable, dissociable

szétborzol vt, [hajat] fluff

szétcsavar vt, unscrew, [kötelet stb.] untwist

szétdarabol vt, cut/break/split up, cut in(to) pieces, dismember, [holttestet] dissect, cut up a corpse (into pieces), [országot] dismember, disrupt, break up, [szárnyast] carve, disjoint

szétdarabolás n, partition, [holttesté] dissecting, dissection, [húsé] carving

szétdarabolód|ik [-tam, -ott, -jon, -jék] vi, fall/go to pieces, break in pieces, break up, crumble

szétdaraboltság n, disruption, disorganization, disunity, [országé] dismemberment

szétdob vt, = szétdobál; ~ szedést (nyomd) kill a type

szétdobál vt, throw/fling/cast all over the place, fling about, scatter (about), throw (piecemeal) all over the place

szétdől vi, fall asunder/in, come/fall to pieces, collapse, give way, crumble

szétdönt vt, knock/throw down/over

szétdörzsöl vt, pulverize, triturate, reduce to powder, rub to pieces, [porrá] levigate; festéket ~ grind colours

szétdúl vt, devastate, ruin

szétesés n, falling/going into pieces, collapse, decomposition, breaking up (into constituent parts), decay, rotting, disintegration, dislocation, disaggregation, disruption, [faszerkezeté] disjointing, (biol, vegyt) dialysis; ez a kapitalizmus ~ének csupán egyik szakasza it is merely a phase in capitalist disintegration szétes|ik vi, 1. (konkr) disintegrate, collapse, go/fall/ come to pieces, come apart/asunder/undone, break up, crumble away, come/go to bits 2. (átv) break up, decompose, rot, decay, become disorganized; a kompozíció ~ik (műv) the composition disintegrates

szétesö a, (átv) disintegrating, [szellemi alkotás] badly organized, incoherent

szétfejt vt, take to pieces, [kötést] unravel, [ruhát] undo, unstitch, unpick, unseam, rip up

szétfeszit vt, 1. break/force open, pry apart/open, wedge; ~i az állkapcsot prize open the jaws, open the jaws forcibly 2. [vm oldalát] burst open, push out

szétfoly|ik vi, 1. flow away in every direction, melt away, spill, spread, run all over the place, [tinta rossz papíron] run (over sg); ~t a víz a padlón the floor was running with water 2. ~ik a pénz a keze között money runs through his fingers

szétfolyó a, 1. spreading, loose, diffluent; ~ szín fusing/ spreading/bleeding colour 2. (átv) diffuse, [előadás] prolix, verbose, lengthy, wordy; ~ cselekmény long--winded story, rambling plot; ~ stílus incoherent/ woolly style

szétfon vt, [kötelet, hajfonatot stb.] unbraid

szétforgácsol vt, 1. scatter, shiver, disperse, atomize, disunite 2. (átv) dissipate, fritter away; ~ja erejét dissipate one's efforts/energies, take up too many things (at the same time)

szétforgácsolás n, [erőé, tehetségé] dissipation

szétforgácsolódás n, scattering, dispersing, dispersion, dissipation; csapatok ~a squandering/dispersal of units/troops

szétforgácsolód|ik [-tam, -ott, -jon, -jék] vi, scatter, disperse, break, dissipate; ereje ~ott his strength was frittered away, his efforts were dissipated

szétforgácsolt [-at; adv -an] a, disunited, scattered, atomized

szétforraszt vt, (műsz) unsolder

szétfoszlat vt, [felhőt] scatter

szétfoszl|ik vi, 1. dissolve, break up, [felhő] scatter, dissipate, melt away, [köd] lift, be clearing off, disperse 2. [ruha] fray, become/frayed, get ragged/ tattered, wear to a frazzle 3. (átv) pass away, disappear, vanish, scatter, [látomás] melt away; ~ik a remény hope vanishes/scatters (v. fades away)

szétfoszlott [-at; adv -an] a, 1. worn-torn to rags; ~ rongyokban in rags and tatters 2. ~ ábránd vanished dream; ~ remények vanished/blighted hopes

szétfő vi, boil to (a) pulp

szétfőtt a, [étel] boiled to death/rags (ut); ~ hús meat cooked to rags

szétfőz vt, boil to rags/pulp

szétfröcsköl vt, vizet ~ splash water about

szétfut vi, break up, disperse, scatter, run in all directions, [tinta rossz papíron] run, [csapat] break into a rout

szétfűrészel vt, saw up, saw to pieces

széthajigál vt, fling about

széthajló a, divergent, [ágak] diverging; ~ redő (geol) anticlinal fold

széthajtogat vt, [újságot stb.] unfold

széthangzó a, discordant, disharmonious

széthány vt, throw/strew about, scatter, disperse, [jókot, lakást, konyhát] upset, turn sg topsy-turvy, jumble, throw into disorder/confusion, turn inside out

szétharap vt, bite (into pieces), bite through

széthasad vi, rend, tear, split (up), crack, splinter, [csont] exfoliate

széthasít vt, split/rip up, cleave, slit, (dis)part, fissure, rive, rift, wedge, splinter

széthasogat vt, = széthasít

széthelyez vt, put in different places, disperse, place apart, put/place asunder, scatter, displace, remove, decentralize, [alkalmazottakat] transfer (to different posts/places)

széthint vt, 1. disperse, scatter, strew about 2. (átv) sow, spread abroad, disseminate

széthord vt, 1. carry everywhere/about/away, [szél] disperse, scatter, winnow, [küldeményt] deliver 2. (átv) [hírt] spread abroad

széthordás n, (geol) erosion

széthullás n, 1. = szétesés; 2. [birodalomé] dismemberment, collapse, fall, disruption, [családé] breaking up 3. [időjárás következtében] weathering

széthull|ik vi, = szétesik

széthurcol vt, propagate, spread, [betegséget] carry/ spread disease/contagion

széthúz I. vt, pull/draw asunder/apart/away, (strive to) part, extend; ~za a függönyöket draw (back/aside) the curtains II. vi, dis(ac)cord, be discordant, be at variance/loggerheads, disagree, diverge, pull different ways (fam), [egy pár ló] haul

széthúzás n, 1. drawing-away, pulling away 2. (átv) dis(ac)cord, dissension, disagreement, divergence, lack of unity, faction; ~t támaszt [közösségben] divide

széthúzó a, (átv) factional, factious, (pol) [frakciók] discordant; ~ erők disruptive/centrifugal forces

széthúzó|ik vi, draw apart

szétkapcsol vt, switch off, dislink, unhook, [ruhát] unfasten, [telefon] cut a connection, disconnect a telephone line, switch sy off, [gépkocsin] declutch, [vasúti kocsit] uncouple, unhitch, disengage, disconnect, disjoin; ~tak bennünket we were cut off

szétkapcsolás n, (műsz) discoupling, disjunction, [telefon] interruption, cutting off, disconnecting, [gépkocsin] declutching, [vasúti kocsi] uncoupling, hooking off, detachment, disconnecting, (vill) isolating

szétkapcsolód|ik vi, declutch, disengage, come apart/unhooked

szétkapkod vt, fight for, snatch, snap up; (pillanatok alatt) ~ják [árut] it sells like hot cakes, be snapped up like hot cakes

szétkerget vt, disperse, scatter, break up, rout, put to flight, [dolgára küld] send about one's business

szétkotor vt, ~ja a tüzet rake out the fire

szétköltözés n, 1. [egyik fél új lakásba] setting up a separate household, moving to a separate address 2. [mindkét fél más lakásba] setting up separate households, setting up house in different places

szétköltöz|ik vi, 1. [egyik fél új lakásba] set up a separate household, move to a separate address, go to live separately 2. [mindkét fél más lakásba] move apart, take separate lodgings, set up house in different places

szétküld vt, post, mail, dispatch, [embereket] send off in all directions, [nyomtatványt] distribute, send out/ off; a meghívókat ~i post (v. send off) the invitations

szétküldés n, dispatch(ing), [embereket] sending off/ out, [nyomtatványt] mailing, posting

szétkürtöl vt, (biz) (átv) trumpet, publish, bruit (sg) abroad/about; ~ egy hírt shout a piece of news from the house-tops

szetlabda n, (sp) set-ball, set point

szétlapit vt, smash, plate

szétloccsan vi, spatter, splash

szétloccsant vt, splash; ~ja vk agyvelejét dash sy's brains out

szétmállás n, discomposition, disintegration, weathering (of rock), crumbling (into dust), (geol) erosion; ez a kapitalizmus ~ának csupán egyik szakasza it is merely a phase in capitalist disintegration

szétmállaszt *vt*, *(geol)* weather, *[gleccser]* erode
szétmállasztás *n*, crumbling
szétmáll|ik *vi*, moulder (away), crumble (into dust), weather, corrode, disintegrate, *(vegyt)* deliquesce
szétmálló [-t] *a*, crumbling, mouldering, weathering, corroding, disintegrating
szétmar *vt*, *[rozsda]* fret, corrode
szétmarás *n*, fret(ting), corroding, corrosion
szétmarcangol *vt*, rend/tear to pieces, lacerate, mangle
szétmegy *vi*, 1. *[személyek]* go apart, separate, part (company), sunder *(ref.)*, *[csoport]* scatter, break up, disperse, *[házastársak]* separate 2. *[ruha]* rend, fall off one's back, *[varrásnál]* go apart (at the seams) 3. *[tárgy]* separate, come apart/asunder, tear, break up, become disjointed, fall/go to pieces/bits; *majd* ~ *a fejem (biz) [fejfájástól]* I have a splitting headache, my head is splitting
szétmorzsol *vt*, 1. crumble, pound, scrunch, comminute, reduce to powder, crush, break up, pulverize (by rubbing), *(műsz)* triturate, *[festéket]* grind, *[márványt]* comminute, *[nedves őrlésnél]* levigate, *[sziklát]* eat away; *búzakalászt* ~ *a tenyerében* rub an ear of wheat in one's hands 2. *[ellenséges haderőt stb.]* smash
szétmorzsolás *n*, crumbling, pounding, comminution, reducing to powder, pulverizing, *(műsz)* trituration, *[festéke]* grinding
szétmorzsolódás *n*, crumbling
szétmorzsolód|ik *vi*, 1. crumble (away *v.* into dust), pulverize 2. *(átv)* be destroyed; *az ellenség* ~*ott* the enemy was cut to pieces *(v.* destroyed)
szétnéz *vi*, look round, take/make a survey of, *[körülnéz]* (have/take a) look round (sg), look about, have/take a look-see *(fam)*; ~ *a tájon* pass/cast one's eyes over the landscape/scenery, let one's eye roam/travel over sg; *a városban* ~ have/take a look round the town, do some sight-seeing; ~ *a világban* go to see the world; ~*ett a könyvek között* he looked in *(v.* browsed) among the books, he glanced at the books
szétnyíl|ik *vi*, (fling) open, gape, come/get loose/undone, come apart, fan out; *a tömeg* ~*ik előtte* the crowd made way for him
szétnyit *vt*, open (up, out), unfold, *[összefont karokat]* uncross, *[ruhát]* unfasten, *[újságot]* open
szétnyitható *a*, folding; ~ *látképsorozat/album* folding album, folding set of views; ~ *reklám* folder
szétnyom *vt*, squash, crush by pressing; ~*ja a szegecselést* burst out the rivets
szétolvad *vi*, dissolve, melt
szétoszlás *n*, dispersal, dispersion, dissolution, *[ködé]* lifting, clearing
szétoszlat *vt*, 1. disperse, dissolve, dispel, dissipate, *[festéket]* flow, *(fiz)* diffuse 2. *[hadat]* dismiss, disband, *[tömeget]* scatter, disperse 3. *[háztartást]* break up
szétoszlatás *n*, 1. dispersal, dissolution, dissipation, *(fiz)* diffusion 2. *[hadsereg]* dismissal, disbanding, *[tömeg]* scattering, dispersion 3. *[háztartásé]* breaking up
szétoszl|ik *vi*, disperse, dissolve, scatter, break up, divide (into), be divided/distributed, melt/pass away, *[köd]* lift, clear off
szétoszt *vt*, 1. *[kettél]* divide, part 2. *[vkk között]* distribute, divide, apportion, divide/mete out, give/issue/serve/share/piece/deal out, hand round, partition, portion (out), *[adományt]* dispense (charity)
szétosztás *n*, 1. *[kettél]* division, dividing 2. *[vkk között]* distribution, division, allotment, meting out, partition, dividing, *[adagoké]* issue, apportionment, *[alamizsnáé, adományé]* dispensing, dispensation, *[munkáé]* dividing up

szétosztható *a*, divisible, distributable
szétosztó *a*, distributive
szétöml|ik *vi*, pour forth, flow away, *(vmn)* flow/pour all over sg, *[tinta, festék]* run (over sg)
szétpattan *vi*, fly/burst (in)to pieces *(v.* asunder), split, crack, explode; *a fejem majd* ~ my head is splitting; *örömében a szíve majd* ~ his heart is leaping with/for joy, be bursting with delight
szétpermetez *vi*, sprinkle, dabble, *[permetezővel]* atomize, spray, vaporize
szétporlad *vi*, pulverize, crumble, corrode
szétporlaszt *vt*, 1. reduce to powder/dust, pulverize, *[sziklát]* eat away, corrode, *(műsz)* triturate, disintegrate 2. *[folyadékot]* spray
szétporl|ik [-ani, -ott] *vi*, crumble into dust/powder, *(műsz)* disintegrate
szétpukkad *vi*, 1. burst/fly/spring asunder/apart, burst (in)to pieces 2. *(átv)* explode; *dühében majd* ~ he nearly burst with rage, be bursting *(v.* ready to burst) with rage
szétpukkan *vi*, = szétpukkad
szétpukkaszt *vt*, *[léggömböt, autógumit]* burst
szétrág *vt*, 1. chew, gnaw (asunder), scrunch, begnaw 2. *[rozsda]* corrode, eat away, fret, *[sav, méreg]* erode, eat away; ~*ta a moly* become moth-eaten
szétrak *vt*, 1. spread/lay out, *[árut]* display, set out, dispose, *[válogatva]* sort (out) 2. *[két lábat]* spread, part (legs)
szétrakás *n*, 1. spreading/laying out, *[árué]* display(ing), setting out, *[válogatva]* sorting (out) 2. *[lábaké]* spreading, parting
szétráz *vt*, *[hajat]* fluff
szétrebben *vi*, 1. disperse, fly/go in different directions, skedaddle *(fam)* 2. *[szárnyas, vad]* flush
szétrebbent *vt*, disperse, *[szárnyast, vadat]* flush
szétreped *vt*, burst, split, *[kő]* exfoliate, *[üveg, cső]* crack; *majd* ~ *a fejem (biz)* my head is splitting; ~ *a varrásnál* come/burst apart at the seams, come undone at the seams
szétrepeszt *vt*, burst, bust, *[csak kemény/merev tárgyat]* crack, *[sziklát]* rive, disrupt, rift
szétrepül *vi*, fly asunder/away, scatter/burst/flush in all/different directions, *[darabokban]* fly/burst (in)to pieces; *minden iratom* ~*t* away blew/flew all my papers
szétrobban *vi*, 1. explode, blow up, fly/burst into pieces, *[gránát]* burst 2. *(átv)* *[játékbank]* go smash; ~ *a méregtől* be quite beside oneself with rage, be bursting with anger, he could jump out of his skin with anger/rage
szétrobbant *vt*, 1. explode, burst, blow up, *[sziklát]* blast 2. *(átv)* break up, scatter, disperse, put to flight; ~*ja a (játék)bankot* break the bank
szétrombol *vt*, destroy, smash, shatter, blow to pieces, *[épületet]* demolish, disrupt, *[egészséget]* ruin, *[szerkezetet]* rack to pieces, *[hajót]* break up, scrap
szétroncsol *vt*, shatter, cut/slash/tear into strips/shreds, wreck, mangle, crash, *[testrészt]* bruise badly
szétsodor *vt*, *[kötelet stb.]* untwist, untwine, unravel, unlay
szétsróful *vt*, unscrew, take the screws out of
szétsugárzás *n*, (ir)radiation
szétsugárz|ik *vi*, (ir)radiate
szétszaggat *vt*, cut up, tear (up), cut/slash/tear into strips/shreds/ribbons, *[láncot, bilincset]* burst
szétszakad *vi*, tear, be rent into pieces, split, burst asunder, pull apart
szétszakít *vt*, pull/tear apart/asunder, burst, rend *(sg)* asunder/apart, disrupt, dismember
szétszakítás *n*, pulling apart/asunder
szétszalad *vi*, run in all directions, scatter, *[tömeg]* disperse

szétszalaszt vt, scatter, disperse, frighten away, rout, put to flight

szétszed vt, **1.** take apart/down, take to pieces, disjoint, unjoint, undo, dismember, demolish, *[összekapcsolt tárgyakat]* disintegrate, unlink, dislink, disconnect, *[ágyút leszerel]* dismount, *[gépet]* dismantle, disassemble, dislocate, disarticulate **2.** *[könyörtelen kritikával]* cut/pull to pieces; *~te ellenfele érveit* he knocked the bottom out of his opponent's argument, he demolished sy's argument, he did not leave him a leg to stand on; *majd ~ik* be in great request/demand, be (all) the rage

szétszedés n, taking apart/down, taking to pieces, disjointing, *[ágyút]* dismounting, *[gépé]* dismantling, dismantlement, disconnecting

szétszedett a, disconnected; *~ állapotban (müsz, ker)* in a broken down condition, completely knocked down

szétszedhető a, detachable, dismountable, sectional, that takes to pieces *(ut)*, knockdown; *szét nem szedhető* non-detachable; *~ bútor* knockdown furniture; *~ csónak* collapsible boat; *~ épület* removable/portable building; *~ híd* portable bridge; *~ könyvszekrény* sectional bookcase

szétszéled vi, disperse, scatter (in all directions), melt away

szétszerel vt, *(müsz)* disjoint, unjoint, decompose, *[gépet]* disassemble, disarticulate, knock down, *[löveget]* dismount

szétszerelhető a, *[gép]* take/knock-down, dismountable; *~ könyvszekrény* sectional bookcase

szétszerelt a, knocked down; *~ állapotban (müsz, ker)* in a broken down condition, completely knocked down

szétszór vt, **1.** strew/spread/scatter about, disperse (in every direction), litter about/over, throw/strew all over the place, diffuse, spread (far and wide), disseminate, fling around/about, dispergate, distribute, *[szél felhőket]* dissipate, dispel; *~ dolgokat* send things flying **2.** *(fiz)* disperse, diffract **3.** *(átv)* disseminate, diffuse, fling to the winds *(ref.)*, *[családot]* break up, *[ellenséget]* rout, disperse, *[pénzt]* fritter away, squander, *[tömeget]* break up, disperse

szétszórás n, **1.** dispersion, dispersal, scattering, spreading, sowing, broadcasting **2.** *[fényé]* diffusion, *[seregé]* rout, *[tömegé]* breaking up

szétszóródás n, scattering, dispersion, dispersal, spreading, *(fiz)* *[fénysugáré, hanghullámoké]* diffraction

szétszóródási a, *(kat)* *~ képesség* power of dispersion

szétszóród|ik vi, **1.** be scattered/dispersed, disperse, dissolve, scatter, melt away, break up, *[permetezve]* pulverize, atomize **2.** *(fény)* diffuse, disperse **3.** *(kat)* *[csapat]* disperse, disband, *[tömeg]* scatter, disperse

szétszóródó [-t] a, *(fiz)* *[sugarak]* heterocentric

szétszórt [-at; adv -an] a, sporadic, scattered, (wide-)spread, outspread; *~ falu* straggling village; *~ fény (fiz)* diffused/stray light

szétszórtan adv, dispersedly

szétszórtság n, dispersion, dispersal

széttagol vt, dismember, divide, disunite, cut up, cut to pieces, tear limb from limb

széttagoltság n, dismemberment, division, disunity

széttagul vi, *[leggömb]* expand

széttapos vt, trample down, trample/tread under foot, squelch, stamp on/out sg, *[kavicsot, havat]* crunch; *~ földet [ló patájával]* poach (up) the ground

széttár vt, open wide, separate, fling open, part, *[szárnyat]* spread, expand; *~ja a két lábát* spread (out) one's legs, fling one's legs apart; *~ja a két karját* open *(v.* fling out) one's arms

széttart vi, *[több vonal stb.]* diverge

széttárt a, *[karok]* outstretched, outspread; *~ karokkal* with outstretched arms

széttartás n, *(mért, átv is)* divergence

széttartó a, *(mért)* divergent, diverging

széttartóan adv, divergently

széttárul vi, open wide, *[virág]* expand

széttekint vi, = **szétnéz**

széttép vt, cut/slash/tear into strips/shreds/ribbons, tear up, tear to pieces/bits, rend sg asunder/apart, *[ketté]* tear asunder; *~i bilincseit* break one's chains, burst one's fetters asunder; *~em (biz)* I'll limb him

szétterít vt, spread/stretch out, *[összehajtottat]* open out, unfold; *szalmát ~* spread straw

szétterítés n, spreading, *[összehajtottat]* unfolding

szétterített a, (out)spread

szétterjed vi, **1.** spread, extend, *[fény, hő]* be propagated, diffuse, *[kiöntött folyadék]* run over (the table), *(vmben)* permeate, pervade **2.** *[hír]* spread

szétterjedő a, expansive, expanding, dispersed, far-flung, *(növ)* effuse

szétterjeszt vt, **1.** *[szárnyat]* spread, *[karokat]* spread, open **2.** *[gázt, levegőt, szilárd testet]* expand, diffuse, scatter, give out

szétterpeszt [-ett, .. sszen] vt, open (wide), *[ujjakat]* separate, part, *[lábat]* spread, sprawl, straddle

szétterpesztett [-et; adv -en] a, *[ujjak]* outspread; *~ lábakkal áll* stand with one's feet wide apart

szétterül vi, *[ember]* lie outstretched, stretch oneself out, sprawl, *[ruha]* fan out, *[folyékony anyag]* expand, spread

szétterült [-et] a, *[levél, szirom]* patulous, patent

széttipor vt, tread down/under foot, squash, crush; *~ja a földet [ló patájával]* poach (up) the ground

széttol vt, push aside

széttör vt, break in(to) pieces, shatter, snap, smash, dash to pieces, *[bilincseket]* burst (asunder), *[követ]* crack, disrupt; *~i bilincseit/béklyóit* break from *(v.* burst) one's bonds

széttör|ik vi, break in pieces/two, be shattered, burst/fly asunder

szétugraszt vt, disperse, break up, scatter, *[sereget]* rout, put to flight

szétugrasztás n, dispersion, breaking up, *[sereget]* putting to flight/rout

szétugr|ik vi, disperse, break up

szétültet vt, **1.** seat elsewhere, *(isk)* move up/down/apart **2.** *(növ)* plant/thin out; *palántákat ~ single (out) seedlings

szétüt I.vt, = **szétver**; II. vi, *[vkk között]* part (flighters), separate with blows; *majd ~ köztetek* he will teach you what's what *(v.* how to behave)

szétvág vt, cut up/asunder, cut to (pieces)

szétvagdal vt, cut to pieces

szétvágott a, cut

szétválás n, **1.** disjunction, separation, dislocation, detachment, disunion, *[üté, ágé stb.]* furcation **2.** *(orv)* *[bőrön]* dialysis, *[csonté]* diastasis **3.** *[vállalatoké]* de-merger

szétválaszt vt, **1.** *[több részre]* separate, part, take apart, sunder, sort, *[kétfelé]* divide, partition, split, *[összetapadtat]* pull apart/asunder, *[összekapcsoltat]* disconnect, disjoin, sever, unjoint, dislink, detach, *[erőszakkal]* disrupt, disunite, draw apart, *[verekedőket]* separate, part, *(mezőg)* *[gabonát]* winnow, *(vegyt)* dissociate, part **2.** *[megkülönböztet]* distinguish, tell apart, tell which is which, *[elkülönít]* dissociate from, differentiate, dissever, segregate

szétválasztás n, **1.** separation, parting, sorting, *[kétfele]* division, partition, *[összetapadt dologé]* pulling apart/asunder, *[összekapcsoltat]* disjunction (from), *[erőszakkal]* drawing-apart/away, (koh) *[nemes-*

fémeké] inquartation, *(vegyt)* dissociation 2. *[elkülönítés]* dissocation, differentiation, severance, segregation

szétválasztható *a,* separable, partible, severable

szétválaszthatóság *n,* separability, partibility

szétválasztó I. *a,* parting, *(nyelvt)* disjunctive II. *n, [készülék]* separator

szétváll|ik *vi,* 1. separate, part, divide, split (up), branch (off), disunite, *[kettéválik]* pull apart, *[széthúzódik]* draw apart, *[szétkapcsolódik]* disjoin, *[elkülönít]* dissever, *[darabokra]* break up, come apart/asunder, dispart, disarticulate, *[tárgy]* come in two, come apart, *[csomó, szalag stb.]* loosen, *(vegyt)* dissociate 2. *(átv)* *[két ember]* part (company), separate

szétváló [-t] *a,* parting, divergent

szétválogat *vt,* 1. select, (as)sort, separate/arrange/ dispose in sorts/lots *(v. according to kind),* set apart 2. *(átv)* winnow (out), sift

szétvasal *vt, [varrást]* press/iron open

szétver *vt,* 1. break into bits/fragments; *~te az ajtót* he knocked the door down *(v. to pieces)* 2. *[ellenséget]* rout, defeat, overthrow, destroy, smash, break up, *[tömeget]* disperse; *majd ~ek köztetek (biz)* I'll teach you what's what *(v. how to behave)*

szétverés *n,* 1. breaking into bits/fragments *(v. to pieces)* 2. *[ellenséget]* routing, destroying, dispersing, dispersion

szétvesz *vt,* = **szétszed**

szétvet *vt,* 1. *[lábát]* spread, sprawl, straddle, *[könyököt]* square 2. *[feszültség vmt]* burst, *[bombát, lövedéket, aknát]* explode, *[lőporral]* split, shatter, blow up, *[sziklát]* blast

szétvisz *vt,* 1. carry off in all directions, convey, propagate, *[árut házalva]* hawk, peddle 2. *[betegséget]* spread (disease) 3. *(átv)* scatter, *[hírt]* disaseminate, retail *(v. spread abroad)* *(fam)*

szétzavar *vt,* disperse, scatter; *~ta a bámészkodókat* he sent the onlookers about their business

szétziláll *vt,* disarrange, put out of order, muddle, make a muddle of, *[hajat]* ruffle, disorder, dishevel, tousle, rumple

szétzúz *vt,* crush, crash, smash (to pieces), pound, pulverize, bruise, batter down, make mincement of, knock to pieces, break (up); *reményt ~* dash/destroy/ frustrate one's hopes

szétzülleszt *vt,* break up (from within), cause to fall apart (through negligence or incitement to disaffection), disrupt, disorganize, corrupt the morals (of); *~i a csapatokat* undermine the morale of the troops

szétzüll|ik *vi,* break up, fall apart (through neglect), go to the dogs *(fam), [sereg]* disband

Szevilla [..át, ..ában] *prop, (földr)* Seville

szexológla [..át] *n,* sexology

sext [-et, -je] *n,* 1. *(zene)* sixth; *nagy ~* major sixth 2. *(sp)* *[vívásban]* sixte

szextakkord *n, (zene)* first inversion, six-three chord

szextáns [-ok, -t, -a] *n, (menny, hajó)* sextant

szextett [-et, -je] *n, (zene)* sextet(te)

szextillió *num. a,* sextillion *(GB 10³⁶, US 10²¹)*

szextola [..át] *n, (zene)* sextolet, sextuplet

sexuálhormon *n,* sex hormone

sexuális [-ak, -t; *adv* -an] *a,* sexual, sexy *(fam);* *erősen ~* beállítottságú *(pszich)* highly sexed; *~ élet* sexual life; *~ energia (pszich)* libido

szexualitás *n,* sexuality

szexualitású *a, erős ~* highly-sexed, sexy

sexuáltudomány *n,* sexology

szezám [-ot, -a] *n, (növ)* sesame, til *(Sesanum indicum)*

szezámcsont *n, (bonct)* sesamoid bone

szezámfű *n, (növ)* sesame, til, gingili *(Sesamum orientale)*

szezámolaj *n,* sesame/til(-seed)/gingili oil

szezon [-ok, -t, -ja] *n,* season, *(összet)* seasonal; *a~ elején* very early in the season; *most van az eper ~ja* strawberries are in; *összetéveszti a ~t a fazonnal (biz)* he doesn't know chalk from cheese

szezonális *a,* seasonal; *~ ingadozás* seasonal fluctuation

szezonáru *n,* seasonal/article/commodity; *~k* seasonable goods

szezonbérlet *n,* season ticket

szezoncikk *n,* = **szezonáru**

szezonkezdő *a, ~ előadás* first/opening performance of the season

szezonmunka *n,* season work, seasonal employment/ labour

szezonmunkás *n,* seasonal worker/labourer

szezonzáró *a, ~ előadás* last performance before closing down for the season, closing performance of season

szfalerit [-et, -je] *n, (ásv)* sphalerite, (zinc)blende, black-jack

szféra [..át] *n,* sphere; *szférák zenéje* music of the spheres

szférikus *a,* spheral, *(menny)* spherical; *~ eltérés (csill)* spherical aberration; *~ geometria* spherical geometry; *~ trigonometria* spherical trigonometry

szferoid [-ot, -ja] *a/n, (menny)* spheroid

szferométer *n, (fiz)* spherometer

szfigmográf [-ot, -ja] *n, (orv)* sphygmograph, sphygmometer

szfinx [-et, -e] *n,* sphinx

szfinxszerű *a,* sphinx-like, mysterious, uncanny, enigmatical

szforzato-jel *n, (zene)* accent (mark)

szgraffito [-t, -ja] *n, (műv)* (s)graffito, scratch-work

szi [-ttam, -vott, -vjon] *vt,* = **szív**

szia *int,* bye-bye, so long, ta-ta

sziács [-t, -a] *n,* = **szijács**

Szlám [-ot, -ban] *prop,* Siam

sziamang [-ot, -ja] *n, (áll)* siamang *(Symphalangus)*

sziámi [-ak, -t, -ja; *adv* -ul] *a/n, [nyelv is]* Siamese; *~ ikrek* Siamese twins; *~ macska* Siamese cat

szibarita [..át] I. *a,* sybaritic, Sybarite II. *n,* Sybarite

Szibéria [..át, ..ában] *prop,* Siberia

szibériai [-t] *a,* Siberian; *~ hideg* Siberian cold

szibilla [..át, *n, [jósnő]* sibyl

Szicília [..át, ..ában] *prop,* Sicily

szicíliai [-ak, -t] *a/n,* Sicilian; *~ vecsernye [a franciák lemészárlása 1282-ben] (tört)* The Sicilian Vespers

sziciliána [..át] *n, (zene)* siciliana

szid [-tam, -ott, -jon] *vt,* chide, scold, reprimand, reprove, dress sy down *(fam), [gorombán]* abuse, revile, vilify, lash; *~ja mint a bokrot* scold roundly, haul sy over the coals, give a good scolding to sy

szidalmaz [-tam, -ott, -zon] *vt,* revile, abuse, use abusive language to, inveigh against, heap insults on, revile, lash, foul, rail, blackguard

szidalmazás *n,* invective, abuse, abusing, reviling, railing (against), fulmination, opprobrium

szidalom [..lmat, ..lma] *n,* insult(ing word/remark), storm of abuses, abuses *(pl),* invective, a volley of oaths, vituperation, revilement; *szidalmakkal eláraszt]* elhalmoz *vkt* heap insults (up)on sy, pelt sy with abuses

szidás *n,* rating, scolding, chiding, reprimand, rebuke, reproof, castigation, dressing (down), upbraiding; *~t kap vmért* get a dressing-down, be hauled over the coals, get it in the neck *(fam); ~t érdemel* deserve a talking to, deserve to be scolded *(v. a scolding)*

sziderikus *a, (csill)* sidereal

sziderit [-et, -je] n, 1. (ásv) siderite 2. (ker) blue quartz
sziderofil a, siderophilic
szideroszkóp [-ot, -ja] n, [mágneses vastartalomvizsgáló] sideroscope
sziderózis [-ok, -t, -a] n, (orv) siderosis
sziénabarna n/a, [szín, festék] sienna
szienit [-ot, -ja] n, (geol) syenite
szieszta [..át] n, siesta
sziesztáz|ik vi, take a siesta, take/have a nap
szifilisz [-t, -e] n, syphilis, lues; vele született ~ congenital syphilis; a ~ első fázisa primary syphilis
szifiliszes [-t; adv -en] a, (orv) syphilitic, luetic; ~ bőrkiütés syphilide; ~ fertőzes syphilosis
szifilitikus a, = szifiliszes
szifon [-ok, -t, -ja] n, 1. (fiz, műsz) siphon 2. [szódavízhez] soda-water siphon
szifonos [-at] a; ~ üveg siphon-bottle
sziget n, island, isle, [folyóban] holm, eyot, ait, [területen belül] enclave, (összet) insular; kis ~ islet; lakatlan ~ desert island
szigetcsoport n, archipelago
szigetecske n, islet, small island, [folyóban] holm, ait
szigetel [-t, -jen] vt, isolate, [hangot] deafen, [légmentesen, hermetikusan] air-proof, [nedvesség ellen] water-proof, [por stb. ellen] proof, (vill) insulate, [szigetelő réteggel] lap, [fonattal] braid
szigetelés n, isolation, lining, [nedvesség ellen] waterproofing, (vill) insulation, coating
szigetelési [-t] a, (vill) ~ ellenállás insulation resistance
szigetelésmérő n, (vill) megger
szigetelésvizsgáló a, ~ készülék insulation (testing) set
szigeteletlen a, naked, uninsulated, exposed
szigetelő [-t; adv -en] I. a, isolating, (vill) insulating, non-conducting; ~ hordalék (épít) backing; ~ lemez (épít) insulating board/felt, damp-coursing II. n, (vill) insulator, insulating substance, isolator; álló ~ pin insulator
szigetelőanyag n, (vill) insulator, insulant, isolator, insulating compound/material
szigetelőgyűrű n, (vill) guard-ring
szigetelőharang n, (vill) insulator cap, cup-insulator, dice-box insulator, petticoat, hood
szigetelőhüvely n, (vill) insulating bush/hub, bushing
szigetelőképesség n, (vill) insulating power; fajlagos ~ insulativity
szigetelő-keresztfa n, (vill) [távvezetéken] insulator-support
szigetelőlemez n, insulating plate/board, (épít) damp-course; bitumenes ~ (épít) bituminous felt
szigetelőpapír n, (épít) building-paper
szigetelőréteg n, damp/insulating course, coating
szigetelőszalag n, (vill) insulating/adhesive/binding/para tape
szigetelőtartó a, ~ pecek (vill) insulator-pin
szigetelt [-et; adv -en] a, isolated, (vill) insulated; kétszer ~ huzal double-lapped wire
szigethegy n, (földr) inselberg, island hill
szigeti [-ek, -t; adv -leg] I. a, of/from (an) isle/island/holm (ut), insular II. n, islander
szigetjelleg n, insularity
szigetlakó n, islander, isle(s)man, insular
szigetország n, insular country/kingdom
szigetperon n, island platform
szigettenger n, archipelago
szigetvilág n, archipelago, insular world
Szigfrid [-et,-je] prop, Siegfried
szigla [..át] n, [kezdőbetű vagy szám mint rövidítés] logogram

szigma [..át] n, [görög betű] sigma
szigmabél n, (bonct) sigmoid flexure
szignál [-t, -jon] vt, 1. sign, put/set one's name to, initial (a document), [utasítást stb.] O.K. (US), [tanúként] witness (a document); teljes névvel ~ sign in full 2. [fémjelez] stamp, mark, hallmark
szignálás n, 1. [iraté stb.] signing 2. (ker, árué) marking
szignó [-t, -ja] n, signature, sign-manual, cipher, (ker) mark, sign; ~val ellát [iratot stb.] sign, mark
szigony [-ok, -t, -a] n, harpoon, fish-spear/gig/fork, eel-prong, cramp-iron, sticker, striker, gaff, [háromágú] trident; szigonnyal halászik harpoon, spear, grain
szigonyágyú n, harpoon/whaling-gun
szigonyfej n, harpoon-head
szigonykötél n, harpoon-line
szigonyoz [-tam, -ott, -zon] vt, harpoon, spear
szigor [-ok, -t, -a] n, rigour, severity, sternness, strictness, rigidity; apai ~ fatherly/paternal severity/sternness/strictness; ~t alkalmaz use severity; a törvény teljes ~át alkalmazza put the law in operation in all its rigour, apply the full force of the law
szigorít [-ani, -ott, -son] vt, increase the severity (of), render more severe/strict/stringent/rigorous, make harder, [fegyelmet] tighten, [büntetést] aggravate
szigorítás n, aggravation, increase of severity, [blokádé] tightening
szigorított a, öt évig terjedő ~ fogság solitary confinement with hard labour for five years
szigorlat n, [régebben] examination for doctorate, [ma] university examination
szigorlatozás n, university examination (for a doctor's degree), sitting (v. going in) for a university examination/degree
szigorlatoz|ik [-tam, -ott, -zon, -zék] vi, sit for a university examination, pass a university examination, [régebben] take a doctor's degree; jelesen ~ik pass with distinction, get a first (class degree); kitüntetéssel ~ik pass with honours, get an honours degree
szigorló [-t, -ja] I. n, [régebben] candidate for the degree of doctor, [ma] student sitting for university examination, examination student II. a, ~ jogász [régebben] candidate for the degree of Doctor of Law; ~ orvos medical student reading/sitting for the final examination(s) (v. finals); ~ vizsga final examination
szigorú [-t; adv -an] a, rigorous, strict, severe, stern, hard, harsh, [hajlíthatatlan] rigid, strait, stringent, [erkölcsileg] austere, spartan, [pontos] exact, [követelményekben] exacting, unsparing, censorious; ~ de igazságos strict but fair; túl(ságosan) ~ overstrict, rigorous; ~ vkhez be hard on/to(wards) sy, be strict with sy, be rough upon sy; ~ arc(kifejezés) harsh/grave face; ~ arc(vonás)ú hard-featured/favoured; ~ bírálat severe criticism; ~ bíró stern/hard/harsh judge; ~ büntetés harsh/severe punishment; ~ büntetésben részesül (v. büntetést kap) receive severe punishment; ~ cenzúra strict censorship; ~ diéta restricted/meagre diet; ~ ellenőrzés close/exacting/tight control; ~ engedelmesség strict/implicit/unquestioning obedience; ~ erkölcsök strict morals, austere code of morals; ~ erkölcsű ember a man of strict morals, a moral person, strait-laced person; ~ fegyelem stern/strict/exact discipline; ~ feltételek hard/severe/stringent conditions; ~ fogság close confinement/arrest; ~ ítélet severe sentence; ~ kompozíció (műv) strict composition; ~ őrizet (kat) close confinement; ~ parancs strict order; ~ rendszabályok stringent/rigorous/severe measures; ~ sors hard fate; ~ tanár severe/hard/harsh/exacting teacher/master/professor; ~ tél

hard/severe/inclement winter; ~ *törvények* stringent laws; ~ *viselkedés* rigid behaviour; ~ *vizsgáztató* strict examiner

szigorúan *adv*, severely, strictly, rigorously, sternly, properly; ~ *bánik vkvel* deal harshly/strictly with sy, be severe/hard upon sy; ~ *bizalmas* private and confidential, strictly confidential, restricted, top-(most) secret, hush-hush *(US)*; ~ *bizalmas* in strictest confidence, Q.T. (= quiet); ~ *ítéli meg vknek a hibáit* be severe on sy's failings; ~ *jár el* act with severity, take rigorous/severe measures,*[vkvel szemben]* be severe/hard upon sy; ~ *kezel vkt* be strict with sy, handle strictly, keep a tight rein on/ *over sy*; ~ *nevel* bring up strictly/austerely; ~ *néz vkre* give sy a firm glance; ~ *tartják* be in lead-ing-strings *(fam)*; ~ *tilos* strictly/absolutely forbidden/ prohibited; ~ *vett* proper; ~ *véve* in the strict sense of the word, strictly speaking/taken

szigorúság *n*, severity, strictness, austerity, sternness, rigour, rigorousness, rigidity, *[arckifejezésé stb.]* gravity, *[hidegé]* intensity (of cold), *[időjárásé]* roughness, inclemency, severity, sharpness, asperity (of weather/climate), *[szabályoké]* stringency, hard-ness, harshness; *túlságos* ~ rigorism

szij [-at, -a] *n*, strap, thong, *[fenő]* strop, *[géphaj-tásra]* (driving) belt, belting, *[hátizsák]* shoulder--straps *(pl)*, *[nadrágot tartó]* belt, *[ostoré]* lash, *[pó-ráz]* leash, *[kutyáé]* lead, *[puskáé]* rifle-sling; *végtelen* ~ *(műsz)* endless/continuous belt; ~*at hasítok a hátából* I shall skin him alive; ~*jal megköt* strap; ~*jal megver* strap, thong, give sy a little stirrup-oil, give sy a dose of the strap

szijács [-ot, -a] *n*, *(növ)* sapwood, alburn(um)

szijácsos *a*, sappy

szijas [-t; *adv* -an] *a*, fitted/provided with straps *(ut)*, *[rágós húsról]* tough, leathery, leathern

szijáttétel *n*, = szijhajtás

szijátvitel *n*, = szijhajtás

szijaz [-tam, -ott, -zon] *vt*, strap (up), fasten with a strap

szijazat *n*, straps *(pl)*, strapping

szijcsúszás *n*, *(műsz)* (belt-)creep(ing)

szij- és nyergesárubolt saddlery, harness-maker's shop

szijfék *n*, *(műsz)* belt brake

szijfeszítő I. *n*, *(műsz)* belt tensioner/tightener/stretch-er, belt-fastener, stretcher-pulley II. *a*, *(műsz)* ~ *görgő* tension roller, idler, tightener, jockey--pulley/wheel

szijfeszültség *n*, belt tension/pull

szijgyártó *n*, harness-maker, saddler

szijgyártóbőr *n*, bridle-leather

szijhajtás *n*, *(műsz)* belt-gear(ing)/drive/transmission, belting, pulley gear

szijhajtásáttétel *n*, = szijhajtás

szijhal *n*, *(áll)* ribbon/oar-fish *(Regalecus)*

szijkapocs *n*, *(műsz)* belt-fastener

szijmeghajtás *n*, = szijhajtás

szijmoszat *n*, *(növ)* tangle, laminaria *(Laminaria)*

szijostor *n*, lash, rawhide (whip)

szijszegecs *n*, *(műsz)* belt-rivet

szijtárcsa *n*, *(műsz)* belt/band-pulley, strap/band--wheel

szijtárcsás *a*, *(műsz)* ~ *(meg)hajtás* pulley gear/drive

szijvarrótű *n*, bodkin

szijvezető *n*, *(műsz)* belt-guider, guide roller

szik [-et, -c] *n*, 1. *(biol)* yolk, vitellus 2. *(növ)* coty-ledon; ~ *alatti szár* hypocotyle, caulicula; ~ *feletti szár* epicotyle 3. *(vegyt)* native-soda, natron, sodium carbonate 4. *[talaj]* soil rich in soda, sodic/alkali/ halomorphic soil *[típusai:* saline soil, solonetz soil, soloth, solonchak soil stb.); ~ *okozta károsodás* alkali injury

szikár [-at; *adv* -an] *a*, lank(y), gaunt, lean, wiry, skinny, haggard, haggish, lathy; ~ *alak* angular figure

szikárság *n*, lankiness, gauntness, leanness, wiriness, skinniness

szikcsillag *n*, 1. *(biol)* aster 2. *(növ)* (China) aster *(Callistepsus chinensis)*

szike [.. ét] *n*, *(orv)* scalpel, lance, bistoury, folding knife

szikes [-et; *adv* -en] I. *a*, 1. sodic, saturated with *(v.* abounding in) native soda *(ut)*, saliferous, saline; ~ *lapály (földr)* alkali flat; ~ *mocsár* salt marsh; ~ *növény* alkali/saline plant, halophyte; ~ *puszta* alkali/salt desert; ~ *talaj* sodic/alkali soil, soil sat-urated with native soda; ~ *tó (földr)* natron lake 2. *(növ)* cotyledonous II. *n*, 1. *[legelő]* lick 2. *[mocsár, tó, forrás]* saline

szikesedés *n*, sodification, alkalization

szikesség *n*, alkalinity

szikfű *n*, = székfű

sziki [-t] *a*, ~ *fű/füvek* salt grass

szikkad [-t, -jon] *vi*, dry (up), become/go dry, *[talaj]* dry up, become arid, desiccate

szikkadás *n*, drying (up), desiccation

szikkaszt [-ani, -ott, .. asszon] *vt*, dry (up), make dry, desiccate, *[szájat szomjúság]* parch

szikkasztó [-t; *adv* -an] *a*, drying, desiccating, sicca-tive, *[szomjúság]* parching

szikkasztó-olaj *n*, siccative-oil

szikkatív *n*, *(műv)* siccative, drier

szikkativitás *n*, *[lakké]* drying quality

szikla [.. át] *n*, rock, *[meredek]* crag, cliff, sca(u)r; *sziklából szobrot farag/kinagyol* hack a figure out of a rock; *sziklának ütközik [hajó]* hit a rock; *sziklákon élő növény* saxatile/saxicolous/saxigenous/rupiculous/ rupestral/rupestrine plant; *a sziklán sem lábbal sem kézzel nem lehet megkapaszkodni* the rock affords no hold for hand or foot; *sziklára fut [hajó]* strike rock; *sziklákat zúdít az ellenségre* hurtle down rocks upon the enemy

sziklaalakulat *n*, rocky formation

sziklabarlang *n*, cave(rn), rock-cavity

sziklabérc *n*, cliff, tor, piton

sziklacsont *n*, *(bonct)* petrosa (bone), petrous (bone)

sziklacsont-gyulladás *n*, *(orv)* petrositis

sziklacsonti *a*, *(orv)* petrous, petrosal

sziklacsúcs *n*, peak of cliff, summit, craggy peak, rock pinnacle, tor, nab

sziklafal *n*, wall/tower rock, precipice, rocky wall, *[tengerparti]* cliff

sziklafészek *n*, 1. aerie, aery, eyrie 2. *(átv)* strong castle built on rock

sziklafok *n*, spur of rock, bluff, crag

sziklaforrás *n*, rock-water

sziklafúró *a*, 1. ~ *gép* rock drill perforating machine 2. *(áll)* saxicavous

sziklagerinc *n*, ridge, ledge/shelf/shoulder of rock

sziklahasadék *n*, cleft, crack in cliff, crevice, *[tátongó]* chasm

sziklahíd *n*, aerial arch

sziklakert *n*, rock-garden, rockery, alpinery

sziklakő *n*, rock, *[legömbölyített]* boulder

sziklalakó *a*, *(term)* saxatile, *[növény]* rock-inhabiting, petricolous

sziklamászás *n*, rock-climbing

sziklamászó *n*, rock/cliff-climber, crag scaler, crags-man

sziklameder *n*, rock-bed

sziklanövény *n*, rock-plant

sziklanövényzet *n*, rock-vegetation, vegetation of rocks

sziklaomladék *n*, brash

sziklaomlás *n,* rock/stone-fall/slide, *[eredménye]* detritus
sziklaorom *n,* peak, crag, summit of rock
sziklapad *n,* ledge, *[víz alatt]* bank
sziklapados *a, [part]* ledgy
sziklapart *n,* rock-bound coast, rocky shore
sziklarajz *n, (rég)* pictograph
sziklarobbantás *n,* rock-blasting, dynamiting of rocks
sziklás *a,* rocky, stony, craggy, cragged, cliffed, abounding in rocks *(ut),* full of rocks *(ut);* ~ *fenék* rock-bottom; *a Sz*~ *Hegység [Észak-Amerikában]* the Rocky Mountains *(pl),* (the) Rockies *(pl);* ~ *part* rock/iron-bound coast, rock-ribbed coast, cliffed shore; ~ *talaj* rocky soil/ground
sziklasír *n,* rock(y)-grave, rock-hewn grave, *(rég)* rock-cut tombe
sziklaszerű *a,* rocky
sziklasziget *n,* rock island
sziklaszilárd *a,* firm as a rock *(ut),* rocky; ~ *hit* steadfast/unshakeable belief; ~ *megalapozottság* granite basis
sziklaszoros *n,* rocky pass/gorge/defile
sziklatemplom *n,* church cut/hewn in. (living) rock
sziklatömb *n,* rock mass, *[legömbölyített]* boulder
sziklaúszó *n, (áll)* tichodroma *(Tichodroma)*
sziklaüreg *n,* rock-cavity, cave in the rocks
sziklavár *n,* rock fortress
sziklazátony *n,* rocky shoal, reef of rock, bottom-rock, bank, ledge, ridge; ~*ra fut* strike *(v.* run upon) the rocks
sziklazátonyos *a, [part stb.]* rock-ribbed, rocky
sziklevél *n, (növ)* seed-leaf/lobe, seminal leaf, cotyledon; *füves sziklevele* scutellum, lobelet; ~*lel kapcsolatos* cotyledonary; ~ *nélküli* acotyledon(ous)
szikleveles *a, (növ)* cotyledonous, lobulous, lobulate
sziklevélnyom *n,* cotyledonary trace
sziklevelű *a,* cotyledonous, cotyledonary; *három* ~ tricotyledonous
szikomorfa *n,* sycamore(-tree), great maple *(Acer pseudo-platanus)*
szikra [.. át] *n,* **1.** spark, flake (of fire); *szikrát hány* throw out sparks, spark(le), flash, scintillate, strike out **2.** *(átv)* atom, gleam, glimmer, scintilla, bit, morsel, particle, scrap (of); *az értelem szikrája* the glimmer of intelligence; *a reménység utolsó szikrája* the last gleam/glimmer of hope; *nincs benne a jóindulatnak egy szikrája sem* there is not a spark/trace of decency in him; *a reménynek egy szikrája sem* not a ray of hope; *egy szikrát sem aludtam egész éjjel* I did not sleep a wink all night; *szikrát hány/vet a szem [dühében]* his eyes flash with anger, *[pofontól]* see stars; *egy szikrát se törődj vele!* don't care a snap/figl
szikraadó *n,* spark transmitter
szikraátütés *n,* spark(ing) over
szikracsillapító *n, (műsz)* damper
szikraerősítő *n,* spark intensifier
szikrafeszültség *n, (vill)* spark-potential
szikrafogó *n,* fire-guard, *[mozdonyon, gépen]* spark-arrester, cinder/spark-catcher, bonnet, chimney-netting
szikragerjesztő *n, (műsz)* ilmer, spark excitator
szikragyakoriság *n, [gépkocsiban]* spark frequency
szikragyújtás *n, [gépkocsiban]* spark ignition, sparking, *[gyertyával]* spark plug ignition
szikrahossz *n,* spark length, length of spark
szikrainduktor *n,* spark inductor/gap
szikrakeltés *n, (vill)* sparking
szikraképződés *n, (vill)* sparking
szikrakisülés *n, (vill)* spark-discharge
szikraköz *n, (vill)* spark-gap, sparking-distance, clearance (space)
szikramentes *a, (vill)* sparkless, non-sparking

szikrányi [-t] *a, egy* ~ *sem vmből (átv biz)* not a sparkle/rag of sg; *nincs benne egy* ~ *józan ész* he is destitute of common sense; ~*t sem* not an atom, not a bit, not in the very least; ~*t sem enged* not (yield) a whit
szikraoltó *n, (vill)* spark damping/quencher/absorber
szikratávírás *n,* wireless (telegraphy), spark telegraphy, radiotelegraphy
szikratávírász *n,* wireless operator, telegraphist, sparks *(pl). (fam)*
szikratávirat *n,* marconigram, radiogram, wireless telegram/message, radiotelegram
szikratáviró *n,* wireless telegraph, radiotelegraph
szikrázás *n,* scintillation, *[csillagé]* twinkling, *[fénylés]* flashing, *[szemé]* flashing, sparkle, *[villanás]* spark-(l)ing, glittering
szikráz|ik [-ott, -zon, -zék] *vi,* **1.** scintillate, throw out sparks, glitter, gleam, *[szem]* flash, gleam, glint, *[villan]* spark(le), *(vill)* produce a spark **2.** *a szeme* ~*ik a dühtől* fury gleams/glints in his eyes, his eyes have a glint of fury
szikrázó [-t; *adv* -an] *a,* glittering, sparkling, glistening, flashing; ~ *gyémánt* glittering/sparkling diamond ~ *szem* flashing eyes; ~ *szellemesség* scintillating/coruscating/sparkling wit
sziksó *n,* = szik 3.
sziksófű *n, (növ)* salt-marsh *(Salicornia)*
sziksós *a,* sodic, alkali, containing soda/natron *(ut)*
sziktelen *a, (növ)* acotyledon(ous)
sziktűrés *n, (növ)* salt tolerance
szikvíz *n,* soda/aerated-water, soda
szikvizes *a,* ~ *üveg* soda-water bottle, soda siphon/bottle
szikvízgyár *n,* soda-water works
szikvízgyáros *n,* soda-maker
szikzacskó *n, (biol)* yolk sac
szil [-ek,-t,-e] *n, (növ)* elm(-tree), ulmus *(Ulmus sp');* *hegyi* ~ witch/wych-elm *(U. montana)*
szila [.. át] *n,* whalebone, baleen
szilaj [-ok, -t, *adv* -on, -ul] *a,* **1.** violent, unruly, fiery, turbulent, vehement, hot(headed), reckless, boisterous, ungovernable, unrestrained; ~ *szenvedély* uncurbed/unruly passion; ~ *természet* untrammelled/boisterous/impetuous nature/character/disposition **2.** ~ *marha* wild cattle; ~ *mén* bolter, wild horse
szilajon *adv,* violently, turbulently, vehemently, recklessly, wildly
szilajság *n,* wildness, impetuosity, boisterousness, unruly character/nature, vehemence
szilánk [-ot, -ja] *n,* splinter, chip, shiver, flinders *(pl),* fragment, *[csak ja]* flitters *(pl),* matchwood, chippings *(pl),* sliver, *[cserép]* shatter, *[kő]* spall, *[csont]* splinter; ~*okra tör/hasít/repeszt/zúz* splinter, break (in)to shatters, blow/knock/smash sg (in)to smithereens/pieces; ~*okra törik* break/burst/fall/fly in(to) shivers/flinders; ~*okra zúzás (orv)* comminution
szilánkbiztos *a, [fedezék stb.]* splinter-proof
szilánkmentes *a,* splinter-proof, splinterless, unsplinterable; ~ *üveg* splinter/shatter-proof glass, non-splintering/shatterable glass, safety glass
szilánkos [-at; *adv* -an] *a,* easily split *(ut),* splintered, splintery; ~ *törés* comminuted/splintery fracture
szilánkosan *adv,* ~ *hasít [csontot, növényt, sziklát]* exfoliate
szilánkosodás *n,* fragmentation
szilántöltet *n, (kat)* fragmentation charge
szilárd [-at; *adv* -an] *a,* **1.** *[kemény]* firm, solid, compact, massive, rigid, secure, *[erős]* strong, sturdy, stout, substantial, *[mozdulatlan]* stable, fixed, immovable, constant, fast, stationary; ~ *alapokon áll/nyugszik [épület, vállalat]* be/rest on firm/sure ground, be sure of one's ground; ~ *anyagok* solids; ~ *csapadék* solid precipitation; ~ *kapcsolás*

(műsz) fast coupling; ~ *kőzetek* coherent rocks; ~ *pont* fixed point; ~ *talaj* firm ground, hard-set ground; ~ *táplálék* solid food; ~ *tengely (műsz)* rigid axle, stationary shaft; ~ *test (fiz)* solid 2. *[állhatatos]* firm, steadfast, steady, staunch, set, resolute, unwavering, faithful, grim; ~ *akarat* strong/ iron will, will of iron; ~ *elhatározás* firm resolution, set purpose, steadfastness of purpose; ~ *eltökéltség* inflexible/grim determination; ~ *irányzat (ker)* firm tendency; ~ *jellem* strong/inflexible/undeviating character, shock-proof character; ~ *magatartás* decisive/sturdy behaviour; ~ *meggyőződésem* it is my firm belief/conviction, there is one thing I thoroughly believe in, I have a firm belief (that); ~ *piac* steady/firm/stiff/buoyant market; ~ *talajon áll* have a firm footing, have a solid basis; ~ *többség* solid majority

Szilárd [-ot, -ja] *prop*, Constant(ine)

szilárdan *adv*, 1. *[keményen]* firmly, compactly, securely, *[erősen]* strongly, sturdily, stoutly, *[mozdulatlanul]* stably, immovably; ~ *áll a lábán* be steady on one's legs/pins, keep one's legs; ~ *álló* irremovable; ~ *megtámasztja magát* prop oneself firmly against sg; ~ *ül a nyeregben [lovas]* have a steady seat 2. *[állhatatosan]* firmly, steadfastly, steadily, staunchly; ~ *hangoztatta ártatlanságát* he stoutly maintained his innocence; ~ *kitart véleménye mellett* be tenacious of one's opinion, held firm to one's opinion

szilárdít [-ani, -ott, -son] *vt*, = **megszilárdít**

szilárdító [-t] *a*, ~ *szövet (növ)* supporting/mechanical tissue; *elsődleges* ~ *szövet (növ)* collenchyma; *másodlagos* ~ *szövet (növ)* sclerenchyma

szilárdság *n*, 1. stability, fixity, stableness, rigidity, immobility, immovability, fastness, stationariness, *[anyag, épít]* solidity, strength, security, safeness, soundness, substantiality 2. *(átv)* constancy, firmness, steadfastness, steadiness, resoluteness, resolution, staunchness, sturdiness, *[jellem]* firmness/ strength/constancy of mind/character, *[piacé]* stiffness

szilárdsági [-ak, -t; *adv* -lag] *a*, static, of strength; ~ *méretezés (műsz)* stressing; ~ *próba/vizsgálat* static/ strength/endurance test

szilárdságtan *n*, statics, stress analysis

szilárdságú [-ak, -t] *a*, *nagy (szakító)*~ *[acél]* high--tensile

szilárdul [-t, -jon] *vi*, harden, become stronger/firmer, solidify, congeal, coagulate, set

sziláscetek *n. pl*, *(áll)* whalebone whales *(Mystacoceti-* *-alrend)*

szilencium [-ot, -a] *n*, 1. *[tanulási idő kollégiumban]* quiet hour 2. *(jog) (kb)* suspension, *(egyh)* inhibition

Szilézia [.. át, .. ában] *prop*, Silesia

sziléziai [-ak, -t] *a/n*, Silesian

szilfa *n*, 1. *(növ)* elm(-tree), ulmus *(Ulmus sp.)* ; *amerikai* ~ *wahoo (U. racemosa)* ; *csavarodó* ~ dwarf elm *(U. modiolina)* ; *hegyi* ~ wych/witch/Scotch elm, witch-hazel *(U. montana)* ; *mezei* ~ common/English elm *(U. campestris)* ; *parás* ~ cork/Dutch elm *(U. suberosa)* 2. *[anyaga]* elm (wood)

szilfabetegség *n*, elm-disease

szilfakéregszú *n*, *(áll)* elm bark beetle *(Scolytus sp.)* ; *kis* ~ small elm bark beetle *(S. multistriatus)*

szilfid [-et; *adv* -en] *a*, sylph; ~ *termet* sylphlike waist

szilicid [-et, -je] *n*, *(vegyt)* silicide

szilicilgyök *n*, *(vegyt)* silicyl

szilícium [-ot, -a] *n*, *(vegyt)* silicon

szilicizálás *n*, *(ásv)* silicification

szilikagél *n*, *(ásv)* kieselguhr

szilikát [-ot, -ja] *n*, *(vegyt)* silicate

szilikatégla *n*, *(épít)* silica brick

szilikátkémia *n*, *(vegyt)* silicate chemistry

szilikofluorid *n*, *(vegyt)* fluosilicate

szilikózis [-ok, -t, -a] *n*, *(orv)* silicosis, stonemason's disease, chalicosis, dust-disease *(fam)*

szilke [.. ét] *n*, earthen(ware) mug/pot, bowl

szillabus *n*, syllabus

szillogisztikus *a*, syllogistic

szillogizmus *n*, syllogism; ~*ba foglal*, ~*okban okoskodik* syllogize

szilő [-t, -ja] *n*, silo, store-pit; *ld még* **siló**

szilszkin [-ek, -t, -je] *n*, seal(skin)

szilszkinbunda *n*, sealskin coat/fur

sziluett [-et, -je] *n*, silhouette, *(átv)* outline, profile

sziluettkészítő *n*, silhouettist

sziluettrajzolás *n*, *(műv †)* sciagram

sziluettvágó *n*, silhouettist

szilur [-t, -ja] *n/a*, *(geol)* Silurian

szilva [.. át] *n*, plum, prune *(Prunus domestica)*

szilvafa *n*, *(növ)* plum-tree *(Prunus domestica)* ; *damaszkuszi* ~ dampson *(institia)* ; *én is sok bolondságot csináltam* ~ *koromban* I have had my fling in my salad days

szilvaíz *n*, plum jam

szilvakék *a*, *[színű]* plum-coloured

szilvakompót *n*, stewed prunes *(pl)*

szilvalé *n*, plum juice

szilvalekvár *n*, plum jam

szilvaleves *n*, plum-broth

szilvamag *n*, plum-stone

szilvamoly *n*,*(áll)* plum piercer*(Laspeyresia funebrana)*

szilvanit [-ot, -ja] *n*, *(ásv)* sylvanite

szilvapálinka *n*, plum-brandy

szilvás *a*, plummy; ~ *gombóc (kb)* plum-dumpling

szilváskert *n*, plum orchard

szilváslepény *n*, *(kb)* plum-pie

szilvaszerű *a*, plummy

szilvatorta *n*, *(kb)* plum-pie

szilvavörös *a*, *[szín]* prune(-purple)

szilveszter *n*, New-Year's Eve, *[skót]* Hogmanay; ~*kor* on New Year's Eve

Szilveszter [-t, -e] *prop*,~Silvester, Sylvester

szilveszterest *n*, = **szilveszter**

szilveszteresti *a*, ~ *hálaadás* year's mind, watch-night (service)

szilveszterez|ik [-tem, -ett, -zen, -zék] *vi*, have *(v.* be at) a New-Year's Eve party, see the old year out *(fam)*, see the (old year out and the) New Year in *(fam)*, ring out the old year *(fam)*, ring in the New Year *(fam)*

Szilvia [.. át] *prop*, Silvia

szilvin [-t, -je] *n*, *(ásv)* sylvite

szilvórium [-ot, -a] *n*, plum-brandy

szima [.. át] *n*, *(műv)* cyma recta, ogee

szimat *n*, *[állati]* scent, (sense of) smell, nose, *[emberi átv]* flair, scent, foresight, penetration; *jó a* ~*a [állat]* have a good nose, (dog) with a good nose, *[ember]* have a gift for finding/nosing things out, have a good/keen scent for; ~*ot fog/kap* get on *(v.* pick up) the scent, *(átv)* get wind of

szimatol [-t, -jon] *vt/vi*, smell, nose, wind, scent, sniff, snoop, *[ló]* star-gaze; ~ *vm után* nose for/about; *bajt* ~ *(átv)* scent trouble

szimatolgat *vt/vi*, nose around/about

szimatoló [-t, -ja] *n*, sniveller

szimatú [-ak, -t] *a*, *(átv) jó* ~ sharp-nosed; *jó* ~ *kutya* dog with a good nose, dog keen of scent, keen-scented dog

szimbiotikus *a*, *(biol)* symbiotic

szimbiózis [-ok, -t, -a] *n*, *(biol)* symbiosis, mutualism, consortism; ~*ban élő szervezet* symbion(t)

szimbolika *n*, symbology, symbolics

szimbolikus *a*, symbolic(al), figurative, emblematic; ~ *bér* nominal/peppercorn rent
szimbolikusan *adv*, symbolically
szimbolista I. *a*, symbolistic(al) II. *n*, symbolist
szimbolizál [-t, -jon] *vt*, symbolize, emblem, typify
szimbolizmus *n*, symbolism, symbology
szimbólum [-ot, -a] *n*, symbol, emblem, sign, badge
szimfizls [-t, -e] *n*, *(bonct)* symphysis
szimfónia [..át] *n*, symphony
szimfóniaszerző *n*, *(zene)* symphonist
szimfonikus *a*, symphonic; ~ *hangverseny* symphonic/ symphony concert; ~ *költemény* symphonic/tone poem; ~ *zenekar* symphonic/symphony orchestra
szimmetria [..át] *n*, symmetry, symmetricalness; *sugaras* ~ *(növ)* radial symmetry
szimmetriasík *n*, *(menny)* median plane
szimmetrikus *a*, symmetrical; *nem* ~ dissymmetrical
szimónia [..át] *n*, *(egyh)* simony
szimóniás *a*, *(egyh)* simoniacal
szimpatektómia *n*, *(orv)* sympathectomy
szimpátia [..át] *n*, sympathy, instinctive attraction, fellow-feeling, response
szimpátiasztrájk *n*, sympathetic strike
szimpatikus I. *a*, 1. nice, lik(e)able, attractive, *(ritk)* sympathetic (to sy); *nem* ~ uncongenial; ~ *emberek* nice people 2. ~ *idegrendszer (bonct)* sympathetic nervous system; ~ *izgatás (orv)* sympathetic stimulation; ~ *szemgyulladás (orv)* sympathetic ophthalmia II. *n*, *(bonct)* sympathicus
szimpatizál [-t, -jon] *vi*, sympathize, harmonize, be in accord, feel drawn (to sy)
szimpatizáns [-ok, -t, -a] *n*, sympathizer, fellow-traveller, *[baloldallal]* "rose-coloured"
szimpiezométer *n*, *(fiz)* sympiesometer
szimpla [..át] I. *a*, simple, single, *[egyszerű, közönséges]* ordinary, common, *[ártatlan]* ingenuous, guileless, simple-minded, unsophisticated; ~ *emberek* plain/unpretentious people; ~ *igazság* plain/homely truth; ~ *módszer* easy method; ~ *ügy/dolog* easy thing II. *n*, *[kávé]* small (black) coffee
szimplifikál [-t, -jon] *vt*, simplify
szimptóma [..át] *n*, *(orv)* symptom, sign, token *(fam)*, indication *(fam)*
szimptomatikus *a*, symptomatic
szimulál [-t, -jon] *vi/vt*, simulate (illness), feign (sick), sham (sickness), pretend, *(kat)* malinger, scrimshank, swing the lead
szimulálás *n*, simulation, feigning, counterfeit(ing), pretence, *(kat)* malingering, scrimshanking
szimuláns [-ok, -t, -a] *n*, simulator, shammer, counterfeiter, pretender, *(kat)* malingerer, scrimshanker
szimultán [-t; *adv* -ul] I. *a*, simultaneous; ~ *játék* simultaneous game/match II. *n*, = ~ *játék*
szín¹ [-ek, -t, -e] *n*, 1. colour, *[árnyalat]* tint, hue, tinge, tincture, shade, tone, *[ruhafestési]* dye, *[hangé]* timbre, tone, quality, *[hangszeré]* tone, tonality; ~*ek fokozatos elhalványulása/tompulása/árnyalása/ összeolvasztása (műv)* grading; ~*ek orgiája* orgy of colours; *a csapat* ~*ei (sp)* the colours of the team; *fő* ~*ek* fundamental/primary colours; *helyi* ~ local colour; *kiegészítő* ~ *[látási zavarnál]* accidental colour; *nemzeti* ~*ek* the national colours; *összetett* ~*ek (nyomd)* binary colours; *tartós* ~ fast colour; *telített/ tömör/élénk* ~ *(fényk)* intense colour; *ez a* ~ *nem áll jól magának* that colour does not suit your complexion; *egy* ~*ben festett kép* monochrome painting; *sok* ~*ben játszik* it has a chatoyant lustre *(v.* shot effect), it is iridescent : *vknek a* ~*eiben indul* run under sy's colours; ~*ben összehangol* colour-key; ~*t ad* colour; ~*ét hagyja/veszti* lose colour, bleach, discolour, fade, pale; ~*t játszik* opalize; *a nap kiveszi a* ~*ét* the sun bleaches it *(v.* makes it paler); ~*ét*

változtatja (vm) change colour/hue; ~*ét vesztette a mosásban* it has faded/discoloured*(v.* lost its colour) in the wash; *több* ~*nel nyom (nyomd)* colour-print; *ld még színezet*; 2. *(kárty)* suit, flush; ~ *kérése [partnertől]* suit call; *erős* ~ strong suit; *licitálható* ~ biddable suit; *nemes* ~ *[pikk v. kőr]* major suit; *olcsó* ~ *[káró v. treff]* minor suit; ~*re* ~*t ad* follow suit; *nem ad* ~*re* ~*t (bár tudna)* renege 3. *[arcszín]* complexion, face, look; *jó* ~*ben van* look well/fit, have a good colour, be rosy about the gill; *kitűnő* ~*ben van* be in the best of health, be in capital form; *rossz* ~*ben van* be off colour, look ill/seedy, be/look blue/green/yellow about the gills; *ma kissé rossz* ~*ben van* she is a bit off colour today; *jobb* ~*t kap* gain colour; *rosszabb lesz a* ~*e* lose colour 4. *[látszat]* appearance, (outward) show, colour, look, pretext, pretence; *vm* ~ *alatt* under/on the pretext of; *semmi* ~ *alatt* on no account, not on any account, in/under no circumstances, not for all the tea in China *(fam)* ; *olyan* ~*e van a dolognak* it looks like...; *egészen más* ~*ben láttam mint azelőtt* I saw it in quite a different way than before; *előnyös* ~*ben mutatkozik* put one's best foot forward; *jó* ~*ben tűnik fel vk előtt* find favour in sy's sight; *jó/kedvező* ~*ben tüntet fel vmt* put a good complexion on sg, put sg in a favourable light; *hamis* ~*ben tüntet fel vmt* put a false complexion on sg; *hamis* ~*ben tüntet fel vknek a viselkedését* place sy's conduct in a false light; *helytelen* ~*ben tüntet fel* place sg in a false light; *a legjobb* ~*ben tüntet fel* show sg to its best advantage, put/place sg in the best *(v.* most favourable) light; *más* ~*ben lát* see differently, see something in a new light; *sötét* ~*ben látja a jövőt* see the future dark; ~*re hűséges volt* in semblance he was faithful; ~*ről* ~*re* face to face; ~*t ad/kölcsönöz vmnek* give colour to sg, animate sg; *vm* ~*t ölt* take/assume a (certain) colour; ~*t vall* openly avow, declare oneself *(v.* one's opinion/intention), speak one's mind, show one's hand, put one's cards on the table; *nem akar* ~*t vallani* won't declare himself, beat about the bush; ~*ét sem láttam (vmnek)* I have seen no trace of it, *(vknek)* I haven't seen him at all; *még* ~*ét sem láttam a pénzének (biz)* I have not seen the colour of his money 5. *(vknek)* ~*e elé* járul appear before, wait upon; *vknek* ~*e elé bocsátják* be admitted to the presence of; *vknek* ~*e előtt* in the presence of; *megjelenik a törvény* ~*e előtt* come before the court, appear in court; *a világ* ~*e előtt* before *(v.* in view of) the whole world 6. *(vall)* *egy* ~ *alatt áldoz* communicate *(v.* partake of the sacrament) in one kind; *egy* ~ *alatt való áldozás* half-communion; *két* ~ *alatt való szentáldozás* communion in both kind 7. *[felszín]* surface, exterior, level; *levél* ~ *(növ)* adaxial surface of a leaf; *a tenger* ~*e fölött* above sea-level; *egy* ~*ben van* be (on a) level (with); *a föld* ~*én* in the world, on earth, above ground 8. *a szekrény* ~*ig tele ruhával* the wardrobe is choke/chock-full of *(v.* crammed with) clothes; ~*ig megtölt* fill up; ~*ig tele* brimful; ~*ig telt űrmérték (ker)* stricken measure; ~*ig tölti poharát* fill the glass to the brim; *ld még színültig*; 9. *[szöveté visszájával szemben]* right side of the fabric, face; *kelme/szövetdarab* ~ *és fonákja* the righ and wrong sides of a piece of cloth *(pl)*
szín² [-ek, -t, -e] *n*, *[fészer]* shed, barn, lean-to, penthouse, hovel, *[szerszámé, dohánylevélé]* arbour, *[kocsié]* coach-house, *[villamosé]* tram-depot
szín³ [-ek, -t, -e] *n*, *[színház]* stage, scene, setting; *a* ~ *London* the scene is laid in London, the action takes place in London; *a* ~ *változik* the scene changes, the scene is shifted; ~*en marad* retain possession of the stage, keep the stage; *megjelenik a* ~*en* appear/ come on the scene, *[színész]* appear/come on the

stage; ~re alkalmaz arrange/adapt for the stage, stage, dramatize, get up, *[filmet]* adapt to the screen; *regényt* ~re alkalmaz adapt a novel for the stage; ~re alkalmazás staging, adaptation for the stage; ~re alkalmazó *[műé]* adapter; ~re átdolgoz adapt to the stage, dramatize; ~re hoz/visz darabot stage/produce/present/mount a play, get up a play, put on a play, bring/put a play on the stage; ~re hoz filmet release a film; ~re kerül be performed, go on the floor *(fam)*, come before the footlights *(fam)*; ~re lép enter the stage, go on the stage, make one's entry, *(átv)* appear/come on the scene; a ~ről távozik *(átv)* quit the scene

színacél n/a, all-steel

színállás n, *(tex)* colour-way

színálló a, *(tex)* colour-fast, dyed-in-the-grain, fast (dyed), fadeless, sun-proof

színállóság n, *(fényk)* colour stability

színarany 'a/n, pure/fine gold

színarchia [.. át] n, synarchy, joint rule

színárnyalat n, shade (of colour), hue, tin(c)t, tincture, nuance, dye, cast, tinge

színbontó a, ~ eljárás *(fényk)* substractive colour process

színbor n, pure wine

színbőr n, bend-leather

színcerizál [-t, -jonj vi, open oneself *(v.* tell the truth *v.* speak sincerely) to one's intimates

színdarab n. (stage-)play, drama, piece, *[rövid]* playlet; ~ot előad/bemutat put a play on the stage, perform/mount/present/produce a play, (bring a play on) stage; ~ot ír write a play, *[rendszeresen]* write for the stage

színdarab-gyűjtemény n, play-book

színdarabíró n, playwright

színdenzitás n, *(fényk)* density

színdikalista [.. át] n, syndicalist

színdikalizmus n, syndicalism

színdikátus n, syndicate, *[ipari]* pool, *[munkaadói]* association

színdróma [.. át] n, *(orv)* syndrome

színdús a, colourful, coloury

színehagyás n, decolourization, discolouration

színehagyó a, fading, losing colour *(ut)*, that fades *(ut)*, that loses colour *(ut)*

színehagyott [-at; adv -an] a, discoloured, faded, palish, *[gúnya]* rusty, *[mosásban]* washed out, *[kirakatban]* shop-soiled

színe-java [.. át, színét-javát] n, *(vál)* *(vmnek)* the very best of, the cream/choicest/prime/flower of, the pick of the bunch/basket; a társaság ~ the cream/pick of society, the select; a város ~ all the choice of the town

színekúra [.. át] n, sinecure, a cosy little job *(fam)*, soft job *(fam)*

színel [-t, -jen] vt, 1. *[felületet]* polish roughly, level, smooth, flatten, *[asztalos]* plane, *[vakolással]* float 2. *[bőrt]* scud, jack, dress 3. *(nyomd)* *[különböző méretű betűket]* justify

színelés n, 1. *[felületé]* rough polishing, levelling, smoothing, flattening, *[asztalosé]* planing, *[vakolásé]* floating 2. *[bőré]* scudding, jacking 3. *(nyomd)* justifying

színellentét n, colour contrast

színelosztás n, *(kárty)* distribution, hand pattern

színelőkés n, scudding-knife

színelővas n, 1. perching knife 2. *(nyomd)* *[öntött betűkhöz]* justifier

színeltávolító a, *(vegyt)* ~ szer discharger

színeltolódás n, *(fényk)* colour change/distortion

színemuri [-t, -ja] a/n, *(geol)* Sinemurian

színérc n, pure/separated ore

színergia n, synergia, synergy

színergikus a, synergic

színérték n, colour/tone-value

színérzék n, sense of colour, colour sense, feeling for colour

színérzékeny a, *(fényk)* colour-sensitive, orthochromatic

színérzékenység n, colour/chromatic sensitivity

színérzéketlen a, *(orv)* achromatic

színérzéketlenség n, *(orv)* achromatopsy

színérzés n, sense/sensation/perception of *(v.* feeling for) colour

színes I. [-et; adv -en] a, 1. coloured, tinged, coloury, high-coloured, colourful, hued, *[tarka]* multi/many-coloured, motley (of colours), pied, laced, *(fiz)* chromatic; ~ bőrűek coloured people; ~ ceruza colour(ed) pencil/crayon, crayon; ~ eljárás/kidolgozás *(fényk)* colour process; ~ felvétel colour photograph; ~ fényképezés colour photography, heliochromy; ~ film colour-film, *[mozi]* technicolor *(US)*, *[filmezés]* colour cinematography; ~ könyvomat chromo(litograph); ~ másolás/másolat/nagyítás *(fényk)* colour print(ing); ~ metszet colour cut; ~ nyomás colour printing, chromotypography; ~ nyomat chromotype, colour print; ~ papír tinted/coloured paper; ~ szemüveg tinted spectacles *(pl)*; ~ televízió colour television; ~ televízíós adás colourcast; ~ üveg coloured/stained/tinted glass; ~ vakolat distempered plaster 2. *(átv)* picturesque, vivid, colourful, *[művészi előadás]* spirited; ~ cikkek *[újságban]* features *(US)*; ~ elbeszélés highly coloured narrative; ~ leírás vivid description, highly coloured description; ~ stílus style full of colour, picturesque/vivid/coloured/colourful style; ~sé tesz *[stílust, beszédet]* colour
II. [-ek, -t, -e] n, *[ember]* coloured (person)

színesedés n, coloration, colouring, *[pigmenttel]* pigmentation

színesed|ik [-tem, -ett, -jen, -jék] vi, colour, take/assume a colour/tinge, become coloured, get a colour, *[arc]* grow ruddy, *[alma]* turn red, *[tea állásnál]* draw

színesen adv, 1. in/with colours *(ut)* 2. *(átv)* picturesquely, vividly, gayly

színesfém n, non-ferrous metal

színesség n, 1. colour(ing), *[arcé]* hue of complexion, ruddiness, *(műv)* polychromy, polychrome 2. *(átv)* picturesqueness, vividness; stílusának ~e the vividness/colouring/brilliancy/richness of his style

színész [-ek, -t, -e] n, actor, player, performer, *(iron)* play-actor, comedian; egy ~ szerepe actor's lines; nagy ~ celebrated/great/renowned/splendid actor, *(kif)* possess the art of showmanship, *(elit)* great comedian/dissembler; a ~ek nem tudták a szerepüket the actors didn't know their parts; ~nek megy take to the boards, go on the boards/stage, go in for acting; ~t felléptet present an actor

színészbejáró n, stage-door

színészcsapat n, troupe, theatrical company, *[vidéken járó]* touring company

színészegyesület n, actor's association

színészegyüttes n, *[egy színházé]* (theatrical) company, *[egy darabé]* cast

színészet n, acting, performing (on the stage), stage-playing/craft, histrionics, histrionic/dramatic art, *[színészek összessége]* stage-folk, *[foglalkozás]* theatrical/acting profession

színészeti [-t; adv -leg] a, theatrical, dramatic, histrionic

színészgárda n, = színészegyüttes

színészi [-ek, -t; adv -en] a, actor's, stage-, for/of an actor *(ut)*, theatrical, histrionic(al), dramatic;

~ **álnév** stage-name; ~ *pálya* career on the stage, theatrical profession, the stage; ~ *tehetség* histrionic talent, gift for the stage, theatrical powers *(pl)*

színészies *a*, theatrical, histrionic(al), stagelike, stagy *(pej)*

színésziesség *n*, theatricalism

színésziskola *n*, school/academy of dramatic art

színészkedés *n*, 1. acting, (stage-)playing, play-acting *(fam)* 2. *(átv)* sham(ming), histrionics, make-believe, pretence, mummery, posturing

színészked|ik [-tem, -ett, -jen, -jék] *vi*, 1. play, act, be an actor, be on (the) stage, walk the boards 2. *(átv)* sham, act a part before sy, be putting on a show

színészkolléga *n*, fellow actor

színésznép *n*, stage-folk

színésznő *n*, (play-)actress, she-actor *(fam)*

színészpróba *n*, trial hearing, audition

színész-szakma *n*, theatrical profession, show-business *(joc)*

színészszövetség *n*, actors' association

színésztársulat *n*, = színtársulat

színeváltozás *n*, *Urunk ~ a* transfiguration (of Jesus on the Mount)

színez [-tem, -ett, -zen] *vi*, 1. colour, paint, tinge, stain, tint, tincture, *[anyagot megfest]* dye, *[kifest]* lay colour on, colour, *[fénykfürdetésnél]* tone, *[filmet]* dye, *(műv)* polychrome 2. *(átv)* colour, gloss (over), put a gloss on, *[elbeszélést]* lend colour to a tale, improve, embroider, embellish, *[hangot]* modulate, *[muzsikát]* flourish

színezék [-et, -e] *n*, colouring agent/matter

színezés *n*, 1. colouring, colo(u)ration, painting, tinting, tincture, staining, ting(e)ing, dyeing, toning, modulation, *(fényk)* toning, *[pigmenttel]* pigmentation, *(műv)* *[szoboré stb.]* polychromy, *[térképé, rajzé]* illumination, *(tex)* dyeing, colouring 2. *(átv)* colouring, putting a gloss over the truth, embellishment, embroidering

színezet *n*, 1. colour(ing), colours *(pl)*, shade, tone, tint, hue, *[hangé]* timbre, tone, quality 2. *(átv)* appearance, semblance, look, show, complexion; *olyan ~e van a dolognak mintha* it looks like *(v.* as if), it seems as though, one would think that, there is every appearance/indication of; *ironikus ~e volt . . .* there was an accent of irony; *egy lap/újság politikai ~e* political colour of a journal

színezetlen *a*, uncoloured, without colour *(ut)*, undyed, plain

színezett [-et; *adv* -en] *a*, coloured, tinged, tinted, dyed, hued, *[árnyalt]* shaded; ~ *papír* tinted paper

színezetű *a*, kettős ~ dichromatic

színezhető *a*, jól ~ *anyag* material that dyes well

színező *a*, colouring, tinctorial, pigmental, pigmentary, pigmentous; ~ *anyag* colouring agent/matter, dye, pigment; ~ *eljárás* colour-process; ~ *képesség* tinctorial power

színeződés *n*, 1. *[folyamat]* colouring, colo(u)ration 2. *[állapot]* colour, tint

színeződ|ik [-tem, -ött, -jön, -jék] *vi*, (take) colour, assume a colour/tinge, become coloured, dye

színezőfürdő *n*, *(fényk)* dye solution/bath, toning-bath

színezüst *a/n*, pure/fine/native silver

színfa *n*, heart-wood, duramen

színfal *n*, scenery, (set) scene, wings *(pl)*, slips *(pl)*, flat; ~*ak mögött/mögé* behind the scenes, in the wings

színfalhasogatás *n*, barnstorming, ranting

színfalhasogató I. *a*, ranting, spouting **II.** *n*, *[színész]* barn-stormer, *[szónok]* tub-thumper

színfaltologató *n*, scene(ry)-shifter

színfedés *n*, *(fényk)* density

színfelrakás *n*, 1. *[festményé]* colouring 2. *[textilnél stb.]* colo(u)ration

színfém *n*, native/virgin metal

színfokozat *n*, hue

színfolt *n*, patch (of colour), *[tájban]* dash of colour

színgaléz [-ok, -t, -a] *a/n*, Sin(g)halese

színgallér *n*, *(növ)* thoroughwax *(Bupleurum falcatum)*

színgazdag *a*, highly/richly coloured, full of colour *(ut)*, colourful, rich in colour *(ut)*

színgazdagság *n*, *(műv)* polychromy

színgli [-t, -je] *n*, 1. *(sp)* single-game; *női ~* ladies' singles *(pl)* 2. *(kárty)* singleton; ~ *ász/király* bare/ unguarded ace/king

szinguláris [-t; *adv* -an] *a*, ~ *pontok (menny)* singular points (in a curve)

színhallás *n*, *(biol)* *[színesztéziás tünet]* colour-hearing

színharmónia *n*, *(műv)* colour harmony, harmony of colours

színhasíték *n*, *[bőré]* grain-split

színhatás *n*, colour effect

színház *n*, theatre, playhouse, theater *(US)*, show *(fam)*; *a ~ nevelő ereje/szerepe* the educational side of the theatre; *sokat jár ~ba* be a regular theatre--goer; ~*ba megy* go to the theatre/play/show, go to see the play

színházbajárás *n*, theatre-going

színházbolond *n*, stage-mad

Színház- és Filmművészeti Főiskola school/college of dramatic and cinematic art

színházi *a*, of (the) theatre/stage/playhouse *(ut)*, theatrical, stage-like, stagy *(fam)*; ~ *cenzúra* censorship of stage/plays; ~ *előadás* theatrical performance; ~ *kard* property sword; ~ *kellékek* stage-property; ~ *közönség* public (of theatre), playgoers *(pl)*, patrons *(pl)*, spectators *(pl)*, playgoing/theatrical public; ~ *kultúra* theatrical life; ~ *lap* theatrical journal/paper; ~ *látcső* opera-glasses *(pl)*; ~ *páholy* box; ~ *plakát* play/theatre/show-bill; ~ *pletyka* theatre-gossip, green-room talks; ~ *próba* rehearsal (of play); ~ *rendező* stage-manager, producer; ~ *rovat* theatrical column; ~ *szabó* wardrobe-keeper, theatrical costum(i)er, stage tailor; ~ *ügynökség* theatrical agency; ~ *vacsora* late supper; ~ *világ/berkek* the theatrical world: ~ *zsargon* stage slang

színházigazgató *n*, manager of a theatre, managing director, theatre-manager

színházjáró *a/n*, = színházlátogató

színházjegy *n*, (theatre-)ticket, ticket to the theatre/ play

színházjegyiroda *n*, theatre booking-office, theatrical agency *(US)*

színházlátogatás *n*, theatre-going, frequenting of theatres

színházlátogató I. *a*, theatre-going; *a ~ közönség* the (playgoing) public, the theatre/theatrical public **II.** *n*, theatre-goer, playgoer, *[állandó]* patron

színházrajongó *a/n*, stage-struck (person), theatre fan

színháztörténet *n*, history of theatre

színháztudomány *n*, theatre-research, science/knowledge of the stage, stage-craft

színhely *n*, *(szính)* scene, *[eseményé]* scene, spot, seat, theatre, locus, *[tevékenységé]* stage, *[történeté]* scene, local(e); *a cselekmény ~e London* the scene is laid in London; *a gyilkosság ~e* the scene where the murder was enacted; *a háború ~e* seat/theatre of war

színhelyesbítő *a*, ~ *szűrő (fényk)* *[színes nagyításhoz]* colour correction filter

színhiány *n*, *(kárty)* chicane, void; ~*a van körből* be short of/in hearts, ~ *egy mellékszínben* void in an out side suit

színhiba *n*, *(csill)* chromatic aberration

színhívó *n*, *(fényk)* colour developer

színhordó *a/n*, *(biol)* chromophore

színhőmérséklet *n*, colour temperature

színhőmérséklet-mérő n, [műszer] colour temperature meter

színhús n, boneless meat

színl¹ [-ek, -t] a, theatrical, dramatic, scenic, of the stage (ut); ~ hatás stage effect; ~ idény theatrical season; a ~ pálya the profession/stage; ~ pályára lép go on the boards/stage, enter the profession (fam); ~ utasítás stage-direction

színl² [-ek, -t] a, ~ eltérés (fiz) chromatism, (fényk) spherical/chromatic aberration

színibírálat n, = színikritika

színíbíráló n, = színikritikus

színielőadás n, theatrical/dramatic performance

színig adv, ld szín¹ 8. és színültig

színigaz a, [főnévvel] the simple/honest/unvarnished truth

színigazgató n, theatre-manager, manager of a theatre, managing director, producer (US)

színiiskola n, school/college of dramatic art

színikritika n, dramatic criticism/critique, review (of a play)

színikritikus n, dramatic critic

színillesztés n, colour-matching

színinövendék n, dramatic student, student actor

színit [-eni, -ett, -sen] vt, [fémet] reduce, clean

színítés n, reduction

színjáték¹ n, (szính) drama, play, show (fam); az Isteni Sz~ The Divine Comedy

színjáték² n, 1. play of colours 2. (kárty) suit contract

színjátszás¹ n, 1. [művészet] theatrical/dramatic/histrionic art, (amateur) theatricals, (átv) the theatre 2. [tevékenység] acting, playing 3. (elit) sham, make--believe, acting a part, play-acting

színjátszás² n, 1. (tex) changing colours, shot silk-like quality, chatoyant effect 2. [tulajdonság] play of colours, (áll) mimesis, mimicry, [tollazaté, pikkelyé] iridescence

színjátszó I. a, (szính) theatrical, play-, acting, performing; ~ csoport theatrical/dramatic society/group; ~ társulat theatrical company II. n, performer, actor

színjátszó² a, 1. [színét változtató] chameleon-like; nagy ~ lepke (áll) purple-emperor (Apatura iris) 2. [anyag] chatoyant, iridescent, (tex) shot, (fiz) polychromatic

színjeles a, excellent (in all subjects of instruction)

színjózan a, perfectly/cold/stark/dead sober

színkártya n, (ker) shade card, colour range

színkeltő a, chromogenic

színkén n, virgin sulphur

színkép n, (fiz) spectrum; enyelési/abszorpciós ~ absorption spectrum; kibocsátási/emissziós ~ emission spectrum; ~ hamis vonala ghost; a ~ színei colours of the spectrum

színképelemzés n, (fiz) spectral/spectrographic analysis, spectroscopy, spectrum-analysis

színképelemző I. a, spectroscopic(al) II. n, [készülék] spectroscope

színképeltolódás n, spectral shift

színkép-fényképezés n, (fiz) spectrophotography

színképsáv n, (fiz) spectrum-band, band of the spectrum

színképtartomány n, (fiz) spectral range

színképvonal n, (fiz) spectrum-line, line of spectrum; többszörös ~ multiplet

színképző a, colour-producing

színkeverék n, (műv) composite colour

színkeverés n, colour mixing/blending, mixture/blending of colours

színkeverő a, (fényk) ~ eljárás additive colour process

színkezelés n, treatment of colours

színkivonat n, (fényk) colour separation

színklinális (geol) I. a, synclinal; ~ hajlás synclinál flexure, syncline II. n, syncline, trough

színkonstancia n, colour constancy

színkontraszt n, colour contrast

színkópa [..át] n, 1. (nyelvt) syncope 2. (zene) syncopation, after-beat

színkopál [-t, -jon] vt, (zene) syncopate

színkopálás n, (zene) syncopation

színkopált [-at; adv -an] a, syncopated; ~ kíséret (zene) after-beat

színkör n, (small) theatre

színkretikus (fil) I. a, syncretic II. n, syncretist

színkretizmus n, (fil) syncretism

színkró [-t, -ja] n, (vill) synchro, selsyn

színkrociklotron n, (fiz) synchro-cyclotron

színkrofazotron n, (fiz) synchrophasotron

színkron [-ok, -t] I. a, synchronous, synchronic; ~ gép sychronous machine; ~ letapogató (távk) syncronous sweeping/scanning; ~ óra synchronous (electric) clock; ~ szótár synchronic dictionary; ~ tolmácsolás simultaneous interpretation II. n, (biz) (film) dubbed/synchronized film; ~ba hozás [hang- és képsoré] synchronizing (of tone and picture sequence); a ~t készítette dubbing by

színkronforgás n, (vill) synchronism

színkronizál [-t, -jon] vt, 1. [filmet] dub, synchronize, [híradástechnikában] synchronize, (inter)lock, time, [vaku-fényképezőgép] couple in synchronisation, [két dinamót stb.] parallel 2 (átv) bring/get into step, synchronize

színkronizálás n, (ált) synchronization, synchronizing, [híradástechnikában] (inter)locking, synchronizing, timing, [filmé] dubbing, synchronizing, post--scoring

színkronizáió [-t] a, ~ sáv synchronizing band

színkronizált [-at; adv -an] a, synchronized, timed, [film] dubbed, synchronized; ~ lövegek (kat) multiple guns; magyarra ~ szovjet film Soviet film dubbed/synchronized into Hungarian

színkronizmus n, synchronism, synchrony

színkronjel n, synchronizing mar..

színkronozó [-t] a, ~ jel [hangosfilmnél] clap-stick signaí

színkron-sebességváltó n, !gépkocsin] synchromesh

színkronváltozat n, film ~a dubbed version of a film

színkrotron [-ok, -t, -a] n, (fiz) synchrotron

színlap n, playbill, (show)bill, program(me)

színlaposztó n, distributor of playbills

színlátás n, coloured vision, (orv) chromatopsy

színlátási a, (orv) ~ zavar dyschromatopsia

színleg adv, apparently, for show, making a show/pretence (of), ostensibly, seemingly; ~ belemegy feign/pretend to agree/assent to; ~ ellenáll make a show of resistance

színleges [-et; adv -en] a, fictitious, mock, sham, bogus, feigned, phoney (US fam); ~ árverező (ker) by--bidder; ~ eladás (ker) fictitious sale; ~ számla pro--forma invoice; ~ szerződés fictitious/bogus contract; ~ támadás feint, sham-attack; ~ ügylet (ker) feigned transaction

színlegesen adv, fictitiously, professedly, pro forma

színlel [-t, -jen] vt, feign, simulate, affect, sham, pretend to do/have/be/feel, make a show of, fake, play/act a part, counterfeit, masquerade, dissemble, let on, [szavakkal] pay lip-service (to); csak ~t she was only shaming/acting; azt ~i hogy... make as if/though. ..,; pretend to... ;alvást ~ sham sleep; barátságot ~ve in/under the guise of friendship; betegségei ~ sham sickness, (kat) malinger, scrimshank; érzelmet ~ personate a passion; haragot ~ sham anger, pretend to be angry, make a show of being angry; *szegénységet* ~ counterfeit poverty

színelés *n*, pretence, simulation, sham, feigning, affectation (of), make-believe, counterfeit(ing), feint, putting on, *[szavakkal]* lip-service, *[ügyleté, peré stb.]* collusion, *[kat betegséget]* malingering, scrimshanking; *ez (v. az egész) csak* ~ *(biz)* it is mere acting

színelő *[-t, -je] n*, simulator, shammer, counterfeiter, pretender

színlelt *[-et; adv -en] a*, sham(med), feigned, pretended, mock, false, fictitious, fictional, seeming, make-believe, dissembled, bogus, put-on; ~ *állás* dummy position; ~ *beteg* simulator, shammer, *(kat)* malingerer; ~ *betegség* feigned sickness; ~ *érzés* pretended feeling; ~ *közöny* affected indifference; ~ *öröm* feigned joy; ~ *támadás* feint, sham/false attack

színlelten *adv*, pretendedly, fictitiously, fictitionally

színlőbárd *n*, howl

színmagyar *a*, pure Hungarian, true-born Hungarian, Hungarian to the core/backbone *(ut)*, *[lakosság, vidék]* through and through Hungarian

színmérés *n*, colorimetry

színmérő *n*, colorimeter

színméz *n*, virgin honey

színminta-kártya *n*, shade/tint card

színmű *n*, drama, play, dramatic piece; *Shakespeare ~vei* the plays of Sh., Sh.'s plays, the dramatic works of Sh.

színműíró *n*, dramatist, playwright

színműirodalom *n*, dramatic literature, the drama; *az angol* ~ the English drama

színművész *n*, actor, dramatic artist, performer

színművészet *n*, dramatic art, the drama/stage/theatre, theatricalism, dramatics *(pl)*, histrionics *(pl)*; *a francia* ~ the French stage/theatre

színművészeti *a*, theatrical, histrionic(al); ~ *iskola* school/college of dramatic art

színnyomás *n*, *(tex, nyomd)* colour-printing

színnyomásos *[-at; adv -an] a*, chromotypographic

színnyomat *n*, *(nyomd)* colour-print

színnyomó *a*, ~ *eljárás (nyomd)* chromolithography

szinodikus *a*, *(csill)* synodical; ~ *hónap* synodical month, lunation

színódus *n*, *(egyh)* synod

színoldal *n*, 1. *[bőré]* grain-side, hairside 2. *szövet ~a* the right side of the fabric/cloth, face of the cloth

színoldalas *a*, *(tex)* ~ *anyag* face-cloth

szinonim *[-ot, -ja]* I. *a*, synonymous, synonymic II. *n*, = *szinonima*

szinonima *[..át] n*, *(nyelvt)* synonym

szinonimakutató *n*, *(nyelvt)* synonymist

szinonímia *[..át] n*, synonymity

szinonimika *n*, synonymy, synonymics

színopszis *[-ok, -t, -a] n*, 1. *(ált)* synopsis; ~*ban* synoptically 2. *[irodalmi műé]* synopsis, review, digest, compendium, summary, groundwork

szinoptikus I. *a*, synoptic(al); *a* ~ *evangéliumok* the Synoptic Gospels; ~ *meteorológia* synoptic meteorology; ~ *térkép* synoptic weather map II. *n*, synoptist

szinoptikusan *adv*, synoptically

színorgia *n*, colour orgy, orgy/riot of colours

szinoviális *[-t] a*, *(biol)* synovial

színösszeállítás *n*, *(műv)* colour scheme

színpad *n*, stage (of theatre), scene, floor (of the stage), the boards *(fam)*, *[előtere]* apron, fore-stage, proscenium, *[háttere]* background, up-stage; *a* ~*on balra [a színésztől jobbfelé]* left side (of the stage); *a* ~*on jobbra [a színésztől balfelé]* right side (of the stage); ~*on van [színész]* be on; ~*ra nem alkalmas darab* play that does not stage well; ~*ra alkalmaz/visz* stage, put on the stage, dramatize, theatricalize;

~*ra lép [mint pályára]* go on the stage/boards, take to the stage, *[színdarabban]* appear/come on the scene/stage, enter; *újra* ~*ra visz* restage

színpadi *[-ak, -t; adv -lag] a*, of the theatre/stage *(ut)*, scenic, theatrical, histrionic(al); ~ *csillag* star; ~ *előadás joga* stage rights *(pl)*; ~ *előtér* down-stage; ~ *fogás* stage-trick/effect; ~ *hatás* stage/dramatic effect; ~ *illúzió* scenic illusion; ~ *ismeret* knowledge of the stage; ~ *jelenet* scene, sketch; ~ *kard* property sword; ~ *kellékek* stage-properties, theatricals, props *(fam)*; ~ *név [színészé]* stage-name; ~ *technika* (technique of) stage/theatrical production, stage-craft; ~ *utasítás* stage-direction; ~ *világítás* stage-lighting, stage lights *(pl)*

színpadias *[-at; adv -an] a*, theatrical, stagelike, scenic(al), histrionic(al) *(pej)*, stagy *(pej)*

színpadiasság *n*, theatricality

színpadkép *n*, *(szính)* stage-setting, scenery, (set) scene, stage design, décor *(fr)*

színpadképes *a*, actable; *nem* ~ *[darab]* unactable

színpadszerű *a*, stagelike

színpadtechnika *n*, (technique of) stage/theatrical production, stage-craft

színpadtechnikai *a*, ~ *berendezés* stage equipment

színpárosítás *n*, colour-matching

színpártolás *n*, patronage of (the) dramatic art

színpártoló *a* ~ *egyesület* society for the patronage of dramatic art

színpompa *n*, brilliancy/pageantry of colours, colour orgy, riot of colours *(fam)*

színpompás *a*, richly/highly coloured, colourful, brilliant; ~ *leírás* glowing description

színpróba *n*, colour-test

színrehozás *n*, = *színrehozatal*

színrehozatal *n*, production (of a play), staging, getting up, putting on

színrehozó *n*, *(szính)* producer

színrétegtan *n*, hypsography

színrevitel *n*, = *színrehozatal*

színskála *n*, colour scale, scale/range of colours, *[nyomtatott]* colour chart

színsúly *n*, fine/net-weight

színszappan *n*, pure/neat soap

színszerű *a*, fit to be acted *(ut)*, fit for the stage *(ut)*, playable, scenic, actable, stage-worthy

színszerűség *n*, fitness/suitability for the stage, actability

színszórás *n*, dispersion (of light), colour dispersion

színszűrés *n*, *(nyomd)* colour-separation

színszűrő *n*, *(fényk)* colour/light/selective filter, colour(ed) screen; *anyagában festett* ~ glass filter coloured in the mass; *becsavarható/menetes* ~ **s**crew-in-filter; *világos vörös* ~ light red filter

színszűrő-átmérő *n*, *(fényk)* filter diameter

színszűrő-tartó *n*, *(fényk)* filter-holder

színt *[-et, -je] n*, 1. level, *(épít)* stor(e)y, *(geol, bány)* stage, *[színér alatti rétegé]* floor; *vmvel egy* ~*en* on a level with sg; ~*be állítás* aligning; *egy* ~*be esik* be flush with, be on a level with; *egy* ~*be hoz* (bring to the same) level, (make) flush, grade up to *(US)* 2. *(átv)* plane, level, rate; *iparági* ~*en* on industry level; *minisztériumi* ~*en* on ministry level; *népgazdasági* ~*en* on national economy level, on national scale

szintagma *[..át] n*, *(nyelvt)* syntagm(e)

szintan *n*, chromatics, theory of colours

színtársulat *n*, (theatrical) company, troupe, troop; ~ *tagja* trouper, trooper

színtartó *a*, *(tex)* colour-fast, unfading, fadeless, never-fading, fast dyed, *[mosásnál]* washproof, washfast, washable, *[fénnyel szemben]* sunproof; ~ *festék* fast dye színtartóan *adv,* ~ *fest (tex)* ingrain; ~ *festett (tex)* dyed-in-the-grain

színtartóság *n,* colour-fastness, dye fastness, tint retention

színtartósági *a, (tex)* ~ *vizsgálat* test for fastness of the dye

szintbeli *a, (vasút)* ~ *átkeresztezés* level crossing, grade-crossing *(US)*

szinte I. *adv,* almost, nearly, next to, little short of, so to speak, within an ace/inch (of), all but, practically, virtually, as it were, as though, quasi, *[igével]* seem to, *[már-már]* on the point/verge of, about to, *[tagadóan]* scarcely, hardly; ~ *alig van aki* there is hardly anyone who; ~ *azt lehetne mondani hogy* one could almost say that; ~ *hallom a hangját* I seem to hear his voice; ~ *lehetetlen* next to impossible; ~ *semmi* hardly anything, next to nothing, little or nothing; ~ *soha* hardly/scarcely ever II. *conj,* = szintén

színtelen *a,* 1. colourless, uncoloured, *[színárnyalat nélküli]* tintless, hueless, *[optikailag]* achromatic, achromatous, *[színehagyott]* washed out; ~ *arc* pale/sallow face; ~ *arcú* pale, white-faced; ~ *hang* flat/toneless voice; ~ *hangon* in a flat voice; ~*né vált az arca* her complexion had sallowed 2. *(átv)* flat, dull, leaden, lustreless, colourless, savourless, *[egyhangú]* drab, monotonous, humdrum, *(pol)* neutral, indifferent; ~ *stílus* flat/dull/lifeless/colourless/spiritless/ineffective style

színtelen|ik [-ett, -jen] *vi,* discolour, lose colour, fade

színtelenít [-eni, -ett, -sen] *vt,* decolourize, discolour, bleach, take the colour out/off, achromatize

színtelenítés *n,* decolourization, bleaching

színtelenítő [-t, -je; *adv* -en] I. *a,* discolouring, bleaching, achromatic II. *n,* bleaching agent, decolorant

színtelenség *n,* 1. colourlessness, want of colour, *[arcé]* pallor, paleness, *(tud)* achromatism 2. *(átv)* insipidity, flatness, dullness, colourlessness, spiritlessness

színtelenül *adv,* palely, washily *(fam)*

színtelítettség *n, (műv)* saturation of colour

szintén *conj,* likewise, also, too, similarly, as well; *én* ~ I/me too, (and) so am I

színtér *n,* scene, seat, theatre, stage; *küzdelmeinek színtere* scene of his fights/struggles

szinteredmény *n,* standard

színtestecske *n, (biol) [színes]* chromatophore, coloured plastid, *[színtelen]* leucite, leucoplast, leucoplastid, colourless plastids *(pl)*

szintetikon [-ok, -t, -ja] *n,* fish-glue

színtetikus *a,* synthetic(al), *[mesterségesen előállított]* artificial, compositive; ~ *gumi* synthetic rubber, man-made rubber; ~ *szál (tex)* synthetic fiber, man-made fibre; ~ *számla [könyvvitelben]* aggregate account; ~ *úton állít elő* synthesize, synthetize

színtetizált [-at; *adv* -an] *a,* synthesized, synthetized, built-up; *ld még* színtetikus

színtévesztés *n,* colour-blindness, parachromatism, dyschromatopsia; *vörös és zöld* ~ daltonism

színtévesztő *a/n,* colour-blind, daltonian

szintez [-tem, -ett, -zen] *vt,* (bring to a) level, bring flush, even (up), complanate

szintezés *n,* 1. *(épít)* levelling, determination of level 2. *(kat)* survey of fall

szintézis [-ek, -t, -e] *n,* synthesis

szintező [-t, -je; *adv* -en] I. *a,* levelling; ~ *látcső* surveyor's level; ~ *libella* air level II. *n, (műsz)* water/air/spirit/bubble level, leveller; *ingás* ~ *[geodéziában]* autoset level

szintezőcsavar *n,* levelling-screw

szintezőkészülék *n,* = szintező II.

szintezőléc *n,* levelling rod/staff/pole, (boning) rod, level (rule), straight edge

szintezőműszer *n,* levelling instrument, surveyor's level

szintezőrúd *n,* range-pole, levelling staff/rod/pole

szintgörbe *n, [térképen]* contour line

szintígy *adv,* = ugyanígy

szintiszta *a,* (absolutely) pure; ~ *állapotban* in native state; ~ *igazság* unvarnished/plain/unadorned truth, nothing but the truth; ~ *véletlen* pure/mere chance

szintjel *n, [geodéziában]* bench-mark, point of reference, position mark

szintjelző *a,* ~ *karó* sighting-mark; ~ *vonal* datum-line

szintkülönbség *n,* difference in/of level, grade difference, *[vízé]* fall

szintmagasság *n,* level height

szintmeghatározás *n,* determination of level

szintmérés *n,* surveying, contouring

szintmérő *n,* 1. = szintező II.; 2. *[szintmutató a gépkocsiban]* water/oil/petrol gauge

szintompítás *n, (műv)* softening of tints, scumble, scumbling

szintszabályozó *n,* regulator of level

szintúgy *adv,* = ugyanúgy

szintű [-ek, -t] *a, alacsony* ~ low-level; *két*~ *lakás* split-level house

szintvonal *n,* level/contour line

szintvonalas *a,* ~ *térkép* contour map

színusz [-ok, -t, -a] *n, (menny)* sine, *(bonct)* sinus

színuszfüggvény *n, (menny)* sine function

színuszgörbe *n, (menny)* sinusoid, sine line/curve/wave

színuszöböl *n, (bonct)* sinus

színusztétel *n, (menny)* sine law

színuszvonal *n,* = színuszgörbe

színutánzás *n, (term)* mimicry, mimetism, mimesis

színutánzó *a, (term)* mimetic, procryptic

színű [-ek, -t; *adv* -en] *a,* -coloured, -colour, of ... colour(s) *(ut)*; *milyen* ~ what colour is it?; *barna* ~ brown, of brown colour *(ut)*, of the colour brown *(ut)*; *élénk* ~ high/bright/warm coloured, gay (in colours); *hasonló* ~ of similar colour/hue *(ut)*; *különböző* ~ party-coloured; *más* ~ of different colour *(ut)*; *több* ~ multicolour(ed), *(tud)* polychromatic; *változó* ~ changing in colour *(ut)*

színültig *adv,* (full) to the brim, brimful, full to overflowing, overfull (of, with); *vmt* ~ *(meg)tölt vmvel* heap sg with sg; ~ *megtöltött/tele edény* vessel filled to repletion; *ld még* szinig

színvak *a, (orv)* colour-blind, daltonian, hypochromat, achromatope, *[zöld színre]* green-blind

színvakság *n, (orv)* colour-blindness, daltonism, *[teljes]* achromatopsy, achromatopsia, achromatic vision; *ld még* színtévesztés

színvallás *n,* showing one's true colours; ~*ra kényszerít* call sy's bluff

színváltozás *n,* 1. change of colour, discolouration 2. *(szính)* change of scene, scene-shifting 3. *(vall)* transfiguration

színváltozat *n,* shade, tinge, tint, hue

színvas *n,* pure iron

színvázlat *n, (műv)* colour sketch

színvegyület *n,* mixture/blend of colours

színvesztés *n,* loss of colour, decoloration, decolourization, discolouration, loss of colour

színvétés *n, (kárty)* renounce, revoke

színvisszaadás *n, (fényk)* colour rendition

színvisszavétel *n, (kárty) [bridzsben]* rebid

színvonal *n,* 1. level, plane 2. *(átv)* level, standard; *az ízlés* ~*a* standard of taste; *korának* ~*án áll* be abreast of (v. be up with) the times, be up to date; *egy* ~*on áll* be on a level with, be on a par with (sy); *vmlyen* ~*ra emel* raise to the level of, level up, key to a standard; *vmt magasabb ~ra emel/helyez* raise to a higher level, level (sg) up to . . . : *vknek a ~ára emelkedik* rise to the level of sy; *vm ~at elér* reach the level, make the grade *(fam)*

színvonalas *n*, (of high) standard, good/high quality, high level, high-standard, up to par *(fam)*

színvonalkülönbség *n*, difference of level

színvonalú *a*, of a level; *alacsony ~* of low standard *(ut)*, low-level; *gyenge ~* substandard, low standard; *magas ~* (on a) high level, high-toned

szipákol [-t, -jon] *vi*, sniff(le), snuff(le)

szipákolás *n*, sniff(ing), snuffing

szipirtyó [-t, -ja] *n*, old hag, beldam(e), crone

szipka [. . át] *n*, cigar/cigarette-holder

szipog [-tam, -ott, -jon] *vi*, snivel, whimper, whine, snuff(le), sniffle, grizzle

szipogás *n*, snivel(ling), sniff, whimpering, whining, grizzling, grizzle

szipóka [. . át] *n*, *(term) [rovaroké]* haustellum

szipoly [-ok, -t, -a] *n*, *(áll)* tree-beetle *(Anisoplia sp.)*

szipolyoz [-tam, -ott, -zon] *vt*, extort (money habitually from sy), sponge on (sy), suck (sy) dry, . bleed (sy)

sziporka *n*, 1. sparkle, flake 2. *(átv)* spark(le), flash; *szellemi sziporkák* sallies/coruscations of wit

sziporkázás *n*, 1. sparkling, sparkle, scintillat'on, glitter, glisten 2. *(átv)* sparkle, *[szellemi]*coruscation (of wit)

sziporkáz|ik [-tam, -ott, -zon, -zék] *vi*, sparkle, throw out sparks, scintillate, *[csillog]* glitter, glisten, gleam, *[szellemes ember]* coruscate, scintillate, witticize

sziporkázó [-t; *adv* -an] *a*, sparkling, glittering, scintillant, *(átv is)* coruscating; *~ szellemesség* sparkling/ coruscating wit

sziporkázóan *adv*, *~ elmés/szellemes tanulmány* essay scintillating with wit

szippant [-ani, -ott, -son] *vt*, *[levegőt]* sniff, take/get a sniff of, inhale, breathe in, *[dohányt]* whiff, pull at (one's pipe), take a puff, draw a few whiffs, *'tnbákot]* take a pinch (of snuff); *~ egyet a friss evegőből* get a sniff of fresh air; *kimegy levegőt ~ani* go out for a breather, go out for a whiff of fresh air

szippantás *n*, breath, whiff, sniff, puff, whiff (of smoke), pinch (of snuff)

szippog *vi/vi*, snuffle, snivel

szír [-ek, -t, -je] *a/n*, Syrian, *[nyelv]* Syriac

szirén [-ek, -t, -je] *n*, siren, mermaid, *(átv)* siren, vamp

sziréna [. .át] *n*, siren, horn, *[jelzőkürt autón]* hooter, *[ködkürt]* foghorn, *[gőzslp]* steam-whistle

szirénabúgás *n*, blast/wail(ing) of the/a siren, howling

szirénáz [-tam, -ott, -zon] *vi*, hoot, howl, sound/blow the siren

szirénázás *n*, sounding the siren, hooting, *[légiriadó]* air-raid warning

szíre-szóra *adv*, *csak úgy ~* (do/believe sg) without asking any proof

Szíria [. . át, . . ában] *prop*, Syria

szíriai [-ak, -t] *a*, Syrian

szirmos [-at] *a*, *(növ)* petal(l)ed, petalous

szirmú [-ak, -t; *adv* -an] *a*, *(növ)* -petalled; *egyforma ~* homopetalous; *három/hármas ~* three-petal(l)ed; *kék ~* blue-petal(l)ed; *szabad/vált ~* eleutheropetalous; *széles ~* platypetalous

szirokkó [-t, -ja] *n*, = sirokkó

szirom [. .rmok, . .rmot, . .rma] *n*, *(növ)* petal, *[az egész párta]* corolla; *~ alakú* petaline, petaloid; *~ nélküli* petalless; *szirmait hullatja* drop its petals; *szirmokkal ellátott* petalous

sziromlevél *n*, petal

sziromszerű *a*, *(növ)* petaline, petaloid

sziromtalan *a*, *(növ)* apetalous

szirony [-ok, t-, -a] *n*, *(kb)* hide rope, ⟨embroidered flower on Hungarian peasant capes⟩

szirt [-et, -je] *n*, rock, cliff, reef, ledge, sca(u)r, *(geol) [takarómaradvány]* klippe *(ném)*; meredek *~* bluff; *~ekkel körülvett/szegélyezett* cliffed

szirtcsúcs *n*, summit of rock, peak

szirtes [-t, *adv* -en] *a*, rocky, craggy, cragged, cliffed, *[part stb.]* rock-ribbed

szirtfal *n*, (face of the) cliff, rocky wall, precipice

szirtfok *n*, cliff, bluff

szirti [-t] *a*, rocky, rock-, of/on the rock *(ut)* ; *~ fogoly (áll)* rock/breek partridge *(Caccabis saxatilis)* ; *~ galamb* rock-pigeon/dove *(Columba livia)* ; *~ sas* golden-eagle *(A. chrysaëtos)*

szirtkörte *n*, *(növ)* shad/June-berry *(Amelanchier sp.)*

szirtkörtefa *n*, *(növ)* shad-bush

szirtvonulat *n*, ridge

szirtzátony *n*, rocky shoal/reef, bank, ledge

szirup [-ot, -ja] *n*, syrup, treacle

szirupos [-at; *adv* -an] *a*, 1. syrupy, treacly 2. *(átv)* honeyed, mushy, *[igével]* be all honey

sziszeg [-tem, -ett, -jen] *vi*, hiss, make a hissing sound, *[szénben levő gáz]* sing, *[puskagolyó]* whir(r), whiz(z), ping, *[ostor]* swish; *,,ezt megkeserülőd"~te* 'you'll pay for that' he hissed; *~ve ejt ki [hangot] (nyelvt)* sibilate

sziszegés *n*, hiss(ing), *(nyelvt)* sibilation

sziszegő [-t; *adv* -en] *a*, hissing, whirring, whizzing; *~ hang [emberé, kígyóé stb.]* hiss; *~ hangzás [mellkasban]* sibilus; *~ hangzó (nyelvt)* sibilant; *~ hangon mond* hiss

sziszegősít [-eni, -ett, -sen] *vt,(nyelvt)* assibilate

sziszegősités *n*, *(nyelvt)* assibilation

sziszegősség *n*, *(nyelvt)* sibilance

sziszifuszi [-t] *a*, Sisyphean; *~ munka* Sisyphean task

sziszszen [-t, -jen] *vi*, give a hiss (when in pain), suck in air through one's teeth, wince

sziszszenés *n*, hiss(ing), whiz(zing); *egyetlen ~ nélkül* without wincing

szisztéma [. . át] *n*, system

szisztematikus *a*, systematic, methodic(al); *nem ~* unsystematic

szisztematizál [-t, -jon] *vt*, systematize

szisztolé [-t, -ja] *n*, *(orv)* systole

szisztolés *a*, *(orv)* systolic; *~ zörej* systolic murmur

szít [-ani, -ott, -son] **I.** *vi*, *(vkhez)* side with, sympathize with, take sides with

II. *vt*, 1. *tüzet ~* kindle the fire, poke/stir/fan (up) the fire/flame, make the fire burn, *(műsz)* stoke the fire 2. *(átv)* fan, inflame, breed, excite, incite, stir up, fire, instigate, rouse, enkindle *(ref.)* ; *egyenetlenséget ~* stir up strife, foster (a) disturbance, breed/fan (a) quarrel, sow the seeds of discord, blow the coals *(fam)* ; *lázadást ~* incite rebellion, stir up rebellion, foment sedition; *~ja a szenvedélyeket* excite/stir/fan the passions (to a heat)

szita [. . át] *n*, sieve, sifter, riddle, *[nagyszemű, durva]* cribble, screen(ing box), *[bány]* griddle, jig(ger), *[lisztnek]* bo(u)lter(-sieve); *átlát a szitán (átv)* find sg out, see through sy's game, see through it; *szitává lő vkt* make a riddle of sy, riddle sy with bullets

szitacsináló *n*, sieve-maker

szitafenék *n*, bottom of a sieve

szitahenger *n*, bolting-machine/reel, bolter

szitakészítő *n*, = szitacsináló

szitakötő *n*, 1. = szitacsináló; 2. *(áll)* dragon/may/ adder-fly, flying adder, damselfly, demoiselle, Devil's darning-needle, libellula *(Odonata-rend, Libellula sp.)*

szitál [-tam, -t, -jon] **I.** *vt/vi*, sift, bolt, screen, pass (sg)

through a sieve, sieve, riddle, *[ércet]* jig, *(mezőg)* winnow II. *vi, [eső]* drizzle, mizzle, sprinkle, it is spitting (with rain)
szitálás *n*, 1. sifting, screening, bolting, sieving, jigging 2. *[eső]* drizzling, drizzle, mizzling
szitálatlan *a*, unscreened, unbolted
szitalerakódás *n*, screenings *(pl)*
szitáló *a*, ~ *eső* drizzle, sprinkle; ~ *hó* sprinkle of snow
szitálógép *n*, screening machine, sifter, pulsator
szitálókamra *n*, bolter, bolting-room, bolting house
szitálókészülék *n*, bolter
szitált *[-at; adv -an]* *a*, *[liszt]* sifted, *[szén]* screened
szitamaradék *n*, sieve-residue
szitás *n*= **szitacsináló**
szitás *n*, 1. *[tűzé]* kindling, stirring (up), poking, fanning into flame 2. *(átv)* incitement, fomentation; *polgárháborúk* ~*a* fomentation *(v.* stirring up) of civil wars
szitaszekrény *n*, *[malomban]* bolting-machine, bolter, sifter
szitaszerkezet *n*, bolting work
szitaszerű *a*, cribriform
szitaszövet *n*, bolting/tammy-cloth, taminy, stiffening/ screening/sieve cloth, haircloth, mesh tissue, *[közhasználatban]* butter/cheese-cloth
szitavászon *n*, meshwork, haircloth, crinoline
szitkozódás *n*, cursing, abuse, reviling, revilement, invectives *(pl)*, vituperation, billingsgate
szitkozód|ik *[-tam, -ott, -jon, -jék]* *vi*, curse, swear, use abusive language, utter invectives, rail (at/ against), revile, inveigh against, blaspheme, cuss, bluster out threats
szító *[-t, -ja]* I. *a*, stirring up, fanning, fomenting II. *n*, 1. *[piszkavas]* poker, rake 2. *(átv)* fomenter, stirrer up
szitok *[szitkot, szitka]* *n*, invective, abuse, imprecation, vituperation, curse, revilement, damning, swear- -word *(fam)*, cuss(-word) *(US fam)* ; ~*ra fakad* get/ rap out an oath, *[vk ellen]* break into a torrent of abuse against sy, call sy names; *szitkokat szór* belch forth/out blasphemies
szitóvas *n*, poker
szituáció *n*, situation, state of affairs; *kellemetlen* ~ awkward position, mess
szituált *[-at; adv -an]* *a*, *jól* ~ well-to-do, well-heeled
szittya *[.. át]* *a/n*, Scythian; *ld még* **szkíta**
szittyó *[-t, -ja]* *n*, *(növ)* rush, bent-grass *(Juncus sp.)*
szittyóféLék *n*. *pl*, jun(ca)ceae, rushes
szittyószerű *a*, rushlike
szíú *[-t, -ja]* *a/n*, Sioux
szív¹ *[-tam, -ott, -jon]* *vt*, 1. *[dohányt]* smoke, have a smoke; *cigarettát* ~ smoke a cigaret(te); ~ *egyet a cigarettán* have a draw/pull at one's cigaret(te); ~ *egyet a pipáján* have/take a suck at one's pipe; *pipát* ~ smoke a pipe 2. *[légneműt]* inhale, breathe (in), sniff, respire, inspire; *kimegy levegőt* ~*ni* go for a breather, go for a breath of fresh air, go into the open air 3. *[tubákot, port]* sniff up, take (snuff) 4. *[folyadékot]* suck up, draw (up/off), pull at, *[szívókészülékkel]* siphon 5. *magába* ~ absorb, imbibe 6. *[sebet, fogat]* suck; ~*ja a fogát de megteszi* do sg with reluctance
szív² *[-et, -e]* *n*, 1. heart, *(orv összet)* cardiac; *bal* ~ left heart; *jobb* ~ right heart; ~ *alakú* heart-shaped, *(tud)* cordiform, cordate; ~ *elötti (bonct)* precordial; ~ *nélküli (biol)* acardiac; ~ *küldi [műsor a rádióban] (kb)* listener's request; ~*e mélyébe zár egy titkot* hide a secret in one's heart; ~*e mélyéből* from the very bottom of her heart; ~*e (leg)mélyén* in one's heart (of hearts), in/at one's heart's core, at heart, deep in his breast; ~*e szerint* after one's heart, to one's heart's content, to the top of one's bent; ~*e szerint való*

after one's own heart; *Toldi a serdülők* ~*e szerinti hős* Toldi is a hero after the adolescents' heart; *ez volt* ~*e vágya* that was the thing he set his heart on, that was his heart's desire; ~*e választottja* the lady of his choice, one's valentine; *jó/érző* ~*e van* his heart is in the right place; ~*e felmondta a szolgálatot* she died of heart-failure; *helyén van a* ~*e* his heart is in the right place; *megdobbant a* ~*e* his heart gave a leap; *megesik vkn a* ~*e* his heart goes out to (sy), take pity on (sy); *majd megszakad a* ~*e* he breaks his heart (over), his heart is breaking (over), he is quite heart- -broken (about/with); *nehéz a* ~*e* his heart is heavy; *nincs* ~*e* be heartless, have no heart/feelings, have a heart of stone; *vérzik a* ~*e* it makes one's heart bleed; ~*e megszűnt dobogni* his heart stopped (beating); *nem volt* ~*em elutasítani* I had not the heart to refuse, I could not find it in my heart to refuse; *nem lesz* ~*e megtenni* he will not be so heartless as to do it, he will not find (it in his) heart to do sg; *szívébe fogadott/zárt* he had taken me to his bosom; ~*ébe zár vkt* become attached to sy, bosom sy; *népe* ~*ébe zárta* he was enthroned in the hearts of his people; *az emberek* ~*ébe lopja magát* find one's way into people's hearts; *mintha tört döftek volna* ~*ébe* the iron had entered into his soul, he was cut to the heart; ~*be markoló* heart-gripping/rending, harrowing, poignant, *[látvány]* agonizing; ~*be markoló látványt nyújt* make a pathetic sight; ~*ébe vésődik* remain graven in one's memory; *neve* ~*ébe vésődött* his name was printed on her heart; *a szívében* at heart, *(vmnek)* in the heart of sg; ~*ében hordja (vk képét)* carry (sy's image) in one's heart; ~*ében hordoz [érzést]* nourish; *vknek a* ~*ében olvas* read sy's thoughts/heart; *(teljes)* szívből heartily, cor- dially; *öszinte* ~*ből* from the bottom of one's heart; *tiszta* ~*ből* with all one's heart, with one's whole heart; ~*ből gratulálok* my heartiest congratulations; ~*(é)- ből jövő/eredő/fakadó* heart-felt, heart-whole, hearty, -hearted, heart/soul-felt, cordial, sincere; ~*ből jövő köszönetét fejezi ki vknek* express one's heart-felt thanks to sy; ~*ből jövő nevetés* hearty laugh; ~*ből jövő/fakadó szavak* words from the heart; ~*ből kívánok...* I wish you ... whole-heartedly, I wish you with all my heart/soul, I wish you from the bottom of my heart; ~*ből sajnállak* I am right-down sorry for you; ~*ből szeret* love heartily, love with all one's heart; ~*ből zokog* weep unfeignedly; ~*emből* with all my heart, with my whole heart; ~*emből beszélt* he has spoken after my own heart; ~*éből gyűlöli* hate like poison; *igen a* szivemhez *nőtt* I have become very fond of it/him, I have taken him to my heart, it/he is very dear to me; ~*éhez kap* grasp/clutch at one's heart; ~*éhez szól* speak to one's heart, touch the feelings/heart, appeal to the feelings; ~*hez szóló* heart-stirring, affecting, touching, pathetic, moving; ~*éhez szorít* press/clasp (sy) to one's heart *(v.* in one's arms), strain to oneself, hug (sy); *szíven lő* shoot through the heart; ~*en szúr/döf vkt* stab sy through the heart, *(átv)* stab sy to the heart; *elmondja ami a* ~*én fekszik* tell what is rankling in one's mind, speak one's mind, speak from one's heart; ~*én visel vmt* have sg at heart, be deeply concerned about, be solicitous about/concerning/for sg, concern one- self with/in/about sg; ~*én viseli vknek a sorsát* have sy's welfare at heart; *vk* szívének legkedvesebb nearest one's heart; *szívre káros* injurious to the heart *(ut)*, heart-depressant; *a betegség a* ~*ére ment* the disease went to his heart, his heart got affected in the course of his illness; ~*re ható* heart-stirring/grip- ping; *nagyon a* ~*ére beszél* admonish sy in earnest; *vkt* ~*ére ölel* press sy to one's heart; *tedd a* ~*edre a kezedet és mondd meg, tegye a* ~*ére a kezét és mond- ja meg* tell me in all conscience/honesty, cross your heart; ~ére vesz take/lay/receive sg to heart; nagyon a ~ére vette he took it too much to heart; ne vedd a ~edre don't take on like that about it *(fam)*; szívét-lelkét beleadja vmbe put all one's heart into sg, put one's heart and soul into sg; kiönti ~ét pour out (one's heart), unbosom oneself; vknek a ~ét marcangolja/szaggatja/tépi rend sy's heart, harrow sy's feelings, harrow sy; vm nyomja a ~ét sg is weighing on his mind, he has a weight on his heart, sg rankles in his mind; összetöri vknek a ~ét break sy's heart; ~et rázó heart-gripping/shaking, harrowing, agonizing; ~et tépő heart-piercing/rending/breaking, fit to break one's heart *(ut)*; szívvel csinál vmt have one's heart in one's work; dobogó ~vel with beating heart; jó ~vel tesz vmt do sg willingly/gladly, do sg with pleasure, do sg with a good grace; jó ~vel van vk iránt be well-disposed towards sy; könnyű ~vel with a light heart; fájdalomtól megtört ~vel with grief-stricken heart, broken-hearted (with); nehéz ~vel with a heavy heart; szomorú ~vel sadly; teljes ~vel with all one's heart, with one's whole heart; vérző ~vel with a bleeding heart; ld még szívvel-lélekkel; 2. *[káposztáé]* heart, *[városé, országé]* heart, middle, midst; Budapest az ország ~e Budapest — the heart of the country; Párizs ~ében él live in the heart of Paris

szivacs [-ot, -a] *n*, 1. sponge; ~ot benedvesít moisten a sponge; szivaccsal letöröl vmt pass the sponge over sg, sponge (off/out) sg, give sg a sponge (down) 2. *(áll)* ~ok spongilla, sponges, porifera *(Porifera tagozat)*; hatsugaras ~ok glass sponges *(Hexactinellida)*

szivacsfélék *n. pl, (áll)* spongiae
szivacsgumi *n*, sponge-rubber
szivacsos [-at; *adv* -an] *a*, 1. spongy, bibulous (paper), spongoid *(tud)*, *(bonct)* fungous, *[öntvény]* foamy; ~ csontállomány diploë; ~ daganat fungus 2. *[ütő]* soft
szivacsosság *n*, sponginess, *[daganaté]* fungosity
szivacsszerű *a, (bonct)* spongoid
szivacstan *n*, spongology
szivacstartó *n*, sponge holder, *[zacskó]* sponge-bag
szivar [-ok, -t, -ja] *n*, 1. cigar, *[nyílt végű]* cheroot; ~ alakú cigar-shaped 2. öreg ~ □ old guy/mutt/geezer/top
szivarbél *n*, filler
szivarboríték *n*, wrapper
szivarburok *n*, binder
szivarcsutka *n*, cigar stump
szivardoboz *n*, cigar-box
szivarfa *n, (növ)* catalpa, Indian bean *(Catalpa bignonioides)*
szivarfüst *n*, cigar-smoke
szivárgás *n*, 1. *(ált)* oozing (through), infiltration, percolation, seepage, seeping, trickling, trickle, *[tartályból, hordóból]* leaking, *[gázé]* escape, *[sebé]* running, *[véré, gennyé]* issue, *[falon, sziklán]* sweating 2. *[forgalomé, ellenséges csapatoké]* filtering through
szivárgó [-t; *adv* -an] *a*, 1. oozing, dripping, seeping, trickling, *[tartály, hordó]* leaking, leaky, *[gáz]* escaping, *[seb]* running, *[fal, szikla]* sweating 2. *[forgalom, ellenséges csapat]* filtering through
szivárgólyuk *n*, weep-hole
szivargyűrű *n*, fancy band (on cigar)
szivarka *n*, = cigaretta
szivarkahüvely *n*, = cigarettahüvely
szivarkapapír *n*, = cigarettapapír
szivárog [-tam, .. rgott, -jon] *vi*, 1. *(ált)* ooze through, infiltrate, percolate, seep, trickle, transude, dribble, *[tartály, hordó]* leak, *[gáz]* escape, bleed, *[seb]* run, *[vér, genny]* issue, *[fal, szikla]* sweat; vér ~ a sebéből

blood is dripping from his wound, blood oozes from his wound 2. *[forgalom, ellenséges csapatok]* filter through
szivaros [-ok, -t; *adv* -an] I. *a*, 1. cigar- 2. *[dohányzást kedvelő]* fond of smoking *(ut)* II. *n*, 1. *[szivarozó személy]* cigar-smoker 2. *[trafikos] (kb)* tobacconist *(v.* cigar-vendor) (in coffee-house or restaurant)
szivarosbolt *n*, tobacconist's (shop)
szivaroz|ik [-tam, -ott, -zon, -zék] *vi*, smoke/have a cigar
szivarszipka *n*, cigar-holder
szivartárca *n*, cigar-case
szivarvágó *n*, cigar-cutter
szivárvány *n*, rainbow, *[hiányos]* sundog, *[vizesésnél]* sun/torrent-bow; kettős ~ double rainbow, *[a halványabbik]* spurious rainbow; a ~ minden színében ragyog glitter in all the colours of the rainbow, be iridescent
szivárványhal *n*, rainbow-wrasse, rainbow fish, labrus *(Melanotaenia sp.)*
szivárványhártya *n, (bonct)* iris; ~ gyöke root of the iris
szivárványhártya-gyulladás *n, (orv)* iritis
szivárványos [-at; *adv* -an] *a*, iridescent, rainbow-hued
szivárványszínek *n. pl*, colours of the rainbow; ~ben ragyog shine/glitter in all the colours of the rainbow
szivárványszínű *a*, iridescent, irisated, irised
szivarvég *n*, cigar-end, butt, stub, stump (of cigar)
szivarvéggyűjtő *n*, cigar-end collector
szivarzseb *n*, breast-pocket
szivás *n*, 1. *(műsz)* pumping (up/out), suck(ing), suction, (down-)draught, *[levegőé, gázé]* exhausting 2. *[sebé]* sucking 3. *[dohányé]* smoking, inhaling
szivasztma *n*, cardiac asthma, cardiasthma
szivattyú [-t, -ja] *n*, pump; forgódugattyús ~ rotary-pump; motoros ~ motor pump
szivattyúakna *n*, pump-well
szivattyúállomás *n*, pump(ing)-station
szivattyúberendezés *n*, pumping installation
szivattyúbőr *n*, pump-leather
szivattyúcső *n*, pump suction pipe
szivattyú-dugattyú *n*, sucker
szivattyúház *n*, pump-case/house/room
szivattyúhenger *n*, pump cylinder/barrel
szivattyúkamra *n*, pump chamber/compartment, penstock
szivattyúkar *n*, pump-handle/lever
szivattyúkezelő *n*, pump driver, pumpman
szivattyúköpű *n*, pump-barrel
szivattyúmotor *n*, pumping-engine
szivattyúmű *n*, pump (work)
szivattyúnyílás *n*, bore of pump
szivattyúramács *n*, plunger, sucker
szivattyús [-ok, -t, -a] I. *a*, provided with a pump *(ut)*, pump-, pumping; ~ kút pump-well II. *n, [készítő]* maker of pumps, *[kezelő]* pumpman, pumper
szivattyútelep *n*, pumping plant/station/installation
szivattyútest *n*, pump-barrel/body/case
szivattyúz [-tam, -ott, -zon] *vt/vi*, pump, suck
szivattyúzás *n*, pumping (up/out), suction
szívbaj *a*, heart/cardiac disease/trouble, *[túlzott dohányzástól]* tobacco-heart, smoker's heart; dekompenzált ~ congestive heart failure
szívbajos I. *a*, 1. *[beteg]* suffering from the heart *(ut)*, with a heart disease *(ut)* 2. nem ~ *(biz)* not chicken-hearted, not easily scared II. *n*, cardiac, cardiopath, heart-case
szívbántalom *n*, heart-trouble/complaint
szívbázis *n*, base of heart
szívbelhártya *n*, endocardium

szívbelhártya-gyulladás n, endocarditis

szívbéli a, heartfelt, heart-whole, of the heart *(ut)*; ~ jóság goodness/kindness of heart

szívbénulás n, heart-failure, cardiac collapse; ~ okozta halál death caused by heart-failure

szívbeteg I. a, cardiac, cardiopathic II. n, cardiac, cardiopath, heart-case

szívbetegség n, heart/cardiac disease/trouble, cardiopathy; *elfajulásos* ~ degenerative heart disease

szívbillentyű n, heart/cardiac valve

szívbillentyű-elégtelenség n, valvular insufficiency/ deficiency/defect/disease

szívbillentyű-gyulladás n, cardivalvulitis, valvulitis

szívblokk n, heart block; *egyirányú* ~ unidirectional heart block; *részleges* ~ partial heart block; *teljes* ~ complete heart block

szívburok n, pericardium

szívburokgyulladás n, pericarditis

szívburoki [-t] a, pericardial

szívcsúcs n, apex of the heart

szívderítő a, cheering, heartwarming

szívdobbanás n, heart-beat/throb

szívdobogás n, *[rendes]* heart-beat(ing), *[gyorsabb]* (heart-)throb, flutter, *(orv)* palpitation, tachycardia; *erős* ~a van suffer from palpitation; ~t kapott vmtől it made his heart leap into his mouth

szívdobogva adv, in a flutter, with beating heart

szívdöglesztő [-ek -t; adv -en] a, lady/woman killing/ smashing; ~ lovag real/regular (heart) smasher, a knock-out, a lady/woman killer

szívecském [-et, -je] n, my dearest/love, darling, sweetheart, my own one, honey *(US)*

szível [-t, -jen] vt, like, be fond of, care for; *nem* ~ dislike, cannot bear, not care for; *nem* ~ik egymást there is no(t much) love lost between them

szívelégtelenség n, cardiac failure/decomposition

szívelernyedés n, diastole

szívelhájasodás n, fatty (degeneration of the) heart, cardiomyoliposis

szívelmeszesedés n, cardiosclerosis

szívelzsírosodás n, = szívelhájasodás

szívélyes [-t; adv -en] a, hearty, cordial, obliging, warm(-hearted), affable, kind, complaisant, friendly; ~ fogadtatásban részesül be received cordially; ~ üdvözlet kind regards *(pl)*; ~ üdvözlettel *[levél végén]* yours sincerely/truly/ever, cordially/ever yours, with kind regards from; ~ üdvözletét küldi vknek send one's love to sy; add át szüleidnek ~ üdvözletemet give my love to your parents

szívélyesen adv, cordially, heartily, obligingly, kindly; ~ üdvözöl vkt offer/extend a hearty welcome/greeting to sy

szívélyesség n, cordiality, heartiness, affability, warm-heartedness, kind(li)ness, complaisance

szívér n, blood-vessel of the heart, cardiac vein

szíverősítő n, 1. *[gyógyszer]* cordial tonic, cardiac restorative 2. *[itóka]* pick-me-up, short drink; *egy kis* ~ a little drop of comfort

szíves [-et; adv -en] a, 1. *[szívélyes]* kind, amiable, courteous, obliging, gracious, civil, engaging, pleasant, cordial, accommodating, ungrudging, hearty, friendly; ~ vkhez be kind to sy; ~ hang friendly/ kind tone/voice; vknek ~ közbenjárására/segítségével through sy's good offices; köszönöm a ~ vendéglátást many thanks for the/your generous/kind hospitality 2. *[levél- és udvariassági formulákban]* ~ engedelmével by/with your kind leave/permission, *[közölve]* (reproduced) by favour/permission/courtesy of; ~ érdeklődésére in answer to your (valued) enquiry/ inquiry; ~ örömest most gladly/willingly, with the greatest pleasure; köszönöm ~ levelét thank you for your kind letter, *(ker)* thanking your favour (of the

15th); ~ megrendelésük birtokában favoured with your order; ~ sorait megkaptam I am in receipt of your favour; ~ válaszát kérve soliciting the favour of your reply; várjuk ~ válaszát awaiting your kind answer, awaiting the pleasure of your reply; legyen ~ be so kind as to, will/would you kindly..., would you mind (doing sg), would you be kind enough to..., kindly *(és felszólító mód)*; legyen ~ adja ide a könyvet hand/pass me the book(,) please; legyen olyan ~ a kenyeret ideadni would you pass me the bread(,) please?; lenne ~ becsukni az ajtót? would you mind shutting the door?; lesz ~ befáradni? will you come in?; légy ~ várj egy pillanatig! just wait a moment(,) will you?; ha volna ~ if you please/like, if you care to

szívesebben adv, rather (than), sooner (than); ~ tesz vmt *[vm más helyett]* prefer to do sg, be more inclined to do sg, feel more like doing; ~ innék teát mint kávét I would rather drink tea than coffee; ~ ülök mint állok I prefer sitting to standing

szívesen adv 1. *[szívélyesen]* pleasantly, kindly, affably, with affability, cordially, heartily 2. *[készséggel]* with pleasure, cheerfully, readily, gladly, ungrudgingly, willingly, *[„köszönöm-"re válasz]* don't mention it, not at all, the pleasure is mine, you are welcome *(US)*; ~ ad give ungrudgingly/willingly; ~ elismerem I acknowledge/admit with pleasure; ~ ideadja he is good enough to give it to us; ~ lapozgatja he likes to turn over the leaves/ pages of; a vendégeket ~ látja welcome/receive the guests with open arms, welcome/receive the guest hospitably *(v.* with great cordiality); Xné ~ látja önt vacsorára Mrs. X requests the pleasure of your company at dinner; ~ látják they give him a kind reception, ~ látott welcome; ~ otthon maradtam volna I'd have stayed at home gladly, I would fain/ willingly have stayed at home *(ref.)*; ~ meginnék egy pohár sört I wouldn't say no to a glass of beer; ~ megkísérlem I don't mind trying; ~ (meg)tesz vmt do sg willingly/gladly, do sg with pleasure, be willing to do sg, be wont to do sg; nagyon ~ with the greatest pleasure; ~ végzett munka labour of love; ~ vesz vmt be grateful to sy for sg; nem ~ unwillingly, reluctantly, grudgingly, against one's will, with (a) bad grace; nem ~ csinál/tesz vmt be loath to do sg, do sg with reluctance, grudge doing sg, dislike doing sg, jib/boggle at doing sg, be averse to doing sg; nem ~ látott *[vendég stb.]* unwelcome; nagyon nem ~ megy oda go most reluctantly/ unwillingly, be annoyed about/at having to go; épp oly ~ játszanék vele mint Pistával I would as lief play with him as with Steve

szívesked|ik [-tem, -ett, -jen, -jék] vi, be good enough to, have the kindness, be so kind as to; ~jék értesíteni kindly inform him, be so kind as to notify him; ~jék fordítani please turn over *(röv P.T.O.)*; ~jék haladéktalanul fizetni be pleased to pay at once!; ~jék a levél vivőjének átadni a választ an answer by bearer will oblige; kérem ~jék válaszolni an answer is requested

szíveslátás n, cordial/hearty/warm welcome

szívesség n, 1. *[szívélyesség]* cordiality, heartiness, affability, *[kedvesség]* kind(li)ness, obligingness, willingness, courtesy, courteousness, complaisance 2. *[szolgálat]* favour (done), kindness, service; kölcsönös ~ek reciprocal turns, exchange of friendly services; ~ből as a favour; ~et tesz vknek do sy a favour/kindness, oblige sy; tegyen nekem egy ~et please oblige me (by), would you kindly do me the favour (of), will you do me a favour; ~et kér vktől ask sy a favour, ask/solicit a favour of sy

szívességi [-t] a, ~ váltó accommodation, finance bill, kite *(fam)*

szívexcenter n, (tex) heart cam
szívfacsaró a, affecting, moving, heart-rending/gripping/ breaking, pathetic; ~ látvány sight that goes to one's heart, sight that cuts one to the heart, sight that makes one's heart ache
szívfájás n, 1. (átv) heart-ache/sore 2. (orv) heart--pain, cardialgia
szívfájdalom n, 1. = szívfájás; ideges ~ nervous heart--pain 2. (átv) heart-ache/sore/grief, anguish, pang
szívfájdító [-ak, -t; adv -an] a, tantalizing, harrowing
szívfal n, cardiac wall, cardial septum
szívfülecske n, auricular appendage, auricle
szívgödör n, infrasternal/precordial depression
szívgörcs n, heart attack, cardiac spasm, [angina pectoris] stenocardia, breast-pang (fam)
szívgyengeség n, cardiac weakness, weak heart, [halálos végű] cardiac failure
szívgyógyászat n, cardiotherapy
szívgyomrocs(ka) n, ventricle of the heart
szívgyulladás n, carditis
szívhallgató n, stethoscope, [két fülbe akasztott] binaural stethoscope
szívhang n, heart/cardiac sound
szívhangfelvétel n, phonocardiogram
szívhártya n, endocardium
szívhártyagyulladás n, endocarditis
szívidegesség n, cardiac neurosis, cardioneurosis, cardiasthenia, neurocirculatory asthenia, irritable heart (fam)
szívinfarktus n, cardiac infarction
szívizom n, heart muscle, myocardium, cardiac muscle
szívizom-elfajulás n, myocardial degeneration
szívizom-elhalás n, myocardial infarction
szívizom-gyulladás n, myocarditis
szívjóság n, benevolence, kindness of heart, kind/good--heartedness
szívkagyló n, ehető ~ (áll) cockleshell (Cardium edule)
szívkamra n, ventricle of the heart, cardiac chamber; ~ válaszfala ventricular septum
szívkoszorúér n, coronary artery
szívkoszorúér-billentyű n, coronary valve
szívkoszorúér-elégtelenség n, coronary insufficiency
szívkoszorúér-elmeszesedés n, coronary sclerosis
szívkoszorúér-elzáródás n, coronary occlusion
szívkoszorúér-megbetegedés n, coronary (artery) disease
szívkoszorúér-szűkület n, coronary stenosis
szívkoszorúér-trombózis n, coronary thrombosis
szívléc n, (éplt) leaf and spear/dart (enrichment)
szív-lélek n, heart and soul
szívmegállás n, cardiac arrest
szívmegnagyobbodás n, megalocardia
szívműködés n, action/function/activity of the heart, cardiac/heart action; ~ lassú bradycardia; rendetlen ~ irregular functioning of the heart, arrhythmia, arrhythmy; szapora ~ tachycardia
szívműtét n, operation on the heart
szívnemesség n, nobility of heart
szívnyomás n, oppression/heaviness of (the) heart
szívó [-t; adv -an] I. a, suction-, sucking, suctorial, [csak légneműt] inhaling; ~ szalmaszál drinking straw, sucker stick II. n, 1. (áll) suctorial organ, sucker 2. [készülék] aspirator
szívóakna n, pump-well
szívóalapozás n, (műv) absorbent priming
szívócsatorna n, aspiration duct
szívócső n, 1. (műsz) suction/induction/suck pipe/tube, [közlekedő edényben] siphon, (vegyt) pipette 2. (áll) suctorial organ, sucker, proboscis
szívóerő n, (biol) suction force/tension/pressure, water absorbing power, osmotic pressure
szívóféreg n, trematode (worm), fluke(-worm)
szívógáz n, suction/producer gas

szívógázmotor n, suction-gas engine
szívógép n, exhauster, aspirator
szívógyökér n, sucker, haustorium
szívóhatás n, suction effect
szívóka n, sucker
szívókar n, [polipé] tentacle
szívókás a, ~ véglények suctorians (Suctoria)
szívókészülék n, 1. (áll) suctorial organ, sucker, proboscis 2. (műsz) aspirator, exhauster
szívókorong n, 1. (áll) sucker 2. (műsz) sucking-disk
szívókotró n, hydraulic/aspirating/suction dredger
szívólyuk n, suction nozzle
szívómagasság n, suction-head/lift
szívó-nyomó a, ~ szivattyú lift-and-force pump
szívópapír n, bibulous paper
szívornya [.. át] n, siphon
szívós [-at; adv -an] a, 1. [anyag] tough, leathery, [tartós] durable, tenacious, hardy, holding fast, holdfast; ~ hús tough/leathery meat 2. (átv) stubborn, enduring, strong, stout, obstinate, persistent, pertinacious; ~ ellenállás stout resistance; ~ ellenállást fejt ki make/offer (v. put up) (a) stubborn/ stout resistance; ~ erőfeszítések pertinacious efforts; ~ ember an unyielding person, man of whipcord strength, a tough customer (fam)
szívósság n, 1. [anyagé] toughness, [tartósság] tenacity, hardihood, hardiness 2. (átv) endurance, persistence, stubbornness
szívóssági [-ak, -t] a, ~ vizsgálat toughness test
szívószelep n, inlet/admission valve
szívószerv n, sucker
szívószűrő n, suction filter
szívótárcsa n, (áll) acetabulum, sucker
szívótömlő n, (növ) haustorium
szívóütem n, suction/induction stroke
szívóventillátor n, vacuum-fan, vent fan, suction--blower/fan
szívösszehúzódás n, cardiac contraction, systole
szívpanasz n, cardiac/heart trouble
szívpitvar n, auricle (of the heart), atrium; ~ válaszfala auricular septum
szívrendellenesség n, irregularity in the functioning of the heart
szívrepesztő [-ek, -t; adv -en] a, heart-breaking/rending
szívroham n, cardiac seizure, heart attack
szívsebészet n, cardiosurgery
szívspecialista n, cardiologist
szívszaggató [-ak, -t; adv -an] a, heart-piercing/rending, harrowing, poignant
szívszakadva adv, 1. [vágyón] longingly, most anxiously, with passionate yearning 2. [kétségbeesve] desperately, heart-broken
szívszélhűdés n, heart-stroke/failure, apoplexy of the heart, cardiac seizure, cardioplegia; ~ben meghal die of an apoplexy of the heart; ~t kapott he had a heart-stroke
szívszerelme [-i, .. ét] n, (vknek) sy's (lady-)love, true love, the love of sy's heart
szívszorongva adv, anxiously, with a heavy heart, with anguish/agony
szívszorulás n, oppression of the heart, breast-pang, (orv) angina pectoris
szívtágulás n, dilatation of the heart, cardiac dilatation, (orv) hypercardia, cardiectasis
szívtájék n, cardiac region
szívtáji a, ~ fájdalom pain over heart, precordial pain, cardiodynia
szívtelen a, heartless, hard/stony-hearted, unfeeling, callous, [igével] have no heart, have an unfeeling heart, have a heart of stone; ~ apa unnatural father
szívtelenség n, heartlessness, hard-heartedness, callousness

szívtelenül *adv*, heartlessly, unfeelingly, callously
szívtépő *a*, = szívet tépő
szívtrombózis *n*, coronary thrombosis/failure
szív-tüdő *n*, ~ készítmény heart-lung preparation
szívű [-ek, -t; *adv* -en] *a*, hearted *(ui)*; gyenge/érző ~ soft-hearted; jó~ kind-hearted; kemény~ hard--hearted; szerető ~ loving hearted
szívügy *n*, 1. *[szerelmi]* love-affair 2. *[szívesen végzett munka]* labour of love, sg done for the love of the thing; ez ~em I've made a special point of (doing) it
szívüreg *n*, cavity of the heart, cardiac cavity
szívvel-lélekkel *adv*, 1. with heart and soul/hand, whole-heartedly, body and soul, with all my soul, (go at it) with a will; ~ beleveti magát throw oneself body/heart and soul into sg, go at it hard, go the whole hog *(fam)*; ~ csinál vmt do sg with zest; 2. egy ~ unanimously, with one accord
szívverés *n*, heart-beat/throb, beating/pulsation of the heart, palpitations *(pl)* of the heart; szabálytalan ~ arrhythmia, arrhythmy, irregularity of heart; elállt a ~e az ijedségtől he was frightened to death, his heart lept into his mouth, it made his heart die within him, his heart stood still *(v.* missed a beat)
szívverésíró *n*, cardiograph
szívvidító *a*, exhilarating, cheering, gladdening
szívvirág *n*, *(növ)* bleeding-heart, love-lies-(a)-bleeding *(Dicentra spectabilis)*
szívvizsgálat *n*, heart-examination
szívzavar *n*, cardiac trouble
szívzörej *n*, *(orv)* heart murmur, (endo)cardiac murmur
szkeccs [-et, -e] *n*, sketch
szkéma [.. át] *n*, scheme
szkepszis [-ek, -t, -e] *n*, scepticism, skepticism *(US)*
szkepticizmus *n*, scepticism, skepticism *(US)*
szkeptikus I. *a*, sceptical, skeptical *(US)* II. *n*, sceptic, skeptic *(US)*
szkeptikusan *adv*, sceptically; ~ szemlél/tekint vmt take a dim/poor view of sg
szkiff [-et, -je] *n*, skiff
szkíta [.. át] *a/n*, Scythian; ld még szittya
szkizofrén [-ek, -t] *a*, schizophrenic
szkizofrénia [.. át] *n*, schizophrenia, dementia praecox
szklerotikus *a*, *(biol)* sclerotic
szklerózis multiplex *(orv)* multiple (disseminated) sclerosis
szkunk(sz) [-ot, -a] *n*, *(áll)* skunk *(Mephitis sp.)*; ~ szőrme skunk
szkupcsina [.. át] *n*, Skupshtina
szláv [-ot, -ja; *adv* -ul] *a/n*, Slav(ic), Slavonian, *[nyelv]* Slav(on)ic
szlávbarát *a/n*, Slavophile
szlávgyűlölet *n*, Slavophobia
szlávgyűlölő *a/n*, Slavophobe, anti-Slav
szlavista [.. át] *n*, Slavist, Slavicist, student of Slavonic languages/history
szlavisztika *n*, study of Slavonic languages and literatures, Slavonic studies
szlavofil [-ok, -t, -ja] *a/n*, Slavophile
szlavón [-ok, -t, -ja] *a/n*, Slavonian
Szlavónia [.. át, .. ában] *prop*, Slavonia
szlavóniai [-ak, -t] *a*, Slavonian
szlávság *n*, the Slavs *(pl)*, Slavdom, Slavism
szlem [-et, -je] *n*, *(kárty)* slam; bukott~ defeated slam; kis~ little slam; nagy~ grand slam; ~et teljesít slam
szlovák [-ot, -ja; *adv* -ul] *a/n*, Slovak(ian)
Szlovákia [.. át, .. ában] *prop*, Slovakia
szlovén [-ek, -t, -je; *adv* -ül] *a/n*, Slovene, Slovenian
Szlovénia [.. át, .. ában] *prop*, Slovenia
szmirnaszőnyeg *n*, oriental carpet
szmoking [-ot, -ja] *n*, dinner jacket, tuxedo *(US)*
sznob [-ot, -ja] I. *a*, snobbish, snobbistic, snobby II. *n*, snob

sznobizmus *n*, snobbery, snobbishness, snobbism
szó [szavak, -k, szót, szava] *n*, word, *(nyelvt)* vocable, *[harangé]* sound, chime, peal, *[éneké/muzsikáé]* sound, *[lelkiismereté]* voice (of conscience), *[madáré]* singing, song, *[szavazat]* vote, voice; ~ belseji *(nyelvt)* medial; a ~ elején *(nyelvt)* initially; ~ nélkül without (saying) a word, not uttering a word, without further ado; ~ nélkül nem állhatom I cannot pass by without a word, I cannot help remarking *(v.* pointing out); ~ nélkül hagy leave unanswered/undisputed, pass over in silence, let pass without remark, not protest, raise no objection; ~ szerint word for word, to a word, literally, literatim, verbatim; ~ szerint vesz take it literally, take it at its face value; ~ szerint már nem emlékszem rá I forgot exactly how the words go; ~ szerinti literal, verbatim; ~ szerinti értelem literal sense; ~ szerinti fordítás literal/close translation, word for word translation; ~ szerinti idézet textual *(v.* word for word) quotation; a ~ végén *(nyelvt)* terminally; ~ ami ~ in truth, to tell the truth; egy ~ mint száz briefly, in short, the long and short of it is (that); miről is van ~? what is the matter?, what is it they are talking about?, what is it all about?; arról van ~ *(hogy)* the (point/matter in) question is, the thing is (that), the matter in hand is whether, the affair in question is whether; erről van ~ that's the question/point; pontosan erről van ~ that's exactly/precisely it, precisely; nem erről van ~ that is not/beside the question; arról nincs ~ there is no question/word of it, it is not on the tapis; erről ~ sem volt nothing of the kind was said/reported; ~ sincs róla *[egyáltalában nem]* not at all, nothing of the sort, there is no question of, it is out of the question, *[hogyne]* no doubt, (why) certainly!, to be sure; az amiről ~ van what we are talking about, the point under discussion; rólad van ~ it is you they are talking about, it is all about you, it concerns you; ~ van róla there is some talk of it, it is said, it is in the wind/air; lehet róla ~ I don't mind/care if I do; jósága(,) ha ugyan erről ~ lehet his goodness(,) such as it is; életünkről van ~ our lives are at stake; élet és halálról van ~ it is a case/matter/question of life and death; amikor vmlyen ügyről/dologról van ~ when sg is concerned; ügyvédi hírnevéről van ~ his reputation as a lawyer is committed; ehhez ~ fér it is questionable/contestable/debatable, it could be called in question, it is not above suspicion; ehhez ~ nem fér there is no question about it, it goes without saying; ~ esik *(vmről)* the question (of sg) crops/comes up, it is mentioned; köztünk maradjon a ~ between you and me, between ourselves; se ~ se beszéd without warning, without further ado, without a word; a ~ szoros értelmében in the strict(est) sense of the word, in the literal/full sense of the word, in a proper sense, literally/properly speaking; ~ szót követ one word leads to another; övé az utolsó ~ he has the last word; egy *(árva)* ~ sem igaz belőle there is not a word/grain of truth in it, not a (single) word (of it) is true, it is a pack of lies *(fam)*; az igazság csak üres/puszta ~ számára truth is only a name to him; ha nem Pistáról volna ~ were it not about Steve; kemény szavak hard words; szép szavak fine words; üres szavak idle words, phrase; Miklósnak is szava van benne Nick (too) has a word/say in the matter; egy szava sincs he does not say/utter a word; a lelkiismeret szava the still small voice (within), working of conscience; a nép szava the people's voice, the voice of the people; volna önhöz néhány szavam I want (to have) a word with you; szóba áll/elegyedik speak to, address, engage (sy) in conversation, enter/fall into conversation (with sy), start a conversation (with sy); ~ba sem áll he does not even

deign to speak, he would not have anything to do with; **szavakba foglal** put into words, express, formulate; **~ba hoz** mention, broach, bring up/forward, put forward, attack (a subject); **~ba kerül** (subject/topic) crops/comes up, come into question; **~ba se jöhet** it is out of the question, it is not to be thought of; **csak egy szavába kerül** he but has to say the word, it needs but a word from him; **szavába vág** cut sy short, cut in, cut into sy's words, interrupt; **szóban** in words, by word of mouth; **~ban és tettben** in word and deed; **néhány ~ban** briefly, in a word/nutshell; **~ban forog/van** be at issue, be on the tapis/carpet, be in question, be at stake; **~ban forgó** in question/hand, under discussion, at issue *(mind: ut)*; **a ~ban forgó eset** the case at issue, the case in point; **~ban forgó esetben** in this particular case; **a ~ban forgó személy** the person in question; **a szavában teljes mértékben meg lehet bízni** his word is as good as his bond; **szóból elég** enough said; **~ból ~ kerekedik** one word leads to another; **ért a ~ból** he knows what is what, knows how to take a hint, catches on at once; **kevés ~ból is ért az okos** *(közm)* a word to the wise (is sufficient); **szavaiból ítélve** ... judging by his words ...; **szóhoz jut** be able to put in one's word, get the opportunity to speak, *[nagy nehezen]* get a word in edgeways, edge in a word; **megpróbáltam ~hoz jutni** I tried to get/put in a word; **nem hagy mást ~hoz jutni** monopolize the conversation; **szaván fog** take sy at his word, pin sy (down) to his word; **száz szónak is egy a vége** in brief, in short, when all is said and done, to be brief, the long and short of it is (that); **szavának áll** be as good as one's word, keep one's promise; **szóra sem érdemes** not worth speaking of, it is not worth mentioning, it is not worth talking about, it is nothing to speak of, *[hibáról]* there is nothing to make such a fuss about, *[megköszönést elhárítva]* don't mention it, not at all!; **egy ~ra kérem** I want *(v.* may I have) a word with you; **az első ~ra** at his first word, at a word; **hallgat az okos ~ra** listen to reason, take good advice, be open to conviction; **hajlik a ~ra** be pliable/willing, listen to what one is told, allow oneself to be convinced; **nem tudom ~ra bírni** I cannot get him to speak, I cannot get a word out of him; **keserű szavakra fakadt** burst out into *(v.* gave vent to) bitter words; **szavamra!** (up)on my word/faith/conscience, honour bright *(fam)*; **szavamra mondom** take my word for it; **szavamra nem tehettem róla** I could not help it(,) honest; **vk szavára ad** listen to sy, believe sy; **szavára esküszik** swear by sy; **szavára mondja** give one's word, on one's word of honour, pledge one's word; **vknek a szavára** *[= felszólítására]* at sy's bidding; **szóról ~ra** word for word, literally, literatim, verbatim; **~ról ~ra való fordítás** literal/verbatim translation, word for word translation; **~ról szóra elmondta hogy** ... he told me in so many words that ...; **~ról ~ra veszi** take it literally, take it at its face value; **egy szót sem értek belőle** I do not understand a word of it/this, I cannot make it out, I cannot make head or tail of it, I can make nothing of it, I am at a loss to understand it; **~t emel vk mellett/érdekében** speak up for sy, speak in behalf/defence/support of sy, intercede for sy, put in a word for sy; **~t emel vm ellen** raise *(v.* lift up) one's voice against og, protest against og, object to ogı ~t fogad obey *(akinek* sy), be obedient/dutiful/biddable; **másra fordítja a ~t** change the subject; **~t kér** request leave to speak, demand the floor; **a ~ X-é** I now call upon Mr. X; **keresi a ~t** fumble for words, be short of words; **kimondja a ~t** be outspoken, make no bones about it, blurt out the word; **egy ~t se rólа!** do not breathe/say a word of/about it!,

mum's the word! *(fam)*; **~t sem érdemel** be not worth mentioning, be nothing to speak of; **egy ~t sem szól** he does not say/utter a word; **egy jó ~t szól vk érdekében** put in a (good) word for sy; **egyetlen ~t sem tudok kihúzni belőle** I cannot get a word out of him; *(egy)* **~t sem tudok az algebrából** I do not know a thing about algebra; **néhány ~t vált vkvel** exchange a few words with sy; **~t veszteget** waste words, waste one's breath; **nem sok ~t veszteget rá** make few words of it; **hogy szavamat rövidre fogjam** to cut/make a long story short; **szavamat veheti/adhatom rá** you may take my word for it; **szavát adja** give one's word for it, plight one's faith; **saját szavát sem hallja az ember** one cannot hear one's own words/voice; **szavát megszegi** go back on one's word, break one's word/parole, break faith with sy; **szavát megtartja** keep one's promise/word, be as good as one's word, abide by one's agreement; **szavát veszi vknek** make sy promise, take/accept sy's oath/vow; **szavát visszavonja** eat *(v.* take back) one's words; **szavakat ad vknek a szájába** put words into sy's mouth; **erős szavakat használ** use strong language/words; **kiveszi a szavakat vknek a szájából** take the words out of sy's mouth; **nem talál szavakat** be at a loss for words; **nem találok rá szavakat** words fail me to express ...; **kár szavakat vesztegetni rá** it is no good wasting words on it; **szóvá tesz** remark on, bring it up, mention, make mention of, broach, call attention to; **szóval** that is to say, to conclude; **~val ahogy mondtam** well(,) as I said; **győzi ~val** has the gift of the gab; **néhány ~val** in a few words, briefly, in short; **szép ~val** by fair words, by gentle persuasion; **~val kifejez** express in words, put into words; **~val tart** *(vkt)* ply sy with words, talk to sy, *[társaságot]* keep the conversation going, keep the company amused (before main event); **~val és tettel** in word and deed; **hogy Shakespeare szavával éljek** to quote Shakespeare's words; **ezekkel a szavakkal** ... with/at these words ...; **játszik a szavakkal** play/juggle with words; **szavakkal kifejezhetetlen** no words can describe ...; **~val így állunk!** so that's the time of day! *(fam)*

szo [-t, -ja] *n, (zene)* *[szolmizációs hangnév]* soh, sol

szóalak *n,* form of a word, word form

szóalkotás *n,* word-formation/building, coinage of words

szóállomány *n,* word-material

szóanyag *n,* vocabulary, stock of words; **a szótár ~a** the vocabulary of the dictionary

szóáradat *n,* torrent/flow/flood/stream/deluge of words, verbiage, tirade, *[szónokoké]* spate of speeches

szóátvétel *n,* adaptation of words

szoba [..át] *n,* room, chamber, apartment, *[kicsi]* closet, *[dolgozó]* study; **bűn a szobában lenni ilyen szép napon** it is a sin to be indoors on such a fine day; **szobán kívül van** he is swhere in the building; **szobát foglal (le)** engage/book a room; **szobát szellőztet** admit fresh air into a room, air a room

szobállat *n,* pet

szobaantenna *n,* indoor aerial/antenna, *[televíziós]* rabbit ears *(pl) (fam)*

szobaasszony *n,* chambermaid, housemaid

szobaberendezés *n,* set/suite of furniture, furniture (of a room)

szobabútor *n,* furniture for/of a room, suite (of furniture)

szobacicus *n, (biz)* (waiting-)maid, lady's maid, chambermaid, *(szính)* abigail, soubrette *(mind: stand.)*

szobácska *n,* little/small room, closet, cabin, *[padlástérben]* attic

szobadísz *n,* ornament in a room

szobafenyő *n, (növ)* araucaria, monkey-puzzle *(Araucaria sp.)*

szobafestés n, (house) painting, distempering, decoration

szobafestő n, house-painter/decorator

szobafoglalás n, booking/reservation of (hotel) room

szobafogság n. house arrest, detention, (kat) confinement to quarters, arrest in quarters, (isk) keeping in (a pupil), gating; ~ra ítél restrict/confine sy to his room; ~ra kényszerül [betegség miatt] be confined to one's room (owing to illness)

szobahőmérséklet n, room-temperature

szobai [-ak, -t; adv -lag] a, pertaining to a room (ut), of room (ut) ; ~ élet indoor life; ~ levegő close air, confined atmosphere

szobainas n, valet, man-servant

szobaklozett n, close/night-stool, night-chair

szobakonyhás a, consisting of one room and kitchen (ut) ; ~ lakás room and kitchen flat

szobaköltészet n, keepsake poetry, namby-pamby poetry

szobalány n, housemaid, parlourmaid, [szállodai] chambermaid, [hajón] stewardess; felszolgáló ~ parlour-maid

szobalétra n, step-ladder

szobalevegő n, ld szobai

szobanövény n, indoor/room plant

szobaparancsnok n, (kat) room sergeant, senior of a room, corporal in charge of the barrack-room, chief of quarters

szobapincér n, bedroom-waiter

szobarend n, [szállodai] hotel regulations (pl)

szobás a, of room (ut), -roomed (ut) ; két~ lakás a two-room(ed) flat

szobasor n, a row/range/suite/tier of rooms

szobatárs n, room-mate/partner, fellow-lodger, chamber fellow

szobatársnő n, = szobatárs

szobatiszta a, housebroken, house-trained, [macska] clean (cat), [gyerekről] toilet-proof; ~ lett clean habits were established

szobatisztaság n, [gyermeknél] clean habits; ~ra nevel housebreak

szobatorna n, indoor/parlour gymnastics

szobatudós n, cloistered/retiring type of scholar, (elit) dryasdust

szobaúr n, lodger, roomer (US), [igével] live in rooms

szobaürszék n, night-commode/stool, bedroom commode

szóbeli I. a, oral, verbal, vocal, viva voce, by word of mouth (ut) ; ~ ajánlat verbal offer; ~ hagyomány unwritten tradition; ~ ígéret promise by word of mouth, oral promise; ~ jegyzék [diplomáciában] verbal note; ~ közlés verbal message/communication; ~ megállapodás/szerződés verbal/parole agreement/contract; ~ nyilatkozat verbal declaration; ~ vallomás oral evidence; ~ vizsga oral (examination), viva (voce) (fam) II. n, = szóbeli vizsga

szóbelileg adv, orally, verbally, by word of mouth

szóbeliség n, verbality, verbalism, [eljárás] oral procedure

szóbeliz|ik [-tem, -ett, -zen, -zék] vi, pass the oral examination, do one's oral examination, viva (fam)

szóbeszéd n, talk, empty/idle talk, gossip, rumour, tittle-tattle, hearsay; ez csak olyan ~ this is mere gossip, it is all talk; puszta ~ alapján elhisz vmt take sg on hearsay; a ~ nem bizonyíték common gossip is not evidence; ~nek teszi ki magát risk talk

szobor [szobrot, szobra] n, statue, sculpture, monument, image, [kisebb] statuette, [fából] wood-carving; szobrok statuary, imagery; szobrot farag/készít sculpt; szobrot állít/emel erect/raise a statue, set up a statue; szobrot önt cast a statue

szoborcsoport n, sculptural group, group of statues/figures

szoborfülke n, niche, housing

szoborleleplezés n, unveiling of statue

szoborszép a, statuesque, as beautiful as a statue (ut)

szoborszerű a, sculpturesque, statuesque, statuelike, plastic

szobortalapzat n, base of statue, pedestal, socle

szóbő a, wordy, voluble, prolix, verbose

szóbőség n, (elit) volubility, verbosity, prolixity, lengthiness, glibness of tongue, wordiness, gift of the gab, (nem elit) richness of vocabulary, fluency/readiness of speech

szobrász [-ok, -t, -a] n, sculptor

szobrászat n, sculpture, plastic art, (art of) statuary, the sculptural arts (pl)

szobrászati [-ak, -t; adv -lag] a, sculptural, statuary

szobrászatilag adv, sculpturally

szobrászi [-ak, -t; adv -lag] a, sculptural, sculpturesque

szobrászmárvány n, statuary marble

szobrászmunka n, sculptural/carver's work, sculpture, carving, statuary

szobrászmű n, = szobrászmunka

szobrászműhely n, sculptor's studio/workshop

szobrászműterem n, = szobrászműhely

szobrászművész n, sculptor

szobrászművészet n, (art of) statuary, the sculptural arts (pl)

szobrásznő n, sculptress

szobrászsegéd n, sculptor's assistant

szobrászvéső n, sculptor's chisel

szobrocska n, statuette, figurine

szocdem [-et, -e] a/n, social democrat

szociáldemokrácia n, social democracy

szociáldemokrata I. a, social democrat; ~ párt Social Democratic Party II. n, social democrat; baloldali ~ left (wing) social democrat; jobboldali ~ right (wing) social democrat

szociálforradalmárok n. pl, Social-Revolutionaries

szociál-imperializmus n, socio-imperialism

szociális [-at; adv -an] a, social, welfare; ~ beruházások social investments; ~ érzés public-spiritedness; ~ gondoskodás social maintenance/security/welfare; ~ intézmények social welfare institutions, social service(s); ~ juttatások social allocations; ~ munka social work; ~ otthon old people's home, home for the aged, home for the destitute old, social welfare home; ~ összetétel social composition/background; ~ származás social origin

szocialista [.. át] I. a, socialist(ic); a mezőgazdaság ~ átalakulása socialist transition of agriculture; a mezőgazdaság ~ átszervezése socialist transformation of agriculture; ~ bérezés socialist wage-system; ~ építés socialist construction; ~ gazdasági rendszer socialist (system of) economy; ~ iparosítás socialist industrialization; Sz~ Kultúráért Érdemérem Medal of Merits in Socialist Culture; Sz~ Munkáért Érdemérem Medal of Merits in Socialist Work; ~ munka hőse Hero of Socialist Labour/Work; Magyar Sz~ Munkáspárt Hungarian Socialist Workers' Party; ~ munkaverseny socialist emulation, socialist work competition; ~ realizmus socialist realism; ~ szektor socialist/ collectivized sector; ~ szellemű socialist-minded; ~ tervgazdaság planned socialist economy; ~ törvényesség socialist legality; ~ tulajdon socialist property; ~ versenyszerződés socialist emulation contract; ~ világnézetű socialist-minded, of socialist outlook (ut) ; ~ világpiac socialist world market; ~ világrendszer socialist world system, world socialist system II. n, socialist

szocializál [-t, -jon] vt, socialize; ~ja a mezőgazdaságot

transform the agriculture of the country on socialist lines, collectivize agriculture

szocializálás *n*, socialization

szocializmus *n*, socialism; *tanszéki* ~ professorial socialism; *tudományos* ~ scientific socialism; *a* ~ *alapjainak építése* laying the foundations of socialism; *a* ~ *hatalmas bástyája* the powerful bastion of socialism; *a* ~ *építése* the building/construction of socialism, building up of socialism

szocializmusellenes *a*, antisocialist

szociálpolitika *n*, social politics

szociálpolitikai *a*, social political, of social politics *(ut);* ~ *bizottság* social security committee; ~ *felelős* welfare officer

szociálsovinizmus *n*, social/socio-chauvinism

szócikk *n*, dictionary/vocabulary entry, entry (in a dictionary), dictionary article

szociográfia [.. át] *n*, sociography

szociográfus *n*, sociographer

szociológia [.. át] *n*, sociology, *(áll, növ)* (o)ecology

szociológiai [-ak, -t] *a*, sociological

szociológus *n*, sociologist

szocpolos [-ok, -t, -a] *n*, = szociálpolitikai *felelős*

szócsalád *n*, *(nyelvt)* family of words

szócsata *n*, verbal sparring, bandying/battle of words, wordy warfare/battle, dispute, wrangle, logomachy

szócsavarás *n*, word-twisting/wresting, quibble, quibbling

szócsinálás *n*, word coining/coinage, making of new words

szócska *n*, small word, particle

szócsonkítás *n*, *(nyelvt)* 1. *[folyamata]* shortening contraction, word-clipping 2. *[eredménye]* shortened form, stump-word

szócsoport *n*, word-group, *[állandósult]* collocation, idiom

szócső *n*, 1. *[tölcsér]* speaking-tube/trumpet 2. *(átv)* mouth-piece, spokesman, *[újság]* organ

szóda [.. át] *n*, soda, sodium carbonate

szódabikarbóna *n*, bicarbonate of soda, cooking/baking soda, sodium bicarbonate

szódagyár *n*, alkali works, soda-works

szódagyáros *n*, soda-maker

szódagyártás *n*, soda-manufacture

szódás *a*, sodic

szódásüveg *n*, siphon (bottle)

szódavíz *n*, aerated/seltzer water, soda-water

szódavizesüveg *n*, = szódásüveg

szódavízpor *n*, gasogene powder

szódíj *n*, *[távirraté]* tariff per word, word-tariff/rate

Szodoma [.. át, .. ában] *prop*, Sodom

szodómia [.. át] *n*, sodomy, sodomia

szodomita [.. át] *n*, sodomite

szóegyeztetés *n*, concordance/agreement of words

szóeleji [-t] *a*, initial

szóelem *n*, *(nyelvt)* constituting (verbal) element, compound-forming element

szóelemzés *n*, word analysis, etymology, parsing (of word)

szóelválasztás *n*, separation of words, hyphen(iz)ation, hyphening

szóeredet *n*, derivation/origin of a word, etymology

szófa [.. át] *n*, sofa, divan, couch, settee, Chesterfield, davenport *(US)*

szófaj *n*, *(nyelvt)* form class, part of speech, kind of word, grammatical category

szófaji *a*, ~ *átcsapás (nyelvt)* grammatical conversion; ~ *jelölés* grammatical designation, part-of-speech label

szófajváltás *n*, conversion

szófaragás *n*, word coining, creation of new words

szófaragó *n*, word-coiner/maker

szófecsérlés *n*, wordiness, waste of words, verbosity, twaddle, verbiage

szófejtés *n*, etymology

szófejtő I. *a*, etymological II. *n*, etymologist

Szófia [.. át, .. ában] *prop*, Sofia, Sophia

szófiabeszéd *n*, prattle, empty talk, gossip, quibbling, twaddle

szóficam *n*, bad pun, word-twisting

szofista [.. át] I. *a*, sophistic(al) II. *n*, sophist

szofisztika *n*, sophistry

szofisztikus *a*, sophistic(al)

szofizma [.. át] *n*, sophism, *[logikai]* fallacy

szófogadás *n*, obedience

szófogadatlan [-t] *a*, disobedient, insubordinate, refractory

szófogadatlanság *n*, disobedience

szófogadó *a*, obedient, submissive, dutiful, orderly, biddable, *[állat]* docile

szófosás *n*, □ logorrhea, word spewing, *[finomkodva]* verbosity, garrulity *(mind stand.)*

szófosó *n*, □ word spewer *(stand.)*, windbag *(fam)*, chatterbox *(stand.)*

szófoszlány *n*, snatches/scraps of words *(pl)*

szóföldrajz *n*, linguistic/word geography

szófukar *a*, taciturn, laconic, reticent, sparing of words *(ut)*, silent, uncommunicative, close-mouthed, of few words *(ut)*

szófukarság *n*, taciturnity, reticence, laconi(ci)sm

szófűzés *n*, syntax, arrangement of words, construction of sentences

szófüzet *n*, vocabulary, word-book

szógyakoriság *n*, word frequency

szógyártás *n*, coinage of words

szógyök *n*, root/radical of a word

szógyűjtemény *n*, collection of words, glossary, nomenclature, vocabulary

szógyűjtés *n*, collecting of words, word-collecting

szógyűjtő *n*, word-collector, *[szótári munkában]* contributor (to a dictionary), word-catcher *(joc)*

szóhagyomány *n*, = szájhagyomány

szóhalmozás *n*, accumulation of words, pleonasm, *(elit)* verbiage, verbosity

szóhalmozó *a*, pleonastic

szóhangsúly *n*, word accent, word-stress, stress/accent on a word

szóhangulat *n*, affective shade of a word, emotional element in words

szóharc *n*, polemic, squabble, wordy battle, battle of words, noisy quarrel, wrangle

szóhasonlítás *n*, comparative study of words

szóhasználat *n*, usage, parlance, terminology, wording; *helytelen* ~ wrong use, abuse (of a word), abusage, bad usage; *ironikus* ~ ironic application (of a word); *képes* ~ figurative use (of a word); *közömbös* ~ proper *(v.* stylistically neutral) use (of a word)

szóhiba *n*, verbal mistake

szóírás *n*, lexigraphy

szóismétlés *n*, repetition of a word

szója [.. át] *n*, = szójabab

szójabab *n*, *(növ)* soy(a) bean *(Soya hispida Glycine soya)*

szójaliszt *n*, soy(a) flour

szójárás *n*, manner of speaking, mode of expression, (proverbial) phrase, catchphrase, saying, stereotyped locution; *kedvenc* ~ pet/favourite expression *(v.* turn of phrase)

szójáték *n*, pun, (verbal) quibble, play of/on words, paronomasia; ~*okat farag* make puns, pun

szójáték-faragó *n*, punster, punner

szójegyzék *n*, index/list of words, glossary, vocabulary

szójelentés *n*, meaning, signification, denotation (of word), sematology; *szokásos* ~ the usual acceptation of a word

szókapcsolat n, locution, word-group, combination (of words); *állandósult* ~ set phrase, idiomatic expression, collocation, *(eltt)* cliché

szokás n, *[erkölcsi, egyéné, megrögzött]* habit, habitude, wont, *[népi, tört]* custom, rule, *[gyakorlat]* use, usage, practice, *[mód]* course, wise, manner, fashion, *[társadalmi]* convention, *(ker)* usance; *jó* ~ a good habit; *rossz* ~ a bad habit; ~ *dolga* (it is a) matter of habit; a ~ *hatalma* the force of habit; *nem* ~ it is not customary/usual/done, it is not the habit/custom; *itt nem* ~ it is not done here; ~ *szerint* according to habit/custom, according to use and wont, as usual, as a rule, as the world goes, habitually, usually, regularly, commonly; *angol* ~ *szerint* in English fashion; *ősi* ~ *szerint* according to (the) ancient custom, as the custom has been for ages past, by long-established custom; *ez általános* ~ it is the usual practice, it is the custom of the country, as general custom will have it; *ahány ház annyi* ~ customs vary, so many countries so many customs; *ahogy* ~ as is customary; *az a* ~ *hogy* it is customary to ...; a ~ *második természetté válik* habit is second nature; *mint* ~ *mondani* as one is wont to say, as the saying/phrase goes; *az ember a* ~*ok rabja* custome/use is a second nature, man is (the) slave of/to his habits; *ez nekem* ~*om* it is a habit with me; *ez nekem nem* ~*om* I am not given that way; *az a szokása hogy* it is his habit to ..., he is accustomed to (do sg), he is in the habit of..., it is a habit with him to; ~*a szerint* as was his custom/use; ~*a szerint hatkor kelt fel* he rose at six as was his fashion; ~*ba jön* it is becoming quite the custom to; ~*ban van* it is customary, it is the custom; ~*ból* out of habit, by/from habit; *kimegy a* ~*ból* go out of fashion/practice/usage, fall/pass into disuse; ~*ához híven* according to his wont, as his manner is, as he is wont to; ~*t felvesz* assume/contract a habit, take to a habit, acquire/start the habit of, grow/get into the habit of, fall into the way of (doing sg), make one's practice to; *rossz* ~*okat vesz fel* get/glide into bad habits; *leküzd egy rossz* ~*t* overcome a bad habit; ~*t levet* fall/get out of a habit, break off a habit; *tiszteli/tiszteletben tartja a* ~*okat* be respectful of tradition; ~*tól eltér* depart from habit/custom/usage; a ~*tól eltérően* contrary to (his usual) practice/habit, at variance with the custom; ~*sá válik* it is becoming customary, come into vogue, become the custom, become the usual thing, *(vknél)* the habit grows on him, it becomes his habit, make it one's practice to; ~*ává vált* he fell into the habit (of doing sg)

szokásformák n. pl, (social) contentions

szokásjog n, customary/unwritten law, custom, *[törvényesen elismert]* common law

szokásjogi a, of customary law *(ut)*

szokásmondás n, common saying, proverb, dictum, adage

szokásos [-at; adv -an] a, usual, customary, habitual, common, ordinary, regular, wonted, ruling, stock; *általánosan* ~ (it is) in general use; *nem* ~ it is not done, *[furcsa]* it is odd (to), *[nem használatos]* not in use *(ut)*; a ~ *feltételekkel (ker)* on the usual terms; a ~ *fenntartással (ker)* with the usual reserve; a ~ *módon* as usual, in the usual/customary way, in the course of nature, in the ordinary course of things; ~ *eljárás* routine procedure; ~ *kopás* fair wear and tear

szokásszerű a, customary, usual, habitual, conventional

szokásszerűen adv, = szokás szerint; ~ *végez vmt* do sg as a regular thing, be in the *(v.* make a) habit of doing sg

szokatlan a, unusual, unaccustomed, uncommon, unwonted, out of the common/ordinary, unfamiliar, strange, peculiar, singular, odd, queer; *ebben a* ~ *időben/órában* at this unreasonable hour

szokatlanság n, unusualness, unwontedness, uncommonness, peculiarity, queerness

szokatlanul adv, unusually, less/more than usually, strangely

szókép n, figure of speech, trope, metaphor, figurative expression, word-painting/picture; ~*ek* imagery

szóképzés n, formation of words, derivation, word-formation

szóképző a, ~ *elem* word-forming affix, compound-forming element, formative element

szókészlet n, (total) vocabulary, stock of words, word-stock, lexicon, word-hoard *(obs)*

szókészleti a, lexical, lexicological

szókészlettan n, lexicology

szókezdet n, initial (letter) of word

szókezdő a, initial

szókihagyás n, ellipsis, omission of a word; ~ *jele (nyomd)* caret

szok|ik [-tam, -ott, -jon, -jék] vi, 1. *(vmhez)* get/be used (to sg), get/grow accustomed, become habituated, accustom oneself (to do sg), get into the habit of, become familiar(ized) with; *ehhez nem vagyok* ~*va* I am not used to it, I am unaccustomed to (doing/being sg); ~*va vagyok hozzá* I am used to it 2. *[szokott tenni]* is wont to, has the habit of, he will..., has a trick of ...; *vmt* ~*ott tenni* he is wont to (do sg); *mindennap el* ~*ott oda menni* he is in the way of going there every day; *erre* ~*ott jönni* makes a habit of coming this way, he generally/usually comes this way; *leveleket* ~*ott kapni* is/was in the habit of receiving letters; *későbben mint* ~*ott* later than usual; *nagyobb* ~*ott lenni* it used to be larger, it is usually larger; *a villám a legmagasabb fákba* ~*ott becsapni* lightning will strike the tallest trees; *ahogy* ~*ta tenni* as was his use/custom/fashion, as he was wont to do; *ahogy mondani* ~*ták* as is usually said, as the saying/phrase goes/is; *nyáron a hétvéget falun* ~*ták tölteni* in summertime they would spend their week-end in the country; *azelőtt bridzsezni* ~*tunk* we used to play bridge; *bridzsezni* ~*tunk* we often play bridge

szókimondás n, outspokenness, plainness/bluntness of speech, straightforwardness, plain speaking, frankness, *[őszinteség]* candour

szókimondó a, outspoken, free/plain-spoken, free-tongued, blunt in speech *(ut)*, *[ember]* not mincing his words *(ut);* ~ *asszonyság* Madame Sans-Gene; ~ *ember* plain speaker; ~ *kritikus* outspoken critic, Dutch uncle *(fam)*

szókincs n, (total) vocabulary, word-stock, stock of words, lexicon, word-hoard *(obs);* *aktív* ~ working vocabulary; *passzív* ~ recognition vocabulary; *nagy* ~*e van* have a large vocabulary

szókincsfejlesztés n, vocabulary building

szoknya [.. át] n, skirt, petticoat, *[skót férfiaké]* kilt *húzott* ~ skirt gathered all-round; *rakott* ~ pleated skirt; ~ *után futkos* be always after a petticoat; *még szoknyában jár [kisfiú]* be still unbreeched

szoknyaabroncs n, hoop

szoknyabolond n, petticoat/woman-chaser, *(kif)* he always chases the skirts, he is always after a petticoat

szoknyanadrág n, divided skirt

szoknyás [-at; adv -an] a, in petticoat, wearing a skirt *(ut)*, in/with skirt *(ut);* *rövid* ~ short-skirted

szoknyaszigetelő n, *(műsz)* petticoat

szoknyavadász n, petticoat/woman-chaser, woman/lady-killer, gay dog *(joc)*

szoknyavédő n, *[kerékpáron]* dress guard

szoknyazseb n, placket

szokott [-at; adv -an] **I.** a, **1.** (vmhez) used, accustomed, inured (to sg) **2.** [szokásos] usual, habitual, customary, regular, wonted; a ~ dolog the usual thing; ?z nála ~ dolog he is in the habit of doing it; a ~ időben at the customary/usual hour; a ~ módon in the usual way, as usual, in the course of nature, in the ordinary course of things; ~ modorában in his accustomed manner **II.** n, a ~nál korábban earlier than usual; ld még **szokik**

szókölcsönzés n, adoption/borrowing of words

szókönyv n, = szótár, szófüzet

szókötés n, arrangement of words into sentence, linking of words

szóköz n, space, interspace (between words)

szóközbillentyű n, [írógépen] space bar

szóközépi a, ~ helyzet medial position

Szókratész [-t, -e] prop, Socrates

szókratészi a, ~ módszer Socratic/maieutic mode of inquiry

szoktat vt, (vmhez) accustom, habituate, inure (to), make familiar (with), make accustomed (to), make sy grow used (to), [betör] break in

szoktatás n, breeding, inuring, hardening (to), familiarization (with), accustoming, habituation, training; éghajlathoz való ~ acclimatization, adaptation to climate; rendhez való ~ accustoming to order

szokvány n, (ker) usance, usage, custom, [mennyiségi, minőségi] standard

szokványbúza n, standard wheat

szokványméret n, standard size

szokványminőség n, standard quality

szokványos [-at; adv -an] a, **1.** customary, according to usage/custom (ut), standard, (ker) of usance (ut); ~ tára average tare **2.** ~ ficam habitual dislocation

szokványsúly n, standard weight

szól [-t, -jon] **I.** vi, **1.** speak, say, talk; nem ~ remain silent, not utter a word, keep one's mouth closed; míg nem ~ok until I give (him) the word; ez ellen nem lehet ~ni you cannot say anything against/to it, one cannot raise any objection against/to it; és így ~t az oroszlán . . . and said the lion, thus spoke the lion; ne ~j szám nem fáj fejem least said soonest mended, it is better to say nothing than to say the wrong thing, a still tongue makes a wise head **2.** (vknek, vkhez) speak (to sy), [figyelmeztetően] tell, inform, forewarn, apprise **3.** [írás vknek] be addressed (to sy), be meant (for sy); a célzás neked ~ the hint is meant for you; ez a levél neked ~ this letter is to your address; ez neked is ~ that goes for (v. applies to) you too **4.** ez ellene ~ it is/ speaks/tells against him; érdekében ~ speak/plead on/in his behalf, put in a (v. say a good) word for sy; mellette ~ speak/tell/argue in sy's favour, is favourable to sy; sok ~ amellett hogy there is much to be said for (sg); igen kevés ~ terved mellett your plan has very little to recommend it **5.** (vmről) deal (with), discuss, handle, be about, [szöveg] read, run; miről ~? what is it all about?; ez a könyv madarakról ~ this book deals with (v. is on/about) birds; a történet egy fiatal lányról ~ it is the story of a young girl; a szöveg így ~ the text reads/runs thus, the text is worded as follows, so the story runs **6.** [készülék, trombita] sound, [csengő, harang] ring, **poal**, [orgona] peal; ~ az ajtócsengő there is a ring at the door, there is the bell ringing; a telefon ~ the telephone rings (v. is ringing); a rádió ~t the wireless was (turned) on; nem ~ [rádió, csengő] it does not work, it is out of order **7.** [érvényes] be valid, be (good) for; a meghívó két személyre ~ the invitation is for two persons **8.** ~va speaking of; őszintén ~va

candidly/frankly speaking, to say/tell the truth, to put it bluntly; nem is ~va to say nothing of, not to mention, not to speak about, let alone **II.** vt, [csak ezekben a kapcsolatokban] mit ~sz ehhez/hozzá? what do you say to it?, how did it strike/hit you, how about that? (US); mit ~nál egy pohár italhoz? what do you say to a drink?; ~j hozzá egy jó szót say a good word to him, say sg nice to him; ~jon már vmt say something; nem ~ egy szót sem he says nothing, he does not say/ utter a word; egy szót sem ~t he did not say/utter a word, he didn't half say a word (fam); egész este nem ~t egy szót sem he remained speechless the whole evening

szólal [-t, -jon] vi, speak, say (sg)

szólam [-ot, -a] n, **1.** [frázis] (stock) phrase, catchword; üres ~ok empty slogans/words; nagyhangú ~ok flowery/pretentious language, big/highfalutin words, bombastic speech **2.** (zene) voice, part; felső ~ treble; több ~ban énekel sing in parts

szólaméneklés n, part-singing

szólamú [-ak, -t; adv -an] a, of . . . voices (ut), -part; több ~ ének part-song

szólamvezető n, leader

szólás n, **1.** [beszéd] speech, speaking, delivery, diction; szabad ~ free speech; ~ra emelkedett he rose to speak, he took the floor (US); ~ra jelentkezik request leave to speak, try to catch the Speaker's eye (GB); ~ra bír elicit an answer (from sy) **2.** (nyelvt) stock phrase, idiomatic expression/phrase, idiom, locution

szólásforma n, phrase, style/form of speech, manner of speaking, parlance, diction

szólásgyűjtemény n, phrase-book, phraseology, collection/thesaurus of phrases and idioms

szóláshasonlat n, stock/intensifying/traditional simile, dead metaphor, comparison which has become a cliché

szólásmód n, = szólás 2.

szólásmondás n, = szokásmondás

szólásszabadság n, freedom of speech, freedom to speak

szoldateszka n, **1.** [uralom] stern military oppression (of civilians) **2.** (licentious) soldiery, military rabble

szolfatára [.. át] n, (geol) sulphur-spring

szolfézs [-t, -a] n, tonic sol-fa, solmization, solfeggio, solfege

szolfézstáblázat n, modulator

szolga [.. át] n, **1.** servant, serving-man, attendant, domestic, [inas] valet; nem vagyok senki szolgája I am nobody's slave/drudge **2.** maradtam alázatos/ legalázatosabb szolgája [levél befejezéseként] I am/ remain your most obedient servant

szolgabíró n, (kb) sheriff, ⟨magistrate of a Hungarian administrative district, district administrator (in Hungary before 1945⟩

szolgabírói a, of a district administrator (ut)

szolgafa n, [tűzhelynél] pot-hanger, [asztalosé] trestle

szolgahad n, man-servants, flunkeys, menials, domestics (mind: pl), varletry

szolgai [-ak, -t; adv -lag] a, servile, obsequious, slavish, subservient; ~ hűség [fordításban] servile (accuracy of) translation, close adherence to the original; ~ munka menial work/task; ~ utánzat slavish/servile imitation

szolgaság n, servility, cringing, slavishness

szolgál [-t, -jon] vt/vi, **1.** (vnől, vknél) serve, be in service, be in attendance on, (vkt, vmt) serve; hadseregben ~ serve in the army, do one's military service, see service; haditengerészetben ~ serve at sea, serve in the navy; két úrnak ~ni serve two masters **2.** hogy ~ az egészsége? how are you?; jól ~ neki a szerencse he has a streak of luck **3.** (vmvel) serve (with), supply (sy with), be of service (with), do (sg for sy), provide (sy with sg); *mivel ~hatok?* what can I do for you?, what can I offer/show you, may I help you *(US), [vendéglőben]* what will it be?, what will you have?, what can I serve you?, *[kevésbé udvariasan]* what's yours?; *~hatok még valamivel?* anything else (Madam/Sir)?; *azzal nem ~hatok* I am sorry but we don't keep *(v.* we haven't got) it in stock **4.** *(vmül)* serve as, *(vmre)* serve (for), be used/useful for; *tanulságul ~* serve as a *(v.* let sg be) a lesson/warning; *ürügyül ~* serve as a pretext; *mire ~?* what purpose does it serve?, what is the good/use of it?, what is it for?; *javára ~* it is to his advantage; *örömére ~* it gives him pleasure, it is a great pleasure to him to, he is delighted to, have pleasure in, be pleased to, be able to; *ez nem ~ja célunkat* this does not further our object **5.** *az ablak az utcára ~* the window looks/gives (up)on the street **6.** *[kutya]* sit up and beg; *~j!* beg†

szolgálat *n,* service, duty, office, function, employment, *[állás]* post, situation, job, *[vallási értelemben]* service; *tényleges katonai ~* active service, service with the colours; *megtett ~ok* services rendered; *sokéves ~a van* have seen long service, have many years' service, have served long years; *~a teljesítésében* in the execution of one's duty; **szolgálatba** *lép* go/enter into service, go out to service, enter the service, enter upon *(v.* take up) one's duties; *~ba lépés* entering (into) service, entrance into office, taking up post, *(kat)* joining (up); *~ba helyez (vmt)* put into operation/service; *vk ~ába áll* take service with, enter sy's service; *~ába fogad* take into one's service, employ; **szolgálatban** *van [háztartási alkalmazott]* be in service, *(vknél)* be in sy's service, *[ügyeletes]* be on duty; *nincs ~ban* be off duty; *~ban eltöltött idő* time of service, years of service *(pl),* term of office; *vk ~ában áll* be in sy's service, *(élit)* be in the pay of sy; **szolgálatból** *kilép* quit/leave the service, leave/vacate office, give up, retire; **szolgálaton** *kívül* off duty, *(kat)* retired, cashiered, placed on half-pay; *~on kívül helyez (vkt)* pension off, suspend from office, retire, dismiss (officer) from the service, cashier, *[hajót]* lay up, put out of commission; *~on kívüli (vk)* retired from service, *(vm)* out of service, unfit for service, *[hajó]* disabled; *~on kívüli viszony* inactive status; *katonai* **szolgálatra** *alkalmas* fit for service/duty, able-bodied; *~ra jelentkezett* reported for service; *~ra kész* obliging, complaisant, accommodating; *~ára!* at your service; *~ára áll* is at his service; *miben lehetek ~ára?* what can I do for you?, can I do anything for you?; **szolgálatot** *teljesít* serve (as), officiate, act in an official capacity, be on service/duty, *(kat)* see service; *titkári ~ot teljesít* discharge the office/duties of secretary; *ellátja a ~ot* perform/fulfil/discharge one's duty, carry out one's duty; *jól ellátja a ~ot* acquit oneself well of/at one's duty; *a gép felmondja a ~ot* the machine breaks down; *a gép felmondta a ~ot* the machine is out of service; *a motor felmondta a ~ot* the engine stalled, it's gone phut *(fam);* *tengerészetnél teljesít ~ot* serve *(v.* see service) in the navy; *~ot teljesítő* on duty *(ut);* *~ot tesz* render service; *~ot tesz vknek* do/render sy a service; *rossz ~ot tesz vknek* do sy a disservice, do sy a bad turn/office; *vk ~át igénybeveszi* avail oneself *(v.* make use) of sy's services

szolgálati *[-ak, -t; adv -lag]* a, pertaining to service *(ut),* of service *(ut),* official, service; *~ ág* department/ branch/section of service; *~ beosztás* place of service, function; *~ bizonyítvány* record of service, testimonial, certificate, character; *~ egyenruha·* (service) uniform; *~ érdemek* merits, deserts; *~ eskü* oath of office; *~ év/idő* term of office, *(kat)* years of service *(pl),* time of service; *~ évek száma szerint* by seniority; *~ fegyver* service rifle; *~ hely [diplomáciában]* post; *~ jelvény* insignia *(pl),* badge; *~ katalógus [könyvtárban]* main catalogue; *betűrendes ~ katalógus [könyvtárban]* main author catalogue; *~ kor* seniority, years in service *(pl);* *~ lakás* official quarters *(pl),* official residence; *~ öltözék* uniform, *[szolgáé, lakájé, sofőré]* livery; *~ revolver* service /regulation revolver; *~ szabályzat* regulations/rules of military service *(pl),* service regulation/statute; *~ szakasz (vasút)* service compartment; *~ szerződés* contract of service, contract of (hiring and) service; *~ út [utazás]* official journey, trip on duty, tour of inspection, *[ügyintézés]* official way; *betartja a ~ utat* observe *(v.* keep to) the official way; *~ úton [ügyintézés]* through the official channels; *~ útlevél* service/duty/official passport; *~ viszony* service relations

szolgálatképes *a,* fit for service *(ut),* able-bodied, *[jármű]* serviceable, *[hajó]* sea-worthy
szolgálatképtelen *a,* disabled, unfit for service *(ut)*
szolgálatképtelenség *n,* unfitness for service, disability
szolgálatkész *a,* willing to help *(ut),* eager, obliging, complaisant, compliant, accommodating, *[túlzottan]* officious
szolgálatkészség *n,* obligingness, willingness to help, complaisance, compliance, *[túlzott]* officiousness
szolgálatmentes *a,* off duty *(ut)*
szolgálatos *[-ak, -t; adv -an]* a, in service/charge *(ut),* on duty *(ut);* *a ~ százados* captain in charge
szolgálattétel *n,* service, duty
szolgálattevő *[-t, -je]* I. *a,* doing/rendering service *(ut);* *~ kamarás* lord/gentleman in waiting II. *n,* sy on duty, sy in service, *[tiszt]* orderly officer
szolgálatvezető *n, (kat) [őrmester]* sergeant (in mounted arms)
szolgalegény *n,* man-servant, *[istállóban]* farmhand, menial
szolgalélek *n,* servile soul, cringing fellow, flunkey
szolgalelkű *a,* servile, fawning, grovelling
szolgalelkűség *n,* servility, servilism, abjectness, flunkeyism
szolgálmány *n,* † provision, presentation
szolgalmi *[-t]* a, *~ jog* easement, servitude
szolgáló *[-t, -ja]* I. *n, [leány]* maid(servant), domestic, servant-girl/maid, help *(US)* II. *a,* serving
szolgálóleány *n,* = szolgáló I.
szolgalom *[.. lmat, .. lma]* *n, (jog)* servitude, burden, *[ablak]* ancient lights, *[út]* right-of-way, easement, way-leave; *~ alapján* on sufferance; *személyes ~* personal servitude, easement in gross; *telki/ingatlan ~* real servitude, easement appurtenant; *tevőleges ~* affirmative easement
szolgáltat *vt,* **1.** *[juttat]* supply, furnish, provide, administer, dispense; *adatokat ~* furnish data; *áramot ~* supply current **2.** *[eredményt]* bring, yield, offer, produce **3.** *[okot]* give; *igazságot ~ (ált)* dispense/ administer justice, *[jóvátesz]* do sy justice, right sy **4.** *a zenét az Armstrong együttes ~ta* music was supplied by the Armstrong band
szolgáltatás *n,* **1.** *[juttatás]* supply, presentation, furnishing, provision, *[villany, gáz, SzTK]* service; *melegvíz ~* hot water supply; *megtett ~ok* services rendered **2.** *(jog)* delivery, performance; *egyidejű ~* contemporaneous performance; *természetbeni ~* payment in kind; *visszatérő ~* periodical payments *(pl),* successive delivery; *~ helye* place of performance/delivery; *~ ideje* time of delivery; *~ra felhívás* demand for delivery (of property); *~sal teljesíti szerződéses kötelmét* discharge the obligations under a contract by performance

szolgáltató [-t] *a*, ~ *ipurok* services; ~ *vállalat* servicing enterprise

szolgamunka *n*, menial/servant's work, drudgery, slavery

szolganép *n*, *[nemzet]* a people of serfs, *[népség]* varletry, flunkeys *(pl)*, flunkeydom, (host of) servants

szolgaság *n*, servitude, servility, bondage, slavery, thraldom, subjection, subjugation; ~*ba dönt [népet]* subjugate; ~*ra jut* become a slave, fall into servitude be subjected/subdued

szolgasor *n*, servitude; ~*ba jut* fall into servitude, become a servant

szolgaszemélyzet *n*, staff/retinue of servants, household personnel, dependants *(pl)*

szolid [-at] *adv* -an] *a*, 1. *[épület]* solid, massive, strong, secure 2. *[személy]* serious(-minded), steady, sober, staid, sedate, settled; ~ *élet* a settled life; ~ *tudás* sound knowledge 3. *[ker vállalkozás]* reliable, trustworthy, solvent, sound, well established 4. *[színek, minta stb.]* classic, conservative

szolidáris [-ok, -t; *adv* -an] *a*, solidary; ~ *vkvel* be at one with sy, declare one's solidarity with sy

szolidaritás *n*, solidarity, loyalty, community of interests; ~*t vállal vkvel* declare one's solidarity with sy, identify oneself with sg

szolidaritási [-t] *a*, ~ *sztrájk* sympathy strike

szolidarizmus *n*, solidarism

szolidság *n*, 1. *[épületé]* solidity, strength 2. *[emberé]* seriousness, sedateness 3. *(ker)* standing, respectability, solvency, probity, integrity 4. *[ruháé]* decency

Szolimán [-t, -ja] *prop*, Suleyman, Solyman; *Nagy ~* Suleyman the Magnificent

szólista [.. át] *n*, soloist, solist

szólít [-ani, -ott, -son] *vt*, 1. call, call upon/on, address, summon; *fegyverbe ~ (vkt)* call to the colours, call up, *[őrséget]* call out (the guard); *távozásra ~ vkt* he calls upon sy to leave; *magához ~otta az Úr* he was summoned (away) by the Lord 2. *vmnek ~ vkt* address sy as, give sy the title of, call sy sg; *minek ~sam?* what should I call him?, how should I address him?; *nevén ~ja* call sy by his name; *barátai Jacknek szólítják* he is known to his friends as Jack

szólítás *n*, call(ing), summons, address

szóliter [-ek, -t, -je] *n*, solitaire, (ring set with a) single diamond

szolmizációs [-at] *a*, ~ *hangnevek (zene)* sol-fa letters

szolmizál [-t, -jon] *vi/vt*, *(zene)* solmizate, exercise solfeggio, sol-fa

szolmizálás *n*, *(zene)* solmization, solfeggio, sol-fa

Szolnok [-ot, -on, -ra] *prop*, Szolnok (town in Central Hungary)

szóló¹ [-t, -ja] I. *a*, 1. valid; *névre ~ meghívó* a personal *(v.* not transferable) invitation; *örök időkre ~* everlasting, eternal; *-ról ~ könyv* book on ... 2. *bemutatóra ~* payable to bearer *(ut)*; *névre ~ csekk* (cheque) payable to order; *névre ~ részvény* registered/personal share; *rendeletre ~ váltó* bill to order II. *n*, speaker; *az előtte ~ megjegyzése* the remark of the preceding speaker

szóló² [-t, -ja] *n*, 1. *(zene stb.)* solo; ~*t énekel* sing solo 2. *(kárty)* single; ~ *király* ungarded king

szólóénekes *n*, soloist

szólóest *n*, recital (of a single person)

szólogat *vt*, call continually, keep on calling

szólóhangverseny *n*, recital (of a single performer)

szólójáték *n*, solo

szólójátékos *n*, soloist

szólórák *n*, fresh water crayfish of the best quality

szólóspárga *n*, asparagus of the best quality

szólótáncos *n*, solo dancer, soloist

szólva *adv*, = szól

szómagyarázat *n*, explanation of word, gloss, *[történeti]* etymology

szómagyarázó *n*, glossator, glossist, glossarist

szómagyarítás *n*, *(kb)* replacement of a foreign word/ term by a native Hungarian/Magyar one

szomáli [-ak, -t] *a*, Somali

Szomália [.. át, .. ában] *prop*, Somali(land)

szómalom *n*, word-spewer

szomatikus *a*, *(orv)* somatic(al), somatologic(al)

szomatológia [.. át] *n*, *(orv)* somatology

szombat [-ot, -ja] *n*, Saturday, *[zsidó]* Sabbath; ~*on* on Saturday; *minden ~on* on Saturdays, every Saturday; ~*on este* Saturday evening/night; *múlt ~on* last Saturday; *minden ~on* on Saturdays, every Saturday; ~*ra* by Saturday

Szombathely [-t, -en, -re] *prop*, Szombathely (town in Western Hungary)

szombati [-ak, -t] *a*, of Saturday *(ut)*, Saturday's; *a ~ nap folyamán* in the course of Saturday, on Saturday; *egy ~ napon* on a Saturday; *a múlt ~ hangverseny* the concert of last Saturday, last Saturday's concert

szombatonként *adv*, every Saturday, on Saturdays

szombatos [-ok, -t] *a/n*, *(vall)* Sabbatarian, sabbatical

szombatosság *n*, *(vall)* Sabbatarianism

szómegvonás *n*, silencing (speaker)

szomj [-at, -a] *n*, thirst; ~*át oltja* slake/quench one's thirst

szomjan *adv*, of/with thirst; ~ *hal* die of/with thirst; ~ *pusztul* perish by/with thirst

szomjas [-ak, -t; *adv* -an] *a* 1. thirsty, thirsting, *(kif)* be/feel dry *(fam)*; ~ *föld* parched/dry land 2. *(vmre)* *[igével]* thirst (for), be eager/thirsting (for), be athirst/thirsty (for/after)

szomjazás *n*, thirst

szomjaz|ik [-tam, -ott, -zon, -zék] *vt/vi*, 1. thirst *(amire* after), be thirsty, parch, be dry *(fam)*, be athirst *(ref.)* 2. *(átv vmre)* long (for), crave (for), be eager (for); *dicsőségre ~ik (v.* be eager) for glory, hanker after glory, long *(v.* have a craving) for glory; *bosszút ~ik* he is thirsting for revenge, he thirsts/ yearns for vengeance

szomjú [*adv* szomjan *v.* -n] *a*, = szomjas

szomjúhoz|ik [-tam, -ott, -zon, -zék] *vi/vt*, = szomjazik

szomjúság *n*, thirst(iness); ~ *gyötri* be very thirsty, suffer from thirst

szomjúságérzés *n*, (feeling of) thirst

szomnambulizmus *n*, somnambulism

szomorít [-ani, -ott, -son] *vt*, sadden, afflict, distress

szomorkás *a*, saddish, gloomy, melancholy, hippish *(fam)*, dumpish *(fam)*

szomorkod|ik [-tam, -ott, -jon, -jék] *vi*, *(vmn)* grive (at sg), be sad, (feel) sorrow (for)

szomorú [-ak, -t] *adv* -an] *a*, sad, woeful, sorrowful, doleful, disconsolate, down-hearted; ~ *vmért*, ~ *vm miatt* be sad about/over sg, be sorry/grieved to (hear sg); ~ *aktus* sad act/ceremony; ~ *állapotban van (vk)* be in a sorry/sad plight, *(vm)* be in a pitiable condition; ~ *arc* sad/melancholy face, gloomy/rueful countenance; ~ *dal* plaintive song; ~ *élet* joyless/ cheerless/mirthless life; ~ *esemény* tragical/lamentable event; ~ *hír* saddening/mournful/melancholy news; ~ *látvány* sorry/miserable/dismal sight; ~ *sors* sad fate, unhappy lot; ~ *táj* dreary landscape

szomorúan *adv*, sorrowfully, sadly, woefully,dolefully, tragically; ~ *tapasztal vmt* have the sad experience (of), be sorry to see sg

szomorúfűz *n*, *(növ)* weeping willow *(Salix babylonica)*

szomorújáték *n*, tragedy

szomorúság *n*, sadness, sorrow, dolefulness, grief, woe, woebegoneness, melancholy, gloom, affliction, dreariness, heartbreak, disconsolateness

szomszéd [-ot, -ja] I. *a*, neighbouring, next(-door), adjoining, close/near by, adjacent, *(ritk)* conterminous; *a ~ ház* the next house II. *n*, 1. *(vk)* neighbour; *a ~ok* the people next door 2. = szomszédság; *nem megy a ~ba vmért* he is not at a loss for sg; *a ~ban* next door; *a ~ban lakik* live next door

szomszédasszony *n*, neighbour

szomszédi [-ak, -t; *adv* -an] *a*, neighbourly; *ld még* jószomszédi

szomszédnép *n*, neighbouring nation/people

szomszédol [-t, -jon] *vi*, visit *(v.* call on) one's neighbour(s)

szomszédos [-at; *adv* -an] *a, (vmvel)* neighbouring, next-door (to), adjacent (to), adjoining, close/near by, contiguous (with), abutting (on); *hazánkkal ~* it borders on our country; *két ház ~ egymással* the two houses adjoin; *szobája ~ az enyémmel* her room is next to mine

szomszédság *n*, neighbourhood, vicinity, *[tágabb]* surroundings *(pl), [közelség]* proximity, nearness, closeness; *rossz ~ török átok (kb)* bad neighbours are a curse; *~unkban* in our neighbourhood/vicinity; *közvetlen ~ában lakik vknek* live next door to sy

szómutató *n*, index of words, word index, alphabetical list/table/index

szonáta [.. át] *n*, sonata

szonatina [.. át] *n*, short sonata, sonatina

szonda [..át] *n*, 1. bougie, (surgeon's) probe, sound, searcher, *[toroknak]* probang 2. *(hajó)* fathom line

szondál [-t, -jon] *vt*, = szondáz

szondáz [-tam, -ott, -zon] *vt*, 1. sound, probe into 2. *(hajó)* fathom

szondázás *n*, 1. probe 2. *[magaslégkörkutatás]* sounding, sounding ascent

szondázó [-t, -ja] *n*, prober

szondíroz [-tam, -ott, -zon] *vt*, = szondáz 1.

szonett [-et, -je] *n*, sonnet

szonettíró *n*, sonnet-writer

szonettköltő *n*, sonnetteer

szonikus *a, (fiz)* sonic

szónok [-ot, -a] *n*, speaker, orator, rhetor, *(elit)* soap-box orator, spouter, speechifier, tub-thumper; *egyházi ~* preacher; *kiváló ~* eloquent speaker; *született ~* be naturally eloquent; *~ot lepisszeg/lehurrog* groan down a speaker, boo a speaker, greet a speaker with boos and hisses

szónoki [-ak, -t; *adv* -lag] *a*, oratori(c)al, rhetorical; *~ beszéd* oration, public speech, *[műfaj]* eloquence; *~ emelvény* (speaker's) platform, hustings *(pl)*, rostrum *(ref.); ~ figura* rhetorical figure; *~ fogás* rhetorical trick/device; *~ hatás* rhetorical/oratorial effect; *~ kérdés* rhetorical question; *~ készség* gift of speech, eloquence, oratorical gift/power; *~ lendület* oratorical verve, flight of oratory; *~ remekmű* a masterpiece of eloquence; *~ stílus* rhetorical/oratorical style

szónokias [-at; *adv* -an] *a*, oratorical, rhetorical, *(elit)* ranting, declamatory, grandiloquent, bombastic, turgid

szónokiasság *n*, *(elit)* grandiloquence, rant, bombast, rhetoric

szónoklás *n*, speech-making, oratory, eloquence, public speaking, rhetoric

szónoklat *n*, speech, oration, address, *[rövid]* allocution, *[egyházi]* sermon, *(elit)* harangue

szónoklattan *n*, rhetoric, oratory

szónokol [-t, -jon] *vi/vt*, speak in public, make/deliver a speech, hold a discourse, give an address, *(vmről)* hold forth (on), discourse (on), declaim (on), *[hevesen]* harangue, perorate, *(elit)* speechify; *mit ~sz?* what are you spouting/preaching about?, what are you holding forth about?

szonométer *n, (fiz)* sonometer

szóösszetétel *n*, 1. *[szó]* compound (word) 2. *[folyamat]* compounding, word-composition

szóözön *n*, torrent of words, flood of talk/words

szop [-tam, -ott, -jon] *vt/vi*, = szopik; *az ujját ~ja* suck one's finger

szópár *n*, doublets *(pl)*

szopás *n*, suck(ing), suckling

szopik [-tam, -ott, -jon, -jék] *vt/vi*, (take a) suck, *[csecsemő]* suck

szopó [-t, -ja] *a*, sucking, suckling

szopogat *vt*, suck at (sg), keep sucking, suck away at

szopogatás *n*, sucking

szopóka *n*, 1. tip, mouthpiece, 2. *[csecsemőknek üvegre]* nipple

szopókás *a*, tipped

szopornyica [.. át] *n*, (dog-)distemper

szopós [-ok, -t; *adv* -an] *a, ~ borjú* sucking calf; *~ gyerek* nursling, baby at the breast, suckling, sucking babe/child; *~ malac* sucking-pig

szoprán [-ok, -t] *n*, soprano, treble; *~ hang* treble voice; *~ énekesnő* soprano, sopranist; *~ szólam* treble

szopránkulcs *n*, soprano clef, C clef

szoptat *vt/vi*, give suck (to), suckle, nurse, (breast-)-feed; *gyereket ~* suckle/nurse a child, have a child on the breast

szoptatás *n*, suckling, giving suck, nursing, breasting, breast-feeding, feeding a baby (at the breast), *(orv)* lactation

szoptatási [-t; *adv* -lag] *a*, suckling, nursing; *~ idő* suckling time, lactation period; *~ segély* attendance allowance

szoptató [-t] *a, a csecsemőjét ~ anya* mother nursing her child, mother with a child on her breast, mother breast-feeding her child

szoptatós [-ok, -t; *adv* -an] *a*, suckling, nursing; *~ anya* nursing mother; *~ dajka* wet nurse; *~ üveg* feeding bottle, feeder

szór [-t, -jon] I. *vt*, 1. sprinkle, strew, scatter, spread, shed, diffuse, pour out, send forth; *cukrot ~* dust (a cake) with sugar; *homokot ~* sprinkle (the floor) with sand; *sót ~* sprinkle with salt; *virágot ~ elébe* strew flowers before sy 2. *~ja a pénzt* squander money, burn one's money, throw money (ab)out, spend money recklessly, be free with one's money; *átkot ~ vkre* call down curses (from heaven) upon sy; *rágalmakat ~ vkre* cast aspersions at sy; *villámokat ~ a szeme* look daggers (at sy) II. *vi*, *[lőfegyver]* scatter (the shot), spread

szóragozás *n*, declension, (case in)flexion

szórakozás *n*, entertainment, amusement, diversion, recreation, pastime; *~ból...* for/in fun, as a relaxation...; *~ra áhítozik/éhes* be starving for amusement; *~t keres (a) könyvekben/olvasmányaiban* seek relaxation in books; *jó ~t!* have a good time

szórakozási [-t] *a, ~ lehetőségek* entertainment facilities

szórakozik [-tam, -ott, -zon, -zék] *vi*, enjoy/amuse oneself, have fun, have a good time, take one's pleasure; *~ni vágyó* pleasure-seeking

szórakozóhely *n*, place of amusement, pleasure-ground; *táncos ~* amusement place with dancing

szórakozott [-at; *adv* -an] *a*, absent-minded, abstracted, wool-gathering *(fam)*

szórakozottság *n*, absent-mindedness, absence of mind, abstraction (of mind), wool-gathering; *pillanatnyi ~ában* in a moment of abstraction

szórakoztat *vt*, amuse, entertain, divert; *~ja a társaságot* entertain the company; *közben ~tam a vendégeket* meanwhile I made conversation with the guests

szórakoztatás *n*, amusement, entertainment, entertaining

szórakoztató [-t, -ja; adv -an] I. a, amusing, entertaining, diverting, recreative; ~ olvasmány light reading; ~ zene light music II. n, entertainer

szórás n, 1. spread(ing), scattering, dispersion, dissemination, dissipation, [behintés] sprinkling, dusting 2. [lövészet] dispersion (of projectiles), [söretes puskáé] killing circle, (növ) standard deviation

szórásdiagramm n, scatter diagram

szórási [-t] a, ~ képesség dispersive capacity/power; ~ övezet (kat) dispersion area/zone

szóráskúp n, [ballisztikai] cone of dispersion/fire

szórásnégyzet-elemzés n, variance analysis

szordinó [-t, -ja] n, sordine, sordino, mute; ~val with the mute on, with muted strings

szórejtvény n, charade, riddle, conundrum

szórend n, order of words, word order

szórendi [-ek, -t; adv lag] a, pertaining to the order of words (ut); ~ szabály rule of word order

szorgalmas [-at; adv -an] a, [tanulmányokban] diligent, studious, [munkában] industrious, hard-working, assiduous, sedulous, laborious, painstaking

szorgalmasan adv, diligently, studiously, assiduously; ~ tanul study/learn diligently, work hard

szorgalmasság n, diligence, industry, studiousness, zeal

szorgalmatoskod|ik [-tam, -ott, -jon, -jék] vi, apply/set oneself to sg, be active, busy oneself, show diligence/zeal (in doing sg)

szorgalmaz [-tam, -ott, -zon] vt, urge on, press, hasten (work), insist, push, keep an eye on; eladást ~ push the sale

szorgalmi [-ak, -t; adv lag] a, ~ feladat voluntary task; ~ idő term time (in school)

szorgalom [..lmat, ..lma] n, diligence, industry, zeal, assiduity, application, continued effort, sedulity; ~ hiánya lack/want of diligence/zeal, inapplication

szorgos [-at; adv -an] a, [ember] hard-working, industrious, sedulous, busy; ~ kutatás thorough/painstaking search; ~ munka zealous work

szorgoskodás n, activity, diligence, efforts (pl), zeal

szorgoskod|ik [-tam, -ott, -jon, -jék] vi, be busy, busy oneself, bustle, be active

-szori [-ak, -t; adv -an] a, (of) ... times (ut), ... times repeated (ut)

szorít [-ani, -ott, -son] I. vt, 1. [nyomva] (com)press, [kézben] grasp, grip, clutch, hold, keep tight hold of, [karjába] clasp; keblére ~ embrace, clasp in one's arms, hug, strain to oneself; kezet ~ vkvel shake hands with sy, squeeze/clasp sy's hands, give sy a squeeze/handshake; ökölbe ~ja a kezét clench/double one's fist; pisztolyt ~ vk homlokához hold a pistol to sy's head; ~ja a szívét (átv) it wrings one's heart 2. [cselekvésre, munkára] urge (on), drive, force, compel, constrain, [siettet] hurry, push, (vkt vhová) drive (to/against); vkt ~ hogy fizessen push sy for payment 3. helyet ~ vknek make room for sy, find place/space for sy; korlátok közé ~ set bounds/limits to, keep within bounds, restrict, [érzést] check, curb, restrain II. vi, [cipő] pinch, hurt, [ruha] be tight, [szűk gallér] strangle; tudja hol ~ a csizma know where the shoe pinches

szorítás n, [nyomva] pressure, [kézben] grip, grasp, clutch, clamp, squeeze

szorítkoz|ik [-tam, -ott, -zon, -zék] vi, (vmre) be confined/limited/restricted to, restrict/confine/limit oneself (to), content oneself (with), [kényszerből] fall back upon; csak arra ~hatunk hogy we must be content with (doing sg)

szorító [-t, -ja; adv -an] I. a, pressing, gripping, clamping, compressing, squeezing II. n, 1. (műsz) vice, grip, clamp, cramp, clip, brace 2. (sp) boxing ring, [profi ökölvívóké] prize-ring

szorítóbilincs n, (műsz) strain clamp

szorítócsavar n, (műsz) nut, binding/clamp(ing)/fixing screw, clamper, hold-down screw, [anyás] holding-down bolt, pressure/clamping bolt

szorítóék n, (műsz) wedge, tightening-key

szorítófogó n, pincers (pl), tongs (pl), hand-vice, grab

szorítógyűrű n, (műsz) ferrule, binding-ring, ring-clamp

szorítóhüvely n, (műsz) collet

szorítóizom n, (orv) constrictor

szorítókapocs n, (műsz) (binding-)clip

szorítókengyel n, (műsz) clamper, yoke

szorítólemez n, strap; rugós ~ [fényképezőgép hátlapjában] back lock spring

szorítópánt n, [szerszám nyelén] ferrule

szorítópofa n, (műsz) clamp jaw, clip

szorítóvas n, vice cheek/chop, pincers (pl), terminal bar

szóró [-t, -ja] I. a, sprinkling, scattering, spreading, strewing, disseminating II. n, [cukornak stb.] sifter, dredger, sprinkler, duster, castor, caster, shaker (US)

szóródás n, dissemination, dispersion, dispersal, scattering, spreading, (vill) stray

szóródási [-t] a, ~ együttható (menny) dispersion coefficient; ~ veszteség dispersion/scattering loss, (vill) dissipation, stray loss; ~ vonal (vill) stray-line

szóródásos [-at] a, ~ fényudvar (fények) circle of confusion

szóród|ik [-ott, -jon, -jék] vi, 1. sprinkle, spread, scatter, be disseminated 2. [söret] scatter 3. (vill) stray

szóródoboz n, = szóró II.

szóródugó n, perforated stopper

szórófej n, sprinkler, spray head, [fecskendőn] nozzle

szórólap n, throwaway, handbill; ld még reklámcédula

szórólapát n, (mezőg) winnowing/spreading shovel

szórólencse n, divergent lens

szorong [-tam, -ott, -jon] vi, 1. [férőhelyileg] throng, crowd, press, huddle together, cram 2. (átv) be anxious, worry, be in anguish, be filled with anguish/distress, be uneasy

szorongás n, 1. [helyileg] throng, press(ure), congestion, crowd, packing together, overcrowding 2.(átv) anguish, agony, anxiety, distress, (orv) oppression, angina; ~t érez be uneasy

szorongat vt, 1. [szorít] press, squeeze, keep clasping; kezét ~ja keep clasping sy's hand; még ~ta a pisztolyt he still clutched the pistol 2. (átv) harass, press, worry, [szívet] wring, grip; torkát ~ja a sírás be on the verge of tears, have a lump in one's throat, have one's throat constricted with tears 3. [hitelező] dun, [ellenség] beset, keep at bay; hitelezői ~ják be dunned/harried by one's creditors; vkt ~ hogy fizessen push sy for payment; ~ja az ellenséget press hard on the enemy, keep the enemy at bay, press the enemy closely/hard; ~ta őket az ellenség they were close beset by the enemy

szorongatott [-at; adv -an] a, hard-pressed/pushed, at bay (ut), harried, with one's back to the wall (ut), in desperate straits (ut); ~ helyzetben van be at bay, be in desperate straits, be in a sorry/sad plight

szorongó [-t; adv -an] a, 1. [préselődő] thronging, crowded, congested 2. (átv) filled with anguish (ut), anguished, anxious; ~ szívvel in anguish, with a sinking heart

szórópisztoly n, [festéknek] spray(ing) gun, dye sprayer, air-brush

szoros [-at; adv -an] I. a, 1. (konkr) tight, close, [hely] confined, [kötél] taut; ~ csomó tight knot; ~ ruha tight-fitting clothes (pl); ~abbra fűz tighten, bind closer, draw tighter 2. (átv) close, narrow, strait, strict; ~ ábécérend strict alphabetical order; ~ barátság close friendship, intimacy; ~ együttműködés close co-operation; ~ kapcsolat close/intimate connection; ~ *kapcsolatban állnak* be in close communication with one another; ~ *kötelék* tight/ close bond, close ties/links *(pl)* ; ~ *küzdelem* close fight/contest; ~ *összefüggés* close connection; ~ *választási eredmény* close vote; ~*ra fog vkt* keep a tight rein on/over sy; ~*abbra fűzi a kapcsolatokat* establish still closer links **3.** *a szó* ~ *értelmében* in the strict(est) sense of the word, in the literal sense **II.** *n,* [-ok,-t] *[hegyé]* pass, defile, *[tengeré]* strait

szorosan *adv,* close(ly), close together, tight(ly); ~ *egymás mellett* side by side, closely, packed like herrings, cheek by jowl; ~ *fog/markol vmt* hold sg tight; ~ *tartja magát vmhez* keep strictly/closely to sg; ~ *véve* strictly speaking

szorosság *n,* **1.** *(konkr)* tightness, *[kötélé]* tautness **2.** *(átv)* narrowness, closeness

szórótűz *n, (kat)* sweeping fire

szoroz [-tam, szorzott, -zon] **I.** *vt,* multiply *(amivel* by/with); ~*va néggyel* multiplied by four **II.** *vi, sem nem oszt sem nem* ~ it makes no difference, it does not count, it is of no account

szorozható *a,* multipli(c)able

szórövidítés *n,* abbreviation

szorpció [-t, -ja] *n, kémiai* ~ chemisorption

szórt [-at] *a,* ~ *fény* scattered/diffuse(d)/stray light; ~ *sugárzás* scattered/diffuse radiation

szortiment [-et, -je] *n, (ker)* assortment; ~ *könyv- kereskedés* (retail) bookseller's shop, general book- shop

szortíroz ·[-tam, -ott, -zon] *vt,* sort, assort, classify (according to types), *[nagyság szerint]* size

szortírozás *n,* sorting, assorting

szortyog [-tam, -ott, -jon] *vi, [pipa]* gurgle, *[víz cipőben]* squelch

szortyogás *n, [pipáé]* gurgling, *[vízé a cipőben]* squelch- ing

szortyogó [-t] *a,* ~ *pipa* juicy pipe

szorul [-t, -jon] *vi,* **1.** *(vhová)* be squeezed/crowded/ forced into, be confined/driven to, *(vm vmben)* jam, get wedged in; *egymáshoz* ~ stand/sit/lie close together; *falhoz* ~ press close against the wall **2.** *(átv)* ~ *a kapca* be in a tight corner/squeeze, be in a fix, be up a tree; *no most* ~*sz (biz)* I'll give you what for, now you'll get it **3.** *(vmre)* be/stand in need of, want, require, *(vkre)* be dependent on; *arra* ~ *hogy* be reduced to doing . . .; *gondozásra* ~ (he) has to be taken care of; *javításra* ~ it is in want of repair; *a cipői foltozásra/javításra* ~*nak* his boots want mending; *magyarázatra* ~ call for explanation; *vk segítségére* ~ need sy's help

szorulás *n,* **1.** *(konkr)* tightening, narrowing, jamming, contraction, pressure **2.** *(biol)* constipation, costive- ness; ~*a van* be constipated, be bunged up ❖; *ettől* ~*om lesz* it binds me up; ~*t idéz elő* render costive **3.** *(átv)* anxiety, fix, jam, scrape, distress

szorulásos [-ak, -t; *adv* -an] *a, (biol)* constipated, costive, bound

szorulat *n;* = szükület

szoruló [-t; *adv* -an] *a,* in need of sg *(ut),* needing; *támogatásra* ~ (those) in need of help, (the) needy

szorult [-at; *adv* -an] *a,* ~ *helyzetben* in a fix/quandary/ scrape, in (great) straits, in a tight corner/squeeze, in a sorry/sad plight, *[hajó jármű]* in distress, *[anyagilag]* is straitened/reduced circumstances, in Queer Street *(fam)*

szorultság *n,* difficulty, embarrassment, distress, fix, scrape, quandary, straitness

szórvány *n,* scrap, fragment, snatch(es), sparse/scat- tered item/remnant/rest/sprinkling (of sg)

szórványlelet *n, (rég)* stray/sporadic find

szórványos [-ak, -t; *adv* -an] *a,* sporadic, scattered, straggling, stray, sparse

szorzandó [-t] *n,* multiplicand

szorzás *n,* multiplication

szorzási [-t] *a,* ~ *művelet* multiplication, multiplicative operation

szorzat *n,* product (of multiplication)

szorzó [-t, -ja] **I.** *n,* multiplier, multiplicator, factor **II.** *a,* multiplicatore, multiplying; ~ *számnév* multiplicative numeral

szorzógép *n,* multiplier

szorzójel *n,* multiple mark

szorzószám *n,* index number

szorzótábla *n,* multiplication table, calculator

szósüket *n,* word-deaf

szósüketség *n,* word-deafness

szósz [-ok, -t, -a] *n,* **1.** *[mártás]* sauce, *[húslé]* gravy **2.** *[beszéd]* story, yarn, blarney; *hosszú* ~ long story/yarn, rigmarole **3.** *(biz)* *[nehéz helyzet]* fix, scrape; *benne van a* ~*ban* be in the soup, be in hot water, be in a tight corner; *benne hagy vkt a* ~*ban* leave sy in the lurch

szószaporítás *n,* verbiage, verbosity, wordiness, prolix- ity, *(nyelvt)* pleonasm

szószaporító *a,* = szószátyár **I.**

szószármaztatás *n,* etymology, etymologization

szószármaztató *a,* etymological

szószátyár [-ok, -t, -ja] **I.** *a,* verbose, wordy, long- -winded, loquacious, multiloquous, garrulous, prolix, pleonastic **II.** *n,* spouter, windbag, blatherskite, bletherskite

szószátyárkodás *n,* = szószátyárság

szószátyárkod|ik [-tam, -ott, -jon, -jék] *vi,* spout, orate, speechify, verbalize

szószátyárság *n,* verbosity, garrulity, loquacity, wordi- ness, prolixity

szószedet *n,* vocabulary, word-list/book

szószegés *n,* breaking one's word, breach of faith/pro- mise, perfidy, *(kif)* he went back on his word

szószegő I. *a,* faithless, perfidious **II.** *n,* perfidious per- son, defaulter

szószék *n,* pulpit, *[gyűlésé]* platform, rostrum *(ref.)* ; ~ *mennyezete* sounding-board (of pulpit); ~*re lép* take the stand, mount the platform/rostrum

szószerkezet *n,* word-group, collocation, construction

szószol [-t, -jon] *vi, (biz)* gas

szószóló *n,* **1.** *[közbenjáró]* mediator, intercessor, ad- vocate, pleader **2.** = szóvivő

szószoscsésze *n,* sauce/gravy/butter-boat

szótag *n,* syllable; *értelmetlen* ~ nonsense syllable; ~*okra szétválaszt/elválaszt* syllabicate

szótagalkotó *a,* syllabic

szótagbeosztás *n,* syllabism, syllabification

szótaghangsúly *n,* tonic accent

szótaghatár *n,* syllabic limit

szótaghatár-eltolódás *n,* provection

szótaghosszúság *n,* syllabic length

szótagírás *n,* syllabic·script, syllabism

szótagol [-t, -jon] *vt/vi,* syllabize, syllabify, syllabicate

szótagolás *n,* syllabi(fi)cation, division of words into syllables

szótagoló [-t; *adv* -an] *a,* syllabic; ~ *ének* syllabic song

szótagszám *n,* syllabic number, number of syllables, *[dalban]* syllable count

szótagszám-jelzések *n. pl, (zene)* syllabic indices

szótagszám-képletek *n. pl, [népdalban]* metric schemes

szótagszám-szerkezet *n, [népdalban]* metrical/syllabic structure

szótagú [-ak, -t; *adv* -an] *a,* syllabic, of . . . syllables *(ut),* -syllable, syllabled; *egy* ~ monosyllabic; *két* ~ disyllabic, two-syllabled; *sok* ~ polysyllabic

szótalan *a,* = szótlan

szótalanság *n,* = szótlanság

szótan *n,* lexicology, *[alaktan]* morphology, accidence szótani a, lexicological, [alaktani] morphological

szótár n, (language) dictionary, word-book, vocabulary, lexicon, thesaurus; ~ba felvesz lexiconize, lexicalize; szót kikeres a ~ból look up a word in the dictionary; ~t forgat peruse/consult the dictionary

szótárforgató n, dictionary consulter, user of the dictionary

szótári [-ak, -t; adv -lag] a, of dictionary (ut), lexicological, lexical; ~ alak dictionary form; ~ jelentés lexical meaning

szótárírás n, lexicography, dictionary-making

szótáríró n, lexicographer, lexicographist, dictionary-maker

szótárirodalom n, lexicography

szótárkatalógus n, dictionary catalogue

szótároz [-tam, -ott, -zon] I. vt, [szótárba felvesz] enter/ insert/register/include a word into the dictionary, lexiconize, lexicalize II. vi, [szótárt forgat] look up words in a dictionary

szótározatlan a, unregistered in a dictionary (ut); ~ szó unregistered word, non-dictionary word

szótárszerkesztés n, lexicography, dictionary-making

szótárszerkesztő n, lexicographer, lexicographist, dictionary-maker

szótárszerkesztőség n, dictionary editiorial office/board

szótártan n, = szótártudomány

szótártás n, keeping one's word

szótartó a, ~ ember a man of his word, a man as good as his word

szótártudomány n, lexicography

szótlan a, wordless, silent, tongue-tied, taciturn, [néma] speechless, mute, (elit) dumb

szótlanság n, taciturnity, silence

szótő n, root/radical of a word, etymon, stem/theme of verb/noun

szótöbbség n, majority; csekély ~ a narrow margin (of votes); megkapja/elnyeri a ~et obtain a majority; nagy ~gel megszavaz pass by an overwhelming majority; tíz ~gel megszavazták (the bill) was passed by a majority of ten (votes)

szótörténet n, lexicology

szótörténeti a, lexicological

szotyakos [-at; adv -an] a, squashy, mushy, pulpy, soft

szottyan [-t, -jon] vi, kedve ~ vmre have a (sudden) fancy to (do sg), feel a sudden impulse to

szóvak n, word-blind

szóvakság n, word-blindness

szóval adv, 1. [röviden] well, briefly, that is, I mean to say, in a word, in short, you know 2. [nem írásban] orally, by word of mouth, verbally; ~ nem akarsz elmenni? so you don't want to go?

szóváltás n, 1. [társalgás] conversation, discussion 2. [vita] altercation, argument, dispute, quarrel, squabble (fam); ~a volt vkvel had words with sy, words passed between them; éles/heves ~ba keveredik vkvel come to high words with sy, embark upon a quarrel with sy

szóvég n, word ending

szóvégi [-ek, -t] a, final, terminal; ~ hangsúly end stress

szovhoz [-ok, -t, -a] n, state-farm, sovkhoz; állattenyésztő ~ cattle breeding state-farm; gyümölcstermelő ~ fruitary state-farm; hús- és tejtermelő ~ meat and dairy state-farm

szóvicc n, pun, quibble, word-wit

szóvirág n, flower(s) of rhetoric, ornament(s), embellishment(s) (of style), flower of speech, flourish

szóvita n, = szóváltás

szóvivő n, spokesman, mouthpiece; a külügyminisztérium ~je the spokesman of the Ministry of Foreign Affairs (v. GB of the Foreign Office v. US of the State Department)

szovjet [-et, -je] I. a, Soviet; ~ férfi Soviet man; ~ hadsereg Soviet/Red Army; ~ (hon)polgár Soviet citizen; ~ kormány Soviet government; ~ nő Soviet woman; Sz~ Szocialista Köztársaságok Szövetsége Union of Soviet Socialist Republics (röv U.S.S.R.) II. n, [tanács] soviet; a ~ek the Soviets; minden hatalmat a ~eknek! all power to the Soviets!

szovjetállam n, Soviet state

szovjetbarát n, pro-Soviet

szovjetellenes a, anti-Soviet

szovjethatalom n, power of the Soviets, Soviet power/ regime

szovjetizál [-t, -jon] vt, sovietize

szovjetköztársaság n, Soviet republic

szovjetrendszer n, Soviet régime

Szovjetunió prop, Soviet Union, Union of Soviet Socialist Republics (röv U.S.S.R.); ~ Legfelső Tanácsa Supreme Soviet o fthe U.S.S.R.

szovjeturalom n, power of the Soviets, Soviet power/ rule/régime

szóvonzat n, object, government

szózagyvalék n, gibberish, balderdash, farrago

szózat n, 1. voice; belső ~ inner voice, dictate of (the) conscience/heart 2. [felhívás] message, manifesto, appeal, proclamation; ~ a nemzethez appeal/call to the nation; ~ot intéz make an allocution/appeal (to), address 3. Sz~ ⟨second Hungarian national anthem (written by M. Vörösmarty in 1836)⟩

szózavar n, = szózagyvalék

sző [szövök, szőtt, szőjön] vt/vi, 1. weave, loom; habosra~ (tex) water 2. [pók] spin 3. [mű cselekményét] spin, plot; a beszédébe idézeteket ~ interlard one's speech with quotations 4. (átv) ábrándokat ~ build castles in the air, day-dream; ármányt~ scheme, plot, intrigue; összeesküvést ~ weave/hatch a plot; terveket ~ weave/hatch/devise/make plans

szőcsing [-et, -je] n, hairy mole

szőcske n, (áll) grasshopper (Locusta sp.); zöld ~ large green grasshopper (L. viridissima); nagy amerikai ~ katydid (Platyphyllum concavum)

szőcskeegér n, (áll) jumping mouse (Zapus sp.); erdei ~ woodland jumping mouse (Napaezapus sp.)

szög¹ [-et, -e] n, = szeg II.

szög² [-et, -e] n, 1. (mért) angle; érintkezési ~ angle of contingence; szemben fekvő ~ cross-corner; ~ szára side of angle; 30 fokos ~ angle of 30 degrees; vm ~ alatt, ~ben at... angles to/of, angularly; 2. = szöglet

szög³ [-et] a, [hajszín] chestnut, auburn

szögátmérő n, angular diameter

szögcsukló n, universal joint

szögdiszkordancia [.. át] n, (geol) angular unconformity

szögecs [-et, -e] n, = szegecs

szögecsel [-t, -jen] vt, = szegecsel

szögecselőgép n, = szegecselőgép

szögel [-t, -jen] vt, = szegez 1.

szögelés n, nailing

szögellés n, = kiszögellés

szögemelő n, angle/toggle lever

szöges¹ [-et; adv -en] a, = szeges

szöges² [-et; adv -en] a, 1. [szögben elhelyezett] angular 2. ~ ellentétben van be diametrically opposed, be in flat opposition/contradiction to, at complete variance with, at cross-corners with

szögesdrót n, = szegesdrót

szögez [-ett, -zen] vt, = szegez 1.

szögfelező n, bisectrix, bisector

szögfelrakó n, [eszköz] protractor, bevel-rule/square

szögfúró n, = szegfúró

szögfüggvény n, circular function

szöggyártás n, = szeggyártás

szöghajú a, browns-haired, auburn (haired)

szöghúzó n, = szeghúzó
szögkereső n, (fényk) angle-finder
szögkovács n, = szegkovács
szöglet n, 1. corner, angle, [üté] turning, [falé] coign, quoin, [kuckóé] nook 2. (sp) corner
szögletablak n, corner-window
szögletes [-et; adv -en] a, 1. angular, angled, cornered; ~ állú square-chinned; ~ zárójel square brackets; ~ kották (zene) square notes; ~ levélfoltosság (növ) angular leaf spot; ~ váll square shoulders (pl); ~re levág [fát] square up 2. [modor] awkward, clumpsy, gawky
szögletesen adv, 1. angularly, cornerwise 2. (átv) awkwardly, clumpsily, gawkily
szögletesség n, 1. angularity, squareness 2. (átv) awkwardness, clumsiness, awkward behaviour
szögletfúró n, angle-brace
szögletgerenda n. corner-post
szögletkapu n, corner-gate
szögletkő n, corner-stone, (épít) coin, quoin, binder, bonder, head/bind/bond-stone
szögletmérő n, try(ing)-square
szögletrúgás n, (sp) corner(-kick)
szögletvas n, angle iron/bar, L iron
szögletzászló n, = sarokzászló
szöglyuk n, = szeglyuk
szögmérés n, angular measurement, goniometry
szögmérő n, protractor, angle meter/gauge, [terepen] goniometer, graphometer, angle gauge/tester, [állítható szárú] bevel gauge/protractor; 45°-os ~ mitre-bevel/square
szögmértan n, goniometry
szögmérték n, circular measure, measure of the angle; ~ egysége unit of measure of the angle
szögperc n, minute
szögsebesség n, angular speed/velocity
szögtartás n, [térképvetületeken] conformality, ortho-morphism
szögtávolság n, angular distance, (csill) elongation
szögtranszportőr n, bevel-rule
szögtükör n, optical square
-szögű [-ek, -t; adv -en] a, -angled, at ... angle(s); egyenlő ~ equiangular; hegyes~ acute angled; tizenkét ~ dodecagonal
szögvas n, (műsz) angle-iron, iron-knee, nailrod
szögvonalzó n, bevel, square
szökdécsel [-t, -jen] vi skip, hop, caper, gambol, leap, bound, bounce, jump/scamper/dart about, frisk, prance, cavort (US)
szökdécselés n, skip(ping), hop(ping), gambol, bounce, bouncing, jumping/darting about, frisk(ing), prancing, caper
szökdel [-t, -jen] vi, = szökdécsel
szökdös [-tem, -ött, -sön] vi, 1. = szökdécsel; 2. [elszökik] keep escaping, keep running away
szőke [.. ét] I. a, blond, fair; a~ Tisza the yellow Tisza II. n, fair-haired person, blond(e); ~ hajú fair/flaxen--haired, blond; ~ fürtű fair/golden-haired, golden-locked
szökell [-eni, -t, -jen] vi, 1. = szökdécsel; ~ a vízen bob up and down in the water 2. [folyadék] gush (forth), pour/shoot forth, spout up/out
szökellés n, = szökdécselés
szökés n, 1. [ugrás] jump, leap, bound 2. [menekülés] flight, escape, running away, (kat) desertion, [börtönből] jail-breaking; ~ben van be fugitive from justice; ~t kísérelt meg he attempted flight/escape
szőkés a, fairish, blondish
szőkeség n, fairness, blondness
szökési [-t] a, ~ sebesség escape velocity
szökevény n, fugitive, runaway, absconder, (kat) deserter, [fogolytáborból] escapee

szök|ik [-tem, -ött, -jön, -jék] vi, 1. [ugrik] leap, jump, vault, bound, bounce 2. [folyadék] gush, shoot forth, spout up/out, squirt out, [vér] spurt; könnyek ~tek a szemébe tears came into her eyes, tears rose/ started to her eyes; a vér az arcába ~ött blood rushed/sprang to his face 3. [bér, ár] soar, rise; a lak-bérek magasra ~tek rents have soared 4. [menekül] escape, flee, run away, fly, abscond, give leg-bail (fam), [börtönből] break (gaol, prison), desert, [szerelmesek] elope; külföldre ~ik escape/abscond/flee abroad; Ausztráliába ~ött he bolted to Australia; az ellenséghez ~ik go over to the enemy, desert to the enemy
szőkít [-eni, -ett, -sen] vt, bleach one's/sy's hair
szőkítés n, bleaching
szökken [-t, -jen] vi, 1. leap, bound, spring (up), vault, bounce 2. [folyadék] gush, squirt, spurt, jet 3. virágba ~ burst into flower
szökő [-t, -je; adv -en] I. a, 1. a rendőr elől ~ tolvaj the thief running away from the policeman 2. magasba ~ soaring, rising; felfelé ~ árak soaring prices 3. a szemébe ~ könnyek the tears rising/coming/starting into her eyes II. n, ~ben flying, fleeing, making one's escape
szökőár n, tidal wave, tide-race, bore, spring tide
szökődagály n, spring tide
szökőév n, leap-year, bissextile (year)
szökőforrás n, well-spring, spouting spring, spout-well, fountain, [meleg] geyser
szökőkút n, fountain
szökőnap n, leap-day, intercalary day, odd day
szökött [-et; adv -en] a, fugitive, runaway, [főnévvel] absconder, escapee; ~ katona deserter, runaway; ~ rab/fogoly escaped prisoner
szöktet vt, 1. help escape, (kat) help desert, [leányt] elope (with girl), [erőszakkal] kidnap, abduct, carry off 2. [futballista] jink
szöktetés n, 1. aiding the escape of sy, helping sy to escape, kidnapping, abduction, elopement, carrying off 2. [futballban] long running pass, jink 3. (kárty) expasse
szöktető [-t, -je] n, kidnapper, abductor
szőkül [-t, -jön] vi, become/get fair/blond, turn blond/fair
szőlészet n, wine/vine-growing/culture, viniculture, viticulture, ampelology
szőlészeti [-ek, -t; adv -leg] a, viticultural; Kertészeti és Sz~ Főiskola School for Horticulture and Viticulture
szőlészettan n, ampelology
szőlő [-t, -je, szőleje] n, 1. [növény] (grape-)vine (Vitis vinifera); ~ alakú grape-shaped; ~t metsz dress vine; ~t nyit lay the roots bare; ~vel borított vineclad 2. [gyümölcs] grape; egy fürt ~ a bunch/ cluster of grapes; egy szem ~ a grape; lesz még ~ lágy kenyérrel things will get better one day, the future holds brighter days in sore, never say die; savanyú a ~! the grapes are sour, sour grapes 3. [terület] vineyard, vine-lands (pl); kimegy a ~be go (out) to the vineyard
szőlőág n, vine-branch
szőlőbetegség n, vine disease/mildew, oidium
szőlőbirtokos n, vineyard owner, vine-grower, viti-culturist
szőlőcukor n, grape sugar, dextrose, glucose
szőlőcsutka n, grape stalk
szőlőfajta n, (variety/kind of) grape
szőlőfattyazás n, pruning of vine
szőlőfürt n, cluster/bunch of grapes
szőlőfürtszerű a, (növ) acinose
szőlőgazdaság n, vin(e)yard(s), viticulture
szőlőgerezd n, = szőlőfürt
szőlőhegy n, vineyard, grapery, hill planted with vines, hillside full of vineyards

szőlőhéj *n*, skin of grape, grape skin
szőlőilonca *n*, *[lepke]* striped button *(Sparganothis pilleriana)*
szőlőinda *n*, vine-tendril
szőlőiz *n*, grape jam
szőlőkaró *n*, vine-prop/stick
szőlőkénező *a*, ~ *készülék* sulphurator
szőlőkúra *n*, grape-cure, *(tud)* botryotherapy
szőlőlé *n*, grape-juice, pressurage
szőlőlekvár *n*, grape jam
szőlőlevél *n*, vine-leaf
szőlőlugas *n*, vine arbour, bower of vine
szőlőmag *n*, grape-stone
szőlőmetszés *n*, dressing of vine
szőlőmoly *n*, *(áll)* (crossed) grape-berry moth *(Polychrosis botrana, Clysia ambiguella)*
szőlőmosó *n*, grape-bowl
szőlőmunkás *n*, vine-dresser
szőlőművelés *n*, = szőlészet
szőlőművelő *n*, vine-dresser/grower, vineyardist, viniculturist
szőlőpenész *n*, vine-mildew, oidium, botrytis
szőlőprés *n*, wine-press
szőlőrigó *n*, *(áll)* redwing *(Turdus m. musicus)*
szőlőrozsda *n*, black-rot
szőlősgazda *n*, vine-dresser/grower,vineyardist
szőlőskert *n*, vineyard, grapery, vine-lands *(pl)*
szőlőszedés *n*, grape-gathering, gathering/picking of grapes
szőlőszem *n*, (a) grape
szőlőszender *n*, *[lepke]* elephant hawk *(Deilephila elpenor)*
szőlőszüret *n*, vine-harvest, vintage
szőlőtaposó *n*, wine-presser/treader
szőlőtermelés *n*, — szőlészet
szőlőtermelő I. *a*, wine/vine-producing/growing, viticultural, viniferous II. *n*, viniculturist, wine/vine-grower/dresser, vineyardist
szőlőtermő *a*, viniferous, vine-producing, grape-bearing
szőlőterület *n*, vine-lands *(pl)*, wine/vine-growing area/country
szőlőtetű *n*, = filoxéra
szőlőtő(ke) *n*, vine-stock/plant/root; *fiatal* ~ vinelet
szőlőtörköly *n*, marc/rape/recrement of grapes
szőlőültetés *n*, planting of vines
szőlővágó *a*, ~ *olló* grape-scissors
szőlővessző *n*, vine-branch/shoot, vinestalk
szőlővidék *n*, wine-region/district/country, vine-lands *(pl)*
szőlőzsir *n*, lip-salve
szömörce [.. ét] *n*, *(növ)* (venetian) sumac(h), varnish tree, fustet *(Rhus sp.)*; *cser*~ (sumac-)fustet, fustic *(R. cotinus = Cotinus coggygria)*; *mérges* ~ poison-ivy *(R. toxicodendron)*
szömörcsög [-öt, -e] *n*, *(növ)* szemérmetlen ~ stinkhorn *(Phallus impudicus)*
szőnyeg [-et, -e] *n*, 1. *(ált)* carpet, rug, *[ágyelő]* bedside carpet, *[folyosóra]* hall runner, *[dlszes kárplt]* arras, *[fali]* tapestry; *csomózott* ~ knotted carpet; ~*et sző* weave/make carpet; ~*gel borított* carpeted 2. *[birkózósportban]* mat 3. *(átv)* ~*en forog/van* be on the tapis/carpet, be at issue;~*re hoz* bring up for consideration/discussion; ~*re kerül* come on the tapis, be brought forward/up, come up for discussion
szőnyegajtó *n*, jib/hidden/secret/concealed/tapestried door, portière *(fr)*
szőnyegbombázás *n*, area/pattern/saturation/carpet/obliteration/pinpoint bombing, carpet-raid
szőnyeges [-ek, -t; *adv* -en] I. *a*, carpeted II. *n*, dealer in carpets, carpet dealer
szőnyeggyár *n*, tapestry/carpet manufactory
szőnyegjavítás *n*, carpet-mending

szőnyegkereskedés *n*, carpet/rug store/shop/department
szőnyegkereskedő *n*, carpet dealer
szőnyegkészítő *n*, carpet maker
szőnyegnövény *n*, carpet plant, dwarf plant for carpet bed
szőnyegrúd *n*, *[lépcsőn]* stair-rod
szőnyegseprő *n*, carpet-broom
szőnyegszövés *n*, carpet making/weaving
szőnyegszövő I. *a*, carpet weaving II. *n*, carpet/tapestry maker/weaver
szőnyegszövőszék *n*, carpet loom
szőnyegtisztítás *n*, carpet-cleaning
szőr [-ök, -t, -e] *n*, 1. *(ált)* hair, *[disznóé, keféé]* bristles *(pl)*, *[macskáé, rókáé, nyúlé]* fur; ~ *ellen* against the nap/hair/grain, (stroke) the wrong way; ~ *mentében* with the fur, (stroke) the right way of the fur; *ld még* szőrmentében; *hull a* ~*e* it sheds/loses its hair/coat; ~*én üli meg a lovat* ride bare--back(ed) 2. *(növ)* down, beard, pubescence, *[gyümölcsön]* nap, trichome; *bojtos* ~ tufted hair; *egysejtű* ~ unicellular hair; *elágazó* ~ dendroid hair; *merev* ~*ök* strigae; *többsejtű* ~ multicellular hair; ~ *alakú* piliform; ~*rel borított* pilous, *[levél, rovar]* hoary 3. *[szőnyegé]* pile 4. *[tömésre]* flock, fluff
szőrbetegség *n*, *(orv)* trichosis
szőrcsomó *n*, flock/tuft of hair, floss
szőrcsuha *n*, hair-shirt
szőrecset *n*, (artist's) paint-brush, hair-pencil
szőrén-lábán *adv*, *(táj)* = szőrén-szálán
szőrén-szálán *adv*, ~ *elveszett* it is lost irretrievably/inexplicably
szőreresztő *n*, *[nyersbőr, szörme]* hairslippy
szőrféreg *n*, *(áll)* strongyle *(Strongylus)*
szőrfonat *n*, plait/tress of hair, hair braid
szőrgallér *n*, *[állaton]* frill
szőrgomba *n*, *(növ)* woolly milk cap *(Lactarius torminosus)*
szőrgombolyag *n*, *[állat gyomrában]* hair-ball
szőrhullás *n*, falling out of hair, *(orv)* alopecia, fox--mange *(fam)*
szőrhullató *a*, *[nyersbőr, szörme]* hairslippy
szőrhurok *n*, springe/snare made of hair
-szőri [-ek, -t] *a*, repeated... times
szőring *n*, hair-shirt
szőrkárpitozás *n*, *[bútoré]* hair filling
szőrkefe *n*, brush made of bristles
szőrkinövés *n*, outgrowth of hair
szőrkötél *n*, rope/cord/line of hair
szőrme [.. ét] *n*, fur, pelt(ry), fell, pelts *(pl)*; *szőrmével szegélyezett/diszitett [kabát]* fur-trimmed, furred
szőrmeáru *n*, furs *(pl)*, skins *(pl)*, peltry, furriery, fur goods/skins *(pl)*
szőrmebélés *n*, furring
szőrmediszités *n*, furring
szőrmegallér *n*, fur collar/tle/necklet, tippet
szőrmekabát *n*, fur coat
szőrmekereskedés *n*, furriery, furrier's, fur-trade
szőrmekereskedő *n*, furrier, fellmonger, skin-dealer
szőrmemegóvás *n*, (deep-freezing) storage of furs; ~*t vállalunk* let us take care of your furs
szőrmemoly *n*, *(áll)* skin-moth *(Tinea tapesella)*
szőrmentében *adv*, ~ *bánik vkvel* stroke sy the right way, treat sy very carefully and indulgently; *ld még* szőr *mentében*
szőrmeoldal *n*, *[irhdndl]* hairside
szőrmés I. *a*, fur-bearing; ~ *állat* fur-bearing animal II. *n*, skin-dealer
szőrmeutánzat *n*, feather shag, long pile shag
szőrmoha *n*, *(növ)* hair-moss *(Polytrichum)*
szőrmók [-ot, -ja] *a/n*, hairy-faced (person)
szőrnemez *n*, hair-felt

szörny [-et, -e] *n*, monster, monstrosity, horrible being/apparition

szörnyalak *n*, = szörny

szörnyed [-t, -jen] *vi*, = elszörnyed

szörnyen *adv*, horribly, awfully, dreadfully, terribly, frightfully, appallingly; ~ *fájt a fogam* my tooth ached terribly/fiercely; ~ *nevetséges* it is excruciatingly funny; ~ *unalmas* it is awfully boring, it is a crashing bore, it is deadly dull, it is as dull as ditch--water

szörnyeteg [-et, -e] *n*, 1. = szörny; 2. *felveszi a harcot az anarchia ~ével* fight the hydra of anarchy

szörnyethal *vi*, die on the spot, be struck down by sudden death, drop down dead, be killed outright, fall like a shot rabbit *(fam)*

szörnyszülött *n*, monster, abortion, freak of nature

szörnyű [-t; *adv* szörnyen] I. *a*, monstrous, horrible, terrible, appalling, fearful, frightful, heinous, beastly, abominable, awful, heinous, unholy, dire(ful), grisly, gruesome, dreadful, ghastly, enormous, atrocious; ~ *bűn* hideous sin; ~ *fájdalom* excruciating pain; ~ *fráter* awful chap, impossible person; ~ *jelenetet/csinált/rendezett* she carried on *sg* awful, she made an awful row; ~ *káosz/zűrzavar* unholy muddle; ~ *ostobaság/butaság* crass stupidity; ~ *sokat tud* he knows an awful lot; ~ *zsivaj/lárma* infernal row; *ez már mégis* ~ this is really the limit, this is really outrageous; ~ *hogy nem lehet ezen segíteni* it is dreadful that nothing can be done II. *adv*, horribly, awful(ly), dreadful(ly), terribly, frightful(ly); ~ *nagy* awful(ly) big, monstrous

szörnyűködés *n*, consternation, horrification, expression of horror/abhorrence

szörnyűköd|ik [-tem, -ött, -jön, -jék] *vi*, be terrified/horrified at *sg*, give expression to one's horror/abhorrence

szörnyűködlik [-tem, -ött, -jön, -jék] *vi*, = szörnyűködik

szörnyűség *n*, horror, monstrosity, shocking/horrid/dreadful character/thing, *[bűné]* heinousness, enormity; *ez már* ~ *(hogy)* it is really outrageous, it is perfectly monstrous (that)

szörnyűséges [-et; *adv* -en] *a*, monstrous, horrible, dreadful, terrible, loathsome, abominable, heinous, beastly

szőroldal *n*, grain/hairy-side

szőrös [-et; *adv* -en] *a*, 1. hairy, *(áll, növ)* shaggy, hirsute, *(növ)* pilose, pilous, piliferous; *apró* ~ *(növ)* barbulate, barbellate, barbellulate; *sűrűn* ~ *(növ)* comose; ~ *mellű* hairy-chested; ~ *szíve van* he has a heart of stone; ~ *teste van* have a hairy body, be hirsute 2. *[anyag]* nappy, bristly

szőröshabarcs *n*, hair-mortar

szőrösödés *n*, growing hairy, *(orv)* pubescence

szőrösöd|ik [-tem, -ött, -jön, -jék] *vi*, grow hair, become/get hairy/downy

szőrösség *n*, hairiness, shagginess, hirsuteness, pilosity

szőrösszívű *a*, hard-hearted

szőröstül-bőröstül *adv*, lock(,) stock and barrel, root and branch, neck and crop, hide and hair

szőröz [-tem, -ött, -zön] I. *vi/vt*, 1. *(ált)* provide with hairs 2. *[vonót]* hair (bow) 3. *[lószerrel kitöm]* stuff with horse-hair II. *vi*, □ cavil, be fussy, fuss, be a stickler, make unnecessary difficulties *(mind: stand.)*

szőrözés *n*, □ fussing, cavilling, captiousness *(mind: stand.)*

szőrözet *n*, = szőrzet

szőröző [-t; *adv* -en] *a*, □ fussy, fault-finding, captious, cavilling, particular *(mind: stand.)*

szörp [-öt, -je] *n*, syrup, squash

szőrpamacs *n*, tuft of hair, brush

szőrpamat *n*, tuft of hair, fuzz

szörplé *n*, molasses *(pl)*

szörpöl [-t, -jön] *vt*, sip, *[evéskor, iváskor]* drink noisily

szőrszál *n*, *[emberen, állaton]* hair; ~*akat eltávolít* epilate; ~*at hasogat* split hairs, cavil, make two bites at a cherry, argue about pin-points

szőrszálhasogatás *n*, hair/word-splitting, captiousness, logic-chopping/choppering, chipping straws, fault--finding, wire-drawing

szőrszálhasogató I. *a*, given to word/hair-splitting, captious, finicky, pernickety II. *n*, hair-splitter, stickler, pedant, logic-chopper, fault-finder, straw--splitter, wire drawer; *túlzottan* ~ over-particular

szőrszerű *a*, *(növ)* capillary, hairlike, piliform

szőrszita *n*, hair sieve

szőrtan *n*, *(biol)* trichology

szőrtelen *a*, hairless, smooth-skinned, glabrous, depilous

szőrtelenít [-eni, -ett, -sen] *vt*, 1. unhair, (d)epilate, remove hair, dehair 2. *[bőriparban]* grain

szőrtelenítés *n*, 1. (d)epilation, removal of hair, dehairing, unhairing 2. *[bőriparban]* graining

szőrtelenítő [-t, -je] I. *a*, depilatory II. *n*, depilator, hair remover

szőrtelenség *n*, hairlessness, *[kopaszság]* baldness

szőrtermelő *n*, *(növ)* piliferous

szőrtüsző *n*, (hair-)follicle

szőrtüsző-atka *n*, *(áll)* demodex *(Demodex folliculorum)*

szőrtüszőgyulladás *n*, folliculitis, barber's rash/itch, *(orv)* sycosis

szörtyög [-tem, -ött, -jön] *vi*, *[pipa]* gurgle, *[víz a cipőben]* squelch

szörtyörej *n*, *[tüdőben]* rhonchus, rale; *nedves* ~ moist rale

szőrű [-ek, -t; *adv* -en] *a*, of …hair, -haired, -coated; *hosszú* ~ long-haired, *[kutya]* shaggy; *rövid* ~ short--haired

szőrvánkos *n*, horsehair cushion

szőrvesztő *n*, ~ *szer* depilator, hair remover

szőrzacskó *n*, hair-bag

szőrzet *n*, *[emberé]* hair, *[állati]* fur, coat, pelage

szösz [-ök, -t, -e] *n*, oakum, junk, tow, harl(e), fluff; *mi a* ~*!* what (the deuce)!, what the dickens!

szöszhajú *a*, blonde, tow-headed, flaxen-haired

szöszke [..ét] I. *a*, = szöszhajú; II. *n*, blond

szöszmötöl [-t, -jön] *vi*, fritter/rummage/potter about, dawdle (over *sg*), be tinkering away at (*sg*), fiddle--faddle

szöszös [-et; *adv* -en] *a*, downy, fluffy, *(növ)* villous; ~ *bükköny (növ)* hairy vetch *(Vicia villosa)*

szőtt [-et; *adv* -en] *a*, woven; *kézzel* ~ handwoven, hand-made, hand-loom woven; *sűrűn* ~ *szövet* close/tightly woven stuff

szőttes [-ek, t, -e] *n*, homespun handwoven

Szöul [-t, -ban] *prop*, Seoul

szövedék [-et, -e] *n*, web, fabric, tissue, network, texture

szöveg [-et, -e] *n*, 1. *(ált)* text, *[okiraté]* wording, *[összefüggő]* context; *a* ~ *így szól* the text runs like this, this is the wording; ~ *szerinti* textual; ~*et magyaráz/jegyzetel* comment on a text; *a fenti* ~*gel mindenben megegyező másolat* the foregoing is a certified true copy of the original, the above words agree exactly with the original text 2. *[dalé]* words *(pl)*, lyric, *[baletté, filmé, színdarabé]* scenario, script; *dal* ~ *nélkül* song without words; ~*ét írta* … words by … 3. *[érmén]* legend, *[kép alatt]* caption 4. *[könyvé nyomd]* letter-press 5. □ *sok a* ~*!* pipe down!, shut up!

szövegegyeztető *n*, collator

szövegelemzés *n*, textual analysis

szövegeltérés n, variant (of a text)
szövegértelmezés n, interpretation/reading of a text
szöveges [-et; adv -en] a, with text/word (ut)
szövegez [-tem, -ett, -zen] vt, pen, draw up, word, (jog) formulate, draft, indite (joc)
szövegezés n, 1. [folyamat] penning, drafting, drawing up 2. [szövegé] wording, formulation, terms used (in documents); a jelen ~ben as it stands, in the present wording
szöveggyűjtemény n, chrestomathy
szöveghiba n, (nyomd) textual error
szöveghű a, ~ fordítás literal/close/accurate translation
szöveghűség n, closeness/accuracy/fidelity in the reproduction of the text
szövegíró n, librettist, author of the libretto/book, scenarist (US), [film/rádió/televizió számára] scripter; a dal ~ja words by .
szövegjavítás n, emendation, correction of a text
szövegjavító n, emandator, corrector of a text
szövegkiadás n, text edition
szövegkönyv n, [operáé, operetté] libretto, book of words, text/word-book, [színdarabé] play-book, [színdarabé] playscript, [filmé] scenario, script, [teljes] continuity
szövegkönyvíró n, [operáé, operetté] librettist, scriptwriter, (film) screenwriter
szövegkörnyezet n, context, setting
szövegközi a, ~ ábra text illustration/figure, (nyomd) inset
szövegkritika n, textual criticism, hermeneutics
szövegkritikai a, ~ kiadás critical edition; ~ összehasonlítás (a kézirattal) recension
szövegmagyarázat n, annotation, interpretation of text, textual commentary, commenting on a text, (vall) exegesis
szövegmagyarázó n, annotator, commentator, glossist, glossator, glossarist, [bibliáé], exegetist
szövegmondás n, delivery (of a text)
szövegösszefüggés n, context; ebben a ~ben in this context
szövegösszefüggésbeli a, contextual
szövegrajz n, illustration, picture, [ábra] figure, diagram
szövegrész n, passage
szövegromlás n, corruption/corruptness of text
szövegrontás n, corruption of text, tampering with a text
szövegsor n, text-line
szövegszedés n, (nyomd) textual matter; sima ~ plain matter
szövegű [-ek, -t] a, reading, ..., in words/terms . . .; hasonló ~ táviratot kapott he was sent a wire to the same effect; a következő ~ reading as follows, in these terms
szövegváltozat n, (variant) reading
szövés n, 1. weaving 2. = szövedék
szövés-fonás n, 1. weaving and spinning 2. textile industry
szövésmód n, weave
szövésű [-ek, -t; adv -en] a, textured, of texture (ut); finom ~ of delicate/fine texture/weave (ut), of exquisite fabric (ut); laza/ritka ~ kelme loose fabric; tarka ~ with mixture weave
szövet n, 1. cloth, (textile) fabric, stuff, textile, texture, (woven) material, weave; kettős ~ double cloth; lazán szálban festett ~ material dyed in the raw state, stock-dyed material; sűrű ~ close woven goods (pl); pöttyös ~ spotted/speckled fabric; sima ~ cloth with plain surface; sűrűn szőtt ~ close/tightly woven stuff; vászonkötésű ~ cloth with plain surface; ~ színe/színoldala the right side of the fabric 2.

[anyaga vmnek] texture, structure 3. (biol) tissue; állandósult ~ (növ) permanent tissue; kidifferenciálódott ~ (növ) mature tissue, adult tissue, fully developed tissue; szilárd ~ (növ) supporting tissue, mechanical tissue 4. (geol) texture
szövetanyag n, material, textile, fabric, stuff
szövetáru-kereskedő n, draper
szövetátültetés n, (orv) heteroplasty
szövetbolt n, drapery (store), draper's (shop)
szövetbomlás n, (biol) histolysis
szövetburkolat n, drapery, cloth/burlap covering
szövetelemzés n, cloth analysis, dissection
szövetlehalás n, necrobiosis, death of tissue
szövetfejlődés n, (biol) histogeny, histogenesis
szövetfényező n, (tex) glosser
szövetfestés n, dyeing
szövetgomb n, twist-button
szövetgyár n, cloth-works, textile factory
szövethalál n, (orv) necrosis
szövethiba n, (tex) yaw
szövethulladék n, cloth cuttings/clippings (pl), waste cloth, [szabók nyelvén] cabbage, snippings (pl)
szöveti [-ek, -t] a, textural, (biol) histic; ~ érzékenység tissue sensitivity
szövetkémia n, histochemistry
szövetképző a, (biol) histogenetic
szövetképződés n, (biol) histogeny, histogenesis, tissue, formation; kóros ~ neoplasm
szövetkereskedelem n, drapery
szövetkezés n, 1. (con)federation, confederacy, association, alliance 2. (pol) coalition, league 3. [ellenséges] plot, conspiracy, scheme
szövetkezet n, co-operative, co-operative society; fogyasztási ~ consumers' co-operative, co-operative (supply) stores; termelési és fogyasztási ~ co-operative society, producers' co-operative
szövetkezeti [-ek, -t; adv -leg] a, co-operative, of co-operative (ut); ~ építőipar co-operative, building industry; ~ gazdálkodás co-operative farming; ~ kereskedelem co-operative trade; ~ mozgalom co-operative movement; ~ tag member of a co-operative society; ~ tagok adózása taxation of co-operative members; ~ törvény co-operative association law
szövetkezett [-et; adv -en] a, allied, (con)federate, associated, conjoint
szövetkez|ik [-tem, -ett, -zen, -zék] vi, 1. (vkvel) make/form an alliance (with), become allies, ally/unite with, join (sy for a purpose), co-operate (with), associate (oneself with), enter into a combination (with), conclude (a treaty of) alliance with, join/combine forces/hands (with), confederate, make a common cause (with), league (with), tie/team up (with) (US) 2. [szövetkezetbe] form a co-operative
szövetkivonat n, tissue extract
szövetkórtan n, histopathology
szövetköz n, (biol) interstice
szövetközi a, (biol) interstitial
szövetmetszet-készítés n, histotomy
szövetminta n, (tex) swatch, sample
szövetnedv n, (biol) tissue fluid
szövétnek [-et, -e] n, † link, torch (stand.), taper (stand.)
szövetnyírás n, cloth cropping/shearing clipping
szövetoldódás n, (biol) hystolysis
szövetoszlop n, (növ) központi ~ stele
szövetpapucs n, carpet-slippers (pl)
szövetprés n, (tex) pressing machine
szövetpusztulás n, (biol) breakdown of tissue
szövetránc n, (tex) ply
szövetregeneráció n, (biol) neogenesis
szövetrés n, [szerves anyagban] areola

szövetruha *n*, woollen dress/frock, clothes *(pl)*, cloth dress/suit/gown

szövetség *n*, **1.** alliance, coalition, union, league; *munkás-paraszt* ~ alliance between the working class and peasantry; *államok* ~*e* confederacy of states; ~*ben vannak* be leagued together; ~*ben volt velük* he was in league with them; ~*re lép vkvel* enter into *(v.* form an) alliance with; ~*et köt* contract an alliance with, conclude an alliance with; ~*et kötnek vk ellen* form a league against sy **2.** *[egyesület]* association, (con)federation

szövetséges [-ek, -t; *adv* -en] I. *a*, **1.** allied, (con)federate; *Sz*~ *Ellenőrző Bizottság* Allied Control Commission; *a* ~ *(had)erők* the allied forces; ~ *hatalmak* the Allies; ~ *társ* ally, confederate; *Sz*~ *és Társult Hatalmak* Allied and Associated Powers **2.** *[államforma]* federal II. *n*, **1.** ally; ~*ük volt* he was in league with them **2.** *[állam]* confederate

szövetségi [-ek, -t; *adv* -leg] *a*, federal, federat(iv)e, confederate; ~ *állam* federal state; ~ *államrendszer* federalism; ~ *kapitány* captain of the National Football Association; ~ *királyság* federal kingdom; ~ *kormány* federal government; ~ *köztársaság* federal republic; ~ *népköztársaság* federal people's republic; ~ *rendszer* federalism; ~ *szerződés* treaty of alliance

szövetségközi [-ek, -t] *a*, interallied

szövetségtanács *n*, federal council

szövetsűrűség *n*, gauge of cloth, density of cloth

szövetszegély *n*, edge of cloth, selvedge, selvage

szövetszerkezet *n*, fabric, (con)texture

szövetszétesés *n*, *(biol)* histolysis

szövettan *n*, *(biol)* histology, micranatomy; ~*nal foglalkozó* histologist

szövettanász *n*, *(biol)* histologist

szövettani [-ak, -t; *adv* -lag] *a*, *(biol)* histological; ~ *vizsgálat* biopsy, histological examination, exploratory excision

szövettanilag *adv*, *(biol)* histologically

szövettápláló *a*, *[ideg stb.]* trophic

szövettenyészet *n*, tissue culture

szövetváz *n*, *[gumikerék köpenyéé]* carcase

szövetvég *n*, *(tex)* piece, roll, bolt

szövetvég-eldolgozás *n*, heading

szövevény *n*, **1.** *(konkr)* tangle, jumble, network, mesh, tissue **2.** *(átv)* imbroglio, fabric; *intrikák* ~*e* meshes of intrigue

szövevényes [-et; *adv* -en] *a*, intricate, entangled, interlaced, complicated, labyrinthine, labyrinthian

szövevényesség *n*, intricacy, complicatedness, entanglement

szövő [-t, -je; *adv* -en] I. *a*, weaving, textile II. *n*, weaver, textile worker

szövöde [..ét] *n*, weaving mill/factory, textile factory/mill

szövődik [-tem, -ött, -jön, -jék] *vi*, **1.** weave, be woven, *[egymással]* (inter)mingle, interweave **2.** *(átv)* be hatched, become complicated; *barátság* ~*ött köztük* they formed a friendship, they became intimate

szövődmény *n*, complication, intergrowth; ~ *nélküli* uncomplicated

szövődményes [-et; *adv* -en] *a*, intergrown, with complications *(ut)*; ~ *influenza* influenza with complications

szövőfonal *n*, yarn, thread

szövő-fonó [szövőt-fonót] *a*, spinning and weaving

szövőgép *n*, power-loom

szövőgyár *n*, textile/weaving/cotton mill

szövőgyári *a*, of *(v.* pertaining to) a weaving mill *(ut)*

szövőgyáros *n*, owner of a textile-mill

szövőipar *n*, textile industry, weaving trade

szövőipari *a*, (pertaining to the) weaving trade, textile; ~ *szakiskola* textile technical school

szövőke *n*, *(tex)* shuttle

szövőlepke *n*, *(áll)* tussock moth *(Lymantriidae-család)*; *amerikai* ~ fall webworm *(Hypanthria textor)*; *fűzfazöld* ~ cream-bordered green pea *(Earias chlorana)*; *gyűrűs* ~ lackey *(Malacosoma neustria)*; *rozsdabarna kis* ~ vapourer *(Orgya antiqua)*; *vesszős* ~ dark tussock *(Dasychira fascelina)*

szövőlepkeféle *n*, *(áll)* bombyx *(Bombyx)*

szövőmadár *n*, *(áll)* weaver-bird/finch, palm-bird, picker *(Ploceus sp.)*

szövőmester *n*, master weaver

szövőmirigy *n*, *(term)* spinning-gland

szövőmunka *n*, weaving

szövőmunkás *n*, weaver, textile worker

szövőnő *n*, weaver, textile worker

szövőpinty *n*, *(áll)* weaver-finch *(Spermestes sp.)*

szövőpizang *n*, *(növ)* abaca *(Musa textilis)*

szövőszék *n*, (weaving, weaver's) loom, power-loom, frame

szövőszéknehezék *n*, *(rég)* loom-weight

szövött [-et; *adv* -en] *a*, woven; ~ *áru* fabric, textile, tissue, woven fabric; ~ *címke* woven label/tab

szpáhi [-t, -ja] *n*, spahi

szpaszticitás *n*, *(orv)* spasticity

szpícs [-et, -e] *n*, *(tréf)* oration, speech; ~*et tart* speechify

szpíker [-ek, -t, -e] *n*, *[rádió]* announcer, megaphone steward

szpin [-ek, -t, -je] *n*, *(fiz)* spin

szputnyik [-ot, -ja] *n*, sputnik, earth satellite

szputnyik-űrhajó *n*, spaceship-sputnik

sztahanovista [..át] I. *n*, stakhanovist II. *a*, stakhanovite; ~ *munkamódszer* stakhanovite working method

sztahanovizmus *n*, Stakhanovism

Sztahanov-mozgalom *n*, Stakhanov movement, Stakhanovism

sztalagmit [-ot, -ja] *n*, *(geol)* stalagmite

sztalaktit [-ot, -ja] *n*, stalactite

sztálini [-t] *a*, ~ *korszak* Stalin era

sztálinista [..át] *n*, *(pol)* Stalinist

sztálinizmus *n*, *(pol)* Stalinism

sztaminodium [-ot, -a] *n*, *(növ)* staminode

sztaniol [-t, -ja] *n*, tinfoil, leaf tin, silver-foil/leaf; ~ *csomagolás (ker)* alumínium foil wrapping

sztannát [-ot, -ja] *n*, *(vegyt)* stannate

sztannin [-ok, -t, -ja] *n*, *(ásv)* stannite

sztár [-ok, -t, -ja] *n*, **1.** *(szính, film)* star, leading man/lady **2.** *[sportban]* ace

sztárjelölt *n*, starlet

sztárparádé *n*, all-star program(me)/performance

sztárrendszer *n*, stardom

sztátor [-ok, -t, -a] *n*, *(műsz, vill)* stator

sztátorlemez *n*, *[forgókondenzátor]* stator plate

sztatoszkóp [-ot, -ja] *n*, *(rep)* statoscope

sztaurolit [-ot, -ja] *n*, *(ásv)* staurolite

sztauroszkóp [-ot, -ja] *n*, *(ásv)* stauroscope

sztearin [-t, -ja] *n*, stearin

sztearingyertya *n*, composite candle

sztearinsav *n*, *(vegyt)* stearic acid

sztatit [-ot, -ja] *n*, *(ásv)* steatite, soapstone, French chalk

sztatitos [-at] *a*, *(geol)* steatitic

sztatóma [..át] *n*, *(orv)* steatoma

sztélé [-t, -je] *n*, *(növ)* stele, central cylinder

sztenografál [-t, -jon] *vi/vt*, stenograph, write in shorthand

---

Az itt nem található **szt** *kezdetű szavakat lásd* **st** *alatt.* For words not given under **szt** see **st**

sztenográfia [..át] n, stenography
sztenografus n, stenographer, stenographist, short-hander (fam)
sztenogram [-ot, -ja] n, stenograph
sztentori [-ak, -t; adv -an] a, stentorian
sztepptáncos n, stepp-dancer
sztereo-fényképezőgép n, stereocamera
sztereofénykép-pár n, stereograph, stereogram
sztereofilm n, stereoscope film
sztereofonikus [-at; adv -an] a, stereophonic
sztereográf [-ot, -ja] n, stereograph
sztereografikus a, stereographic; ~ vetület stereographic projection
sztereokémia n, stereo-chemistry
sztereokémiai a, stereochemic(al)
sztereokomparátor [-ok, -t, -ja] n, stereocomparator
sztereokrómia [..át] n, (vegy) stereochromy
sztereokrómiai a, (vegy) stereochromatic
sztereóma [..át] n, (növ) stereome
sztereométer n, stereometer
sztereometria [..át] n, stereometry
sztereometrikus a, stereometric
sztereoszkóp [-ot, -ja] n, stereoscope
sztereoszkopikus a, stereoscopic(al); ~ fényképezés stereo-photography; ~ kép stereoscopic picture/view; ~ látás stereoscopic vision; ~ mérés stereoscopic measurement
sztereoszkopikusan adv, stereoscopically
sztereotip [-et] a, (átv) stereotype(d)
sztereotipál [-tam, -t, -jon] vt, (nyomd) stereotype
sztereotipált [-at; adv -an] a, (nyomd) stereotype(d)
sztereotípia [..át] n, (nyomd) stereotypy
sztetoszkóp [-ot, -ja] n, stethoscope, auscultator
sztetoszkópia [..át] n, (orv) stethoscopy
sztetoszkópiai [-t] a, (orv) stethoscopic
sztilita [..át] n, (vall tört) stylite, pillar saint
sztilobát [-ot, -ja] n, (épít) stylobate
sztirol [-ok, -t, -ja] n, (vegyt) styrol, styrene
SzZTK = Szakszervezeti Társadalombiztosítási Központ (kb) Trade Union Insurance Centre (röv TUIC)
SZTK-alközpont n, (kb) TUIC local office
SZTK-beteg (kb) panel-patient
SZTK-járulék n, (kb) TUIC contribution
SZTK-orvos n, (kb) panel-doctor
SZTK-rendelő n, (kb) TUIC dispensary
sztoicizmus n, stoicism, the Portico
sztoikus I. a, stoic(al) II. n, stoic
sztoló [-t, -ja] n, (növ) tiller
sztolóhajtás n, (növ) tillering
sztóma [..át] n, (növ) stoma
sztomatológia [..át] n, (orv) stomatology
sztór [-ok, -t, -ja] n, sun-awning, blind
sztráda [..át] n, motor-road
sztrájk [-ot, -ja] n, strike, walk-out (US); általános ~ general strike; figyelmeztető ~ strike of warning; jelképes ~ token strike; szolidaritási ~ sympathy strike; ~ba lép (go on) strike, come out on strike, strike work, (throw) down one's tools, turn out; a ~ véget ér [megegyezéssel] the strike is settled; ~ba léptet call out on strike, call a strike of... (workers); elárulja a ~ot rat; ~ot hirdet call/declare a strike; ~tól megbénított strikebound
sztrájkalap n, strike fund(s)
sztrájkbíróság n, strike tribunal, conciliation board
sztrájkbizottság n, strike committee; forradalmi ~ revolutionary strike committee
sztrájkhullám n, a wave of strikes
sztrájkjog n, right to strike
sztrájkmozgalom n, strike movement
sztrájkol [-t, -jon] vi, be (out) on strike, strike (ami miatt for), be/walk out; ~ni kezd go on strike; a munkások ~nak the workmen are out

sztrájkolás n, (being on) strike
sztrájkoló [-t, -ja] I. a, striking, being on strike II. n, striker
sztrájkőr n, picket
sztrájkőrség n, (strike) picket, picket line; ~et állít picket
sztrájksegély n, [szakszervezet részéről] strike-pay
sztrájktörés n, blacklegging, breaking a strike, strike breaking
sztrájktörő I. a, blacklegging II. n, blackleg, strike-breaker, scab, rat
sztrájkzáradék n, strike-clause
sztratégosz [-ok, -t, -a] n, [ókori görögöknél] strategus
sztratigráfia [..át] n, (geol) stratigraphy
sztratigráfiai [-t] a, (geol) stratigraphic
sztratoszféra n, stratosphere
sztratoszférarepülés n, flight in the stratosphere
sztratoszférarepülő n, stratosphere-balloonist
sztratoszféra-repülőgép n, strato-cruiser, stratoplane
sztreptokokkusz [-ok, -t, -a] n, (orv) streptococcus
sztreptokokkuszos [-at] a, (orv) streptococcic
sztreptomicin [-ek, -t, -je] n, (orv) streptomycin
sztrichnin [-t, -je] n, strychnine; ~nel kezel strychninize
sztrichninmérgezés n, (orv) strychninism
sztroboszkóp [-ot, -ja] n, (fiz) stroboscope
sztroboszkópikus a, stroboscopic, strobic
sztroboszkóp-villanócső n, strobetron
sztrofizmus n, (növ) strophism
sztyepp [-et, -je] n, steppe, heath, prairie
sztyeppenép n, (tört) people of the steppe
szú [-t, -ja] n, 1. (áll) wood-borer/worm, deathwatch beetle 2. [csonté, fogé] decay, caries
szubakut [-ot] a, (orv) subacute
szubalpin [-t] a, subalpine
szubarktikus a, (földr) subarctic
szubdomináns [-ok, -t, -a] n, (zene) subdominant
szuberin [-ok, -t, -ja] n, (vegyt) suberin
szuberinsav n, suberic acid
szubfosszilis [-ak, -t] a, subfossile
szubjektív [-et; adv -e(n)] a, subjective, biased; ~ idealista subjective idealist
szubjektíve adv, subjectively
szubjektivitás n, subjectivity, subjectivism
szubjektivizmus n, subjectivism
szubkontra n, (kárty) redouble
szubkután [-t] a, subcutaneous
szublimáció [-t, -ja] n, sublimation
szublimál [-t, -jon] vt, sublimate, elevate, idealize, refine, purify
szublimálás n, sublimation
szublimálódik [-ott, -jon, -jék] vi, sublime
szublimát [-ot, -ja] n, (corrosive) sublimate, mercuric chloride
szublimátmérgezés n, sublimate poisoning
szublimátum [-ot, -a] n, (vegyt) sublimate
szubmentum [-ot, -a] n, (áll, bonct) submentum
szubnormális a, subnormal
szúbogár n, (áll) wood-eater
szuboxid n, (vegyt) suboxide
szubpoláris a, [klíma] sub-polar
szubrett [-et, -je] n, soubrette, abigail
szubszonikus a, (rep) subsonic
szubsztancia [..át] n, (fil) substratum, substance, hypostasis
szubsztanciális [-at; adv -an] a, substantial
szubsztancialitás n, substantiality
szubsztituens [-et] a, [anyag, csoport] substituent
szubsztratoszféra n, substratosphere
szubsztrátum [-ot, -a] n, substratum
szubtangens a/n, (menny) subtangent
szubtilis [-at; adv-an] a, subtle, delicate, fine-spun/drawn

szubtilisan *adv*, subtilely, delicately
szubtilitás *n*, subtlety, delicacy
szubtropikus *a*, subtropical, semi-tropical; ~ övezet horse latitude; ~ préri savanna(h)
szubvenció [-t, -ja] *n*, subsidy, subvention, grant, bounty
szubvencionál [-t, -jon] *vt*, subsidize, subvention
szubvencionált [-at; *adv* -an] *a*, subsidized, subventioned, *[intézmény]* state-aided, sheltered, bounty-fed *(iron)*
szubvulkán *n*, *(geol)* subvolcano
szubvulkáni *a*, *(geol)* subvolcanic
Szudán [-t, -ban] *prop*, S(o)udan
szudánfű *n*, *(növ)* Sudan grass *(Sorghum vulgare sudanense)*
szudáni [-ak, -t;] *a/n*, S(o)udanese; *Sz~ Köztársaság* Republic of Sudan
Szudéták *prop*. *pl*, Sudeten
szudétanémet *a/n*, Sudeten German
szúette *a*, worm-eaten, rotten
Szuez [-t, -ben] *prop*, *(földr)* Suez
Szuezi-csatorna *prop*, the Suez Canal
szufarkas *n*, *(áll)* *[vörösnyakú]* ant beetle *(Thanasimus formicarius)*
szúfarkasok *n*. *pl*, *[rovarfajták]* checkered beetles *(Cleridae család)*
szuffita [.. át] *n*, *(szính)* flies *(pl)*
szufla [..át] *n*, breath, wind; *jó szuflájú* stout-winded; *kifogy a szuflám* I am puffed/winded, I am out of breath
szuggerál [-t, -jon] *vt*, suggest, influence by suggestion
szuggerálhatóság *n*, suggestibility, susceptibility
szuggesztió [-t, -ja] *n*, (hypnotic) suggestion
szuggesztív [-et; *adv* -en] *a*, suggestive; ~ képesség *(kb)* personal magnetism
szuka *n*, bitch
szukcesszió [-t, -ja] *n*, *(növ)* succession, the replacement of one cummunity by another
szukcinát [-ot, -ja] *n*, *(vegyt)* succinate
szula [.. át] *n*, *(áll)* gannet *(Sula bassana)*
szulák [-ot, -ja] *n*, *(növ)* convolvulus, bindweed, morning glory *(Convolvulus sp.)*
szulákfű *n*, *(növ)* traveller's-joy, old man's beard *(Clematis vitalba)*
szulák-keserűfű *n*, *(növ)* black bindweed, climbing buckwheat *(Polygonum convolvulus)*
szulfamid [-ot, -ja] *n*, *(vegyt)* sulphamide
szulfamidsav *n*, *(vegyt)* sulphamic acid
szulfanilsav *n*, *(vegyt)* sulphanilic acid
szulfát [-ot, -ja] *n*, *(vegyt)* sulphate
szulfid [-ot, -ja] *n*, *(vegyt)* sulphide, sulphuret *(obs)*
szulfit [-ot, -ja] *n*, *(vegyt)* sulphite
szúliszt *n*, wood dust (from worm-hole)
szultán [-ok, -t, -ja] *n*, sultan; *őfelsége a* ~ His Sultanship
szultánkenyér *n*, Turkish delight, rahat lakoum
szultánság *n*, sultanship, sultanate; *szövetségi* ~ federal sultanate
szultántyúk *n*, *(áll)* sultan, hyacinth, porphyrio *(Porphyrio sp.)*
Szumátra [..át, ..ában] *prop*, *(földr)* Sumatra
szumátrai [-ak, -t] *a/n*, *(földr)* Sumatran
szumér [-ok, -t, -ja; *adv* -ul] *a/n*, = szumir
szumir [-ok, -t, -ja; *adv* -ul] *a/n*, Sumerian
szundikál [-t, -jon] *vi*, = szundít
szundikálás *n*, = szundítás
szundít [-ani, -ott, -son] *vi*, *(biz)* doze, slumber, nod, have a nap, nap snooze, have forty winks; ~ egyet take a nap, have a doze/snooze
szundítás *n*, *(biz)* dozing, doze, nap(ping), slumber(ing)
szunnita [.. át] *n*, *(vall)* Sunni
szunnyad [-t, -jon] *vi*, 1. *(konkr)* slumber, sleep light-

ly, be asleep 2. *[halott]* be dead, sleep the sleep of death
szunnyadó [-t; *adv* -an] *a*, 1. *(konkr)* sleeping, slumbering 2. *(átv)* dormant, latent; ~ rügy dormant bud
szunnyadoz [-tam, -ott, -zon] *vi*, = szundít
szúnyog [-ot, -ja] *n*, 1. *(átt)* gnat, mosquito *(Culicidae-család)*; *maláriaterjesztő* ~ anopheles *(Anopheles)* 2. *(átv)* ~ból elefántot csinál make a mountain out of a molehill
szúnyogcsípés *n*, mosquito-bite
szúnyogfélék *n*. *pl*, *(áll)* culicidae *(pl)*
szúnyogháló *n*, mosquito-net/curtain, *[ablakon]* fly-screen
szúnyogirtó *n*, ~(szer) culicide, culicifuge, mosquito-cide
szúnyoglátás *n*, *(orv)* floating specks *(pl)*
szúnyogzöngés *n*, mosquito-hum/buzz
szunyókál [-t, -jon] *vi*, = szundít
szunyókálás *n*, = szundítás
szupé [-t, -ja] *n*, supper (taken at a ball about midnight)
szupécsárdás *n*, ⟨ czardas danced after supper at midnight at a great ball ⟩
szuperál [-t, -jon] *vi*, function, act, work, go, run; *nem* ~ it does not work
szuperfoszfát *n*, superphosphate
szuperheterodin [-ek, -t, -je] *n*, superheterodyne, superhet *(fam)*
szuperklasszis *n*, extra class, top-hole, topflight *(US)*
szuperlatívusz [-ok, -t, -a] *n*, *(nyelvt)* superlative; ~okban beszél speak in superlatives
szuperlégierőd *n*, superfortress
szupernova [.. át] *n*, *(csill)* supernova
szuperoxid *n*, *(vegyt)* peroxide, superoxide
szuperpozíció *n*, superimposition
szuperszonikus *a*, supersonic
szupervevő *n*, super(het), superheterodyne
szupport [-ot, -ja] *n*, *[szerszámgépen]* saddle
szupravezetés *n*, *(vill)* superconductivity
szupravezető *n*, *(vill)* superconductor
szupravezetőképesség *n*, *(vill)* supra-conductivity
szupremácia [.. át] *n*, supremacy
szúr [t, -jon] *vt/vi*, 1. *[tű, tövis]* prick, *[rovar]* sting, bite, *[gombostűre]* pin, *[lyukat]* pierce (hole), prick; *gombostűt* ~ vmbe run a pin into/through sg 2. *[fegyverrel]* stab, thrust, *[vívó]* lunge, pass, thrust (at sy); ~ és véd thrust and parry 3. *[fájdalom]* twinge, shoot; ~ az oldalam I have a stitch in the side 4. *(vhová)* stick, plant (into) 5. *[szót közbe]* insert, interpolate 6. *szemet* ~ strike/hit the eye, be conspicuous
szura [.. át] *n*, *(vall)* sura(h)
szúrágás *n*, worm-hole
szúrágta [.. gottat; *adv* .. gottan] *a*, worm-eaten
szúrás *n*, 1. *[tűé, tövisé]* prick(ing), *[rovaré]* sting, bite, 2. *[fegyverrel]* stab, thrust, lunge, puncture; ~ és védés *[vívásban]* thrust and parry 3. *[szúró fájdalom]* stabbing/lancinating pain, *[deréktájon]* side-pains *(pl)*; ~t érez a hátában have a twinge of pain in one's back 4. *[helye]* pinhole
szurdal [-t, -jon] *vt/vi*, = szurkál
szurdék [-ot, -a] *n*, 1. *[zugoly]* recess, nook, *[putri]* hovel, shack 2. =szurdok
szurdok [-ot, -a] *n*, *[szakadék]* ravine, canyon, gorge, pass, defile, guggly, gulch *(US)*
szurkál [-t, -jon] *vt/vi*, prick(le), prod, keep stabbing/poking; *vmt bottal* ~ poke at sg with a stick
szurkálás *n*, 1. stabbing, stabs *(pl)* 2. *(átv)* pin-pricks *(pl)*
szurkapiszkál *vt*, *(átv)* keep making nasty remarks about sy
szurkol¹ [-t, -jon] *vt*, *[szurokkal]* pitch, tar
szurkol² [-t, -jon] *vi*, *(biz)* 1. *[fél]* have the jitters,

have cold feet, be in a funk 2. *(sp) [csapatnak]* be a fan, cheer (a team), root for (one's team) *(US)*; *a Vasasnak* ~ be a Vasas fan, root for Vasas
szurkolás¹ *n, [szurokkal]* pitching, tarring
szurkolás² *n,* 1. *(biz)* funk, jitters *(pl)*, anxiety 2. *(sp biz)* rooting
szurkoló [-t] *a/n, (sp)* fan, rooter
szurkos [-at; *-adv* -an] *a,* 1. ˈpitchy, tarry, coated with tar *(ut)*, bituminous; ~ *fonal* waxed/pitch thread 2. ~ *széklet* tarry stool 3. ~ *a keze (átv)* have sticky fingers
szurkoz [-tam, -ott, -zon] *vt,* pitch, coat/cover with pitch/tar, wax (thread)
szurkozás *n,* pitching, tarring
szúró [-t; *adv* -an] *n,* 1. *(konkr)* pricking, stinging 2. *[fájdalom]* lancinating, stabbing, smarting; ~ *fájdalom* sting, stitch, twinge, lancinating/mordant pain, stab, pang 3. *[tekintet]* penetrating, piercing; ~ *szemek* gimlet eyes 4. *[rovarok]* terebrant, boring
szúróár *n,* piercel
szúrócsap *n,* trocar
szúrófegyver *n,* thrusting weapon, cold steel *(ref.)*
szurok [szurkot, szurokja] *n,* (mineral) pitch, tar, *(műsz)* bitumen, *(orv)* meconium; ~*kal borított* pitchy, coated with tar; *fekete mint a* ~ pitch/jet--black, black as coal; *itt vagyok ragyogok mint a fekete* ~ lo and behold me!, here I am as fresh as a daisy
szurokérc *n,* pitchblende
szurokfáklya *n,* pitch-torch/link
szurokfekete *a/n,* jet/pitch-black, pitchy
szurokfenyő *n, (növ)* pitch-pine *(Pinus palustris/ rigida)*
szurokfű *n, (növ)* wild marjoram *(Origanum vulgare)*
szurokkeverő *n, [eszköz]* pitch-stirrer
szurokkő *n,* pitchstone
szuroksötét *a/n,* pitch-dark/black
szurokszén *n,* pitch-coal, jet
szurokszerű *a,* piceous
szúróláng *n, (műsz)* jet/darting flame
szúrómarha *n,* beef cattle
·szurony [-ok, -t, -a] *n,* bayonet;~*t feltűz* fix bayonet; ~*t szegezz!* fix bayonets!; ~*t szegezve* with fixed bayonets, the bayonet at the charge
szuronyhegy *n,* point of the bayonet
szuronyhüvely *n,* socket of bayonet
szuronykard *n,* sword-bayonet
szuronyos [-t; *adv* -an] *a,* bayoneted, provided with (a) bayonet *(ut)*; ~ *katona* soldier with bayonet
szuronyroham *n,* bayonet assault/charge
szúrópróba *n,* random sample/sampling/test
szúrós [-at; *adv* -an] *a,* 1. *(ált)* stinging, pricking; ~ *szakáll* stubbly beard 2. *(áll)* bristly, stubbly, *(növ)* stinging, prickly, thorny, spiky, pungent, hirsute, thistly 3. *[szag]* pungent 4. *[megjegyzés]* biting, caustic, stingy, *[tekintet]* piercing, penetrating; ~ *szem* piercing/penetrating eye, gimlet eye; ~ *szemű* having piercing eyes *(ut)*, having eyes like gimlets *(ut)*, gimlet-eyed
szurrogátum [-ot, -a] *n,* substitute, surrogate, ersatz
szúrt [-at] *a,* ~ *seb* stab-wound, punctured wound
szurtos [at; *adv* -an] *a,* grimy, grubby, dirty, filthy, soiled, squalid; ~ *kéz* pitchy fingers
szurtosság *n,* griminess, dirtiness, filthiness, squalidity
szusz [-t,-a] *n,* breath, wind; *egy* ~*ra* (all) in the same breath, in one (and the same) breath, at a breath; *bírja szusszal* be able to last out longer, have a good/ long wind; *nem győzi szusszal* be (short-)winded, be puffed, be short of breath
szuszék [-ot, -a] *n, (áll)* corn/flour-bin *(Steatornis caripensis)*
szuszimuszi [-t; *adv* -n] *a/n,* sleepy-head, slow-coach

szuszog [-tam, -ott, -jon] *vi,* 1. pant, puff, snort, blow, wheeze, puff and blow, snuff(le), breathe heavily; *úgy* ~ *mint egy fújtató* puff (and blow) like a grampus 2. *(átv) [sokáig]* be slow(-acting); *ne* ~*j vele* don't dawdle over it
szuszogás *n,* 1. panting, breathing heavily, puffing and blowing, wheezing 2. *(átv)* dawdling
szuszogós [-at] *a,* ~ *ember [lassú]* slow-coach
szuszpendál [-t, -jon] *vt,* suspend; ~*t pap (egyh)* inhibited priest
szuszpenzió [-t, -ja] *n,* suspension, *[papé]* inhibition
szuszpenzórium [-ot, -a] *n,* suspensory (bandage), jock--strap
szusszan [-t, -jon] *vi/vt,* 1. breathe heavily, puff, pant 2. *[pihen]* have a breather
szusszant [-ani, -ott, -son] *vt/vi,* puff, breathe loudly, pant
szuterén [-t] *n,* basement
szutra [. . át] *n,* Sutra
szutykos [-at; *adv* -an] *a,* grimy, filthy, unkempt, soiled, *[nő]* slatternly, sluttish, slovenly; ~ *fehérnép* blowzy/frowzy wench, slut, slatter, trollop
szutyok [szutykot, szutyka] *n,* filth, dirt, grime
szutyongat *vt,* press hard, prod, urge, push, *[hitelező]* dun, worry; ~*ják (átv)* be hard run
szuvas [-at; *adv* -an] *a,* 1. *[fa]* worm-eaten, decayed 2. *[fog, csont]* decayed, carious
szuvasodás *n,* 1. decay 2. *[fogé, csonté]* caries, decay
szuvasod|ik [-tam, -ott, -jon, -jék] *vi,* 1. *[fa]* decay, rot 2. *[fog, csont]* grow carious, decay
szuvasodó [-t] *a,* decaying
szuvasság *n,* worm-eaten state, rot(tenness), decay, caries
szuverén [-ek, -t; *adv* -ül] I. *a,* sovereign, *(átv)* supreme; ~ *állam* a sovereign state II. *n,* sovereign, monarch
szuverenitás *n,* sovereignty, supreme power
szű [-t, -je] *n,* † = szív¹
szűcs [-öt, -e] *n,* furrier, fur-trader/dresser, skinner *(ritk)*
szűcsáru *n,* furriery, furs *(pl)*, furring, fur-skins/goods *(pl)*, peltry
szűcsipar *n,* fur trade
szűcsmester *n,* furrier, fur-dresser
szűcsmesterség *n,* furrier's/fur trade, furriery, fur--making
szűcsmoly *n, (áll)* skin/fur-moth *(Tinea pellionella)*
szüfrazsett [-et, -je] *n, (tört)* suffragette
szügy [-et, -e] *n,* breast (of animals), *[lóé]* chest, *[húsʔ* brisket, breast
szügyelő [-t, -je] *n,* breast-strap/plate/collar
szügyhám *n,* breast harness
szűk [-et; *adv* -en] I. *a,* 1. *[út, nyílás]* narrow, strait, *[hely]* close, confined; ~ *keresztmetszet* bottleneck; ~ *medence (orv)* contracted pelvis; ~ *nyakú [palack stb]* narrow-necked 2. *[ruha]* tight(-fitting); ~ *szoknya* hobble-skirt; *mellben* ~ *[ruha]* narrow-chested; ~ *mellű [személy]* narrow-chested/breasted; ~*re szab [ruhát]* cut too tight/fine, *[időt]* allow very little time for, *[adagot]* deal out sparingly, dole out, restrict; ~*re szabott* limited, restricted, *[adag]* meagre, scanty, short, *[hely]* narrow, confined, cramped, *[idő]* brief, *[ruha]* skimpy, skimped, (cut too) tight, tight-fitting 3. *[elhelyezés]* confined, *[mennyiség]* scanty, limited, restricted 4. *(átv)* narrow, restricted, limited; ~ *esztendő o001o yonrj hét* ~ *esztendő* seven lean years; ~ *határok/korlátok között* within narrow bounds, within a narrow compass; ~ *kör* narrow circle, select company, exclusive society; ~ *körű [társaság]* private, exclusive, choice, select, *[tudás, ismeret]* restricted, limited; ~ *látókörű* parochial, narrow-minded, with a constricted outlook *(ut)*, insular *(GB)*, sub-

urban *(GB);* ~ *látókörű ember* a man of small calibre; ~ *lehetőségek* restricted/limited possibilities 5. ~ *fekvés (zene)* close position 6. ~ *magánhangzó (nyelvt)* narrow vowel

II. *n,* ~*e vmnek* shortage/scarcity of sg; ~*ében van vmnek* be ill provided with sg, be hard up for sg, be scant of/in sg *(obs),* be shorthanded in sg, have a scarcity of sg, sg is at a great premium, be pinched for sg *(fam)*

szűkebb [-et; *adv* -en] *a,* tighter, narrower; ~ *értelem/jelentés [szóé]* specific meaning; ~ *értelemben* in a narrow sense, in a qualified sense; *a leg~ értelemben* in the narrowest/strictest sense; ~ *körű* restricted, limited, select, exclusive; ~ *lesz* tighten, contract, (grow) narrow, become tighter, narrow down; ~ *hazája* one's homeland/country proper; ~ *körre szorítkozik* cover a limited sphere, be confined to a smaller circle; ~*re fog* draw in, keep a tighter hand/hold over sy, tighten the rope/reins; ~*re szab* restrict; ~*re szorul a hurok* the rope is drawn tighter (around sy)

szűkecske *a,* narrowish

szűken *adv,* narrowly, scantily; ~ *áll vm dolgában* be short of sg; ~ *mér vmt* be very chary/sparing with, give (sy) short weight; ~ *vannak* they are cramped (for room), they are rather crowded here

szűkít [-eni, -ett, -sen] *vt,* 1. *(ált)* tighten, narrow down, *[általánosítást,* **állítást]** qualify 2. *[ruhát]* take in

szűkítés *n,* 1. *(ált)* tightening, narrowing (down), restriction 2. *[ruháé]* taking in

szűkített [-et; *adv* -en] *a,* 1. tightened, restricted, narrowed (down), contracted 2. *(zene)* ~ *hangköz* diminished interval; ~ *kvint* diminished fifth

szűkkeblű *a,* illiberal, ungenerous, parsimonious, stingy, miserly, small-minded

szűkkeblűen *adv,* ungenerously, illiberally, parsimoniously, stingily

szűkkeblűség *n,* illiberality, ungenerosity, parsimony, stinginess, small-mindedness

szűkkörűség *n,* 1. *[társaságé]* exclusiveness, selectness 2. *[ismereteké]* restricted/limited character

szűklátókörűség *n,* small/narrow-mindedness

szűkmarkú [-t; *adv* -an] *a,* hard/close/tight-fisted, niggard(ly), parsimonious, stingy, miserly, mean; ~ *ember* pincher

szűkmarkúan *adv,* ungenerously, parsimoniously, meanly

szűkmarkúság *n,* close-fistedness, niggardliness, stinginess, parsimony, illiberality, miserliness

szűköl [-t, -jön] *vi,* whine, whimper

szűkölés *n,* whining, whine, whimper(ing)

szűkölködés *n,* need, neediness, penury, penuriousness, necessitude, straitened circumstances *(pl),* want, poverty, scarcity, dearth, shortage, destitution, privation, indigence

szűkölköd|ik [-tem, -ött, -jön, -jék] *vi, (vmben)* be in need (of) be in want (of, for), be out/short (of), lack, be in necessity/misery, be needy/indigent, live in penury/indigence; *tehetségben nem* ~*ik* he does not want for abilities

szűkölködő [-t; *adv* -en] I. *a,* needy, indigent, poor, necessitous, poverty-stricken, penurious, needful, impecunious, *(vmben)* wanting in sg II. *n,* needy/penurious person; *a* ~*k* the poor/needy/destitute

szűkös [-et; *adv* -en] *a,* 1. *[szegényes]* straitened, tight, narrow, needy; ~ *anyagi körülmények* narrow means/circumstances; ~ *esztendők* lean years; ~ *jövedelem* slander/scanty income; ~ *körülmények/viszonyok között él* live in reduced circumstances, be badly/poorly off, can hardly make both ends meet, live in a small way 2. *[áru]* scanty 3. *(ritk) [hely]* tight, close, cramped (quarters)

szűkösen *adv,* 1. scantily, barely, poorly; ~ *él* be hard up, pinch (and scrape); *csak* ~ *telik a legszükségesebbre* there is scarcely enough to procure the bare necessaries 2. ~ *férnek el* they are cramped/pinched for room, there is barely/hardly room for them they are tightly packed, they are confined for space, there is no room to swing a cat *(joc)*

szűkösség *n,* narrowness, straitness, tightness, closeness, scantiness, meagreness, necessity, scarcity, *[árué]* shortage, *[lakásé]* exiguity

szükség *n,* 1.*(vmre)* need, necessity, requirement (for); ~ *esetén* if need be, in case of need/emergency/necessity, on occasion, if necessary, when required; *a* ~ *idején* in the hour of need; ~ *szerint* according to need/necessity, as circumstances may require; ~ *van vmre* sg is wanted/needed, want/need/require sg, stand/be in need of, be in want of, could do with *(mind:* sg); *időre van* ~ time is needed, it takes time; *mi* ~ *van erre?* what need is there for this?; *nincs* ~ *rá* it is not necessary, there is no need for it; *nagy* ~ *van rá* be wanted badly, be greatly in need, be needed direly/desperately; *nagy* ~*em van rá* I need/want it badly; ~*em van segítségedre* I want your help; *sürgős* ~ *van rá* there is urgent/imperative need for/to; *ha a* ~ *úgy kívánja* if need arises, if need be, in case of need necessity/emergency; *ha* ~*e lenne...* should you stand in need of...; *éppen erre volt* ~*em* the very thing (I needed), *(iron)* it could not have come at a worse moment; *vmnek* ~*e mutatkozik* the necessity arises, the need for sg appears; *mennyire van* ~*e?* how much do you want/need?; *mi* ~ *van...?* what need is there?; ~*ünk lesz minden fillérre amihez hozzájutunk* we shall need every penny we can get; ~*ből erényt csinál* make a virtue of necessity; ~*ét érzi vmnek* he feels the need for/to (do sg), be/stand in need of 2. *[hiány]* necessity, need, want, *[szegénység így is]* indigence, penury, privation, distress; *nagy* ~*ben él* be reduced to exigence; *végső* ~*ben* in case of emergency, in the last resort/extremity, in extreme need/necessity, if the worst comes to the worst; ~*et lát* be in need/want/distress, suffer, want; ~*et szenved (vmben)* be in need/want of (sg), be wanting in (sg), be short of (sg), *[anyagilag]* be in straitened circumstances, be reduced to exigency; ~ *törvényt bont (közm)* necessity knows no law 3. *[testi]* ~*re megy* go to relieve oneself, go to the lavatory/toilet; ~*ét végzi* relieve nature, do one's needs

szükségadó *n,* surtax, emergency tax

szükségállapot *n,* 1. emergency 2. = **ostromállapot**

szükségbarakk *n,* temporary/provisional/emergency barracks *(pl),* temporary/provisional/emergency hutment

szükségel [-t, -jen] *vt,* need, require, want, necessitate, call (for), demand

szükségelhelyezés *n,* temporary quarters *(pl)*

szükségépítmény *n,* temporary/provisional building/erection/construction

szükségérzet *n,* feeling of want/need

szükséges [-et; *adv* -en] *a,* necessary, needful, needed, required, requisite, imperative; ~ *előfeltétel* necessary condition; ~ *munka* necessary labour; ~ *és többletmunka* necessary and surplus labour; ~ *rossz* unavoidable/necessary evil; ~ *termék* necessary product; ~ *és többlettermék* necessary and surplus product; *amikor* ~ when required; *ha* ~ if need(s) be, in case of need, if necessary; *ami a megélhetéshez* ~ the necessaries (of life), the prime necessities; ~ *hogy* it is necessary that/to; *nem* ~ there is no need for/to, it is unnecessary (to); *nem* ~ *figyelmedbe ajánlanom hogy* I need not call your attention to; *nem* ~ *mondanom* (it is) needless to say, I need hardly tell you; *feltétlenül* ~

it is indispensable/essential/imperative, it is absolutely necessary; *megteszi a ~ intézkedéseket* take the necessary measures, do the necessary/needful; *~nek látszik* it seems necessary; *~nek látta hogy* he thought/deemed it necessary/fit to; *~nek tartja hogy. . .* feel it necessary to . . .; *a leg~ebbre szorítkozik* not go beyond what is strictly necessary, confine oneself to strict necessaries; *~sé tesz vmt* necessitate sg, make sg imperative, call for sg, demand sg

szükségesség *n,* necessity; *történelmi ~* a historical necessity

szükséghelyzet *n,* emergency

szükséghíd *n,* emergency bridge

szükségintézkedések *n. pl,* emergency measures

szükségképpen *adv,* necessarily, of necessity, perforce, inevitably, needs must

szükségképpeni [-ek, -t] *a,* necessary, inevitable, indispensable

szükségkeresztség *n, (egyh)* private baptism

szükségkikötő *n,* port of distress, harbour of refuge

szükségkórház *n,* emergency hospital

szükséglakás *n,* temporary accommodation, temporary lodgings *(pl)*

szükséglet *n,* need, necessity, want, demand(s), requirement(s), exigence; *napi ~* daily requirements/wants/needs *(pl); anyagi(,) kulturális és egészségügyi ~ek* material(,) cultural and sanitary needs; *testi és szellemi ~ek* bodily and spiritual needs; *~ek szerinti elosztás* distribution according to necessities; *mindenki(nek) ~e szerint* each according to his needs; *~nek megfelelő (ker)* suitable to the requirements; *~et kielégít* fill/meet/cover demands; *~ét beszerzi* lay in a stock/supply (of), provide for one's needs, provide oneself (with), buy in; *~ét fedezi* meet one's requirements/needs

szükségleti [-ek, -t] *a,* necessary, of need/necessity *(ut); ~ tárgyak/cikkek* necessary commodities, necessaries

szükséglétra *n,* emergency/safety ladder

szükségmegoldás *n,* stopgap arrangement, make-do/shift, shift, expedient, emergency measures *(pl)*

szükségmunka *n,* relief work

szükségpénz *n,* emergency currency/money, money of necessity

szükségrendelet *n,* emergency decree

szükségszerű *a,* necessary, inevitable, ineluctable, imperative, sure to happen *(ut)*

szükségszerűen *adv,* necessarily, inevitably, of necessity/force, perforce

szükségszerűség *n,* necessity; *logikai ~* a logical necessity

szükségtelen *a,* unnecessary, needless, superfluous, uncalled for, unneeded, unrequired; *~ mondanom (hogy)* needless to say (that), it goes without saying (that)

szükségvilágítás *n,* emergency light(ing)

szűkszavú *a,* close-mouthed/tongued, short-spoken/mouthed, scant of speech *(ut),* taciturn, laconic, sparing of words *(ut),* tight-lipped, uncommunicative, succint, reticent, word-bound, of few words *(ut),* say-nothing *(fam)*

szűkszavúság *n,* laconism, taciturnity, reticence

szűkül [-t, -jön] *vi,* 1. (grow) narrow, tighten, contract, be constricted; *mindjobban ~* get ever tighter 2. = -szűköl

szűkület *n,* (bottle-)neck, constriction, contraction, narrowing, *(orv)* stricture, stenosis, isthmus, coarctation

szül [-t, -jön] *vt,* 1. bear, be confined, be delivered of, be brought to bed (of), give birth to, *(áll)* drop/throw young, bring forth, litter; *gyermeket ~* bear/have a child, be delivered of a baby/child, give birth to a child, labour with child; *a lakásán ~* have a delivery

in the home; *még nem ~t [asszony] (jog, orv)* nulliparous 2. *(átv)* beget, be the father of, bring forth/about, create, produce, engender; *rossz vért ~* breed bad blood; *alkalom ~i a tolvajt* opportunity makes the thief; *egyenetlenség ~i a bűnt* discord begets crime

szüle [.. ét] *n, (nép †)* mother *(stand.),* old wife, gammer

szülemény *n,* creature, product, produce, result

szüleml|ik [-ett] *vi,* (a)rise, spring up, be born

szülés *n,* childbirth, confinement, birth, delivery, accouchement, lying in, *(orv)* parturition, labo(u)r, partus, *(áll)* littering, cubbing, dropping; *elhúzódó ~* prolonged labour; *mesterséges ~* artificial/induced labour; *művi/műszeres ~* instrumental labour; *nehéz ~* difficult confinement/birth, *(orv)* dystocia, *(átv) [igével]* that was no easy thing, that took some doing; *száraz ~* dry labour; *~ előtti* prenatal; *~ utáni* post partum, postnatal; *a ~ időpontja* the day of confinement, full term; *a ~ szakai* stages of labour; *~ben meghal* die in childbirth; *~hez hívtak ki* I was called to a maternity case; *~t levezet* assist at birth; deliver (a woman)

szülési [-ek, -t] *a,* of childbirth *(ut),* pertaining to childbirth *(ut); ~ fájdalmak* pains/throes of childbirth, birth-throes, labour; *~ segély* maternity grant/allowance; *~ szabadság* maternity leave

szülész [-ek, -t, -e] *n,* obstetrician, obstetrist, tocologist

szülészet *n,* 1. midwifery, obstetrics, tocology 2. *[kórház]* maternity centre/hospital, lying-in hospital

szülészeti *a,* obstetric(al), tocological, pertaining to childbirth *(ut); ~ megbetegedés* obstetrical disease; *~ osztály* maternity ward/centre, lying-in ward, obstetrical ward, natuary

szülészfogó *n,* (delivery/obstetrical) forceps

szülésznő *n,* midwife, *(orv)* obstetrix; *okleveles ~* licentiate in midwifery *(röv* L.M.)

szülészorvos *n,* obstetrician

születendő [-t] *a,* to be born *(ut); a ~ gyermek* the child to be born

születés *n,* birth; *~ előtti* prenatal, antenatal; *~ utáni* postnatal; *~ek csökkenése* fall in the birth-rate; *~e óta* since his birth; *~étől fogva* from birth

születési [-ek, -t; *adv* -leg] *a,* of birth *(ut),* pertaining to birth *(ut),* natal, birth-, native; *~ anyakönyv* register of births, parish register; *~ anyakönyvi kivonat* birth certificate; *~ arány* birth rate, natality; *korok szerinti ~ arányszám* birth ratio by ages; *~ bizonyítvány* birth certificate; *~ év* year of birth; *~ hely* birth-place, place of birth; *~ hiba* defect from birth, natural/inborn/congenital defect; *~ nemesség* the old/born nobility, nobility by birth/extraction; *~ súly* birth weight

születésnap *n,* birthday; *minden jót kívánok ~jára* I wish you many happy returns (of the day)

születésnapi *a,* birthday; *~ ajándék* birthday present; *~ köszöntő* birthday greetings *(pl); ~ torta* birthday cake

születésszabályozás *n,* birth-control, family-planning

születésű [-ek, -t; *adv* -en] *a, budapesti ~* born in Budapest *(ut),* Budapest born, native of Budapest *(ut); idevaló ~* native of this place; *angol ~* English by birth

született [-et; *adv* -en] *a,* born, née; *Nagy Pálné ~ Tóth Anna* Mrs. Pál Nagy maiden name *(v.* née) Anna Tóth; *~ angol* a born Englishman, English by birth; *úgy beszél mint egy ~ angol* he speaks English like a native; *~ ellensége vmnek* born enemy of sg; *első házasságából ~ gyermek* child of/by the first marriage, child of the first bed; *házasságon kívül ~ gyermek* natural child, child born out of wedlock; *~ szónok* (he is) a born orator; *~ vak* born blind, blind from birth

szület|ik [-tem, -ett, . . essen] *vi*, **1.** be born, come into the world; *Budapesten ~ett* he was born in Budapest; *e házasságból két gyermeke ~ett* two children were born of this marriage; *fia ~ett* a son was born to him, she was brought to bed of a boy; *arra ~ett (hogy)* he was born to; *Stratfordban ~ett 1564-ben* he was born in Stratford in 1564; *erre ~ni kell* one must *(v.* has to) be born to this, one has to be cut out for it *(fam)* **2.** *(átv)* spring up, be born, (a)rise, originate/come/stem from; *új városok születtek* new towns have sprung up, new towns mushroomed

születő [-t] *a*, being born*(ut)*, nascent; *új világ van~ben* a new word is being born, a new world is in the making

szülő [-t, -je] **I.** *n*, parent; *ő a szülei reménysége* he is the hope of his parents **II.** *a*, giving birth *(ut)*, child-bearing, *[éppen szül]* in labour *(ut)*, parturient; *~ nő* woman in childbed/labour; *elevenen ~* viviparous

szülőágy *n*, bed in maternity ward

szülőanya *n*, **1.** mother **2.** *(átv)* mother, spring, origin, cause *(mind:* of)

szülőcsatorna *n*, *[szülészetben]* birth canal

szülőfélás *n*, labour, pains/throes of childbirth *(pl)*

szülőfalu *n*, native village

szülőfogó *n*, (obstetric/delivery) forceps

szülőföld *n*, native land/soil, motherland, fatherland, homeland, land of birth, birth-place

szülőföldi *a*, of one's native land *(ut)*

szülőház *n*, house of birth, birthplace, native house; *~am the*'house where I was born

szülőhaza *n*, mother country, motherland, fatherland

szülőhely *n*, place of birth, birth-place, native place

szülői *a*, parental; *~ beleegyezés* parental consent; *~ hatalom* parental authority/power; *~ ház* paternal roof/home; *~ munkaközösség* Parents' andTeachers' Association, parent-teacher association; *~ örökség* patrimony; *~ szeretet* parental care/love

szülőok *n*, origin, principal agent, source, (prime) cause, begetter (of)

szülőotthon *n*, maternity home/centre

szülőszoba *n*, labour room/ward, delivery-room, lying-in room

szülött [-et, -je] *n*, native, offspring, child, son, daughter; *hazánk nagy ~e* the great son of our country

szülőváros *n*, birth-place, native town, home town *(US)*; *visszatért ~ába Londonba* he returned to his native London

szűnés *n*, stopping, cessation, *[csökkenés]* abatement

szünet *n*, **1.** *[közbeiktatott]* pause, stop, break, *[étkezési v. események között]* interval, *[isk egész napos]* holiday, *[isk nyári]* vacation, *[isk órakőzi]* break, intermission, playtime, *[szính előadás közben]* interval, intermission, entracte, *[szính évad után]* "closed for the season", *[törvénykezési]* recess, *[ülés közbeni]* interruption, pause, break, *[labdarúgó-mérkőzés két félideje között]* half-time; *tízperces ~* ten minutes' break/pause/stop; *adásunkat rövid ~ után folytatjuk* we will/shall resume *(v.* be resuming) our transmission after a short interval, the programme will continue *(v.* be resumed) after a short interval **2.** *(vmben)* *[ellenségeskedésben]* truce, armistice, *[fájdalomban]* respite, *[harcban]* lull, *[munkában]* breath(ing)-space, let-up, inter-mission, respite, stoppage, rest, *[törvényhozásban]* recess, *[viharé]* lull; *~ nélkül* without stopping/interruption/rest, unceasingly, ceaselessly, without let-up, incessantly; *~et tart* pause, keep pause, make a pause, rest, relax; *öt perc ~et tart* break off for five minutes; *tartsunk öt perc ~et* let's have a five minutes break **3.** *(zene)* pause, rest; *kétütemes ~* breve/double rest

szünetel [-t, -jen] *vi*, pause, make a pause/stop, *[műkő-*

dés] be interrupted/suspended/stopped, be broken off, stand still; *a bíróság munkája ~* the court does not sit, the court is in recess/vacation; *a parlament ~* Parliament is in recess; *a vasúti forgalom ~* railway traffic is suspended/discontinued; *hétfőn az előadás ~ (szính)* no performance on Monday, *[egyetemen]* no lectures on Monday

szünetelés *n*, interruption, discontinuance, stop, stoppage, cessation, break, *[szünet]* pause, intermission, *[pihenés]* respite, rest, *[bírósági, parlamenti]* recess, vacation, *[üzemben]* standstill

szünetelet *vt*, stop, put a stop to, break, interrupt, suspend, discontinue, pretermit

szüneteltetés *n*, discontinuance, interruption, stoppage, pretermission

szüneti [-ek, -t] *a*, of recess *(ut)*, recess, vacation

szünetjel *n*, **1.** *(zene)* pause, rest, stop; *egész ~* whole rest; *fél ~* half rest **2.** *[rádióé]* interval signal

szünnap *n*, a day off, off day, holiday, *(jog)* dies non *(lat)*

szünidei *a*, of vacation *(ut)*, pertaining to vacation/holiday(s) *(ut)*; *~ tanfolyam* holiday course

szünidő *n*, vacation, holidays *(pl)*, recess *(US)*; *a nagy/nyári ~* the long vacation

szünidőz|ik *vi*, have a vacation, be holidaying, be on holiday/leave

szűn|ik [-t, -jön, -jék] *vi*, cease, stop, *[fájdalom]* abate, cease, *[láz]* subside; *szűnni nem akaró eső* unremitting rain; *~ni nem akaró panaszok* unending/endless complaints; *~ni nem akaró taps* long/prolonged/enthusiastic applause; *nem ~ik hangoztatni* go on saying, keep saying, voice unceasingly/constantly (an opinion/sentiment)

szünnap *n*, = szünetnap

szűnőben *adv*, = szűnőfélben

szűnőfélben *adv*, (it is) about to cease/stop, abating, subsiding, stopping; *a láz ~van* the fever is subsiding

szűnős-szüntelen *adv*, incessantly, unceasingly, ceaselessly

szüntelen I. *a*, unceasing, uninterrupted, unintermitting, unbroken, continuous, incessant, ceaseless, unremitting, continual, never-ending, unending, endless, restless **II.** *adv*, = szüntelenül

szüntelenül *adv*, incessantly, unceasingly, continuously, ceaselessly, without cease

szüntet *vt*, abate, stop, cease, interrupt, halt; *tüzet ~* cease fire

szüntetés *n*, = beszüntetés, megszüntetés

szűr¹ [-t, -jön] *vt*, **1.** *[folyadékot]* strain, filter, tammy, leach, *[tejet]* strain, *(vegyt)* filtrate, purify **2.** *(átv)* screen **3.** *(orv)* screen

szűr² [-ök, -t, -e] *a*, ⟨long embroidered felt cloak of Hungarian shepherd⟩; *kiteszi a ~ét* turn sy out (of doors), send sy packing *(v.* to Jericho), send sy to the right, put sy outside, *[állásból]* fire/sack sy, give sy the sack; *rakják ki a ~ét* put him out, out with him!

szürcsöl [-t, -jön] *vt/vi*, sip, sup (audibly), drink noisily

szürcsölés *n*, sipping, supping (up)

szűrdolmány *n*, dolman coat (of Hungarian peasant)

szüredék [-et, -e] *n*, filter-stock, filtrate

szűreml|ik [-eni, -ett] *vi*, filter/steal in/through

szűrés *n*, **1.** filtering, straining (of liquid), percolation, filtration, clarification **2.** *[orvosi]* check-up, *[tüdőt]* screening

szüret *n*, **1.** *[szőlőé]* vintage, vine/wine/grape harvest, *[gyümölcsé]* gathering, picking (of fruit), *[egyébé]* harvest; *~et tart* gather grapes, vintage **2.** *akkor ~!* *(biz)* fine!, topping!, ripping!

szüretel [-t, -jen] *vt*, **1.** *(konkr)* vintage, gather in the grapes/vintage **2.** *(átv)* make illicit profit

szüretelés *n*, vintaging, grape-gathering

szüretelő [-t, -je; adv -en] I. n, vintager, wine-harvester, grape-gatherer/picker II. a, harvesting-; ld még szüreti

szüreti [-ek, -t; adv -en] a, of vintage (ut); ~ dal vintage/drinking song; ~ idő vintage (season), gathering time; ~ mulatság vintage entertainment/gaiety/celebration, harvest home

szürhető [-t] a, ~ vírus (orv) filterable virus

szürke I. a, 1. [szín] grey, gray (US); ~ ég gray/leaden sky; ~ ék (fényk) neutral wedge; ~ fátyol (fényk) grey fog; ~ haj grey haire, grizzle; ~ hajú grey-haired; ~ hályog cataract; ~ szemű grey-eyed; szürkére fest paint grey 2. (átv) grey, ordinary, commonplace, colourless, insignificant, unimportant; ~ élet dull/flat life; ~ ember a very ordinary/commonplace (kind of) man; ~ stílus lifeless/flat/drab style II. n, [ló] grey horse

szürkeállomány n, (bonct) grey matter/substance

szürkebarát n, ⟨wine resembling auvergnat gris made in Hungary⟩

szürkebegy n, hedge-sparrow (Prunella m. módularis)

szürkefenyő n, (növ) silver pine (Picea pungens)

szürkegém n, (áll) (common) heron (Ardea)

szürkéllik [-eni, -ett, -jen, -jék] vi, grizzle, loom grey

szürkemedve n, (áll) grizzly (bear) (Ursus horribilis)

szürkemókus n, (áll) minever, miniver, squirrel (fur) (Sciurus cinereus)

szürkés a, greyish, grayish (US), turning/going grey (ut), touched with grey (ut), grizzled, cinereous (ref.)

szürkésbarna a/n, drab, greyish-brown, brownish-grey, bistre, bister

szürkeség n, [színé] greyness, grayness (US), grizzle (obs) 2. [jelentéktelenség] obscurity

szürkéskék a, ash-blue

szürkészöld a, reseda, slate green

szürkít [-eni, -ett, -sen] vt, 1. make-dye/tinge/colour/paint (sg) grey 2. [átv színtelenít] take the colour out, make (sg) colourless

szürkül [-t, -jön] vi, 1. [vm szürkévé válik] turn/go grey, be touched with grey; ~ a haja go/grow grey, be touched with grey 2. [este] it is growing dusk

szürkület n, twilight, half-light, [reggeli] dawn, break of (the) day, morning twilight, [esti] evening twilight, nightfall, the fall of day, dusk gloaming; polgári ~ [repülés-meteorológia] civil twilight

szürkületi a, (pertaining to) twilight, twilit, crepuscular; ~ lepkék crepuscularia, sphinxes, hawk-moths; ~ vakság night-blindness, nyctalopia

szürkülő [-t; adv -en] a, turning/going grey (ut), touched with grey (ut), grizzled

szürlet [-et, -e] n, filtrate, filter-liquor

szürő [-t, -je; adv -en] I. a, filtering, straining, seeping, percolating, (átv is) screening II. n, 1. [folyadéknak] filter, strainer, percolator, [lyukacsos edény] colander, cullender 2. (fényk) filter; helyettesítő/kiigazító ~ correction filter; ~ szorzószáma filter/multiplying/multiplication factor 3. (átv) screen

szürőágy n, (műsz) filter-bed

szürőállomás n, (orv) (kb) medical examination centre

szürőberendezés n, filtering plant, strainer

szürődik [-ött, -jön, -jék] vi, filter, percolate, sift, [világosság] filter/glimmer/steal through

szürőedény n, filter, strainer, colander, cullender

szürőérték n, ~ növelése (fényk) increase of the filter density

szürőfokozat n, (fényk) filter step; ~ kiválasztása adjustment of the filter densities; ~ növelése increase of the filter density

szürőkanál n, skimmer, skimming-ladle, colander

szürőkendő n, filter cloth

szürőkészülék n, filter, strainer, filter(ing)-apparatus

szürőkiválasztás n, megfelelő ~ selection of the correct filter

szürőmendence n, filter-bed, purifying/filtering-tank

szürőpapír n, filter-paper

szürőréteg n, filter-bed

szürőruha n, (cotton) filter cloth, straining cloth

szürös [-ek, -et; adv -en] a, wearing a „szűr" (ut)

szürőszita n, strainer

szürőtartály n, straining-chest

szürőtartó-fiók n, [nagyítógépen, színes nagyításhoz] filter drawer, drawer with filter

szürőtölcsér n, filtering funnel

szürővászon n, = szürőruha

szürővizsgálat n, screening (test/examination); szürő-(,) ellenőrző és kötelező vizsgálat [tüdő] screening test and obligatory examinations

szürőzacskó n, straining/filter-bag

szürrealista [..át] a/n, surrealist

szürrealizmus n, surrealism

szürszabó n, szür-maker, tailor of szűrs

szürt [-et; adv -en] a, filtered; ~ fény filter light

szütyő [-t, -je] n, (táj) 1. [tarisznya] wallet 2. (növ) pouch, silicle

szűz [-et, -e; adv -en] I. a, virgin(al), pure, intact, spotless; ~ hó untrodden/driven snow; ~ leány virgin, maid(en); Sz~ Mária the Blessed Virgin (Mary); ~ talaj virgin/unbroken soil II. n, virgin, maid(en)

szűzanya n, (vall) the Blessed Virgin (Mary), (röv B.V.M.)

szűzbariska n,. (növ) chaste-tree, agnus castus (Agnus castus)

szűzbeszéd n, maiden speech

szűzbokor n, = szűzbariska

szűzdohány n, (kb) untaxed tobacco, home-grown tobacco

szűzérmék n. pl, (kb) small veal chops

szűzesség n, virginity, maid(en)hood, maidenhead, innocence, [főleg férfiaké] chastity, purity; ~ét elveszti lose one's virginity/innocence; ~et fogad take a vow of chastity

szűzességi [-ek, -t; adv -leg] a, ~ fogadalom vow of chastity; ~ öv chastity belt

szűzföld n, [mint terület] virgin soil area, virgin/unbroken land, [talaj] unbroken ground; ~ek virgin/unbroken lands, the great open spaces (US)

szűzhártya n, hymen, maidenhead, virginal membrane, cherry (US ◈)

szűzi [-ek, -t; adv -en] a, virginal, maiden(ly), chaste, pure, innocent, vestal (ref.); ~ ártatlanság maiden innocence; ~ szemérem maidenly modesty

szűzies [-ek, -t; adv -en] a, = szűzi

szűziesség n, = szűzesség

Szűzmária-tisztelet n, (vall) hyperdulia

szűznemzés n, parthenogenesis

szűzpecsenye n, fillet of pork, tenderloin (of pork)

szűzsült n, = szűzpecsenye

szűztiszta a, virginal, chaste, pure, of virginal purity/pureness (ut)

szűztisztaság n, virginal purity/pureness

szvasztika n, swastika, fylfot

szvetter [-ek, -t, -e] n, sweater, (knitted) jersey, woolly (fam)

szvics-ügylet n, (ker) switch transaction/business

szving [-et] n, [tánc] swing

szvingel [-t, -jen] vi, dance swing

szvit [-et, -je] n, 1. = kíséret; 2. (zene) suite

T

[t-t, t-je] *n*, t, the letter t/T

suff, 1. *[iránytárgy]* **a)** at; *néz vkt/vmt* look at sy/sg; *fitymál vmt* sneer at sg; *megmosolyogja vk oktalanságát* smile at sy's foolishness **b)** for; *gyászol vkt* mourn for sy; *pénzt kér* ask for money; *felvilágosítást kér* ask for information; *keres vkt/vmt* look for sy/sg; *változást remél* hope for a change; *sajnálom őt* I am sorry for him/her; *vár vkt/vmt* wait for sy/sg **c)** *[különféle előljáróval]* *költőt idéz* quote from a poet; *nélkülöz minden iskolázottságot* he is destitute of any education; *elkoboz/lefoglal árukat* seize goods; *átfut egy kéziratot* look over a manuscript; *átölelte a nyakát* she threw her arms round his neck; *előadást hallgat* listen to a lecture; *látszatot megőriz* keep up appearances; *folytatja a munkát* proceed with work; *lépést tart vmvel* keep abreast of sg **d)** *[előljáró nélkül]* *háztartást vezet* keep house; *vár vkt/vmt* expect/await sy/sg **2.** *[eredmény]* *kenyeret süt* bake bread; *levest főz* cook/prepare soup; *készít vmt* make/prepare sg; *regényt ír* write (a) novel; *házat építtet* have a house built **3.** *[helyhatározó értékű tárgy]* *átússza a folyót* swim the river; *körüljárja a kertet* go round the garden **4.** *[időhatározó értékű tárgy]* *naponta tíz órát dolgozik* work ten hours a day; *néhány percet késett* he was a few minutes late **5.** *[módhatározó értékű tárgy]* *jóízűt nevetett* he laughed heartily; *jóízűt aludt* he slept soundly **6.** *[számhatározó értékű tárgy]* *sétálok egyet* I am going for a walk, I am going to take a walk; *négyet ütött az óra* the clock struck four **7.** *[mértékhatározó értékű tárgy]* *három mérföldet gyalogoltak* they walked (for) three miles; *négy métert ugrott* he jumped four metres high, he cleared four metres; *egy kilót hízott* he put on one kilogramme **8.** *[fokhatározó értékű tárgy]* *sokat változtál* you have changed a lot; *nem sokat törődik vele* he does not bother much about it; *jót/nagyot nevetett* he laughed heartily; *akkorát kiáltott . . .* he gave such a shout. . . **9.** *[ok- és célhatározó értékű tárgy]* *mit félsz?* what are you afraid of?; *mit sírsz?* why are you crying?

tabella [. . át] *n*, table, list, chart; *a bajnoki ~ élén* at the head of the table

tabernákulum [-ot, -a] *n, (vall)* tabernacle

tábesz [-ek, -t, -e] *n*, tabes, *[hátgerincsorvadás]* tabes dorsalis, locomotor ataxia, posterior spinal sclerosis, dorsal tabes

tábeszes [-ek, -t, -e] *a/n,* = **tabetikus**

tabetikus *a/n,* tab(et)ic, tabid, tabescent

tábla [. . át] *n*, **1.** table, tabling, board, *[címtábla]* sign board, *[emlék]* plaque, *[úszó jég]* sheet, *[műjég]* block, *[kerek]* disk, *[kőből]* slab, *[mező falon/ mennyezeten]* panel, wainscot, *[névtábla]* plate, *[palatábla]* slate, *[üveg]* pane, square, plate **2.** *[író]* tablet, *(isk)* black-board, *[hirdető]* bulletin/notice-board **3.** *[könyvben ábra]* plate, illustration **4.** *[könyvé]* cover, board, binding **5.** *(mezőg)* field, patch, plot, strip **6.** *[csokoládéból]* cake, bar, slab

(of chocolate), *[vaj]* cake; *egy ~ szalonna* a flitch of bacon **7.** *[bíróság]* Court of Appeal **8.** *(geol)* platform

táblabíró *n*, judge of the Court of Appeal, *[1848 előtt]* judge of the County Court

táblacsokoládé *n*, slab-chocolate, bar/slab/cake of chocolate

táblafestészet *n*, panel painting

táblai [-ak, -t] *a*, of the Court of Appeal *(ut)*

táblajég *n*, sheet-ice

táblakapcsoló *n, (vill)* panel switch

táblakép *n*, easel/panel picture/painting

táblaolaj *n*, salad-oil

táblaprés *n, (nyomd)* arming press

táblás *a,* **1.** tabular, laminated, *[burkolat]* panelled, wainscoted **2.** *~ ház (szính)* full house, capacity audience

táblaszalonna *n*, flitch

táblaüveg *n*, plate/sheet/table-glass, *[ablakra]* window-glass, glass-pane, *[fedésre]* glass-plate

tábláz [-tam, -ott, -zon] *vt,* **1.** *[falat, mennyezetet]* panel, wainscot **2.** *[vmt vk nevére]* sign sg over to sy, *[jog telekkönyvileg]* register in the Land Registry

táblázat *n*, **1.** table, tabulation, chart, graph, schedule, *[tételes kimutatás]* break-down; *átszámítási ~* rate of exchange table; *tájékoztató/áttekintő ~* synoptic table; *~ot készít vmről* tabulate, draw up a chart (about) **2.** *[fali, mennyezeti]* panelling, panel-work, wainscot

táblázatos [-at; *adv* -an] *a,* tabular, tabulated, synoptic, in tables *(ut)* ; *~ kimutatás* tabular account, tabulation; *~ kimutatást készít* tabulate

táblázatosan *adv,* in tabular form

tabletta [. . át] *n,* tablet, pill, tabloid, lozenge

tabló [-t, -ja] **I.** *n,* tableau *(fr),* *(fényk)* group photograph **II.** *int,* curtain!

tábor [-ok, -t, -a] *n,* **1.** *(konkr)* camp, encampment, *[járművekből]* park; *az ellenséges ~* the enemy's/hostile camp; *~ba száll* encamp; *~t üt* pitch camp; *felszedi a ~t, ~t bont* break/strike/raise (a) camp, decamp **2.** *(átv)* side, camp

táborbontás *n,* decampment, breaking camp

táborhely *n,* camping ground, (place of) encampment

tábori [-ak, -t; *adv* -lag] *a,* field-, army-, military, portable; *~ ágy* field/camp/tent/folding/trestle-bed; *~ ágyúlöveg* field-piece/gun/howitzer; *~ csendőrség* military police; *~ élet* camp life, life in camp/field; *~ felszerelés* camping equipment; *~ főzőüst* camp-kettle; *~ konyha* field-kitchen, rolling kitchen; *~ kórház* field-hospital; *~ látcső* field-glass/lens; *~ őrség* camp guard, outpost, picket; *~ pap* army chaplain, padre *(fam)* ; *~ pékműhely* field-oven, travelling bakery; *~ posta* military post, army post(-)office; *~ püspök* chaplain-general to the forces; *~ szék* camp/folding chair/stool; *~ szürke* field-grey; *~ telefon* field (tele)phone; *~ telefonvonal* field-wire line; *~ tüzérség* field-artillery, light artillery; *~ üteg* field battery

táborkar *n*, general staff
tábornagy *n*, field(marshal)
tábornok [-ot, -a] *n*, general
tábornoki [-ak, -t; *adv* -an] *a*, general's, of a general *(ut)*; ~ *kar* body/corps of generals; ~ *rang* generalship, rank of general
táboroz [-tam, -ott, -zon] *vi*, camp, be encamped, *[csapatok]* bivouac, live under canvas, live in tents, *[ágyú, gépkocsi]* park
táborozás *n*, (en)camping, encampment
táboroz|ik [-tam, -ott, -zon, -zék] *vi*, = **táboroz**
táborozó [-t, -ja] *n*, camper
tábortűz *n*, camp-fire
tabu [-t, -ja] *n*, taboo, juju
tabula rasát csinál make a clean sweep of sg
tabulátor [-ok, -t, -a] *n*, tabulating key, tabulator
tabulatúra [.. át] *n*, 1. *(zene)* tab(u)latur, *[orgonán]* tablet 2. *[írógépen]* tabulator, tabulating key
taccs [-ot,] *n*, *(sp)* touch, *[dobás]* throw in (from the touchline); ~*ra játszik* play out time; ~*ra rúg* kick into touch
taccsbíró *n*, *(sp)* lineman, *[rögbiben]* touch-judge
taccsvonal *n*, *(sp)* touch/side-line
tacskó [-t, -ja] *n*, 1. *(áll)* dachshund, basset hound, badger-dog *(Canis familiaris vertagus)* 2. *[gyerkőc]* callow youth, stripling brat, *[leány]* minx, bobby-soxer *(US)*
Tádé [-t, -ja] *prop*, Thaddeus, Thady *(fam)*
tadzsik [-ot, -ja] *a|n*, T~ *Szovjet Szövetségi Köztársaság* Tadzhik Soviet Socialist Republic
tafota [.. át] *a|n*, † = **taft**
taft [-ot, -ja] *a|n*, taffeta, taffety, shot taffeta
taftkötés *n*, *(tex)* plain weave
taftszalag *n*, plain woven ribbon
tag [-ot, -ja] *n*, 1. *[testé]* limb, member, part; *minden* ~*ja reszket* tremble in every limb 2. *[cégé]* member, partner, *[családé]* member, *[egyesülete]* fellow member, associate, *[képviselőházé]* Member of Parliament *(röv* M.P.), commoner, *[kollégiumé]* collegian, collegeman, *[párté]* member, *[társaságé]* member; *idősebb* ~ senior member; *levelező* ~ corresponding member; *rendes* ~ ordinary member; *tiszteletbeli* ~ honorary member; *új* ~ *[társaságban, szervezetben]* (new) recruit; ~*ja a bizottságnak sit|* serve on the committee, be a member of the committee; *olyan szerződések és nemzetközi egyezmények amelyeknek Magyarország* ~*ja* treaties and international agreements to which Hungary is a party; *a nemzetközösség* ~*ja* member of the commonwealth; ~*nak beválaszt vkt* elect sy a member, elect sy to be a member; ~*ul felvesz* enrol, affiliate; ~*ul megválaszt* elect as member 3. *[szóé]* syllable, *[mondaté]* limb 4. *(menny)* term, *[egyenleté]* side, *[kifejezésé]* member 5. *[föld]* field, plot; *egy* ~*ban* in one piece 6. *(műsz)* member, *[fütőtesté stb.]* element, rib 7. *[ember]* □ chap, chappie, guy
tág [-at; *adv* -an] *a*, 1. wide, ample, large, roomy, spacious, capacious, commodious; ~ *fekvés (zene)* open harmony; ~ *körű* wide(spread), extensive, ample; ~ *lehetőségek* wide possibilities; ~*ra nyílt vmt* open sg wide; ~*ra nyílt szemmel* round/saucer/wide-eyed, with eyes opened wide (with amazement), with dilated eyes; *csodálkozástól* ~*ra nyílt szemek* eyes round with astonishment 2. *[ruha]* = bő; ~*ra szab cut out loosely* 3. *[értelem]* loose, broad, wide, *[fogalom]* vague, ambiguous, *[lelkiismeret]* elastic, unscrupulous, not particular *(ut)*; ~*abb értelemben* in a wider sense; *a szó leg*~*abb értelmében* in the broadest/widest sense of the word
tagad [-tam, -ott, -jon] *vt|vi*, 1. *(ált)* deny, contest, *[ellentmond]* contradict, gainsay; *nem* ~*om* I don't deny it; ~*ja hogy így volt* he contests the statement,

he denies that this has been *(v.* was) so; ~*ja hogy mondta volna* he denies having said it; *kereken* ~*ja* deny sg flatly *(v.* point-blank); *nem lehet* ~*ni* there is no denying it, there can be no denying that, it is not to *(v.* can't) be denied 2. *[el nem ismer]* disclaim, disown, disavow, refuse to admit, *[esküvel]* forswear, *(jog)* traverse, answer in the negative, *[kétségbe von]* call in question, disbelieve; ~*ja bűnösségét* plead not guilty
tagadás *n*, 1. negation, negative answer; *a* ~ *szelleme* the spirit of negation; ~ ~*a (fil)* negation of negation; *mi* ~ *(,) igazad van* I cannot deny that you are right, there is no denying that you are right, there is no gainsaying it 2. *(jog)* contest(ation), *[vádé]* denial, disavowal; *a kereseti kérelem* ~*a* general issue 3. *(nyelvt)* negative
tagadhatatlan *a*, undeniable, *[vitathatatlan]* indisputable, incontestable, *[nyilvánvaló]* evident, obvious; ~ *hogy* it must be admitted that; ~ *javulás/fejlődés* distinct improvement
tagadhatatlanul *adv*, undeniably, *(kif)* there is no denying it
tagadható *a*, deniable, *[vitatható]* disputable, contestable, *[állítás]* traversable; *aligha* ~ *hogy ...* it is difficult to deny that...
tagadó [-t; *adv* -an]I. *a*, negative, denying, refusing; ~ *mondat* negative sentence; ~ *szócska* negative (particle); ~*lag int* make a denying gesture, deny with a gesture; ~*lag int a fejével* nod one's refusal, shake one's head; ~ *választ ad* answer in the negative, return/give a negative (answer), his answer is no II. *n*, denier, gainsayer, negator
tagadószó *n*, negative particle
tagállam [-ot, -a] *n*, member-state, *[szövetségé]* member power
tágas [-at; *adv* -an] *a*, spacious, wide, large, roomy, commodious, *[befogadó képesség]* capacious; *kívül* ~*abb!* get thee gone!, clear out!, go to the deuce!
tágasan *adv*, spaciously
tágasság *n*, spaciousness, room(iness), capaciousness, wideness, largeness
tagavatás *n*, reception, *[ünnepélyes]* initiation (of a member)
tagbaszakadt [-at; *adv* -an] *a*, sturdy, strapping, thickset, robust, square-built, strong/big-limbed, beefy, hefty, husky *(US)*; ~ *fickó* a big hefty fellow; ~ *legény* a sturdy/chunky lad
tagdíj *n*, 1. *(ált)* (member's) subscription, club dues *(pl)* 2. *(pol)*(membership) dues *(pl)*, party dues *(pl)*
tagdíjbeszedés *n*, collection of dues
tagdíjcsökkentés *n*, reduction of (membership) dues
tagdíjemelés *n*, raising of (membership) dues, raising of subscription
tagdíjfizetés *n*, payment of dues/subscription
tagdíjfizető *a|n* paying (member), card-holding *(US)*; *hány* ~ *tagja van a klubnak?* how many members are paying dues/subscription?
tagdíjhátralék *n*, arrears of/in (membership) dues *(pl)*, arrears in/of subscription *(pl)*; ~ *fizetése* payment of arrears; ~*ban van* be behind with one's dues/subscription
tagdíjleszállítás *n*, = **tagdíjcsökkentés**
tagdíjmegállapítás *n*, fixing of dues/subscription
tagdíj-nemfizetés *n*, non-payment of (membership) dues; ~ *miatt kizárták a pártból* his membership was lapsed for non-payment of dues
tagértekezlet *n*, membership meeting, meeting of members, member's meeting
tagfelülvizsgálat *n*, membership review, revision of membership, screening of members, loyalty check
tagfelvétel *n*, admission/admittance/acceptance of new members; ~ *rendje* procedure of admission

tagfelvételi a, ~ zárlat temporary suspension of admission of new members, (kif) admission of new members is (temporarily) suspended

taggyűlés n, membership meeting, closed/general (party) meeting, [kommunista] Party meeting

tágit [-ani, -ott, -son] I. vi, nem ~ (biz) he won't give up his point, he doesn't give (in) an inch, he sticks to his opinion/guns, he doesn't give in/way, he won't budge (fam); nem ~ok! I won't budge an inch! ; nem ~ az oldala mellől he doesn't budge from sy's side, he is not to be shaken off; nem ~ vmtől (átv) abide by sg, persist in sg II. vt, enlarge, widen, make more spacious, [cipőt] stretch, [nyllást] dilate, expand, [ruhát kienged] let out, ease, [vmt ami feszül] slacken, loosen, unbend, ease; ~ a nadrágszljon let a belt/strap out (a hole)

tágítás n, enlargement, [kiengedés] letting out, [lazítás] easing, slackening, loosening, [nyillásé] dilatation

tágítható a, extensible, distensible, dilatable

tágító [-t; adv -an]I. a, dilating, enlarging, widening, extending, expanding, distending, stretching II. n, stretcher, (orv) dilator

tagjegyzék n, membership list, book/list/register of members

tagjelölt n, candidate for membership, probation member

tagjelölt-felvétel n, admission of probationers/candidates

tagjelöltségi a, ~ idő probationary period

tagkizárás n, expulsion (of party member)

tagkönyv n, membership card/book

tagkönyvcsere n, revision of membership cards/books

tágkörűség n, extensiveness, width, ampleness, amplitude

taglal [-t, -jon] vt, analyse, dissect, comment upon, [vitával] discuss, [tárgyát, előnyét/fontosságát vmnek] enlarge (up)on

taglalás n, analysis, (critical) dissection, [vitatva] discussion; elgondolás ~a the setting forth of an idea

taglalat n, † analysis, anatomy (obs)

taglejtés n, gesture, motion movement, gesticulation

taglétszám n, number of members, (size/number of) membership, numerical strength

tagló [-t, -ja] n, axe, cleaver, [mészárosé] pole-ax(e)

taglóz [-tam, -ott, -zon] vt, pole-ax(e), fell/slaughter (an ox)

taglózás n, pole-axing, felling with an ax(e)

tagnyilvántartás n, membership file

tagol [-t, -jon] vt, 1. [darabokra] dismember, dissect, break up 2. [arányosan] proportion; mélységben ~va distributed/arranged in depth 3. [beszédet] articulate, [szótagokra] divide into syllables

tagolás n, 1. [darabokra] (dis)membering, dissection, breaking up 2. [arányosan] proportioning, proportions (pl), systematic(al) division 3. [beszédet] articulation, spelling, syllabification 4. (zene) phrase

tagolatlan a, 1. [beszéd] inarticulate, unarticulated; ~ hang inarticulate sound 2. [felület] featureless, unrelieved 3. [rendszertelen] unorganized

tagolatlanság n, [beszédé] inarticulateness

tagolód|ik [-tam, -ott, -jék-jon,] vi, [mű stb.] fall into

tagolt [-at; adv -an] a, 1. [beszéd] articulate(d); rosszul ~ out of proportion (ut) 2. [ízelt] jointed; mélységben ~ laid out in depth 3. ~ partvonal (deeply) indented coastline

tagoltság n, 1. (ált) articulation, proportions (pl), distribution, arrangement, lay-out 2. [beszédé] articulation 3. [szerkezeté] proportions (pl), features (pl) 4. [föld] geographic structure, configuration, [hegyrajzi] orography, [vízrajzi] hidrography

tagos [-at; adv -an] a, good/strong/large-limbed, husky (US)

tagosít [-ani, -ott, -son] vt/vi, commassate, regroup (farm-plots), replot

tagosítás n, consolidation of holdings, consolidation of land-strips, commassation

tagozat 1. (ált) section, branch, [igazgatási] department 2. (isk) branch, side; alsó ~ junior/lower section; esti ~ evening school; egyetemi esti ~ university extension; felső ~ senior/upper section; levelező ~ correspondence course; nappali ~ day-school 3. [harmadrendű állatrendszertani kategória] division (of animals) (divisio)

tagozatos [-at] a, esti ~ evening/night student

tagozódás n, articulation, division (into parts), distribution, arrangement, structure

tagozód|ik [-tam, -ott, -jon, -jék] vi, be divided into parts/members/branches/classes, split/fall into parts, be proportioned; három részre ~ik consist of three sections/parts, be divided into three articulated parts

tagozott [at; adv -an] a, articulate(d), proportioned, constructed, built up, distributed, arranged

tagság n, 1. [intézményhez való tartozás] membership, [tud társaságé] fellowship 2. [tagok] members (pl)

tagsági [-ak, -t; adv -lag] a, member's, of membership/ fellowship (ut) ; ~ díj = tagdíj; ~ igazolvány membership card; ~ könyv = tagkönyv

tagszervezet n, membership/affiliated organization

tagtárs n, fellow-member, colleague, (pol) comrade

tagtoborzás n, canvassing of/for new members

tagú [-ak, -t; adv -an] a, (összet. is) of . . . parts/joints/ members/limbs/syllables (ut), having... members (ut), -man, (nyelvt) syllabic; öttagú [társaság] five-member, having/of five members (ut), [szó] five-syllable(d), (növ) pentamerous; tizenkét ~ bizottság twelve-man commission, commission of twelve members; négy~ egyenlet quadrinomial equation

tágul [-t, -jon] vi, 1. (ált) enlarge, become larger/ wider 2. [nyúlik] extend, expand, [cipő, kesztyű] stretch, [kötél] loosen, slacken, [rugalmas dolog] relax, become loose 3. [testi szerv] dilate 4. (átv) widen, broaden

tágulás n, 1. (ált) enlargement 2. [nyúlás] expansion, extension, widening, [kötélé] loosening, slackening; hő okozta ~ thermal expansion, elongation/expansion due to rise in temperature 3. (orv) dila(ta)tion

tágulási [-ak, -t] a, ~ együttható (fiz) expansion coefficient; ~ fájás [szülésnél] dilating pain; ~ szak [szülésnél] stage of dilatation

tágulásmérő n, expansion ga(u)ge

tágulat n, (orv) lumen, dilatation

Tahiti [-t, -ben] prop, (földr) Tahiti

tahiti [-ek, -t] a/n, Tahitian

táj [-at, -a] n, 1. [hely] region, tract, country, land, [szorosabb környezet] neighbourhood, vicinity, surroundings (pl), outskirts (pl), environs (pl), [panoráma] landscape, scenery; erdei ~ woodland scene; Dover ~án off Dover; vmnek a ~án in the vicinity of; ezen a ~on (t)hereabouts, about here, in the vicinity; a világ minden ~áról from all quarters/parts of the world 2. [testi] region; a szlv ~án in the cardiac region 3. [idő] a századforduló ~án towards the end of the century; hetedike ~án on or about the seventh; 1800 ~án about/around 1800; dél ~ban round (about) midday; ez idő ~ban/~t (at) about this time

tájalak n, (nyelvt) dialectal variant/form

tájbetegség n, endemic/vernacular disease

tájbonctan n, topographical/regional anatomy

tájdivatos a, after (v. in accordance with) the style/ manner of the country (ut)

tájegység n, region, area (as geographical/structural unit)

tájék [-ot, -a] *n*, = **táj 1.** *és* **2.;** *még a ~án sem voltam (biz)* I've never been near it; *a világnak ezen a ~án* in that part of the world

tájékozás *n*, orientation, information

tájékozásul *adv*, for information, for your guidance

tájékozatlan *a*, uniformed, ill-informed, misinformed (on, about), uninstructed (in), ignorant (of)

tájékozatlanság *n*, lack of information, ignorance, inexperience

tájékozódás *n*, **1.** *[térben]* orientation, finding one's bearings *(v.* way about) **2.** *(átv)* inquiry, gathering information

tájékozódási [-t] *a*, *~ képesség* sense of direction, bump/ sense of locality

tájékozód|ik [-tam, -ott, -jon, -jék] *vi*, **1.** *[térben]* orient(ate), take/find/get one's bearings *(v.* way about), *[tengeren]* find one's latitude **2.** *(átv)* inquire (about), gather information (about), get a line on *(US fam)*

tájékozódó [-t] *a*, *~ képesség* sense of direction, bump of locality *(fam)* ; *~ megbeszélés* exploratory talk(s); *~ út* fact-finding mission

tájékozott [-at; *adv* -an] *a*, *(vmben)* conversant (with), well versed/up (in), familiar (with), aware (of) *(ut)*, knowing, at home (in) *(ut)*; *jól ~* well-informed, posted up *(v.* well posted) about/of sg *(ut)*; *rosszul ~* ill-informed, badly informed; *nem ~ a külügyekben* be out of touch with foreign affairs

tájékozottság *n*, familiarity (with), knowledge, ability, *[alapos]* thorough knowledge of; *művészeti ~a* his acquaintance with arts

tájékoztat *vt*, **1.** *[térben]* indicate/show the (right) way **2.** *(átv)* inform, give information (on), brief, guide, advise, instruct, acquaint (sy with sg), give sy a line (on sg) *(US)*, put sy wise (to) *(US fam)*, *[rendszeresen]* keep sy posted, post sy up; *~ vkt egy kérdésről* advise sy on a question; *tévesen ~* misinform

tájékoztatás *n*, **1.** *[térbeli]* orientation, showing *(v.* indication of) the (right) way **2.** *(átv)* directions *(pl)*, report/exposition of facts/affairs, instruction, information, posting *(fam)* ; *téves ~* misinformation; *a ~ eszközei* media on information; *~ára* for your guidance/information/edification

tájékoztatási *a*, *~ munka* publicity work; *~ szervek* publicity agencies; *~ ügyek* information matters

tájékoztatásügyi *a*, *~ minisztérium* Ministry of Information

tájékoztató [-t, -ja; *adv* -an] **I.** *a*, **1.** indicating/showing the (right) way *(ut)*, giving directions *(ut)* **2.** informing, informatory, giving information *(ut)*, guiding, advising, instructing; *~ anyag* information/ publicity material; *~ iroda/hivatal* information bureau; *~ szolgálat* information service, inquiry office; *~ könyvtáros* reference librarian/assistant; *~ mű* reference work/book, book/work of reference; *politikai ~ munka* political publicity; *~ szerv* public relations office; *~ szolgálat* information/reference service

II. *n*, guide, program(me), prospectus, notice, bulletin

tájékozva van *vmről* be (well) informed (about) sg, be well up (in sg), be briefed (on sg), be posted up *(v.* well posted) (of/about sg)

tájfestés *n*, = **tájfestészet**

tájfestészet *n*, landscape-painting

tájfestő *n*, landscape-painter, landscapist

tájfilm *n*, *(film)* scenic

tájfun [-ok, -t, -ja] *n*, typhoon

tajga [.. át] *n*, taiga, northern conifer forest

táji [-ak, -t; *adv* -lag] *a*, **1.** *[hely]* regional, regionary, provincial; *~ jelleg [táncé stb.]* provincialism; *~*

jellegű borok local wines, wines of local flavour **2.** *(nyelvt)* dialectal

tájirodalom *n*, regionalism in literature

tájkép *n*, landscape, scene(ry), view, prospect, *[tengeri]* seascape

tájképfelvétel *n*, landscape photograph

tájképfestő *n*, landscapist, landscape-painter

tájképi *a*, scenic

tájképlencse *n*, *(fényk)* landscape-lens

tájkert *n*, landscape-garden

tájkertész *n*, landscape-gardener

tájkertészet *n*, landscape-gardening/architecture

tájkultusz *n*, regionalism

tájleírás *n*, description, topography, surveying

tájmúzeum *n*, *(műv)* country museum

tájnyelv *n*, dialect, vernacular, idiom

tájnyelvi *a*, dialectal, vernacular, idiomatic(al)

tájol [-t, -jon] *vt/vi*, **1.** *(épít)* orientate **2.** *(földr)* orientate, take a bearing

tájolás *n*, orientation

tájolási [-ak, -t; *adv* -lag] *a*, *(hajó, rep)* navigation(al)

tájoló [-t, -ja] *n*, compass

tájrajz *n*, *[kép]* landscape, *[leírás]* description, *(tud)* chorography, topography

tájrajzi *a*, chorographical, topographic(al)

tájrendezés *n*, country planning

tájszínház *n*, (travelling) rural/country theatre

tájszó *n*, dialect(al) word, provincialism

tájszólás *n*, dialect, patois *(fr)*, idiom, provincialism; *~ban beszél* speak in *(v.* use) dialect

tájszólási [-t] *a*, dialect(ic)al, idiomatic(al)

tájszóláskutató *n*, dialectologist

tájszótár *n*, dialect dictionary, idioticon

tájt *adv*, = **táján**, **tájon**

tajték [-ot, -ja] *n*, **1.** *[folyadékon, szájon]* foam, froth; *~ot túr/vet* foam (at the mouth) **2.** *[lovon]* foam, lather **3.** *[tengeren]* spray, spume, surf **4.** *(koh)* scum, skin **5.** *(ásv)* meerschaum, *(tud)* sepiolite

tajtékkő *n*, **1.** *[horzsakő]* pumice (stone), *[pora]* pounce **2.** sepiolite, meerschaum

tajtékos [-at; *adv* -an] *a*, **1.** *[folyadék, száj]* foaming, foamy, foam-covered **2.** *[tenger]* spumous, spumy, surfy; *~ hullám* white-cap, white horses *(pl)* *(fam)*

tajtékpipa *n*, meerschaum (pipe)

tajtékszipka *n*, meerschaum cigar(ette) holder

tajtékzás *n*, **1.** *(konkr)* foaming, raging **2.** *(átv)* fuming

tajtékz|ik [-ani, .. kozni, .. koztam, .. kozott, -ott, .. kozzon, .. kozzék] *vi*, **1.** foam, froth, *[hullám]* churn, scum, *[szájon]* foam at the mouth, *[tenger]* be afoam, be white with foam **2.** *(átv)* fume, storm; *~ik a dühtől* boil over with rage, foam (at the mouth) with rage

tajtékzó [-t; *adv* -an] *a*, foaming, frothing, frothy; *~ szájjal* raging

tajtföld *n*, = **tajték 5.**

tajtkő *n*, = **tajtékkő**

Tajvan [-t, -ban] *prop*, Taiwan

takács [-ot, -a] *n*, weaver, webster *(obs)*

takácsatka *n*, *(áll)* red spider mite *(Tetranychus Telarius)*

takácsborda *n*, slay, weaver's reed, fly-reed

takácscsomó *n*, weaver's knot

takácsfészek *n*, tangle

takácslegény *n*, journeyman weaver

takácsmácsonya *n*, *(növ)* teasel *(Dipsacus laciniatus)*

takácsmester *n*, master weaver

takácsmesterség *n*, weaver's business, weaving (trade)

takácspók *n*, *(áll)* weaver, sedentaria *(Sedentaria)*

takácsság *n*, **1.** = **takácsmesterség; 2.** *[összesség]* the weavers *(pl)*

takácstánc *n*, *[népzene]* weaver's dance ⟨wedding custom accompanied with singing⟩

takar [-t, -jon] *vt*, 1. *[beborít]* cover (up), overlay, screen (with); *hó ~ta a kertet* the garden was covered/ overspread with snow, snow covered the garden 2. *(vmt vmbe)* wrap (up in), envelop swathe (in), pack (in) 3. *[rejt]* hide, *(kat)* camouflage, mask 4. *(átv)* cloak, palliate

takarás *n*, 1. *[beborítás]* covering, overlaying, overspreading 2. *(vmé vmbe)* wrapping (up), packing, swathing (in) 3. *[rejtés]* hiding, camouflage 4. *(átv)* cloaking

takaratlan *a*, 1. *(konkr)* uncovered, unprotected, bare, naked, open, *(kat)* exposed (to the fire of the enemy) 2. *(átv)* unveiled, unvarnished

takaratlanság *n*, uncovered state, bareness, nakedness

takarék [-ot, -ja] *n*, 1. *[pénztár]* savings-bank; *~ba teszi a pénzét* put one's money in the savings-bank 2. *(összet.)* savings 3. = **takarékláng**

takarékbank *n*, = **takarékpénztár**

takarékbélyeg *n*, thrift/savings stamp

takarékbetét *n*, deposit in a savings bank

takarékbetét-állomány *n*, stock of savings deposits

takarékbetét-könyv *n*, savings(-bank) book, (savings--bank) passbook

takarékegylet *n*, savings club, provident society

takarékirón *n*, refill-pencil, *[csavaros]* propelling pencil

takarékív *n*, *(épít)* subarch

takarékkönyv *n*, = **takarékbetét-könyv**

takarékkötvény *n*, savings certificate

takarékláng *n*, low flame, economizer, pin-point (flame); *~ra állít* turn down the gas to (a) pin-point

takarékos [-at; *adv* -an] *a*, 1. *[személy]* economical (with), saving, sparing, chary, thrifty, cheese-paring *(joc)*, *[túlzottan]* parsimonious; *~ ember* a saver; *nem ~* thriftless 2. *[dolog]* economical

takarékosan *adv*, economically, thriftily; *~ bánik vmvel* use sg economically, be sparing of (sg), husband (one's resources), economize (on sg)

takarékoskodás *n*, = **takarékosság**

takarékoskod|ik [-tam, -ott, -jon, -jék] *vi*, 1. *(vmvel)* economize (on sg), save, spare, be sparing of, be economical/sparing/frugal/thrifty, use (sg) economically, practise economy, retrench, scrape; *~ik erejével* husband one's resources/strength 2. *[pénzt tesz félre]* lay/put by, save up

takarékoskodó [-t; *adv* -an] *a*, = **takarékos**

takarékosság *n*, economy, thrift(iness), frugality, husbandry, saving, retrenchment, chariness, parsimony *(pej)*, *[irányított, általános és kötelező]* austerity; *a ~ hasznos (kb)* store is no sore; *~ból* as a measure of economy, for the sake of economy

takarékossági [-ak, -t] *a*, *~ bizottság* thrift committee; *~ intézkedés* austerity/economy measure/cut; *~ mozgalom* economy drive; *~ politika* policy of retrenchment

takarékpénztár *n*, savings-bank

takarékpénztári *a*, savings-bank('s)

takarékpersely *n*, save-all

takaréktűzhely *n*, cooking/kitchen-range, economy/ cooking-stove

takargat *vt*, 1. *(konkr)* keep covering/enveloping 2. *(átv)* (try to) hide, screen, cloak, cover (up), *[érzelmet, valóságot]* disguise, conceal, mask

takargatás *n*, 1. *(konkr)* hiding, screening, covering (up) 2. *(átv)* disguise, concealment, masking; *hibák ~a* hushing up (of) mistakes

takargatnivaló *n*, *van ~ja* have a skeleton in the cupboard; *nincs ~ja* have nothing to hide *(v.* to be ashamed of)

takarít [-ani, -ott, -son] I. *vt*, *[helyiséget]* tidy (up), make tidy; *szobát ~* tidy (up) the room II. *vi*, tidy (up), clean, *[foglalkozásszerűen]* char, go out char-

ring/cleaning; *mikor ~ottak?* when was the room (last) cleaned/dusted?

takarítás *n*, (house-)cleaning, tidying (up), making tidy/up (room, flat etc.), dusting, *[foglalkozás]* charring

takarítatlan *a*, uncleaned, untidy, not tidied up *(ut)*, disorderly

takarítatlanság *n*, untidiness, disorderliness

takarító [-t] I. *a*, cleaning, tidying II. *n*, cleaner, tidier

takarítóasszony *n*, = **takarítónő**

takarítógép *n*, cleaning-machine

takarítónő *n*, cleaner, char(woman), cleaning woman, scrubwoman *(US)*, *[naponta bejáró]* day-woman, daily maid/woman

takarítószerszámok *n. pl*, *[seprű, lapát stb.]* cleaning utensiles

takarítóvállalat *n*, house-cleaning contractors *(pl)*

takarmány *n*, fodder, feedstuff, forage, stover, *[száraz]* dry feed, provender, hard meat, *[zöld]* grass, herbage, pasture, pasturage; *koncentrált és laza ~* concentrated and loose fodder

takarmányalap *n*, fodder reserve

takarmányaprító *a*, *~ gép* feed cutter

takarmánybükköny *n*, *(növ)* common vetch *(Vicia sativa)*

takarmányegység *n*, food unit

takarmányfogyasztás *n*, fodder/feed consumption

takarmányfű *n*, herd's grass

takarmánygabona *n*, feeder grain, corn fodder

takarmányhányad *n*, nutritive quotient

takarmányhiány *n*, lack of fodder

takarmánykáposzta *n*, *(növ)* field kale *(Brassica oleracea var. acephala)*

takarmányliszt *n*, low-grade flour

takarmány-lucerna *n*, *(növ)* lucerne *(Medicago sativa)*

takarmánynövény *n*, fodder-plant(s)/crop(s); *zöld ~* herbage crop

takarmányoz [-tam, -ott, -zon] *vt/vi*, feed, fodder, forage, provender, *[istállóban]* stall, *[zöldtakarmány nyal]* soil

takarmányozás *n*, feeding, forage, foraging; *egyedi ~* separate feeding

takarmánypogácsa *n*, (mill-)cake, *[repcemagból]* rape--cake

takarmányrépa *n*, *(növ)* cattle-turnip, mangel-wurzel fodder beet *(Beta vulgaris)*

takarmányszalma *n*, feeding-straw, stover *(US)*

takarmánytök *n*, *(növ)* pumpkin *(Cucurbita mochata)*

takarmányvágó *a/n*, fodder-cutting (machine)

takaró [-t, -ja] I. *n*, 1. *(ált)* cover(ing), rug, wrap-(ping) 2. *[ágyon]* coverlet, (bed)spread, counterpane, *[gyapjú]* blanket, rug, *[steppelt]* quilt, *[lovon]* (horse-)cloth, horsing, caparison *(obs)*, trappings *(pl) (obs)*, *[bútoron, padlón]* cloth, cover, *[horgolt bútorvédő]* tidy, antimacassar, *[ponyvából]* tarpaulin 3. *[a földeken]* cover, *[magé, növényé]* coat(ing), envelope, cover(ing), (in)tegument 4. *(átv)* cover, cloak, mask, mantle, pretext; *csak ~ul használja* use sg as a pretext II. *a*, covering, overlaying, *(term)* tegumental

takaróanyag *n*, *[méteráru]* blanketing

takarod|ik [-tam, -ott, -jon, -jék] *vi*, get off/out, take oneself off, clear out, make oneself scarce *(fam)*, *[az útból]* get out of the way; *~j!* get out!, get along with you!, clear off!; *~j onnan!* keep/get out of there!

takaródó [-t, -ja] *n*, retreat, tattoo, last post, taps *(pl) (US)*; *~t fúj* beat/sound the tattoo/retreat

takaródzás *n*, 1. *(konkr)* covering oneself 2. *(átv)* hiding oneself (behind sy/sg)

takaródz|ik [-tam, -ott, ..ddzon, ..ddzék] *vi*, 1. *(konkr)* cover/tuck/wrap oneself (up) 2. *(átv)* hide/screen/

118*

shield oneself (with), try to exculpate/exonerate oneself

takarókőzet n, (geol) overlying rock

takarónövény n, cover crop

takaróponyva n, [szekérernyőn] canvas cover, awning, tilt, [asztagon] tarpaulin

takaros [-at; 1dv -an] a, smart, spruce, neat, dainty, chic (fr), natty, trim, tidy, spick and span, smartly dressed; ~ menyecske dainty young woman; ~ összeg a tidy/decent sum (of money), a nice round sum

takarosság n, smartness, spruceness, daintiness, trimness

takarulás n, (táj) ingathering, gathering/getting/taking in (the crop) (mind stand.)

taknyos [-ok, -t; adv -an] I. a, snotty, snot-nosed, [ló] glandered; ~ kölyök little/snivelling brat, (young) puppy II. n, little/snivelling brat, young puppy

tákol [-t, -jon] vt, piece/throw together, scamp, do/make sg in a makeshift/shoddy way, fabricate

tákolmány n, botch(ery), botchwork, patchwork, makeshift, [szellemi] (bad) compilation, farrago, hodgepodge, medley

takony [taknyot, taknya] n, not, nose-dirt, mucus (ref.), phlegm (ref.), rheum (ref.), (tud) pituite

takonykór n, glanders, farcy, nasal mucus, [lóféléknél] strangles

takonykóros a, glanderous, glandered, suffering from glanders (ut), farcical

takonymirigy n, mucous/pituitary gland

takonypóc n, □ (elit) snot(-nosed)

taksa [.. át] n, 1. charge, rate, [bérkocsié] fare 2. [tiszteletdíj] fee, [hivatalos] fixed/official price

taksál [-t, -jon] vt, = becsül; mennyire ~ja? how do you value it?, what is your estimation?, what (v. how much) do you value it at?

taksamérő n, taximeter

taktika n, tactics (pl), (átv) shift; taktikát változtat change tactics, try another tack, resort to new tactics

taktikai [-t; adv -lag] a, tactic(al); ~ okokból for tactical reasons

taktikázás n, 1. (konkr) manoeuvres (pl), manoeuvring 2. (átv) scheming, intrigue, prevarication

taktikáz|ik [-tam, -ott, -zon, -zék] vi, 1. (konkr) manoeuvre, use tactics 2. (átv) manoeuvre, scheme, quibble, use shifts, build stratagems, prevaricate

taktikus I. a, 1. tactic(al) 2. (átv) expedient II. n, tactician

taktus n, (zene) 1. tact, time measure; ~ra keeping good time; veri/jelzi a ~t beat (the) time 2. [zenedarab egy része] bar; fél ~ half-bar/beat

taktusérzék n, sense of rhythm

tál [-at, -a] n, 1. dish, [leveses] tureen, [nagy lapos] platter, charger, [mély mosdáshoz] basin, bowl; a ~ból eszik eat/feed from the dish; vesz a ~ból help oneself from the dish 2. [fogás] course, dish; egy ~ főzelék a dish of vegetables; egy ~ lencse (bibl) a mess of pottage; három ~ étel a meal of three courses, three courses (pl), a three-course meal

tálacska n, bowl, small dish, porringer, saucer

talaj [-ok, -t, -a] n, ground, soil, earth, land; sovány/gyenge ~ poor soil; rossz ~ stubborn/inferior soil; ~t vizsgál [fúrással] test/bore the soil, [kutat] prospect, (vegyt) analyse the soil; biztos ~t érez a lába alatt (átv is) be on firm ground; előkészíti a ~t vk számára (átv) clear the way for sy; elveszti lábu alól a ~t (átv is) lose one's footing, get out of one's depth, lose the ground from under one's feet

talajalakulat n, conformation/structure/form of the ground

talajállapot n, state of ground

talajbaktériumok n. pl, soil bacteria

talajbemaródás n, (geol) self-corrosion

talajbiológia n, agrobiology, soil biology, biology of the soil

talajbiológiai a, agrobiologic(al)

talajbiológus n, agrobiologist

talajcsövezés n, = alagcsövezés

talajcsuszamlás n, landslip, landslide, soil flow

talajcsúszás n, = talajcsuszamlás

talajdomborzat n, surface relief, [feltüntetése] representation of hill features (on map)

talajegyenetlenség n, undulation of ground

talajegyengetés n, levelling, grading

talajegyengető a, ~ gép bulldozer, leveller

talajelemzés n, analysis of soils

talajmozdulás n, (geol) change of level, drop in the ground

talajelőkészítés n, [vetéshez] preparation of soil, fitting of land, ground-clearance

talajemelkedés n, lift in the ground, elevation of the ground

talajérés n, (sp) landing

talajerő n, producing capacity/power of the soil

talajerő-gazdálkodás n, soil conservation/conservancy

talajerősítés n, soil strengthening

talajfagy n, ground frost, [állandó] permafrost

talajfelmelegedés n, heating of the ground, warming (up) of the soil

talajfelszín n, surface of the soil, soil surface

talajfeltárás n, surface exploration

talajfeltörés n, spade-work

talajfelület n, surface of the ground, ground surface

talajfolyás n, (geol) soil creep, solifluction, earthflow

talajfúrás n, drill-hole

talajfúró a/n, auger, terrier, borer; ~ gép drilling/boring-machine

talajgazdálkodás n, soil management

talajgyalu n, grader, bulldozer, buck-scraper

talajhasznosítás n, land utilization/reclamation

talajhorpadás n, (geol) pan

talajhő n, heat of the soil

talajhőmérő n, soil thermometer

talajhőmérséklet n, temperature of the soil, ground temperature

talajjavítás n, land/soil-amelioration/improvement, amelioration work, reclamation of soil, [lecsapoló] drainage of ground

talajjég n, ground ice

talajképződés n, soil formation

talajkimerülés n, soil depletion, impoverishment/exhaustion of the soil

talajklíma n, soil climate

talajköd n, ground fog

talajkötés n, soil strengthening

talajkötő a, ~ növény soil-binder

talajkutatás n, prospecting, soil examination/exploration

talajkutató n, prospector, [gép] prospecting-machine/drill, [tudós] soil scientist

talajlazítás n, loosening (of the soil), [kapával] hoeing

talajlazító a, ~ eke panbreaker, cultivator; ~ gép disintegrator

talajlevegő n, soil air

talajmechanika n, mechanics of the soil, soil mechanics

talajmegfigyelés n, [időjárási] surface observation

talajmegmunkáló a, ~ gép cultivator, tilling machine

talajmenti [-ek, -t; adv -leg] a, surface; ~ fagy ground/surface frost; ~ hőmérséklet surface temperature; ~ köd ground-fog, inversion fog; ~ látás surface visibility; ~ szél surface wind

talajminőség n, nature/quality of ground/soil

talajminta n, soil sample

talajmunkadíj n, charges for cultivation (pl)

talajművelés n, (soil) cultivation, farming, tilling, (agri)culture, tilth

talajnedvesedés n, ground moistening

talajnedvesség n, humidity/moisture/dampness of the ground/soil

talajnem n, kind/sort/species of soil

talajomlás n, landslide

talajosztályozás-tan n, (mezőg) pedology

talajpárolgás n, soil evaporation/discharge

talajpermetezés n, ground spray

talajporhanyítás n, soil shredding

talajporhanyító n, soil miller, [gép] soil pulverizer

talajpróba n, = talajminta

talajréteg n, bed, layer, stratum, [szilárd] hardpan

talajsüllyedés n, ground subsidence, hollow/dip in ground, sinking/subsidence of ground

talajszárítás n, draining, drainage (of the soil)

talajszél n, surface wind

talajszelvény n, (földr) soil profile

talajszennyeződés n. soil pollution

talajszint n, = talajszínvonal

talajszínvonal n, ground level

talajtalan a, (átv) rootless

talajtan n, soil science/research, pedology

talajtani a, ~ intézet Institute of Soil Research; ~ kutatás soil research

talajtávolság n, (rep) surface distance

talajtérkép n, soil map

talajtorna n, (sp) ground work, floor exercises (pl)

talajú [-ak, -t] a, (összet.) soiled; homokos ~ sandy--soiled

talajviszonyok n. pl, property/characteristic/nature of the ground/soil, conditions of soil, edaphic conditions

talajvíz n, subsoil/subterranean/(under)ground water, phreatic water, [beszivárgó] seepage; ~ szintje water table/plane

talajvízbetörés n, [alagútba] inrush

talajvízkibukkanás n, phreatic discharge

talajvíz-szint n, underground water-level, (ground) water-table/level/plane

talajvizsgálat n, prospecting/analysis/testing/boring examination of the soil/ground

talál [-t, -jon] I. vt, 1. find, [véletlenül] discover, hit/ chance/light upon, [elszórtan] glean; időt ~ find time; módot ~ rá (hogy) find (ways and) means (to), find a way (to); senkit sem ~ otthon find nobody at home; nem ~ok szavakat words fail me, I am at a loss for words (to express sg); kést ~tak nála he had been found carrying a knife, a knife was found on him 2. (vmlyennek) find, consider, think, deem; jónak ~ think/find sg proper/fit/advisable/good, deem (sg) right, approve (of); bűnösnek ~ták he was found/returned guilty; milyennek ~ja? how does it seem to you?; úgy ~om hogy as far as I can judge, in my opinion; úgy ~ta hogy rossz színben van he found her looking ill, he thought she looked ill 3. [köz-érzet] feel; jól ~ja magát feel at ease/home, feel comfortable, be comfy (fam); rosszul ~ja magát feel ill at ease

II. vi, 1. (vmre) meet with, come across, discover, hit/come/chance/alight upon, knock/run into (v. up against); akadályra ~ meet with difficulties/ obstacles; ellenállásra ~ meet with opposition/resistance; egymásra ~tak they found/discovered each other, (átv) they are well matched; emberére ~ find one's match/man/equal; kellemes fogadtatásra ~ meet with a kindly reception; magára ~ come to oneself again, find one's legs; vevőre ~ find a customer 2. [lövés] hit, tell, get home; nem ~ miss; a lövés ~t! a hit!, the shot hit the mark; minden lövés ~ every shot tells; a megjegyezés ~t the remark/thrust went/ got/struck home; célba ~ hit/strike the target/mark

(v. the bull's eye); szíven ~ strike the heart; fején ~ja a szeget hit the nail upon the head; ~va érzi magát find that the cap fits 3. [egyezik] agree, be correct, tally, coincide 4. [esetlegesség] happen; ha esni ~na az eső if it should rain, should it rain, in case of rain; ha kisebb ~na lenni mint should it happen to be smaller than, if it were smaller than; ha nem ~nék otthon lenni if I do not happen to be at home, should I be out; azt ~tam mondani I happened/ventured to say that

tálal [-t, -jon] vt, 1. [ételt] dish/serve up, bring in, [sajtot, gyümölcsöt] set on; [az ebéd stb.] ~va van (dinner etc.) is served 2. (átv vhogyan) present, introduce, bring upon the carpet; jól ismert tényeket új formában ~ dish up well-known facts in a new form; ügyesen tudta ~ni a dolgot he knew how to present it, he knew how to make the most of it

tálalás n, 1. [ételé] dishing up, serving 2. (átv) dressing, presentation, garnishment

találat n, 1. [lövésnél] hit; ~ éri be hit (by a bullet) 2. [vívásban] home-thrust, touch; ~ot ér el score a hit 3. [lottón] öt(ös) ~ (kb) maximum win (in lottery)

találatarány n, number of hits

tálalétét n, dinner/table-mat

találati [-ak, -t; adv -lag] a, ~ biztonság accuracy of fire; ~ mutató target/shot-diagram/grouping, pattern; ~ pont point of impact, hit; ~ valószínűség probable percentage of hits, hit probability

találatjelző n, [lőtéren] marker

találatkép n, grouping of hits

találatos [-at] a, (összet.) három~ szelvény pools/ lottery coupon (filled in) with three correct forecasts

találékony [-at; adv -an] a, inventive, ingenious, resourceful, clever, imaginative, gumptious, of ready wit (ut), prompt to invent (ut), ready with expedients (ut)

találékonyság n, inventiveness, ingenuity, gumption, cleverness, inventive power/faculty, imagination, resource(fulness)

találgat vt, (make a) guess, try to guess, conjecture

találgatás n, guess(ing), guesswork, conjecture, surmise, random statement; megindultak a ~ok guessing started; ~okra van utalva be reduced to conjecture

található a, to be found (ut), [igével] be in/findable, that can be found (ut), to be met with (ut); seholsem ~ not to be found anywhere; ~ vagyok 8—9-ig I am to be found (v. you can/may see me) from 8 till 9, [otthon] at home from 8 to 9; a függelékben ~ it is comprised in the appendix, see appendix; megoldás a 20. lapon ~ solution on page 20

találka n, meeting, appointment, rendezvous (fr), date (fam), tryst (ref.), [titkos szerelmi] assignation; találkát ad vknek make/fix an appointment with sy, arrange to meet sy, make/fix a date with sy; találkája van vkvel have a(n) appointment/date with sy

találkahely n, 1. trysting-place, rendezvous (fr) 2. (elit) brothel, disorderly house, procurers's flat, house of call

találkozás n, 1. (konkr) meeting, encounter, appointment, [véletlen] rencontre 2. [eseményeké] concurrence, coincidence, juncture; a dolgok szerencsés ~a folytán in consequence of the lucky concurrence of circumstances

találkozási [-ak, -t] a, ~ pont meeting-place/spot/ point

találkoz|ik [-tam, -ott, -zon] vi, 1. (vkvel) meet (sy), fall in (with sy), [ellenséggel] encounter, come/run across (fam), see (fam), [véletlenül] come/light/ stumble upon, run against/into, drop across; már ~tunk we have met before; megállapodtunk hogy

délben ~*unk* we arranged to meet at noon; *remélem rővidesen* ~*unk* I hope to meet you soon; *gyakran* ~*ol véle?* do you meet him often?, do you see much of him?; *sokszor* ~*om vele* I see him quite often/ frequently *(v.* quite a lot); *ha majd legközelebb* ~*om vele* next time I see him; *még sohasem/nem* ~*tunk* we have never met before; *majd még* ~*unk!* you haven't seen the last of me; *és kivel* ~*om mint Tiborral!* and whom should I meet but Tibor!; *még nem* ~*tam olyan emberrel aki* I have yet to meet the man who, I still haven't met the man who **2.** *[események]* coincide, concur, *[vélemények]* agree, tally; *véleményeink* ~*tak* we were in (complete) agreement, we were of the same mind **3.** *[vonalak]* meet, intersect, (inter-)cross, touch (each other), osculate, *[utak]* meet, join **4.** † *[megesik, akad]* be found, happen *(stand.)* ; ~*ik ilyen (vm, vk)* such thing/person may be found/ encountered, one may run across a thing/person like that, *[esemény]* such things will/do happen
találkozó [-t, -ja] *n,* meeting, appointment, rendezvous, tryst; *érettségi* ~ class reunion; ~*t ad vknek vhol* make an appointment with sy swhere; ~*t beszél meg* arrange to meet sy, make/fix a(n) date/appointment with sy
találkozóharc *n,* chance/encounter battle
találkozóhely *n,* meeting-place
találmány *n,* invention, contrivance, device, contraption *(fam)* ; ~*t szabadalmaztat* take out a patent for an invention
találmányi [-ak, -t; *adv* -lag] *a,* ~ *hivatal* patents/ patent(ing) office; ~ *szabadalom* (letters) patent (of/ for an invention)
találó [-ak, -t; *adv* -an] **I.** *a,* right, proper, apt, appropriate, incisive, pertinent, pat, apposite, felicitous, to the point/purpose *(ut), (kif)* it hits the nail on the head; ~ *megjegyzés* appropriate/apposite/apt remark; ~ *szó* right/exact word; ~ *válasz* appropriate answer, good retort, repartee, clincher *(fam), (kif)* the cap fits
II. *n,* = **megtaláló**
tálaló [-t, -ja] **I.** *a,* serving, dishing up *(ut)* ; ~ *tálca* waiter **II.** *n,* **1.** *[helyiség]* (butler's) pantry **2.** *[pohárszék]* buffet
tálalóablak *n,* service/buttery hatch
találóan *adv,* rightly, aptly, pertinentily, appositely; ~ *nevezik vmnek* it is not inaptly called... (sg)
tálalóasztal *n,* serving table, dumb-waiter, sideboard, dressing-shelf, waiting table
találompróba *n,* random test/sample, sample taken at random, *[felületes]* superficial test, *(műsz)* assay
találomra *adv,* at random/haphazard, haphazardly, at a venture/guess, in a happy-go-lucky manner, hit or miss, *(kif)* have a (pot-)shot at; ~ *üt* strike blindly; ~ *vett minta* grab sample *(US)*
találós [-at; *adv* -an] *a,* ~ *kérdés* riddle, conundrum, puzzle, puzzling question, poser, quiz; ~ *játék* guessing games *(pl),* quiz; ~ *kérdést ad fel vknek* propound a riddle to sy, ask sy a riddle; ~ *mese* riddle, enigma, poser
talált [-at; *adv* -an] *a,* found, discovered; ~ *gyermek* foundling; ~ *pénz (átv)* windfall; ~ *tárgy* thing found, find, *[égből pottyant]* godsend, windfall, *(jog)* waif, trove; ~ *tárgyak osztálya* Lost Property Office *(rőv* L.P.O.)
találtat∥ik [-tam, -ott, .. asson, .. assék] *vi,* be found, *(menny)* go into, be contained, hold
talán *adv,* perhaps, maybe, peradventure *(ref.),* perchance *(ref.),* I daresay, haply, *[lehetően]* possibly; ~ *igen* ~ *nem* perhaps so perhaps not, maybe yes maybe no, that may or may not be true; *meghalt* ~*?* he is perhaps *(v.* by any chance) dead?; ~ *nem is éhes* he may not be hungry

talány *n,* riddle, puzzle, conundrum, enigma, mystery; ~ *vk előtt* be a riddle to sy; ~*okban beszél* speak in riddles; *a* ~ *megoldása* the solution of *(v.* answer to) the riddle, the key to the puzzle
talányos [-at; *adv* -an] *a,* enigmatic(al), mysterious, puzzling, riddle-like
talapzat *n,* **1.** *[nagy/utcai szoboré]* plinth, pedestal, base, socle, *[oszlopé]* footstall, plinth, socle; ~*on álló* pedestalled; ~*ra emel/helyez (átv is)* pedestal **2.** *[hídé]* mounting, *(épít)* seat(ing), substructure, *[falé]* footing **3.** *[gépé]* bedplate, *[készüléké]* stand, *[ágyúé]* emplacement, concrete bed **4.** *(geol) kontinentális* ~ continental shelf
talapzatkő *n,* plinth, dado, die
talár [-ok, -t, -ja] *n,* gown, robe
tálca [.. át] *n,* tray, waiter, platter, server, *[ezüstből]* salver; *tálcán hozzák el ébe (átv)* lay sg at sy's feet
tálcakendő *n,* tray-cloth, mat
talentum [-ot, -a] *n,* **1.** = **tehetség 1.**; **2.** *[pénzegység]* talent
talentumos [-at; *adv* -an] *a,* = **tehetséges**
taleth [-et, -je] *n, (vall)* tallith, prayer-cloak
talián [-ok, -t, -ja] *n/a,* Italian, Dago *(US ◈),* Wop *(US pej)*
Taliánország *prop,* Italy
talicska *n,* (wheel)barrow, hand-barrow
talicskáz [-tam, -ott, -zon] *vt/vi,* barrow, *(vmt)* carry convey/wheel in a (wheel)barrow
taliga [.. át] *n,* **1.** *[egykerekű]* (wheel)barrow, *[kétkerekű]* (hawker's) barrow, handcart, dandy-cart, car(t), *[billentő]* dump-cart, *[lövedéknek, trágyának]* tumbril, tumbrel, *[szénnek lapos]* float **2.** *[ekén]* gallows with the wheels (of a plough) *(pl)* **3.** *[ágyúmozdonyé]* limber
taligás *n,* carter, carrier, carman, barrowman, wheelbarrow-pusher/puller
taligásló *n,* cart-horse
taligáz [-tam, -ott, -zon] *vt/vi,* barrow, *[kétkerekűvel]* cart, carry, transport, *(vmt)* carry/convey in a cart
taligázás *n,* carting
talihó *int,* tally-ho
tálio [-t] *n, (jog, tört)* talion
talizmán [-ok, -t, -ja] *n,* talisman, amulet, mascot, charm, juju
tálka *n,* wash(-hand) basin, *[csészeszerű ivásra]* bowl, *[kézmosáshoz oz asztalnál]* finger glass/bowl, *[fából]* wooden bowl
talkedli *n,* = **csehpimasz**
talkum [-ot] *n,* talc
tallér [-ok, -t, -ja] *n,* thaler, dollar
Tallin [-t, -ban] *prop,* Tallin
tallium [-ot] *n, (vegyt)* thallium
tallóz [-tam, -ott, -zon] *vt,* glean
tallózás *n,* gleaning
tálmelegítő *n,* chafing-dish, dish/plate-heater/warmer
talmi [-t; *adv* -an] *a,* (cheap) imitation, counterfeit, false, sham, spurious; ~ *arany* talmi-gold, pinchbeck; ~ *holmi* gimcrackery
talmud [-ot, -ja] *n,* Talmud
talmudista [.. át] **I.** *a,* talmudistic, talmudic(al) **II.** *n,* talmudist, *(átv)* hairsplitter
tálnyi [-t] *a,* dishful, bowlful
talon [-ok, -t, -ja] *n,* talon, stock, reserve
talp [-at, -a] *n,* **1.** *[emberé]* sole; ~ *alá való zene* lively music to set the feet/toes a-dancing; ld *még* **talpalávaló;** *ég a föld a ~a alatt* it is getting too hot for him; ~*ig becsületes* absolutely/thoroughly honest, honest to the soles of his feet, honest through and through *(ut)* ; ~*ig férfi* a man from head to foot *(v.* top to toe), a man's man, every inch a man; ~*ig gyászban* in deep mourning; ~*on van* be up, be on one's legs/ feet, be on the move, be afoot; *állandóan* ~*on van*

be always on the move; *ember a ~án* a man indeed; *~ra áll [esés után]* regain one's feet/footing, (a)rise (to one's feet again), get on one's legs, *[nehezen]* struggle to one's feet (again), *[meggyógyul]* get over an illness, pull through/round, recover, recuperate, find one's legs; *~ra áll anyagilag* repair one's fortunes, retrieve one's losses, get straight; *~ra állít (vkt)* help sy up, help sy on his legs/feet again, set sy/sg up/going/afoot, pull round/up, re-erect, *[nemzetei, sereget]* raise, rehabilitate, *[gazdaságilag]* retrieve one's losses, get straight; *~ára állít (vkt) (átv)* set sy up/afloat, set sy on his legs, *(vmt)* right sg; *~ra esik* fall/alight on one's feet; *mindig ~ra esik (átv is)* he always lands on his feet; *~ra ugrik* start/spring/bound to one's feet; *~ra magyar!* rise/up Hungarians! *ld még* talpraállás; 2. *[macskaféléké]* paw, *[más állatoké így is]* pad, foot 3. *[cipőé]* sole, *[dupla]* clump 4. *[tárgyé, műsz]* support, prop, stay-plate, sole, bottom, *[ágyúé]* carriage, mounting, *(bány)* underside, *[keréké]* skid(pan), felly, rim, tread, felloe, *[poháré]* foot, *[síné]* flange, *[varrógépen]* presser-foot

talpal [-t, -jon] I. *vi, [jár]* be on the tramp/move, trudge, run about, be on the trot/go, tramp/hoof it; *egész nap ~tam* I've been on my legs all day II. *vt, [cipőt]* (re-)sole

talpalás *n, [járás]* 1. tramping, trotting, trudging, running about 2. *[cipőé]* (re-)soling; *~ és sarkalás* soling and heeling

talpalatnyi [-t] *a,* as much as a foot will cover, a foot of, a foot's length, *(átv)* an inch; *~ föld* the soil underfoot, foothold, footing, a foot of ground; *egy ~t sem hátrál* doesn't draw back a step, doesn't yield/budge an inch

talpalávaló *n,* lively dance-music, music alluring *(v.* that tickles/draws the feet) to dance; *ld még* talp 1.

talpalló [-t, -ja] *n, [nadrágon]* trouser-strap, understrap

talpas [-ak, -t, -a; *adv* -an] I. *a,* having a foot *(ut),* -soled, *[széles lábú]* large/broad pawed, splay-footed, *[műugrás]* feet first *(ut); ~ ugrás* diving feet first; *~ pohár* goblet, stemmed glass; *~ tál (rég)* pedestalled bowl II. *n,* 1. † *(kat)* tolpatch, infantry man, foot-soldier 2. *(biz) [medve kb]* Master Bruin

talpastyúk *n, (áll)* sand-grouse *(Syrrhaptes paradoxus)*

talpatlan *a,* soleless, without sole *(ut); ~ pohár* tumbler

talpbélés *n,* cork/felt sock/insole, inner sole, rand, welt

talpbetét *n, [bokasüllyedéskor]* foot/arch-support, instep-raiser, foot-easer

talpbőr *n, [cipőé]* sole leather, *[lábé]* skin of the sole

talpcsap *n,* pivot

talpcsapágy *n,* step/toe/gudgeon-bearing

talpduzzadás *n, (bány)* creep(ing)

talpemelő *a, ~ izom (bonct)* soleus

talpfa *n, (vasút)* (railway-)sleeper, tie *(US); négyedelt ~* quartered tie

talpfa-alaplemez *n, (vasút)* ground-plate

talpfacsavar *n,* screw spike

talpfacsere *n,* re-sleepering

talpfagerenda *n, (épít)* trimmed beam

talpfakapocs *n,* butt strip

talpfatelítés *n,* saturation of (railway-)sleepers/ties

talpfekély *n, [lovon]* canker, grease

talpgerenda *n,* breastsummer, bressummer, groundsel, sole timber, templet, springer, transom, bottom sill, ground-plate, *[hídépítésben]* timber mudsill

talpgyűrű *n, [edényé]* stand-ring

talpkő *n,* 1. *(konkr)* foundation-stone, socle, *[oszlopé]* pedestal 2. *(átv)* keystone, foundation(-stone), pillar; *az ország támasza és talpköve* the country' mainstay and foundation

talplemez *n, (műsz)* bedplate, bearing plate, *[szoboré]* plinth

talpnyalás *n,* flattery, servile fawning, toadyism, sycophancy, flunkeyism

talpnyaló *a/n,* bootlick(er), toady, sycophant(ic), lick-spittle

talponálló *n,* buffet, bar

talponjáró *a/n,* plantigrade

talppászta *n, (bány)* underhand stope

talppont *n,* 1. *(csill)* nadir 2. *(mért)* foot-end of a perpendicular

talpraállás *n,* 1. *[betegség után]* recovery, recuperation, *[országé stb.* gazdaságilag] economic recovery 2. *[felkelés]* rising

talpraállítás *n,* 1. *(ált)* setting sg/sy up/going/a foot 2. *[pénzügyi]* rehabilitation

talpraesett [-et; *adv* -en] *a,* ready/nimble/quick-witted, prompt, ready, apt, adroit, quick, smart, snappy, equal to the occasion *(ut); ~ válasz/felelet* smart-repartee, ready/pat answer, cap to a remark, neat retort

talpraesettség *n,* quick-wittedness, smartness, quickness (at repartee), aptness, resourcefulness

talpsimító *n, [cipészé]* burnishing-iron

talpszeg *n,* hobnail

talpszén *n, (bány)* ground-coal

talpszint *n,* bottom level

talptávolság *n, [hernyótalpas járműveknél]* track-distance

talpután vét *n, (bány)* canch

talpvarrat *n, [cipőé]* inseam

talpvédő *n,* foot-iron

talpvesszőzés *n,* bastinado

táltos [-ok, -t, -a] *n,* 1. *[pap]* shaman, medicine-man, priest-magician, sorcerer, wizard 2. *[paripa]* magic steed

talyiga [..át] *n, =* taliga

tályog [-ot, -a] *n,* abscess, gathering; *agyi ~* cerebral abscess, otic cerebral abscess; *hideg ~* cold abscess; *méh körüli ~* parametric abscess; *szóródó ~* milliary abscess; *~ magja* head of a boil *(v.* an abscess); *~ot megérlel* bring an abscess to a head

tályogos [-ak, -t; *adv* -an] *a,* abscessed

tám [-ot, -ja] *n,* 1. *(konkr)* support, prop, stay, shore, rest, *[falé]* buttress, *[lábnak]* foothold, *[rúd]* staff 2. *(átv)* supporter

támad [-t, -jon] I. *vi,* 1. *[keletkezik]* arise, crop up, come into being/existence, originate, take its source, spring, issue, *[szél]* spring up, *[vihar, tűz]* break out; *kelés ~t az ujján* he got a boil on his finger 2. *[gondolat]* occur, be given birth (to), *[nehézség]* be caused, *[remény, gyanú]* awaken; *az a gondolatom ~t* it has occurred to me (to), the idea struck me, I hit upon the idea (of . .ing); *~t egy ötletem* a thought struck me 3. *(vkre)* attack sy, let go at sy, assault, rise up against, *(sp)* attack, *[vívó]* attack, *[kitöréssel]* lunge (forward); *az ellenség ~ott* the enemy has launched an attack

II. *vt* 1. *[ráront, nekiesik]* assail, set upon, tackle, beset, assault, charge, *(kat)* attack, charge, engage, *(sp)* attack, charge, engage, play up; *erőteljesen ~* press an attack, attack with all one's force/strength/might; *több hullámban ~* attack in waves 2. *[szóval]* attack, *[véleményt]* impugn, combat, *[hírlapban]* go for (sy)

támadás *n,* 1. *[harcias]* attack, assault, onset, onslaught, thrust, *[általános]* offensive, *[betörés]* raid, inroad, *[bűnös]* aggression, unprovoked assault, *[repülő]* air-raid, *[roham]* charge, *[vívóé]* lunge; *sikertelen ~* abortive attack; *~ középpontjában áll* bear the brunt of the attack; *a ~ súlypontja* the brunt *(v.* focal point) of the attack; *~ba kezd* mount an offensive; ~ba lendül start/launch an attack, start a counter-offensive; ~ba megy át assume (v. go over to) the offensive; ~ra készen ready to/for attack; ~t elhárlt ward off the attack; ~t indít take the offensive, develop an attack; ~t intéz launch/start an attack, make an assault; ~t visszaver beat back/off (v. repulse) the attack 2. [hírlapi] attack, abuse, invective; vad ~t intéz a miniszterelnök ellen make a savage onslaught on the Prime Minister

támadásl [-t; adv -lag] a, attacking; nagy ~ felületet nyújt expose oneself (far too much) to the enemy; ~ pont point of attack; ~ terv attack formation, plan of offensive

támadható a, attackable, [tan, elmélet, helyzet] assailable

támadó [-t, -ja; adv -an, -lag] I. a, 1. [ember] aggressive, offensive; ~ állásban [vívásnál] at the assault; ~ beszéd diatribe, philippic, speech of denunciation; ~ csapatok assaulting troops; ~ él [hadseregé] spear-head; ~ fegyverek weapons of offence, offensive arms/weapons; ~ fél aggressor; ~ háború war of aggression, offensive war; ~ hadművelet offensive; ~ harc offensive (combat); ~ hév attacking zeal; ~ írás diatribe; ~ kedv aggressiveness; ~ lépés offensive movement/step; ~ magatartást tanúsít behave aggressively; ~ repülés assault drive, sortie; ~ szellem spirit of aggression, fighting spirit, combativeness, militancy 2. [eredő] (a)rising, originating, springing, issuing, occurring II. n, attacker, assailant, aggressor, invader, raider; a ~k csizmatalpa alatt nyög be under the heels of the invaders

támadóan adv, = támadólag

támadóképes a, fit/capable to attack (ut), capable of attacking (ut)

támadóképesség n, attacking power/capacity

támadólag adv, aggressively; ~ lép fel take the offensive

tamarin [-ok, -t, -ja] n, [majom] tamarin (Midas rufimanus)

tamarindfa n, (növ) tamarind-tree (Tamarindus)

tamariszk [-ot, -ja] n, (növ) tamarisk (Tamarix)

Tamás [-ok, -t, -a] prop, Thomas, Tom (fam), (bec) Tommy; ~ vagyok benne I have my doubts/suspicions about it, you can't put that across me (US); ~ bátya kunyhója Uncle Tom's cabin

tamáskodás n, incredulity, unbelief, doubt(ing), scepticism

tamáskod|ik [-tam, -ott, -jon, -jék] vi, (vmben) doubt (sg), entertain (v. have one's) doubts (about sg), refuse to believe (sg)

támasz [-ok, -t, -a] a/n, 1. (konkr) brace, support, stay, shore, strut, prop, propping, [falé] buttress, [festőé] maulstick, mahlstick, [gerenda, cölöp] shore, stanchion, [hajóépítésnél] trestle, [kéznek] rest, stay, [lábaknak] footing, foothold, [oszlop] column, pillar, [rúd] staff 2. (átv) mainstay, support(er), standby, help, pillar, comforter, (pol) backer, backing; gyenge ~ broken reed; ~ nélküli supportless; az állam ~a a pillar of the state; öregségének ~a stay/comfort of sy's old age; fivére volt a fő ~a her chief dependence was on her brother

támaszfa n, = támasztófa

támaszfal n, sustaining/retaining/supporting/revetment/ low wall, buttress, underpinning, [lejtő lábánál] breast-wall

támaszgerenda n, supporting beam, shore, joist, prop, stay

támaszív n, flying/arch-buttress, relieving arch

támaszkodás n, 1. (vmhez) leaning, backing, propping, resting 2. (átv) depending, dependence, reliance

támaszkod|ik [-tam, -ott, -jon, -jék] vi, 1. (vmhez) lean against/on, prop (up) against, recline, (vmre)

rest on, be supported by, take purchase on, be borne on 2. (átv) depend/rely/lean on

támaszpillér n, pillar, abutment, [szögletes] pilaster

támaszpont n, 1. (ált) point of support, foothold, footing 2. (műsz) fulcrum, purchase 3. (kat) base of operations, point of appui (fr), (hajó, rep) base; katonai ~ military base; légi ~ air/flying/aviation-base; tengeri ~ naval base

támaszt [-ani, -ott, ... asszon] vt, 1. (vmhez, vmre) lean/prop/put/repose against/on, rest (up)on, support (with), [ékkel] chock, wedge, scotch, (épít) buttress, underpin; falhoz ~ lean sg against the wall; kezére ~ott fejjel with head reclined upon his hand 2. [okoz] bring about, cause, create, make, raise, give birth/ rise to, breed, awaken, occasion, [érzést, indulatot] rouse, stir up, excite, provoke; igényt/jogot ~ vmre lay claim to; kételyt ~ occasion/raise (v. give rise to) doubt; nehézségeket ~ create obstacles, raise objections, make/raise difficulties

támasztás n, 1. [alá] leaning/shoring/propping up, [rá] reposing (against, on), resting (up)on, supporting, bearing, (épít) buttressing, underpinning 2. igény ~a vmre laying claim to sg

támaszték [-ot, -a] n, 1. = támasz 1.; 2. [borsónak] trellis, [könyvnek] book-end, book-support, book brace; célző ~ aiming-rest

támasztó [-t; adv -an] I. a, supporting, propping, buttressing, staying, backing II. n, supporter, sustainer, backer, rest, propper

támasztócsúcs n, [esztergáé] dead-centre

támasztóék· n, block, strut

támasztófa n, prop, stay, gusset

támasztófal n, embankment wall

támasztógerenda n, bearer bar, shore, strut, buttress

támasztóív n, = támaszív

támasztólétra n, peg/accommodation-ladder, lean-to ladder

támasztómű n, (épít) bearer, springer (of arch), transom, lintel, breastsummer (of door etc.), binder

támasztóoszlop n, = támpillér

támasztópillér n, supporting pillar

támasztórúd n, (épít) steadying/rest bar, crutch

támboltozat n, (épít) flying-buttress

tambura [.. át] n, (zene) tambura

tamburin [-ok, -t, -ja] n, † (zene) tambourine, timbrel

tamburindob n, (zene) = tamburin

tamburmajor n, (kat) drum-major

támcsapágy n, (műsz) plummer-block/box

támcsavar n, (műsz) stay(-bolt)

támcsavarfej n, (műsz) stay head

támfa n, (tree-)prop, (bány) leg, (side)tree, bearer, balk, strut

támfal n, counterfort, retaining/supporting/revetment wall, abutment, buttress

támgerenda n, = támaszgerenda

tamil [-ok, -t,] a/n, [nép, nyelv] Tamil

támív n, (épít) [külső] flying buttress

támköz n, (épít) span, distance

támla [.. át] n, [hátnak] back (of chair), [karnak] arm/elbow-rest, prop

támlap n, proof, voucher

támlás a, backed (chair)

támlásszék n, (szính) stall

támogat vt, 1. [fizikailag] support, sustain, prevent from falling, buttress, prop up, aid, assist, help; (vh) ~ ja a falat idle, lounge, (his only use is to) prop up the wall 2. [erkölcsileg, anyagilag] aid, assist, back, countenance, succour, maintain, help, sponsor, second, stand for/by (sy), support, relieve, bolster (up), sustain, [bűntevőt] abet, [ipart, törekvést, ügyet] favour, further, uphold, forward, promote, patronize, foster, be behind sg, [szóval] advocate, put in a word for, second, espouse, uphold, back, stand up for, endorse, *[pénzzel]* give/render financial assistance, *[államilag]* subsidize, make/give a grant to, aid, *[kérést]* back up, support; *legmesszebbmenően* ~ back to the hilt, back through thick and thin, be squarely behind sy; *vk ~ja* have sy behind it/one

támogatás *n,* **1.** *[fizikailag]* propping up, buttressing, support(ing), staying **2.** *(átv)* aiding, assistance, backing (up), countenance, help, sponsoring, support, *[bűntevőé]* abetting, *[iparé, törekvésé, ügyé]* favouring, furtherance, forwarding, promotion, *[szóval]* advocacy, backing, uphold, *[anyagi]* pecuniary assistance, aid, *[közületi]* subvention, subsidy, grant, *[vm ügyé]* championship (of a cause); *állami* ~ subsidy, subsidization; ~ *nélküli [szegény stb.]* unaided; *a legmesszebbmenő ~ban részesit* back to the hilt, be squarely behind sy/sg; *~ban részesül* get/obtain relief/assistance; *~omról biztositom* you may be assured of my support; *vmnek a ~ára* in aid of; *~át kéri* ask/beg for sy's aid/assistance; *vknek a ~ával* with sy's help, under the auspices of sy

támogató *[-t, -ja; adv -an, -lag]* **I.** *a,* supporting, backing, promoting; ~ *tüzérség* direct supporting artillery, accompanying artillery **II.** *n,* supporter, furtherer, upholder, promoter, backer, sponsor, *[javaslaté]* seconder

támogatott *[-at; adv -an]* *a,* államilag ~ state-subsidized, *[ipar]* sheltered, spoonfed *(pej)*; *nem* ~ unsubsidized

támolygás *n,* stagger(ing), totter(ing), reeling, lurching, wobbling

támolygó *[-t; adv -an]* *a,* staggering, tottering, reeling, lurching, wobbling

támolyog *[-tam, .. lygott, -jon]* *vi,* stagger, totter, reel, lurch, wobble

támoszlop *n,* = **támasztópillér**

támpéldány *n,* justificative/justificatory/voucher copy

támpillér *n,* buttress, counterfort

tampon *[-ok, -t, -ja]* *n,* tampon, plug/wad/swab/tent of cotton-wool, wadding

tamponál *[-t, -jon]* *vt/vi,* tampon, wad, swab, plug (wound)

tamponálás *n,* plugging (of wound), tamponade, tamponage

tamponkezelés *n,* = **tamponálás**

tamponoz *[-tam, -ott, -zon]* *vt,* = **tamponál**

tamponozás *n,* = **tamponálás**

támpont *n,* **1.** = **támaszpont; 2.** *(átv)* essential/important fact/proof, footing, proof, basis; *nincs semmi* ~ there is nothing to go on/by; *~ot nyújt arra hogy* present a basis for, offer essential proof of

támsor *n, (épít)* dorbel course

támszigetelő *n, (vill)* stand-off insulator

tamtam *[-ot, -ja]* *n, (zene)* gong, tam-tam, *[indiai dob]* tom-tom

tan *[-ok, -t, -a]* **I.** *n,* **1.** *[tétel]* doctrine, theorem, dogma, opinion, tenet, thesis, precept **2.** *[tudományág]* science (of), study, theory, branch of instruction **II.** *suff,* -logy, -graphy

tán *adv,* = **talán;** ~ *csak nem?!* you don't say so?

tanács *[-ot, -a]* *n,* **1.** (piece of) advice, counsel, *[erkölcsi]* precept; *orvosi* ~ medical advice; *vk ~ára* at/by/on/under sy's advice; *~ot kér* ask/seek advice; *jó ~ot ad vknek* give sy a sound piece of advice; *vk ~át követi* act on sy's advice, follow sy's advice; *megfogadja vk ~át* obey sy's advice; *~ot ad vknek* advise sy; *rossz ~ot ad* misadvise sy; *~ot kér vktől* ask (for) *(v.* seek) sy's advice, consult sy (on sg), take counsel with sy, *[ügyvédit]* take professional advice on sg; *jogi ~ot kér* take legal advice; *él vknek a ~ával* take sy's advice, act on sy's advice **2.** *[testület]* council,

board, senate, (governing) committee, *[Szovjetunióban]* soviet, *[egyházi]* consistory presbytery, *[városi]* town/municipal council, local board; *családi* ~ family council; *helyi* ~ local council/soviet; *járási* ~ district council; *Magyar Nemzeti T~ (tört)* Hungarian National Council ⟨a revolutionary body of government in 1918⟩; *megyei* ~ country council **3.** *[biróság]* division (of a court of justice); *fellebbezési* ~ appellate division; *felügyelő* ~ committee of supervision

tanácsadás *n,* (giving) advice, advising, guidance, counsel(ling)

tanácsadó **I.** *a,* advisory, consultative, consulting; ~ *orvos* consulting physician; ~ *testület* advisory council **II.** *n,* **1.** adviser, advisor, mentor, councillor, counsellor, *(jog)* counsel, *(orv)* consultant (to sy); *jogi* ~ legal adviser; *a harag rossz* ~ anger is a bad counsellor; *rossz ~i vannak* have bad advisers, be ill advised; *pályaválasztási* ~ vocational guidance **2.** *[nyomtatott]* guide

tanácsadói *a,* advisory; ~ *működést fejt ki* have advisory functions

tanácselnök *n,* **1.** *[birósági]* presiding/president/chief judge, president of the tribunal/court **2.** *(pol)* president of the council/soviet

tanácsgyűlés *n,* sitting/meeting of a /the council

tanácshatalom *n,* soviet regime

tanácshatározat *n,* resolution/decision/decree of the council

tanácsház *n,* town-hall, council-house, municipal buildings *(pl);* *megyei* ~ county-hall; *városi* ~ city-hall

tanácsi *[-ak, -t; adv -lag]* *a, [helyi]* local, of local authority *(ut),* locally owned; ~ *beruházás* investment of local authorities, locally financed investment; ~ *dolgozó* (town, county) council worker/employee; ~ *szektor* locally operated sector, local sector, sector of local authority; ~ *vállalal* local enterprise, locally owned enterprise, locally operated enterprise

tanácsjegyző *n,* **1.** *[biróságon]* clerk (of the court) **2.** *[közigazgatás]* town-clerk, secretary/clerk to the council/municipality

tanácskérés *n, [orvostól, ügyvédtől]* consultation, request for advice

tanácskérő **I.** *a,* asking/requesting advice/counsel *(ut)* **II.** *n,* consultant

tanácskormány *n,* soviet government

tanácskozás *n,* conference, council, deliberation, discussion, counsel, *[titkos]* secret conference, conclave, *(orv)* consultation; *a ~ arról folyt hogy* the subject under/of discussion was; *~ra visszahív* recall for consultations; *~ra vonul vissza* retire to deliberate

tanácskozási *[-ak, -t]* *a,* ~ *jog* right of consultation/discussion, right to debate, right to partake in the discussion; ~ *joggal bir* be present in an advisory (but not voting) capacity, have a voice; ~ *joggal rendelkező küldött* delegate with voice but no vote

tanácskoz|ik *[-tam, -ott, -zon, -zék]* *vi, (vkvel vmről)* confer (with sy on sg), take counsel (with sy), deliberate (with sy on sg), discuss (sg with sy), consult (sy about sg), debate, talk sg/matters over (with sy) *(fam),* pow-pow (about sg) *(fam);* ~*nak* hold a consultation; ~*ik vkvel vmre vonatkozóan* take counsel with sy as to sg

tanácskozó *[-t; adv -an]* *a,* conferring, deliberating, deliberative, consulting; ~ *jellegű* of a consultative character *(ut);* ~ *gyülekezet* deliberative assembly; ~ *testület* consultative/deliberative corporation/body

tanácskozóasztal *n,* council board

tanácskozóterem *n,* board-room

tanácsköztársaság *n,* soviet republic; *Magyar T~* Hungarian Soviet Republic (1919); *T~ Emlékérem*

Memorial Medal of the (Hungarian) Soviet Republic

tanácsnap *n*, day of council/meeting, day when council meets

tanácsnok [-ot, -a] *n*, alderman, (town-)councillor, selectman *(US)* ; *városi* ~ city alderman, the member of a municipal council

tanácsnoki [-ak, -t; *adv* -an] *a*, aldermanic

tanácsnokság *n*, aldermanity, aldermanry, aldermanship

tanácsol [-t, -jon] *vt*, advise (sy to), counsel, suggest, recommend; ~ *vknek vmt* advise sy on *(v.* to do) sg; *azt ~om hogy menjen szabadságra* I recommend you to take a holiday

tanácsolható *a*, *[dolog]* advisable, recommendable

tanácsos [-ok, -t, -a; *adv* -an] **I.** *a*, advisable, recommendable, *[hasznos]* useful, expedient, *[kívánatos]* desirable, *[okos]* prudent; *nem* ~ unadvisable, inexpedient; ~ *lesz itthon maradni* we/you had better stay at home; ~ *lenne ha . . .* it would be well advisable to . . .; *~abbnak vélte hogy* he thought it more prudent *(v.* better) to; *~nak tartja* think/deem it advisable; *~nak tartanám* I should recommend/advise you to
II. *n*, councillor, *[jogi]* counsel(lor), (legal) adviser, *[közületi]* alderman; *kereskedelmi* ~ commercial counsellor; *követségi* ~ counsellor of legation/ embassy; *miniszteri* ~ ministerial counsellor; *valóságos belső titkos* ~ *(kb)* Privy Councillor

tanácsosi [-ak, -t; *adv* -an] *a*, of a councillor *(ut)*

tanácsosság *n*, **1.** *(vké)* councillor's position/office/ function/rank/title **2.** *(vmé)* advisability, expedience

tanácsszoba *n*, council-room/chamber

tanácstag *n*, councillor, member of council/board, *[városi]* alderman

tanácstalan *a*, bewildered, embarrassed, helpless, uncounselled, perplexed, puzzled, mazed, *[igével]* be at a loss, be at one's wits'end, be at sea, not know where to turn *(v.* what to do), lose one's bearings

tanácstalanság *n*, perplexity, bewilderment, confusion, embarrassment, puzzle(ment)

tanácstalanul *adv*, ~ *áll* be puzzled, be in a puzzle, not know what to do

tanácsterem *n*, council-room/chamber/hall, *[egyetemi]* senate-house, *[vállalati]* board-room

tanácstestület *n*, *városi* ~ aldermanate, aldermanry, aldermanship

tanácstitkár *n*, secretary to the (local) council

tanácsülés *n*, council, council/board-meeting, sitting of council/board

tanácsválasztás *n*, election of council/soviet, *[régen]* municipal election

tanakodás *n*, **1.** consideration, thought, thinking over, reflection **2.** *[másokkal]* consultation, deliberation, discussion

tanakodik [-tam, -ott, -jon, -jék] *vi*, *[magában]* reflect, think, ponder (over), weigh, consider, contemplate, meditate (upon), rack one's brains, puzzle one's head, *[másokkal]* consult (sy), confer (with), deliberate (with), discuss; *sokat ~ik* he takes a long time to make up his mind, he puts on his thinking cap; *~nak* they confer with each other *(v.* together), they lay/put their heads together; *arról ~tunk hogy* we discussed whether

tananyag *n*, subject-matter of instruction, curriculum

tananyagbeli *a*, curricular

tanár [-ok, -t, -a] *n*, *[egyetemi]* professor, *[docens]* reader, lecturer, *[középiskolai]* teacher, (school-) master, *[magánórát adó]* tutor; *francia* ~ French master; *középiskolai* ~ assistant-master, teacher, schoolmaster; *nyilvános rendes (egyetemi)* ~ full professor; *rendes* ~ *[középiskolai]* appointed teacher;

egyetemi rendkívüli ~ *kb* associate professor *(US)* ; *a glasgow-i egyetemen* ~ oe professor in Glasgow; ~ *úr kérem* please(,) teacher Sir; *egyetemi ~rá nevezik ki* be appointed to a professorship

tanárember *n*, a teacher, member of the teaching profession, pedagogue

tanári [-ak, -t; *adv* -lag, -an] *a*, teacher's, master's, professor's, professorial, tutorly; ~ *állás* teachership, mastership, professorship, professorate, professor's/ professorial chair; ~ *fizetés* teacher's/professorial salary; ~ *kar* teaching staff; ~ *oklevél* teacher's/educational diploma; ~ *pálya* scholastic/teaching profession; ~ *pályára lép* go in for teaching, take up teaching; ~ *szoba* teachers' room, *[egyetemen]* faculty lounge/room, common room; ~ *vizsga* examination for teacher's/master's diploma

tanárjelölt *n*, teacher trainee, probationer teacher, teacher in training, pupil-teacher

tanárképzés *n*, teacher training, training/preparation of masters/teachers

tanárképző *n*, teachers' (training) college/school/institute

tanárkodás *n*, teachership, professorship, professorate, teaching, lecturing, scholastic profession, school-teaching, schoolmastering

tanárkodik [-tam, -ott, -jon, -jék] *vi*, teach (in) school, be a (school)master

tanárné *n*, teacher's wife

tanárnő *n*, *[középiskolai]* schoolmistress, *[egyetemi]* woman professor/lecturer; *középiskolai* ~ schoolmistress, assistant-mistress; ~ *kérem* please(,) teacher/Madam

tanárnős *a*, schoolmistressy

tanáros [-at; *adv* -an] *a*, schoolmasterly, professorial, magistral

tanárság *n*, **1.** *[összesség]* members of the teaching profession *(pl)*, teaching body/staff **2.** *[hivatás]* mastership, professorship, professorate

tanársegéd *n*, (professor's) assistant, demonstrator

tanárvizsgáló *a*, ~ *bizottság (kb)* board of examiners for candidates to schoolmastership

tanbábu *n*, *[orvosi]* manikin

tanbetyár *n*, school-tyrant, brutal teacher

tánc [-ot, -a] *n*, dance, hop *(fam)* ; *kezdődik a ~!* the fun is beginning, now we are in for it; ~ *közben lekér [táncosnőt]* cut in; *~ra kerekedik/perdül* begin to dance, join the dancers, join (in) the dance; *~ra perdül örömében* leap for joy; *elígér egy ~ot vknek* save a dance for sy; *~ot jár* dance (a dance), *[művésziesen]* execute/perform a dance

táncbemutató *n*, dance recital

táncbetét *n*, dancing interlude

tánccipő *n*, dancing shoes, *[nőké]* slippers, *[férfié is]* pumps *(mind: pl)*

tánccsoport *n*, dance group/ensemble/company/troupe/ troop, choir of dancers

táncdal *n*, dance/dancing-song

táncdallam *n*, dance/dancing tune, tune for dancing, (good) tune to dance to

táncdüh *n*, dancing mania, *(tud)* tarantism

táncegyüttes *n*, dance ensemble, choir of dancers

táncestély *n*, dancing-party, (dinner-)dance

táncfigura *n*, figure of a dance

táncgyakorlat *n*, choreographic exercise, dancing-practice

tánchely *n*, dancing-ground/place

tánchelyiség *n*, dancing saloon

tánc-írás *n*, choroscript, system of dance notation

tánciskola *n*, dancing-school/academy, school of dancing

táncjáték *n*, ballet

tánckar *n*, (corps de) ballet, body/troupe of ballet-dancers

táncköltemény n, choreographic poem
tánclecke n, dancing lesson
tánclemez n, dance record
tánclépés n, dance-step, pas; *[tempójelzés]* ~*ben (zene)* in dance step
táncmester n, dancing-master
táncmozdulat n, figure of a dance
táncmulatság n, ball, dance, dancing party, hopy *(fam)*, shinding *(US)*
táncmű n, ballet
táncművész n, (ballet-)dancer
táncművészet n, choreograpy, the art of dance/dancing
táncművésznő n, ballerina; *ld még* **táncművész**
táncnadrág n, 1. briefs *(pl)* 2. *[női fehérneműi]* flare panties *(pl)*
táncol [-t, -jon] vt/vi, dance, tread a measure, hop *(fam)*, toe and heel it *(fam)*, foot it *(fam)*, shake a leg *(fam)*, *[ugrálva]* skip, *[ló]* prance, frisk, tittup, *[vm a hullámzó vizen]* bob up and down, popple, *[csónak]* rock; *úgy ~ ahogy a felesége fütyül* he dances to his wife's piping, he is at his wife's beck and call
táncolás n, dance, dancing, hop(ping) *(fam)*, *[ló]* prancing, frisking
táncoló [-t; adv -an] a, dancing, prancing
táncoltat vt, 1. *(vkt)* dance (with sy), make (sy) dance, take a turn (with sy) 2. *(vmt)* (make) dance, *[hajót]* whiffle; *asztalt ~* turn/tip a table (at séance); ~*ja a csalétket a vizen [horgászásnál]* dap the bait; *medvét ~* make a bear dance/hop
táncóra n, dancing-lesson, lesson in dancing
táncos I. [-ok, -t, -a] n, dancer, partner (at dance), (dancing) partner **II.** [-at; adv -an] a, dancing, *[lovaknál és biz]* prancing; ~ *komikus* comic/mime dancer; ~ *lábú ló* high-stepper; ~ *tea* thé dansant *(fr)*
táncosnő n, (professional, ballet, opera) dancer, ballerina, *[bárban]* dance hostess, taxi-dancer, *[indiai]* nautch-girl, *[operettben, revűben]* chorus-girl, *[vetkőző]* strip-teaser, ecdyasist
táncőrület n, = **táncdüh**
táncpartner n, dancing partner, *[fizetett]* taxi dancer, *[fizetett férfi]* gigolo
táncpartnernő n, dancing partner
táncrend n, dance-card, ball-programme, programme of dance
táncruha n, dance-frock
tánctanár n, dancing-master
tánctanfolyam n, dancing class/course, school of dancing
tánctanítás n, instruction in dancing, dancing-lessons *(pl)*, *[hivatásosé]* choreographic training
táncterem n, dancing-room/hall/saloon, ballroom
táncvezető n, ballet master, leader of the ballet/dance
táncvigalom n, = **táncmulatság**
tánczene n, dance-music, *[dzsessz]* jazz, ragtime
tánczenekar n, dance orchestra/band
tandem [-et, -je] n, tandem
tandíj n, school/schooling/tuition-fee(s), tuition, schoolage; *egész ~ full tuition fees (pl)*; *kérje vissza a* ~*at!* you'd better go back to school again
tandíjfizetés n, payment of school-fees, tuition
tandíjkedvezmény n, school fees reduction, reduction of school fees, *[egyetemen]* reduction of tuition fees
tandíjmentes a, exempt from (payment of) school-fees *(ut)*
tandíjmentesség n, exemption from (payment of) school-fees
tanerő n, teacher; *három ~s iskola* school with a staff of three
tanerőhiány n, shortage of teachers
taneszköz n, school equipment, educational appliances *(pl)*, educational material

tanév n, school-year, academic/scholastic year, *[csak egyetemi]* session; *a ~ folyamán* during term
tanévnyitás n, re-opening *(v. beginning)* of school, *[egyetemi]* beginning of session
tanévzárás n, end of term, end/closing of the school-year, *[ünnepélyes napja/aktusa]* speech-day *(GB)*, (school) commencement *(US)*, school graduation exercises *(pl) (US)*
tanfelügyelő n, school-inspector, inspector of schools, school-commissioner *(US)*
tanfelügyelőség n, 1. *[testület]* body of inspectors 2. *[hivatás]* school-inspectorate, inspectorship of schools 3. *[hivatal]* school inspectorate
tanférfiú n, pedagogue, education(al)ist
tanfolyam n, course (of lectures/instruction/study), class; *délutáni ~* afternoon course, sandwich course *(fam)*; ~*on előad* give a course of lectures; ~*ra beiratkozik* enrol for a course of lectures
tanfolyami [-ak, -t] a, ~ *külső előadó* external lecturer of courses
tangál [-t, -jon] vt, affect, touch, concern, regard
tángál[1] [-t, -jon] vt, *(nép)* help, assist
tángál[2] [-t, -jon] vt, *(nép)* = **megver**
Tanganyika [.. át, .. ában] prop, *(földr)* Tanganyika (Territory)
tanganyikai [-ak, -t] a, of/from Tanganyika Territory, Tanganyikan
Tanganyika-tó prop, Lake Tanganyika
tangara [.. át] n, *(áll)* tanager *(Thraupis)*
tangazdaság n, model farm (for educational purposes) *ld még* **mintagazdaság**
tangens [-ek, -t, -e] a/n, tangent(ial) (to)
tangensvonal n, tangent(-line)
tangó [-t, -ja] n, tango
tangóharmonika n piano accordion
tangóz|ik [-tam, -ott, -zon, -zék] vi, (dance the) tango
tanhajó n, training-ship
-tani [-ak, -t; adv -lag] a, of *(v. pertaining to)* a science; *hit~* theological; *erő~* dynamic(al)
tanintézet n, educational establishment/institution, school, college, academy, seminary
tanít [-ani, -ott, -son] vt/vi, teach, instruct, tutor, *[nevel]* educate, *[gyakorlatilag]* train, drill, school, *[órákat ad]* give lessons, *[magánórákon]* give (private) lessons, coach, *[órát tart iskolában]* hold a class, *[egyetemen]* lecture (on), *[hivatásként]* teach (school), be a teacher/master/professor; ~ *vkt vmre* teach sy sg, instruct sy in sg; *jóra ~* teach what is good, have good influence on sy; *rosszra ~* instruct in mischief, have bad influence; *egy trükkre ~ vkt* put sy up to a dodge; *te akarsz engem ~ani (biz)* it's like teaching your grandmother to suck eggs, I wasn't born yesterday
tanítás n, 1. *[folyamat]* teaching, instruction, tuition, schooling, lecturing; *gyakorló ~ [tanító-, tanárjelölté]* practice teaching 2. *[mint óra]* lesson, period, school; *a ~ nyolckor kezdődik* school begins at eight; *tegnap nem volt ~* there was no school yesterday 3. = **tan I.** 1.; 4. *[íróé, műé]* message 5. *[állaté]* drill(ing), training
tanítási [-ak, -t; adv -lag] a, teaching, tutorial, educational, didactic, pedagogic(al); ~ *gyakorlat* practice-teaching; ~ *gyakorlatot végez [tanárjelölt]* practice-teach; ~ *idő* school-time; ~ *mód* educational method/system, way/method/system of teaching; ~ *nap* school-day; ~ *nyelv* language of teaching; ~ *óra* class, lesson, period; *váltott ~ rend ld* **váltott**
tanításmód n, = **tanítási** *mód*
tanítástan n, didactics
tanítgat vt/vi, teach (off and on)
taníthatatlan a, unteachable
tanítható a, teachable, docile, educable, *(áll)* trainable
tanító [-t, -ja; adv -an] **I.** n, (school-)master, (primary

school) teacher, grade teacher *(US)*, *[torna, tánc]* instructor, *[házi]* tutor, *(pol)* guide, teacher; ~ *úr/bácsi kérem* ... teacher(,) please ..., please(,) teacher/Sir

II. *a*, teaching, didactic(al), educational, pedagogic(al), instructing, instructive; ~ *célzat* didactic purpose/tendency, thesis; ~ *költészet* didactic poetry; ~ *mese* fable, apologue; ~ *költemény* = **tanköltemény;** ~ *rend (vall)* teaching order; ~ *személyzet* = **tanszemélyzet**

tanítói [-ak, -t; *adv* -an] *a*, teacher's, magistral, of a teacher *(ut)*, schoolmasterly *(fam);* ~ *állás* teachership; ~ *kar* teaching staff; ~ *lakás* schoolhouse; ~ *pálya* teaching, scholastic profession/career; ~ *pályára megy/lép* go in for teaching, take up teaching

tanítójelölt *n*, teacher trainee, pupil teacher

tanítóképesítő *n*, *[vizsga]* examination for teacher's diploma

tanítóképzés *n*, training of teachers

tanítóképző *n*, teachers' training-college/school

tanítómester *n*, (school)master, *(skót)* dominie, *(átv)* master

tanítóné *n*, teacher's wife

tanítónő *n*, (female, woman) teacher, school-mistress, school-ma'm *(US fam)*

tanítóság *n*, 1. *[összesség]* schoolmasters 2. *[hivatás]* scholastic profession, mastership, school-teaching

tanítóskodás *n*, teachership, (school) teaching, schoolmastering, scholastic profession, *[házi]* giving lessons, tutoring

tanítóskod|ik [-tam, -ott, -jon, -jék] *vi*, teach (in) school, be a teacher/schoolmaster

taníttat *vt*, ~ *vkt* have sy taught/tutored, pay for sy's education, provide for the education of sy, put sy through school, send sy to school, give sy an education

taníttatás *n*, teaching, education, instruction, *[házi]* tutoring

tanítvány *n*, 1. pupil, student, *[szakmában]* apprentice; *tanulékony/jó* ~ an apt pupil; *az egyetemen Bárczi ~a voit* he studied under Bárczi at the university; *Liszt-~* a pupil of Liszt; *Munkácsy-~* a pupil of Munkácsy 2. *[eszmei]* disciple, follower; *a tizenkét ~* the twelve disciples

tank [-ot, -ja] *n*, 1. tank 2. *[tartály]* tank

tankakadály *n*, road-block

tankárok *n*, (anti-)tank ditch/pit

tankcsapda *n*, (anti-)tank trap/ditch

tankcsata *n*, tank battle

tankelhárító *a*, anti-tank; ~ *fegyver* tank destroyer

tankertészet *n*, model garden/orchard (for demonstrational/educational purposes), model gardening

tankerület *n*, school/educational district/region, district (of a school-inspectorate)

tankerületi *a*, ~ *főigazgató* regional superintendent of schools

tankhajó *n*, tanker

tankkocsi *n*, *(vasút)* tank-wag(g)on

tankol [-tam, -t, -jon] *vt/vi*, refuel

tankolás *n*, refuelling

tankos [-ok, -t] *n*, = páncélos katona

tanköltemény *n*, didactic poem

tanköltészet *n*, didactic poetry

tankönyv *n*, school/text-book, *[kézi]* manual, *[elemi]* primer, *[összefoglaló]* compendium; *angol ~ét adott ki* he has published a course in English

tankönyvíró *n*, author of text/school-books

tankönyvirodalom *n*, literature for use in schools, school/text-book literature

tankönyvkiadó *n*, ~ *(vállalat)* educational publisher(s), publisher of school/text-books

tankör *n*, study group/circle

tanköteles *a*, of school-age *(ut)*, schoolable; ~ *kor* school age; ~ *korú gyermekek* school children

tankötelezettség *n*, compulsory school attendance, compulsory education

tanmenet *n*, syllabus of a course, *[főiskolai]* curriculum

tanmese *n*, cautionary tale, story with a moral, moral story

tanmondat *n*, *[szótári, nyelvtani]* illustrative sentence, example (in grammar, dictionary)

tanműhely *n*, apprentice/training shop, apprentice workshop

tannin [-ok, -t, -ja] *n*, tannin, tannic acid

tannyelv *n*, language of instruction/teaching

tannyelvű *a*, with instruction in (a certain) language *(ut)*

tanoda [.. át] *n*, † = iskola

tanonc [-ot, -a] *n*, apprentice, *[boltban]* shop-boy, *[átv kezdő]* novice, beginner, tyro, tiro; ~*nak ad vkt* apprentice sy (to sy); ~*nak fogad vkt* bind (sy) apprentice

tanoncév *n*, year of apprenticeship; ~*eit szolgálja* serve one's articles

tanoncidő *n*, apprenticeship

tanoncifjúság *n*, apprentices *(pl)*

tanonciskola *n*, school of professional training

tanonckod|ik [-tam, -ott, -jon, -jék] *vi*, do/serve one's apprenticeship

tanonckotatás *n*, training of apprentices, professional training

tanoncotthon *n*, apprentices' hostel

tanoncszerződés *n*, articles/contract of apprenticeship, indenture

tanoncvédelem *n*, (legal) safeguarding of the interests of apprentices

tanóra *n*, lesson, class, *[egyetemi]* lecture

tanregény *n*, novel with a purpose

tanrek [-ot, -ja] *n*, *(áll)* tanrec *(Centetes ecaudatus)*

tanrend *n*, 1. time-table, *[főiskolai]* curriculum 2. *[könyv]* university/college calendar, program(me)

tanrendszer *n*, educational system

tanrepülés *n*, training flight

tanrepülőgép *n*, training/practice (aero)plane

tansegédlet *n*, study-aid

tanszabadság *n*, academic freedom, freedom of teaching

tanszak *n*, branch/division of study, school-subject, *[főiskolán]* faculty, school, department

tanszék *n*, 1. *[hivatal]* chair, professorship, professorate 2. *[mint helyiség]* department (of a university), institute (in a university)

tanszéki *a*, ~ *könyvtár* departmental library

tanszékvezető *n*, head of department; ~ *docens* senior lecturer; ~ *egyetemi tanár* professor and head of department

tanszemélyzet *n*, personnel, (teaching-)staff, *[főiskolán]* faculty, professoriate; *segéd~* assisting personnel (of university chair)

tanszer *n*, school equipment, school supplies *(pl)*, educational appliance, article for teaching

tantál [-ok, -t, -ja] **I.** *n*, *(vegyt)* tantalum **II.** *a*, tantalic

tantalit [-ot, -ja] *n*, *(ásv)* tantalite

Tantalusz [-ok, -t, -a] *prop*, Tantalus; ~ *kínjait állja ki* suffer the torments of Tantalus

tantalusz [-ok, -t, -a] *n*, *(áll)* tantalus *(Tantalus)*

tantaluszi [-t; *adv* -an] *a*, Tantalean, of Tantalus *(ut)*, tantalizing; ~ *kínok* torments of Tantalus

tantárgy *n*, subject (of instruction), branch of study; *kötelező ~* compulsory subject

tanterem *n*, form/class/school/lecture-room, recitation room *(US)*, *[főiskolán]* lecture hall, *[lépcsőzetes padokkal]* (amphi)theatre

tanterv *n*, syllabus/programme of a course, plan of

tuition, curriculum, curriculum of studies; ~en kívüli extra-curricular

tantervi a, curricular

tantestület n, (teaching-)staff, [főiskolai] faculty, professoriate; ld még tanszemélyzet

tantétel n, 1. (ált) doctrine, proposition, thesis, (vall) tenet, dogma; ~ek [összessége] teaching; ~re vonatkozó doctrinal 2. (menny) theorem

tantételszerűen adv, doctrinally

tanti [-t, -ja] n, auntie, aunty

tantiém [-et, -je] n, 1. (ker) tantieme, bonus, percentage/share of profit(s) (going to directors) 2. (szính) royalties (pl)

tántorgás n, reel(ing), stagger(ing), tottering, lurching, titubation

tántorgó [-t; adv -an] a, reeling, staggering, tottering, lurching, groggy, unsteady

tántoríthatatlan a, unshakable, unfaltering, unflinching, unwavering, dauntless, [bátorság] indomitable, undaunted, [elhatározás] inflexible, unswerving, [hit] undoubting, firm, [nyugalom] imperturbable

tántorod|ik [-tam, -ott, -jon, - jék] vi, stagger, reel, falter, totter; ld még eltántorodik, hátratántorodik, megtántorodik

tántorog [-tam, .. rgott, -jon] vi, reel, stagger, totter, sway to and fro, wobble, lurch, titubate; ~va jár walk with a stagger

tantusz [-ok, -t, -a] n, counter, token money, coin, marker, slug (US)

tanú [-t, -ja] n, witness, attestant (obs); házassági ~ [menyasszonyé] who gives the bride away, [vőlegényé] best man, [nálunk] witness; a vád ~ja witness/evidence for the prosecution; a felperes ~ja witness for the plaintiff/claimant; a védelem ~ja witness for the defendant, witness for the defence; vmnek a ~ja [igével] witness sg, be witness to sg; ~k előtt before (v. in the presence of) witnesses; ~ként aláír(at) attest, [okmányt] witness a document; ~ként beidéz call sy in evidence; ~kénti megjelenés appearing as a witness; te vagy a ~m rá you can bear me witness, you are my witness; ~nak beidéz vkt call sy in evidence; ~t hoz/állít bring forward a witness, produce a witness; ~t kihallgat hear a witness

tanúállítás n, bringing forward a witness

tanúbizonyíték n, testimonial proof

tanúbizonyság n, evidence, testimony, witness, [írott] deposition, (átv) proof; ~ot tesz vmről, ~ul szolgál bear witness/testimony to sg, furnish/give evidence of sg, testify to sg

tanúdíj n, conduct-money, expense money paid to a witness, witnesses' expenses (pl)

tanúhegy n, monadnock, remnant hill, [kúp vagy csonkakúp alakú] circumdenudation, circumerosion, [eróziós] outlier, butte

tanújel n, proof, evidence, mark, token; ~ét adja vmnek bear/give evidence of sg; barátságának ~ét adja give proof/token of one's friendship; ~ét adja jóakaratának give an indication of one's goodwill

tanúkihallgatás n, hearing/examination of witnesses, taking/getting evidence; első ~ examination in chief, direct examination; keresztkérdéses ~ cross-examination; másodszori ~ re-examination; ~ foganatosítása the taking of depositions/testimony

tanul [-t, -jon] vt/vi, learn, study, acquire knowledge, be trained, [magol] grind, swot ◈, [mesterséget] be apprenticed; angolul ~ learn/study English; hol ~t angolul? where did you learn your English? énekelni ~ learn to sing; írni ~ learn writing, learn to write; jogot ~ read law; kívülről ~ learn (v. get up) by heart/rote, commit to memory; könnyen ~ learn easily, pick things up quickly/easily, be a good learner;

nehezen ~ learn with difficulty, be a bad/poor/slow learner, have difficulty in learning, be slow in the uptake; szerepet ~ study/learn a part; vmből ~ [könyvből] learn from (books), [gyakorlatban] learn by (practice), profit (from sg); ebből ~hatnak! serves them right!, this may be a lesson for them; vktől ~ learn from sy; ~hatnál tőle you may take pattern from him; jó pap holtig ~ one is never too old to learn, (one must) live and learn; más kárán ~ az okos buy wit with other people's loss, learn at another's expense

tanulás n, learning study(ing), preparation (for school); egyéni ~ individual study; értelmetlen ~ rote learning

tanulási [-ak, -t; adv -lag] a, ~ módszer study technique

tanulásvágy n, desire/eagerness/keenness to study/learn (v. to acquire knowledge)

tanulatlan a, unlearned, untaught, ignorant, uninstructed, illiterate, unlettered, untutored, [munkás] unskilled (labourer, workman); ~ ember a man without education

tanulatlanság n, want of learning, ignorance, illiteracy

tanulékony [-at; adv -an] a, docile, teachable, supple, apt to learn (ut), quick, quick to understand (ut), learning easily (ut); nem ~ indocile, unteachable; ~nak bizonyul vmben prove an apt scholar in sg

tanulékonyan adv, docilely

tanulékonyság n, docility, readiness to learn

tanulmány n, 1. [írott] study, essay, treatise, paper, dissertation, thesis; ~t ír vmről write a treatise (up)on sg; ~ok (vmről) essays (on/in sg) 2. [tanulás] study, reading, (literary) pursuit, [kutatás] research; ~okat folytat pursue/continue studies; ~ait végzi do/take (v. go/pass through v. read for) a university course; ~ait elvégzi graduate; ~ait Cambridgeben végezte he studied in Cambridge, [bevégezte] graduated at (v. US from) Cambridge; Franciaországban végezte ~ait he was educated in France; vmt ~ tárgyává tesz make sg one's study, make a study of sg, make researches into sg 3. (műv) study, (zene) study, etude

tanulmányfej n, study of a head

tanulmánygyűjtemény n, symposium, collection of essays

tanulmányi [-ak, -t; adv -lag] a, study; ~ célokra for educational purposes; ~ előmenetel school progress; ~ eredmény school achievement; ~ felajánlás pledge for better study; ~ felügyelő (kb) school inspector, superintendent of studies; ~ ked vezmény (kb) study facilities (pl); ~ kirándulás school-excursion, instructional trip/excursion, field trip; ~ osztály [főiskolán] Registrar's department (for student guidance and administration), [másutt] educational department; ~ ösztöndíj scholarship, bursary, exhibition; ~ szabadság study leave; ~ verseny general competition between schools, inter-school competition; ~ vezető director of studies

tanulmányíró n, essayist

tanulmánykötet n, volume of essays and studies

tanulmányoz [-tam, -ott, -zon] vt, study, make a study of (sg), read (up a subject), apply oneself to (sg), work at, explore, [vizsgál] examine, inquire/go/look into, investigate, consider, examine carefully; ~ni kezd vmt apply oneself to sg, begin to study sg, take up (a subject)

tanulmányozás n, study(ing), investigation, exploration, examination

tanulmányozható a, studiable

tanulmányút n, instructional trip, study-tour, field trip, [régibb századokban] grand tour

tanulnivágyó a, eager to learn/study (ut)

tanulnivaló n, lesson/sg to learn, what has to be learnt, studies (pl); sok ~m van I have a grat deal to learn

tanuló [-t, -ja] I. *n*, pupil, schoolboy, schoolgirl, *[egyetemi]* scholar, student, undergraduate, *[ipari]* apprentice, trainee boy; ~ *felvétetik* apprentice wanted; *jó* ~ he is studying well, he is a first class/rate pupil II. *a*, learning, studying

tanulóbrigád *n*, study/students' brigade/team

tanulódélután *n*, *(kb)* afternoon off for study(ing)

tanulóév *n*, year of study/apprenticeship, ~*eit Párizsban töltötte [művészről]* his formative years were spent in Paris

tanulógép *n*, *(rep)* training aeroplane

tanulóifjúság *n*, *(ált isk)* school-children *(pl)*, *[középiskolás]* students *(pl)*, *[egyetemi]* student body, undergraduate

tanulókönyv *n*, = **tankönyv**

tanulókör *n*, study group/circle

tanulókör-vezető *n*, (study) circle instructor/leader

tanulólány *n*, girl apprentice

tanulólevél *n*, indenture of apprenticeship

tanulóotthon *n*, students'/apprentices' hostel

tanulópár *n*, *(kb)* study-pair, two students studying together after lessons/lectures

tanulószoba *n*, study room/hall, schoolroom, *[otthoni]* study

tanulótárs *n*, schoolfellow, fellow-student, class-fellow/mate

tanulóterem *n*, class/school-room, *[főiskolán]* lecture-room/hall

tanulóvezető *n*, learner (driver), driver with an L-plate

tanulság *n*, moral, teaching (of story), lesson, *[intő]* warning; *erkölcsi* ~ moral lesson; *súlyos* ~ severe lesson; *ebből az a* ~ this points a moral; ~*ot von le vmből* draw a lesson from sg; *szolgáljon ez neked* ~*ul* let that be a lesson to you

tanulságos [-at; *adv* -an] *a*, instructive, edifying, edificatory, illuminating, enlightening, informative; ~ *beszélgetés* illuminating talk; ~ *mese* story with a moral; ~ *történet* wholesome story

tanult [-at; *adv* -an] *a*, 1. *(ált)* learned, erudite, educated, studied, cultured, well informed, well-read, literate, lettered, *[természettudományilag]* scientifically trained; ~ *ember* scholar(ly) man, man of erudition/learning 2. *[iparban]* schooled, trained, skilled; ~ *szakma* learned profession/trade

tanultat *vt*, make sy learn (sg)

tanultság *n*, learning, erudition, education, schooling

tanúnövény *n*, *(növ)* epibiotic plant, a species which is a survival of a lost flora, a near-endemic

tanúpad *n*, witness-box/stand

tanúság *n*, = **tanúvallomás**, **tanújel**; *a bizonyíték(ok)* ~*a szerint* on the strength of the evidence, to judge from/by the evidence, according to the evidence; ~*ot tesz vmről* give evidence/proof/token of sg, bear evidence of sg; ~*ot tesz vk mellett* give evidence *(v.* bear witness *v.* testify) in sy's favour; *hamis* ~*ot tesz* bear false witness; *vmnek* ~*ául* in witness of sg, as a mark/token of sg

tanúságtétel *n*, witness, evidence, testimony, testimonial, deposition; ~*t megtagad* refuse to give evidence

tanúsít [-ani, -ott, -son] *vt*, 1. *[jelét adja]* give proof/evidence/token of, show, display, evince, manifest 2. *[igazol]* attest, certify, warrant, witness, evidence, vouch for, bear witness/testimony to

tanúsítás *n*, 1. testimony, attestation, *[érzelemé]* display, proof, manifestation, show(ing) 2. = **tanúskodás, tanúságtétel**; *aminek* ~*ára* in witness thereof/whereof

tanúsítási [-t] *a*, ~ *záradék* attestation clause

tanúsítvány *n*, certificate, testimonial, constat; *a* ~ *olyan okirat amely tanúsítja az abban foglalt tények valóságát* a certificate is a written instrument certifying to the truth of the facts therein stated

tanúskodás *n*, (bearing) witness, (giving) evidence, testifying, attestation, testification, testimony, deposition; ~*ra szólít fel vkt* call/take sy to witness/evidence

tanúskod|ik [-tam, -ott, -jon] *vi*, 1. bear witness (to sg), bear testimony, give/bear evidence, testify, attest, deposit; *eskü alatt* ~ give evidence under oath; *vk mellett* ~*ik* witness for sy; *vm mellett* ~*ik* witness to sg 2. *(vmről)* = **tanúsít** 1.

tanúvallomás *n*, evidence, testimony, statement, attest(ation), deposition (of witness), *[eskü alatt írásban]* affidavit; *hamis* ~ perjury; *hamis* ~*ra bír* suborn a witness; ~*t tesz* bear/give evidence of; *azok a tények amelyekről a tanú* ~*t tesz* the facts to which the witness testifies; ~*okat vesz ki eskü alatt* take testimony and administer oaths

tanúvallomástétel *n*, deposition, the giving of evidence, the evidence given by a witness

tanúzás *n*, bearing witness, giving evidence; *hamis* ~ perjury; ~*ra alkalmatlan/képtelen* incompetent/unfit to testify; *ld még* **tanúskodás**

tanúzási *a*, ~ *kényszer* obligation/compulsion to give evidence

tanügetés *n*, close trot

tanügy *n*, public education/instruction, educational system, educational affairs *(pl)*

tanügyi *a*, educational; ~ *igazgatás* educational administration; ~ *kérdések* educational affairs, problems/questions of education; ~ *politika* educational policy; ~ *reform* school reform, reform of public instruction

tanya [.. át] *n*, 1. *(mezőg)* (detached) farm(stead), grange, ranch *(US)*, homestead *(US)* 2. *[lakás]* dwelling-place, nest, abode, quarters *(pl)*, habitation, *[pihenőhely]* camp, halting/resting place, *[csempésze, rablóé]* den, *[állaté]* lair, den, couch, lie, nest, *[borzé]* earth, *[farkasé]* haunt, *[nyúlé]* burrow, form, seat, *[rókáé]* cover(t), earth, *[szarvasé]* lodge, keeping, harbour, *[vaddisznóé]* hold; *tanyát üt* camp, pitch one's tent, take up one's abode, settle

tanyabirtok *n*, farm, ranch *(US)*

tanyabirtokos *n*, farmstead owner

tanyacsoport *n*, group/cluster of farmsteads

tanyagazdaság *n*, 1. *[módszer]* farming (on a small scale) 2. *[hely]* (detached) farm(stead)

tanyahajó *n*, houseboat, vessel fitted up as barracks for sailors in port

tanyaház *n*, farm-house

tanyai [-ak, -t; *adv* -lag] *a*, ~ *iskola* school for children living on detached farms; ~ *lakosság* people living on detached farms

tanyaközpont *n*, (small-)farm(ing) centre, regional centre for detached farms

tanyarendszer *n*, (agricultural) system of detached farms

tanyásgazda *n*, farmer on *(v.* owner of) a detached farm

tanyásgazdaság *n*, *(mező)* detached farm

tanyasi [-ak, -t, -ja] *n*, I. *a*, farming, farm, peasant II. *n*, *(kb)* small farmer; *a* ~*ak* the peasantry

tanyaudvar *n*, farm-yard

tanyavilág *n*, the world of (scattered, straggling, detached, isolated) farms

tanyáz|ik [-tam, -ott, -zon, -zék] *vi*, 1. *[lakik]* dwell, stay, have one's quarters/den, lodge, take cover/shelter, roost *(fam)*, hang out *(fam)* 2. *[állat]* couch, harbour, lodge

tányér [-ok, -t, -ja] *n*, 1. plate, *[lapos]* shallow/meat/dinner-plate, *[mély]* soup-plate, *[kicsi]* dessert/fruit-plate, *[csésze alja]* saucer; *egy* ~*ra való leves* a plateful of soup; ~ *alakú* disk-shaped; ~*t vált* change the plates 2. *(műsz)* disc, plate

tányérakasztó *n*, plate-hanger

tányérakna *n*, teller/personnel mine

tányéralj n, [abroszvédő] table-mat
tányérka n, [virág alá stb.] saucer
tányérkarika n, [tengelyé] collar, hurter
tányérkerék n, disk/spokeless/solid wheel
tányérmelegítő n, plate-warmer, chafing-dish, hot--plate
tányérmérleg n, pair of scales, beam and scales
tányérnyaló a/n, sponger, lickspittle, toady, parasite, hanger-on, minion, pickthank (obs)
tányérnyi [-t] a, (a) plateful
tányéroz [-tam, -ott, -zon] vi, send/pass round the hat/cap, take round the plate
tányérozás n, collecting money (in a plate), sending/passing round the hat
tányérpolc n, plate-rack/shelf
tányérrózsa n, sunflower, turnsole
tányérsapka n, (flat) service cap, flat cap, tam-o'--shanter, beret (fr)
tányérszelep n, (mász) plate valve
tányértalpú n/a, Master Bruin, bear
tányértartó n, plate-rack
tányértörlő n, dish-cloth
táp [-ot, -ja] n, food, nourishment, nutriment; ~ot ad vmnek feed, foster (sg), keep sg alive, add fresh fuel to, encourage; ez ~ot adott a hírnek this has substantiated the rumour; ~ot ad a pletykának provide matter for gossip; ez ~ot adott reményeimnek it instilled new hopes into my soul
tapad [-t, -jon] vi, 1. (vmhez) stick/adhere/cleave/cling to, hold fast to, [nyomtatásban több szó] run into one another; kezéhez vér ~ his hands are stained with blood 2. (átv) tekintete a fiára ~t his gaze was fixed on his son
tapadás n, 1. sticking, adhesion, adhering, cleaving, clinging, (bonct) insertion; kerekek ~a [úthoz] grip of the wheels 2. (nyelvt) contamination, [alaktani] contraction
tapadási [-ak, -t] a, ~ erő gripping force; ~ hely [izomé, íné] insertion; ~ tényező adhesion coefficient
tapadó [-t] a 1. (áll) sticking, sticky, adhesive, tacky, clinging, glutinous, [ruha] skin-tight 2. (növ) adnate 3. (nyelvt) enclitic
tapadóabroncs n, adhesive tyre
tapadóerő n, adhesiveness
tapadógyökér n, clinging root
tapadókorong n, 1. suction-grip disk 2. (növ, áll) adhesive pad, apressorium
tapadós [-ak, -t; adv -an] a, adhesive, tacky, sticky, glutinous, gluey, gummous, gummy, limy, [hideg és nedves] clammy
tapadósság n, stickiness, adhesiveness, gumminess, clamminess, [anyagé] clinginess
tapadószerv n, holdfast, [polipé] tentacle
tápanyag n, nutritive material/matter, nutriment, aliment; kevés ~ot tartalmazó [tó, talaj stb.] oligotropic
tápanyagszükséglet n, (biol) food requirement, required nutrients (pl)
tapasz [-ok, -t, -a] n, 1. [sebre] adhesive/court/sticking plaster, plaster; hólyaghúzó ~ blistering plaster 2. [tömítésre] lute, putty, [gumikerékre] patch, gaiter
tapaszt [-ani, -ott, ..asszon] vt, 1. plaster over, [lyukat] stop, [rést] lute, join, [gittel] putty, [kályhát] plaster up, [kéményt] lute, line, [vályogfalat] build abode wall 2. (vmhez) stick (to, on), fasten (to), glue (to), paste (on)
tapasztal [-t, -jon] vt, 1. experience, learn, meet with, go/pass through, [vmlyen érzetet] perceive, feel, observe, become aware of, notice; sokat ~t he has gone through all sorts of things, he has experienced a lot, he has a good deal of experience; volt alkalmam ~ni I have had occassion to see it

happen, I know a thing or two about it 2. (vmlyennek) find, discover, come to know
tapasztalás n, 1. experience, meeting with, going/passing through 2. observation, observing, knowledge, knowing; ~ útján experimentally
tapasztalat n, experience, observation; üzleti ~ business experience; a ~ azt mutatja experience shows/proves; ~ból beszél speak from experience; ~ból tudja he knows it from experience; sok ~ot szerzett be a man of experience (v. of the world), be a much experienced man; ~okat gyűjt gain experience(s), collect data, see life
tapasztalatátadás n, handing/passing-on of working experience
tapasztalatcsere n, exchange/pooling of (technical) experience, exchange of working methods, comparing notes
tapasztalati [-ak, -t; adv -lag] a, experimental, empiric(al), experiential; ~ együttható empirical coefficient; ~ képlet empirical/minimum/composition formula; ~ tényeken alapuló tudás (fil) experimentalism; ~ úton experientially
tapasztalatilag adv, experimentally, empirically
tapasztalatlan a. inexperienced, [szakmában] unskilled (in), unlearned, unpractised, unseasoned, [életben] ignorant of life, unfledged, naive, green, ingenuous, [kezdő] greenhorn, raw, fresh, new, tyro, tiro, novice
tapasztalatlanság n, inexperience, lack/want of experience, rawness, naiveté, naivety, greenness, freshness
tapasztalt [-at; adv -an] a, experienced, seasoned, world-wise, [jártas] dexterous, skilled, expert, versed (in); ~ ember, ~ vén róka (an) old hand (at sg), old stager, man of the world, man of experience; ~ tengerész weather-beaten sailor; ~ vmben experienced/expert/skilled (v. well versed) in sg
tapasztaltság n, experience, expertness, skill, dexterity
tapasztás n, fastening with glue/paste, cementing, stopping, plastering, luting, puttying, building of adobe wall, (rég) [vesszőfonaton] daubing
tapasztó [-t, -ja] I. n, [anyag] mastic, lute, luting, cement II. a, agglutinative, binding
tápcsatorna n, alimentary/intestinal canal/tube/tract
tápcső n, 1. (bonct) gullet, (tud) oesophagus, [mesterséges] feed-pipe 2. [gőzgépé] supply-pipe
tápdús a, nutritive, nutrient, nourishing
táperő n, food-value, nutritive power
táptérték n, food-value, nutritional/nutritive/nourishing property/value; nincs ~e there is no sustenance in it
táptértékű a, nutritious, nutrimental, nutritive
tapéta [..át] n, wall-paper, paper hangings (pl), tapétát rak fel hang wall-paper
tapétaajtó n, jib/flush-door
tapétás a, papered; ~ fal papered wall
tapétaszövet n, wall cloth
tapétáz [-tam, -ott, -zon] vt, (hang with) paper, wall--paper
tapétázás n, 1. [folyamata] hanging (with paper), (wall-)papering 2. [eredménye] paper-hanging
tapétázó [-t, -ja] n, paper-hanger, paperer
tapétázott [-at; adv -an] a, papered
tapint [-ani, -ott, -son] I. vt, touch, feel, finger, (tud) palpate; ~ható de nem látható amenable to the touch but invisible to the eye II. vi, elevenére ~ touch the sore point, touch on the raw, touch to the quick, hit/strike home, go to the heart (of sg); a megjegyzés elevenére ~ott the remark went home
tapintás n, 1. (vmé) touch(ing), feel(ing), contact, fingering, palpation; ~ra olyan mint it feels like (sg); ~ra lágy soft to the touch 2. [érzék] sense of touch/feeling, tactile sense; a ~ szervei organ(s) of touch 3. (orv) percussion

tapintásérzet *n*, sensation of touch, *(tud)* tactile sensation/sense

tapintási [-ak, -t; *adv* -lag] *a,* tactile, tactual; ~ *érzék* sense of touch; ~ *érzéketlenség (orv)* astereognosis

tapintású [-ak, -t] *a, érdes* ~ rough to the touch *(ut)*; *lágy* ~ soft to the touch *(ut)*, *[igével]* feel soft

tapintat *n*, tact, (sense of) delicacy, fine feeling; ~*ot kíván* it requires/demands tact

tapintatlan *a*, tactless, indiscreet, undiplomatic, wanting in delicacy *(ut)*, thoughtless, inconsiderate; ~ *kérdés* tactless question; ~ *megjegyzést tesz* drop a brick, commit a gaffe; ~ *voltam?* have I dropped a brick?

tapintatlanság *n*, tactlessness, blunder, indiscreetness, indiscretion, want of tact/delicacy, indelicacy, gaffe *(fr)*

tapintatos [-ak, -t; *adv* -an] *a,* tactful, delicate, discreet, showing tact, diplomatic, considerate (towards, to); ~ *ember* man of tact; ~ *modor* tactful/discreet conduct/manners

tapintatosan *adv*, tactfully

tapintatosság *n,* tact(fulness), delicacy, discretion

tapintatú [-t; *adv* -an] *a,* to the touch/feel *(ut)*; *lágy* ~ soft to the touch, it feels soft

tápintézet *n*, boarding-school, *[szegény diákoké]* charity school

tapintható *n*, palpable, tangible, to be felt/touched *(ut)*, *(tud)* tactile, *[igével]* be palpated

tapinthatóság *n*, tangibility, palpability, palpableness

tapintó [-t; *adv* -an] I. *a*, touching, feeling, tactile, of touch *(ut)*; ~ *érzékelés* tactile perception II. *n*, feeler, toucher, *[csáp]* tentacle, palp(us), antenna, *[halé]* barbel

tapintócsáp *n*, = **tapintó** II.

tapintóérzék *n*, (sense of) touch, tactile sense, feeling

tapintókörző *n*, calipers *(pl)*

tapintószerv *n*, sense organ, organ of sense

tapintószőr *n*, palp(us), tactile bristle

tápióka *n*, tapioca

tapír [-ok, -t, -ja] *n*, *(áll)* tapir *(Tapirus sp.)*

táplál [-t, -jon] *vt*, 1. feed, nourish, nurture, *(tud)* aliment; *hiányosan* ~ underfeed 2. *[szoptat]* suckle, give breast/suck (to), nurse 3. *[gépet]* feed 4. *[érzelmet]* cherish, foster, nurse, entertain, harbour, indulge in, keep alive; *gonosz szándékot* ~ harbour evil thoughts; *gyűlöletét* ~*ja* harbour/nurse one's resentment (against), keep one's hatred alive; *illuziókat* ~ cherish illusions; *azt a reményt* ~*ja* cherish/entertain the hope, set one's hopes on

táplálás *n*, 1. *(ált)* feeding, nourishing, nutrition, nurture, alimentation, supply, sustenance, *[állaté]* feeding 2. *[csecsemő]* suckling; *rosszul* ~ malnutrition; *természetes* ~ breast-feeding 3. *(műsz)* feeding 4. *(átv)* cherishing, fostering, harbouring

táplálatlan *a*, unfed

táplálék [-ot, -a] *n*, 1. food, nourishment, nutriment, aliment, *(biol)* pabulum, feed *(fam)*; ~*ok* foodstuffs, *állatnak* feeding stuffs; ~*ot vesz magához* take food 2. *szellemi* ~ mental nutriment/pabulum, food for the mind

táplálékasszimilálás *n*, *(biol)* integration

táplálékfelvétel *n*, intake/reception of food

táplálékhiány *n*, lack of nourishment/sustenance, insufficiency of food

táplálkozás *n*, nourishment, alimentation, *[emberi]* (intake of) food, *[állati]* feed, *(tud)* nutrition; *hiányos* ~ insufficient nourishment, malnutrition, starvation; ~*ra alkalmas* edible

táplálkozási [-ak, -t; *adv* -lag] *a*, alimentary, dietary; ~ *betegségek* food-diseases; ~ *mód* way of eating; ~ *zavarok* alimentary/nutritive troubles

táplálkozástan *n*, trophology, sit(i)ology, dietetics

táplálkozlik [-tam, -ott, -zon, -zék] *vi*, *(vmvel)* eat, take nourishment, *(átv is)* feed (on), live/subsist (up)on

tápláló [-t; *adv* -an] I. *a*, 1. *[kalóriadús]* nourishing, body-building, nutrient, nutritive, nutrimental, nutritious, *[étkezés]* substantial, satisfying; ~ *étel* sustaining food; *a tej nagyon* ~ milk is very nourishing/ nutritive 2. *[táplálásra alkalmas/szolgál]* alimentary, nourishing, feeding; ~ *áramkör* supply circuit II. *n*, nourisher, *[eltartó]* supporter, sustainer

táplálóanyag *n*, nourishing substance, sustenance

táplálónedv *n*, *(orv)* chyle, *(növ)* sap

táplálószövet *n*, mag ~*e (növ)* endosperm

táplált [-at; *adv* -an] *a,* fed, nourished; *rosszul* ~ underfed, ill-fed, undernourished

tápliszt *n*, *(kb)* enriched baby food

tapló [-t, -ja] *n*, 1. tinder, amadou, touchwood 2. = = **taplógomba**

taplógomba *n*, *(növ)* tinder fungus/agaric *(Fomes fomentarius)*

taplós [-ak, -t; *adv* -an] *a*, tinder-like, tindery

taplósapka *n*, tinder cap

tápnedv *n*, nutritious/nutritive juice, chyle

tápnedvképződés *n*, chylification

tapod [-tam, -ott, -jon] *vt*, = **tapos**

tapodtat sem enged not yield an inch, not budge a whit/jot

tapogat *vt/vi*, feel finger, handle, paw *(pej)*, *(orv)* palpate, *[bizonytalanul]* grope, feel one's way, *[ügyetlenül]* fumble

tapogatás *n*, feeling, fingering, handling, pawing *(pej)*, *[bizonytalanul]* groping, *[ügyetlenül]* fumbling

tapogató [-t, -ja] I. *a*, feeling, touching, fingering, tentacular II. *n*, = **tapintó** II.

tapogatódzás *n*, 1. *[kézzel]* groping/fumbling/poking about, feeling one's way 2. *(átv)* sounding, feeler, exploring/exploratory talk

tapogatódzlik [-tam, -ott, ..ddzon] *vi*, 1. *[kézzel]* feel (for/after sg), grope/fumble about, feel one's way, try to find one's way; *sötétben* ~*ik* fumble/grope (about) in the dark; ~*va megy/halad* feel one's way 2. *(átv)* throw out feelers, *(vknél)* sound (sy); *jó helyen* ~*ik* he has come to the right place/person

tapogatódzó [-t] *a*, ~ *megbeszélés* exploratory talks *(pl)*

tapos [-tam, -ott, -son] *vt/vi*, *(vmre, vmt)* tread (on, down), trample (on), step (on), *[kerékpáros]* pedal; *lábbal* ~ tread/trample under foot, trample upon; *lábára* ~ tread/step on sy's foot/toes; *az 54-iket* ~*om* I am in my 54th year; *szőlőt* ~ tread out wine; ~*sa a vizet* tread water

taposás *n*, *[úszásnál]* treading (water)

taposó [-t, -ja] I. *a*, treading, trampling II. *n*, 1. treader, trampler, *[szőlőt]* wine-presser 2. *[kerékpáron]* pedal

taposókád *n*, wine/treading-vat

taposómalom *n*, treadmill, tread-wheel; *a mindennapi* ~ the daily routine; ~*ba kerül* get into a groove

taposópedál *n*, pedal

taposott [-at; *adv* -an] *a*, ~ *út* beaten path

táppénz *n*, sick pay, sickness benefit, disability allowance

táppénzcsaló *n*, defrauder of sickness benefit

táppénzes [-ek, -t] I. *a*, on sick pay *(ut)* II. *n*, person on sick pay

tapper [-ok, -t, -e] *n*, hand blotter

taps [-ot, -a] *n*, (round of) applause, clap(ping), handclapping, plaudits *(pl)* *(ref.)*; *ütemes* ~ slow-hand clap; *hatalmas* ~*ot arat* bring down the house; ~*sal fogad* greet/hail/welcome with applause, applaud

tapsifüles *n*, bunny, Brer Rabbit *(US)*

tapsikol [-t, -jon] *vi*, *[gyerekről]* clap hands (of a child)

tápsó *n*, fertilizer, chemical/artificial manure
tapsol [-t, -jon] *vt/vi*, 1. *(átt)* clap (hands) 2. *(vkt, vknek)* applaud
tapsolás *n*, = taps
tapsoló [-t] I. *a*, applauding, clapping II. *n*, applauder; *fizetett* ~ clapper, claqueur *(fr)*, hired/paid applauder
tapsorkán *n*, thunderous applause, hurricane/thunder/ burst of applause
tápsör *n*, nutritive beer
tapsvihar *n*, thunderous applause, loud outburst of applause/clapping, storm of applause
tápszer *n*, (article of) food, nutriment, victuals *(pl)*, *[készítmény]* food-preparation
tápszivattyú *n*, feed/supply/donkey pump
tápszövet *n*, ~tel rendelkező *mag* albuminous seed
táptalaj *n*, 1. *(ált konkr)* foster-earth, fostering soil, *[baktériumé]* culture-medium, nutrient substratum, agar(-agar), *[folyékony]* culture-fluid 2. *(átv)* breeding ground
táptalajderítés *n*, clearing of media
tápvezeték *n*, feeder, supply/feed-pipe
tápvíz *n*, feed-water
tápvízcsap *n*, feedcock
tápvíz-előmelegítő *n*, feed-water heater, fuel economizer
tápvíz-melegítő *n*, = tápvíz-előmelegítő
tápvízszivattyú *n*, = tápszivattyú
tar [-ok, -t] *a*, bald(-headed), bare, *[fa]* bare, leafless, branchless, *[gabona]* awnless, *[hegy]* denuded
tár[1] [-t, -jon] *vt*, 1. *[kinyit]* (lay, throw) open, open up/wide, uncover 2. *[vk elé]* disclose (sg to sy); present, lay before, show; *új világot* ~ *elénk* show us *(v.* disclose *v.* open up) a new world
tár[2] [-ak, -t, -a] *n*, 1. *[tárolóhely]* depot, magazine, store(-house), depository, repository 2. *[múzeumban]* cabinet, collection 3. *[puskában]* magazine
tára *[..át] n*, tare
tarack [-ot, -ja] 1. *(kat)* howitzer 2. *[gyökér]* stolon, stole, rhizome
tarackágyú *n*, *(kat)* gun-howitzer
tarackbúza *n*, *(növ)* lyme/couch/dog/quick/wheat- -grass, grass *(Agropyron repens)*
tarackfű *n*, = tarackbúza
tarackos [-at; *adv* -an] *a*, 1. ~ búza wheat overgrown with couch-grass, couch-grassed wheat; ~ *tippan (növ)* creeping bent grass *(Agrostis)* 2. *(kat)* howitzer-, of howitzer(s) *(ut)*
taraj [-ok, -t, -a] *n*, 1. *[madáré]* comb, crest 2. *[sarkantyúé]* rowel 3. *[sisaké, hullámé]* crest
tarajdísz *n*, *(épít)* crest, ridge, Vitruvian scroll
tarajos [-ak, -t; *adv* -an] *a*, 1. crested, tufted, having a comb *(ut);* ~ *gőte (áll)* crested newt *(Titurus cristatus);* 2. ~ *hullám* combing wave; ~ *víz* rough waters
tarándszarvas *n*, *(áll)* reindeer *(Cervus tarandus)*
tarantella[1] *[..át] n*, *[tánc]* tarantella, tarantula
tarantella[2] *[..át] n*, *(áll)* tarantula *(Aranea tarantula)*
tarantellapók *n*, = tarantella[2]
táráz [-tam, -ott, -zon] *vt*, tare, *[hajót]* trim
tárázógömb *n*, taring sphere
tárbaváltó *n*, *(kat)* magazine spring, follower
tarbúza *n*, bald/beardless wheat
tárca *[..át] n*, 1. *[zsebbe való]* pocket-book, letter note-case, wallet, *[aprópénznek]* purse 2. *[banké]* holdings *(pl)* 3. *[miniszteri]* portofolio, department, ministry; *pénzügyi* ~ *(GB)* Treasury, *[másutt]* Ministry of Finance; ~ *nélküli miniszter* minister without portfolio 4. *[irodalmi]* feuilleton *(fr)*, special article, short story (in newspaper)
tárcacikk *n*, = tárca 4.
tárcaíró *n*, feuilleton writer, feuilletonist

tárcakiutalás *n*, departmental vote
tárcaközi *a*, inter-departmental; ~ *bizottság* inter- -departmental committee; *állandó* ~ *bizottság* inter- -departmental standing committee; ~ *egyeztetés* inter-departmental coordination
tárcaminiszter *n*, cabinet minister
tárcanaptár *n*, pocket-calendar
tárcaregény *n*, serialized novel, serial
tárcarovat *n*, feuilleton *(fr)*, fiction column
tárcaváltó *n*, holdings *(pl)*, bill in hand
tárcsa *[..át] n*, 1. *(ált)* disc, disk, *[fémből]* plate 2. *[céltábla]* target, butt 3. *[telefonon]* dial 4. *[vasúti jelző]* (disk-)signal
tárcsadob *n*, *(műsz)* drum
tárcsakerék *n*, plate wheel
tárcsás [-ak, -t; *adv* -an] *a*, disk; ~ *borona* disk-harrow; ~ *ék* disk brake; ~ *eke* disk plough; ~ *fahüvely (tex)* double flanged wooden bobbin; ~ *jelző* disk signal; ~ *kapcsoló* flange/disk/plate coupling/clutch; ~ *kerék* web/disk-wheel; ~ *lőpor* rifle-powder; ~ *tekercselés (vill)* disk-winding
tárcsáz [-tam, -ott, -zon] *vt/vi*, 1. *[telefonon]* dial 2. *(mezőg)* harrow with disk-harrow
tárcsázás *n*, 1. *[telefonon]* dialling 2. harrowing (with disk-harrow)
taréj [-ok, -t, -a] *n*, 1. = taraj; 2. *(épit)* ridge, crest, Vitruvian scroll
taréjgerenda *n*, *(épit)* ridge-beam
taréjszelemen *n*, ridge-beam
tarfejű *a*, bald-headed
targally *n*, dry twigs *(pl)*
targonca *[..át] n*, *[egykerekű]* (wheel-)barrow, *[kétkerekű]* cart, push/hand-cart, *[négykerekű]* troll(e)y, truck, dray, *[alacsony ritk]* trundle; *targoncán tol vmt* wheel sg in a barrow
targoncás *n*, cartman, carter, wheeler, drayman, barrowman
targoncáz [-tam, -ott, -zon] *vt*, cart, barrow, wheel, carry/convey in a (hand-)cart/trundle, push a cart, wheel in a barrow
targoncázás *n*, carting, barrowing
tárgy [-at, -a] *n*, 1. *[konkrét dolog]* object, article, thing 2. *[vmnek tárgya]* object, subject, matter, theme, *[beszélgetésé]* topic, subject, *[irodalmi műé]* subject(-matter), *(isk)* subject, *[levélé]* purport, *[rovatolás levél elején]* re, *[megbeszélésé]* matter, *[törekvésé]* object; *nevetség* ~*a* laughing-stock; *a per* ~*a* the subject-matter of a law-suit; *a regény* ~*a* the subject of the novel; *szerelme* ~*a* object of one's love; *veszekedés/vita* ~*a* bone of contention; *vmnek* ~*ában* on the subject of sg, concerning sg, with reference to sg, in the matter of, with respect to sg, as to/for sg, relating/referring to sg, re sg; *a lakbér* ~*ában* relative to the rent; *június 10-én kelt levele* ~*ában* re your letter of June 10th; *a* ~*hoz tartozó* topical, relevant; ~*hoz nem tartozó* irrelevant, extraneous, immaterial to the subject, impertinent; *a* ~*ra!* to the point!, *[parlamentben]* question!; *a* ~*ra tér* come to the point, get down to facts/cases *(v.* brass tacks), talk turkey (with sy) *(fam); más* ~*ra tér* change the subject; *vmlyen* ~*ról szól* treat of sg; ~*át vhonnan merítette* he took/drew his subject from sg; *a* ~*tól eltérő* beside the mark; *vizsgálat* ~*ává tesz* make sg the subject *(v.* a matter) of examination/inquiry/investigation 3. *(nyelvt)* (direct) object, objectival complement; *belső* ~ cognate object/accusative 4.*[iskolai]* subject (of instruction)
tárgyal [-t, -jon] I. *vi, (vkvel vmről)* discuss, negotiate, confer, talk over, have a talk (with sy on sg), *[üzletileg]* trade, treat (with sy), transact (business with sy), *[kölcsönről]* arrange, *[békéről]* treat, negotiate, *[ügyvéd bíróságon]* plead, argue, *[ellenséggel]* parley,

[diplomáciai] have conversations; *Molnár elvtárs ~* Comrade M. is in conference **II.** *vi,* **1.** *[gyűlésen]* debate, discuss, deliberate, dispute, argue **2.** *[bírósági ügyet]* try, hear **3.** *[mű]* treat, deal with/of **tárgyalás** *n,* **1.** conference, discussion, negotiation, talk, transaction, parley, conversations *(pl),* palaver *(fam),* round table conference *(fam), [ülésen]* debate, discussion, deliberation; *gazdasági ~ok* economic negotiations; *hosszadalmas/elhúzódó ~ok* protracted negotiations; *kereskedelmi ~ok [államközi]* trade negotiations; *a ~ok akadoznak (átv)* there is a hitch in the negotiations; *~ok befejeződtek* negotiations/talks have closed; *a ~ok nem vezettek kielégítő eredményre* talks have not brought a satisfactory result; *~ok megkezdődtek* negotiations/talks have started; *~ok megszakadtak* negotiations/talks have broken off; *~ok újra megkezdődnek* negotiations/talks will be resumed; *~okba bocsátkozik vkvel* enter into/upon negotiations with sy; *~okat folytat* carry on negotiations/talks, have conversations; *~t kezd vkvel* enter into negotiations with sy **2.** *[bírósági]* hearing, session, court hearing, trial, proceedings *(pl),* sitting; *új ~ kitűzését kéri* move for a new trial; *zárt ~* hearing in camera; *májusban lesz a ~* the case will be heard in May; *a ~ok időtartama alatt* pending the negotiations; *nyilvános ~on* in open court; *~on kívül* out of sessions, out of Court; *az ügy ~ra kerül* the case comes on for trial; *a ~t bezárja* close the session/sitting; *~t elhalaszt* remand/postpone the hearing; *a ~t megnyitja* open the court, open proceedings **3.** *[írásműben]* treatment (of a subject) **tárgyalási** *[-ak, -t; adv -lag] a, ~ alap* basis of/for negotiations/discussions; *~ határnap [bíróságon]* day appointed for the hearing; *~ jegyzék* calendar for trial; *~ jegyzőkönyv* protocol of transactions, minutes of the negotiations/hearing; *tovbbi ~ alapul szolgál* serve as a basis for further negotiations **tárgyalásmód** *n,* treatment **tárgyaló** *[-t; adv -an] a, (vmről)* discussing, debating, negotiating, *[bíróság]* hearing, pleading, *[témát]* treating, dealing with; *~ fél* negotiating party, negotiator **tárgyalóasztal** *n,* (round) conference table **tárgyalófél** *n,* negotiating party, negotiator **tárgyalóképes** *a,* qualified to carry on negotiations *(ut),* (well) able to represent a matter *(ut); ~ ember* a good negotiator, *[idegen nyelven]* person fluent/proficient in the use of a foreign tongue **tárgyalóterem** *n.* chamber, *[bírósági]* court-room, (judgement-)hall, *[politikai]* conference room **tárgyas** *[-ak, -t; adv -an] a, (nyelvt) [ige]* transitive, active, *[eset]* accusative, objective; *~ igeragozás* objective conjugation; *~ szókapcsolat* transitive construction, verb-object construction **tárgyasan** *adv, (nyelvt)* transitively **tárgyasít** *[-ani, -ott, -son] vt,* **1.** objectify, objectivize **2.** *[igét]* make transitive **tárgyasztal** *n, [gyalugépen]* platen, machine table, *[mikroszkópé]* objective table **tárgyasztal-előtolás** *n, (műsz)* platen-feed **tárgyatlan** *a, (nyelvt)* intransitive, neuter; *~ használatú [tárgyas ige]* absolute; *~ használatban [tárgyas igéről]* absolutely; *~ igeragozás* subjective/indefinite conjugation **tárgyatlanul** *adv, (nyelvt)* intransitively **tárgyaz** *[-tam, -ott, -zon] vt,* | deal with, refer to, have a subject, aim at, treat of *(mind: stand.)* **tárgybavágó** *a, (jog)* pertinent, relevant, material, topical; *~ adatok vannak a birtokában* there is pertinent information in his possession **tárgyeset** *n, (nyelvt)* accusative, objective case; *~tel jár, ~et vonz* govern the accusative

tárgyi *[-ak, -t; adv -lag] a,* **1.** material, positive, real; objective; *~ biztosíték* property security; *~ bizonyíték* material proof; *címfelvétel ~ cím alapján [könyvtári]* title entry; *~ emlék* material remain(s); *~ érték* actual value; *~ illetékesség* competent authority; *~ ismeretek* knowledge of facts, practical/positive knowledge, factual information; *~ magyarázat* objective explanation; *~ okokból* for positive reasons; *~ rendszó [könyvtárban]* title heading; *~ rendszó alatti címleírás [könyvtárban]* title entry; *~ tévedés* material error; *~ tudás* positive/material/thorough/practical knowledge; *~ utalás/utaló* subject reference **2.** *(nyelvt) ~ mellékmondat* object clause **tárgyiasít** *[-ani, -ott, -son] vt, (fill)* objectize, objectify **tárgyiasul** *[-t, -jon] vi,* become objectivized/objectified **tárgyidőszak** *n,* period under consideration/survey, period of review/reference **tárgyilagos** *[-ak, -t; adv -an] a,* objective, unbiased, unprejudiced, matter-of-fact, *[elfogulatlan]* impartial, *[igazságos]* just, *[méltányos]* fair, equitable, *[semleges]* neutral; *~ bírálat* fair/just criticism; *~ és pontos jelentés/beszámoló* fair an accurate report **tárgyilagosan** *adv,* objectively, impartially; *~ beszél* he speaks without bias **tárgyilagosság** *n,* **1.** objectivity, objectiveness, justness, impartiality, fairness, equitableness, neutrality **2.** *(műv)* representationalism **tárgyismeret** *n,* knowledge of facts/material, positive material/knowledge **tárgykatalógus** *n,* subject catalogue **tárgykör** *n,* field, domain, subject, theme, topic, specialty; *~ jelzése* restrictive label; *~ szerint csoportosítva/osztályozva* classified by subject matter; *ugyanabba a ~be vágó* having relation to the same subject matter *(ut)* **tárgylemez** *n,* (microscopic) slide. mount *~re tesz/ helyez* mount **tárgylencse** *n,* object-glass/lens, objective, *(fényk)* view-lens **tárgylencse-foglalat** *n, [mikroszkópon]* nose-piece **tárgymutató** *n,* (subject) index, register (of subjects), *[folytatólagos]* cumulative index **tárgynyeremény-sorsolás** *n,* draw (in a raffle) **tárgyrag** *n,* objective case-ending, termination of the accusative *(v.* of the objective case), accusative ending **tárgyragos** *a,* with termination of the accusative *(ut)* **tárgysorozat** *n,* (list of) agenda (of meeting), program(me) **tárgysorsjáték** *n,* raffle, tombola **tárgyszó** *n,* subject heading; *összetett ~ [könyvtárban]* compound subject name **tárgyszókatalógus** *n,* alphabetic(al) subject catalogue, classified catalogue **tárgytalan** *a,* objectless, matterless, superseded, having no object *(ut), [érvénytelen]* null and void, *[szükségtelen]* unnecessary, superfluous; *tekintse levelemet ~nak* please disregard my letter, take my letter as not being written, ignore *(v.* take no notice of) my letter **tárgytávolság** *n, [fényképezőgéptől mért]* measured distance (from camera to object) **tárgyú** *[-ak, -t] a,* of ... subject/purport *(ut)* **tárgyválasztás** *n,* choice of subject **tárhajó** *n, (ker)* store-ship **tarhál** *[-t, -jon] vt,* cadge, panhandle *(US)* **tárház** *n,* **1.** *(konkr)* storehouse, warehouse, repository magazine(-house), treasury, garner *(ref.), [gabonának]* silo **2.** *(átv)* mine, storehouse, repository, treasury; *a tudás ~a* mine, of knowledge, quarry of information **tarhonya** *[..át] n, ⟨(kb)* granulated dried pastry made of flour and eggs⟩, *[néha]* egg barley

tarifa [..át] *n*, tariff, scale/schedule/table of charges, price-list. *[táviraté, hirdetésé]* rate; *[vám stb.]* egyezményes ~ conventional tariff; *[vám stb.]* kedvezményes ~ special/preferential tariff; *vasúti* ~ railway tariff

tarifaemelés *n*, raising of the tariff

tarifafokozat *n*, tariff rate

tarifál [-t, -jon] *vt*, tariff, include (*v.* provide for) in the tariff

tarifálás *n*, tarification

tarifamérséklés *n*, reduction of the tariff

tarifapolitika *n*, tariff-policy

tarisznya [..át] *n*, satchel, bag, wallet, haversack, *[abrakos]* nose-bag (for horses), *(kat)* musette (bag), *[vadászé]* game-bag

tarisznyarák *n*, *(áll)* kardfarkú ~ king-crab *(Limulus polyphemus)*; *szárazföldi* ~ land-crab *(Gecarcinus ruricola)*

tarja [..át] *n*, *[disznóé]* spare rib, *[füstölt]* daisy ham *(US)*

tarka [..át] *a*, pied, parti/many/gay-coloured, varicoloured, multicoloured, colourful, vari(egat)ed, gaudy, of many colours *(ut)*, *[pettyezett]* mottled, spotted, spotty, speckled, *[rikítóan]* tawdry-coloured, gaudy, *[kockásan]* checkered, chequered, *[állatbőr]* dapple(d), *[mezők]* pied/gay with flowers *(ut)*; ~ *est* variety show, a vaudeville evening, evening performance with a miscellaneous program(me); ~ *kutya* spotted dog; ~ *ló* piebald (horse), calico horse *(US)*; ~ *szövet* mottled fabric; ~ *tollú* with diversely coloured plumage *(ut)*; ~ *tehén* speckled cow; ~ *tömeg* motley crowd

tarkabab *n*, mottled/spotted bean, pinto bean *(US)*

tarkabarka I. *a*, motley, mottled, gaudy, gay, pied, kaleidoscopical, *(kif)* in all the colours of the rainbow *(ut)* II. *n*, variety

tarkacsikos *a*, streaked, having/with parti-coloured stripes *(ut)*

tarkaérc *n*, peacock/purple (*v.* liver-coloured) ore, erubescite

tarkafoltos *a*, dappled, speckled, brindled, mottled, spotted, spotty

tarkáll|ik [-ani, -ni, -ott, -t, -jon] *vi*, show a variety of colours, be bright with colours, look gay/gaudy

tarkánszőtt *a*, coloured woven, fancy-woven; ~ *kockás zefir* gingham

tarkapettyes *a*, = tarkafoltos

tarkás *a*, = tarka

tarkaság *n*, mixture/variety/display of colours, medley, variegation, gaudiness, gaudy colour scheme, variegated appearance

tarkáz [-tam, -ott, -zon] *vt*, = tarkít

tarkázás *n*, 1. *(konkr)* variegation, making parti-coloured, spotting, colouring, with various dyes 2. *(átv)* diversification, interspersion

tarkít [-ani, -ott, -son] *vt*, 1. *(konkr)* colour, variegate, vary, mottle, spot, speckle, dapple, checker, chequer, *[virág vmt]* dot 2. *(átv)* vary, variegate, diversify, intersperse; *idézetekkel* ~ interland/intersperse with quotations

tarkó [-t, -ja] *n*, nape, back of the head, *(tud)* occiput; ~*n ragad* take by the scruff of the neck

tarkóbőr *n*, scruff (of the neck)

tarkózom *n*, occipital/cervical muscle, *[fejbiccentő]* annuent muscle

tarkólövés *n*, shot in the back of the neck

tarkómerevség *n*, stiff(ness of the) neck, rigidity of the spinal muscles

tarkónállás *n*, *(sp)* nape stand

tárkony [-ok, -t, -a] *n*, *(növ)* tarragon, mugwort *(Artemisia dracunculus)*

tárkonyecet *n*, tarragon vinegar.

tarkópróba *n*, *(orv)* head-bending test

tarkóütés *n*, a hit at the nape (of the head), *[boxban]* rabbit-punch

tarkóvédő *n*, *[kendő]* pug(ga)ree

tarkul [-t, -jon] become pied/variegated/mottled

tárlat *n*, (art-)exhibition, show, *[állandó]* gallery, *[egy művészé]* one-man show

tarlatán [-ok, -t, -ja] *n*, *(tex)* tarlatan

tárlatnyitás *n*, opening of an exhibition, *[előző napja]* varnishing-day, private view (of an art-exhibition)

tárlatvezetés *n*, lecture (in art gallery)

tárlatvezető *n*, lecturer (in art gallery)

tarló [-t, -ja] *n*, stubble(-field); ~*t hánt* stubble

tárló [-t, -ja] *n*, *[kiállítási]* display/exhibition/show/ glass case, vitrine, glass cabinet, *[múzeumi]* (glass) specimen case

tarlóbuktatás *n*, = tarlóhántás

tarlóhántás *n*, stubble-stripping, first ploughing after harvest

tarlórépa *n*, *(növ)* (late) turnip(-cabbage) *(Brassica rapa)*

tarlóvetemények *n. pl*, crops undersown

tarlóvetés *n*, sowing on stubbles

tarlóz [-tam, -ott, -zon] *vt/vi*, glean

tarlózás *n*, gleaning

tárna [..át] *n*, (mine) adit, level, gallery, tunnel, road, shaft, driftway

tárnabejárat *n*, pit-head, mouth of gallery, adit

tárnalejárat *n*, pit, shaft

tárnás I. *a*, galleried, drifted, tunnelled, with adits *(ut)* II. *n*, coal-miner, collier, drift-maker, miner employed in gallery-driving

tárnaszint *n*, adit level

tárnáz [-tam, -ott, -zon] *vt*, hew/cut/break/drive/ excavate an adit/drift/gallery/tunnel

tárnics [-ot, -a] *n*, *(növ)* gentian *(Gentiana cruciata)*

tárnok [-ot, -a] *n*, † treasurer

tárnokmester *n*, † ⟨(kb) Lord Chief Treasurer (ancient high feudal rank in Hungary)⟩

táró [-t, -ja] *n*, = tárna

tárogató [-t, -ja] *n*, *(zene)* ⟨(oboe-like) shawm, Hungarian double reed instrument⟩, tarogato

tárogatószó *n*, ⟨the voice/sound of the *tárogató*⟩

tárogatóz|ik [-tam, -ott, -zon, -zék] *vt/vi*, ⟨play the *tárogató*⟩

tároghajtás *n*, drift-driving

tarokk [-ot, -ja] *n*, tarot, taroc

tarokkjáték *n*, game of tarot

tarokk-kártya *n*, tarot cards

tarokkozás *n*, playing tarot

tarokkoz|ik [-tam, -ott, -zon, -zék] *vi*, play tarot

tárol [-t, -jon] I. *vt*, store, stock, keep, warehouse, bestow, lay in, magazine, *[vámházban]* (put in) bond, *[felhalmoz]* accumulate, stockpile II. *vi*, be stored/lodged (*v.* laid up) in a warehouse/silo

tárolás *n*, 1. *[cselekvő]* storage, storing, warehousing, stocking, keeping 2. *[szenvedő]* being stored in a warehouse, *[érlelés]* seasoning

tárolási [-ak, -t] *a*, ~ *díj* storage; ~ *feltételek* storage conditions

tárolható *a*, storable

tárolhatóság *n*, keeping quality

tároló [-t, -ja; *adv* -an] I. *a*, storing, keeping, accumulating II. *n*, storer, keeper, accumulator, receiver, *[folyadéknak]* storage tank

tárolóegység *n*, *[kibernetikában]* storage (unit)

tárolóképesség *n*, storage capacity

tárolómedence *n*, reservoir

tárolt [-at] *a*, *[áru]* laid-up, stored

tarpán [-ok, -t] *n*, *(áll)* tarpan *(Equus asiaticus)*

tarpatak *n*, coulee

társ [-at, -a] *n*, 1. *(ált)* companion, associate, fellow, mate, *[pártban, seregben]* comrade, *[hivatalba1]* colleague, *[munkában]* collaborator, *[sportban, játékban]* partner; *X úr és ~ai (iron)* Mr X and his like 2. *[bűncselekményben]* accomplice, accessory, confederate 3. *[üzletben]* partner; *csendes ~* sleeping/dormant/secret/special partner; *névleges ~ [stróman]* nominal partner; *és ~ai (röv)* et al., and Co., & Co., & al., and associates; *Tokaji és ~a* Tokaji and/& Co; *~ként belép a cégbe* become a partner of/in a firm, enter a firm as partner 4. *[fugatéma: comes]* answer

társadalmasít [-anl, -ott, -son] *vt*, socialize

társadalmasítás *n*, socialization

társadalmi [-ak, -t; *adv* -lag] *a*, social, of society *(ut)*, *(tud)* societal; *~ bázis* social base; *~ bíróság* 〈 unofficial court at workshop/office dealing with minor offences against common interests or public property 〉; *~ együttélés* conditions of social living; *~ együttélés erkölcsi szabályai* the moral code of the community; *~ elfoglaltságok/kötelezettségek* social engagements; *~ ellenőr* voluntary public inspector; *~ ellenőrzés* voluntary public inspection; *~ érintkezés* social intercourse; *~ esemény* social event/function; *~ fejlődés* social evolution/development; *~ felemelkedés* rise in one's social position/standing; *~ forma* form of society; *~ háttér* class/social/clan background; *~ helyzet* social condition; *~ hírek* society column/news; *~ hozzájárulás* social contribution, public provision; *~ jelenségek és folyamatok* social phenomena and processes; *~ juttatás* social (security) benefit/grant; *~ juttatási nap [kórház, táppénz]* social security day; *a ~ konvenció* the decencies *(pl)*, common decency; *~ kötelességtudat* sense of public duty; *~ kötelezettségek* social duties/obligations; *~ lény* social/gregarious being/creature; *~ mérleg* balance of social product; *~ munka (munkakörön kívüli munka)* unpaid/voluntary work (for the good of the community); *~ munkamegosztás* social division of labour; *~ munkás* voluntary worker; *~ osztály* social class, class (of society), income bracket *(US)*; *~ ösztöndíj* 〈 student's grant offered by some organization 〉; *~ össztermék* gross national product; *~ ösztöndíj* 〈 student's grant offered by some organization 〉; *~ ranglétra* social ladder; *~ regény* novel of manners; *~ rend* social order/system; *~ rendszer* social system, the frame of society; *~ rétegek* social strata, classes of society; *~ szabályok* social rules; *~ számvitel* social accounting, national accounting; *~ szektor* social sector; *~ szerkezet* social pattern/structure; *~ szervezet* social structure; *~ szerződés* social contract; *~ termék* national/social product; *~ termékmérleg* national product balance, balance of national product; *~ termelés* national/social production; *~ tudat* social consciousness; *~ tulajdon* collective/social property, social/public ownership; *~ tulajdonba vesz* place under public ownership, socialize; *~ valóság* social reality; *~ vígjáték* comedy of manners; *~ viszonyok* social conditions; *termelés ~ viszonyai* social relations of production

társadalmi-gazdasági *a*, *alakulat* socio-economic formation (as e.g. capitalism)

társadalmilag *adv*, socially; *~ szükséges munka* socially average work, work-time necessary under the given social conditions

társadalmi-politikai *a*, socio-political

társadalmi-történelmi *a*, *~ feltételek* socio-historical conditions

társadalom [.. lmat, .. lma] *n*, society, community; *a ~ egyik pillére/támasza* one of the props of society; *a ~ felépítése/szerkezete* the frame of society; *a ~*

minden rétegéhez tartozó emberek persons of every grade of society; *minden civilizált~ban* in all civilized communities; *a modern ipari ~ban* in the modern industrial society; *a ~ból kitaszítva* beyond the pale of society; *~ra veszélyes* endangering society

társadalomábrázolás *n*, representation of social conditions

társadalombírálat *n*, social criticism

társadalombiztosítás *n*, socialized medicine, social insurance/security, National Health Service *(GB)*; *~ba bevont lakosság* insured population; *~ban részesülők* recipients of social insurance

társadalombiztosítási *a*, *~ hozzájárulás* social insurance rate; *~ tanács* Social Insurance Council; *~ törvények* Social Security Acts *(US)*

társadalombiztosító *n*, social insurance institute, National Health Service *(GB)*

társadalomellenes *a*, antisocial, unsocial

társadalomjogi *a*, *~ iskola* school of social law (of economics)

társadalomkutató *n*, sociologist

társadalompolitika *n*, social policy

társadalomszervezés *n*, organization of society, organizing society

társadalomtörténet *n*, social history

társadalomtörténeti *a*, *~ jelenség* social-historical phenomenon

társadalomtudomány *n*, social science, sociology; *leíró ~* sociography

társadalomtudományi *a*, sociologic(al)

társalgás *n*, conversation, talk, discourse, converse *(obs)*, *[két személyé]* dialogue, *[nívótlan]* small talk, chit-chat *(fam)*, chin-wag *(fam)*; *élénk ~* animated conversation; *~t folytat vkvel* converse *(v.* have a conversation) with sy

társalgási [-ak,-t; *adv*-lag] *a*, colloquial, conversational; *~ hangon* in a conversational tone; *~ nyelv* the language of conversation, *(nyelvt)* colloquial language; *~ órák* lessons in conversation, conversation-lessons

társalgó [-t, -ja; *adv* -an] I. *n*, 1. *[helyiség]* parlour, reception/sitting/drawing-room, *[nyilvános helyen]* lounge, assembly/day-room, *[intézetben]* visiting-room, *[színészeké]* green-room 2. *[személy]* talker, conversationalist, *[fizetett]* companion; *jó ~* he is (very) good company 3. *[könyv]* manual (of conversation) II. *n*, conversational, colloquial, conversing

társalkodás *n*, = társalgás

társalkodónő *n*, paid/lady companion

társalog [.. lgok, .. lgott, -jon] *vi*, make conversation, discourse, chat *(fam)*, *(vkvel)* talk, converse (with sy), (have a) chat with sy *(fam)*; *vkvel ~ vmről* converse with sy about/on sg

társas [-ak, -t; *adv* -an] *a*, social, *[együttes]* joint, collective, common, *[hajlamú]* sociable, companionable, *[ösztönű]* gregarious; *~ cég* partnership, company; *~ étkezés* table d'hôte *(fr)*, meal in common, common meal; *~ gazdálkodás* joint/collective farming; *~ kirándulás* common excursion, joint outing, outdoor (pleasure-)party; *~ lény* social/gregarious being/creature; *az ember ~ lény* man is a social animal; *~ művelés* collective farming; *~ összejövetel* social gathering/meeting; *~ ösztön* social/sociable/gregarious instinct; *~ természetű* sociable, gregarious; *~ tulajdon* common property/possession; *~ vacsora* banquet, public dinner; *~ viszony (co)partnership*

társaság *n*, 1. *[emberek együtt]* society, company, gathering; assembly, circle, *[szórakozó]* party; *az előkelő ~* fashionable people/world, smart/fast set, high life, *(iron)* upper crust, upper ten (thousand); *az egész ~* the whole company/party, *(ellt)* the

whole bunch/lot/caboodle; *szép kis ~!* that's a nice lot; *rossz ~ba kerül* get into bad company; *egy ~ba voltam hivatalos* I was invited to a party; *~ba jár* move/mix in society, go out (a good deal), keep company, go into society, *[sűrűn]* be much in the world; *keveset jár ~ba* see very little company; *szereti a ~ot* be sociable/convivial **2.** *vknek a ~a* sy's company/companionship; *vknek ~ában* in the company of, accompanied by; *~unkban* in our midst; *nem neked való ~* he is no company for you, he is not fit company for you; *vk ~át keresi* seek the company of, take up with, run after sy *(fam)*; *... ~át kerüli* shun the company of sy **3.** *[egyesület]* society, *(jog)* corporation, *(ker)* company, society, association, partnership, corporation, *[testület]* body; *bejegyzett ~* registered company; *betéti ~* limited joint stock company; *folyamhajózási ~* river navigation company; *korlátolt felelősségű ~* limited liability company; *titkos ~* secret alliance/league/society; *tudós ~* scientific/learned society/body; *~ot alapít* promote/float a company; *~ot feloszlat/felszámol* dissolve (*v.* wind up) a company
társaságbeli *a,* = **társasági 2.**
társasági [-ak, -t; *adv* -lag] *a,* **1.** *[vállalati]* company, of the company *(ut),* the company's, corporative; *~ alapszabályok* bye-laws, articles of association/partnership; *~ meghatalmazás alapján* in the corporate name of a company; *~ szerződés* articles/terms of (co-)partnership, partnership contract, deed/memorandum of association; *~ tőke* partnership fund(s), capital of a company, company's capital **2.** social, of society *(ut)* ; *~ ember* man about town, man of fashion, socialite *(US)* ; *~ nő* society lady, social woman, socialite *(US); jó ~* of good society *(ut)*
társaságilag *adv,* socially
társaságkedvelő *a,* sociable, companionable, fond of society/company *(ut)* ; *nem vagyok ~* I do not move in society, I am not a sociable person
társaseskü *n, (tört)* wager of law, compurgation
társasgépkocsi *n,* = **autóbusz**
társasház *n,* (small) block of freehold flats, block of owner-occupier flats/apartments
társasjáték *n,* parlour/forfeit/indoor game
társaskör *n,* (social) club, circle, casino
társaslap *n,* postcard signed by a party (on an outing), communal postcard
társasutazás *n,* organized tour/trip, conducted tour
társbérlet *n,* co-tenancy, apartment-sharing
társbérlő *n,* joint/co-tenant, apartment-sharer
társbirtokos *n,* joint owner/proprietor, co-partner
társelnök *n,* co-president, *(gyűlésen)* co-chairman
társhatározó *n,* adverbial modifier of accompaniment
társít [-ani, -ott, -son] *vt,* **1.** *(vkvel, vmvel)* associate/join with, *[egyesít]* unite, ally **2.** *[dolgokat]* match, pair **3.** *gondolatokat ~* connect/associate ideas
társítás *n,* **1.** *(ált)* association, joining **2.** *[dolgoké]* matching, pairing, combination, *[színeké]* scheme
társíthatóság *n,* associability (with *vmvel*)
társművészet *n,* attendant art
társnő *n,* female/lady/woman companion/partner
tarsóka [..át] *n, (növ)* thlaspi, penny-cress *(Thlaspi arvense)*
tarsoly [-ok, -t, -a] *n,* **1.** *(ált)* bag, *[női]* hand-bag, *[skót viseletben]* sporran; *van még vm a ~ában (átv)* have sg up one's sleeve **2.** *(kat)* haversack, musette, *(rég)* sabretache *(fr)*
társország *n,* (co-)dominion, annexed province (with local autonomy)
társörökös *n,* fellow/joint heir, co-heir, *[nő]* joint heiress, coheiress, *[egyenlő részes]* parcener
társpénztár *n,* common chest/funds *(pl)*

társszerző *n,* joint/fellow/co-author
társszerzőség *n,* joint/co-authorship
társszög *n, (mért)* conjugate angle
társtag *n,* (co-)partner, associate
társtalan *a,* **1.** *(konkr)* companionless, friendless **2.** *(átv)* lone(ly), solitary, forsaken, lonesome, alone *(ut), (kif)* drive a lonely plough, be a lone wolf
társtalanság *n,* lone(li)ness, companionlessness
társtudomány *n,* related branch of knowledge
társtulajdon *n, (jog)* co-property, parcenary
társtulajdonos *n,* co-partner/proprietor, joint/part-owner/proprietor
társul [-t, -jon] *vi,* **1.** *(vkhez, vmhez)* associate (with), attach oneself to, join, unite (forces), *[részt vesz]* share/participate in **2.** *[csatlakozik]* throw in one's lot (with), *[véleményhez]* concur, agree, *(vkvel)* go/enter into partnership (with), join hands (with), *[dolgozni]* team up (with sy); *hozzájuk ~* join them, swell their number(s)
társulás *n,* joining, junction, association, *[egyesülés]* union, *[hatalmaké]* coalition
társulási [-ak, -t] *a,* associative; *~ jog* freedom of association; *~ ösztön* sociality, the herd instinct; *~ szerződés* articles of a partnership
társulástan *n,* cenology
társulat *n,* **1.** *[társaság]* society, association, company, corporation, union **2.** *[színészeké]* (theatrical) company, troupe
társulati [-ak, -t; *adv* -lag] *a,* company, corporative; *~ adó* corporation tax; *ld még* **társasági 1.**
társult [-at] *a,* associated; *~ hatalmak* associated Powers
társuralkodó *n,* co-regent, joint regent
társvállalkozó *n,* co-contractor
társvezető *n, [repgépé]* co-pilot
társzekér *n,* cart, wag(g)on, van, truck, lorry, dray
tart [-ani, -ott, -son] **I.** *vt,* **1.** *(ált)* hold, keep, sustain; *ahogy a fejét ~ja* the way he holds/poises his head; *kezében ~* hold in one's hand; *rajta ~* keep on; *rekordot ~* hold the record; *~ja a pozícióját* keep one's standing; *az injekciók ~ják benne a lelket* it's the injections that keep him going; *~sd a szádat!* shut up; *~ja az erődöt/állást* hold a fort/position; *kérem (,) ~sa a vonalat* please(,) hold on!, hold the wire!, will you hang on please **2.** *[őriz]* hold, keep, retain, *[karban]* preserve, take care of, keep in good repair, *[árucikket]* stock, keep, sell, deal in (an article), carry *(US),* handle (an article) *(US); magának ~* keep sg for oneself; *magánál ~* keep by oneself, keep in one's possession; *melegen ~* keep warm; *a tégla ~ja a meleget* a brick is a retainer of heat; *tisztán ~ja a szobát* keep the room tidy/clean; *ezt a cikket nem ~juk* we do not keep/stock/carry that article; *~ még belőle* there is still sg left; *míg a készlet ~* as long as it isn't sold out, as long as the supply lasts; *sötét hűvös helyen ~andó* to be kept in a cool dry place **3.** *jól ~ vkt* do sy well/proud, entertain sy liberally, wine and dine sy **4.** *[magát]* remain, hold together/on, hold one's own, keep one's ground, carry/bear/hold/keep oneself, maintain; *az árak ~ották magukat* the prices have remained firm; *a hír erősen ~ja magát* the rumour holds fast; *jól ~ja magát* carry oneself well, show a bold countenance, *[küzdelemben]* hold one's own, *[korához képest]* carry one's age well, be well-preserved; *milyen idősnek ~od őt?* how old do you take him to be?; *keményen ~ja magát* steel/harden/brace oneself (against, to) hold out, maintain one's ground; *~ja a sebességet* maintain the speed/pace; *a szokás ~ja magát* the custom is maintained/preserved **5.** *[magát vmhez]* keep/stick/adhere to, abide by, conform/adapt oneself to, act according to, act in

accordance with, follow (sy's instruction), fall in with, go by (sg), *[ragaszkodik]* insist (on), stand (upon); *~ja magát egy elvhez* take one's stand on a principle; *~ja a fogadást* take a bet, take up a wager; *szigorúan az igazsághoz ~ja magát* adhere to the strict truth, adhere strictly to the truth; *nem ~ja magát a szabályhoz* he does not observe the rules; *~ja a szavát* keep *(v.* be as good as) one's word **6.** *[korlátok közt]* hold (back), keep (back), keep in check, (keep under) control, restrain, keep a close hand upon; *lépést ~ vmvel* keep abreast of, keep up/ pace with; *lépést ~s!* march at attention!; *rendet ~* keep order; *szigorú diétát ~* be on *(v.* observe) a strict diet **7.** *[kapcsolatot, rokonságot]* keep, maintain, uphold, *[barátságot]* cultivate (friendship), be on (friendly) terms with; *~ja a szüleit* he keeps his parents **8.** *[alkalmazottat]* employ, *[személyzetet]* keep, *[állatot]* keep, have, breed, *[autót]* own, run, have; *szeretőt ~* have a lover, keep a mistress; *ígéretekkel ~* keep on promises, put off with fine promises **9.** *[beszédet]* hold, make, deliver, *[ünnepélyt, fogadást]* arrange, organize, get up; *előadást ~* give a lecture; *tárgyalást ~ [bíró]* hear a case; *ülést ~* hold a meeting **10.** *(vmnek)* repute, hold, think, consider, deem, (ac)count, regard as, look upon as, take for, take to be, write/set down (for); *minek ~ Ön engem?* what do you take me for?; *jónak ~* think proper/fit, *[minőségre]* find/think good; *nélkülözhetetlennek ~ja* hold as unreplaceable, think one can't spare sy, think indispensable; *vmlyennek ~ják* pass for sg; *bolondnak ~ják* he is considered *(v.* set down as) a fool; *az emberek bolondnak ~ották* people took him to be a fool; *gazembernek ~ják* he is held a rogue; *okos embernek ~ják* be reckoned a clever person, he goes for a clever man; *szerencsésnek ~ vkt* regard sy as lucky; *nem ~om magam tudósnak* I do not profess to be a scholar; *túl sokat tart magáról* have an exaggerated opinion of oneself; *az iskola legszigorúbb tanárának ~ják* he is looked upon as the most severe master of the school; *mert bármit is ~anak róla* for whatever (else) ne could be held to be (he is ...); *azt ~om (hogy)* I think/believe/hold/ suppose *(v.* am of the opinion) (that); *bűnnek ~ vmt* regard sg as a crime; *sajátjának ~* call one's own; *kötelességemnek ~om (hogy)* I consider it my duty to; *~om szerencsémnek* I am delighted/honoured; *szükségesnek ~om* I think/deem it necessary **11.** *[értékel]* esteem, think, value, make; *mennyire ~od ezt a lovat?* what price do you put upon this horse?; *kevésre ~* think little of; *nagyra ~* have/hold a high opinion of, esteem highly, set great store by, make much of; *többre ~* set sg before sg, prefer sy/sg to sy/sg; *sokat ~ róla* think a lot of sy, set great value upon *(v.* store by) sy; *sokra ~ják* he is highly esteemed; *mit ~asz róla?* what do you think of him?, what is your opinion of him?; *nagyra ~ja magát* think (too) much of *(v.* be pleased with) oneself, fancy oneself (a bit); *nem tudom mit ~sak róla* I can't make him out, I don't know what to think/make of him **12.** *igényt ~* lay a claim (to), insist upon; *számon ~ (vkt)* keep on record, *[számít vkre]* reckon with, count on, *(vmt)* keep an eye on; *számot ~* exact, demand, require **13.** *pihenőt ~* rest, repose; *szemlét ~* hold a review

II. *vi,* **1.** *[tartós]* last, keep well, be durable/ solid, *[ruha]* wear well, *[szín]* stand, *[szeg]* hold, *[tapasz]* stick **2.** *[már vhol van]* be *(v.* have got) somewhere; *negyedik oldalon ~* he got to page four; *körülbelül ott ~ ahol mi* he is about level with us; *te még itt ~asz?* are you that far behind (the times)?; *ha már itt ~unk* while we are on the subject, while we are at it; *ha már a .. nál ~unk*

since we have advanced as far as; *hol ~unk?* where are we?, *[olvasmányban]* how far have we got? **3.** *(vmerre)* make/head for, go/march towards, go in the direction of, proceed, make *(v.* be on) one's way to, bend one's steps towards, shape one's course for, *(átv)* tend (towards); *balra ~* keep to the left; *felém ~* he directs his steps towards me, he is bearing down on me; *merre ~?* which way are you going?, where are you going to?; *hazafelé ~va* homeward bound, on the way home **4.** *(vkvel)* accompany, go (along) with, side (with), *[ragaszkodik hozzá]* adhere, stick (to sy), *[pártján van]* hold (for), be in favour (of), stand up (for), stand by (sy), take sy's part; *kivel ~?* whom do you side with?; *abban Önnel ~ok* there I am/hold with you; *~s velünk* come along, join our party, make one of us, make one of the party, come keep us company; *~son velem* I shall be glad to have you join me **5.** *[időben]* last, hold on, continue, endure, take (time); *még mindig ~* it still goes on; *mennyi ideig ~ neki ...* how long does it take him (to...); *rövid ideig ~* be short of duration, be short-lived, it does/will not take long, it lasts but (for) a short time; *soká ~ még?* will it take/last much longer?; *örökké fog ~ani* it will endure *(v.* go no) for ever; *nem ~hat sokáig* it can't last long **6.** *(vmtől)* fear, be afraid (of); *attól ~ok (hogy)* I'am afraid (that); *attól ~ok így van* I am afraid it is so; *attól ~ok, hogy ez a gyönyörű idő már nem ~ soká* I fear this beautiful weather will not hold much longer; *attól lehet ~ani* it is (greatly) to be feared; *attól kell ~ani (hogy)* it is to be feared (that); *nem kell tőle ~ani* there is no fear; *a legrosszabbtól ~* fear the worst

tárt [-at; *adv* -an] *a,* wide open; *~ ajtó* open door; *~ karokkal fogad vkt* welcome/receive sy with open arms

tartalék [-ot, -a] **I.** *a,* reserve, change, spare; *~ alkatrészek* replacements *(pl)* **II.** *n,* reserve(s), *[kat néha]* pool; *belső ~ok* internal reserves; *felesleges ~ok* surplus/odd reserves; *pénztári ~* cash reserves *(pl);* *tényleges ~ok* actual reserves; *titkos/rejtett ~ok* hidden/latent reserves; *~ök feltárása* exploration of reserves, discovery of reserves; *~ban tart vmt* have sg in reserve

tartalékadag *n,* iron ration, reserve (ration)

tartalékalap *n,* surplus/reserve/guarantee fund

tartalékalkatrész *n,* spare part, replacement; *raktári ~ek* depot spare parts

tartalékállomány *n,* reserve(s)

tartalékcsapat *n,* reserve-troops/forces *(pl),* reserves *(pl)*

tartalékdarab *n,* spare part

tartalékflotta *n,* fleet in reserve, mothball fleet *(US fam)*

tartalékföld *n,* reserve plot

tartalékgép *n,* spare engine, auxiliary machine, stand--by machine/dynamo

tartalékhad *n,* reserve-army, army in reserve

tartalékjátékos *n, (sp)* reserve (player)

tartalékkerék *n,* spare/change-wheel

tartalékkészlet *n,* reserve supplies *(pl),* (buffer) stock

tartaléklánc *n,* auxiliary/safety-chain

tartalékol [-t, -jon] *vt/vi,* reserve, keep/hold in reserve/ store, put/lay by, keep/set apart, keep over, stockpile; *a finisre ~ (sp)* save oneself for the come-in *(v.* finals); *~t összeg* savings *(pl),* reserve fund

tartalékolás *n,* reservation, keeping/holding in reserve/ store, laying/putting by

tartalékos [-at, -t; *adv* -an] **I.** *a,* (in) reserve; *~ tiszt* reserve officer, reservist **II.** *n,* reservist

tartalékostiszt-képző *a, ~ tanfolyam* reserve officers, training corps

tartalékpéldány n, [könyvből] surplus/over copy
tartaléksereg n, reserve corps/troops (pl); ipari ~ industrial reserve army/force; unkanélküli ~ reserve army of unemployed
tartalékszelep n, reserve-valve
tartaléktartály n, service-tank
tartaléktőke n, = tartalékalap
tartaléküzem n, shadow factory
tartalékversenyző n, (sp) reserve (player)
tartalmas [-at; adv -an] a, substantial, matterful, full of matter/content/meat (ut), rich in content/information/ideas (ut), full-bodied; ~ ember a knowledgeable man, a deep scholar, a man of knowledge
tartalmasság n, meatiness, depth, substantialness
tartalmatlan a, empty, superficial, devoid of substance (ut), unsubstantial, flimsy, shallow, matterless
tartalmaz [-ott, -zon] vt, 1. (konkr) contain, hold, comprise, comprehend, embrace, enclose, include, take in 2. (átv) imply, involve, [írás] purport, mean, say, signify
tartalmi [-ak, -t; adv -lag] a, ~ elem content element; ~ kivonat summary (of contents), abstract, synopsis, résumé (fr); ~ összefoglalás argument, résumé (fr)
(-)tartalmú [-ak, -t; adv -an] a, containing..., of ... content (ut), bearing, [fémekről] yielding, -ferous; azonos ~ [szöveg] of the same tenor (ut); hasonló ~ táviratot kapott he was sent a wire to the same effect
tartalom [.. lmat, .. lma] n, 1. (ált) content(s) 2. [viszonylagos] amount/percentage/degree of 3. [írás műé] contents (pl), subject-(matter), [lényegileg] tenor, purport, sense, meaning; a végrendelet tartalma the tenor of the will 4. [kivonatos] summary, abstract, synopsis, argument
tartalombevallás n, [vámnál] customs declaration, declaration at the customs
tartalomjegyzék n, table of contents, index, register, repertory
tartalommutató n, = tartalomjegyzék
tartály [-ok, -t, -a] n, container, receptacle, receiver, [folyadéknak] tank, reservoir, cistern, drum, [színnek, gabonának] bunker, bin, [töltőtollban] fount
tartálygépkocsi n, tank vehicle/car
tartályhajó n, tanker, [uszály] tank barge
tartálykocsi n, tank-wag(g)on/truck
tartályvagon n, tank-wag(g)on, tank car (US)
tartam [-ot, -a] n, duration, space, period, term, length, spell (fam), [biztosítási kötvényé] currency (of policy); az előadás ~a alatt during the performance; a szerződés ~a alatt during the duration/period/term of the contract
tartamhatározó n, adverbial modifier of duration
tartamú [-ak, -t] a, of... duration/period/term (ut); rövid ~ short(-lived), brief, of short duration (ut), ephemeral
tartán [-ok, -t, -a] n, (tex) tartan
tartány n, = tartály
tartarát [-ot, -ja] n, (vegyt) tartrate
tartármártás n, tartare sauce
tartás n, 1. [folyamat] holding, keeping, support 2. [testi] carriage, port, deportment, bearing, [modorbeli] behaviour, manners, [vmvel szemben] attitude; biztos a ~a [lovon] have a good seat 3. [időbeli] = tartam; 4. [alkalmazotté] keeping, employment, engagement 5. [anyagé] strength, toughness, cohesion, resistance; ~a van is a strong/firm material; nincs ~a (tex) flimsy, flaccid, flabby, floppy, sleazy 6. [állaté] keeping, breeding, raising 7. [anyagilag] keeping support, maintanance, alimony; ~ra kötelez oblige/ bind sy to maintenance; ~t ítéltek meg a részére she has recovered a judgment for maintenance
tartásdíj n, allowance, [elvált feleségnek] alimony, separate maintenance, estovers (pl)

tartásdíjhátralék n, arrears of alimony/maintenance (pl)
tartási [-ak, -t; adv -lag] a, ~ kötelezettségét kijátssza escape the obligation/duty of support; ~ követelés claim for alimony/maintenance; ~ szerződés contract for maintenance
tartáspénz n, = tartásdíj
tartású [-t; adv -an] a, egyenes ~ having an upright carriage (ut); hajlott ~ stooping, having a stoop (ut), bent
tarthatatlan a, untenable, unmaintainable, védhetetlen indefensible, [állítás] unwarrantable, groundless; ~ helyzet intolerable situation, (kat) untenable position; logikailag ~ logically indefensible
tarthatatlanság n, indefensibility, untenableness
tartható a, [állítás] tenable, defensible, (kif) will hold water, will stand the test
tartó [-t, -ja; adv -an] I. a, 1. [súlyt] holding, keeping, [terhelést] supporting, sustaining; a várat ~ katonák the soldiers holding the castle/fortress 2. [időben] lasting, enduring; folyvást ~ continuous; rövid ideig ~ short-lived, passing, fleeting; tíz hétig ~ utazás a trip of/lasting ten weeks II. n, 1. [súlyt] support, prop, stay, (műsz) console, corbel, bracket 2. [gerenda] beam, balk, girder 3. [tok] case, holder, container, mount(ing)
tartócölöp n, bearing pile
tartogat vt, keep/hold in reserve/store, reserve, [váratlan dolgot] keep sg up one's sleeve; meglepetést ~ have a surprise in store; végére ~ja az erejét savef reserve oneself for the end; ki tudja mit ~ a jövő? who knows what the future may hold in store?
tartógerenda n, principal/main beam, carrier, [összekötő] tie-beam, girder, (breast)summer, bressummer, [tetőé] joist
tartógörgő n, (műsz) bearing roller
tartókábel n, suspension cable
tartókapocs n, retaining clip
tartókő n, corbel
tartókötél n, 1. (ált) cable, rope 2. (hajó) hawser, [kikötésnél] mooring cable 3. [póráz] tether, leash
tartólánc n, [függőhídé] main-chain, [horgonyé] chain--cable, [lószerszámon] shaft-chain
tartomány n, 1. [országé] land, territory 2. (vmé) province, dominion, domain
tartományfőnök n, [szerzetesrendé] provincial
tartománygróf n, (tört) landgrave
tartománygrófnő n, (tört) landgravine
tartománygyűlés n, (provincial) diet
tartományi [-ak, -t] a, provincial, of a province; ~ helytartó [római] proconsul; ~ rendfőnök (egyh) provincial; ~ rendfőnökség (egyh) provincialate
tartónyereg n, (műsz) cradle
tartóoszlop n, supporting-pillar/column, [erkélykorláton] baluster
tartópillér n, = tartóoszlop
tartórúd n, rest/bearer-bar
tartós [-at; adv -an] a, 1. lasting, durable, stable, steady, [anyag] standing wear (ut), wearing well (ut), hard-wearing, serviceable; ~ fogyasztási cikk consumers' durables, durable consumer goods, non--perishable consumer goods; ~ hullám perm(anent wave); ~ kikészítés (tex) permanent finish; ~ szín lasting/fast colour; ~ szövet material/stuff that wears well, durable material; ~nak bizonyul prove lasting 2. [időben] long-lasting, continued, prolonged, permanent, continuous, unbroken, abiding, [betegség] chronic; ~ barátság indissoluble friendship, a friendship of long standing; ~ béke lasting peace; ~ érdeklődés unflagging interest; ~ eső steady rain; ~ jó idő setf fair weather; ~ passzívák fixed debts; visszatérése nem volt ~ he/it did not return to stay

tartósan adv, permanently, durably, steadily; ~ ellenáll put up a stout/dogged resistance; ~ szabadságol (kat) demobilize, put sy on (an enforced) long leave

tartósít [-ani, -ott, -son] vt, conserve, can, preserve, pot, [húst] process; ~ott vaj butter that will keep preserved butter

tartósítás n, conservation, canning, preservation

tartósító ipar conserve/canning/potting/tinning industry

tartósság n, lastingness, durability, durableness, continuance, continuity, serviceableness, permanence, hardwearing/keeping quality, endurance, firmness, constancy

tartóssági [-ak, -t] a, ~ próba endurance test, test of durability

tartószerkezet n, truss(es), frame(work), bracing, supporter

tartószíj n, [puskáé] rifle-sling, bracer

tartószilárdság n, beam strength

tartótengely n, truck/carrying-axle

tartott [-at; adv -an] a, kept, held, sustained, maintained, supported; ~ irányzat (ker) steady market

tartozás n, 1. [pénzösszeg] debt, owing money, liability; behajthatatlan ~ irrecoverable/bad debt; elévült ~ prescribed/barred debt; fennálló ~ outstanding debt; függő ~ floating debt; ~ törlesztése discharge/amortization of debt; ~t átvállal assume a debt; ~ behajt collect/recover a debt; ~t csinál run up an account; ~t peresít take legal proceedings for the recovery of a debt 2. [könyvelésben] debit 3. [erkölcsi] indebtedness (to), obligation, duty 4. (vhová) belonging (to)

tartozási [-ak, -t] a, ~ egyenleg debit balance

tartozék [-ot, -a] n, appurtenance(s), belongings (pl), accessories (pl), furniture, equipment, fittings (pl), trimmings (pl), paraphernalia (pl) (fam); jog ~a an incident to a right

tartoz|ik [-tam, -ott, -zon, -zék] vi, 1. (vknek vmivel) owe (sy sg), be indebted to (sy), be in the red; ~ik és követel assets and liabilities (pl), debit and credit; ~ik egyenleg passive/debit balance, balance due; ~ik oldal debit/debtor side; ~ik számla debtor account; hálával ~ik owe a debt of gratitude mivel ~om? what do I owe you?, [üzletben] how much is it, what is the damage? (fam); egy tízessel ~ol you owe me a tenner; nem ~unk egymásnak we are quits (fam); ezzel az úttal ~tam az ördögnek I gave the devil his due, it was a fool's errand 2. [vmt tenni] be obliged/liable/bound (to), be under obligation (to); fizetni ~ik he is bound to pay 3. (vmhez, vkhez) belong (to), be attached to, be one of, [tárgy] appertain (to), be part (of); hozzánk ~ik he is one of us; a legnagyobbak közé ~ik be counted as one of the greatest, rank among the greatest 4. (vmbe) fall under/within, be classed among, rate as/among, (vhová) belong (to), be one of, concern (sg); a harmadik rovatba ~ik it falls/comes under the third heading; ez más lapra ~ik that's quite another kettle of fish (v. cup of tea), that's quite another matter/story; ez nem ~ik a tárgyhoz it is beside the point/mark, it is not to the point, it is outside the question, it is foreign to the subject, [javaslat] (the motion) is not in order 5. (vkre) concern, be the business (of); ez nem ~ik rám it is no business of mine, it is not (within) my province, that is not my funeral; ez nem ~ik rád it is not your business, it is none of your business

tartózkodás n, 1 (vhol) stay(ing), sojourn, residence, stop(page); állandó ~ residence 2. [testi dologtól] abstinence, abstention, continence; szeszes italtól való ~ teetotalism 3. [cselekvéstől] reserve, abstaining (from), forbearance; ~ nélkül beszél speak without reservation/constraints, speak frankly/openly/unreservedly, speak one's mind 4. [magatartás] reserve(dness), reticence, guardedness, cau-

tion, keeping distance, restraint, coyness; a ~ politikája the policy of non interference/intervention; szavazástól való ~ abstention from voting

tartózkodási [-ak, -t; adv -lag] a, ~ engedély residence permit, permission to reside; ~ hely residence, (place of) abode, dwelling(-place), habitation, resort, whereabout(s) (fam), haunt (fam); állandó ~ hely permanent residence/abode, domicile; ~ helye ismeretlen of unknown domicile/whereabouts/address

tartózkod|ik [-tam, -ott, -jon, -jék] vi, 1. (vhol) be, live, stay, reside, be resident/domiciled, dwell, make a stay, sojourn, abide, tarry, remain, [vonat] stop 2. (vmtől) abstain (trom), forbear, refrain (from), keep clear (of), restrain/control/contain oneself, hold oneself in, forgo, eschew, beware (of), hold back/off (from), take good care not to, stay/hold one's hand, stand off, guard (against), [kerül] shun, keep away (from); ~junk a megjegyzésektől! no comments(,) please!; szavazástól ~ik abstain from voting

tartózkodó [-t; adv -an] a, 1. (vhol) staying (swhere), sojourning, tarrying, residing, resident (in), [vonat] stopping 2. [testi dologtól] abstinent, abstaining, forbearing, refraining, abstemious; szeszes italtól ~ (total) abstainer, teetotaller 3. [magatartás] non-committal (attitude), [modor] reserved, reticent, distant, guarded, retiring, unresponsive, undemonstrative, aloof, buttoned-up (fam), stand-offish (fam); ~ álláspontra helyezkedik maintain an attitude of reserve; ~ vkvel szemben be reserved/distant with sy

tartózkodóan adv, reservedly, distantly, guardedly; ~ viselkedik show reserve, keep one's distance, hold one's hand, pull one's punches (US fam)

tartózó [-t; adv -an] a, 1. (vmhez) belonging (to), (ap)pertaining (to), being one of, being/forming part of 2. (vmvel) owing, bound(en), due 3. (vkre) concerning, [hatáskörbe] incumbent, dependent/depending on, coming/falling under/within the jurisdiction/competence of; a rám ~ ügyek the cases within my competence; a tárgyra nem ~ dolgok subjects that do not enter into the question

tartóztat vt, 1. [marasztal] detain, (make sy) stay, keep (back); nem ~om tovább I won't keep (v. I must not detain v. don't let me keep) you any longer 2. [akadályoz] hinder, retard, delay, hold sy up

tárul [-t, -jon] vi, open, disclose/unfold itself, develop, appear to view; szeme elé ~ burst upon sy's sight, gyönyörű látvány ~t elénk a beautiful view burst upon our eyes, a magnificent landscape unfolded itself before us

tarvágás n, clear-felling

tárva-nyitva adv, wide-open

tarvarju n, (áll) rook (Corvus frugilegus)

tasak [-ot, -ja] n, 1. satchel, (little) bag, pouch, [könyvnek] book pocket, [por alakú gyógyszernek] chartula 2. [magnak] packet

táska n, 1. (ált) (hand)bag, satchel, wallet, pouch, [iratnak] portfolio, dispatch/attaché/brief-case, [készlet elhelyezésére] kit, case, tool-bag, [retikül] hand-bag, reticule, [piperecikkeknek] (lady's) vanity bag, vanity case, [nyergen] saddlebag, [úti] bag, valise, [vállravető] musette, scrip (obs); orvosi ~ doctor's bag 2. [szemek alatt] pouches (pl), pockets (pl) 3. [levesbe főzve] ravioli 4. (növ) pod

táskagramofon n, portable gramophone

táskairógep n, portable typewriter

táskarádió n, portable (radio)

táskás [-at; adv -an] a, 1. having/with a bag (ut) 2. ~ szem baggy eyes

táskásod|ik [-ott, -jon] vi, pouch

táskavarrógép n, portable sewing machine

tasman [-ok, -t, -ja] a/n, Tasmanian

Tasmania [..át, ..ában] prop, Tasmania

taszigál [-t, -jon] vi/vt, jostle, shove/hustle/push sy about, [könyökkel] poke

taszigálás n, scrimmage, scuffle, jostling, pushing/ knocking about, pushing to and fro, hustle

taszít [-ani, -ott, -son] vt, 1. [lök] (give a) push, thrust, shove, jostle, [könyökkel] nudge, [oldalba] jog, (give a) dig (in the ribs) 2. (vill) repulse; ~ják egymást (fiz) repel one another 3. nyomorba ~ plunge into poverty

taszítás n, 1. [lökés] push(ing), thrust(ing), shove, jog(ging) 2. (fiz) shock, repulsion

taszító [-t; adv -an] a, pushing, thrusting, shoving, jogging, repulsing, repulsive

taszítóerő n, repelling power

tat [-ot, -ja] n, (hajó) stern, poop, aft end

tát [-ani, -ott, -son] vt, open wide, [szájat] stand gaping, stand open-mouthed, gape; ~va maradt a szája he stood there gaping; ~va maradt a szám a csodálkozástól you could have knocked me down with a feather

tata [..át] n, dad(dy), daddie, papa, pop(pa) (US)

tatár [-ok, -t, -ja] a/n, Ta(r)tar; nem hajt a ~! there's no hurry/rush; vigyen el a ~! the devil take you! ; szegény ~! poor devil!

tatárboc n, miz(z)en/after-mast

tatárdúlás n, (tört) ⟨devastation caused by the Mongols in 1241–42⟩

tatárjárás n, (tört) ⟨the Mongol invasion of Hungary in 1241–42 attributed earlier to the Tartars⟩

tatárka n, (növ) buckwheat (Fagopyrum tataricum)

tatármártás n, tartare sauce

Tatárország prop, Tartary

tataroz [-tam, -ott, -zon] vt, (ált) repair, overhaul, [csak házat] refront, re-dress, renovate, restore, [hajót] refit, caulk, [hajó fenekét kívülről] grave

tatarozás n, repair(s), reparation, maintenance work, [házé] refronting, renovation, restoring, [hajóé] refitment, caulking; a házon ~ folyik the house is under repair; az üzlet ~ miatt zárva the shop is closed during repairs

tatarozási [-ak, -t] a, ~ költségek cost of repairs; ~ munkák (building) repairs

tatárpusztítás n, = tatárdúlás

tatfedélzet n, quarterdeck

tátika n, (növ) antirrhinum (Antirrhinum)

tátogat vi, 1. [levegőért] gasp (for breath) 2. [szájat] be gaping

tátogató [-t; adv -an] a, open-mouthed, gasping

tátong [-ani, -ott, -jon] vi, gape, yawn, be wide open, [száj] be agape; a nézőtér ~ott az ürességtől the house was wellnigh empty

tátongó [-ak, -t] a, gaping, yawning; ~ seb open wound; ~ szakadék yawning gulf

tátott [-at; adv -an] a, wide open, gaping, yawning; ~ szájjal with his mouth agape, open-mouthed

Tátra [.. át] prop, the Tatra-group/chain (of mountains)

tatu [-t, -ja] n, (áll) tatu (Dasypus)

tatus n, dad(dy), daddie, papa, pop(pa) (US)

tatvitoria n, miz(z)en-sail

tautofónia [..át] n, (nyelvt) tautophony

tautológia [.. át] n, tautology

tautomér [-ek, -t] a, (vegyt) tautomeric

tautomeria [..át] n, (vegyt) tautomerism

táv [-ot, -ja] n, distance, space, run, (sp) course; hosszú/nagy ~ra in the long run

tavacska n, lakelet, miniature lake, tarn, pool, pond

tavaly adv, last year, a year ago, yesteryear (ref.); ~ ilyenkor this time last year

t avalyelőtt adv, last year but one, two years ago. the year before last

tavalyelőtti [-ek, -t] a, of last year's but one (ut), of two years ago (ut), of the year before last (ut)

tavalyi [-ak, -t] a, last year's, of last year (ut); a ~ hó the snow(s) of yesteryear

tavasz [-ok, -t, -a] n, spring (time), springtide (ref.) ; ~ van it is spring, spring has come/arrived; az élet ~a youth, springtime/prime of life; tavasszal in (the) spring

tavaszi [-ak, -t; adv -an] I. a, spring-, of spring (ut), vernal (ref.) ; ~ búza spring wheat; ~ eső spring rain, vernal showers (pl) ; ~ fáradtság/kimerültség spring exhaustion; ~ leves vegetable soup; ~ nagytakarítás spring-cleaning; ~ napéjegyenlőség vernal equinox; ~ ruha spring-dress, spring-clothes; ~ szellő vernal/spring breeze; ~ vetés spring-sowing
II. n, a ~ak (mezőg) early spring crops

tavaszias [-at; adv -an] a, vernal, springlike

tavaszidő n, springtime, springtide

tavaszika [..át] n, (növ) piros/kutyafoggyökerű ~ dog's--tooth violet (Erythronium dens-canis)

tavaszikabát n, spring overcoat

tavaszodás n, coming/arrival of spring

tavaszodik [-tam, -ott, -jon] vi, spring is coming, spring is in the air, the signs of spring are here

tavaszpont n, vernal equinox

tavaszvárás n, waiting for the spring

távbecslő I. a, range-taking II. n, range-taker

távbeszélő n, telephone, phone (fam) ; ~n, ~ útján by (tele)phone; ld még telefon

távbeszélő-állomás n, telephone/call-station

távbeszélődíj n, charge for calls, call-rate

távbeszélő-erősítő n, telephone repeater

távbeszélő-forgalom n, [összeköttetés] telephone communication, [kapcsolások száma] number of telephone calls

távbeszélőfülke n, telephone booth/box/cell

távbeszélő-hálózat n, network/system of telephones

távbeszélőhívás n, telephone call

távbeszélő-hivatal n, call-office, telephone exchange

távbeszélő-kagyló n, (telephone) receiver, earpiece

távbeszélő-készülék n, telephone set/apparatus

távbeszélő-kezelő n, telephone operator

távbeszélő-központ n, telephone exchange

távbeszélő-mellékállomás n, telephone extension

távbeszélő-névsor n, telephone-book/directory

távbeszélő-összeköttetés n, telephone connection/ communication; ~t létesít put through a call

távbombázás n, [repgépről] long-range/distance bombing, strategic bombing, [rakétabombával] bombing with guided missiles, use of rocket projectiles

távcső n, telescope, binoculars (pl), fieldglass, prospect glass, spy-glass, (szính) opera glass(es); csillagászati ~ astronomical telescope

távcsövez vt, (vmt) look at (sg) through opera/field--glasses

távelőrejelzés n, long-range forecast

távfelvétel n, telephoto(graph)

távfényképezés n, telephotography

távforgalom n, 1. (ker) long-distance traffic 2. [telefon] trunk service, line traffic

távfutás n, long-distance running

távfutó n, long-distance runner

távfutóbajnok n, champion of long-distance running

távfűtés n, district heating

távgépíró n, teleprinter, telewriter, telex (fam)

távgyaloglás n, long distance walking, walking-race, heel-and-toe race

távgyalogló n, long-distance walker

távhajtás n, remote transmission, telemechanics, [kocsiverseny] long-distance driving

távhatás n, long-distance effect/action, teledynamics

távhátrány n, distance handicap

távházasság n, marriage by proxy
távhőmérő n, remote (action) thermometer, temperature indicator
tavi [-ak, -t] a, lake-, of a lake/pond *(ut), (tud)* lacustr(i)an, lacustrine; ~ *hajó* inland water craft; ~ *halászat* lake/pond fishery/fishing
távírányit vt, exercise remote control (on/over sg)
távírányítás n, remote *(v.* long-distance) control, telemechanics
távírás n, telegraphy
távírász [-ok, -t, -a] n, telegraphist, telegraph operator
távirat n, telegram, wire, telegraph message, *[tengerentúlra]* cable(gram); *egyeztetett* ~ collated telegram; *kulcsolt* ~ coded telegram/cable; *megcsonkítva érkezett* ~ mutilated wire/telegram/cable; *nyílt* ~ open dispatch; *~ot felad* hand/give in a telegram, file a telegram *(US)*; *~ot küldött (nekem)* he sent (me) a wire
táviratblanketta n, telegraph form
táviratcím n, cable-address
táviratdíj n, telegraphic charges *(pl)*
távirati [-ak, -t; adv -leg] a, telegraphic, by wire/telegram; ~ *iroda* (telegraphic) news agency; ~ *kifizetés* telegraphic/cable transfer; *Magyar T~ Iroda* Hungarian News Service; *saját* ~ *tudósítás* by special wire; ~ *(pénz) átutalás* telegraph(ic) money order, *[bankon át]* telegraphic transfer; ~ *rövidítés [szavaknál]* code word; ~ *stílus* telegraphese; ~ *tudósítás* telegraphic message/report; ~ *űrlap* telegraph form/blank; ~ *válasz* reply by wire
táviratilag adv, telegraphically, by wire; *vkt* ~ *értesít* cable sy, cable to sy
táviratkézbesítő n, telegraph boy/messenger
táviratkihordó n, telegraph boy/messenger
táviratkulcs n, telegraph(ic) code
táviratlevél n, letter telegram
táviratoz [-tam, -ott, -zon] vt/vi, telegraph, wire, cable, send a telegram
táviratozás n, telegraphy, wiring, cabling
táviratstílus n, telegraphese
táviratváltás n, exchange of telegrams/cables
távirda [.. át] n, telegraph office
távirdai [-ak, -t; adv -leg] a, of a telegraph-office *(ut)*, telegraphic; ~ *szolgálat* telegraph service
távirdász [-ok, -t, -a] n, telegraphist, telegrapher, telegraph clerk/operator
távíró I. a, telegraphic, telegraph II. n, 1. *[személy]* telegraphist, telegrapher, telegraph operator 2. *[készülék]* telegraph(ic) set/apparatus; *drótnélküli* ~ wireless (telegraphy)
távíróállomás n, telegraph-office/station
távíródrót n, telegraph-wire
távírógép n, telegraph apparatus/set
távírógép-kezelő n, telegraphist, telegrapher, telegraph operator
távíróhálózat n, telegraphic system
távíróhivatal n, telegraph office
távíróhuzal n, telegraph-wire
távírói a, telegraphist('s), telegraphic
távírókészülék n, telegraph apparatus, tape-machine, ticken *(fam)*, *[betűíró]* telewriter, teletype, teleprinter
távíróoszlop n, telegraph-pole/post
távíró-összeköttetés n, telegraphic connection/communication
távírópózna n, = **távíróoszlop**
távírószalag n, (telegraphic) tape
távírószolgálat n, telegraph(ic) service
távíróvezeték n, telegraph line, telegraphic circuit, line of telegraph wires; *tenger alatti* ~ submarine line/cable

távíróvonal n, telegraph(ic) line
tavirózsa n, *(növ)* water-lily, candock *(Nymphaca)* ; *fehér* ~ white water-lily *(Nymphaea alba)* ; *sárga* ~ yellow water-lily *(Nuphar luteum)*
távjelző n, *(vasút)* distant signal (apparatus)
távkapcsoló n, remote switch
távkioldó n, remote release (control)
távkormányzás n, = **távírányítás**
távköz n, interval, space, distance, clearance, *(épít)* interspace
távközlés n, telecommunication, long-distance communications *(pl)*
távközlési [-ek, -t; adv -leg] a, Nemzetközi T~ Unió International Telecommunication Union (ITU)
távközlő berendezés telecommunication apparatus
távlat n, 1. *[optikai]* perspective, *[kitáruló látvány]* vista, view 2. *[kilátás]* prospect, outlook, view; *bizonyos ~ból tekintve* looking at it from a certain distance/perspective; *új ~okat nyit* open up new vistas, open up a new prospect
távlati [-ak, -t; adv -lag] a, 1. *[térben]* perspective, scenographic(al), stereographic; ~ *kép* perspective view/sight, stereography; ~ *pont* vanishing point; ~ *rajz(olás)* drawing in (linear) perspective, perspective drawing, scenograph(y) 2. *[időben]* long-range; ~ *terv* long-range/term plan(ning); ~ *öntözési terv* long-range irrigation project
távlatkép n, (linear) perspective, scenograph
távlatpont n, vanishing point
távlatrajz n, drawing in (linear) perspective, perspective drawing, scenograph
távlattalan a, lacking in perspective *(ut)*, flat
távlattan n, (science/theory of) perspective, scenography
távlattérkép n, perspective/scenographic map
távlovaglás n, (long-)distance ride, cross-country riding
távlövés n, long-range firing, *[gyakorlat]* long-range target practice
távmeghajtás n, *(műsz)* remote drive
távmérő n, tachometer, distance meter, (h)odometer, *[optikai]* telemeter, range-finder, apomecometer, *(fényk)* range-finder
távol I. adv, far (away); ~ *áll vmtől* be far removed from sg, *(átv)* alien from sg; ~ *áll tőlem hogy* ... I have not the slightest intention to..., it is no part of my intention to...; ~ *eső* = *távol fekvő* ; ~ *esik érdeklődési körétől* be far removed *(v.* very remote) from his sphere/field of interest; ~ *fekvő [térben]* far-off, remote, distant, out of the way, *[érzés]* foreign, *[témától]* alien (to the subject); ~ *marad* stay/keep away, absent oneself (from), abstain, not come, not turn up, hold/lie/keep off, hold/keep aloof; ~ *tart* hold/keep/stave/stall off, hold/keep at a distance, *[magát vmtől]* keep/steer clear of, stand aside from, keep out of, *(átv)* keep aloof (from), *[magától]* keep sy at arm's length; ~ *van* be away/far/distant/off/absent; ~ *vannak* they are absent, *[egymástól]* they are far from each other, *[tárgyak]* they are wide apart; ~ *van tőlem* it is foreign to my nature; ~ *legyen tőlem* far be it from me, I shouldn't dream of (it); *betegség miatt* ~ (be) absent, (be) ill, absent through illness; *még* ~ *vagyok tőle* I am still far from it; *egy hétig volt* ~ he was away a week; *nem lesz sokáig* ~ he wont be (away) long
II. a, distant, far, remote (from), wide (of); *~abb* farther, further, more distant/remote
III. n, distance, farness, remoteness; *~ba* far into the distance; a *~ban* far away, afar, in the distance, at a distance; *eltűnt a ~ban* he disappeared in the distance; *~ból* from a/the distance; *~ból irányít* direct/manage/control from afar; *~ból követ*

vkt follow sy at a distance; *üdvözlet a ~ból* greetings from far-off places *(pl)*, greetings from abroad *(pl)*; *~ról* from afar, from a distance, at a distance; *~ról sem* not in the least, not at all, not a bit, by no means, not nearly, not by a long way/ shot/chalk, far from *[és melléknév]*; *~ról sem gondolt arra (hogy)* nothing was further from his thoughts, by no means did he think, the thought was far from his mind, it never entered his head
távolabbi [-ak, -t] *a*, farther, further; *~ kilátás* further outlook
távolajvezeték *n*, pipe-line
távolálló *a*, distant, remote, removed
távolbahatás *n*, **1.** long-distance effect/action, tele-dynamics, telekinesis **2.** *[lelki]* telepathy
távolbalátás *n*, **1. televízló; 2.** *[lelki]* telepathy, second sight, clairvoyance *(fr)*
távolbalátó I. *a, (összet.)* television(-), tele-; *~ műsorszórás* television diffusion; *~ vevőkészülék* television set/apparatus, teleset, *[néha]* video *(US)* **II.** *n*, televisor, television set/apparatus; *~n közvetít* telecast, televise; *~n szemlél* teleview
távolfelderítés *n*, long-distance reconnaissance
távolfelderítő *a*, *~ repülőgép* long-distance/range scouting plane
távolhatás *n*, = **távolbahatás**
távoli [-ak, -t; *adv* -an] *a*, far, distant, remote, far away/off; *a ~ jövőben* in the distant future; *~ ország* remote country/land; *~ rokon* distant relation; *az ország legtávolabbi zugaiban* in the deepest recesses of the country
távoliság *n*, remoteness, farness
távolító [-t] *a, (bonct.) ~ ideg* abducent nerve; *~ izom* abducent, abductor
Távol-Kelet *prop*, **(the)** Far East
távol-keleti *a*, Far-Eastern, of the Far East *(ut)*; *~ ember* Far-Easterner
távollátó *a*, presbyopic, long/far-sighted, *[öregkori]* presbyopic
távollét *n*, absence, non-attendance, *(elit)* shirking, *[székhelytől]* absenteeism, *(jog)* non-appearance; *vk ~ében* in the absence of sy; *akinek ~ében* failing whom, whom failing; *~ében ítélték el* judgment was delivered by default; *~emben volt itt vk?* did anybody call in my absence?; *~ével tüntet* be conspicuous by one's absence
távollevő I. *a*, absent, away **II.** *n*, absent(ee)
távolmaradás *n*, absence, absenteeism, abstention, non-attendance, default, failing, staying/keeping away, lack/want of appearance, holding oneself off/aloof; *indokolt ~* justified absenteeism; *igazolatlan ~* unjustified absenteeism; *~át kimenti* apologize for one's absence, *[jegyzőkönyvben]* an apology for absence was received from..., he was prevented by
távolodás *n*, **1.** *(vmtől)* moving off, removal, removing, departure from, withdrawal, declination, deviation **2.** *[elvtől]* abandonment **3.** *[érzelmileg]* estrangement, alienation
távolodik [-tam, -ott, -jon, -jék] *vi*, **1.** *(vmtől)* move off/away, go/edge away (from), remove, depart, withdraw, deviate, retire **2.** *[elvtől]* abandon, relinquish **3.** *[érzelmileg]* become alienated/estranged
távolodó [-t] *a*, receding, *[léptek]* retreating
távolság *n*, **1.** *[térben]* distance, *[célzási]* range, *[dobásé]* throw, *[hídpillérek közt]* span **2.** *[közbeeső]* gap, clearance, interval, interspace, *[térben]* distance, space, remove; *a ~ nőtt közöttük* the distance between them was increasing; *nagy ~okra* at great distances; *egyenlő ~ban* at equal distance, at regular intervals, *(mért)* equidistant; *egymástól nagy ~ra vannak* they are a long distance apart;

~ot tart keep the distance, hold/stand off, stay the distance **3.** *[útdarab]* reach, stretch, way; *öt mérföld ~on belül* within a distance/radius of five miles; *a 4 mérföld ~ra fekvő város* the town that is 4 miles away; *csekély ~ra* not far off/away, a short way off, within easy reach, within hail; *egy óra ~ra van innen* it is an hour's run/walk/drive from here; *két mérföldnyi ~ra* two miles distant/off/away **4.** *[időben]* interval
távolságbecslés *n*, judging distance, range estimation
távolságbeosztás *n*, scale of distance
távolsági [-ak, -t; *adv* -lag] *a*, of distance *(ut)*; *~ áruforgalom* long-distance goods/freight traffic; *~ autóbusz* long-distance bus, motor coach; *~ bejelentő trunks (pl)*; *~ beszélgetés* toll/trunk *(v.* long--distance) call; *~ díjszabás* long-distance tariff; *~ forgalom* long-distance traffic, toll/trunk traffic; *~ írógép* (radio) teletypewriter; *~ kormányzás* = **távirányítás;** *~ közúti áruforgalom* road transport service/traffic; *~ repülés* long-distance flight; *~ repülőgép* long-range aircraft; *~ távbeszélő* long--distance telephone
távolságmérés *n*, distance measurement, telemetry, tach(e)ometry
távolságmérő *n*, distance recorder, telemeter, stadio-meter, apomecometer
távolságmutató *n*, mileage recorder, cyclometer, (h)odometer
távolságtartás *n*, *[térképvetületen]* equidistance
távolságú [-ak, -t] *a*, egyenlő *~* equidistant; *nagy ~* long-range/distance
távoltartás *n*, holding/keeping off, keeping/steering clear of
távolugrás *n*, long/broad jump, long-distance jump; *nekifutásos ~* flying/running jump; *~ helyből* standing broad-jump
távolugró *n*, long/broad jumper
távozás *n*, **1.** *(ált)* leaving, going away, departure, exit **2.** *[állásból]* retirement, withdrawal
távozási [-ak, -t; *adv* -lag] *a*, *~ bizonyítvány* leaving certificate/pass, *(isk)* exeat; *~ engedély* leave of absence, leave to go out
távozik [-tam, -ott, -zon, -zék] *vi*, **1.** *(ált)* leave, (de)part, move off, go away/off/along/forth, be off, take one's departure/leave, make one's exit; *búcsú nélkül ~ik* take French leave, slip away; *~z tőlem sátán!* get thee behind me Satan!, get thee hence Satan!, apage satanas!; *jelt adott hogy ~zam* he motioned me away **2.** *[állásból]* retire (from), *[visszavonul]* withdraw
távozó [-t] **I.** *a*, **1.** *(ált)* leaving, (de)parting, moving/ going away/off/along *(ut)*, withdrawing; *~ gáz* waste/exhaust/escaping gas; *~ban van* be on the point of departing **2.** *[állásból]* retiring, *[lemondás folytán]* who has resigned *(ut)*, resigning, *[kormány]* outgoing; *~ miniszter* outgoing/retiring minister **II.** *n, a ~k* the departing guests/travellers
távrepülés *n*, long-distance flying/flight
távspektroszkóp *n*, *(fiz)* telespectroscope
távúszás *n*, long-distance swimming
távúszó *n*, long-distance swimmer
távverseny *n*, *(sp)* endurance run
távvezérlés *n*, remote control
távvezeték *n*, (long-distance) transmission line, *[olajé]* pipe-line
távvezeték-oszlop *n*, *(vill)* pylon
taxaméter *n*, fare-indicator, taximeter
taxatíve *adv*, one by one, itemized, one after the other, successively, seriatim
taxi [-t, -ja] *n*, taxi(cab), (motor) cab; *~ba ül* take a cab; *int egy ~nak* hail a cab; *~t hozat* send for a taxi, call a cab

taxiállomás *n*, taxi rank/stand, cab-stand
taxigépírónő *n*, hire(d) typist, (stenographic, typing) agency typist
taxiköltség *n*, taxi(-cab) fare
taxióra *n*, clock of a taxi-cab, fare indicator; *a ~ ugrik* the sum shown on the fare-indicator goes up
taxis [-ok,-t,-a] *n*, taxi-man/driver, cabman, cabdriver, cabby
taxisofőr *n*, = **taxis**
taxizik [-tam, -ott, -zon, -zék] *vi*, drive in a taxi/cab, cab it, go by taxi
taxológia [..át] *n*, taxology, taxonomy
taxon [-ok, -t, -ja] *n*, taxon; *a ~ bármilyen rendszertani kategória* the taxon is a rankless taxonomical category, the taxon is a taxonomic category of any rank
te I. *n. pron*, [téged] you, *[régen és vall]* thou; *~ magad* you (...) yourself; *~ meg én* you and I; *~ csacsi* you neddy/silly (fool) II. *poss. pron*, your, thy; *a ~ házad* your house; *a ~ bajod* it's not my funeral III. *adv. pron*, *~beléd* in you; *~hozzád* to you, unto thee thyself *(obs)* ; *~rólad* of you/thee; *~veled* with you/thee; *hasonló összetételek mint én szócikkében*
tea [..át] *n*, 1. tea 2. *[gyógyfűből]* infusion, decoction
teababa *n*, (doll-shaped) tea-cosy
teabogyó *n*, *(növ)* gaultheria *(Gaultheria procumbens)*
teacsarab *n*, *(növ)* = **teabogyó**
teacserje *n*, *(növ)* tea(-plant/shrub) *(Thea sinensis)*
teadélután *n*, tea-party, five o'clock tea, afternoon tea, tea-fight *(fam)*, muffin-struggle *(joc)*
teadoboz *n*, tea-caddy/canister
teaestély *n*, thé dansant *(fr)*, dance, tea-meeting/party
teafa *n*, = **teacserje**
teafajta *n*, sort/brand of tea, tea brand
teafőző I. *a*, tea II. *n*, 1. *[edény]* tea-kettle, samovar 2. *[pléhtojás]* tea infuser/ball
teaház *n*, tea-house
teakereskedő *n*, tea-merchant
teakészlet *n*, = **teáskészlet**
teakocka *n*, *[préselt]* tile tea
teakonyha *n*, kitchenette, *[kórházi]* patients' kitchen
teakóstoló *n*, tea sampler
tealevél *n*, tea-leaf
teamelegítő *n*, tea-cosy
teamérgezés *n*, *(orv)* tea-poisoning, theism
teanövény *n*, tea plant
tearózsa *n*, tea-rose
teáscsésze *n*, tea-cup
teásdoboz *n*, tea-caddy/canister
teáskanál *n*, tea-spoon
teáskanna *n*, 1. *[amiben beadják]* teapot 2. *[amiben a vizet forralják]* tea-kettle
teáskészlet *n*, tea-set/service, tea-things *(pl)*, cabaret
teasütemény *n*, tea/small cake, fancy/tea biscuits *(pl)*, *[meleg megvajazott]* muffin, crumpet
teaszűrő *n*, tea-strainer
teatojás *n*, 1. new-laid egg 2. = **teafőző** 2.
teatrális [-at; *adv* -an] *a*, theatrical, having great dramatic effect *(ut)*, histrionic(al) *(pej)*, stagy *(pej)*
teaültetvény *n*, tea plantation
teaültetvényes *n*, tea planter/grower
teavaj *n*, (warranted) best/fresh butter, creamery/dairy butter
teavíz *n*, (hot) water for tea; *felteszi/odateszi a teavizet* he puts the kettle on for a cup of tea
teázás *n*, having/drinking/taking tea, teaing, tea-drinking
teázik [-tam, -ott, -zon, -zék] *vi*, have/drink/take tea; *vknél ~ik* have/take a cup of tea with sy
teázó I. *a*, tea-(drinking) II. *n*, *(vk)* tea-drinker, *[helyiség]* tea-room/shop, *[szabadban]* tea garden
teázóasztal *n*, tea-table

tébécé [-t, -je] *n*, *(biz)* T.B., t.b.; *~ gondozóintézet* T.B. dispensary
tébláb [-tam, -ott, -jon *v*. tébtem-lábtam, tébett-lábott, tébjen-lábjon] *vi*, loaf, potter about, wander forlornly, be in sy's way
téboly [-ok, -t, -a] *n*, 1. = **elmebaj**; 2. *[rögeszme]* mania, frenzy, monomania, craze, folly
tébolyda [.. át] *n*, lunatic asylum, madhouse, bedlam *(fam)*
tébolyító [-ak, -t; *adv* -an] *a*, maddening, distracting, driving sy mad/crazy *(ut)*, driving one out of one's senses/wits *(ut)*
tébolyodott [-at; *adv*-an] I. *a*, 1. mad, insane, lunatic, crazy, demented, distracted, (mentally) deranged, unbalanced, of an unhinged/unsound mind *(ut)* 2. *[rögeszmés]* monomaniac II. *n*, lunatic, madman
tébolyodottság *n*, madness, insanity, lunacy, derangement, craziness, dementia
Teca [.. át] *prop. n*, Terry, Tess
technika [.. át] *n*, 1. *[tudomány]* technology, technics *(pl)*, engineering, mechanical/useful art *(obs)* ; *a ~ fejlesztése* technical development/progress 2. *[technikai vonatkozása vmnek]* technicality, technicals *(pl)*, technical part 3. *[művészi]* technique, execution; *tökéletes technikával zongorázik* play the piano with a perfect/splendid technique
technikai [-ak, -t; *adv* -lag] *a*, technical, mechanical; *~ fölény* technical superiority; *~ haladás/fejlődés* technical improvement; *~ minimum* technical minimum, minimum of technical skill and/or knowledge required in any branch of industry; *~ műszó* technical term; *~ nehézség* technical difficulty; *~ okokból* for technical reasons; *T~ Segélybizottság* Technical Assistance Committee (TAC); *~ tudomány* = **technika** 1.; *a tőke ~ összetétele* the technical composition of capital
technikás *a*, *[sportoló]* scientific
technikum [-ot, -a] *n*, 1. *(isk)* (secondary) technical/engineering school/college, technicum; *ipari ~* industrial technical school 2. = **technika** 2.
technikumi [-ak, -t] *a*, technical, industrial; *~ oktatás* technical/industrial training/education
technikus *n*, 1. *(ált)* technicist, technician 2. *[diák]* student of technology
technokrácia [..át] *n*, technocracy, government by industrial experts
technológia [..át] *n*, 1. technology 2. *(kb)* industrial school/college
technológiai [-ak, -t; *adv* -lag] *a*, technological
technológus *n*, technologist
teddide-teddoda *a*, *~ ember* a cipher, nonentity, weak-willed person, a jelly-fish, *[habozó]* shilly-shallying person
tedeum [-ot, -a] *n*, Te Deum, thanksgiving service; *~ot mondat (átv kb)* heave a sigh of relief
teendő [-t, -je] *n*, task, work (to do), business, agenda *(pl)*, *[igével]* (what is) to be done, *[kötelesség]* duty, *[munkakör]* function, office; *mi itt a ~?* what is to be done here?; *holnap az első ~* the first thing in the morning; *ez a te ~d* this is your business, that'll be your work; *~k jegyzéke* the agenda; *a hivatali ~k ellátásával megbízza* charge sy with the duties of the office; *a ~ket ellátja* discharge the duties, administer the business; *igazgatói ~ket végez* act/officiate as director/manager; *megszabja magának a ~ket* map out a course of action
téesz [-ek, -t, -e] *n*, *(kb)* co-op; *ld még* **termelőszövetkezet**
téeszcsé [-t, -je] *n*, = **termelőszövetkezeti** *csoport*
téged *pron*, you, *[régen és vall]* thee
tégely [-ek, -t, -e] *n*, 1. *[olvasztáshoz]* melting pot, crucible 2. *[kenőcsnek]* jar

tégelyacél n, pot/crucible-steel
tégelyfogó n, crucible tongs (pl), crucible fork
tégelykemence n, pot/crucible furnace
tégelypest n, = tégelykemence
tégelysajtó n, platen(-press)
tegez[1] [-tem, -ett, -zen] vt, (vkt) thee and thou (sy), address sy as „te" (instead of „ön"), be on familiar terms with sy
tegez[2] [-ek, -t, -e] n, quiver
tegezés n, thouing, theeing, ⟨addressing sy as „te"⟩
tegező a, ~ viszonyban vannak they are on thee and thou terms, they are on a friendly footing (v. friendly terms)
tegeződés n, theeing each other
tegeződik [-tem, -ött, -jön, -jék] vi, thee and thou, ⟨address each other by „te"⟩, be on familiar terms (with)
tégla [.. át] n, brick, [törött] brick-bat; likacsos/üreges ~ air-brick; ~ alakú brick shaped, parallelepiped; téglát éget bake/burn bricks; téglát vet make bricks; téglával burkol brick up
téglaagyag n, brick-clay
téglabélés n, bricking
téglaboltozat n, brick-vault/arch
téglaborítás n, brick facing
téglabrikett n, block briquette
téglaburkolat n, brick-pavement/floor/road/lining/facing
tégl</adarab n, brick-bat
téglaégetés n, brick burning/baking
téglaégető n, I. a, brick-baking/burning; ~ kemence brick-furnace/kiln, brick-burning oven II. n, 1. [üzem] brick-works/kiln/yard/field 2. [személy] brick-maker
téglaépítés n, = téglaépítkezés
téglaépítkezés n, masonry, brickwork
téglaépítmény n, brick building
téglafal n, brick-wall, brickwork, brick masonry
téglafalazás n, brickwork, bricklaying
téglafalazat n, brick-masonry
téglaforma n, [eszköz] brick-mould
téglagótika n, (épít) red brick Gothic
téglagyár n, brick-works/yard/field/factory
téglagyáros n, brick-maker
téglagyártás n, brick-making
téglaház n, brick-house
téglahordó n, 1. (vk) hodman, mason's help, brickyard hand 2. [háti deszka] hod
téglahulladék n, brick-bat(s)
téglakötés n, bond
téglakövezet n, brick pavement
téglalap n, rectangle, oblong, parallelepiped
téglány n, = téglalap
téglapadló n, brick-pavement/floor
téglapor n, brick-dust
téglaporos a, covered with brick-dust (ut)
téglarakás n, 1. [művelet] bricklaying, brick building, bricking 2. [halom] heap/pile of bricks
téglás I. a, bricky, brick-, of brick(s) (ut), bricked II. n, brick-maker/layer
téglasajtoló n, brick-press, brick (moulding) machine
téglasor n, row of bricks, brick course, stretcher; álló ~ upright/soldier course, row of upright/standing bricks
téglaszín n/a, brick-colour/red
téglaszínű a, brick-coloured/red, bricky, terracotta
téglatörmelék n, brick-bat(s)
téglavetés n, brickmaking, bricklaying
téglavető I. a, brickmaking, bricklaying, bricking II. n, brickmaker, bricklayer
téglavörös a/n, brick-red
tégláz [-tam, -ott, -zon] vt, brick, pave/face with bricks

téglázó [-t, -ja] I. a, bricklaying II. n, bricklayer, brick-setter
tegnap adv, yesterday, the day before; ~ éjjel last night, the night before, yesternight (obs); ~ reggel yesterday morning; ~ láttam I saw him yesterday; még ~ is only yesterday, as recently as yesterday
tegnapelőtt adv/n, the day before yesterday
tegnapelőtti a, of the day before yesterday (ut)
tegnapi [-ak, -t] a, yesterday's, of yesterday (ut), (ritk) hesternal
tegnapos [-at; adv -an] a, 1. yesterday's, of yesterday (ut), a/one day old; ~ szakáll a day's beard 2. [macskajajos] crapulous, [igével] have a (bad) head, feel chippy, have a hangover, have hot coppers (US)
tegnaposság n, hangover, next morning headache, crapulence, having a (bad) head, the morning after the night before
tegzes [-ek, -t; adv -en] a, quivered, with a quiver (ut) ; ~ szitakötő caddis/may fly, caperer, (tud) phryganea (Trichoptera)
tehát conj, so, accordingly, hence, consequently, then, thus, in/by consequence, therefore, for this reason, in short, to sum up; gondolkozom ~ vagyok I think therefore I am, cogito ergo sum (lat) ; így ~ nem hallottuk and so (v. therefore) we didn't hear it; ~ ? [ezek után mi a véleményed?] well (what do you make of it?)
tehén [tehenet, tehene] n, cow, [szarvasé] hind, [őzé] doe; jó tejelő ~ good milker; sötétben minden ~ fekete when candles are away all cats are grey
tehénantilop n, (áll) hartebeest (Bubalis sp.)
tehénápoló n, cow-keeper
tehénbőgés n, low(ing), moo(ing)
tehénbőr n, cow-hide/skin, neat's leather
tehéncsorda n, herd of cows
tehenes [-ek, -t, -e] I. n, cowherd, cowman, cow-hand/ keeper, cattleman, cowgirl, [lovas] cowboy (US), [tejgazdaságban] dairyman II. a, possessing a cow (v. cows) (ut)
tehenész [-ek, -t, -e] n, = tehenes I.
tehenészet n, dairy-farm(ing), milk-farm
tehéngondozó n, = tehenes I.
tehénhimlő n, cowpox, (orv) vaccinia
tehénistálló n, cow-house/shed/barn, neat-house, byre
tehénkedik [-tem, -ett, -jen, -jék] vi, (vmre) lean heavily (on sg); az asztalra ~ik lean on the table in a lubberly fashion (v. boorish manner)
tehénlepény n, cow-pat
tehénpásztor n, cowherd, neat-herd, herdsman, herder, grazier, feeder, cowboy (US)
tehénsajt n, cow/cream-cheese
tehéntartás n, keeping of cows
tehéntej n, cow's milk
tehéntőgy n, udder/dug/bag of cow
tehéntrágya n, cow-dung
tehéntúró n, curd(s), curd cheese
teher [terhet, terhe] n, 1. (ált) burden, charge, load, weight, [rakomány] load, burden, freight, [hajóé] cargo, lading, ballast; hasznos ~ carrying capacity, useful load, payload; tiszta ~ net load; az évek terhe the burden/weight of years; terhet eloszt spread/ distribute the load; leveszi róla a terhet relieve sy of a burden, (átv) take the load off (one's mind), take the charge off sy's hands; terhet rak vkre put a load on sy, put sg on sy's back/shoulders; terhet ró vkre lay a charge on sy, lay/impose a burden on sy 2. [anyagi] burden, encumbrance, [adósság] debit, liabilities (pl), [jelzálog] mortgage, (skót) hypothec; a házon sok a ~ the house is heavily mortgaged; vknek terhére ír/könyvel debit sy with, pass/carry sg to sy's debit; számlám terhére to (the debit of) my

account; *a vagyont a felsoroltakon kívül más dologi ~ nem terheli* the property has no incumbrances except as specified **3.** *(jog)* pain, penalty; *büntetés terhe mellett* on/upon/under pain/penalty; *fizetés terhe mellett* subject to payment; *halálbüntetés terhe alatt* on/upon/under penalty/pain of death **4.** *[terhesség]* ~*be ejt* get (a woman) with child, make pregnant, put a woman in the family way *(fam)* ; ~*be esik* conceive, become pregnant/gravid; ~*ben van* be/go with child, be pregnant, be expecting *(fam)*, be in the family way *(fam)*, be in an interesting/certain condition/state *(fam)* **5.** *(átv)* burden, onus, nuisance, bother; *terhére van vknek* be a nuisance/bother/burden/t~ouble/drag to sy, incommode sy, inconvenience sy, put sy to trouble, make a nuisance of oneself; *terhéül rója fel vknek* lay/put/cast blame of sg on sy

Teherán [-t, -ban] *prop*, Teheran

teheráru *n*, slow goods *(pl)*, *[hajón, repgépen]* freight; ~ *díjtétel* freight-rate

teheráruként *adv*, by slow goods service, by goods train

teheráruraktár *n*, slow goods depot, freight depot/house

teherautó *n*, motor van/lorry, lorry *(GB)*, automobile/motor truck, truck *(US)*; ~*ra rak* entruck

teherautó-fuvarlevél *n*, roadbill

teherautó-szállítás *n*, (motor)lorry transport, road haulage, trucking *(US)*, truckage *(US)*

teherautó-vezető *n*, lorry-driver *(GB)*, truck driver, truckman *(US)*, carman

teherbeejtés *n*, getting with child

teherbeesés *n*, conception, getting/becoming pregnant

teherbírás *n*, **1.** *(konkr)* carrying/bearing capacity/power, full charge, *(épít)* supporting power/strength, *[erőgépé]* loading capacity, rating, *[megengedhető terhelés]* working-load, *[hajóé]* tonnage, burden, *(műsz, épít)* load **2.** *(átv)* capacity, *[emberé]* endurance

teherbírású [-ak, -t] *a*, nagy ~ *[gép]* heavy-duty

teherbíró *a*, enduring, capable of carrying (weight), resistant; ~ *képesség* load-bearing *(v.* weight-carrying) capacity

teherdíjszabás *n*, freight tariff

teherelosztás *n*, load distribution

teherfelvonó *n*, goods lift, hoist, freight elevator *(US)*

teherforgalom *n*, goods/heavy traffic, freightage *(US)*, freight transportation *(US)*

teherfuvarozás *n*, cartage/carriage/conveyance of goods, carting, haulage, *[hajón]* shipment, *[vasúton]* slow goods service, goods train service; *úti és vasúti* ~ rail and road haulage

tehergépkocsi *n*, = **teherautó**

tehergépkocsi-vezető *n*, = **teherautó-vezető**

tehergőzös *n*, cargo-boat, freighter

teherhajó *n*, cargo-boat/vessel, freighter, tramp *(fam)*

teherhárító *a*, ~ *ív (épít)* relieving arch, discharging arch

teherhordás *n*, porterage/carrying of heavy goods, carrying loads (on one's back)

teherhordó I. *a*, bearing, carrying; ~ *állat* beast of burden, pack-animal, sumpter(-horse, mule); ~ *tricikli* box-tricycle **II.** *n*, porter, packing man, carrier, *(épít)* bearer, *[hajórakodó]* lumper, longshoreman, dock-hand, stevedore, *[keleten]* coolie

teherjármű *n*, lorry, truck, van

teherjármű-forgalom *n*, vehicular traffic

teherkar *n*, jib, boom

teherkocsi *n*, **1.** *[lóval vontatott]* cart, *[kisebb]* (goods-)van, *[sörös]* dray, *[targonca]* trolley **2.** *[vasúti]* (goods) waggon, box/freight-car *(US)* **3.** *[teherautó]* lorry *(GB)*, truck *(US)*, *[oldalfal nélkül]* flat goods waggon, flat car *(US)*; *billenő* ~ dumping-cart; ~*ra rak* entruck, load

teherkocsi-rakomány *n*, truck/lorry-load

teherlap *n*, *(ker)* debit (side), the red *(US)*, *[telekkönyvi]* charges register (of the land register)

teherlift *n*, = **teherfelvonó**

tehermentes *a*, *[ingatlan]* unencumbered, free of all encumbrances/charges *(ut)* ; ~ *birtok* clear/unencumbered estate

tehermentesít *vt*, **1.** *[anyagilag]* disburden, discharge, unburden, release, free/exempt of charges/burdens/duties **2.** *[ingatlant]* disencumber, free (a property) from mortgage, clear/pay off the mortgage, dismortage **3.** *[súlytól, átv]* ease of a burden, lighten, relieve exonerate

tehermentesítés *n*, **1.** *[anyagilag]* discharge, clearance, paying off (all) charges/burdens/mortgages **2.** *(átv)* release, disengaging, easing, lightening (of the burden), exoneration

tehermentesítő *a*, ~ *vonat* extra train (at peak periods to relieve congestion)

tehermentesség *n*, freedom from (all) mortgage burdens/encumbrances

tehermozdony *n*, goods/freight locomotive

teherpályaudvar *n*, goods-station, freight yard, freight depot *(US)*

teherpénztár *n*, booking office of slow goods service

teherpótkocsi *n*, truck trailer

teherpróba *n*, **1.** *(ált)* load test, *[hídnál]* trial load **2.** *[emberé]* ordeal

tehersúly *n*, load, loading weight

teherszállítás *n*, transport of goods, truckage, forwarding/despatch of goods, *[hajón, repgépen]* freight. (transport)

teherszállítmány *n*, load, consignment, freight *(US)*, goods sent by goods-train, *[hajón]* freight, cargo, shipment

teherszállító I. *a*, goods-, freight-; ~ *kocsi* goods-wag(g)on freight car, truck; ~ *repülőgép* transport/freighter plane, air-freighter **II.** *n*, transport/forwarding/shipping agent, carrier, haulier, contractor, *[hajó]* freighter

teher-személy kiskocsi station-wagon

tehertaxi *n*, light lorry/truck (hired by the hour)

tehertétel *n*, **1.** *(ker)* debit item/entry **2.** *(átv)* burden, *(ellt)* nuisance, bother, strain, tax; ~*t jelent számomra* it is a burden to/on me, it's a drawback/handicap to me, it lies heavy on me

tehertonna *n*, net ton

tehertöbblet *n*, overload, surcharge

tehervagon *n*, = **teherkocsi 2.**

teherviselés *n*, **1.** *(ált)* bearing of burdens **2.** *[adókról]* bearing the burden of taxation

teherviselő *n*, **1.** *(ált)* carrier, bearer (of burdens/loads **2.** *[adót]* tax/tare-payer

tehervonat *n*, goods/freight train; ~*tal küld vmt* send sg by goods train, send sg by slow goods service

tehetetlen, **1.** *[személy]* helpless, impotent, powerless, inefficient, incompetent, impuissant *(obs)*, *[vmivel szemben]* helpless, unable to deal/cope with sg *(ut)*; ~ *düh* impotent rage; ~ *ember* impotent/powerless/helpless person; ~ *egy fráter ez!* he is a helpless sort of chap; *magával* ~ helpless, crippled, lame, impotent; ~ *vagyok ebben az ügyben* I am helpless in the matter **2.** *[nemileg]* impotent **3.** *(fiz)* inert

tehetetlenség *n*, **1.** *[emberi]* helplessness, impotence, inability, powerlessness, incompetence, disability, incapacity **2.** *[nemzési]* impotence, impotency **3.** *(fiz)* inertia, inertness; *a* ~ *törvénye* law of inertia; *egy test* ~*e* inertness of a body

tehetetlenségi [-ek, -t; *adv* -leg] *a*, ~ *erő* (force of) inertia, *(fiz)* law of inertia/continuity, vis inertiae *(lat)* ; ~ *nyomaték* inertia moment, moment of inertia; ~ *vezérlés* inertial guidance

tehető *a, [becsülhető]* may be put (at), may be valued/estimated, *[kár]* may be assessed, *[táv]* may be reckoned/calculated, (may) amount to

tehetős *[-et; adv -en] a,* well-to-do, well off, in easy circumstances *(ut), [gazdag]* wealthy, opulent, affluent; ~ *ember* man of means/substance

tehetősség *n,* affluence, good/easy circumstances *(pl), [gazdagság]* wealth

tehetség *n,* 1. *[tulajdonság]* talent, gift, vein, ability, aptitude, endowment, faculty, parts *(pl),* natural turn; *írói* ~ talent for writing; ~*e van hozzá* have a talent for, have the gift to/of; ~*e van a matematikához* have a turn for mathematics; *különös* ~*e van a nyelvtanuláshoz* have great facility in learning languages, have a talent for languages; ~*ét fejleszti* improve one's talents; *a természet nagy* ~*gel ruházta fel* nature endowed him with great talents 2. *[személy]* talented *(v.* highly gifted) person, man of talent, genius 3. *[anyagi]* means *(pl), [lehetőség]* power, ability, possibility; *kiki* ~*e szerint* each according to his means; ~*em szerint* in proportion to my means; *amennyire* ~*emtől telik* as far as in me lies; *a legjobb* ~*e szerint* to the utmost of one's ability/power

tehetséges *[-et; adv -en] a,* talented, gifted, (cap)able, promising, endowed, having a turn for *(ut),* having the makings of *(ut); nagyon* ~ very/highly gifted/talented, brilliant, a genius; ~ *fiú* a lad of parts/promise/capacity

tehetségkutatás *n,* talent scouting/spotting

tehetségkutató *n,* talent scout; ~ *verseny* talent competition

tehetségtelen *a,* without talent/ability *(ut),* talentless, untalented, ungifted, *[tanulásban]* dull

tehetségtelenség *n,* lack of talent/aptitude

tehetségű *[-ek, -t; adv -en] a,* -talented, -gifted; *nagy* ~ highly gifted/talented/endowed, *[művész]* inspired

tein *[-t, -je] n, (vegyt)* thein(e)

teista *[.. át] n, (fil)* theist

teizmus *n, (fil)* theims

tej *[-et, -e] n,* 1. *(ált)* milk; *teljes* ~ full-cream milk, whole/unskimmed milk; *sok* ~*e van* have a superabundance of milk; ~*be aprított kenyér* bread and milk; ~*ben-vajban fürdik* live like a fighting cock, live in clover; ~*ben-vajban füröszt* let sy have the best of everything, make much of sy, pamper, kill with kindness; ~*et ad [tehén]* give/yield milk 2. *[növényé]* latex, milky juice 3. *[halé]* milt, soft roe (of fish)

tejapasztó *a/n,* lactifuge

tejárus *n,* milkman, dairy-man, milk-dealer

tejbedara *n,* semolina boiled in milk

tejbegríz *n,* = tejbedara

tejberizs *n,* milk-rice, rice boiled in milk

tejbüfé *n,* milk-bar

tejcukor *n,* sugar of milk, milk-sugar, *(tud)* (ga)lactose

tejcsárda *n,* milk-bar

tejcsarnok *n,* creamery, dairy (shop), milk-shop/bar

tejcsírátlanító *n,* milk sterilizer

tejcsokoládé *n,* milk chocolate

tejdiéta *n,* milk-cure

tejecske *n,* (little) milk; *adj egy kis tejecskét* give me a little milk

tejedény *n, (növ)* laticiferous vessel

tejel *[-t, -jen] vi,* give/yield milk, lactate, *(növ)* be lactescent

tejelapasztás *n,* delactation

tejelés *n,* giving/yielding milk, lactation, *(növ)* secretion of a milky juice

tejeléscsökkenés *n,* agalactia

tejelési *[-t] a,* ~ *időszak* lactation period

tejellátás *n,* milk supply

tejellenőrzés *n,* milk recording/testing

tejelő *[-t; adv -en] a,* lactiferous, lactescent; ~ *tehén* cow in milk; *jól/bőven* ~ *tehén* cow that yields well, a good milker

tejeltető takarmány cattle-spice(s)

tejes *[-ek, -t; adv -en] I. a,* milk-, milken, milky, containing *(v.* made with) milk, *(tud)* lacteal, lacteous, lactescent, lactic, *[növény]* lactiferous (plant); ~ *étel* milk-food/dish; ~ *ételekre fogták* be on a milk diet; ~ *kukorica* milky maize, sweet corn, green corn *(US)* II. *n,* milkman, dairyman, *[asszony]* milk/dairy-woman, *[leány]* milkmaid, dairymaid, *[házhoz szállító]* milkman, milk roundsman

tejesasszony *n,* milkmaid, dairy/milk-woman

tejesedény *n,* milk-jug/can

tejesember *n,* milkman, dairyman

tejeskanna *n,* milk-can, *[vasúti]* milk churn

tejeskávé *n,* coffee with milk/cream, white coffee

tejeskenyér *n,* milk bread

tejeskocsi *n,* milk-cart/float

tejesköcsög *n,* milk-jug

tejeslábas *n,* milk-pan

tejesvödör *n,* milk-pail

tejesüveg *n,* milk bottle

tejfajsúlymérő *n,* milk-gauge/tester

tejfehér *a,* milk-white, *[műsz folyadék]* lactescent

tejfehérje *n, (vegyt)* lactalbumen

tejfel *n,* = tejföl

tejfog *n,* milk-tooth, first/baby tooth, colt's tooth; ~*ak (biol)* deciduous teeth

tejföl *n,* sour/clotted cream; *leszedi a* ~*t a tejről* cream (off), skim, take the cream off the milk; *leszedi a* ~*t vmről* take the cream *(v.* the best part) of sg; *nem fenékig* ~ it's not all beer and skittles, not an unmixed blessing; *az élet nem fenékig* ~ life is not a bed of roses

tejfölös *a,* made with/of *(v.* containing) cream *(ut)*

tejfölösszájú *a/n,* greenhorn, stripling, young puppy/cub *(fam),* callow youth, Jonny Raw, fledg(e)ling, shaveling

tejfölöző *a,* ~ *gép* creamer, cream-separator

tejgazdálkodás *n,* dairying, dairy farming

tejgazdaság *n,* dairy(-farm), milk-farm, *[üzemi]* milk plant

tejgyomor *n,* rennet/fourth stomach, abomasum

tejhab *n,* milk-froth

tejhajtó *a,* ~ *szer* galactogogue

tejhamisítás *n,* (fraudulent) watering of milk, adulteration of milk

tejhiány *n, [szoptató anyánál]* agalaxy

tejhozam *n,* milk yield/production, lactation results *(pl)*

tejhűtő *a/n,* milk-cooler/refrigerator

tejivó *n,* 1. *[helyiség]* milk-bar, dairy shop 2. *(vk)* milk-drinker

tejjegy *n,* milk ration (card)

tejjel-mézzel *adv,* ~ *folyó ország* land flowing with milk and honey, land of plenty

tejképződés *n, (biol)* lactation

tejkihordó *n,* milkman, milk roundsman

tejkiütés *n,* milk-crust

tejkonzerv *n, [híg cukrozatlan]* condensed milk, canned/tinned milk, *[sűrű cukrozatlan]* evaporated milk

tejkonyha *n,* dietetic kitchen of maternity ward (or of a crèche)

tejkő *n,* milkstone

tejköpű *n,* churn

tejkrém *n,* hand cream, skin food

tejkúra *n,* milk diet/cure

tejláz *n,* milk-fever, *(tud)* lacteal fever

tejlefölöző gép skimming machine, cream-separator

tejlerakódás n, milkstone
tejleves n, milk-soup
tejmargarin n, butterine
tejmérő n, milk-gauge/tester, lactometer
tejmirigy n, mammary/lactiferous gland
tejmirigy-gyulladás n, (orv) mammitis
tejnedv n, milk, milky juice, (növ) latex
tejnemű a, milky, milk-like, lactic, lacteous, lacteal
tejoltó n, rennet
tejopál n, milky (v. milk-white) opal
tejpor n, powdered milk, milk powder, dried/desiccated milk
tejsav n, lactic acid
tejsavbacilus n, folic acid
tejsavmérő n, acid-tester, acidimeter
tejsavó n, whey
tejsodó n, custard
tejsűrűségmérő n, galactometer
tejszámla n, milk-score
tejszerű a, milky, milk-like, [tud] lacteous, lactescent, lactic
tejszerűség n, milkiness, lactescence
tejszín[1] n, (sweet) cream; leszedi a ~t spoon off the cream
tejszín[2] n, milky-white (in colour)
tejszínes a, creamy, (made) of/with cream (ut)
tejszínhab n, whipped cream
tejszívó n, [szerszám] breast-pump, lactisugium
tejszövetkezet n, co-operative dairy/creamery
tejszűrő n, milk-strainer
tejtályog n, (orv) milk abscess
tejtermék n, dairy-produce/product
tejtermelés n, dairy-farming, milk production
tejtermelő I. a, lactific(al) II. n, dairy farmer
tejtestvér n, milk/foster-brother/sister
tejtükör n, (mezőg) milk mirror/shield, escutcheon
tejút n, Milky Way, the Galaxy, (tud) Via Lactea; ~on kívüli [csillagok] extragalactic
tejüveg n, milk/opaque-frosted glass, opaline
tejüzem n, dairy (plant), creamery
tejüzlet n, dairy (shop)
tejvezeték n, (bonct) milk-duct
tejvisszatartás n, agalactia
tejvizsgálat n, milk-analysis
tejzsír n, butterfat
tejzsírtartalom-mérő n, lactoscope
téka n, 1. [iratrendező] letter file 2. [gyűjtemény] collection
teke n, [golyó] ball, sphere, globe, [fából] bowl
tekeasztal n, billiard-table
tekebáb n, skittle(-pin), ninepin, tenpin (US)
tekegolyó n, [fából] bowl, [biliárd] billiardball
tekejáték n, 1. [fabábokkal] skittles (pl), ninepins (pl), tenpins (pl) (US), bowls (pl) (US) 2. [biliárd] billiards
tekejátékos n, 1. [fabábokkal] bowler, skittle-player 2. [biliárd] billiard-player
tekepálya n, skittle-ground, skittle/ninepins/bowling alley, [gyepes] bowling-green
teker [-t, -jen] vt, 1. (ált) wind, twist, roll, twine, wring, wrap round, [kötelet] coil, [orsóra] wind, spool, [tekercsre] reel 2. (durv) fuck
tekercs [-et, -e] n, 1. (ált) coil, reel, spool, bobbin, [irat] (sc)roll, [motring] skein, hank, [pénz-érmékből papírba csavarva] roll (of coins), rouleau (fr); ~ alakú scrolled 2. (épít) volute
tekercsantenna n, coil-antenna
tekercsdísz n, scroll, volute
tekercsel [-t, -jen] vt, wind, coil (round, on, up), roll up, reel (in, up), spool
tekercselés n, 1. [folyamat] winding, coiling (up), rolling up, reeling (in, up) 2. (vill) armature

tekercselőgép n, winding/spooling/reeling-apparatus
tekercselt [-et; adv -en] a, wound, reeled, rolled
tekercsfilm n, roll film
tekercsfilm-kazetta n, (fényk) roll film adapter
tekercsfilm-orsó n, spool of film
tekercsmenet n, (vill) turn
tekercspapír n, (nyomd) reeled/endless paper
tekercsrugó n, spiral/helical/coiled spring, [járművön] wormsprings (pl)
tekercsvonal n, spiral (line), helix
tekeredés n, winding/twining/coiling/reeling/twisting round/on/up, torsion, convolution
tekered|ik [-tem, -ett, -jen, -jék] vi, wind, wreathe, coil, [kígyó] coil up
tekereg [-tem, ..rgett, -jen] vi, 1. [kígyózik] wind (along), twist, sinuate, curve, [folyó] meander, wimple 2. [féreg] writhe, wriggle, squirm 3. [csavarog] loiter, hang/prowl/saunter/mooch/loaf about/around
tekerés n, winding, twisting, rolling, wrapping, coiling
tekergés n, 1. [kígyózás] winding, twisting, curving, meandering, curling 2. [csavargás] loitering, loafing/ sauntering about
tekergő [-t] I. a, 1. winding, twisting, curling, meandering, tortuous, sinuous, [út] serpentine 2. [féreg] writhing, wriggling, squirming 3. (ellt) loitering, loafing, mooching II. n, loiterer, loafer
tekergődz|ik [-tem,-ött,..dzön,..dzék] vi, = tekereg 1., 2., tekeredik
tekerő [-t] I. a, winding-, rolling-, reeling- II. n, 1. (vk) winder 2. [eszköz] reeling machine, reel, screw-jack, vinch, windlass, capstan 3. [népi hangszer] hurdy-gurdy
tekerős n, (zene) hurdy-gurdy player
tekervény n, 1. [egy fordulat] single turn, whorl, winding, twist, curve, curl, sinuosity, coil, [dróté] kink, [folyóé, úté] meander, sweep, bend, turn, [kagylóé] twirl, [kígyóé] coil, [kötélé] kink 2. [agyé] convolution, (tud) gyrus, [fülkagylóé] helix 3. (fiz) torsion, (műsz) one winding/turn, helix, (épít) circumvolution
tekervényes [-et; adv -en] a, 1. winding, sinuous, tortuous, labyrinthine, curved, circuitous, flexuous, [folyó] meandering, (növ) flexuous, [út] serpentine 2. [bonyolult] complicated, intricate, mazy, [kifejezésmód] crabbed, involved
tekervényesség n, 1. (konkr) sinuosity, tortuosity, meanderings (pl), tortuousness 2. (átv) complexity, intricacy, entanglement
teketória [.. át] n, ado, fuss, ceremony; nagy teketóriát csinál make a fuss, kick up a fuss; ~ nélkül without much ado, without ceremony, unceremoniously, without beating about the bush
teketóriázás n, beating about the bush, fuss(iness), making much ado, shirking the issue
teketóriáz|ik [-tam, -ott, -zon, -zék] vi, fuss, make ado (v. a fuss), stand (up)on ceremony, be punctilious, beat about the bush; nem ~ik make short work of sg; nem sokat ~ott he went straight to the point, he didn't beat about the bush, he got down to brass tacks
tekézés n, bowling, playing skittles/billiards
tekéz|ik [-tem, -ett, -zen, -zék] vi, play skittles/ninepins/tenpins/bowls, play billiards
tekéző [-t, -je] n, = tekejátékos
tekint [-ett, -ett, -sen] I. vi, 1. [vkre, vmre] look at/on, to, have/direct/cast a look/glance at, [hosszasan vmre] view, eye, gaze (on); vk/vm felé ~ look towards; jobbra-balra ~ look right and left; a távoli jövőbe ~ look far into the future 2. (átv) optimizmussal ~ vm elé be optimistic about the coming of sg
II. vt, 1. [vizsgálón] consider, contemplate, exam-

ine, inspect, scan, scrutinize 2. *(vmnek)* consider, regard as, hold, deem, look upon as, take for, treat (as); *magát vmnek ~i* think/consider/regard oneself (as) sg, *(elit)* set up for, pose as, pretend to be sg; ~ *vkt vmnek* reckon sy as, reckon/count sy to be ...; *jó jelnek ~ vmt* take sg as a good omen; *az iskola legszigorúbb tanárának ~ik* he is looked upon as the most severe master of the school; *kötelességemnek ~em (hogy)* I consider it my duty to; *~sd megtörténtnek* consider it as done; *úgy ~em mintha nem történt volna meg* I consider/take it as if nothing had happened 3. *[számításba vesz]* weigh, take into account/consideration; *ha fiadat nem ~eném* out of consideration for your son, had I no consideration for *(v.* if I had not considered) your son, but for your son; *~sük a problémát magában* let's consider *(v.* look at) the problem in/by itself; *korát ~ve* in consideration of his youth/age, as regards his age; *ld még* **tekintve**

tekintély [-ek, -t, -e] *n,* 1. *[tulajdonság]* prestige, authority, reputation, fame; *nagy a ~e* have great prestige, have great influence, be highly respected; *~t parancsoló modor/magatartás* authoritativeness; *~ét menti/megőrzi* save one's face; *~ét veszti* fall into discredit, lose face 2. *[személy]* authority, person of consequence/importance; *~ek kormánya* a cabinet of great names; *~ekre hivatkozik* quote one's authorities, refer to authorities

tekintélyes [-et; *adv* -en] *a,* 1. *[személy]* of authority/prestige/position/mark/standing/consequence/importance *(ut),* important, eminent, distinguished, respected, *[állás]* important, key (position); *~ ember* man of consequence/importance; *~ politikus* eminent/noted politician; *~ állást tölt be* occupy/fill an important post/position 2. *[megjelenés]* imposing, commanding, stately, *[mennyiség]* considerable, respectable, large, substantial; *~ bevétel* a tidy income; *~ épület* a stately edifice; *~ összeg* important/large/considerable/handsome sum, a small fortune

tekintélyi [-ek, -t; *adv* -leg] *a,* authoritarian, dictatorial; *~ elv* authoritarian principle, authoritarianism

tekintélyrombolás *n,* iconoclasm, undermining of authority

tekintélyromboló *a,* destroying all authority, iconoclast(ic)

tekintélytisztelet *n,* holding authority in respect, respect of authority

tekintélyuralom *n,* authoritarianism

tekintet *n,* 1. *[pillantás]* look, glance, eye, sight, view, *[lopva]* peep, *[merev]* gaze, stare, *[futó]* glimpse, *[külső, kinézés]* look, aspect, air, countenance, mien; *könyörgő ~* a look of appeal; *~e végigsiklott a hallgatóságon* his eyes ranged over the audience; *első ~re* at first sight/view, at a glance, at the first glance; *~et vmre mereszti* fix one's eye(s) on, stare steadily at 2. *[figyelembevétel]* regard, respect, consideration, account, thought, *[vonatkozás]* relation, respect, point of view; *~ nélkül* irrespective/regardless/unmindful of; *~ nélkül korára* without taking his age into consideration; *~ nélkül törvényszabta korlátokra* regardless of any limitations imposed by the law; *~be vesz* consider, take into consideration/account, make allowance for; *~be véve* considering, in view of, with regard to; *ebben a ~ben* in this respect/regard, from this point of view; *minden ~ben* in every respect, in all respects, on every account, to all intents and purposes, all round, throughout, at all points; *némely ~ben* in some/certain respects; *sok ~ben* in many respects; *szépség ~ében* as regards beauty, in point of beauty; *családi ~ek* family motives/considerations; *~tel vkre* out of consideration/regard/respect for sy; *~tel vmre* in consideration/view of, with regard/respect to,

in regard to, on account of, for the sake of, mindful of, having regard to; *~tel arra hogy* considering that, forasmuch as *(obs)* ; *~tel van vmre* take sg into consideration, allow *(v.* make allowance) for sg, show due regard for sg, respect/consider sg; *nincs ~tel vmre* pay no regard/heed to, ignore sg, leave sg out of consideration, not trouble about sg; *nincs ~tel vkre* have no consideration for anyone, not consider anybody; *fajra(,) nemire(,) nyelvre és vallásra való ~ nélkül* without distinction as to race sex language or religion

tekintetbevétel *n,* consideration/regard/allowance for, taking sg into consideration/account

tekintetes [-ek, -t] *a, (kb)* honourable, *[megszóllítás GB]* Your Honour, *[címzés levélen]* Esq.; *~ törvényszék!* Your Honour!, Ladies and Gentlemen of the jury!, Your Lordship *(GB)*

tekintetű [-ek, -t] *a, hamis ~* shifty-eyed; *szelíd ~* meek-eyed

tekintget *vt/vi,* look here and there, keep looking/glancing at

tekintve *adv,* in view of, considering (that), taking sg into consideration, as regards (sg); *nem ~ azt hogy* apart from the fact that

teknő [-t, -je] *n,* 1. *(ált)* trough, *[mosáshoz]* wash tub, *[dagasztó]* hutch 2. *[teknőcé]* scute, tortoise-shell, carapace, shield 3. *(geol)* basin, depression (of the ground), *[völgy]* syncline, hollow

teknőbolt *n, (épít)* = **teknőboltozat**

teknőboltozat *n, (épít)* coved vault, trough vault

teknőc [-öt, -e] *n,* = **teknős** II.

teknőcfésű *n,* tortoise-shell comb

teknőckeretes *a, ~ szemüveg* tortoise-shell spectacles

teknőcutánzat *n,* mock tortoise-shell

teknős I. *a,* [-ek, -t; *adv* -en] *(áll)* testacean, testaceous II. *n,* [-ök, -t, -e] *(áll)* tortoise, turtle *(Chelonia rend)* ; *álcserepes ~* loggerhead *(Caretta caretta)* ; *édesvízi ~ök* fresh-water turtles, emydids *(Emydidae)* ; *kérges ~* leathery turtle *(Dermochelys coriacea)* ; *mocsári ~* pond tortoise *(Emyscorbicularis)* ; *óriás ~* green turtle *(Chelone mydas)*

teknősbéka *n,* = **teknős**

teknősbéka-páncél *n,* tortoise-shell, test

teknősödés *n,* (water-)pocket, depression, *(geol)* syncline

tékozlás *n,* squandering, wasting, extravagance, prodigality, waste(fulness)

tékozló [-t, -ja; *adv* -an] I. *a,* lavish, wasteful, prodigal, extravagant, thriftless; *~ fiú* prodigal son II. *n,* squanderer, spendthrift, waster, prodigal

tékozol [.. zlok, -tam, -t, -jon] *vt,* squander, waste, be lavish/prodigal/extravagant, spend wastefully, *[időt]* fritter away

tektonika [.. át] *n, (geol)* tectonics, structural geology

tektonikus *a, (geol)* tectonic; *~ árok* graben, rift valley

tél [telet, tele] *n,* winter, *[forró égöv alatt]* rainy season; *kemény ~* an arduous winter; *~ derekán/közepén* in the deep/dead of winter; *~en* in winter, in (the) winter-time/season; *e ~en* this winter; *nem eszi meg a farkas/kutya a telet (kb)* there is always/generally some hard/cold/icy/frosty weather before the winter is out/over

télálló *a,* frost-proof/resistant, wintering, *(növ)* hardy; *~ alma* long-keeping apples *(pl)*

télapó *n,* Father Christmas, Santa Claus, Jack Frost

Tel Aviv [-ot, -ban] *prop,* Tel Aviv

tele *adv/a,* 1. *[megtöltött]* full, filled, -ful, *[helyiseg]* crowded, packed; *hibákkal ~ dolgozat* exercise full of mistakes; *~ van vmvel* be full of *(v.* replete/filled with) sg, *[jóllakott]* have eaten one's fill *(v.* to repletion); *~ vagyok !* I am (stuffed) full; *~ van munkával* be full up with business, be fully occupied, be up to the eyes in work; ~ *van reménnyel* be full of hope; ~ *a szája* have one's mouth full; *a ház ~ volt macskák-kal* there were cats all over the house; ~ *tüdőből kiabál,* ~ *torokkal üvölt* shout at the top of one's voice/lungs, shout lustily, give a full-throated shout 2. *[megrakva]* laden, fraught (with), replete, *[be-hintve]* covered, sprinkled throughout (with) 3. *[teIItett]* saturated 4. *[tömör]* solid

teleaggat *vt, (vmvel)* deck out (sg with sg)

telebeszél *vt,* stuff (sy) with, stuff sy up; ~*i a fejét* talk sy's head off; ~*lék vmvel a fejemet* I had my head/ ears filled (with talk), be overwhelmed with talk, *it* was dinned into my ears, they talked my head off

teleereszt *vt,* fill to the brim, fill to overflowing

teleesz *vt,* ~*i magát/bendőjét* eat one's fill, stuff/gorge oneself with sg, have a good feed, tuck in

telefirkál *vt,* scribble all over, doodle

telefon [-ok, -t, -ja] *n,* telephone, phone *(fam)* ; *van önnek* ~*ja?* are you on the (tele)phone?; ~*hoz kér vkt* ask sy to the phone; *önt kérik a* ~*hoz* you are wanted on the phone; *ki van a* ~*nál?* who is it/ there?; ~*on beszél vkvel* speak to sy on/over the (tele)-phone; ~*on elér vkt* reach/get sy on/through the phone; ~*on felhív vkt* call/ring sy up, give sy a ring, phone sy; ~*on kapcsol* connect; ~*on kerestem* I rang *(v.* tried to ring) you up, I tried to find you on the phone; ~*on keresik* you are wanted on the phone; ~*t várok vktől* I am awaiting/expecting *(v.* waiting for) sy's (phone-)call

telefonál [-t, -jon] *vi/vt,* (tele)phone, give sy a call/ring, ring sy up; ~ *vkért* phone for sy, ask for sy by phone; ~ *vknek* ring sy up

telefonálás *n,* telephoning, phone-call, ringing up, te-lephony

telefonállomás *n,* telephone-station

telefonautomata *n,* dial/automatic-telephone

telefonberendezés *n,* telephone installation, *[készülék]* telephone set/apparatus

telefonbeszélgetés *n,* (telephone) call, *[távolsági]* long distance call, *[GB hosszú táv]* trunk-call, *[GB rövid táv]* toll call; *helyi* ~ local call

telefondíj *n,* = távbeszélődíj

telefondrót *n,* telephone-wire

telefonelőfizető *n,* telephone subscriber; *nem* ~ he is not on the phone

telefonérme *n,* telephone token

telefonértesítés *n,* (tele)phone(d) message

telefonfülke *n,* call-box, (tele)phone-box/booth/kiosk

telefonhálózat *n,* network/system of telephones

telefonhír *n,* (tele)phone(d) message, news by (tele-)phone

telefonhirmondó *n,* 1. *[készülék]* telephonograph 2. *[szolgálat]* telediffusion (over the telephone network)

telefonhívás *n,* call on/over the phone, (telephone-)call

telefonhuzal *n,* telephone-wire

telefonjelentés *n,* telephone(d) report, telephone mes-sage

telefonkábel *n,* telephone cable

telefonkagyló *n,* (telephone) receiver; *felveszi a* ~*t* lift the receiver; *leteszi a* ~*t* hang up the receiver, replace the receiver

telefonkapcsolás *n,* (phone-)connection, putting a call through

telefonkészülék *n,* telephone (set)

telefonkezelő *n,* (switchboard) operator

telefonkezelőnő *n,* telephone girl, (switchboard) opera-tor

telefonkönyv *n,* telephone directory/book

telefonközpont *n,* telephone exchange, telephone cen-tral *(US)*

telefonos [-ok, -t, -a] I. *a,* telephonic, equipped with phone *(ut),* of/by phone *(ut)* II. *n,* telephonist, telephone operator

telefonoz [-tam, -ott, -zon] *vi/vt,* = telefonál

telefonösszeköttetés *n,* telephone connection; ~*t kap* be put through (to)

telefonszám *n,* 1. *(konkr)* telephone-number, call-number; ~*ot kikeres* look up the number 2. *(átv)* box-car number *(US)*

telefonszámla *n,* telephone bill

telefonszínésznő *n,* call-girl

telefontárcsa *n,* *[gépi kapcsolásra]* (calling) disk

telefonüzenet *n,* phone(d) message, message by phone

telefonvezeték *n,* telephone-wire/cable

telefonvonal *n,* telephone-line

telefotográfia *n,* 1. telephotography 2. *[kép]* telephoto-graph

telegónia [.. át] *n, (biol)* telegony

telegráf [-ot, -ja] *n,* = távíró

telegrafál [-t, -jon] *vi/vt,* = táviratoz

telegram *n,* = távirat

telehint *vt,* 1. *(konkr)* sprinkle all over (with), besprin-kle, bestrew 2. *(átv)* (inter)lard, intersperse (with), stud

telehintés *n,* besprinkling, bestrewing

telehold *n,* full moon

telehord *vt,* fill up

teleír *vt,* write all over the paper, scribble (all) over

teleissza magát drink one's fill, soak *(fam),* swill *(fam),* booze *(fam)*

teleivódás *n,* saturation

teleivódik [-tam, -ott, -jon, -jék] *vi,* become imbued/ soaked/steeped/saturated/soggy (with), *[vízzel]* fill with (water), become water-logged

telek [telkek, telket, telke] *n,* 1. *(dlt)* piece of ground, plot of land/ground, *[juttatott]* allotment, *[parcella]* parcel, patch, *[háztelek]* ground-plot, building site/ plot/ground, lot *(US),* *[házhoz tartozó, jog]* curtilage 2. *(jog)* tulajdonul bírt ~ tenement, piece of land held by an owner; *szolgáló* ~ servient tenement

telekadó *n,* ground/land-tax

telekbér *n,* ground-rent

telekbirtokos *n,* (ground) landlord, landowner, owner of a ground-plot *(v.* building-site), plot-owner

telekerék *n,* *[autóé]* disk-wheel

telekiabál *vt,* fill the air with cries; ~*ja a fület* din sg into sy's ears; ~*ja a világot* noise/trumpet sg abroad *(v.* to the world), spread sg all over the place, pro-claim sg from the house-tops

telekjáradék *n,* ground rent

telekkatonaság *n,* *(tört)* militia portalis *(lat)*

telekkönyv *n,* 1. land/cadastral register, cadastre, terrier, register of landed property, real-estate regis-ter *(US);* ~ *A lapja* property register (of the land-register), the Register of Estates (with an Indefea-sible Title) *(GB);* ~ *B lapja* proprietorship register (of the land register), the record of titles to land (in the registry); ~ *C lapja* charges register (of the land register), Register of Mortgages and Incum-brances *(GB);* *a* ~*be bejegyez* enter, enrol, register (in land register); *a* ~*ből töröl* cancel an entry from the land register, *[jelzálogot]* enter a memorandum of satisfaction of mortgage on the register 2. *[hivatal ahol a jelzálogkölcsönöket bejegyzik]* mortgage registry

telekkönyvez [-tem, -ett, -zen] *vt/vi,* 1. enter in the cadastral land register; *vk nevére* ~ enter sg in the land register in the name of sy 2. *[felállítja a telek-könyvet]* draw up the land/cadastral register

telekkönyvezés *n,* 1. *[bevezetés]* registration of land, entering in land/cadastral register, land registration 2. *[felmérés]* cadastral survey

telekkönyvi [-ek, -t; *adv* -leg] *a,* cadastral; ~ *átírá* cadastral transfer/release (of property), transcrip tion (in the land register); ~ bekebelezés land registration, real estate recording *(US)*; ~ betét file of the land register; ~ hivatal land registration office, Office of Land Registry, mortgage registry *(GB)*, real estate recording office *(US)*; ~ kivonat land certificate, abstract of title; ~ lap register (in the land register); ~ törlés cadastral cancellation/discharge/satisfaction/release, *[jelzálogé]* entry of satisfaction of mortgage; ~leg átír transfer/release property in the land register

telekkönyvvezető *n*, land registrar, registrar of mortgages

telekparcellázás *n*, division of land into lots, housing development

telekrész *n*, allotment, parcel, (p)lot

telekspekuláns *n*, land jobber

telektulajdonos *n*, plot owner

telekügynök *n*, house and estate agent, real estate agent *(US)*, realtor *(US)*

telekürtöl *vt*, ~i a világot vmvel shout sg from the housetops

telel [-t, -jen] *vi*, (pass/spend the) winter, *[állat alva]* hibernate, *[hajó]* lie up *(v.* go into dry dock) for the winter, *(növ)* winter

telelés *n*, wintering, passing the winter, hibernation

telelő [-t, -je] I. *a*, wintering, *(áll)* hibernating, *(növ)* hardy II. *n*, 1. winterer, *[üdülő személy]* winter visitor 2. *[hely]* winter resort

telelőhely *n*, 1. *[állaté, növényé]* hibernaculum 2. *[üdülő]* winter resort/quarters/harbour

teleltet *vt*, winter, keep during/through the winter, *[verméléssel]* clamp, *[jószágot]* shelter for winter, *[hajót]* lie up (for the winter), put into dry dock

teleltetés *n*, wintering

telemechanika *n*, telemechanics

telemetrikus *a*, telemetric(al); ~ egység *[rakétatechnikában]* telemetry module

télen-nyáron *adv*, ~ egyaránt winter and summer alike, both summer and winter, (in) winter and summer

teleobjektív *n*, telephoto(graphic) lens, telelens, teleobjective

teleológia [.. át] *n*, *(fil)* teleology, finalism

teleológiai [-ak, -t; *adv* -lag] *a*, *(fil)* teleological

teleönt *vt*, fill, replenish, *[poharat]* charge, fill to the brim, *[csordultig]* fill sg to overflowing

teleöntés *n*, = teletöltés

telep [-et, -e] *n*, 1. *[település]* settlement, settling, colony, plantation, *[lakóhely]* habitation 2. *(ker)* works *(pl)*, premises *(pl)*, establishment, *[erőmüé stb.]* plant, *[műhely]* (work)shop, *[építkezési]* site; ~ünkről szállítva ex works 3. *(geol)* bed, layer, deposit, lode, stratum, *[széné]* coal-bed, coal seam 4. *(vill)* electric battery 5. *(növ)* thallus; magas szervezödésű ~ coenobium

telepata [.. át] *n*, telepathist

telepátia [.. át] *n*, telepathy, thought-transference/reading, second sight, clairvoyance *(fr)*

telepatikus *a*, telepathic; ~ fenomén medium, percipient, clairvoyant(e) *(fr)*

telepedik [-tem, -ett, -jen, -jék] *vi*, *(vhová)* settle (down), establish/install oneself, take up one's abode/residence/dwelling/domicile, *[madár]* perch, (a)light (on)

telepengedély *n*, concession (of an establishment), grant of land

telepes [-ek, -t, -e; *adv* -en] I. *a*, 1. ~ község village of settlers 2. ~ rádió battery set, battery-operated receiver, battery radio *(US)* 3. ~ növények thalloid plants, Thallophyta II. *n*, settler, colonist, planter, homesteader *(US)*

telepfiók *n*, branch establishment

telephely *n*, settlement, colony, *[vállalaté]* company

seat. *(ker)* premises *(pl)*, *(jog)* registered offices, *[járműveké]* parking place; üzleti ~ business domicile

telepít [-eni, -ett, -sen] *vt/vi*, 1. *[embereket]* settle, colonize, locate, *[állatokat]* introduce, acclimatize, *[növényeket]* introduce, plant 2. *[aknát]* lay 3.*[ügynököt]* build in 4. *[váltót]* domicile, domiciliate; ~ett váltó local/domiciled bill; vízumot ~ route a visa

telepítés *n*, 1. *[embereké]* colonization, settling, settlement, location, *[állatoké]* introduction, acclimatization, *[növényeké]* introduction, plantation, planting 2. *[aknáé]* laying 3. *[ügynöké]* building in 4. *[váltóé]* domiciliation

telepítő [-t, -je; *adv* -en] *a*, 1. colonizing, settling, planting 2. *[váltóé]* domicili(ati)ng

telepréteg *n*, layer, bed, deposit, stratum

telepszik [.. pedni, .. pedtem, .. pedett, .. pedjen] *vi*, = telepedik

teleptelér *n*, *(geol)* bedded vein, lagergang

teleptöltés *n*, loading/(re)charging the accumulator, battery charging

települ [-t, -jön] *vi*, = telepedik

település *n*, = telep 1., 3.

települési [-ek, -t; *adv* -leg] *a*, ~ szint *(rég)* level of settlement

településrendezés *n*, resettlement

telepvágat *n*, *(bány)* cross-drift, cross-drive

telér [-ek, -t, -je] *n*, vein, lode, course, lead, seam, bed-vein, *[ércé, főleg aranyé]* reef

teleragaszt *vt*, *(vmvel)* plaster over (with)

telerajzol *vt*, *(vmvel)* fill/cover with drawings/sketches/drafts, doodle

telerak *vt*, 1. fill (full, up), cram 2. *[felületet]* cover (all over)

telérkőzet *n*, gangue, vein-stone, rocky matrix

telérlelet *n*, strike

telesarok *n*, *[női cipőé]* wedge-heel

teleszed *vt*, *[kosarat]* fill up (the basket), pick the basket full

teleszív *vt*, ~ja magát *(vmvel)* imbibe; ~ja magát hamis. elvekkel become impregnated with false principles

teleszkóp [-ot, -ja] *n*, telescope

teleszkopikus *a*, telescopic

teleszór *vt*, litter (up), bestrew, scatter (all over), intersperse, *(átv)* stud

teleszórás *n*, littering, bestrewing

teletalp *n*, platform sole, wedge-heel

teletalpas *a*, ~ *(női)* cipő wedgie

teletölt *vt*, = teleönt

teletöltés *n*, filling, replenishment, filling full *(v.* to overflowing)

teletöm *vt*, 1. *(vmvel)* fill sg chock-full, cram, stuff, pad (sg with sg), pack tight, overload, stow, glut, satiate; ~i a fejét cram one's heed; idézetekkel ~ött könyv book crammed with quotations 2. ~i magát stuff oneself, tuck in, gorge, fill to completion, eat one's fill

teletömés *n*, cramming/stuffing full, glutting

teletrombitál *vt*, ~ja vk fülét vmvel din sg into sy's ears

televény *n*, (vegetable) mould, black earth, humus, garden-mould, soil, loam

televényes [-et] *a*, humic, humous

televényföld *n*, = televény

televénytalaj *n*, = televény

televízió [-t, -ja] *n*, television *(röv.* TV, T.V.), telly *(fam)*; színes ~ colour television, colour-cast; szerepel/fellép a ~ban, látható a ~ban appear on television; ~n lead/közvetít televise, telecast; a mérkőzéseket nem közvetíti a ~ the matches will not be televised; ~t néz vi:w (television), watch (television *v.* the TV)

televízióantenna *n*, television aerial

televíziókészülék *n*, television set/receiver, television,

teleset, TV set/receiver, televisor; *nagy/széles képer- nyőjű* ~ large-screen television set

televíziós [-at] I. *a*, television, tele; ~ *felvevőgép* tele- camera; ~ *film(előadás)* telefilm, telemovies *(pl) ;* ~ *központ* telecast center; ~ *(műsor)adás/közvetítés* television broadcasting, telecast; ~ *közvetítést ad* televise; ~ *műsorrögzítés* telerecording; ~ *változat/ átdolgozás* televersion; ~ *vevőkészülék* television receiver/set, TV (receiver), teleset II. *n, [néző sze- mély]* viewer, television watcher

telex [-et, -e] *n*, telewriter, telex, teleprinter, tele- printing machine; ~ *közlés/üzenet* telex/teleprinted message

telexforgalom *n*, teleprinter/telex service

telexgép *n*, teleprinter, telewriter, telex

telezabálja magát eat/devour to surfeit, eat one's fill, gobble oneself full

telezsúfol *vt*, (over)crowd, pack, cram, stuff (com- pletely), stow full, *[szobát bútorral]* lumber/clutter up, *[termet emberekkel]* crowd, jampack *(US)*

telhetetlen *a*, insatiable, voracious, grasping, rapacious

telhetetlenség *n*, insatiability, insatiableness, rapacity, voraciousness, voracity

telhető *a/n, minden tőle ~t megtesz* do one's utmost/best; *minden tőlem ~t meg fogok tenni* I shall do all I can (*v.* my level best)

telhetőleg *adv, tőlem* ~ so far as in me lies, as far as lies within my power

teli I. *[telin, telien] adv/a,* = tele; II. [-je] *n, ~be talál* hit right in the middle, hit the bull's eye, hit the mark

téli [-ek, -t] *a*, wintery, winterly, winter-, hibernal *(ref.) ;* ~ *álom* winter-sleep, hibernation, suspended animation; ~ *álmot alszik* hibernate; ~ *halászat* ice- fishing, fishing in winter; ~ *kikötő* winter harbour/ quarters *(pl) ;* ~ *nap* winter day; ~ *ruha* winter- -clothing/suit/dress; ~ *sport* winter sports *(pl) ;* ~ *szállás* winter residence, *(kat)* winter-quarters *(pl) ;* ~ *szállásra vonul* go into winter-quarters; ~ *üdülőhely* winter resort; ~ *vasalás [lóé]* rough- -shoeing; *~re eltesz* preserve/conserve for the winter, store up (*v.* put away/by) for the winter

téliidő *n*, winter-time, winter-tide *(ref.)*

télies [-et; *adv* -en] *a*, wint(e)ry, winterly, hibernal; ~ *időjárás* wintry weather; *~re fordult az idő* winter has set in

telihold *n*, full moon

telik [-t, -lett, -jen, -jék] *vi*, 1. *[tele lesz]* fill, become full, *[csordultig]* brim, *[mag]* pod, *[hold]* wax; *el van telve vmvel* be full of sg 2. *[idő]* pass (by), go by, elapse, be spent, wear away/on, *[gyorsan]* fleet, slip by; *nehezen ~ik az idő* time hangs heavy (on sy's hands); *nem ~t bele egy hónap* within a month, in less than a month, it did not take a month, a month had not run its course; *sok időbe ~lett* it took a long time 3. *öröme ~ik vmben* take delight/pleasure (in), delight (in), enjoy sg, rejoice (at, over), *(vkben)* be a delight to; *kiben nekem kedvem ~ik* in whom I am well pleased 4. *ami tőlem ~ik* to the best of my ability, all I know how *(fam) ;* *ez csak tőle ~ik* no one but he would be capable of such a thing, only he could do such a thing; *~rre nekem nem ~ik* I can't manage/afford it, I cannot swing it *(fam)*, I can't run to that *(fam)* 5. *(vmből)* be enough/sufficient

télikabát *n*, winter-(over)coat, great-coat, topcoat

télikabát-anyag *n*, = télikabát szövet

télikabát-szövet *n*, heavy overcoat material, winter weight cloth, coating

télike [.. ét] *n, (növ)* eranthis *(Eranthis)*

télikert *n*, winter garden, conservatory

telik-múlik *vi*, wear away/on, pass, elapse; *ahogy telt- -múlt az idő* as time wore on

telis-tele *adv*, crammed (with), chock-full, stuffed full,

chock-ablock *(US)*, *[folyadékkal]* full to the brim, full to overflowing, brim-full

téliszalámi *n*, = szalámi

telít [-eni, -ett, -sen] *vt*, 1. *(vmvel)* fill (with), *[piacot]* overstock (with) 2. *(vegyt)* saturate, steep 3. *[anyagot]* impregnate, permeate, imbue (with)

telitalálat *n*, direct hit, hit full/right in the middle, bull's eye hit

telitalp *n*, = teletalp

telítés *n*, 1. *(vegyt)* saturation 2. *[folyadékkal]* impreg- nation, penetration, permeation, *(tex)* backfilling

telítetlen *a*, *(vegyt)* unsaturated, undersaturated; ~ *talpfa* white sleeper; ~ *vegyérték (vegyt)* partial valence

telített [-et; *adv* -en] *a*, 1. saturated, fully imbued, *[szín]* saturated, rich; ~ *fa* impregnated wood; *~gőz* saturated steam; *~vegyület* saturated compound 2. *(ker)* ~ *piac* overstocked market

telítettség *n*, fullness, saturation, *[hangé]* volume, *[színé]* saturation, richness; ~ *mértéke* degree of saturation

telítettségi [-ek, -t] *a*, ~ *határ [piucé]* saturation point, point of saturation

telíthetetlen *a*, insaturable

telíthető *a*, saturable, *[folyadékkal]* impregnable

telíthetőség *n*, saturability, *[folyadékkal]* impregna- bility

telítő [-t; *adv* -en] I. *a*, impregnating, saturating, saturant II. *n*, 1. *[készülék]* saturant, saturator 2. *[anyag]* impregnator, impregnating compound

telítőanyag *n*, impregnant, saturant

telítődés *n*, saturation, getting saturated/impregnated, impregnation

telítődik [-tem, -ött, -jön, -jék] *vi*, become saturated/ imbued/impregnated

telítőkészülék *n*, saturator, saturant

telivér I. *a*, 1. *[ló]* thoroughbred, pure-bload(ed), full- -blooded/bred, blooded *(US)* 2. *[átv valódi]* true- -bred, real, genuine; ~ *párizsi* a Parisian born and bred II. *n*, thoroughbred, blood-horse

télizöld *n, (növ)* periwinkle *(Vinca)*

telje [.. ét] *n*, *ereje teljében* in the full vigour of man- hood (*v.* of one's age); *e mű erejének teljében mutatja* this work shows him at the peak of his powers; *hatalma teljében* at the zenith of one's powers; *szép- ségének teljében van* be in the flower of one's beauty; *virágzása teljében* in full flower/bloom; *az idők teljével* in the fullness of time

teljes [-et; *adv* -en] *a*, 1. *[egész]* complete, entire, full, total, whole, all, plenary, *(ker)* gross; *nem* ~ in- complete, uncomplete; ~ *árnyék (tud)* umbra; ~ *be- vétel* total/gross takings *(pl)* (*v.* receipt); ~ *búcsú (vall)* plenary indulgence; ~ *díszben* in full dress/ uniform, in state, in all one's glory, *(kat)* in review/ gala order, in full fig *(fam) ;* ~ *ellátás* board and lodging/residence, full board/maintenance; *~ellátásra felvesz* give sy board and lodging, give board and keep; *~érték* full value; ~ *értékű* of full value, *[teljesít- mény]* fully efficient; ~ *felszerelés* complete/whole equipment/outfit; ~ *fegyverzetben* fully armed, armed cap-a-pie; ~ *fizetés* full pay, *[megfizetés]* pay- ment, in full; ~ *fizetéssel járó betegszabadságot kap* be granted sick leave on full salary; ~ *gázt ad* give full throttle; ~ *gyógyulás* complete recovery; ~ *ki- egyenlítésül* in full payment, in full and complete satisfaction; *nem* ~ *kihasználás [üzemgazdaságtan- ban]* underuse; ~ *kollektivizálás* collectivization; ~ *korú* of (full) age *(ut) ;* ~ *korú személy* major; ~ *létszám* full force, *(kat)* total/full strength; ~ *lét- számú/személyzetű* full-manned; ~ *megegyezés* com- plete agreement; *két* ~ *nap* two clear/straight days; ~ *nagyság [testi]* full-size/height, *[veszélyé]* real proportions/magnitude; ~ *nagyságú* whole/full-length, full size; ~ *név* name in full, full name; ~ *összeg* full/total amount, total aggregate, aggregate amount; ~ *sebesség (hajó)* flank speed; ~ *súly* full/gross weight; ~ *számú* (numerically) complete, full (in numbers) ~ *tej* full-cream milk, whole/unskimmed milk; ~ *termelés* gross production; ~ *termelés értéke [statisztikában]* full production value; ~ *ülés* full/plenary assembly/session; ~ *üzem* full-power run; ~ *üzemben* in full operation; ~ *üzemmel dolgozik* operate at capacity; ~*sé tesz* (make) complete 2. *[korlátlan]* absolute, full, unrestricted, all-out, integral; ~ *egészében (konkr)* in full, *(átv)* wholly (and completely); ~ *erővel* with might and main; ~ *erejéből* with all one's might, for all one is worth; ~ *erejével ráveti magát (konkr is)* go at it tooth and nail, go at it hammer and tongs *(v.* hell for leather), be hell-bent on (doing) sg; ~ *gőzzel dolgozik* work at full steam/speed, be going at full blast, put one's back into it *(fam) ;* ~ *gőzzel folyik az építkezés* building is going on full steam; ~ *jogú* with full powers *(vt),* fully qualified, *[nagykorú]* of (full) age *(ut) ;* ~ *joggal* with full powers/authority; ~ *joggal állíthatja* you may well say so; ~ *joggal azt hihette hogy* he had every reason to believe; ~ *mértékben* completely, fully, in full measure, the whole hog *(fam) ;* ~ *mértékben támogat* be all *(v.* whole-heartedly) for sg, give all-out assistance *(v.* full support) to; ~ *sebességgel* at full/top speed; ~ *szívemből* with all my heart/soul, from the bottom of my heart; ~ *terjedelemben* fully, unabridged, without any omission; ~ *terjedelmében* in full/extenso, in its entirety; ~ *tisztelettel* with all due respect, *[levélben]* with respectful regards, yours sincerely; ~ *tulajdon* full/absolute ownership/title 3. *(átv)* utter, sheer, pure, positive, perfect, radical, thorough (going), consummate; ~ *bizalommal* fully confident, *(vkhez)* in all confidence (to); ~ *csalódás* an entire delusion; ~ *egyetértés* full understanding, perfect harmony; ~ *fordulatot végez (átv)* box the compass; ~ *képtelenség* sheer nonsense; ~ *lehetetlenség* (matter of) sheer impossibility, utter nonsense *(fam) ;* ~ *pusztulás* complete/utter/total ruin, *[tűzbiztosításnál]* total loss (in fire insurance); ~ *szívemből* with all my soul; ~ *vereség* complete defeat, rout; ~ *vereséget szenved* suffer a total defeat

teljesedés n, *[tervé, reményé]* fulfilment, accomplishment, realization, materialization, *[álomé, jóslaté]* coming true

teljesed|ik [-tem, -ett, -jen, -jék] vi, *[remény, terv]* be realized, materialize, *[álom, jóslat]* come true

teljesen adv, 1. *[egészen]* entirely, totally, fully, completely; ~ *átnedvesedett* be wet through (and through); ~ *automatikus* fully automatic; ~ *azonos (dolog)* the very same thing, one and the same thing; ~ *egyedül* all by himself; ~ *egyetértek* I quite agree; ~ *elfelejtettem* I clean forgot; ~ *fedezett (ker)* fully covered; ~ *kifizet* settle in full; ~ *meztelen* stark naked, stripped to the skin/buff *(ut)* 2. *[korlátlanul]* completely, absolutely, quite, to the full, wholly 3. *[teljesen]* quite, all over, outright, throughout, every inch; ~ *ismeretlen előttem (vk)* he is an utter stranger to me; ~ *rendben van* it is perfectly in order, it is quite all right; ~ *tájékozott* is thoroughly posted (up)

teljesít [-eni, -ett, -sen] vt, a, 1. *[feladatot]* perform, accomplish, effectuate, carry out, carry into effect, discharge, complete, execute, do, *[megbízatást]* discharge, perform, execute, deliver the goods *(fam),* *[munkát]* execute, carry out, finish, achieve, *[parancsot]* follow/carry out, act upon, *[rendelést]* execute, perform, *[szerződést]* perform, implement,

[rövidebb szolgálatot] be on duty, *[kat szolgálatot]* see *(v.* do one's military) service; *nem* ~ *vmt* fail in sg; *előirányzatot* ~ complete schedule; *fizetést* ~ effect/make payment; *kötelességet* ~ perform/do*f* discharge/fulfil one's duty, do one's part; *kötelességét nem* ~*i* fail in one's duty, default; *kötelezettséget* ~ honour one's commitment; *normát* ~ fulfil the norm; *rendelést* ~ fill an order; ~*i a tervet* fulfil/meet the plan; ~*i amit vállalt* live up to the contract, meet one's obligations, deliver the goods *(fam)* 2. *[feltételt, ígéretet]* fulfil, satisfy, *[kérelmet]* grant, answer; *fogadalmat* ~ keep a vow, make good a vow; *vk kérését* ~*i* meet/fulfil sy's wish, accede to sy's wish, comply with sy's wish

teljesítés n, 1. *[feladatot]* fulfilment, accomplishment, performance, compliance with, carrying out, execution, discharge, completion, implementing, implementation, *[tisztségé, hivatalé]* exercising, *(jog)* feasance; *nem* ~ *[kötelezettségé]* non-performance*f* fulfilment/accomplishment, *(jog, ker)* omission, forbearance, failure, default; *nem* ~ *esetén* in case of default; *utólagos* ~ supplementary performance; ~ *helye(,) ideje és módja* place(,) time and manner of performance; *hivatásának* ~*e* exercise of one's duties; *hivatásának* ~*e közben érte a halál* died while actively engaged in one's work/duty, died in harness *(fam) ;* ~*t elfogad* accept performance 2. *[feltételt, ígéretet]* fulfilment, *[kérelmet]* grant(ing)

teljesítési [-ek, -t; adv -leg] a, ~ *határidő* term of accomplishment/fulfilment; ~ *hely* place of performance/delivery

teljesítetlen a, *[munka, feladat stb.]* 1. unaccomplished, unfulfilled; ~ *rendelésállomány* backlog of orders 2. *[kérés]* unfulfilled, not granted *(ut)*

teljesített [-et] a, ~ *beruházás* complete investment; ~ *fizetések* moneys paid out; ~ *szerződés* executed contract; *a* ~ *szolgálatok értéke* the value of services rendered

teljesíthetetlen a, 1. *[feladat]* inexecutable, impracticable, unworkable, unrealizable, unfeasible; ~ *megrendelés* impracticable order 2. *[kérés]* ungrantable, exorbitant (demand)

teljesíthető a, 1. *[feladat]* executable, performable, workable, practicable, feasible 2. *[kérés]* grantable

teljesítmény n, 1. *(ált)* accomplishment, achievement, performance; ~ *szerinti bérezés* payment by result(s); *a kongresszus tiszteletére felajánlotta hogy* ~*ét húsz százalékkal emeli* he made a pledge in honour of the Congress to raise his output by 20 per cent 2. *[üzemé]* output, turn-out, returns *(pl),* *[gépé]* output, capacity, effect, efficiency, power supplied, mechanical power, *[szivattyúé]* discharge, delivery, *[gépjárműé]* mileage; *hasznos* ~ effective power

teljesítménybér n, task wage, payment by/on results, wage by results, efficiency wage, *[darabbér]* piece-rate

teljesítménybérezés n, = **teljesítménybér**

teljesítménybér-rendszer n, task-wage system, system of payment by/on results, payment by results

teljesítménycsökkenés n, decrease of output, lessening of performance

teljesítményegység n, *(fiz, vill)* power unit

teljesítményérték n, value performed

teljesítménylap n, worksheet

teljesítménynorma n, output norm

teljesítményrendszer n, task-wage system, system of payment by/on results

teljesítményszázalék n, output (in) per cent, percentage of output

teljesítménytábla n, board showing the (daily) output, rate-plate, table of output

teljesítménytényező n, *(műsz)* power-factor

teljesítményű [-ek, -t] *a, nagy* ~ heavy-duty/efficiency, of great output/efficiency *(ut)*, high-powered/performance/output/capacity; *kis* ~ low-duty/efficiency, of low power/efficiency *(ut)*, low-powered

teljesítő [-t; *adv* -en] I. *a,* accomplishing, producing, executing II. *n,* executor, executer, performer

teljesítőképesség *n,* 1. *(vké)* ability, productivity 2. *[gépé]* efficiency, *[üzemé]* output, productive capacity, potential 3. *(ker)* solvency

teljeskorúság *n,* full age, majority, lawful/legal age

teljesség *n,* 1. ful(l)ness, completeness, entirety, totality, plenitude; ~ *kedvéért* for good measure, for the sake of completeness; *az idők* ~*e* ful(l)ness of time; *a maga* ~*ében* in its integrity; ~*re törekszik* aim at completeness; ~*gel alkalmatlan* entirely/absolutely unfit (for) 2. *[tökéletesség]* perfection

teljesül [-t, -jön] *vi,* = **teljesedik**

teljesülés *n,* = **teljesedés**

teljesületlen *a,* unaccomplished, unfulfilled, undischarged, *[jóslat. remény]* unsatisfied, disappointed

teljhatalmú *a,* all-powerful, possessing full powers *(ut)*, omnipotent; ~ *megbízott* plenipotentiary, authorized, agent with full powers, *(jog)* mandatary, *(ker)* proxy

teljhatalom *n,* 1. full powers; *teljhatalmat ad vknek* invest/furnish sy with full/plenary powers; ~*mal rendelkezik* have full power/authority 2. *(pol)* dictatorship, absolute/unrestricted power

telkes [-ek, -t] *a,* ~*gazda* smallholder, peasant landowner

telki [-ek, -t] *a, (jog)* ~ *teher* land charge, incumbrance, encumbrance; ~ *szolgalom* easement (appurtenant), praedial servitude

télközép *n,* midwinter

tellina [..át] *n, (áll) [kagyló]* tellina *(Tellina)*

tellur [-ok, -t, -ja] *n, (vegyt)* tellurium

tellurát [-ot] *n, (vegyt)* tellurate

telő [-t; *adv* -en] I. *a,* filling, *[hold]* waxing II. *n, a hold* ~*ben van* the moon is waxing

telt [-et; *adv* -en] *a,* 1. full, -ful, *(vmvel)* full off, filled/replete with; ~ *ház* house full to capacity, capacity audience; ~ *virág* double flower, full flower; *vízzel* ~ full of water 2. *[alak]* fleshy, plump, I*[szépen]* (beautifully) curved, buxom; ~ *ajkak* full lips; ~ *arc* round face, round cheeks *(pl)*, chubby face; ~ *idomok* buxom charms; ~ *kebel* full/broad bosom

teltség *n,* 1. fullness, plenitude, repletion, satiety 2. *[alaké]* fullness, roundness, stoutness, plumpness 3. *[hangé]* fullness, richness, volume

tél-túl *adv,* here and there

téltűrés *n, (növ)* hardiness

téltűrő [-t; *adv* -en] *a, (növ)* hardy

télutó [-t, -ja] *n,* late winter; ~ *hava* February

telve *adv,* = **telt, tele**

télvíz *n,* ~ *idején* in the depth/dead of winter, in wintertime

téma [..át] *n,* 1. theme, subject(-matter), *[beszélgetésé]* topic, *[értekezésé]* matter; *ez volt a* ~ the talk ran on this subject; *témát változtat* change the subject 2. *(zene)* theme, motif, *[fugáé]* antecendents *(pl)*

témakatalógus *n,* thematic catalogue

témakezdés *n, (zene) [fugában]* entry

témanyújtás *n, (zene)* augmentation

tématerv *n, (kb)* research project/plan

tematika *n, (isk)* syllabus, programme, *[egész iskoláé]* curriculum, *[előadásoké]* summary of lectures, topic(s)

tematikus *a, (zene)* thematic; ~ *festészet [az absztrakttal szemben]* representational painting

témaválasztás *n,* choice of subject

temérdek *a,* = **töméntelen**

Temesvár [-t, -ott, -on, -ra] *prop,* Timisoara (town in Roumania)

temet *vt,* bury, inter, *[ünnepélyesen]* inhume, entomb, commit to the earth *(ref.)*, put into *(v* commit to) the grave; *maga alá* ~ bury in the ruins, bury under/within itself; *kezébe* ~*te arcát* he buried his face in his hands

temetés *n,* 1. burial, funeral, interment *(ref.)*, entombment *(ref.)*, inhumation *(ref.)*, sepulture *(ref.)* ; *egyházi* ~ Christian burial; ~*re harangoz* knell; *vknek pompás* ~*t rendez* give *(v.* arrange) sy a magnificent funeral 2. *(nyomd)* omission, out

temetési [-ek, -t; *adv* -leg] *a,* funeral, funebrial, burial, burying, sepulchral; ~ *ének* funeral hymn; ~ *engedély* permission to dispose of a body; ~ *koszorú* funeral wreath; ~ *költség* funeral expenses *(pl)* ; ~ *menet* funeral procession; ~ *pompa* funeral pomp, *(kat)* funeral parade; ~ *szertartás* burial-service/rite

temetésrendező *n,* funeral director, undertaker, mortician *(US)*

temetetlen *a/adv,* unburied

temetkezés *n,* burying, interment, inhumation, funeral, *[ünnepélyes]* obsequies *(pl)*, exequies *(pl)*

temetkezési [-ek, -t; *adv* -leg] *a,* ~ *egyesület* burial society; ~ *hely* burial-place; ~ *segély* burial grant/allowance, survivor's benefit; ~ *vállalat* undertaking, funeral parlour *(US)* ; ~ *vállalkozó* funeral director, undertaker, mortician *(US)*

temetkez|ik [-tem, -ett, -zen, -zék] *vi,* 1. *(vhová)* bury oneself, be buried/entombed (swhere *v.* under sg) 2. *(átv vmbe)* bury oneself in, be buried in

temetkezőhely *n,* burial-place, *[antik nagy és modern nagyvárosi]* necropolis

temető [-t, -je] I. *n,* cemetery, churchyard, graveyard, burial-ground, God's acre *(ref.)*, *[antik és modern nagyvárosi]* necropolis II. *a,* burying

temetőbogár *n, (áll)* scavenger/sexton-beetle, *(tud)* necrophore *(Necrophorus)*

temetőhely *n,* = **temető, temetkezőhely**

temetőkert *n,* † = **temető I.**

temetőőr *n,* sexton, caretaker of cemetery

tempera [..át] *n,* distemper, tempera

temperafestés *n,* distempering, tempera painting

temperál [-tam, -t, -jon] *vt,* 1. *(ált)* temper, moderate, regulate, *[enyhít]* mitigate 2. *(zene, koh)* temper

temperálás *n,* 1. tempering, moderation, regulation, mitigation 2. *(zene)* temperament

temperálatlan *a, (zene)* temperless

temperált [-at; *adv* -an] *a, (zene és koh is)* tempered; ~ *skála/hangsor* equally tempered scale; *kellően* ~ *[acél]* well-tempered

temperamentum [-ot, -a] *n,* 1. temper(ament), (physical) constitution, disposition 2. *[tűz]* spirit, fire, passion, mettle

temperamentumos [-at; *adv* -an] *a,* temperamental, mettled, full of temperament *(ut)*, fiery

temperamentumosan *adv,* ~ *játszik* play with fire/verve

temperatúra [..át] *n, (vál)* temperature

tempíroz [-tam, -ott, -zon] *vt,* time (the fuse, an action etc.)

tempírozás *n,* timing (the fuse)

templom [-ot, -a] *n,* church, *[pogány]* temple, *[szektás]* chapel, *[skót]* kirk, *[zsidó]* synagogue; *hosszházas* ~ nave-and-aisle church; *keresztkupolás* ~ *(épít)* church with a domed drossing; ~*ba jár* go to church

templomablak *n,* church window

templomajtó *n,* church-door

templombajárás *n,* church-going

templombajáró *a,* church-going; ~ *ember* church-goer

templombúcsú *n,* patronal festival/feast, wake, the wakes *(pl)*, kermess, kirmess, feast of the place

templomépítés *n,* building of a church

templomépítészet n, ecclesiology
templomerőd n, (épít) church fortress, fortified church
templomfestészet n, church painting
templomgyalázás n, sacrilege
templomhajó n, nave (of church), [mellékhajó] aisle
templomi [-ak, -t; adv -an] a, church-, of the church
(ut) ; ~ énekes chorister; ~ gyertya wax-candle,taper;
~ hangulat (religious) atmosphere of devotion;
~ karmester choirmaster; ~ kórus choir; ~ zene
church/sacred music
templomjáró n, church-goer
templomkapu n, portal of church
templomos I. [-ak, -t; adv -an] a, 1. ~ rend (Order of)
Knights Templars, Knights of the Temple 2. [ájtatos]
churchgoing, churchy (pej)II. n, [-ok, -t, -a] [lovag]
(Knight) Templar, Knight of the Temple
templomozás n, going to church
templompáholy n, pew
templomrablás n, church robbing/robbery, sacrilege
templomrabló n, sacrilegist
templomszentelés n, consecration (of church)
templomtornác n, church porch
templomtorony n, church tower, [hegyes] steeple
templomudvar n, church-yard
templomülés n, pew
tempó [-t, -ja] I. n, 1. rhythm, tempo, pace, rate,
speed; ilyen~ban at this rate; ~t diktál set/make the
pace 2. (zene) [mint jelzés] tempo, time, measure
3. [úszóké] stroke 4. [modorbeli] manner(s),
conduct, behaviour, misconduct (pej) II. int, [sp
buzdítás] go it!/on!, forward!, on!
tempófokozás n, speed-up
tempójelzés n, (zene) tempo designation
tempós [-at; adv -an] a, deliberate, measured
tempóveszteség n, loss of momentum/tempo
tempózik [-tam, -ott, -zon, -zék] vi, swim
Temze [..ét, ..én, ..ére] prop, Thames
tendencia [..át] n, tendency, inclination, propensity,
trend, drift; csökkenő tendenciájú of a declining
tendency (v.) ; emelkedő ~ rising/upward tendency/
trend; eső ~ downward tendency/trend; szilárd ~
firm tendency/trend
tendenciózus a, tendentious, (strongly) bias(s)ed
tendenciózusság n, tendentiousness, bias
tenezmus n, (orv) tenesmus
ténfereg [-tem, ..rgett, -jen] vi, idle, loiter, loaf,
dawdle, trifle, stroll/hang about, saunter (along)
ténfergés n, loitering/loafing about, saunter(ing),
stroll(ing)
ténfergő [-t] a, idling, loitering, loafing, dawdling,
sauntering (along), strolling/hanging about
teng [-eni, -tem, -ett, -jen] vi, vegetate, rub along,
[szűkösen él] be scarcely able to keep body and soul
together (v. to keep the pot boiling), live from hand
to mouth, just manage to subsist, linger in misery
tengelice [..ét] n, [madár] goldfinch (Carduelis
carduelis)
tengely [-ek, -t, -e] n, 1. [keréké] axle(-tree), (műsz)
arbor, shaft, spindle, [csuklós] cardan shaft; első ~
front axle; [ellipszis, hiperbola] kis ~(e) minor
axis; másodlagos ~ (növ) rachilla, diminutive
rachis; [ellipszis, hiperbola] nagy ~(e) major axis;
y ~ (menny) y-axis; ~ felé eső [oldal] (növ) adaxial;
nem a ~ felé eső [oldal] (növ) abaxial; ~ irányú
axial; ~ körül forog revolve round (v. turn round on)
an axis; ~ körüli fordulás/forgás rotation; tengellyel
kapcsolatos (növ) axial 2. [elméleti] axis, [eszmei]
pivot 3. ~en szállít cart, transport by land, send
per carriage/cartage, ship (US) ; ~en való szállítás
road transport
tengelyágy n, axle-box, wheel-seat
tengelyalj n, pillow-block

tengelycsap n, axle-journal/pin, spindle
tengelycsapágy n, journal/axle bearing, pillow-block;
forgattyús ~ crank-bearing
tengelycsigolya n, (bonct) axis, second cervical vertebra
tengelyék n, axle/axis pin, linchpin
tengelyelhajlás n, [levélé, száré] mutation
tengelyen adv, by/per rail, by road
tengelyeszterga n, shaft turning lathe, axle-lathe
tengelyfej n, axle-head
tengelyforgás n, axial rotation, spin, rotation
tengelyfuvar n, road transport
tengelyhatalmak n. pl, axis powers
tengelyház n, axle-casing
tengelykapcsolás n, shaft coupling
tengelykapcsoló n, shaft coupling, clutch; tárcsás ~
plate-clutch; ~t old disengage the coupling
tengelykeresztmetszet n, centre section
tengelykilométer n, axle-kilometre
tengelykötés n, shaft-coupling
tengelyköz n, spread, distance between the axles
tengelymozgás n, rotation, motion of axle, rota(to)ry
motion
tengelynyak n, axle-tree collar, neck
tengelynyomás n, axial pressure, load on axle
tengelyorsó n, [járműé] axle spindle
tengelypróba n, axial test
tengelyrugó n, body-spring
tengelysapka n, axle-cap
tengelyszeg n, linchpin
tengelytávolság n, axial distance, axle/wheel-base,
interaxis
tengelytörés n, axle-fracture/break
-tengelyű [-ek] a, -axled
tengelyvég n, axle-head/neck
tenger [-ek, -t, -e]I. n, sea, ocean, the briny flood
(ref.), deep (ref.), brine (ref.) ; a nyílt ~ the high
seas (pl), the open sea, main (ref.) ; a világ minden
~e the seven seas; ~ felszínén élő növény pelago-
philous plant; a ~ek szabadsága freedom of the seas;
a ~ legmélye the profoundest depths of the ocean;
a ~ varázsa the appeal of the sea; ~ alatti submarine,
under the sea (ut) ; ~ alatti csúcsos hegy (földr)
seamount; ~ mellett by the sea, at the seaside;
~ nélküli [ország] landlocked; ezer méterrel a ~
színe felett a thousand metres above sea-level;
~be esik [hajóról, fedélzetről] fall overboard; ~be
ömlő folyó river that pours itself into the sea; ~be
temet bury sy at sea, commit a body to the deep;
~be vész be lost at sea; ~be veti a rakományt jettison
the cargo; ~ben leli sírját find a watery grave;
~hez szokik get used to the sea, find/get one's
sea-legs; ~en by/at sea; átkel a ~en cross the sea/
ocean; ~en levő/úszó áru goods afloat; ~en megy
go by sea; ~en szállított sea-borne; nyílt ~en on the
high seas, out at sea; ~re bocsát launch, set afloat;
~re magyar! (kb) (take) to the sea Hungarians! ;
~re száll put to sea, go to sea, sail, embark; bírja
a ~t be a good sailor, be acclimatized to the sea
II. a, ~ sok a sea of, oceans of; ~ sok baj a sea of
troubles; ~ nép a huge crowd, a sea of people, a sea
of faces; ~ nagy huge, immense, monstrous; ~
pénz a mint of money
tengeralattjáró a/n, submarine, subsurface/undersea
craft, [német] U-boat, [gyors járású] guppy (US) ;
atomhajtású ~ A-sub(marine); ~ elhárító kíséret
anti-sub(marine) escort; ~ vadász sub(marine-)-
-chaser
tengeralattjáró-háború n, submarine warfare
tengerálló a, [hajó] seaworthy, [ember] a good sailor;
~ csomagolás seaworthy packing; nem ~ unsea-
worthy
tengerállóság n, seaworthiness

tengerapály n, ebb-tide
tengerár n, flood-tide
tengeráradás n, sea-break/breach
tengeráramlás n, sea current, current of the sea
tengerbedobás n, (hajó) jettison
tengerbenyomulás n, (geol) ingression
tengerbíró a, = tengerálló
tengerelöntés n, (geol) transgression
tengeren adv, at sea, (go) by sea
tengerentúl adv, overseas, beyond/over/across the sea(s); ~ról from beyond/over the sea(s)
tengerentúli -ak, -t] a, oversea(s), transmarine, trans-oceanic, transatlantic, ultramarine (ref.); ~ kereskedelem oversea(s) trade, sea-borne trade; ~ ország oversea(s) country; ~ piac overseas market; ~ szállítmány oversea shipment/consignment
tengerész [-ek, -t, -e] n, 1. sailor(-man), seaman, mariner, seafaring man, [hadi] bluejacket (fam), [közlegény] [I. oszt] ordinary seaman, [II. oszt] able bodied seaman, (röv. A.B.), Jack Tar (joc), gob, leatherneck (US joc); ~nek megy go to sea, follow the sea, take to the sea 2. [melléknévként] seafaring, sailor's, marine-, [hadi] naval; ~ legénység crew, ship's company, the lower deck (fam); ~ zászló s sub-lieutenant
tengerészaltiszt n, petty/warrant officer
tengerészcsizma n, sea-boots (pl)
tengerészdal n, sea-chant(e)y/shanty
tengerészélet n, sailor's/seafaring life, life at sea, sailoring
tengerészet n, 1. [szervezet] the sea service, [hadi] the Navy, the naval forces (pl), (ker) the merchant service, the mercantile marine, shipping; ~nél szolgál be in the Navy (v. the merchant service), serve afloat (v. at sea) 2. [foglalkozás] seamanship, the art of navigation, sea-craft 3. [közügy] naval/maritime affairs (pl), nautical matters (pl)
tengerészeti [-ek, -t; adv -leg] a, naval, maritime, marine, nautical; ~ akadémia Naval Academy, Royal Navy College (GB); ~ attasé naval attaché; ~ erők marine forces; ~ hadmérnök naval engineer; ~ hírszerző osztály the Naval Intelligence Division; ~ iskola naval college; ~ miniszter Minister of Naval Affairs, First Lord of the Admiralty (GB), Secretary for the Navy (US); ~ minisztérium Ministry of Naval Affairs, Admiralty (Office) (GB), Navy Department (US); ~ szakkifejezés sea-term; ~ törvény maritime law; ~ támaszpont naval base; Kormányközi T~ Tanácskozó Szervezet Inter-Governmental Maritime Consultative Organization (röv IMCO)
tengerészgyalogos n, marine
tengerészgyalogság n, marine (corps), the (red) marines (pl), Royal marine (GB)
tengerészhadapród n, midshipman, middy (fam), snotty (US ⊛)
tengerészkadét n = tengerészhadapród
tengerészkapitány n, sea-captain, [hadi] post captain, (ker) shipmaster, master mariner, skipper
tengerészkard n, hanger
tengerészkék a, navy-blue
tengerészkétszersült n, pilot-bread, ship/pilot-biscuit
tengerészkifejezés n, sea/nautical/naval term
tengerészláda n, sea-chest
tengerészlaktanya n, naval barrack
tengerészmesterség n, seamanship, sea-craft
tengerésznép n, [nemzet] seafaring people/nation
tengerészorvos n, naval surgeon, ship's doctor
tengerészruha n, sailor suit, [vízhatlan] suit of oilskins
tengerészsapka n, sea-cap, sailor's cap, [karimás] soul-wester
tengerészszolgálat n, service afloat, sea-service; ~ot

teljesít follow the sea, [közlegény] serve before the mast, serve at sea
tengerésztiszt n, naval officer
tengerésztüzérség n, the blue marines (pl), marine/naval artillery
tengerfenék n, sea/ocean-bottom, floor; iszapos ~ muddy bottom
tengerfenéki a, abyssal, submarine, suboceanic
tengerfestő n, marine/seascape painter
tengerhajózás n, high-seas navigation, maritime navigation
tengerhajózási a, sea-going, seafaring, marine, nautical; ~ térkép sea-chart
tengeri¹ [-t, -je] n, (növ) Indian corn, maize, corn (US) (Zea Mays)
tengeri² [-ek, -t; adv -leg] a, naval, marine, maritime, sea-, ocean-, thalassic; ~ akna submarine mine, (deep-)sea mine; ~ alga/moszat seaweed; ~ állam maritime country; ~ állat (deep-)sea animal; ~ áramlás ocean current; ~ biztosítás sea/marine/ maritime insurance, insurance against sea risks; ~ blokád sea blockade; ~ csata sea battle, naval engagement/battle, sea-fight; ~ csillagvirág (növ) sea-onion (Scilla maritima); ~ csomagolás seaworthy packing; ~ édeskömény (növ) see fennel (Foeniculum marinum); ~ eredetű levegőtömegek maritime air; ~ forgalom maritime/seaborn traffic; ~ fuvar(díj) sea freight; ~ fuvarlevél (ker) bill of lading; ~ fürdő [hely] seaside resort/place, [fürdés] sea-bathing, dip in the sea; ~ győzelem naval victory; ~ háború naval war(fare); ~ haderő sea/naval forces (pl); ~ hadviselés maritime warfare; ~ hajó sea-going (v. seafaring) ship/vessel, ocean-going ship/steamer; ~ hajóhad navy, naval forces (pl), fleet, (tört) armada; ~ hajózás sailing the high-seas, maritime navigation, ocean shipping; ~ hal sea-fish, salt-water fish; ~ halászat sea-fishery; ~ hatalom naval/sea-power, [állam] maritime power; ~ homok sea-sand; ~ jog maritime law, sea law(s), Admiralty law; ~ kábel submarine cable; ~ kagyló sea-shell; ~ kár sea-damage, average; részleges ~ kár particular average; teljes ~ kár general average; ~ kereskedelem maritime/seaborne trade; ~ kígyó (áll) sea-serpent/snake, [mesebeli] sele-serpent/monster; ld még tengerikigyó; ~ kikötő seaport, harbour; ~ levegő sea air; ~ madár sea-bird/fowl; öreg ~ medve old salt, sea-salt; sea-dog, shell-back; ~ mérföld (= 1854,96 m) sea/nautical mile; ~ nimfa sea-nymph; ~ növény sea/salt plant; ~ örvény whirlpool maelstrom, vortex; ~ rabló pirate; ~ rák lobster, sea crab; ~ repülőgép seaplane, hydroplane; ~ repülőkikötő seadrome; ~ só bay/sea salt; ~ szállítás maritime/sea-transport, marine transport, forwarding by sea; ~ szállítmányozó/fuvarozó sea-carrier; ~ szél/szellő sea-breeze/wind; ~ szörny sea-monster; ~ tájkép seascape, sea-piece, marine painting; ~ támaszpont naval base; ~ térkép sea-chart; ~ uralom command of the seas, naval supremacy; ~ út [útvonal] sea route/lane, [utazás] sea-voyage/trip, cruise, [vitorláson] sailing-trip; ~ úton by sea; ~ üledék (geol) marine deposit; ~ ütközet naval engagement/battle, sea-fight; ~ veszély perils of the sea (pl); ~ vihar storm at sea
tengeribeteg a/n, seasick
tengeribetegség n, seasickness, nausea; megkapja a ~et be seasick, feed the fishes (fam), [udvarias kif] (turn out to) be a bad sailor
tengericsikó n, (áll) sea-horse, hippocampus (Hippocampus)
tengericsillag n, (áll) sea star, starfish (Asterias vulgaris)
tengericső n, cob, cob of corn
tengerifű n, (növ) sea-weed/grass (Fucus)

tengerihagyma *n*, *(növ)* scilla maritima *('Scilla verna)*
tengerihántás *n*, corn-husking
tengerikígyó *n*, *[véget nem érő történet]* yarns *(pl)*; *ld még tengeri kígyó*
tengerimalac *n*, *(áll)* guinea-pig, cavy *(Cavia porcellus)*
tengerinyúl *n*, *(áll)* = tengerimalac
tengerirozmár *n*, *(áll)* sea-horse *(Trichechus rosmarus)*
tengerisaláta *n*, *(növ)* sea-bells *(Ulva)*
tengerisás *n*, *(növ)* vegetable *(v.* dwarf-palm) fibre *(Carex arenaria)*
tengerisügér *n*, *(áll)* sea-dace *(Labrax)*
tengerisün *n*, *(áll)* sea-egg *(Echinoidea)*
tengerikugorka *n*, *(növ)* sea-cucumber/slug, trepang *(Holothuria)*
tengerjárás *n*, 1. seafaring, navigation 2. *[apály és dagály]* ebb and flow, run of tide/sea; ~ *időtartama* tide-race
tengerjáró I. *a*, seafaring, seagoing, maritime; ~ *hajó* seagoing ship, sea-boat II. *n*, 1. *(vk)* seafarer, seafaring man, navigator, mariner 2. *[hajó]* cruiser, seafarer, sea/ocean-going steamer/ship/vessel, deep--sea vessel
tengerjelzés *n*, *[hajóknak]* leading/sea/land-mark
tengerkék *a/n*, navy/sea blue
tengerképes *a*, seaworthy; ~ *hordó* seaworthy cask/ barrel
tengerképesség *n*, *[hajóé, csomagolásé]* seaworthiness
tengerkutatás *n*, oceanography
tengerkutatástan *n*, oceanography
tengermellék *n*, sea-shore, seaside, seaboard, coastline, costal region, littoral
tengermelléki *a*, littoral, coastal, *[ország]* maritime
tengermély *n*, abyss
tengermélység *n*, depth of the sea; ~*et mér* cast the lead, sound
tengermélységmérés *n*, sounding, bathymetry
tengermélységmérő *n*, *[műszer]* bathometer, (sounding) lead, plummet
tengermenti *a*, = tengermelléki
tengernagy *n*, admiral, flag officer; *vezérlő* ~ Admiral of the Fleet
tengernagyi *a*, admiral's, of the Admiralty *(ut)*; ~ *hajó* flagship; ~ *hivatal* Admiralty; ~ *méltóság/rang/tiszt* admiralship; ~ *zászló* admiral's flag
tengernyi *a*, = tenger II.
tengeröböl *n*, bay, bight, gulf, *[keskeny]* firth, inlet, arm of the sea, *[kicsi]* cove
tengerpart *n*, seaside, seaboard, seacoast, coastline, seashore, littoral, *[városi]* water-front, *[fövényes]* sands *(pl)*, sandy-beach, *[kavicsos]* shingle-beach; ~ *mentén* coastwise; ~*tal nem rendelkező ország* landlocked country
tengerparti *a*, seaside, littoral, coastal, seaboard, *[ország]* maritime; ~ *földsáv* foreshore; ~ *hajózás* coasting, hugging the coast; ~ *ház* house on the sea--front; ~*nyaralás* summer (holidays) at the seaside; ~ *sétány* sea/water-front; ~ *város* seaside/seaboard--town, town on/beside the sea
tengerrajz *n*, *[leírás]* oceanography, *[tudomány]* oceanology
tengerrengés *n*, seaquake
tengerszem *n*, tarn, mountain lake, lakelet
tengerszín *a/n*, *[a tenger színe]* glaucous, sea-green
tengerszint *n*, sea level, level of the sea; ~ *alatt* below sea-level; ~ *feletti magasság* height above sea level; *közepes* ~ mean sea level; ~*re átszámított légnyomás* pressure corrected to sea-level
tengerszoros *n*, narrows *(pl)*, sound, strait(s), channel, sea-arm
tengertan *n*, thalassography
tengervisszahúzódás *n*, *(geol)* regression
tengervíz *n*, sea-water, brine *(ref.)*

tengerzár *n*, (sea-)blockade; ~ *alatt tartott területek* blockaded areas
tengerzöld *a/n*, = tengerszín
tengerzúgás *n*, roaring/booming of the sea
tengés *n*, vegetation, keeping body and soul together, hard life, hand-to-mouth existence
tengeti életét/napjait = teng
teng-leng [tengtem-lengtem, tengett-lengett, tengjen--lengjen] *vi*, = teng
tengődés *n*, vegetation, dragging (on) a wretched life, scrapping along
tengőd|ik [-tem, -ött, -jön, -jék] *vi*, = teng
tengődő [-t] *a*, vegetating
tenisz [-ek, -t, -e] *n*, (lawn-)tennis; *asztali* ~ table tennis, pingpong
teniszbajnok *n*, tennis champion, champion tennis player
teniszbajnokság *n*, tennis championship
teniszcipő *n*, tennis shoes *(pl)*
teniszezés *n*, (playing) tennis
teniszez|ik [-tem, -ett, -zen, -zék] *vi*, play tennis
teniszfal *n*, practice wall
teniszflanell *n*, white flannel
teniszháló *n*, (tennis-)net
teniszing *n*, tennis-shirt
teniszjáték *n*, (game of) tennis
teniszjátékos *n*, tennis-player
teniszkönyök *n*, tennis elbow/arm, tennis-cramp
teniszlabda *n*, tennis-ball
tenisznadrág *n*, ducks, flannels, tennis-trousers *(mind: pl)*
teniszpálya *n*, tennis-court/ground, *[salak]* hard court, *[füves]* grass court, lawn-tennis court
teniszrakett *n*, = teniszütő
teniszruha *n*, tennis dress
teniszsport *n*, tennis
tenisztréner *n*, tennis master/trainer
teniszütő *n*, (tennis) racket, racquet *(fr)*; ~ *szíve/köze-pe* wedge of a tennis racket; ~ *újrahúrozása* tennis racquet restring
teniszütőhúr *n*, tennis gut
teniszütőhúr-lakk *n*, gut reviver
teniszütő-huzat *n*, tennis racket headcover
teniszütőprés *n*, tennis/racket-press
teniszverseny *n*, (lawn-)tennis tournament
tenmagad *pron*, thyself
tenni *vt*, ld tesz
tennivaló *n*, things to be done, agenda; *sok* ~ *van hátra* much yet remains to be done
Tenon-tok *n*, *(bonct)* bulbar capsule
tenor [-ok, -t, -ja] I. *a*, tenor (voice) II. *n*, 1. *[hang]* tenor (voice) 2. *(átv)* tenor, tone; *ugyanebben a* ~*ban* in the same strain
tenorista [..át] *n*, tenor(ist)
tenorklarinét *n*, *(zene)* tenor-clarinet
tenorkulcs *n*, tenor clef, C clef
tenotóm [-ot] *n*, *(orv)* tenotome
ténsúr *n/int*, *(kb)* Master, Mister
tente-tente *int*, hush-a-bye, lullaby
tenzor [-ok, -t, -a] *n*, *(menny)* tensor
tény [-ek, -t, -e] *n*, *[cselekedet]* act, deed, *[valóság]* fact; ~ *hogy* the fact is..., it is a fact that; *a* ~*ek* reality; *a puszta* ~*ek* the bald facts; *a* ~*ek előtt meg kell hajolni* one must bow before the facts; *a* ~*ek önmagukért beszélnek* the facts speak for themselves; *a* ~*ek teljes ismeretében beszél* speak with full knowl-edge of the facts; *ragaszkodni kell a* ~*ekhez* you have to stick to realities/facts; ~*eken alapszik* be founded on facts; *számol a* ~*ekkel* look facts in the face, take the facts into consideration; ~ *és való (hogy)* true enough, it cannot be denied, there is no denying it, you cannot get away from the fact *(mind: that)*; ~*ként megállapít [bíróság]* come to a conclusion in

regard to fact, find, hold, be satisfied as to the facts; **~ként vesz vmt tudomásul** note sg as a fact

tényálladék *n*, bearing of a case, the facts of the case, statement of facts, state of affairs; *feltételezett ~ (jog)* presumption of a fact; **~ ismeretében** on the known facts

tényálladéki [-t] *a, büncselekmény ~ elemei* factors that constitute an offence; *a bűnvád tárgyává tehető ~selekmény egyik ~ eleme* one of the elements of a criminal charge; **~ jegyzőkönyv (ker)** carrier's statement

tényállás *n*, = **tényálladék**

tényállásfelvétel *n, (jog)* constat, report on *(v. minute of)* damaging fact

ténybeli *a*, (in respect) of facts *(ut)*, factual; **~ adatok** factual data; **~ bizonyíték** evidence of the facts, positive proof

tényelőadás *n, [kereseti]* special count

tenyér [tenyeret, tenyere] *n*, palm (of the hand), flat/ hollow of the hand; *a ~ vonalai* the lines of the hand; **~ alakú** palmate; **~ből olvas** read sy's hand; *viszket a tenyerem* my fingers are tingling/itching; *~be mászó képe van* his is a mug that makes my fingers itch; *tenyerébe csap* shake hands on it; *csapj a tenyerembe* put it here; *tenyerébe támasztja állát* cup one's chin in one's palm/hand; *tenyeréből eszik* eat/feed from *(v. out of)* sy's hand; *tenyeréből iszik* drink out of the Diogenes cup; **~ből olvas/jósol** read sy's hand; *tenyerén hord vkt* pamper sy, worship sy, worship the ground sy treads on; *úgy ismerem mint a tenyeremet* I know every inch of it, I know it through and through, I know it like *(v. as well as)* the palm of my hand, I know it inside out; **~rel** with the flat hand

tenyérelemzés *n*, palmistry

tenyeres [-ek, -t] I. *a*, 1. **~ ütés [tenisz]** forehand (drive), *[boksz]* palm stroke 2. *(áll, növ)* digitate II. *n, ~t kap (isk)* be pandied

tenyeres-talpas [tenyeres-talpasat] *a*, big-limbed, thick-set, sturdy, hefty, husky *(US)*; **~ nőszemély** hefty wench

tenyérjós *n*, palmist, chiromancer, hand-reader

tenyérjóslás *n*, palmistry, chiromancy

tenyérnyi [-t] *a*, palmful, palm-sized, a handful (of); *egy ~ kék ég* a patch of blue sky; **~ kis kert** slip of a garden

tenyérrész *n, [kesztyűé]* palm

tenyérszélesség *n*, handbreadth

tenyerű [-ek, -t; *adv* -en] *a*, -palmed, -handed; *széles ~* big-handed, big-pawed *(joc)*, ham-fisted *(joc)*

tenyészállat *n*, animal for breeding, breeding/brood animal, pedigree stock

tenyészállat-állomány *n*, breeding stock

tenyészállatvásár *n*, cattle-show

tenyészbénaság *n*, breeding paralysis, covering disease; *lovak ~a* dourine

tenyészbika *n*, bull for service, breader/pedigree bull

tenyészcső *n, (orv)* culture-tube

tenyészcsődör *n*, = **tenyészmén**

tenyészet *n*, 1. vegetation, culture, *[baktériumoké]* culture 2. *(áll)* breed, stock-farm

tenyészhal *n*, alevin, brood fish

tenyészidő *n*, breeding season

tenyészidőszak *n, (növ)* growth season

+enyész|ik [-tem, -ett, . .ésszen, . .ésszék] *vt*, 1. *(áll)* breed, propagate, reproduce, multiply, *(növ)* grow, vegetate; *buján ~ik* abound, grow in profusion, pullulate; *vadon ~ik* grow wild 2. *(átv is)* thrive, flourish

tenyészjuh *n*, breeder sheep

tenyészkan *n, [sertés]* boar for service

tenyészkanca *n*, stock/brood-mare

tenyészkoca *n*, brood-sow

tenyészkos *n*, ram for service, buck *(US)*

tenyészmén *n*, stud-horse, stallion, seed-horse *(US)*; *államilag ellenőrzött ~* approved stallion

tenyészménes *n*, stud

tenyésző [-t; *adv* -en] *a*, breeding, growing, increasing, *[szépen]* thriving, flourishing, *[buján]* luxuriant

tenyészt [-eni, -ett, . .ésszen] *vt*, 1. *(áll)* breed, rear, raise 2. *(növ)* grow, cultivate, raise

tenyésztalaj *n*, 1. foster-soil 2. *[bakteriumoké]* culture--medium, meat-broth, agar(-agar)

tenyésztés *n*, 1. *(áll)* breeding, rearing, raising 2. *(növ)* growing, cultivation

tenyésztési [-ek, -t; *adv* -leg] *a*, cultural; **~ jellegzetességek** cultural characteristics

tenyésztest *n, [gombáé]* mycelium

tenyésztett [-et; *adv* -en] *a*, bred, cultivated; **~ gyöngy** cultivated/cultured pearl

tenyésztő [-t] I. *a*, breeding, rearing, raising, cultivating II. *n*, grower, breeder, cultivator, *[virágé v. kis állaté]* fancier

tenyésztörzs *n*, breeding stock

tényező [-t, -je] *n*, 1. *(áll)* factor, constituent, element, agent, moment, *(vegyt)* ingredient, component; *jelentéktelen ~* negligible quantity; *az emberi ~* the personal element 2. *(menny)* factor, coefficient, *(fiz)* modulus; **~ire bont** reduce to its components, factorize

tényfelvétel *n*, establishment of the facts

ténykedés *n*, activity, action, *[hivatali]* functions *(pl)*, *[elfoglaltság]* occupation

tényked|ik [-tem, -ett, -jen, jék] *vi*, act, officiate, discharge/perform the duties of, function

ténykérdés *n*, question/issue of facts; *vitás ~ek eldöntése [bíróságon]* the finding upon the facts in dispute; **~ megállapítása [bíróságon]** finding the determination of an issue of fact; *fellebbezés ~ben* an appeal on fact; **~t eldönt [perben]** determine issues of fact, find in a trial at law; **~t felvet** raise an issue of fact

ténykörülmény *n*, (actual) circumstances *(pl)*; *jelentős ~ek* relevant/material facts

tényleg *adv*, really, truly, indeed, as a matter of fact, in reality, actually, in fact/truth, in point of fact, honour bright *(fam)*; **~ azt gondolod?** do you really think so?

tényleges [-et; *adv* -en] *a*, real, actual, positive, effective, true, *(kat)* on active service *(ut)*; **~ állomány** regular troops *(pl)*, effective strength; **~ átmérő** effective diameter; **~ bevételek** actual/net receipts; **~ energia** dynamic energy; **~ érték** real/actual value; **~ helyzet** the state of facts, actual situation; **~ kár** real/actual damage; **~ paritás** actual affreightment; **~ rendfokozat** substantive rank; **~ szolgálat** active service; **~ szolgálatban van** be on the active list, be in/under arms; **~ teljesítmény/hatásfok** actual efficiency; **~ tiszt** regular officer; *ingatlan ~ birtoka* actual possession of realty, seisin *(obs)*

ténylegesen *adv*, actually, truly, really, in fact/reality, indeed, as a matter of fact, de facto *(lat)*

ténylegesít [-eni, -ett, -sen] *vt, (kat)* put on active service, put on the active list, *[mást]* put on the establishment

ténylegesítés *n, (kat)* activation, putting on the active list, *[másé]* putting on the establishment

ténylegesség *n*, actuality, actualness, positiveness, reality

ténylefrás *n*, statement of facts

ténylelet *n*, constat, statement of facts

ténymegállapítás *n*, fact-finding, establishment of facts; *bírói ~* finding

ténymegállapító [-t] *a*, fact-finding; **~ bizottság** fact--finding committee

tényszám n, factual data (pl), factual figure; ~ mutató factometer
ténvázlat n, [ügyvédi] brief
teobromin [-ok. -t, -ja] n, (vegyt) theobromine
teodolit [-ot, -ja] n, theodolite
Teodóra [..át] prop, Theodora
Teofil [-t, -ja] prop, Theophile
teogónia [..át] n, (vall) theogony
teogoniai [-ak, -t] a, (vall) theogonic
teokrácia [..át] n, (vall) theocracy
teokrata [..át] n, theocrat
teokratikus a, theocratic(al)
teológia [..át] n, theology, divinity
teológiai [-ak, -t; adv -lag] a, theological; ~ doktor doctor of divinity; ~ hallgató student of divinity, divinity student
teológiailag adv, (vall) theologically
teologizálás n, theologization
teológus n, theologian, [diák] student of theology/ divinity
teorba [..át] n, (zene) theorbo
teoretice adv, theoretically
teoretikus I. a, theoretical **II.** n, theoretician
teoretikusan adv, theoretically
teória [..át] n, theory
teozófia [..át] n, theosophy
teozófus n, theosophist
tép [-tem, -ett, -jen] vt, **1.** (ált) tear, rip, rive (obs), [húst] lacerate, [életlen szerszám] tear, [ketté] rend, [darabokra] pull/tear to pieces, shred, [virágot, tollat] pluck, [egyes szálat] pick; haját ~i be tearing one's hair; vknek a szívét ~i rend sy's heart **2.** [géppel rongyot] devil, willow
tépáz [-tam,-ott, -zon] vt, give (sy, sg) a rough handling, tear
tépdes [-tem, -ett, -sen] vt, keep tearing/plucking/ shredding
tépelődés n, anxious speculation, fretting, pondering, cogitation, meditation, brooding, pensiveness
tépelődlik [-tem, -ött, -jön, -jék] vi, worry, fret, speculate, ponder, brood, meditate, ruminate, cogitate; hiába ~ött rajta he couldn't worry it out
teper [-t, -jen] vt, = leteper
tepertő [-t, -je] n, = töpörtyű
tepertős [-t, -e] a, = töpörtyűs
tepertyű [-t, -je] n, = töpörtyű
tépés n, **1.** [kötszer] lint, shredded linen, charpie; ~t csinál shred linen, make lint **2.** [folyamat] tear-(ing), rending, plucking, picking **3.** [papírgyártásban] shredding, peeling
tépett [-et; adv -en] a, torn, rent, riven, shredded
tépő I. a, [-ek, -t; adv -en] tearing, rending **II.** n, [-t, -je] = tépőfarkas
tépőfarkas n, willowing/tearing machine, devil
tépőfog n, fang, canine, laniary tooth, [agyar] tusk
tépőgép n, willow, d~vil(ing machine), shredder
tepsi [-t, -je] n, meat/frying-pan, baking pan/sheet, skillet (US), [tésztának] baking/cake tray/tin
tér¹ [-t, -jen] vi, **1.** (vhová, vmerre) turn; jobbra ~ turn to the right, fork right, take the turning on the right **2.** (átv) más tárgyra ~ change the subject; ~jünk a dolog lényegére let us get to the heart of the matter, let us get down to the facts; eszméletre/ magához ~ become conscious, regain consciousness, come to; jó útra ~ turn over a new leaf, change for 'he better; keresztény hitre ~ christianize; nyugovóra ~ retire to rest, go to bed, turn in (fam)
tér² [teret, tere] n, **1.** [űr] space, room, [köz] interval, distance, [gép mozgásában] play, space, clearance **2.** [nagy, szabad] place, area, expanse, (összet) spatial; ~be kivetít project into space; ~ben és időben in time and space **2.** [városban] square, [kerek]

circus, [félkör alakú] crescent **3.** [szakmai] field department, line, province, sphere, range; más ~ei otherwise, in other respects; minden ~en in every respect, in all respects; nemzetközi ~en in the international arena/field **4.** [mozgási] scope, margin latitude, elbow-room; nincs ~ számomra there is n(room for me, there are no openings for me; tág ter nyílik have free scope, have plenty of opportunities nagy teret biztosít vmnek [sajtóban] give great public ity to sg; ~t hódít spread, gain ground; szabad tere nyújt offer a large scope, give free play; ~t vesz loose ground **5.** [villamos, mágneses] field
terápia [..át] n, therapeutics, therapy
terasz [-ok, -t, -a] n, terrace, platform, [erkély] balco ny, (geol) bench, terrace; alluviális ~ (geol) apror
teraszos [-ak, -t; adv -an] a, terraced, (em)banked ~ művelés strip cultivation
teraszosít [-ani, -ott, -son] vt, [kertet] embank
teraszosítás n, [kerté] embankment
teratológia [..át] n, (biol) teratology
teratológiai [-ak, -t; adv -lag] a, (biol) teratologica
teratológus n, (biol) teratologist
térbeli a, spatial, stereoscopic, of space (ut) ; ~ hang hatás stereophonic sound (effect) ; ~ idom soli((figure); ~ kép stereoscopic picture/view; ~ láta: stereoscopic vision, seeing in relief
térbeliség n, spatiality, extensity
terbium [-ot, -a] n, (vegyt) terbium
terc [-et, -e] n, **1.** (zene) third; kis ~ minor/flat third; nagy ~ major third **2.** (vívás, kárty) tierc(
tercett [-et, -je] n, **1.** [vers] tercet, triplet **2.** (zene) trio
tercier [-ek, -t, -e] n/a, (geol) Tertiary
tercvágás n, [vívásban] tierce
Tercsi [-t, -je] prop, = Teca
térd [-et, -e] n, knee; ~ig ér rise/reach to the knees, [felülről] come down to the knees, [alulról] come up to the knees; ~ig érő knee-deep/high, rising/ reaching to the knees (ut), [kabát] knee-length, reaching to the knees (ut), [víz] knee-deep water; ~éig ért a víz the water came up to his knees; ~en állva kneeling, on one's/bended knees; ~en állva könyörög vmért ask for sg on one's bended knees (v. on bended knee); ~én lovagoltat [gyereket] dance/dandle (child, baby) upon one's knees; ~re! down on your knees!, on your marrowbones! (joc), on your knee! ; ~re borul go down on (v. sink/fall on/to) one's knees, prostrate oneself; fél ~re ereszkedik bend one knee, drop (down) on one knee; ~re esik fall/drop/sink on one's knees; ~re kényszerít force/bring sy to his knees, (átv) reduce sy to obedience, bring sy to heel; ~et hajt genuflect, bend one's knee(s)
térdbók n, reverence, courtesy, curtsy
térdel [-t, -jen] vi, kneel, be on one's knees, be kneeling
térdelés n, kneeling, genuflexion
térdelő [-t, -je] **I.** a, kneeling **II.** n, **1.** [személy] kneeler **2.** [tárgy] hassock, kneeling-stool/cushion; ld még térdeplő
térdepel [-t, -jen] vi, = térdel
térdeplő [-t, -je] **I.** a, = térdelő I.; **II.** n, praying/ kneeling desk/chair, prayer-stool, prie-dieu (fr)
térdeplőpárna n, [templomban] hassock, kneeling--cushion
térdfájás n, pain in the knee, (tud) gon(y)algia
térdfüggés n, [torna] kneehang
térdhajlás n, popliteal space, [lóé] hock, hough, gambre!
térdhajlat n, = térdhajlás
térdhajlati [-ak, -t] a, (bonct) popliteal
térdhajlítás n, genuflexion, [bók] courtesy, curtsy, [torna] knee-bend(ing)
térdhajtás n, = térdhajlítás
térdharisnya n, sports/knee-stockings (pl)

térdín n, (bonct) hamstring; ~t átvág hamstring
térdízület n, knee-joint, [lóé] hough
térdízület-gyulladás n, housemaid's knee
térdkalács n, ball of knee, knee-cap/pan, (tud) patella
térdkötő n, garter, knee band
térdnadrág n, [buggyos] plus-fours, knickerbockers, (knee)breeches, [rövid] shorts, [kisfiúé] short/knee pants/trousers (mind: pl)
térdpáncél n, kneepiece (of armour)
térdpárna n, knee-pad/guard, [térdeplő] hassock
térdránc n, (geol) knee-bend, flexure
térdreesés n, kneeling, genuflexion, prostration, bending one's knees
térdreflex n, knee-jerk, (tud) patellar reflex
térdregiszter n, [harmóniumé] knee lever
térdrugózás n, [torna] knee springing
térdszalagrend n, Order of the Garter
térdű [-ek, -t] a, -kneed
térdvápa n, = **térdhajlás**
térdvápaizom n, (bonct) popliteus muscle
térdvédő n, knee-guard/pad/cap, [lóé] knee-cap, [vértezeten] knee-piece
terebélyes [-ek, -t; adv -en] a, 1. [fa] spreading, branchy, ramifying, big; ~ fa tree with wide-spreading branches 2. [ember] portly, corpulent
terebélyesed|ik [-tem, -ett, -jen, -jék] vi, 1. [fa] spread, ramify, grow in size, expand 2. [pocakot ereszt] begin to grow/get/develop a corporation (fam)
terebintus n, (növ) terebinth (Pistacia terebinthus)
terefere [..ét] n, small talk, (chit-)chat, gossip, chin-wag, gaggle
tereferél [-t, -jen] vi, chat, gossip
tereget vt, spread out, [ruhát] hang out/up (to dry)
teregetőkötél n, washline, drying/clothes-line
terel [-t, -jen] vt 1. (ált) direct, turn, drive, lead, conduct; a forgalmat más irányba ~i divert/turn the traffic in another direction, change the direction of the traffic 2. [állatot] drive, [juhokat] shepherd, [kutya a nyájat] round up (the sheep) 3. a beszédet másra ~i turn/change the conversation/subject, divert the conversation, draw a red herring across the path (fam), switch the conversation on to a new subject; a beszédet vmre~i turn the conversation upon sg, bring/direct the conversation (round) to a subject, lead the conversation up to sg; a figyelmét vmre ~i turn/draw sy's attention to
terelget vt, keep turning/driving, propel (in a direction)
terelőd|ik [-tem, -ött, -jön, -jék] vi, turn, be turned/diverted; a szó vmre ~ik the conversation turns on/to sg; a beszéd reá ~ött we came to speak of him
terelőgát n, diverting/diversion dam
terelőkamra n, guide-channel
terelőlap n, (rep) guide-vane, (műsz) baffle
terelőlapát n, (műsz) guide-blade
terelőlemez n, (műsz) baffle
terelőostor n, bullwhip
terelőpálya n, track
terelőpuli n, Hungarian shepherd/sheep-dog
terelősáv n, [autóút közepén] berm
terelősín n, counter-rail
terelőtárcsa n, (műsz) guide/idle-pulley
terelőút n, [kocsiforgalomnak] bypass
terelővágány n, (vasút) deflecting track
terem¹ [-tem, termett, -jen] I. vt, 1. (konkr) bear, yield, produce, grow, bring in; gyümölcsöt ~ bring/yield fruit, fructify 2. (átv) give birth/rise to, originate, arouse; türelem rózsát ~ everything comes to him who waits
II. vi, 1. (növ) produce, yield, be produced/grown, put/shoot forth, [gyümölcsfa] be fruiting; jól ~ [fa] be in full yield 2. (átv biz) nem ~ minden

bokorban it doesn't grow on every hedge; azt sem tudja mi fán ~ he hasn't the faintest/slightest idea of/about it 3. (vk vhol) appear suddenly, turn/bob up; rögtön a helyszínen termett he turned up (v. was) on the spot immediately, he was suddenly there
terem² [termek, termet, terme] n, hall, large room/chamber, [hajón] saloon, [kórházi] ward, [múzeumi, kiállítási] gallery
terembér n, rent of a room
terembiztos n, [parlamenti GB] Sergeant-at-Arms, [múzeumi] attendant
teremburáját int, the devil!, devil take it!, hang it!
teremőr n, usher, doorkeeper, attendant, janitor, [múzeumban] caretaker
terempálya n, [tenisz] indoor court
teremt [-eni, -ett, -sen] vt, 1. create, make, produce, raise, cause, form, originate, bring forth, give rise to, be author of, [vevőkört] build up; új helyzetet ~ create (v. bring about) a new situation 2. földhöz ~ floor, (bring) down, throw; pofon ~ vkt slap sy in the face, box sy's ears
teremtés I. n, 1. [alkotás] creation, creating, making, formation, production, bringing forth; a ~ koronája the masterpiece of creation; a világ ~e the Creation; a T~ Könyve (the Book of) Genesis 2. [személy] creature, person, individual; szerencsétlen ~ poor creature/soul II. int, a ~it! confound/damn it!, the devil (take him/you), [enyhébben] by gad/Jove!
teremtett [-et] a, ~ lélek sem not a (single) soul, nobody; ~ világ lower creation
teremtette int, by George!, golly!
teremtettéz [-tem, -ett, -zen] vi, storm, fume, [durván] curse, swear
teremtmény n, = **teremtés** I. 2.
teremtő [-t, -je; adv -en] I. a, creative, creating; ~ elme creative genius; ~ erő creative power/force II. n, creator, maker; Uram ~m! God Almighty!, good Lord!
teremtőd|ik [-tem, -ött, -jön, -jék] vi, be created/made
terep [-et, -e] n, ground, land, area, field, (kat) terrain; a ~ fekvése lie of the ground; kihasználja a ~ lehetőségeit make the most of the natural features of the ground/terrain
terepakadály n, obstacle, obstruction (of ground), [golfpályán] bunker
terepalakulás n, = **terepalakulat**
terepalakulat n, (natural) feature of a terrain, configuration, topography
terepdombozat n, (geol) surface relief
terepegyenetlenség n, irregularity of ground
terepegyengetés n, levelling of the ground
terepfedezet n, cover of ground, natural cover
terepfelderítés n, (kat) terrain intelligence
terepfelvétel n, 1. survey(ing) of area/ground, topometry 2. survey photography
terepfutás n, point-to-point race, cross-country running, steeplechase
terepgeológus n, field geologist
terephajlat n, warp, slope, incline
terepismeret n, knowledge of country/land/terrain/ground, local knowledge
terepjáró I. a, ~ autó overland/cross-country car, jeep; ~ képesség [jármű é] cross-country capacity II. n, = **terepjáró** autó
terepjegy n, (földr) registration mark
terepjelzés n, (földr) registration mark
terepkutatás n, prospecting
tereplépcső n, (geol) bench
tereplovaglás n, cross-country ride
terepmodell n, relief map
terepmunka n, field-work

tereppont n, datum, reference point; *jellemző ~ok* established land monuments, landmarks

terepsport n, *~ok [vadászat, lövészet, halászat]* field-sports

terepszakasz n, sector

terepszemle n, survey, *(kat)* reconnaissance, reconnoitering, ground-scouting; *terepszemlét tart* survey the placc, *[betörő]* casc thc joint ◇

terepszín n, protective colouring

tereptan n, topography

tereptárgy n, landmark

tereptarka a, camouflage

terepvázlat n, area sketch

terepviszonyok n. *pl*, natural features, character/features of the terrain/ground; *ismeri a ~at* know one's way about

térerősség n, field intensity, intensity of field

térérzék n, sense of orientation/direction, topographic sense, bump of locality *(fam)*

térérzékelés n, perception of three-dimensional space

téres [-et; *adv* -en] a, spacious, roomy, capacious, extensive

Teréz [-t, -e] *prop*, Theresa

Teréz(i)a [..át] *prop*, = **Teréz**

térfél n, *(sp)* side, *[asztaliteniszben]* court of table, *[teniszben]* half-court, *[labdarúgó-pályáé, csapaté]* half

térfénykép n, stereographic picture

térfogat n, volume, bulk, mass, capacity, cubical contents, cubage, cubic capacity/content; *~ szerint fizetett fuvardíj* freight by measurement

térfogatcsökkenés n, reduction of volume, decrease in volume, volume contraction

térfogategység n, unit of space, measure of capacity; *~re számítva* per unit volume

térfogati [-ak, -t; *adv* -lag] a, *~ áru (ker)* measurement cargo; *~ elemzés (vegyt)* titration, volumetrical analysis

térfogat-kiszorítás n, volumetric displacement

térfogatmérés n, volumetry, measuring of contents, cubing, cubature

térfogatmérési a, volumetric(al)

térfogatmérő I. a, volumetric(al) **II.** n, volumeter, volumetric apparatus

térfogatmérték n, measures of capacity *(pl)*, solid measures *(pl)*

térfogatnövelés n, *[gázé]* expansion, *[mészé stb.]* swelling, expansion

térfogatos [-at] a, volumetric(al)

térfogat-összehúzódás n, *(fiz, vegyt)* volume-contraction

térfogatsúly n, volume weight

térfogatsűrűség n, bulk density

térfogatszámítás n, volumetry, calculation of cubic contents

térfoglalás n, 1. *[területi]* expansion, gaining ground, conquest, *[szállítmánynak]* booking of space 2. *[eszmei]* spread(ing), propagation; *az új eszmék ~a* spread(ing) of (the) new ideas 3. *[jogtalan]* encroachment, infringement

térgörbe n, curve in space, three-dimensional curve

térgörbület n, *(fiz)* curvature of space

térhallású a, *[hanglemez]* stereophonic

térhanghatás n, stereophonic effect/sound

térhanghatású a, stereophonic

térhatás n, stereoscopic *(v.* three-dimensional) effect, relief, *(épít)* spatial effect, spatiality

térhatású [-ak, -t; *adv* -lag] a, three-dimensional, stereoscopic, plastic, anaglyphic; *~ kép* stereoscopic picture/view; *~ távolbalátás* stereoscopic television

térhatásúan adv, stereoscopically

terhel [-t, -jen] *vt*, 1. *(vmvel)* burden, lade, apply,

load, *[járművet]* load, freight, *[tető az épületet]* bear heavily on 2. *[anyagilag]* charge, debit, *[adóval]* impose (a tax on), burden, tax, *[adóssággal]* encumber, indebt, *[jelzáloggal]* mortgage, hypothecate; *adóval/illetékkel ~ vkt* impose a tax/duty on sy; *a költségekkel ~ vkt* charge the expenses to sy's account 3. *(átv vmt)* burden, *[agyat]* burden, clog, *[gyomrot]* lie heavy upon (stomach), *(átv vkt)* fall upon, weigh on, be a burden to, *[felelősség]* rest/lie upon/with, devolve (on), be responsible, be to blame, *[gond, bánat]* overcome, oppress, weigh down, *[kötelesség]* fall on, *[vallomás, bizonyíték]* damn, be against; *őt ~i a felelősség* the responsibility rests/lies upon/him; *kötelesség amely őt ~i* the duties which fall on him; *haszontalanságokkal ~i az agyát/elméjét* charge one's memory with trifles 4. *[terhére van]* incommode, inconvenience, trouble, disturb, bother; *ha nem ~em vele* if it is not troubling *(v.* a trouble to) you, if you do not mind it; *nem ~em a részletekkel* I shall not trouble you with the details

terhelés n, 1. burden, load, *(műsz)* load, deflecting force; *járulékos ~* auxiliary load; *mozgó ~* live/rolling load; *szimmetrikus ~* balanced load 2. *[folyamat]* loading, charging, burdening 3. *[könyvelésben]* debit entry, debiting

terhelésfelvétel n, assumption of load

terhelési [-ek, -t; *adv* -leg] a, *~ feszültség* load voltage; *~ áramkör* load circuit; *~ egység* stress-unit; *~ határ* limit load, stress/load-limit, maximum load; *~ próba* endurance/tolerance/load test, tolerance test; *~ vonal (hajó)* load/water/Plimsoll-line, Plimsoll's mark

terheletlen a, 1. unloaded 2. *[ingatlan]* unencumbered

terhelő [-t; *adv* -en] **I.** a, 1. *(ált)* burdening, loading 2. *[anyagilag]* encumbering, burdening; *a bennünket ~ költségek* the costs payable/borne by *(v.* chargeable/taxable to) us; *a tulajdonost ~ javítások* repairs chargeable to/on the owner 3. *[erkölcsileg]* aggravating, damning, compromising, accusing, indicting, *[bizonyíték]* incriminating, damning; *az őt ~ felelősség* his responsibility, the responsibility resting with him; *~ adat/bizonyíték* damning proof/evidence; *ez ~ rá* that rather implicates him; *~ körülmény* aggravating circumstance; *~ tanú* witness for the prosecution; *~ vallomás* damning testimony, evidence against (sy)

II. n, *[vállon átvetett heveder]* (wheel-barrow) brace

terhelően adv, *~ vall* charge, accuse, indict, give evidence against (sy)

terhelőjegyzék n, debit note/advice

terhelőtekercs n, loading coil

terhelt [-et, -je; *adv* -en] **I.** a, 1. *(jog)* accused, charged 2. *[anyaggal]* laden, loaded, burdened, charged, freighted, saddled; *~ vezeték* live/energized line 3. *[anyagilag]* burdened, encumbered, debited, *[jelzáloggal]* mortgaged, hypothecated; *az eredetileg ~ ingatlan* the property originally burdened 4. *(orv)* affected with hereditary abnormality *(ut)* ; *~ egyén* person suffering from hereditary abnormality

II. n, *[perben]* defendant, (the) accused, accusee

terheltség n, *(orv)* taint(ed heredity)

terhes [-et; *adv* -en] a, 1. *[vmvel megterhelt]* loaded, laden, charged, full, filled, heavy (with) 2. *(átv)* onerous, burdensome, cumbersome, inconvenient, heavy, troublesome, *[kötelesség, feladat]* hard, arduous, irksome, trying, difficult, laborious, *[adó]* heavy; *~ munka* toilsome/tiring work; *nagyon ~ nekem* it lies heavy on me, it is (rather) trying 3. *[magzattal]* pregnant, gravid, enceinte *(fr)*, *(kif)* be with child *(fam)*, be in the family way *(fam)*, be expecting *(fam)*, big-bellied *(fam)*, *[állat]* full, big (with young) *(ut)*, pregnant, impregnated; ~ asszony pregnant woman, expectant mother; új eszmékkel ~ kor an age pregnant with new ideas

terhesen *adv*, 1. *[anyagilag]* onerously 2. *[nő]* pregnantly

terhesgondozás *n*, prenatal care

terhesség *n*, 1. burdensomeness, heaviness, arduousness, irksomeness 2. *[magzattal]* pregnancy, gestation, gravidity, child-bearing, f(o)etation; a ~ megszakítása induction of premature delivery, interruption of gravidity; ~ művi megszakítása abortive treatment, (procured) abortion

terhességi [-t; *adv* -leg] a, ~ időszak gestation; ~ próba *(orv)* pregnancy test; ~ segély maternity allowance

terhességmegszakítás *n*, (procured) abortion, illegal operation, abortive treatment; ld még **terhesség**

térhiány *n*, want/lack of space/room

térhódítás *n*, = **térfoglalás**

Teri [-t, -je] *prop,* = **Teca**

téridom *n*, *(menny)* solid

tér-idő a, *(fil)* ~ kontinuum space-time continuum

terilén [-t, -je] *n*, terylene

teringette *int*, begad!, zounds!, the deuce!, shiver my timbers!, by Jove/George!

teringettét *int*, = **teringette**

tériszony *n*, cenophobia, agoraphobia

terít [-eni, -ett, -sen] *vt/vi*, 1. *(vhová)* spread/stretch out, extend; egy szőnyeget ~ a földre spread a carpet on the floor 2. *[fehérneműt]* hang/put/lay out 3. *[kártyát]* lay down; te ~esz *(kárty)* you are/play dummy 4. földre ~ vkt floor sy, lay sy low, send sy sprawling 5. *[asztalt]* lay, set (the table); két személyre ~ lay the table for two; öt személyre ~ettek covers were laid for five

térít [-eni, -ett, -sen] *vt/vi*, 1. *(vmerre)* turn, divert, conduct, lead; jó útra ~ vkt bring back a lost sheep to the fold, persuade sy to go straight, make sy turn over a new leaf, take sy back to the straight and narrow path; rossz útra ~ lead to the bad, lead astray, lead down the primrose path (to hell) 2. *(vall)* evangelize, convert to another faith, *[véleményre]* bring/win over (to sy's opinion) 3. magához ~ bring round 4. *(pénzt)* = **megtérít**

teríték [-et, -e] *n*, 1. *[asztalnál]* cover, place (at table), dinner-service, *[mint vendéglői számlatétel]* cover-charge, table-money; száz ~es asztal table laid for a hundred; az asztalon nem volt ~ the table was not laid 2. *[vad]* bag; ~re hoz *[madarat]* grass; fácán is került ~re pheasants too were bagged/shot

terítés *n*, 1. *(ált)* spreading/stretching out 2. *[fehérneműt]* hanging 3. *[asztalt]* laying, setting

térítés *n*, 1. *[irányba]* turning, diversion, detour, leading; helyes útra ~ *(átv)* moral reform, re-education 2. *(vall)* conversion, evangelizing, mission 3. *[anyagi]* repayment, refund(ing), compensation, indemnity, reparation; ~ átnedvesedésért *(ker)* allowance for damp; ~ elfolyásért *(ker)* allowance for leakage; ~ hiányért *(ker)* allowance for deficiency/shortage; ~ ellenében for compensation, upon payment of compensation; öt forint ~e ellenében for/against the payment of five forints; ~ nélkül given free of charge, as a free gift

térítési [-t] a, ~ hajlam proselytism

teritetlen a, ~ asztal unlaid table

terített [-et; *adv* -en] a, 1. *[asztal]* spread (table), (well) laid (table) 2. *[fehérneműt]* hung/laid out *(ut)*

térítget *vt/vi*, convert/evangelize/proselytize on a small scale

térítmény *n*, reimbursement, repayment, refundment, compensation, offset, indemnity

térítő [-t, -je] *n*, 1. *[asztalon]* (table) cloth, cover(ing) 2. *[ágyon]* coverlet, bed-spread

térítő [-t, -je] I. a, 1. *(vall)* missionary; ~ buzgalom proselitysm 2. *(földr)* ~ körök tropics II. *n*, 1. *(vall)* missionary, gospel-preacher, converter, evangelizer, evangelist, propagandist 2. *(földr)* tropic

térítőgép *n*, spread(er)

térítői [-ek, -t] a, apostolic

térítőpontok *n. pl,* *(csill)* solsticial points

térítvény *n*, (acknowledgement of) receipt, acknowledgement, voucher

térizoméria *n*, *(vegyt)* stereoisomerism

terjed [-t, -jen] *vi*, 1. spread, expand, increase, grow, gain ground; az árak .. tól .. ig ~nek prices run/range from ... to ...; hatalma nem ~ addig that is beyond his power, his power does not reach as far as that 2. *[hír]* get about/abroad/round, travel, circulate 3. *[fény, hang]* spread, travel 4. *[vmnek a használata]* come into general use 5. a ragály ~ the epidemic is spreading 6. *[terület vmeddig]* stretch, extend, range, run, reach (as far as); egészen a folyóig ~ extend as far as the river; a park a folyóig ~ the park reaches down to the river 7. *[határidő]* extend, expire

terjedékeny [-et] a, expansive, expansile

terjedelem [.. lmet, .. lme] *n*, 1. *[kiterjedés, nagyság]* extent, size, dimension(s), magnitude, spread, *[térbeli]* volume, bulk, largeness, vastness; nyomdai ~ size (of the printed book); kiszámítja a kézirat (nyomdai) terjedelmét cast off a manuscript; teljes terjedelmében közölték it was published in full/extenso 2. *[birtoké]* size, area, *[országé, vízé]* expanse, *[vizé, úté]* stretch 3. *[hangé]* volume, range, *[beszédé]* length 4. *(átv)* *[tudásé]* scope, range, *[szellemi képességé]* reach, *[káré, bajé]* scale (of); kis ~ben in (a) small compass, on a small scale

terjedelemváltozás *n*, volume change

terjedelmes [-et; *adv* -en] a, 1. *[síkban]* extensive, spacious, wide, of wide extent *(ut)*, ample, roomy, *[roppantul]* immense, vast, *[térben]* voluminous, big, large, *[poggyász, áru]* bulky 2. *(átv)* full, comprehensive, long, *[beszéd, írás]* lengthy

terjedelmesített a, *(tex)* ~ fonal bulked yarn

terjedelmesség *n*, extension, extensiveness, vastness, spaciousness, amplitude, bulkiness. lengthiness, largeness, voluminousness

terjedelmű [-ek, -t; *adv* -en] a, of .. extent *(ut)*; kisebb ~ of a smaller extent *(ut)*, of lesser dimensions *(ut)*; eredeti/teljes ~ unabridged, unabbreviated. *[nem cenzúrázott]* unexpurgated

terjedés *n*, spread(ing), growth, extension, expansion, increase, gaining ground, enlargement, *[hangé, hőé]* transmission, propagation, diffusion, conveyance; egyenes vonalú ~ rectilinear transmission/expansion

terjedési [-ek, -t; *adv* -leg] a, ~ sebesség velocity (of light/sound)

terjedhető a, tíz évig ~ börtönbüntetés imprisonment not exceeding ten years; öttől tíz évig ~ *[börtön]* (imprisonment) not less than five and not exceeding ten years

terjedő [-t; *adv* -en] a, 1. *[térben]* spreading, expanding, increasing, growing; három kötetre ~ mű work in three volumes; két hasábra ~ tudósítás a two-column long report 2. *(átv)* gaining ground, getting/being propagated/transmitted 3. *[magában foglal]* comprising, including 4. *(vmeddig)* stretching/reaching/ranging as far as, running (till, to) 5. *(orv)* progressive; ~ járvány growing epidemic 5. 100 fontig ~ pénzbírság a fine not exceeding £ 100; a bíróság 6 hónaptól 6 évig ~ büntetéseket szabott ki a vádlottakra the court passed sentences ranging from six months to three years on the accused persons

terjeng [-eni, -tem, -ett, -jen] *vi*, extend, *[szag]* spread, *[beszédben, írásban]* digress, be profuse/ prolix

terjengős [-ek, -t; *adv* -en] *a*, prolix, wordy, verbose, diffuse, long-winded/spun, copious, inflated, round- about, *[véget nem érő]* interminable, endless, never- -ending, *[kibernetikában]* redundant

terjengősen *adv*, profusely, diffusely, redundantly, extendedly, exuberantly, effusively

terjengősség *n*, prolixity, wordiness, verbosity, diffuseness, expatiation, exuberance, redundancy, inflation

terjeszkedés *n*, 1. expansion, enlargement, spread, growth, propagation, advance 2. *[vk kárára]* encroachment, infringement

terjeszkedési [-t] *a*, ~ *politika* expansionist policy, expansionism; ~ *politika híve* expansionist

terjeszked|ik [-tem, -ett, -jen, -jék] *vi*, 1. expand, spread, grow, increase, make headway, gain ground, advance, be propagated, *[vállalat]* enlarge, extend (its field of operations) 2. *[jogtalanul]* encroach, infringe

terjeszkedő [-t; *adv* -en] *a*, expanding, expansionary, expansive, spreading, growing, increasing, advanc- ing, enlarging

terjeszt [-eni, -ett, .. esszen] *vt*, 1. *(ált)* spread, *[népszerűsít]* popularize, *[árut]* sell, retail (goods), *[árucikket]* push (an article), *[betegséget]* spread, propagate (disease), *[elégedetlenséget]* spread, sow the seeds of (discord), *[hírt, tant]* disseminate, circulate, spread (abroad), set afloat (news, rumour), *[röpiratokat]* distribute (leaflets, pamphlets), *[sajtó- terméket]* hawk, boost (the circulation of news- papers/books), *[történetet]* put about, give out (a story), *[tudást]* diffuse, disseminate (knowledge); *eszméket* ~ diffuse ideas 2. *[illatot]* give off/out, send forth, emit (fragrance), *[fényt]* propagate, radiate 3. *vmt vk/vm elé* ~ submit/present/refer sg to sy/sg, lay/bring/put sg before sy/sg; *határozati javaslatot* ~ *a gyűlés/értekezlet elé* put a resolution to the meeting

terjesztés *n*, 1. spreading, *[eszméket]* diffusion, *[hírt]* dissemination, circulation, giving out, propa- gation, propaganda, *[lapot, könyvet]* distribution, colportage; *kultúra* ~*e* spreading/propagation of culture; *állatok útján történő* ~ zoochory; *autonóm* ~ *[magé]* dinamochory; *rovarok útján történő* ~ *(növ)* entomochory; *szél útján való* ~ *(növ)* anemo- chory 2. *[vk elé]* submission/presentation/referring to, bringing/laying before 3. *[terjesztési osztály]* trade/ distribution/colportage department

terjesztési [-ek, -t] *a*, ~ *költségek* distribution costs; ~ *osztály* = **terjesztés** 3.

terjesztő [-t, -je] I. *a*, spreading, propagating, propaga- tive; ~ *szerv (növ)* disseminule II. *n*, spreader, propagator, *[eszméé]* propagandist, *[könyvé]* colporteur, *[betegségé]* transmitter

Terka [.. át] *prop*, Terry, Tess, Tessie

térkép *n*, (geographical) map, *[tengerészeti]* chart; *részletes* ~ large scale map; *összegöngyölhető* ~ roll(er) map; *összehajtható* ~ folding map; *vak* ~ outline/skeleton map; *vázlatos* ~ sketch map; *méretaránya* scale of map; ~*et készít (vmről)* map, make/draw a map of (sg), plot; *megnézi a* ~*et* consult *(v.* look at) the map; ~*et (fel)vázol* draw a map

térképállvány *n*, map-board

térképész [-ek, -t, -e] *n*, cartographer, map-maker, mapper

térképészet *n*, cartography, map-making, mapping

térképészeti [-ek, -t; *adv* -leg] *a*, cartographic(al); ~ *intézet* cartographic(al) institute

térképésztiszt *n*, survey officer

térképez [tem, -ett, -zen] *vt*, map, chart, make a map of, plot

térképezés *n*, mapping, map/chart-making, plotting, *(kat)* surveying, ordnance survey; *földtani* ~ geo- logical survey(ing); *légi* ~ aerial survey

térképezetlen *a*, unmapped, uncharted

térképező [-t, -je; *adv* -en] I. *a*, cartographic(al); ~ *repülés* mapping flight II. *n*, cartographer, plotter, mapper

térképgyűjtemény *n*, (geographical) atlas, collection of maps/charts

térképhálózat *n*, grid

térképjelek *n. pl*, map symbols

térképkészítés *n*, map-making, cartography

térképmozaik *n*, *[több légi felvételből összeállított térkép]* mosaic map

térképolvasás *n*, map-reading

térképrajzolás *n*, map drawing/making, cartography

térképrajzoló *n*, map draughtsman/maker, cartographer

térképszekrény *n*, map cabinet

térképszerkesztés *n*, map plotting

térképszögmérő *n*, map protractor

térképtár *n*, map-room, chartroom, collection of maps/ charts

térképtáska *n*, map-case

térképtartó *n*, map-holder/case

térképtok *n*, map-case/cover

térképvázlat *n*, sketch map

térképvédő *n*, map-cover/holder

térkímélés *n*, ~ *szempontjából* to save space

térkitöltő *a*, ~ *négyszög (nyomd)* quadrat

térkonstrukció *n*, spatial construction

térköz *n*, 1. *(ált)* interval, interstice, interspace, distance, space (between), spacing, *[pilléreké]* span; ~*t hagy (nyomd)* (leave) blank 2. *(műsz)* clearance

térközállító *n*, *(nyomd)* spacer

térközbiztosítás *n*, *(vasút)* interlocking

térközbiztosító *a*, ~ *rendszer (vasút)* block-system

térközhagyás *n*, spacing

térközjelző *n*, block-signal

térlátási [-ak, -t] *a*, ~ *próba (orv)* depth perception test

térlátó *n*, *(fiz)* stereoscope

térláttató *a*, stereoscopic

termál [-t] *a*, thermal

termálforrás *n*, thermal spring

termálfürdő *n*, 1. *[forrás, intézmény]* thermae *(pl)*, hot springs/baths *(pl)* 2. *[gyógykezelésként]* thermal bath

termális [-at] *a*, ~ *metamorfózis (geol)* thermometa- morphism

termálkezelés *n*, thermal/thermic treatment

termálvíz *n*, *[lakásokba bevezetve is]* natural hot water, thermal water

termálvíz-forrás *n*, thermal spring(s)

termék [-et, -e] *n*, product, *(mezőg)* produce, yield, *[ipari]* manufacture(d article), make, *[szellemi]* production, *[vegyi]* chemicals *(pl)*; *befejezetlen* ~ *[statisztikában]* unfinished product; *kész* ~ finished product; *összehasonlítható* ~ comparable product; *piacra termelt* ~ commodities, marketed commodi- ties; *szükséges* ~ necessary product; *társadalmi* ~ na- tional product

termékbeszolgáltatás *n*, delivery of animal produce to state organs; *ld még* **terménybeszolgáltatás**

termékbőség *n*, abundance of products

termékcsere *n*, barter, exchange of products; *közvetlen* ~ direct barter of products

termékcsoport *n*, group of products

termékegység *n*, unit of output

termékeny [-et; *adv* -en] *a*, **1.** *(konkr)* fertile, productive, prolific, fecund, teeming, *[talaj]* rich, bearing **2.** *[teremtő]* creative, generative; ~ *elme* fertile mind; ~ *gondolat* fruitful idea; ~ *író* fruitful/voluminous/prolific writer; ~ *képzelőerő* productive imagination; ~ *talajra hull* fall on good ground, not be cast on barren soil

termékenyen *adv*, productively, prolifically

termékenyít [-eni, -ett, -sen] *vt*, fertilize, bring fertility (to), make fruitful, fecundate

termékenyítés *n*, fertilization

termékenyítő [-t; *adv* -en] *a*, fertile, fruitful, productive

termékenység *n*, fertility, fecundity, fruitfulness, productivity, productiveness, yield-capacity, prolificacy, prolification, *[íróé]* voluminousness

termékenyül [-t; -jön] *vi*, **1.** become fertile/fruitful **2.** *[nő]* conceive, *[állat is]* become pregnant

terméketlen *a*, **1.** *[föld]* sterile, barren, unfruitful, infertile, unfertile, prolific, penurious; ~ *talaj* barren/dead soil/ground, waste/unyielding land **2.** *[állat]* sterile, barren; ~*né tesz* sterilize **3.** *(növ)* infertile, unfertile, *[fa]* fruitless **4.** *[munka]* unproductive, unprofitable, infertile, unfruitful, unprolific

terméketlenség *n*, **1.** *(konkr)* barrenness, sterility **2.** *(átv is)* unfruitfulness, infertility, *(csak átv)* unproductivity, unproductiveness, unprofitableness

terméketlenül *adv*, **1.** *(konkr)* barrenly, unfruitfully, fruitlessly **2.** *(átv)* unproductively, unprofitably

termékforgalom *n*, *teljes* ~ gross turnover of production

termékhalmaz *n*, volume of products

termékjáradék *n*, produce rent

termékképző *a*, product-former

termékkibocsátás *n*, production output

termékmérleg *n*, product balance; *társadalmi* ~ national product balance, balance of national product

termékösszetétel *n*, *optimális* ~ optimal product pattern/composition

terméktöbblet *n*, surplus product

termel [-t, -jen] *vt*, **1.** *(ált)* produce **2.** *(mezőg)* grow, raise, rear, cultivate, *[fa]* yield, bear (fruit) **3.** *[ipar]* turn out, make, bring forth, put out, *[energiát]* generate, *(bány)* obtain (ore); *többet* ~ *vknél* outproduce sy

termelékeny [-et; *adv* -en] *a*, productive, of (high) productivity *(ut)*, efficient; *nem* ~ *munka* inefficient labour

termelékenység *n*, labour productivity, efficiency; *a munka* ~*e* productivity/efficiency of labour; *a munka* ~*ének emelése* rise in the productivity of labour; *csökkenő* ~ *törvénye* law of diminishing productivity; *emeli a* ~*et* step up productivity

termelékenységmérés *n*, measuring of productivity; *közvetlen* ~ direct measuring of productivity, measuring the last phase of productivity by natural measuring systems

termelékenységű [-ek, -t] *a*, *nagy/magas* ~ highly productive; *magas* ~ *gépek* machines for mass production, high output/performance/productivity machines

termelés *n*, **1.** *[folyamat]* production, *(mezőg)* growing, cultivation, raising, tillage, *[ipari]* producing, production, manufacturing, making, processing, readying, *(bány)* exploitation, winning, extraction, *[áramé]* generation; *a* ~ *társadalmi jellege* social character of production; *a* ~ *csont- és izomrendszere* bones and muscles of production **2.** *[eredmény, gyáré]* output, *(mezőg)* produce, *[ipari]* product, manufacture, *(bány)* yield, output; *befe-*

jezett ~ *[statisztikában]* finished production; *ipari nettó* ~ industrial net production; *teljes* ~ *értéke* full production value

termeléscsökkentés *n*, reducing *(v.* cutting down) production

termeléselemzés *n*, analysis of production, production analysis

termelésfokozás *n*, increasing production

termelési [-ek, -t; *adv* -leg] *a*, of production *(ut)*, productive, cultural; ~ *ág* branch of production; ~ *ár* price of production (as distinct from producers' price); ~ *ciklus [körforgás]* production circulation, *[válság]* production cycle; ~ *előirányzat* production target; ~ *érték* production value, value of production; *nettó* ~ *érték* value added; ~ *eredmény* output, produce; ~ *értekezlet* production conference; ~ *eszközök* means/instruments of production, capital equipment; ~ *felelős* production controller/manager; ~ *feltételek* conditions of production; ~ *folyamat* production process, process of production; ~ *formák* forms of production; ~ *hozam* yield, output; *nettó* ~ *index* index number of net production; ~ *javak* producers' goods; ~ *kapacitás* production capacity; ~ *költségek* outlay/expenses of production, prime/ production cost(s); ~ *költségvetés [tervezésben, könyvvitelben]* balance of production (incomes and outlays); ~ *mód* mode of production; ~ *módszer* method of production; ~ *norma* production norm, standard output; ~ *normák kialakítása* formation of production norms; ~ *periódus* production time; ~ *selejt* spoilage in production, waste; ~ *szerződés* production agreement, forward contract(ing) for bulk delivery of produce; ~ *tapasztalat* production experience; ~ *technika* production technique; ~ *tényező* factors of production; ~*tényezők költsége* factor cost; ~ *terv* production plan/schedule; ~ *ügyesség* labour skill; ~ *verseny* socialist emulation (for higher production); ~ *viszonyok* relations of production, production relations

termelésmód *n*, mode of production

termelésű [-ek, -t] *a*, produced, made; *saját* ~ self produced, home made/grown

termelő [-t, -je; *adv* -en] **I.** *a*, *(mezőg)* cultivating, growing, tilling, raising, *[ipari]* producing, productive, manufacturing, making, generating; *nem* ~ non-productive, unproductive; ~ *berendezés* productive equipment; ~ *fogyasztás* productive consumption, industrial consumption; ~ *munkás* worker engaged in production; ~ *szakcsoport* specialized producers' group
II. *n*, *(mezőg)* grower, agriculturist, farmer, *[ipari]* producer, maker; ~*k és fogyasztók* producers and consumers; ~*től vásárol* buy directly from the producer/farmer/grower

termelőapparátus *n*, producing apparatus

termelőberendezés *n*, producing equipment/apparatus

termelőcsoport *n*, farmers' co-operative (group)

termelődik [-tem, -ött, -jön, -jék] *vi*, be produced, be brought forth, be made

termelőerők *n. pl*, forces of production, productive forces (of society)

termelőeszközök *n. pl*, means/instruments of production, capital equipment/goods

termelőfolyamat *n*, process of production, production process

termelőgépezet *n*, machinery of production

termelői [-ek, -t] *a*, ~ *ár* producers' price; ~ *borkimérés* wine-grower's shop; ~ *(önköltségi) ár* factor costs; ~ *forgalmi adó* producer's turnover tax; ~ *javak* producers' goods; ~ *költség* production cost(s); ~ *szakszövetkezet* specialized producers' cooperation

termelőidő *n*, time of production

termelőkapacitás *n,* productive capacity
termelőképes *a,* productive, able to produce *(ut),* capable of producing *(ut)*
termelőképesség *n,* productiveness, productivity, productive capacity/efficiency, producing ability
termelőmód *n,* mode of production
termelőmunka *n,* productive work/labour, direct labour
termelőszalag *n, folyamatos* ~ continuous production line
termelőszervezet *n,* producing organization
termelőszövetkezet *n, (mezőg)* farmers' agricultural co-operative, co-operative farm; *kisipari*~producers' co-operative, production co-operative; *a* ~*ek anyagi és szervezeti megszilárdítása* financial and organizational consolidation of production co-operatives
termelőszövetkezeti *a,* ~ *csoport* farmers' co-operative (group); ~ *mozgalom* producers'/farmers' co-operative movement; *mezőgazdasági* ~ *rendszer* collective farm system; ~ *parasztság/tagság* co-operative peasantry, collective farm peasantry; ~ *tag* collective farmer
termelőtényező *n,* productive factor
termelőtevékenység *n,* productive activity
termelőtőke *n,* productive capital
termelőüzem *n,* producing enterprise, plant
termelőviszonyok *n. pl,* relations of production
termeltetési *a,* ~ *szerződés* production contract
termelvény *n,* = **termék**
termény *n,* (agricultural, farm, land) produce, fruit, crop, *[szemes]* corn, grain, *[szálas]* stover
terményadó *n,* tax in kind
terményárak *n. pl,* prices on the produce-market
terménybegyűjtés *n,* ingathering of crops
terménybegyűjtési *a,* ~ *rendszer* produce-collecting system; ~ *verseny* ingathering competition
terménybeszolgáltatás *n,* produce delivery, delivery of agricultural products (to state organs)
terményértékesítési *a, termelési és* ~ *szerződés* contract for production and for bulk delivery of produce
terményértékesítő *szövetkezet* marketing co-operative
terményfelvásárlás *n,* procurement of crops, state buying of agricultural products
terménygazdálkodás *n,* subsistence economy
termény-határidőüzlet *n,* produce dealing in futures, produce forward contract
terménykereskedelem *n,* corn-trade, trade in land produce
terménykereskedő *n,* corn/produce merchant/dealer
terményrészesedés *n,* perception, the taking/receiving of crops from an estate
terménytőzsde *n,* produce-exchange
terményügylet *n,* corn-dealings, transaction in (agricultural) produce
térmérés *n, [felületi]* square measure, planimetry, *[térfogati]* cubic measure, stereometry
térmértan *n,* solid geometry, stereography
térmértani *a,* stereographic, stereometric
térmértékn *n,* cubic measure
termes *[-ek, -t] a,* with ... chambers *(ut)*
termés *n,* 1. *[hozam] (mezőg)* crop, yield, harvest, growth, produce, emblement(s) *(ref.), [szőlőé]* vintage; *bő* ~ bounteous harvest, abundant/good crop; *gyenge/rossz* ~ poor crop, crop failure; *lábon álló* ~ standing crop; *jó* ~*ünk volt* we had a rich crop/harvest; *a föld bő* ~*t hoz* the land yields heavy crops; *egy század költői* ~*e* the harvest of a century's poetry 2. *(növ)* fruit; *barázdált* ~ vallecular fruit; *felnyíló/száraz* ~ pod; *ragadós/tüskés* ~ bur, burr; *zászlós* ~ pterodium, winged fruit/seed; ~ *két magkezdeménnyel* biovulate fruit
termésalaktan *n, (növ)* carpology

termésállapot *n,* native state
termésarany *n,* free/native/pure/virgin gold
termésátlag *n,* average yield
termésbecslés *n,* crop estimation, estimate/valuation of the crop
termésbegyűjtés *n,* ingathering/harvesting of crops
terméscsoport *n, (növ)* aggregate fruit
termésdézsma *n, (tört)* tithe
terméselem *n,* native element
termésérc *n,* ore
terméseredmény *n,* crop/harvest results *(pl),* **yield,** produce; *magas* ~ bumper crop(s)
termésezüst *n,* native silver
termésfal *n, (növ)* pericarp, fruit wall; ~ *belső rétege* endocarp; ~ *külső rétege* exocarp, epicarp
termésfém *n,* native/virgin metal
termesgőzös *n,* palace-steamer
terméshozam *n,* crop, yield (of the harvest); *jó* ~*ú föld* ground that yields well; *a földnek jó/nagy a* ~*a* the land yields heavy crops; *a földek* ~*ának növelése* increasing the crop capacity of the fields
termésingadozás *n, (mezőg)* crop fluctuation
termésjelentés *n,* report on agricultural products, report on the condition of the crops
terméskén *n,* brimstone
terméskilátások *n. pl,* crop/harvest prospects
terméskocsi *n,* saloon carriage/coach, saloon car *(US)*
terméskoksz *n,* carbonite
terméskő *n,* ragged/rubble/quarry/natural-stone, *[mint építészeti elem]* ashlar; ~ *burkolat* ashlaring; ~ *építkezés* ashlar work; ~ *fal* rustic masonry, rubble--work, ragwork; ~ *falazás* quarry-faced masonry/ bond, rubble-work
termésréz *n,* native/rose copper
termésű *[-ek, -t] a,* 1. of ... crop/harvest/vintage *(ut);* *saját* ~ home-grown; *saját* ~ *bor* wine of one's own vintage 2. *(növ) hasadó* ~ schizocarpous
termésvarrat *n, (növ)* suture (of fruit)
termésvas *n,* native iron
termesz *[-ek, -t, -e] n, (áll)* termite, white ant *(Isoptera-rend)*
termeszboly *n, (áll)* termitary, termitarium
természet *n,* 1. nature; *az élő* ~ animate nature; *a* ~ *ölén* in the open air; *a szabad* ~ the open, out of doors, the wide open spaces; *a szabad* ~*ben* in the open air; ~ *után fest* paint from nature/life; *szereti a* ~*et* love nature 2. *[alkat]* nature, character, kind, sort, *[embernél még]* disposition, temper(a-ment), constitution; *jó* ~*e van* have a happy/nice disposition; *nem* ~*e a sok beszéd* he is reticent by nature, it is not in his nature to be talkative; *olyan a* ~*e (hogy)* he is so constituted (that...); *rossz* ~*e van* he is difficult to get on with; *a* ~*ében rejlik hogy* ... it comes naturally to him to ...; *a dolgok* ~*ében rejlik* be in the nature of things, be a matter of course, be quite natural; *a dolog* ~*éből folyik* it follows as a matter of course; ~*énél fogva* by nature he is ...; ~*től fogva irigy* he is envious by nature 3. ~*ben* in kind, in specie *(lat);* ~*ben fizet* pay in kind; *pénzben vagy* ~*ben* in money or in kind
természetadta *a,* natural, innate, inborn, inbred
természetátalakítás *n,* remaking of nature
természetbarát *n,* nature-lover, lover of nature
természetbeli *a,* = **természetbéni**
terémszetbeni *a,* in kind *(ut);* ~ *fizetés* payment in kind; ~ *lakás* free quarters
természetbölcselet *n,* natural philosophy
természetbúvár *n,* naturalist, natural philosopher
természetellenes *a,* unnatural, anti-natural, against *(v.* contrary to) nature *(ut),* irregular, preposterous, perverse, monstrous, *[magatartás]* studied, affected, *[játékmodor]* mannered

természetellenesen *adv*, unnaturally, abnormally, preposterously, perversely

természetellenesség *n*, unnaturalness, perversity, perverseness, perversion, preposterousness

természetes [-et; *adv* -en] **I.** *a*, 1. *[nem mesterséges]* natural, true to nature *(ut)*, genuine, *[viselkedés]* unaffected, unstudied, unforced, artless, unsophisticated; *nem* ~ unnatural, constrained, sophisticated; *ez* ~ that is a matter of course; *ez* ~ *nála* it comes natural to him; *ez csak igazán* ~ *volt !* it was to be expected, it was only (too) natural; ~ *báj* artless grace; ~ *ember* unaffected person, *(kif)* there is no pretence about him; ~ *ész* native/mother wit; ~ *gyógymód* natur(e)opathy, nature-cure, physiatry, cure/treatment effected by natural remedies; ~ *halál* death from natural causes, natural death; ~ *halállal hal meg* die a natural death; ~ *házasság* common--law marriage, cohabitation (of man and woman), concubinage; ~ *házasságban él (vkvel)* cohabit (with sy); ~ *hő* natural/native heat; ~ *kiválasztódás* natural selection; ~ *kopás/elhasználódás* fair wear and tear; ~ *népmozgalom* natural population changes; ~ *ösztön* natural instinct/impulse; ~ *stílus* easy style; ~ *szaporodás* natural increase; ~ *távlat (műv)* frontal perspective; ~ *úton létrejött növény* indigen plant; ~ *nek veszi/találja* find it reasonable/natural, take it for granted 2. *[eredeti, természetben előforduló]* natural, native; ~ *állapot* natural/native/original state/condition; ~ *állapotban* in a state of nature; ~ *hajlandóság* native inclination/impulse, the pull/force of nature; ~ *határok* natural boundaries/frontiers; ~ *nagyság* natural size; ~ *színű* self-coloured 3. *(jog)* ~ *gyermek* natural/illegitimate child; ~ *személy* natural person 4. *(zene)* ~ *hangsor/skála* natural (key); ~ *hangszerek* natural instruments 5. *(menny)* ~ *(v. Napier-féle) logaritmus* natural logarithm; ~ *érték/nagyság* natural scale; ~ *mértékegység* natural unit of measurement

    II. *int*, naturally !, of course !, by all means !, (to be) sure !, it goes without saying !

természetesen I. *adv*, naturally, (as a matter) of course **II.** *int*, of course !, by all means !, certainly !; *ld még* **természetes II.**

természetesség *n*, naturalness, naturality, unaffectedness, artlessness, ease, lack of sophistication

természetfilm *n*, nature film

természetfilozófia *n*, natural philosophy

természetfölötti [-ek, -t; *adv* -en] *a/n*, supernatural, preternatural, miraculous, uncanny, hyperphysical

természetfölöttiség *n*, supranaturalism, supernaturality, preternaturalism, preternaturalness

természethívő *n*, natur(al)ist, nature worshipper/lover

természethű *a*, natural(istic), life-like, realistic, true to life, *[ábrázolás]* naturalesque

természethűség *n*, naturalness, naturality, life-likeness, realism, trueness to life

természeti [-ek, -t; *adv* -leg] *a*, 1. natural, physical, of nature *(ut)*; ~ *csapás* elemental disaster, *(jog)* act of God; ~ *erő* natural force, power/force of nature, physical agent; ~ *erőforrások* physical/natural resources; *a* ~ *erőforrások teljes kihasználása* full exploitation of natural resources; ~ *kincsek* natural resources; ~ *kincsekben gazdag* rich in natural resources; ~ *népek* nature peoples; ~ *törvény* law of nature; ~ *tünemények* the phenomena of nature 2. *[vele született]* inborn, innate; ~ *adomány* natural gift/talent; ~ *adottság* natural endowment

természetimádás *n*, nature-worship, naturalism, physiolatry

természetimádó *n*, nature-worshipper, adorer/lover of nature, physiolater

természetjárás *n*, tourism, hiking, touring, rambling

természetjáró *a/n*, tourist

természetjog *n*, natural law, ⟨ law binding on all mankind by the law of nature ⟩

természetkedvelő *n*, nature-lover

természetkutató *n*, naturalist, natural philosopher/scientist

természetleírás *n*, description of nature, physiography

természetrajz *n*, natural history

természetrajzi *a*, of natural history *(ut)* ; ~ *óra* natural history class/lesson

természetszeretet *n*, love of nature

természetszerető *n*, nature-lover

természetszerű *a*, natural, according/conformable to *(v.* in conformity with) nature *(ut)*, normal

természetszerűleg I. *adv*, naturally, of necessity, as a matter of course **II.** *int*, = **természetesen**

természettan *n*, (physical) science, physics, natural philosophy

természettani *a*, physical

természettanilag *adv*, physically

természettörvény *n*, *[eszmei]* natural law, *[tudományos]* physical law, law of nature

természettudomány *n*, natural science/philosophy, *(isk)* science; *a* ~ *ok* the exact sciences

természettudományi *a*, of natural science *(ut)*; ~ *doktor* doctor of science

természettudományos *a*, scientific; ~ *gondolkodás* scientific reasoning

természettudós *n*, natural scientist

természetutánzó *a*, *(fil, műv)* naturalistic

természetű [-ek, -t; *adv* -en] *a*, -natured, -tempered; *barátságos* ~ affable, good-natured, of friendly disposition *(ut)* ; *hirtelen* ~ hot/quick-tempered, irascible; *kényes* ~ *ügy* delicate/ticklish business, awkward problem; *különböző* ~ various, of all kinds *(ut)*, heterogeneous; *sürgős* ~ of an urgent character *(ut)* ; *szelíd* ~ gentle, of a sweet disposition *(ut)* ; *szerelmes* ~ of an amorous disposition *(ut)* ; *szerencsés* ~ of a happy disposition *(ut)* ; *vidám* ~ naturally cheerful, of a cheerful disposition

természetvédelem *n*, protection/preservation of nature, nature conservation/conservancy

természetvédelmi *a*, ~ *terület* nature conservation area, preserve, reservation *(US)*

természetvizsgáló *n*, = **természetbúvár**

termeszhangya *n*, = **termesz**

termeszhangyaboly *n*, = **termeszboly**

termeszt [-eni, -ett, .. esszen] *vt*, raise, grow, produce, cultivate, plant, rear

termesztés *n*, growing, culture, cultivation, production, rearing

termesztési [-ek, -t; *adv* -leg] *a*, cultural

termesztett [-et; *adv* -en] *a*, cultivated, grown; ~ *növény* cultivated plant

termet [-et, - e] *n*, stature, figure, build, physique

termetes [-ek, -t; *adv* -en] *a*, large, robust, *[asszonyság]* stout, hefty

termett [-et; *adv* -en] *a*, born/made for, just the man/person for, cut out for; *lóra* ~ a born horseman

termetű [-ek, -t; *adv* -en] *a*, -statured, of... stature/figure *(ut)*, figured; *alacsony* ~ of small stature/figure *(ut)*, small; *hatalmas* ~ powerfully built; *magas* ~ very tall, lofty *(fam)* ; *szép* ~ well-made, clean-limbed

termik [-et, -je] *n*, thermal(s), rising whirl/current (of heated air)

termikrepülés *n*, thermal soaring

termikus *a*, *(fiz)* thermal; ~ *rakétahajtómű* thermal rocket engine; ~ *szél* thermal wind

terminátor [-ok, -t, -a] *n*, *(csill)* terminator

terminológia [.. át] *n*, terminology; *jogi* ~ legal lan_ guage/terminology; *tudományos/szakmai* ~ nomenclature

terminus *n*, (appointed) time, time limit, *[fizetési]* term of payment

terminus technicus technical term

termisztor [-ok, -t, -a] *n*, *(vill)* thermistor

termit [-et] *n*, *(vegyt)* thermit(e)

termithegesztés *n*, thermit weld

termithegesztő *a*, ~ *eljárás* aluminothermy

termodinamika *n*, thermodynamics

termodinamikai *a*, thermodynamic

termoelem *n*, *(vill)* thermopile, thermo-element

termofőr [-ok, -t, -ja] *n*, thermophore, *(vill)* electric warming pad, electric cushion, *[forróvizes]* hot-water bottle

termográf [-ot, -ja] *n*, *(fiz)* thermograph

termokémia *n*, *(vegyt)* thermochemistry

termokémiai *a*, *(vegyt)* thermochemical

termolabilis *a*, *(orv)* heat-labile

termomagnetikus *a*, *(fiz)* thermomagnetic

termomagnetizmus *n*, *(fiz)* thermomagnetism

termométer *n*, thermometer

termonukleáris *a*, *(fiz)* thermonuclear; ~ *katasztrófa* thermonuclear catastrophe; ~ *reaktor* thermonuclear reactor

termostabil *a*, *(orv)* heat-proof

termosz [-ok, -t, -a] *n*, thermos, vacuum bottle/flask

termoszbetét *n*, refill

termosztát [-ot, -ja] *n*, thermostat

termoterápia *n*, *(orv)* thermotherapy

termő [-ek, -t; *adv* -en] I. *a*, productive, producing, fertile, yielding, *[föld]* arable, tillable; ~ *fa* (good) bearer; *folyton* ~ everbearing; *jól/bőven* ~ *föld* ground that yields well II. *n*, *(növ)* pistil

termőág *n*, fructiferous *(v.* fruit-bearing) bough/branch

termőbimbó *n*, = termőrügy

termőerő *n*, productiveness; *a legjobb* ~*ben van* be in full yield/bearing/productiveness

termőföld *n*, arable/tillable/agricultural land, cropland, (arable) soil; *terméketlen talaj* ~*dé tétele* quickening of the soil

termőhely *n*, *[növényé]* habitat, site, niche; *átmeneti* ~ ecotone; ~ *megválasztása* selection of the habitat

termőhelyi *a*, ~ *index* site index

termőképes *a*, productive, bearing

termőképesség *n*, productivity, productiveness, productive capacity, fertility

termőkör *n*, *(növ)* gynoecium; ~ *szabad termőlevelekkel* apocarpous gynoecium; ~ *összeforrott termőlevelekkel* syncarpous gynoecium

termőlevél *n*, carpel; ~ *nélküli* acarpellous; *a termőlevelek nem forrtak össze* carpels are free

termőlevelű *a*, carpellary; *több* ~ polycarpellary, polycarpous

termőréteg *n*, surface soil, tilth

termőrügy *n*, flower-bud, fruit-spur/bud

termős [-et] *a*, *[növény]* pistillate, pistilliferous

termősít [-eni, -ett, -sen] *vt*, *[földet]* clear, reclaim (land)

termősítés *n*, *(mezőg)* reclamation, clearing

termősíthető *a*, *(mezőg)* reclaimable

termőtalaj *n*, = termőföld

termőterület *n*, crop land, cultivable land

termővessző *n*, *[szőlőtőkén]* fruit-branch (of vine)

termséma *n*, *(fiz)* term scheme, energy level diagram

ternó [-t, -ja] *n*, tern, *[kockajátékban]* two treys

ternyefű *n*, *(növ)* madwort, alyssum *(Alyssus)*

térnyerés *n*, gaining ground, *[előrehaladás]* headway

térparancsnok *n*, town-major, garrison commandant/ commander

térparancsnokság *n*, town-command

terpén [-ek, -t, -je] *n*, *(vegyt)* terpene

terpentin [-ek, -t, -je] *n*, turpentine, *(tud)* terebinthine

terpentinszesz *n*, (oil of) turpentine, turps *(pl) (fam)*

terpeszállás *n*, straddle position, straddle-stand, stride stand, straddling (position); ~*ban* standing astride/ astraddle, straddle-legged; ~*ban áll* bestride, bestraddle

terpeszkedés *n*, sprawling, stretching, spreading (out) (one's legs), lolling

terpeszked|ik [-tem, -ett, -jen, -jék] *vi*, sprawl, stretch, spread (out) (legs), square elbows, loll

terpesztávolság *n*, stride

terpeszugrás *n*, splits *(pl)*, jumping astraddle

terpeszülés *n*, straddle seat; ~*ben ül vmn* estride/ bestraddle sg

térrács *n*, space lattice

térrajz *n*, ground plan, plan of site

terrakotta [.. át] *a/n*, terracotta, pottery

terramicin [-ek, -t, -je] *n*, *(orv)* terramycin

terrárium [-ot, -a] *n*, terrarium, vivarium

terrénum [-ot, -a] *n*, domain, sphere, field (of action), line *(fam)*

terringettét *int*, = teringette

territorialitás *n*, territoriality

territórium [-ot, -a] *n*, territory

terror [-ok, -t, -ja] *n*, reign of terror, terrorism, intimidation; *fehér* ~ White Terror

terrorbombázás *n*, terror-raid

terrorcselekmény *n*, act of terrorism

terrorhullám *n*, wave of terror

terrorista [.. át] I. *a*, terrorist(ic) II. *n*, terrorist

terrorisztikus *a*, terrorist(ic)

terrorizál [-t, -jon] *vt*, terrorize, intimidate

terrorizmus *n*, terrorism, terrorization

terrorszervezet *n*, terrorist organization

terroruralom *n*, terrorist regime/rule, reign of terror

térség *n*, plain, area, open space, open fields *(pl)*, (wide) range, *[vár, középület előtt]* esplanade

térsík *n*, *(mért)* plane of projection

térszemlélet *n*, space-perception

térszerkezet *n*, *(vegyt)* configuration

térszerű *a*, spatial

térszerűség *n*, spatialism, spatial effect, spatiality

térszín *n*, *(földr)* relief

térszinformák *n. pl*, natural features (of land), ground forms

térti [-ek, -t, -je] I. *a*, ~ *jegy* return *(v.* round trip) ticket; ~ *fuvar (vasút)* return freight; ~ *fuvardíj* back freight; ~ *vevény* notice/acknowledgement of receipt II. *n*, = térti jegy

tértöltés *n*, space charge

Terus *prop*, Terry, Tess

terül [-t, -jön] *vi*, = elterül

térül [-t, -jön] *vi*, *[megy és jön]* make a round, go and return

terület *n*, 1. *(konkr)* territory, district, area, country, region, land, ground, tract, space, *[kisebb]* ground, field, stretch, *(kat)* terrain, *[országé, városé]* surface, area, *[vadászati]* preserve, *[ingatlané]* acreage; *beér ítetlen* ~ unbuilt area; *mögöttes* ~ *(kat)* rear area; *Magyarország* ~*én* on Hungarian territory; ~*en kívüli* ex(tra)territorial 2. *[szellemi]* domain, sphere, field, scope, department, range; *az élet minden* ~*e* all walks of life; *a politika* ~*én* in the domain/field of politics 3. *(mért)* surface, area, superficial extent

területenkívüliség *n*, ex(tra)territoriality, extrality

területenkívüliségi *a*, ~ *jogok* rights of extraterritoriality

területfelderítés *n*, *(kat)* area coverage

területi [-ek, -t; *adv* -leg] *a*, territorial, regional, local; ~ *előrejelzés* area forecast; ~ *épség* territorial integrity; ~ *könyvtárhálózat* regional library system; ~ *kör/*

hatályosság geographic coverage; ~ *pártbizottság* regional party committee; ~ *pártszervezet* regional party organization; ~ *részletezés szerint* by regions

területiség *n,* territoriality

területmérés *n,* planimetry, measurement/measuring of surface/area, square measure, *[földé]* land-surveying/measuring

területmérő *n,* planimeter, *[földé]* surveying/land/measuring chain

területmérték *n,* superficial/square measure

területrendezés *n,* country planning

területrész *n,* ground, land, region, territory, district

területsáv *n,* tract/strip of land/territory

területszámítás *n,* computation of area

területtartás *n, [térképvetületen]* equivalence

területtartó *a,* ~ *térkép* equal-area map; ~ *vetület* equal-area projection

területű *[-ek, -t] a,* of ... territory/surface/area *(ut) ; nagyobb ~ mint* it is larger in area than

térül-fordul *[térült-fordult, térüljön-forduljon] vi,* come and go, be out and back

terülj-asztalkám *n,* table spread by magic, magic table

terv *[-et, -e] n,* **1.** *[elméleti]* plan, scheme, project; *beruházási ~* investment plan; *éves ~* the year plan, one-year plan; *az ötéves ~* the Five-Year Plan; *népgazdasági ~* plan of the people's economy, national economic plan; *perspektivikus ~* longe-range plan; ~ *szerint* according to *(v.* under) the plan, on schedule *(US)* ; ~ *szerint cselekszik* follow a course, follow a plan of action; ~ *végrehajtása* execution/implementation *(v.* carrying out) of a plan; *ma estére nincs semmi különösebb ~em* I have nothing particular in view this evening; *~be vesz* plan, consider/contemplate/form a project, schedule; *~be vett* planned, designed, projected, scheduled, envisaged, *[szándékolt]* contemplated, considered; *~be van véve* is planned/scheduled; *~en felüli* over/above the plan *(ut) ; ~en felüli beruházás* over--plan investment; *~en kívüli* unplanned; *~et forral* hatch a plot; *~et készít* form a project, conceive/project/form a plan, draw up a plan; *~et kivitelez* execute a plan; *~eket sző* weave/hatch/devise/make plans; *~et teljesít* perform/fulfil the plan, hit/realize the target; *~et túlteljesít* overfulfil the plan, beat/exceed/outstrip/smash the target **2.** *[szándék]* design, intent(ion), purpose, calculation, *[gonosz]* plot; *az volt a ~em* my plan was to, I thought of doing; *házassági ~ekkel foglalkozik* have matrimonial designs, make plans for matrimony/marrying; ~ *nélküli* planless, following no preconceived plan *(ut),* devoid of *(v.* without) plan *(ut),* unmethodical, unsystematic(al), *[cél nélküli]* aimless, random, higgledy-piggledy, confused **3.** *[épít]* design, project, plan(ning), drawing, draught, draft, *[részletes]* diagram, layout, detailed map, *[vázlatos]* outline, rough sketch/draft **4.** *[szoboré]* clay model, *[képé]* sketch

tervállam *n,* country with planned economy

tervár *n,* plan(ned) price, price applied in the plan

terváttekintés *n,* main/broad outlines *(v.* general outline) of a scheme

tervberuházás *n,* investments in the plan

tervbizottság *n,* projects/planning committee; *Állami T~* National Planning Board

tervel *[-t, -jen] vt,* — *tervez*

tervelőirányzat *n,* plan target, scheduled output/sum

tervértekezlet *n,* planning conference

terves *[-ek, -t, -e] n,* = *tervfelelős*

tervév *n,* year of the plan, plan year

tervez *[-tem, -ett, -zen]* **I.** *vt,* **1.** *[alkotást]* draw up (the plan of), design, draft, outline, sketch, lay out; *házat ~* draft the plan of a house, design a building;

a ruhákat ~te ... (szính) play costumed by ... **2.** *[elméletben]* plan, intend, contemplate, project, devise, forecast, envisage, consider, contrive, frame, propose (to oneself), *[gonoszat]* plot, hatch, engineer, scheme; *utazást ~* contemplate/consider a journey **II.** *vi, ember ~ Isten végez* man proposes God disposes

tervezés *n,* **1.** *[folyamat]* planning, projecting, contemplation, devising, consideration, proposal, contrivance; *népgazdaság ~ c* national planning, planning of national economy **2.** *(épít)* planning, drafting, designing, drawing/drafting up **3.** *[terv]* outline, rough sketch/draft, skeleton, project, scheme

tervezési *[-ek, -t; adv -leg] a,* of planning/designing, drafting/drawing *(ut) ; ~ munkák* planning operations; ~ *osztály* planning department

tervezésvezető *n,* chief planner, head of the planning department

tervezet *n,* **1.** *(ált)* plan, project, draft, sketch, scheme *[eseménysorozaté]* program(me) **2.** *[törvényé]* bill, *[szerződésé]* draft

tervezetkészítés *n, [levélé, ügyiraté stb.]* drafting

tervezett *[-et] a,* planned, projected, intended; *nem ~* unplanned

tervezget *vt/vi,* be (for ever) planning, contrive, project, make *(v.* draw up) plans, dream about sg

tervezgetés *n,* making plans for the future; *mi értelme van a ~nek?* what is the use of making plans?

tervező *[-t, -je]* **I.** *n,* planner, designer, projector, constructor, drafter, *(szőnyegé]* cartoonist, *[mintáké]* designer, pattern-drawer **II.** *a,* structural, designing; *a hidat ~ mérnök* the engineer designing the bridge; ~ *osztály* designing/planning department

tervezőintézet *n,* institute for (architectural) design

tervezőiroda *n,* designing/planning office

tervezőmérnök *n,* construction engineer, structural/designing engineer

tervfegyelem *n,* plan discipline

tervfeladat *n,* plan task, target, quota/target/goal/task/objective prescribed in *(v.* set by) the plan

tervfelbontás *n,* breaking down *(v.* specifying/detailing) the plan

tervfelelős *n, (kb)* ⟨official responsible for the fulfilment of the plan (in a given workshop)⟩, planner *(fam)*

tervgazdálkodás *n,* = *tervgazdaság*

tervgazdaság *n,* controlled/planned economy

tervgazdaságtan *n,* (science) of economic planning

tervhivatal *n,* Central Planning Board/Bureau/Office

tervidőszak *n,* plan period

térviszony *n,* spatial relation(s)

tervjelentés *n,* plan fulfilment report

tervkalkuláció *n,* estimate (of a plan)

tervkészítés *n,* planning, forming of plans, drafting of the plan, projecting/making (of) plans

tervkovács *n,* planner, schemer, maker of projects/plans

tervkölcsön *n,* Plan Loan, *[kötvénye]* Plan Bond

tervközpont *n,* = *tervhivatal*

tervlemaradás *n,* underfulfilment of plan, falling below the plan, lagging behind the plan

tervmásolat *n,* copy of plan/draft

tervmegbízott *n,* planning official, ⟨official responsible for promoting plan-fulfilment *(v.* promotion of plan) at a factory/enterprise⟩

tervmunka *n,* scheduled work

tervnélküliség *n,* planlessness

tervország *n,* centrally planned country, planned economy

tervosztály *n,* planning department

tervpályázat *n,* competition

tervrajz *n,* plan, design, sketch, draft, plot, blueprint, planned layout; ~ok és költségvetések drafts and estimates

tervszám n, target(-figure), planning index; pótlólagos ~ supplementary target

tervszerű a, **1.** planned, according to (a regular) plan (ut), deliberate; ~ befolyásolás planified guidance, planified influence; ~ megelőző karbantartás planned preventive maintenance; ~ munkaerőgazdálkodás planned administration of labour force; ~ termelés co-ordinated production, planned economy; ~ visszavonulás planned retreat **2.** systematic(al), methodical, purposeful

tervszerűen adv, **1.** as planned, according to plan **2.** methodically, systematically

tervszerűség n, purposefulness, method(icalness), methodical/systemic arrangement/order

tervszerűsít [-eni, -ett, -sen] vt, rationalize

tervszerűsítés n, rationalization, planification

tervszerűtlen a, unsystematical, chance, haphazard, random, planless

tervszerződés n, plan-contract

tervtábla n, notice-board recording progress of the Plan, table of Plan

tervteljesítés n, fulfilment of the Plan

tervtörvény n, Plan law, law of the Plan

terv-túlteljesítés n, overfulfilment/outstripping of the Plan, beat-the-schedule performance (fam)

tervvázlat n, (rough) draft, preliminary plan, sketch, estimate

tervvégrehajtás n, performance/fulfilment of the Plan

térzene n, concert in a square/park, promenade concert

terzina [. .át] n, tercet, triplet, terza rima

térző [-t, -je] n, spacer, lead; nyolcadpetit/egypontos ~ (nyomd) hair-space

térzőlap n, (nyomd) space-plate

tesped [-tem, -ett, -jen] vi, **1.** (konkr) stagnate, be stagnant, vegetate, [üzlet] be slack/dull **2.** (átv) languish, [elme] become sluggish/torpid

tespedés n, **1.** (konkr) stagnation, stagnancy, standstill, [üzleti] slackness **2.** (átv) languishment, torpor, backwater

tespedt [-et; adv -en] a, stagnant, lethargic(al), languishing, torpid, [üzlet] slack

tessék int, **1.** [szíveskedjék] please!, play!, (will you) kindly; ~ beszállni take your seats please, all aboard! (US); csak ~ please, by all means, go on, don't let me inconvenience you; ~ helyet foglalni please be seated, sit down please, take a seat; Szabad lesz? Hogyne(,) csak ~! May I? Please do; ~ megmondani would you kindly tell me, could you tell me (,) please...; ne ~ haragudni please don't be annoyed/angry; ~ parancsolni at your service; erre ~! this way please; ~ (itt van) here you are; káposztát ~! [piacon] fine cabbage! **2.** [asztalnál] help yourself **3.** [kopogásra] come in; ~? yes?, [nem értettem] I beg your pardon?, what do you say?; ~ kérem? [mit óhajt] what can I do for you? **4.** [hallgatom] I am listening, I am all ears

tessékel [-t, -jen] vt, [bejelé] ask sy (to come) in, invite sy in a friendly manner, [kifelé] bow sy out, show sy to the door, [kidob] show sy the door; asztalhoz ~ invite to sit down to the table; a szalónba ~te a vendéget she ushered the guest into the drawing-room

tessék-lássék a/adv, sham, pretence, for appearances' sake, make-believe, window-dressing, eye-wash ❖; csak ~ csinálja meg do sg in a perfunctory way, do sg anyhow (fam)

test [-et, -e] n, **1.** body, frame, [végtagok nélkül] torso, trunk; emberi ~ human body; a ~ melege the warmth of the body; egész ~ében reszket shake all over, shake in every limb, be all in/of a tremble; ~hez álló close-fitting, skin-tight, tight-fitting; ~tel bíró cor-

poreal **2.** [szemben a lélekkel] body, (vall) the flesh, this mortal clay; egy ~(ek) (bibl) to be one flesh; egy ~ egy lélek united (in) body and soul; ők ketten egy ~ egy lélek they are completely attuned to one another; a lélek kész de a ~ erőtelen the spirit is willing but the flesh is weak; ~e-lelke unja be heartily sick of; sem ~ének sem lelkének nem kell he won't even hear of it; ~et ölt come true, be realized, materialize; ~et ölt vmben find shape in sg; ~et öltött embodied, incarnate, the impersonator of...; ~et öltött gonoszság a devil incarnate; a ~et öltött jóság the personification/embodiment (v. very picture) of kindness, kindness itself; ~estől-lelkestől with all one's heart and soul; ~tel-lélekkel with body and soul, with heart and hand, with a will **3.** [jármű, repgépé] body, [hajóé] hull, body, [hangszeré] shell, body **4.** (fiz) body; cseppfolyós ~ liquid/fluid body; idegen ~ foreign body/matter; légnemű ~ aeriform/gaseous body; mozgó ~ (műsz) body in motion; szilárd ~ solid body **5.** (mért) solid body/figure

testál [-t, -jon] vt, bequeathe, leave, legate

testalkat n, build, figure, shape, physique, stature, form; szép ~a van have a fine physique/body, be a fine figure of a man, be a well set up (v. well-built) fellow; erős ~a van have a good physique

testalkatú a, of... constitution/physique (ut); erős ~ [igével] be strongly constituted, have a good physique

testállás n, bodily position, (body) posture, carriage

testámentum [-ot, -a] n, will, testament

testápolás n, body/bodily/personal hygiene, physical culture

testcsel n, body-swerve/trick/feint, dodge

testcselez vt, feint with one's body, dodge

testecske n, corpusc(u)le

testedzés n, physical culture/training, (athletic) sport(s), gymnastics

testedző a, training, physical culture, sporting, sport(s)-

testegyenészet n, orthopaedics, orthopaedy

testel [-t, -jen] vt, (vill) [vezetéket] earth

testérintkezés n, (vill) body contact

testes [-et; adv -en] a, **1.** [ember] stout, corpulent, burly, portly, massive, heavy **2.** [könyv] bulky, large, voluminous; ~ könyv ponderous volume/tome **3.** ~ bor full-bodied wine

testesed|ik [-tem, -ett, -jen, -jék] vi, become stout, grow corpulent, put on beef/flesh

testesség n, corpulence, stoutness, portliness

testetlen a, bodiless, disembodied, incorporeal, immaterial, insubstantial, ethereal; ~ szellem disembodied spirit

testetlenség n, bodilessness, incorporeality, ethereality, immateriality

testetlenül adv, immaterially, ethereally

testetöltés n, **1.** (vall) incarnation **2.** [spiritizmus] materialization

testfelület n, body-surface, surface area

testfűtés n, animal heat

testgyakorlás n, gymnastic exercise, physical training/culture, gymnastics, athletic games/sports (pl), [ritmikus] eurhytmics, callisthenics; ~t végez take exercise

testgyakorlat n, = testgyakorlás

testhelyzet n, bodily position, posture

testhezálló a, [megfelelő] cut out for (sy) (ut), after one's own heart (ut)

testhossz n, body length

testhőmérséklet n, body temperature; ~ normalizálódása settling of temperature

testi [-ek, -t; adv -leg] a, **1.** (konkr) bodily, physical, corpor(e)al, (orv) somatic; ~ büntetés/fenyíték corpor(e)al punishment; ~ épség (good) health, security, corpor(e)al integrity; ~ erő physical strength, muscular power, animal force; ~ fehérnemű body linen, underwear, underlinen; ~ fogyatkozás physical handicap; ~ folyamat physical process; ~ gyengeség physical weakness; ~ hiba bodily/physical defect/disability/deformity/abnormality; malformation; ~ munka manual labour 2. [szellemi ellentéte] fleshly, carnal, sensual, material; ~ élvezetek carnal pleasures, the pleasures of the flesh; ~ vágy fleshly desire/lust, carnal lust, lust of the flesh; ~ vonzóerő physical attractions 3. (jog) könnyű ~ sértés assault and battery; súlyos ~ sértés (bűntette) aggravated/malicious assault

testileg adv, bodily, in body, physically, corporally/corporeally

testi-lelki [adv testileg-lelkileg] a, ~ jóbarát intimate close/bosom friend, a friend in body and spirit

testiség n, 1. corpor(e)ality, materiality 2. [érzékiség] sensuality, fleshliness, voluptuousness

testkultúra n, culture of the body, body culture

testkultusz n, cult/worship of the body, body worship

testmagasság n, body height, height (of body)

testmérés n, 1. [embertani] anthropometry, measuring of the body 2. (mért) stereometry, measuring (of) volumes, mensuration

testmértan n, stereography, stereometry

testmértani a, stereometric, stereographic

testmozgás n, (physical) exercise, movement of the body, [séta] constitutional; az orvos ~t ajánlott the doctor advised/recommended (more) exercise

testnedv n, bodily fluid, humour

testnevelés n, physical training, sport(s)

testnevelési a, T~ Főiskola School of Physical Education, training college for sports-masters/treachers; ~ tanár sports teacher/master, games master

testnevelő I. a, sporting, of/for physical training (ut) II. n, trainer, sports-master

testőr n, life/body-guard, guardsman

testőrezred n, regiment of the Guards

testőrség n, the Guards (pl) ; ~ tagja Guardsman

testőrtiszt n, officer of the Guards

testrész n, part of the body, organ, member

testreszabott a, made to measure (ut), (átv) tailor-made

testsúly n, body weight; mennyi a ~od ? how much do you weigh?

testszag n, body odour (röv. B. O.)

testszín I. n, flesh/skin colour II. a, flesh/skin-coloured, nude, [kozmetikai szer] cuticolour

testszínű a, = testszín II.; ~ harisnya nude stockings

testszög n, solid angle

testtag n, limb, part (of the body)

testtakaró n, [toll, szőr, bőr, pikkely] (in)tegument

testtan n, somatology

testtartás n, bearing, gait, carriage, posture, pose, attitude, [lóháton] seat; rossz a ~a his carriage is bad

testű [-ek, -t; adv -en] a, -bodied, of. . . body/frame (ut) ; erős ~ able-bodied, strongly built, of a powerful stature (ut), sturdy; nagy ~ heavy in build; szép ~ of a fine/beatiful body/figure

testület n, (corporate) body, corporation, (pol) public body, (ker) syndicate, association, [közösség] community; diplomáciai ~ diplomatic corps; tanári ~ teaching staff, [egyetemi] faculty; teljes ~ plenum

testületi [-ek, -t; adv -leg] a, corporative, corporatoj ~ élet corporative life; ~ kiadvány publication of a corporate body; ~ szellem corporate feeling, esprit de corps (fr) ; ~ szerző corporate author/body

testületileg adv, in a body, bodily, corporately, as a corporation, collectively

testüreg n, cavity

testvér [-ek, -t, -e] n, 1. [férfi] brother, [nő] sister;

~ek [fivér és nővér] brother and sister, [több, vegyesen] brothers and sisters; Medgyesi ~ek Medgyesi brothers, (ker röv. Medgyesi Bros.); ~ demokráciák sister democracies; ~ek között is megér 50 forintot it's fully worth fifty forints; úgy szeretem mint ~emet I love him as a brother, I care for him as for a brother 2.(vall) kedves/szeretett ~eim dearly beloved brethren

testvérbátya n, elder brother

testvérfaj n, kindred race

testvérgyilkos I. a, fratricide, sororicide II. a, fratricidal, sororicidal

testvérgyilkosság n, fratricide, sororicide

testvérháború n, = testvérharc

testvérhajó n, sister ship

testvérharc n, fratricidal/internecine war/fight/struggle

testvérhúg n, younger sister

testvéri [-ek, -t; adv -en] a, fraternal, brotherly, brotherlike, sisterly, sisterlike; ~ segítség fraternal help; ~ szeretet fraternal/brotherly/sisterly affection/love

testvéries [-et; adv -en] a, = testvéri

testvériesen adv, fraternally, in a brotherly/sisterly way/fashion; ~ megosztoznak share like brothers/sisters

testvériesség n, fraternity

testvériség n, (con)fraternity, brotherhood, sisterhood, brotherly/sisterly feeling, fellowship

testvérke n, little brother/sister

testvérlélek n, kindred soul

testvérnemzet n, kindred nation, nation of the same race, sister nation

testvérnéne n, elder sister

testvérnép n, kindred people

testvérnyelv n, sister language/tongue

testvéröcs n, younger brother

testvérpár n, brother and sister

testvérpárt n, sister/fraternal party

testvérsejt n, sister cell

testvértelen a, 1. brotherless, sisterless, without a brother/sister (ut), having no brother or sister (ut) 2. (átv) isolated, lonely, forsaken

testvérvállalat n, (ker) sister/allied firm/enterprise

testvérviszály n, family discord

testzárlat n, (vill) body contact

tesz [tenni, tett, tegyen] I. vt, 1. [cselekszik] do, make, act, commit; jót ~ do good, engage in good works; jót ~ vknek do good to sy; jót ~ vkvel do well by sy, do sy a good turn (v. a kindness); a kllma nem ~ jót nekem the climate is not good (v. is bad) for (v. does not agree with) me; ez a véreshurka nem tett jót nekem the black pudding disagreed with me; tedd (azt) ! do so!; jól ~ed you are quite right, you do the right thing (if); jól tennéd ha you would do well (to); rosszat ~ do ill/evil/harm/wrong; rosszul ~ed you are wrong/stupid (if); azt ~ amit akar he follows his own inclination, he is a law (un)to himself; egy-két mozdulatot ~ make a gesture or two; nem ~ vmt refrain from (doing) sg; vmt tenni kell sg must be done, sg has/is (got) to be done; ez az amit tenni kell that's the thing to do, that's what must be done; kárt ~ work havoc in, make havoc of, play havoc with/among, damage, destroy; néhány lépést ~ make/take a few steps; vmt ~ vk érdekében do sg in sy's favour, act in sy's interest; mit tegyek ? what shall I do?, nincs mit tenni there's nothing to do (v. to be done), nothing doing; nem tehettem mást mint. . . nothing was left to me but to. . .; mit volt mit tennie there was nothing else to do; tegyen amit akar do as you please, have it your own way; nem sokat tehet he can't do much; nem tehetek mást there's no other way out; nem tehetek mást mint I cannot choose but, I have no choice but,

I can't do other than; *tehet velem amit akar* I am at your mercy; *nem teheti hogy ne szóljon* he can't (possibly) keep silent (about it); *pénze van teheti* having a fat purse he can afford it; *mit tettél vele?* what have you done with it? **2.** *[helyez]* put, place, lay, set; *igét múlt időbe* ~ put a verb into the past tense; *koporsóba* ~ coffin (the body); *mindent a helyére* ~ put everything in its place; *próbára* ~ put through *(v.* give sy/sg) a trial; *tűzre* ~ throw sg on the fire, mend *(v.* make up) the fire; *hova* ~*ed azt a sok pénzt?* what will you do with all that money? **3.** *(vmvé)* make, render; *boldoggá* ~ make happy; *ismeretessé* ~ make sg known; *képessé* ~ qualify sy for sg; *érthetővé* ~ make clear/comprehensible; *lehetetlenné* ~ make it impossible; *eljárása valószínűvé* ~*i (hogy)* his action renders it probable (that); *pénzzé* ~ realize, sell sg, make money out of sg; *titkárjává tette* he made/appointed him secretary; *szeretőjévé tette* he made her his mistress; *úrrá tette* he made him rich/powerful/great; *nem a ruha* ~*i az embert* the cowl does not make the monk **4.** *(menny)* make, amount to; *annyit* ~ *mint* it makes, it amounts to; *mennyit* ~ *8 meg 5?* how much are 8 and 5?; *mennyit* ~ *az egész?* how much does that come to?, what does it add up to? **5.** *[jelent] mit* ~ *„kutyagumi" angolul?* what does "kutyagumi" mean in English?, what is the English for "kutyagumi"?; *mit sem* ~ it makes no difference, it doesn't mean a thing, it doesn't matter, it makes no odds; *nem* ~ *semmit!* never mind!, it doesn't matter!, forget about it!; *ez aztán* ~*i!* that is the thing!, that's something like!, quite the cheese!◊; ~*em azt* supposing, presuming, for instance, let us say, for example **6.** *[vmre kártyán stb.]* stake, lay on, *[vmt vm ellen]* match sg against sg; *a pirosra* ~ lay on red; *száz forintot* ~ stake a hundred forints, *[lóra]* back (a horse with. . .); *öt fontot* ~ *egy lóra* lay five pounds on a horse; *tizet* ~*ek egy ellen (hogy)* ten to one (that) **7.** *[időben] a főpróbát hétfőre tették* the dress rehearsal was fixed on/ for Monday, *[elhalasztva]* was postponed till Monday; *vmnek az idejét . . ra* ~*i* date sg to sg; *a dráma első fogalmazványát a húszas évek elejére kell tenni* the first draft of the drama/play is to be dated in the early twenties *(v.* must date from the early twenties) **8.** *kérdést* ~ put/pose a question; *panaszt* ~ lodge a complaint (against), sue sy, bring an action (against); *szert* ~ *vmre* obtain, acquire (sg), get hold (of sg) **II.** *vi,* **1.** *ugyanúgy* ~ do the same/like, do likewise; *tégy ahogy tetszik* do as you please/like, do as you think best/fit **2.** *(vmről)* help; *hát tehetek én róla?* could I have prevented it?, how could I help it?; *ki tehet róla?* whose fault is it?, who is responsible for it (if. . .);? *nem tehetek róla* I cannot help it, it is not my fault; *majd* ~*ek róla!* I leave that to me!, I will see to it! **3.** *[megjátszik vmt] úgy* ~ *mintha beteg lenne* he shams/feigns illness; ~*i az előkelőt* pretend to be a fine gentleman/lady; *ne tégy úgy mintha nem értenéd* don't pretend you don't understand

teszt *n,* = **próba**

tészta [. . át] *n,* **1.** *[sült]* cake, pie, tart, pastry **2.** *[főtt]* noodles, Italian paste **3.** *[nyers]* paste, batter, *[kenyéré, kalácsé]* dough

tésztabogár *n, (áll)* confused flour beetle *(Tribolium confusum)*

tésztafélék *n. pl,* farinaceous products/foodstuffs

tésztagyár *n,* factory of/for farinaceous products/foodstuffs

tésztahéj *n,* piecrust

tésztalap *n,* ⟨paste rolled out thin and baked⟩, *(kb)* layer (of cake)

tésztametsző *n, [konyhai]* jagging-iron

tésztás *a,* pasty, doughy, *[ragacsos]* clammy, sticky

tésztásság *n,* pastiness

tésztástál *n,* pastry/noodle dish

tésztaszaggató *n,* paste-cutter

tésztaszerű *a,* doughy

tésztaszerűség *n,* doughiness

tesztoszteron [-t, -ja] *n, (biol)* testosterone

tésztaszűrő *n* colander, cullender

tesz-vesz [tenni-venni, tett-vett, tegyen-vegyen] *vi/vt.* potter, rummage, do odd jobs, keep oneself busy employ oneself, *[a ház körül]* tinker/potter about the house, do this and that

tét [-et, -je] *n, [játékban]* stake(-money), amount staked, *[lóversenyben]* bet, *[fogadásban]* bet, wager; *mi a* ~? what are the stakes?, what is the betting?; *nagy* ~*ben játszik (kárty)* play high, gamble for high stakes; *helyre és* ~*re megtesz egy lovat* back a horse each way

tetánia [. . át] *n, (orv)* tetany

tetanusz [-ok, -t, -a] *n,* tetanus, lock-jaw

tetanuszoltás *n,* tetanus inoculation

tetanuszszérum *n,* antitetanic serum

teteje *ld* **tető**

tetejébe *adv,* in addition, to crown all, to boot, into the bargain, to cap/top it all, on top of it all

tetejében *adv,* = **tetejébe**

tetejez [-tem, -ett, -zen] *vt,* **1.** *[fát]* pollard, head **2.** = **tetéz 1.**

tetejű [-ek, -t] *a,* roofed

tétel [-ek, -t, -e] *n,* **1.** *[tudományos]* thesis, theorem, precept, argument, formula, *[menny és logikában]* proposition, *[erkölcsi]* maxim, *(vall)* dogma, tenet **2.** *(isk)* thesis, theme; *írásbeli* ~ thesis of written examination **3.** *(zene)* movement, theme **4.** *[ker áru]* lot, rate, parcel, batch of goods, *[könyvelési]* heading, item, *[könyvelt]* entry; *beérkezett* ~ incoming item; *elszámolási* ~ item put on account; *egy* ~*ben* in a lump; *kis* ~*ekben vásárol* buy in small lots/ amounts; *nagy* ~*ekben ad el* sell in bulk, sell by the gross; *külön* ~*ek alatt* under separate heads; ~*ekre bont* itemize; ~*t főkönyvbe bejegyez/beír/bevezet/elkönyvel* enter up an item in the ledger; *személyes szolgálatok* ~*e* the rendition of personal services **5.** *[tevés]* making, putting, setting, *(vmvé)* rendering of sg

tételenként *adv,* in/by lots/parcels

tételenkénti [-ek, -t] *a,* ~ *számla* itemized account

tételes [-et; *adv* -en] *a,* **1.** ~ *dráma* problem play **2.** ~ *jog* positive/written/statute/statutory law; ~ *rendelkezések* statutory provisions; ~ *törvény* enactment, enacted statute, positive law; ~ *vallás* dogmatic/ organized/positive religion, fixed creed **3.** *három* ~ *szimfónia* symphony in three movements

tételszám *n,* number of entry, registry number

tetem [-et, -e] *n, [emberi]* corpse, (dead) body, cadaver, remains *(pl), [állaté]* carcase, carcass; ~*re hív vkt* put/subject sy to the ordeal of the bier

tetemes [-et; *adv* -en] *a,* considerable, large, extensive, substantial, *[idő]* long, *[költség]* heavy; ~ *összeg* important/large/considerable/tidy sum

tetemkiásás *n,* exhumation

tetemmosó *n,* body-washer

tetemnéző *n,* mortuary, morgue

tetemrehívás *n,* bier-right, ordeal of the bier

tetemtoldó *n, (növ)* sun-rose *(Helianthemum)*

tetemvizsgálás *n,* post mortem examination, autopsy

tetet[1] *vt,* have sg done/made/put/placed, cause sy to do sg; *gumisarkot* ~ *a cipőjére* have rubber-heels put on one's shoes

tetet[2] [-tem, -ett, . .essen] *vt,* = **tettet**

tetéz [-tem, -ett, -zen] *vt,* **1.** *[mérésnél]* heap up/on **2.** *(átv)* add, pile on, crown, fill up the cup, put the liq on; *hibáját azzal ~te, a bajt (még) azzal ~te (hogy)* to make mattersworse he..., after his blunder he crowned all by; *a sértést gúnnyal ~i* add insult to injury

tetézett [-et; *adv* -en] *a*, *[mérték]* (up)heaped; *~ kanál-nyi/kanállal* a rounded/heaping tablespoon of ...

tétlen *a*, inactive, (lying) idle, not in action *(ut)*, un-occupied, workless, unemployed, passive, inert, indo-lent *(pej)*

tétlenked|ik [-tem, -ett, -jen, -jék] *vi*, idle (away one's time), be/remain inactive/idle/unoccupied, do noth-ing, sit with folded arms, laze about

tétlenség *n*, inaction, idleness, inactivity, passiveness, passivity

tétlenül *adv*, idly, passively; *~ áll* let the grass grow under one's feet, not move a finger; *nem nézheti ~* he cannot look on with folded arms

tétova [.. át; *adv* .. án] *a*, hesitating, wavering, irreso-lute, undecided, vacillating, *[hang, lépés]* faltering

tetoávl [-t, -jon] *vt*, tattoo

tetoválás *n*, tattoo(ed design), tattooing

tetováló [-t, -ja] I. *a*, tattooing II. *n*, tattooer, tattooist

tétovázás *n*, hesitation, hesitancy, wavering, indecision, indetermination, vacillation, irresolution, irreso-luteness; *minden ~ nélkül* without (the slightest) hesitation/demur

tétováz|ik [-tam, -ott, -zon, -zék] *vi*, hesitate, vacillate, waver, demur, shilly-shally *(fam)*, *[beszédben, járás-ban]* falter, stagger, totter, hem and haw

tétovázó [-t; *adv* -n] *a*, hesitating, wavering, irresolute, vacillant

tető [-t, teteje] *n*, 1. *[legmagasabb pont]* summit, *[hegyé, szikláé]* peak, crest, pinnacle, *[fáé, árbocé, létráé]* top; *vmnek a tetején* on top, atop; *a világ teteje [= Tibet]* the roof of the world 2. *[házé]* roof, (house-)top, *[csúcsos]* gable, *[autóé]* hood, top *(US)*; *lapos ~* deck-roof; *~ alá hoz (átv)* perfect, complete, make final; *~ alá juttat egy tervet* bring a project to a successful issue/conclusion, bring a plan off *(fam)*; *~ nélküli* roofless; *a ~n dolgoznak [felirat]* men working overhead 3. *[edényé, dobozé, láddáé]* lid, cover 4. *[fejé]* crown; *ha a fejed tetejére állsz is* whatever you do; *~től talpig* from head to foot, from top to toe/bottom, every inch a .., an out and out ...; *~től talpig brit* British to the quick, British all over; *~től talpig felfegyverkezve/fegyverben* armed at all points; *~től talpig végigmér* weigh/eye sy up and down, eye sy from head to foot, give sy/sg the once-over *(fam)* 5. *tetejében* to boot, in addition, into the bargain, to crown all, to cap/top it all, on top of it all 6. *[vmnek, legnagyobb foka]* height, pitch, summit, culmination, acme; *ez a teteje mindennek! (biz)* that crowns all, that puts the lid on it, that takes the biscuit/cake, well I never!, I like that!, that caps all, can you beat it? *(US)*; *ez igazán a szemtelenség teteje* that is really the pitch/height of impudence, that's the limit *(fam)* 7. *[értelem]* reason, sense; *ennek nincs teteje (biz)* there is no reason in that, that doesn't make sense; *nincs teteje a dolognak (átv)* there is no sense in it, it is not worth the trouble, it does not hold water; *nincs semmi teteje annak hogy ezt tegyük (biz)* there is no point in doing that

tetőablak *n*, dormer/attic/gable-window, skylight, scuttle

tetőantenna *n*, roof aerial

tetőcsatorna *n*, (eaves-)gutter

tetőcserép *n*, roofing tile, clay-shingle; *záró ~* lock tile

tetőcserépgyár *n*, tilery

tetőcsúcs *n*, *(épít)* gable

tetődísz *n*, finial, ornamental ridge-tile

tetőékítmény *n*, *(épít)* antefix

tetőél *n*, ridge (of roof), crest, arris, hip

tetőfedél *n*, roofage, roof(ing), housetop

tetőfedés *n*, roofing, roof covering/laying

tetőfedő I. *a*, *~ bádog* roofing iron; *~ cserép* (roof-)tile; *~ munka* roofing; *~ munkás* roofer, *[cseréppel]* tiler, *[palával]* slater, *[zsindellyel]* shingler, *[náddal, zsuppal]* thatcher; *~ lemez* asphalt sheet; *~ pala* roof(ing-)slate II. *n*, roof tiler, roofer, tiler, slater, shingler, tilesetter

tetőfok *n*, 1. *(konkr és átv is)* pitch, peak, summit, height, acme, culminating point, zenith, high-water mark; *~ára hág [érdeklődés]* rise to the highest pitch 2. *[dicsőségé]* climax, meridian 3. *[szenvedélyé]* paroxysm (of passion) 4. *[képességeké]* heyday, prime

tetőgerenda *n*, rafter, roof bar/beam

tetőgerinc *n*, = **tetőél**

tetőhajlás *n*, inclination/pitch of roof

tetőhéjazat *n*, roofing, roofage

tetőirányos [-ak, -t; *adv* -an] *a*, vertical

tetőkert *n*, roof-garden

tetőkibúvó *n*, scuttle, roof hole

tetőkő *n*, keystone, crown, centre voussoir (of arch)

tetőléc *n*, *(épít)* roof batten

tetőlemez *n*, roofing felt

tetőlétra *n*, roof-ladder

tetőlyuk *n*, hinged skylight, scuttle, eyelet, eyehole

tetőmű *n*, roofing

tetőnyereg *n*, ridge-board, crest (of roof)

tetőpont *n*, 1. *(konkr és átv is)* culminating/highest point, culmination, height, acme, zenith, summit, climax, peak, top, pinnacle, apex, vertex; *~jához ér* reach its highest point, hit the peak, *[folyamat]* come to a head, culminate; *sikerének ~ján* at the height of his glory; *~ra hág* culminate, form a climax; *a várako-zás a ~jára hágott* expectation was fever-high; *dicsőségének ~jára ért el* he reached the apogee of his fame; *eléri ~ját* reach its apogee 2. *(csill)* culmina-tion, apogee, meridian, *(menny)* apex 3. *[lázas beteg-ségé]* crisis, paroxysm

tetőponyva *n*, tarpaulin/canvas cover (for carts)

tetőszék *n*, frame/wood-work of a roof, roof-tree, roof scaffolding, truss(-frame)

tetőszerkezet *n*, trussing, roof-timbers *(pl)*, roof tree, roofing (bond)

tetőtaraj *n*, = **tetőél**

tetőtér *n*, garret-space, loft

tetőterasz *n*, flat roof, roof terrace/garden

tetőtlen *a*, roofless, without roof *(ut)*

tetőülés *n*, *[emeletes járművön]* roof seat

tetőüveg *n*, glass-roofing

tetővápa *n*, *(épít)* valley

tetővilágítás *n*, ceiling/roof-light, skylight

tetőz [-tem, -ött, -zön] I. *vt*, 1. (cover with a) roof 2. = **tetéz**; II. *vi*, culminate, top

tetőzés *n*, 1. *(konkr)* roofing 2. *(átv is)* culmination

tetőzet *n*, roof(ing)

tetőz|ik [-tem, -ött, -zön, -zék] *vi*, *[áradat]* culminate, top, peak

tetraéder [-ek, -t, -e] *n*, tetrahedron

tetraedrit [-et, -je] *n*, *(ásv)* tetrahedrite

tetragonális [-ak, -t; *adv* -an] *a*, tetragonal

tetrakord [-ot, -ja] *n*, *(zene)* tetrachord

tetralógia [.. át] *n*, tetralogy

tetrarcha [.. át] *n*, *(tört)* tetrarch

tetrarchia [.. át] *n*, *(tört)* tetrarchate, tetrarchy

tetróda [.. át] *n*, *(rádió)* tetrode, four element tube

tetszeleg [-tem, .. lgett, -jen] *vi*, *(kb)* mince, put on affected airs, be full of airs and graces; *~ a hős szere-pében* please oneself in the role of a hero, set up for a hero

tetszelgés *n*, affectedness, mincing, flounting, *[vm szerepben]* self-complacency/satisfaction/conceit

tetszenivágyó *a*, desiring to please *(ut)*, *[nő]* coquettish, flirtatious

tetszés *n*, **1.** approval, approbation, liking, pleasure, delight, taste; *a ~ jele* gesture/sign of approval, approving gesture; *vk ~ével találkozik* be to sy's taste, suit/please sy, meet with sy's approval; *~re talál* find approval; *~t arat* meet with success, make a (big) hit, win approval, catch on, create a furore; *megnyeri vk ~ét* find/win/earn sy's approval; *(lelkes) ~sel fogad* give sy an enthusiastic reception, receive sy with approval, *[darabot]* the play went down well **2.** *~ szerint* to taste/liking/preference, at/on discretion, at will, at sy's pleasure, ad libitum *(lat)*, *[kenyér, cukor]* free, unlimited, as much as one pleases, ad lib; *~szerinti* optional, discretional, discretionary, according to choice *(ut)*, any, *(jog)* arbitrary; *~ szerinti időben* at any time; *~ szerinti összeg* any amount; *vk ~e szerint* to one's liking/taste; *a tulajdonos ~e szerint* at the will of the owner; *~e szerint elbocsáthatja őket* he may dismiss them at will; *az Ön ~ére bízom* I leave it to you, I leave it to your judgment/discretion, *~ének kifejezést ad* give expression to one's delight/ pleasure; *~ét nyilvánítja* express one's approval, manifest one's pleasure; *nincs ~ére* it is not to his liking/taste; *az ő ~étől függ* it depends on his will, it is for him to decide

tetszésnyilvánítás *n*, expression of approval, shout of applause, *[tapssal]* applause, clapping, plaudits *(pl)*, *[felkiáltásokkal]* acclamation, cheering, cheers *(pl)*, *[szónoklat közben]* hear! hear!; *a tömeg zajos ~sal fogadta a hírt* the news was acclaimed by the crowd

tetszésvágy *n*, desire to please, *[női]* coquetry, coquettishness

tetszetős [-et; *adv* -en] *a*, attractive, alluring, pleasant, pleasing, engaging, winning, appealing, *[igével]* it has eye-appeal, specious *(pej)*, showy *(pej)*; *~ csomagolás (ker)* attractive/appealing packing; *~ ürügy* plausible pretext

tetszetősség *n*, attractiveness, allure, pleasantness, eye-appeal, speciousness *(pej)*, showiness *(pej)*

tetszhalál *n*, apparent death, (death-)trance, suspended animation

tetszhalott *a/n*, apparently/seemingly dead, lifeless, in a state of suspended animation *(ut)*, dead(-and)-alive *(fam)*

tetsz|ik [-eni, -ett, tessen, tessék] *vi*, **1.** *(vknek)* please (sy), like (sy), relish (sg), be agreeable to, be taken with, take the fancy of, care for, be to sy's taste, appeal to, suit (sy), take pleasure in, be attracted by; *N. N. ~ik vknek* sy likes NN, NN appeals to sy, sy is attracted/taken by NN, sy fancies NN *(fam)*; *vm ~ik vknek* sy likes/relishes sg, sy takes pleasure in sg, sg pleases sy, sy is attracted by sg, sy fancies sg *(fam)*; *nagyon ~el neki* he is greatly taken with you; *a dalok ~ettek* the songs went down well; *~ik?* do you like it?; *nekem ~ik* it appeals to me, I like it, I am attracted by it, it hits my fancy; *látom ~ik neked* I see you enjoy/like it; *a gondolat ~ik nekem* the idea appeals to me; *nem nagyon ~ik nekem ez a dolog* I am not quite happy about it; *akár ~ik akár nem* (whether we) like it or not, willy-nilly; *a képe nem ~ik nekem* I do not like/fancy his face/look; *hogy ~ik a könyv?* how do you like the book?, what do you think of the book?; *nem ~ik (neki)* displease (sy), not suit (sy), not like (sg), be not to the liking (of sy), stick in sy's gizzard; *nem ~ik neki hogy* he does not like to; *ha nem ~ik hagyd* take it or leave it **2.** *ahogy ~ik* as you like it, please yourself, (do) as you please; *ha ~ik* if that suits you; *ha úgy ~ik* if it suits your convenience; *úgy ahogy önnek ~* please yourself, (just) as you please; *ha Önnek is úgy ~ik* if it is agreeable to you

too; ha úgy ~ik indulhatunk if you are agreed we may start **3.** *[udvariasság kifejezése]* (if you) please; *mi ~ik?* can I be of any use/assistance/help to you?, what can I do for you; *nem ~ik leülni?* will you not sit down (please)?; *mit ~ik parancsolni?* what can I do for you?; *~ik már kapni?* are you being served?; *~ett már rendelni?* are you being served? **4.** *[látszik]* seem, appear, look; *különösnek ~ik* it seems strange; *nekem úgy ~ik hogy* it seems to me, it strikes me as, methinks *(obs)*, meseems *(obs)*

tetsző [-t; *adv* -en, -leg] *a*, **1.** pleasing, agreeable, suitable, seemly, decorous, appealing to, to sy's taste; *nem ~* unpleasing, unpleasant, *[nem megfelelő]* not convenient/good **2.** *[látszó]* seeming, apparent, looking

tetszőleges [-et; *adv* -en] *a*, = **tetszés** *szerinti*

tett [-et, -e] *n*, action, act, deed, turn, work, doing *(pej)*, *[gesztus]* gesture, *[hősi]* exploit, feat, *[bűnös]* offence, crime; *a ~ek embere* man of action, man of deeds; *a ~ek mezejére lép* set to work, carry sg into execution; *~en ér vkt* catch/take/surprise sy in the (very) act, catch sy on the hop, catch sy red-handed; *~re kész* ready to act, swift to action; *~ekre váltja szavait* suit the action to the word, translate (one's) words into deeds; *ezzel a ~ével* with this act/exploit

tettember *n*, man of action/deed

tettenérés *n*, = **tettenkapás**

tettenkapás *n*, taking/catching in the act, *(jog)* flagrante delicto *(lat)*; *~ esetében* if caught in the act

tetterő *n*, energy, force, vigour, vim *(fam)*, go *(fam)*, pep *(fam)*; *nincs benne ~* have no energy

tetterős *a*, dynamic, energetic, active, having plenty of go *(ut)* *(fam)*

tettes [-ek, -t, -e] *n*, perpetrator (of crime), culprit, committer, doer, offender; *ki a ~?* who did it?

tettesség *n*, culpability, culpableness, guiltiness, guilt

tettestárs *n*, accomplice, accessory, party to a crime, *[házasságtörésben]* co-respondent

tettet [-tem, -ett, .. essen] *vt*, simulate, feign, sham, act, pretend, counterfeit, make believe, imitate, affect, make a pretence/show, put on *(fam)*; *barátságot ~* simulate friendship; *betegséget ~* sham illness, malinger, feign sickness; *~i az alvást* pretend to sleep *(v.* be asleep); *~i magát* play-act, pretend, simulate, pose, play/act a part

tettetés *n*, pretence, sham(ming), counterfeit, (dis)simulation, feigning, feint, make-believe, imitation, pose, putting on *(fam)*, blind *(fam)*

tettetett [-et; *adv* -en] *a*, simulated, feigned, sham, pretended, dissembled

tettető [-t, -je] *n*, pretender, simulator, counterfeiter, shammer

tettleg *adv*, *~ bántalmaz* assault, commit assault upon, handle sy roughly, manhandle

tettleges [-et; *adv* -en] *a*, *~ bántalmazás* assault and battery, rough handling

tettlegesség *n*, assault and battery, violence rough handling; *~re kerül a sor* come to blows/handgrips; *~re vetemedik vkvel szemben* commit an assault on sy

tettrekészség *n*, resoluteness/readiness to act, energy

tettreváltás *n*, *elhatározásának ~a* translation into deeds of his resolution

tettvágy *n*, desire/eagerness to act

tettvágyó *a*, desirous/eager to act *(ut)*

tetű [tetvek, -t, -je, tetve] *n*, **1.** *(áll)* louse *(pl* lice*)* (Pediculus)*; lassú mint a ~* go at a snail's pace **2.** *(növ)* plant-louse, green-fly, aphis

tetűfű *n*, *(növ)* stavesacre *(Delphinium staphisagria)*

tetűkenőcs *n*, blue ointment, lice-salve/bane

tetűkeresés *n*, delousing, searching/hunting for lice

tetülégy n, (áll) [lóé] tick-fly, hippoboscid (Hippobosca equina)

tetüserke n, nit, egg (of louse)

tetütlenít [-eni, -ett, -sen] vt, delouse, cleanse of vermin, disinfect

tetütlenítés n, delousing

tetütlenítő [-t; adv -en] a, delousing, insecticide

tetűzsír n, = tetükenőcs

tetves [-et; adv -en] a, 1. (konkr) lousy, vermin(ifer)ous, [haj] nitty, infested with lice (ut), (orv) pedicular, pediculous; ~ haj lice-infested hair, a head crawling with lice 2. (átv) lousy, mean, contemptible

tetvesed|ik [-tem, -ett, -jen, -jék] vi, become infested with lice

tetvesség n, lousiness, (orv) pediculosis, phthiriasis

tetvészked|ik [-tem, -ett, -jen, -jék] vi, search/hunt for lice (on oneself), cleanse oneself of vermin, disinfect oneself

tetvetlenít [-eni, -ett, -sen] vt, = tetütlenít

tetvez [-tem, -ett, -zen] vt/vi, 1. (konkr) delouse, search for lice 2. (átv) split hairs; ne ~z! stop splitting hairs

tetvezés n, searching for lice, delousing

teuton [-ok, -t, -ja] I. a, Teuton(ic) II. n, Teuton

teve [.. ét] n, (áll) camel (Camelus sp.) ; egypúpú ~ dromedary, Arabian camel (Camelus dromedarius) ; kétpúpú ~ Bactrian camel, two-humped camel (Camelus bactrianus) ; a ~ a sivatag hajója the camel is the ship of the desert; tevén megy go with/by/on camel

tévé [-t, -je] n, TV, T.V.; ld még televízió

tevecsikó n, foal

téved [-tem, -ett, -jen] vi, 1. [hibát csinál] be mistaken/wrong, make a mistake, err, be in error, slip, trip, blunder, [számításban] be out in one's reckoning, miscalculate, (vmben) be mistaken regarding sg, be off the mark in sg; ebben ~sz here you are wrong, you are mistaken in that, there you are mistaken; saját hasznára ~ make a mistake to one's own advantage; ha nem ~ek if I am not mistaken, if I mistake not, unless I am mistaken; azt hiszem nem ~ek I do not think I am far from the mark, correct me if I am wrong; mindenki ~het all men are fallible (v. liable to err); ~ni emberi dolog to err is human 2. (vhová) get somewhere erroneously, get somewhere by chance/mistake, get somewhere unawares/accidentally; keze tilos helyre ~t his hand went astray; tekintete a szomszédjára ~t he cast a casual glance at his neighbour

tévedés n, 1. (ált) error, mistake, lapse, fault, miss, [kínos] blunder, [kicsiny] slip, flaw, [nevetséges] howler, boner ◇, bloomer ◇, [félreértés] misapprehension; ~ áldozata lett he became the victim of a mistake; ~ azt hinni hogy it is a mistake to believe that; bocsánat! tévedés! sorry(,) a mistake!; végzetes/szörnyű ~ capital error; itt vm ~ van there is some mistake (here); ~ ne essék! let there be no mistake about it!; ~ kizárva there cannot be any mistake; ~be ejt vkt lead sy into error; ~be esik fall/run into error; ~ben van/leledzik be mistaken, labour under a delusion/misapprehension; megerősít ~ében strengthen sy in his erroneous opinion; ~ből by mistake/error, inadvertently, under a misapprehension, through/by an oversight; ~éből kijózanít undeceive, disabuse, enlighten, open sy's eyes, free from a spell/delusion; ~en alapul be founded/built upon a fallacy; ~t követ el commit/make an error 2. [számításban] miscalculation, miscount, [írásban, olvasásban] misconstruction, misconception, mistranslation, [véleményben] mistaken/erroneous opinion, false belief, delusion, fallacy; kalkulációs ~ error in calculation; ~ek fenntartása mellett errors excepted (röv. e. e.)

tévedési [-t] a, ~ lehetőség possibility/source of error

tévedhetetlen a, unerring, infallible, unfailing, [biztos] sure, certain

tévedhetetlenség n, inerrancy, [pápáé, ítéleté] infallibility

tévedt [-et; adv -en] a, (átv) lost, [főnévvel] a bad lot, black sheep, [nő] fallen; rossz útra ~ fiatalember a youth lead astray

tevehajcsár n, camel driver, cameleer

tevehajtó n, = tevehajcsár

tevekaraván n, camel caravan

tevékeny [-et; adv -en] a, active, busy, brisk, industrious, efficient, agile; ~ ember active person, a live wire (fam) ; igen ~ very active, very much alive, there are no flies on him ◇; ~ részt vesz vmben take an active part in sg; tevékennyé tesz energize, activate

tevékenykedés n, activity, action, officiation, functioning (as)

tevékenyked|ik [-tem, -ett, -jen, -jék] vi, [szorgosan] be active/busy, bustle (about), be on the go, be up and doing, [hivatalosan] officiate, act as, function, [dolgozik] work, [vmely foglalkozásban] practise/follow/pursue a profession

tevékenység n, activity, work, function, acting, business, agency, pursuit; (hirtelen) ~re serkent galvanize into action; ~et kifejt show/display activity

tévelyeg [-tem, .. lygett, -jen] vi, 1. (vál) err, stray, rove, ramble (about) 2. (átv) go astray, take the wrong road/turning

tévelygés n, 1. (vál) erring, straying, roving, rambling (about) 2. (átv) [folyamata] erring, going astray, taking the wrong road/turning, [eredménye] aberration, deviation

tévelygő [-t; adv -an] a, 1. (vál) rambling, straying 2. (átv) erring, errant, erratic, misguided, who has gone astray (ut), who has strayed from the fold (ut), heretic(al), heterodux

tévés[1] n, 1. (ált) doing, making, action 2. (vhová) putting, placing, laying, setting

tévés[2] [-ek, -t, -e] I. a, ~ osztag camel corps II. n, cameleer, camel-driver

téves [-et; adv -en] a, erroneous, wrong, mistaken, inaccurate, incorrect, false, untrue; ~ az a hír hogy the (piece of) news that ... is false/untrue; ~ állítás mis-statement; ~ bejegyzés/feljegyzés misentry; ~ becslés error in estimation; ~ címzés misdirection; ~ értelmezés misconstruction, misinterpretation; ~ értesülés misinformation; ~ felfogás false conception, erroneous idea; ~ feltételezés misconjecture; ~ hiedelem = tévhit; ~ idézet misquotation; ~ irányban in the wrong direction; ~ I apcsolás wrong connection/number; ~ kézbesítés miscarriage misdelivery, mis-delivery; ~ következtetés misconclusiou; ~ magyarázat misinterpretation; ~ megítélés misjudg(e)ment, error in/of judgement; ~ nézet wrong/mistaken view, error of/in judgment; ~ okoskodás fallacy, false reasoning, fallacious argument, paralogism; ~ szám wrong number; ~ számolás/számítás miscalculation; ~ (szó) használat misusage; ~ nézetei vannak vmről have a misconceived idea of sg

tévesen adv, by (v. under a) mistake, wrongly, erroneously, by inadvertence, incorrectly; ~ állít state incorrectly, misstate; ~ címez misaddress; ~ idéz misquote; ~ ítéli meg a helyzetet take in (v. judge) the situation erroneously/wrongly; ~ jelent misreport; ~ keltez [levelet] misdate; ~ tájékoztat misinform

téveszme n, 1. erroneous belief, delusion, fallacy, idol; közkeletű ~ common fallacy; ~ áldozata be labouring under a delusion; téveszméi vannak have the wrong ideas, be wrong-minded, lack a sound outlook 2. (vall) heterodoxy, heresy

teveszőr n, camel's hair; ~ kabát camel's-hair coat; ~ szövet (tex) camlet; ~ takaró camlet-blanket/rug téveszt [-eni, -ett, .. esszen] vt, célt ~ miss the target/mark, (átv) strike wide of one's aim; pályát ~ mistake one's vocation; szem elől ~ lose sight of, (átv) overlook, neglect; utat ~ miss/mistake the road, go the wrong way, take the wrong turning

tévhit n, 1. delusion, misbelief, misapprehension, misconception; ~ben él/leledzik labour/be under a delusion 2. (vall) heresy, heterodoxy

tévhitű [-ek, -t] a, heterodox

tévképzet n, misconception

tévnyomat n, misprint

tevőleges [-et; adv -en] a, active, positive

tevőlegesen adv, ~ közreműködik be an active party (to sg)

tévtan n, 1. false doctrine 2. (vall) heresy, heterodoxy; visszavonja ~ait recant (publicly)

tévút n, 1. (konkr) wrong way, false track 2. (átv) error, aberration; ~on jár be on the wrong tack; ~ra vezet lead astray, mislead, misguide, misdirect, misadvise, put sy off the scent (fam)

Texas [-t, -ban] prop, (földr) Texas

texasi [-ak, -t] a/n, (földr) Texan

textil [-ek, -t, -je] n, textile

textilanyag n, textile (material)

textilárú n, textile fabrics/goods (pl), textiles (pl)

textilbenyomásos a, ~ kerámia (rég) pottery with textile impression

textilies [-ek, -t; adv -en] I. n, textile-jobber/manufacturer/merchant, draper II. a, textile

textilexport n, export(ation) of textiles, export(ation) of textile goods

textilgyár n, textile factory/mill

textilgyártás n, production of textiles

textilhulladék n, textile waste

textilimport n, import(ation) of textiles, import(ation) of textile goods

textilipar n, textile industry

textilkereskedő n, textile-merchant, mercer, draper

textilkombinát n, textile combine

textilmérnök n, textile engineer

textiltechnikus n, textile technician

textilvegyész n, textile chemist

textúra [.. át] n, 1. (geol) structure 2. [kelméé] fabric

textus n, text

tezaurál [-t, -jon] vt, hoard (up), pile/lay up, amass, accumulate (treasure)

tezaurálás n, hoarding, accumulation

tézis [-ek, -t, -e] n, 1. thesis, proposi ion, argument 2. (isk) thesis

Thaiföld prop, (földr) Thailand

thaiföldi a/n, Thailandian, Thai; ~ ember Thailander

ti¹ I, n. pron, you, ye (obs) ; ~ beszéltek I? and you dare to open your lips I?; ~ magatok you (...) yourselves II. poss, a ~ szavatok alig hallható your voice is hardly/scarcely to be heard III. adv. pron, ~belétek in you; hasonló összetételek mint én szócikkében

ti² [-t, -je] n, (zene) [szolmizációs hangnév] ti, si

tiamin [-ok, -t, -ja] n, (vegyt) thiamine

tiara [.. át] n, tiara

Tiberis [-t, -en] prop, Tiber

Tibet [-et, -ben] prop, (földr) Tibet

tibeti [-ek, -t; adv -ül] a, Tibetan

Tibi [-t, -je] prop, ⟨diminutive of Tibor⟩, Tibi

Tibor [-t, -ja] prop, ⟨masculine name⟩ (kb) Tiberius, Tibor

tied a/n, poss, yours, thine (obs), thy (obs) ; ~ vagyok I am yours

tiéd a/n. poss, ~ tied

tield a/n. pron, yours

tieltek a/n. poss, yours

tietek a/n. poss, yours

tifusz [-ok, -t, -a] n, typhoid/enteric fever, (orv)

typhoid, typhus; kiütéses ~ typhus, camp/spotted fever; ~t kap get (v. be infected with) typhoid fever

tifuszbeteg n, typhoid patient

tifuszbetegség n, = tifusz

tifuszjárvány n, epidemic of typhoid fever, typhoid epidemic

tifuszoltás n, typhoid inoculation; ~t kap get/be inoculated against typhoid fever

tifuszos [-at; adv -an] I. a, typhoid(al), typhous, ~ beteg typhoid patient, person with typhoid II. n, = tifuszos beteg

tigris [-ek, -t, -e] n, tiger, [nőstény] tigress (Felis v. Leo tigris)

tigrisanya n, tigress

tigrisbőr n, tiger-skin

tigriscsiga n, (áll) turbo (Turbo pica v. Argyrostomum marmoratus)

tigrisfoltos a, striped (fur), tigrine skin, [macska] tabby (cat)

tigriskígyó n, (áll) 1. Indian python (Python molurus) 2. tiger snake (Notechis scutatus)

tigriskölyök n, tiger cub/whelp

tigrisliliom n, (növ) tiger(-spotted) lily (Lilium tigrinum)

tigrismacska n, (áll) margay (Felix tigrina)

tigrisvadászat n, tiger-hunting

Tihamér [-t, -je] prop, ⟨masculine name⟩, Tihamér

tikász [-ok, -t, -a] n, 1. [tojásvásárló] egg-(wo)man 2. [baromfivásárló] poulterer, poultry-(wo)man; ld' még tyukász

tikfa n, (növ) teak (Tectone)

tikkad [-t, -jon] vi, swelter, flag, droop (from heat or thirst)

tikkadt [-at; adv -an] a, parched, overcome with heat (ut), prostrated by (v. prostrate from) the heat (ut)

tikkaszt [-ani, -ott, .. asszon] vt, [meleg vkit] make languid/faint, prostrate, parch

tikkasztó [-ak, -t; adv -an] a, sweltering, sultry, parching, [szomjúság] burning; ~ hőség parching/oppressive/sweltering/overpowering heat

tikszem n, (növ) anagallis, pimpernel (Anagallis); mezei ~ shepherd's weather-glass, poor man's weather-glass (Anagallis arvensis)

tiktak [-ot, -ja] int/n, tick-tack, ticking

tiktakol [-t, -jon] vi, tick(-tack)

tilalmas [-at; adv -an] a, prohibited, forbidden, illicit, unlawful

tilalmaz [-tam, -ott, -zon] vt, forbid, prohibit, inhibit

tilalmi [-ak, -t; adv -lag] a, prohibitory, prohibitive, interdictory; ~ idő close/fence season/time; ~ időben vagyunk the close season is on, we are now in the close season; ~ listára helyez (vmt) (ker) lay an embargo (on sg)

tilalom [.. lmat, .. lma] n, 1. prohibition, interdict(ion), taboo, [hajózásban áruforgalomra] embargo, [nyomtatványra] suppression, ban; kiviteli ~ prohibition/embargo/ban on exports; ~ alá esik be forbidden/prohibited; ~ ellen vét infringe a prohibition, commit a trespass; a ~ ellen vétő contravener, trespasser, offender, contravening party; tilalmat felold lift the ban 2. [egyházi] interdict

tilalomfa n, prohibitory sign

tilalomtábla n, warning/notice-board

tilde [.. ét] n swung dash, tilde

tilinkó [-t, -ja] n, flute, (shepherd s) pipe, reed

tilinkózlik [-tam, -ott, -zon, -zék] vi, blow/play the pipe/flute

tiló [-t, -ja] n, flax-stripper/scutcher, brake, hemp-breaker, swingle

tilol [-t, -jon] vt, break, brake, [kendert] swingle, [lent] strip, scutch

tilolás n, breaking, braking, *[lent]* scutching, stripping, *[kendert]* swingling

tilolatlan a, unswingled, unstripped

tiloló [-t, -ja] I. a, braking, swingling, scutching; ~ *gép* scutching/braking machine II. n, 1. = tiló 2. *[munkás]* scutcher, picker

tilológép n, flax scutcher, flax scutching mill, swingling machine

tilolókés n, swingling knife

tilos [-at, -a; adv -an] I. a, forbidden, prohibited; ~ *az átjárás* no passage here, no thoroughfare; ~ *a belépés* no admittance; ~ *a dohányzás* no smoking (allowed), smoking (is) prohibited; *a fűre lépni* ~ keep off the grass, it is forbidden to walk on the grass; *hirdetések felragasztása* ~ no posters, bill-sticking/posting prohibited, stick no bills; *kutyákat behozni* ~ dogs not admitted; *szemét lerakása* ~ shoot no rubbish; ~ *terület* private property, prohibited area, enclosed ground, posted, land, *(kat)* out of bounds, off limits *(US)*; ~ *út* reserved road; *utánzása* ~ imitation/reproduction prohibited; ~*ra állít* pull a signal "on"; ~*ra van állítva* signal at "danger" II. n, (p)reserve; ~*ba téved* stray on to forbidden ground; ~*ban jár* trespass, *[nővel]* philander with a married woman; ~*ban talált jószág/állat* stray animal, estray, damage-feasant; ~*ban vadászik* poach on sy's preserve/property

tilt [-ani, -ott, -son] vt, prohibit,· forbid, disallow, interdict, veto; *a lelkiismeretem* ~*ja* it goes against my conscience, my conscience forbids it

tiltakozás n, protest(ing), protestation, *(jog)* remonstrance, demurrer, veto, expostulation; *tömeges* ~ massive protest; ~*at bejelenti* make/enter/lodge/register a protest (with sy against sg), file a complaint (with sy)

tiltakoz|ik [-tam, -ott, -zon, -zék] vi, *[vm ellen]* protest, exclaim, cry out (against), object·(to), take exception (to, against), make/raise objections, expostulate, *[írásban]* lodge a protest (with sy), file a complaint (with), *[lármásan]* kick (against), raise hell *(v. the roof)*; ~*om a döntés ellen* I appeal against the decision

tiltakozó [-t; adv -an] I. a, protesting, objecting, remonstrative, protest-, of protest *(ut)*; ~ *gyűlés* demonstration, meeting of protest, indignation meeting; ~ *jegyzék* note of protest; ~ *mozgalom* protest movement; ~ *sztrájk* protesting strike II. n, objector, protester, remonstrant

tiltás n, refusal of permission, prohibition, disallowance, *(jog)* interdict

tiltó [-t; adv -an] I. a, prohibitory, prohibitive, interdictory, inhibitory; ~ *akadály* diriment/nullifying impediment, prohibitive obstacle; ~ *rendelet* prohibitive decree/order; ~ *rendszabályok* prohibitive measures; ~ *szó/parancs* inhibition, ban, veto II. n, *(műsz)* shuttle

tiltószó n, word of prohibition, prohibitive word/ exclamation

tiltott [-at; adv -an] a, forbidden, prohibited, illicit, unlawful; ~ *cselekmény* wrongful/tortious act; ~ *eszközök* illicit/foul means; ~ *fegyverviselés* carrying a weapon without a licence, illegal possession of fire-arms; ~ *gyümölcs* forbidden fruit; ~ *könyvek jegyzéke (egyh)* index (librorum prohibitorum); ~ *közlés* illicit publication; ~ *műtét* illegal operation, procured abortion; ~ *utak* forbidden paths/ways

tiltóvám n, prohibitive duty

tímár [-ok, -t, -ja] n, tanner, *[ásványi anyaggal kikészítő]* tawer, *[cserzés útján kikészítő]* currier, skin dresser

tímárbak n, stitching horse

tímárkés n, fleshing-knife

tímárműhely n, tannery, tan-yard/house, tawery, curriery

tímárság n, tanning/tanner's trade, tannery, tawery

timföld n, aluminium oxide, alum(inous) earth

timföldgyár n, alumina factory

timkő n, alunite, alum-stone

timokrácia [..át] n, timocracy

timokratikus a, timocratic

timol [-ok, -t,-ja] n, *(vegyt)* thymol

timótfű n, *(növ)* timothy (grass) *(Phleum pratense)*

timpanon [-ok,-t,-ja] n, 1. *(épít)* tympanum 2. *(zene)* = üstdob

timsó n, 1. *(ált)* alum 2. *[borotválás utánra]* shaving block, *[vérzéselállító]* styptic pencil

timsóbánya n, alum-pit/mine/quarry

timsófürdő n, alum bath

timsógyár n, alum works

timsókő n, alum-stone

timsóoldat n, alum bath

timsós a, aluminous

timsótartalmú a, aluminiferous, alum-bearing

timsóz vt, alum, aluminate

tincs [-et, -e] n, curl, ringlet, lock, tuft, *[befont]* braid, plait, pigtail

tinglitangli [-t,-ja] n, 1. *(zene) (kb)* low-class music 2. *[vendéglő] (kb)* low-class music-hall

tinkál [-t, -ja] n, *(ásv)* tincal, crude borax

tinktúra [..át] n, tincture

tinó [-t, -ja] n, steer, young. bullock/ox; *tanulj* ~ *ökör lesz belőled (kb)* live and learn, keep studying hard so that you may get on in life

tinóru [-t, -ja] n, *[gomba]* boletus *(Boletus sp.)*; *epeizű* ~ bitter boletus *(B. felleus)*; *változékony* ~ lurid boletus *(B. luridus)*; *vörös* ~ dotted stem boletus *(B. erythropus)*

tinta [..át] n, ink; *tintával ír* write in ink

tintaceruza n, copying/ink/indelible pencil

tintafesték n, ink-colour

tintafolt n, ink mould/blot/stain/mark/spot, blot(ch), speck of ink

tintafoltos a, ink-stained, blotchy, full of blotches *(ut)*, inky

tintahal n, *(áll)* cuttle/ink-fish, squid, calamary, sepia *(Sepia officinalis)*

tintahólyag n, *(áll) [tintahalé]* ink-sac

tintamirigy n, *(áll)* ink-sac

tintanyaló n, quill driver, pen-pusher/driver, ink-slinger/spiller, *[író]* scribbler, hack-writer, penny-a-liner

tintapaca n, ink-blot/spot, blot(ch)

tintapecsét n, = tintafolt

tintaradír n, ink eraser/rubber

tintás [-at; adv -an] a, inky, blotted; ~ *ujjak* inky fingers

tintásüveg n, ink-bottle

tintatartó n, ink-pot/stand/holder/well

tiociánsav n, *(vegyt)* sulphocyanic acid

tionin [-ok, -t] n, *(vegyt)* thionine

tionsavas a, *(vegyt)* thionic

tioszulfát n, *(vegyt)* thiosulphate

tioszulfit n, *(vegyt)* hyposulphite

tipeg [-tem, -ett, -jen] vi, trot about, waddle, trip, *[gyerek]* toddle, paddle

tipegés n, toddling (gait)

tipegő [-t, -je] I. a, toddling II'. n, 1. *[ruha]* crawlers *(pl)*, creepers *(pl) (US)*, jumpers *(pl) (US)*, *[cipő]* cack, soft-sole, infant's soft-sole(d shoe) 2. *[kerti út]* flag

tipegőkő n, flag

tipeg-topog [tipegtem-topogtam, tipegett-topogott, tipegjen-topogjon] vi, toddle (about), patter about, trip (along)

tipikus *a*, typical, true to type *(ut)*, characteristic; *nem ~* atypic(al); *~ angol* he is English all over, he is a typical Englishman, a true English type

tipizál [-t, -jon] *vt*, **1.** *(ált)* typify, *[szortíroz]* classify *(according to types)* **2.** *(műsz, ker)* standardize

tipizálás *n*, **1.** *(ált)* typifying, classifying *(according to type)* **2.** *(műsz, ker)* standardization

tipli [-t, -je] *n*, **1.** (wall-)plug, dowel **2.** *[ütéstől]* lump, bump, knot; *nagy ~ van a fején* he has a big bump/knot on his head

tiplizés *n*, plugging

tipográfia [.. át] *n*, typography, (art of) letterpress printing

tipográfiai [-ak, -t; *adv* -lag] *a*, typographic(al); *~ pontrendszer (nyomd)* point-system

tipografizálás *n*, typography

tipográfus *n*, typographer, printer

tipológia [..át] *n*, typology

tipológiai [-ak, -t; *adv* -lag] *a*, typological

tipoly [-ok, -t, -a] *n*, *(áll)* tipula, cranefly, daddy-long-legs *(fam)* *(Tipula)*

tipométer *n*, *(nyomd)* typometer

tipor [-t, -jon] *vt*, trample, stamp, tread on, tread underfoot; *földre ~* floor and trample; *lábbal ~* tread/trample underfoot, ride rough-shod over

tipp [-et, -je] *n*, *[lóverseny]* tip, pointer, wrinkle, hint; *jó ~je van* have a good tip; *~et ad vknek* give sy a tip, tip sy off, put sy wise (to sg), let sy in (on sg)

tippadó *n*, *[lóversenyen]* tipster

tippan [-ok, -t, -ja] *n*, *(növ)* agrostis, bent(-grass) *(Agrostis)*

tippel [-t, -jen] *vt/vi*, give a tip/pointer/wrinkle, put sy wise, have/make a guess; *mire ~sz?* *(biz)* what is your tip/guess?, *(sp)* what are you betting on?

tippelés *n*, *(sp)* tipping, *[más]* guessing, guesswork

tippszelvény *n*, pools-coupon

tipp-topp I. *a*, tip-top, perfect, smart, spick and span **II.** *adv*, tip-top, surpassingly, very well

tiprás *n*, stamping/trampling with the feet, treading (on), crushing, *[ló]* pawing

tipród|ik [-tam, -ott, -jon, -jék] *vi*, be restless/nervous and walk up and down

tip-top *a/adv*, = **tipp-topp**

típus *n*, **1.** *(ált)* type, category, class; *azonos ~ (biol)* homotype **2.** *[gyári]* standard (model, design, pattern), type; *legújabb ~* latest design/type/style **3.** *[minta]* prototype, model **4.** *(nyomd)* type

típusáru *n*, standard/utility goods *(pl)*

típusbútor *n*, utility furniture

típuscipő *n*, standard/utility shoes/boots *(pl)*

típusebéd *n*, standard lunch

típusmenü *n*, stand d meal

típusos [-at; *adv* -an] *a*, specific, typic(al); *nem ~* atypical

típusruha *n*, utility clothing

típusszerződés *n*, *(ker)* standard contract

típusszövet *n*, utility fabric/stuff/material/cloth

típusterv *n*, standard design

típusú [-ak, -t; *adv* -an] *a*, of ... type/design/pattern *(ut)*; *azonos ~ (biol)* homotypical; *legújabb ~ (ker)* of the latest design *(ut)*; *új ~* new-type, of a new type *(ut)*

tiráda [.. át] *n*, tirade, declamatory speech, gust of eloquence

Tirana [.. át, .. ában] *prop*, Tirana

tirannus *n*, tyrant

Tirol [-t, -ban] *prop*, Tyrol

tiroli [-ak, -t; *adv* -an] *a*, Tyrolese, Tyrolean; *~ kalap* Tyrolese hat

tiroxin [-ok, -t, -ja] *n*, *(vegyt)* thyroxine

tirozin [-ok, -t, -ja] *n*, *(vegyt)* tyrosine

tirozináz [-ok, -t, -a] *n*, *[biokémia]* tyrosinase, polyphenol oxidase, monophenol oxidase

tisliz|ik [-tem, -ett, -zen, -zék] *vi*, *(biz)* sit over one's wine (in company of others); *szeret ~ni* be a man of convivial habits, like to tipple

Tisza [.. át, .. ban, .. án] *prop*, Tisza (river in Eastern Hungary)

tiszafa *n*, *(növ)* yew(tree) *(Taxus baccata)*

tiszai [-ak, -t] *a*, of the Tisza *(ut)*, Tisza-; *~ kultúra* the Tisza culture

Tiszántúl *prop*, (Hungarian) territory east of the river Tisza

tiszántúli [-ak, -t] *a/n*, of/from beyond the Tisza *(ut)*

tiszavirág *n*, day/may-fly, *(tud)* ephemera, ephemeron; *~ életű* ephemeral, short-lived, fleeting

tiszt [-et, -je] *n*, **1.** (commissioned) officer, *[legénységből előléptetett]* ranker *(GB)*, *[hajón]* (ship's) mate; *a ~ek* the officers, *(hajó)* the quarter-deck; *~ek és feleségeik* officers and their ladies; *~té avatják* get a commission, get one's commission **2.** *[sakkban]* (chess) piece **3.** *[hivatal]* office, function, duty, obligation; *mi lesz a ~em?* what will my duty/obligation/job/work be?; *~ébe lép* enter on the duties of one's office

tiszta [.. át; *adv* .. án] **I.** *a*, **1.** *[nem piszkos]* clean, neat, spotless, flawless, unstained, undefiled, untainted, immaculate, *[tisztaságszerető]* cleanly; *~ ég(bolt)* clear/unclouded/cloudless/bright sky; *~ fehérnemű* clean/fresh linen; *~ idő* clear weather; *~ ruha* clean dress, clean clothes *(pl)*; *~ víz* clear/limpid water; *öntsünk ~ vizet a pohárba (átv)* let us speak plainly *(v.* to the point), let us get it clear, let us have it out, let us make a clean breast of it; *tisztára mos* wash clean, *(átv)* clear (sy's name), establish sy's innocence, whitewash (sy) **2.** *[nem kevert]* pure, unmixed, free from all admixture *(ut)*; *~ acél* all steel; *~ bor* neat/unmixed/unwatered/unadulterated wine; *~ csokoládé* plain chocolate; *~ fém* unalloyed metal; *~ gyapjú* pure wool; *~ ital* plain/unadulterated/neat drink, straight drink *(US)*; *~ réz* pure copper; *~ selyem* pure/real silk; *~ szesz* neat alcohol **3.** *(ker)* net, clear; *~ bevétel/hozam* net proceeds *(pl)*; *~ forgalmi költségek* genuine expenses of circulation; *~ (hajó)fuvarlevél/(hajó)raklevél* clean bill of lading; *~ haszon* clear profit; *~ jövedelem* net income/revenue; *~ súly* net weight; *~ veszteség* dead loss **4.** *(átv)* clean, clear, naked, plain, unblemished, unsullied, untarnished, pure, spotless, innocent, intact, virgin, *[élet]* chaste (life); *~ és világos (átv)* unmistakable, clear, distinct; *~ arcvonások* clear-cut features; *~ beszéd* plain/outright speech; *ez ~ dolog* sor that is clear/evident; *~erkölcs* high moral/ethical standard; *a ~ ész kritikája* Critique of Pure Reason; *~ fejű* clear-headed; *~ helyzetet teremt* clear the ground/way, make a clean sweep; *~ hírnév* unsullied/untarnished reputation; *~ igazság* naked/simple/plain/honest truth; *~ kiejtés* distinct/clear pronunciation; *~ lelkiismeret* clear conscience; *~ lelkiismerettel* with a safe/clear conscience; *~ lelkű* pure-minded, chaste, pure in spirit *(ut)*; *~ a levegő (átv)* the coast is clear; *~ multú* with a clean record/slate; *~ öröm* unmingled/unmixed/unalloyed joy; *~ szerelem* platonic love; *~ szív* pure heart; *~ szívből* with my whole *(v.* all my) heart; *~ tüzű gyémánt* diamond of the finest water; *~ ügy* clear matter, plain sailing *(fam)* **5.** *[fokozó szóként]* sheer, mere; *~ bolondság* the veriest nonsense; *~ feltevés* it is pure guess (work); *~ hazugság* downright lie; *~ hülye* a perfect idiot; *~ őrület* stark madness/lunacy, sheer folly; *~ őrült* stark mad; *~ véletlen* a mere/pure chance **6.** *(zene)* *~ hangköz* perfect interval; *~ kvint* sharp/perfec fifth; *~ véletlenségből* by sheer accident; *~ véletle*

volt hogy it was by the merest chance that; ~ *víz volt az inge* he was wet to the skin, his shirt was wet through *(v.* drenched)
II. *n,* **1.** *[ruhanemű]* clean linen; *tisztába teszi a kisbabát* change the baby, change the baby's diaper; *tisztát vált* change *(v.* put on) fresh/clean linen **2.** *(átv) tisztába jön vk felől* read sy's mind, see through sy; *tisztába jön vmvel* understand a matter, be clear about *(v.* see through) a matter; *tisztába akar jönni a dologgal* he wants to see clearly in the matter; *tisztában van vele* be fully aware of, be alive to sg, have no doubt about sg; *teljesen tisztában vagyok azzal hogy* I am fully/well aware that …, I fully appreciate the fact that *(US)*; *nincs tisztában azzal hogy* he does not exactly know whether; *önmagával sincs tisztában* he does not know his own mind
III. *adv, [teljesen]* clean, clear, pure; ~ *fehér* pure white; ~ *meztelen* stark naked
tisztafajúság *n,* racial purity
tisztafejű *a,* clear-headed
tisztakezű *a, (átv)* clean/white-handed
tisztalelkűség *n,* ingenuousness, ingenuity, simplicity
tisztálkodás *n,* washing, making one's toilet
tisztálkod|ik [-tam, -ott, -jon, -jék] *vi,* wash, make one's toilet, clean oneself
tisztán *adv,* **1.** *[nem piszkosan]* cleanly, neatly, nicely; ~ *tart vkt* keep sy clean; ~ *tartás* clean(li)ness, neatness, tidiness, keeping clean/neat/tidy **2.** *[tisztára]* nothing but, entirely, quite, absolutely; ~ *érdek* nothing but interest **3.** *[nem keverve]* pure(ly), neat(ly), straight *(US)*; ~ *issza a bort* drink one's wine pure/neat/straight **4.** *[világosan] tisztán lát vmt (átv)* have a clear conception of sg, see clearly; *nem lát* ~ he does not see clearly *(v.* his way), he is at a loss; ~ *látó* clearsighted, open-eyed, shrewd, perspicacious, *[bonyolult kérdésekben]* clairvoyant; ~ *látja a helyzetet* see distinctly, judge *(v.* take in) the situation accurately **5.** *(ker)* clear, net; *meghozott neki* ~ *1000 forintot* it brought him a clear 1000 forints, he netted/cleared a 1000 forints (on/with it) **6.** *(átv)* ~ *él* live purely/chastely **7.** ~ *beszél* speak clearly/distinctly
tisztánlátás *n,* perspicacity, penetration, clearsightedness, acumen, shrewdness, discernment
tisztára *adv,* **1.** clean; ~ *mos vmt* wash clean; ~ *mossa magát (átv)* clear oneself, establish one's innocence, talk oneself out of sg **2.** *[teljesen]* completely, wholly, totally, fully, utterly, entirely, quite, altogether; ~ *csak (vmért)* merely because of; *tisztára elfelejtettem* I clean forgot; ~ *csak formaság [az egész]* it is entirely formal; *ez* ~ *lehetetlen* that is absolutely impossible; ~ *megbolondult* he has gone off his head, he is staring/stark/downright mad; *ez* ~ *tőled függ* it depends altogether on you, it rests entirely with you
tisztás *n,* clearing, glade, opening *(US)*
tisztaság *n,* **1.** *[nem piszkos]* clean(li)ness, brightness, neatness, tidiness, *[vízé]* limpidity, *[égé]* clearness; *a* ~ *fél egészség* cleanliness is (half) the secret of good health **2.** *[nem kevert]* purity, pureness, straightness, *[öntvényé]* degree (of fineness), grade, content **3.** *[átv erkölcsi]* pureness, purity, innocence, morality, chastity, virginity **4.** *[stílusé]* clearness, clarity, limpidity
tisztasági [-ak, -t; *adv* -lag] *a,* ~ *fürdő* bath; ~ *hét* anti-litter campaign (week); ~ *próba* test for purity
tisztaságszerető *a,* (a) cleanly (person), one who likes clean(li)ness
tisztátlan *a,* **1.** *(konkr)* impure, unclean, uncleanly, foul, tainted, *[piszkos]* dirty, grubby, stained **2.** *(átv)* unclean, *[erkölcsileg]* wanton, unchaste, lewd,

base, shady, smutty, *[gondolatok, beszéd]* impure; ~ *állat* unclean animal
tisztátlanság *n,* **1.** *(konkr)* impurity, dirt(iness) **2.** *(átv)* uncleanness, indecency, unsavouriness, smut-(tiness), foulness
tisztavatás *n,* inauguration of officers, promotion of soldiers *(v.* from the ranks) to officers
tisztáz [-tam, -ott, -zon] *vt,* **1.** *[kérdést, ügyet]* clear (up), make clear, throw light on, elicit, disclose the truth of a matter, elucidate, *[kibogoz]* solve, explain, disentangle, unravel, get it right, straighten out; *kérdést* ~ clear a question; *nézeteltérést* ~ settle a difference **2.** *[személyt vm alól]* justify, vindicate, clear (sy of/from), exculpate, exonerate, whitewash *(pej)*; ~ *vkt a vád alól* exonerate sy; ~*za magát egy vád alól* clear/acquit oneself of an accusation; *ez* ~*za őt a gyanú alól* that clears him, that washes him out *(fam)* **3.** = **letisztáz**; **4.** *(műsz) [fémet]* purify
tisztázás *n,* **1.** *[kérdést, ügyet]* clearing up, elucidation, clarification, solution, explanation, straightening out **2.** *[személyé]* justification, vindication, exoneration, exculpation **3.** *[iraté]* copying
tisztázat *n,* fair copy
tisztázatlan *a,* **1.** *[nincs letisztázva]* rough (copy) **2.** *[nincs felderítve]* (be) not cleared up, (be) not made clear, unelucidated, unsolved, unexplained, *[vád]* uncleared
tisztázód|ik [-tam, -ott, -jon, -jék] *vi,* become clear(er), *[igazság]* come out, come to light, *[ügy, rejtély]* get solved/explained/elucidated
tisztbajtárs *n,* comrade officer
tisztel [-t, -jen] *vt,* **1.** *[tiszteletben tart]* honour, respect, esteem, have regard/respect for, look up to, *[áhítattal]* venerate, revere(nce); ~*d apádat és anyádat* honour thy father and thy mother; ~*l a hagyományokat* be respectful of tradition **2.** *[üdvözlés]* give/send one's respects/regards; ~*em édesapádat* my respects to your father
tiszteleg [-tem, .. lgett, -jen] *vi,* **1.** *(kat)* salute' *fegyverrel* ~ present arms; *karddal* ~ salute with the sword; ~ *vknek* salute sy; *zászlóval* ~ lower/droop the colours *(pl)*; ~*j!* salute!, *[fegyverrel]* present arms! **2.** *(vknél)* pay one's respects/duty to, ⌐*vk/ vm előtt]* bow before sy/sg
tisztelendő [-t, -je] *a/n,* reverend; ~ *úr* reverend father, *[megszólításként]* Your Reverence, Reverend Sir
tisztelendőséged [-et] *int,* Your Reverence, Reverend Sir
tisztelet *n,* **1.** *[érzés]* respect, regard, esteem, veneration, reverence; *adassék* ~ all honour to him!; *fiúi* ~ filial respect; *őn iránti* ~*ből* out of respect for you; ~*re méltó* worthy of respect *(ut)*; ~*re méltóan* with dignity; *ld* **tiszteletreméltó**; *megadja vknek a* ~*et* do/render/pay homage to, make/pay obeisance to, pay reverence to; ~*tel néz fel vkre* look up to sy; ~*tel tartozik apjának* owe respect to one's father **2.** *[megbecsülés, tekintély]* honour, reputation, respect, *(vall)* veneration, worship, cult, adoration; ~*em jeléül* as a mark/token of my esteem; ~*e jeléül a szerző* with the author's compliment; ~*ben áll* enjoy a high reputation, be respected; *nagy* ~*ben álló* highly respected, enjoying a high reputation; ~*ben tart* have respect for, hold (sy) in respect/veneration, *[szokást]* observe; *iránta való* ~*ből* out of respect for sy; ~*ére* in honour of; *vacsorát ad vk* ~*ére* give sy a complimentary dinner; ~*et ébreszt* inspire respect; ~*et parancsol* command respect; ~*et szerez magának* make oneself respected **3.** ~*em [udvariassági kif]* my respect(s) *(pl)*, my compliments *(pl)*; *adja át* ~*emet* remember me kindly to, give my compliments to; ~*ét teszi vknél* pay one's respects/duty to, wait (up)on; *engedje meg hogy kifejezzem* ~*emet*

és hálás köszönetemet allow me to express my deep respect and heartfelt thanks; *hálás ~tel* with grateful respects; *~tel értesítem [levélben]* I beg to inform you; *~tel kérem a bíróságot* may it please the court, may it please Your Honour; *~tel közlöm* I beg to inform you, I have the honour to inform you; *mély ~tel* I am(,) Sir(,) yours very truly; *őszinte ~tel [levél végén]* yours truly/faithfully/respectfully/ sincerely

tiszteletadás *n*, respect, homage, reverence, deference, obeisance; *katonai ~* military courtesy, military honours *(pl)*

tiszteletbeli *a*, honorary; *~ állás* honorary job, post/ position of honour; *~ doktor* honorary doctor; *~ doktorrá avatták* he was awarded an honorary doctorate; *~ elnök* honorary chairman; *~ fok(ozat)* honorary degree; *~ konzul* honorary consul; *~ tag* honorary member

tiszteletbentartás *n*, respect (for); *a nemzeti függetlenség ~a* respect for national sovereignity

tiszteletdíj *n*, fee(s), honorarium, *[szerzői]* royalty, (author's) fee, *[ügyvédi]* retainer, (solicitor's) fee, *[orvosé]* fee, *(sp)* prize

tiszteletes [-ek, -t, -e] I. *n*, pastor, vicar, (protestant) minister II. *a*, reverend; *~ úr [megszólításként]* Reverend Sir, Your Reverence

tiszteleti [-ek, -t] *a*, *~ tag* † honorary member

tiszteletjegy *n*, complimentary ticket

tiszteletkeltő *a*, commanding respect, inspiring awe, imposing

tiszteletkör *n*, honour lap; *a gép leír egy ~t* the plane dips its wings in salute

tiszteletlen *a*, disrespectful, irreverent, flippant, *[szülővel szemben]* undutiful

tiszteletlenség *n*, disrespect, irreverence, want of respect/reverence, slighting conduct

tiszteletlenül *adv*, disrespectfully; *~ bánik vkvel/vmvel* treat sy/sg with disrespect

tiszteletnyilvánítás *n*, homage, reverence, tribute, (token of) respect

tiszteletpéldány *n*, complimentary/free/presentation copy; *szerzői ~* free copies due to author *(pl)*, *[szerzőtől]* "with the author's compliments"

tiszteletreméltó *a*, venerable, respectable, estimable, honourable, reputable, worshipful *(obs)*; *ld még* tiszteletre méltó

tiszteletreméltóság *n*, respectability, honourable character, venerability, venerableness, dignity

tiszteletteljes *a*, respectful, deferential, reverent(ial), regardful; *~ üdvözlettel [levél végén]* I remain yours respectfully; *add át neki ~ üdvözletemet* give him my respects

tisztelettteljesen *adv*, respectfully

tisztelettudás *n*, respect(fulness), courtesy, courteousness, politeness

tisztelettudó *a*, respectful, reverent, courteous, polite, urbane, knowing his place *(ut)*, showing deference *(ut)*, *[gyermek]* dutiful

tisztelettudóan *adv*, respectfully, reverently, politely

tisztelgés *n*, 1. *(kat)* saluting, salute, lowering/drooping the colours *(pl)*, military honours *(pl)*; *~ a zászló előtt* saluting the colours; *~ fegyverrel* presenting arms; *~ karddal* salute with the sword 2. *(vknél)* paying one's respects, paying a formal visit to

tisztelgő [-t; *adv* -en] *a*, *~ katona* soldier saluting, soldier presenting arms; *~ látogatás* formal call, ceremonial visit

tisztelő [-t, -je; *adv* -en] I. *a*, devoted, respectful, deferential, admiring, reverential, *[gyermek]* dutiful; *~ híve* yours truly/faithfully, yours sincerely *(kissé fam)* II. *n*, admirer, follower, votary, *[széptevő]* gallant, adorer, wooer; *~i és barátai* his admirers

and friends; *~i körében* surrounded by his devotees; *őszinte ~je* your sincere admirer

tisztelt [-et; *adv* -en] *a*, honoured, respected, esteemed, honourable; *~ barátom* my dear friend, honoured friend *(ref.)*, *[leereszkedően]* my good man; *T~ Cím! [levélmegszólítás]* Dear Sir/Madam, Sir, Madam; *T~ Uraim! [levélmegszólítás]* Dear Sirs, Gentlemen *(US)*; *~ ház* Honoured Parliament, Mr Speaker!; *~ hallgatóim/közönség* ladies and gentleman; *mélyen ~ elnök úr* dear Sir, Mr President/Chairman

tiszteltet *vt*, send one's regards/respect/compliments (to sy); *~em a bátyját* give your brother my kind regards, remember me to your brother

tisztes [-ek; *adv* -en] I. *a*, honest, respectable, honourable; *~ családapa* respectable paterfamilias *(v. family man)*; *~ kor* advanced/venerable age; *~ távolból* at a respectful/comfortable/safe distance II. *n*, *(kat) (kb)* non-commissioned officer, non-com. *(fam)*

tisztesfű *n*, *(növ)* betony, woundwort *(Stachys sp.)*; *erdei ~* hedge woundwort *(S. sylvatica)*; *orvosi ~* wood betony *(S. officinalis)*

tisztesség *n*, 1. = tisztelettudás, tisztelet 2. *[kitüntető]* honour, respect, tribute, token of respect; *nagy ~ ez rájuk* this reflects great credit on them; *nagy ~ben tart vkt* hold sy in great honour; *megadja a végső ~et* pay the last/funeral honours, pay the last respects 3. *[becsület]* honesty, honour, integrity, uprightness, righteousness, respectability, trustworthiness; *a ~ mintaképe* the soul of honour; *~ ne essék szólván* saving your presence, with all due deference/respect, by your leave

tisztességadás *n*, homage, paying tribute/respect/ honour

tisztességérzés *n*, sense of decency/honour

tisztességérzet *n*, = tisztességérzés

tisztességes [-et, -en] *a*, 1. *[becsületes]* honest, honourable, upright, just, righteous, square, above-board, irreproachable, blameless, fair and square; *~ asszony* respectable woman; *~ elbánásban részesül* get a fair/ square deal; *~ eljárás* fair play, square/plain deal(ing); *~ ember* upright/honest man; *~ szándékkal udvarol egy nőnek* court a woman with honourable intentions; *~ viselkedés* fair play, gentlemanly conduct, square deal; *nem volt ~ dolog hogy ... it was hardly honest to...* 2. *[jó] ~ ebéd* square/decent meal; *~ fizetés* adequate/fair salary; *~ külsejű* presentable; *~ munkát végez* do honest work; *~ ruha* decent suit

tisztességesen *adv*, 1. *[becsületesen]* fairly, squarely, honestly, decently, trustworthily 2. *[jól]* decently, properly, respectably; *~ öltözik* dress decently/properly

tisztességtelen *a*, 1. *[becstelen]* dishonest, dishonourable, unprincipled, unscrupulous, disreputable; *~ ajánlatot tesz [nemileg]* make improper advances; *~ eljárás/cselekedet* act/piece of dishonesty; *~ játék (sp)* foul play; *~nek tart vkt* hold sy to be dishonest 2. *[öltözék]* indecent, improper 3. *(ker)* unfair, disloyal, fraudulent; *~ eljárás* foul play, sharp practices *(pl)*; *~ verseny* unfair competition

tisztességtelenség *n*, dishonesty, improbity, want of integrity, unfairness, fraud

tisztességtelenül *adv*, 1. *[becstelenül]* dishonestly, dishonourably; *~ viselkedik vkvel szemben* play sy foul 2. *[öltözik]* improperly

tisztességtudás *n*, decency, courtesy, civility, respectfulness, mannerliness, *[gyerek részéről]* dutifulness

tisztességtudó *a*, decent, courteous, civil, respectful, proper, mannerly, well-behaved, *[gyerek]* dutiful, duteous

tisztességtudóan *adv*, decently, respectfully, properly

tiszthelyettes *n*, sub-officer, warrant officer, regimental sergeant-major *(röv R.S.M.)*

tiszti [-ek, -t; *adv* -leg] *a, (kat)* officer's, officers', *(hiv)* official; ~ *becsület* honour of (an) officer; ~ *címtár* list of civil servants; ~ *eskü* officer's oath of allegiance; ~ *étkezde* officer's mess(-room), *[hadihajón]* gun-room; ~ *főorvos* chief medical officer; ~ *főügyész (kb)* municipal/county attorney; ~ *gyűlés* council of officers; ~ *kaszinó* officers' club; ~ *küldönc* orderly, batman, officer's servant, striker *(US)*; ~ *különítmény* officers' detachment; ~ *rang* rank of officer, commission; ~ *rangjelzés* officer's insignia; ~ *ruha* officer's uniform/regimentals *(pl)*

tisztikar *n*, 1. *(kat)* body/staff of officers, commissioned personnel, *(hajó)* upper-deck ratings *(pl)*, the quarter-deck *(fam)* 2. *[hivatali]* personnel, staff of civil servants *(v. clerks)*

tisztiorvos *n, (kb)* medical officer, medical officer of health, (municipal) health officer

tisztiorvosi *a,* ~ *bizonyítvány* medical officer's certificate

tisztiszolga *n, † — tiszti küldönc*

tisztít [-ani, -ott, -son] *vt,* 1. *(ált)* (make) clean, cleanse, purify, *[ablakot]* clean, do, *[árnyékszéket]* clean out, empty, *[cipőt]* clean, brush, shine, polish, *[csövet]* free, clean, unstop, clear, unchoke, *[edényt]* scour, *[fehérneműt]* wash, launder, *[fémet bőrrel]* buff, *[fogat]* brush, clean, *[lőfegyver csövét]* brush out, *[ruhát]* clean; *foltot* ~ remove stains/spots *(pl)* 2. *[folyadékot, bort]* clear, clarify, *[gázt]* clean, scrub, *[gyapjút]* scour, *[levegőt]* purify, cleanse, sweeten, *[vért]* depurate, cleanse, clear; *beleket* ~ purge the bowels 3. *[főzeléket, zöldséget]* clean, scrape, *[babot, borsót]* shell, hull, (un-)husk, *[baromfit]* pluck, clean, dress, draw, *[halat]* gut, clean, *[mandulát]* clean, blanch; *zöldbabot* ~ top and tail *(v. string)* French beans

tisztítás *n,* 1. *(ált)* clean(s)ing, purifying, purification, *[árnyékszéké]* voidance, draining, emptying, flushing, *[cipőé]* cleaning, brushing, polishing, *[fehérneműé]* washing, laundering, *[ruháé]* cleaning 2. *[folyadéké, boré]* clearing, clarifying, *[gázé]* cleaning, cleansing, scrubbing, scouring, *[levegőé]* purification, cleansing, sweetening, clarification 3. *[véré]* depuration, cleansing, clearing, *[beleké]* purging, purgation 4. *[főzeléké, zöldségé]* cleaning, scraping, *[babé, borsóé]* shelling, hulling, (un-)husking, *[baromfié]* plucking, cleaning, dressing, drawing, *[halé]* cleaning, gutting, *[manduláé]* husking

tisztítatlan *a*, impure, unclean, not clean(s)ed/purified, foul, tainted, *[alkohol stb.]* unrefined

tisztítható *a*, cleanable

tisztító [-t, -ja; *adv* -an/lag] I. *a*, cleaning, purifying, purificative, purificatory;~ *munkás* cleaner II. *n*, 1. *[ember]* clean(s)er, scourer, scrubber, purifier, purificator, *[nyelvé]* purist 2. *[tex üzem]* dyer and cleaner, cleaner's, *[mosoda]* laundry; *beadtam a ruhát a* ~*ba* I sent the suit/dress to the cleaner's 3. *[folyadéké]* rectifier

tisztítógép *n*, cleansing/screening/scouring machine/apparatus, *[gabonának]* separator

tisztítógyalu *n*, spokeshave

tisztítóhely *n, (vall)* Purgatory, limbo

tisztítópor *n*, clean(s)ing/polishing powder, scourer

tisztítórongy *n*, rag for cleaning, mop

tisztítórosta *n*, sifter

tisztítószer *n,* 1. *(ált)* purifier, purificant, purifying agent, *[háztartási]* scourer, cleaning compound, *[szintetikus]* detergent; ~*ek [puskához]* cleaning accessories 2. *(orv)* depurative, detergent, *[folyadéké]* rectifier

tisztított [-at; *adv* -an] *a,* 1. *(ált)* clean(s)ed, *[szesz,*

petróleum] rectified; ~ *érc* finished ore 2. *[zöldség]* cleaned, scraped, *[mandula]* husked, blanched; ~ *baromfi* dressed poultry

tisztítótűz *n, (vall)* Purgatory, limbo

tisztítóvessző *n*, cleaning rod/probe

tisztiügyész *n*, municipal/county attorney

tisztjelölt *n*, candidate officer, *(hajó)* midshipman, *(kat isk)* cadet

tisztképzés *n*, training of officers

tisztképző *a/n,* 1. *(isk)* military college/academy 2. *[tanfolyam]* officers' training corps *(röv O.T.C.)*

tisztogat *vt/vi,* 1. *(konkr)* clean, cleanse, scour 2. *(átv)* clean, purge

tisztogatás *n,* 1. *(konkr)* clean(s)ing, scouring, scrubbing 2. *(átv)* purification, purifying, cleansing, purging, *[személyzeté]* weeding out, purge; *alapos* ~*t végez/csinál* make a clean sweep of one's staff, have a thorough turn-out 3. *(kat)* mopping up

tisztogató [-t; *adv* -an] *a,* 1. *(konkr)* clean(s)ing, scouring 2. *(átv)* purifying, purging 3. *(kat)* ~ *művelet* mopping-up operation

tisztség *n*, office, charge, function, position, post, place, appointment; *hivatalos* ~*ében* in the exercise of one's duties; ~*gel járó hatalom* inherent power in an office

tisztségviselő *n, (kb)* officer, official, functionary, office-bearer, office-holder *(US)*

tiszttárs *n*, brother/fellow-officer

tiszttartó *n*, (farm-)bailiff, (under-)steward, manager, agent

tisztújítás *n*, (re-)election of officials

tisztújító *a,* ~ *közgyűlés* general meeting for (re-)election of officials

tisztul [-t, -jon] *vi,* 1. *(ált)* become/get clean, *[folyadék]* (become) clear, clarify 2. *[ég, időjárás]* clear (up), brighten, *[levegő]* purify, become pure; ~ *a láthatár* the horizon is clearing 3. *(orv)* improve, discharge, *[havibajos]* menstruate, *[szervek]* clear, *[vér]* clear 4. *[erkölcsileg]* purify, become pure, improve, *[ügy]* clear up, be cleared up 5. *(átv)* ~*jatok innen!* get out (of here)!

tisztulás *n,* 1. *(ált)* purification, purifying, cleansing, *[folyadéké]* clarification 2. *[levegőé]* sweetening, purifying, becoming pure, *[időé]* brightening, clearing 3. *[havibajos]* menstruation, menses, periods *(pl)*, monthlies *(pl)*, *[gyermekágyas]* cleansing(s), *[véré]* clearing, purifying 4. *[erkölcsi]* purification, becoming pure, improvement

tisztulási [-ak, -t] *a,* ~ *folyamat* purifying process, *(pol)* settling down

tisztult [-at; *adv* -an] *a*, cleansed, purified; ~ *légkör* purified/clear atmosphere

tisztviselő [-t, -je] *n*, official, functionary, office-holder, clerk, *[könyvelési]* accountant, *[állami]* government employee/official, civil servant

tisztviselői [-ek, -t] *a*, official, civil service, clerical; ~ *állás* clerkship, post of a clerk; ~ *kar* staff of officials, body of civil servants

tisztviselőnő *n*, woman clerk, female clerк/official

tisztviselőtársadalom *n*, the officials *(pl)*, officialdom, the civil servants *(pl)*, the civil service, the salariat, black-coated workers *(pl) (GB fam)*, white--collar workers *(pl) (US fam)*

tisztviselőtelep *n*, civil servants' garden city, suburbia *(GB pej)*

titán¹ [-ok, -t, -ja] *n*, Titan; ~*ok bukása (műv)* Fall of the Giants; ~*ok harca* Titanomachy

titán² [-t, -ja] *n, (vegyt)* titanium

titáni [-ak, -t; *adv* -an] *a*, titanic, titanesque

titanit [-ot, -ja] *n, (ásv)* titanite, sphene

titánium [-ot, -a] *n, (vegyt)* titanium

titánsav *n*, titanic acid

titánsavas *a, (vegyt)* titanic
titer [-ek, -t, -je] *n,. (vegyt)* titre
titkár [-ok, -t, -a] *n,* secretary, *(tud)* amanuensis; *személyi* ~ private secretary; ~ként működik act as secretary
titkári [-ak, -t; *adv* -lag] *a,* secretarial, secretary's,. of secretary *(ut) ;* ~ *állás* post of (a) secretary; ~ *feladatok/teendők* secretarial duties/functions/work; ~ *hivatal* secretariat(e); ~ *jelentés/beszámoló* secretary's report; ~ *teendőket lát el* perform the office of secretary, act as secretary
titkárnő *n,* (lady, woman, female) secretary; *a* ~*k gyöngye* a jewel/gem of a secretary
titkárság *n,* 1. *[foglalkozás]* secretaryship 2. *[hivatal]* secretariat(e), *[osztály]* secretary's office
titkol [-t, -jon] *vt,* hide, conceal, hush up, keep secret/ back, withhold, secrete, *[érzést]* dissimulate, dissemble, mask; ~ *vmt vk elől* keep sg from sy; *nem* ~*ja* make no secret of
titkolás *n,* keeping secret, hushing up
titkolható *a,* concealable
titkolódzás *n,* secretiveness, secret-mongering, mysterious conduct, mystery-making, whispering, hush-hush *(fam)*
titkolódz|ik [-tam, -ott,.. óddzék, .. óddzon] *vi,* make a mystery, keep things back, assume an air of secrecy, be hole-and-cornerish *(fam),* be hugger-mugger
titkolódzó [-t; *adv* -an] *a,* secretive, secret-mongering, *[természet]* reticent, buttoned up
titkolt [-at; *adv* -an] *a,* concealed, secret, hidden, withheld, masked, hush-hush *(fam) ;* ~ *rokonszenv* sneaking regard (for sy)
titkon *adv,* secretly, clandestinely, covertly, stealthily, furtively, on the sly/quiet, in secret/secrecy, surreptitiously, privily, hugger-mugger *(fam) ;* ~ *örült neki* in his heart's heart he was happy about it
titkos [-at; *adv* -an] *a,* 1. *(ált)* secret, hidden, concealed, clandestine, stealthy, surreptitious, privy, private, internal; ~ *ajtó* jib/secret/hidden/privy door; ~ *bejárat* secret/private entrance; ~ *diplomácia* secret diplomacy; ~ *ellenség* snake in the grass, fifth column; ~ *értelmű* esoteric; ~ *fiók* hidden drawer; ~ *házasság* secret/clandestine marriage, hedge-marriage; ~ *hírszolgálat* grapevine telegraph; ~ *imádó* dumb/secret admirer; ~ *jel* secret sign(al); ~ *jelenések könyve* Book of Revelation, Apocalypse; ~ *lakat* letter-keyed lock; ~ *levéltár* secret archives *(pl);* ~ *megállapodás* secret clause/agreement; ~ *megbeszélés* secret negotiation(s)/interview/conversation/ conference; ~ *okmány* secret document; ~ *pillantás* stolen/furtive/stealthy glance/look; ~ *rádióadó* concealed transmitter; ~ *szavazás* secret vote/ballot; ~ *szenvedély* secret/clandestine passion/vice; ~ *szövetség* secret alliance, cabal *(pej),* junto *(pej) ;* ~ *tanácsos* Privy Councillor; ~ *tanok* esoteric/occult doctrines, mystery; ~ *társaság* secret society; ~ *tartalékok* hidden reserves; ~ *telefonszám* unlisted telephone number; ~ *törvényszék* secret tribunal, *[régi német]* Vehmic court; ~ *utakon* by clandestine proceedings, by secret paths/means, through underhand dealings, secretly; ~ *ügynök* (secret) agent, undercover man, confidential messenger, emissary; ~ *üzelmek* underground dealings; ~ *választás* vote by (secret) ballot; ~ *zár* combination/safety lock; ~ *összeköttetésben áll az ellenséggel* be in (secret) communication with the enemy 2. *[titokzatos]* mysterious
titkosírás *n,* 1. (writing in) cipher, secret writing, *[rendszer]* code, cryptography 2. *[szöveg]* cryptogram; *táviratot* ~*ba tesz át* write a dispatch in code
titkosírás-szakértő *n,* cryptologist, cryptographer, *(kat)* cipher officer

titkosrendőr *n,* † detective, plain-clothes man, G-man. *(US)*
titkosrendőrség *n,* † secret police, *(GB)* Criminal Investigation Department *(röv* C.I.D.)
titkosság *n,* secrecy, stealth(iness); *a szavazás* ~*a* secrecy of ballot/voting
titok [titkot, titka] *n,* 1. *(ált)* secret; *nem* ~ *hogy* it is no secret that, there is no secret about it; *nyílt* ~ it is an open secret; *nincs titka előttem* he has no secrets from me; *a természet titkai* the secret/ mysteries of Nature; *beavat vkt a* ~*ba* let sy into the secret; *ő az összes titkok tudója* he is in on all the secrets; ~*ban* in secret/secrecy/camera, by stealth, secretly, stealthily, surreptitiously, privily, on the (strict) q.t.; *a legnagyobb* ~*ban* in strictest confidence; ~*ban közöl vmt* tell sg as a secret; ~*ban szeret* love secretly/clandestinely; *tartsd* ~*ban* do not tell it to anybody, mum's the word *(fam) ;* ~*ban tart* keep secret/private; *elárulja a titkát* let/blab out *(v.* betray) his secret, let the cat out of the bag *(fam),* give the game/show away *(fam) ; titkot csinál vmből* make sg a secret; *nem csinálok belőle titkot hogy ...* I do not conceal the fact that ...; *titkot tart* keep a secret; *titkot kivesz vkből* wheedle a secret out of sy, worm sg out of sy, pump sy; *a titkot magával vitte a sírba* the secret died with him, he took the secret to the grave 2. *(vall)* mystery 3. *[műfogásé]* trick; *vmnek a titka* the key/trick of sg
titoknok [-ot, -a] *n,* † = titkár
titoksértés *n,* disclosure of a secret, giving away of a secret
titokszegés *n,* = titoksértés
titoktartás *n,* secrecy, secretiveness, discretion; *hivatali* ~ official secrecy; *a legszigorúbb* ~ *mellett* in strict confidence; ~ *terhe alatt* under the seal of secrecy/ silence; ~*t ígér* promise secrecy; ~*t kér* enjoin/ demand secrecy
titoktartási [-t] *a,* ~ *kötelezettség* obligation of official secrecy
titoktartó *a,* close, reticent, discreet, silent, reserved, secretive
titokzatos [-at; *adv* -an] *a,* mysterious, enigmatic(al), secret, mystic(al), hole-and-corner *(pej) ;* ~ *arccal* with a mysterious air/expression; ~ *egyén* mysterious individual; ~ *ügy* a mysterious business; ~*sá tesz* wrap in mystery, wrap up in a mystery
titokzatosan *adv,* mysteriously, mystically
titokzatoskod|ik [-tam, -ott, -jon, -jék] *vi,* act/behave mysteriously, be very secretive/reticent
titokzatosság *n,* mysteriousness, mystery, mysterious character; ~*ba burkol(ódz)va* wrapped in mystery
titrál [-tam, -t, -jon] *vt, (vegyt)* titrate
titrálás *n, (vegyt)* titration
titulál [-t, -jon] *vt,* = címez *(vmnek).*
titulus *n,* † title
Tivadar [-t, -ja] *prop,* Theodore
tivoli-játék *n,* bagatelle, pinball
tivornya [.. át] *n,* orgy, drinking bout, carousal, revelry, debauch, bacchanal, high jinks *(pl)*
tivornyás *a,* carousing, bacchanalian
tivornyázás *n,* orgy, revelling, revelry, debauchery, racket
tivornyáz|ik [-tam,-ott, -zon,-zék] *vi,* carouse, revel, debauch, drink (in loose company), be/go on the spree
tivornyázó [-t, -ja] I. *a,* revelling, carousing II. *n,* reveller, debauchee
tíz [-et, -e] *num. a/n,* ten, half a score; ~ *óra* tén o'clock; ~ *órai [időtartam]* ten hours', of/lasting ten hours *(ut),* ten-hour; ~ *órai szünet* the ten-o'clock break/ interval/recess/pause; *a* ~ *ujjamon el tudom számlálni* I can count them on my fingers; *a vonat* ~ *ór_d*

~kor érkezik the train arrives (v. is to arrive) at ten past ten; Rákóczi út ~ben lakom I live at ten (v. No 10) Rákóczi Street; az esély ~ az egyhez the odds are 10 to 1; ~ig számol count up to ten; mintha ~ig sem tudna számolni/olvasni (biz) it looks as if butter wouldn't melt in his mouth

tized¹ [-et, -en] num. n/a, 1. [rész] a/one tenth, tenth (part); fizetése egy ~ét one tenth of his salary 2. három egész öt~ three point five; összeadja a ~eket add up the decimals 3. [adó] tithe, tenths; ~et szed az egyházközségben collect tithes in the parish

tized² [-et, -e] num. a/n, 1. = tizedik; 2. (zene) tenth

tized³ [-et, -e] n, † [évtized] decade (stand.)

tizedel [-t, -jen] vt, 1. decimate 2. [tizedet szed] (tört) collect tithes

tizedes¹ [-ek, -t, -e; adv -en] I. a, decimal; ~ mérleg platform scales, decimal balance; ~ osztályozás decimal system of classification; egyetemes ~ osztályozás universal decimal classification; ~ pénzrendszer decimal coinage; ~ számrendszer decimal system II. n, (menny) decimal; három ~ig to three places of decimals; ~t felkerekit approximate a decimal

tizedes² [-ek, -t, -e] n, (kat) (acting) corporal

tizedespont n, (decimal) point, period

tizedesszám n, decimal (number)

tizedestört n, decimal (fraction)

tizedhangköz n, (zene) tenth

tizedik [-et, -e] num. a/n, tenth; minden ~ every tenth (one), one in ten; a X. században in the 10th century; január ~én on the 10th of January

tizedméter n/a, decimetre

tizedrangú a, (átv) fifth-rate

tizedrész n, = tized¹ 1.

tizedszedő n, (tört) tithe collector

tizedszer num. adv, 1. [ismétlődés] for the tenth time 2. [felsorolás] tenthly

tizen num. adv, ten (of us/you/them), half a score (of)

tizenegy [-et; adv -en] num. a/n, eleven; a magyar ~ (sp) the Hungarian team/eleven; március ~ the 11th of March; ~kor at eleven (o'clock)

tizenegyedik [-et, -e] num. a/n, eleventh; az év ~ hónapja the eleventh month of the year

tizenegyszer num. adv, for the eleventh time

tizenegyen num. adv, eleven (of us/you/them)

tizenegyes I. num. a, ~ szám (the number) eleven; ~ autóbusz bus number eleven, the number eleven bus; ~ pont (sp) penalty spot; a ~ szám alatt lakunk we live at number eleven (v. at No 11) II. n, 1. [szám] eleven 2. (sp) penalty kick

tizenegyszög n, (mért) hendecagon, undecagon

tizenharmadik num. a/n, thirteenth

tizenhárman num. adv, thirteen (of us/you/them)

tizenhárom num. a/n, thirteen, [darab] baker's dozen (joc), long dozen (joc); az aradi ~ (tört) the thirteen martyrs of Arad ⟨who died in the cause of Hungary's Independence in 1849⟩; ~ éve vagyok itt I have been here for/these thirteen years; ~ próbás gazember thoroughpaced villain, arrant knave (obs)

tizenhat num. a/n, sixteen; „~ éven felülieknek" [filmjelzés] x(-film)

tizenhatan num. adv, sixteen (of us/you/them)

tizenhatlapú a, [kristály] sexdecimal

tizenhatod num. a/n, sixteenth; ~ hangjegy sixteenth (note), semiquaver; ~ szünet(jel) semiquaver/sixteenth rest

tizenhatodik num. a/n, sixteenth; a XVI. században in the 16th century

tizenhatodrész n, a/one sixteenth, sixteenth (part)

tizenhatodrét a/adv, (in) sixteenmo, (röv 16mo), sextodecimo

tizenhatos I. num. a, ~ szám (the number) sixteen; a ~ számú szoba room number sixteen; ~ vonal

(sp) the 16 yard line II. n, 1. [szám] sixteen 2. (sp) penalty area; a ~on belül within the penalty area

tizenhét num. a/n, seventeen; ~ éves seventeen (years old)

tizenheted num. a/n, a/one seventeenth

tizenhetedik num. a/n, seventeenth; a XVII. században in the 17th century

tizenként num. adv, by tens, in lots/groups of ten

tizenkét num. a, twelve; ~ óra twelve o'clock, noon, midday, [éjfél] midnight; ~ tucat a gross

tizenkétlap n, (mért) dodecahedron

tizenkétrészes a, dodecapartite

tizenkétszög n, (mért) dodecagon

tizenketted num. a/n, a/one twelfth; négy ~ four twelfths

tizenkettedik [-et, -e] num. a/n, twelfth; a ~ órában at the eleventh hour

tizenkettedrét a/adv, (nyomd) (in) duodecimo, twelvemo (röv 12mo)

tizenkettedszer adv, twelfthly, for the twelfth time

tizenketten num. adv, twelve (of us/you/them)

tizenkettes num. a/n, (number) twelve; ~ számrendszer (menny) duodecimal system, duodecimals (pl)

tizenkettő num. a/n, 1. twelve 2. ~kor at twelve o'clock, at noon, at midday; ~t ütött az óra the clock struck twelve

tizenkilenc num. a/n, nineteen; ~ év nineteen years; az egyik ~ a másik ... there is not a shadow of difference between them, it is six of one and half a dozen of the other, it is as broad as it is long, it is tweedledum and tweedledee

tizenkilenceedik [-et, -e] num. a/n, nineteenth; a XIX. században in the 19th century

tizenkilencen num. adv, nineteen (of us/you/them)

tizenkilences num. a/n, (the number) nineteen

tizennégy num. a/n, fourteen; (kárty) [pikében] quatorze

tizennegyedik num. a/n, fourteenth

tizennégyen num. adv, fourteen (of us/you/them)

tizennégyes num. a/n, (the number) fourteen; a ~ szám alatt lakunk we live at number fourteen (v. at No. 14)

tizennyolc num. a/n, eighteen; ~ éves eighteen (years old)

tizennyolcadik num. a/n, eighteenth; ~ kerület eighteenth district

tizennyolcadrét a/n, (nyomd) (in) eighteenmo, octodecimo (röv 18mo)

tizennyolcan num. adv, eighteen (of us/you/them)

tizennyolcas num. a/n, (the number) eighteen

tizenöt num. a/n, fifteen; ~ évi quindecennial; ~—semmi [teniszben] owe fifteen(,) love

tizenöten num. adv, fifteen (of us/you/them)

tizenötödik num. a/n, fifteenth; ~én on the 15th

tizenötszög n, (mért) quindecagon

tizes [-ek, -t, -e] I. num, a, 1. ~ szám number ten; a ~ szám alatt lakunk we live at number ten (v. at No. 10); ~ szoba room number ten, room No. 10; ~ villamos tram number ten, the number ten tram; a ~ vonat késik the ten o'clock train is late 2. a ~ években in the tens, in the second decade, [a tíz és húsz közti életévekben] in one's teens 3. ~ bizalmi (kb) party group steward 4. ~ mértékrendszer metric system; ~ számrendszer (menny) ordinary/denary/decimal scale/system/notation II. num. n, 1. [szám] figure/number ten; ~ével számol count in tens 2. [busz, villamos] bus/tram number ten, the number ten bus/tram 3. [bankjegy] ten forint/shilling note, tenner (fam), (kárty) ten; kör ~ ten of hearts

tízévenként adv, decennially, every decade, every ten years; ~ egyszer once in ten years

tízéves a, ten years old (ut), ten-year-old, ten years of age (ut), of ten (ut)

tízezer num. a/n, 1. ten thousand 2. a felső ~ the high society, the upper ten/crust, the four hundred (US)

tízféle a, ten (different) kinds/sorts/varieties of, of ten (different) kinds/sorts (ut)

tízfilléres a/n, ten-filler (piece)

tízforintos I. n, ten-forint note, tenner (fam) II. a, costing ten forints (ut), ten-forint (note)

tízhatalmi a, ~ leszerelési bizottság Ten-Nation Committee on Disarmament

tízlábú a, (áll) decapod, decapodal

tízlapú a, (mért) decahedral

tíznapi a, ten days', of/lasting/for ten days (ut), ten-day; ~ haladék a delay of ten days, ten day's grace

tízórai n, (étkezés) a ten-o'-clock snack, quicklunch, elevens(es) (pl) (fam)

tízóraizilik [-tam, -ott, -zon, -zék] vt/vi, take/have a snack at ten, have elevenses

tízparancsolat n, Ten Commandments (pl), decalogue

tízperc n, (isk) break, interval, recess

tízperces a, ten minutes', of ten minutes (ut); ~ szünet ten minutes(') interval/break/recess, interval

tízpróba n, (sp) decathlon

tízszer adv, ten times

tízszeres [-ek, -t; adv -en] num. a/n, tenfold, decuple

tízszög n, (mért) decagon

tízszögű a, (mért) decagonal

tíztagú a, of ten members (ut); ~ társaság a company of ten; ~ vers decasyllabic line/verse

tíztusa n, = tízpróba

tó [tavat, tava] n, lake, [kisebb] lakelet, pond, pool, mere, (skót) loch, [hegyi] tarn; ~vá duzzaszt pond (back, up); tavakban gazdag laky

toalett [-et, -je] n, 1. [ruha] woman's dress, costume, gown 2. [mosdóbutor] washstand 3, [klozett] toilet, lavatory, W.C.

toalettasztal n, toilet/dressing table

toalettkészlet n, toilet-set

toalettpapír n, toilet-paper

toalettszappan n, toilet-soap

toalettszer n, toiletry

toalett-tükör n, toilet-glass

Tóbiás [-t, -a] prop, Tobias, Tobiah, (bec) Toby

tóbiáshal n, (áll) launce (Ammodytes lanceolatus/ tobianus)

tobogan [-ok, -t, -ja] n, toboggan

tobogánozó [-t, -ja] n, (sp) tobogganer

tobogánpálya n, (sp) toboggan-run/shoot/slide

toboroz [-tam, .. rzott, -zon] vt/vi, 1. (kat) recruit, enlist 2. [vmely célra] recruit, raise, levy, beat/ drum up for, [híveket] canvass, [munkára] enrol, [erőszakkal] crimp, impress; ~ vevőket beat up customers

toborzás n, 1. (kat) recruiting, recruitment, enlistment, levy 2. [vmely célra] recruitment, [híveket] canvassing, [erőszakkal] crimping, impressment

toborzó [-t, -ja] I. a, recruiting, enlisting, canvassing; ~ iroda enlistment station II. n, 1. recruiter, canvasser 2. (zene) tune/air to accompany recruiting, recruiting music

toboz [-ok, -t, -a] n, (pine/fir-)cone, strobile; ~ alakú pineal, conelike, cone-shaped, coniform, strobilus, strobiliform

tobozmirigy n, (bonct) pineal gland, conarium, epiphysis cerebri (lat)

tobozos [-at; adv -an] a/n, coniferous, cone-bearing, strobilaceous; ~ok conifers

toboztermő a/n, = tobozos

toboztermők n. pl, (növ) conifers, coniferae (Coniferae)

toboztetű n, (áll) adelges (Adelges sp.)

tobzódás n, 1. [dúslakodás] living in (luxurious) abundance, luxuriance, wallowing 2. [kicsapongás] carouse, carousal, revelry, orgy

tobzódiik [-tam, -ott, -jon, -jék] vi, (vmben) live in luxurious abundance/opulence, luxuriate (in sg), wallow (in), gorge, carouse; ~ik a napsütésben luxuriate in sunshine

tobzoska [..át] n, (áll) pangolin (Manis sp.)

tócsa [..át] n, puddle, (stagnant) pool, plash, bull-hole (US), [kacsáknak] duck-pond, (bány) sump

tocsog [-tam, -ott,-jon] vi, (s)plash, paddle; ~ a sárban slop about in the mud

tocsogó [-t, -ja] I. a, plashy, plashing II. n, puddle, plash, pool

tódít [-ani, -ott, -son] vi/vt, exaggerate, overstate, [kérkedve] talk big, draw the long bow (fam), stretch facts

tódítás n, exaggerated statement, exaggeration, overstatement

Tódor [-t, -ja] prop, Theodore

tódul [-t, -jon] vi, 1. [vhová folyadék] flow (in, to), rush to, (vmerre) flow towards; a vér az arcába ~t the blood rushed to his forehead 2. [tömeg] stream/ flock/throng/press to, pour into; vk köré ~ throng/ press/crowd round sy; a közönség az emelvényre ~t the audience rushed the platform

tófenék n, bottom of a lake

tóga [..át] n, 1. (rég) toga 2. [mai] gown

togátus I. a, † togated, gowned, wearing a gown (ut) II. n, collegian

tógazdaság n, fish breeding, fish-hatcheries (pl)

Togo [-t, -ban] prop, Togoland

togoi [-ak, -t] a/n, Togolese

tohonya [..át] a, (nép) sluggard, big and slothful

tóingás n, [Genfi-tavon] seiche

tojás n, 1. egg, (tud) ovum, [halé] spawn, (hard) roe; úgy hasonlítanak egymásra mint két ~ they are as like as two eggs; ~ból kibújik hatch (out), break the shell (of the egg); ~ról szaporodás (biol) oviparity; ~ról szaporodó (áll) oviparous; ~okat kiköl hatch (out) eggs 2. [étel] egg; buggyantott ~ poached egg; főtt ~ boiled egg; kemény ~ hard-boiled egg; lágy ~ soft-boiled egg; ~t feltör break an egg; ~t felver whisk/beat (up) eggs; ~t főz boil eggs; alakú egg-shape(d), oval, oviform, ovoid, (növ) ovate 3. ☐ [here] ball, testicle (stand.) 4. [művelet] laying (of eggs), egg-laying

tojásárus n, egg-merchant/man/dealer, [asszony] egg-woman

tojásbrikett n, eggette

tojásbuggyantó n, egg-poacher

tojásdad [-ot; adv -an] a, = tojás alakú

tojásdísz n, (épít) ovolo, ovum, gadroon

tojásétel n, dish (composed) of eggs, egg-dish

tojásfehérje n, egg-white, white of egg, glair, (tud) ovalbumin

tojásgránát n, egg-grenade

tojásgyümölcs n, (növ) eggplant, egg-fruit, aubergine, brinjal (Solanum melongena)

tojáshab n, whites of eggs beaten to a stiff froth, [sült cukrozott] meringue; ~ot ver froth eggs, beat/ whip/whisk (up) egg-whites

tojáshártya n, membrane/chorion of egg

tojáshéj n, egg-shell

tojáshéjmáz n, egg-shell finish

tojásidom n, oval

tojásképződés n, (biol) ovulation

tojáskereskedő n, egg-merchant/dealer/man, [nő] egg-woman

tojáslámpázó n, [készülék] candling apparatus (for eggs)

tojásléc n, [görög építkezésben] egg and dart/anchor/ tongue (enrichment), ovolo

tojáslepény n, omelet(te)
tojáslikőr n, egg-flip/nog
tojásmelegítő n, egg-cosy
tojásos [-at; adv -an] a, (made) of/with eggs (ut), egg-
tojáspor n, egg-powder, dried eggs (pl), dehydrated eggs (pl)
tojásrakás n, laying (of eggs), egg-laying
tojásrakó a, oviparous
tojásrántotta n, scrambled eggs
tojássárgája n, (egg-)yolk
tojássor n, (épít) = tojásléc
tojászeletelő n, egg-slicer, egg-scissors (pl)
tojászén n, briquette, eggette
tojástánc n, ~ot jár dance an egg-dance, tread on delicate ground, skate on thin ice
tojástartó n, egg-cup, [több tojásnak] egg-stand
tojásvonal n, oval
tojató a, ~ takarmány poultry spice
tojlik [-t, -jon, -jék] vi/vt, 1. lay (eggs) 2. (biz) cack, shit
tojó [-t, -ja] I. a, (egg-)laying, (tud) oviparous; ~ időszak egg-laying time II. n, hen, hen-bird, layer, [pulykáé] turkey-hen, [lúdé] goose; jó ~ good layer
tojócső n, [rovaré] spiculum
tojófészek n, nest-box
tojófészek-sorozat n, [baromfitelepen] battery
tojójérce n, pullet
tojóképesség n, aptitude for laying
tojókosár n, nest-box
tojóláda n, nest-box
tojós [-ak, -t; adv -an] a/n, = tojó
tojóstyúk n, brood-hen
tok¹ [-ot, -ja] n, 1. case, box, [géprészé] casing, [pengéé] sheath, scabbard, [revolveré] hoister, case, [ablaké, ajtóé] reveal, [kötött könyvé] slipcase, [szerszámé] tool-chest/box; ~ba tesz (en)case, (en)sheathe; ~ban [könyv] boxed; ~ból kivesz uncase-eszed ~ja! nonsense, nuts (US) 2. [növényi magé] capsule
tok² [-ot, -ja] n, [hal] sturgeon (Acipenser sturio); lapátorrú ~ spoonbill, paddlefish (Polyodon spathula)
toka n, (double) chin, [állaté] chaps, chops, dewlap; tokát ereszt grow a double chin
Tokaj [-t, -ban, -ba] prop, Tokay (town in North--Eastern Hungary)
tokaji [-ak, -t] a/n, Tokay (wine); ~ aszú Tokay Aszu, old Tokay (wine)
tokány n, (kb) stew
tokás a, double-chinned; ~ galamb (áll) pouter, cropper
tokásodlik [-tam, -ott, -jon, -jék] vi, grow a double chin
tokaszalonna n, piece of bacon from the pig's chaps; sózott ~ bath chaps (pl)
tokcsináló n, case/sheath/scabbard-maker
tokhal n, (áll) sturgeon (Acipenser sturio)
tokhár [-ok, -t] a/n, Tocharian
tokikra n, caviar, row/spawn of sturgeon
Tokió [-t, -ban] prop, Tokyo
tokkészítő n, case maker
toklász [-ok, -t, -a] n, glume, awn, husk, hull
toklászóló [-t, -ja] n, [cséplőgépben] hummeler, awner
toklebeny n, (növ) valva; ~hez tartozó valvate
toklyó [-t, -ja] n, a year old lamb, yearling
tokmány n, 1 [kaszakőnek] whetstone sheath 2. (műsz) chuck, [esztergán] mandrel
tokos [-at; adv -an] a, 1. (en)cased, sheated 2. (növ) capsular, capsulate(d) 3. [madár] pin-feathered
tokoskemence n, (koh) muffle(-furnace)
tokszalag n, (bonct) capsular/articular ligament
tokszalagszakadás n, stretching of a ligament of a joint

toktermés n, capsule, capsular fruit; ~ kupakja pyxidium, pyxis; ~sel kapcsolatos capsular
tol [-t, -jon] vt, 1. shove, move (forward), push, [taligát, gyermekkocsit, tolókocsit] push, wheel, trundle, [más járművet] roll, [csúszó alkatrészt] slide; előre ~ protrude, push forward 2. (vmt vkre) shift (sg on sy), shuffle off (sg on sy), pass the buck(et) (to sy); másra ~ja a felelősséget shift the responsibility on sy, throw/lay the blame on sy; hibát vkre ~ cast/throw the blame on/upon sy 3. [későbbre] postpone, put off, adjourn, delay; holnapra ~ja az ügyet put the matter of till to-morrow
tól, -től suff, 1. [helyhatározó] from; Londontól-Edinburghig from London to Edinburgh; apádtól jövök I come from your father; messze vagyunk még attól (a helytől) we are still far from that (place, point); elkülönít vmtől separate from sg; a kaputól jobbra to the right from the gate; eltér vmtől [iránytól] deviate from, turn aside/away from; tetőtől talpig from head to foot; lop vktől steal from sy 2. [időhatározó] a) from; háromtól négyig from three (o'clock) to four; reggeltől estig from morning till evening night; keddtől fogva from Tuesday onwards, as from Tuesday; kezdettől fogva from the (very) outset/beginning/start/first b) from, since; attól az időtől fogva from that time (on), ever since then; régtől fogva since long 3. [eredethatározó] a) from; ezt a levelet barátjától kapta he had (got) this letter from a friend; a hold a fényét a naptól kapja the moon gets/takes its light from the sun; elvesz/elfogad vmt vktől take sg from sy; megóv vkt vmtől preserve/protect/safeguard sy from sg; megszabadít vktől/vmtől deliver from sy/sg; tanul vktől learn from sy; tartózkodik vmtől abstain/forbear/refrain/restrain from sg; vásárol/vesz vktől buy from sy; visszatart (vkt, vmt) vmtől keep/hold back (sy, sg) from sg, retain/withhold sg from sg, [eséstől] keep back from (fall), [megakadályoz vmben] prevent/keep/stop sy from (doing) sg; biztonságban van támadástól be secure/safe from attack; mentes vmtől free from sg b) of; kér vmt vktől ask sg of sy; megfoszt vmtől deprive/divest/despoil/strip/rob of sg; megkíván/megkövetel vktől vmt deprive sy of sg; (meg) szabadul vktől/vmtől get rid of sy/sg, rid oneself of sg; tart vmtől be afraid of sg; ez igen kedves a barátodtól it is very kind of your friend; magától (1) [beavatkozás nélkül] of itself/oneself, of one's own accord, (2) [öntől] from you c) from, of; kölcsönkér vmt vktől borrow sg from/of sy; megválik (vktől) separate/part from, part company with, (vmtől) part with sg; megtud vmt vkről come/get to know sg from, learn sg from sy, hear sg from sy d) [különféle előljáróval] elbúcsúzik vktől take leave of sy, say good-bye to sy; elmegy a kedve vmtől loose one's interest in sg, get tired/weary of sg, get fed up with sg (fam) ; megvonja szájától a falatot stint/pinch oneself in/with food; óv vkt vmtől caution/warn sy against sg, advise sy not to do sg; óvakodik vktől/vmtől beware of sy/sg, (be on one's) guard against sy/sg, keep away from sy/sg e) [előljáró nélkül] eltilt vkt vmtől forbid sy to do sg; kér vmt vktől ask sy for sg; vmtől kímél vkt save/spare sy sg; megtagad vktől vmt refuse sy sg, deny sy sg; sajnál vktől vmt (be)grudge sy sg; tart vmtől fear sg 4. [okhatározó] a) with; elájul az éhségtől faint with hunger; odavan a fáradságtól be worn out with fatigue; sárga az irigységtől be green with envy; nedves az izzadságtól be dripping with perspiration, be damp with sweat; majd megpukkad a nevetéstől be bursting with laughter; reszket a hidegtől shiver with cold, be dithering with cold b) of; fél a kutyáktól he is afraid of dogs c) for; a fától nem látja az erdőt he does not see the wood for the trees d) [különféle előljáróval] reszke t

a gondolattól·shudder at the very idea; *idegenkedik vmtől* be averse to sg, be loath to do sg; *megijed vmtől* be/get frightened/scared of/at sg, take fright/alarm at/of sg; *irtózik vmtől* have a horror of sg, shudder at sg e) *[elöljáró nélkül] fél vktől/vmtől* fear sy/sg; *irtózik vmtől* abhor sg 5. *[különbözök összehasonlításában]* from; *különbözik vmtől* differ from sg, be different from sg; *egymástól megkülönböztet* distinguish from one another; *eltér vmtől (átv)* deviate from sg 6. *[alanyos szerkezet helyett]* nyüzsög az emberektől swarm with people; *hemzseg a halaktól* swarm with fish 7. *[határozószókban] [idő] mától fogva, mostantól fogva stb.* ld a szótár megfelelő helyén

tolakodás n, 1. *(átv)* intrusion, obtrusion, obtrusiveness, indiscretion, importunity, bumptiousness, push, officiousness, (improper) forwardness, exaggerated self-assertion; *nem veszi ~nak ha megkérdezem...?* would it be impertinent to ask you...? 2. = = **tolongás**

tolakod|ik [-tam, -ott, -jon, -jék] vi, 1. *(átv)* intrude, obtrude (oneself upon sy), be importunate/obtrusive/ indiscreet/officious, put oneself forward, assert oneself; *nem nagyon ~nak érte* these (things) go a-begging 2. *[tömegben]* push (oneself forward), elbow, shove/force/make one's way, *[tömeg]* hustle, jostle, throng, crowd, press, rush, squash

tolakodó [-t; adv -an]I. a, 1. *[szemtelen]* intrusive, intruding, obtrusive, importunate, indiscreet, officious, aggressive, forward, bumptious, pushing, pushful, pushy, meddlesome, self-assertive; *nem ~* unobtrusive 2. *[tömegben]* pushing, elbowing, shoving/forcing his way, *[tömeg]* hustling, jostling, thronging, pressing II. n, meddler, interloper, busybody, obtruder

tolaksz|ik vi, = **tolakodik**

tolás n, 1. push(ing), shove, shoving, moving 2. *(műsz)* thrust

tolat vt/vi, 1. *(konkr)* shunt, divert, marshal (trucks), switch *(US)* 2. *(tréf)* move like a shunting-engine

tolatás n, shunt(ing), marshalling, car(riage)/truck/ wag(g)on-shifting, switch(ing), shunting/marshalling of train

tolatási [-ak, -t] a, ~ *határ* limit of shunt

tolatásvezető n, yard master

tolatmány n, *[amit a tolóhajó tol]* barge pushed by a tug

tolató [-t, -ja] I. a, shunting, switching II. n, = **tolatómunkás**

tolatómester n, yard master

tolatómozdony n, shunting/switching engine, shifting/ arranging/swing/yard locomotive, car mover, shunter, pusher, switcher *(US)*, *[kicsi]* pony, dink(e)y *(US)*

tolatómunkás n, yardsman, shunter

tolatóvágány n, shunting/switching track, shunt-line, siding

tolattyú [-t, -ja] n, piston, piston/slide-valve

tolattyúkar n, piston/slide/valve-rod

told [-ani, -ott, -jon] vt, 1. *(konkr)* lengthen (by adding a piece), make longer, piece out, eke out 2. *(átv)* kicsit *~ott a dologhoz* he improved upon the tale

toldalék [-ot, -a] n, 1. *[tárgyon]* appendage, annex, tag, tab, extension, lengthening/tail-piece, piece added, eking-out piece, *[asztalé]* extra/extension leaf/piece, *[háromszögű tex]* gore, gusset 2. *[épületé]* annex(e) 3. *[íráshoz]* addition (to), prolongment, appendix, supplement, *[szerződésben]* codicil 4. *(nyelvt)* affix, suffix 5. *(összet)* added, additional, supplementary, complementary

toldalékcső n, adjutage, lengthening-tube, fitting-pipe

toldaléképület n, annex(e), (additional) wing, lean-to

toldalékrész n, added/adjoined part

toldalékszárny n, wing extension

toldás n, 1. = **toldalék**; 2. *[folyamat]* adding, addition, lengthening, extending, extension, elongation, prolongation, eking (out), patching, supplementation

toldás-foldás n, piecing, patching, mending, tinkering, patchwork

toldat n, 1. *(áll)* eking/lengthening-piece, *[asztalé, munkapadé, gépé]* extension piece 2. *[váltón]* allonge, rider

toldatvitoria n, *[rúdvitorlához]* stud-sail

toldott-foldott [toldottat-foldottat; adv toldottan-foldottan] a, patched-up

toldoz [-tam, -ott, -zon] vt/vi, piece, patch (up), tinker up, mend, keep patching/mending

toldozás-foldozás n, = **toldás-foldás**

toldoz-foldoz [toldoztam-foldoztam, toldozott-foldozott, toldozzon-foldozzon] vt/vi, = **toldoz**

tolerancia [..át] n, 1. tolerance 2. *(vall)* toleration

toleranciadózis n, *(orv)* tolerance dose

tolerancia-vizsgálat n, *[vércukorra]* blood-sugar estimation, tolerance test

toleráns [-at; adv -an] a, tolerant, large-minded

tolható a, pushable, that can/may be pushed *(ut)*; ~ *ajtó* sliding door

toll [-at, -a] n, 1. *[madáré]* feather, plume, *[szárnyon]* pinion, quill, *[dísz]* plume; ~ *alakú* pinnated, penniform, pennate; ~ *nélküli* plumeless; *~at foszt* strip feathers; *hullatja a ~át* loose its feathers; *~al díszített* feathered; *madarat ~áról embert barátjáról* a bird is known by its feathers (man by his friends), birds of a feather flock together 2. *[írásra]* pen, *[lúdtoll]* quill; *kitűnő ~a van* be a master of the pen, be an excellent writer; *~ba mond* dictate; *vknek a ~ából* written by, from the pen of; *a ~ából él* make one's living by one's pen; *rágja a ~át* he sucks his pen; *~at ragad* take pen in hand, take up one's pen, set pen to paper 3. *[záré]* spring, *[kulcsé]* web, bit (of key), *[evezőé]* blade, *[nyílvesszőn]* feather(ing)

tollacska n, plumule, plumelet, featherlet

tollas [-at; adv -an] a, feathery, feathered, with feather(s) *(ut)*, feather-, pennate(d), plumose; ~ *ágy* feather bed; ~ *alakzat [levelé]* pinnation; ~ *kalap* feather(ed)/plumed hat; ~ *zár* spring-bolt

tollasbál n, *(tréf)* bed *(stand.)*; *megyünk a ~ba* we are going to bed *(stand.)*

tollastű n, *(növ)* fern asparagus *(Asparagus plumosus)*

tollas-gyöngyvessző n, *(növ)* false spiraea *(Sorbaria sorbifolia)*

tollasod|ik [-tam, -ott, -jon, -jék] vi, 1. *[tolla nő]* grow feathers, feather (out), fledge 2. *[gazdagodik]* feather one's nest, make one's pile

tollászkod|ik [-tam, -ott, -jon, -jék] vi, preen, plume

tollatlan a, featherless, unfeathered, unfledged, callow, plumeless

tollazat n, plumage, feathers *(pl)*, feathering

tollazatú [-ak, -t; adv -an] a, of ... plumage/feathers *(ut)*, plumaged

tollbamondás n, dictation

tollboa n, feather boa

tollbóbita n, tuft, crest, *[bagolyé]* horn

tollbokréta n, tuft (of feathers), plume, aigrette, *[sisakon]* plume (of helmet)

tollcimpa n, barbule

tollcséve n, quill, barrel (of quill/feather)

tolldísz n, feather-ornament, *[sisakon]* aigrette, *[indián]* feathered war-bonnet/headdress

tollforgatás n, writing, authorship, quill-driving *(pej)*, pen-pushing *(pej)*

tollforgató a/n, penman, writer, *[műkedvelő]* literary gentleman, quill-driver *(pej)*, pen-pusher *(pej)*, scribbler *(pej)*

tollforgó n, plume, tuft, feather, *[csákón]* panache, *[turbánon]* culgee

tollfosztás n, plucking/stripping of feathers

tollgallér n, *[madáron]* frill

tollgerinc n, scape, shaft (of feather)

tollharc n, paper war(fare), controversy, polemic(s)

tollhegy n, nib (of pen), pen-nib/point; ~*re vesz* attack (in the press), seize upon (sy's weak point), write against

tollhiba n, slip/lapse of the pen, lapsus calami *(lat)*, *[helyesírási]* spelling mistake, misspelling, *[másolási]* clerical/scribal error

tollhullatás n, *[madáré]* moulting, deplumation

tollhullatási a, ~ *idő* moulting-time

tollkereskedés n, 1. feather-trade 2. *[bolt]* feather-monger's (shop)

tollkereskedő n, feather-dealer/monger

tollkés n, pen-knife

tollkorona n, *[növ] [magon]* egret

toll-labda n, shuttle-cock, badminton, *[ütője]* battledore

tollnok [-ot, -a] n, † clerk, scrivener, copyist, protocol(l)ist, minute-writer, secretary

tollpárna n, feather-pillow/cushion

tollrajz n, pen-and-ink sketch/drawing; ~*ot készít vmről* draw sg in ink

tollseprő n, feather-duster/brush/broom, (dusting-) whisk

tollszár n, 1. *[madártollé]* quill, shaft/stock/barrel (of feather) 2. *[írótollé]* penholder

tollszem n, = **tollhegy**

tollszerű a, plumy, plumose, feathery, plum-like

tolltartó n, *[isk. írókészletnek]* pen (and pencil) wallet, pen(cil)-case/box, *[íróasztalon]* pen-tray, *[állvány]* pen-rack/rest

tolltetű n, *(áll)* bird-lice *(Mallophaga)*

tolltok n, *[ágytollnak]* pillow-case (for eider-down)

tolltörlő n, pen-wiper

tollú [-ak, -t; *adv* -an] a, -feathered, of …feathers *(ut)*, having a ..pen *(ut)*

tollváltás n, *[madaraké]* moulting, mewing

tollvázlat n, pen-and-ink sketch/drawing

tollvita n, = **tollharc**

tollvonás n, stroke of the pen

tolmács [-ot, -a] n, interpreter, *[keleten]* dragoman; ~*ként működik* act as interpreter

tolmácsi [-ak, -t; *adv* -lag] a, interpretative, interpretorial; ~ *szolgálat* interpretership, interpretation, office of an interpreter

tolmácsol [-t, -jon] vt/vi, 1. interpret, act as (an) interpreter; *angolul* ~ act as an English interpreter 2. *[gondolatokat]* interpret; *a magyar békeharcosok üdvözletét* ~*ja* forward the message sent by Hungarian peace-fighters; *részvétét* ~*ja* express one's sympathy 3. *[művet előadó művész]* render

tolmácsolás n, 1. interpreting, interpretation 2. *(zene)* rendering, interpretation 3. *[gondolatoké]* interpretation

tolmácsolhatatlan a, uninterpretable

tolmácsolható a, interpretable, renderable

tolmácsoló n, interpreter

toló [-t; *adv* -an] a, pushing, push-, sliding, slide-, moving

tolóablak n, *[felfelé]* sash-window, drop-window, *[oldalt]* sliding window/panel

tolóablak-ellensúly n, sash-weight

tolóablak-keret n, sash-frame

tolóablak-retesz n, sash-bolt

tolóágy n, truckle/trundle-bed, *[betegszállításra]* wheeled stretcher/litter

tolóajtó n, sliding door, push-door, hatch

tolóasztalka n, trolley(-table), dinner-wagon, dumb-waiter

tolócsat n, *[hajba]* bobby-pin

tolócső n, sliding tube

tolód|ik [-tam, -ott, -jon, -jék] vi, be shifted/moved (from its place), get out of place, slide; *egymásba* ~*nak* telescope

tolódzkodás n, *(sp) [korláton]* dip

tolóerő n, *(rep)* thrust; *fajlago* ~ specific thrust

tolótájás n, *(orv)* expulsive pain/labour

tolófal n, 1. sliding wall 2. *[színfal]* wing, slip, coulisse

tologat vt, shuffle, keep pushing/shoving, shift/wheel/roll about; *aktát* ~ redtape, kick about/around a document/application

tologatás n, shifting/shuffling/shoving about

tológyűrű n, sliding collar

tolóhajó n, push-boat, tug for pushing barges

tolóharsona n, slide trombone

tolóhíd n, rolling/travelling bridge, *(műsz)* travelling crane, *(vasút)* traverse

tolóka n, 1. *[retesz]* bolt, bar, slider 2. *[gyerektalicska]* (toy-)wheel barrow, pusher, push-cart 3. *(műsz)* cursor, runner

tolókocsi n, 1. *[betegnek]* Bath/wheel/push/invalid-chair, *[kórházi]* wheeled stretcher 2. *[utcai árusé]* coster's cart, street-barrow, trolley, hand-cart

tolólétra n, extendible (erecting) ladder, extension ladder, *[tűzoltóautón]* aerial ladder

tolómérce n, slide-gauge, sliding caliper(s), cal(l)iper square

tolómozdony n, *(vasút)* banker(-engine)

tolonc [-ot, -a] n, 1. *(vk)* vagrant person, ⟨undesirable person compulsorily conveyed to his domicile⟩ 2. = **tolončház**

tolončház n, detention barracks *(pl)*, place where vagrants are confined (pending removal)

tolonckocsi n, prison/police van, Black Maria *(fam)*

toloncol [-t, -jon] vt, deport, transport, move on, convey (to sy's original domicile)

toloncút n, compulsory conveyance to one's own domicile

toloncügy n, vagrant affairs *(pl)*

tolong [-ani, -tam, -ott, -jon] vi, = **tolakodik** 2.

tolongás n, crowd, press, throng, squeeze, crush, jam, rush and scramble, stampede

tolóretesz n, bolt, bar

tolórúd n, *(műsz)* pusher, push-bar

tolós [-at] a, ~ *puzón/harsona (zene)* slide-trombone; ~ *mérleg* sliding scale

tolósorompó n, sliding barrier

tolósúly n, *[mérleg karján]* jockey weight

tolószék n, invalid chair, wheel(ed)-chair, Bath-chair

tolótető n, sliding roof

tolózár n, bolt-lock, slider, latch, sash/push-bolt, thumb-latch

toluidin [-t, -je] n, *(vegyt)* toluidine

toluilsav n, *(vegyt)* toluic acid

tolul [-t, -jon] vi, 1. *[folyadék]* flow, *[vér]* rush, *[könny]* rise, well up; *fejébe* ~*t a vér* blood rushed to his head, *[mérgében]* he became black in the face 2. *[tömeg]* crowd/flock/throng to a place, pour (into)

toluol [-t, -ja] n, *(vegyt)* toluol, toluene

tolvaj [-ok, -t, -a] I. n, thief, filcher, pilferer, stealer, draw-latch *(fam)*, *[zsebtolvaj]* pick-pocket, *[áruházi]* shop-lifter, *[marháé]* rustler; ~*l fogják meg!* stop thief! ; *alkalom szüli a* ~*t* opportunity makes the thief II. a, thievish, thieving, pilfering; ~ *népség* pickers and stealers

tolvajbanda n, gang/set/pack of thieves

tolvajbogarak n. pl, *(áll)* spider beetles *(Ptinidae család)*

tolvajcsíny n, rascally trick, stealing

tolvajfészek n, thieves' den, den/lair of thieves

tolvajhad n, horde/pack of thieves
tolvajkod|ik [-tam, -ott, -jon, -jék] vi, steal, filch, pilfer, pinch, [állandóan] practise thieving, lead a thief's life, live by stealing, thieve, pick pockets
tolvajkonyha n, thieves' kitchen
tolvajkulcs n, skeleton/master/pass-key, picklock, passe-partout (fr)
tolvajlámpa n, blind lantern, dark (v. bull's eye) lantern
tolvajlás n, theft, stealing, pilferage, (jog) larceny, thievery
tolvajlási [-t] a, ~ hajlam propensity for stealing, [beteges] kleptomania
tolvajnép n, = tolvajbanda
tolvajnyelv n, 1. thieves' cant/slang/lingo, flash, patter, thieves' Latin (fam) 2. [szakmai] jargon, cant, lingo
tolvajság n, thievery, thievishness, theft
tolvajtanya n; thieves' den/lair/haunt
tolvajtárs n, thief's accomplice, [falazó] stall(er)
tomahawk [-ot, -ja] n, tomahawk
tombol [-t, -jon] vi, 1. (ált) storm, [vihar] rage, blow great guns, howl furiously 2. [őrült] rave, become furious 3. [dühös ember] rage, be frantic, fume; ~ örömében be frantic with joy 4. [ló] prance, caper, paw (the ground)
tombola [..át] n, tombola, lottery, lotto, [jótékony célú] raffle
tombolás n, storming, fury, rage, madness, fuming, raving, raging, outburst of fury
tomboláz [-tam, -ott, -zon] vi, engage in lottery/ruffle
tomboló [-t; adv -an] a, storming, raging, raving, furious, thundering, wild, fuming, frantic; ~ éljenzés/taps frenzied applause; ~ láz raging fever; ~ lelkesedés frantic/wild enthusiasm
tombolva adv, frantically, rampageously
tómedence n, lake-basin
Tomi [-t, -ja] prop, Tom, Tommy
tomista [..át] n, Thomist
tomisztikus a, Thomistic
tomizmus n, Thomism
tomográfia [..át] n, (orv, fényk) tomography
tomp [-ot, -ja] n, [kalapé] hood
tompa [..át] a, 1. [nem hegyes/éles] blunt, pointless, edgeless, obtuse; ~ ékezet grave accent; ~ hegyű toll stub-pen; ~ végű pointless, obtuse 2. [ész] dull, obtuse; ~ fájdalom dull pain 3. ~ hang hollow voice, dull/tubby sound, [esésé] thud; ~ hangot ad give a hollow/dull/muffled noise/sound; ~ zaj dull/muffled noise 4. [szín] soft, mellow, sober, quiet, [fénytelen] lustreless, flat(ted), [világítás] dim; ~ fény subdued light 5. ~ fájdalom dull/obtuse pain
tompahegesztés n, (műsz) butt-welding
tompailiesztés n, (műsz) abutting joint
tompalátás n, (orv) amblyopia, dimness of vision
tompán adv, bluntly, hollowly, dully, obtusely
tompaság n, 1. (konkr) bluntness, obtuseness 2. [hangé] hollowness, dullness 3. [szellemi] obtuseness, hebetude, insensibility 4. [színeké] deadness, flatness
tompaszög n, obtuse/blunt angle, bevel
tompaszögű a, obtuse-angled
tompítás n, 1. (konkr) blunting 2. [hangé] deadening, muffling, damping, dulling 3. [fényé] softening, subduing, dimming, toning down, [színé] flattening, softening, subduing 4. [rázkódást] absorbing, deadening 5. (ásv) [kristályé] truncation
tompító [-t, adv -an]I. a, 1. (ált) blunting, deadening, muffling; ~ berendezés sound-damping device; ~ pedál soft pedal, damper 2. [fényt] dimming, anti-dazzle II. n, 1. (ált) deadener, (sound-)damper, [hegedűn] sordino 2. [fényt] dimmer

tompított [-at; adv -an] a, 1. ~ élű blunt-edged 2. [hang] obtuse, muted, damped, flattened 3. [fény] subdued, dimmed; ~ fényben kezelendő to be handled in subdued light 4. [ütés] cushioned
tompor [-ok, -t, -a] n, 1. (ált) buttock, haunch (joc), ham (joc), (bonct) trochanter; kis ~ [felkarcsonton] tuberosity 2. (áll) (hind) quarter(s), haunch
tompul [-t, -jon] vi, 1. (konkr) become/get blunt(ed)/. obtuse 2. (átv) become/get blunt(ed), lose edge/point/keenness, [hang] grow fainter/softer, [szín] (grow) dull, [fény] dim, [fájdalom] grow less, calm down 3. [elme] become dull
tompulás n, 1. (konkr) blunting, dulling 2. (átv) [színé, fényé] growing dull/dim, dimming, [fájdalomé] losing edge/point/keeness, lessening, diminishing, calming down, [hangé] growing fainter/softer, [színé, hangé] flattening
tompult [-at; adv -an] a, 1. [hang, fény] blunt(ed), dulled, deadened, muffled, dimmed 2. [elme] torpid
tompultság n, [kedélyé] dullness, lethargy, [elméé] torpor, hebetude, obtuseness, [testi, szellemi] inertia
tonális [-ak, -t; adv -an] a, (zene) tonal; ~ válasz [kvintszerkezetben] tonal answer
tonalitás n, (zene) tonality
Toncsi [-t, -ja] prop, Tony
Tonga [..át, ..ában] prop, ~ szigetcsoport Tonga, the Friendly Islands (pl)
tonhal n, (áll) tunny(-fish), tuna (Thynnus); hosszú ~ albacore (Thynnus/Germo alalonga)
Tóni [-t, -ja] prop, Tony
tonika [..át] n, (zene) tonic; felső ~ supertonic
tonkabab n, (növ) Tonka (bean) (Dypetrix odorata)
Tonking [-ot, -ban] prop, (földr) Tonking
tonkingi [-ak, -t] a/n, Tonkinese
tonna [..át] n, 1. [űr] ton 2. [súly] metric ton; kis angol ~ net/short ton
tonnaforgalom n, tonnage
tonnakilométer n, ton-kilometre
tonnamérföld n, ton-mile
tonnás a, of... tons (ut); tizenöt ~ [jármű] fifteen--tonner; 2000 ~ hajó 2000 tonner, ship of 2000 tons
tonnatartalom n, tonnage, burden (of ship), displacement, capacity
tónus n, 1. (zene) timbre, quality in/of tone, tonality 2. [beszédmodor] tenor, tone, tune 3. [szín] tonality, key, tint 4. (orv) tone, tonicity, tonus
tónusú [-ak, -t; adv -an] a, of... tone/timbre/tint/key (ut); (fényk, film, műv) erős/világos ~ [kép] high--key(ed), high in key (ut); sötét ~ low in key (ut), low-keyed
tónusvisszaadás n, helyes ~ correct tonal value
tonzúra [..át] n, tonsure, crown
tonzúráz [-tam, -ott, -zon] vt, tonsure
topán [-ok, -t, -ja] n, † [női] (lady's) evening shoes (pl), [férfi] pumps, (dancing-)shoes (mind: pl)
tópart n, lake-shore/side, shore/beach/strand of lake
tóparti a, of the lake-shore (ut)
topáz [-ok, -t, -a] n, topaz
topika [..át] n, topics (pl)
topog [-tam, -ott, -jon] vi, patter, stamp (one's feet); egy helyben ~ mark time, make no headway
topogás n, pattering, stamping
topográfia [..át] n, topography; bárikus ~ térképe constant pressure chart; műemléki ~ inventory of the ancient monuments; nyomási ~ térképe baric topography, constant pressure chart
topográfiai [-ak, -t; adv -lag] a, topográphic(al)
topográfus n, topographer
topológia [..át] n, topology
topolya [..át] n, = nyárfa

toportyánféreg *n*, † wolf *(stand.)*

toporzékol [-t, -jon] *vi*, 1. *[ember]* be stamping one's feet, fume with rage/impatience, rage 2. *[ló]* prance, caper, paw (the ground), frisk

toporzékolás *n*, 1. *[emberé]* stamping (with the feet), dancing/prancing with rage/impatience, raging 2. *[lóé]* prancing, pawing, frisking

toppan [-t, -jon] *vi*, drop/pop in unexpectedly, bob up, come in unawares; *vknek elébe* ~ bob up in front of sy

toppant [-ani, -ott, -son] *vi*, stamp (one's foot on the ground)

toppol [-t, -jon] *vt*, *(sp)* trap, stop

toppolás *n*, *(sp)* trapping, stopping

toprongyos [-at; *adv* -an] *a*, ragged, tattered, dilapidated, down-and-out, down at heel, in rags and tatters *(ut)*, *(kif)* be down on one's uppers *(ut)*; ~ *csavargó* tattardemalion, ragamuffin

T-optika *n*, *(fényk)* coated lens

tor¹ [-ok, -t, -a] *n*, *[lakoma]* feast, banquet, meal, repast; *halotti* ~ funeral/burial feast

tor² [-ok, -t, -a] *n*, *(áll)* thorax, corselet

tóra [.. át] *n*, *(vall)* tora(h)

Torino [-t, -ban] *prop*, Turin

torit [-ot, -ja] *n*, *(ásv)* thorite

tórium [-ot, -a] *n*, *(vegyt)* thorium

torkolat *n*, 1. *[folyóé]* mouth, orifice, outlet, *[folyóé]* mouth (of river), estuary, *(skót)* firth, *[háromszögű]* delta; *a Nílus* ~*a* the delta of the Nile 2. *[lőfegyver csövéé]* muzzle

torkolatág *n*, arm/branch of an estuary

torkolatér *n*, jugular vein

torkolati [-ak, -t] *a*, ~ *sebesség (kat)* muzzle energy; ~ *véna (bonct)* jugular vein

torkolattűz *n*, (muzzle-)fire/blast, flash of a gun, backfire

torkolattűzrejtő *n*, *(kat)* flash-concealer/screen

torkolatvidék *n*, delta

torkolatzár *n*, *[folyóé]* boom

torkoll|ik [-ani, -ott, -jon, -jék] *vi*, 1. *[folyó]* fall/flow into, discharge/empty (itself) into; *a Tisza a Dunába* ~*ik* the Tisza meets *(v.* flows into) the Danube 2. *[utca]* lead into, end at, *[cső]* discharge into, branch off (from) 3. *egymásba* ~*ik* *[szervek]* anastomose, inosculate

torkos [-at; *adv* -an] *a*, gourmand, gormandizing, *[falánk]* greedy, gluttonous

torkos-borz *n*, *(áll)* carcajou, glutton, wolverine *(Gulo luscus)*

torkoskodás *n*, gourmandism

torkoskod|ik [-tam, -ott, -jon, -jék] *vi*, gluttonize, gormandize, taste (surreptitiously) sweets/delicacies

torkosság *n*, gourmandism, *(elit)* greediness, gluttony

torlasz [-ok, -t, -a] *n*, 1. *(áll)* barricade, *[akadály]* barrier, obstruction, obstacle, *(kat)* abat(t)is 2. *[hó]* drift, bank

torlaszharc *n*, barricade-fighting, fighting over barricades

torlaszt [-ani, -ott, .. asszon] *vt*, dam up (water)

torlasztás *n*, damming up

torlasztógát *n*, barrage, dam, weir

torlat *n*, 1. = **torlasz**; 2. *(bány)* outcrop, metalliferous vein

torlódás *n*, 1. *(áll)* heaping/piling/banking/stacking up, jam, packing, obstruction 2. *[forgalmi]* congestion, jam, block (in the traffic), bottleneck, *a* ~*t megszünteti* free/clear the passage 3. *[mássalhangzóké]* cluster

torlód|ik [-ott, -jon, -jék] *vi*, 1. *(áll)* accumulate, pile up, gather (in a heap) 2. *[forgalom]* become congested/blocked 3. *[hullám]* surge, *[hó]* drift

torlósugár-hajtómű *n*, ram jet engine

torlózsilip *n*, swelling/retaining sluice

torma [.. át] *n*, *(növ)* horse radish *(Armoracia rusticana)*; *közönséges vízi* ~ water-cress *(Rorippa nasturtium)*

tormareszelő *n*, grater (for horse-radish)

tormás [-at; *adv* -an] *a*, ~ *virsli (kb)* frankfurter with horse-radish

torna [.. át] *n*, 1. gymnastic(s), physical/gymnastic training/exercise(s), *(isk)* physical training *(röv* P.T.), *[mozgásművészet]* cal(l)isthenics; *reggeli* ~ morning exercise(s) 2. *[lovagi]* tournament, tourney, joust; *szellemi* ~ contest of wits, brain-exercises *(pl)*

tornác [-ot, -a] *n*, 1. *(ált)* portico, veranda(h), porch, *[templomé]* parvis; *a pokol* ~*a* limbo 2. *(bonct)* vestibule

tornacipő *n*, canvas/gym shoes *(pl)*, sneakers *(pl)* *(US)*

tornacsarnok *n*, (covered) gymnasium, drill hall, palaestra

tornádó [-t, -ja] *n*, tornado, hurricane

tornaegyesület *n*, athletic/gymnastic club/society

tornaeszköz *n*, gymnastic apparatus/appliance

tornafelszerelés *n*, 1. *[egyéni]* gym(nasium) outfit 2. = **tornaszer**

tornagallér *n*, *(cím)* label

tornagyakorlat *n*, gymnastic/athletic exercise(s)

tornaing *n*, (gym, sport) vest

tornajáték *n*, 1. gymnastic display/game 2. *[lovagi]* tournament, tourney, joust(ing)

tornakerék *n*, gyro wheel, Rhön wheel

tornamutatvány *n*, gymnastic show piece

tornanadrág *n*, gym trousers *(pl)*, knickers *(pl)*

tornaóra *n*, physical training *(röv* P.T.); *a mai* ~ *elmarad* there will be no P.T. today

tornaruha *n*, gym suit, gym clothes/togs *(pl)*, gym-slip

tornász¹ [-tam, -ott, .. ásszon] *vi*, = **tornászik**

tornász² [-ok, -t, -a] *n*, gymnast

tornászás *n*, = **torna** 1.

tornászcsapat *n*, team of gymnasts, gymnastic team

tornászegylet *n*, = **tornaegyesület**

tornaszer *n*, (piece of) gymnastic apparatus

tornász|ik [-tam, -ott, .. ásszon, .. ásszék] *vi*, do gymnastics, do physical exercises

tornatanár *n*, physical instructor, gymnast, *(rég)* gymnasiarch

tornatanárnő *n*, physical instructress

tornatanítás *n*, gym(nastic) lesson/training/practice

tornaterem *n*, (covered) gymnasium, drill hall, *(rég)* palaestra

tornatrikó *n*, (gym) vest, singlet

tornaverseny *n*, gymnastic competition

tornáz|ik [-tam, -ott, .. ásszon, .. ásszék] *vi*, = **tornászik**

torniszter [-ek, -t, -e] *n*, *(kat* †*)* knapsack, pack, kit-bag *(mind: stand.)*

tornyocska *n*, (bell-)turret, small tower, pinnacle, gable-end

tornyos [-at; *adv* -an] *a*, 1. *(konkr)* towered, turreted, towery, provided with tower(s) *(ut)* 2. *[fejdísz]* pedimental

tornyoscsiga *n*, *(áll)* tower-shell *(Turritellidae sp)*

tornyosít [-ani, -ott, -son] *vt*, *(vál)* bank/pile/heap up

tornyosod|ik [-ott, -jon, -jék] *vi*, = **tornyosul**

tornyosul [-t, -jon] *vi*, tower, bank/pile up, gather (in a heap), loom (high), accumulate; ~*nak a fellegek/nehézségek* the clouds/difficulties are gathering *(v.* banking up); *hullámok* ~*nak* the waves run/rise mountain high, there is a mountainous sea

tornyú [-ak, -t] *a*, -towered

torok [torkot, torka] *n*, 1. throat, gorge, fauces *(pl)*, throttle *(fam)*, *[nyelőcső]* gullet, pharynx, *[légcső]* windpipe, larynx; *jó torka van* have good lungs; *torka szakadtából kiabál* shout at the top of one's voice, bawl, yell, give a full-throated shout, shout with all one's lungs; *semmi baja csak a torka véres* he is all right only his throat is cut; *száraz a torka* be parched with thirst, be/feel dry; *a halál torkában van* be in the jaws of death, be in mortal danger; *torkában dobog a szíve* have one's heart in one's mouth; *torkig van vmvel [étellel]* be glutted/surfeited/ gorged with sg, *(átv)* be sick and tired of sg, be sick to death of sg, be bored to death with sg, be fed up with sg, be cheesed/browned off ◇; *torkig vagyok az egész üggyel* I am sick of the whole business; *torkon ragad* seize/catch/grab sy by the throat, fly at sy's throat; *nem megy le a torkomon* it sticks in my gizzard/throat; *torkán a kés* have the knife at one's throat; *torkán akadt a szó* the words stuck in his throat; *torkát köszörüli* clear one's throat; *torkát öblögeti* gargle (one's throat), rinse one's throat 2. *[barlangé, üvegé]* mouth, *[tűzhányóé]* throat, *[lőfegyveré]* muzzle, *[hangszóróé]* trumpet, *[fúvós hangszeré]* pavilion 3. *[kemencéé]* mouth, throat (of furnace)

torokbaj n, throat complaint/trouble, sore throat, *(orv)* pharyngitis

torokbetegség n, = torokbaj

torokfájás n, throat-ache, sore throat, angina; *~á van* have a (sore) throat

torokfájós a, with a sore throat *(ut)*

torokgáz n, waste gases *(pl)*

torokgerenda n, *(épít)* collar-beam, hammer-brace

torokgyík n, croup, diphtheria

torokgyík-lepedék n, diphtheritic pellicle

torokgyulladás n, inflammation of the throat, angina-quinsy, (inflammatory) sore throat, *(tud)* pharyngitis, laryngitis, pharyngo-laryngitis, *[álhártyás]* prunella; *gennyes ~* putrid sore throat

torokhang n, *(nyelvt)* guttural, faucal, throaty voice, *(zene)* throat-note; *~on ejt* gutturalize; *~on énekel* throat

torokhangú a, throaty; *~vá tesz* gutturalize

torokhurut n, pharyngitis

torokkenet n, *~et vesz vkről [vizsgálati célra]* take a swab of sy's throat

torokköszörülés n, clearing one's throat, hawk, hem

toroklob n, = torokgyulladás

torokmandula n, tonsil(s), amygdala

toroköblítés n, gargling, rinsing the throat

toroköblítő n, *[szer]* gargle, throat-wash

toroköblögetés n, gargle

torokpenész n, thrush, *(tud)* aphtha

torokregiszter n, *[orgonán]* throat-register

toroküreg n, pharyngeal cavity, pharynx

torokvíz n, gargle, throat-wash

torontáli [-ak, -t, -ja] a/n, *~ (szőnyeg)* Torontal carpet

torony [tornyot, tornya] n, tower, *[kicsi]* turret, pinnacle, *[templomé]* bell/church tower, steeple, *[hegyes toronysisak]* spire, *[hadihajón, tengeralatt-járón]* conning tower, *[sakk]* rook, castle, *[vas-gerendákból]* pylon; *külső ~* flanking tower; *négyezeti ~* crossing tower, central tower

toronyállványozó n, steeple-jack

toronycserép n, steeple-head tile

toronycsúcs n, spire (of steeple), top of tower/steeple

toronydaru n, column/tower-crane

toronyház n, tall house, skyscraper

toronyiránt adv, as the crow flies, in a bee-line, cross-country, across the fields, straight

toronymagasság n, height of tower; *~ban van felette* be miles above sy, be head and shoulders above sy, be immensely superior to sy, tower high above sg; *~ra csaptak a hullámok* the waves surged mountain high

toronyóra n, (church-)clock; *toronyórát lánccal* pie in the sky, fiddlestick(s); *toronyórát ígér lánccal* promise the moon

toronyőr n, (tower) watchman, keeper/warder of tower

toronysisak n, helm roof, steeple, spire

toronyszoba n, tower room, belvedere

toronytető n, roof of tower, spire

toronyugrás n, high-board diving, high dive

toronyugró n, high-board diver

torpedó [-t, -ja] n, torpedo; *~ alakú* torpedo-shaped; *~val megtámad* torpedo

torpedóháló n, torpedo-net

torpedóharc n, torpedo combat, battle with torpedoes

torpedólövés n, 1. *[találat]* torpedo-hit, hit by a torpedo 2. *[kilövés]* torpedo-discharge/shot

torpedónaszád n, torpedo/picket-boat

torpedóraktár n, *(kat)* torpedo-room

torpedóromboló n, (torpedo-boat) destroyer

torpedóstiszt n, torpedo officer, torps *(fam)*

torpedóüldöző n, *(kat)* torpedo-boat destroyer

torpedóvető a/n, *(kat)* launching-carriage; *~ cső* torpedo-tube; *~ repülőgép* torpedo-plane

torreador [-ok, -t, -a] n, bullfighter, toreador, torero

tors [-ot, -a] n, *(nép)* stubble

torta [.. át] n, torte, (fancy-)cake, *[lekváros tetejű]* tart, *[réteges]* layercake, Washington pie; *lakodalmi ~* bride('s)-cake

tortácska n, cakelet, tartlet, small fancy-cake

tortaforma n, cake-mould/tin/dish, baking-tin, cake/ tart-pan

tortajég n, frosting

tortalap n, wafer-sheet

tortalapát n, cake-scoop, pastry server

tortapapír n, paper doily

tortapléh n, cake-pan, cake-tin, patty/baking pan

tortástál n, cake-dish, dish/plate for fancy-cake

tortasütő n, cake tin-pan, cake-tin/pan, pie/tart-dish, baking tin

tortavágó a/n, *~ kés* knife for fancy-cakes, cake knife

tortúra [.. át] n, 1. *[fizikai]* torture 2. *(átv)* torment, agony, rack *(obs)*; *ezt a tortúrát már nem lehet kibírni* I cannot bear this torture any longer

tórusz [-ok, -t, -a] n, *(menny)* torus

torz [-at; adv -an, -ul] a, deformed, malformed, mis-shapen, misfashioned, freakish, distorted, grotesque; *~ fejlődés* ld fejlődés; *~ mosoly* wry smile

torzalak n, 1. *[ember]* freak, monster, abortion, deformed person 2. *[tárgy]* deformation, anomaly

torzalakulat n, *(orv)* malformation

torzalakúság n, deformity, malformation, crookedness

torzió [-t, -ja] n, torsion

torziós [-at] a, *~ igénybevétel (műsz)* torsional stress/ strain; *~ inga* torsion pendulum; *~ mérleg* torsion balance; *~ próba* twist test

torzít [-ani, -ott, -son] vt/vi, 1. *(ált)* deform, disfigure 2. *[arcot, érzelmet, igazat]* distort 3. *[tükör]* distort, *[rajzban]* caricature

torzítás n, 1. *(ált)*, deformation, distortion, disfigurement, disfiguration 2. *[lencséé]* aberration, error 3. *[rajzban]* caricature; *magassági ~ [domborművű térképen]* vertical exaggeration

torzításmentes a, free from distortions *(ut)*, *(fény)* undistorted, *[rádió, TV]* high-fidelity, distortionless

torzításmentesség n, absence of distortion, fidelity

torzító [-ak, -t] a, distorting, deforming; *~ tükör* distorting-glass

torzított [-at; adv -an] a, deformed; *~ kép* distorted image

torzkép n, caricature; *~et rajzolt vkről* caricature sy, take sy off

torzképrajzoló n, caricaturist

torzó [-t, -ja] n, torso

torzonborz [-at; *adv* -an, -ul] *a*, hirsute, hairy, shaggy, bushy, dishevelled, blowzy, frowzy

torzszülött I. *a*, deformed (at/from birth) II. *n*, monster, misbirth, freak *(fam)*

torzul [-t, -jon] *vi*, get out of shape, become deformed/ convulsed/distorted/disfigured

torzulás *n*, distortion, deformation, *[hanglemezen]* smear

torzulásmentes *a*, *[hullám]* undistorted, *[rádióvétel]* distortionless

torzult [-at; *adv* -an] *a*, deformed, distorted

torzsa [.. át] *n*, stump, stipe(s), *[káposztáé]* runt, stalk, *[salátáé]* heart (of lettuce), *[tengerié]* cob

torzsalkodás *n*, discord, quarrel, dispute, difference, altercation, controversy, squabble, wrangle, bickering

torzsalkod|ik [-tam, -ott, -jon, -jék] *vi*, quarrel, wrangle, bicker, dispute, contest, contend, squabble

torzsavirágzat *n*, spadix

torzsika-boglárka *n*, *(növ)* celery-leaved crowfoot *(Ranunculus sceleratus)*

tószerű *a*, laky

toszkán [-ok, -t] *a*, ~ *oszloprend (épít)* Tuscan order

Toszkána [.. át, .. ában] *prop*, *(földr)* Tuscany

toszkánai [-ak, -t] *a/n*, *(földr)* Tuscan

tószt [-ot, -ja] *n*, toast

tósztoz [-tam, -ott, -zon] *vi*, (propose a) toast, propose the health of sy, drink sy's health, raise one's glass to sy

tót [-ot, -ja; *adv* -ul] *a/n*, Slovak

tótágas *n*, hand-balance/stand; ~t áll stand/walk on one's hands

totális [-ak, -t; *adv* -an] *a*, 1. *[teljes]* total, entire, complete, whole, all-out; ~ *háború* all-cut warfare, total war; ~ *támadás* all-out attack 2. *(pol)* totalitarian; ~ *állam* totalitarian state; ~ *kormányzat* totalitarianism

totalitáriánus *a*, totalitarian

totalitárius *a*, totalitarian

totalizátőr [-ök, -t, -e] *n*, totalizer, totalizator (system), tote *(fam)*

tótbab *n*, *(növ)* broad bean *(Faba vulgaris)*

totem [-et, -je] *n*, totem

totemisztikus *a*, totemic

totemizmus *n*, totemism

totó [-t, -ja] *n*, tote, football-pool

totojgat [-tam, -ott, .. asson] *vt*, (molly-)coddle

Tótország *prop*, Slovakia

tótos [-at; *adv* -an] *a*, Slovak-like, like/resembling a Slovak *(ut)*

tótosan *adv*, ~ *beszél* speak with a Slovak accent

totószelvény *n*, football pool coupon

tótótanácsadó *n*, pools guide

totótipp *n*, competitor's hint (in football pool), hint to competitor

totóz|ik [-tam, -ott, -zon, -zék] *vi*, take part in football pools, do *(v.* go in for) the pools

totozó [-t, -ja] *n*, *[személy]* pool investor, pools-punter

tótság *n*, the Slovaks *(pl)*, the Slovak district/people/ population

tótumfaktum [-ot, -a] *n*, factotum, utility man, head cook and bottle/washer *(joc)*

totyakos [-ak, -t; *adv* -an] *a*, 1. *[ember]* doddering 2. *[gyümölcs]* pulpy

totyog [tam, ott, jon] *vi*, shamble, shuffle, dodder, *[kisgyermek]* paddle, toddle

tova *adv*, off, away, forth

tovább I. *adv/int*, 1. *[térben]* further, farther, along, ahead, on(ward); ~! ~! on and on!; csak ~! go ahead/on!, proceed!, go straight/right on!; *eddig és ne* ~! (so far and) no further!, this is the limit!, stop!, enough!, drop it!; *lassan járj* ~ *érsz* more haste

less speed, festina lente *(lat)* 2. *[időben]* longer, more, on; *aki* ~ *bírja* who can *(v.* is able to) stand/ stick it longer; *egy óránál* ~ for over an hour; *nem bírom* ~ I am exhausted, I am at the end of my tether, I am unable to bear up, I cannot stand it any longer 3. *[folytatva]* continue(d), onward, forth, on; *és így* ~ and so on/forth, etcetera *(röv* etc.); ~ *beszél* go on talking, talk/run on, continue (with); ~ *csinál* keep doing sg, keep sg up, go on with sg; ~ *dolgozik* carry on, go on working, continue *(v.* go on) with one's work; ~ *él* live on, go on living, continue to live, linger on, *(vknél)* outlive (sy), survive (sy); ~ *fejleszt* (continue to) develop, improve, expand; *ld még* **továbbfejleszt**; ~ *fizet* go on paying, continue to pay, continue payments; ~ *folytatódik* go/run on, continue, *[szöveg bekezdés nélkül]* run on; ~ *játszik* play on, continue with the play, continue playing; ~ *képez* continue the education of, give further education to, *[magát]* perfect oneself (in sg); ~ *marad* stay longer/on, linger, *[vk másnál]* overstay (sy), outstay (sy); ~ *mondja a verset* continue the poem, proceed with the poem, continue to recite the poem; *ld még* **továbbmond**; ~ *olvas* go on reading, continue reading, read on; ~ *számol* continue counting; *nem számoltam* ~ I lost count (of it); ~ *szolgál* soldier on; ~ *tanul* continue studies; *nem tanul* ~ has ceased to study; ~ *tart* continue, last (on/longer), persist, *(vmnél)* outwear (sg); *ez nem tarthat így* ~ things cannot go on like this; *nem várhatok* ~ I cannot wait any longer; *nincs* ~ that is all, that is the end of it, I cannot go any further

II. *pref*, *továbbjutottál már a munkádban?* — ~. Have you made headway in your work? — Yes I have.

tovább *adv*, besides, moreover, further(more), again, in addition, *[felsorolásban]* item; *vagy vegyük* ~ *az oktatást* or(,) again(,) education

továbbad *vt*, 1. pass (on), hand on, transmit, forward, convey, impart, propagate, *[utókornak]* hand down; *add tovább!* pass it on/round!; ~ *vmt vknek* pass on sg to sy; ~*ja az üveget* hand/pass/send round the bottle 2.*(ker)* resell

továbbadás *n*, passing on, impartment, transmission, *[utókornak]* handing down

továbbáll *vi*, make/move off, depart, abscond

továbbeladás *n*, resale, sub-sale

továbbélés *n*, survival, *(vknél)* survivorship

továbbfejleszt *vt*, develop, elaborate; ~ *egy elméletet* enrich/develop a theory; *ld még* **tovább fejleszt**

továbbfejlesztés *n*, continued/further development, improvement, expansion

továbbfejlőd|ik *vi*, continue to develop, develop further, grow, improve, expand

továbbfeldolgozás *n*, reprocessing

továbbfeldolgozó *a*, ~*ipar* reprocessing industry

továbbgurul *vi*, roll on

továbbgyűrűző *a*, ~ *hatás* multiplying effect

továbbhajt *vt/vi*, drive on

továbbhalad *vi*, 1. *(konkr)* go on, proceed 2. *(átv)* progress, make headway

további [-ak, -t] I. *a*, further, additional, subsequent, later, following, extra; *7 évi vagy még* ~ *időtartamra* for a period of seven years or upwards; ~ *intézkedésig* until further orders/notice; *remélve* ~ *megrendeléseit* awaiting your further orders; *rendelkezésig* until further orders; ~ *tanulmányai során* during his further study, in the course of his subsequent research

II. *n*, *minden* ~ *nélkül* without more/further ado, forthwith; *a* ~*akban* further (on), *[hivatalos szövegben]* hereinafter (called)...; *a* ~*akban:* „*igénylő*" hereinafter called "claimant"; *a* ~*akban*

... *nek rövidítve* henceforth abbreviated ...; *amint az a ~akból rövidesen kitűnik* as will presently become apparent (from the forthcoming)

továbbít [-ani, -ott, -son] *vt*, 1. *[tárgyat]* pass/send/ hand on, *[árut]* dispatch, convey 2. *[levelet, csomagot]* forward, *[pénzt]* remit, *[üzenetet]* transmit; *~andó* to be forwarded, "forward please" 3. *[fényt, hőt]* transmit, *[rádión]* relay

továbbítás *n*, 1. *[tárgyi]* passing/handing/sending on, *[árué]* dispatch, conveying, conveyance 2. *[levélé, csomagé]* forwarding, *[pénzé]* remittance, *[üzeneté]* transmission 3. *[fényé, hőé]* transmission, relay(ing)

továbbítható *a*, transmissible, transferable, transmittable

továbbjátszó *a*, *~ mozi* second-run theatre

továbbjut *vi*, *[kieséses versenyben]* go on to the next round/heat, qualify for next round/heat; *biztosan jutott tovább* qualify effortlessly

továbbképzés *n*, 1. *[tanítás]* after-school instruction, continuative education, refresher course, extension training 2. *(nyelvt)* secondary word-formation

továbbképző *a/n*, *~ (iskola)* post-graduate school; *~ (tanfolyam)* continuation/refresher/extension/re-training course/school

továbblovagol *vi*, ride on

továbbmaradás *n*, long/prolonged stay, *(vknél)* out-staying sy

továbbmegy *vi*, 1. *(konkr)* go/pass/move/push on/along, pursue one's way, continue/proceed on one's way, advance, progress; *~útján* continue on one's way; *tovább nem mehetek* I cannot go any further 2. *(átv)* go on, continue, proceed; *mielőtt ~ek* before I proceed (with my story); *ha a dolgok így mennek tovább* if things go on like this, if it continues at this rate; *ez így nem mehet tovább* things cannot *(v.* must not) go on like this, things cannot continue like this; *az élet megy tovább* time marches on 3. *[másoknál átv]* go farther (than others), surpass (others)

továbbmenés *n*, going on/farther, moving along, advancement

továbbmond *vt*, repeat, let on, tell sy else; *ld még tovább*

továbbra *adv*, in/for the future, further on, farther; *~ is* henceforward, in the future too, *[folytatódik]* continue to (do sg); *~ is adni kell a D-vitamint* vitamin D should be continued; *maradok ~ is kész híve* I remain yours faithfully; *~ is havazik* it continues to snow

továbbsiet *vi*, hurry on, push along

továbbszállít *vt*, send/pass on, (re)forward, expedite

továbbszállítás *n*, forwarding, sending on

továbbszolgáló I. *a*, *(kat)* re-enlisted II. *n*, continuous service man

továbbtanulás *n*, continuation of studies, continuated education

továbbterjed *vi*, spread, be propagated

továbbterjedés *n*, spread(ing), propagation; *a tűz ~ét megakadályozták* the fire was localized

továbbvisz *vt*, carry/take on/further, continue to carry

továbbutazás *n*, continuation of the journey

továbbvándorlás *n*, remigration

továbbvándorol *vi*, migrate further/on

továbbvezet I. *vt*, 1. lead/conduct/guide to 2. *[vezeték]* carry, convey II. *vi*, lead (on); *ez az út nem vezet tovább* this path does not lead on to anywhere, this is the end of the path

továfut *vi*, flee, fly, run away

tovahömpölyög *vi*, roll on

tovalebben *vi*, flit/fly away/along

tovarohan *vi*, hurry on/along, speed/rush along

tovaröppen *vi*, fly/flit away/along

tovaröppenés *n*, flitting along, *[időé]* passage

tovasiet *vi*, hurry on/along, speed/rush along

tovasikiklik *vi*, glide/float/slip on/along/away; *~ik a vízen* glide along over the waters

tovasurran *vi*, slip/scurry/sweep/whisk/glide away

tovaszáll *vi*, fly/slip away/off/along

tovaterjed *vi*, spread, be propagated, propagate

tovaterjedés *n*, spreading, propagation

tovatűn|ik *vi*, disappear/vanish from sight, fade, pass (away), evanesce

tovatűnő *a*, vanishing, fleeting, passing, evanescent; *~ évek* rolling years

toxémia [..át] *n*, *(orv)* toxaemia

toxémiás [-at; *adv* -an] *a*, *(orv)* toxaemic

toxikológia [..át] *n*, *(orv)* toxicology

toxikológiai [-ak, -t; *adv* -lag] *a*, *(orv)* toxicological

toxikológus *n*, *(orv)* toxicologist

toxikománia *n*, *(orv)* toxicomania, dope-habit *(fam)*, drug addiction

toxikózis [-ok, -t, -a] *n*, *(orv)* toxicosis

toxin [-ok, -t, -ja] *n*, *(orv)* toxin

tő [tövet, töve] *n*, 1. *[fáé]* foot, stump, stock, lower part, *[növényé]* stock, stem; *a fa tövében* at the foot of the tree, in the shade of the tree; *tövestül (átv is)* root and branch, *(csak átv)* radically, wholly, thoroughly 2. *[kardé, késé]* hilt; *tövig* up to the hilt 3. *[hajé]* root; *tövig levágott haj* close-cropped hair, closely-cut hair 3. *[szőlőé]* vine-stock/plant 4. *(nyelvt)* root, radical, *[igei]* stem, theme 5. *(menny)* radix

tőalak *n*, *(nyelvt)* radical, ground-form, stem, base

több [-et; *adv* -en] I. *a*, 1. *[összehasonlítás]* more; *~ mint* more than, above, past, over, upwards of; *~ mint egy éve* it is more than a year (since); *~ mint két óra hosszat* for over two hours; *~ mint egy óra hosszat beszélt* he spoke for over an hour; *~ mint 100 forintot költött* he spent more than 100 forints; *nincs ~ there* is no more of it; *nincs ~ pénzem* I have nothing *(v.* no money) left, I am out of cash; *az árak ~ mint 5°/o-kal emelkedtek* prices have risen *(v.* gone up) by more than 5 p.c.; *a költségek ~ mint kétszeresére emelkedtek* expenses/costs have more than doubled; *sőt mi ~* what is more, moreover; *~ a kelleténél* one/ far too many; *jóval ~ a kelleténél* much too much, it is too much by half; *öt fonttal ~ a kelleténél* five pounds too much; *ez ~ a soknál* this is rather too much, that is more than enough, that is really too bad, that is coming it strong, this is taking it *(v.* going) too far, it is a bit thick/steep 2. *[néhány]* several, a few, divers, various, a number of, a good many, some; *~ alkalma van vmre* he has increased opportunities for sg; *~ nyelven tudott* he spoke several languages; *~ helyen* in many/several places; *~ ízben* on several occasions, several times, again and again, more than once, repeatedly; *~ okból is* for more than one reason, on more scores than one; *~ részletben in/* by instalments; *~ részből álló* multipartite, having several parts; *~ szem ~et lát* two heads are better than one

II. *n*, *~ek között* among other things, among others, inter alia *(lat)* ; *~eknek* to several people; *minél ~je van az embernek annál ~re vágyik* the more one has the more one wants; *ezzel ~re mégy* thus *(v.* in this way) you will get/go farther; *~re viszi* get on better than; *ne ~et* not any more; *eggyel ~et* one more; *~et árt mint használ* do more harm than good; *~et egy szót sem szól* subside into silence, shut up, do not utter a single word more; *ez mindennél ~et mond* this speaks volumes, this tells more than anything else; *~et igér (vknél)* offer/bid more (than sy), *[árverésen]* overbid, outbid (sy), bid higher (than sy); *legközelebb ~et* more (of it) next time; *nem tudok róla ~et* I know nothing further about him

többágú a, 1. *(konkr)* having several branches *(ut)*, branched, branchy, forked, ramifying, ramose 2. *(átv)* many-sided

többalakú a, multiform, diversiform, polymorphous, polymorphic

többalakúság n, multiformity, *(biol)* pleomorphism, *(biol, vegyt)* polymorphism

többatomos a, polyatomic

többatomú a, polyatomic

több-bázisú a, *(vegyt)* polybasic

többcélú a, *[gép]* general-purpose, multipurpose

többcsöves a, *[rádió]* multivalve

többdimenziós a, ~ tér multi-dimensional space, hyperspace

többé adv, (no) more, (no) longer; ~ nem no more/longer, not any more/longer, nevermore; ~ nem láthatom(őt) I can see her no more; ~ nem látták he was seen no more; nincs ~ exist no more/longer, do not exist any more/longer, *[meghalt]* he is no more, he has passed away; soha ~ nevermore, never again

többedmagával adv, he/she in the company of (several) others, he/she with (several) others

többé-kevésbé adv, more or less; a költség ~ ugyanannyi lesz the cost will be much *(v. more or less)* the same

többen adv, several (of us/you/them), many, quite a few/number, a number of (persons); ~ közülük several of them; ~ mint more (in number) than; ő és ~ mások he and several others

többértékű a, *(vegyt)* polyvalent, multivalent, polybasic, *(vmnél)* of greater value, more valuable

többértékűség n, polyvalence

többértelmű a, having various meanings *(ut)*, ambiguous *(pej)*, *(nyelvt)* polysemantic

többértelműség n, ambiguity, ambiguousness

többes [-ek, -t, -e; adv -en] a/n, 1. *(menny)* multiple; legkisebb közös ~ lowest common multiple *(röv L.C.M.)* 2. *(nyelvt)* plural; ~ szám plural number; ~ számba tesz pluralize; ox-nak a ~ száma oxen the plural of "ox" is "oxen", "ox" in the plural is "oxen", "ox" makes "oxen" in the plural

többet adv, = többé

többéves a, of several years' standing *(ut)*, *[tanfolyam]* of several years *(ut)*

többévi a, several *(v. a few)* years', of several years *(ut)*

többfajta a, of many/several/various kinds/species/forms *(ut)*, manifold, multifarious, sundry, divers *(obs)*

többfázisú a, multiphase, polyphase

többfedelű a, *(rep)* multiplane

többfelé adv, in various/several directions

többféle a, = többfajta; ~ színben in different colours

többféleképpen adv, in several/many/various ways, variously; ~ magyarázható may be accounted for *(v.* interpreted) in various ways, has more than one meaning

többférjű a, polyandrous

többférjűség n, polyandry

többfokozatú a, multiple-stage; ~ rakéta multi-step/stage rocket

többhangértékűség n, *(nyelvt)* polyphony

többhangnemű a, *(zene)* polytonal

többhangneműség n, *(zene)* polytonality

többhangúság n, *(nyelvt)* polyphony

többhatású a, *(orv)* multivalent, polyvalent

többhavi a, several *(v. a few)* months', of/lasting several months *(pl)*

többhónapos a, = többhavi

többhengeres a, multicylinder(ed)

többhetes a, several weeks', of/lasting several weeks *(ut)*

többi [-ek, -t] I. a, remaining, other II. n, *[ami marad]* the rest/remainder; a ~ a magáé keep the change; a ~ek the others/rest; a ~ek tudják everyone else knows; mi ~ek the rest of us; és a ~ and so on/forth, *(röv* etc.); ami a ~t illeti as for the rest . . .; a ~t már tudja he knows the rest (of it)

többirányú a, manifold

többistenhit n, *(vall)* polytheism

többjegyű a, multiple, compound; ~ szám number of several places

többjelentésű a, having many/various meanings *(ut)*, *(nyelvt)* polysemantic, polysemic

többjelentőségűség n, *(nyelvt)* polysemy, polysemia

többkapcsolós a, ~ tábla multiple jack panel

többkaréjú a, *(term)* multilobate(d)

több-kevesebb a, more or less; ~ sikerrel with comparative success

többköltség n, additional expense(s)

többlépcsős a, = többfokozatú

többlet n, surplus, *[súly]* excess, *(ker)* residue, balance, *[jövedelem]* increase, remainder

többletadó n, super-tax

többletbevétel n, surplus receipts

többletérték n, (sur)plus value, *(közg)* value added

többletfizetés n, excess/additional/surplus payment

többletfuvardíj n, additional carriage/freight

többletkiadás n, extra expense(s)

többletköltség n, *(ker)* additional charges *(pl)*

többletmennyiség n, *(ker)* overage

többletmunka n, added/additional work, surplus labour; szükséges és ~ necessary and surplus labour

többletmunkaerő n, supplementary labour-power

többletmunkaidő n, surplus time

többletnyereség n, excess-profit

többletosztalék n, *(pénz)* surplus dividend

többletösszeg n, excess amount, sum in excess

többletpéldány n, *(nyomd)* overcopy, overprint

többletpoggyász n, extra luggage

többletsúly n, excess/extra weight, overweight

többlettermék n, surplus product; szükséges és ~ necessary and surplus product

többleütés n, *(kárty)* overtrick

többmotoros a, multi-motored/engined

többnejű a, polygamous; ~ férfi poligamist

többnejűség n, polygamy, plural marriage

többnyelvű a, multilingual, polyglot(tic), polyglottal; ~ szótár interlingual dictionary

többnyelvűség n, polyglottism, multilingualism

többnyire adv, mostly, generally, usually, mainly, for the most part, habitually, most often, in most instances

többoldalú a, 1. many-sided, *[elfoglaltság]* multifarious, varied 2. *[szerződés]* multilateral

többoldalúság n, many-sidedness, multifariousness, multilateralness

többórai a, of/lasting several hours *(ut)*

többpártrendszer n, system of many (political) parties, multi-party system

többperiódusos a, *(vill)* polycyclic

többre adv, ~ becsül think more of, prefer; ~ tart vmnél/ vknél set above sy/sg, prefer to sy; ~ megy/visz *(mint)* get on better (than), rise higher (than), be more successful (than)

többreértékelés n, overvaluation, overestimation

többrendbeli a, on several occasions *(ut)*, repeated, *(jog)* on several counts *(ut)*

többrekeszű a, *(növ)* pluriocular

többrétegű a, ~ film *(fényk)* multiple coated film, multi-layer film; ~ hám *(bonct)* stratified epithelium

többsarkú a, *(műsz)* multipolar

többsávos a, *[rádió]* multi-range

többség n, majority, bulk, greater part, plurality;

csekély ~ bare majority; *az emberek* ~e the majority of (the) people; *a források* ~e the majority of sources; *a szerzők* ~e the majority of the authors, *[vitatott kérdésben]* majority/prevailing/prevalent opinion; ~*ben van vkvel szemben* outnumber sy

többségi *a*, majority; ~ *határozat* vote of the majority, *(jog)* majority verdict; ~ *párt* majority party;~ *rendszer* majority system

többsejtű *a*, multicellular, polycellular

többsoros *a*, of several lines *(ut)*

többszázados *a*, of several/many centuries *(ut)*, centuries old

többszínnyomás *n*, colour print, multicolour print/ impression/process, chromatic printing

többszínnyomat *n*, *(nyomd)* chromotype

többszínű *a*, party/multi-colour(ed), polychromatic

többszínűség *n*, polychromatism

többszólamú *a*, polyphonic; ~ *dal [kíséret nélkül]* madrigal (16—17th centuries), part-song (20th century), *[férfikarra]* glee

többszólamúság *n*, polyphony

többszótagú *a*, polysyllabic; ~ *szó* polysyllable

többszótagúság *n*, polysyllabism

többször *adv*, several times, on several occasions, repeatedly, more than once; *nagyon szeretnék veled* ~ *találkozni* I should love to see more of you; ~ *engem be nem csapsz* you cannot trick/cheat/deceive me another time *(v.* more than once), you cannot take me in twice

többszöri [-ek, -t] *a*, repeated, frequent, manifold, several; ~ *figyelmeztetés után* after repeated warnings

többszörös [-et; *adv*-en] I. *a*, manifold, several, repeated, frequent, plural; ~ *adóztatás* multiple taxation; ~ *bűnös* habitual offender; ~ *kábel* compound cable; ~ *milliomos* multimillionaire; ~ *szövet (tex)* compound fabric; ~ *táviratozás* multiplex telegraphy II. *n*, *(menny)* multiple; *egész számú* ~ integral multiple; *közös* ~ equimultiple; *legkisebb közös* ~ lowest common multiple *(röv* L.C.M.)

többszörösen *adv*, 1. many times; ~ *fizet vissza vmt* repay a service with interest, pay back many times over 2. *(növ)* ~ *szárnyalt* multilobular

többszörösít [-eni, -ett, -sen] *vt*, copy, reproduce, multiply

többszöröz [-tem, -ött, -zön] *vt*, multiply

többtagú *a*, consisting of several members *(ut)*, *[szó]* polysyllabic; ~ *kifejezés (menny)* polynomial, multinomial; ~ *küldöttség* a delegation (consisting) of several members

többtagúság *n*, *(nyelvt)* polysyllabism

többteljesítmény *n*, increased/surplus performance

többterhelés *n*, overload

többtermelés *n*, increased production/output, surplus production, overproduction

többtest *n*, *(fiz)* multibody

többtokos *a*, *(növ)* multicapsular

többvegyértékű *a*, polyvalent, multivalent

többvegyértékűség *n*, *(vegyt)* polyvalence, multivalence

többvirágú *a*, *(növ)* multifloral

többör [-ök. -t, -e] *n*, *(geol)* dolina, sink-hole

tőcsavar *n*, set/drop/foundation-bolt

töf-töf *a/n*, chug-chug, honk-honk

tőgy [-et, -e] *n*, udder, dug, teat, bag; *eltalálta a szarva közt a* ~*ét* put the cart before the horse, came upon a mare's nest

tőgyes [-ek, -t] *a*, (big-)uddered

tőgygyulladás *n*, garget

tőgyü [-ek, -t] *a*, uddered; *nagy* ~ big-uddered, *[nő]* big/full-busomed

tőhajtás *n*, *(növ)* tiller, stool-shoot

tőhangzó *n*, root vowel

tök [-öt, -e] *n*, 1. *(növ)* vegetable marrow, pumpkin,

gourd, squash *(US)* *(Cucurbita pepo)* 2. *(kárty)* diamonds *(pl)*, nut *(fam)* ; ~ *disznó* ace of diamonds 3. *(durv) vk* ~*ei* balls, berries, nuts, seeds, stones, marbles

tőke¹ [. . ét] *n*, 1. *(ált)* block; *húsvágó* ~ butcher's block 2. *[fáé földben]* stump, stub, stock, *[szőlőé]* vine(-stock) 3. *[zongoráé]* wrest-plank (of piano) 4. *(hajó)* keel

tőke² [. . ét] *n*, 1. *(ker)* capital, *[alap]* stock, *[alap vm célra]* fund(s), *[felbontva]* assets *(pl)* ; ~ *és kamatok* principal and interest; *állandó* ~ constant capital; *állandó és változó* ~ constant and variable capital; *álló* ~ fixed capital, fixed a ssets/funds *(pl)*; *felhalmozott* ~ accumulated capital; *fiktív* ~ fictitious capital; *folyékony* ~ fluid capital; *forgatható/mobil* ~ funds in hand; *holt* ~ dead/barren capital; *jegyzett* ~ subscribed capital; *kamatozó* ~ interest-bearing capital; *likvid* ~ liquid/ready assets *(pl)* ; *működő* ~ functioning capital; *parlagon heverő* ~ idle/unemployed/ barren/dormant capital; *társadalmi* ~ social capital; *termelő* ~ productive capital; *üzemi* ~ trading/working capital; ~ *alapformája* standard form of capital; ~ *értékösszetétele* the value composition of capital; ~ *körforgása és megtérülése* the circulation and turnover of capital; ~ *szerves összetétele* organic composition of capital; ~ *tárgyi tényezője* objective factor of capital; ~ *technikai összetétele* the technical composition of capital; *tőkéjéből él* live on one's capital; *tőkét elhelyez* invest capital, displace funds; *tőkét felszabadít/mozgósít* liberate capital; *tőkét gyűjt* amass capital; *tőkét kovácsol vmből* make capital out of sg, extract capital from sg, turn sg to one's advantage; *tőkét lehív* call for/in funds *(pl,* ; *tőkét szerez* raise capital; *tőkét tezaurál* noard up treasure

tőkeadó *n*, capital tax, tax on capital

tőkeakkumuláció *n*, accumulation of capital, accruing of capital

tőkeáramlás *n*, 1. movement/circulation of capital 2. *[be]* influx of capital

tőkebefektetés *n*, investment of capital, capital investment/outlay; *elsőrendű* ~ high grade investment, guilt-edged investment; *nagyobb* ~ *nélkül* with no considerable outlay, without any great outlay

tőkeberuházás *n*, capital investments *(pl)*, capital expenditure

tőkecentralizáció *n*, centralization of capital, capital merger

tőkecsoport *n*, concern, syndicate

tőkeelhelyezés *n*, placing of capital, (capital) investment

tőkeelmélet *n*, theory on capital

tőkeelvonás *n*, withdrawal of capital/funds

tőkeemelés *n*, increase of capital (stock); ~*t hajt végre* increase the capital

tőkeerős *a*, of solid capital *(ut)*, of considerable means *(ut)*, well provided with capital *(ut)*

tőkeérték *n*, capital value

tőkeexport *n*, export(ation) of capital, invisible exports *(pl)*

tőkeexportáló *a*, ~ *ország* capital-exporting country

tőkefelesleg *n*, superfluity of capital

tőkefelhalmozás *n*, accumulation of capital

tőkefelhasználás *n*, utilization of capital

tőkefelvevő *a*, ~ *ország* capital-receiving country

tőkeforgalom *n*, capital turnover

tőkehal *n*, 1. *(áll)* common cod *(Gadus callarias/ morrhua)*; *fekete* ~ coal-fish *(G. vireus)* ; *foltos* ~ haddock *(G. aeglefinus)* ; *francia* ~ bib, pout *(G. luscus)* ; *sávos* ~ pollack *(G. pollachius)* 2. *[szárított]* stockfish

tőkehalfélék *n. pl*, *(áll)* gadidae *(Gadidae)*

tőkehalmozódás *n*, capital accumulation; *eredeti* ~ primitive accumulation (of capital)

tőkehiány n, deficiency of funds, want/shortage of capital

tőkehús n, carcase meat

tőkeigényes a, capital-intensive

tőkeigényesség n, capital intensity

tőkejavak n. pl, capital/producers' goods

tőkekamat n, interest (on principal/capital)

tőkeképzés n, capital accumulation, capital formation

tőkeképződés n, accumulation/formation of capital

tőkekivándorlás n, exodus of capital

tőkekivitel n, capital exports (pl)

tőkekivonás n, disinvestment

tőkekoncentráció n, concentration of capital

tőkekölcsönzés n, provision of capital

tőkeleszállítás n, writing down of capital, reduction of (share) capital (GB), reduction of capital stock (US)

tőkéletes [-et; adv -en] a, perfect, faultless, exquisite, flawless, consummate, complete, utter, thorough, accomplished; ~ bánat (vall) perfect contrition; ~ boldogság perfect bliss/happiness; ~ csalódás an entire delusion; ~ egyetértésben él vkvel live in perfect harmony with sy; ~ művész a(n) perfect/accomplished artist; ~ rendben in perfect order, in apple-pie order (fam), ship-shape (fam); ~ szabás [ruháé] exact. fit; ~ szám (menny) perfect number; ~ szépség perfect beauty; ~ szónok a(n) finished/accomplished speaker; vknek ~ ellentéte be quite the opposite/reverse of sy, be the very reverse of sy; a tárgykör ~ ismerete mastery of the subject; úgyszólván ~ this can be hardly improved on

tőkéletesedés n, prefection, becoming perfect, consummation

tőkéletesed|ik [-tem, -ett, -jen, -jék] vi, become perfect, improve, arrive at (v. reach) perfection, be brought to perfection

tőkéletesen adv, perfectly, exquisitely, faultlessly, from hub to tire, up to the hub (US fam); ~ beszél angolul have a thorough command of the English language, his English is perfect, he knows English to perfection; ~ csinál vmt do sg to perfection; ~ elkészített hús/pecsenye meat done to a turn; ~ öltözött immaculately dressed; ~ zongorázik he plays the piano to perfection; ~ igaza van! (biz) you are quite/dead right!

tőkéletesit [-eni, -ett, -sen] vt, (make) perfect, bring to perfection, improve (on, upon), better, reform, accomplish, finish, [műszert] improve

tőkéletesítés n, perfecting, (bringing to) perfection, improvement

tőkéletesíthető a, perfectible, improvable, open to improvement (ut)

tőkéletesíthetőség n, perfectibility

tőkéletesítő n, perfecter, improver

tőkéletesség n, perfection, completeness, flawlessness, impeccability, impeccancy; ~ legmagasabb foka peak of perfection; a ~ netovábbja prime of perfection; ~re emelkedik attain/achieve perfection; ~re törekszik strive for perfection, be a perfectionist

tőkéletlen I. a, 1. [tárgy] imperfect, incomplete, defective, faulty, unsatisfactory, [személy] half-baked/witted, imbecile 2. ~ szám (menny) imperfect/defective number **II.** n, numskull, nincompoop, nitwit, dunce

tőkéletlenked|ik [-tem, -ett, -ien, -iék] vi, behave/act like a(n) idiot/fool

tőkéletlenség n, 1. (ált) imperfection, incompleteness, deficiency, defect(iveness), shortcoming 2. [szellemi] mental deficiency, halt-wittedness, imbecility

tőkéletlenül adv, imperfectly, deficiently, immaturely

tökély [-ek, -t, -e] n, perfection, accomplishement; maga a ~ perfection itself; ~re visz vmt bring sg to perfection; ~re viszi vmben attain/achieve perfection in; olyan ~re tesz szert attain to (such) perfection

tőkemenekülés n, exodus/flight of capital

tőkemonopólium n, monopoly of capital

tőkenövelés n, increase of capital

tőkeösszeg n, (pénz) principal

tőkepénzes n, capitalist, stockholder, fundholder, rentier (fr), man on means/property (fam), person of independent (v. with private) means (fam)

tőkeplac n, money/capital market

tőkeplaci a, ~ infláció inflation in the capital market

tőkeprofit n, capitalist profit

tőkerész n, part of capital; változó ~ variable part of capital

tőkerészesedés n, holding in the capital

tőkerészlet n, shares of capital (pl)

tőkés I. a, capitalist(ic); ~ bérlő capitalist tenant; ~ elnyomás capitalist oppression; ~ gazdálkodás capitalist(ic) economy; ~ kizsákmányolás capitalist exploitation; ~ rend(szer) capitalist economy/system; ~ szellem capitalist outlook/attitude/mentality; ~ társadalom capitalist society; ~ termelés capitalist production; ~ termelési mód capitalist mode of production; ~ tulajdon capitalist property, capitalist(ic) ownership; ~ világ the capitalist world **II.** n, capitalist, stockholder, fundholder, investor, rentier (fr); a ~ek the capitalists, the moneyed interests

tőkésállam n, capitalist country

tőkéscsoport n, syndicate, concern

tőkésérdek n, capitalist interests (pl)

tőkésérdekeltség n, capitalist(ic) concern

tőkésgondolkodás n, capitalist mentality

tőkésít [-eni, -ett, -sen] vt, capitalize, convert into capital; kamatot ~ [negyedévenként] capitalize/compound interest (quarterly)

tőkésítés n, capitalization, [értékesítés által] realization

tőkésíthető a, capitalizable

tőkésosztály n, capitalist class

tőkésúly n, (hajó) keel

tőkésúlyú a, ~ hajó keelboat

tőkésuralom n, capitalist regime

tőkésvállalat n, capitalistic enterprise

tőkésvezetés n, capitalist rule

tőkeszámla n, capital/stock account

tőkeszegény a, deficient in funds (ut), [igével] lack capital

tőkeszűke [. . ét] n, (pénz) want/lack/shortage/scarcity of capital

tőkeszükséglet n, capital requirement, required/requisite capital

tőketartozás n, principal/capital sum

tőketörlesztés n, amortisation

tőkeuralom n, capitalist regime

tőkevagyon n, (pénz) capital in money

tökfedő n, (biz, tréf) head-gear/dress, tile

tökfej n, (biz, tréf) blockhead, idiot, fool, duffer (fam), muff ✧, nitwit (fam)

tökfejű I. a, blockheaded, half/fat-witted, silly, idiotic, soft, rat/muddle-headed, addle-brained **II.** n, = -tökfej

tökfélék n. pl, cucurbitaceae

tökfilkó n, (gúny) blockhead, booby

tökfödő n, = tökfedő

tökfőzelék n, (dish of) boiled shredded vegetable marrow

tökgyalu n, vegetable marrow slicer/shredder

tökinda n, runner (of pumpkin/gourd)

tökkáposzta n, vegetable marrow, marrow squash

tökkelütött [-et; adv -en] a, = tökfejű

tökkulacs n, calabash(-bottle)

tökmag n, 1. pumpkin/gourd seed, vegetable marrow

seed 2. *[emberről]* shrimp, scrub, dwarf, hop-o'-my-thumb

tökmagolaj n, pumpkin-seed oil

tökocsány n, *(növ)* scape

tökös[1] [-et; *adv* -en] *a*, **1.** *[tököt tartalmazó]* containing/with vegetable marrow *(ut)* **2.** *(durv)* having/with big balls/stones *(ut)*, □ *[keménykötésű]* turdy *(stand.)*, tough *(stand.)* **3.** ~ szilva plum pocket, bladder plum

tökös[2] [-et; *adv* -en] *a*, ~ veréb unfledged sparrow

tökrészeg *a*, dead/blind drunk, (as) drunk as a fiddler/lord *(ut)*, sottish, drunk as a fish *(ut)*, besotted, tight as a tick *(ut)*

töksötét *a/n*, pitch-dark

tökvirág n, flower of gourd/pumpkin

-től *suff*, ld -tól

tölcsér [-ek, -t, -e] *n*, **1.** *(ált)* funnel, filler; ~ alakú funnel/cornet-shaped, crateriform, *[párta] (növ)* infundibuliform, funneliform; ~t csinál a kezéből füléhez hollow/cup one's hand against one's ear, *[szájához]* cup one's hands in front of one's mouth; ~rel tölt funnel **2.** *[gramofoné, hangszóróé, szirénáé]* horn, *[trombitáé]* bell, *[telefonkagylóé]* mouth-piece **3.** *[fülé]* pavilion, auricle, *(orv, term)* infundibulum **4.** *[fagylaltnak]* cone, cornet, *[rögtönzött papirosból]* paper-bag, cornet **5.** *[tűzhányóé]* crater, *[gránáttól]* shell-hole

tölcsérbéllet n, *(épít)* splayed jambs *(pl)*

tölcsérboltív n, trumpet arch/vault

tölcsérboltozat n, *(épít)* trumpet arch/vault

tölcséres [-ek, -t; *adv* -en] *a*, = tölcsér alakú

tölcsérgomba n, *(növ)* clitocybe *(Clitocybe)*; gyűrűs ~ honey fungus/agaric, collar crack *(Armillaria mellea)*

tölcsérszerű *a*, funnel/cornet/crater-like/shaped

tölcsértorkolat n, estuary

tőle [-m, -d] *pron*, from/by/of him/her/it; ez nem szép ~ that is not nice/fair of him, that is being unfair; ~m balra on my left; angolul tanul ~ learn/study English from him; kiemelés ~m italics mine; könyvet kér ~ ask a book from him, ask him for a book; megteszem ami ~m telik I shall/will (try to) do my best; ~ ugyan éhen is halhat she can starve for aught/all he cares

tőlevélrózsa n, *(növ)* rosette

tölgy [-et, -e] *n*, *(növ)* oak (tree) *(Quercus)*, *(összet. műsz)* oak(en); fehér ~ white oak *(Q. alba)*; kocsányos ~ robur *(Q. robur)*; magyal ~ evergreen/holm oak *(Q. ilex)*

tölgyerdő n, oak-forest/plantation/wood, oakenshaw *(ref.)*

tölgyes [-ek, -t, -e] I. *a*, oak(en) II. *n*, = tölgyerdő

tölgyfa n, oak(-tree); ~ burkolat oak panelling; ~ bútor oak furniture

tölgyfagubacs n, oak-apple/gall

tölgyfaháncs n, oak-bark

tölgyfakéreg n, oak-bark

tölgyfalomb n, oak leaves *(pl)*

tölgygubacsdarázs n, *(áll)* gall-wasp/fly *(Cynips)*

tölgyilonca n, *(áll)* pea-green oak twist *(Tortrix viridana)*

tölgykoszorú n, wreath/garland of oak leaves

tölgylevél n, oak leaf, *[mint kat kitüntetés]* oak leaf cluster

tölgylomb n, foliage of an oak (tree)

tölgyszövő n, *[lepke]* oak eggar *(Lasiocampa quercus)*

tölt [-eni, -ött, -sön] I. *vt*, **1.** *[folyadékot]* pour, *[át]* decant; ~ vknek vmt pour out *(v. serve)* sg to sy; ~hetek neked is? may I fill your glass; ~ magának fill one's glass; üvegbe ~ fill into a bottle; benzint ~ a tartályba fill/tank up a machine/container with petrol **2.** *[kolbászt, hurkát]* fill, *[egyéb ételneműt]* stuff;

cigarettát ~ make/fill a cigarette **3.** *[akkumulátort]* charge; gépbe ~ vmt feed a machine **4.** *fegyvert* ~ load a gun; élesre ~ load with ball/live(-cartridge); ~s! *[lövészet]* load! **5.** *[átv időt]* pass, spend; kedvét ~i delight in, find pleasure in; ne ~sd az időt do not waste your time; sok időt ~ vmivel spend much time on, take a long time over sg; rövidebb időt ~ vhol stay swhere for a short time, be swhere for a spell; festéssel ~i az idejét pass the time painting; hogy ~ötted a napot? how did you spend the day?; csak azért hogy az időt ~se to kill time **6.** *(mezőg)* hill

II. *vi*, *[pohárba]* pour in/out

töltelék [-et, -e] *n*, *[húsé]* stuffing, *[hurkáé, kolbászé, tésztáé]* filling

töltelékanyag n, filling, padding (material), stuffing

töltelékföld n, filling (material), earth

töltelékhús n, force-meat

töltelékszó n, expletive (word), *[versben]* padding (in line of verse), make-rhyme, waste-word

tölteny n, cartridge, shell *(US)*, *[légpuskába]* (air gun) pellet

tölténydob n, cartridge drum

tölténygyár n, cartridge factory

töltényheveder n, (cartridge v. machine-gun) feed-belt, loading strip (of machine-gun), cartridge belt/clip, ammunition-belt

töltényhüvely n, cartridge-case, *[üres]* cartridge hull

tölténykészlet n, supply of ammunition

tölténykivető n, ejector

töltényöv n, cartridge/hunting/shot belt, bandoleer, ammunition-belt

töltényrakasz n, ammunition-box

töltényszalag n, *[géppuskában]* loading strip

tölténytár n, cartridge carrier/clip/box, clip, magazine, feed-block

tölténytáska n, cartridge/ammunition pouch

tölténytok n, magazine, cartridge-case

töltényűr n, gun chamber

töltényvonó n, cartridge extractor

töltényzacskó n, ammunition/cartridge bag/pouch

töltés n, **1.** *[folyamat]* filling, *[italt]* pouring out, *[puskát]* loading, charging **2.** *[földből emelt]* bank, embankment, rampart, *[árvíz ellen]* dike, dyke, *[vasúti]* railway bed/substructure, *(vízép)* dam; ~t csinál bank up **3.** *[elektromos]* charge **4.** mellkasi ~ *(orv)* pneumothorax

töltéscsuszamlás n, crumbling/slide/slipping of embankment

töltésföld n, = töltelékföld

töltési [-ek, -t; *adv*, -leg] *a*, *(műsz)* ~ hatásfok efficiency of supply; ~ nyomás *[gőzgépnél]* admission pressure

töltésrézsű n, fill slope

töltésszakadás n, breach in dam/dike/dyke

töltésút n, causeway, causey

töltet[1] *vt*, have sg poured/filled/stuffed/loaded/charged

töltet[2] n, *(kat)* load, charge

töltetlen *a*, empty, unfilled, *[fegyver]* unloaded, uncharged

töltetű *a*, szilárd ~ rakéta solid-propellent rocket

töltő [-t, -je] I. *a*, pouring, filling, stuffing, *[fegyvert]* loading II. *n*, *(műsz)* *[személy, készülék]* feeder

töltőállás n, *(kat)* loading position

töltőállomás n, filling/refuelling station

töltőanyag n, fill(er), stuffing, filling/weighting material, vehicle, excipient, *(vegyt)* aggregate

töltőberendezés n, **1.** *[akkumulátorhoz]* battery charger/loader, battery charging set **2.** *(kat)* loading gear

töltőceruza n, *[csavaros]* propelling pencil, ever-sharp (pencil), screw-topped pencil, *[nyomógombos]* repeater pencil

töltőcső n, filling tube

töltőfa n, filler tree

töltőfém n, [hegesztésnél] filler-metal

töltőgarat n, (mill-)hopper, boot (of grain-elevator), loading funnel, (koh) cone (of blast furnace)

töltöget vt, 1. keep pouring/filling in, [gépbe] feed 2. [krumplit, kukoricát] hill, mould (up)

töltögető [-t] n, (mezőg) hiller. [eke] lister, middle--buster, ridge-plough, ridger

töltögetőeke n, = töltögető

töltőkályha n, base-burner, slow-burning/combustion stove

töltőkapu n, [hajózsilipé] filler gate

töltőkészülék n, charging machine, charger, filler

töltőlánc n, (tex) packing warp

töltőnyílás n, 1. throat, mouth 2. [puskáé] muzzle

töltőrúd n, rammer

töltőtoll n, fountain-pen; robbanó ~ booby-trap pen, explosive/exploding pen·

töltőtollbetét n, refill

töltőtolltinta n, fountain-pen ink

töltött [-et; adv -en] a, 1. (ált) filled, full, [újra] replenished 2. [étel] stuffed; ~ cukorka filled sweets (pl) ; ~ csirke stuffed chicken, chicken with dressing (US) ; ~ csokoládé (soft-centred) chocolates (pl) ; ~ káposzta ⟨cabbage leaves stuffed with minced meat and rice(,) served with sauerkraut⟩, (kb) stuffed cabbage; ~ oliva pimola; ~ tojás stuffed eggs 3. [fegyver] loaded, [akkumulátor] charged

töltővessző n, ramrod, rammer

töm [-tem, -ött, -jön] vt, 1. (ált) stuff, [pipát] fill, [párnát, vállat] ped, wad; a vonat ~ve volt the train was packed 2. [baromfit] cram, fatten, feed forcibly (fowl); ~i a fejét [tanulmányokkal] cram, [ennivaló-val] gorge, stuff/stodge oneself; ~i magát stuff/stodge oneself with food, gorge, glut, gormandize 3.[fogat] stop, fill 4. [lyukas harisnyát] darn, stop 5. [ígérettel, pénzzel] cram (sy) with promises/money

tömb [-öt, -je] n, block, mass, chump, chunk (fam), dollop (fam)

tömbbizalmi n, = tömbmegbízott

tömbfa n, blockwood

tömbhegység n, mountain mass, main group of mountains, block of mountains

tömblevélpapír n, writing-pad/block

tömbmegbízott n, block warden

tömbnaptár n, calendar block, pad/block-calendar

tömbólom n, pig-lead

tömbón n, (vegyt, koh) bar tin

tömböntvény n, block

tömbréz n, pig copper

tömbvaj n, tub/unpacked-butter

tömedékanyag n, (bány) packing rock

tömedékel [-t, -jen] vt, (bány) fill, pack, stow, backfill

tömedékelés n, (bány) filling, pack(ing), stowing, (bány) stemming

tömeg [-et, -e] n, 1. (ált) mass, body, [tárgy] heap, clump, [rendezett] pile, block, [folyadék] volume, quantity; induló ~ [rakétáé] initial mass, take-off mass; végső ~ [rakétáé] final mass; vmnek a ~e the bulk of sg; egy ~ bankjegy a heap/pile/wad of bank-notes; egy ~ben in a (single) mass; nagy ~ben gyárt produce on a large scale, mass-produce; ~ével pusztulnak el perish in large numbers; ~ével vásárolja a könyveket buy books in shoals 2. [ember] crowd, concourse, swarm, host, throng, multitude, horde (pej), mob (pej), herd (pej); a ~ek lélektana mob psychology; a dolgozó ~ek the working masses; nagy ~ gyűlt össze a big crowd gathered; a nép széles ~ei the great masses of the people; ~be verődnek gather into a crowd; a ~ből from the crowd; széles ~ekre kiterjedő (politikai) munka mass work, work among

the masses; elveszti a kapcsolatot a ~ekkel lose contact with the masses; a ~ fölé emelkedik rise above the crowd

tömegagitáció n, mass agitation

tömegakció n, mass action/demonstration

tömegáram n, (fiz) mass flow, (vill) parasite currents (pl)

tömegarány n, (fiz) mass ratio

tömegáru n, mass products/goods (pl), bulk product, bulk goods (pl) ; alacsonyabb értékű ~ lower-valued bulk commodities (pl)

tömegbázis n, mass base/support

tömegbefolyás n, mass influence, power to sway the masses

tömegbetegség n, epidemic, crowd/mass disease

tömegcikk n, mass product

tömegcikkipar n, mass production

tömegdefektus n, (fiz) mass defect

tömegegység n, mass unit

tömegellenállás n, mass resistance

tömegenergia n, (fiz, vegyt) mass energy

tömegenergia-ekvivalencia n, (fiz, vegyt) mass-energy equation/equivalence, equivalence of mass and energy

tömegerő n, 1. (ált) power/influence/strength of the masses 2. (fiz) inertia/mass force

tömeges [-t; adv -en] a, mass, en masse (fr), multitudinous, in large numbers (ut), in great quantities (ut) ; ~ belépés mass influx (into); ~ jelentkezés large-scale (v. mass) volunteering; ~ kivégzések mass execution; ~ letartóztatások mass arrests; ~ megtorlás massive retaliation; ~ munkanélküliség mass unemployment; ~ tagfelvétel mass admission; ~ tiltakozás massive protest

tömegesen adv, en masse (fr), in large numbers, in (great) quantities

tömegfelvétel n,(film) crowd scene

tömegfelvilágosítás n, mass enlightenment

tömegfelvonulás n, mass march/demonstration

tömegfogyasztási cikkek mass consumer goods, mass--consumption goods

tömeggondnok n, assignee, official receiver, public trustee (in bankruptcy)

tömeggyártás n, mass/serial production, wholesale/bulk manufacture

tömeggyártási a, ~ termékek mass-produced goods, quantity products, goods on the production line

tömeggyilkos n, mass murderer

tömeggyilkosság n, mass murder

tömeggyűlés n, mass meeting/rally

tömeghangulat n, the mood/disposition of the masses, mass feeling

tömegharc n, mass combat

tömeghatás n, mass effect/action; ~ törvénye (vegyt) law of mass action

tömeghisztéria n, mass hysteria

tömegirányítás n, [felvonuláson] crowd-control/management

tömegjelenet n, (szính) mass/crowd scene

tömegjelenség n, general phenomenon

tömegkapcsolat n, contact with the masses

tömegközéppont n, centre of mass

tömeglakás n, slum

tömeglap n, mass/people's newspaper

tömeglélektan n, psychology of the masses, mass psychology

tömegmegmozdulás n, mass demonstration

tömegmérgezés n, mass poisoning

tömegmészárlás n, massacre, wholesale/mass slaughter

tömegmozgalom n, mass movement

tömegmozgás n, 1. (fiz) molar motion 2. [a föld felszínén] mass movement

tömegmunka n, mass work
tömegnevelés n, mass education
tömegnyomor n, mass/general destitution/poverty, pauperism
tömegőrület n, mass hysteria
tömegpárt n, mass party
tömegpusztító a, ~ fegyver weapon of mass destruction/extermination
tömegrajt n, (sp) mass start
tömegroham n, mass assault
tömegsir n, common grave
tömegsport n, mass sport(s)
tömegszállás n, [rossz minőségű] doss-house
tömegszervezés n, organization of the masses
tömegszervezet n, mass organization
tömegsztrájk n, mass strike
tömegszuggesztió n, mass suggestion/hypnosis
tömegtámadás n, mass/general attack
tömegtermelés n, mass-production; futószalagos ~ mass--production on moving conveyer/conveyor
tömegtiltakozás n, massive protest
tömegtüntetés n, mass demonstration
tömegváltó n, (sp) mass relay
tömegverseny n, mass competition
tömegviszony n, (fiz) mass ratio
tömegvonzás n, (fiz) gravitation, attraction/force of gravity, gravitational attraction/pull
töméntelen a, innumerable, numberless, without number (ut), countless, a considerable number of, quantity/heaps/multitude/legion of; ~ panasz/sérelem a hoard of grievances
tömény a, concentrated; ~ oldat concentrated solution; ~ szesz hard liquor/stuff (fam)
töményit [-eni, -ett, -sen] vt, concentrate, [elpárologtatással] graduate
töményités n, [oldaté] concentration, graduation
töményitési [-ek, -t] a, ~ fok degree of concentration
töményitett [-et; adv -en] a, concentrated
töménység n, concentration
töménységi a, ~ fok degree of concentration
tömérdek [-et; adv -en] a, = töméntelen
tömés n, 1. (ált) stuffing, [pipáé] filling, [párnáé, vállé] padding, wadding, [bútoré] stuffing, padding, upholstering 2. [baromfié] cramming, fattening, forcible feeding 3. [fogban] filling, stopping of a tooth; kiesik a ~ [fogból] come unstopped 4.[lyukas harisnyáé] darning 5. [falé] ramming
tömit [-eni, -ett, -sen] vt, caulk, pack, fill, make proof, staunch, seal, stuff, wad, pad
tömités n, stuffing, pack(ing), gasket, seal(ing), caulking, plug(ging), oakum, wadding, pad
tömitettség n, tightness
tömitő [-t] a, stuffing, packing, stopping, sealing, obturating, [ajtón, ablakon] weather-strip
tömitőanyag n, packing material, anti-leak cement, plugging, sealing-compound, luting
tömitőcsavar n, pack(ing) nut
tömitőgyűrű n, packing/caulking/obturating/gasket/filler ring, seal, (packing) washer, lute; ~ fészke gasket seat
tömitőhegesztés n, caulk welding
tömitőhenger n, packing drum
tömitőnemez n, [ajtón, ablakon] weather-strip
tömjén [-t, -je] n, (növ) (frank)incense (Boswellia carteri) ; ~nel megfüstöl incense
tömjénégető n, (vall) incense-burner
tömjénez [-tem, -ett, -zen] vt, 1. (fume with) incense, cense 2. (átv vknek) flatter (sy), make an idol of (sy), fawn on (sy), adulate (sy)
tömjénezés n, 1. incensation, incensing 2. (átv) flattery, adulation, sycophancy
tömjénező [-t] I. a, adulatory, flattering, sycophantic

II. n, 1. [készülék] incense-burner, censer, thurible, [személy] thurifer, incense-bearer 2. (átv) adulator, flatterer, sycophant
tömjénfüst n, (smoke of) incense
tömjénfüstölő n, incense-burner, censer, thurible
tömjénillat n, (smell/fumes of) incense
tömjéntartó n, (vall) incense-burner, [csészéje] incense boat
tömjéntermő a, (növ) thuriferous
tömkeleg [-et, -e] n, labyrinth, maze; ~e vmnek profusion/abundance of
tömköd [-tem, -ött, -jön] vt, stuff, cram, pad, pack, fill, stop, caulk
tömlő [-t, -je] n, 1. (ált) hose, [vizes] goatskin, leather bottle, [bornak] wine-skin/bag 2. [szövetbetétes cső] hose tube 3. [gumi] tyre, tire (US), [kerékpárbelső] inner tube 4. [dudán] bellows 5. (term) sac 6. (bonct) bursa, (orv) cyst; ~ alakú cystiform
tömlőbelűek n. pl, (áll) coelenterata (Coelenterata)
tömlőc [-öt, -e] n, dungeon, prison, gaol, jail; ~be vet imprison
tömlőcsavar n, hose union/joint
tömlőcséve n, solid cop, tubular cop, cop winding from inside
tömlőcske n, (bonct) utricle, saccule
tömlős [-ök, -t; adv -en] a, with a bag (ut), [daganat] cystic
tömlősgombák n. pl, (növ) ascomycetes
tömlőtányér n, (növ) apothecium
tömlőtok n, [gombáké] perithecium
tömondat n, simple sentence
tömő [-t] a, stuffing, cramming, filling, stopping, padding, packing
tömőanyag n, [párnázatnál] padding, stuffing
tömőcsákány n, fuller
tömőfa n, = stoppolófa
tömőgyapot n, kapok, [stoppoláshoz] darning/mending cotton/thread
tömöntés n, (nyomd) stereotypography, stereotyping
tömöntésű a, (nyomd) stereotype
tömöntő n, (nyomd) foundryman, stereotyper
tömöntöde n, (nyomd) stereotype foundry, stereotyping room
tömöntvény n, (nyomd) stereoplate, cast
tömőöltés n, plain(-work) stitch
tömőpamut n, = tömőgyapot
tömör [-et; adv -en] a, 1. [anyag] solid, massive, compact, dense, non-porous; ~ arany sold gold; ~ beton dense concrete; ~ gumi solid rubber; ~ labda solid ball; ~ tégla solid brick; ~ szedés solid matter 2. [stilus] concise, pithy, meaty, brief, to the point (ut), terse, condensed; ~ kivonat compendium; ~ mondatfűzés closely knit sentences (pl)
tömören adv, massively, pithily; ~ kifejezve succinctly expressed
tömörgumi a, ~ abroncs solid(-rubber) tyre
tömörit [-eni, -ett, -sen] vt, 1. (műsz) caulk, pack, condense, compact 2. [szöveget] boil down, digest, (átv) mass, assemble, gather, congregate 3. [embereket vk körül] rally (round)
tömörítés n, caulking, pack, compression, gathering, condensation
tömörítvény n, (bány) agglomerated ore
tömörség n, 1. (konkr) solidity, massiveness, compactness, density 2. [stilusé] conciseness, concision, pithiness, terseness
tömőrúd n, (koh) stopper rod, (bány, műsz) stemmer, tamping-bar
tömörül [-t, -jön] vi, [vk körül] gather/cluster/rally/close round, form a group, bunch (together), mass, congregate

tömörülés n, grouping, gathering, massing, unification, rally, cohesion; *városi ~* the urban concentration/ agglomeration

tömörült [-et] a, **1.** *(ásv)* aggregate, conglomerate **2.** *(átv)* united; *szakszervezetekbe ~ munkások* workers organized into trade unions

tömött [-et; *adv* -en] a, **1.** *(ált)* compact, thick, congested. *[közet]* massive, *[tészta]* doughy, heavy **2.** *[jármű]* packed, jam-packed, crowded; *~ sorok* serried ranks, close formation/order **3.** *~ baromfi* fattened poultry; *~ fog* stopped/filled tooth; *~ pénztárca* bulging purse, well-lined/filled purse; *~ vállak* padded/flange shoulders

tömpe [.. ét] a, stubby; *~ orr* flat/stub/pug nose

tömszelence n, *(műsz)* packing/stuffing box

tömzs [-öt, -e] n, *(geol)* stock, lode

tömzsi [-t] a, thick-set, stocky, dumpy, squat, stout, square-built, fubsy *(fam)*

tönk [-öt, -je] n, **1.** *[fáé]* stump, stub, stock, billet, block **2.** *[gombáé]* stem **3.** *a ~ szélén áll* be on the brink of ruin, be on one's last legs; *a ~ szélére juttat* bring sy to the brink of ruin; *a ~ szélén áll* be within a hair's-breadth of ruin

tönköly [-ök, -t, -e] n, *(növ)* spelt, German wheat *(Triticum spelta)*

tönkölybúza n, *(növ)* = **tönköly**

tönkreesz|ik vt, *~ik vkt* eat sy out of hearth/house and home

tönkrejut vi, *[pénzügyileg]* become bankrupt, be ruined, go broke *(fam)*, *[másképp]* fail, come to grief, go to the dogs

tönkrejutás n, ruin

tönkrejuttat vt, ruin, cause the ruin of, bring about sy's ruin, undo sy

tönkrejuttatás n, ruination

tönkremegy vi, **1.** *(ált)* deteriorate, get spoiled/ruined/ damaged, *[épület, bútor stb.]* dilapidate, go to (rack and) ruin, go to the devil/dogs *(fam)*, go to pot *(fam)* ; *tönkrementek az idegeim* my nerves are frayed out, my nerves are frayed to tatters/shreds **2.** *[anyagilag]* become ruined/bankrupt, fail, go broke/bust/smash/phut *(fam)*, be on the rocks *(fam)*, go to ruin*(fam)*, be stranded *(fam)*, go to the wall *(fam)*

tönkremenés n, (rack and) ruin, crash, smash, shipwreck, bankruptcy

tönkrement [-et; *adv* -en] a, ruined, broke, gone, finished

tönkresilányít vt, ruin, spoil, cripple, smash, deteriorate, destroy, *[embert, országot]* impoverish

tönkretesz vt, **1.** *(vkt)* ruin, bring to ruin, cause the ruin of, undo, do for, wreck, unmake, *[embert, országot]* impoverish; *~i az egészségét* undermine one's health; *~i vknek az életét* make sy's life miserable, ruin sy's life **2.** *(vmt)* *[épületet, bútort]* dilapidate, spoil, cripple, bust, play the devil with, mar, murder, smash, bring to grief, play havoc with; *~i vmnek a hatását* spoil the effect of sg; *~i a szemét* ruin one's eyes

tönkretétel n, ruining, ruination, undoing, wrecking, wreckage, spoiling

tönkrever vt, **1.** *[ellenséget]* destroy, defeat (totally); *~i az ellenséges csapatokat* destroy the enemy, put troops to rout; *az első játszmában ~t* he had me completely in the first game **2.** *(vkt)* thrash, beat hollow/up, smite hip and thigh *(fam)*, wipe the floor with *(fam)*, make mincemeat of *(fam)*

tönkrezúz vt, crush, shatter, smash to pieces/atoms/ smithereens; *~za vk érveit* demolish sy's arguments

tőosztás n, *(növ)* division of plants

tőperec n, *(bonct)* proximal phalanx

tőponty n, carp *(Cyprinidae)*

töpörödlik [-tem, -ött, -jön, -jék] vi, shrivel, shrink, dry up, crinkle

töpörödött [-et; *adv* -en] a, shrivelled, wizened, shrunken, dried up, withered

töpörtő [-t, -je] n, = **töpörtyű**

töpörtyű [-t, -je] n, crackling (from rendered lard), greaves *(pl)*, pork scraps *(pl)*

töpörtyűs [-et] a, *~ pogácsa* crackling cone

töpped [-t, -jen] vi ,shrivel, shrink up, wither

töpreng [-eni, -tem, -ett, -jen] vi, brood (over), meditate (on, upon), ponder (over), mull (over), ruminate (on), speculate (on), reflect (on), cogitate (upon, over), *[aggódva]* worry (about), fret (about), eat one's heart out (for); *mit ~sz?* what have you got on your mind?

töprengés n, brooding, meditation, rumination, speculation, cogitation, fretting

töprengő [-t] a, brooding, pensive, speculating, speculative, ruminant

tör [-t, -jön] **I.** vt, **1.** *(ált)* break, smash, shatter, crush, *[cukrot]* pound, powder, *[diót]* crack, *[követ útépítéshez]* knap, *[ércet]* granulate, *[vmt mozsárban]* bray, *[apróra]* meal, mull, *[porrá]* pulverize; *darabokra ~* break up, smash to pieces/fragments; *~i a cipő a lábát* the shoe pinches; *lábát ~i* break/ fracture one's leg; *nyakát ~i (átv is)* break one's neck **2.** *[kukoricát]* snap, *[lent, kendert]* beat, dress, scutch, tew **3.** *lándzsát ~ vk mellett* stand up for sy, champion the cause of sy; *utat ~* break through sg, force one's way, *(átv)* blaze a trail/path, pioneer; *utat ~ magának* push one's way; *~i a fejét* rack one's brain about sg, puzzle over sg, cudgel one's brains; *rosszban ~i a fejét* be up to some mischief, be bent on mischief; *folyton rosszaságokon ~i a fejét* he is full of mischief; *nem sokat ~te rajta a fejét* he has not bothered his head (much) about sg, he did not rack his brains about it **4.** *~i magát* drudge, slave, overwork (oneself), *(vmért)* exert oneself (to obtain sg), take great pains, work hard (to get sg), strain every nerve, do one's best, try hard for; *ne ~d magad!* take it easy!; *~i magát hogy vknek szívességet tehessen* go out of one's way to oblige sy; *~i az angolt* smatter in English, speak broken English, speak bad English **5.** *nyeregbe ~ lovat* break in a horse

II. vi, endeavour, make an effort; *nagyra ~* be ambitious, aim high, have ambitious plans, have great ambitions; *vkre ~* attack/assault sy; *vknek az életére ~* seek sy's life; *ld még* **törve**

tőr¹ [-ök, -t, -e] n, *[fegyver]* dagger, dirk, poniard, knife, stiletto, bodkin *(obs)*, *[vívóé]* rapier, foil; *~t márt vk szívébe* bury/plunge a dagger into sy's heart; *~t ránt* draw a dagger; *~rel szúrták le* he was stabbed with a dagger

tőr² [-ök, -t, -e] n, *[csapda]* snare, springe, noose, trap, gin, pitfall, toils *(pl)*, net; *~be csal* ensnare, set a trap for, decoy; *~be csalja az ellenséget* ambush the enemy; *~be ejt* entrap, mesh, snare; *~be esik* be (en)trapped/ensnared/caught, fall into a snare (*v.* sy's toils); *~t vet* lay snares for, set a trap for

tördel [-t, -jen] vt/vi, **1.** *[darabokra]* break (into pieces), crumble; *kezét ~i* wring one's hands **2.** *(nyomd)* make up; *hasábokat/hasábokba ~* make up in slips

tördelés n, **1.** breaking (into pieces), crumbling **2.** *(nyomd)* making up, make-up, page-setting, *[mint levonat]* page proof; *~ alatt (levő)* at press, in the press

tördelő [-t, -je] **I.** a, *a kezét ~ asszony ott állt . . .* the woman wringing her hands stood there **II.** n, maker-up, make-up hand, impositor, justifier

tördelőasztal n, *(nyomd)* making-up table, stone

tördelőszerkesztő *n*, make-up editor, *[újságnál]* night editor

tördelt [-et] *a/n*, ~ *(levonat, korrektúra)* page-proof

tördöfés *n*, stab, thrust; *ez ~ volt a szívének* this pierced his heart, he was cut to the quick

töredék [-et, -e] *n*, 1. *[irodalmi]* fragment, extract, passage 2. *[rész]* portion, fraction, snatch, snippet, scrap; *a másodperc egy ~e alatt* in a split second; *vagyona ~ei* the fragments/remains of his fortune

töredékes [-et; *adv* -en] *a*, 1. *(konkr)* broken, fragmentary, fractional, snatchy, *(geol)* fragmental 2. *[stílus]* unconnected, rhapsodic

töredékszavazat *n*, surplus vote(s)

töredelem [..lmet, ..lme] *n*, contrition, penitence, repentance, penance, remorse, rue *(obs)*

töredelmes [-et; *adv* -en] *a*, contrite, penitent, remorseful, repentant; ~ *vallomás* full confession

töredelmesen *adv*, repentingly; ~ *megbánja bűneit* he repents (of) his sins

töredelmetlenség *n*, *(vall)* impenitence

töredezés *n*, breaking, crumbling, disintegration, fragmentation, *[szikláé]* weathering

töredez|ik [-tem, -zen, -zék] *vi*, break up, be brittle, crumble, disintegrate, *[porcelán]* crack, chip

töredező [-t] *a*, friable, crumbling, crumbly

törek [-et, -je] *n*, chaff

töreked|ik [-tem, -ett, -jen, -jék] *vt/vi*, 1. *[igyekszik]* endeavour, strive, take pains, make an effort, exert oneself, try hard, *[tanuló]* study hard 2. *(vmre)* strive/be/strain/aspire/seek after, aim at, be set on, aspire to; *főleg arra ~ik* his greatest/main ambition is; *önállóságra ~ik* strive for/after independence

törékeny [-et; *adv* -en] *a*, 1. *[tárgy]* fragile, brittle, breakable, perishable; *vigyázat ~!* fragile! handle with care! 2. *[egészség]* frail, delicate

törékenység *n*, 1. *(konkr)* fragility, brittleness 2. *(átv)* frailness, frailty, delicacy

törekrosta *n*, chaff-bolter/sieve

töreksz|ik [törekedni, törekedtem, törekedett, törekedjen, törekedjék] *vi*, = törekedik

törekvés *n*, ambition, aspiration, endeavour, striving after, effort, pursuit; *minden ~e odairányul* he makes every effort to, he goes all out for ...ing; *alkotó ~ek* creative endeavours; *~eimet siker koronázta* success attended my efforts

törekvő [-t; *adv* -en] *a*, ambitious, aspiring, *[buzgó]* assiduous, zealous, painstaking, industrious

törés *n*, 1. *(ált)* breaking, *[darabokra]* pounding, smashing, *[porrá]* powdering, pulverization 2. *(orv)* fracture, *[ló bőrén]* gall; *szilánkos ~* comminution; *~t helyre tesz* set/adjust a fracture 3. *[lené, kenderé]* breaking, beating, scutching 4. *[fényé]* refraction 5. *[helye]* break, breach, fracture, rupture, *[üvegben]* crack, *[gyémántban]* flaw, *[tört tárgyban]* breakage 6. *(geol)* fault, fracture 7. *[barátok, országok közt]* rupture, breach; *~re került a dolog* it came to a break

törésbiztos *a*, *[fény]* shatterproof

töréses [-et; *adv* -en] *a*, 1. *(ált)* broken, cracked, chippy, chipped 2. *(geol)* ~ *zóna* ruptured zone

törésfelület *n*, fracture

töréshatár *n*, breaking-(down)point

törési [-ek, -t] *a*, breaking, crushing, fracture; ~ *feszültség (műsz)* breaking-strain; ~ *igénybevétel* breaking-strain; ~ *pont (műsz)* breaking-point; ~ *próba* breakdown test; ~ *terhelés* (ultimate) breaking load 2. *(orv)* ~ *felület* surface of fracture 3. *(geol)* ~ *sík* fracture/fault plane 4. *(fiz)* refractional; ~ *szög [fénysugáré]* refracting angle, angle of refraction

töréskár *n*, *[biztosításban]* breakage

törésmutató *n*, *(fiz)* refraction/refractive coefficient/index

törésnyaláb *n*, *(geol)* fault swarm

töréspróba *n*, destruction test

törésszög *n*, *[fénysugáré]* angle of refraction, refracting angle

törésvizsgáló *n*, *[műszer]* stauroscope

törésvonal *n*, 1. *(geol)* line of break, break/fault line 2. *(orv)* line of fracture

töret *vt*, *[ablakot]* have a window made, *[falat]* have a breach made (in the wall)

töretlen *a*, 1. *(konkr)* unbroken, whole 2. ~ *föld* unploughed field, virgin soil; ~ *ösvény* untrodden path; ~ *út* un beaten track 3. *(átv)* ~ *erővel* with undiminished energy

törhetetlen *a*, 1. *(konkr)* unbreakable, breakage resisting, shatterproof; ~ *üveg* safety/unbreakable glass, shatterproof glass 2. *[bátorság, akarat]* inflexible, indomitable, invincible; ~ *elhatározás* irrevocable decision/determination; ~ *erővel* with undiminished energy; ~ *hűség* unswerving loyalty; ~ *ragaszkodás* steadfast devotion

törhetetlenség *n*, 1. *(konkr)* unbreakableness 2. *(átv)* dauntlessness, resolution, resoluteness, irrefrangibility

törhető *a*, breakable, brittle, crumbly, fragile

tör|ik [-tem, -ött, -jön, -jék] *vi*, break, get broken; *darabokra ~ik* break to pieces; *könnyen ~ik* be apt to break

törik-szakad *vi*, *ha* ~ by hook or by crook, at all costs, by fair means or foul

törkard *n*, épée *(fr)*

törkardvívó *n*, épéeist

törköly [-ök, -t, -e] *n*, 1. husks/skins of pressed grapes *(pl)*, rape(s of grapes), marc, murc, murk, grape pomace 2. = törkölypálinka

törkölypálinka *n*, marcbrandy, grape-brandy, white brandy (distilled from marc)

törlendő [-(e)k, -t] *a*, to be deleted; *a nem kívánt rész ~* strike out as appropriate, (please) delete what is not applicable

törlés *n*, 1. *[tányért]* wiping, drying 2. *[írásé gumival]* rubbing out, erasure, *[tollal, ceruzával]* crossing/striking out, effacement, cancellation, *[soroké, nyomtatott részé]* deletion, expurgation 3. *[adósságé]* cancellation, extinction, writing off, discharge, *[jelzálogé]* extinction *(GB)*, satisfaction *(GB)*, release *(US)* 4. *[névjegyzékből]* striking off, *[ügyvédé]* disbarment, striking off, *(sp)* scratch 5. *(ker)* *[rendelésé]* cancellation, annulment

törlési [-ek, -t] *a*, ~ *jegyzék* withdrawals register

törleszkedés *n*, rubbing against, mixing with, currying sy's favour, fawning

törleszked|ik [-tem, -ett, -jen, -jék] *vi*, 1. *(vmhez)* rub against 2. *(vkhez)* *(átv)* mix (with), rub shoulders (with), curry sy's favour, fawn (upon)

törleszt [-eni, -ett, ..esszen] *vt*, *[adósságot]* pay off, pay by instalments, redeem, sink a debt, *[kölcsönt]* amortize

törlesztendő [-t] *a*, repayable, refundable, *[járadék stb.]* redeemable; *havi részletekben* ~ payable by monthly instalments

törlesztés *n*, 1. *[adósságé]* paying/payment by instalments, paying off, *[kölcsöné]* amortization 2. *[részlet]* instalment; *évi* ~ annuity; *havi* ~ monthly payment/remittance

törlesztéses [-et; *adv* -en] *a*, amortization, redemption, sinking; ~ *hitel* credit payable back by fixed instalments; ~ *kölcsön* amortization loan

törlesztési [-ek, -t] *a*, ~ *alap* sinking/redemption-fund; ~ *terv* amortization plan/table, sinking fund plan

törlesztésül *adv*, in part discharge (of an account)

törleszthető a, amortizable, redeemable, reimbursable; 2 év alatt ~ redeemable in 2 years

törlő [-t, -je] I. a, a tányérokat ~ asszony the woman drying the plates II. n, = törlőrongy

törlőfej n, [magnetofoné] erasing head

törlőgumi n, (pencil-)eraser, india-rubber

törlőrongy n, clout, wiper, [konyhai] tea-cloth/towel, dish-cloth, [pornak] duster

törlőruha n, = törlőrongy

törmelék [-et, -a] I. n, debris, broken fragments (pl), [kő] rubble, rubbish II. a, broken, waste, detrital; ~ arany/ezüst broken gold/silver; ~ rizs broken rice; ~ tea broken tea, tea dust

törmelékes [-et; adv -en] a, 1. (ált) broken, rubble 2. (geol) detrital, clastic, fragmentary; ~ kőzet detritic/clastic rock

törmelékhalom n, brash

törmelékkőzet n, (geol) detritic/clastic rock

törmelékkúp n, (geol) detrital cone, (földr) talus pile

törmeléklejtő n, (földr) talus slope

törmelékmozgás n, [lejtőn] creep

törmelékvulkánkúp n, volcanic tuff, tuff-cone

törő [-t, -je] I. a, breaking, pounding, cracking II. n, 1. [mozsár] pestle, pounder, [dió] (nut)cracker(s) 2. [lené, kenderé] scutcher

törőcsont n, [szárnyas mellében] wish-bone

törődés n, 1. (vmvel) care, solicitude, concern, anxiety, forethought, thoughtfulness, consideration (for, about) 2. = törődöttség

törőd|ik [-tem, -ött, -jön, -jék] vi, 1. [gyümölcs] get bruised/damaged/spoilt/broken 2. (vkvel, vmvel) take care (of), look after, care (about, for), concern oneself about, be concerned (about), be anxious/ solicitous (about), bother (about), mind (sg); a dolgommal kell ~nöm I must go about my business; ~ik a kötelességével be mindful of one's duties; mindennel ~ik see to everything; csak azzal ~tem hogy... my only concern was to ...; nem ~ik vele he does not bother about it, he takes no notice of it, he turns his back on it, he lets it slide, he does not care a pin for it, he lets it go hang, he takes no stock in it (US); ~ik is velem! (biz) he doesn't care for me, a fat lot he cares for me, he couldn't care less; senki sem ~ött vele he was left severely/all alone, nobody cared for him; semmivel sem ~ik he does not bother about anything, he cares for nothing; ne ~j vele do not worry/bother about it, never mind, forget about it, put it out of your mind; nem ~öm vele I do not care a rap/fig/hang/penny/pin/straw for him; nem ~öm azzal hogy mit fog mondani I do not mind what he says, a lot I care what he says; mit ~öm vele/ezzel! what is that to me?, what do I care about it?, what about it!, what recks it me (that...); nem mintha ~nék vele not that I care!; ~j a magad dolgával! mind your own business, keep your breath to cool your porridge

törődött [-et; adv -en] a, 1. [gyümölcs] bruised, broken, damaged 2. [ember] tired/worn out, exhausted, decrepit, broken; ~ aggastyán decrepit old man; ~ arccal with a care-worn face, looking haggard

törődöttség n, 1. [gyümölcsé] being broken/bruised/damaged 2. (vké) exhaustion, weariness, fatigue

törődve adv, nem ~ a veszéllyel regardless of (v. despising) the danger; nem ~ azzal (hogy) heedless of the fact (that); semmivel sem ~ unheeding, in a devil--may-care manner

törőél n, (bány) breaker row

törőgép n, breaker, crusher, crushing-mill/machine, grinder, disintegrator; hengeres ~ stone crusher, (tex) roller crushing machine

törőhullámok n. pl, breakers

török [-öt, -je; adv -ül] I. a, Turkish; ~ fürdő hammam,

Turkish bath; ~ hódoltság kora days of Turkish rule (pl), Turkish occupation of Hungary (in the 16th and 17th centuries); T~ Köztársaság Turkish Republic, Republic of Turkey; ~ kávé Turkish coffee; ~ templom mosque; a ~ veszedelem (tört) the Turkish menace

II. n, Turk; ne siess nem hajt a ~ don't hurry(,) the devil is not sitting on your neck; ~öt fog catch a Tartar, meet one's match

törökbab n, scarlet runner, runner-bean (Phaseolus coccineus)

törökbarát a/n, Turcophil

törökbarátság n, Turkeyism, Turcophilism

törökbasa n, Turkish pasha

törökbúza n, Turkey corn/wheat, Indian corn, maize

törökellenes a/n, Turcophobe

törökmeggy n, (növ) mahaleb (cherry) (Prunus mahaleb)

töröknyereg n, (bonct) sella turcica

Törökország [-ot, -ban] prop, Turkey

törökös [-et; adv -en] a, in a Turkish fashion/manner/ style/way (ut), like a Turk (ut)

törökösítés n, Turkification

törökzeg n, [optikában] refractive medium

törökparadicsom n, egg-plant, aubergine, brinjal (Solanum melongena)

törökréce n, (áll) Barbary duck (Chairina moscala)

törökség n, the Turks (pl), Turkism

törökszegfű n, (növ) sweet William (Dianthus barbatus)

törökül adv, Turkish; ~ beszél speak Turkish; ~ mondta he said it in Turkish

törökülés n, tailor's way of sitting, cross-legged sitting, cross sitting position, squatting with crossed legs

töröl [törlök, -t, -jön] vt, 1. wipe, [bútort] dust, [edényt] dry, [könnyet] brush away, [homlokot] mop, wipe; emlékezetéből ~ blot out of one's memory; kezét törli wipe one's hands 2. [írást gumival] rub out, erase, [tollal, ceruzával] blot/cross/strike/score out, efface, cancel, [sorokat, nyomtatott részt] delete, expurge, blue-pencil 3. [adósságot] cancel, write off, discharge, [jelzálogot] extinguish (GB), satisfy (GB), cancel (US), release (US), [rendelkezést] annul, abolish; ~ könyvelési tételt strike off a booking entry; pénzbüntetést ~ remit/annul a fine; telekkönyvileg ~ cancel a record (v. an entry) in the land/real estate register 4. [nevet listából/névjegyzékből] strike/scratch off, [ügyvédet] disbar; neve törlendő a jegyzékből his name shall be erased/ strucked from the register 5. (ker) [rendelést] cancel, annul

törölget vt, [edényt] dry, [bútort] dust; homlokát ~l he mops/wipes his brow

törölköz|ik vi, = törülközik

törölmetszett a, authentic, original, genuine, real; ~ angolsággal beszél speak idiomatic English

törőmalom n, beating/grinding mill

törőmozsár n, mortar

törős [-et; adv -en] a, provided/armed with a dagger (ut); ~ bot sword-stick/cane

törősdarázsfélék n. pl, (áll) scoliidae (Scoliidae)

törőszilárdság n, (műsz) crushing strength

törőterhelés n, (műsz) breaking-load

törött [-et; adv -en] a, broken, smashed, ground, pounded; ~ bors ground pepper; ~ cukor pounded/ castor sugar; ~ edény broken dish; ld még tör

törővas n, (műsz) break-iron

töröz [-tem, -ött, -zön] vi, (sp) fence with a foil/rapier

törpe [..ét] I. a, 1. dwarf(ish), diminutive, pygmy, Lilliputian, miniature, [elsatnyult] stunted; ~ hullámok miniature/dwarf waves; ~ kisebbség insignificant minority 2. [visszamaradt] midget, pigmy, shrimp, manikin, scrub; ~ *harcsa* catfish *(Ameiurus nebulosis)* II. *n*, 1. *[mesebeli]* dwarf, gnome, troll, elf, Tom Thumb *(joc)*, Jack Sprat *(joc)*

törpeárkád *n, (épít)* miniature triforium

törpeautó *n*, two-seater motor cabin, cabin car, baby car, bubble car *(fam)*, runabout *(US)*, flivver *(US)*

törpebirtok *n*, dwarf holding/estate

törpebirtokos *n*, owner of a dwarf holding, dwarf holder

törpebusz *n*, baby/small bus, microbus, minibus

törpecső *n, [rádió]* subminiature tube

törpefa *n*, dwarf-tree

törpefenyő *n, (növ)* Swiss/mountain pine *(Pinus mugo)*

törpegaléria *n, (épít)* miniature gallery

törpegazdaság *n*, dwarf holding/farm

törpeizzó *n, (vill)* miniature incandescent lamp

törpenge *n*, dagger-blade

törpenövés *n, (orv)* dwarfism, microsomia, nanism, nanosomia, *(növ)* nanism, dwarf growth

törpepapagáj *n, (áll)* par(r)akeet, paroquet, budgerigar, love-bird *(Agropoenis)*

törpepók *n, (áll)* üvegházi ~ house spider *(Theridian tevidariorum)*

törperobogó *n*, miniscooter

törperózsa *n*, dwarf rose

törpeség *n*, dwarfishness, *(orv)* nanism, dwarfism

törpeszárú *a, (növ)* acaulous

törpeszuper *n*, dwarf superhet(erodyne) receiver

törpetyúk *n*, bantam

törpít [-eni, -ett, -sen] *vt*, 1. make a dwarf of, stunt, hinder the growth of 2. *(átv)* make (sy) look small

törpül [-t, -jön] *vi*, = eltörpül

tört [-et; *adv* -en] I. *a*, 1. = törött; ~ *arany* broken gold, debris d'or *(fr)*; ~ *fül [birkózó]* cauliflower ear; ~ *szerkezet (geol)* faulted structure; ~ *vonal* broken line, zig-zag line; *ld még* törtvonal; 2. ~ *angolsággal beszél* speak broken English; ~ *franciasággal* in broken/halting French; ~ *remények* frustrated/thwarted hopes; ~ *szívű* broken-hearted 3. *[címer]* fracted 4. *(zene)* ~ *hangzat* arpeggio, broken chord 5. *(menny)* ~ *alakú* fractional 6. *(geol)* faulted, fractured

II. *n, (menny)* fraction; *emeletes/többszörös* ~ compound fraction; *közönséges* ~ vulgar fraction; *szakaszos* ~ repeater; *tiszta szakaszos tizedes* ~ pure repeater; *valódi* ~ proper fraction; *vegyes szakaszos tizedes* ~ mixed repeater; *~ekre oszt* fractionize; *~et egyszerűsít* reduce a fraction to lower terms

törtalak *n, (menny)* fraction(al) form

törtburgonya *n*, mashed potatoes

történelem [.. lmet, .. lme] *n*, history, *(átv)* past; ~ *előtti* prehistoric; ~ *előtti ember* prehistoric man, caveman; ~ *előtti kor* prehistoric age, prehistory; *a magyar* ~ *dicsőséges lapja* a glorious page in Hungarian history; *látjuk a ~ből (hogy)* the lessons of history have taught us (that); *bekerül/bevonul a ~be* go down in/to history

történelemfelfogás *n*, = történelemszemlélet

történelemformáló *a*, influencing history *(ut)*, historical

történelemhamisítás *n*, falsification of history, forged history

történelemkönyv *n*, history-book

történelemszemlélet *n*, view of *(v.* attitude to) history

történelemtanár *n*, master/teacher of history, history master/teacher

történelemtudomány *n*, history, historical scholarship/knowledge/science

történelmi [-ek, -t; *adv* -leg] *a*, historical, history; ~ *és gazdasági* historico-economic; ~ *és politikai*

historico-political; ~ *anyagelvűség* materialist conception of history; ~ *dráma* costume/period piece/play; ~ *esemény* an historic event; ~ *fejlődés* historical development; ~ *feladat* task of historic importance; ~ *festészet* historical painting; ~ *festmény* historical picture; ~ *forráskritika* historical criticism; ~ *haladás* progress; ~ *időkben élünk* we are living in historic times; ~ *igazság* historical truth; ~ *iskola* historic school (of economics); ~ *jelenségű* historic; ~ *jelleg* historicity; ~ *kutatás* historical research; ~ *materializmus* historical materialism; ~ *nevezetesség* historic spot/monument/relic; ~ *nevezetességű* historically important, historic; ~ *nevű* *családból származik* come of a historical family; ~ *regény* historical novel; ~ *szemlélet* historical approach; ~ *szempontból* historically; ~ *tény* matter of history, historical fact; ~ *valóság/hitelesség* historicity; ~ *visszapillantás* historical survey/review

történelmietlen *a*, unhistorical, non-historical

történelmileg *adv*, historically

történendő [-t] *a*, (events) to come, coming (events)

történés *n*, happening, occurrence, event(s), *[cselekmény]* action, plot, story

történész *n*, historian, historiographer, antiquarian, antiquary

történet *n*, 1. *[történelem]* story, history; *a magyar nép ~e* the history of the Hungarian nation; *letűnt korok/idők ~e* records of past pages *(pl)*; ~ *előtti* prehistoric 2. *[elbeszélés]* story, tale, narrative, faction, fable, yarn; *így szól a* ~ so the story runs/says, thus runs the story; *az a* ~ *járja hogy* .... there is a story that .....; *ennek hosszú ~e van* thereby hangs a tale, it is a long story; *~et elmond/elbeszél* tell a story

történetbúvár *n*, historian, historical scholar, scholar of history

történetecske *n*, storiette

történetes [-et; *adv* -en] *a*, historied

történetesen *adv*, fortuitously, as it happens, accidentally, by chance, peradventure; ~ *(éppen) csinál vmt* happen to do sg; *ha* ~ if peradventure; *ha ön* ~ *szereti a vörösbort (akkor ...)* should you happen to like claret (then...); ~ *találkoztam vele* I happened to meet him, I came across him (accidentally)

történethamisítás *n*, historical fraud, falsification of history

történeti [-ek, -t] *a*, historic(al); ~ *adat* historical fact/datum; ~ *esemény* historical event; ~ *földtan* historical geology, geohistory, Earth history; ~ *hangtan* history of phonology; ~ *hűség* historical fidelity/truth; ~ *igazság* historical truth/justice; ~ *leírás* historical record; ~ *nyelvtan* historical grammar; ~ *regény* historical novel; ~ *személy* historical person, (prominent) figure/character in history; ~ *színmű* historical drama/play; ~ *valóság* historical truth/reality/fact, historicity

történetietlen *a*, unhistorical

történetírás *n*, historiography, writing of history; *~ra vonatkozó* historiographic(al)

történetíró *n*, historian, historiographer

történetke *n*, anecdote, short story/tale, novelette

történettudomány *n*, historical scholarship/science, history

történettudományi *a*, historiographic, historical; *T~ Intézet* Institute for Historiography; ~ *kutatás* (expert) historical research

történ|ik [-t, -jen, -jék] *vi*, 1. *(ált)* happen, occur, come to pass, *[fontos esemény]* take place; *úgy ~t* it (so) happened; *ez ~ik mindennap* that happens every day; *ha semmi se ~ik* if nothing happens; *mi ~ik?* what is (going) on?, what is the matter?; *furcsa* *dolgok* ~*nek itt* there are queer goings-on (here); *bármi* ~*jék is* whatever happens, come what may, blow high blow low, come life come death; ~*t hogy* . . . it happened that . . . ; *hogy* ~*t az?* how did it happen?; *úgy* ~*t hogy* . . . . it so happened/befell that . . . ; *mi* ~*t?* what happened?, what is the the matter?, what's up? *(jam);* *úgy* ~*t (hogy)* it happened like (that), it was like this; *minden úgy* ~*t ahogy vártam* everything turned out as I had expected; *mintha mi sem* ~*t volna* as if nothing had happened; *történjék bármi* come/happen what may; *ami* ~*t (,) megtörtént* what is done cannot be undone, it is no use crying over spilt milk **2.** *(vm vkvel)* happen to (sy), befall (sy); *mi* ~*t vele?* what has happened to him?, what is wrong with him?, what has become of him?; *vele* ~*t* it happened to him, it befell him; *ha vm baja* ~*ik* should anything befall *(v.* happen to) him; *ijedtségen kívül más baja nem* ~*t* she escaped with a fright; *semmi sem* ~*t köztetek?* did nothing pass between you?

történő [-t; *adv* -en] *a,* happening, occurring, taking place; *rosszkor* ~ ill-timed; *az év folyamán* ~ *változások* changes (to be) effected in the course of the year

történtek [-et] *n. pl,* bygones, bygone events/happenings, events of the past; *a* ~ *után* after what has happened; *felejtsük el a* ~*et* let bygones be bygones

törtet *vi,* **1.** *(konkr)* push, press/urge forward, forge ahead, elbow one's, way **2.** *(átv)* be unscrupulously ambitious be pushing

törtetés *n,* **1.** *(konkr)* pushing, pressing/urging forward **2.** *(átv)* unscrupulous ambition, pushing

törtető [-t, -je] I. *a,* **1.** *(konkr)* pushing, pushy, pushful **2.** *(átv)* ambitious; *nem* ~ unambitious II. *n,* pushing person/fellow, pusher, careerist, climber, thruster, hustler, bounder, go-getter *(jam)*

törtfüggvény *n,* fractional function

törtjel *n, (menny)* sign of fraction, fractional sign

törtrész *n,* fraction (of a whole), *[logaritmusé]* mantissa; *a másodperc* ~*e* a split second

törtszám *n,* fraction, broken number

törtszerű *a, (menny)* fractional

törtvonal *n, (menny)* fraction-stroke/line, sign of division

törülközés *n,* drying (oneself)

törülköz||ik [-tem, -ött, -zön, -zék] *vi,* dry (oneself), towel, rub (oneself) down

törülköző [-t, -je] *n,* towel, *[kéztörlő]* handcloth

törülközőtartó *n,* towel-rail/horse/hanger

törve *adv,* **1.** ~ *beszél angolul* he speaks broken English, his English is rather poor **2.** *hat* ~ *kettővel* six divided by two

törvény *n,* **1.** *(jog)* law, statute, act (of Parliament), enactment, *[egyházi]* canon; *adózási* ~*ek* tax legislation, tax laws; *az érvényben levő* ~*ek* the laws in force; *(vm)* ~ *alá esik* come within the provisions/ purview of the law; *a* ~ *alkalmazható vmre* the Law applies to sg; ~ *állapítja meg* it is fixed by statute; ~ *által előírt formaságok* the forms/formalities required by law; ~ *által szabályozott* foreseen by the law; *a* ~ *ellen vét* commit a breach of the law; *ahogy a* ~ *előírja/kimondja* as by law enacted; *a* ~ *ellenére* in defiance of the law; *a bejegyzést* ~ *szabályozza* registration is regulated by law; *a* ~ *kimondja hogy* . . it is provided (by statute/law) that . . . ; *a* ~ *kifejezetten megjelöli be opecified by otatute; a* ~ *megengedi* the law allows it; *a* ~ *megtiltja* the law forbids it; *a* ~ *alkalmazása* application of the law; *a* ~ *betűje* the letter of the law; *a* ~ *értelmében* according to law, by virtue of law, on the strength of law, as provided by law, at/in law; *a* ~ *erejénél fogva* by virtue of law, on the strength of law,

by (the) operation of law; *a* ~ *erejével felruház* give statutory effect; ~ *érvényesítése* enforcement of the law; *a* ~ *nem ismerésére hivatkozik* plead ignorance of the law; *a* ~ *nem tudása nem mentesít* ignorance is no defence; *a* ~ *keze* the arm of the law; *a* ~ *kijátszásával* in fraud of the law; *a* ~ *kötelező ereje* the binding force of law; *a* ~ *megsértése* infringement of the law; *a* ~ *megszegésével* in violation of (the) law; *a* ~ *nevében* in the name of the law; ~ *nélküli* lawless, extra--legal, anarchial; ~ *nélküli állapot* anarchy, extra--legal situation, lawless condition; *én a* ~ *oldalán állok* I am on the side of the law; *a* ~ *rendelkezéseinek megfelelően* as required by law, under the (provisions of the) law; *a* ~ *szelleme* the spirit/equity of a statute, the general purport of a law; *a* ~ *szellemében* according to the spirit of the law; ~ *szerint* legally, at/in law, under the law; *a* ~ *szigora* rigour of the law; *a* ~ *szövege* the form *(v.* specific wording) of a statute; *a* ~ *tárgya és célja* the general scope and intention of the statute; *a* ~ *teljes súlya* the utmost/ full rigour of the law; *a* ~ *védelmét kéri* claim the protection of the law; ~*be iktat* enact, codify, incorporate in law, put on the Statute Book; ~*be iktatás* ratification, codification, enactment; ~*be ütköző* illicit, *[cselekmény]* penal; ~*be ütközik* it is against the law; ~*en kívül álló* outlaw; ~*en kívül állót jogaiba visszahelyez* inlaw, restore an outlaw to his former status, remove outlawry; ~*en kívül helyez* outlaw, ban, proclaim outlawry; ~*en kívül helyezés* outlawry; ~*en kívül helyez nőt* waive; ~*en kívül helyezett nőszemély* waif; ~*en kívüli* outlawed, extra-legal, extra judicial, beyond/outside the law *(ut);* ~*en kívüli állapot* outlawry; *jogrendszerünk nagy része ma tételes* ~*en nyugszik* much of our legal system now rests on statutes; *eleget tettek a* ~*nek* the law had its way; ~*t alkot/hoz* enact/frame a law, legislate; ~*t előkészít* codify, draft/frame *(v.* draw up) a statute; ~*t hoz* pass an act, make a law, legislate; *betartja a* ~*t* observe/keep the law; ~*t elfogad* pass an Act; ~*t hatályon kívül helyez* repeal/abrogate/abolish a statute *(v.* an Act of Parliament); ~*t kihirdet* promulgate a statute *(v.* an Act of Parliament); *kijátssza a* ~*t* elude/evade/circumvent the law; *megsérti a* ~*t* transgress/violate the law; *megszegi a* ~*t* break/ infringe/violate the law; ~*t megszüntet* abolish/ repeal a law; *tiszteli a* ~*t* respect the law; ~*t végrehajt* put the law into operation/force, carry out the law; *szükség* ~*t bont* necessity has/knows no law **2.** *[igazságszolgáltatás]* law, court; ~ *elé állít* bring before the court, sue, bring a case against, bring to justice, put (sy) to trial; ~ *elé idéz* summon(s) (sy), *[perel vkt]* bring (sy) up before court; ~ *elé megy* go to law; *a* ~ *előtt* in the eye of the law; ~ *előtt felelősségre vonható* amenable to justice; ~ *előtti egyenlőség* the equal protection of the laws, equality before the law; ~ *előtti egyenlőséget hirdet* proclaim equality before the law; *a* ~ *(rendes) útján orvosolható* it may be redressed/enforced by court action; *a* ~ *(rendes) útján nem érvényesíthető* it may not be enforced; ~ *kezére adja a tolvajt* turn the thief over to the law; *a* ~ *útjára lép* take legal measures, have recourse to the law; ~*be idézés* (writ of) summons, citation, *[bírság terhe mellett]* subpoena; ~*t lát sit* in judg(e)ment, be on the bench; ~*t ül sit* in judg(e)ment; ~*t ül vk felett* sit in judgement *(v.* sit trial) on sy; ~*t ülnek felette* stand one's trial **3.** *[szabály]* law, principle; *Mózes* ~*e* the law of Moses; *a nehézkedés* ~*e* the laws of gravity/. gravitation; *a természet* ~*e* the laws of Nature *(pl);* *az ő szava* ~ his word is law, what he says is law

törvényadta *a*, ~ *jog* legal right; ~ *(jog)igény* a claim created by law/statute; ~ *jogom* my right by virtue of the law; ~ *kiváltság* a privilege *(v.* benefit *v.* immunity) conferred by law

törvényalkotás *n*, legislation, enactment

törvényalkotó *a*, legislative; ~ *hatalom* legislative power

törvénybefoglalás *n*, codification (of laws)

törvénybíró *n*, † village justice/magistrate

törvénycikk *n*, statute, Act, a law enacted by legislature, *[részlete]* article

törvénycsavarás *n*, pettifoggery, quibbling, perversion of the law

törvénycsavaró I. *a*, pettifogging, quibbling; ~ *ügyvéd* quibbling lawyer, shyster *(US)* II. *n*, pettifogger, quibbler

törvényellenes *a*, illegal, unlawful, illicit, lawless, contrary to law *(ut)*; ~ *célzat* unlawful purpose; ~ *cselekedet* illegal act; ~ *fogvatartás* wrongful custody, arbitrary arrest; ~ *ítélet* perverse judgment; ~ *letartóztatás* arbitrary/wrongful/malicious arrest

törvényellenesen *adv*, illegally, unlawfully, wrongfully, in violation of the law *(ut)*; *biztosítja a* ~ *fogvatartott személy szabadonbocsátását* secure the release of a person unlawfully detained

törvényellenesség *n*, illegality, unlawfulness

törvényelőkészítés *n*, drafting of a bill, codification

törvényelőkészítő *a*,~*bizottság* committee of legislation

törvényerejű [-ek, -t; *adv* -en] *a* having legal force *(ut)*, having the (binding) force of law *(ut)*; ~ *rendelet* law-decree, decree of legal force, statutory rule, Order in Council *(GB)*, executive order *(US)*

törvényerő *n*, legal/statutory force; ~*re emel* put into force, give (a measure) the force of law, give statutory effect/force to; ~*re emelkedik/jut* come into force, be enacted; ~*vel bír* have (the) binding force of law

törvényértelmezés *n*, statutory interpretation, interpretation of statutes

törvényes [-t; *adv* -en] *a*, legal, lawful, rightful, legitimate, statutory, conformable to law *(ut)*; ~ *eszközökhöz folyamodik* take legal measures; ~ *eljárást megindít* institute legal proceedings; ~ *feleség* lawful wife; ~ *fizetési eszköz* legal currency/tender; ~ *formák/keretek közt* in due/legal form/manner; ~ *gyám* statutory guardian; ~ *házasságból született gyermek* legitimate child, child born in lawful wedlock; ~ *házasságot köt* marry lawfully, enter a lawful marriage; ~ *határokon belül marad* keep within the law; ~ *jelzálog* implied mortgage; ~ *kamat(láb)* legal rate of interest; ~ *képviselő* legal representative, statutory agent; ~ *kor [leányé]* age of consent; ~ *követelmények* legitimate demands; ~ *lakóhely* necessary domicile, domicile established by law; ~ *lépéseket tesz* go to law, take legal measures/steps; ~ *eljárást indít vk ellen* institute legal proceedings, take (legal) action against sy; ~ *öröklés általános rendje* general order of statutory succession; ~ *öröklés szabályai* statutory succession, rules of descent and distribution; ~ *örökös* heir apparent, statutory/lawful/rightful heir, heir-at-law; ~ *örökrész* lawful share, legitimate portion; ~ *örökrészt sértő végrendelet* inofficious will; ~ *örökrészt nem sértő végrendelet* officious will; ~ *rend* legal order; ~ *származás* legitimacy; ~ *úton* by legal process/means; ~ *védelem* presumption of law, conclusive presumption; ~ *zálogjog* statutory lien, lien created by statute

törvényesen *adv*, legally, legitimately, by law; *ez neki* ~ *jár* it is his legal right, it is his right by law; ~ *védett (védjegy)* registered (trade-mark)

törvényesít [-eni, -ett, -sen] *vt*, 1. *[eljárást]* legalize, legitimate, *[intézkedést]* sanction 2. *[gyermeket]* legitimize, legitimate

törvényesítés *n*, 1. *[eljárásé]* legitimation, legitimization, *[intézkedésé]* sanctioning 2. *[gyermeké]* legitimation, affiliation (of an illegitimate child)

törvényesség *n*, 1. *[eljárásé]* legality, lawfulness; *szocialista* ~ socialist legality; ~ *megtartása* observance of legality 2. *[gyermekeknél]* legitimacy

törvényességi [-ek, -t] *a*, ~ *óvással él* submit a protest on legal grounds

törvénygyűjtemény *n*, code, body of laws

törvényhatóság *n*, local, government-board, municipal authority, municipality

törvényhatósági *a*, municipal; ~ *bizottság* municipal/ local board; ~ *jog* municipal law; ~ *joggal felruházott város* (municipal) borough; ~ *terület* municipality, municipal corporation; *T~ Tudósítások (tört)* Municipal Records (Kossuth's manuscript journal in 1836—37); ~ *választások [megyei]* departmental/ county elections, *[városi]* municipal elections

törvényház *n*, law-court

törvényhozás *n*, 1. *[működés]* legislation, *[tételes törvények]* legislation, the enactments of a legislature 2. *[szerv]* legislature; *a* ~ *két Háza* Houses of Parliament *(GB)*, the two Houses of Congress *(US)*; *a* ~ *elé terjeszt vmt* submit sg to the legislative assembly

törvényhozási [-t] *a*, ~ *jog* legislation; ~*szünet* recess, vacation

törvényhozó I. *a*, legislative, legislatorial; ~ *hatalom* legislative power; ~ *hatalom felsőbbsége* legislative supremacy; ~ *testület* legislative assembly/body, legislature II. *n*, legislator, law-giver/maker

törvényhozói [-ak, -t] *a*, legislative, legislatorial; ~ *hatalom* legislative power; ~ *testület* legislature

törvényileg *adv*, in a legal/statutory manner, legally, statutorily; ~ *van rá kötelezve* he is under a legal obligation to do it

törvényjavaslat *n*, Bill; ~ *első/második olvasása* first/ second reading (of a Bill); ~ *meg nem szavazása* throwing out of a Bill; ~*ot benyújt/beterjeszt* bring in *(v.* present a Bill); ~*ot elfogad/megszavaz* pass/carry a Bill; ~*ot elfogadtat/megszavaztat* get a bill through (Parliament); ~*ot elutasít* reject a bill, throw out a bill; ~*ot szavazásra bocsát* put a Bill to the vote

törvénykezés *n*, administration of justice, jurisdiction, *[újságrovat]* law reports *(pl)*

törvénykezési [-ek, -t; *adv* -leg] *a*, juridical, judicial; ~ *gyakorlat* legal/judicial practice; ~ *illeték* court fees *(pl)*, court-duty; ~ *nap* lawful day; ~*szünet* non-term, recess, dies non *(lat)*

törvénykez|ik [-tem, -ett, -zen, -zék] *vi*, sit in judg(e)ment, judge, administer justice

törvénykihirdetés *n*, promulgation/publication/proclamation of a law

törvénykönyv *n*, code, law-book, statute-book; *büntető~* penal code, criminal law; *polgári* ~ civil code, common/civil law; *a munka* ~*e* Labour Code

törvénylátó *n*, † judge, justice, magistrate

törvénymagyarázat *n*, construction/interpretation of the law, statutory interpretation

törvénynap *n*, law/court-day, juridic(al) day, *(tört kb)* royal assizes (at Székesfehérvár in the 11th - 13th centuries)

törvényrontó *a*, ~ *szokás* desuetude

törvénysértés *n*, violation/infringement/infraction/ breach/contravention of law; ~*t követ el* violate the law offend against the law, commit an offence against the law

törvénysértő I. *a*, illegal, unlawful II. *n*, law-breaker, infringer/transgressor of (the) law, malfeasant

törvényszabta *a*, required/determined by law *(ut)*; ~ *áron* at a price determined by law; *a* ~ *korlátokon belül* within the limits laid down by the law; ~ *módon* in the manner prescribed by law (v. provided by statute)

törvényszakasz n, paragraph/article of law

törvényszegés n, = törvénysértés

törvényszegő I. a, illegal, unlawful, law-breaking II. n, law-breaker, infringer of law, transgressor

törvényszék n, 1. [hivatali] court of justice/law, law-court; ~ elé idézték/állították they had him before the court; ~ elé terjeszt egy ügyet submit a question to a court 2. [épület] court-house, the Law Courts 3. (átv) tribunal, bench, judiciary, judicature

törvényszéki [-ek, -t; adv -leg] a, juridical, judicatory, judicial, forensic, of a/the law-court (ut); ~ bíró justice, judge, magistrate; ~ boncolás judical dissection; ~ bonctan forensic medicine; ~ eljárás legal procedure/proceedings (pl); ~ elmeszakértő court psychiatrist; ~ elnök president of the court; ~ hivatalsegéd court orderly, bailiff, court usher, beadle; ~ írnok/irodatiszt clerk of the court; ~ orvos forensic physician; ~ orvostan forensic/legal medicine, medical jurisprudence; ~ orvostani medico-legal; ~ tárgyalás trial, hearing (by the court), sitting, session (of a law court), court; ~ tudósítás law reports (pl); ~ tudósító court reporter

törvényszentesítés n, ratification/sanction of law, royal assent (GB)

törvényszerkesztés n, drafting of laws, drafting/wording of a parliamentary bill

törvényszerkesztő n, draftsman of statutes

törvényszerű a, 1. [jogilag] legal, lawful, legitimate, statutory, licit, in accordance with the law (ut) 2. [szabályos] regular, conformable to; ~ fejlődés regular/normal development/growth, development according to the laws (of nature/society)

törvényszerűség n, 1. [jogi] legality, lawfulness, legitimacy 2. [szabályosság] regularity, conformity to (v. accordance with) the rules

törvényszerűtlen a, 1. [jogi] unlawful, illegal, illicit 2. [szabálytalan] irregular

törvényszolga n, = törvényszéki hivatalsegéd

törvényszünet n, vacation, recess (of law-courts)

törvénytábla n, (bibl) a törvénytáblák the tables of the Testimony

törvénytár n, legislative records (pl), body of laws, code/collection of laws, statute-book, corpus juris (lat); polgári ~ body of civil law

törvénytelen a, 1. [nem törvényes] illegal, unlawful, illegitimate, illicit, [törvényt nem ismerő] lawless, [intézkedés] illegal, lawbreaking, unlawful (measures) ~ fogvatartás false/illegal imprisonment; ~nek deklarál (pol) ban 2. [gyermek] illegitimate, bastard; ~ származás illegitimacy

törvénytelenít [-eni, -ett, -sen] vt, [gyermeket] illegitimate, illegitimatize, bastardize (offspring)

törvénytelenítés n, illegitimation, bastardization

törvénytelenség n, 1. [gyermeké] illegitimacy 2. [határozaté] illegality, unlawfulness, unlawful act

törvénytervezet n, (draft) bill

törvénytisztelet n, abidance by the law, law-abidingness, respect for (v. honour of) the law

törvénytisztelő a, law-abiding

törvénytudás n, knowledge of the law, legal attainments (pl), legal knowledge

törvénytudó n, legist, jurist, person versed in (the) law

törvénytudós n, jurist, jurisconsult, legal expert, authority on law

törvetés n, 1. (konkr) setting of trap/snare, laying a snare 2. (átv) ambush, ambuscade, inveiglement

törvívás n, foil-fencing/practice, fencing with foil/rapier

törvívó I. a, foil-, of foil-fencing (ut) II. n, foil-fencer, foilist, foilsman

törzanót [-ot, -ja] n, (növ) Spanish grass (Spartium)

tör-zúz [törtem-zúztam, tört-zúzott, törjön-zúzzon] vt/vi, shatter, dash, smash to atoms/fragment/pieces, smash into smithereens, smash everything to pieces (in one's rage)

törzs [-et, -e] n, 1. [testé] trunk, rump, [fáé] trunk, bole, body, stem, stump 2. [hajóé] hull, hulk, body, [repgépé] fuselage 3. (áll, növ) [mint rendszertani kategória] phylum, branch, subkingdom, [tenyészet] stock 4. (kat) [keret] cadre, staff 5. [oszlopé] shank, shaft 6. (nép) tribe, [öröklési jogban] stock, descent, line(s), stirps, stirpes (lat)

törzsakkreditív n, (pénz, ker) basic letter of credit

törzsalak n, prototype, foretype

törzsállat n, breeder, animal kept for breeding

törzsállomány n, (breeding) stock

törzsalosztály n, (kat) staff company

törzsasztal n, (kb) usual/customary table (of a company in a restaurant or coffee-house), table reserved for the standing guests (at a tavern)

törzsbeli I. a, tribal II. n, clansman, tribesman

törzsbér n, base wage

törzsbiztosítás n, [biztosításban] floating policy

törzscímer n, family arms, armorial bearings of clan/tribe

törzsfa n, 1. family tree 2. (növ) taxonomic chart

törzsfejlődés n, (biol) evolution, phylogeny, phylogenesis

törzsfizetés n, basic wage/salary

törzsfordítás n, trunk twist

törzsfő n, = törzsfőnök

törzsfőnök n, chief(tain), headman, head/leader of a tribe/clan, [indián] Indian chief, cacique, sachem, [arab] sheikh, (tréf pol) boss (US)

törzsfőnökség n, chieftainship

törzsgörbe n, (menny) primary curve

törzshajlítás n, trunk bending

törzshajtás n, (növ) offshoot

törzshely n, haunt

törzsi [-ek, -t; adv -leg] a, tribal; ~ birtok (tört) tribal land; ~ szervezet/rendszer tribalism

törzsjelvény n, [indiánoknál] totem

törzskar n, (kat) (general, headquarters) staff

törzskari [-ak, -t] a, ~ tiszt staff-officer

törzskönyv n, roll, register(-book), [kutyáké] pedigree, [szarvasmarháké] herd-book; juhtenyésztési ~ flock-book; lótenyésztési ~ stud-book

törzskönyvez [-tem, -ett, -zen] vt, register (in herd/stud-book etc.)

törzskönyvezés n, registration certificate, certificate of registration

törzskönyvezetlen a, unregistered

törzskönyvezett a, registered; ~ bika pedigree bull

törzskönyvi [-ek, -t] a, pertaining to registration (ut); ~ szám (registration, administrative) number

törzsközönség n, regular customers/attendants/clients, habitual visitors, standing guests (mind: pl)

törzslakosság n, native/indigenous population

törzslap n, 1. (individual) registry sheet, (kat) soldier's history sheet 2. [állaté] pedigree

törzsoldat n, (vegyt) stock-solution

törzsorvos n, (kat) surgeon-major, medical officer (röv M.O.), [tengerészetnél] staff-surgeon

törzsök [-öt, -e] n, = törzs

törzsökgomba n, (növ) honey fungus/agaric, collar crack (Armillaria mellea)

törzsökös [-et; adv -en] a, pure blood(ed), true to stock (ut), aboriginal, true-born, thorough-bred (fam); ~ nemes of old nobility

törzsőrmester n, sergeant-major, staff sergeant, sergeant first class (US)

törzsrendszer n, tribal system

törzsrészvény n, founder's original/primary/stock share, equity security

törzsrokon a, of the same origin/descent/stock (ut)

törzsrokonság n, racial/tribal kinship

törzsszám n, 1. (menny) prime number 2. [törzslapon] serial number

törzsszelvény n, counterfoil, stub/stump/butt (of cheque/ticket etc.)

törzsszervezet n, tribal organization, clan system

törzsszövetség n, (tört) confederation/confederacy of tribes; ~ főnöke (tört) head of the tribal confederation/confederacy

törzstag n, 1. [törzse] tribesman 2. [társaság] foundation/original/regular member

törzstagság n, tribesmanship

törzstenyészet n, stock-breeding, breeding stock

törzstenyésztő n, stock-breeder

törzstényező n, (menny) prime factor

törzstiszt n, field(-grade) officer

törzstiszti a, ~ vizsga (kb) examination before promotion to the rank of a field officer

törzsüteg n, headquarters battery

törzsvágány n, main track

törzsvagyon n, principal/original fund/stock, initial capital

törzsvendég n, regular (customer), habitual visitor, frequenter, regular/standing guest, old stager, habitué (fr)

törzsvevő n, regular customer/buyer

tősarj n, (növ) turion

tősgyökeres a, autochton(ous), pure-blooded, racy, genuine, of clean race (ut), of the soil (ut), deep--rooted, grass-roots (US); ~ magyar true-born Hungarian

tőszám n, cardinal number

tőszámnév n, cardinal number

tőszár n, caudex

tőszó n, root-word, [származékszóhoz viszonyítva] primitive (word), simplex

tőszomszéd n, next-door neighbour

tőszomszédság n, close/immediate vicinity; ~ban laknak they live next-door, they are next-door neighbours

tőváltozás n, (nyelvt) change of root/radical gradation

tővég n, (nyelvt) stem-ending, thematic end, end of stem/theme

tővéghangzó n, final vowel of stem

tővégi [-ek, -t] a, of the thematic end (ut); ~ magánhangzó final vowel of stem, thematic vowel

tövestől adv, 1. [kihúz növényt] (pull up a plant) by the roots 2. [gyökeresen] radically; ld még tő

tőviről-hegyire adv, in detail, exhaustively; ~ elmond give a detailed/full account, relate minutely; ~ ismer vmt know sg inside out; ~ kikérdez interrogate in detail, catechize; ~ megvizsgál examine minutely/exhaustively

tövis [-ek, -t, -e] n, 1. (növ) thorn, prickle, spine, spinule; nincsen rózsa ~ nélkül no rose without a thorn 2. (bonct) spine; ~ feletti árok supraspinous fossa 3. (műsz) fid, mandrel, drift

tövisbokor n, thorn(-bush), thorny/prickly/spiked bush

tövises [-et; adv -en] a, 1. (növ) spiniferous, spinous, spinose; (növ) ~ rekettye scorpion-broom (Genista horrida) 2. (átt) thorny, prickly; ~ pálya (átv) throny path

tövisesség n, (term) spinosity

tövishegyű a, [levélcsúcs] spinose (leaf apex)

töviskerítés n, thqrn-hedge

töviskorona n, crown of thorns

töviskoszorú n, wreath/garland/crown of thorns

tövisnyújtvány n, (bonct) spinous process

tövisnyúlvány n, = tövisnyújtvány

töviszúró gébics (áll) shrike, butcher-bird (Lanidae)

tövistelen a, (növ) inerm(ous)

töviszanót [-ot, -ja] n, (növ) furze (Ulex europaeus) -tövű [-ek, -t; adv -en] a, (nyelvt) of stem/theme/ radical (ut)

tőzeg [-et, -e] n, peat, turf, bog-coal; ~et fejt dig/cut/ win peat

tőzegáfonya n, (növ) cranberry, fan/heath-berry, huckleberry (US) (Vaccinium oxycoccus)

tőzegásás n, peat-winning/digging/cutting

tőzegbányászat n, turf mining

tőzegbrikett n, peat-brick

tőzegel [-t, -jen] vt, dig/win/cut peat, [trágyáz] dung with peat

tőzeges [-et; adv -en] a, peaty, boggy, turfaceous; ~ árnyékszék earth-closet; ~ talaj peaty/boggy soil; ~ terület field of peat, peat bog

tőzegfejtő n, peat-worker/drag

tőzegföld n, field of peat, peat-bog/earth/mould, turf

tőzegfűtés n, heating with peat, peat heating

tőzegkitermelés n, turf-pit/cutting

tőzegkocka n, (turf/sod/block of) peat

tőzegkotró n, peat-drag

tőzegláp n, peat-bog/moor/moss, trembling bog, turbary

tőzegmetszés n, peat-cutting

tőzegmetsző n, peat-cutter

tőzegmező n, turf-moor, (peat-)moss, turbary

tőzegmoha n, peat/bog-moss, (tud) sphagnum (Sphagnum)

tőzegtalaj n, peat(y) soil

tőzegtelep n, peat-bog/moss/marsh, peatery, turbary (skót) moss-hag

tőzegtüzelés n, = tőzegfűtés

tőzegtüzelő n, fossile fuel

tőzegvágás n, peat-digging/cutting

tőzegvágó a/n, peat-cutting/cutter/digger

tőzegvidék n, peat region/district/country

tőzike [..ét] n, (növ) snow-flake (Lecuojum)

tőzsde [..ét] n, Exchange, money market, change (fam); élénk ~ active/animated stock exchange; lanyha ~ dull/slow/slack/inanimated stock exchange; szilárd ~ firm stock-exchange; tőzsdén bevezetett részvény listed stock, (stock) quoted on the Stock Exchange(GB), shares admitted to the Stock Exchange (GB), stock listed on the Stock Exchange (US); tőzsdén jegyzett quoted (on 'Change); tőzsdén játszik gamble/play on the Exchange, speculate, play the market (US), [kicsiben] speculate in a small way, dabble on the Exchange, have a little flutter, [váratlan szerencsével] win a small sum by a fluke on the Exchange; tőzsdén vesz és elad buy and sell on the Exchange

tőzsdealkusz n, (stock-)broker, jobber, dealer, operator

tőzsdeárfolyam n, quotation, market price, (current) rate of exchange

tőzsdebejelentés n, market report, official share-list, Exchange list, official quotation

tőzsdebíróság n, arbitration committee of exchange

tőzsdecikkek n. pl, exchange goods

tőzsdeépület n, Exchange building, [londoni] the Royal Exchange

tőzsdeérték n, [értékpapír] stocks (pl), quoted shares (pl)

tőzsdei [-ek, -t; adv -leg] a, belonging to (v. of) the Exchange (ut); ~ ár exchange price, market price/ rate; ~ áremelkedés boom; ~ áresés slump; ~ árfolyam market price, quotation, (current) rate of exchange, quotation price; ~ elszámolás liquidation, settlement; ~ jegyzés quotation; ~ jelentés exchange report, list of official quotations; ~ kötés [ügylet] exchange transaction, [minimális kötésnagyság] standardized quantity of (an) exchange deal; ~ *megbízás* exchange order; ~ *művelet* exchange business/transaction/deal/operation/speculation; ~ *szokás* exchange custom/usance; ~ *ügyletek* transactions on the stock exchange; ~ *üzérkedés* stock-jobbing

tőzsdejáték n, speculation, gambling/deal/playing on the Exchange, jobbery, exchange gambling, *[kicsi, magán]* flutter; ~ *áremelkedésre* speculation on a rise, bull speculation; ~ *áresésre* speculation on a fall, bear speculation

tőzsdejátékos n, speculator/gambler on the stock Exchange

tőzsdeképes a, *[értékpapírról]* negotiable, officially quoted, listed *(US)*

tőzsdemanőver n, manoeuvre/deal on the Stock Exchange, speculation

tőzsdeosztály n, stock exchange department

tőzsdepalota n, Exchange Palace, *[londoni]* the Royal Exchange

tőzsdepapír n, stock officially quoted

tőzsdés n, 1. = **tőzsdealkusz;** 2. = **tőzsdejátékos**

tőzsdespekuláns n, speculator, operator *(US)*

tőzsdetag n, member of the Exchange

tőzsdetanács n, Exchange Committee

tőzsdeügylet n, Stock Exchange transaction/business/operation, deal on the Stock Exchange

tőzsdeügynök n, = **tőzsdealkusz**

tőzsdeüzlet n, 1. = **tőzsdeügylet;** 2. *[foglalkozás]* broking 3.*[cég]* commission house, broker's business

tőzsdezárlat n, closing of exchange, closing (prices, quotations), close of the market

tőzsdézés n, exchange gambling, gambling on the Exchange, speculation

tőzsdéz|ik [-tem, -ett, -zen, -zék] vi, gamble/speculate on the Exchange, play the market *(US)*

tőzsér [-ck, -t, -e] n, † trader, banker, broker, *[gazdag]* merchant prince, magnate

trabális [-at; adv -an] a, beefy, hefty, heavily built, big hulking (fellow)

tracheális [-at] a, tracheal; ~ *nyakdaganat (orv)* tracheocele

tracheás a, *(term)* trachean

trachidolerit [-et, -je] n, *(geol)* trachydolerite

trachit [-ot, -ja] n, *(ásv)* trachyte

trachitikus a, *(ásv)* trachytic

trachoma [..át] n, granular conjunctivitis, Egyptian ophthalmia, trachoma

trachomás [-at; adv -an] a, having (v. suffering from) trachoma *(ut)*; ~ *kötőhártyagyulladás* trachomatous conjunctivitis

traccs [-ot, -a] n, tittle-tattle, gossip, twaddle, chin-wag

traccsol [-t, -jon] vi, tittle-tattle, gossip, twaddle

tradíció [-t, -ja] n, tradition

tradicionális [-ok, -t; adv -an] a, traditional; ~ *szokás* traditional/standing custom

tradicionalista [..át] n, traditionalist

tradicionalizmus n, traditionalism

trafik [-ot, -ja] n, tobacconist's (shop), tobacco-shop, cigar store *(US)*

trafikál [-t, -jon] vi, do sg on the sly, have underhand dealings

trafikálás n, *(átv is)* huckstery, huckstering, machination

trafikáru n, tobacco, goods/articles/wares/commodities in a tobacco shop *(pl)*

trafikengedély n, tobacco licence, licence for the sale of tobacco

trafikos [-ok, -t, -a] n, tobacconist, seller/vendor of tobacco

trafikoslány n, *[vendéglátó üzemben]* cigarette girl

trafó [-t, -ja] n, = **transzformátor**

tragacs [-ot, -a] n, 1. = **talicska;** 2. *[jármű]* flivver, old ramshackle/rickety vehicle, shandrydan, rattle-trap, rattlebones, old bone-shaker

trágár [-ok, -t; adv -an] a, obscene, ribald, bawdy, indecent, gross, filthy, swinish, lewd, low, foul, foul-spoken/mouthed, smutty *(fam)*; ~ *beszéd* obscéne/smutty/bawdy talk; ~ *vicceket mond* tell ribald/low/dirty jokes/stories

trágárság n, obscenity, lewdness, bawdiness, indecency, smut(tiness) *(fam)*

tragédia [..át] n, tragedy

tragédiaíró n, tragedian, tragic writer, writer of tragedy/tragedies

tragédiaköltő n, tragic poet

tragika n, tragedienne *(fr)*, tragic actress

tragikai [-ak, -t; adv -lag] a, tragic; ~ *szerep* the heavy parts *(pl)*, tragic(al) part

tragikomédia n, tragi-comedy

tragikomikus a, tragi-comic(al)

tragikum [-ot, -a] n, tragedy, the tragic side/aspect of sg, tragicalness; *a dolog* ~*a* the tragedy (v. tragic aspect/side) of the business

tragikus a, tragic(al); *a* ~ *műfaj* the tragic art; ~ *szerep* heavy part; ~ *színész* tragedian, tragic actor; ~ *színésznő* tragedienne; ~ *színmű* tragic drama; ~ *körülmények között elhunyt* found his death (v. died) under/in tragic circumstances *(pl)*, the tragic death of....

tragikusan adv, tragically, fatally; ~ *vesz* (v. *fog fel) vmt* take things too seriously, take things too much to heart, make a tragedy of sg

trágya [..át] n, manure, dung, muck, excrement, stable-litter, ordure, *[ló]* stable-dung, *[földre szórva]* dressing; *növényi* ~ leaf-mould; *természetes* ~ stable-litter, farmyard manure, dung

trágyadomb n, dunghill, manure/muck-heap, dungheap, midden

trágyagereblye n, muck-rake

trágyagödör n, manure/dung-pit

trágyalé n, dung water

trágyalégödör n, urinary, urinarium

trágyalégy n, *(áll)* dung fly *(Scatophaga sp.)*

trágyalékocsi n, dung cart

trágyalepény n, dropping

trágyás a, dungy, mucky

trágyaszekér n, manure/dung-cart, tumbril

trágyaszórás n, spreading the dung

trágyaszóró n, *[gép]* manure distributor

trágyavilla n, pitchfork, dung-fork

trágyáz [-tam, -ott, -zon] vt, dung, manure, fertilize, dress (field) with manure, spread dung

trágyázás n, dunging, manuring, spreading the dung, dressing, fertilization

trák [-ot] a/n, Thracian

trakta [..át] n, treat, feast, (good) feed, tuck-in

traktál [-t, -jon] vt, treat (sy to sg), stand (v. give sy) a treat, feast, entertain

traktor [-ok, -t, -a] n, tractor, traction-engine/motor; *lánctalpas* ~ caterpillar/crawler tractor

traktorállomás n, tractor station

traktoreke n, tractor plough

traktor- és gépállomás machine and tractor station

traktorista [..át] n, = **traktoros**

traktorkezelő n, = **traktoros**

traktoros [-ok, -t, -a] n, tractor-driver, driver of tractor; ~ *gépész* tractor-mechanic; ~ *vetőgép* tractor drill

traktortárcsa n, tractor disc/harrow

traktorvezetés n, tractor driving

traktorvezető n, = **traktoros**

traktorvontatású [-t] a, tractor-drawn; ~ *tüzérség* tractor-drawn artillery

traktus n, 1. *[emelet]* stor(e)y, floor 2. *[szárny]* wing

trallala int, falderal

rambulin [-ok, -t, -ja] n, *(sp)* spring/jumping board, (spring) diving-board

trampli [-t, -ja] *(durv)* I. a, awkward, clumsy II. n, clumsy/slovenly/heavy wench

trancsírdeszka n, = vágódeszka

trancsíroz [-tam, -ott, -zon] vt, *[húst]* carve (up), cut up (joint)

trancsírozás n, carving, cutting up (of meat)

trancsírozó [-t, -ja; adv -an] I. a, carving; ~ deszka = = vágódeszka; ~ kés carving-knife, carver II. n, carver

transz [-ot, -a] n, (hypnotic) trance; ~ba merít/ejt send sy into a trance, entrance; ~ba merül fall/ go into a trance, go under *(fam)* ; ~ban van be, in a trance

transzafrikai a, trans-African

transzcendencia [..át] n, *(fil)* transcendence

transzcendens [-ek, -t; adv -en] a, transcendent(al)

transzcendentális [-ak, -t; adv -an] a, transcendent(al)

transzcendentalista [. át] n, transcendentalist

transzcendentalizmus n, *(fil)* transcendentalism

transzduktor [-ok, -t,-a] n, *(fiz)* transducer

transzferábilis [-at; adv -an] a, transferable; ~ valuta transferable currency

transzferál [-t, -jon] vt, transfer

transzfergarancia n, transfer guaranty

transzfermoratórium n, transfermoratorium

transzformátor [-ok, -t, -a] n, transformer, converter

transzformátorállomás n, electric substation

transzformátortelep n, transformer station

transzformizmus n, *(biol)* tranformism

transzfúzió n, *(orv)* tranfusion

transzgresszió [-t, -ja] n, *(geol)* transgression

transzláció [-t, -ja] n, *(ásv)* translation, gliding

transzmetilálás n, *(vegyt)* transmethylation

transzmisszió [-t, -ja] n, transmission

transzmissziós [-ak, -t; adv -an] a, transmission-, transmitting; ~ gép transmission engine, power-transmission plant, driving gear; ~ szíj driving-belt; ~ szíj szerepét játssza act as a channel/transmission (for); ~ tengely driving shaft, transmission (drive) shaft

transzparens [-ek, -t, -e] I. a, transparent II. n, illuminated sign, float, *[átlátszó]* transparency

transzponál [-tam, -t, -jon] n, *(zene)* transpose

transzponálás n, *(zene)* transposition, transposing

transzponálható a, *(zene)* transposable

transzponáló [-k, -t] a, *(zene)* transposing; ~ hangszer transposing instrument; ~ vevő *(rád)* heterodyne receiver

transzport [-ot, -ja] n, transport, consignment, batch; egy ~ fogoly a batch of prisoners

transzport-asztal n, *[nyomógépnél]* stock table, pile board

transzszibériai a, trans-Siberian

transzurán [-ok, -t] a, *(fiz)* transuranic, transuranian

Transzvál [-t, -ban] prop, the Transvaal

transzverzális [-at; adv -an] *(menny)* I., a transversal II. n, transverse (line)

tranzakció [-t, -ja] n, transaction, deal, piece of business *(fam)*

tranzisztor [-ok, -t, -a] n, *(távk)* transistor

tranzisztoros [-ak -t; adv -an] a, (all-)transistor

tranzit [-ot, -ja] a/n, transit

tranzitállomás n, transit station

tranzitáru n, transit goods, goods in transit/bond

tranzitdíj n, transit dues *(pl)*

tranzitdíjszabás n, transit tariff

tranzitkereskedelem n, transit trade

tranzitó [-t] a, tranzit; ~ kereskedelem transit trade; ~ vám transit duty

tranzitraktár n, bonded warehouse

trapéz [-ek, -t, -e] n, 1. *(mért)* trapezium, trapezoid *(GB)* 2. *[tornaszer]* trapeze

trapézművész n, trapezist

trapezoéder [-ek, -t, -e] n, *(ásv, mért)* trapezohedron

trapezoid [-ok, -ja] I. n, *(mért)* trapezoid, trapezium *(GB)* II. a, trapezoidal

trapézszerű a, trapezoidal

trapp[1] [-ot, -ja] n, trot

trapp[2] [-ot, -ja] n, *(geol)* trap(rock), whinstone

trapper [-ek, -t, -e] n, trapper

trappista [..át] a/n, 1. *[szerzetes]* Trappist 2. *[sajt]* portsalut (cheese)

trappol [-t, -jon] vi, trot

trasz [-ok, -t, -a] n, *(geol)* trass, pozzuolana, puzzolana

trauma [..át] n, trauma

traumás a, traumatic

traumatizmus n, traumatism

traumatológia [..át] n, traumatology

travertino [-t, -ja] n, banded marble, travertin(e)

traverz [-et, -e] n, *(műsz)* iron/steel bar, girder, traverse

travesztál [-t, -jon] vt, travesty, parody, burlesque, guy *(fam)*

travesztálás n, travesty, parody

travesztia [..át] n, parody, travesty

trébel [-t, -jen] vt, *(műsz)* emboss, chase (metal), work in repoussé, snarl

trébelés n, embossing, chasing, repoussage, repoussé technique, chased work, snarling

trébelt [..et; adv -en] a, repoussé, embossed, spun; ~ munka chased/repoussé work

trécsel [-t, -jen] vi, = traccsol

trécselés n, = traccs

tréfa [.. át] n, joke, jest, pleasantry, prank, fun, *[elbeszélés]* funny story, anecdote, lark, hoax *(fam)*; ennek a fele se ~ that is beyond a joke; ízetlen/rossz ~ silly/poor joke; vastag ~ practical joke; te vagy a ~ tárgya the joke is on you; csak ~ volt it was only for cod *(v. in fun)*, I was only kidding; a ~ kedvéért for the fun of the thing; tréfából in/for fun, for a joke/ lark, in jest/play/sport, by way of a joke, for the humour/amusement of it; félig tréfából half in jest; tréfából mondta he said it in sport/jest, he said it by way of a joke; tréfán kívül jesting/joking apart, (speaking) seriously, this side of the bluffs; tréfának veszi make a joke of it, laught it off; nem veszi tréfára a dolgot take the matter seriously; érti a tréfát know how to take a joke; ebben nem érti a tréfát he takes such matters seriously, he will not stand any nonsense about it; tréfát űz vkből pull sy's leg, lay a practical joke on sy, make game/sport/fun of sy, poke fun at sy, make fun of sy, mock/roast sy, chaff/ banter sy, hold sy up to ridicule, guy sy *(US)* ; tréfával elüt vmt put sg off with a jest

tréfabeszéd n, pleasantry, fun, jesting, joking

tréfacsináló n, = tréfakedvelő II.

tréfadolog n, laughing matter; nem ~ it is no laughing matter

tréfakedvelő I. a, fond of buffoonery/fun/joke *(ut)* II. n, joker, jester, wag, who likes his bit of fun, prankster, humorist

tréfál [-t, -jon] vt, joke, (speak in) jest, play pranks/ tricks/jokes, crack jokes; ~ vkvel poke fun at sy, chaff/kid/banter sy, have a joke (with sy); ~ vmvel trifle with sg; maga csak ~ ! you are joking, you do not mean it; ne ~ j ! no joking !, do not joke !, be serious !; nem ~ he means business, he is serious; nem olyan ember akivel ~ni lehet he is not a man to be trifled with

tréfálkozás n, jesting, joking, jocosity, jocularity, banter, drollery, kidding

tréfálkoz|ik [-tam, -ott, -zon, -zék] vi, joke, jest, crack jokes, make/have fun, speak in jest, (vkvel) chaff, banter, kid sy

tréfálkozó [-t] a, = tréfás

tréfás a, amusing, funny, full of fun (ut), droll, (vk) facetious, waggish, jocular, jocose, comic(al), humorous, humoursome, sportive; ~ elbeszélés funny/droll story; ~ ember joker, facetious/waggish person, wag, wit; ~ megjegyzés pleasantry, humorous remark; ~ természet sportiveness

tréfaság n, = tréfa

tréfásan adv, funnily, drolly, amusingly, humorously

tréfaszó n, jokc, jest

treff [-et, -je] n, (kárty) clubs; ~ ász ace of clubs; két ~ bemondás bid of two clubs; egy ~et játszik play a club; ~ bubival kezdett/indított he opened the jack of clubs

trehány [-ok, -t; adv -an, -ul] a, □ [külső] sloppy, slovenly (appearance), [munka] slipshod, scamped, botched (work), [ember] lazy, good-for-nothing; ~ ember slacker

tréma [.. át] n, fright, funk, jitters (pl), [lámpaláz] stage-fright

trémáz|ik [-tam, -ott, -zon, -zék] vi, be in a (blue) funk, have the shivers/shakes, shake in one's shoes, get the jitters ◆, (szính) have an attack of stage--fright

tremoló [-t, -ja] n, (zene) 1. tremolo, shake, quaver, tremblement 2. [orgonán] tremulant

tremuláns n, rolled sound

trén [-ek, -t, -je] n, (kat) train (of transport), baggage train, [jegyvernem] Army Service Corps (GB), Ally Sloper's Cavalry (joc)

Trencsén [-t, -ben] prop, Trenčín (town in Czechoslovakia)

trencskót [-ot, -ja] n, trench-coat

tréner [-ek, -t, -je] n, trainer, coach

tréning [-et, -je] n, training, coaching, practice, drill-(ing), workout (US); ~ nélkül out of (v. without) practice/training; ~ben van be in training, have one's hands in

tréningez|ik [-tem, -ett, -zen, -zék] vi, (sp) train, coach

tréningfal n, (sp) practice wall

tréningmérkőzés n, (sp) practice match

tréningruha n, (kb) overalls (pl), dungarees (pl), track suit

treníroz [-tam, -ott, -zon] (sp) I. vt, train, coach, [csapatot] practise II. vi, be in training

trenírozás n, = tréning

trénkatona n, soldier of (v. serving in) the Army Service Corps, private (soldier) in a military train battalion

tréntiszt n, officer in military train, train officer

trepanáció [-t, -ja] n, (orv) trephination, trepanation

trepanál [-t, -jon] vt, trepan, trephine

trepanálás n, trepanning, trephining

treponéma [.. át] n, (orv) treponema

Treszka prop, Theresa, Terry, little Theresa

treuga Dei truce of God

Trézsi [-t, -je] prop, = Treszka

triangulum [-ot, -a] n, (zene) triangle

trianoni [-t] a, of Trianon (ut), Trianon-; ~ béke the Peace Treaty of Trianon (in 1920)

triász [-ok, -t, -a] I. a, (geol) Triassic, Trias II. n, 1. [emberekből] trio, triad 2. (geol) Trias

triászkori a, (geol) Triassic

triatlon [-ok, -t, -ja] n, [atlétikai] = hárompróba

tribunus n, tribune

tribunusi [-ak, -t] a, tribunary, tribunitian; ~ méltóság/ hivatal tribunate

tribus n, (növ) [mint rendszertani kategória] tribe

tribün [-ök, -t, -je] n, 1. [emelvény] scaffolding, tri-

bune, rostrum, (speaker's) platform 2. (sp) grandstand, stands (pl), tiers of wooden seats (pl), [fedetlen] bleachers (pl) (US)

tribünülés n, grandstand seat

trichiázis [-ok, -t, -a] n, (orv) trichiasis

trichina [.. át] n, (áll) trichina, thread-worm (Trichina spiralis)

trichinás a, (orv) trichinosed, trichinous

trichinózis [-ok, -t, -a] n, (orv) trichinosis

trichit [-et, -je] n, (ásv) trichite

tricikli [-t, -je] n, tricycle, tricar, [gyermek] trike, [áruszállító] carrier/box-tricycle

triciklista [.. át] n, tricyclist, wheelman

Trident [-et] prop, Trent

tridenti [-ek, -t] a, Trentine, Tridentine; ~ zsinat (egyh) Council of Trent, Tridentine Council

tridimit [-et, -je] n, (ásv) tridymite

tridium [-ot, -a] n, triduo

triéder [-ek, -t, -e] n, (mért) trihedron

Trieszt [-et, -ben] prop, Trieste

trifórium [-ot, -a] n, triforium, blind storey

triftongus n, (nyelvt) triphthong

trigeminus a/n, (bonct) trigeminal, trifacial (ncrvc); ~ neuralgia (orv) trigeminal neuralgia, tic douloureux (fr)

triglif [-et, -je] n, (épit) triglyph

trigonális [-at; adv -an] a, (ásv) trigonal

trigonometria [.. át] n, trigonometry

trigonometriai [-ak, -t; adv -lag] a, trigonometric(al)

trigonometrikus a, trigonometric(al)

trigonum [-ot, -a] n, (bonct) bladder triangle, trigone

trikk [-et, -je] n, (kárty) trick

trikó [-t, -ja] n, 1. [anyag] tricot, stockinet 2. [viselet] knitted jersey/jumper 3. [alsóing] (under)vest, singlet 4. [fürdő] bathing/swimming costume, swimsuit 5. (szính) tights (pl)

trikóanyag n, tricot, stockinet, [gyapjú] jersey, [műselyem] charmeuse

trikóáru n, tricot (fabric, wear)

trikolór [-ok, -t, -ja] n, tricolour

trikónadrág n, [női] (woman's) knitted knickers (pl), knitted undies (fam)

trikóöltés n, (tex) tricot-stitch

trikord [-ot, -ja] n, (zene) three note group

trikóselyem n, silk stockinet

trikószövet n, tricot fabric, jersey

trilla [.. át] n, trill, shake, quaver, tremblement

trilláz|ik [-tam, -ott, -zon, -zék] vi/vt, 1. [énekes] trill, shake, quaver 2. [madár] warble, sing, [pacsirta] carol

trillió [-t, -ja] num. a/n, trillion, quintillion (US)

trilobita [.. át] n, [őslénytanban] trilobite

trilógia [.. át] n, trilogy

trimeszter [-ek, -t, -e] n, trimester, term, session (US)

triméter [-ek, -t, -e] n, trimeter

trimlap n, (rep) elevator-flap

trimmer [-ek, -t, -e] n, (rád) trimmer

trinitárius a/n, (vall) Trinitarian

trinitrofenol n, (vegyt) picric acid, trinitrophenol

trinitrotoluén [-t] n, (vegyt) tolite

trinitrotoluol [-t] n, (vegyt) trotyl, trinitrotoluene

trinóm [-ot, -ja] a/n, (menny) trinomial

trinomiális [-at; adv -an] a, (menny) trinomial

trió [-t, -ja] n, trio

trióda [.. át] n, triode

triola [.. át] n, (zene) triplet, tercet

triolett [-et, -je] n, triolet

triőr [-ök, -t, -je] n, (mezőg) separator, rotary sifter/ cleaner, wheat-grader

tripanoszóma [.. át] n, (áll) trypanosome

tripanoszóma-betegség n, (orv) trypanosomiasis

Tripartitum [-ot, -a] *n*, ⟨ the tripartite corpus juris of Werbőczy (in the 16th century) ⟩

tripla [.. át] *a*, treble, threefold, triple, tripartite

triplán *adv*, triply

Tripolisz [-t, -ban] *prop*, Tripoli

tripoliszi [-ak, -t] *a/n*, Tripolitan

tripper [-ek, -t, -e] *n*, clap, gon

tripsz [-et, -e] *n*, *(áll)* black fly *(Thrips)*; *pirosfarkú* ~ glasshouse thrips *(Heliothrips haemorrhoidalis)*

tripszin [-ek, -t, -je] *n*, *(vegyt)* trypsin

triptichon [-ok, -t, -ja] *n*, triptych

triptik [-et, -e] *n*, *[nemzetközi határátlépési gépkocsiigazolvány]* triptyque, international travelling pass

triptofán [-ok, -t, -ja] *n*, tryptophan

tritium [-ot, -a] *n*, *(vegyt)* triterium

triton [-ok, -t, -ja] *n*, *[mitológia]* Triton, merman

tritonus *n*, *(zene)* tritone, augmented fourth

triumfál [-t, -jon] *vi*, triumph, *[vk felett]* get the better of sy, *[ujjong]* exult, glory (in), *[gonoszul]* gloat (upon, over)

triumfus *n*, triumph, jubilation

triumvir [-ek, -t, -e] *n*, *(tört)* triumvir

triumviri [-ek, -t] *a*, *(tört)* triumviral

triumvirátus *n*, triumvirate

triviális [-at; *adv* -an] *a*, 1. *[közönséges]* vulgar, low 2. *[elcsépelt]* trivial, trite, hackneyed

Trizónia [.. át] *n*, *(pol biz)* Trizone

trocheus *n*, trochee

trochlea [.. át] *a*, *(bonct)* trochlea

trockista [.. át] *a/n*, *[elítélő értelemben]* Trotskyite, *[nem elítélő értelemben]* Trotskyist

trockizmus *n*, Trotskyism

trófea [.. át] *n*, trophy

trofoblaszt [-ot, -ja] *n*, *(biol)* trophoblast

trofoneurózis *n*, *(orv)* trophoneurosis

tróger [-ek, -t, -e] *n*, □ blighter, rotter, cad

trógerol [-t, -jon] *vi*, □ work like a nigger

troglodita [.. át] *n*, troglodyte, cave-dweller/man

Trója [.. át, .. ában] *prop*, Troy, ~ *eleste* the fall of Troy

trójai [-ak, -t] *a/n*, Trojan, of Troy *(ut)*; ~ *faló* the wooden horse of Troy, the Grecian horse; ~ *háború* the Trojan War

trojka *n*, troika, Russian threesome

trokár [-ok, -t, -ja] *n*, *(orv)* trocar, aspirator

trokározás *n*, *(orv)* rumenocentesis

troli [-t, -ja] *n*, = **trolibusz**

trolibusz [-t, -a] *n*, trolley-bus, overhead-line omnibus, troll(e)y *(fam)*

trombita [.. át] *n*, 1. *(kat)* bugle 2. *[hangszer]* trumpet, cornet, (French) horn, trombone

trombitacsiga *n*, *(áll)* trumpet-shell, triton *(Tritonium)*

trombitafa *n*, *(növ)* bignonia *(Bignonia)*

trombitahang *n*, sound/blare of the trumpet

trombitaharsogás *n*, trumpet-blast, blast on the trumpet, flourish of trumpets/bugles, blare, fanfare

trombitajel *n*, trumpet/bugle-call

trombitál [-t, -jon] *vi/vt*, 1. trumpet, play/blow/sound the trumpet/horn, bugle, blare 2. *[elefánt]* trumpet 3. *[ember zsebkendőbe]* blow one's nose hard

trombitálás *n*, bugling, trumpet(ing), blowing the trumpet/horn

trombitás *n*, trumpet(er), bugler, trumplet-player

trombitaszó *n*, flourish of trumpets/bugles, trumpet/ bugle-call, blare

trombitavirág *n*, *(növ)* trumpet-creeper/flower *(Tecoma radicans)*

trombitazsinór *n*, trumpet/bugle cord

trombocita [.. át] *n*, *(biol)* platelet

trombocitaszám *n*, *(biol)* platelet count

trombózis [-ok, -t, -a] *n*, thrombosis

trombus *n*, clot of blood, thrombus

tromf [-ot, -ja] *n*, 1. *(kárty)* trump(s); *bemondja a* ~*ot* call one's hand 2. *(átv)* retort, pat answer, cap to a remark

tromfol [-t, -jon] *vi/vt*, *(kárty)* trump, play trumps, ruff

trón [-ok, -t, -ja] *n*, throne; *a* ~ *megüresedése* demise of the crown *(GB)*; *a* ~*on követ* succeed on the throne; ~*ra kerül/jut/lép* ascend/mount the throne, succeed/come to the throne/crown; ~*ra emel [királyt]* enthrone; ~*ra emelés* elevation to the throne, enthronement; ~*ra lép* come/accede to the throne; ~*ra lépés* accession (to the throne); ~*ra ültet* seat/instal/put (up)on the throne; *lemond a* ~*ról* abdicate (the throne); *megfoszt a* ~*tól* dethrone, cast/depose a king from his throne, force sy to abdicate

trónbeszéd *n*, King's speech, the Speech from the Throne

trónbitorló *n*, usurper (of the throne)

trónfoglalás *n*, accession/succession to the throne, enthronement

trónfosztás *n*, dethronement, deposition, deposal

trónfosztó *n*, dethroner

trónkereső *n*, = **trónkövetelő**

trónkövetelő *n*, pretender, claimant to a throne

trónol [-t, -jon] *vi*, be/sit enthroned, sit in state, *(átv)* throne it *(joc, fam)*

trónolás *n*, enthronement

trónöröklés *n*, succession to the crown/throne, hereditary succession to the throne; *a* ~ *sorrendje* order of succession to the crown; ~*ből kizár* exclude from succession to the crown

trónöröklési *a*, of *(v.* relating to) the succession to the crown *(ut)*; ~ *jog* right of succession to the crown, *[uralkodócsaládban]* legitimacy; ~ *viszály* struggle for succession (to the throne)

trónörökös *n*, 1. heir to the crown, hereditary prince, heir apparent, crown-prince, Prince of Wales *(GB)*; ~*t kijelöl* appoint the heir to the throne 2. *[családban]* junior *(joc)*

trónörökösnő *n*, crown-princess

trónterem *n*, state/throne-room, audience/presence chamber

trónus *n*, = **trón**

trónutód *n*, succession to the throne/crown

trónutódlás *n*, succession to the crown

trónüresedés *n*, vacancy of the throne, interregnum

trónváltozás *n*, transfer of sovereignty, demise of the crown

trónvesztés *n*, fall/deposition/dethronement of a sovereign

trónvesztett *a*, dethroned

trónviszály *n*, (pretenders') struggle for the throne

tropa [.. át] *a*, *tropára ment (biz)* gone to pieces/ atoms/smither(een)s, gone to the dogs

tropikál [-t, -ja] *a/n*, tropical worsted

tropikálszövet *n*, tropical cloth

tropikus *a*, tropic(al), *[növény, állat]* tropicopolitan

tropizálás *n*, tropicalization

tropizmus *n*, *(növ)* tropism

tropopauza *n*, tropopause

troposzféra *n*, troposphere

trópus¹ *n*, *[föld]* (the) tropics *(pl)*; ~*on belül* intertropical

trópus² *n*, *[szókép]* trope, figure of speech

trópusi [-ak, -t; *adv* -an] *a*, 1. *(át)* tropical; ~ *betegségek* tropical diseases; ~ *ciklon* cyclone, hurricane, typhoon; ~ *forgó vihar* tropical revolving storm; ~ *fekély* Aden ulcer, tropical ulcer, Annam ulcer; ~ *sisak* pit/sun-helmet, (sola) topi, topee 2. *(növ, áll)* *[az újvilágban]* neotropical, *[az óvilágban]* paleotropical; ~ *madár (áll)* tropic-bird *(Phaeton aethereus)*; ~ *növényzet* tropical vegatation; ~ *őserdő* rain forest

trotil [-ok, -t, -ja] *n, [robbanóanyag]* trinitrotoluene, trotyl

trotil [-t, -ja] *(biz)* I. *a,* soft-witted/headed, senile, doddering, drivelling II. *n,* dodderer, driveller, dotard, imbecile, old dug-out

trotoár [-t, -ja] *n,* pavement, footpath, footway, sidewalk *(US)*

trotőrcipő *n,* walking shoes *(pl),* Oxford shoes *(pl),* casuals *(US)*

trotty [-ot, -a] *n,* = trotil II.

tröszt [-öt, -je] *n,* trust, pool; ~ök elleni antitrust

trösztösít [-eni, -ett, -sen] *vt,* trust, form allied industries into a vertical trust, trustify, pool

trösztösítés *n, (ip, ker)* trustification

trösztvezér *n,* head of a trust, tycoon *(US pej)*

trubadúr [-ok, -t, -ja] *n,* trubadour, minstrel, gleeman *(obs)*

trucc [-ot, -a] *n,* spite, cussedness *(US);* ~ból csinálta he did it from pure spite, he did it out of spite

truccol [-t, -jon] *vi,* be refractory/sullen/sulk; ~ vkvel sulk with sy

trupp [-ot, -ja] *n, (szính)* troop

trükk [-öt, -je] *n,* trick, dodge *(pej),* wheeze ◇, plant ◇; *vicces* ~ *(szính, film)* gag; *ez ósdi* ~ *!* that's an old dodge; *tudja a* ~*jét* he knows the trick/knack of it

trükkfelvétel *n,* trick photo/shot, trick picture

trükkfényképészet *n,* trick photography, faking

trükkfilm *n,* (animated) cartoon, motion picture cartoon

trükkös [-et; *adv* -en] *a,* tricky, full of tricks *(ut),* trickish

tsz = termelőszövetkezet

tszcs = termelőszövetkezeti csoport

tuarog [-et, -e] *n, [berber törzs]* Tuareg

tuba [..át] *n,* 1. *(zene)* (bass-)tuba 2. = tubica

tubajátékos *n, (zene)* tuba-player

tubák [-ot, -ja] *n,* snuff

tubákol [-t, -jon] *vi,* take snuff, snuff (tobacco)

tubákolás *n,* snuff-taking, snuffing

tubákszelence *n,* snuff-box

tubarózsa *n, (növ)* tuberose, polyanthus *(Polyanthes tuberosa)*

tuberkulin [-t, -ja] *n,* tuberculin

tuberkulinkezelés *n, (orv)* tuberculation, tuberculinization

tuberkulotikus *a,* tubercular, tuberculated, tuberculous, consumptive, phthisical

tuberkulózis [-ok, -t, -a] *n,* tuberculosis *(röv* T.B.), phthisis, (pulmonary) consumption; *aktív* ~ active tuberculosis; *idült fekélyes* ~ chronic ulcerative tuberculosis; *inaktív* ~ inactive tuberculosis; *kezdődő* ~ incipient tuberculosis; *nagyon előrehaladott* ~ far advanced tuberculosis; *lappangó* ~ latent tuberculosis; *mérsékelten előrehaladott* ~ moderately advanced tuberculosis; *minimális fokú* ~ minimal tuberculosis; *primér* ~ primary tuberculosis, primary infection, childhood type tuberculosis; *sajtos* ~ caseous pneumonic tuberculosis; *zárt* ~ closed tuberculosis; ~ elleni antitubercular

tuberkulózisbacilus *n,* bacillus specific of tuberculosis

tubica [..át] *n,* 1. *(konkr)* young pigeon/dove, squab 2. *[enyelgő megszólítás]* my dove/chuck, duchy, lovely dovey, birdie

tubus *n,* tube, *[mikroszkópon]* draw tube

tubusfesték *n,* tube-colour

tucat *n/a,* 1. dozen; *fél* ~ half a dozen; *nagy* ~ gross, twelve dozen; *tíz* ~ small gross; ~jával by the dozen; ~jával tudnék eseteket felhozni I could instance scores of cases 2. *(átv)* everyday, ordinary

tucatáru *n,* 1. *[gyenge minőségű]* shoddy/cheap/paltry goods *(pl),* trumpery stuff, Brummagem (ware)

2. *[tucatszámra árult]* articles/commodities sold by the dozen *(pl)*

tucatember *n,* commonplace man; *a* ~ek the small fry

tucatnyi [-t] *a,* a dozen of

tucatonként *adv,* 1. *[tucatszámra]* by the dozen 2. *[egy-egy tucat]* a/the dozen

tucatszámra *adv,* 1. *(konkr)* by the dozen; ~ kapható they are to be had by the dozen 2. *(átv)* by the score

tud [-tam, -ott, -jon] *vt/vi,* 1. *[ismer]* know, be aware of; *mindenről* ~ know about everything, know all about the matter; *amit csak ő* ~ of which he alone is in the know, what he alone knows; *nem* ~ *vmt/vmről* not to know sg, be ignorant/unconscious of, know nothing of, be in the dark (concerning sg); *nem tudtam hogy eljön* I didn't realize he would come, I haven't thought of his coming, I haven't counted on his coming; *honnan* ~ja? how do you know?, how did you get/come to know *(v.* find out) that?; *jól* ~ja know (full) well; *nem jól* ~ja be misinformed; ~ja *hogyan kell csinálni vmt* know how to do sg; ~ja *mit beszél* know what one is talking about; ~ja *mi a szegénység* he has known poverty; ~ta *magáról hogy csinos* she knew herself to be pretty; *ahogy mindenki jól* ~ja as is well-known; *nem* ~ja *mitévő legyen, azt sem* ~ja *mihez kezdjen* be at a loss what to do, be quite/completely at a loss; *aligha* ~ja *mi vár rá* he little knows what is in store for him; ~juk *!* ~juk *!* those are known facts, you cannot teach us anything about that; *az iratokból* ~juk we know it from the documents; *mint* ~juk as we (all well) know, as is well known; *úgy* ~ja *(hogy)* have reason to believe (that); *úgy* ~ják *hogy Budapesten van* he is believed to be in B.; *úgy* ~om *hogy Angliában van* I understand he is in England; *nem hogy ilyesmi előfordul* I have known it happen; ~ok *olyan esetről is amikor verekedésre került köztük a sor* I have known them come to blows; ~ja *hogy mit akar* he knows what he wants, he knows his own mind; *ő* ~ja *miért* for reasons of his own; *ki* ~ja? who knows?, who can tell?, *[a választ]* who knows the answer?, *[tűnődve]* I wonder!; *honnan* ~jam? how should I know!, search me! *(fam); a jóisten* ~ja! God only knows; *szeretném* ~ni *miért ?* I wonder why?, I should like to know why?; ~ni *kívánja/akarja hogy* desire/demand to know whether . . . .; *mit lehet/lehessen* ~ni there is no knowing/saying/telling, you/one never can tell, who knows?; *ha éppen* ~ni *akarod* if you care to know, if it is any of your business; *magának is* ~nia *kell hogy nem igaz* you must know that it is not true; *mit* ~od *?* how can you tell?; *mit* ~om *én ?* how do/should I know?, how can I tell?; *most már* ~om now I know what I wanted to know, now I know what to think; *amennyire én* ~om as far as I know; *nem* ~om I do not know, I cannot tell, I have no idea; *nagyon jól* ~od *mire gondolok* you know (well enough) what I mean; *nem volna szabad* ~nom I am not supposed to know (about) it; *nem mintha én* ~tam *volna erről* not that I was aware of it; ~om *is én* how am I to know, haven't got the slightest idea *(fam); magam sem* ~om I wonder, that is what I should like to know, I do not know myself; *még nem* ~om I do not know yet, I have no fixed plans, I do not know what to think; *ha ... tam volna act (hogy)* had I but known; ~ok *vki aki* I know of a ...., I have heard of sy who; *nem* ~ok *róla* I know nothing of it, not that I am aware of, I am not aware of it 2. *[közbevetve]* ~od/~ják(,) *hinni sem akartam a fülemnek amikor ....* you know(,) *(v.* why) I did not want to believe my ears when ...; ~od *mit* I say, you know what, I shall tell you what; ~od *mit(,) menjünk moziba* I say(,) let us go to the pitctures, what about going to the cinema?; ~om(,) megemlegeti ezt a napot I swear to God(,) he will remember the day, I will make him rember the day(,) to be sure; jó hogy ~om I it is well that I know 3. [nyelvet, nyelven] speak, [ért vmhez] know, be good at; jól ~ angolul be good at (v. have a good command of) English, know English well, be proficient in English; nem ~ok görögül I do not know Greek, I have no Greek; ~ magyarul? do you speak Hungarian?; ~ írni-olvasni she can read and write; ~ja a leckét (átv) know the right answers (fam); nem ~tam pihenni I could get no rest; igen jól ~ja a számtant he is well up in maths; ~sz úszni? can you swim?; ~ja a verset he knows the poem; nem ~ miről beszélni be at a loss for a topic; aki ~ az ~ hats off before him; ~om amit ~ok I know what I know; ezt minden gyerek ~ja every child knows this/it; semmit nem ~ róla he does not know anything about it, he does not know the first thing about it; nem sokat ~ (biz) does not know much, be not much of a scholar, be a poor hand as a scholar 4. [hatalmában/módjában van] can, be able to do sg, have it in one's power to do sg, be in a position to do sg; nem ~ (vmt tenni) cannot, can't, can not (US); amit csak ő ~ megtenni what he alone can do; nem ~ fizetni he cannot pay; amilyen gyorsan csak ~ott as fast as his legs would carry him, with what speed he might/could; nem ~om hova tenni [emléke- zetemben] I cannot place him/you/it; ~ná ha akar- ná he could if he would

tudakol [-t, -jon] vt, ask/inquire (v. make inquiries), after/about, seek information

tudakolás n, investigation

tudákos [-at; adv -an] a, (nép) = **tudálékos**

tudákosan adv, = **tudálékosan**

tudákosság n, = **tudálékosság**

tudakozó [-t, -ja] n/a, [helyiség] inquiry office, infor- mation bureau, [ablak] information booth

tudakozód|ik [-tam, -ott, -jon, -jék] vi, ask (after, about), make inquires about, ask for information, inquire, (akitől of, amiről after/about/concerning)

tudakozódó [-t, -ja; adv -an] I. a, inquiring II. n, in- quirer; ~ iroda = **tudakozó**

tudálékos [-t; adv -an] a, pedantic, priggish, pragmat- ical, bookish, scholastic; ~ ember self-important sciolist/wiseacre, pedant, (kif) he's a regular stickler (fam)

tudálékosan adv, scholastically, pragmatically, prig- gishly

tudálékoskod|ik [-tam, -ott, -jon, -jék] vi, be a self- -styled scholar, affect scholarly airs

tudálékosság n, pedantry, priggishness, priggery, bookishness

tudás n, 1. [szellemi] knowledge, learning, erudition, scholarship, attainment, science; alapos ~ thorough/ profound/deep knowledge; angol ~a his English knowledge, his proficiency in English; elméleti ~ book-learning; könyvízű/papírszagú~ book knowledge; széleskörű ~ wide knowledge, profound learning, great erudition; a ~ hatalom knowledge is power; csodálatos nagy a ~a he is a marvel of learning; ~ kútfeje fount of knowledge; a ~ valóságos tárháza a mine of information; a legjobb ~om szerint to the best of my knowledge; nem~ (vmé) ignorance (of sg), unacquaintance (with sg); a törvény nem ~a nem mentség ignorance of the law excuses no man (v. is no excuse); ~ra vágyó/sóvárgó elme a mind starv- ing for knowledge; ~ával tüntet/kérkedik flaunt one's knowledge 2. [jártasság] skill

tudásszomj n, thirst for/after knowledge, curiousity, desire for knowledge, pursuit of knowledge, love of learning

tudású [-ak, -t] a, of . . . knowledge (ut); nagy ~ very learned, erudite, scholarly; nagy ~ ember a man of profound/great learning, a great scholar, a learned man, man of great attainment(s)

tudásvágy n, desire/craving/longing for/after knowl- edge pursuit of knowledge

tudat¹ vt, (vkvel vmt) let sy know sg, inform sy of sg, tell sy sg, acquaint sy with sg, impart sg to sy, give sy notice of sg, notify sy of sg, apprise sy of sg; kérem tudassa velem please let me know, be good enough to let me know; tudasd (velem) érkezésedet send me word of your arrival

tudat² n, consciousness, mind, awareness; tiszta ~ clear consciousness; ~ alatt unconsciously; a ~ az objektív valóság visszatükrözése mind is the reflec- tion of objective reality; abban a ~ban in the belief that, knowing that; ~ában van annak be conscious/ aware/sensible of sg, be alive to the fact that, realiz- ing sg, not unaware that; ártatlansága ~ában strong in his innocence; ~ában vagyok a hátrányoknak I am not blind to the drawbacks; nincs ~ában vmnek not to be aware/conscious of sg, be ignorant of sg; ~ánál van be conscious; ~ára ébred awake to the consciousness of sg, the consciousness of it dawns upon sy, become conscious of sg; ~ára ébreszt bring sg home to sy; helyzetének ~ára ébreszt vkt awaken sy to a sense of his position

tudatalatti n, (pszich) the subconscious

tudatalattiság n, (pszich) subconsciousness

tudatás n, notification, communication, impartment

tudatelőttes a, (pszich) foreconscious

tudatfolyam n, (pszich) stream of consciousness

tudatforma n, (pszich) form of consciousness

tudathasadás n, split/dual personality, (orv) schizo- phrenia

tudathasadásos a, [beteg] schizophrenic

tudatküszöb n, (pszich) threshold of consciousness; ~ alatti subliminal; ~ fölötti supraliminal

tudatlan a, ignorant, illiterate, uninstructed, know- -nothing, uninformed, unknowing, untaught; ~ vm- ben ignorant of, unacquainted with; ~ ember igno- rant person/fellow, ignoramus (ref.)

tudatlanság n, ignorance, nescience (ref.); boldog ~ fool's paradise; hajmeresztő ~ shocking/monumental/ crass ignorance; sötét ~ dense ignorance; ~ követ- keztében through (v. out of) ignorance; ~ a bűn szülőanyja ignorance is the parent of crime; ~ból through ignorance; ~ra valló kérdés an ignorant question; ~ra hivatkozik plead ignorance; ~ot árul el display ignorance

tudatos [-at; adv -an] a, 1. conscious; ~ lény sentient being; ~sá vált előttem I realized (that), I awoke to the consciousness of . . . ., I became aware of 2. [szándékos] deliberate; ~ kockázat calculated risk

tudatosan adv, 1. consciously, knowingly, wittingly 2. [szándékosan] deliberately

tudatosít [-ani, -ott, -son] vt, (vkben vmt) awake sy to the consciousness of, make sy conscious of, bring sg home to sy, make sy aware of; ~ vkben vmt make sy realize/understand sg, bring sg to sy's conscious- ness

tudatosítás n, 1. awakening (of sy) to the conscious- ness of sg 2. (fil) ideation

tudatosod|ik [-tam, -ott, -jon, -jék] vi, be increasingly realized

tudatosság n, consciousness, awareness, deliberateness

tudattalan, a 1. unconscious, unknowing 2. = **tudat- alatti**

tudattalanság n, unconsciousness

tudattartalom n, content of consciousness, object

tudható a, knowable, (re)cognizable, easily known (ut)

tudniillik conj, namely (röv viz = videlicet lat), that

is (to say), *(röv l. e. = id est lat)*, to wit, as a matter of fact

tudnivágyás *n*, = tudásvágy

tudnivaló I. *a*, ~ *hogy* one must know that, *[tudvalevő]* as is well-known, as is known to all II. *n*, *[felvilágosítás]* information, particulars *(pl)*, *[utasítás]* instructions *(pl)*, *[amit tudni kell]* that which should be known; *közli a ~kat* supply the required information, brief sy; *~t könyvekből összeszed* quarry information from books

tudó [-t; *adv* -an] *a*, 1. *[ésszel]* knowing; *angolul jól ~* proficient in English *(ut)*; *angolul nem ~ olvasók* readers without English; *írni-olvasni nem ~* illiterate 2. *[képes]* able (to), capable (of); *írni-olvasni ~* able to read and write *(ut)*; *nélkülözni ~* able to endure privation *(ut)*

tudomány *n*, 1. *[fogalom]* science; *alkalmazott ~ok* the applied sciences; *egy ~ ágai* branches/provinces of a science; *a ~ok doktora* Academic Doctor (of Historical Studies etc.) 2. *[tudás]* learing, knowledge, erudition; *a ~ épülete* the fabric of science; *megáll a ~a* be at one's wit's end; *nagy a ~a* be a great scholar, a learned man, be a man of profound learning; *a ~t műveli* be devoted to science, cultivate/further science

tudományág *n*, branch/division of learning/science, discipline

tudományegyetem *n*, university (of arts and sciences)

tudományellenes *a*, anti-scientific, contrary to science *(ut)*, obscurantist

tudományi [-ak, -t] *a*, of.. science *(ut)*

tudományos [-ak, -t; *adv* -an] *a*, scientific, erudite, scholarly, learned; *T~ Akadémia* the Academy of Sciences; ~ *dolgozó* scientific worker; ~ *eredmények* scientific achievements; ~ *értekezés* learned treatise; ~ *felkészültségű [ember]* scholarly; ~ *folyóirat* scientific review, learned journal; ~ *igényű [munka]* scholarly; ~ *intézmény* scientific institution; ~ *irodalom* scientific literature; *T~ Ismeretterjesztő Társulat* Society for Popularization of (Scientific) Knowledge; ~ *könyv* scientific book, scholarly work, work of scholarship/science; ~ *kutatás* expert/ scientific research/investigation; ~ *kutató* research-worker, scientist, researcher, investigator; ~ *kutatómunka* scientific research-work; *T~ Minősítő Bizottság (kb)* National Postgraduate Degree Granting Board; ~ *módszer* scientific method; ~ *munka/ kutatás* scientific work/research/investigation, scholarship; ~ *munkatárs* research worker/fellow; ~ *munkaközösség* research workers' co-operative; ~ *ösztöndíj* research fellowship/scholarship/grant; ~ *pálya* scientific career; ~ *szakkönyvtár* research library; ~ *(színezetű) fantasztikus regény* science fiction/novel; ~ *szocializmus* scientific socialism; ~ *társaság* scientific/learned society, academy; ~ *testület* scientific body, body of scholars; ~ *terminológia* nomenclature; ~ *titkár* secretary (of a scholarly/ scientific institution), secretary in charge of (the) scientific work (in ...); ~ *világ* the world of science, the literati *(lat)*; ~ *vita* scientific discussion/ argument/debate/polemic/controversy; *nem ~ =* = tudománytalan

tudományosan *adv*, scientifically, learnedly

tudományosság *n*, 1. *[jelleg]* scientific/scholarly character/quality of a. *[fogalom]* science, learning, erudition, scholarship 3. *[tudományos világ]* the world of science, the literati *(lat)*; *a magyar ~* the Hungarian world of science

tudománypártoló *n*, patron of science

tudományszak *n*, = tudományág

tudományszeretet *n*, love of science/learning, devotion to science

tudományszerető I. *a*, devoted to science *(ut)* II. *n*, friend/lover/devotee of science

tudományszervezés *n*, organization of research

tudományszomj *n*, = tudásszomj

tudománytalan *a*, unscientific, unscholarly

tudománytalanság *n*, unscientific/unscholarly character (of sg)

tudománytalanul *adv*, unscientifically

tudománytan *n*, epistemology

tudománytörténet *n*, history of science/scholarship

tudományú [-ak, -t; *adv* -an] *a*, *nagy ~* very learned, of profound/deep learning *(ut)*; *nagy ~ ember* a great scholar

tudomás *n*, knowledge, cognizance, note, notice; ~*a van vmről* have knowledge of sg, be aware of sg, know of sg, be satisfied that; ~*om van arról ...* I am not unaware that...; *nincs ~a vmről* be unaware/ignorant/uninformed of sg; *vknek ~a nélkül* without asking sy, over sy's head; ~*om szerint* to my knowledge, as far as I know; ~*om szerint nem* not that I know of, not to my knowledge; *legjobb ~om szerint* to the best of my knowledge/belief, as far as my knowledge goes, for anything I know to the contrary, of my knowledge/belief, for all I know *(fam)*; ~*ára hoz vknek vmt* communicate/ impart sg to sy, give notice of sg to sy, inform sy of sg, bring sg to sy's knowledge, make sg known to sy, post sy up with sg *(fam)*; *szíves ~ára hozom* I let you know, *(ker)* I beg *(v.* I have the pleasure) to inform/notify you, I have the honour to inform/ apprise you of, I have the honour to make it known to you *(v.* bring it to your knowledge/notice); *vknek ~ára jut* come to sy's knowledge, become known to sy; ~*omra jutott hogy ...* it has come to my ear that ...; ~*ára jutott az a tény hogy* the fact came to his notice that; ~*t szerez vmről* get/obtain knowledge of sg, get to know of sg, come to hear of sg; ~*sal bír vmről* be aware of sg, know about sg, have cognizance/knowledge/notice of sg, be privy to sg

tudomásul *adv*, ~ *vesz vmt* take notice/cognizance of sg, note; *nem vesz vmt ~* take no notice of sg, pass unmarked, overlook sg; *nem veszi ~* ignore, blink (at), pass up *(US)*, *[vk jelenlétét]* cut sy dead; *vedd ~ (hogy)* I would have you know; *hallgatólag ~ vesz* understand tacitly, acquiesce (in sg); *örömmel vesz ~* be glad to know/learn; *leveléből ~ vettük* we learned/understood from your letter; ~ *vettük rendelését (ker)* we have noted your order; *szíves ~ for* your kind information; ~ *szolgál* approved, passed, filed, O.K. *(US)*

tudomásulvétel *n*, acknowledgement, cognizance, *[hallgatólagos]* acquiescence; *szíves ~ végett* for your kind information/approval, *(ker)* we have the pleasure to inform *(v.* let you know); *ítélet ~e (jog)* acceptance of a judgement

tudor [-ok, -t, -a] *n*, † doctor

tudori [-ak, -t] *a*, ~ *értekezés* doctor thesis; ~ *fok (kb)* Master's Degree

Tudor-ív *n*, *(épít)* Tudor arch, four-centred arch, depressed arch

tudós [-ok, -t, -a; *adv* -an] I. *a*, erudite, scholarly, learned; ~ *asszony [bába]* midwife; ~ *gyülekezet* scientific assembly, meeting of scientists/scholars; ~ *nő* learned lady, bluestocking *(pej)*; ~ *szó* aureate/inkhorn term; ~ *társaság* Academy, scientific/learned society/body II. *n*, scientist, scholar, scientific man, man of learning/letters/science, *(ritk)* student; *nem nagy ~* be not much of a scholar, be a poor hand as a scholar; *nagy ~a volt a filológiának* he was a great don at philology; ~*hoz méltatlan* unscholarly

tudósít [-ani, -ott, -son] *vt*, give notice, inform (of), let sy know about, acquaint sy with, give information/intimation (about), advise of, send word about, *[újságban]* report; ~ vkt vmről advise/inform sy of sg; ~s érkezésedről send me word of your arrival, notify me of your arrival; *rendszeresen* ~ vmről keep sy posted about/on sg, *[újságíró rendszeresen]* cover sg

tudósítás n, 1. information, intelligence, advice, notice, notification, advertisement *(US)*; ~ szerint as per advice 2. *[újság]* news, report; ~t ír vmről report/ record sg, *[rendszeresen]* cover sg

tudósító [-t, -ja] n, 1. *(ált)* informer, informant 2. *[újságé]* reporter, (press) correspondent, pressman; *törvényszéki/bírósági* ~ court reporter; *külön* ~nk *jelenti* from our special correspondent 3. *[újságcím]* intelligencer

tudósítvány n, = tudósítás

tudósképzés n, training of scholars/scientists

tudóskodó [-t1 a, *(elít)* scholastic, pedantic

tudott [-at] a, understood; ~ dolog it is a known fact (v, matter of common knowledge), it is an understood thing that

tudta [tudtom, tudtod, tudta, tudtunk, tudtotok, tudtuk] n, knowledge; vk ~ nélkül without sy's knowledge, behind sy's back; vknek tudtára ad vmt bring sg to sy's knowledge, make sg known to sy, let sy know sg, apprise/inform/advise sy of sg; *tudtomon kívül* without my knowledge, without my being aware of the fact, not that I know of, unknown to me, behind my back; *tudtommal* to my knowledge, as far as I know, for all I know; *tudtommal senki* no one that I know of; vk tudtával *(és beleegyezésével)* with sy's knowledge/connivance (and approval)

tudtul ad vknek vmt let sy know sg, inform/apprise/ advise sy of sg, make sg known to sy, bring sg to sy's knowledge/notice, inform/notify sy of sg, give sy to understand sg, announce sg to sy, *(hiv)* promulgate, serve notice that

tudva adv, knowingly, consciously, wittingly, intentionally, deliberately; *jól ~ hogy* well-knowing that; nem ~ *(vmről)* unwitting(ly), unintentionally, unbeknown *(fam)*; ~ és akarva of sy's own free will, of sy's own accord, deliberately, intentionally, designedly, on purpose, knowingly, wittingly; ~ van it is well known, it is common knowledge, it is a well-known fact

tudvalevő a, well-known, known to all *(ut)*, of common knowledge *(ut)*; ~ *(hogy)* it is a matter of common knowledge (that), it is common property (that) *(fam)*

tufa [.. át] n, *[vulkáni]* tuff, *[mésztufa]* tufa

tufaiszap n, peat-bog

tufakúp n, *(geol)* ash-cone

tufapala n, ash-slate

tufás a, *(geol)* tufacoeus; ~ kőzetek tuffites

tuja [.. át] n, *(növ)* thuya *(Thuja)* *(tud)* arbor vitea

tujafa n, = tuja

tukánmadár n, *(áll)* toucan *(Rhamphastus)*

tukmál [-t, -jon] vt, *(vkre vmt)* force sy to accept sg, force/thrust/press/obtrude sg upon sy

túl[1] I. post, 1. *(vmn)* beyond, over, across, *[folyón, tengeren]* beyond, on the far shore of, on the other side of; a folyón ~ on the other side of the river, beyond the river 2. *[időben]* over, past; három órán ~ *[időpont]* after three o'clock, *[időtartam]*, for more than three hours; ~ van a nehezén be over the hump/worst, he has turned the corner; ~ van a krízisen be safely past the crisis; ~ van a negyvenen he is past/over *(v. has turned)* forty, he is on the shady/wrong side of forty *(fam)*; ~ van a veszélyen be past danger, be beyond *(v. out of danger; ~ van már azon he is past..., he has

already got over that; ezen már ~ vagyok *(átv)* I know better than that

II. adv, beyond, over, across; ott ~ van az erdő the wood is over there; én innen álltam(,) ő ~ I stood here(,) he over there; *mellettünk van a pék(,)* ~ról a fűszeres the baker's is next door(,) the grocer's is right across; a sarkon ~ lakik he lives (a)round the corner

III. pref, Túladtál a lovaidon? — ~. Have you got rid of your horses?—I have.

túl[2] I. adv, *[túlságos]* too (much), over-, excessively, unduly; ~ erős too strong, overpowering, *[fűszer]* too hot, *[ellenség]* superior in numbers *(ut)* ; ~ erősnek bizonyult számomra he proved one too many for me, he proved/was more than a match for me; ~ hamar too soon/quickly, overhastily, precipitately; ~ kicsi (much) too small; ~ korai premature, before the proper time *(ut)*, untimely, too soon; ~ sokan far too many; nem ~ sok(an) none too many; ~ sokat mer venture too far; ~ szép ahhoz hogy igaz lehessen too good to be true

II. pref, Túlbecsülted ezt az embert. — T~. You have overrated this man(,) haven't you?—I have.

túlad vi, 1. *(vmn)* get rid of, rid oneself of, discard, dispose of, *[árun]* sell off, get sg off one's hands; ~ készleteken *(ker)* close out holdings; ~ott a portékáján he got off his merchandise 2. *(vkn)* get rid of sy, dismiss sy, get sy off one's hands

túladagol vt, *[orvosságot]* overdose, *(műsz)* overfeed

túladagolás n, *[orvosságé]* overdosage, *(műsz)* overfeed

túladóztat vt, overtax, overrate, *(vkt, vmt)* surtax

túladóztatás n, overtaxation, over-assessment

túladunai a, *(ir)* = dunántúli

tulaezüst n, German/nickel silver, tula-metal

tulaj [-ok, -t, -a] n, □ boss, guv

tulajdon[1] [-ok, -t,] I. a, own; ~ fia one's own son; ~ szememmel láttam I have seen *(v. I saw)* it with my own eyes II. pron, ~ maga he himself, she herself

tulajdon[2] [-ok, -t, -a] 1.n, property, belongings *(pl)*, *[tulajdoni minőség]* ownership, proprietorship; állami ~ state property; állami ~ba vesz nationalize; állami/nemzeti ~ba vétel nationalization; családi ~ family property; kizárólagos ~ exclusive/sole ownership; közös ~ common/joint property, co-ownership; magyar ~ Hungarian (state) property, Hungarian--owned; művészi ~ (right of) artistic property, *[irodalmi]* literary property, *[szerzői]* copyright, dramatic rights *(pl)* ; osztott ~ severalty; szabad ~ freehold (property); személyi ~ individual/personal property; társadalmi ~ social ownership; ~ átszállása devolution of ownership; ~ visszaháramlása az adományozóra reversion of ownership in the grantor; átmegy vk ~ába go over *(v. pass)* into sy's proprietorship, pass into sy's hand; vknek ~ában van be one's/sy's property, have sg in one's possession, belong to sy; ~t átruház transfer ownership; ~t szerez acquire/obtain ownership 2. *[tulajdonság]* property, characteristic

tulajdonátruházás n, transmission/transmittance/ transfer/conveyance of property/ownership, assignment, entailment

tulajdonátruházási a, *(jog)* ~ illeték transfer duty; ~ okirat *[ingatlan]* conveyance, title-deed, *[ingó]* bill of sale

tulajdonátruházó a, *(jog)* translative; ~ végzés vesting order

tulajdonátszállás n, devolution of ownership

tulajdonfőnév n, *(nyelvt)* = tulajdonnév

tulajdoni [-ak, -t; adv -lag] a, ~ illetőség ownership competence(s); ~ kereset *[birtokossal szemben]* petitory action; ~ lap proprietorship register (of land register)

tulajdonigény *n*, claim/title to property

tulajdonít [-ani, -ott, -son] *vt*, 1. *(vknek/vmnek vmt)* attribute/ascribe/assign (sg to sy/sg), put/set down (sg to sy/sg), *[bűnt, hibát]* impute (to sy), lay to (sy's charge), *[írásművet]* fasten, father (on sy), *[jelentőséget]* attach (importance to), *[tervet]* credit (sy with); *vknek ~ja a hibát* put the blame upon sy, put the mistake down to sy; *vknek vmlyen tulajdonságot ~* credit sy with a quality; *minek ~ja azt (hogy)* to what do you ascribe the fact (that); *nagy fontosságot ~ vmnek* attach great importance to sg, set great store by sg, make much account of sg; *túlzott jelentőseget ~ saját magának/személyének* over-estimate one's own importance 2. *magának ~ vmt* claim/arrogate sg to oneself

tulajdonítás *n*, *(vknek)* attribution, ascription (to), *(vmnek)* imputation (to)

tulajdonítható *a*, *(vknek)* attributable/assignable/ascribable/due/imputable/chargeable/referable *to (ut)*; *bátorságának volt ~ (hogy)* thanks to his courage

tulajdonító eset dative (case)

tulajdonjegy *n*, property tag/label, earmark

tulajdonjog *n*, 1. proprietary rights *(pl)*, proprietorship, ownership, title, ownership of title, right of ownership; *~ fenntartásával kötött ingóvétel* hire--purchase agreement *(GB)*, instalment/conditional sale *(US)*; *~ formái* forms of ownership; *~ megszerzése* acquisition of ownership; *~ tisztázása/megállapítása* investigation of a title; *a vagyon ~a* the title to the property; *a ~ a férjre szállott át* the title devolved on the husband; *~ot átruház vkre* transfer/convery *(v.* make over) property/proprietorship/ownership *(v.* right of possession) to sy; *~ot átruházó okirat* title-deed; *~ot igazoló okmányok* documents of title 2. *[irodalmi műé]* copyright, dramatic rights *(pl)*

tulajdonjogi *a*, *~ jogvita* dispute over title to property

tulajdonképp *adv*, = tulajdonképpen

tulajdonképpen *adv*, really, properly/strictly speaking, actually, after all, as a matter of fact, in (point of) fact, in effect, to all intents and purposes; *ez ~ csak játék volt* it was all a game really; *~ mit akarsz?* what ever *(v.* on earth), do you want?

tulajdonképpeni [-e¹·, -t] *a*, proper(ly so called); *a ~ Anglia* England proper; *~ értelemben* in a proper/literal sense.

tulajdonközösség *n*, joint ownership, co-ownership, joint tenancy, co-tenancy, joint possession

tulajdonnév *n*, proper name/noun; *~ből képzett melléknév (nyelvt)* proper adjective

tulajdonnévi *a*, onomastic

tulajdonos [-ok, -t, -a] *n*, owner, proprietor, holder, possessor, *[nő]* proprietress, *[üzleté]* keeper; *jogos/jogszerű ~* rightful owner; *~ veszélyére (ker)* at owner's risk; *[igazolvány] ~ának sajátkezű aláírása* holder's signature; *~t cserél* pass into other hands, change hands/owners

tulajdonosi [-ak, -t] *a*, proprietory, proprietary, pertaining to a(n) proprietor/owner *(ut)*; *~ jogcím* title to property; *~ jogok* property rights, rights of property; *~ minőség/mivolt* proprietorship

tulajdonosnő *n*, proprietress

tulajdonostárs *n*, joint owner/proprietor, co/part--owner/proprietor

tulajdonrész *n*, portion of property

tulajdonság *n*, quality, property, attribute, feature, trait, characteristic, nature

tulajdonságjelző I. *a*, predicative; *~ melléknév (nyelvt)* descriptive adjective II. *n*, predicate

tulajdonságnév *n*, adjective

tulajdonszerzés *n*, acquisition of (interest in) property, obtaining (part-)ownership of property; *~ átruhá-*

zással acquisition of property by transfer; *~ módja* mode of acquisiton of property

tulajdonul *adv*, *~ bír* own (and possess)

tulajdonváltozás *n*, devolution of ownership

tulajdonvédelem *n*, protection of property

tulajdonviszony *n*, proprietorship, ownership, property nexus

túlárad *vi*, 1. run/brim over 2. *(átv)* overflow, gush with; *~ a szívem* my heart is overflowing; *~ az életerőtől* be bubbling over with vitality

túláradás *n*, 1. *[folyóé]* overflowing 2. *[érzelemé]* overflowing, effusion

túláradó *a*, 1. *[folyó]* overflowing 2. *(átv)* exuberant, ebullient, superabundant, brimming/bubbling over with *(ut)*, *[féktelen]* immoderate, *[egészség]* exuberant (health); *~ érzelmek* exuberance of feeling; *~ szeretettel* in an outburst of love, brimming over with affection; *~ jókedvében* bubbling over with high spirits; *~ szívvel (így szólt)* out of the fullness of his heart (he said)

túláradóan *adv*, exuberantly, ebulliently

túláram *n*, *(vill)* overcurrent, surge

tularémia [..át] *n*, *(orv)* rabbit fever, tularemia

túlbecsül *vt*, 1. overestimate, overvalue 2. *(átv)* overrate, make too much of, overprize; *~te erejét* he overrated/overtaxed/overestimated his strength; *~i a képességeit* have an exaggerated opinion of oneself; *~i önmagát* presume too much

túlbecsülés *n*, overestimate, overestimation, overvaluation

túlbeszél *vt*, *(vkt)* outtalk, talk down, talk to death

túlbiztosítás *n*, overinsurance

túlbőség *n*, overabundance, exuberance, plethora

túlburjánzás *n*, overgrowth

túlburjánz|ik *vi*, overgrow, run wild *(ref.)*

túlbuzgalom *n*, overzeal

túlbuzgó *a*, over-zealous, too/exceedingly zealous/eager, supererogatory, *[igével]* bend over backwards, *[kellemetlenül]* officious, *(vall)* bigoted

túlbuzgóság *n*, over-enthusiasm, overzeal, bustling zeal, zealotism, zealotry, officiousness, bigotry, supererogation

túlcsapongó *a*, exuberant, excessive, extravagant

túlcsigáz *vt*, overstrain, overtask

túlcsordul *vi*, 1. *(konkr)* run/brim/flow over (with sg) 2. *(átv)* overflow, overbrim, run high

túldicsér *vt*, overpraise, belaud, praise too highly

túledz *vt*, *(sp)* overtrain; *~ egy atlétát* train an athlete too fine, overtrain an athlete

túlél *vt*, 1. *(vkt, vmt)* survive/outlive sy/sg, outlast, last sy out; *~i bánatát* live down his sorrow; *~t egy politikai válságot* he lived through a political crisis; *valamennyiünket túl fog élni* he will survive us all, he will see us all out; *nem éli túl a telet* he will not outlive/outlast *(v.* live through) the winter 2. *~te önmagát [személy]* he outlives his day/time, *[dolog]* it is living on borrowed time; *~t osztályok* obsolescent classes; *a társadalom ~t erői* obsolescent forces of society

túlélés *n*, survival, survivorship

túlélési biztosítás tontine

túlélő I. *a*, surviving; *a ~ házastárs* the surviving spouse II. *n*, survivor; *a ~re száll a másik fél halálakor* it goes to the survivor on the death of the other party

túlemel *vt*, *[állni, vasúlnál]* surmount, superelevate, bank

túlemelés *n*, *[úté, vasúté]* superelevation, banking

túlemelked|ik *vi*, 1. *(vmn)* rise above/higher than, surmount, (over-)top, exceed 2. *(vkn, átv)* outshine, excel, transcend (sy in sg)

túlér *vi*, *(vmn)* overreach, outrange, outrange

túlerejű *a*, overpowering, numerically superior

túlérett *a*, overripe, over-mature, rotten-ripe, *[csak gyümölcs]* sleepy

túlérettség *n*, over-ripeness

túlérlel *vt*, overripen

túlerő *n*, numerical superiority, heavy odds *(pl)*, superior force/power/numbers *(pl)*; *az ellenség ~ben van* the enemy is superior in number; *enged a ~nek, meghajlik a ~ előtt* yield to superior numbers; *enged a ~nek* succumb to odds, yield to numerical superiority; *~vel győz* win by (force of) numbers; *~vel áll szemben* have heavy odds against oneself, fight against (great, heavy) odds, have to face superior numbers (of *sg*)

túlerőltet *vt*, overwork, overexert, overstrain, overtask; *~i a szemét* strain one's eyes; *~i magát* overtax one's powers *(v.* oneself)

túlerőltetés *n*, overwork(ing), over-exertion, over-strain, *[szellemi]* mental strain

túlértékel *vt*, = túlbecsül

túlértékelés *n*, overvaluation, overestimate, overesti-mation

túlérzékeny *a*, supersensitive, oversensitive; *~ terület (orv)* hyperalgesic area

túlérzékenyítés *n*, *(fényk)* hypersensitizing

túlérzékenyített [-et] *a*, *(fényk)* vörösre *~ [negatív-anyag]* panchromatic

túlérzékenység *n*, 1. *(ált)* supersensitiveness, oversen-sitiveness, oversensitivity 2. *(orv)* hyperaesthesia, *[szérumra]* anaphylaxis, allergy

túles|ik *vi*, 1. *[térben vmn]* fall beyond (*sg*), go farther (than *sg*) 2. *(átv)* get over (*sg*); *~ik betegségen* get over an illness, pull through; *~ik krízisen* pass through a crisis; *~ik a nehézségeken* get over dif-ficulties; *vizsgán ~ik* get/squeeze through an exam; *a legrosszabbján hamar ~ünk* the worst is soon over

túlexponál *vt*, over-expose, solarize, overtime

túlexponálás *n*, over-exposure

túlfedés *n*, overlap

túlfejlesztés *n*, over-development

túlfejlett *a*, over-developed, *[gyermek]* overgrown, precocious, *(orv)* hypertrophied

túlfejlőd|ik *vi*, over-develop

túlfeszít *vt*, 1. *(konkr)* overstrain, overstretch, *[csavart, anyát]* wrench off 2. *(átv)* *[helyzetet]* overstring, overstrain; *~i magát* overstrain/overwork/overex-haust oneself; *~i a húrt* go too far; *nem szabad ~eni a húrt* everything has its breaking-point

túlfeszítés *n*, overstrain

túlfeszített *a*, 1. overstrained, overstretched 2. *[ide-gileg]* overstrung, highly strung; *~ állapot* hyper-tension; *~ idegzetű* high-pitched/keyed, highly strung; *~ munka* overwork(ing), over-exertion, *[szellemi]* mental strain, overstrain; *~ tanulás* overstudy

túlfeszítettség *n*, overstrain, highly strung state/ condition

túlfeszültség *n*, *(vill)* overvoltage, overcharge, surge

túlfinom *a*, 1. too fine, superfine 2. *(átv)* subtle

túlfinomít *vt*, 1. over-refine, subtilize 2. *(átv)* make too subtle

túlfinomult [-at; *adv* -an] *a*, too subtle/refined, subli-mated, super-subtle *(fam)*

túlfinomultság *n*, over-refinement

túlfizet *vt*, overpay, pay too much (for), pay through the nose *(fam)*

túlfizetés *n*, overpaying, overpayment

túlfizettet *vt*, overcharge, make sy pay too much for *sg*

túlfoglalkoztatottság *n*, over-full employment

túlfolyás *n*, overflow

túlfoly|ik *vi*, overflow, run/brim over/out/off

túlfolyó *n*, spill-way/back/channel

túlfolyócső *n*, waste/outlet/leak-pipe, spill-way, *[autó-ban]* radiator overflow

túlfolyószelep *n*, overflow valve

túlforr *vi*, boil over

túlfűt *vt*, overheat

túlfűtés *n*, overheating

túlfűtött *a*, 1. overheated 2. *(átv)* exalted, feverish, *[ember]* high-keyed, overstrung; *~ ambíció* unbound-ed/vaulting ambition; *~ érzelmek* overwrought feelings; *~ légkör* surcharged atmosphere; *a hangulat ~é vált* feeling began to run high

túlgerjesztés *n*, *(vill)* overexcitation

túlhajt *vt*, exaggerate

túlhajtott *a*, 1. exaggerated, *[ár]* unduly high, exorbi-tant; *~ munka* overwork 2. *[ló]* over-driven

túlhalad *vt/vi*, 1. *[térben]* pass (beyond), go beyond, *[megelőz]* outrun, outstrip, outwalk, pass by, outdis-tance, overpass 2. *(átv)* transcend, exceed, *[jegy-zést]* be in excess of, *[összeget]* exceed, surpass, top; *ez ~ja az erőmet* it is heavier than I can bear, *[anyagilag]* it is beyond my means, it's beyond me *(fam)*, it beats/licks me *(fam)*, I cannot run to that *(fam)*; *hatáskörét ~ja* lie beyond/outside one's competence, exceed one's authority/powers; *vára-kozását ~ja* exceed *(v.* succeed beyond) one's hopes

túlhaladott [-at] *a*, *~ álláspont* outworn/antiquated *(v.* old-fashioned) conception

túlhalmoz *vt*, 1. *[munkával]* overload, overwhelm (with work), overwork, work to death, snow down/under (with work) *(fam)* 2. *(átv)* overwhelm; *dicsérettel ~* overwhelm/plaster with praises

túlhangsúlyoz *vt*, overstress, play up, mark/accent too strongly, overemphasize, overstate

túlharsog *vt*, outbellow, outmouth, outblare, rise above, be heard above

túlhevít *vt*, overheat, *[gőzt]* superheat, surcharge; *~i a vasat* burn the iron

túlhevítés *n*, overheating, *(műsz)* surcharge

túlhevített *a*, overheated, *[gőz]* superheated

túlhevítő *n*, *[készülék]* superheater

túlhevül *vi*, 1. *(konkr)* get/become overheated, *(műsz)* be (over-)heating, *[hőnfut]* run hot 2. *(átv biz)* get excited, get worked up

túlhív *vt*, *(fényk)* over-develop

túlhívás *n*, *(fényk)* over-development

túlhívott [-at] *a*, *(fényk)* over-developed (negative)

túlhordás *n*, *[szülészetben]* postponed labor

túlhúz *vt*, *[órát]* overwind, *[csavart, anyát]* wrench off

túlhűt *vt*, undercool, supercool, overcool

túlhűtés *n*, undercooling, supercooling, surfusion

-túli [-ak, -t; *adv* -an] *a*, from beyond/over *(ut)*, on the other/farther side *(ut)*, beyond (*sg*) *(ut)*, over-, trans-; *tengeren~* overseas

túli-ágy *n*, truckle/trundle-bed

túlingerlés *n*, *(orv)* overstimulation

tulipán [-ok, -t, -ja] *n*, *(növ)* tulip *(Tulipa)*

tulipánfa *n*, 1. *(növ)* tulip-tree, saddle-tree *(US)*, liriodendron *(Liriodendron)* 2. *[anyag]* bass-wood, tulip wood

tulipánhagyma *n*, tulip bulb

tulipános [-ak, -t] *a*, abounding in tulips *(ut)*

tulipántos [-ak, -t] *a*, decorated/painted with tulips *(ut)*; *~ láda* chest painted with tulips

tulipiros *a*, tulip red, fiery/bright/brilliant red, pillar--box red, red as a peony *(ut)*

túltarka *a*, motley

tulium [-ot, -a] *n*, *(vegyt)* thulium

túljár *vi*, pass, pass/go beyond, be over/past; *~ az eszén* outwit, outsmart, outreach, go beyond, turn sy's flank, outfox, outmanoeuvre, be too sharp/

smart for, get the better of, be one [too many for

túljátsz|ik vt, [szerepet] overact sg, overplay, overdo

túljegyez vt, [kölcsönt] over-subscribe

túljut vi, get beyond, pass by, overtake; ~ a nehezén be over the hump, turn the corner, be out of the wood, break the back of the task

túlkapás n, encroachment, trespass, transgression-infringement, abuse; hatósági ~ abuse of administrative authority; helyi hatóságok ~ai distortions of local authorities

túlkiabál vt, outbellow, outshout, shout/talk down, shout louder than; ~t mindenkit his voice rose above all the others

túlkiadás n, over-spending, excess (of) expenditure, deficit, additional expense, expenditure beyond (one's) means

túlkínálat n, 1. better offer/bid 2. (ker) oversupply, glutted market; termékek ~a surplus goods

túlkompenzál vt, (pszich, biol) overcompensate

túlkompenzálás n, (pszich, biol) overcompensation

túlkomplikál vt, [tervet] over-elaborate

túlkoros a, over-age, superannuated

túlköltekezés n, overspending, extravagance, waste, spending/expense/expenditure beyond measure

túlköltekez|ik vi, overspend (oneself), spend beyond measure, be over-extravagant, spend money lavishly, live beyond one's means, outrun the constable (fam)

túlkövetelés n, exaction, excessive/extreme/exaggerated claim/pretension/demand, unreasonable demand; csalárd ~ fraudulent overcharge

túllap n, 1. verso, back, reverse 2. [következő] opposite/ next/following page

túllép vt/vi, 1. [térben] overstep, step across, pass 2. (átv) exceed, transgress, transcend, go beyond, overstep; ~i a hatáskörét transgress one's competence, exceed one's power, go beyond one's powers, override one's commission; ~i a hitelét overstep one's credit, [folyószámlán] overdraw one's account; ~i jogait act in excess of one's rights; ~i az illendőség határait transgress the bounds of decency

túllépés n, [hitelé] overspending, overstepping, going beyond, [folyószámláé] overdraft; jogkör ~e transgression/misuse of authority, use of undue authority

túllicitál vt/vi, overbid, outbid, bid higher; ~ja a lapját (kárty) overcall one's hand; ~t rajtam he went me one better

túllicitálás n, (kárty) overbidding

túllő vi, overshoot, outshoot; ~ a célon overshoot/ overstep the mark, overreach oneself; a kísérlet ~tt a célon the attempt defeated its own purpose

túlmegtermékenyülés n, superfoetation

túlmegy vi, go/pass beyond, overtake, surpass, walk past, go by; ~ a határon overstep the bounds, know no bounds, carry things too far, overdo it; ez ~ minden mértéken that exceeds (v. goes beyond) all limits, that's the limit (fam), that takes the cake (fam), that is coming it too strong (fam), that's a bit (v. a little too) thick ◇; ezen túl nem vagyok hajlandó menni I draw the line there

túlmenő a, exceeding, surpassing; ezen ~en over and above that, in addition to this, beyond that

túlméret n, outsize, oversize

túlméretez vt, oversize, do sg on too large a scale

túlméretezett [-et; adv -en] a. outsize(d), oversize(d), exaggerated, overgrown, disproportionate

túlmunka n, overwork, surplus labour; abszolút ~ absolute surplus labour

túlmunkaidő n, overtime, surplus labour-time

túlmutat vi, 1. (vmn) (konkr) point beyond sg 2. (átv) have some significance beyond itself

túlműködés n, (biol) hyperfunction, hyperactivity

túlnan adv, yonder, beyond, on the other side, across

túlnépesedés n, over-population, overcrowding, congestion, overpacking; viszonylagos ~ relative surplus population

túlnépesedett [-et] a, [terület] overcrowded, over--populated; ~ városok crowded cities

túlnépesed|ik vi, get/become overcrowded/overpopulated/congested, become too densely inhabited

túlnépesit [-ett, -sen] vt, overpeople

túlnő vi/vt, (vmn, vmt) outgrow sg, [kereteit] grow too big for, grow out of

túlnövekedés n, (orv) hypertrophy

túlnövés n, (átv is) overgrowth

túlnyomás n, overpressure, [autógumiban] over-inflation

túlnyomásos a, ~ fertőtlenítő keszülék autoclave; ~ fülke (rep) pressure cabin; ~ repülőruha pressure suit

túlnyomó a, predominant, predominating, preponderant, preponderating, overwhelming, prevailing, prevalent; az év ~ részében for the best part of the year; az esetek ~ többségében in the overwhelming majority of cases

túlnyomóan adv, prevailingly, predominantly, overwhelmingly, largely; az olaszok arcbőre ~ barna dark complexions prevail among Italians

túlnyomórészt adv, in the (overwhelming) majority of cases

túlnyúlás n, overhanging, overlapping

túlnyúl|ik vi, (vmn) reach/go beyond, lap over (sg), overlap (sg), overhang (sg)

tulok [tulkot, tulka] n, (áll) steer, young bullock (Bovinae)

tulokzerge n, (áll) takin (Budorcas sp.)

túloldal n, 1. the other side; az utca ~án over the way, across the street 2. [könyvé, lapé] back, reverse, verso; lásd a ~on see back/overleaf, please turn over (röv P.T.O.); hitelesítés a ~on legalization overleaf

túlontúl adv, (altogether) too (much), (far) too much, excessively, extremely, immoderately, inordinately, unduly; ~ jól ismerem I know him all too well; ~ sok is much too much

túlóra n, overtime, over-hours; ma három túlórám volt I did three hours overtime today

túlóradíj n, overtime expenses/dues (pl), overtime--wage/pay

túlórakeret n, overtime provision

túlórapótlék n, overtime bonus

túlórázás n, overtime work, working overtime

túlóráz|ik [-tam, -ott, -zon, -zék] vi, work overtime, do overtime work, work extra hours

túloxidál vt, (vegyt) superoxidize, superoxygenate

túloz [-tam, -ott, -zon] vi/vt, exaggerate, overstate, magnify, carry too far, carry to excess, pile it on, come it (too) strong (fam), lay it on thick (fam), [divatot] go beyond, go to extremes, [szerepet] overdo, overact; nem akarok ~ni I do not want to exaggerate, to say the least of it; nem ~unk ha azt állítjuk... it is not going too far to assert/maintain (that)

túlöltöz|ik vi, overdress

túlöltözköd|ik vi, overdress, be too dressy

túlpart n, [folyóé] the opposite bank, further bank

túlpoggyász n, overweight luggage

túlpumpál n, over-inflate

túlpumpálás n, over-inflation

túlra adv, over, beyond

túlragyog vt, 1. (konkr) outshine, outblaze, excel in brightness 2. (átv) outshine, outvie, outdo

túlról adv, from over/beyond, from the other side

túlrövid a, too short

túlság n, ~ba visz vmt carry sg to excess/extremes (v. too far), overdo sg; ~ba vitt exaggerated, overdone

túlságos [-at; adv -an] a, exaggerated, excessive, extreme, exceeding, immoderate, undue, [melléknév előtt] too; ~ meleg excessive/extreme heat; ~ nagy too big

túlságosan adv, excessively, immoderately, (far) too, unduly, beyond measure; ~ bőséges over-abundant; nincs ~ elragadtatva be not over-delighted; ~ kiemel [részletet] overstress; ~ kifáraszt over-fatigue; ~ korán prematurely; ~ sokat beszél she is talking far too much; ~ nagy too big; ~ udvarias volt he was too polite by half

túlsó [-t] a, opposite, of the other side (ut), farther; a ~ házsor the opposite row of houses; ~ oldal [könyvben] adverse page; az út/utca ~ oldalán across the road; a ~ ház the house over the way; a ház az utca ~ oldalán van the house is on the other side of the street; a ~ járda the opposite pavement; a ~ part the opposite bank; ~ oldalon [könyvben] overleaf, [utcán] over the way

túlsok a, overmuch, too much/many; ~at tart magáról have an exaggerated opinion of oneself

túlsúly n, 1. (ker) overfreight, overweight, excess--weight 2. (átv) preponderance, (pre)dominance (over), prevalence, predomination; ~ba jut prevail, obtain/get/gain the upper hand, gain (the) ascendancy over; ~ban levő predominant, prevalent, preponderating; ~ban van [mérhetően] overweigh, (átv) preponderate, prevail over, (pre)dominate, be prevalent, have the upper hand, have the preponderance over sg

túlszállítás n, (ker) overdelivery, overage

túlszárít vt, (tex) overdry

túlszárnyal vt, excel, (sur)pass, outstrip, outdo, outdistance, outshine, outrun, outstrip, overshadow, transcend, put/throw into the shade (fam); sohasem szárnyalta túl korai műveit he never bettered/eclipsed his earlier work

túlszed vt, (nyomd) [sort, szöveget] overset

túlszedés n, [nyomdai] cancel matter, matter crowded out

túltáplál vt, overfeed, feed up, feed to excess

túltáplálás n, overfeeding, feeding up, stuffing (fam) gorging (fam)

túltáplált a, overfed

túlteher n, overburden, overload

túltelít vt, supersaturate, supercharge, [piacot áruval] glut

túltelítés n, supersaturation

túltelített a, supersaturated, supercharged

túltelítettség n, supersaturation

túlteljesít vt, overfulfil, outstrip, surpass, outdo, exceed, get ahead of, top, overstep the mark; ~ette felajánlását he surpassed his pledge (of work); ~i a normát surpass the norm, exceed the quotas; 20%-kal ~i a tervet overfulfil the plan by 20 per cent; 15%-kal ~ette he topped it by 15 per cent; ~ve a tervet above the target set by the plan

túlteljesítés n, over-fulfilment, above-quota production, target/goal exceeded; határidő előtt való ~ over--fulfilment of one's work ahead of schedule

túlteljesíthető a, surpassable

túlteng vi, superabound, exceed, predominate, prevail, be in excess, (növ) luxuriate, (orv) hypertrophy

túltengés n, excess, predominance, plethora, superabundance, (növ) luxuriance, (orv) hypertrophy; hatalmi ~ abuse of power, use of undue authority; ~t okoz induce hypertrophy

túltengő a, excessive, superabundant, immoderate, inordinate, exaggerated, undue; ~ önérzet immoderate/inordinate self-esteem

túlterhel vt, 1. (konkr) overcharge, overburden, overload, overfreight, [gyomrot] surfeit; ~i a gyomrát load the stomach, overfeed oneself; piacot áruval ~ oversupply/overstock/overload the market with goods, flood/swamp the market with goods 2. (átv) overtask, overtax, [adóval] overtax, [munkával] overwork, overtask

túlterhelés n, overload(ing), overstressing, overworking, overtax(ing), overcharge, overburden(ing) surfeit

túlterhelt a, overburdened, overcharged, overladen, overfraught, [munkával] overwrought, [szellemileg] overtasked, [gyomor] surfeited, satiated; ~ szív strained heart

túlterjed vi, (vmin) go beyond, run over (into), over-reach, outrange

túltermelés n, overproduction; részleges ~ partial overproduction

túltermelési a, ~ válság crisis of overproduction

túltesz I. vi, (vkn) surpass, outstrip, transcend, outshine, excel, outdo, outbid, outdistance, outvie, go one better (than sy) (fam), be one up on sy (fam), top sg (fam); ~ vkn outrival/outstrip sy, get ahead of sy; túltéve önmagukon falling over themselves (fam)

II. vt, ~i magát vmn disregard, make light of, set at nought, not mind; ~i magát a hagyományokon get over traditions, ignore traditions; ~i magát a tilalmon ignore the warning

túltőkésítés n, (pénz) overcapitalization

túltőkésített a, (pénz) overcapitalized

túltölt vt, over-fill, fill to overflowing, overcharge, surcharge, supercharge

túltöm vt, fill chock-full, overstock, overcram, overstuff, overpack, overfeed, cram too much into, [gyomrot] gorge/cram (v. stodge oneself) to excess/surfeit

túltömött a, (vmvel) overfull (of, with), overcrowded (with)

túltreníroz vi, overtrain

túltrenírozás n, overtraining

túlüt vt, [aduval] uppercut

túlvilág n, the next/other world, the hereafter, the life/world to come, after-life, other-world, post--existence; a ~on in the hereafter, in the next world; a ~ról from beyond the grave

túlvilági a, other-worldly, unearthly, of the next world (ut), ethereal, from beyond (ut), unworldly; ~ élet afterlife; ~ hango(ka)t hallott he heard a voice calling from beyond the grave

túlvilágítás n, (fényk) overexposure, overlighting

túlzás n, exaggeration, overstatement, [viselkedésben, életmódban] extravagance, [cselekvésben] overdoing, excess, [költői] hyperbole; ez ~! that is going too far, that is too much, that is overdoing it; ~ nélkül without exaggeration; ~ nélkül szólva to say the least (of it); ~ volna azt állítani hogy it would be stretching things to suggest that...; ~ba esik go too far, carry matters too far (v. to extremes), carry sg to excess, go to inordinate lengths, overstate one's case, overplay one's hand; egyik ~ból a másikba esik go from one extreme to the other; ne vigye ~ba! (biz) don't overdo it!

túlzó [-t, -ja; adv -an] I. a, excessive, exorbitant, extreme, exaggerative, exaggerated, given to exaggeration (ut), (vall) bigoted, [kifejezés] hyperbolical; ~ szavak exaggerated expressions II. n, exaggerator, magnifier, (pol) extremist, ultra(ist), hyperbolist, out-and-outer (fam)

túlzófok n, double superlative, ultra-superlative

túlzott [-at; adv -an] a, exaggerated, excessive, extreme, extravagant, overdone; ~ aggodalom over-anxiety; ~ állítás overstatement; ~ ár exorbitant/outrageous (v. unduly high) price; ~ elővigyázat over-caution;

~ **hálálkodás** profuse gratitude; ~ **igénybevétel** overstrain; ~ **igények** unreasonable demands; ~ **izgalom/felizgulás** over-excitement; ~ **kívánságok** unreasonable demands; ~ **lelkesedés** over-enthusiasm; ~ **óvatosság** excess of precaution; ~ **önbizalom** over--confidence; ~ **udvariasság** exaggerated politeness

túlzottan adv, exaggeratedly, extravagantly, inordinately, immoderately, exorbitantly, *(nyelvt)* hyperbolically; ~ **elfoglalt** overbusy; ~ **tevékeny** over-active; ~ **udvarias volt** he was too polite by half

túlzsírozott [-at; adv -an] a, *[szappan]* superfatted

túlzsúfol vt, overcrowd, cram, pack, glut

túlzsúfolt a, overcrowded, chock-full, jammed, packed (to overflowing), crammed, full to bursting *(ut)*, thronged, congested

túlzsúfoltság n, overcrowding

tumor [-ok, -t, -ja] n, tumour, growth *(fam)*

tumoros [-at; adv -an] a, tumorous

tumultuózus a, tumultuous

tumultus n, tumult, hubbub, commotion, turmoil, uproar

tundra [..át] n, tundra, permafrost

Tunézia [..át, ..ában] prop, Tunisia

tunéziai [-ak, -t] a/n, Tunisian

tunguz [-ok, -t, -a] I. a, Tungusian, Tungusic II. n, Tunguse

tunika [..át] n, tunic

Tunisz [-t, -ban] prop, 1. *[város]* Tunis 2. *[ország]* Tunisia

tuniszi [-ak, -t] a/n, Tunisian, Tunesian

tunya [..át; adv ..án] a/n, lazy, indolent, slack, inert, languid, sluggish, slothful, sloppy *(fam)*

tunyaság n, indolence, inactivity, inertia, inertness, slackness, sluggishness, sloth(fulness), torpidity, sloppiness *(fam)*

túr¹ [-tam, -t, -jon] vt, 1. *[földet]* dig, grub/turn up, *[disznó]* root, grout; **orrában** ~ pick one's nose 2. *[keresve]* search, rummage 3. **habot/tajtékot** ~ foam at the mouth with rage

túr² [-ok, -t, -ja] n, sore, *[ló hátán]* saddle-gall

túr³ [-ok, -t, -ja] n, round

túra [..át] n, excursion, tour, trip, outing, run, *[hajón]* cruise, *[gyalog]* hike *(fam)*, hiking *(fam)*

túraautó n, touring-car, tourer *(fam)*

túraautózás n, motoring

túrakocsi n, = túraautó

túrakönyv n, *[evezés]* touring book

Turán [-t, -ja] prop, Turan

turáni [-ak, -t; adv -an] a/n, Turanian

túrás n, 1. *[cselekvés]* grubbing, digging, burrowing, rooting 2. *[kis domb]* earth thrown up, mound, hillock, *[vakondé]* mole-hill/cast

túrázás n, touring, hiking; ~**ra alkalmas** roadworthy

túráz|ik [-tam, -ott, -zon] vi, tour, be/go on (a) tour, go touring, (go on a) hike, make an excursion, take a trip/outing

túráztat vt, ~**ja a motort** *(biz)* churl/race the engine

turbán [-ok, -t, -ja] n, turban

turbánliliom n, *(növ)* Turk's cap (lily) *(Lilium martagon)*

turbános [-ok, -t; adv -an] a, wearing/in a turban *(ut)*, turbaned

turbántök n, *(növ)* turban squash *(Cucurbita maxima var. turbanifera)*

turbékol [-t, -jon] vi/vt, 1. *[galamb]* coo 2. *(átv)* bill and coo, be necking *(US fam)*

turbékolás n, 1. *[galambé]* cooing 2. *(átv)* billing and cooing, necking *(US fam)*

turbina [..át] n, turbine, *[vízi]* hydro-electric gen - erator

turbinaakna n, wheel pit

turbinaház n, turbine/wheel pit

turbinalapát n, turbine blade

turbinás a, turbined, turbine-driven; ~ **légsűrít** turbo-compressor; ~ **ventillátor** turbo-ventilator blower

turbódinamó n, turbo-dynamo

turbóelektromos a, *[meghajtás]* turbo-electric

turbófúvó n, turbo-blower, blowers *(pl)*

turbógenerátor n, turbo-generator/alternator

turbókompresszor n, turbo-compressor

turbolya [..át] n, chervil, scandix, shepherd's needle, *(Anthriscus cerefolium)*

turbószivattyú n, turbo/turbine-pump

turbóventillátor n, turbo-ventilator/blower

turbulencia [..át] n, turbulence

turbulens [-ek, -t] a, turbulent, restless, unruly, tumultuous

turf [-ot, -ja] n, *[futtatás]* racing, the turf, *[versenypálya]* race-course

turfa [..át] n, = tőzeg

turfhírek n, betting-news

turgeszcens [-et, adv -en] a, *(növ)* turgid, swollen from fullness *(ut)*

turgor-nyomás n, *(növ)* turgor pressure

turha [..át] n, phlegm, rheum, spit(tle), *(tud)* mucus, sputum, *(nép)* gob

turhamirigy n, pituitary gland/body, hypophysis (cerebri)

turhás a, phlegmy, full of phlegm/spit(tle) *(ut)*; ~ **köhögés** phlegmy cough, coughing up phlegm

Turin [-t, -ban] prop, Turin

turista [..át] n, tourist, tripper, excursionist, *[városnéző]* sight-seer, *[táborozó]* camper, *[hegyi]* mountaineer, *[gyalogos]* hiker

turistabot n, staff, alpenstock

turistacipő n, walking/hobnailed/studded boots/shoes *(pl)*

turistaegyesület n, tourists' club, alpine club

turistafelszerelés n, mountain(eering)/touring/tourist's/ mountaineer's outfit/equipment, duffel *(US)*

turistahajó n, monoclass steamer

turistaház n, hostel, hospice, alpine hut, shelter-hut, rest (house)

turistajelzés n, footpath/route sign/mark, blaze

turistakirándulás n, walking-tour

turistaosztály n, tourist class

turistaság n, tourism, mountaineering

turistáskodás n, touring, hiking, mountaineering

turistáskod|ik [-tam, -ott, -jon, -jék] vi, go in for mountaineering, be a tourist, climb mountains

turistaszálló n, tourists' hotel

turista-szerencsétlenség n, mountaineering accident

turistatérkép n, tourist-map

turistavonat n, excursion train

turisztika n, tourism, hiking, *[hegymászó]* mountaineering

turkál [-t, -jon] vi/vt, 1. *(ált)* search, rummage, fumble, ransack, forage, grope, ferret, grub (about), root, rout; ~ **az ételben** pick at one's food; **orrában** ~ pick one's nose; ~ **a zsebeiben** rummage in one's pockets 2. *(átv)* **más dolgában** ~ poke one's nose into other people's business; ~ **vk múltjában** rake up sy's past

turkálás n, rummaging, searching

Turkesztán [-t, -ban] prop, Turkestan

turkesztáni dinnye honeydew melon, muskmelon

turkológia [..át] n, turcology, Turkic studies *(pl)*

turkológus n, turcologist

turkomán [-ok, -t, -ja] n, Turk(o)man

turmalin [-ok, -t, -ja] n, tourmalin(e)

turmix [-ot, -a] n, *[ital]* milk-shake

turné [-t, -ja] n, tour; ~**ra megy** go on a tour, take a company on tour

turnus *n*, turn, *[munkában]* shift, *[választási]* ballot; *az első* ~ the first ballot; *~ban dolgozik* work in relays/shifts; *háromórás ~okban csinálnak vmt* do sg in turns of three hours

turnür [-ök, -t, -je] *n*, † bustle, dress-improver

túró [-t, -ja] *n*, (cheese-)curd; *érett* ~ cottage cheese; *~t (ki)melegít* curdle

túros [-at; *adv* -an] *a*, galled, sore (skin); *közös lónak* ~ *a háta (kb)* everybody's business is nobody's business

túrós [-at; *adv* -an] *a*, curded, curdy, made with curd *(ut)* ; ~ *csusza* noodeles with cottage cheese; ~ *lepény* curd/cheese-cake; ~ *rétes* (paper-thin layers of dough baked and filled with curd), strudel

túrosod|ik [-tam,-ott,-jék,-jon] *vi*, gall, become/get sore

túrosod|ik [-ott, -jék, -jon] *vi*, *[tej]* turn, curdle

túrószsák *n*, cheese-cloth

turpisság *n*, trick, guile, wile, (artful) dodge, (piece of) trickery, foxiness

turul [-ok, -t, -ja] *n*, ⟨mythical eagle of the ancient Hungarians⟩

turzás *n*, 1. † *(bány)* prospecting *(stand.)*, costeaning, costeening 2. *[vízparti]* barrier-beach, bay-bar; *parti* ~ offshore bar

turzáskapu *n*, tidal inlet

tus¹ [-ok, -t, -a] *a*, *[festék]* India(n)/Chinese/China/ waterproof ink; *~sal kihúz* ink in/over, go over a sketch/drawing with Indian ink

tus² [-ok, -t, -a] *n*, *[zenei kb]* flourish; *~t húz vk tiszteletére* play a flourish of instruments in honour of sy, strike up to enhance/underline the ovation

tus³ [-ok, -t, -a] *n*, *[zuhany]* shower-bath

tus⁴ [-ok, -t, -a] *n*, *[puskáé]* butt(-end)

tus⁵ [-ok, -t, -a] *n*, *[vívásban]* hit, *[birkózásban]* fall; *~sal győz* win by fall

tusa¹ [..át] *n*, struggle, fight, combat, contest, tussle, fray *(ref.)* ; *lelki* ~ inward conflict, conflict of conscience

tusa² [..át] *n*, *[puskáé]* stock

tusakod|ik [-tam, -ott, -jon, -jék] *vi*, struggle, contend, fight, tussle, strive, compete, battle; *sokáig ~ott míg* he battled with his conscience for a long time till at last

tusanyak *n*, *[puskán]* small of the butt, grip

tuscsésze *n*, saucer (for Indian ink)

tusfesték *n*, = tus¹

tuskihúzó *n*, drawing/bow pen

tuskó [-t, -ja] *n*, 1. log, billet, block (of wood), stump, chump, root timber, stock 2. *faragatlan* ~ country bumpkin, boor, dolt

tuskóbak *n*, *[kandallóban]* fire-dog

tuskóláb *n*, stump/club-foot, *(orv)* talipes

tuskólábú *a*, club-foot(ed), *(orv)* taliped

tuskózás *n*, grubbing, rooting up (of tree-trunks)

tusol [-t, -jon] *vt/vi*, 1. *[leplez]* hush up, hide 2. *[zuhanyoz]* have a shower-bath

tusrajz *n*, wash/tint-drawing

tusrajzoló *n*, aquatinter

tustinta *n*, = tus¹

túsz [-ok, -t, -a] *n*, hostage, surety; *~okat szed* take hostages

tuszkol [-t, -jon] *vt*, push (sy with one's hands), shove, thrust, press/urge on

tuszul *adv*, ~ *ad* give as hostage

tutaj [-ok, -t, -a] *n*, raft, float; *légtömlős/felfújható* ~ air raft; *partraszálló* ~ assault craft

tutajfa *n*, drift/raft-wood, float(ed) timber

tutajhíd *n*, bridge on/of rafts, float-bridge

tutajkormányos *n*, river-driver

tutajos [-ok, -t, -a] *n*, raftsman, river-driver, rafter

tutajoz [-tam ,-ott, -zon] *vi/vt*, float, raft, float/drive/ run timber (down a stream)

tutajozás *n*, floatage

tutajozható *a*, *[folyó]* floatable

tutajvezető *n*, floater

tutenág [-ot, -a] *n*, tutenag(ue)

tutla [..át] *n*, *(vegyt)* tutty

tútor [-ok, -t, -a] *n*, tutor

tutul [-t, -jon] *vi*, toot, hoot, sound horn, *[kutya]* howl, bay at the moon

tutyi [-t, -ja] *n*, carpet slippers *(pl)*

tutyi-mutyi [tutyi-mutyit; *adv* tutyi-mutyin] *a/n*, weakling, mollycoddle, muff, dodderer

túzok [-ot, -ja] *n*, *(áll)* bustard *(Otis)* ; *jobb ma egy veréb mint holnap egy* ~ a bird in hand is worth two in the bush, a bit in the morning is better than nothing all day

tű [-t, -je] *n*, 1. *[varró, kötő, stoppoló]* needle, *[gombos és más]* pin, *[nyakkendő]* stickpin; *egy levél* ~ needle-book, packet of needles; ~ *foka* eye (of needle); ~ *vágata* groove (of needle); *~be fűz* thread needle; *~kön ül* be on pins and needles, be/sit on thorns, be on the rack, be on tenter-hooks, be like a cat on hot bricks; *~re tűz* pin; *kiveszi a ~ket vmből* unpin sg; *~vel felerősít* pin up; *~vel kipiszkál* prick/clean (sg) out (with a pin); *~vé tesz vmért vmt* ransack sg, search sg from top to bottom for *(v.* to find) sg, search every nook and corner for; *~vé teszi a szobát vmért* turn the room upside down for sg 2. *[fenyőé]* pine-needle; ~ *alakú* needle-shaped, *(tud)* acicular, aci(culi)form

tűágy *n*, *(tex)* needle bed, *[hurkolóipari gépeken]* needle bar

tűbefűző *n*, *[szerszám]* (needle-)threader

tűbing [-et, -je] *n*, tubing, iron lining

tűbinggyűrű *n*, (tubing) ring

tűbingköpeny *n*, skin of lining

tűcsináló *n*, needle-maker, pinmaker

tűcsipke *n*, needle/point-lace

tűcsök [tücsköt, tücske] *n*, *(áll)* cricket *(Gryllidae)* ; *házi* ~ house-cricket *(Gryllus domesticus)* ; *mezei* ~ field cricket *(Liogryllus campestris)* ; *tücsköt bogarat összebeszél* talk rubbish

tűcsökciripelés *n*, chirping of the cricket

tűcsökmadár *n*, *(áll)* warbler *(Locustella sp.)*

tüdő [-t, -je] *n*, 1. lung(s), *(összet)* pulmonary; *jó tüdeje van* have good lungs *(pl)* ; *a bal tüdeje meg van támadva* his left lung is affected; *gyenge a tüdeje* have a weak chest; *teli ~ből ordít/kiabál* shout at the top of one's lung; *kikiabálja a tüdejét* shout oneself out of breath; *~vel kapcsolatos (bonct)* pulmonary; *bírja ~vel* have a long wind; *tele ~vel szívja a levegőt* draw a deep breath 2. *[levágott állaté]* lights *(pl)*

tüdőartéria *n*, *(bonct)* pulmonal artery

tüdőbaj *n*, chest/lung trouble/complaint/disease, (pulmonary) consumption, pulmonary complaint, tuberculosis *(röv* T.B.) phthisis; ~ *elleni* antitubercular; *~t kap* go into consumption

tüdőbajos *a/n*, consumptive, pulmonic, pulmonary, phthisical, *[főnévvel]* lunger *(US fam)*

tüdőbénulás *n*, paralysis of the lungs

tüdőbeteg *a/n*, = tüdőbajos

tüdőbeteg-gondozó *n*, ~ *(intézet)* institute for tuberculosis, dispensary for consumptive patients, T.B. hospital/clinic/department/dispensary

tüdőbeteg-gyógyintézet *n*, = tüdőbeteg-szanatórium

tüdőbetegség *n*, = tüdőbaj

tüdőbeteg-szanatórium *n*, sanatorium *(v.* nursing home) for consumptives, T.B. sanatorium

tüdőcsúcs *n*, tip/apex of the lung, *(tud)* apex pulmonis

tüdőcsúcs-hurut *n*, catarrh of the apex pulmonis, catarrh of the apex of the lung, apical lesion, apicitis

tüdőembólia *n*, pulmonary embolism

tüdőfolyamat n, lung/pulmonary involvement, lung-damage

tüdőfű n, (növ) pulmonaria, lungwort (Pulmonaria officinalis)

tüdőgimnasztika n, pulmonic/pulmonary exercises/gymnastics (pl)

tüdőgondozó n, T.B. clinic/centre/dispensary; ld még tüdőbeteg-gondozó

tüdőgumó [-t, -ja] n, tuber(cle)

tüdőgümőkór n, tuberculosis of the lungs, pulmonary tuberculosis

tüdőgyógyászat n, phthisiotherapy

tüdőgyulladás n, pneumonia, lung-inflammation, inflammation of the lungs, pneumonitis, pulmonitis, [gócos, hurutos] bronchopneumonia, bronchial/catarrhal/lobular pneumonia; ~ és mellhártyagyulladás (orv) pleuro-pneumonia; hurutos ~ catarrhal/broncho-pneumonia; egyoldali ~ single pneumonia; kétoldali ~ double pneumonia; lebenyes ~ lobar pneumonia; vírusos ~ virus pneumonia, pneumonitis; ~sal fekszik he is down with pneumonia

tüdőgyulladásos a, pneumon(it)ic

tüdőhártya n, pleura

tüdőhólyagocska n, pulmonary vesicle, air-cell

tüdőhurut n, bronchitis, catarrh of the lungs, cold on the chest, chest cold

tüdőirtás n, pneumonectomy

tüdőkapacitás-mérő n, (orv) spiroscope

tüdőkaverna n, (orv) vomica

tüdőlebeny n, lobe of the lung

tüdőlob n, = tüdőgyulladás

tüdőlövés n, shot in/through the lung

tüdőmetszés n, pulmonectomy, pneum(on)ectomy

tüdőoperáció n, = tüdőmetszés

tüdőödéma n, = tüdővizenyő

tüdőpangás n, pulmonary congestion

tüdőpunkció n, tapping of lung, pneumocentesis

tüdőrák n, pulmonary/lung cancer

tüdőröntgen n, [kép] pneumonograph

tüdős [-ek, -t] a/n, 1. = tüdőbajos; 2. ~ táska ravioli (filled with minced lights)

tüdősorvadás n, (pulmonary) consumption, phthisis

tüdőszakorvos n, chest/lung specialist

tüdőszanatórium n, T. B. sanatorium; ld még tüdőbeteg-szanatórium

tüdőszárny n, lobe of the lung, lung, one of the two lungs

tüdőszövet n, tissue of the lung(s)

tüdőszűrés n, x-ray screening, pulmonary screening, chest examination, chest x-ray

tüdőszűrő a, ~ vizsgálat = tüdőszűrés

tüdőtágulás n, (pulmonary) emphysema, aeroemphysema

tüdőtágulásos a, emphysematous

tüdőtályog n, abscess in the lungs, pulmonary abscess

tüdőtöltés n, (artificial) pneumothorax

tüdőtuberkulózis n, (pneumono)phthisis, pulmonary tuberculosis

tüdőüreg n, vomica

tüdőventilláció n, pulmonary ventilation, respiratory minute volume

tüdőverőér n, (bonct) pulmonary artery

tüdővérömlés n, pneumor(r)hagia, haemorrhage of the lungs

tüdővérzés n, haemorrhage of the lungs, pulmonary apoplexy, pneumorrhagia

tüdővész n, pulmonary consumption, tuberculosis (röv T.B.), phthisis; heveny ~ galloping consumption; ld még tuberkulózis

tüdővészellenes a, antitubercular

tüdővészes a, consumptive, tubercular, tuberculous, phthisical, pulmonic, pulmonary

tüdővészhalandóság n, tuberculosis mortality, death-rate of tuberculosis

tüdővizenyő n, (o)edema of lungs, pulmonary (o)edema, pneumon(o)edema, wet lung

tűdrót n, pin-wire

tűfej n, needle head, pin-head

tűfestés n, [hímzés] tapestry weaving

tűfogó n, (orv) needle-holder

tűfok n, eye (of needle)

tűhal n, (áll) pipe-fish (Syngnathus acus)

tűhegy n, needle/pin-point, point of needle/pin

tűhuzal n, pin-wire

tűkészítés n, pin/needle-making

tűkészítő n, pinmaker, needler

tűkopás n, needle wear

tükör [tükröt, tükre] n, 1. (looking-)glass, mirror, (orv) speculum; visszapillantó ~ [gépkocsin] window-mirror, rear-view mirror; sima mint a ~ as smooth as glass/ice; a víz tükre surface of water; az irodalom kis tükre short survey of literature; ~ben nézi magát look at oneself in a mirror 2. [szmókingon] (silk, velvet) facing, lapel, revers (of dinner-jacket), [rőtvadon] undertail 3. (nyomd) make-up (area), type-area 4. (orv) level

tükörablak n, plate-glass window

tükörasztal n, lady's dressing table, console/pier-table

tükörbeli a, in the looking-glass (ut), reflected in a mirror (v. looking-glass) (ut)

tükörboltozat n, (épít) coved vault with panel, cavetto vault

tükörcsináló n, mirror (v. looking-glass) maker, cutter/silverer/mounter of mirrors

tükörcsiszoló n, polisher of mirrors, plate-glass polisher/burnisher

tükörezüstözés n, silvering of mirror

tükörfelület n, 1. glassy/smooth/reflecting/reflective surface, [kicsi] facet 2. surface smooth as glass

tükörfény n, lustre, mirror brilliance

tükörfényes a, lustrous, brilliant, with a mirror-like polish (ut), mirror-polished, as bright as a button/sixpence (ut) (fam); ld még tükrös

tükörfényességű a, extra/mirror-bright

tükörfényez vt, glaze, polish

tükörfényezés n, glazing, brilliant polish, glossy finish

tükörfolyosó n, gallery of mirrors

tükörfordítás n, (nyelvt) calque (fr), metaphrase

tükörírás n, mirror writing

tükörkamera n, (fényk) reflex camera

tükörkép n, image reflected (v. thrown back) by mirror, reflection in a mirror

tükörkép-kristály n, enantiomorphous crystal

tükörkereső n, (fényk) reflecting view-finder

tükörkeret n, frame of looking-glass (v. mirror)

tükörkészítő n, = tükörcsináló

tükörlap n, mirror plate

tükörmáz n, silvering (for mirrors), [foncsor] foil, tain

tükörméret n, [nyomdai] make-up area, type-area

tükörmondat n, palindrome

tükörpala n, specular schist

tükörponty n, (áll) mirror carp (Cyprinus carpio)

tükörreflexes a, ~ fényképezőgép reflex camera; egyaknás ~ gép single lens reflex camera; kétobjektíves ~ fényképezőgép twin lens reflex camera; ~ kereső [fényképezőgépen] reflex view-finder

tükörsík n, (ásv) symmetry plane

tükörsíma a, (as) smooth as glass/ice; ~ volt a tenger the sea was as calm as a mill-pond

tükörszekrény n, mirror wardrobe, wardrobe with mirror

tükörszerű a, glassy

tükörszó n, semantic borrowing, translation loan, calque (fr)

tükörterem *n*, hall of mirrors
tükörtojás *n*, egg on the plate, egg fried in butter, fried egg(s)
tükörüveg *n*, plate-mirror/glass
tükörüveglemez *n*, mirror plate
tükörvas *n*, *(koh)* spiegeleisen, mirror iron
tükristály *n*, *(ásv)* crystalline needle, *[sejtben]* raphide
tükrös [-et, -t; *adv* -en] I. *a*, 1. mirror-, (looking-)glass, with mirror *(ut)*; ~ *leolvasás* mirror reading; ~ *szekrény* mirror wardrobe; ~ *távcső* reflecting telescope, reflector 2. *[ruha viseléstől]* shiny (with wear) 3. *(mért)* symmetrical II. *n*, cutter/silverer/ mounter of mirrors
tükröz [-tem, -ött, -zön] *vt/vi*, 1. reflect, mirror, send/ throw/flash back (light); *nem ~né a valóságos helyzetet* would not reflect the situation/facts 2. *[fémet]* burnish, buff 3. *(orv)* examine with a speculum
tükrözés *n*, 1. reflection, reflexion, reflecting 2. *(orv)* examination with speculum, *(összet)* -scopy
tükrözési [-ek, -t] *a*, ~ *elmélet* theory of reflection
tükröző [-t; *adv* -en] *a*, reflecting, reflective, mirroring
tükröződés *n*, reflection, reflexion, reflecting, *[légköri jelenség]* mirage
tükröződik [-tem, -ött, -jön, -jék] *vi*, be reflected/mirrored, be sent/thrown back; *a hegyek ~nek a tó vizében* the mountains are mirrored/reflected in the water of the lake; *meglepetés ~ött arcán* he *(v. his face)* showed/registered surprise
tükröződő *a*, ~ *felület* specular surface
tülekedés *n*, jostling, shouldering, elbowing, scrimmage, struggle, scuffle, scramble, general rush; ~ *egy állásért* intense rivalry *(v. keen competition)* for a post/appointment
tülekedik [-tem, -ett, -jen, -jék] *vi*, jostle, shoulder, elbow one's way, scuffle, struggle, *(vmért)* scramble for *sg*, *[vm felé]* rush for, scurry towards
tűléc *n*, *[hurkolóipari gépeken]* needle-bar
tűlevél *n*, pine-needle
tűlevélszerű *a*, *(növ)* acerose
tűlevelű I. *a*, with acicular/acerose leaves *(ut)*, *[toboztermő fa]* coniferous; ~ *erdő* coniferous wood II. *n*, ~ek conifers *(Coniferae)*
tülköl [-t, -jön] *vi*, 1. *(ált)* blow/sound/wind a horn 2. *[autó]* hoot, toot, honk, clonk
tülkölés *n*, 1. *(ált)* sounding the horn, horn-blowing, blowing the horn 2. *[autóé]* hooting, tooting, clonking, honk(ing)
tüll [-ök, -t, -je] *n*, tulle, net; *sima* ~ plain net; *mintás* ~ figured/fancy net
tüllcsipke *n*, net lace
tüllfüggöny *n*, tulle curtain
tüllhímzés *n*, tulle embroidery
tüllmunka *n*, tulle embroidery
tülök [tülköt, tülke] *n*, 1. *(zene)* horn 2. *[autóé]* (klaxon-)horn, hooter
tűmező *n*, *(tex)* set of fallers
tünde [.. ét] *a*, 1. ⇒ tünékeny; 2. *[légies]* ethereal
tündér [-ek, -t, -e] *n*, fairy, elf, pixy, pixie, fay, sprite, (hob)goblin; *a ~ek* the little/good people
tündéralom *n*. 1. fairy-dream 2. *[ábránd]* day-dream
tündérfürt *n*, *(növ)* goat's-beard *(Spirea uimaria)*
tündéri [-ek, -t; *adv* -en] *a*, fairy(-like), elfish, enchanting, entrancing, magic; ~ *szépség* enchanting beauty; ~ *fényben úszik* be ablaze with magic light, be brightly illuminated; ~ *látvány* enchanting/bewitching *(v. fairy-like)* sight
tündérjáték *n*, fairy feature/play
tündérkastély *n*, fairy castle
tündérke *n*, little fairy
tündérkert *n*, enchanted garden, fairy forest
tündérkirály *n*, fairy-king, the king of the elves
tündérkirályfi *n*, fairy-prince

tündérkirálynő *n*, fairy-queen, Queen Mab
tündérkisasszony *n*, fairy-princess
tündérleány *n*, fairy
tündérmese *n*, fairy-tale/story/lore
tündérország *n*, fairyland, elfland
tündérpalota *n*, fairy/enchanted/magic palace/castle
tündérrege *n*, fairy-tale/story
tündérrózsa *n*, = tavirózsa
tündérszép *a*, entrancing, of a fairy-like beauty *(ut)*, enchanting
tündértánc *n*, fairy dance, dance of fairies
tündérujjak *n*. *pl*, fairy fingers
tündérvasút *n*, scenic railway
tündérvilág *n*, fairyland, world of the fairies, elfland
tündöklés *n*, 1. *(konkr)* glittering, splendour, brilliance, refulgence, resplendence, glare, glaring, sparkle, sparkling, glistening, gleam(ing) 2. *(átv)* radiance. gleam; *az arc ~e* the glow/radiance of the face 3. *(átv) a birodalom ~e és bukása* rise and fall of the empire
tündöklik [-eni, .. költem, -ött, .. költjön, .. köljék] *vi*, 1. *(konkr)* glitter, sparkle, glisten, shine 2. *(átv)* beam, gleam, shine, be resplendent; *távollétével ~ik (biz)* be conspicuous by one's absence
tündöklő [-t; *adv* -en] *a*, 1. *(konkr)* resplendent, refulgent, shining, gleaming, brilliant, sparkling, glistening 2. *(átv)* glorious, radiant; ~ *fiatalság* radiant youth
tündököl [-t, -jön] *vi*, = tündöklik
tünedezik [-tem, -ett, -zen, -zék] *vi*, 1. begin to (dis)-appear/vanish, be (slowly, gradually) (dis)appearing 2. *[lassan eltűnik]* fade (away, out, gradually), die away, melt into thin air *(fam)*
tünékeny [-et; *adv* -en] *a*, passing, fugitive, ephemeral, flee(t)ing, transient, evanescent, fugacious
tünemény *n*, 1. *[jelenség]* phenomenon 2. *[kísértet]* apparition, spectre, vision
tüneményes [-ek; *adv* -en] *a*, phenomenal, prodigious *(fam)*, amazing, stupendous *(fam)*, extraordinary; ~ *gyorsaság* lightning speed; ~ *pályafutás* prodigious/brilliant/meteoric career
tüneményesen *adv*, prodigiously, amazingly, stupendously
tünet *n*, symptom, sign, mark, token, indication, point; *bevezető* ~ inaugural symptom; *kísérő* ~ concomitant sign; ~*et okoz* produce symptom(s)
tünetcsoport *n*, syndrome
tünetegyüttes *n*, syndrome
tüneti [-ek, -t; *adv* -leg] *a*, symptomatic; ~ *kezelés* symptomatic/palliative/lenitive treatment
tünetileg *adv*, symptomatically; ~ *kezel egy bajt* treat a disease symptomatically
tünetmentes *a*, symptomless, symptom-free
tünettan *n*, sem(e)iology, symptomatology
tűnik [-t, -jön] *vi*, 1. *[látható lesz]* appear, come into sight, become visible, break upon the eye, strike the eye 2. *[eltűnik]* disappear, vanish, *[fájdalom]* cease; *nem tudom hova ~t* I do not know where he is gone to, I do not know where he/it has disappeared to 3. *[látszik]* seem, look; *úgy ~ik neki* it seems to him; *eleinte ez nehéznek ~ik* this may strike you as difficult at first; *milyennek ~t neked?* how did it/she strike you?, how did she look?; *úgy ~ik nekem mintha...* it looks to me as if...; *a történet hihetetlennek ~ik* the tale seems incredible
tűnő [-t; *adv* -en] *a*, passing, flee(t)ing, evanescent, fugitive, vanishing, fading, disappearing, *[hatalom, szépség]* on the vane *(ut)*, perishable
tűnődés *n*, reflection, meditation, musing, brooding, pondering, rumination, speculation, (brown) study
tűnődik [-tem, -ött, -jön, -jék] *vi*, reflect (on), meditate, muse, ponder, speculate, ruminate, brood

(over), be puzzling (over), break one's head; *azon ~öm* I wonder (whether), I was debating in my mind; *~ni kezd vmn* fall into a muse over sg; *soká ~ik egy terven* ruminate on/over/about a plan

tünődő [-ek, -t] *a,* meditative, ruminative, speculative, musing

tüntet I. *vi,* 1. *[vm mellett/ellen]* demonstrate, manifest, make/hold a (public) demonstration; *~ a béke mellett* demonstrate for peace 2. *(vmvel)* make a show of sg, show off, display, parade, flaunt; *távollétével ~* keep away ostentatiously, be conspicuous by one's absence II. *vt, [eltüntet]* make disappear, put out of sight; *hova ~ted a tollamat* where have you put my pen

tüntetés *n,* 1. demonstration, (mass) manifestation, *[tiltakozó]* protest meeting 2. *(vmvel)* show, display, parade, ostentation

tüntető [-t, -je; *adv* -en] I. *a,* demonstrative, ostentatious, ostensive; *~ felvonulás* march of demonstrators II. *n,* demonstrator, participator in a demonstration

tüntetően *adv,* ostentatiously; *~ bezárkózik* deny one's door, *[diák egyetemi kollégiumban]* sport one's oak; *~ távol tartotta magát* he kept himself ostentatiously away, he kept to himself *(fam)*

tűosztás *n, (tex)* gauge

tűpárna *n,* pincushion

tűpénz *n,* pin-money

tűr¹ [-t, -jön] I. *vi,* have/exercise *(v.* endure with) patience, suffer; *békésen ~* bear one's injuries with meekness and patience, exercise patience, possess one's soul in patience

II. *vt,* endure, suffer, bear, stand, put up with, tolerate; *jól ~i* take it in good part; *nem ~i hogy* he won't have it; *mosolyogva ~i a csapásokat* meet calamities with a smile; *nem ~ vmt* not to permit of sg; *nem ~ egy gyógyszert* be intolerant of a drug; *nem ~ halasztást* it allows/brooks/permits of no delay; *nem ~te a port sehol* she was death on dust; *nem ~öm az ilyen viselkedést* I will not have such conduct; *(ezt) nem ~öm !* I will have none of it, I bar that, I won't stand *(v.* put up with) it any longer; *nem ~ök engedetlenséget* I won't be disobeyed

tűr² [-t, -jön] *vt,* 1. *[gyűr]* crumple 2. *ingujját könyöke fölé ~te* he rolled his skirt sleeves up over his elbows

türelem [.. lmet, .. lme] *n,* patience, forbearance, *(vall, pol)* tolerance; *a ~ rózsát terem* everything comes to him who waits; *nincs türelme hozzá* have no patience with; *kifogy a ~ből* lose *(v.* get out of) patience, his patience is exhausted *(v.* at an end); *kihozza a türelméből* put sy out of patience; *kihozott a türelmemből* he put me out of patience; *nagyobb ~re és jóindulatra van szükség mindkét részről* there is a need for more patience and goodwill on both sides; *csodálatos türelmet tanúsított* he showed beautiful patience; *próbára teszi az ember türelmét* try/tax sy's patience; *~mel van* have patience, be patient; *légy ~mel* have patience; *~mel visel vmt* bear sg patiently, put up with sg; *visszaél vknek a türelmével* overtax sy's patience

türelemjáték *n,* 1. puzzle, *[kirakós]* jig-saw puzzle 2. *[munkáról]* fiddling job

türelempróba *n,* test of patience, taxing/trying one's patience

türelmes [-et; *adv* -en] *a,* patient, forbearing, tolerant, uncomplaining; *~ vkvel szemben* have patience with sy, forbear with sy

türelmesen *adv,* patiently, tolerantly; *~ vár* wait patiently

türelmesség *n,* patience, forbearance, tolerance, *(vall)* toleration

türelmetlen *a,* impatient, restless, restive, *[igével],* want/lack patience, *(vall, pol)* intolerant, *(átv)* eager (to do sg), itching (to do sg) *(fam); de ~ vagy!* what a hurry you are in!; *~ mozdulat* an impatient gesture

türelmetlenked|ik [-tem, -ett, -jen, -jék] *vi,* lose patience, get/grow impatient/fretful/fidgety/restless, show signs of impatience, *[hogy megkapjon vmt]* be impatient for sg, *[hogy tehessen vmt]* be impatient to do sg

türelmetlenség *n,* impatience, *(vall)* intolerance, *(átv)* eagerness

türelmetlenül *adv,* impatiently, intolerantly, eagerly, with eager expectation *(ut); ~ várja hogy megkapjon vmt* be impatient to get sg, be impatient for sg; *~ várja hogy megtehessen vmt* be all agog to do sg, be impatient to do sg

türelmi [-ek, -t] *a,* of toleration/tolerance *(ut); ~ idő* days of grace; *~ rendelet (tört)* edict of tolerance

türemlés *n,* 1. fold, crease, crinkle, turn, plait, turning/tucking up 2. *(geol)* fold of the ground 3. *[rügyben]* vernation

türeml|ik [-eni, -ett, -ene, -enék] *vi,* crease, fold, turn up, warp

tűrés¹ *n,* 1. *(ált)* patience, bearing, suffering, sufferance, endurance, *(vall, pol)* toleration, tolerance 2. *(műsz)* tolerance; *legnagyobb ~* maximum permissible/allowable tolerance; *kopási ~* wear allowance; *megengedett ~* allowance

tűrés² *n, [gyűrés]* crumpling

tűrésfok *n, (műsz)* degree of freedom/tolerance

tűrési [-ek, -t] *a, ~ határ* limit of tolerance; *~ szolgalom (jog)* negative easement

tűrés-tagadás *n, ml ~* to tell the truth, there is no getting away from it

tűrhetetlen *a, [fájdalom]* unbearable, beyond/past bearing/endurance *(ut),* unendurable, *[szemtelenség]* insufferable, not to be borne *(ut), [viselkedés]* intolerable, insupportable, it cannot be tolerated *(ut); ~ fájdalom* excruciating/unbearable pain; *~né teszi vknek az életét* make sy's life a burden

tűrhetetlenül *adv,* intolerably, past endurance

tűrhető *a,* passable, supportable, tolerable, bearable, endurable, fairly/pretty good, so-so *(fam),* (fair to) middling, goodish *(fam), [kézírás, osztályzat]* fair; *ez még csak ~* it is not half bad, I have nothing to say against it

tűrhetően *adv,* passably, tolerably, fairly, so-so *(fam); ~ énekel* she sings well enough; *hogy vagy? — ~* how are you?—middling

türk [-öt, -je] *n, [ember, nyelv]* Turk, Turkic

türkiz [-ek, -t, -e] *n,* turquoise

türkizkék *a/n,* turquoise(-blue)

türkmén [-ek, -t, -je] I. *n,* Turk(o)man II. *a,* Turkmenian, Turk(o)man; *T~ Szovjet Szocialista Köztársaság* Turkmen Soviet Socialist Republic

tűrő [-t] I. *a,* suffering, patient II. *n,* sufferer

tűrőképesség *n,* tolerance

tűrőképességű *a, kis ~ [növény]* stenoecious (plant); *nagy ~ [növény]* euryecious (plant)

türömfű *n,* 1. *(tréf)* patience 2. *(növ)* parella *(Rumex patientia)*

türömolaj *n, (tréf)* (the balm of) patience

tűrt [-et; *adv* -en] *a, ~ kopás* admissible wear

türtőztet *vt,* restrain, keep back, keep in check, *[érzést]* repress, keep under control, *[szenvedélyt]* temper; *~i magát* contain/control/possess/restrain oneself, hold oneself back/in, withhold one's hand, put a curb on one's tongue/impatience, keep cool/calm, keep one's temper; *alig tudtam ~ni magam hogy ne nevessek* it was all I could do to keep from laughing, I could hardly restrain my mirth; *nem ~i magát* he lets himself go, he does not pull his punches *(US fam)*

türtőztetés *n,* (self-)restraint, *[szenvedélyé]* tempering

tűs [-ek, -t] *a,* 1. ~ *hangleszedő* needle pick-up 2. *(vízép)* ~ *gát* needle-dam/weir

tűsarkú *a, [cipő]* pin/pencil-heeled

tűsarok *n,* pin/stiletto heel, needle-point heel

tűshenger *n, (tex)* friezing cylinder

tűske *n,* 1. *(növ, áll)* thorn, prick(le), sting, spine, spike, bristle, *[kicsi]* spinule, *[sündisznóé]* quill, spine; ~ *alakú* thorn-shaped, *(tud)* spiniform 2. *(műsz)* mandrel, drift, *[kerítésen]* barb, spike 3. *(átv)* thorn, sting; ~ *vk szemében* be a thorn in sy's flesh/side

tűskebokor *n,* thorn-bush, bramble, briar

tűskés *a,* 1. *(növ, áll)* thorny, spiny, spiky, prickly, pricking, stinging, *(tud)* spinous, spinulous, spiniferous, echinate, echinulate, acanthoid, hirsute; ~ *hajú (biz)* wire/badger-haired; ~ *tok/burok [vadgesztenyéé]* husk 2. *(átv)* ~ *természetű* cross-grained 3. ~ *nyílhegy (rég)* barbed arrow-head

tűskésbőrűek *n. pl, (áll)* echinoderms, echinodermata, echinoidea *(Echinodermata)*

tűskésdisznó *n, (nép)* = sün

tűskésdrót *n,* barbed wire, hogwire

tűskéspikkelyűek *n. pl, (áll)* Ctenophora

tűskésség *n,* spininess, spinosity

tűskétlen *a, (növ)* inerm(ous)

tűskön-bokron *adv,* ~ *át/keresztül* over hedge and ditch

tüstént *adv,* = rögtön

tűszeg *n,* X-hook (for hanging up pictures)

tűszelep *n, (műsz)* needle/pin-valve

tüszköl [-t, -jön] *vi,* 1. = tüsszög; 2. *[átv orrol]* resent, sulk, take (sg) amiss 3. *[ódzkodik]* kick at/against

tüsző [-t, -je] *n,* 1. *[erszény]* money-belt, satchel, wallet, pouch, sporran *(skót)* 2. *(növ, orv)* follicle, *[gennyes]* pustule

tüszős [-ek, -t; *adv* -en] *a, (növ, orv)* follicular, folliculated, folliculous; ~ *mandulagyulladás* follicular/lacunar tonsillitis, spotted sore throat, quinsy

tüszőtermés *n,* follicle

tüsszen [-t, -jen] *vi,* = tüsszent

tüsszenés *n,* = tüsszentés

tüsszent [-eni, -ett, -sen] *vi,* sneeze

tüsszentés *n,* sneeze, sneezing, *(orv)* sternutation

tüsszentő [-t] I. *a,* sneezing, sternutatory, sternutative II. *n,* sneezer

tüsszentőgáz *n,* sternutatory gas

tüsszentőpor *n,* sneezing powder, sternutatory, sternutative

tüsszög [-tem, -ött, -jön] *vi,* keep (on) sneezing, sneeze repeatedly, have a fit of sneezing

tüsszögtető [-t] *a,* sternutative

tűszúrás *n,* pin-prick; *apró ~ok (átv)* pin-pricks, petty annoyances

tűszúrásos [-at] *a,* ~ *gyógymód* acupuncture

tűtartó *n,* needle/pin-case, pin-tray, *[gramofoné]* needle-box, *[lemezjátszónál]* needle cup, *(orv)* needle-holder

tűtok *n,* = tűtartó

tütü [-t, -je] *n,* 1. *[balettáncosé]* ballet-skirt, tutu 2. □ *[ital]* drink, booze, tope

tűvánkos *n,* pincushion

tűvédő *n,* point-protector

tűz¹ [-tem, -ött, -zön] I. *vt,* 1. *[gombostűvel]* (fasten with a) pin, *[öltéssel]* stitch 2. *[odaerősít]* fix, stick, tack, tuck, set, *[karót]* drive, *[zászlót]* raise, set up; *virágot ~ a gomblyukába* stick a flower in(to) one's buttonhole 3. *célt ~ maga elé* aim at, set oneself an object/task; *napirendre ~ egy kérdést* place a question on the (list of) agenda *(v. order of the day); célt ~*

vk elé set sy an objective/target; *jutalmat ~* set a prize II. *vi,* 1. *[a nap]* shine, blaze, glare 2. *[géppel, kézzel]* quilt

tűz² [tüzet, tüze] *n,* 1. fire, *[rakott]* blaze, blazing fire; *jeladó ~* beacon, signal-fire; *a ~ körül/mellett ülve* sitting over/by/round the fire; *ég a ~* the fire is burning; *a ~ meggyullad* the fire kindles; ~ *maradéka lesz* be consumed/destroyed by fire; ~ *üt ki* a fire breaks out; ~*be dob* throw into the fire; *levelet ~be vet* commit a letter to the flames; ~*ben* on fire, aflame, *(kat)* under fire; *lassú ~ön főz* cook sg on a slow fire, simmer; *lassú ~ön süt vmt* cook sg in a gentle/slow oven; ~*re tesz [ételt]* put sg on the fire, *[fűt]* put fuel on *(v. revive v. make up)* the fire; *vigyáz a ~re* look after the fire; ~*re való (vm)* trash, rubbish, worth to be thrown into the fire, things only good for the fire; *ld még* tűzrevaló; *levesz a ~ről* take sg off the fire; *tüzet ad* give a light; *tüzet fog* take/catch fire, ignite, burst into *(v.* go up in) flames; *tüzet gyújt* light/make a fire; *tüzet kiolt* extinguish *(v.* put/rake out) the fire; *tüzet rak* make/lay a/the fire; *tüzet táplál* feed the fire; *szabad egy kis tüzet?* may I have a light please, got a light? *(fam);* *fél tőle mint a ~től* fear sg like fire, stand in dread of, have a holy terror of; *kóros félelem ~től* pyrophobia; *játszik a ~zel* play with danger*(v.* edged tools); *ne játsszál a ~zel* let sleeping dogs lie, it is dangerous to meddle with fire, do not trifle with fire 2. *[tűzvész]* (outbreak of) fire, conflagration, *[futó]* wild/spreading fire, leaping flames; ~ *van! fire!; a ~ fészke* the seat/origin of the fire; *kiment vkt a ~ből* save sy from the fire/flames 3. *(kat)* firing, fire; *célzott ~* aimed fire; *zavaró ~* annoying fire; *az ellenség tüzében* under enemy fire; *tüzet nyit* open fire, put up a (heavy) fire against sg; *tüzet szüntet* cease fire 4. *(átv)* fire, heat, vigour, spirit, ardour, fervour, verve, mettle, go, dash, pep *(US);* ~*! [játékban]* you are burning; *két ~ között* between the devil and the deep sea, between wind and water, between hell and high-water, between two fires; *csupa ~* full of fire/passion/go/pep; *az élet tüze* spark of life; *fiatalság tüze* mettle of youth; ~*be hoz* excite, animate, stir, agitate; ~*be jön* get excited/heated, get/grow hot, liven up, get into a heat; ~*be megy érte* go through fire and water for sy; ~*be tenném a kezemet érte* I would stake everything on him; ~*ben ég az arca* her cheeks are all in a glow *(v.* all aglow); ~*ről pattant menyecske* fiery/smart young woman, young woman full of pep; *tüzet okád* vomit *(v.* belch forth) flames, *(átv vkre)* rage and fume at sy; *úgy fél tőle mint a ~től* be scared stiff of sy

tűzakna *n, (kat)* mine

tűzáldozat *n,* burnt offering, holocaust

tűzálló *a,* fire-proof, refractory, incombustible, fire resistant/resisting, non-inflammable, *(tud)* apyrous; ~ *anyag* fire-clay, refractory matter; ~ *cseréptál* terrine; ~ *edény* fire-proof dish/vessel; ~ *tégla* fire/refractory/fireclay-brick, sinter brick; ~ *üveg* heat-resisting glass, oven glass, *[legismertebb márkája]* pyrex glass

tűzállóság *n,* fire resistance, fire proofness, incombustibility, refractoriness

tűzár *n,* blaze/flood of fire

tűzbiztonság *n,* fire-protection, fire-proof quality, security against fire

tűzbiztos *a,* fire-proof/resisting, flame-proof, non-ignitable, apyrous, proof against fire *(ut);* ~ *film (fényk)* safety film; ~ *szekrény* iron safe

tűzbiztosítás *n,* fire-insurance, insurance against fire

tűzbiztosítási *a,* ~ *kötvény* fire-policy

tűzbiztosító *a,* ~ *társaság* fire-insurance company, fire-office

tűzcsáklya *n,* fire-hook, fireman's hatchet

tűzcsap n, hydrant, fire plug/cock
tűzcsatorna n, flue
tűzcsiholás n, [dörzsöléssel] fire-drill
tűzcsiholó n, (rég) [acél nélkül] fire-striking implement, [acéllal] flint and steel
tűzcsóva n, fire-brand
tűzcső n, 1. [oltáshoz] fire-hose 2. [fegyveré] barrel (of rifle) 3. [kazáné] flue, fire-tube
tűzcsöves kazán fire-tube boiler
tűzdel [-t, -jen] vt, 1. [varrótűvel] stitch, quilt, [gombostűvel] pin, prick 2. [szalonnával] lard 3. (átv) interlard
tűzdelés n, 1. [ruháé, paplané] quilting 2. [szalonnával] larding
tűzdelőtű n, larding-needle/pin, skewer
tűzdelt [-et; adv -en] a 1. [ruha, paplan] quilted 2. [hús] larded 3. (átv) interlarded (with) (ut)
tűzel [-t, -jen] I. vi, 1. (light, have) a fire, put fuel on (v. stoke) the fire, [fával] have a wood fire, [szénnel] burn coal 2. (kat) fire, shoot; ~ni kezd open fire 3. [test, testrész] burn; ~ az arca her cheeks are burning, her face is flushed 4. [hevül] fire (up) 5. [állat] be in/on/at heat, rut II. vt, [izgat] inflame, excite, stir up, incite, instigate
tűzelés n, 1. [fával, szénnel] heating 2. (kat) firing, [gyalogsági] rifle-fire, [tüzérségi] cannonade
tűzellenző n, fire-screen/guard, fender
tűzelő [-t, -je; adv -en] I. n, fuel, combustible II. a, 1. firing, heating, of firing/heating (ut) 2. (átv) burning, [arc] flushed, burning
tűzelőállás n, firing position, [lövészárokban] fire-bay; ~ba hozza az ágyút emplace the gun
tűzelőanyag n, fuel, combustible; ~ adagolás input of fuel; ~ fűtőértéke heating quality of a combustible
tűzelőanyag-ellátás n, fuel supply
tűzelőanyag-fogyasztás n, fuel consumption
tűzelőanyag-gazdálkodás n, fuel economy
tűzelőanyag-szükséglet n, fuel needed
tűzelőcső n, furnace flue
tűzelőfa n, fire-wood
tűzelőkészítés n, (kat) preparation of fire
tűzelőnyílás n, stoke-hole
tűzelőszer n, = tűzelő I.
tűzelőtér n, heating-space, fire-room, [rakétában] combustion chamber
tűzér [-ek, -t, -e] n, artilleryman, artillerist, gunner, cannoneer, bomber
tűzérbemérő n, gunnery spotter
tűzérezred n, artillery regiment, regiment of artillery
tűzérharc n, artillery duel/combat/fight
tűzérlaktanya n, artillery barrack(s)
tűzérosztály n, (kat) artillery battalion
tűzerő n, fire/gun-power
tűzérség n, artillery, ordnance, gunnery; fogatolt ~ horse artillery; gépvontatású ~ motorized artillery; könnyű ~ light artillery; nehéz ~ heavy artillery; páncéltörő ~ anti-tank artillery; parti ~ coast artillery; tábori ~ field-artillery; ~nél szolgál serve in the artillery
tűzérségi [-ek, -t; adv -leg] a, artillery-; ~ előkészítés artillery preparation, preliminary bombardment; ~ gyakorlat gunnery drill/practice; ~ harc artillery duel/combat; ~ lőgyakorlat artillery-practice; ~ lőtér artillery/shooting range, gunnery-practising ground, (en)closed area for gunnery practice; ~ lövedék cannon-ball/shot; ~ megfigyelő gun spotter; ~ megfigyelőhely artillery observation post; ~ megfigyelő repülőgép artillery observation aircraft; ~ rakéta artillery rocket; ~ raktár artillery arsenal; ~ támogatás artillery support; ~ tűz artillery fire; ~ tűzpárbaj artillery engagement; ~ zárótűz artillery barrage
tűzérszertár n, = tüzérségi raktár

tűzértiszt n, artillery/gunner officer
tűzes [-et; adv -en] a, 1. red/white/burning-hot; ~ csóva burning fire-brand, flaming straw-brand; ~ hamu burning/hot cinders (pl); ~ istennyila (blinding) thunderbolt; ~ vas red-hot iron; ~ vassal éget (orv) cauterize, sear 2. [napsugár] fiery, scorching, blazing, broiling (fam) 3. (átv) fiery, ardent, passionate, spirited, glowing, impassioned, fervent, mettlesome, impetuous; ~ beszéd passionate/fiery speech; ~ bor fiery/heady/exhilarating wine; ~ pillantás fiery glance; ~ szerelem passionate love 4. [ló] fiery, high-mettled/spirited; ~ csikó fiery colt
tűzés n, [ruhán] (line of) stitching, quilt(ing)
tűzesed|ik [-tem, -ett, -jen, -jék] vi, 1. (konkr) get/become (red-)hot 2. (átv) fire/flare up, get heated/excited, become/grow incensed
tűzesen adv, ardently, fervently, passionately, impetuously
tűzeset n, (case of) fire, conflagration, burning (of house/town)
tűzesít [-eni, -ett, -sen] vi, raise/bring to a red heat, make red-hot
tűzesked|ik [-tem, -ett, -jen, -jék] vi, get worked up, go off the deep end, lose one's temper; ~ik a jogaiért fight for one's rights
tűzeső n, rain of fire
tűzesség n, 1. (átv) fire, hot temper, fieriness, ardour, fervour, mettle 2. [boré] fieriness, headiness, fire 3. [ritmusé] verve
tűzesvas-próba n, ordeal by red-hot iron, fire-ordeal
tűzeszköz n, firearm(s)
tűzetes [-et; adv -en] a, minute, precise, detailed, circumstantial, [vizsgálat] thorough, detailed; ~ nyelvtan complete/exhaustive grammar
tűzetesen adv, thoroughly, scrupulously, minutely; ~ megvizsgál scrutinize
tűzetesség n, precision, preciseness, exactness, accuracy, exactitude, thoroughness
tűzevő I. n, [cirkuszi] fire-eater II. a, ignivorous
tűzfal n, partition-wall, bulkhead
tűzfecskendő n, fire-engine, [cső] fire-hose, [kézi] fire extinguisher
tűzfegyver n, firearm(s)
tűzfelderítés n, reconnaissance by fire
tűzfény n, fire-light, blaze, glare, glow
tűzfészek n, 1. [tűzvészé] seat of a fire 2. (átv) fire-trap, powder-magazine, hotbed of fire, storm-center
tűzfigyelő n, [légitámadások idején] fire-watcher/guard
tűzfogó n, [eszköz] fire-tongs (pl)
tűzfolt n, [anyajegy] birth/strawberry mark, n(a)evus, mole, [égetett] brand, stigma
tűzforró a, piping hot
Tűzföld prop, Tierra del Fuego
tűzföldi a, Fuegian
tűzfüggöny n, (kat) standing barrage, curtain-fire, fire curtain, barrage of fire
tűzgát n, bulkhead, firebreak
tűzgolyó n, fire-ball, [villám] ball-lightning, (csill) bolide
tűzgömb n, = tűzgolyó
tűzgyík n, salamander, moloch
tűzgyorsaság n, (kat) rate of fire
tűzhalál n, death in the flames (v. by fire); ~ra ítél vkt commit sy to the flames; ~t hal be burnt to death, [büntetés] be burnt alive (v. on the stake)
tűzhányó I. a, volcanic II. n, volcano
tűzharc n, gun-battle, fire, firing, fight, combat, action, engagement, skirmish, fusillade
tűzhatás n, range of destruction, effect of fire
tűzhely n, 1. [nagy nyílt lángú, kandalló] fireplace, fireside 2. [családi] hearth 3. [konyhai takarék] range, kitchener, cooker, kitchen/cooking range/stove

tűzhelyfényesítő *a*, ~ *por* grate-polish
tűzhelykarika *n*, hearth/oven-ring
tűzhelylap *n*, hearth-plate
tűzhelyvédő *n*, *(rég)* shelter of fireplace, fireplace-shelter
tűzhid *n*, *[kemencében, kazánban]* fire-stop/bridge
tűzi [-ek, -t] *a*, fire-, of fire *(ut)* ; ~ *lárma* fire-alarm
tűzifa *n*, firewood, fuel wood; *rakásolt* ~ piled firewood
tűzifecskendő *n*, = tűzfecskendő
tűzifogó *n*, lever-grip tongs*(pl)*
tűzijáték *n*, fireworks *(pl)*, pyrotechnics
tűzijátékrakéta *n*, firework rocket
tűzikutya *n*, *[kandallónál]* dog, *[sütéshez]* andiron
tűzimádás *n*, fire-worship, *(tud)* pyrolatry
tűzimádó *n*, fire-worshipper, *(tud)* pyrolator
tűzjel *n*, fire alarm, beacon(-light)
tűzjelzés *n*, fire-alarm
tűzjelző *a/n*, fire-alarm; ~ *készülék* fire-alarm/signal, fire warning device; ~ *őr* fire-watchman, *[erdei]* fire-guard/warden/scout/fighter
tűzkapacitás *n*, *(kat)* fire-power
tűzkaparó *n*, firing-tools *(pl)*, fire-rake/iron
tűzkár *n*, damage (wrought) by fire, fire-loss/risk; ~ *elleni biztosítás* fire insurance
tűzkárbecslő *n*, fire-adjuster, appraiser
tűzkárosult *a/n*, victim of *(v.* sufferer from*)* a fire
tűzkeresztség *n*, battle baptism, front-line baptism, baptism of/by fire; *átesik a* ~*en* smell powder for the first time, be initiated
tűzkész *a*, *[fegyver]* ready to fire *(ut)*
tűzkigyó *n*, 1. = tűzgyík; 2. *[tüzes vonal]* line drawn in the dark by glowing charcoal (swiftly moved)
tűzkosár *n*, *[melegedésre]* salamander stove, fire-basket, *(tört)* cresset
tűzkő *n*, (rock-)flint, fire-stone, silex, chert, strike-a-light
tűzköd [-tem, -ött, -jön] *vt*, = tűzdel
tűzkörlet *n*, *(kat)* field of fire
tűzláng *n*, flame, blaze
tűzlapát *n*, fire-shovel, coal-scoop/shovel
tűzlégy *n*, *(áll)* pyrophorus *(Pyrophorus)*
tűzlétra *n*, fire(man's) ladder, fire-escape, ladder escape
tűzliliom *n*, hemerocallis *(Hemerocallis fulva)*
tűzmadár *n*, fire-bird
tűzmentes *a*, = tűzálló
tűzmester *n*, *[tüzijátékos]* firework-maker, pyrotechnist, *(kat)* artillery sergeant
tűznyelő I. *a*, ignivorous II. *n*, *[büvész]* fire-eater
tűznyilás *n*, flue
tűzokádó *a*, spitting/emitting/throwing fire; ~ *sárkány* fire-drake, dragon belching forth flames
tűzoltás *n*, fire-fighting
tűzoltási *a*, ~ *gyakorlat* fire-drill/practise
tűzoltó I. *a*, ~ *berendezés* fire-extinguisher; ~ *készülék* fire-extinguisher, *[kézi]* fire-drencher, sprinkler II. *n*, fireman, fireguard, *[készülék]* fire-extinguisher
tűzoltóállomás *n*, fire-station
tűzoltóautó *n*, fire-engine
tűzoltócső *n*, fire-hose
tűzoltófecskendő *n*, water/fire-engine; *kézi* ~ manual fire-engine
tűzoltófelszerelés *n*, fire-fighting equipment
tűzoltógránát *n*, (fire-)grenade
tűzoltógyakorlat *n*, fire-drill
tűzoltólaktanya *n*, fire-station
tűzoltólétra *n*, fire-ladder/escape
tűzoltóosztag *n*, fire-department/brigade/picket
tűzoltóparancsnok *n*, fire-chief
tűzoltóság *n*, 1. *[szervezet]* fire-brigade/guard/service, fire-department *(US)* 2. *[helyiség]* fire-station, fire-department *(US)*
tűzoltósisak *n*, fireman's helmet, fire-hat
tűzoltószer *n*, *[vegyi]* extinctor
tűzoltóveder *n*, fire-bucket

tűzopál *n*, fire-opal
tűzoszlop *n*, pillar of fire
tűz [-t; *adv* -en] I. *a*, 1. quilting, stitching; *a virágot a hajába* ~ *lány* the girl sticking a flower into her hair; *a virágot a ruhajára* ~ *lány* the girl pinning a flower on *(v.* upon*)* her frock/dress 2. *[napsütés]* fiery, hot, scorching, blazing, glaring, broiling *(fam)* II. *n*, stitcher
tűzár *n*, stabbing-awl
tűzőkapocs *n*, hook, fastener, clasp, buckle, clip
tűzőnő *n*, glove/shoe/upper stitcher
tűzön-vízen át/keresztül through fire and water, through thick and thin, through rough and smooth
tűzööltés *n*, lock-stitch
tűzőpalló *n*, *(müsz)* poling-board
tűzőr *n*, fire-guard/warden/watcher/scout, *[erdőben]* fire-ranger
tűzőrség *n*, 1. fire-brigade, fire-watch/patrol/picket, *[erdei]* fire-gang/fighters *(pl)* *(US)* 2. *[hely]* fire-station
tűzőrszem *n*, = tűzőr
tűzpiros *a/n*, flame-coloured/red, fiery/fire red
tűzpiszkáló *n*, poker, (fire-)rake
tűzpróba *n*, 1. *(tört)* ordeal by fire 2. *(átv)* crucible
tűzrács *n*, grate, fender
tűzrakás *n*, laying the fire
tűzrendészet *n*, fire-protection/regulation, fire-fighting organization
tűzrevaló *n*, 1. fuel, combustible; *ld még tűz*[2] 1.; 2. *[személy]* gallows-bird, scoundrel, *(kif)* he'll come to the hemp
tűzriadalom *n*, fire-alarm, fire panic
tűzriadó *n*, fire-alarm
tűzrostély *n*, (fire-)grate
tűzrostélytér *n*, *(müsz)* grate-area/surface
tűzrőlpattant *a*, lively, fiery, temperamental, spirited
tűzsűrűség *n*, *(kat)* intensity of fire
tűzszekrény *n*, fire-box
tűzszerész *n*, *[bombát hatástalanitó]* demolition/explosives expert, bomb disposal squad member; ~ *osztag* bomb disposal squad
tűzszerszám *n*, 1. *[tüzeléshez]* set of fire-irons 2. *[rágyújtáshoz]* flint and steel, tinder-box
tűzszín I. *a*, flame-coloured, flaming red/yellow II. *n*, flame colour
tűzszínű *a*, = tűzszín I.
tűzszünet *n*, *(kat)* pause in firing, cease-fire, suspension of arms/hostilities
tűzszüntetés *n*, *(kat)* cease-fire
tűzszüntetési *a*, ~ *tárgyalások* cease-fire negotiations
tűztámadás *n*, artillery/fire attack/assault
tűztenger *n*, sheet of fire
tűztér *n*, *[kályhában, fütőberendezésben]* furnace chamber, firing area,
tűzterület *n*, scope/area of gunfire; *hatásos* ~ area of effective fire
tűztevékenység *n*, artillery activity
tűztisztítás *n*, raking of the fire-box
tűztorony *n*, *(épit)* fire-watch tower
tűzvédelem *n*, fire-protection/fighting
tűzvédelmi *a*, ~ *óvintézkedések* anti-burn precautions
tűzvész *n*, (outbreak of) fire, conflagration; *kis/lappangó* ~ surface fire; *pusztító* ~ *[erdőben]* crown-fire; ~*t okoz* start a fire
tűzveszély *n*, danger of fire, fire hazard, *[biztositásnál]* risk of fire, fire-risk
tűzveszélyes *a*, *[anyag]* inflammable, incendiary, combustible, ignitable, easily set on fire *(ut)*, apt to take/catch fire *(ut)*, in danger of taking/catching fire *(ut)*, *[tárgy, fönévvel]* fire-trap, tinder-box; ~ *áru* inflammable goods *(pl)*
tűzvonal *n*, *(kat)* firing-line, line (of fire)

tűzvörös a/n, fiery/flaming red
tűzzápor n, rain/shower of fire
tűzzel-vassal adv, ~ pusztít destroy/devastate with/by fire and sword, [országot, hegységet] put to fire and sword
tv TV, tele; ld még televízió
tv-antenna n, TV aerial

tv-film n, TV-film
tv-játék n, TV-play
tv-készülék n, TV set
tv-közvetítés n, TV transmission/broadcasting
tv-műsor n, TV programme
tv-néző n, viewer, TV-spectator, televiewer, telly--watcher (fam)

TY

ty [ty-t, ty-je] n, [betű] ty, the letter ty/Ty; kis ty-vel ír write with small ty
tyuhaj int, hey
tyúk [-ot, -ja] 1. hen; hízott ~ poulard, fatted hen, (table-)fowl; úgy ért hozzá mint ~ az ábécéhez he does not know a hawk from a handsaw, he does not know his right hand from his left; vak ~ is talál szemet a blind man may chance to hit the mark; ~okkal kel rise with the lark; a ~okkal fekszik go to bed with the sun, go to bed early in the evening 2. (áll) házi ~ domestic fowl (Gallus domesticus); mogyorós ~ hazel-hen, hazel-grouse (Tetrastes bonasia); örvös pusztai ~ (áll) pintail (Pterocles arenarius) 3. □ dame, jane, wench, hussy; vén ~ old twist/hag; jó kis ~ a bit of meat
tyúkász [-ok, -t, -a] n, 1. [tenyésztő] poultry/hen--farmer, breeder of fowls 2. (ker) poultry-man, poulterer
tyúkborító n, (kb) coop
tyúkeszű a, stupid, soft-headed/witted
tyúkfarm n, pultry/hen-farm, hennery
tyúkféle I. a, gallinaceous, gallinacean II. n, gallinaceae (pl), gallinaceans (pl) (Galliformes)
tyúkház n, hen/poultry-house
tyúkhúr n, (növ) chickweed, chickling weed, pimpernel starwort (Stellaria)
tyúkhús n, fowl, chicken
tyúkidomúak n. pl, (áll) gallinacea, gallinaceous birds (Galliformes)
tyúkkereskedő n, poulterer, poultry-man
tyúkketrec n, hen-roost/coop, hen/poultry-house/coop
tyúkleves n, chicken-broth
tyúkmell n, 1. (konkr) chicken breast 2. (orv) pigeon--breast

tyúkmellű a, (orv) pigeon-breasted/chested
tyúkocska n, young hen, pullet
tyúkól n, hen/poultry-house, hen-pen/cote/roost, hen-nery
tyúkpör n, petty cause/suit
tyúkrázda n, (biz) flapper-bracket-seat
tyúkszem n, corn, [kézen] callus; fáj a ~em my corn is shooting; vknek a ~ére lép tread on sy's corns; ~et kivág remove/cut corn
tyúkszemes a, having corns (ut)
tyúkszemgyalu n, corn-plane
tyúkszemgyűrű n, corn-ring/plaster/pad
tyúkszemirtó n, corn-cure, extirpator/remover of corns
tyúkszemtapasz n, corn-cure
tyúkszemvágás n, removal of corns, corn-cutting, pedicure, chiropody
tyúkszemvágó n, 1. [műszer] corn-razor/plane/cutter; ~ kés corn-razor/knife 2. [személy] corn-cutter, pedicure, chiropodist
tyúktenyésztő n, poultry-farmer
tyúktetű n, (áll) chicken louse (Menopon gallinae)
tyúktojás n, hen's egg; keltetett~ embryonated hen's egg
tyúktoll n, hen's feather, feather of a hen
tyúkudvar n, poultry-yard, chicken-run, scratching--ground
tyúkülő n, fowl/hen-roost
tyúkültetés n, setting a hen
tyúkvakság n, night blindness, (orv) nyctalopia
tyúkvész n, chicken cholera
tyű! int, crikey!, phew!, hang/dash it!, by Jove!, mercy on us!, well(,) I never...!, the deuce!, oh dear (,) oh dear!, good gracious!, golly!, blimey!, by gum!, whew!, wow! (US); ~ a teremburáját whoops!; ~ micsoda lány! by Jove what a girl!

U, Ú

u [-u-t, u-ja] *n*, **1.** *[betű]* u, the letter u/U; *kis u-val ír* write with small u; *nagy U-val ír* write with capital U **2.** *U alakú* U-shaped; *U alakú asztal* horseshoe-(-shaped) table; *U szeg* U-bolt/nail; *U vas* U-iron/bolt, channel iron

uborka *n*, **1.** *(növ)* cucumber *(Cucumis sativus)*, *[kicsi]* gherkin; *savanyú ~* pickled cucumber, *[emberről átv]* wet blanket; *olyan a képe mint a savanyú ~* looks as sour as vinegar; *~ alakú* cucumber-shaped, *(tud)* cucumiform **2.** *(áll) tengeri ~* holothuria, trepang *(Holothuria)*

uborkafa *n*, cucumber-tree; *felkapaszkodik az uborkafára* become a high-up person, get uppity *(US fam)*; *uborkafára felkapaszkodott ember* upstart, social climber, parvenu, mushroom *(fam)*

uborkagyalu *n*, cucumber-slicer

uborkamártás *n*, cucumber-sauce

uborkaorrú *a*, bottle-nosed

uborkás *a*, made with cucumber *(ut)*; *~ üveg* jar for pickled cucumber

uborkasaláta *n*, cucumber-salad

uborkaszezon *n*, silly season, the big gooseberry season, off season, the dead/dull season

uccu *int*, let's go!, go/get on!; *~ neki!* let's fall to it!; *~ neki vesd el magad!* up and away!, pick up *(v.* take to) your heels and run; *most aztán ~ neki!* now we must run for it!

uccse *int*, *Istók ~* by Jove; *ld még* **istenuccse**

ucsora [.. át] *n*, *(kb)* high tea, tea-dinner

udvar [-ok, -t, -a] *n*, **1.** *[épületnél]* court, yard, court-yard, *[négyszögletes körülépített]* quadrangle, *[hátsó]* backyard, *(isk)* (school) playground, school-yard; *gazdasági ~* farm-yard; *~ felőli* looking on *(v.* opening from) the courtyard-side *(ut)* **2.** *(tört)* (royal) court; *a(z) angol/brit királyi ~* the Court of St James's; *az ~nál* at court/Court **3.** *[holdé]* halo, aureole, corona; *~a van a holdnak* there is a watery moon

udvarbeli *a*, aulic, court; *az ~ek* the courtiers, people of the Court, the Court

udvarbíró *n*, = **udvarmester**

udvarház *n*, manor-house, country-seat, grange, country house, mansion(-house)

udvarhölgy *n*, (court)-lady, lady/maid of honour, lady-in-waiting, lady-in-attendance; *szolgálattevő ~* lady-in-waiting

udvari [-ak, -t] *a*, **1.** *[háznál]* back-; *~ lakás* flat/apartment overlooking the courtyard at the back of the house, rooms opening on the yard *(pl)*, mews-flat; *~ szoba* back room, room facing the court(yard) **2.** *(tört)* court-, courtly, belonging to the court *(ut)*, courtlike; *~ bál* court-ball, state ball; *~ bolond* court fool/jester, (king's) jester; *~ díszelőadás (szính)* command performance; *~ élet* life at court; *~ ember* courtier; *~ epika* court epic; *etikett* court etiquette; *~ gyász* court-mourning; *~ hivatal* place at court, court-employment, office in the royal house-

hold; *~ illem(szabályok)* court-manners *(pl)*, court-(ly) etiquette; *~ kamara* ⟨the organ of Hapsburg financial administration of the 16th—18th centuries⟩, 'Hofkammer'; *~ kocsi* state coach, royal carriage; *~ költészet* courtly literature/poetry; *~ költő* court poet, poet laureate *(GB)*; *~ levéltár* court-archives *(pl)*; *~ méltóság* court dignitary; *~ nép* people of the Court, royal household, Court retainers *(pl)*, the courtiers, the Court; *~ orvos* court-physician, physician-in-ordinary; *~ őrség* royal guard, guard in attendance; *~ pap* court-chaplain; *~ szállító* purveyor by appointment *(v.* in ordinary) to His Majesty (the King); *~ szertartás* courtly ceremonial/etiquette; *~ tanács* aulic council, King/Queen/Crown in Council, Privy Council *(GB)*; *~ tanácsos* aulic councillor, King's/Queen's Counsel *(GB)* *(röv K.C., Q.C.)*; *~ vonat* royal train

udvarias [-ak, -t; *adv* -an] *a*, polite, civil, courteous, *[jó modorú]* well-mannered, mannerly, well-bred, *[választékos]* civil/fair-spoken, urbane, *[bókoló]* complimentary, *[lekötelező]* obliging, complaisant, *[lovagias]* chivalrous, gallant; *~ ember* gallant; *túl ~* excessively courteous, obsequious, over-civil/polite; *~ modor* gentle/polite manners *(pl)*, politeness, courtesy; *~ viselkedés* civil/courteous behaviour; *~ vkvel szemben* show sy civility/courtesy, show sy courteous attention, be courteous to/towards sy; *nagyon igyekszik ~ lenni* do the civil *(fam)*

udvariasan *adv*, politely, civilly, courteously; *~ viselkedik vkvel szemben* be courteous towards sy, show sy civility/courtesy

udvariaskodás *n*, ceremoniousness, polite forms *(pl)*, (excessively) courteous behaviour, politesse; *kölcsönös ~ok* exchange of compliments/courtesies/amenities

udvariaskod|ik [-tam, -ott, -jon, -jék] *vi*, be courteous/polite, show courtesy, be excessively courteous, bend over backwards (to please sy), do the civil/polite *(fam)*; *~nak* civilities pass between them, they exchange compliments

udvariaskodó [-t] *a*, ceremonious, over-polite

udvariasság *n*, politeness, civility, courtesy, courteousness, *[választékos]* urbanity, *[előzékenység]* complaisance, *[lovagiasság]* chivalry; *vele született ~* innate courtesy; *az ~ nem az erős oldala* politeness is not his long suit *(fam)*; *az elemi ~ megkívánja (hogy)* common politeness demands (that); *vét az ~ szabályai ellen* offend against good manners; *~ból* out of *(v.* by way of a) compliment, by courtesy; *~ra tanít vkt* teach sy manners; *~ot tanúsít vk iránt* show sy courtesy, show sy courteous attention

udvariassági [-ak, -t] *a*, courtesy; *~ aktus* act of civility; *~ formák* courtesies, social formalities, forms of courtesy; *~ gesztusként* (done) out of courtesy, as an act of courtesy; *~ látogatás* courtesy visit, duty/formal call; *~ látogatást tesz vknél* pay one's compliments to sy; *~ taps* polite applause/clapping

udvariatlan *a*, impolite, uncivil, discourteous, ungallant, uncourteous, disrespectful, inurbane; ~ *vkhez/vkvel szemben* be impolite to(wards) sy; ~ *fráter* boor, rude/uncivil person/fellow; ~ *modor* bad manners *(pl)*, abruptness; ~ *modorú* ill-mannered

udvariatlanság *n*, impoliteness, uncivility, discourtesy, unmannerliness, rudeness, ill-breeding; ~ *lenne visszautasítani* it would be ungraceful to refuse

udvariatlanul *adv*, ungraciously, ungallantly, uncivilly, impolitely, disrespectfully, discourteously

udvarképes *a*, having the right to appear at Court *(ut)*, admissible/presentable at Court *(ut)*

udvarképesség *n*, admissibility to Court, presentability

udvarköltség *n*, *(kb)* civil list

udvarlás *n*, courting, courtship, *[komoly]* wooing, *[heves]* love-making, *[udvariaskodás]* flattering, paying respects (to sy), constant attention (to sy); *szívesen fogadja vk ~át* accept sy's courtship; *visszautasítja vk ~át* reject sy's addresses

udvarló *[-t, -ja]* **I.** *n*, wooer (of a woman), suitor (for sy's hand), one who pays (his) court (to sy), admirer, gallant *(ref.)*, courter *(ref.)*, beau *(pl beaux) (ref.)*, boy-friend *(US)*, (girl's) young man *(fam)* **II.** *a*, **1.** courting, wooing, paying his court to *(ut)* **2.** *(elit)* fawning

udvarmester *n*, steward of the (royal) household, marshal, majordomo

udvarnagy *n*, court-marshal, steward, marshal of the king's/prince's household, seneschal *(obs)*, Lord Chamberlain *(GB)*

udvarnép *n*, royal household/suite

udvarnok *n*, Lord High Steward

udvarol *[-t, -jon]* *vi*, **1.** court (sy), make/pay court to, *[komolyan]* woo, sue (for sy's hand), *[hevesen]* make love to; *kitartóan* ~ he is assiduous in his courtship; *jóval fiatalabbnak* ~ rob the cradle **2.** *(átv)* pay respects/attention/addresses to, *(elit átv)* fawn on, try to win sy's favour

udvaronc *[-ot, -a]* *n*, courtier, *[GB udvari alkalmazott]* equerry, *(elit)* courtling

udvaros *[-ok, -t, -a]* *n*, groom, (h)ostler, yardboy

udvartartás *n*, household; *királyi* ~ the king's *(v. royal)* household; *az* ~ *költségei* the civil list

ugar *[-ok, -t, -a]* *n*, fallow (land, field, ground), lay land, lea-land, waste(land); ~*on fekszik* lie fallow/waste/idle; ~*t feltör* break up fallow land/ground

ugarfeltörés *n*, ploughing *(v.* breaking up) of fallow land

ugarol *[-t, -jon]* *vt/vi*, fallow

ugarolás *n*, (leaving) fallow

ugaroltat *vt*, *[földet]* let (a field) lie/rest fallow

ugaroltatás *n*, ley-farming

ugartyúk *n*, *(áll)* stone curlew *(Burhinus oedicnemus)*

ugat *vi*, bark, yelp, yap, bay, *[vadászkutya]* throw/give tongue; *a kutya sem* ~ *utána* nobody misses him, nobody sheds tears for him; ~ *de nem harap (átv)* his bark is worse than his bite; *amelyik kutya* ~ *az nem harap (közm)* barking dogs seldom bite; *a kutya* ~ *a karaván halad* time and tide wait for no man, they are mere flies on the wheel; ~ *belőle a halál kutyája* have a churchyard cough

ugatás *n*, bark(ing), yelp

ugató *[-t, -ja]* *a*, barking, yelping; *erősen* ~ deep-mouthed, ferociously barking; ~ *kutya nem harap (közm)* barking dogs seldom bite

ugatós *[-ok, -t; adv -an]* *a*, barking, ready to bark *(ut)*; ~ *kutya* a barker

ugor *[-ok, -t, -ja]* *a/n*, Ugrian

ugorka *n*, = uborka

ugorság *n*, Ugrian peoples *(pl)*, the Ugrians *(pl)*

ugrabugra *[..át]* *a*, *[ember, állat]* gambolling frisky, frolicsome, coltish

ugrabugrál *[-t, -jon]* *vi*, frisk (about), jump/hop/caper/skip about, cut capers, gambol, rollick, cavort *(US)*

ugrabugrálás *n*, frisking, jumping about, capering, rollicking, cavorting *(US)*

ugrál *[-t, -jon]* *vi*, **1.** caper, jump (about), bound, *[ugrálókötéllel]* skip, *[fiatal állat]* frisk, gambol; ~ *örömében* leap/jump for joy, kick up one's heels; *ne* ~*j (annyit)!* I can't you be still for a moment!; *vk körül* ~ *(átv)* dance attendance on sy; *ha sokat* ~ *(,) pórul jár* he will come to grief yet if he continues in this (bullying/quarrelsome) manner **2.** *[kocsi]* jolt, bump along, *[labda]* bounce **3.** *szíve örömében* ~ *his/her* heart leaps with/for joy **4.** *[rosszul vetített film]* flicker

ugrálás *n*, jumping (about), bounce, skipping, frisk, gambol

ugráló *a*, *[érverés]* caprizant, *[film]* jumpy

ugrálókötél *n*, = ugrókötél

ugrálós *[-at; adv -an]* *a*, frisky

ugráltat *vt*, *ide-oda* ~ *(vkt)* order sy about

ugrándozás *n*, skipping, frisking, capering, jumping about, gambol(ling), hopping, rollick(ing)

ugrándoz|ik *[-tam, -ott, -zon, -zék]* *vi*, frisk, gambol, caper (about), bounce, hop/jump about, skip (about), jiggle, frolic, cut capers

ugrás *n*, **1.** jump(ing), leap(ing), spring(ing), bound, *[támaszkodva]* vault(ing), bounce, *[hirtelen]* shoot; *helyből* ~ *(sp)* standing jump; ~ *nekifutással/nekifutásból/rohammal (sp)* flying/running jump; ~ *a sötétbe* leap in the dark; *egy/első* ~*ra [átugrik]* at one jump; ~*ra készen* on the jump *(fam)*; *egyetlen* ~*sal* at a/one bound **2.** *(zene)* *[dallamlépés]* leap; *oktáv* ~ leap of an octave **3.** *(átv)* leap forward; *minőségi* ~ leap (from .. to) , qualitative change, change in quality; *nagy* ~ great leap, big leap, big leap forward **4.** *csak egy* ~*ra van ide* it is quite near, it is but a step/cockstride from here, it is within/at a stone's throw, it is a short way off; *egy* ~*ra hazamegy* run home for a few minutes

ugrásszerű *a*, *[hirtelen]* sudden, abrupt, *[függőleges, vízszintes haladás]* rocketing; ~ *áremelkedés* jumping up of prices; ~ *fejlődés* development by leaps, *(biol)* abrupt evolution, aromorphosis; ~ *változás* sudden change (for better/worse)

ugrásszerűen *adv*, by leaps and bounds; ~ *emelkedik [ár]* (sky)rocket; ~ *emelkedő árak* rocketing prices

ugraszt *[-ani, -ott, .. asszon]* *vt*, **1.** make jump **2.** *egymásnak* ~*ja az embereket* set people by the ears

ugrat *vt/vi*, **1.** *[lovat stb.]* (make) jump, cause (sg) to jump; *lovat* ~ put a horse at a jump **2.** *(tréf)* chaff, banter, hoax, tease, quiz, rile, kid, pull the leg (of sy), pull sy's leg, play sy up, roast, rag, rib, razz *(US)*, guy *(US)*, jolly *(US)*, josh *(US)*; *te csak* ~*sz* you are pulling my leg; *csak* ~*talak* I was just kidding, I was just pulling your leg, I only said it for a rag

ugratás *n*, **1.** *[lovat]* jumping **2.** *[tréfával]* rag(ging), hoax(ing), teasing, raillery, bantering, chaff, leg-pull, kid(ding)

ugrató *[-t, -ja]* *n*, teaser, hoaxer, leg-puller

ugribugri *[-ak, -t]* *a*, = ugrabugra

ugrifüles *a*, frisky, gay, coltish, thoughtless

ugr|ik *[-ani, -ott, ugorjon, ugorjék]* *vi/vt*, **1.** jump, leap, spring, hop, *[öleset]* bound, *[hirtelen előre]* dart, *[támaszkodva]* vault, *[szökdelve]* skip, *[neki vknek/vmnek]* make a spring at sy/sg, ~*ik egyet* take/make a leap, take a jump; *nagyot* ~*ik* jump high, take a great leap; *nyakába* ~*ik vknek* fall on sy's neck, embrace sy; *rúddal* ~*ik* pole-jump; *vízbe* ~*ik* dive, plunge (into the water) **2.** *[labda]* bounce **3.** ~*ik egy osztályt (isk)* skip a form **4.** *[ugratásra]* jump, be up in the air

ugró [-t, -ja] **I.** *a*, jumping, leaping, springing;~ *fény-rekesz (fények)* swing diaphragm **II.** *n*, jumper, leaper, vaulter, springer, hopper, *[műugró]* diver
ugróakadály *n, (sp)* jump, leap
ugróállvány *n*, = ugrószekrény
ugróbab *n*, jumping beans *(pl)*
ugróbajnok *n*, champion jumper/vaulter
ugrócipő *n*, jumping shoe(s)
ugrócsont *n, (bonct)* talus, astragalus
ugródeszka *n*, spring/diving-board; *ugródeszkának használ* use/take sy/sg as a stepping-stone (to sg better)
ugróegér *n, (áll)* jerboa *(Jaculus sp.); erszényes ~* jerboa-like pouched mouse *(Anticheniomys laniger)*
ugróiskola *n, [leányjáték]* hopscotch
ugrókötél *n, [játék]* skipping-rope, jump(ing)-rope
ugróléc *n, (sp)* bar, jumping bar/lath
ugrólicit *n, (kárty)* jump bid/shift/overcall
ugrónyúl *n, (áll)* jumping hare *(Pedetes sp.)*
ugróponyva *n, [tűzoltóké]* fire net
ugrórúd *n, (sp)* jumping/vaulting pole
ugrós [-at] *a, ~ tánc* jumping dance (wedding custom)
ugrószámok *n. pl, (sp)* jumping events
ugrószekrény *n, (sp)* vaulting-box
ugrószőnyeg *n, (sp)* trampoline, landing mat
ugrótorony *n, [uszodában]* diving tower, high board, *[ejtőernyős]* parachute tower
ugróverseny *n*, jumping contest/competition
úgy *adv. dem*, **1.** *[vmlyen módon]* so, like that, in that way/manner; ~ *ahogy mondod* it is just as you say; ~ *a legjobb ahogy van* it is best the way it is; *megvette a házat* ~ *ahogy volt* he bought the house as it stood; *nem* ~ *csinálja ahogy kellene* he does not do it in the right way; ~(,) *ahogy volt*(,) *kiszaladt* she ran out as she was; *így is* ~ *is* anyhow; *így vagy* ~ someway; *vagy így vagy* ~ one way or the other; *akár így akár* ~ this way or that, by hook or crook, it matters little either way; ~ *... hogy ...* in such a way that ...; *ez az amit* ~ *hívnak hogy* this is what is known as ...; ~ *ám!* why(,) of course ; ~ *hát* well then; *azt hiszi hogy az csak* ~ *megy* he thinks it's as easy (as that); *egyszer így egyszer* ~ now this way now that **2.** *[vmlyen módon; igék mellett]* ~ *adódott hogy ...* it so happened that ...; *a dolog* ~ *áll* in fact, as a matter of fact, things are like this, matters are/stand as follows; *a dolog* ~ *áll hogy ...* matters/things stand/are as follows ...; ~ *is csinálta!* that's the way he did it; ~ *éljek ha ... let me die if ...;* ~ *éljek hogy ...* as I hope to be saved *... (fam)* ~ *érzem magam mintha* I feel as if; ~ *esett a dolog hogy ...* it so happened that ...; ~ *fest a dolog mintha ...* it looks as if ...; ~ *hallom* I am told (that), from *(v.* according to) what I hear; ~ *hiszem (igen) [kérdésre felelve]* I think/believe so; ~ *hiszem (hogy)* I think (that), I take it (that), I guess *(US)*; ~ *kell(ett) neki!* it serves him/her (jolly well) right, that'll learn him/her; *én* ~ *látom a dolgot* this is how I see it; ~ *látja helyesnek hogy ...* deem it *(v.* think) proper to ...; ~ *látszik* it seems (so), it looks like (it), so it appears, it looks as if, it looks as though, so it would appear; ~ *látszik hogy ...* it appears/seems that ...; ~ *látszik elfelejtette* he seems to have forgotten about it; ~ *látszik hogy nem* it appears not, it doesn't look as though; ~ *legyen* so be it, let it be so, *(vall)* amen; ~ *lesz ahogy mondom!* what I say goes; *csak maradjon* ~ let it be so; ~ *mondják hogy ő* he is supposed/said to be; *hogy* ~ *mondjam* so to say/speak; *Isten engem* ~ *segéljen* so help me God; ~ *számít hogy ...* he calculates that ...; ~ *szól hogy ...* sg reads/runs as follows *(v.* like this); *az egyezmény szövege* ~ *szól hogy ...* the text of the treat declares that ...; ~ *tekintik mint ami ...* it is regarded as ... ing; *tégy* ~ *mint én* do as I do;

~ *tesz mintha* he pretends (to . .); ~ *tesz mintha aludna* sham sleep; ~ *tesz mintha beteg lenne* pretend illness, pretend to be ill; ~ *tesz mintha csinálna vmt* make a pretence of doing sg; ~ *tesz mintha dühös lenne (v. haragudna)* make a show being angry; *én is* ~ *tettem* I did the same; *ha* ~ *tetszik* if you like; *ha neked is* ~ *tetszik* if it so please you; ~ *történt (hogy)* thus/so it came about (that); ~ *is történt* and so it happened *(v.* came to pass); ~ *tudom* as far as I know; ~ *tűnik nekem mintha* it seems/appears to me as if; ~ *van* that's it, that's the thing, that's what it is, it is so, *[nyomatékkal]* certainly!, just/quite so!, that's right!, right!, exactly!, right you are!, right oh!, right-o!, all right!, quite (right)!; ~ *van!* ~ *van! [hangos helyeslés parlamentben stb.]* hear! hear!; ~ *van jól* that's right, quite right, it's best (left) as it is; ~ *van hogy nemsokára elutazom* I am (about/planning) to leave shortly *(v.* in the near future); ~ *volt hogy este színházba megyünk* we were to go to the theatre tonight; ~ *volt hogy nyolckor indulunk* we were to leave at eight; ~ *volt hogy utazunk* we were to go, we were to take a trip; *nem* ~ *van* that is not so, that is not the case; *már nem* ~ *van* it is not so any longer, things are not as they used to be, things are different now; *ha ez* ~ *volna* if it were so, should it be so **3.** *[annyira]* so much, to such an extent, to such a degree, so far; ~ *megijesztett!* you gave me such a fright!; ~ *megütötte hogy elkezdett sírni* he gave her such a blow that she began to cry; ~ *szerettem* I loved her so (much) **4.** *[felkiáltólag]* so!, well!, there you are!; ~ *so-so;* ~ *? [gúnyos kérdés]* is that so?, (oh) yeah? *(US)* **5.** *[körülbelül]* about, ... or so; ~ *dél felé* towards/about noon; ~ *10 óra felé* about ten o'clock; ~ *egy perc múlva* in a minute or so('s time); ~ *tíz font* something like ten pounds; ~ *20—25 forintba fog kerülni* it will cost you 20 or 25 forints
úgy-ahogy *adv, [nem túl jól]* so-so, after a fashion, in a way, anyhow; ~ *kijavít* patch up, quack sg up
ugyan I. *conj*, **1.** *[bár]* though; *adott* ~ *10 Ft-ot* he gave 10 forints though . .; *ő is tud angolul* (,) *azzal a különbséggel* ~ *hogy csak a beszélt nyelvet ismeri* he too knows English though with the difference that he has studied the spoken language only; *nem számoltam* ~ *meg de elég lesz* though I did not count them they'll do *(v.* be enough) **2.** *[kételkedve] ha* ~ *megérti* in case he can ever understand it; *nekem* ~ *beszélhetsz! [fölényeskedve]* I wasn't born yesterday!, tell that to the (horse) marines!
II. *int*, **1.** *[kérdőmondatban]* then, ever; ~ *hol* where then?, *[nyomatékosabban]* where ever?; ~ *ki [nyomatékosabban]* whoever, I wonder who, ~ *mi(t)?* whatever, I wonder what; ~ *ki mondta ezt neked?* whoever told you that?; ~ *ki mondhatta ezt neki?* whoever could have told him that?; ~ *mondd mit fog ez segíteni?* what will that help (,) pray?; ~ *ki jön?* I wonder who's coming?; ~ *mi bosszantotta fel ennyire?* whatever (did) upset him so?; ~ *miért érdekel ez annyira?* what possible interest can you have in it?; ~ *hol járhat?* where ever can he be?; ~ *hány óra lehet?* I wonder what the time is, what can be the time?; ~ *minek?* what (on earth) for? **2.** *[nyomatékosan]* ~ *menjen innen!* get along with you!, go to!; ~ *mondd meg* do tell me; ~ *hagyjon már békében* leave me alone (,) will you **3.** *[lekicsinyelve, méltatlankodva]* ~ *!* fiddlesticks!, nonsense!, hoot(s)!, come now!, pish!, tut!, pooh, rubbish!, ridiculous!; ~ *kérlek!* go to!, come now!, shucks!, pshaw!; ~ *már!* you don't say!, come now!, now(,)now!, rats! **4.** *[csodálkozólag]* ~ *?!* what?, you don't say so!, you don't mean it!; ~ *ne mondja!* you don't say! **5.** ~ *!* ~ *! [lekicsinylően]* pooh-pooh, you make me laugh!

[csodálkozva] well (,) well!, *[hitetlenkedve, elutasitóan]* come come!, come now!, now(,) now!; **6.** *[megnyugtatólag]* ~! there (,) there!

ugyanabban *adv. dem,* ~ *a helyzetben van (átv, kb)* row in the same boat

ugyanabból *adv. dem,* ~ *való* (be) of the same kind

ugyanakkor *adv. dem,* at the same time, just then, simultaneously, in the very moment, contemporaneously; ~ *amikor* while, simultaneously with, at the same time as

ugyanakkora *a. dem,* of the same size *(ut),* just as large/small (as)

ugyanannak I. *adv. dem,* to (the) same **II.** *poss. dem,* of (the) same

ugyanannyi *a/n. dem,* of the same quantity/amount (as) *(ut),* the same quantity/amount of, just as much, neither more nor less, the same, as many; *majdnem* ~ almost *(v.* very nearly) as much/many

ugyanannyira *adv. dem, [mértékben]* just/quite as much, *[távolságra]* just/quite as far from ... as; *X* ~ *van Y-tól mint Z* X is as far from Y as Z; ~ *amennyire/ mint* as much as

ugyanannyiszor *adv. dem,* just as many times, just as often

ugyanaz I. *n. dem,* the same (thing); *ugyanannak a dolognak* ~ *a hatása* like causes produce like effects; *folyton* ~*t teszi* he does the same thing over and over again

II. *a/n. dem,* **1.** *[állítmányként]* the same, identical; *egy és* ~ it is one and the same thing, it is the very same thing; *ez* ~ *(átv)* it amounts to the same thing, it is as broad as it is long; *nagyjából* ~ it's pretty much the same; *pontosan* ~ it's exactly the same; ~ *tőkben* it's twelve of one and a dozen of the other; ~ *a véleményünk* we see eye to eye, we have the same opinion; *vagy ... ami* ~ or ... which amounts/comes to the same thing **2.** *[felsorolásban]* idem, ditto

III. *a. dem, [jelzőként]* the same, identical, idem *(ut), [nyomatékosan]* the very same, the selfsame; ~ *a ház* the same house; *teljesen* ~ *a(z) ...* very same, selfsame; ~ *az ember volt* it was the very same *(v.* selfsame) man

ugyanazért *adv. dem,* for the (very) same reason, by the same token

ugyanaznap *adv. dem,* (on) the very day, the same day

ugyanazon¹ *a. dem,* the same, identical; ~ *fajta* of the same kind

ugyanazon² I. *adv. dem,* on (the) same **II.** *a. dem,* ~ *a helyen* in the same place; ~ *az úton megy* go the same way; ~ *a vélemények vannak* they are of a/one mind

ugyancsak *adv,* **1.** *[szintén]* similarly, likewise, also, too, ditto **2.** *[alaposan]* thoroughly, soundly, out and out, to the full; ~ *jártas* deeply versed, thoroughly at home, be perfect/master at sg; ~ *meggondolom majd* I shall think it over twice, I shall give it thorough consideration; ~ *ügyel vkre* take precious good care of sg

ugyanekkor *adv. dem,* = **ugyanakkor**; *tavaly* ~ the same time last year

ugyanekkora *a. dem,* = **ugyanakkora**

ugyanennek I. *adv. dem,* to (the) same **II.** *poss. dem,* of (the) same

ugyanennyi *a. dem,* = **ugyanannyi**

ugyanennyiszer *adv. dem,* = **ugyanannyiszor**

ugyanez I. *n. dem,* ~ *történt velem* the same thing happened to me; *Jóskáról nem lehet* ~*t mondani* the same does not apply to Joe **II.** *a/n. dem, [állítmányként]* the same; ~ *a helyzet most is* the situation hasn't changed in the least *(v.* is the same as before) **III.** *a. dem,* the same; ~*t a kalapot láttam tegnap* I saw the same hat yesterday

ugyanezen¹ *a. dem,* the same; ~ *okból* for the same reasons

ugyanezen² I. *adv. dem,* on/in the same **II.** *a. dem,* ~ *a helyen* in this very same place

ugyanezért *adv. dem, [ok]* for the same reason, *[cél]* with the same object in view

ugyanide *adv. dem,* to the same place

ugyanígy *adv. dem,* in the same way/manner, likewise; ~ *állunk vele* the situation is the same regarding *(v.* as regards) him

ugyanilyen *a. dem,* similar kind of, of the same kind/sort *(ut),* (exactly the) same, identical, like, same

ugyanis *conj,* namely, that is (to say) *(röv* i.e.), to wit *(obs), (tud)* scilicet *(röv* sc., scil.) *(lat),* for(,)

ugyanitt *adv. dem,* just here, in the same place

ugyanoda *adv. dem,* to the (very) same place

ugyanolyan *a. dem,* the same kind/sort, similar, (exactly the) same, identical, unchanged; ~ *maradt* it is unchanged, he remained the same; *mind* ~*(ok)* (they are) all of a piece

ugyanonnan *adv. dem,* from the (very) same place/direction/quarter

ugyanott *adv. dem,* **1.** *[helyről]* at the same place, *[címről]* at the same address; *találkozzunk holnap* ~ *ahol tegnap* let us meet tomorrow in the same place as yesterday; *még* ~ *tart ahol ...* he is still where ...; ~ *állunk ahol voltunk* we haven't moved an inch, we are still where we were **2.** *[jegyzetben]* ibidem *(röv* ib., ib. id) *(lat)*

ugyanúgy *adv. dem,* in the same way/manner (as), similarly, alike, likewise, in like manner, just the same; ~ *cselekszik* do likewise; ~ *folytatja* continue as before, go (right) on; ~ *hívják mint engem* his name is the same as/with mine; ~ *vonatkozik vmre* applies with equal force to ...

úgyannyira *adv. dem,* so, to such a degree, so completely/thoroughly, insomuch (as, that); ~ *hogy* so much so that

ugye *adv/int,* is it not (so)?, isn't it?, is it?, eh ; *megteszi(,)* ~ you will do it(,) won't you!; ~*(,) itt van?* he is here(,) isn't he *(v.* is he not)?; ~ *meglátogatsz?* you will come to see me(,) won't you?; ~ *megtanultad a leckédet?* you have learned your lesson(,) haven't you?; ~ *nem büntették meg?* he was not punished(,) was he?; ~ *megmondtam* I told you so!; *na* ~*! [= megmondtam]* there now!, there you are!, aha!

ugyebár *adv/int,* = **ugye**

úgyhogy *conj,* so that, so

úgyis *adv,* in any case, anyway, at any rate, under any circumstances, anyhow *(fam);* én *már* ~ *megyek* I am going anyway; *itt már* ~ *minden hiába* there is nothing to be done anyway, it is too late anyhow

úgymint *adv. conj,* namely *(röv* viz.), such as, that is to say, *(röv* i. e.), that/it means

úgymond *vi,* † quoth he

úgynevezett *a,* so-called, as it is called *(ut),* so-termed; *az* ~ *Barcaságban* in what is called the Barcaság; *az* ~ *barátja* his so-called friend; *az* ~ *jó háziasszony (elit)* a self-styled *(v.* soi-disant *fr)* good housewife

úgyse *adv,* not, by no means, not by any means, not at all; ~ *maradok itt* I won't stay anyway; *ne mondd el(,)* ~ *igaz* spare your breath it isn't true, cut it out(,) it isn't true anyhow

úgysem *adv,* = **úgyse**

úgyszintén *adv,* as well, also, too

úgyszólva *adv,* = **úgyszólván**

úgyszólván *adv,* so to say/speak, practically (speaking), almost, as it were, virtually, as good as; ~ *az egész* almost all; ~ *egyhangúan* with practical unanimity; ~ *egyhangúan szavazták meg* it carried an almost unanimous vote; ~ *lehetetlen* it's next to an impossibility; ~ *semmi* almost nothing, next (door) to noth-.

ing; ~ *semmi értelme nincs* it hardly has any sense/meaning at all; ~ *semmit sem eszik* eat next to nothing; ~ *semmit sem változott* he is much about the same; ~ *senki* next to nobody; ~ *soha* hardly/scarcely ever, seldom if ever, seldom or never; ~ *sohasem olvasott* he read seldom if ever

uhu [-t, -ja] *n, (áll)* eagle/stock owl *(Bubo bubo)*

új [-at; *adv* -an] **I.** *a,* new, fresh, recent, modern, young, unused, novel; ~ *alakot ad vmnek* reshape sg; ~ *alakot ölt* take on a new shape; ~ *arc* new/unfamiliar face; ~ *arcokat látok* I see new faces; ~ *bátorságot önt vkbe* revive sy's courage; ~ *bekezdés* new/fresh paragraph, *[diktálásban]* new paragraph; ~ *beszerzés* new purchase, recent acquisition; ~ *beszerzések jegyzéke* accession(s) list; ~ *bizonyíték (jog)* newly discovered evidence; ~ *bor* new wine; ~ *divatú* new-fashioned, fashionable, up-to-date, *[kissé elit]* new-fangled; ~ *életre kel* revive, *(ritk)* renew; ~ *életre kelt* revivify, revive; ~ *életre keltés* revivification; ~ *életet kezd* turn over a new leaf, start a new life; ~ *életet önt (vkbe)* revivify (sy); ~ *ember* new personality/face, newcomer, homo novus *(lat)*; ~ *emberré lesz* become a new man, take (on) a new lease of life *(fam)*; ~ *erőt gyűjt* acquire new strength, recover strength, recruit one's stength; ~ *erőt merít* gain/take fresh courage; ~ *erőkre van szükség* we need young blood; ~ *értelmezés/értékelés/interpretáció* reinterpretation; ~ *értelmezést ad (vmnek)* reinterpret (sg); ~ *értelmiség* new/people's intelligentsia; ~ *fejezetet kezd* begin a fresh cḫapter, *(átv)* turn over a new leaf; *ez a feladat* ~ *nekünk* this task is new to us; ~ *gazdasági politika* new economic policy *(röv* N.E.P.); ~ *géppel/gépekkel lát el [üzemet, gőzöst stb.]* re-engine; ~ *hagyma* young onion; ~ *ház* new building/house; ~ *hazám* my adopted country; ~ *házasok* newly-married couple; ~ *házasságot köt* remarry; ~ *helyzet elé állít vkt* face/confront sy with a new set of circumstances; ~ *keletű* recent, modern, fresh, late, new, novel, *(elit)* new-fangled; ~ *keletű eszmék (elit)* new-fangled ideas; ~ *keletű szó/kifejezés* neologism, new-coined word, word(s) of modern coinage; ~ *kiadású* new edition of, *[változatlan]* reprint of; *a felperes ezt követően* ~ *keresetet indíthat (jog)* the plaintiff may thereafter renew his action; ~ *kenyér* new bread; ~ *képződmény* neoformation; ~ *készlettel ellát* restock; ~ *kiadás [könyvnél]* new edition, *[változatlan]* reissue, re-edition, republication, reprint; ~ *kiadásban kiad* reprint, bring out a new edition of, re-edit; ~ *lenyomat* reprint, republication, reimpression; ~ *munkába lép* sign on for a new job; *az* ~ *nemzedék* the rising generation; ~ *nevet ad (vknek, vmnek)* rechristen (sy, sg); ~ *nyéllel lát el vmt* rehandle sg; ~ *öntés* recast; ~ *ötlet* fresh idea; ~ *ruha* new clothes *(pl), [mindennap]* different clothes (every day) *(pl);* ~ *szállítmány* fresh supply; ~ *szereposztás* recast; ~ *szeremény* new acquisition, *[könyvtári]* (new) accession, addition; ~ *szó* new word/coinage, neologism; ~ *szokás* innovation; ~ *tag [társaságban, szervezetnen stb.]* (new) recruit; ~ *tanuló* new pupil; ~ *tárgyalás* reconsideration, *(jog)* retrial; ~ *típusú* new-type; ~ *típusú ember* man/woman of the new type; ~ *típusú munkáspárt* new-type working-class party; ~ *vezetés* new management; *az* ~ *vonal [divatban]* new look; *majdnem* ~ as good as new; ~ *meg* ~ ever new/fresh; *vmnek* ~ *volta* newness, freshness, novelty **II.** *n,* ~*at mond* say sg that is new; *senki nem tud neki* ~*at mondani/mutatni* he takes spades from no one *(fam)*

újabb [-at; *adv* -an] *a,* newer, *[további]* fresh, further, another, renewed, repeated, subsequent; ~ *eljárás végett visszaküld* remand for retrial; ~ *fejlemények* new developments; ~ *hallgatás* another pause; ~ *keletű* recent; ~ *lépés vm felé* it is one more step towards sg; *az* ~ *nemzedék* the rising generation; ~ *rendelkezések/intézkedések* further orders; ~ *100 fontot fizet* pay another £ 100; ~*at kérünk!* tell us something new ; *leg*~ recent; *leg*~ *divat* new(est) fashion

újabban *adv,* recently, lately, in recent times, of late (years); ~ *tett javaslatok* recent proposals

újabbkori *a,* modern, recent; ~ *történelem* modern history

újangol *a/n,* modern English

újarcú *a,* modern, progressive, of a new type *(ut)*

újbirtokos *n,* = **újgazda**

újból *adv,* anew, afresh, (once) again, once more, over again, from the beginning; ~ *belép [szobába, színpadra stb.]* re-enter; ~ *besoroz/behív* re-enlist; ~ *elkezd* recommence; ~ *elkövet [bűncselekményt]* re-commit; ~ *elmesél* retell; ~ *előjön/előfordul* re-emerge; ~ *élvez* re-enjoy; ~ *érvényesít egy jogot* re-enforce a right; ~ *feltűnik/megjelenik/felbukkan/kiemelkedik [a vízből stb.]* re-emerge; ~ *játszik [szerepet, darabot]* react; ~ *megkísérel* reattempt; ~ *megvizsgál/megszemlél* resurvey; ~ *nekivág/nekimegy egy vizsgának* re-enter for an examination

újbóli [-t] *a,* ~ *elhalasztás* readjournment; ~ *fásítás/erdősítés* reforestation; ~ *férjhezmenetel* remarriage; ~ *kiadás [könyvé]* republication; ~ *kinevezés* reappointment; ~ *megjelenés* reappearence; ~ *tárgyalás* retrial; ~ *vizsgálat* reinvestigation

újbor *n,* new/young wine, this year's vintage

újburgonya *n,* new/early potato(es)

újdonatúj *a,* brand-new

újdondász [-ok, -t, -a] *n,* † reporter *(stand.)*

újdonság *n,* **1.** *[hír]* news **2.** *[tárgy]* novelty, last word (in sg), *[primőr]* primeǔr

újdonsült *a,* fresh (to sg), newly elected/appointed; ~ *férj* bridegroom, the young husband; ~ *házasok/pár* new-married couple, the newly-wedded (pair), the newlyweds

újesztendő *n,* = **újév**

újév *n,* new year, *[napja]* New Year('s Day); ~ *napja* New Year's Day; *az* ~ *napján* on the first day of the year; *boldog* ~*et!* Happy New Year ; *boldog* ~*et kíván vknek* wish sy a happy New Year

újévi *a,* new year's, New(-)Year, of the new year *(ut)*; ~ *üdvözlet* new year's greetings *(pl),* New-Year greetings *(pl),* the compliments of the season *(pl)*

újezüst *n,* German/China/nickel-silver, Sheffield-plate

újfajta *a,* new, novel, of a new type/kind/sort *(ut)*

újfasiszta *a/n,* neo-fascist

újfelnémet *a/n,* modern High German

újfent *adv,* afresh, anew, again, once more

Új-Fundland [-ot, -ban] *prop,* Newfoundland

újfundlandi *a,* ~ *(kutya)* Newfoundland (dog), New-foundlander

újgabona *n,* this year's corn/crop

újgazda *n,* new smallholder/landowner

újgazdag *a/n,* new(ly) rich, upstart, mushroom; *az* ~*ok* the newly rich

újgörög I. *a,* modern Greek, Neohellenic, neo-Greek **II.** *n,* modern Greek

újgrammatikus *a/n,* neogrammarian

ujgur [-ok, -t, -ja] **I.** *a,* Uigurian, Uiguric **II.** *n,* Uigur

újhold *n,* **1.** new moon; ~ *első negyedében* prime of the moon **2.** *(cím)* crescent

újít [-ani, -ott, -son] *vi/vt,* innovate, introduce innovations/changes, reform sg, *[bérletet]* renew, *[üzemben]* make an innovation, *[nyelvet]* reform

újítás *n,* innovation, *[javaslat]* employee's suggestion, *[elfogadott]* invention; ~*okat vezet be* introduce innovations/reforms

újítási [-t] *a*, innovation; ~ *bizottság* innovation committee; ~ *díj*. innovation/improvement fee/bonus; ~ *javaslat* innovation suggestion

újítgat *vi*, keep on making innovations

újító [-t, -ja] I. *a*, reformative, reformatory II. *n*, innovator, reformer, improver

újítókiállítás *n*, innovators' exhibition

újítómozgalom *n*, innovation movement/drive, staff suggestion scheme

ujj¹ [-at, -a] *n*, 1. *[kézen]* finger, *[lábon]* toe, *(bonct)* digit; *középső* ~ medius; *kopogtató* ~ *(orv)* plessor; ~*ak közötti (bonct)* interdigital; ~ *alakú* digitiform, *(növ)* fingered; ~*a köré csavar* twist/turn/wind sy round one's (little) finger, hold sy in the hollow of one's hand; ~*ából szopta* he/she has invented it, it is pure invention, it's just a story; *nem szoptam az* ~*amból* it is no invention of mine; *megszámolhatod a tíz* ~*adon* you may count it on your fingers' ends *(v. on your ten fingers)*; ~*at húz vkvel* pick a quarrel with sy, defy sy, bid defiance to sy; ~*át szopja* suck one's thumb/finger; *egy* ~*át sem mozdítja érte* he does not lift/move a finger for him *(v. to help him)*; *megégeti az* ~*át* burn one's finger; *megvágja az* ~*át* cut one's finger; *Isten* ~*át látja vmben* see the divine finger in sg; ~*al mutat vkre* point sy out with one's finger; ~*al mutogatnak rá* people point a finger of scorn at him 2. *[hosszmérték]* inch (= 2,54 cm)

ujj² [-at, -a] *n*, *[ruháé]* sleeve

újjá *pref*, (a)new, re-

újjáalakít *vt*, 1. remodel, recondition, renew, refashion, reform, redo, *[intézményt]* reorganize, reshape, reconstitute, revamp *(fam)*, *[ruhát]* alter; ~*ja a kormányt* reshuffle the cabinet 2. = **újjáépít**

újjáalakítás *n*, remodelling, reshaping, refashioning, renewing, reformation, *[intézményé]* reorganization, *[ruháé]* alteration, *[kormányé]* reshuffling

újjáalakul *vi*, be remodelled/reformed/refashioned; *a kormány* ~*t* the government/cabinet has been reshuffled

újjáalakulás *n*, reformation, *[intézményé]* reorganization, *[kormányé]* reshuffle

újjáalkot *vt*, re-create, create anew, regenerate; *ld még* **újjáépít**

újjáalkotás *n*, re-creation, regeneration; *ld még* **újjáépítés**

ujjábécé *n*, finger-alphabet

ujjabélés *n*, sleeve-lining

újjáébred *vi*, revive, reawaken

újjáébredés *n*, revival, reawakening, renascence

újjáéled *vi*, be restored to life, revive, resuscitate, requicken, *(biol)* rejuvenesce

újjáéledés *n*, resurrection, regeneration, renascence, resuscitation, rebirth, *(biol)* rejuvenescence

újjáéledő *a*, reviving, renascent

újjáéledt [-et; *adv*-en] *a*, revived

újjáéleszt *vt*, revive, revivify, resuscitate, requicken, rouse, enlive, *[tüzet]* rekindle

újjáélesztés *n*, revival, revivification, resuscitation, enlivening, rousing, *[tüz]* rekindling

újjáépít *vt*, rebuild, reconstruct, restore; *a házat teljesen* ~*ették* the house has been entirely rebuilt

újjáépítés *n*, reconstruction, rebuilding, restoration

újjáépítési *a*, ~ *kölcsön* reconstruction loan; *Nemzetközi Újjá~ és Fejlesztési Bank* International Bank for Reconstruction and Development

újjáépített *a*, ~ *városrész/terület stb*. reconstruction area

újjáépítő *n*, reconstructor, rebuilder

újjáépül *vi*, be rebuilt/reconstructed/restored; *a ház teljesen* ~*t* the house has been entirely rebuilt

újjáépülés *n*, rebuilding, reconstruction, restoration

újjáépülő *a*, rebuilding, under *(v.* in the course of) reconstruction *(ut)*

újjáépült [-et; *adv*-en] *a*, rebuilt, reconstructed, restored

újjáértékel *vt*, revaluate, reassess

újjáértékelés *n*, revaluation, reappraisal

ujjafa *n*, sleeve-board

újjáformál *vt*, = **újjáalakít**

ujjahossza *n*, sleeve length

ujjas¹ [-ak, -t] *a*, (-)fingered, *(áll, növ)* digitate(d)

ujjas² [-ok, -t, -a] I. *a*, *[ruha]* sleeved, with sleeves *(ut)*; ~ *kesztyű* fingered glove; ~ *mellény* sleeved vest/ sweater/pullover/waistcoat, (sleeve-)waistcoat; ~ *sportmellény* lumber-jacket, lumberjack II. *n*, jacket, jerkin, doublet

újjászervez *vt*, reorganize, reform, reconstruct, organize anew

újjászervezés *n*, reorganization, reconstruction, reformation; *gazdasági és pénzügyi* ~ economic and financial reconstruction

újjászervezett *a*, reorganized

újjászervező I. *a*, reorganizing, regenerative, regenerating II. *n*, reorganizer, regenerator

újjászül *vt*, regenerate

újjászületés *n*, rebirth, regeneration, renascence, renaissance, revival

újjászületett *a*, reborn, *(csak átv)* completely reformed

újjászület|ik *vi*, be born again, be reborn, revive, take a new lease of life, spring up again, rise again, reappear, come to life again, *[művészet]* revive; *úgy érzem magam mintha* ~*tem volna* I feel reborn, I feel new life pulsing in my veins, I've become a new man, *(vmtől)* it has made a new man of me

újjászülető *a*, coming to life again *(ut)*, taking a new lease of life *(ut)*, renascent, resurgent

újjáteremt *vt*, re-create, regenerate, remake

újjáteremtés *n*, re-creation, regeneration, remaking

ujjatlan¹ [-t] *a*, *[kéz, láb]* without fingers/toes *(ut)*

ujjatlan² [-t] *a*, *[ruha]* sleeveless; ~ *kesztyű* mitten

újjáválaszt *vt*, re-elect

újjáválasztás *n*, re-election

újjávarázsol *vt*, remake sg (as good as new), restore sg to its former shape/form

ujjavasaló *n*, *[deszka]* sleeve-board

ujjazat *n*, *[billentyűs hangszeren]* fingering

ujjbegy *n*, *[emberé]* pulp (of the fingertip), (finger) pad

ujjbeszéd *n*, talk(ing) with/by fingers, finger code/ language, hand-language, *(tud)* dactylology, dactylography

ujjborító *n*, *[kézen]* finger-stall/guard/cover

ujjcsont *n*, digital bone, phalanx

ujjé *int*, hooray, whoopee *(US)*

ujjgyakorlat *n*, *(zene)* finger-exercise/work

ujjgyulladás *n*, whitlow

ujjhegy *n*, finger-tip/end

ujjhúzás *n*, *(vkvel átv)* defiance (of sy)

ujjideg *n*, digital nerve

ujjíz *n*, *(bonct)* phalanx, joint

ujjizom *n*, digital muscle

ujjízület *n*, knuckle(-joint), finger/toe-joint

ujjközi *a*, *(bonct)* interdigital

ujjlenyomat *n*, finger-print, *(tud)* dactylogram; ~*ok tana* dactyloscopy; ~*ot vesz vkről* take sy's finger-prints

ujjmutatás *n*, 1. *[ujjal való mutatás]* pointing out with fingers, directing with fingers 2. *[útbaigazítás]* hint, direction(s)

ujjnedvesítő *a/n*, ~ *(szivacs)* finger moistener

ujjnyelv *n*, = **ujjbeszéd**

ujjnyi [-ak, -t] *a/n*, inch long/thick/broad; ~ *szélesség* finger-breadth; ~ *vastag* finger's breadth, an inch thick; *négy* ~ four inches of; *egy* ~*t sem enged* he won't give/budge/let/waive an inch

ujjnyom *n*, finger/thumb-mark; ~*okat hagy [könyvlapokon]* thumb

ujjong [-ani, -ott, -jon] *vi*, exult (at, in), rejoice, shout for/with joy, crow over sg, triumph, greet sg with cheers, jubilate, whoop *(fam)*; *örömében* ~ shout for/with joy

ujjongás *n*, jubilation, exultation, rejoicing, shouting for joy, triumph, delight, cheers *(pl)*, acclamation; *a tömeg ~ai közben* with the crowds cheering

ujjongó [-t; *adv* -an] *a*, exulting, exultant, rejoicing, jubilant, triumphant, enthusiastic, gleeful, gleesome

ujjperc *n*, knuckle, finger/toe joint, phalanx; *középső* ~ middle phalanx; *végső* ~ distal/terminal phalanx

ujjrakás *n*, = ujjrend

ujjrend *n*, *(zene)* fingering; ~*del lát el* finger

ujjszámolás *n*, counting on one's ten fingers

ujjszélességnyi *a/n*, = ujjnyi

ujjtávolság *n*, *[zongorán]* stretch of the fingers

ujjú¹ [-ak, -t] *a*, -fingered, *[kézen]* -dactylous, *[lábon]* -toed; *hosszú* ~ long-fingered, *[állat]* macrodactylous; *fürge* ~ nimble-fingered

ujjú² [-ak, -t] *a*, *[ruha]* -sleeved; *hosszú* ~ long-sleeved, with long sleeves *(ut)*; *rövid* ~ short-sleeved; *szük* ~ tight-sleeved

ujjvédő¹ *n*, *[kötés]* finger-stall/guard/cot, cot, *[íjász]* finger-tip

ujjvédő² *n*, *[kabátujjra húzható]* sleeve protector, armlet

újklasszicizmus *n*, neo-classicism

újklasszikus *a*, neo-classic

újkor *n*, modern times *(pl)*

újkori *a*, modern, of modern times *(ut)*, recent, *(geol)* quaternary; ~ *történelem* modern history

újkőkori *a*, neolithic

újkőkorszak *n*, neolithic age

újlatin *a/n*, neo-Latin, Romance, Romanic; *az* ~ *nyelvek* the Romance languages

újmagyar *a*, *(nyelvt)* modern Hungarian/Magyar

újmise *n*, first mass (of a priest)

újmisés *a*, *[pap]* (priest) celebrating/saying his first mass

újmódi [-ak, -t; *adv* -an] *a*, fashionable, of the latest fashion *(ut)*, *(elit)* new-fangled

újnemes I. *a*, newly knighted II. *n*, newly created noble man

újólag *adv*, = újból

újonc [-ot, -a] *n*, 1. *(kat)* recruit, draftee *(US)*, inductee *(US)*, selectee *(US)*, rookie ◆, Johnny come lately *(joc)*, Johnny newcome/Raw *(joc)* 2. *[kezdő]* beginner, novice, tyro, tiro, raw hand, *[szakmóban]* newcomer, apprentice, young practitioner, *[társaságban, szervezetben stb.]* recruit

újoncállítás *n*, recruiting, recruitment, new levy of men, enlisting, enlistment

újoncidő *n*, 1. *(kat)* period of basic training 2. *(nem kat)* apprenticeship

újonckiképzés *n*, basic training, recruit drill, boot training *(US)*

újonckiképző I. *a*, drill, basic training II. *n*, drill sergeant

újoncoz [-tam, -ott, -zon] *vt*, recruit, enlist, enrol, levy, draft

újoncozás *n*, conscription, levy, draft, enlisting of recruits; *ld még* újoncállítás

újoncozó [-t] *a*, ~ *tiszt* recruiting officer

újoncösszeírás *n*, registration for national service, conscription

újoncszedés *n*, = újoncozás

újonnan *adv*, *[elölről]* anew, afresh, *[mostanában]* newly, lately, recently; ~ *alakított* newly formed; ~ *bevezetett* lately introduced; ~ *érkezettek/érkezők/ jöttek* new arrivals, newcomers, fresh-comers; ~ *felfedezett* newly discovered, new-discovered; ~ *festett* freshly painted; ~ *képzett/gyártott szó* new-coined word; ~ *készült* newly/new-made

újplátói *a*, *(tört)* Neoplatonic

újplatonista *a/n*, *(tört)* Neoplatonist

újra I. *adv*, again, anew, afresh, once more/again; ~ *meg* ~ again and again, (over and) over again, time and (time) again, time after time, repeatedly; ~ *meg* ~ *elolvas vmt* read sg over and over; ~ *l [dal egyik sora után]* "repeat"
II. *pref*, re-; ~ *alkalmaz (vkt)* re-employ, re-engage, re-appoint, *(vmt)* re-apply; ~ *átél* relive, live over again; ~ *átkel vmn* recross sg; ~ *átvesz [szerepet]* say over; ~ *beáll/berukkol* re-enlist, rejoin the army; ~ *becsomagol* repack; ~ *befed/behúz* re-cover; ~ *befektet [pénzt]* reinvest; ~ *behajóz* re-embark; ~ *behelyez* replace, reinstall, reinsert; ~ *behoz [kivitt árut]* reimport; ~ *bejegyez* re-enter (sg in a list); ~ *belép* re-enter; ~ *belépő* re-entrant; ~ *bélyegez/ pecsétel* restamp; ~ *benépesít* repeople; ~ *benyújt* hand in a second time; ~ *bérbe ad* re-lease; ~ *berendez* re-furnish; ~ *beültet [területet]* replant; ~ *birtokba vesz* reseize, reposses oneself of (sg); ~ *egyesít* re-unite, rejoin; ~ *elad* resell; ~ *elér* reach again, regain; ~ *elfoglal* reoccupy, retake, repossess; ~ *elkezd* recommence, start (sg) afresh; ~ *elkezdődik* recommence; ~ *elmond* retell, tell over/again; ~ *elolvas* reread, read over (again); ~ *előad* tell/show/present again, reproduce, re-present; ~ *eltemet* re-inter; ~ *fásít/erdősít [vidéket]* reafforest, restock; ~ *felbukkan* re-emerge, reappear; ~ *feldolgoz* rehandle, rework, *[hulladékanyagot]* reprocess; ~ *felépít* rebuild, re-erect; ~ *felfedez* rediscover; ~ *felúj [léggömböt]* reinflate; ~ *felidéz [múltbeli eseményt]* revisualize; ~ *felkeres* revisit, look sy up again; ~ *fellép* reappear; ~ *felszerel* refit; ~ *feltölt [kondenzátort]* recharge, reload; ~ *felül a lovára* remount one's horse; ~ *felvesz [állásba]* readmit, *[kapcsolatot]* resume; ~ *hajóra száll/szállít/rak* re-embark; ~ *húroz [hegedűt, teniszütőt]* restring; ~ *impregnál* re-rubber; ~ *keveri a kártyát* reshuffle the cards; ~ *kezdődik* start over/again, restart, recommence, *[sóhajtva]* it's the same old story again; ~ *kiad* republish, reissue, re-edit; ~ *kibocsát [államkölcsönt]* refloat; ~ *kihallgat [tanút]* re-examine; ~ *kinyomtat* reprint; ~ *kiszed (nyomd)* reset; ~ *kivet [adót]* reassess; ~ *lead [műsorszámot]* re-broadcast; ~ *lejátszik [filmet/lemezt stb és sp]* replay, play again, *[jelenetet, színdarabot]* re-enact; ~ *leszögez [bizonyos feltételeket]* restate; ~ *megcsinál* remake; ~ *megfontol* reconsider; ~ *megfordít* turn over again; ~ *meggyújt* light again, relight, *[tüzet]* rekindle; ~ *megindul* start again, restart; ~ *megjelenik* reappear, appear again; ~ *megkever [kártyákat]* reshuffle; ~ *megköt* retie; ~ *meglátogat* revisit; ~ *megnyílik/megnyit* reopen; ~ *megrak* reload; ~ *megtanul* relearn; ~ *megterít [asztalt]* reset (the table); ~ *megtölt* replenish, refill, *[gázneművel]* reinflate; ~ *megválaszt* re-elect; ~ *megválasztás* re-election; ~ *megválasztható* re-eligible; ~ *megvizsgál* re-examine; ~ *munkába áll* return to work; ~ *nekibátorodik* recover one's courage; ~ *önt* recast; ~ *összeállít* reassemble; ~ *patkol [lovat]* reshoe; ~ *sugároz [műsorszámot]* re-broadcast; ~ *szőröz [hegedűvonót]* rehair; ~ *talpraáll* rise to one's feet again, stand on one's feet again; ~ *tárgyal (vmről)* renegotiate; ~ *tekercsel* rewind; ~ *vízrebocsát* refloat

újraalkalmazás *n*, re-employment

újrabeállítás *n*, readjustment

újrabehozatal *n*, *(ker)* reimport(ation)

újrabélel *vt*, reline

újrabetűz *vt*, *[szót]* respell

újracímez *vt*, readdress, redirect

újracsinál *vt*, remake

újracsomagol *vi/vt*, repack

újraelad *vt*, re-sell, sell again
újraeladás *n*, re-sale
újraéled *vi*, reawaken, revive
újraéledés *n*, reviviscence
újraéleszt *vt*, revive, revivify, reawaken, reanimate, resuscitate
újraélesztés *n*, revival, revivification
újraelosztás *n*, redivision, redistribution, reallocation
újraépít *vt*, rebuild, reconstruct
újraerdősítés *n*, reafforestation
újraértékel *vt*, revaluate, reassess
újraértékelés *n*, revaluation, reassessment, *[árrendezéssel kapcsolatban]* repricing, reappraisal; *állóeszközök ~e* reappraisal of fixed assets
újraesztergálás *n*, re-turning
újrafagyaszt *vt*, refreeze
újrafegyverkezés *n*, rearming, rearmament
újrafektet *vt*, *[síneket, szőnyeget]* re-lay
újrafelfedez *vt*, rediscover
újrafelfedezés *n*, rediscovery
újrafelfegyverez *vt*, *[országot]* rearm, *[sereget]* remobilize, *[hajót]* recommission
újrafelfegyverzés *n*, rearming, rearmament, *[sereget]* remobilization, *[hajót]* recommissioning
újrafelhasznál *vt*, re-use, use again
újrafelhasználás *n*, re-use/usage/working/employment
újrafelosztás *n*, / redistribution, reallocation, re-division, repartition; *a világ~a* repartition of the world
újrafelvétel *n*, *(jog)* rehearing, resumption, *[kapcsolatoké]* re-establishment (of contacts), *[peré]* rehearing (of a case), retrial, new trial, review
újrafelvételi *a*, *~ eljárás* rehearing procedure; *~ indítvány* motion for a new trial
újrafest *vt*, repaint, redye, put on a new coat of paint
újraforgat *vt*, *[filmet újra felvesz]* retake
újraformáz *vt*, remould
újrahántol *vt*, rescrape
újrahitelesítés *n*, recalibration
újraigényel *vt*, reclaim, make another claim/demand
újraindítás *n*, *[rakétáé]* restart
újrair *vt*, rewrite, redraft
újrajátszás *n*, *(sp)* replay
újrajátsz|ik *vt*, 1. *(sp)* replay, *[döntetlent]* play off (a tie) 2. *(szính)* *[szerepet, darabot]* react
újraképződ|ik *vi*, regenerate
újrakeresztelő *n*, anabaptist
újrakezd *vt*, recommence, begin/start (all over) again, resume, start afresh, *[beszélgetést, levelezést]* renew; *~i az életet* start life afresh
újrakezdés *n*, recommencement, resumption, *(sp)* restart of the game, *[parlamenti üléseké]* reassembly
újrakihallgatás *n*, *(jog)* rehearing
újrakitermel *n*, *[hulladékból]* salvage
újrakivitel *n*, *(ker)* re-export(ation)
újrakölt *vt*, *[verset]* re-write, write a new version of
újrakőt *vt*, *[könyvet]* rebind
újrakötöz *vt*, *[sebet]* redress
újralicitál *vt*, *[kárty]* *[színt]* rebid
újramázol *vt*, repaint
újramegvizsgálás *n*, re-examination
újranyomas *n*, reprint
újraolt *vt*, *(orv)* revaccinate
újraoltás *n*, *(orv)* revaccination
újraoltási *a*, *~ bizonyítvány* revaccination certificate, certificate of revaccination
újraolvas *vt*, *[könyvet]* re-read, read again
újraosztályoz *vt*, reclassify, regroup
újraosztás *n*, *(kárty)* redeal
újraőröl *vt*, remill, regrind
újrarajzol *vt*, redraw, retrace

újrarendez *vt*, rearrange, readjust
újrarendezés *n*, rearrangement, readjustment
újraszámláz *vt*, reinvoice, rebill
újraszámol *vt*, recount, count again
újraszámoz *vt*, number again, re-number
újraszed *vt*, *(nyomd)* reset
újraszövegez *vt*, reword, reframe
újratárgyal *vt*, rehear, retry, reconsider
újratárgyalás *n*, *[peré]* rehearing (of the case), new trial
újratelepít *vt*, 1. *(növ)* replant 2. *[embereket]* resettle
újratermel *vt*, reproduce
újratermelés *n*, reproduction; *egyszerű ~* simple reproduction, reproduction on a static scale; *bővített ~* reproduction on an increasing scale
újratölt *vt*, refill, replenish, *[puskát]* reload, *[áramfejlesztőt, telepet]* recharge (run-down battery)
újratöltés *n*, refilling
újraválaszt *vt*, *(vkt)* re-elect; *a lelépő tagot nem lehet nyomban ~ni* the retiring member shall not be eligible for immediate re-election
újraválasztás *n*, re-election
újraválasztható *a*, eligible for re-election *(ut)*
újraválaszthatóság *n*, re-eligibility
újráz *[-tam, -ott, -zon]* *vt/vi*, 1. *[ráadást kér]* (cry) encore, recall 2. *[művész]* perform a second time
újrázás *n*, encore(s), recall(ing), demand for a repetition, *[a ráadás]* repeat number, encore
újrendszerű *a*, new method/system/type (of)
újromantikus *a*, neo-romantic
újság *n*, 1. *[vmnek új volta]* newness, recentness; *ez ~ számomra* I haven't heard of that before, that's new *(v. sg new)* to me, that is news to me; *ez már nem ~* that's no news 2. *[hír]* news, piece of news, tidings *(pl)*, fresh information, novelty; *mi ~?* what's the news?, what's the latest? 3. *[lap]* news(paper), paper, journal, rag *(joc)*; *az ~ok* the press; *esti ~* evening paper; *~ba ír* work/write for a paper, journalize; *az ~okban olvastam* I read it in the papers; *~ot járat* take in *(v. subscribe to)* a paper; *~ot olvas* read a/the paper
újságárus *n*, newsvendor, newsdealer *(US)*, newsboy, newsman, *[bódéban]* news-agent
újságárusbódé *n*, = újságosbódé
újságárusítás *n*, sale/selling of (news)papers
újságárusító *n*, = újságárus
újságbélyeg *n*, newspaper stamp/postage
újságcikk *n*, article (in the paper), *[rövid]* paragraph, par *(fam)*; *kivágott ~* (newspaper) clipping, cutting; *~eket ír* contribute newspaper articles
újsághír *n*, (news) item, report, notice, a piece of news
újsághirdetés *n*, newspaper advertisement, ad *(fam)*; *~t tesz közzé* put/insert and ad(vertisement) in the papers
újságírás *n*, journalism, press-work, publicism
újságíró *n*, journalist, newspaper man, pressman, newsman, sub-editor *(US)*, *[igével]* work for a newspaper, *[folyóiratoké]* magazinist, *[külső munkatárs]* free lance, *[beküldött anyagot feldolgozó]* rewrite-man, *[bent dolgozó]* copy-writer, *[tudósító]* reporter, *[külföldi/vidéki tudósító]* correspondent; *kezdő ~* cub-reporter *(US)*
újságírói *a*, journalistic, of a journalist *(ut)*, publicistic; *~ igazolvány* pressman's (identity) card; *~ stílus* journalese
újságíró-igazolvány *n*, pressman's (identity) card
újságíró-iskola *n*, school for journalists
újságírókarzat *n*, press-gallery
újságírónő *n*, woman journalist
újságíróskod|ik *[-tam, -ott, -jon, -jék]* *vi*, journalize, be a journalist, be on *(v. write for)* the press, work for a newspaper, *[Londonban]* be in Fleet Street

újságkiadó n, [személy] publisher, managing editor, [vállalat] newspaper publishing house
újságkihordás n, delivery of newspapers
újságkihordó n, newsboy, newsman, paper-man/boy, carrier
újságkivágás n, clipping, (newspaper, press) cutting, scissoring; ~okat gyűjtő könyv scrap-book
újságköteg n, bunch of newspapers
újságlap n, page of newspaper
újságmelléklet n, inset, supplement
újságnyomópapír n, newsprint
újságol [-t, -jon] vt, tell (the news), report, inform, give an account of, narrate
újságolvasás n, newspaper reading
újságolvasó n, (newspaper) reader
újságolvasó-terem n, newspaper room
újságos [-ok, -t, -a] n, = újságárus, újságkihordó
újságosbódé n, news(paper)-stall/stand/kiosk, kiosk
újságpapír n, newsprint; régi ~ old newspaper (pl)
újságpéldány n, copy of a (news)paper
újságriport n, newspaper report
újságrovat n, column, rubric; rövid ~ par(agraph)
újságszedő n, news compositor/setter
újságszerkesztés n, newspaper editing
újságszerkesztő n, editor (of a paper)
újságszerű a, journalistic
újságtartó n, [váz] stick-handle (of newspaper in a reading-room)
újságtudósítás n, newspaper report
újsütetű [-ek, -t] a, new-fangled
újszellemű a, of the new spirit/trend/type (ut)
újszerű a, of new/latest type (ut), modern, novel, recent, latter, patent (fam), [stílus, elgondolás] original
újszerűség n, novelty, modernness, modernity
újszerzeményi bizottság (tört) Neoacquistica Commissio (lat) ⟨a commission dealing with the administration and resettlement of Hungarian territories reconquered from the Turks⟩
újszövetség n, New Testament
újszövetségi a, of the New Testament (ut)
újszülött [-et; adv -en] I. a, [gyermek] new-born, [bárány] new-dropped II. n, new-born child/baby, infant; az ~ the little stranger, the new arrival
újtestamentum n, = újszövetség
újul [-t, -jon] vi, be renewed
újulás n, renewal, revival
újult [-at; adv -an] a, renewed; ~ buzgalom renewed zeal; ~ erővel with renewed effort/strength; ~ remények renewed hopes
újváros n, new town/settlement
Újvidék [-et, -en] prop, Novisad (town in Jugoslavia)
Újvilág prop, az ~ the New World
Új-Zéland [-ot, -ban] prop, New-Zealand
új-zélandi [-ak, -t] I. a, New Zealand, Zelanian; ~ ember New Zealander II. n, New Zealander
ukáz [-ok, -t, -a] n, ukase, autocratic decision, official proclamation
ukmukfukk int/adv, [gyorsan] in a jiffy/moment, in no time; ezt nem lehet csak úgy ~ megcsinálni it can't be done just like that, it can't be done off hand, it can't be done so easily as all that (v. at a moment's notice)
Ukrajna [.. át, .. ában] prop, The Ukraine
ukrajnai [-ak, -t] a/n, Ukrainian
ukrán [-ok, -t; adv -ul] a/n, 1. Ukrainian 2. ~ (betegség) ukrainitis, enterocolitis
-ul, -ül suff, 1. [helyhatározó] arcul üt/csap box sy's ears, slap sy in the face 2. [állapothatározó] feleségül vesz vkt marry/wed sy; foglyul ejt take prisoner/captive; rosszul van be/feel ill/unwell; tudtul ad let sy know sg, inform sy of sg 3. [módhatározó]

rosszul bánik vkvel treat/use sy badly, mistreat/maltreat sy, be undkind to sy; például for example; véletlenül by chance/accident; angolul beszél speak English 4. [célhatározó] segítségül hív vkt call sy to help, ask sy's help 5. [állítmányi szerkezet helyett] (vmlyen minőségben szerepel:) bizonyítékul szolgál prove (that), be proof (of sg); például szolgál serve as a(n) example/precedent
ulánus n, uhlan, ulan, lancer
Ulászló [-t. -ja] prop, Wladislas, Ladislaus
ulcus [-ok, -t, -a] n, (orv) ulcer, ulcus; ~ callosum calloused/hyperkeratotic ulcer; ~ duodeni duodenal ulcer
ulnáris [-at] a, (bonct) ulnar
Ulrik [-ot] prop, Ulric
ultima ratioként as a last resort
ultimátum [-ot, -a] n, ultimatum, final proposal/statement of conditions, last word (fam); ~ot intéz vkhez send/deliver/present an ultimatum to sy
ultimó [-t] n, 1. (idő) last day of the month/year 2. (kárty) last trick
ultra [.. át, (pol) ultra
ultra- [.. át] pref, ultra-, super-
ultraalacsony a, ~ frekvencia (távk) very low frequency
ultrabaloldali a, ultra-left
ultracentrifuga n, (fiz) ultracentrifuge
ultraerősítés n, (távk) ultra-magnifier
ultrafiltráció n, (biol) ultrafiltration
ultrahang n, ultrasound, supersonic wave, supersound; ~gal kezel subject to ultrasonic treatment
ultrahang-besugárzás n, ultrasonic/supersonic radiation, radiation above the audible range
ultrahangkezelés n, ultrasonic treatment
ultrahangos a, supersonic; ~ kép ultrasonogram; ~ kicsapatás ultrasonic coagulation
ultrahangtan n, ultrasonics
ultrahangtechnika n, (fiz) ultrasonics
ultraibolya a, ultra-violet; ~ sugarak ultra-violet rays
ultraimperializmus n, ultraimperialism
ultramarin [-t] a, ultramarine
ultramarinkék n, ultra marine blue
ultramikroszkóp n, ultramicroscope, slit microscope
ultramikroszkopikus a, ultramicroscopic(al)
ultramikroszkópos a, ultramicroscopic(al); ~ szerkezet ultrastructure
ultramodern a, ultra/super-modern, up-to-the-minute, ultra-fashionable, slap-up ◈
ultramonopólium n, super monopoly
ultramontán a, (pol) ultramontane
ultranagy a, ~ frekvencia (távk) ultra-high frequency
ultrarövid a, ultra-short; ~ hullám (távk) very high frequency (röv V.H.F.), microwave, (orv) microwave diathermy
ultraszonikus a, (fiz) ultrasonic, super-audible
ultravörös a, ultra-red
umbra [.. át] n, (műv) umber; égetett ~ burnt umber
umbrafesték n, (műv) umber
umlaut [-ot, -ja] n, (nyelvt) umlaut, vowel mutation, modification
umlautos [-at] a, (nyelvt) mutable; ~ többes szám mutation plural
umlautosít [-ani, -ott, -son] vt, (nyelvt) umlaut, modify
un [-t, -jon] vt, be sick/tired/weary of, be fed up with, have a surfeit of, be bored by sy; nem ~ja ezt? (biz) isn't it awful, isn't it an awful bore?, are you not tired of it?; ~ja magát = unatkozik; ~om magam time hangs heavily on my hands; ~om az egészet I am sick and tired of it (v. of the whole business); ~ja a banánt be fed up
unalmas [-at; adv -an] a, (ált) tedious, dull, boring, tiresome, wearisome, monotonous, uninteresting,

unamusing, unentertaining, *[élet]* dull, flat, *[ember]* dull, humdrum, flat, *[étel]* washy, *[íz]* vapid, insipid, *[irodalmi műről]* prosy, prosaic, dry, cut and dried, flat, unexciting, *[összejövetel]* spiritless, *[társalgás, stílus]* vapid, colourless, savourless, matter-of-fact, insipid, spiritless, *[vicc]* tame; ~ *alak (biz)* drip, dryasdust, poor company, bore, stodgy, bromide *(US* ◇*)* ; ~ *az élet* life is flat; *halálosan* ~ it is a dreadful bore, it is dull as ditch-water, it bores you to death, mortal *(fam)*; *szörnyen* ~ it is a crashing bore; *bemondja az* ~*t* □ get fed up with; *kezd* ~*sá válni* it palls on the senses

unalmasan *adv*, tediously, in a dull/boring way/manner, tiresomely, prosily; ~ *beszél* talk/discourse in a prosaic manner, prose

unalmaskodás *n*, being bored, *[társaságban]* being a bore

unalmasság *n*, tediousness, tedium, dullness, boredom, vapidity, dryness, weariness, monotony, spiritlessness

unalom [..lmat, ..lma] *n*, tedium, boredom, satiety, spleen, ennui *(fr)*, dullness, humdrum; *megöl az* ~ I'm bored to death, it bores me to death; *rájön az* ~ have the mopes; *pusztán* ~*ból* from mere ennui; *az* ~*ig* ad nauseam *(lat)*; *az* ~*ig ismétel vmt* hack (an argument) to death; ~*ig csépel egy témát* ride an idea to death; *elűzi az unalmat* kill time, beguile the time

unaloműzés *n*, killing time

unaloműző *a*, time-killing, *[szórakoztató]* diverting, entertaining, amusing

unatkozás *n*, boredom, ennui *(fr)* ; *rájön az* ~ have the mopes

unatkoz|ik [-tam, -ott, -zon, -zék] *vi*, be bored, feel dull, *(kif)* time hangs heavy on his hands, have a thin time of it; *szörnyen* ~*tam* I was frightfully bored

unatkozó [-t] *a*, bored

uncia [..át] *n/a*, ounce *(röv oz)*

unciális [-at] *a*, *[írás]* uncial, *[betű]* uncial (letter)

undok [-ot; *adv* -ul] *a*, disgusting, loathsome, nasty, hideous, noisome, rancid, *[bűn]* odious, revolting, heinous; ~ *alak* disgusting fellow, rotter, cad

undokoskod|ik [-tam, -ott, -jon, -jék] *vi*, behave disgustingly/meanly, be rancid

undokság *n*, lothsomeness, disgusting, character/nature, nastiness, abjectness, *[bűné]* odiousness

undokul *adv*, rancidly; ~ *viselkedik vmvel kapcsolatban* be ranchid about sg

undor [-ok, -t, -a] *n*, *(vmtől)* disgust (of), loathing (of, for), nausea, aversion (to, from, for), abhorrence (of), repugnance (to, against), *[vk iránt]* disgust (at, for-towards), repugnance (to, against), *[émelygés]* surfeit, disrelish, nausea, rising of the stomach, heaving; ~*fog el* I feel disgust, my gorge/stomach rises, my stomach turns, nauseate, be filled with loathing; *elönt az* ~ *vmtől* my gorge rises at sg; ~*t kelt benne vm* be disgusted at/by sg; *a vér látványa* ~*t kelt benne* be sickened by the sight of blood; ~*t keltő/ ébresztő/kiváltó* nauseating, abhorrent, disgusting, sickening, repugnant; ~*ral elfordul* turn away in disgust, keck at sg *(fam)*

undorít [-ani, -ott, -son] *vt*, (fill with) disgust, nauseate, turn sy's stomach, rouse aversion, sicken, revolt, horrify, repel

undorító [-t; *adv* -an] *a*, *(ált)* disgusting, loathsome, nauseating, foul, repellent, shocking, horrid, hideous, revolting, sickening, nasty, obnoxious, beastly *(fam)*, *[étel]* repugnant, distasteful, *[feladat]* noisome, *[időjárás]* shocking; *ez* ~ *l* that's disgusting ; ~ *alak/fráter* a toad, perfectly poisonous fellow; ~ *hízelgés* fulsome flattery; ~ *ízű* nauseating; ~ *látvány* a nasty sight; ~ *szagú* evil-smelling

undorítóan *adv*, repulsively, in a disgusting manner

undorodás *n*, = undor

undorod|ik [-tam, -ott, -jon, -jék] *vi*, *(vktől, vmtől)* have an aversion for/towards, be repelled by, feel repugnance to, shrink with disgust from, hold sg in disgust, have a distaste for, sicken of/at, be sick of, abominate, be disgusted at/by/with, be nauseated at; ~*ik vmnek a megtekintésétől* be loath to do sg; ~*om tőle/ láttára/hallatára* my gorge rises at it, it makes my gorge rise, it (simply) turns my stomach, *(vktől)* I abhor/loathe him, I simply cannot stand him; ~*ik az ételtől* be off one's food; ~*ik a hústól* be off meat

ungon-berken *adv*, = árkon-bokron

Ungvár [-t, -on, -ott] *prop*, Užhorod (town in the Soviet Union)

uni [-t] *a*, *(tex)* plain(-dyed)

uniáru *n*, *(tex)* plain(-dyed) textiles *(pl)*, piece-dyed material

uniformis [-ok, -t, -a] *n*, uniform

uniformizál [-t, -jon] *vt*, make uniform, standardize

uniformizálás *n*, standardization

unikum [-ot, -a] *n*, sg unique/unequalled/unrivalled, *[könyvről]* unique copy

unintelligens *a*, unintelligent, dull-witted

unió [-t, -ja] *n*, union, agreement, harmony, alliance; *három nemzet* ~*ja (tört)* the Union of the three nations (of Transylvania); *személyi* ~ personal alliance, amalgamation on personal basis

uniszónó [-t] *adv*, *(ált)* unanimously, *(zene)* in unison/ harmony, unisono

unitárius *a/n*, Unitarian; ~ *vallás* Unitarianism

univerzális [-ok, -t; *adv* -an] *a*, universal, general, world-wide, *[gép stb.]* general/all-purpose; ~ *gyalu* bench plane; ~ *hálózati készülék* all-mains receiver/ set; ~ *tehetség* universal genius, all-round man; ~ *traktor* all-purpose tractor, row-crop-tractor; ~ *tudás* universal knowledge, *(tud)* pantology; ~ *vevő- (készülék)* universal receiver

univerzálkereső *n*, *(fényk)* multi focus view finder

univerzum [-ot, a] *n*, universe

unka *n*, *(áll)* bellied toad *(Bombina sp.)* ; *tűzhasú/ vöröshasú* ~ bombinator *(B. bombina)*

unoka *n*, grandchild, *[fiú]* grandson, *[leány]* grand-daughter

unokabátya *n*, (elder male) cousin

unokafivér *n*, (male) cousin

unokahúg *n*, (younger female) cousin, niece

unokanéne *n*, (elder female) cousin

unokanővér *n*, 1. (female) cousin, she-cousin *(fam)* 2. = unokanéne

unokaöcs *n*, nephew, (younger male) cousin

unokatestvér *n*, cousin; *első(fokú)* ~ first cousin, cousin german *(obs)* ; *másod(fokú)* ~ second cousin; ~ *gyermeke* first cousin once removed

unos-untalan *adv*, unceasingly, incessantly, interminably, to satiety, times out of number; ~ *ezt hajtogatják* I hear of nothing else

unos-untig *adv*, to excess, exceedingly, excessively, to satiety

unott [-at; *adv* -an] *a*, *[hangon]* bored, *[személy]* apathetic, listless, blasé *(fr)* ; ~ *hangon* in a bored tone of voice

unottan *adv*, greatly bored, expressive of great boredom, ennuyed, ennuyé

unottság *n*, boredom

unszol [-t, -jon] *vt*, urge, stimulate, goad/egg/jog on, instigate, press, spur on/forward, ~ *vkt vmnek a megtételére* press/urge sy to do sg

unszolás *n*, urging, stimulation, goading, instigation, encouragement, solicitation, incitation; *barátai* ~*ára* on the solicitation of his friends

untalan *adv*, unceasingly, ceaselessly, incessantly, time and again, over and over again

untat *vt*, bore/weary/tire sy, make sy tired, be a bore, give sy the gapes *(fam)* ; *halálra* ~ bore stiff, bore to death; ~*sz* you make me tired, I am tired of you

untatás *n*, boring

untató [-t; *adv* -an] *a*, boring, tedious, wearying, tiring

untig *adv*, excessively, exceedingly, to satiety; ~ *elég* enough and to spare, more than enough

úr [urat, ura] *n*, **1.** *[megszólitásnál]* Sir, mister *(vulg)*, *[névvel]* Mister *(röv* Mr.) (Brown); *elnök* ~ Mr. President, Mr. Chairman; *professzor* ~ *kérem* please professor/Sir; *tanár* ~ *kérem* please teacher/Sir; *urak [levélen]* Messrs.; *uram* Sir, mister *(fam)*, governor ◈, *guv* ◈; *igenis uram* yes sir; *(nagy) jó uram!* my good sir ; *tisztelt uram* dear Sir; *uram királyom* Your Majesty!, Sire!; *kegyelmes uram* your Excellency; *uraim!* gentlemen, sirs; *hölgyeim és uraim* ladies and gentlemen; *egy* ~ *keres* somebody wants to see you, a gentleman is here to see you; *Kovács* ~ Mr. Kovács; *Lukácsi András* ~*nak [levélen]* Mr. Andrew Lukácsi, *[udvariasabban GB]* Andrew Lukácsi(,) Esq.; ~*nak szólít* sir **2.** *[osztályjelölés]* gentleman; *régi vágású* ~ a gentleman of the old school; *amilyen az* ~ *olyan a szolga* like master like man; *adja az urat* lord it **3.** *[tulajdonos, gazda]* master, proprietor, owner; *az asszony az* ~ *a házban* she bears the purse, she wears the pants; ~ *a maga portáján* be master of one's own house, be on one's own dunghill; *a család ura* master/head of the family; *született ura (vknek) (tört)* (sy's) natural lord; *élet és halál ura [igével]* have power over death and life; *sorsunk feltétlen ura* arbiter of our fate; *sok földnek ura* owner of many lands, lord over vast lands; *a helyzet ura* master of the situation; *a maga ura* be one's own master/man, be master of oneself, *[nőről]* be mistress of oneself, be one's own mistress; *ura önmagának* be self-possessed, have self-control; *ura szavának* a man of his word, he is as good as his word; *nem ura vmnek* have no command/government/control of/over sg, be not the master of (a situation); *nem ura cselekedeteinek* have no control over one's actions; *ura marad a csatatérnek* remain in possession of the field; *ura marad gépkocsijának* retain control of one's car; *ura marad a helyzetnek* remain/be one's own master, remain in possession of the field; *nehéz két úrnak szolgálni* it is hard to serve two masters, it is hard to ride two horses at the same time; ~*rá lesz vkn/vmn* conquer sy, get the mastery of, make oneself master of sg, get the upper hand of, get the better of sy, *[nehézségen]* overcome, surmount, conquer; ~*rá lesz rajta vmlyen szokás* a habit grows on sy; ~*rá lett rajta a félelem* fear came upon him **4.** *[férj]* husband; *az uram* my husband, my hubby *(fam)*, my better half *(fam)*, my old man *(fam)*, *[gyakran vezetéknévvel]* Mr. Brown; *az ura* her husband, her good man *(fam)* ; *ura és parancsolója (tréf)* her lord and master **5.** *(vall) az Úr* the Lord; *az Úr Jézus Krisztus* Our Lord Jesus Christ; *az Úr asztala* the Lord's/Communion table; *az Úr napja* the Lord's Day; *Istenem uram!* goodness me!; *Uram bocsá'!* (God) save the mark!

uracs [-ot, -a] *n*, † dandy, dude, swell, lordling, fop, coxcomb

uracskám *n*, *[férjem]* my hubby

uradalmi [-ak, -t] *a*, manorial, domanial; ~ *cseléd* ⟨agricultural worker on large pre-war estate⟩

uradalom [..lmat, ...lma] *n*, domain, estate, big manor/farm, landed property, demesne *(obs)*

ural [-t, -jon] *vt*, *[uralkodik vmn]* rule, command, dominate, control, be master of, *[tűzfegyver területet]* cover, *[magasról vm vmt]* tower above, overlook, top; ~*ja a helyzetet* be master of the situation, have control over the situation; ~ *egy helyet* dominate (over) a place; ~*ja a mezőnyt* dominate, stand out (from among other competitors); *a vár* ~*ja a völgyet* the castle dominates/overlooks the valley

Urál [-t, -ban] *prop*, Ural

urál-altaji [-ak, -t] *a*, Ural-Altaic

uralás *n*, rule, command, domination

uráli [-ak, -t] *a*, Uralian

uralkodás *n*, **1.** *[uralkodóé]* rule, reign(ing), governing; ... ~*a alatt/idején* during the reign of ..., in/under the reign of...; *Erzsébet királynő* ~*a alatt/idején* in the reign of Queen Elisabeth **2.** *(ált)* power, *[helyzetben stb.]* control, domination, (pre)dominance, mastery, mastership *(mind:* over)

uralkod|ik [-tam, -ott, -jon, -jék] *vi*, **1.** *[uralkodó]* reign, rule (over), govern; *korlátlanul* ~*ik* rule absolutely; *az Árpádok 300 évig* ~*tak Magyarországon* the kings of the Arpad dynasty ruled for 300 years in Hungary; ~*ik egy országban/nemzeten* rule/reign over a country/land/nation; ~*ni vágyó* power-thirsty, thirsting/lusting/eager for power, eager to seize power *(ut)* **2.** *(ált vkn/vmn)* control, master, bear rule over, have domination over, have the upper hand, have command of, be master of, have under control, have one's sway (over), *[nagyképűen]* domineer, boss sg/sy, lord it over sy, rule the roost ◈, *[érzelmein stb.]* rule, overcome, govern, master, keep under; ~*ik vk felett* dominate (over) sy, hold domination over sy; ~*nak felette/rajta* be ruled over, be commanded by; ~*ik a szívem fölött (vál)* she holds sway over my heart; ~*ik (ön)magán* control/master/command/restrain/ collect/possess/refrain/bridle oneself, be master of oneself, govern/keep/restrain one's temper, hold oneself in, keep a stiff upper lip, retain one's composure, keep one's countenance; ~*j magadon!* control yourself!; *nem tud magán* ~*ni* lose one's self-control; *tud* ~*ni önmagán* be master of oneself; ~*ik érzelmein/szenvedélyein* be master of one's passions, keep one's temper, rule one's passions, keep one's feelings in check, keep one's feelings under control, control/suppress one's feelings; ~*ik a szavain/kifejezésein* govern one's tongue; ~*ik a tárgyán* have a thorough knowledge of a subject, be master of a subject **3.** *[helyileg kimagaslik]* overlook, command, dominate **4.** *[túlsúlyban van]* prevail, (pre)dominate, be predominant, *[divat]* be in vogue; *hangja* ~*ott a tömegen* his voice rose *(v.* was heard) above the crowd; *az a vélemény* ~*ik* the opinion prevails (that)

uralkodó [-t, -ja] **I.** *a*, **1.** ruling, reigning; ~ *királynő* queen regnant; ~ *körök* ruling circles; ~ *osztály* ruling/dominant class, the class in power; ~ *rétegek* ruling strata; ~ *szerep* hegemony **2.** *[túlsúlyban levő]* (pre)dominant, dominating, prevailing, prevalent, predominating, *[fő]* main, chief, *[kiemelkedő]* preponderant, most prominent, *[növényfaj]* dominant (plant); ~ *divat* prevalent fashion; ~ *időjárás* prevailing weather; ~ *jellegű* predominant; ~ *jellemvonás* dominant character; ~ *nézet/felfogás/vélemény* prevailing opinion; ~ *szél* prevailing wind; ~ *szenvedély* master passion; *vörös az* ~ *szín* red is the predominating colour; ~ *szokás* prevailing custom; ~ *telek [szolgalomnál]* dominant tenement; ~ *vallás (tört)* dominant religion; *jellemének* ~ *vonása* the striking/ significant feature of his character

II. *n*, ruler, monarch, sovereign, prince, dynast, potentate, imperator, dominator

uralkodóan *adv*, ~ *érvényesül* have the preponderance over sg

uralkodócsalád *n*, = **uralkodóház**

uralkodóház *n*, dynasty, reigning family, house

uralkodóhűség *n*, royalism

uralkodói [-ak, -t; *adv* - an] *a*, royal, monarchial,

monarchic, sovereign, regal; ~ *jogok* regalia, the (royal) prerogative

uralkodónő *n, [királynő]* (queen) sovereign

uralkodótárs *n,* co-regent/sovereign/regnant, *[királynő férje ha nem koronázott király]* prince consort

uralmi *a, ~ vágy* lust/desire/thirst of/for power, desire to rule

uralom [..lmat, ..lma] *n,* rule, domination, reign, dominion, *[mint rendszer]* regime, régime, regimen *(obs), [hatalom]* power, sway, *[törvényes kormányzat]* government, authority, *[legfelső hatalom]* sovereignty, *[egyháznál]* hierarchy, *[korlátlan]* autocracy; *brit* ~ *alatt (levő)* under British rule; *francia* ~ *alá jut* pass under French rule; *a római* ~ *alatt* under Roman rule, under the Romans; *tengerek feletti* ~ command of the seas; *a világpiacok feletti* ~ command of the world markets; ... *uralma alatt/idején/idejében* under the reign of...; *vknek (erőszakos) uralma alatt* under the thumb of sy *(fam)* ; *vk uralma alatt áll* be ruled by sy, be under sy's dominion; *uralma alatt tart egy népet* rule (over) a country/people, bear/have/hold sway over a people; *uralma alá hajt (vkt)* subject (sy) to one's domination, subdue, bring (a people) under one's sway, *(vmt)* bring under one's power; *vknek uralma alá kerül* become subject to sy, come under the rule of sy; *az ész uralma* the rule of reason; *a pénz uralma* plutocracy, rule/dominion of wealth; *uralmon van* be in power; *uralmon levő* ruling, sceptred *(ref.);* ~*ra jut* come into power; *uralmától megfoszt* dispossess, dethrone

uralomvágy *n,* = **uralmi** *vágy*

uralomvágyó *a,* power-thirsty, thirsting/lusting/eager for power *(ut)*

urambátyám *n/int,* (Dear) Sir, Uncle *(fam)*

uramfia *int,* (good) heavens!, my goodness!, goodness gracious!

uramisten *int,* (O) Lord!, good God/Lord!, Lord bless my soul!

uramöcsém *n/int,* young man, my dear fellow, my boy

urán [-t, -ja] *n,* uranium, *(összet)* uranic; ~*on túli* transuranic

uránérc *n,* uranium ore

úrangyala *n,* angelus, *[harangszó]* Ave-bell

uránhasadás *n,* uranium fission

uránium [-ot, -a] *n,* = **urán**

úrániumbomba *n,* uranium bomb

urániumos [-at] *a,* uranic, uranous

urániumtartalmú *a,* uranous, uranic, containing uranium *(ut)*

uránizotóp-szétválasztó *a, ~ berendezés (fiz)* isotron

uránoxid *n,* uranium oxide

uránsav *n,* uranic acid

uránszurokérc *n,* pitchblende

uránüveg *n,* uranium glass

uras [-at] *adv* -an] *a,* elegant, gentlemanly, distinguished

uraság *n,* **1.** *[földbirtokos]* squire, lord (of manor), owner (of great estate) **2.** *[életmód]* living in great style **3.** *[előkelő ember]* titled person, nobleman, great people *(pl)* ; ~*októl levetettruha* cast-off clothes *(pl),* second-hand apparel, old clothes *(pl)*

urasági [-ak, -t] *a, [birtokról]* belonging to the lord/ master *(ut),* manorial, seignor(i)al, seigniorial; ~ *inas* footman, valet, man-servant, lackey; ~ *kastély* mansión(-house), manor house; ~ *kocsi (kb)* seignorial carriage/coach/car; ~*kocsis* liveried coachman

uraságod [-at] *n/int,* you... Sir; ~ *is jön?* are you also coming(,) Sir?

urasan *adv, ~ beszél (kb)* speak like townsfolk, speak grammar-school English *(v.* the king's/queen's English), *(iron)* speak in a highbrowish way/manner; ~ *él* live like a lord, live in great style

uraskodás *n, [modor]* playing the gentleman, giving oneself airs, *[életmód]* living in great style

uraskod|ik [-tam, -ott, -jon, -jék] *vi,* give oneself airs, play the gentleman, show off, live in great style

uraskodó [-t; *adv* -an] *a,* showing off

úrasszony *n,* lady, *[levélcímzés]* Mrs.

uratlan *a,* ownerless, having no master *(ut),* abandoned, derelict, unclaimed; ~ *dolog (jog)* res nullius *(lat),* nobody's property; ~ *hagyaték (jog)* vacant succession

uraz [-tam, -ott, -zon] *vt,* address sy as sir, call sy sir, sir (sy); *ne* ~*z engem* don't call me sir

urazás *n,* addressing sy as sir, calling sy sir

urbánus *a,* urbane, urbanized

úrbér *n,* socage, corvée, statute labour, *[pénzben]* quit-rent

úrbéri [-t] *a,* relating to socage/serfs/vassals *(ut) ;* ~ *birtok/föld* fee estate, fief, feoff; ~ *örökváltság* manumission compensation; ~ *szolgálat* villein socage; ~ *telek* tenement held by/in socage

úrdolga *n,* † **1.** *[szolgálat]* corvée, socage, statute labour, lord's service **2.** *(átv)* drudgery, unpleasant task/duty

urdu [-t] *n, [nyelv]* Urdu

urémia [.. át] *n, (orv)* uraemia

urémiás *a, (orv)* uraemic

uréter [-ek, -t, -e] *n, (bonct)* ureter

urétergyulladás *n, (orv)* ureteritis

urethra [.. át] *n, (bonct)* urethra

urethragyulladás *n, (orv)* urethritis

ureusz-kígyó *n, (áll)* African cobra *(Naja haje)*

úrfelmutatás *n,* elevation, *[ostyáé]* elevation of the Host, *[kehelyé]* elevation of the chalice

úrfi [-ak, -t, -ja] *n,* young master/gentleman, *(iron)* young rascal; *Károly* ~ Master Charles; *hé* ~ listen(,) young fellow; *megcsíptem az* ~*t* I caught the young rascal

úrforma *a, ~ ember (kb)* townsman, gent *(fam)*

úrhatnám [-ot] *a,* snobbish, presuming, conceited; ~ *fráter* puppy; ~ *polgár* the cit turned gentleman

úrhatnámság *n,* conceit, presumption, snobbishness, snobbery

úrhölgy *n,* = **úrasszony**

úri [-ak, -t; *adv* -an] *a,* **1.** gentlemanly, gentlemanlike, of *(v.* belonging to) the upper classes *(ut) ;* ~ *becsületszavamra!* on my word of honour!, upon my word!; ~ *betörő* swell mobsman; ~ *birtok* estate/ farm/manor (in the possession) of the landed gentry; ~ *birtokos* gentleman-farmer, landowner belonging to the gentry/squirearchy; ~ *dáma/hölgy* = **úri**-*asszony*; ~*élet* life of the upper classes, life of gentlefolk, *(iron)* life of ease, idling; ~ *élete van,* ~ *életet él* be in a clover, live like a lord, live a life of ease; ~ *fiú* young gentleman, child of upper-class parents; ~ *gyerek* child of upper-class parents; ~ *huncutság* amusement for the idle rich; ~ *középosztály* genteel middle-class; ~ *közönség* select company, distinguished audience, upper ten (thousand), cream of (the) society; ~ *Magyarország* gentry Hungary, semi-feudal Hungary; ~ *módon bánik vkvel* treat sy in a gentlemanlike way/manner; ~ *modor* manners becoming a gentleman *(pl) ;* ~ *nép* gentry, gentlefolk(s); ~ *nevelés* good breeding; ~ *osztály* genteel class, the upper classes *(pl),* gentry, the county families *(pl) ;* ~ *rend* gentry, *[rendszer]* rule of the upper classes; ~ *társaság* high life/society, upper ten (thousand), upper crust *(fam),* the classes *(pl) (fam);* ~ *világ [osztály]* the upper classes *(pl),* world of rank and fashion, *[életmód]* the world of fat sinecures **2.** *[férfi]* ~ *divat* fashions for men *(pl);* ~ *fodrász* barber; ~ *szabó* (gentle)men's tailor, tailor for (gentle)men **3.** *(vall)* ~ *imádság* Lord's prayer úrias [-at; adv -an] a, gentlemanlike, gentlemanly

úriasszony n, lady (of rank/position), gentlewoman

úriember n, gentleman; ~ek gentlemen, gentlefolk(s); ~hez illő módon (v. méltón) viselkedik behave like a gentleman; ~hez nem méltó ungentlemanlike

úrigomba n, (növ) eatable bolete/boletus (Boletus edulis)

úrijog n, lordly privilege, seignior(i)al/seignorial right, seigniorage

úrilak n, [földbirtokosé] manor-house, hall, mansion, country-house/seat, gentleman's residence

úrilány n, young lady/miss

úrinő n, lady, gentlewoman; ~höz nem illő/méltó unladylike; ~nek látszik she looks a lady

úrinői a, [magatartás, modor] ladylike; ~ jelleg ladyhood

Úristen I. n, God, Lord, the Almighty II. int, ú~! good Lord!, dear me!

úriszék n, manor(ial) court, soke

úriszéki a, ~ jegyzőkönyv manorial court roll

úriszoba n, [nappali, fogadó] reception/drawing/sitting-room, parlour, [dohányzó] smoking room, [dolgozó] study

úritök n, 1. (növ) summer squash, vegetable marrow (Cucurbita pepo) 2. (nép) = sütőtök

urizál [-t, -jon] vi, = uraskodik

urizálás n, = uraskodás

úrleány n, young lady/miss, [levélen] Miss

úrlovas n, gentleman-rider, equestrian

urna [..át] n, [hamvaknak] sepulchral urn, [szavazáskor] ballot-box, [dísz] vase; urnába helyez [hamvakat] inurn; az urnákhoz járul [szavazáskor] go to the poll

urnacsarnok n, columbarium

urnakocsi n, (rég) urn chariot

úrnapi a, ~ körmenet procession on Corpus Christi Thursday, Corpus Christi procession

úrnapja n, 1. (vall) Corpus Christi 2. [vasárnap] the Lord's day

urnasír n, (rég) urn grave

urnatemető n, (rég) urn cemetery

úrnő n, lady, [megszólítás] madam, [levélen] Mrs.; a ház ~je mistress of a family/household

urológia [..át] n, ur(in)ology

urológiai [-ak, -t] a, urological

urológus n, urologist, nephrologist

urtikária [..át] n, (orv) nettle-rash

Uruguay [-t, -ban] prop, Uruguay

uruguayi [-ak, -t] a/n, Uruguayan

úrvacsora n, Lord's Supper, Holy Communion; úrvacsorát vesz, úrvacsorával él receive the sacrament, partake of the Lord's Supper, communicate, take (Holy) Communion; úrvacsorát oszt administer the sacrament, administer the Holy Communion

úrvacsoráz|ik vi, = úrvacsorát vesz

úrvezető n, private driver, gentleman/owner-driver

usgyi int, let's scram it, let's beat it, look out, skedaddle, scaram it, [elbeszélésben] whizz bang and away he went

uszadékfa n, floated timber

uszály [-ok, -t, -a] n, 1. (hajó) tow-boat, (dumb) barge, float, track-boat; folyami ~ river barge/trail; motoros ~ motor barge/trail, trailer; ~ra vesz take (sg) in tow 2. [ruháé] tail, train 3. (átv) trail, train, suit, escort; vk~ába kerül let oneself be led by, follow in the wake of, be under the thumb of, (pol) come under sy's (evil) influence, toe the line/mark (fam) ; ~ként követ tail after

uszályhajó n, = uszály 1.

uszályhajós n, bargeman

uszályhordozó n, 1. train-bearer, tail-carrier 2. (átv) toad-eater, toady, sycophant, [hizelgő] fawner, flatterer, [talpnyaló] shoe/foot licker, (pol) khvostist

uszályos [-at; adv -an] I. a, with a train/trail (ut) II. n, bargeman, bargee

uszálypolitika n, (policy of) following in the wake/tail (of a greater power), toeing sy's political line, subservience (to), khvostism, follow-my-leader policy (fam)

uszályvivő n, = uszályhordozó

uszályvontató n, tug, tug/tow-boat

úszás n, 1. (ált) swim(ming), (tud) natation, [tárgyé] floating, flo(a)tage, flo(a)tation 2. (sp) swimming

úszásnem n, swimming style

úszástechnika n, swimming technique

úsz|ik [-tam, -ott, ússzon, ússzék] I. vi, 1. [élőlény] swim, [tárgy, hulla] float, drift, swim, [hajó] sail, plough across the waters (ref.), ride over the waves (ref.) ; a partra ~ik swim ashore; nem tud ~ni he can't swim a stroke; ~ni nem tudó non-swimmer; úgy ~ik mint a nyeletlen fejsze/balta swim like a (mill)stone, swim like a tailor's goose; ~ni kezd take to the water, begin to swim; ~ni megy go for a swim; ~ik egye have a swim; ~ni tanít give instruction in swimming; ~ni tanuló beginner (of swimming); ~ni tudás ability to swim 2. [felhő] sail by, drift, float, [madár a magasban] soar; haja ~ott a szélben her hair streamed in the breeze/wind 3. (átv) ~ik az árral swim/go with the stream/tide/current, drift along with the tide/current, swim/go downstream, drift with the current; ár ellen ~ik (konkr) swim upstream, (átv is) swim against the stream/current/flow/tide, (átv) stem the tide 4. ~ik az izzadságban sweat trickles/runs down his forehead; ködben ~ik be veiled in mist; szeme könnyben ~ik his eyes are swimming in (v. are filled/suffused with) tears; arca könnyárban ~ik tears course down his cheeks; ~ik az olajban (műsz) dip in oil; úszott a verejtékben he was in a bath of perspiration; ~ik a zsírban be swimming in grease/fat, [szaftban] be swimming in gravy 5. (átv) nyakig ~ik az adósságban be up to the ears/eyes in debt, be hardly able to keep one's head above water; ~ik a boldogságban be full of happiness, be in clover; jólétben ~ik be rolling in wealth/riches, overflow with riches; ~ik a pénzben be rolling in wealth, be flush (of money), be made of money, have a pot of money; örömmámorban ~ik be overjoyed, be radiant with delight, be floating on clouds of bliss 6. ~ik a pénze he has as good as lost his money; ld még úszva II. vt, száz métert ~ott (s)he swam a hundred metres; versenyt ~ik swim a race

uszít [-ani, -ott, -son] vt/vi, incite, instigate (to), set sy on(to) sy, stir up; vkt vk ellen ~ set sy against sy; egymás ellen ~ [embereket] set (people) by the ears, pit sy against sy; egymásnak ~ [kakasokat, kutyákat] fight, pit; kutyát ~ vkre set the dog on/at sy; háborúra ~ incite to war; a sajtó ~ vm ellen the press incites against sg

uszítás n, incitement, instigation, egging/setting on; háborús ~ war-mongering, incendiarism

uszító [-t, -ja; adv -an] I. a, instigating, inciting; háborúra ~ cikk war-mongering article, article inciting to war; ~ hadjárat press-campaign trying to work up a hostile attitude against sg, [rágalmazó] mud-slinging campaign; ~ lap/újság hate sheet II. n, instigator, provoker, fomenter; háborús ~ war-monger, fomenter of war, war instigator

úszkál [-t, -jon] vi, swim/float about

úszkálás n, swimming about

uszkár [-ok, -t, -ja] n, (áll) poodle, barbet (Canis familiaris (extrarius) genunus)

úszó [-t, -ja] I. a, [élőlény] swimming, [tárgy, hulla] floating, (term) natatorial; ~ aljzatú híd bridge on floating supports; ~ áru (ker) floating goods (pl), goods afloat (pl), cargo afloat (pl); ~ gépkocsi amphibious car, beaching trolley; ~ jég pack-ice; ~ jég-hegy (floating) iceberg; ~ jégtábla (ice-)floe, drift ice; ~ jégtörmelék trash-ice; ~ növény natant plant, floating plant, completely submerged plant; ~rako-mány (ker) floating freight/cargo; ~ repülőkikötő seadrome; könnyben ~ szemek eyes swimming/clouded with tears; ~ sziget floating island; fényárban ~ te-rem brightly illuminated hall; könnyben ~ szemmel eyes suffused/swimming with tears

II. n, 1. [személy] swimmer 2. (műsz) float 3. (áll) fin 4. [horgászzsinóron] bob, quill, bobber
úszóakna n, floating mine
úszóbajnok n, swimming champion
úszóbajnokság n, swimming championship
úszócsapat n, swimming team
úszócsarnok n, (indoor) swimming pool/bath
uszoda [.. át] n, [fedett] (indoor) swimming pool/bath, [nyitott] swimming pool, swimming baths (pl), open--air (swimming) pool, lido, pool
uszodahossz n, pool length
uszodai [-t] a, ~ kötőhártyagyulladás swimmer's/diver's conjunctivitis, inclusion blenorrhea, paratrachome
úszódaru n, floating crane, barge-derrick
úszódokk n, tidal/floating dock
úszódressz n, swimming/bathing-dress/suit/costume
úszóeredmény n, swimming contest result(s)
úszógát n, [zsilipen] floating dam
úszógolyó n, [víztartályban] float, water/boiler-float, floater
úszóháló n, trammel, drag-net
úszóharang n, bell-float
úszóhártya n, (áll) web (of palmipeds)
úszóhártyás a, webbed; ~ ujjak webbed fingers, (orv) syndactyly; ~ láb web-foot, paddle; ~ lábú web--footed
úszóhólyag n, swim(ming)-bladder, float
úszóidény n, swimming season
úszóiskola n, swimming-school
úszójelző n, (life-)buoy
úszókapitány n, captain of swimming team
úszóképes a, floating, buoyant, (hajó) seaworthy
úszóképesség n, buoyancy, floatage
úszókotró n, river dredge(r)
úszóláb n, web-foot, webbed/palmated foot, (tud) palmiped
úszólábú n, (áll) web-footed, palmate(d), palmiped
úszóláp n, (földr) sudd
úszólecke n, swimming-lesson
úszólevél n, [vízinövényé] pad
úszómadár n, web-footed bird, (tud) natatorial bird
úszómedence n, swimming-bath/basin/pool, bathing--pool
úszómellény n, life belt, Mae West (US fam), [felfúj-ható] air-jacket
úszómester n, swimming-master, bathing instructor, swimming teacher/coach, [életmentő US] life-guard
úszómű n, [vizirepülőgépen] float-gear
úszónadrág n, bathing-drawers (pl), swimming trunks (pl), [háromszög alakú] slip
úszónő n, woman swimmer
uszony [-ok, -t, -a] n, 1. [halé] fin, [bálnáé, teknőcé] paddle, flipper; ~ alakú finlike, finny; ~ nélküli finless; békaember~a frogman's feet 2. (hajó) centre--board
uszonyos a, [hal] finned
úszóoktatás n, instruction in swimming
úszóöv n, life/swimming-belt, [úsznitanulóé] water--wings (pl), [felfújható] air-belt
úszópatkány n, (áll) beaver rat (Hydromys sp.)
uszor [-ok, -t, -a] n, (hajó) pick-up buoy
úszóruha n, = úszódressz
úszósapka n, swimming/bathing-cap

úszósport n, swimming (sport)
úszószámok n, pl, swimming events
úszószárny n, (áll) fin
úszótalálkozó n, = úszóverseny
úszótempó n, swimming stroke
úszótrikó n, = úszódressz
úszótű n, (műsz) [porlasztóban] float-needle/spindle
úszóválogatott n, national/selected swimming team
úszóvár n, swimming fortress
úszóverseny n, swimming-competition/match
úszóvonal n, line of flo(a)tation
úsztat vt, 1. [vmt vízen] float, swim; folyón ~ szálfá-kat] stream-drive; birkát ~ dip the sheep; fát ~ float/drive/drift/run timber, raft; lovat ~ swim a horse 2. (film) ~(ja a gépet) pan
úsztatás n, 1.[vízen] floating, swimming, [fáé] flo(a)t-age, floating, floatation, [lovat] swimming (a horse), [birkát] dipping; ~ra alkalmas [folyó] floatable 2. (film) panning
úsztatható a, floatable
úsztató [-t, -ja] n, watering-place, trough, [lovaknak] horse-pond
úsztatott [-at] a, float(ed); ~ fa float, raft-wood, (timber-)raft, drift-wood, drogue
úszva adv, swimming, floating, afloat (ut)
út [utat, -ja] n, 1. (átv) way, [épített] road, [főútvonal] thoroughfare, [ösvény] path, passage, [széles gon-dozott] street, avenue, road, [vidéki] lane; erdei ~ forest path; katonai ~ strategic/military road; kerülő ~ roundabout way, by-road; Rákóczi ~ Rákóczi Street, [helyesebben] Rákóczi út; faluba vezető ~road/ path leading to the village; forgalmas ~ busy road; ~javítás alatt road under repair; melyik ~ vezet Buda-pestre? which road leads/goes to Budapest?; melyik a legjobb ~ . ..ba? which is the right way to . ..?; ez az ~ vezet Budapestre? am I right for Budapest?; a legjobb az egyenes ~ the best way is the honest way, the straight way is the best one; ~jaik elválnak part company with sy; le is ~ fel is ~ you may go if you like, pack up and scram ◇, roll your bed! ◇; minden ~ Rómába vezet all roads lead to Rome 2. [útvonal] route, path, way; az erény ~ja the path of virtue; a felvonulás ~ja the route of the procession; légi utak air-ways/routes; vízi utak water ways 3. [menés, járás] journey; nagy ~ áll/van (még) előttünk we have still a long way/fare to go, we have still a long journey in front of us; a megtett ~ distance covered, travel, run, [gépjárműnél számokban] mileage; egyórai ~ an hour's trip; egynapi ~ [hajóval stb.] a day's run; két-napi ~ two days' journey, a journey of two days; Debrecen négy óra ~ Budapesttől Debrecen is a four hours' run from Budapest; a napi ~ the day's run; erre volt utam I was coming this way, it was just on my way; van egy kis utam a városban I have sg to do in town, I have to go up to town 4. [utazás] journey, voyage, travelling, [hajóval] voyage, passage, [ten-ger/tó két partja között] crossing, [autóval] drive; afrikai ~ an Africa trip, a voyage to Africa, a trip/ journey to Africa; felfedező ~ expedition, exploration, voyage of discovery; külföldi ~ a trip abroad; szá-razföldi ~ journey; tengeri ~ sea-voyage 5. [mecha-nikai fogalom] distance, space, [lövedéké, üstökösé] trajectory, [folyóé] course, [ételé emésztőcsatornán] passage (of food through alimentary canal) 6. (átv) [mód] means, channel; ~ és mód ways and means (pl); ennek az az ~ja és módja the proper way to do this is, it must be done like this 7. Ragos kifejezések: útba ejt call on sy (on the way to), call at a place (on the way to), (hajó) put in, touch/call at a (place); ~ba esik be on sy's way; utamba esett I was coming this way, it was just on my way; ~ba eső on one's way (ut); ~ba igazít direct, show the way, (átv) give sy

information about sg, give sy a lead on sg; vknek ~jába akad/kerül get in sy's way/road; ~jában áll (vmnek) be a bar to sg, (vknek) get in the/sy's way, obstruct sy's path; útban on the way (to), bound for, on a journey/voyage, while on travel; ~ban haza-felé on the/one's way home, on one's return journey, [főleg hajó] homeward bound; ~ban kifelé (ker) outward bound; ~ban Budapest felé on the way to B., bound for B.; a hajó ~ban van Hull felé the ship is making for Hull; ~ban van (1) [jön] be coming, be on the way, [hajó] be under way, [készül] be making, be nearly ready, (2) [akadályoz] be/stand in the way of (sy), be/stand in sy's way, stop the way, be an obstacle/hindrance to, [kilátásnak] obstruct (the view); ~(já)ban áll/van vknek stand/be in the way of sy, stand/be in sy's way, be an obstacle to sy; ez a szék utamban van this chair is in my way; semmi nem áll ~jában boldogulásá-nak nothing stands between him and prosperity; út-ból elmegy draw/move/step/stand aside, give way, allow sy to pass, make way for sy; félre az ~ból get/stand out of the way, clear the way; eredj az utamból get out of my way; útnak bocsát egy hírt set a rumour about; ~nak ereszt/indít (vkt) start sy, speed sy on his way, send sy off, dismiss sy, [árut, csapatot, futárt] dispatch, [postagalambot] release; ~nak indítás/eresztés (vkt) send-off; ~nak eresztés [postagalam-boké] release; ~nak indul/ered start on one's way, set out (on one's way), set forth/off, start (off) on a jour-ney, set forth/out on a journey, take to the road, leave, depart, [hajó] (set) sail, get under way, [rep-gép] take off; no most ~nak indulok well(,) I'm on my way now; ~nak indulás set-off; útján by means of, by, through; per ~ján by means of an action at law; a posta ~ján through (v. via) the post; a sajtó ~ján through the medium of the press; a gyógyulás ~ján van be on the way to recovery; a maga ~ján jár go one's own way, take one's own course, play a lone hand; úton on the way, under way, en route (fr), on a journey/voyage, while on travel, [posta] in the mails/post, (ker) in transit; ~on van be on the way to, be en route for, be bound for, [hajó] be under way, [ker utazó] be out, be on the road, [jövő-menő vk] be on the go/road/move; vm ~on halad (átv) be progressing along a path, steer a course, (konkr) be/go/proceed on a/the way/road/path; jó~on vagyunk we are on the right road (to); jó ~on jár (átv) follow the right road/track, be on the right track; jó ~on van az érvényesülés felé be well on the road (v. be on the right track) to achieving sg; a legjobb ~on van (ahhoz hogy...) be in a fair way to, make great head-way, bid fair to succeed; békés ~on peacefully, by/through peaceful means, in a peaceful way/manner; fegyveres ~on by force of arms; helytelen/rossz ~on jár be on the wrong tack; diplomáciai ~on throught the channels of diplomacy, through diplomatic channels; hivatalos ~on through official channels, [küldetésben] on official business; hivatalos ~on van (vk) be away on business; a rendes/szokásos ~on in the ordinary/usual way, as usual, through the usual/normal channels; rövid ~on shortly, without much ado, directly, right away; vegyi ~on by chemical process; ezen az ~on értesítem I take this occasion to inform you; útra kel (vhová) leave (for), start (for), set out/off, go on a journey, take the road, depart, [hajó] sail/start on a voyage, set sail for; ~ra kelés departure, leaving, starting, [hajóé] sailing; ~ra kész ready to start (ut), ready for the journey/voyage (ut); jó ~ra tér amend one's way/life, turn over a new leaf; jó ~ra térés reformation; a jó ~ra térít bring/lead back to (his) duty, reclaim/reform sy; jó ~ra térítés reclamation, reformation; rossz ~ra tér go

wrong/astray, get off the right path, lapse from the path of virtue (ref.); rossz ~ra térít lead sy astray, lead sy into evil, mislead, corrupt; menj utadra get along, go on your way; ~jára ment he went his way; utolsó ~jára kísér accompany sy on the last (earthly) journey, be sy's pall-bearer (US); utat! out of the way!; szerencsés utat! have a pleasant journey (v. nice trip), godspeed!; utat csinál vknek clear the way for sy; utat enged make way/room (for), give way to, [haragnak] give vent to; utat kerünk! clear the way!; utat keres seek a way, (átv) try to find an expedient, try to find ways and means, [vak] grope one's way; utat kiszabadít clear/free the way, remove obstruc-tions; utat kitapos beat out a path; nagy utat tesz meg cover a long distance, go a long journey, cover a lot of ground; utat mutat vknek show sy the way, direct sy on his way, guide the way for sy, (átv) stake out the course (of sy), lead (sy) on, pioneer, open a path (for sy); utat nyit vknek make way for sy, [tömegben] make a way (through the crowd), [se-regnek csatában] force way through (the enemy); utat nyitottak neki they made way for him to pass; utat tesz make a journey/trip/voyage, travel, journey; utat téveszt lose one's way, go wrong; utat tör/vág (magának) break a way, break one's way through, push through, shove along/forward, force/cut one's way; utat tör/vág magának a tömeg-ben force one's way through the crowd, shove one's way through the crowd, twist one's way through the crowd, force a passage through the crowd, bore (one's way) through the crowd, hustle through the crowd; utat vág/tör magának az erdőn át cut one's way through the wood; utat tör (átv) make one's way, break the trail/ground, (be a) pioneer; új utat tör open up new paths/channels, be a pioneer (of), blaze a path/trail; ~ját állja (vknek) stand in the way of (sy), block/bar sy's way, obstruct/block sy's path, waylay sy, [vk tervének] take the wind out of sy's sails, thwart sy, (vmnek) prevent, frustrate, arrest, check, stem, keep down, obstruct, hinder (mind: sg), bar the way of (sg); ~ját egyengeti prepare/pave the way for; folytatja ~ját continue on (one's) way, proceed; a maga ~ját járja go one's own way; kiadja az ~ját vknek dismiss sy, give sy the sack (fam), sack/fire sy (fam), send sy packing (fam), lay sy off (US); kiadták az ~ját he got the sack (fam); meg-találja ~ját find one's way; ~ját veszi vm felé make one's way towards (v. in the direction of), proceed towards, proceed in the direction of; másfelé veszi ~ját turn in another direction, change one's route

útadó n, toll, road tax
útágyazat n, road-bed
útakadály n, road-block
utal [-t, -jon] vi/vt, 1. (vkre, vmre) relate to, refer to, indicate, instance, mention, [céloz] point to, hint at, advert to; ~ egy tényre refer to a fact; erre nem fogunk többet ~ni we will not refer to it again; ~ok az idézett rész(let)re I refer to the passage quoted; röviden ~t az eseményekre he adverted briefly to the events; ez arra (a tényre) ~ this refers to the fact, this is indic-ative of, this/it indicates (that); ezek a tapasztalatok arra ~nak... these experiences show (v. point to)... 2. (vhová) relegate to, send to, (vkt vkhez) refer (sy to sy), [pénzt] remit, send, allocate; bíróság elé ~ bring sy/sg before the court; a részleteket illetően az Oxford Dictionary-hez ~juk az olvasót for further details the reader is referred to the O.E.D.; járás-bíróság elé ~ ügyet remit the case to a district court; kórházba ~ send sy to hospital (for treatment) 3. ~va van (vkre) be dependent on (sy), (vmre) be compelled to have recourse to, be reduced to, have to make shift with; magára van ~va be left to his own

devices/resources, have to fend for himself, be driven in on oneself; *szüleire van ~va* be dependent on one's parents

utál [-t, -jon] *vt*, abhor, hate, detest, loathe, abominate, execrate, hold (sg) in disgust, disrelish, be sick of *(fam)*; ~ *tenni vmt* hate to do sg; ~ *írni* he has a repugnance to writing; *~om mint a bűnömet* I hate him like poison, I hate him like the plague; *~om ezt az ételt* I hate this stuff/food

útalap *n*, 1. road-bed, pitching, bottoming 2. *[összég]* road fund

útalapozás *n*, *[folyamat]* pitching, bottoming, *[eredménye]* road-bed

utalás *n*, 1. *(vkre, vmre)* reference (to), *[könyv/szótár más helyére]* cross-reference, *[szerzőre, szaktekintélyre]* reference, citation; *könyvében számos ~t tesz Kossuthra* in his book there are many references to Kossuth; ~ *egy könyvre* reference to a book; ~ *'went'-ről 'go'-ra* a cross-reference from *went* to *go ; az ügynek megyei bíróság elé ~a* a remission of the case to a country court; *~sal arra a tényre (hogy)* referring to the fact (that) 2. *[célzás]* hint, indication

utálás *n*, abhorring, detesting, loathing, abomination

utalási [-t] *a*, ~ *rendszer (péld. szótáré)* cross-reference system

utálat *n*, disgust, loathing, aversion, hatred, distaste, detestation, execration, abomination, abhorrence, disgust, disrelish, *[fizikai rosszulléttel járó]* nausea; ~ *tárgya* subject of disgust; ~ *fogja el vkvel/vmvel szemben* take a dislike to, conceive a distaste/loathing for, be filled with loathing; *~ot keltő* sickening

utálatos [-at; *adv* -an] *a*, disgusting, loathsome, abominable, detestable, noisome, execrable, hateful, nasty, odious, obnoxious, *[tisztátalan]* filthy, dirty, foul, unclean, *[visszataszító]* horrible, horrid, monstrous, heinous, hideous, repugnant, offensive, repulsive; ~ *alak* disgusting fellow; ~ *teremtés* horrid creature; *ne légy olyan ~!* don't be so mean!

utálatoskod|ik [-tam, -ott, -jon, -jék] *vi*, behave in a disgusting/tiresome/revolting way

utálatosság *n*, loathsomeness, distastefulness, odiousness

útalépítmény *n*, road-bed, basement, ground-bed

utálkozás *n*, loathing, distaste, dislike, abomination, hate

utálkoz|ik [-tam, -ott, -zon, -zék] *vi*, have a surfeit of, feel nauseated with, be disgusted; *~ik a káposztától* have a surfeit of cabbage

utálkozva *adv*, disgustedly

utaló [-t] *a*, *(vmre)* indicative (of), relating (to), implicative (of) *(mind: ut)*

utalójegy *n*, reference mark

utalójel *n*, reference (mark); *~lel ellát* write/give the cross-references, cross-reference

utalólap *n*, (cross-)reference slip, reference, added entry

utalószó *n*, reference/guide word, cross-reference, *(nyelvt)* deictic

utált [-at] *a*, hated, detested, loathed

utalvány *n*, 1. *[pénz]* assignment, warrant, draft, *[nyomtatvány]* order blank, *[postai]* money/postal-order; *pénztári ~* cash-note; *~t állít ki 100 forintról* give an assignment for 100 forints, fill out an order blank *(v.* make out a draft) for 100 forints 2. *kincstári ~* treasure bond; *bemutatóra szóló ~* bearer bond; *névre szóló ~* registered bond

utalványblanketta *n*, assignment-blank/form

utalványcsekk *n*, transfer ticket

utalványfüzet *n*, order blanks *(pl)*, order book

utalványoz [-tam, -ott, -zon] *vt*, *[összeget vknek]* assign/allot sy sg, make a draft, remit/transfer sg to sy, *[pénzesutalványon]* pay by (a) money-order,

make out a money-order for sy; *összeget vknek ~* remit a sum to sy; ~ *számlát* pass an account for payment

utalványozás *n*, *[összeget]* assignment, assignation, remittance, drafting, issue of orders for payment, *[csekken]* order. (to pay)

utalványozó [-t, -ja] I. *a*, remitting, assigning, drafting II. *n*, remitter

utalványozott [-at] I. *a*, *összeg* ~ remitted (sum), remittance, draft II. *n*, *(ker)* drawee (of a bill)

után *post*, 1. *[időben]* after, subsequent to, past, following (sg), *[vk utódaként]* in succession to (sy); *színház* ~ after the theatre; *vacsora* ~ after supper; *közvetlenül a második világháború befejezése* ~ on the morrow of World War II; *hát ezek* ~ now then; *egyik a másik* ~ one after the other; *5 perccel 6* ~ (at) five (minutes) past six 2. *[térben]* after, behind; *csak Ön* ~ after you(,) Sir, you come first!; *a második ház az iskola* ~ the second house after/past/beyond the school; *becsukja maga* ~ *az ajtót* shut the door behind him 3. *[vm felé, vmért]* after; *szalad a pénze* ~ he is running after his money; *egy lány* ~ *jár* court/follow *(v.* be after) a girl; *mindig szoknyák* ~ *szalad* be always dangling after the skirts, be always running after the petticoats; *sokat búsul a férje* ~ she is always mourning for *(v.* eats her heart out after) her lost husband; *vm* ~ *kutat* inquire/search for/after; *a dolga* ~ *jár* attend to one's business 4. *ez* ~ *10°/₀ felár jár* you have to pay an extra 10 per cent for it; *minden 1000 forint* ~ *6°/₀ jövedelmi adót fizet* pays 6 per cent income tax after/on every 1000 forints; *apja* ~ *örökölt* he inherited from his father 5. *[szerint]* according to, by, from, *[mintánál]* on the model of; *természet* ~ *fest* paint from nature, paint according to nature; *a Szépművészeti Múzeumban levő eredeti* ~ *másul* copy from the original in the Museum of Fine Arts; *ruhája* ~ *ítélve* judging by his clothes; *azok* ~ *ítélve* judging by that; *vagyona* ~ *adózik* pay taxes according to one's property; *a maga esze* ~ *indul* follow one's own judg(e)ment; *vk/vm* ~ *készítve* on the model of sy/sg; *mérték* ~ *készült* made to measure

utána I. [-m, -d] *adv. pron/dem*, 1. after, afterwards; *(közvetlen)* ~ *én jövök/következem* I come next to him; ~ *van vmnek* be past sg, sg is over for sy; ~ *érdeklődik* inquire after, make inquiries about; ~ *jön/következik* come after, follow after/upon, succeed (to), replace (sg), be a successor of/to; *~m érkezett* he arrived after me; *~m ő következik/jön* he is next after me; *mondd ~m* say it after me; *~m az özönvíz!* when I am gone let happen what may!, après moi le déluge *(fr)*; *köd előtte köd* ~ he melted into thin air, off he went 2. *[aztán]* afterwards, then, thereafter, after that; *röviddel* ~ soon after; *jóval* ~ long after II. *int*, after him!, catch/get him!

utánabámul *vi*, stare/gaze after sy

utánacsinál *vt*, *(vmt vknek)* do sg after sy, imitate sy, copy sy; *csináld utánam* do as I do, just imitate me; *csináld utánam ha tudod* do it after me if you can, try and do it after me

utánadob *vt*, *(vmt vknek)* throw/fling/hurl/shy sg after sy; *az árut ~ják az embernek* they are literally throwing it away, you can get it dirt cheap *(v. for a song)*

utánaenged *vt*, *[kötelet stb.]* unstretch, ease

utánafizet *vi/vt*, *(vmnek)* make an additional payment, pay subsequently

utánafut *vi*, *(vknek)* run/chase/make after sy

utánahelyez *vt*, set/put/place sy/sg after another person/thing

utánahúz *vt*, *csavart* ~ retighten a screw

utánaigazít vt, [órát] reset (watch)

utánairamod|ik vi, (vknek) dash off after, dash off in pursuit of

utánairányít vt, redirect

utánajár vi, (vmnek konkr) go after, [tájékozódva] make inquiries about, investigate, see sy about sg, try to get some information on, try to find out sg, [elintézés végett] see to/about (sg), attend to (sg); ~ a dolognak see about the matter, see that... is all right; ~ egy ügynek follow up a matter, take the necessary steps ⟨in a matter⟩; ha nem hiszi járjon utána if you don't believe me(,) find it out (for) yourself

utánajárás n, = utánjárás

utánakap vi, (vmnek) try to catch/reach, snatch at, reach after, [kutya] make a pass/snap at, snap at

utánakiált vi/vt, (vknek) call/shout after sy

utánaküld vt, (vkt/vmt vknek) send sy/sg after sy, [küldeményt] send on, forward, redirect

utánaküldendő a, to be forwarded, [küldeményre írva] please forward

utánaküldés n, [küldeményé] forwarding, redirecting, redirection, sending on

utánalő vi, (vknek) shoot/fire after (sy), send a bullet after (sy)

utánamegy vi, 1. [követ] go after, follow; 2. = utánajár

utánamér vt, [súlyt] reweigh, weigh again, check the weight of sg, (távolságot) remeasure, measure again, check the distance, [földet] resurvey

utánamérés n, [súlyé] checking the weight, weighing again, reweighing, [távolságé] checking the distance, remeasuring, [földé] resurveying, checking the area

utánamond vt, (vmt vknek) say sg after sy, repeat (sy's words)

utánanéz vi, 1. [vknek szemmel] look after sy, follow sy with one's eyes 2. (vmnek átv) see to/about, look/see after, attend to, check up on sg (US), [felügyeletképpen] keep an eye on (sy); ~ annak hogy... see to it that...; önnek kell ~nie it is for you to see to it; ~ünk we shall see to it; ~ek I'll see to it, I'll go and see 3. [keres] try to find, look for, [szemügyre vesz] have a look at, give it a once-over, [megvizsgál] go into the matter, examine, [adatnak péld. szótárban] look up; majd ~ek I shall look into the matter; ~ egy szónak (a szótárban) look up a word (in a dictionary); nézz utána egy szótárban look it up in a dictionary, consult a dictionary; ~ egy könyvben consult a book

utánanyom vt, (nyomd) reprint, make a new impression of, [író engedélye nélkül] pirate

utánanyomul vi, (ellenségnek) pursue (the enemy), [másnak is] be/follow close on the heels of, dog the steps of

utánaolvas vt, [pénzt] recount, count/tell over/again, [számokat, elszámolást] check (figures, account), verify (account)

utánapótol vt, (vmt) make up for sg, replace, [kiegészít] complete, fill up, (kat) bring to normal strength, complement again

utánarajzol vt, copy (drawing), trace

utánarendel vt, reorder, repeat an order, give a reorder for, make out a repeat order, order again, give a fresh order for

utánarendelés n, reorder, repeat order

utánarúzsoz vt, touch up (one's lips with lipstick)

utánasiet vi, (vknek) hasten/hurry after sy

utánasóz vt, resalt

utánaszalad vi, (vknek) run/make after sy

utánaszámít vt, check (account, figures), verify (account), count again, recount

utánaszámol I. vt, [pénzt] recount, count again

II. vi, ha jól ~ok akkor az van (talán.. is) accordingto my reckoning it is (v. it amounts to)...

utánatölt vt, fill up, refill, replenish, [fotyadékot] pour out again, [részben] add (more wine/etc.) to, [akkumulátort, fegyvert] recharge, [gépbe nyersanyagot] feed, [üzemanyagot] refuel

utánaugr|ik vi, (vknek) spring/jump/leap after sy

utánautaz|ik vi, travel/go after, follow sy

utánaüt vi, (vknek) (try to) fetch a blow at sy (who is running away), hit after sy, [de nem éri el] aim a swipe after sy

utánavet vt, [magot] reseed

utánaveti magát vknek dash off in pursuit of sy

utánavisz vt, (vmt vknek) carry/take sg after sy; vidd utána! take it after him, follow (v. go after) him with it

utánbiztosít vt, insure an additional amount

utánbiztosítás n, additional insurance

utánérzékelés n, after-sensation, after-image

utánérzés n, [érzelemnek felújítása] reliving, reminiscence, living over again, [epigonszerű] reworking (of sy else's poetic theme)

utánfizet vi/vt, = utánafizet

utánfizetés n, subsequent/additional/supplementary payment

utánfizetési a, ~ bárca ticket of supplementary payment

utánfutó n, [autóé] trailer

utánhangolás n, (távk) trimming

utánhangoló a/n, (távk) trimmer

utáni [-ak, -t] a, after (ut), following (ut), subsequent to (ut), post-; a k ~ betű az ábécében the letter following k in the alphabet; magánhangzó ~ postvocalic; mássalhangzó ~ post-consonantal; mérték ~ bespoke, made to measure (ut); szabadságom ~ első napon the first day after my holiday

utánizzás n, after-glow

utánjárás n, [keresés] investigations (pl), inquiries (pl), diligent search, [talpalás] leg-work; megfelelő ~ után having taken the necessary steps; sok ~ba került az ügy elintézése it cost (sy) a lot of trouble to arrange it; csak nagy ~sal sikerült elintézni he had to go to all lengths to arrange it, it cost him a lot of trouble to arrange it, he took great pains to arrange it

utánjátszó a, ~ filmszínház/mozi second-run theatre/ cinema

utánkeltez vt, postdate

utánkeltezés n, postdating

utánköltés n, poetic adaptation, (elit) imitation/copying of another's poetry

utánküldés n, [postai küldeménye] forwarding, redirecting, sending on, [távirate] re-transmission

utánmarat vt, [lemezt] re-engrave

utánmérés n, = utánamérés

utánnéző n, (nyomd) press-revise, second press revision

utánnyomás n, [nyomd művelet] reprinting, [nyomtatvány] reprint, (new) impression; tiltott ~ pirated edition; változatlan ~ reprint (without alterations), new impression; ~ tilos (kh) copyright, al l rights reserved, copyright reserved

utánnyomási a, ~ jog second reprint right

utánnyomat[1] vt, reprint

utánnyomat[2] n, reprint, new impression

utánoz [-tam, -ott, -zon] vt, imitate, copy, [gúnyolva] mimic, take off, parody, parodize, [majmol] ape, [szajkóz] parrot, [alálrást] forge, [pénzt, okiratot] counterfeit, [művészeti alkotást] copy, imitate, [képet] borrow, pastiche; ~za vk példáját follow sy's example, take a leaf out of sy's book, follow suit; híres színészeket ~ give impersonations of the actors of the day; Maugham stílusát ~za he tries to copy Maugham's style; ~za vk (kéz) írását copy sy's hand(writing); *szolgailag* ~ imitate sy slavishly, imitate sy in a slavish manner; *vkt/vmt* ~*va* in imitation of sy/sg

utánozhatatlan *a*, inimitable, unique, matchless, *(kif)* it defies imitation

utánozhatatlanság *n*, inimitability

utánozható *a*, imitable

utánozhatóság *n*, imitability

utánpótlás *n*, 1. (fresh) supply, *[élelmiszeré]* revictualing, *(kat)* reserves *(pl)*, reinforcement, *[kat tudomány]* logistics; ~ *központja (kat)* loading centre 2. *[fiatalok]* replacement, new/rising generation, *(sp)* second line, replacement; *Papp az ~sal foglalkozik* Papp is coaching the champions of the future

utánpótlási *a*, ~ *ráfordítás* cost of reproduction; ~ *rendszer* supply system

utánrendel *vt*, reorder, repeat an order

utánrendelés *n*, reorder, repeat order; ,,~*t nem fogadunk el"* "cannot be repeated"

utánszállítás *n*, subsequent/supplementary shipment/ consignment

utánszállító *a*, ~ *szolgálat (kat)* supply-service

utántétel *n*, postposition

utántölt *vt*, = **utánatölt**

utántöltés *n*, *[folyamat]* refilling, refuelling, feeding, *[anyaga]* refill, *[telepé stb.]* recharge, *[filmkázettába]* loading refill, refill; *légi* ~ mid-air refueling

utántöltő *a*, ~ *csomag (fényk)* refill pack; *légi* ~ *repülőgép* aircraft tanker

utánvesz *vt*, = **utánvételez**

utánvét *n*, cash on delivery (system), C.O.D. system; ~*tel* cash on delivery, collect on delivery *(US)*

utánvétcsomag *n*, parcel with cash on delivery, cash on delivery parccl, C.O.D. parcel

utánvétel *n*, = **utánvét**

utánvételez *vt*, collect (value) upon delivery; ~*ett összeg* amount charged forward

utánvételi *a*, ~ *díj* cash on delivery fee, C.O.D. charges *(pl)*; ~ *rendszer* C.O.D. system

utánvétes *a*, ~ *csomag* cash on delivery parcel, C.O.D, parcel; ~ *küldemény* cash on delivery consignment, C.O.D. consignment

utánvétforgalom *n*, cash on delivery service/system

utánvéti *[-t]* *a*, ~ *díj* cash on delivery fee, C.O.D. charges *(pl)*, collection-fee

utánvétilleték *n*, cash on delivery fee

utánvétküldemény *n*, cash on delivery consignment

utánzás *n*, imitating, imitation, copying, *[megszemélyesítés]* impersonation, *[paródia]* parody, burlesque, pastiche, *[mozdulatokkal]* mimicry, aping, taking off, take-off, *(tud)* mimetism; ~*ra méltó* imitable

utánzási *[-ak, -t]* *a*, imitational, imitative; ~ *hajlam* imitative propensities; ~ *képesség* imitative faculty, imitativeness; ~ *tehetség* talent for impersonification

utánzat *n*, imitation, copy, *[hamisítvány]* eounterfeit, forgery, *(összet)* sham-, *[kép]* pastiche, *silány* ~ poor/worthless imitation; *ügyes* ~ clever imitation; *óvakodjunk az* ~*októl* beware of imitations/substitutes; *vmnek az* ~*aként* in imitation of sg, *(nyoma)* ~*ot készit* imitate

utánzó *[-t, -ja]* I. *a*, imitative, imitational, *(tud)* mimetic(al); ~ *művész* imitationist II. *n*, imitator, copier, copyist, mimic, epigon, *(ellt)* echo, parrot, ape

utánzott *[-at; adv -an]* *a*, imitated, imitative, copied, counterfeited, mock-, sham-, unoriginal, *[okirat, érme stb.]* false; *nagyon jól* ~ closely imitated

utas *[-ok, -t, -a]* *n*, traveller, traveler *(US)*, *[jármüé]* passenger, *[taxin]* fare, *[gyalogos]* wayfarer; *álló* ~ *[villamoson]* strap-hanger *(fam)*; ~*okat kiszállít/ lerak/kihaióz* discharge passengers

utasellátó *n*, transport catering service(s), refreshment room

utasember *n*, traveller, traveler *(US)*, *[gyalogosan]* wayfarer

utasforgalom *n*, passenger traffic

utasít *[-ani, -ott, -son]* *vt*, 1. *(vkt vkhez)* direct/send/ refer sy to sy; *a titkárhoz* ~*ottam* I referred him to the secretary 2. *[irányít, parancsol]* instruct, tell, order, direct, command, give orders to, commission

utasítás *n*, *[parancs kat]* command, order(s), *(jog)* injunction, precept, *[mesteré, szülőé]* bidding, *[államigazgatásban]* directive, behest *(ref.)*, *[magyarázó]* directions *(pl)*, instructions *(pl)* ; *használati* ~ directions for use *(pl)* ; ~ *ellenére* contrary to instructions; *az* ~ *értelmében/szerint* as directed/requested; ~ *szerint fogunk eljárni* we shall proceed as directed; ~*uk értelmében/szerint (ker)* in conformity with your instructions, agreeably to your instructions; *határozott* ~*unk van* we are positively ordered; *nincs* ~*a arra hogy...* not to be instructed to... ; *vk* ~*ára* on the instructions of, at sy's bidding; ~*ra* if so directed; ~*ra cselekszik* act upon order; ~*t ad* give sy instructions/order, instruct sy, give sy the/his cue, *(kat is)* brief sy; ~*t ad arra nézve hogy...* give directions as to whether... ; ~*t kér* refer a question (back) to sy, ask for instructions; *vk* ~*ait követi* follow sy's instructions/directions; ~*okkal ellát* provide sy/sg with instructions, instruct/brief sy

utasító *a*, ~ *(jellegü)* directive, mandatory, imperative

utaskilométer *n*, passenger kilometre

utaskísérő *n*, *(vasút)* conductor, guard; *légi* ~ stewardess, air-hostess

utaskísérőnő *n*, *légi* ~ = *légi* utaskísérő

utasnévsor *n*, passenger list

utasszállítás *n*, passenger transport, transport of passengers

utasszállító *a*, transporting passengers *(ut)*, *(összet)* passenger-; ~ *(repülő)gép* air-liner, passenger aircraft/plane, clipper

utasszolgálat *n*, passenger service

utász *[-ok, -t, -a]* *n*, sapper, pioneer

utászcsapat *n*, sappers *(pl)*, pioneers *(pl)*

utászkatona *n*, = **utász**

utászlegénység *n*, sappers *(pl)*, pioneers *(pl)*

utászszázad *n*, company/platoon of sappers/pioneers

utásztiszt *n*, engineer officer

útáthelyezés *n*, displacement of a road, *[mint felirat útjavításkor]* detour

útáthídalás *n*, viaduct, overhead crossing

utazás *n*, *(ált)* journey, *[rövidebb]* trip, *[nagyobb]* tour, travels *(pl)*, *[tengeri]* voyage, *[járművel rövidebb távra]* ride, run; *felfedező* ~ expedition; *légi* ~ air trip; *üzleti* ~ business trip; *a föld körül* tour around the world, making *(v.* going for/on) a world tour; *Gulliver* ~*ai* Gulliver's travels; ~ *közben* on a journey, while on travel; ~ *tartama* duration of yourney, *[tengeren]* duration of voyage, passage time, *[árué]* running time; ~*t megkezd* set forth on a journey; ~*t tesz* undertake a journey

utazási *[-ak, -t; adv -lag]* *a*, travel(ling), *(összet)* travel; ~ *átalány* travel allowance, allowance for travel(l)ing expenses; ~ *balesetbiztosítás* travel(l)er's accident insurance; ~ *csekk* travel(l)er's cheque; ~ *hitellevél* (travel(l)er's) letter of credit; ~ *igazolvány* travel identity card; ~ *iroda* travel bureau/agency; ~ *kedvezmény* reduced fares *(pl)*; ~ *költségek* travel-(l)ing expenses

utazgat *vi/vt*, travel about/around, keep travelling, go to places, travel for pleasure; *sokat* ~ be travelling a lot, travel (about) a good deal, be always on the road/move

utazgatás *n*, travel(l)ing about

utazik *[-tam, -ott, -zon, -zék]* *vi*, 1. travel, *(vk vhova)* go to (a place), leave for, make a trip/journey to,

be on a trip to, tour, be on a tour, *[tengeren]* voyage, *[kerekes jármüvel]* travel (on/with/by sg), drive (to), *[hajón vhova]*sail for, *[gyalog]* travel on foot, be on the road (to), *[repgépen vhova]* fly to; *holnap Prágába ~ik* he leaves for Prague tomorrow; *a hét végén ~unk* we are leaving at the end of the week; *sokat ~ott külföldön* he/she has travel(l)ed a great deal abroad; *mindig ~ik* be always on the road; *~ni vágyó* fond of travel(!)ing *(ut)*, eager to see the world *(ut)* **2.** *(ker) textilben ~ik* travel for a textile firm, deal in textiles **3.** *(vkre átv)* take a pique against sy, have one's knife into sy, bear sy ill-will, bear sy malice, bear sy a grudge, have a down on sy, have a spite/grudge against sy, be/feel spiteful towards sy, have an edge on sy *(US)*, pick at/on sy *(US)*
utazó [-t, -ja] **I.** *a,* travelling, traveling *(US)*, itinerant, wayfaring; ~ *nagykövet* roving ambassador, ambassador at large; ~ *ügynök* travel(l)ing salesman
    II. *n,* traveller, traveler *(US)*, *[utas]* passenger, *[hajón még]* voyager, *[turista]* tourist, *[kiránduló]* excursionist, tripper, hiker, *[vándor]* wanderer, wayfarer, pedestrian, *[kutató]* explorer; *(kereskedelmi)* ~ commercial travel(l)er, travel(l)ing salesman, out-door salesman, bagman *(fam)*, field salesman *(US)*
utazóbőrönd *n,* travel(l)ing-bag/case, trunk, valise, portmanteau, *[kisebb]* suitcase
utazóbunda *n,* greatcoat, fur-lined coat
utazófokozat *n, [űrhajóé]* cruising stage
utazókészlet *n,* travel(l)ing requisites *(pl)*
utazókocsi *n,* coach, car(riage), post chaise *(obs)*
utazókosár *n,* travel(l)ing basket, basket-trunk
utazóközönség *n,* (the) travel(l)ing public
utazóláda *n,* trunk, travel(l)ing chest, *[domború födelű]* saratoga trunk
utazómagasság *n, [repgépé]* cruising altitude
utazósebesség *n, [repgépé]* cruising speed
utazótárs *n,* fellow-travel(l)er/passenger, travelling--companion
utazótáska *n,* valise, suitcase, Gladstone (bag), grip *(US)*
utazott [-at] *a, sokat ~ ember* a (widely) travel(l)ed man, a much-travel(l)ed man
utazózsák *n,* travel(l)ing bag
utaztomban [..todban, ..tában] *adv,* on my way; *haza utaztában* on his way back/home, on his homeward yourney/voyage/course
útbaigazit *vt, (vkt vhova)* direct sy, show sy the way to. . . . , *(átv)* explain sg to sy, tell sy how to do sg, instruct sy, put/set sy right, put sy in the right way
útbaigazítás *n,* (piece of) information, lead(s), instructions *(pl)*, direction, hint; *megadja a szükséges ~okat* give the necessary information/instructions
útbaigazító *a, ~ mű* reference work/book, work/book of reference
útbevágás *n,* cut
útbiztonság *n,* road safety
útbiztos *n,* road inspector/commissioner, roadman
útburkolás *n,* (road) surfacing, paving; *~t készít* surface (a road)
útburkolat *n,* road surface/metal, pavement, paving, *[felszínileg kezelt]* top-dressing; *bitumenes ~* bituminous carpet; *fa ~* wood-pavement, block-wood pavement
útburkoló I. *a, ~ anyag* surfacing (material); *~ kő* paving-stone/block, paver, *[macskafejes]* cobble--stone, sett; *~ kőlap* flag(stone) **II.** *n, [munkás]* (road-)paviour, (road-)paver, roadman, roadworker
utca [..át] *n,* **1.** street, *(hiv)* thoroughfare, *[szűk]* lane; *~ hosszat* (all) along the street, in the whole street; *az ~ embere* the man in the street; *jössz te még*

az én utcámba let me catch you and you'll get what for, you'll smart for it; *nyílt utcán* in the open street, openly; *utcán át [ital kimérése]* for off consumption, for consumption off premises; *sör utcán át* beer for off consumption; *kitesz vkt az utcára* turn sy out of his house, turn sy onto the street; *utcára kerül (átv)* be dismissed/fired/sacked, join the ranks of the unemployed; *utcára néző* looking/giving on the street *(ut)*, facing the street *(ut)*, streetward; *utcára néző szoba* room that looks out on the street; *az utcáját rója* prowl the streets; *utcát seper* scavenge **2.** *(nyomd)* row
utcaablak *n,* = *utcai ablak*
utcaajtó *n,* street-door
utcabál *n,* street dance/dancing/ball
utcaburkolat *n,* = *útburkolat*
utcaelnevezés *n,* street name, name of (a) street, *[folyamata]* street naming
utcaelzárás *n,* = *útelzárás*
utcagyerek *n,* street-boy/arab, (street-)urchin, gutter--child/snipe, mud-lark, ragamuffin, *[Londonban]* city-arab
utcai [-ak, -t] *a,* street, *[nem udvari/kerti]* streetward, giving/looking on the street *(ut)*, onto the street *(ut)*; ~ *ablak* street window, window looking/giving on the street, window that looks/opens/gives on the street; ~ *ajtó* street-door; ~ *árus* street vendor/hawker, costermonger, hand-seller, huckster, barrel boy *(fam)*; ~ *árusítás* street vending, selling in the street(s); ~ *forgalom* street-traffic; ~ *harc* street-fighting, fighting in the street(s), house-to--house fighting; ~ *homlokzat [épületé]* street front, exterior face, façade *(fr)*; ~ *jelenet* street scene; ~ *jelzőtábla* street warning; ~ *kandlis/lefolyó* side--channel; ~ *körforgalom* rotary traffic; ~ *lámpa* street-lamp, lamp-post; ~ *nő* street/night-walker, woman of the streets, prostitute, strumpet, demi-rep, tart *(fam)*; ~ *ruha/ viselet* day/morning wear/dress, walking(-out) dress, outdoor clothes *(pl)*, lounge--suit; ~ *szoba* front-room (with windows) looking/giving/opening to the street; ~ *szónok/prédikátor* hedge preacher; ~ *verekedés* street row; ~ *világítás* street lighting; ~ *zenész* street musician/player
utcajelző *n,* street-guide/sign
utcakereszteződés *n,* crossing, cross-roads *(pl)*, intersection of streets
utcakert *n,* (tiny) street garden
utcakölyök *n,* = *utcagyerek*
utcakövezés *n,* paving
utcalány *n,* street-walker, fly-by-night, woman of the streets, strumpet, tart *(fam)*, tib *(fam)*
utcamutató *n,* street-guide
utcanév-tábla *n,* street (name) plate/sign
utcanő *n,* = *utcai nő*
utcasarok *n,* (street-)corner, turning
utcaseprés *n,* street-scavenging/sweeping, scavengering, scavengery
utcaseprő I. *n,* street cleaner/sweeper, crossing-sweeper, scavenger, street-orderly, roader; *~(ként dolgozik)* scavenge **II.** *n, ~ gép* street sweeper/cleaner
utcasor *n,* row (of houses), terrace, block
utcaszabályozás *n,* street planning
utcaszabályozási *a, ~ terv* street planning scheme
utcaszélesség *n,* breadth/width of a street
utcaszint *n,* street level
utcaszükület *n,* gut
utcatábla *n,* street-plate
útegyenetlenségek *n. pl,* bumps in a road
útegyengető *a, ~ gép* road leveller, finisher
útelágazás *n,* **1.** road-junction/forking, fork (of road), road fork, ramification, bifurcation **2.** *[mellékút]* branch-road/off, by-way/road

útelzárás *n*, road block, blocking (of streets), *(kat)* barricade, *[mint felirat]* road closed

útelzáró *a*, ~ *forgókereszt* turnstile; ~ *sorompó* turnpike

útemelkedés *n*, (upward) slope, upgrade, gradient, (upward) incline, acclivity, ascent, ramp, hill

útépítés *n*, road-building/making/construction, construction of highways, structural erection; ~ *és vasútépítés* road making and railway construction; *„~ miatt zárva"*, *„vigyázat ~"* "road up"

útépítő I. *a*, ~ *anyagok* road materials; ~ *gép/henger* road-engine; ~ *gépek* road machinery; ~ *kőtűzalék* road-metal; ~ *mérnök* road(-building) engineer **II.** *n*, road-builder

uterus *n*, *(bonct)* uterus

útfeljáró *n*, road approach, approach-ramp/road

útfeltöltés *n*, body of road

útfelület *n*, road surface

útfenntartás *n*, road maintenance, maintenance/repair of roads/streets

útgerinc *n*, crown (of the road)

útgyalu *n*, planer, (road) bullgrader, (road) bulldozer, blading machine, road scraper/grader/drag

úthálózat *n*, network/system of roads, road-system, road network

úthálózati *a*, ~ *térkép* road-map

úthasználati *a*, ~ *jog/szolgalom* right of way

úthenger *n*, road/steam-roller

úthengerlés *n*, road-rolling

úthengerlő *n*, = úthenger

úthossz *n*, road length

úti [-ak, -t] *a*, 1. road(-), street(-), travel(l)ing, itinerary; ~ *átalány* travel(l)ing allowances *(pl)*; ~ *beszámoló* travel report; ~ *biztosítás (hajó)* voyage policy, insurance for a special voyage; ~ *cél* destination; ~ *élelem* haversack rations *(pl)*; ~ *élmény/kaland* experience on/during the journey, travel(l)er's adventure, adventure (met) on the way; ~ *gőzhenger* steam roller; ~ *hajónapló* (ship's) log-book; ~ *jelentés* travel report; ~ *öltözet/ruha* travel(l)ing-dress/suit/costume; ~ *poggyász* luggage, baggage *(US)*, *(kat)* kit; ~ *program* itinerary, route 2. *Váci* ~ of/in (the) Váci út *(ut)*

útibörönd *n*, suitcase, valise, travel(l)ing case, portmanteau, grip *(US)*, *[nagy]* trunk

út-idő *a*, ~ *diagram/görbe* travel-time curve, time-distance curve

útifű *n*, *(növ)* plantain *(Plantago)*

útihenger *n*, = úthenger

útikalauz *n*, (travel(l)er's) guide/companion, cicerone, guide/road-book, handbook

útikellékek *n. pl*, travel(l)ing requisites

útikészlet *n*, travel(l)ing necessaries/requisites *(pl)*, travel(l)ing equipment

útikosár *n*, = utazókosár

útiköltség *n*, travel(l)ing expenses, fares *(pl)*; ~*ek megtérítése* repayment/reimbursement/refunding of travel(l)ing expenses

útikönyv *n*, guide-book, itinerary, handbook

útilapú *n*, *(növ)* plantain *(Plantago)*; ~*t köt vknek a talpára* send sy packing, send sy about his business, give sy his marching orders, give sy his mittimus

utilitarista [. .át] *a/n*, utilitarian

utilitarizmus *n*, utilitarianism

útimarsall *n*, courier, harbinger

útinapló *n*, travel diary, record of travel, travelogue, itinerary, travel-journal, journal of travels, *(hajó, rep stb.)* log-book, navigator's log, navigation log

útipárna *n*, travel(l)ing cushion/pillow

útirajz *n*, account/description of a journey, *[könyv]* book of travels, travel book, travelogue

útirány *n*, direction, route, course, *(ker)* established route; *beállítja az ~t (hajó)* set the course; ~*t mutató*

tábla signpost, finger-board/post, road-sign; ~*tól eltérés* deviation

útirányjelző *n*, route-indicating signal

útiszámla *n*, travel(l)ing expense(s) account, travel-bill; *benyújtja útiszámláját* present one's travel-bill

útitakaró *n*, travel(l)ing/motor rug, plaid, wrap(s)

útitárs *n*, travel(l)ing companion, fellow-passenger, co-travel(l)er, *(pol)* fellow-travel(l)er

útitáska *n*, travel(ling) case/bag, travel(l)ing bag, portmanteau, suitcase, *[kicsi]* dressing-bag/case, *[nagy]* hold-all

útitérkép *n*, route/road-map

útiterv *n*, itinerary, route, plan for a journey/trip

útizsák *n*, = lábzsák

útján *ld* út

útjavítás *n*, road-mending, road repairs *(pl)*

útjavítási *a*, ~ *munkálatok* road repairs

útjavító *a*, ~ *munkás* road-mender, stone-breaker

útjelzés *n*, road-marking, *[tábla]* road-mark, sign--post, finger post, *[turista]* footpath/route sign/mark; *a sárga ~ mentén halad ... felé* follow the yellow marks to...

útjelző I. *n*, road sign/mark, (route) indicator, way--mark/post **II.** *a*, ~ *fények* navigation lights; ~ *tábla* finger/sign/guide-post, direction-post/board, traffic sign, route-sign, *[vízen]* buoy, *[mérföldkő]* milestone

útjog *n*, right-of-way, right of passage/way, way-leave

útjogszabályok *n. pl*, rules of the road

útkanyar *n*, bend, turning, curve, *[útjelzőként]* bend, *[kettős]* double/hairpin bend

útkanyarulat *n*, = útkanyar

útkaparó *a/n*, ~ *(munkás)* road-mender, road(s)man, road-labourer

útkaparóház *n*, road(s) man's hut

útkarbantartás *n*, road maintenance

útkarbantartó *a*, ~ *munkás* road(s)man

útkavics *n*, road metal, ballast

útkavicsolás *n*, metalling, macadamizing

útkeresés *n*, *(átv)* seeking ways and means, exploring the possibilities (of the situation), considering/investigating/discussing (the possible) solutions (for the problem)

útkeresztezés *n*, = útkereszteződés

útkereszteződés *n*, *[városban]* (road-)crossing, (road) intersection, *[vidéken]* cross-roads, cross-way

útkövező *n*, (road-)paviour, (road-)paver

útközben *adv*, on/along the way, under way, en route *(fr)*, while on travel, on a journey, *[áru]* in transit

útleírás *n*, description/account/record of a journey, account of travels, itinerary, *[könyv alakban]* book of travel(s), travel book, travelogue

útlevél *n*, passport; *közös/kollektív* ~collective passport; *szolgálati* ~ duty/official passport; ~ *érvényességét meghosszabítja* prolong the validity of a passport; *útlevelek kiadása* issue of passports; ~ *tulajdonosa* bearer of a passport; *útlevele van*, ~*lel rendelkezik* be in possession of a passport; *útlevele rendben van* his passport is in order; *útlevelet kér* ask/apply for a passport; *megvan/megkaptam az útlevelem* I have been granted a passport, my passport is fixed up; *útlevelet kiállít vknek* make out a passport for; *láttamoztatja útlevelét* have one's passport viséd/visad/endorsed

útlevélkényszer *n*, obligation to carry/have a passport, *[rendszer]* compulsory passport system

útlevél-kiállító *a*, ~ *hatóság* authority making out (v. issuing) passports

útlevél-láttamozás *n*, visé, visa, endorsement on passport, *[ténye]* endorsing/visaing (of) a passport; *megtörtént az* ~? has your passport been viséd/visad/endorsed?

útlevélosztály *n*, passport office

útlevélvizsgálat n, passport examination/inspection, *[felhívásként]* (show your) passports please!

útmegszakítás n, break in the/a journey, stop-over *(US)*

útmenti [-ek, -t] a, wayside, by the roadside/wayside *(ut)*; ~ fák trees bordering the road

útmérő n, (h)odometer, viameter, *(hajó)* log

útmester n, road-inspector/surveyor/master

útmutatás n, direction, instruction, guidance, directive, *[tanács]* advice, hint, hints *(pl)*; ...~a mellett under the guidance of....; ~ként for your guidance; vk ~át követi follow sy's lead; ~sal ellát provide sy with *(v.* give sy) directions/intructions, brief sy

útmutató n, 1. *[könyv]* guide(-book), road-book, itinerary; *vasúti* ~ railway time-table, railway guide, Bradshaw *(GB)*, ABC *(GB)* 2. = útjelző; 3. *[levéltári]* guide (to archives)

utó [-t, -ja] I. a, after, post-, supplementary II. n, end (of), last days (of); *farsang* ~ja the last days of carnival; *nyár* ~ja late/Indian summer; *szesz* ~ja faints *(pl)*; ld még utolja

utóagy n, *(bonct)* rhombencephalon, hindbrain

utóajánlat n, subsequent/second offer

utóállítás n, *(kat)* supplementary conscription; ~ra köteles required for supplementary conscription *(ut)*

utóáram n, after-potential

utóbaj n, secondary affection, disease consequent (up)on *(v.* following) another, *(tud)* sequela, deuteropathy

utóbb adv, 1. at a later date, later (on), afterwards, in after-years, in the sequel *(ref.)*; előbb vagy ~ sooner or later; az ~ említett színdarab the last--named/mentioned play 2. ~ még azt fogja mondani *(hogy)* in the end he will (have the cheek/audacity to) say (that)

utóbbi [-ak, -t] I. a, latter, ulterior; az ~ időben lately, of late, recently; az ~ esetben in the latter case; az ~ években of late years; egészen az ~ időkig until quite recently II. n, the latter; az előbbi a gyorsabb elintézés de az ~ alaposabb the former is a quicker way of dealing with the matter but the latter is more thorough/sure

utóbeírás n, post-entry, late/subsequent entry

utóbeszéd n, epilogue

utóbiztosítás n, additional insurance

utócsapat n, rear(-guard)

utód [-ot, -a] n, 1. *[hivatali, üzleti]* successor, follower; *Tokaji* ~a Papp Papp successor of Tokaji; ~a lesz vknek succeed sy, become sy's successor, replace sy; vk~aként in succession to sy 2. *[leszármazásban]* descendant, offspring, progeny, issue, scion *(ref.)*; az ~ok (the) descendants, offspring, posterity, succession, progeny; ~ok nélkül hal meg die without offspring/issue, die childless, leave no descendants; ~ nélküli issueless; sok ~ot hagyott hátra he left a large posterity

utódállam n, succession/successor state

utódjelölt n, *[nyilvánvaló]* heir presumptive, *[valószínű]* heir apparent

utódlás n, succession

utódlási [-ak, -t] a, successional, of succession *(ut)*; ~ jog right of succession, reversion, survivorship; ~ joggal by/with the right of succession, by successional right; ~ rend order of succession

utóellenőrzés n, second/supplementary control

utóének n, *[régi görögöknél]* epode

utóérés n, after-ripening

utóerjedés n, after-fermentation

utóérlelés n, after-ripening

utóétel n, *[főleg édes]* dessert, *[sós]* savoury

utóévad n, late season, *[nyaralóké]* end of summer, early autumn, early fall *(US)*

utófájdalom n, afterpain; *szülési* utófájdalmak afterpains

utófelvétel n, *[filmnél]* retake (of a scene)

utófizetés n, subsequent/additional/extra payment

utófürdő n, *(fényk)* stop-bath

utógondolat n, afterthought, second thought

utógondozás n, after-care

utógyújtás n, delayed/retarded ignition/spark

utóhad n, = utócsapat

utóhagyományos n, *(jog)* substitute, reversionary legatee

utóhang n, 1. *(fiz)* aftersound 2. *(átv)* ripples *(pl)*, echo, reverberation 3. *[irodalmi műé]* epilogue

utóhatás n, *[betegségé stb.]* after-effect, *[eseményé]* aftermath, *[eseményé, intézkedésé]* repercussion; a háború ~a the aftermath of war

utóidejű a, consequent; ~ mellékmondat (posterior subordinate) consequent clause

utóidejűség n, posteriority

utóidény n, late season, end of summer, back-end, little season *(US)*

utóirat n, postscript *(röv* P.S.)

utóíz n, after-taste, tang; *keserű* ~t hagy maga után leaves a bad taste (in one's mouth)

utójáték n, *[irodalmi szính]* after-piece, epilogue, *[klasszikus dráma]* exode, *(zene)* postlude

utójelző n, apposition

utóka n, *(zene)* ⟨short grace note after the main note⟩

utókalkuláció n, costing, recalculation

utókeltez vt, postdate

utókeltezés n, csekk ~e the postdating of a check

utókép n, *(pszich)* after-image, *(biol)* *[recehártyán]* after-image, spectrum

utóképződmény n, postformation

utókérdés n, *(nyelvt)* question-tag, tag question

utókezelés n, after-treatment/care, follow-up care

utókisülés n, *(fiz)* after-discharge

utókollokvium n, repeat University examination, repeat examination (at a University)

utókor n, posterity, succeeding generations *(pl)*, after--ages *(pl) (US)*; kései ~ generations yet unborn *(pl)*, generations yet to come *(pl)*

utókövetkezmény n, (further) consequence, final effect, *(orv)* sequelae *(pl)*, after-effects *(pl)*

utókúra n, after-treatment/care

utólag adv, subsequently, after the event, *[ráadásul]* in addition, *[később]* later, at a later date, afterwards; ez ~ jutott eszébe this came later to his mind, it was an afterthought; ~ még hozzátette afterwards/ later he added; csak ~ until afterward; ~ beillesztett run-in; ~ önt postformába postform

utólagos [-at; adv -an] post-, subsequent, after-, coming/ following after *(ut)*, posterior, ulterior, additional; ~ bejegyzés post-entry; ~ beleegyezés (subsequent) approval, sanction; ~ felszólamlásokat nem veszünk figyelembe no complaint accepted after leaving the (cash) desk; ~ fizetés additional/supplementary payment, after-payment; ~ fizetést teljesít make a subsequent payment; ~ fizetésrendezés post-adjustment; ~ házasságkötés subsequent marriage; ~ javító fürdő (fényk) correction bath for post-treatment; ~ jóváhagyás subsequent approval; ~ jóváhagyásával anticipating your approval

utólagosan adv, subsequently, posteriorly; ~ fizet pay on approval

utólagosság n, subsequence

utólér vt, catch (sy) up, catch up with (sy), overtake (sy), make up on sy, run (sy) down, *(hajó)* overhaul, *[járművel]* pull up to/with (sy), *[lóval]* ride (sy) down, *[fokozatosan]* gather ground; nem tudta ~ni a tolvajt he could not catch the thief; ~i a halál meet one's end; álmában érte utol a halál death overtook him sleeping; *utol fogja érni a nemezis* his sins will find him out; *~te sorsa/végzete* he met his fate/doom, he could not avoid/dodge his fate

utolérhetetlen *a*, peerless, unmatched, unique, unequalled, unparalleled, unsurpassable, incomparable, *(kif)* nobody can touch him (in sg), nobody comes near him (in sg), he has no equal/match, nobody can hold a candle to him; *ő ebben ~* you can't beat him in that

utolérhetetlenül *adv*, peerlessly

utolja *n*, *(vmnek)* remnant/end/residue of sg; *már az utolját járja* be on one's last legs, be nearing one's end, be dying; *ld még* **utó II.**

utoljára *adv*, for the last time, at (the) last, last; *~ is* in the last place, ultimately; *ő jött ~* he came last; *ekkor látta ~* that was the last he had seen of her; *~ mondom!* let that be a last warning to you; *~ de nem utolsóként/utolsósorban* last but not least; *leg~* latest, the very last

utólökés *n*, *[földrengés]* after-shock (of earthquake)

utolsó *[-t] a*, **1.** last, *[jelenhez legközelebbi]* latest, *[vmt lezáró]* final, closing, ultimate; *ez volt ~ akarata* that was his last will; *~ alkalom* last opportunity/chance; *ez az ~ alkalom/lehetőség* it's the last chance; *~ ár* rock-bottom price, reserve price; *az ~ Árpád* the last of the Árpáds; *az ~ betűig teljesíti a követelményeket* comply with all the requirements; *küzd az ~ csepp vérig* fight to (v. die in) the last ditch; *az ~ divat* the last word in fashion, the latest fashion/thing *(amiben* in), it is all the vogue/rage now, it is ultrafashionable, dernier cri *(fr)*; *~ előtti* last but one, next to the last, before/second last *(ut)*, *(nyelvt)* penultimate; *~ előtti második* antepenultimate; *az ~előtti alkalommal* the time before last; *~ előtti szótag* penult(imate); *az ~ emberig* to a man, to the last man; *~ fejezet* final chapter; *az ~ fillérig kifizettem* I paid up to the last farthing; *az ~ fillérét is odaadná hogy segítsen* he would give his last farthing to help; *~ hírek* latest news, stop-press news; *az ~ hírek szerint* at (v. according to) latest news, at (v. according to) last accounts, when heard of last; *az ~ időben* recently, latterly, lately, of late; *~ intézkedés* testamentary arrangements *(pl)*; *az ~ ítélet* the last judg(e)ment, great/last assize, *[napja]* Doomsday, last day, the Second Advent, Day of Reckoning; *~ kenet* extreme unction, the last sacrament; *~ kísérlet* last effort/attempt; *~ kívánsága* his/her dying wish; *az ~ krajcárom ld ~ vasam; az ~ leheletig* to the last (breath); *~ levelemben (hozzád)* in my last letter (to you); *~ menedék/mentsvár* last resource/resort; *~ mentsvárként* in the last resort, as a last resort; *az ~ mohikán* the Last of the Mohicans; *~ mondat* last/concluding/final sentence; *az ~ óra* the inevitable/supreme hour; *~ percben/pillanatban* in/at the last minute; *az ~ percben!* that was touch and go!; *az ~ percben tesz még vmt* cut sg (very) fine; *az ~ percben csíptük el a vonatot* we have caught the train the very last minute; *az ~ percig* until the (very) last minute; *az ~ pillanatban* that was a near thing!, that was a close shave!; *~ posta Pét* post office Pét; *~ remény* last hope/resort; *~ részlet* final payment/instalment; *az ~ simításokat végzi vmn* give the finishing touches to sg; *az ~ sor (szính)* the bottom row; *az ~ szálig (elestek)* (they fell) to a man; *ezek voltak ~ szavai* these were his dying words; *ez ~ szavam!* (and) that's my last word, I have no(thing) more to say!, and that is flat/final!; *haldokló (ember) ~ szavai* expiring words of a dying man; *övé az ~ szó* he has the last word; *mindig az övé kell hogy legyen az ~ szó* (s)he must always have the last word; *az ~ szó joga a vádlottat illeti* the accused has the last say; *az ~ szó jogán* in his last plea; *az ~ szó jogán szól*

make the last statement, avail oneself of the privilege of the last word; *~ tisztesség [temetés]* last honours *(pl)*; *~ út [temetés]* last yourney; *az ~ vacsora [katolikus]* the Last Supper, *[protestáns]* Holy Communion, the Lord's Supper; *az ~ vasam* my last farthing, my last cent *(US)*, bottom end of the table *(US)*; *az ~ vasamat is rátenném* I'd bet my bottom dollar *(US)*; *ő az ~ az osztályban* he is at the bottom of the class, he is the last/bottom boy in the form; *~nak érljön be [versenyen]* come in at the tail-end; *~nak érkezett* he arrived last, he was the last to arrive; *~t lélegzik* breathe one's last, expire; *~kat rúgja* be (up)on one's last legs; *leg~* last, latest, backmost, hindmost; *leg~ ár* rock-bottom price; *leg~ divat* latest fashion, it is all the vogue/rage now, ultra-fashionable **2.** *[aljas]* mean, base, low, vile; *te ~!* (you) skunk!, (you) cad!, (you) rotter!; *~ dolog volt* that was a mean thing (to do); *~ gazember!* (you) rotter!

utolsósorban *adv*, at last, finally at the end; *(végül(,) de) nem ~* last but not least

utolsószor *adv*, = **utolszor**

utolszor *adv*, for the last time; *ld még* **utoljára**

utómegmunkálás *n*, finishing

utómunka *n*, = **utómunkálatok**

utómunkálatok *n. pl*, additional/supplementary work

útonállás *n*, brigandage, highway robbery, way-laying; *ilyen árat kérni valóságos ~* to demand such a price is sheer/daylight robbery

útonálló *n*, highwayman, footpad, brigand, waylayer, ruffian, hooligan, bandit, road-agent *(US)*, roughneck *(US)*, hold-up man *(US)*; *~k megtámadták* he was waylaid; *~vá válik/lesz* take (to) the highway

utónév *n*, Christian/first/given/baptismal name

úton-módon *adv*, *ezt valamilyen ~ el kell intézni* this must be arranged somehow *(v.* in one way or other); *minden ~* by fair means or foul, by hook or crook, by all means, in all manner of ways; *szokásos ~* through the ordinary channels

úton-útfélen *adv*, all over the place, everywhere, at every step

utóöröklés *n*, reversionary succession; *~ tárgya* remainder

utóöröklési *a*, *~ jog* reversionary right to legacy

utóörökös *n*, reversionary heir, heir appointed in succession to another or failing another, heir in tail, remainderman

utóörökösödés *n*, reversionary succession

utópia *[..át] n*, Utopia

utópikus *a* = **utópista**

utópista *[..át]* **I.** *a*, Utopian **II.** *n*, Utopian, Utopist

utópisztikus *a*, Utopian

utórag *n*, suffix

utóraj *n*, last swarm

utórajzás *n*, *[méheké]* after-swarm

utórengés *n*, *[geofizikában]* aftershock

utórezgés *n*, *(átv)* aftermath

utórobbanás *n*, backfiring, delayed explosion

utósereg *n*, rear-guard

utószezon *n*, late season

útoszlop *n*, signpost, guidepost, finger post

utószó *n*, *[a szerzőtől]* epilogue, *[mástól]* postscript

utószülött I. *a*, posthumous, *(jog)* puisne **II.** *n*, posthumous child

utószüret *n*, gleaning

utótag *n*, **1.** *(fil)* minor premiss/term, *(menny)* consequent **2.** *(nyelvt)* *[összetételben]* second part (of compound), posterior constituent (of a compound)

utótermék *n*, afterproduct

utótermékenyítés *n*, superfetation, superfecundation

utótermés *n*, aftercrop, second crop, aftermath

utótétel *n*, **1.** *(menny)* consequent **2.** *(nyelvt)* appo-

sition, postposition; ~ben in apposition/postposition, appositionally, postposed

utóünnep n, after-celebration

utóvágás n, *[fakitermelésben]* after-felling

utóvéd n, rear-guard/echelon, arrière-guard

utóvédállás n, rear-guard position

utóvédharc n, rear-guard fight(ing)/action, fighting in the rear, rear action

utóvégre adv, **1.** ~ *is* after all, when all is said and done **2.** *[végül]* at last, finally, ultimately, in the end

utóvilágítás n, after-glow

utóvirágzás n, **1.** *(növ)* second bloom/efflorescence **2.** *[nőnél]* the Martinmas summer of love

utóvizsga n, repeat examination (at University)

utózengés n, reverberation

utózengő a, *[hang]* reverberant

útőr n, district road-surveyor, patrolman

útőrház n, road-surveyor's box

útpálya n, roadway, carriageway

útravaló n, **1.** *[élelem]* provisions for the journey *(pl)*, *[pénz]* money for the journey **2.** *[tanács]* send-off, instructions for the journey *(pl)*, a piece of advice for the journey

útrendészet n, administration of public thoroughfares, the Highways Department *(GB)*

útrövidítés n, short cut, cut-off, cross-cut

útszakasz n, **1.** *[úté]* road-section; elzárt ~ "road blocked" **2.** *[utazásé]* flight/leg/lap/section of journey

útszegély n, *[töltés mellett]* side path

útszegélykő n, kerb stone

útszél n, roadside, wayside; az ~en by/on the wayside/roadside

útszélesség n, breadth of road

útszéli [-ek, -t; adv -en] a, **1.** *[út mentén levő]* by the roadside/wayside *(út)*, roadside, wayside; ~ árok ditch by the roadside, road-ditch; ~ csárda roadside inn/restaurant, roadhouse; ~ folyóka gutter, runnel **2.** *(átv)* trivial, *[közönséges]* common, low, vulgar; ~ kifejezés trivial expression, vulgarity; ~ modor viselkedés ill/bad manners *(pl)*, unmannerly behaviour, pot-house manners *(pl)*; ~ szellemesség gutter wit

útszélien adv, trivially, vulgarly

útszelvény n, = útszakasz 1.

útszint n, street/road-level

útszolgalom n, way-leave, right-of-way, casement of way

útszoros n, narrow passageway, hollow way

útszűkülés n, bottleneck, gut, narrow defile, narrow passageway, narrowing of a street/road

útszűkület n, = útszűkülés

úttakarító n, *(bány)* jerryman

úttalálkozás n, road junction

úttalan a, pathless, roadless, wayless, trackless, untrodden; ~ utakon along/on untrodden paths/ways

úttérkép n, road/route-map

úttest n, road(way), carriage-way, drive-way; az ~ közepe the crown of the road; áthalad az ~en cross a/the road

úttorkolat n, T-junction

úttorlasz n, road-block

úttörés n, ~ munkája *(átv)* pioneering work, opening up new paths/channels, breaking into unknown territory

úttörő [-t, -je] I. n, **1.** *(átv)* pioneer, path-finder, trail-blazer, path-breaker **2.** *[gyermek]* pioneer II. a, pioneering; ~ jelentőségű epoch-making, pioneer(ing), trail-blazing, of a pioneering character *(út)*; ~ munkát végez do pioneering work, break new/fresh

ground, blaze a trail; ~ munkát végez vmely tárgykörben do pioneer work in a subject; ~ munkásság pioneering work/activity, breaking of new ground

úttörőcsapat n, pioneer troop/group

úttörőköztársaság n, Pioneers' Republic

úttörőmozgalom n, pioneer movement

úttörőnyakkendő n, pioneer's red necktie

úttörőőrs n, pioneer patrol

úttörőraj n, pioneer troop

úttörőszervezet n, Pioneer Organization

úttörőszövetség n, Pioneer Association

úttörőtábor n, camp of (young) pioneers, pioneer camp

úttörőváros n, pioneers' town

úttörővasút n, Pioneer Railway

úttörővezető n, pioneer troop leader

úttörőfelszerelés n, pioneer equipment

úttörőleány n, pioneer

úttörőpróba n, pioneer test

úttörőruha n, pioneer uniform

útvám n, toll

útvesztő n, labyrinth, maze, turnings and twistings *(pl)*, meanders *(pl)*; a törvények bonyolult ~je the cobwebs of the law *(pl)*

útvesztőszerű a, labyrinthine, labyrinthian, daedal

útviszonyok n. pl, road conditions

útvonal n, route, path, track, direction, *(vasút)* line, *[lövedéké]* trajectory; fő közlekedési ~ (main) thoroughfare; légi ~ air-route/way/line; tengeri ~ sea-lane/route; vmlyen ~on by way of, via; más ~on tér vissza return by another route; ~at változtat alter course

útvonalbérlet n, *(ker, hajó)* line charter

útvonali a, ~ előrejelzés *(rep)* air route forecast

uvula [..át] n, uvula

uvuláris [-at; adv -an] a, uvular

úzus n, usage, custom

uzsgyi int, = usgyi

uzsonna [..át] n, snack, *[délután]* (afternoon) tea, *[mint vendégség]* (tea-)party

uzsonnaabrosz n, tea-cloth

uzsonnaidő n, tea-time/hour

uzsonnál [-t, -jon] vi/vt, = uzsonnázik

uzsonnás a, ~ kosár snack-basket

uzsonna-vacsora n, high tea, tea-dinner

uzsonnáz|ik [-tam, -ot, -zon, -zék] vi/vt, have one's snack/tea, take tea

uzsonnázóhely n, tea-shop

uzsora [..át] n, usury, extortion, *(összet)* usurious

uzsoraár n, usurious/extortionate/exorbitant price

uzsorabér n, rack-rent; ~t követel *[bérlőtől]* rack-rent

uzsorabíróság n, ⟨law-court dealing with usury cases⟩

uzsorakamat n, rate of usurious interest, usurious rate of interest, unlawful/exorbitant interest

uzsorakölcsön n, usurious loan

uzsorás n, usurer, extortioner, extortionist, Shylock *(fam)*, shark(er) *(fam)*

uzsoráskodás n, usury

uzsoráskod|ik [-tam, -ott, -jon, -jék] vi, practise (v. carry on) usury, lend money at a usurious rate of interest

uzsoraszerződés n, usurious contract

uzsoratőke n, ⟨capital accumulated by means of usury (v. through usuriousness)⟩, usurers' capital

uzsoratörvény n, usury-law, Usury Act, money-lending bill

uzsoraüzlet n, usurious business/trade/transaction, usury

uzsoraüzlet n, = uzsoraüzlet

Ü, Ű

ü [ü-t, ü-je] *n, [betű]* ü, the letter *ü/Ü; kis* ü-*vel ír* write with small ü; *nagy* Ü-*vel ír* write with capital Ü

űbé [-t, -je] *n,* = üzemi bizottság

ücsörög [-tem, .. rgött, -jön] *vi,* be sitting about, sit idly, cool one's heels

üde [.. ét; *adv* .. én] *a,* fresh, healthy, youthful, fresh as a daisy *(ut);* ~ *arcbőr* youthful/blooming/ fresh complexion; ~ *arcbőrű* fresh-complexioned; ~ *arcszín* fresh complexion, high colour; ~ *lehelet* sweet breath; ~ *szellem* fresh/alert mind

üdeség *n,* freshness, bloom, fresh/healthy/youthful character (of sg); *uz arc* ~e the freshness/bloom of one's complexion; ~*ét elveszti* fade

üdít [-eni, -ett, -sen] *vt,* freshen, refresh, brace sy up, cool, *[csak szellemet]* cheer, divert, amuse, entertain, exhilarate, enliven; *szívet-lelket* ~ renew the heart and mind

üdítő [-t; *adv* -en] *a,* refreshing, bracing, exhilarating, recreative, tonic, *[árnyék]* cool, *[ital]* cooling, refreshing, *[olvasmány]* light (reading); ~ *ital* refreshment, refresher, cooler *(fam), [nem szeszes]* soft drink; ~ *látvány* a pleasing view, a sight for sore eyes; ~ *a szemnek* it is quite a treat to see it/him, (it is) good to look at

üdítőszer *n, (orv)* cooling medicine, tonic, pick-me--up *(fam)*

üdül [-t, -jön] *vi,* 1. *[felüdül]* refresh/recreate oneself, *[lábadozó]* convalesce, recover (one's health), be feeding up 2. *[pihen]* rest, repose, take some rest/ relaxation, *[vakációzik]* take a holiday (away from home), *[üdülőben]* stay at a health-resort *(v.* rest-home), *[betegség után vhol]* be convalescing at .. ; *a lengyel tengerparton* ~*t* he went for a holiday to the seaside in Poland, he spent his holiday at the seaside in Poland

üdülés *n,* 1. recreation, *[pihenés]* rest, relaxation, *[betegség után]* convalescence, *[nyaralás]* holiday, rest; ~ *céljából* for recreational use/purposes 2. *(átv) [a vártnál kellemesebb, könnyebb munka]* a piece of cake; ~ *a szemnek* it is quite a treat to see it/him, a pleasing view

üdülési [-ek, -t] *a,* holiday-, rest-, convalescent, of holiday/convalescence *(ut);* ~ *szabadság [lábadozónak]* sick-leave, convalescent leave; ~ *albizottság* holiday sub-commission; Ü~ *és Szanatóriumi Főigazgatóság* General Department of Holiday and Convalescence Service

üdülő [-t, -je] *n,* 1. *[vendég]* visitor/guest at a holiday resort/house/home, person on holiday, holiday--maker, vacationist, *[lábadozó]* convalescent 2. *[épület]* holiday home/house, rest-house/home, boarding-house at a holiday/summer/health resort

üdülőhajó *n,* botel

üdülőház *n,* = üdülő 2.

üdülőhely *n,* summer/winter/health/holiday/pleasure resort, *[fürdőhely]* spa, watering-place, *[tengerparti]* seaside resort

üdülőszálló *n,* resort-hotel

üdülőtábor *n,* holiday camp

üdülőtelep *n,* resort, holiday centre, *[szórakoztató létesítményei]* recreation area

üdültetés *n,* organized holidays (at reduced prices) *(pl)*

üdültetési *a,* ~ *alap* recreation/holiday fund

üdv [-öt, -e] *n,* † 1. *(vall)* salvation; *imádkozik vk lelki* ~*éért [péld. temetésen]* pray for sy('s salvation) 2. ~ *neked!* (all) hail! 3. *a haza* ~e the welfare/ benefit of the country

üdvhadsereg *n,* Salvation Army; *az* ~ *tagja* salvationist, member of the Salvation Army

üdvhozó *a,*† salutary, beneficial, beneficent

üdvkiáltás *n,* acclamation, cheering, shouts of applause *(pl),* cheers *(pl)*

üdvlövés *n,* salute (with the guns), salvo; ~*(eke)t ad le* fire a salvo/salute; *tíz* ~*t lead* fire a salvo (of 10 guns) in honour of sy/sg, a salute of 10 guns was fired

üdvös [-ek, -t; *adv* -en] *a,* salutary, beneficial, beneficent, *[csak egészségére]* healthy, salubrious, remedial, *[befolyás]* benign, *[étel]* wholesome, *[klíma]* healthy, bracing, *[előnyös]* advantageous, useful, *[ajánlatos]* advisable, *[figyelmeztetés, tanács]* helpful, saving; ~ *lenne* it would be advisable to .. ; *nagyon* ~ *lesz* it will come in very useful

üdvöske *n,* charm, amulet, mascot

üdvösség *n,* 1. *(vall)* salvation 2. *[boldogság]* bliss, beatitude; *nem elég az* ~*re/*~*hez (kb)* not enough by a long chalk

üdvösséges [-et; *adv* -en] *a,* 1. *[üdvös]* salutary, edifying 2. *(vall)* blessed

üdvöz *a, légy* ~*l,* ~ *légy !* hail (to thee)!

üdvözít [-eni, -ett, -sen] *vt/vi,* 1. *(vall)* save, work the salvation of; *a hit* ~ faith is everything, he that believeth shall be saved 2. *[boldogít]* beatify, make blessed

üdvözítés *n, (vall)* salvation, saving, redemption

üdvözítő [-t] I. *a,* 1. *(vall)* saving, redeeming; *az egyedül* ~ *egyház* the only true church; *az egyedül* ~ *hit* the only true faith 2. *(átv)* salutary II. *n,* Saviour

üdvözlégy [-et] *n,* Ave Maria/Mary, (the) Hail Mary, (the) Angelic Salutation, Ave

üdvözlés *n, [személyesen]* greeting, saluting, *[megszólítás levélben]* salutation, greeting, *[érkezéskor]* welcome, welcoming, *[alkalomkor]* compliment, congratulation, felicitation; *lelkes* ~ ovation; *fogadja az* ~*eket* accept congratulations; *nem fogadja az* ~*emet* does not return/acknowledge my salutation/ greeting, cuts me dead *(fam),* cold shoulders me *(fam)*

üdvözlet *n,* 1. greeting, kind regards *(pl),* respects *(pl),* compliments *(pl); karácsonyi* ~ Christmas greeting; *újévi* ~ New Year's greeting; *újévi/karácsonyi* ~ the season's greetings *(pl),* compliments of the season *(pl); vknek az* ~*ét átadja/közvetíti/*

tolmácsolja convey/give *(v.* pass on) sy's compliments/greetings/respects to (sy), remember sy to sy, convey sy's good wishes to (sy); *kérem adja át szíves/ szívélyes ~emet, kérlek add át szíves/szívélyes ~eimet* give (sy) my compliments *(v.* kind/best regards), give my best regards to (sy), give (sy) my love, remember me kindly to (sy), *[formálisabban]* please present my compliments/regards/respects to (sy); *adja át tiszteletteljes/szívélyes ~eimet (kedves) feleségének* give my best regards to your wife; *add át neki tiszteletteljes ~emet* give him my respects; *~ét küldi/jelenti vknek* present one's respects to sy, send one's greetings/compliments to sy; *szeretőd ~ét küldi* send one's love, *[levélzáradék]* yours affectionately; *szívélyes ~ét küldi [levélzáradék]* with kind(est) regards from, greetings to all; *szívélyes ~tel [levél végén]* yours truly/sincerely, sincerely yours, *[formálisabban]* I remain (Madam/Sir/Gentlemen) yours faithfully/respectfully 2. *(vall) Angyali ~* the Annunciation, *[az ima]* (the) Hail Mary, Ave

üdvözlő [-t; *adv* -en] I. *a,* greeting-, salutatory, congratulatory, of greeting/welcome/salutation/congratulation *(ut) ; ~ beszéd* address of welcome, welcoming speech/address, *(US isk)* salutatory oration; *~ felirat [feletteshez]* address of congratulation/ felicitation, *[házon felírva]* inscription/slogan/scroll of welcome, *[plakát]* poster(s) of welcome, streamer; *~ levél* letter of congratulation; *~ sorok* letter of welcome/congratulation; *~ szavak* words of welcome/ congratulation, *[beszéd]* ad(d)ress; *~ távirat* telegram of congratulation/felicitation *(v.* good wishes) II. *n,* congratulator, person greeting sy, person come to greet sy

üdvözöl [.. zlök, -t, -jön] *vt,* 1. *[köszönt]* salute, greet, *[biccentéssel]* greet (with a nod), *[kézmozdulattal]* wave to sy, *[üdvrivalgással]* hail (sy); *kalapját levéve ~ vkt* raise *(v.* take off) one's hat to sy, doff one's hat *(ref.) ; kalapját érintve ~ vkt* touch one's hat/cap to sy; *meghajlással ~ vkt* (make a) bow to sy; *mosollyal ~ vkt* salute sy with a smile; *~ vkt vmnek alkalmából* offer sy one's congratulations on sg, congratulate/compliment sy on (the occasion of) sg, felicitate sy, express one's best wishes; *a külföldi küldöttek ~ték a kongresszust* (the) delegates from abroad addressed the congress; *zászlóval üdvözli a hajót* dip one's flag to a ship; 2. *[megérkezéskor]* bid/wish sy welcome, welcome/greet sy; *~lek körünkben!* welcome!(,) we are happy to see you, you are welcome! 3. *[üdvözletét küldi]* send one's greetings/compliments/love to sy, send sy one's kind regards, present one's respects to sy; *üdvözlöm kedves szüleidet* my love to your parents, kind regards to your parents; *szeretettel ~ [levél végén]* Yours afffectionately, Affectionately Yours, Yours in friendship

üdvözöltet *vt, (vkt)* send ones compliments to sy

üdvözül [-t, -jön] *vi, (vall)* be saved, find salvation, *[saját erejéből]* work out one's (own) salvation

üdvözülés *n, (vall)* salvation

üdvözült [-et; *adv* -en] I. *a,* 1. *(vall)* saved, blessed; *~ lelkek* the blessed/blest 2. *(átv)* seraphic; *~ mosoly* beatific smile, *(iron)* pleased smile II. *n, az ~ek* the blessed

üdvrivalgás *n,* acclamation, cheering, (loud) cheers *(pl),* hurrah, hurray, huzza *(obs)*

üget *vi,* trot, *[ló gyorsabban]* lope, canter, *[élénken]* step well/high; *lassan ~ jog* along; *~ni kezd* break into trot

ügetés *n,* trot(ting), *[gyorsabb]* lope, canter; *könnyű ~be kezd* rise in the saddle; *lassú ~ben* at a gentle/ slow/easy trot, at a dog/jog-trot *(fam) ; ~re fogja a lovat* put a horse to the trot

üget ő [-t, -je] I. *a,* trotting II. *n,* 1. = ügetőlő; 2. = ügetőverseny; *kimegy az ~re* go to the trotting/pacing race(s)

ügetőeredmények *n. pl,* harness-racing results

ügetőló *n,* trotter, trotting horse/mare

ütegőpálya *n,* trotting (race)course, raceway

ügetőverseny *n,* trotting-race, harness-racing, trotting- -match

ügy [-et, -e] *n,* business, affair, concern, matter, *(ker)* business, transaction, deal, *(jog)* case; *folyó ~ek* current/pending matters; *hivatalos ~* official business/matter; *lovagias ~* affair of honour; *peres ~* case (at law), law case, lawsuit; *a Smith contra Jones ~ (jog)* re Smith v. Jones; *nem nagy ~* it's no great matter, it's of no great importance; *piszlicsári ~* tupenny-ha'penny affair; *nehéz ~* a hard nut to crack, a tough proposition, it's a bad job, tough going; *nehéz ~ ez* this altogether is a problem; *szép kis ~!* a pretty kettle of fish!, fine doings (these)!; *kellemetlen ~e van* have a nasty experience; *az ~ érdekében* for the sake of the cause; *~e vknek* concern of sy; *ez az ő ~e* it is his business/concern; *nem a te ~ed* none of your funeral; *~e van vkvel* have dealings with sy; *rosszul áll az ~e* his affairs, are going badly, his affairs are in an unsatisfactory state *(v.* in a bad way), he has a bad lookout for the future, things are going badly with him; *hogy áll az ~ed?* how does your case stand?, how are matters progressing *(v.* getting on) with you?, how far have you got (on) with your business, how do you stand with regard to your business?; *az ~ állása* state of affairs; *az ~ek ilyetén állása mellett* as matters stand, as things are, this/such being the case, as it stands, in the present state of affairs, under such circumstances; *az ~ követelményei* the demands of the case; *~ben (jog)* in re *(lat) ; milyen ~ben keresi?* what do you wish to see him about?, what do you wish to speak to him about?; *üzleti/ hivatalos ~ben* on business; *vmnek az ~ében* concerning/about sg, relating to sg, in the matter/cause of sg; *a lakbér ~ében* regarding/concerning *(v.* relative to) the rent; *vknek ~ében eljár* act on sy's behalf; *keze ~ében van* have sg (near) at/to hand, have sg within hand-reach; *ha a világbéke ~ében munkálkodtok jó ~ért munkálkodtok* if you are working in the cause of world peace(,) you are working in a good cause; *jó ~ért dolgozik* work in a good cause; *jó ~ért harcol* fight for a good cause, fight a good fight; *~eit (el)rendezi* straight (out) one's affairs; *~eit intézi* attend to one's business, go about one's work, be busy with one's work, do one's daily round; *~et átad vknek (elintézésre)* place a matter in sy's hands, refer a matter to sy; *~et véd (jog)* plead a cause; *nagy ~et csinál vmből* make a song about sg; *~et sem vet (vmre, vkre)* pay no attention/heed to, disregard, scorn, ignore, take no *(v.* not the least) notice of, pay no regard/attention to

ügybeosztás *n,* 1. allocation of work/duties, dividing up *(v.* division) of work 2. *[munkakör]* resort, desk

ügybuzgalom *n,* ardour, zeal, diligence/steadiness in work

ügybuzgó *n,* sedulous, zealous, eager, fervent, eager- -beaver *(US ◈)*

ügydarab *n,* file (on a case)

ügyefogyott [-at; *adv* -an] *a,* awkward, clumsy, unhandy, helpless, fumbling, left-handed, gawky, unhelpful, shiftless; *~ ember* helpless (sort of a) chap, muff, duffer, blunderer, gawk, lame duck *(US)*

ügyefogyottság *n,* awkwardness, clumsiness, helplessness, fumbling, gawkiness

ügyel [-t, -jen] *vi,* 1. *[vigyáz, átt]* be on the look-out, *(vkre, vmre)* take care of sy/sg, watch over sy/sg, give an eye to sg, have an eye on sy, keep an eye on sy, keep a sharp eye on sy, look after sy/sg, see/ attend to sg; ~ *arra (hogy)* take (good) care (to do *v.* not to do sg), be careful (to, that); ~*j arra amit mondok!* take heed of what I am telling you; ~*j a gyerekre* mind the child; ~*j magadra!* mind/watch your step!, be careful; *kisbabákra* ~ *[foglalkozásként]* be a baby-sitter; ~*jünk a tisztaságra [utcán kb]* don't litter the streets, *[helyiségben]* put rubbish into *(v.* please use) the waste-paper basket; ~ *a szavára* be guarded in one's speech; ~ *viselkedésére* mind one's P's and Q's *(fam)*; ~*j!* look out! **2.** *[figyelembe vesz]* mind/note sg, take notice of, pay attention/heed to, mark sy's words, heed; ~*jen rám!* mark me/you!, mark my words!

ügyelés *n*, attention, (taking) care, watch(ing), surveillance

ügyelet *n*, inspection, *(kat, orv)* duty; *éjszakai* ~ all--night service, *(kat, orv)* night duty; ~*et tart* be on duty

ügyeletes [-ek, -t, -e] **I.** *a*, on duty *(ut)*; ~ *nővér* (ward-)sister on duty, ward sister; ~ *orvos* doctor on turn/duty; ~ *szolgálat [éjszakai]* all-night service; ~ *tiszt* officer on duty, duty-officer **II.** *n*, person/ officer/official on duty; *ki az* ~? who is on duty?

ügyeleti [-t] *a*, ~ *kocsi (vasút)* inspection car

ügyelő [-t, -je] *n*, *(szính)* stage inspector/master/ manager, call-boy

ügyes [-et; *adv* -en] *a*, **1.** *[ember]* clever, skilful, skilled, (cap)able, efficient, good at sg *(ut)*, a good hand at sg *(ut)*, masterly, adroit, *[munka]* neat, *(elit)* cunning, smart, artful, crafty, slick, sharp, cute, *[csel]* masterly; ~ *vmben* be good/clever at, be skilled in (doing) sg, be a great hand at sg *(fam)*, be a dab (hand) at (doing) sg *(fam)*; ~ *fogás* a good trick; ~ *játékos [igével]* be good at games; ~ *kéz* skilled hands *(pl)*; ~ *keze van* be clever/skilful/quick with one's hands, be dexterous (in doing sg); ~ *kezű* clever with the (one's hands *(ut)*, dexterous, deft, skilful (with one's hands), handy, light-fingered; ~ *sakkhúzás [politikban], diplomáciában stb.]* master-stroke; ~ *tervet eszelt ki* he has contrived an ingenious scheme; ~ *üzletember* smart businessman; ~ *visszavágás* a neat retort **2.** *[tárgy]* useful, handy, practical, *[ötletes]* ingenious, smart, *[formás]* neat, trim

ügyes-bajos *a*, ~ *emberek* people going about their lawful occasions/tasks; ~ *dolog* troublesome/daily business/work, petty annoyances *(pl)*, what--abouts *(fam)*; ~ *dolgait intézi a városban* be going on *(v.* be running) errands in town, attend to one's business in the city

ügyesed|ik [-tem, -ett, -jen, -jék] *vi*, grow/become clever/skilful/handy

ügyesen *adv*, skilfully, deftly, ably, dexterously, adroitly, expertly, handily, *(elit)* shrewdly, artfully, politically; ~ *csinál vmt* be handy at/in (doing) sg; ~ *megcsinál vmt (biz)* pull a nice trick/job; *ezt* ~ *csináltai* well done!, he has hit it; *ezt* ~ *csináltad* well done, it was an artful dodge *(v.* a clever trick); ~ *lekap vkt [rajzoló]* hit off a likeness; *ezt* ~ *mondta* that is neatly put

ügyeskedés *n*, shrewdness, adroitness, *(elit)* trickery, (piece of), cunning, wiles *(pl)*, artifice

ügyesked|ik [-tem, -ett, -jen, -jék] *vi*, show oneself to be clever/skilful, show skill/dexterity/adroitness/ ingenuity, perform feats of skill/dexterity, *[ravaszul]* finess, be foxy, *[sürgölődik vk körül]* fuss about/ around sy

ügyesség *n*, *[munkában]* cleverness, skilfulness, dexterity, skill, deftness, handiness, facility, adroitness, capacity, knack, efficiency, *[ravaszság]* cunning,

sharpness, artfulness, smartness, slickness, cuteness, *[találékonyság]* ingenuity, inventiveness, resourcefulness; ~*et igényel* it demands skill

ügyész [-ek, -t, -e] *n*, **1.** *[bírósági]* (prosecuting) attorney, *[államügyész]* public prosecutor, district attorney *(US)*, procurator-fiscal *(skót)*; *vádképviseletben eljáró* ~ the prosecuting attorney **2.** *[vállalaté]* legal adviser, chamber-counsel, consulting barrister (of an enterprise), solicitor

ügyészi [-ek, -t; *adv* -leg] *a*, attorney's, of (an) attorney; *(ut)*; ~ *szervezet* attorney organization

ügyészség *n*, attorney's department, the Prosecution, the Public Prosecutor('s department/office)

ügyetlen *a*, awkward, clumsy, unskilful, unhandy, gawky, maladroit, left-handed, inapt, heavy--handed, skilless, inefficient, inexpert, thumbless, resourceless; ~ *vmben* be unskilful in/at sg, be inexperienced in sg, be inapt/unskilled for/at sg, be a duffer/muff/bungler, have a heavy hand; ~ *kezű [igével]* have a heavy hand; ~ *kifogás/mentegetődzés* clumsy apology

ügyetlenkedés *n*, blundering, clumsiness, awkwardness, unhandiness, left-handedness, foozling *(fam)*, fumbling *(fam)*, gaucherie *(fr)*

ügyetlenked|ik [-tem, -ett, -jen, -jék] *vi*, blunder, make blunders, behave maladroitly/clumsily, be clumsy/awkward, be left-handed, show a want of dexterity, fumble, show awkwardness, *(biz)* foozle

ügyetlenség *n*, **1.** *[tulajdonság]* clumsiness, awkwardness, maladroitness, bungling, unhandiness, unskilfulness, want/lack of skill, left-handedness **2.** *[cselekvés]* blunder; ~*et követ el* make a blunder/ mistake, make a faux pas *(fr)*, drop a brick ◆

ügyetlenül *adv*, awkwardly, clumsily; ~ *helyezkedik (átv)* come down on the wrong side of the hedge

ügyfél *n*, *[ügyvédé]* (lawyer's) client, party (of solicitor), *[perben]* party to the case, *(ker)* customer

ügyforgalom *n*, *(ker)* commercial intercourse/communication

ügygondnok *n*, fiduciary, curator, trustee, *[elmebetegé, kiskorúé]* guardian, *[csődnél]* assignee, official receiver, public trustee, *[bíróilag kinevezett]* administrator, executor, *[nő]* administratrix, *[perben]* guardian ad litem *(lat)*, guardian for litigation, administrator pendente lite *(lat)*, *[távollevőé]* administrator durante absentia *(lat)*, *[vagyonkezelő]* manager, receiver; ~*ot rendel ki perben* appoint/assign a guardian ad litem

üggyel-bajjal *adv*, with (great) difficulty, barely, hardly, with much effort, *[megmenekül életveszedelemből]* by the skin of one's teeth; *nagy* ~ *végez vmt* have much *(v.* the utmost) difficulty in doing sg

ügyi [-ek, -t; *adv* -leg] *a*, concerning *(ut)*, of/for.. affairs *(ut)*

ügyintézés *n*, administration, office work, transaction of affairs

ügyintéző *n*, dispatcher of a business, administrator, manager, person/official in charge (of), executive

ügyirat *n*, document, paper, file

ügyiratcsomó *n*, dossier, record

ügyiratszám *n*, file-number, number of file

ügyismeret *n*, full knowledge of the facts, aquaintance with the facts

ügyismertetés *n*, *perbeli* ~ *(jog)* written statement of a case

ügykezelés *n*, *(hiv)* management, administration, procedure, *(ker)* way of doing business, business routine/management, control; *helytelen/rossz* ~ maladministration

ügykezelő *n*, administrator

ügyködés *n*, business, busying/engaging oneself, bustle

ügyköd|ik [-tem, -ött, -jön, -jék] *vi*, manage, be busy, bustle, act, engage oneself in, busy oneself with, manage one's affairs

ügykör n, sphere of activity/action, scope, competence, province, line, functions (pl), [miniszteri] department; ~ébe tartozik belong to one's province, be/fall within sy's province/competence, be in one's line, come under one's purview/authority; ~én belül within the authority granted to one's office

ügylet n, affair, (piece of) business, transaction, enterprise, undertaking, deal, dealings (pl), (financial) venture, [spekulációs] speculation; ~éket köt enter into transactions

ügyletkötés n, (jog) transaction

ügyletkötő a, ~ fél party to a transaction

ügymenet n, procedure, proceeding(s)

ügynök [-öt, -e] n, 1. (ker) broker, (mercantile, commission) agent, representative, middleman, tout (fam), solicitor (US), [utazó] (commercial) traveller, field man; bizományi ~ commission agent; biztosítási ~ insurance agent/broker; eladó ~ sales agent; hajózási vállalat ~e ship's agent, ship-broker; helyi ~ local agent, town traveller, canvasser, outdoor salesman; kizárólagos ~ sole agent; szóbelileg megbízott ~ agent by parole authority; tőzsdei ~ stock-broker; ~öknek tilos a bemenet no canvassers/ solicitors allowed 2. (pol) agent, emissary, [kém] agent, spy

ügynöki [-ek, -t] a, broker's, agent's, of (an) agent/ broker (ut); ~ díj/jutalék commission, brokerage, procuration (fee, money); ~ megállapodás/szerződés agency agreement/contract; ~ megállapodást/szerződést felmond cancel (v. give notice for the cancellation of) the agency agreement/contract

ügynököl [-t, -jön] vi, canvass (from door to door), solicit business/trade, work as a commercial traveller/ agent

ügynökösködés n, [mesterség] broking, brokerage, jobbing, soliciting orders/trade, [tevékenység] canvassing

ügynökösköd|ik [-tem, -ött, -jön, -jék] vi, be a(n) broker/agent/traveller (amivel in), canvass, solicit trade/business, hawk (about)

ügynökség n, (ker) agency, [konzulátus] consulate, consular office; vknek ~et ad entrust sy the agency, entrust sy with an agency; ~et megvon vktől withdraw the agency from sy

ügyosztály n, branch, department (of office)

ügyosztályvezető n, chief of section, head clerk, head of department

ügyrend n, regulations (pl), statutes (pl), working order, fixed rule, order of business, (jog) rule (of Court), (rules of) procedure, [parlamenti] standing orders (pl)

ügyrendi [-ek, -t; adv -leg] a, procedural; ~ bizottság general/steering committee; ~ javaslat procedural motion; ~ kifogás protest against breaking (v. deviating from) the rules of procedure

ügyszám n, file-number, number of file

ügyszeretet n, (official) zeal, devotion to duty, enthusiasm for a (certain) cause

ügyvéd [-et, -je] n, lawyer, legal/chamber counsel, [polgári ügyekben] solicitor, advocate (skót), [bűnügyben és magasabb bíróságon eljáró GB] barrister (at-law), attorney (US); alperesi ~ counsel for the defendant; bíróság előtti felszólalási joggal bíró ~ barrister(-at-law), counsel; gyakorló ~ practising lawyer, legal practitioner/practician; kezdő/fiatalabb ~ outer barrister (GB); kirendelt ~ barrister appointed by the court; perben fellépő/ eljáró ~ pleader, counsel; tanácsadó ~ counsel in chambers; a vád ~je counsel for the prosecution; a védelem ~je counsel for the defence; a felek ~jei

the solicitors to the parties; ellenfél ~je opposing counsel; 1958-ban lett ~ he was called to the bar in 1958; törlés az ~ek névjegyzékéből striking off the roll; ~ (fel)fogadása/vallása retainer, retaining (v. engaging the services of) an attorney; ~hez fordul turn to a lawyer, take legal advice, take a counsel's opinion, engage a counsel; ~ként eljárhat be entitled to act as advocate; ~ként működik be a lawyer, practise law; ~nek adja át az ügyet retain a barrister/ counsel, put the matter in a solicitor's/lawyer's hands; ~nek utasítást ad instruct a solicitor; ~nek szánja a fiát intend one's son for the bar; ~re bízza az ügyet put the matter in the hands of a lawyer/ solicitor; ~et felfüggeszt a gyakorlattól suspend a solicitor from practice; ~et fogad/vall hire counsel, retain an attorney/counsel/solicitor; ~et kirendel appoint sy as solicitor/counsel (officially); ~et kizár disbar; ~et tájékoztat instruct a solicitor; ~jével tanácskozik take legal advice

ügyvédbojtár n, articled clerk, lawyer-candidate (going through his three years' probation), barrister in embryo (fam), [igével] read for the bar; ~nak ad vkt ügyvéd mellé article sy to an attorney

ügyvédbojtárság n, clerkship

ügyvédesked|ik [-tem, -ett, -jen, -jék] vi, practise law, be a lawyer/solicitor, follow the law, be a legal practitioner/adviser, carry on a business (v. make a living) as a pettifogging lawyer (pej)

ügyvédi [-ek, -t; adv -leg] a, lawyer's, solicitor's, barrister's, advocate's; ~ díjak counsel's/retaining fee; ~ felszólítás (kb) solicitor's writ; ~ fogás lawyer's trick, chicane, pettifoggery; ~ gyakorlat legal practice; ~ gyakorlatot folytat practice law; ~ gyakorlattól eltilt deprive a lawyer/attorney/solicitor from the right to practice; ~ iroda lawyer's office, Chambers (pl) (GB), law office (US); ~ kamara Incorporated Law Society, the Bar (GB), Inns of Court (pl) (GB); ~ kamarába felvesz call to the Bar (GB); ~ kar the Bar, the legal profession; ~ képviselet [igével] be represented by counsel; a felek ~ képviselettel bírnak the parties are professionally represented; ~ költség retainer, counsel's/retaining fee, costs paid to the solicitors (pl); ~ költségszámla bill of costs; ~ megbízás/ meghatalmazás power/letter/warrant of attorney, briefing of lawyer, brief, retaining of solicitor(s); ~ megbízást ad brief (a solicitor/lawyer/barrister); az ügyvédnek a perben ~ megbízással kell rendelkeznie for the trial it is necessary for counsel to be briefed; ~ munkaközösség lawyers' co-operative; ~ pályára lép take up a legal career, go in for law, go to the Bar (GB); ~ talár gown, robe; ~ tanácsot kér take professional advice on a matter; ~ tiszteletdíj lawyer's retainer, lawyer's/solicitor's/ barrister's/counsel's fee; ~ vélemény counsel's opinion; ~ vizsga law-student's first examination before being called to the Bar, law examination, law finals (pl) (fam), the Bar finals (pl) (GB); ~ vizsgára készül read law, read for the Bar

ügyvédjelölt n, = ügyvédbojtár

ügyvédked|ik [-tem,-ett,-jen,-jék] vi, = ügyvédeskedik

ügyvédkényszer n, ~ nélkül without professional assistance

ügyvédnő n, barristress, lady barrister, lawyeress

ügyvédség n, 1. [foglalkozás] solicitorship, advocacy 2. [testület] the Bar, the legal profession; ~től elmozdít disbar

ügyvédvallás n, the right to counsel

ügyvezetés n, management, managership, conduct of affairs, administration

ügyvezető I. a, managing; ~ igazgató managing director, business manager; ~ titkár acting secretary II. n, manager, director, [női] manageress, directress ügyvezetőség n, management, managers (pl), managership, board (of directors)

ügyvitel n, management, conduct/transaction of affairs, [üzletpolitikai] policy; megbízás nélküli ~.agency of necessity

ügyviteli [-t] a, ~ főosztály office management department; ~ szabályzat regulation(s), rules of procedure (pl)

ügyvivő I. a, agent (in charge of sg v. commissioned to do sg); ~ kormány caretaker government II. n, [diplomáciai] chargé d'affaires (fr), ambassador's deputy, (ker) manager, administrator, (jog) procurator, állandó ~ chargé d'affaires en titre; ideiglenes ~ chargé d'affaires ad interim; szabadalmi ~ patent agent; szükségbeli ~ (jog) agent of necessity

ühüm int, [hümmögés] hum!, hm!, hem!, [igenlés] yes, yeah, yep

ük [-öt, -e] n, great-great grandfather/grandmother, great-great grandparents (pl)

ükanya n, great-great grandmother

ükapa n, great-great grandfather, [tágabb értelemben] ancestor, forbear, primogenitor (fam)

ükszülők n. pl, great-great grandparents

ükunoka n, great-great grandchild

ül[1] [t, -jön] I. vi, 1. (vhol) sit, be sitting/seated, [madár ágon] perch, be perched/perching, roost, [börtönben] be in; asztalhoz ~ sit (down) to table, sit down to a meal; asztalnál ~ sit at table; börtönben ~ be in goal/jail/jug, be in the lock-up, do time ◇; egyenesen ~ sit up(right); az elnöki székben ~ occupy/fill (v. be in) the chair; kényelmesen ~ ? are you cosy?; kocsiban ~ sit (v. be sitting) in a car; lóháton ~ be/sit on horseback, be mounted; vk nyakán ~ be a (heavy) burden to sy, sit on sy (fam); otthon ~ stay/sit at home, be a stay-at-home, be a sit-by-the-fire; ~ a pénzén button up one's purse; soká ~ vmn brood (on/over sg), [munkán] take a long time in finishing, [terven] nurse, take pains to prepare (a project/plan scheme); (a) tojásokon ~ sit on eggs, brood; tükön ~ be on tenterhooks, be sitting on thorns; ~ve marad keep one's seat, sit on, [ügetésnél] sit close 2. (vhová) sit (swhere); arcképhez/portréhoz ~ sit for one's portrait; autóba ~ get in a car; földre ~ sit down on the ground; hajóra ~ embark, go aboard, go on board, board the ship, take (the) boat; kerékpárra ~ get on bicycle, mount a bike; lóra ~ mount (a horse); padra ~ sit down on a bench; repgépre ~ emplane, go up in an aeroplane; székre ~ sit down on a chair; taxiba ~ take a taxi; vonatra ~ get in the train, take (a) train, entrain 3. a szúrás ~ [vívásban] it was a touch, he scored a hit; az ütés ~ strike home; a megjegyzés ~t the remark struck/went/hit home, it was a home-thrust, it was a sitter

II. vt, 1. tíz évet ~t (biz) he did a ten-year stretch, he did a stretch of ten years, he was ten years in jug 2. modellt ~ pose as model, sit for an artist, sit for one's portrait; törvényt ~ sit in judg(e)ment, administer justice 3. rosszul ~i a lovat sit a horse badly; jól ~i a lovat sit a horse well 4. fényesre ~i a nadrágját the bottom of his pants were shiny with sitting on chairs (for long)

ül[2] [-t, -jön] vt, diadalt ~ triumph, exult, glory; menyegzőt/lakodalmat ~ celebrate a marriage/wedding; ünnepet ~ observe/keep (the) feast

üldögél [-t, -jen] vi, sit about, lounge, [vkvel beszélgetve] sit up (with sy), [madár] roost

üldöz [-tem, -ött, -zön] vt, 1. [kerget] chase, pursue, give chase to, go/make/be/run after, dog (sy), [vadat így is] track, hunt, beat up; ~i az ellenséget press the enemy closely/hard, pursue/harry the enemy 2.(pol) persecute 3. [zaklat] harass, pester, importune, hound, [hitelező] dun, [rémkép] haunt; vmért ~ vkt

keep after sy for sg; figyelmével ~ vkt press one's attentions upon sy; szerelmével ~ vkt importune/molest/overwhelm sy with one's love, press one's attentions on a woman, make love assiduously to sy; a balsors/balszerencse ~i be dogged by ill-luck/fortune, be pursued by misfortune; ~ik az emlékek be haunted by memories 4. a törvény ~i be prosecuted by the law; ezt a törvény ~i this comes under the penalty of the law; a törvény szigorúan ~i a többnejűséget polygamy is strictly prosecuted by the law

üldözendő [-t] a, (liable) to be prosecuted (ut); hivatalból ~ to be prosecuted ex officio (ut)

üldözés n, 1. [kergetés] chase, chasing, pursuit, following on the heels (of), pressing closely (after, upon),dogging (of), [gonosztevőé] tracking, [vadé így is] hunt, chase; ~sel felhagy, ~t abbahagy let up on a pursuit 2. (pol) persecution 3. [zaklatás] harassing, harassment, importunity (fam), [hitelező részéről] dunning 4. [törvény által] prosecution

üldözéses [-ek, -t] a, ~ verseny [evezés] bumping race, [kerékpár] pursuit race

üldözési [-ek, -t] a, ~ jog right of pursuit; ~ mánia persecution mania/complex, delusion of persecution, persecutory delusion; ~ verseny ld üldözéses

üldözhető a, prosecutable

üldöző [-t, -je] I. a, pursuing, persecuting, of persecution (ut), [zaklató] importuning, pestering II. n, 1. pursuer, persecutor 2. ~be vesz set off/out (v. dash off) in pursuit of (sy), give chase to (sy), chase/scour after (sy), hotfoot (it) after sy (US)

üldözött [-et, -je] adv -en] a/n, pursued, persecuted (person), persecutee; ~ hajó chase; ~ vad chase, (átv is) quarry

üldöztetés n, persecution

üledék [-et, -e] n, [folyadéké] settling(s), precipitate, grounds (pl), subsidence, [boré] lees (pl) dreg(s), crust (in a bottle), fur, (vegyt) deposit(ion), precipitation, bottom, depositing, settling, residuum, residual, [párolás után] residuum, [kazánban, csatornában] sludge, [kikötőben] silt, deposit, (geol) deposit, sediment, bed-silt, [ásványvízben] sediment, mud, deposit, (orv) sediment, subsidence, [kohászatban] dross; hegylábi ~ (geol) piedmont deposit; szárazföldi ~ (geol) continental/terrestrial, deposit; szélfújta ~ (geol) aeolian deposit; szerves ~ organogenous/organogenic sediment; ~e van throw/deposit a sediment; ~et lerak deposit

üledékcukor n, bastard sugar

üledékes [-et; adv -en] a, (vegyt) sedimental, (geol) sedimentary, [ital] dreggy, crusted; ~ kőzet sedimentary rock, sediment, precipitated rock

üledékhézag n, (geol) gap, hiatus

üledékképződés n, sedimentary process, sedimentation

üledékvizelés n, (orv) sedimenturia

ülep [-et, -e] n, seat, buttock, backside, posterior, bottom (fam), rear (fam), stern (fam), hindside (US); nadrág ~e seat

ülepedés n, [mélyedés] subsidence, [ereszkedés] yielding, [üledéke] precipitation, deposit, depositing, deposition, (geol) deposition, precipitation, sedimentation

üleped|ik [-tem, -ett, -jen, -jék] vi, settle, depose, deposit, precipitate

ülepít [-eni, -ett, -sen] vt, (vegyt) elutriate, settle, sedimentate, precipitate, (bány) jig

ülepítő [-t] a, ~ akna interceptor, settling chamber, trap; ~ berendezés precipitating apparatus; ~ kamra sedimentator, settling chamber; ~ tartály settling/depositing tank/box/vat, settling pan; ~ tó segregation pool

ülepítőgép n, jigger, jig (washer)

ülepítőkád n, = ülepítő tartály

ülepítőszer n, depositor

ülepsz|ik [.. pedni, .. pedett, .. pedjen, .. pedjék] *vi,*
= **ülepedik**
ülés *n,* **1.** *[tény, helyzet]* (act of)sitting,sitting position/
posture; *két ~ben lerajzol* draw a portrait in two sit-
tings; *négy ~re megfest egy arcképet* paint a portrait in
four sittings **2.** *[hely]* seat, *[pilótáé]* pilot's seat,
cockpit, *[kerékpáron]* saddle; *~ek* seating; *~ nélküli*
seatless; *hátsó ~* backseat; *a kocsiban két ~ van* there
are two seats/seatings in the car, it is a two-seater, it
is a car with two seats, this car seats two persons; *ez
az ~ foglalt* this seat is engaged; *új ~sel ellát* reseat
3. *[testületé]* sitting, session, meeting, *[bírósági]*
sitting, session, court, hearing (by the court);
nyilvános ~ public meeting; *teljes/plenáris ~*
full/plenary session, plenary meeting/assembly,
plenum; *zárt ~* private meeting, closed session; *az
~ folyamán* in the course of *(v.* during) the sitting,
as the sitting/meeting progressed; *az ~ napirendje* the
business before the meeting; *nyílt ~en* in open as-
sembly; *~en kívül* out of sitting; *~t összehív* convene
a meeting; *az ~t megnyitja* open the meeting; *az ~t
bezárja/berekeszti* dissolve the meeting, leave the
chair, close a sitting, close the agenda; *az ~t újra
megnyitja* reopen the meeting; *~t tart* hold a sitting/
meeting, sit, be sitting/meeting, be in session; *a Ház
~t tart* the House is now in session; *a képviselőház ma
nem tartott ~t* Parliament did not sit today
ülésdeszka *n,* wooden seat, *[vécén]* closet-seat
üléses [-et] *a,* -seater, with ...seats *(ut)* ; *két~ autó/
kocsi* two-seater; *~ eke* riding-plough
ülésezés *n,* sitting, session, *(jog)* term, session
ülésez|ik [-tem,-ett,-zen,-zék] *vi,* sit, be sitting, be in
session, hold a sitting/meeting; *a parlament ~ik* the
House is now in session; *a Ház holnap ~ik* Parlia-
ment meets tomorrow; *állandóan ~ik* be in contin-
uous session
ülésező [-t] *a,* sitting
ülési [-t] *a, ~ díj* fee for attending a board meeting
ülésmód *n, [lóháton]* seat
ülésrend *n,* seating, *[asztalnál]* priority, precedence
(at table)
üléssor *n,* row, tier, line of seats, *[tribünön]* bank of
seats
ülésszak *n,* session, term, sittings *(pl)* ; *rendes ~* regular
session; *rendkívüli ~et hív össze* convoke a special
session; *törvényhozási ~* the time during which a
legislative body sits, (legislative) session ;*~ot bere-
keszt [parlamentben]* prorogue
ülésterem *n,* council room/chamber, *[parlamenti]*
chamber, session-room, floor, *[vállalaté]* board-
-room, *[bíróságé]* court-room
ülésterv *n,* seating-plan
ülésvédő huzat seat cover
üllő [-t, -je] *n,* **1.** anvil **2.** *(bonct)* incus, anvil
üllőágy *n,* anvil-bed
üllőbetét *n, (műsz)* anvil-cutter, anvil tool
üllőcsont *n, (bonct)* incus
üllőcsonti *a, (bonct)* incudal
üllőfelhő *n,* incus, anvil cloud
üllőtőke *n,* anvil-block/bed
ülnök [-öt, -e] *n,* (lay) assessor, associate judge; *népi ~*
lay assessor/judge, people's judge
ülő [-t] **I.** *a,* **1.** sitting, *[madár ágon]* perching, roost-
ing; *kövön ülő alak* figure seated on a rock; *~ helyzet*
sitting posture; *~ kalauz* (seated ticket vendor and
controller) **2.** *[üléssel járó]* sedentary; *~ élet(mód)*
sedentary (mode of) life, sedentation; *~ foglalkozás/
munka* sedentary occupation/work; *~ foglalkozású*
sedentary **3.** *(növ)* sessile; *~ levél* sessile leaf **4.** *jól
~ szúrás [vívásnál]* home-thrust
II. *n,* **1.** *[személy]* sitter; *a gépkocsiban ~k* persons
sitting in the car **2.** *[baromfinak]* hen-roost

ülőbútor *n,* sitting furniture
ülőcsont *n, (bonct)* ischium
ülőfülke *n, (épít)* sedile
ülődeszka *n,* bench, wooden seat, *[vécén]* closet-seat,
flapseat
ülőforgás *n, [műkorcsolyázásnál]* sitting pirouette
ülőtürdő *n,* hip/sitz/half/slipper-bath, sitting bath
ülőfürdőkád *n,* hip-bath
ülőgumó *n, (bonct)* ischium, ischial tuberosity, behind
(vulg), (áll) gluteal callosity
ülőhely *n,* seat, place/room for sitting, seating accom-
modation, *[mint tér]* sitting-room, seating room; *az
asztalnál hat ~ van* the table seats six; *~ek* seats,
seating; *~ek száma 250* it can seat 250 persons,
seating capacity 250; *~ nélküli* seatless; *~ek száma*
seating capacity; *100 embernek nyújt ~et* it seats a
hundred (persons); *ülő- és állóhely* sitting and stand-
ing room
ülőideg *n, (bonct)* sciatic nerve
ülőidegzsába *n,* ischialgia
ülőkád *n,* hip-bath
ülőke *n,* **1.** *[kis ülőalkalmatosság]* small seat, dumpy
2. *[szék fedele]* seat, *[vécéé]* closet-seat, flapseat **3.**
[ülep] behind, buttock(s)
ülőpárna *n,* chair pad, (round leather) chair cushion
ülőpörgés *n, [műkorcsolyázásban]* sit spin
ülőrész *n,* seat; *új ~szel ellát* reseat
ülősztrájk *n,* stay-in strike, sit-down strike
ülősztrájkoló *n,* sitdowner
ültében *adv,* while sitting; *egy ~* at one sitting, at a
stretch, then and there, forthwith
ültéből *adv, felugrott ~* he leapt *(v.* sprang up) from his
seat, he suddenly got up
ültet *vt,* **1.** *(vkt)* set, seat, sit sy down, assign a place/
seat to (sy), make sy sit (down); *vkt vk mellé ~* seat/
place sy next to *(v.* beside) sy, give sy the neigh-
bouring seat to sy; *trónra ~* seat/instal/put/set sy on
the throne **2.** *[növényt]* plant, set (seeds, flowers),
[ládába] tub **3.** *tyúkot ~* set a hen
ültetés *n,* **1.** *(vmhez, vhova)* seating; *az ~ rendje* order
of seating/sitting, priority, precedence (at table)
2. *(növ)* planting, plantation, dibbling; *soros ~
(mezőg)* drill-planting **3.** *[tyúké]* setting (of hen)
ültetési [-t] *a* **1.** *~ rend* seating plan **2.** *(növ) ~ anyag*
planting material
ültetésű *a, saját ~ fáim* trees of my planting
ültető [-t, -je] *n,* **1.** setter, person assigning/allotting
seats **2.** *(növ)* planter
ültetőcövek *n,* = **ültetőfa**
ültetőfa *n,* dibble, dibber
ültetőgép *n,* planter
ültetőláda *n, [ablakban]* window box
ültetősor *n, (mezőg)* drill
ültetőzsinór *n, (mezőg)* line
ültetvény *n,* plantation, *[kerti]* plant
ültetvényes [-ek, -t, -e] *n,* planter, owner of plantation,
grower (of vegetables etc.)
ültődben *adv,* while you were sitting
ültő helyében = **ültében**
ültömben *adv,* while I was sitting
ülve *adv, ~ marad* keep one's seat
ümget *vi,* (say) hem, say/utter hum-hum, *[ötöl-hatol]*
hem and haw, hum and ha
ümgetés *n,* humming and hawing
ünnep [-et, -e] *n,* **1.** feast, holiday, festival, *[mint
munkaszüneti nap]* holiday, red-letter day, bank holi-
day *(csak GB)* ; *állandó ~* immovable feast; *hivatalos
~.* legal/official/public holiday, bank holiday *(GB)* ;
iskolai ~ school festival; *nem kötelező ~* feast of
devotion; *nemzeti ~* national festival, national com-
memoration day; *nagy ~* high festival; *változó ~*
movable feast; *~ előestéje* eve (of a feast); *~et (meg) -*

ül/megtart observe a holiday, celebrate a feast; *kellemes ~eket!* [csak karácsonykor] (I wish you) a merry Christmas, [újévkor] the season's greetings, a happy New Year, [máskor] a happy holiday 2. *[ünnepség]* celebration, proceedings *(pl)*, ceremony, exercise *(US)*, [vidám] festival, entertainment, fête *(fr)*, festivity, rejoicing, fiesta *(US)*, [zenei] festival; *valóságos ~ számára ha látja* it is (quite) a treat for him to see her

ünnepel [-t, -jen] *vt/vi*, 1. *[ünnepel]* celebrate, keep (day etc.) as a holiday/festival, observe/keep feast/holiday, [szertartással] solemnize, [eseményt] commemorate, [születésnapot] celebrate, keep (sy's birthday); *a város ~* the town is holiday-making, the town is on holiday 2. *(vkt)* fête (sy), [dicsőit] extol, exalt, sing sy's praises, lionize sy *(fam)*, make a lion of sy *(fam)*; *lelkesen ~ vkt* give sy an ovation; *május 1-ét ~jük* we are celebrating May day

ünnepelt [-et, -je; *adv* -en] I. *a*, celebrated, fêted, famed II. *n*, person fêted

ünnepeltetés *n*, ovation, celebration; *kitér az ~ elől* escape *(v. slip/steal away)* from ovation, refuse to be fêted

ünnepelteti magát have oneself fêted

ünnepély [-ek, -t, -e] *n*, = ünnep 2.

ünnepélyes [-et; *adv* -en] *a*, solemn, [szertartásos] ceremonial, ceremonious, [elit] pompous, [alkalom] festive, [csend] solemn, impressive, [hang] solemn, grave, [megnyitás] formal; *~ aktus* ceremonial act; *~ alkalom* festive occasion; *~ arcot vág (hozzá)* put a solemn face on (it); *~ felszólitás/kérés* adjuration, earnest appeal; *~ hangon beszél* speak in a solemn/grave tone/voice; *~ keretek/külsőségek között* with all (due) solemnity; *~ nyilatkozat* solemn declaration

ünnepélyesen *adv*, solemnly, ceremoniously, with ceremony; *~ fogad egy nagykövetet* receive an ambassador in state; *~ öltözött* full-dressed

ünnepélyesség *n*, solemnity, solemnness, [arckifejezésé stb.] gravity; *minden ~ nélkül* quite informally, without any ceremony; *nagy ~gel* with all solemnity, ceremoniously

ünnepélyrendező *n*, organizer of a festival/festivity, arranger/organizer/steward of feast, Master of Ceremonies (röv M.C.), [udvari] marshal

ünnepi [-ek, -t; *adv* -en] *a*, of (a) holiday/feast *(ut)*, festal, festive; *~ alkalom* festive/festal occasion; *~ asztal* festive board; *~ beszéd* festal address, festive/official speech, inaugural speech/address, allocution, set speech; *~ díszben (vk)* in gala (dress), in a festive attire/train/regalia, in full dress, in state, having a festive look/air, in festive trim, in full feather *(fam)*, [helyiség] decorated/adorned festively *(ut)*; *~ ebéd* banquet, feast, gala/public dinner; *az edinburghi ~ játékok* (the) Edinburgh Festival; *~ előadás* festive/gala performance; *~ hangulat* festive mood/disposition, high spirits *(pl)*; *~ hangulatú* festive; *~ játék* festival play, *(sp)* sports festival, [zene] festival; *~ menet* (festive) procession, [lovas] cavalcade; *~ mise* high mass; *~ szám [kiadványé]* special (number, issue), [karácsonyi] Christmas-number; *~ szemmel/tekintettel* with a vacant look; *~ szónok* official speaker; *~ ülés* solemn/special session/sitting; *~ vacsora* feast, banquet

ünnepies [-et; *adv* -en] *a*, = ünnepélyes, ünnepi

ünneplés *n*, 1. [ünnep] celebration, feasting 2. *(vkt)* (paying, rendering) homage (to sy), ovation; *(lelkes, nagy) ~ben részesit vkt* give sy an ovation

ünneplő [-t, -je; *adv* -en] I. *a*, 1. *(vk)* celebrating, feasting, festive, fêting, *(vm)* festal, of feast/holiday *(ut)*; *~ közönség* festive party; *tisztelt ~ közönség!* Ladies and Gentlemen! 2. *~ ruha* = ünneplő II. 2. II. *n*, 1. *(vk)* celebrator 2. [ruha] holiday attire,

holiday clothes *(pl)*, one's Sunday best, one's Sunday clothes *(pl)*, one's go-to-meeting clothes *(pl)* *(fam)*, one's best bib and tucker *(fam)*, Sunday-go-to-meeting *(US)*, [estélyi] full/gala dress, glad rags *(pl)* *(fam)*; *~be vágja magát* dress up, don one's Sunday best, put on one's best clothes, get oneself up; *~be öltözik* dress in one's (Sunday) best, dress in one's holiday attire; *~ben* (dressed) in one's Sunday best/ clothes, (dressed) in one's best

ünnepnap *n*, feast(-day), holiday, red-letter day

ünneprontás *n*, *(vall)* profanation (of feast), Sabbath-breaking, *(átv)* marring of a feast, dampener *(fam)*

ünneprontó *a/n*, mar-feast, spoil-sport, wet blanket, kill-joy, trouble-feast/mirth, pleasure-spoiler, joy-killer, the skeleton at the feast *(fam)*; *ne légy ~* don't spoil the fun

ünnepség *n*, = ünnep 2.

ünő [-t, -je] *n*, heifer, [őzé, szarvasé] roe

űr [-ök, -t, -je] *n*, 1. void, gap, empty space, emptiness, [emlékezésben] blank; *pótolhatatlan ~ maradt utána* his death leaves a gap/blank that cannot be filled 2. [világűr] the (empty) void, (empty, universal) space, *(fiz)* vacuum; *a végtelen ~* void, space, vacancy, infinite space, infinity; *~ meghódítása* conquest of space; *az ~ben* in space

űrállomás *n*, space station, orbital-satellite

üreg [-et, -e] *n*, hollow, cavity, cave, hole, pit, well, cavern, scoop, *(geol)* recess, alveole, *(bonct)* cavity, alveolus, [homlok és orr] sinus, [szemé] (eye-)socket, orbit

üreges [-et; *adv* -en] *a*, hollow, [hegy, szikla] pitted, cavernous, caverned, [apró üregekkel] cavernulous, spongy, [part] excavated, *(geol)* vesicular; *~ edényáru* hollow-ware; *~ szerkezet (növ)* lacunose structure; *~ szerv (bonct)* hollow organ; *~ tégla* hollow brick; *~ válaszfal* hollow partition; *~ lesz, ~sé válik* hollow, [fém] honeycomb; *~sé tesz* hollow (out)

üregi nyúl ld nyúl[2]

űrélettan *n*, cosmical biology/medicine

űrember *n*, space man, cosmonaut, astronaut

üres [-ek; *adv* -en] *a*, empty, [ház, szoba, állás] vacant, [szállítóeszköz] unloaded, [el nem foglalt, szabad] free, unoccupied, [szoba szállóban] free, untenanted, [kitöltetlen] blank, void, [szellemileg] vacuous, devoid of content *(ut)*, contentless, unsubstantial, inane, jejune, idle; *~ állás [munkaviszony]* unoccupied position, vacancy, [sebességváltónál] neutral position; *az állás még ~* the job/post is still open; *~ állitás* unfounded statement/allegation, empty words *(pl)*, claptrap; *~ beszéd/fecsegés/locsogás* idle talk, vapouring, blarney, wild talk, hot air, rigmarole, hot water froth, blather, blether, (utter) nonsense, piffle, poppycock ◆, bunkum *(US ◆)*, moonshine *(US ◆)*, mere blah *(US ◆)*; *~ csillogás* false glamour, tinsel/empty show; *~ délután* free afternoon; *~ dió* hollow/empty/deaf nut; *~ fal* naked wall; *~ fecsegés* ld üres beszéd; *a vita ~ fecsegéssé fajult* the debate degenerated into an empty chatter; *~ fej* empty head/mind; *~ frázisok* empty phrases/slogans/words; *a gyomra ~ have an empty stomach, be/feel empty/hungry, be sharp-set, have a twist *(fam)*, feel an emptiness, be empty-stomached; *~ hangon* in a hollow voice; *~ hátirat* blank endorsement; *~ ház* vacant/tenantless/empty house; *~ ház előtt játszik (szính)* play to an empty house; *~ hely [szövegben]* blank, [üreg] lacuna (lat), [ülőhely] unoccupied seat, nincs *~ hely!* [motelben stb.] no vacancy!; *~ húr (zene)* open-string; *~ igéret* empty promises *(pl)*; *~ kapu (sp)* open goal; *~ idő* leisure hours *(pl)*, spare/leisure time; *~ kenyér* plain bread; *~ kereszt (clm)* voided cross; *~ kézzel* empty-handed; *~ kézzel távozik* leave empty-handed; *~ kifogás* lame/poor excuse, a mere

put-off; ~ *ládák* empties, empty boxes/cases; ~ *lap* blank/unprinted leaf; ~ *menet [motoré]* idling; ~ *oldal* blank page; ~ *órák* leisure hours, spare time; ~ *óráiban* in his free/vacant/leisure hours, in his leisure moments, in his spare time, when he is at leisure; ~ *óráit arra használja fel hogy* he devotes his leisure hours to, he fills his free time with, he uses his free time for; ~ *padsoroknak játszik* play to empty benches; ~ *a pohara* have one's glass empty; ~ *súly* weight when empty, empty weight; ~ *szalmát csépel* waste one's time, do sg in vain, beat the air; *ez* ~ *szalmacséplés* it's labour lost; ~ *szavak* empty words, claptrap; *ezek* ~ *szavak számomra* these words convey nothing to me; ~ *szavakkal fizet ki vkt* pay sy in empty words; ~ *szavakkal nem megyünk semmire* idle talk gets us nowhere; *az igazság csak* ~ *szó számára* truth is only a name to him; ~ *szavazólap* blank voting-paper; ~ *társalgás* trifling conversation; ~ *tea [= cukor, citrom nélkül]* plain/just/only tea, a cup of tea (without sugar or lemon); *csak egy csésze* ~ *teát adott* he gave only (*v.* a mere) cup of tea (without bread-and-butter or cake); ~ *tekintet* inexpressive countenance; ~ *telek* vacant lot/site, plot/site not built upon, empty piece of ground; ~ *utca* empty/ deserted street; ~ *zseb* empty pocket; ~ *a zsebe* have empty pockets, have an empty purse; ~*et húz [dominóban]* draw a blank
üresedés *n*, vacancy, opening, abeyance; ~*ben van* be vacant; ~*re vár* wait for an opening; ~*t betölt* fill (up) a vacancy
üresed|ik [-tem, -ett, -jen, -jék] *vi*, (become) empty, *[állás]* fall/become vacant, *[lakás]* become free/ vacant
üresen *adv*, *(ált)* emptily, *[áll, ház, szoba stb.]* vacantly, *[nagy szállítóeszköz]* with no load, without a load, unloaded, *[szellemileg]* vacuously, idly; ~ *áll [ház, helyiség]* be/stand empty, be vacant/unoccupied; *a ház hosszú ideig* ~ *állt* the house remained empty a long time; ~ *elfogad [váltót]* accept in blank; ~ *hagy [lakást]* leave vacant, vacate, *[írásban]* leave blank; ~ *jár [szerkezet]* run idle/light, run with/on no load, tick over; ~ *járatja a motort* race the engine; ~ *kong* ring/sound empty/hollow
üresfejű *a*, empty-headed/pated, shallow-brained/ headed/minded/pated, vacuous, rattle-brained/pated, pudding-headed
üresfejűség *n*, vacuousness
üresjárás *n*, = **üresjárat**
üresjárat *n*, idle running, idling, vacant run; ~*ban megy [autó]* run in neutral gear; ~*ra állított sebességváltó* neutral (position of) change-gear
üresjárati *a*, ~ *helyzet* neutral position
üresjáratú *a*, *[gép]* idle, slow/free-running
üreskezű *a*, empty-handed
üreslelkű *a*, *(kb)* lacking/without cultural interests *(ut)*
üresség *n*, emptiness, vacuity, *[jáé, szikláé]* hollowness, *[beszédé]* inanity, futility, emptiness, barren/ vain/hollow character of, *[igéreté]* hollowness, *[szellemi]* vapidity, vacuity, *[lapé]* blankness; *a terem kong az* ~*tõl* the hall is resounding with emptiness
ürték *n*, vacuum brake
ürge [.. ét] *n*, *(áll)* s(o)uslik, gopher, spermophile *(Citellus sp.)*; *rőt* ~ red souslik *(C. rufesceus)*; Richardson *ürgéje* Richardson's ground squirrel *(C. richardsonii)*; *fürge mint az* ~ (is as) nimble as a squirrel
ürgemókus *n*, *(áll)* ground squirrel *(Xerus sp.)*
ürgyűrű *n*, *(áll)* cloacal sac
ürhajó *n*, spaceship, space vehicle, spacecraft, astronautical craft; *embert szállító* ~ manned space vehicle; *embert nem szállító* ~ unmanned space vehicle

ürhajós *n*, spaceman, astronaut, cosmonaut, space pilot; *női* ~ cosmonette
ürhajózás *n*, space/interplanetary flight/travel, astronautics, cosmonautics
ürhajózási [-t] *a*, astronautical
ürít [-eni, -ett, -sen] *vt/vi*, 1. empty, vacate, void, evacuate, *[ivással]* drink up, finish off, *[hordót, poharat]* drain, *[fegyvert]* unload; ~*em poharam* here is to...; ~*i poharát vk egészségére* propose sy's health, drink (to) the health of sy, raise one's glass to sy 2. *(biol)* (go to) stool, defecate, ease (one's bowels), pass the motions, pass, egest; *véres vizeletet* ~ pass blood; *frissen* ~*ett vizelet* freshly voided urine
ürítés *n*, 1. emptying, voidance, draining, evacuation 2. *(biol)* dejection, defecation, egestion, movement
ürítget *vt*, keep emptying; ~*i a poharakat* empty one glass after the other, tipple *(fam)*, lift one's elbow *(fam)*
ürítő [-t, -je] I. *a*, emptying, draining II. *n*, *(műsz)* drainage, *[lefolyócső]* waste-pipe
ürítőakna *n*, drain-shaft
ürítőcsap *n*, waste/drain-cock, drain-tap
ürítőcső *n*, outlet/draining tube/pipe, discharge pipe
ürítőgödör *n*, drain-shaft, sump
ürítőnyílás *n*, plug-hole
ürítőszelep *n*, emptying/drain valve
ürítőszerkezet *n*, emptying device
ürítővezeték *n*, drain duct
ürjármű *n*, space vehicle, spacecraft
ürkutatás *n*, space exploration/research
ürkutatási *a*, ~ *kísérlet terve* space project
ürkutya *n*, space dog
ürlap *n*, form (to be filled up/in), blank *(US)*; *nyomtatott* ~ printed form; *távirati* ~ telegraph/telegram form; ~*ot kitölt* fill in/up a form
ürmagasság *n*, clearance, headroom
ürméret *n*, calibre, caliber, bore, gauge
ürméretez *vt*, gauge, calliper, measure, calibrate
ürméretű *a*, *nagy* ~ heavy calibre/caliber
ürmérték *n*, measure(s) of capacity, cubic measure(s), *[szilárd anyagnak]* dry measure, *[folyadéknak]* liquid measure
ürméter *n*, *[tűzifából]* stere
ürmös [-ök, -t, -e] *n*, *[bor]* verm(o)uth, *[pálinka]* absinth(e)
üröm [ürmöt, ürme] *n*, 1. *(növ)* artemisia *(Artemisia)*; *fehér* ~ wormwood, absinth *(A. absinthium)*; *fekete* ~ mugwort *(A. vulgaris)* 2. *(átv)* bitterness, gall, wormwood; *nincs öröm* ~ *nélkül* there is no joy without alloy, there is no unalloyed happiness, no rose without a thorn, the sweet and sour go together, we must take the bitter with the sweet; *ez az* ~ *az örömben* that takes the gilt off gingerbread
ürömcsepp *n*, a drop of bitterness/gall
ürpótló *n*, *(nyomd)* reglet, quadrat
ürrakéta *n*, space/interplanetary rocket
ürrandevú *n*, space rendezvous
ürrepülés *n*, space flight; *ld még* **ürhajózás**
ürrepülő *n*, = **ürhajós**
ürrepülőfülke *n*, space capsule
ürrepülőruha *n*, spacesuit
ürrepülőtér *n*, cosmodrome
ürszelvény *n*, *(műsz)* inner section, *(vasút)* clearance
ürszelvény-mérő *n*, *(vasút)* track-gauge
ürtartalom *n*, cubic capacity/content, volume, receptivity, *[anyagáé stb.]* airspace, *(hajó)* tonnage (of vessel), burthen
ürtöltő *a/n*, *(nyomd)* interline, gutter-stick; *betűmagas* ~ bearers *(pl)*; ~ *anyag* spacing material
ürü [-t, -je] *n*, sheep, *[herélt]* wether, *[hús]* mutton
ürüborda *n*, mutton-chop
ürücomb *n*, leg of mutton

ürügerinc *n,* saddle of mutton

ürügulyás *n, (kb)* Irish stew

ürügy [-et, -e] *n,* pretext, pretence, cover, excuse, shift, blind, put-off, disguise, mask, stalking-horse, show, subterfuge, plea; *csupán ~ más tevékenység leplezésére* it is but a cloak for other activities; *hamis ~ek* humbugging excuses; *vmnek ~e alatt* on/under/upon the pretext of/that, on a plea of, under colour of; *~et szolgáltat vmre* give a handle to/for sg; *~et hoz fel* make/offer excuses, resort to evasions, use evasions; *~ül ad/felhoz vmt* pretext sg, give sg as a pretext; *~ül használ vmt* make sg a pretext for doing sg; *vm ürüggyel* on some pretext; *azzal az ürüggyel hogy* on/under the pretext of . . . , on the pretence of . . , on the plea of . . . , with the ostensible purpose/object of . . .; *vmnek ~ével* under colour of sg

ürühús *n,* mutton

ürül [-t, -jön] *vi,* 1. empty, hollow, *[lakás]* become vacant 2. *(biol)* evacuate, *[belek]* be eased, *[madár]* mute

ürülapocka *n,* shoulder of mutton

ürülék [-et, -e] *n, [emberi]* excrement, excreta *(pl),* evacuations *(pl),* faecal matter, stool, defecation egesta *(pl),* dejecta *(pl), [állati]* droppings *(pl), (összet.)* fecal, stercoraceous; *~ben élő* scatophagous; *~et tartalmazó* excremental

ürülékes *a,* fecal, excremental

ürülés *n,* 1. voidance, draining, emptying 2. *[beleké]* defecation, motion, dejection, evacuation, egestion

ürüszelet *n,* mutton-chop

üst [-öt, -je] *n,* boiler, ca(u)ldron, kettle, *[konyhai]* range boiler, *[rézből, sörfőző]* copper

üstcsináló *n,* brazier, tinman, boiler-smith/maker,*[rézből]* copper-smith

üstdob *n,* kettledrum, screw drum, timpani *(pl)*

üstdobos *n,* kettle-drummer, timpanist

üstfoltozó *n,* tinker, copper-smith

üstház *n,* boiler stand/oven

üstkészítő *n,* = üstcsináló

üstök [-öt, -e] *n,* 1. forelock, tuft (of hair), *[hajzat]* head of hair, *[madáré]* crest, chaplet; *~ön ragadja a szerencsét* take time *(v.* the occasion) by the forelock, take the tide at the flood 2. *[üstökösé]* tail (of comet)

üstökös [-ök, -t, -e] **I.** *n,* 1. *(csill)* comet; *~ csóvája/farka* tail (of comet), streamer; *~ magja* coma 2. *[tűzijáték]* sky-rocket 3. *(átv)* meteor **II.** *a, (növ)* comose, barbate

üstököscsillag *n,* = üstökös

üstököscsóva *n,* tail of comet

üstökösmag *n,* coma, nucleus

üstökösszerű *a,* cometary, meteoric, meteor/comet-like

üstös [-ök, -t, -e] *n,* = üstcsináló

üszkös [-et] *adv* -en] *a,* 1. *[fa]* cindery, burnt; *~ romhalmaz* a heap of smoking/smouldering/reeky ruins/cinders/ashes 2. *(növ)* blasted, smutted, smutty 3. *(orv)* gangrenous, cankerous

üszkösödés *n,* 1. *[égett fáé]* carbonization, charring 2. *(növ)* smutting 3. *(orv)* necrosis, mortification, sphacelation, *[meleg]* gangrene, *[hideg]* sphacelus, *[gennyesen széteső]* phagad(a)ena, *[csonté]* necrosis

üszkösöd|ik [-tem, -ött, -jön, -jék] *vi,* 1. *[fa]* become carbonized/charred 2. *(növ)* become smutted 3. *(orv)* become affected with gangrene, sphacelate, putrefy, undergo necrosis, *[kif]* mortification is setting in

üsző [-t, -je] *n,* heifer, *[szarvasé]* doe, hind

üszőborjú *n,* heifer, female cow/calf

üszög [-öt, -je] *n,* blight, smut, black-rust, mildew

üszöggomba *n, (növ)* smut, ustilaginales *(pl) (Ustilaginales)*

üszögös [-et: *adv* -en] *a,* blighted, smutted, rusty, mildewed, mildewy

---

üszögpuffancs *n, (növ)* smut ball

üszök [üszköt, üszke] *n,* 1. cinder, *[égő]* fire-brand, *[tüzes]* hot embers *(pl),* live/little coals *(pl),* half burnt log; *üszköt dob/vet vk házára* set fire to sy's house, set sy's house afire *(v.* on fire) 2. *(orv)* gangrene, mortification, malignant pustule, *[méhben]* mole, mola

üt [-ött, üssön] **I.** *vt,* 1. strike, hit, knock, smite *(ref.), [könnyedén]* tap, rap, *[teljes erővel]* strike out, *[ökölvívó]* hit, *[súlyos ütésekkel]* pound, batter, bang, slog, sock ◆, *[testrészt]* slap, *[ver]* beat, whop, *[fenyít]* beat, thrash, flog, *[hátul]* spank *(fam), [kezére]* rap; *egyet ~ (vkre)* strike sy, strike/deal sy a blow; *nagyot ~ött rá* he dealt him a heavy blow, he struck a great blow at him; *~ik egymást* they are exchanging blows, they are fighting/hitting one another (with their fists); *öklével ~i az asztalt* bang (one's fist on) the table, strike the table with one's fist; *pofon/arcul ~ vkt* box sy's ear(s), slap/hit/smack/strike sy in the face; *üsd vágd nem apád!* pitch into him (,) don't spare him!, up and at'em!; *addig üsd a vasat amíg meleg (közm)* strike while the iron is hot, make hay while the sun shines; *bottal ~heti a nyomát* he can whistle for it 2. *(zene) ~i a dobot* beat/play the drum; *taktust ~* beat/mark time 3. *[óra]* strike; *az óra egyet ~* it is striking one, the clock strikes one, the clock has struck one; *tudja hányat ~ött az óra* know where one is, know where one stands; *~ött az órája* his hour has come/struck, it's up with him, his time has come, his hour is up; *~ött az utolsó órája* his last hour has struck 4. *(sp) [labdát]* hit, strike, *[teniszben, golfban]* drive; *~i a labdát* hit the ball; *ököllel ~i a labdát* strike the ball with the fist; *hálóba ~i a labdát [teniszben]* hit the ball into the net 5. *bélyeget ~ vmre/vmhe* stamp sg, put a stamp on sg; *fejét a falba ~i* run/beat one's head against a (brick) wall; *kőbe ~i a lábát* stub one's toe against a stone; *mások dolgába ~i az orrát* meddle in/with other people's business; *szeget ~ a falba* drive a nail into the wall; *szeget ~ a fejébe (átv)* set sy wondering, make sy wonder 6. *(kárty)* take, trump, ruff, trick, *[egyet]* take a trick, make a card, *[sakkban]* take; *a dáma mindenképpen ~* the queen must make 7. *[szín másik szint]* kill; *ezek a színek ~ik egymást* these colours do not match, these colours jar, these colours swear at each other 8. *[különféle állandósult szókapcsolatban]* hordót csapra *~* broach/tap a cask, set a cask abroach; *birtokot dobra ~* put an estate up for/to auction, sell an estate by auction, the estate comes under the hammer; *lovaggá ~ vkt* knight sy, dub sy knight; *pártot ~* change sides, desert, rat *(fam), [ellenzéki lesz]* go into opposition; *sátort ~* pitch a tent; *tojást ~ vmbe* break/whip/beat an egg into sg; *zajt ~* make a noise, make a great fuss about sg, kick up a din/row/shindy; *üsse kő* so much the worse!, the devil take it!; *sok pénz ~i a markát* a lot of money is coming to him

II. *vi,* 1. *(vmre)* strike, hit (sg), *(vkre)* strike (sy), strike/deal (sy) a blow, strike a blow to (sy); *az asztalra ~* bang/strike the table 2. *fába ~ött a villám* lightning has struck a/the tree; *mi ~ött beléd/hozzád (hogy)?* what has come over you (to, that)?, what is wrong *(v.* the matter) with you?, what has happened to you?, what possessed you?, what's got (into) you?, what's eating you?; *nem tudom elgondolni mi ~ött beléd* I cannot think what has come upon you; *mi ~ött belé?* what has taken him?, what's got him? 3. *[hasonlít vkre]* take after sy; *egészen az apjára ~ött* he takes after *(v.* resembles) his father, he is the dead spit *(v.* very/living image) of his father, he is a dead ringer for his father *(US ◆), [jellemileg]* he is a chip of the old block **4.** *(kárty)* take a trick; *üss!* play!; *ki ~ött utoljára? (kárty)* who took the last trick?

üteg [-et, -e] *n, (kat)* battery

ütegíészek *n*, accumulated battery position

ütegparancsnok *n*, commander *(v.* commanding officer) of a battery, battery commander

ütem [-et, -e] *n,* **1.** *(zene) [ritmus egysége]* beat, time, measure, *[ritmus]* rhythm, cadence, *[tempó]* time, tempo, *[taktus]* bar, stave; *hangsúlyos ~* strong beat; *hangsúlytalan ~* weak beat; *kétnegyedes ~* binary measure; *háromnegyedes ~* three-in-a-measure bar; *négynegyedes ~* common time, four-in-a-measure bar; *négyes ~* quadruple meter *(US); az ~et jelzi* beat/mark time, beat/drum out a rhythm; *az ~et (meg)tartja* keep time **2.** *[versé]* cadence, metre, lilt, pulse **3.** *(átv) [ált. mozgasé]* rhythm, pulse, *[tempó]* rate, pace, tempo; *gyors ~ben* in quick time, at a rapid/quick pace; *gyorsított ~ben* at an accelerated pace, at a forced/quickened pace; *ugyanolyan ~ben halad előre mint . . .* progress at the same rate as . . .; *havi 20 milliós ~ben* to the tune of 20 million a month; *~et előír* set pace; *a reform ~ét gyorsítva* accelerating the pace of reform **4.** *(műsz)* stroke, cycle, movement

ütemegyenlőség *n*, synchronism of beats/time

ütemelőző *n, [zenében, versben]* upbeat

ütemes [-et; *adv* -en] *a*, rhythmed, rhythmic(al), measured, cadenced; *~ taps* clapping in time, round of (rhythmical) applause, rhythmical clapping of hands, slow-hand clap

ütemesen *adv*, rhythmically

ütemez [-tem, -ett, -zen] *vt,* **1.** *[ütemessé tesz]* give rhythm to, put rhythm into **2.** *[ütemet jelzi]* beat/ mark time, beat out a rhythm, *[versmondásnál]* scan **3.** = **beütemez**

ütemezés *n,* **1.** *[ütemessé tevés]* cadencing, rhythming, giving rhythm to, putting rhythm into 2. *[ütem-jelzés]* beating/marking time, beating out a rhythm, beat, *[versé]* scansion **3.** = **beütemezés**

ütemező [-t, -je] *n*, time-keeper

ütemjelzés *n, (zene)* **1.** *[ütemezés]* beating of time **2.** *[kiírás]* time signature

ütemjelző *n*, = **ütemmérő**

ütemmérő *n*, metronome

ütempálca *n*, conductor's baton

ütempár *n, (zene)* twin-bars *(pl)*, pair of bars

ütemrész *n, súlytalan ~* weak beat

ütemterv *n*, schedule; *~ szerint* on schedule, as scheduled

ütemű [-ek, -t; *adv* -en] *a*, -stroke/beat/cycle, -metric, having . . . beats *(ut);* *két~ (műsz)* two-cycle/ stroke; *lassú/lassított ~* slow-speed; *négy~ motor* four-cycle/stroke engine

ütemvonal *n, (zene)* bar line

ütés *n,* **1.** *(ált)* blow, knock, hit, *[bottal stb.]* whack, *[ököllel]* punch, thump, cuff, box, clout, clip *(US)*, sock *(US)*, slog *(US)*, slug *(US)*, *[tenyérrel]* slap, *(vmre)* stroke, hit, knock, *[arcra]* box, smack, *[testrészre]* slap, spank, *[ütődés]* shock, bump, *[az ütés folyamata]* striking, hitting, slapping, beating, *[az ütés ereje]* brunt, *[hangja]* bang, *[nyoma testen]* bruise, welt, wale, weal, *[óráé]* stroke, striking, *[óraütés hangja]* chime; *erős ~* swipe, swinging blow; *gyenge ~* flick, pat; *hatalmas ~* staggering blow, knock-out blow; *villamos ~* electric shock; *az ~ a fején találta* the blow caught him on the head; *~ elől kitér* parry a blow; *egyetlen ~re* at one blow, at a single blow; *csúnya ~t kap* receive a nasty blow; *húsz ~t kap [pálcával]* receive twenty strokes; *~t feltart* stay the blow; *~t kivéd* parry a blow; *~t mér vkre* deal/hit sy a blow, level a blow at sy, administer a blow to sy; *~t ütéssel viszonoz* return

blow for blow **2.** *(sp) [bokszban]* blow, hit, *[golfban]* shot, stroke, *[jégkorongban]* hit, *[teniszben]* drive, stroke, hit, *[asztaliteniszben]* shot; *egyenes ~* straight shot; *fonák/visszakezes ~* back-hand stroke; *tenyeres ~* forehand stroke **3.** *(kárty)* trick; *a hetedik ~* odd trick; *egy ~t csinál* make a trick/card, win a trick; *elvisz egy ~t* make/take/win a trick; *nem csinál ~t* score no trick; *kiad egy ~t* throw in a trick; *egy ~t veszít* lose one trick; *~eket visznek a honőr kártyák* tricks are taken by honour cards

ütésérték *n, (kárty)* trick-score

ütési *a, (fiz, vill) ~ ellenállás* impact resistance, resistance to impact; *~ energia* impact energy

ütéstelen *a, (kárty)* trickless; *~ kéz* trickless hand

ütközés *n,* **1.** shock, collision, impact, *[kisebb]* bump, *(műsz)* percussion, collision **2.** *[érdekeké]* conflict, clash, collision, *[eszmék, elméletek között]* repugnance, *[jogoké]* concurrence **3.** *[időben, térben]* coincidence

ütközet *n*, battle, engagement, encounter, combat, fight, action, *[kisebb]* skirmish, brush with the enemy; *elkeseredett ~* pitched battle; *~ helye* battle-field; *az ~ hevében* in the heat of battle; *~be száll* give battle; *~et vív* fight a battle, give battle, join in battle with

ütköz|ik [-tem, -ött, -zön, -zék] *vi,* **1.** *(vmbe)* knock/ bang/bump against sg, run (slap) into, barge into; *egymásba ~nek* collide, clash, fall foul of one another, knock against/into one another, *[teljes erővel]* come full butt against each other, come into violent contact with each other, *[poharak]* chink **2.** *akadályba ~ik* come up against a difficulty, encounter difficulties; *nehézségbe ~ik* come up against a difficulty; *törvénybe ~ik* offend *(v.* commit offence) against the law, be contrary to the law, come under the penalty of the law; *mindezek a cselekmények ugyanabba a törvényes rendelkezésbe ~nek* all these acts violate the same statutory provision **3.** *[két elfoglaltság időben]* coincide, *[két iskolai óra]* clash; *a két előadás ~ik* the two lectures clash **4.** *~ik a bajusza* his moustache is beginning to grow/sprout; *~ik a szakálla* he has an incipient beard, his beard is beginning to grow/show; *szarvai ~nek [állatnak]* sprout horns

ütköző [-t, -je, *adv* -en] **I.** *a,* **1.** *~ berendezés [gépé]* arrester; *~ illesztés* abutting joint **2.** *törvénybe ~* indictable (offence), offending the law, contrary to the law *(ut)*, illegal **3.** *[időben, térben]* coincident
II. *n, (vasút) [sín végén]* buffer/bull stop, bumping post *(US), [vasúti kocsin]* (spring-)buffer, bumper *(US), [autón]* bumper, shock-absorber, snubber *(US), [épít]* stop, *[hajó oldalán, mozdony elején]* fender, *(műsz)* buffer, stop(-piece), *[szelfaktoron]* buffer, *[telefonkészülék tárcsáján]* finger stop, *[drótkötélpályán]* spring buffer, spring bumper *(US)*, *[zárban]* bolt-catch/staple, strike/catch-plate

ütközőállam *n*, buffer state

ütközőbak *n*, buffer/bull stop, stop-block, bumping post *(US)*, bumper *(US)*

ütközőcsavar *n*, locking-screw

ütközőerő *n*, force of impact

ütközőfa *n, [partfalon]* fender

ütközőgerenda *n*, bumper-beam, *[partfalon]* fender, *[jármün]* headstock

ütközőgyűrű *n*, stop ring

ütközőkorong *n*, buffer disc

ütközőkosár *n, (vasút)* buffer-box

ütközőléc *n*, rabbet-ledge, thrust strip, fillet, stop

ütközőpárna *n, (hajó)* fender, fendoff

ütközőpont *n*, **1.** point of impact **2.** *(átv)* (point at) issue

ütközőrúd *n*, buffer bar, *[írógépen]* recoil rod

ütleg [-et, -e] *n*, hit, blow, cuff, stroke, smack, whack; *~ekkel eláraszt vkt* hail down blows on sy

ütlegel [-t, -jen] *vt*, hit, cuff, beat, thrash, drub, whack, thwack, rain blows on sy, *[ököllel]* pound

ütlegelés *n*, hitting, cuffing, beating, thrashing, whacking, drubbing, thwacking

ütő [-t, -je] I. *n*, 1. *[személy]* hitter, beater 2. *[tárgy]* hammer, *[tenisz]* racket, *[asztalitenisz, krikett]* bat, *[golf]* club, *[gyeplabda, jégkorong]* stick, *[kroketben, pólóban]* mallet; ~ *alsó része* blade of the stick; *beguritó* ~ *[golf]* putter 3. *[harangé]* clapper, tongue, *[óráé]* hammer, *[csengőé]* striker II. *a*, 1. beating, striking, hitting 2. *egymást* ~ *színek* colours that jar, colours that swear at each other, clashing/screaming colours

ütődés *n*, shock, collision, impact, striking against, percussion; ~*től származó sérülés* lesion/bruise due to contusion

ütődjik [-tem, -ött, -jön, -jék] *vi*, *(vmbe)* knock/strike/ stumble/dash/bump against sg; *egymásba* ~*nek* collide, clash

ütődött [-et; *adv* -en] *a*, 1. *[gyümölcs]* bruised, squashy, damaged (fruit) 2. *(biz)* *[ember]* loony, dippy, batty, nutty, crazy, barmy, off his crumpet *(ut)*, barmy on his crumpet *(ut)*, dotty, potty, a little touched *(ut)*, cracked, soft-headed, half-baked, sappy, moonstruck, crack-brained, goofy *(US)*; *kissé* ~ (be) a bit cracky, (be) a bit soft in the head, (be) not all there, (be) off one's rocker; ~ *ember* chump, crackpot *(US)*, screwball *(US)*

ütőér *n*, 1. *(bonct)* artery, pulse 2. *(átv)* artery; *a város ütőere a Kossuth utca* Kossuth utca/Street is the main thoroughfare of the town/city

ütőérelmeszesedés *n*, arteriosclerosis

ütőeres *a*, arterial

ütőérgyulladás *n*, arteritis

ütőérmetszés *n*, *(orv)* arteriotomy

ütőerő *n*, 1. *(fiz)* force of impact, impact/striking force, striking energy 2. *[bokszban]* punching power, *[egyéb]* brunt of the blow 3. *(átv)* efficiency, effectiveness, *(kat)* hitting-power

ütőérrendszer *n*, arterial system

ütőértágulás *n*, arneurism

ütőértan *n*, arteriology

ütőfa *n*, *[súlykoló]* beetle, *(tex)* picking-stick

ütőfelület *n*, *[kalapácsé]* face, *(sp)* surface of bat/ racket

ütőfúró *n*, percussion borer/drill, *(bány)* jumper(-bar), driving-block

ütöget *vt*, 1. keep hitting/beating/tapping, rap, dab 2. *[teniszező]* knock (the balls) about, *[bemelegit]* warm up

ütögetés *n*, 1. pat(ting), tapping 2. *(sp)* warm-up play, knock-up 3. *(orv)* percussion

ütőhangszer *n*, percussion instrument, instrument of percussion; *húros* ~ hammered string(ed) instrument

ütőkártya *n*, 1. *(kárty)* trump, ace 2. *(átv)* *minden* ~ *a kezében van* have every chance, have the trump in one's hand, hold all the winning cards; *szinte valamennyi* ~ *az ő kezében van a ... vel folytatott vitában* hold nearly all cards in the contest with . . .; *van még egy ütőkártyája* have a card up one's sleeve, have still one string to one's bow, have an arrow/shaft left in one's quiver; *utolsó* ~ dernier ressort *(fr)*, last resort; *kijátssza az ütőkártyóját* play one's trump-card

ütőképes *a*, ready/able to strike *(ul)*, *(kat)* combat-worthy, hard-hitting *(US)*; ~ *csapat* *(sp)* efficient team; ~ *csapatok* troops full of dash; ~ *hadsereg* army in an efficient state

ütőképesség *a*, striking power, *(kat)* hitting-power, efficiency

ütőkészülék *n*, percussion apparatus, striker

ütőkos *n*, (falling-)ram, rammer, tup

ütőmű *n*, clockwork

ütőműves *a*, ~ *zsebóra* repeating watch, repeater (watch)

ütőóra *n*, striking clock, striker, *[zsebbell]* repeater

ütőprés *n*, *(sp)* racket-press

ütőpróba *n*, *(műsz)* pounding/impact test

ütőrugó *n*, *(műsz)* release

ütőszeg *n*, *[ágyúé]* striker, hammer, *[puskáé]* needle, *[gépfegyveré]* firing-pin

ütőszerkezet *n*, *[órában stb.]* striking apparatus/mechanism, striker, *[szövőgépen]* picking motion

ütőszilárdság *n*, resistance to impact, impact resistance

ütött [-et; *adv* -en] *a*, strick *(ut)*, beaten *(ut)*

ütött-kopott [ütött-kopottat; *adv* ütötten-kopottan] *a*, battered, *[ruhaféle]* shabby, threadbare, worn to frazzle *(ut)*, seedy, much the worse for wear *(ut)*, rusty, *[épület]* tumble-down, dilapidated, ramshackle

ütővizsgálat *n*, = ütőpróba

ütvefúró gép = ütőfúró

üt-ver [ütött-vert, üssön-verjen] *vt*, give (sy) a sound drubbing, thrash (sy/sg), give (sy/sg) a thrashing

üveg [-et, -e] I. *n*, 1. *[anyag]* glass, *[ablak]* pane, sheet of glass; *biztonsági* ~ shatterproof/splinterproof/ safety glass; *homályos* ~ frosted/ground glass; *húzott* ~ drawn glass; *öntött* ~ cast glass sheet; *színes* ~ coloured/stained glass; *törhetetlen* ~ unbreakable glass; *tűzálló* ~ heat-resisting glass; ~*et fúj* blow glass; ~*et vág az ablakkeretbe* have a pane of glass set in the window-frame 2. *[palack]* bottle, flask, *[hasas]* decanter, *[mézes, befőttes, dzsemes]* jar; *lekváros* ~ jam jar; *egy* ~ *bor* a bottle of wine; ~*be tölt* (put in) bottle; *az* ~*ből iszik* drink straight from the bottle 3. ~ *alá tesz* put under glass; ~ *alatt tart vmt* keep sg under glass, keep sy in a glass-case 4. *[biz szemüveg]* glasses, spectacles, specs *(mind: pl)* II. *a*, glass

üvegablak *n*, glass window, *[templomi színes]* stained glass window

üvegajtó *n*, glass door

üvegállvány *n*, bottle-rack

üvegáru *n*, glass-ware

üvegballon *n*, demijohn, *[savszállitó]* carboy

üvegbetét *n*, 1. *[termoszban]* insert 2. *[betétként fizetett]* deposit (for bottle)

üvegbeton *n*, glass concrete

üvegbiztosítás *n*, insurance of glass

üvegbura *n*, glass bell/cover/shade, bell-glass, *(vegyt)* bell jar

üvegcse [.. ét] *n*, small bottle, phial, vial

üvegcsepp *n*, glass drop/tear, *[batáviai]* Prince Rupert's drop/ball/tear, Rupert's drop/ball

üvegcserép *n*, 1. *[törmelék]* fragment of glass, scrap glass, cullet, shiver; *üvegcserepek* broken glass 2. *[csempe]* glass tile,

üvegcsiszolás *n*, glass-grinding

üvegcsiszoló *n*, *[munkás]* glass polisher/grinder, glass-engraver

üvegcső *n*, glass pipe/tube

üvegdarab *n*, piece/fragment of glass; ~*ok* broken glass

üvegdísz *n*, glass-work, prunt

üvegdugó *n*, glass stopper

üvegedény *n*, *[egyes]* glass vessel, *[gyűjtőnév]* glass-ware, *[gyógyszernek]* specie jar, *[petróleumlámpáé]* oil-container

üveges [-ek, -t, -e] I. *a*, 1. *[üvegből való]* (made of) glass, vitreous 2. *[üvegezett]* covered with glass *(ut)*, glazed; ~ *folyosó* glass-covered passage; ~ *hintó* glass coach; ~ *szekrény* glass cabinet/showcase/cupboard/ case, vitrine *(fr)* 3. *[üveghez hasonló]* glassy, like glass (in appearance) *(ut)*, *[kőzet]* vitreous; ~ *máz* vitreous glaze 4. *[szem stb.]* glassy, glazy; ~ *szem* glassy/glazed eye(s); ~ *tekintet* dull/vacant look II. *n*, *[iparos]* glazier, *[kereskedő]* dealer in glass, [munkás] glass-worker; ~ az apád? (tréf) your father wasn't a glazier!

üvegesbolt n, glass (and china) shop

üvegesedés n, 1.vitrification 2.|[almabetegség] watercore

üveged|ik [-tem, -ett, -jen, -jék] vi, 1. vitrify, glaze 2. [szem] become glassy/glazed

üvegesít [-eni, -ett, -sen] vt, vitrify

üvegesítés n, vitrification, vitrifaction

üvegesmesterség n, glazier's work, glaziery

üvegesmunka n, = üvegesmesterség

üvegesség n, glassiness, vitrescence

üvegestánc n, bottle dance

üvegesüzlet n, = üvegesbolt

üvegez [-tem, -ett, -zen,]vt, glaze, furnish/fit with glass, set glass (in window frames etc.)

üvegezés n, glazing, furnishing/fitting with glass, setting glass

üvegezetlen a, unglazed

üvegezett [-et; adv -en] a, fitted with glass (ut), glazed(-in)

üvegező [-t, -je] n, glazier, glass cutter, glass-man

üveggolyó n, [játék] marbles (pl)

üvegfal n, glass screen/partition/wall

üvegfalú a, glass-fronted

üvegfedél n, glass roof

üvegfedő n, glass cover/lid

üvegfény n, vitreous lustre

üvegfestés n, glass painting/staining

üvegfestmény n, painting on glass, stained glass, [templomablakon] stained glass window

üvegfestő n, glass painter/stainer, artist in stained glass

üvegfonal n, glass thread/yarn, spun glass

üvegfúvás n, glass-blowing

üvegfúvó a|n, glass-blower; ~ cső blowing-iron, blow-pipe; ~ pipa punty, ponty

üveggomb n, glass button

üveggömb n, glass ball/globe

üveggyapot n, glass-wool, fibreglass

üveggyár n, glass-works, glass factory, glaziery, glass-house

üveggyári a, ~ munkás glass-worker

üveggyártás n, glass-making/work

üveggyöngy n, (glass) bead(s), Venetian pearl, [cső alakú] bugle

üveghab n, foam glass

üveghang n, flageolet (tone), harmonic; ~on flautato, flautando

üvegharang n, bell jar, glass bell

üvegharmonika n, (zene) musical glasses, glass harmonica

üveghártya n, [szemen] hyaloid membrane

üvegház n, glass/green-house, conservatory, [fűtött] hothouse, forcing-house (US), [narancsfának] orangery, [hűtött] coolhouse; ~ban nevel/termel grow under glass, force, stove; ~ban nevelt/termelt grown under glass (ut)

üvegházi a, hothouse, greenhouse, grown/cultivated in (a) hothouse/greenhouse (ut); ~ növény hothouse plant; ~ virág/palánta (átv) hothouse lily/plant

üveghenger n, glass cylinder, [lámpaüveg] lamp-glass/chimney

üveghulladék n, scrap glass

üveghuta n, glass-works, glass-house

üveghúzás n, glass-drawing

üvegipar n, glass industry, glass-making

üvegkancsó n, (glass) pitcher, (glass) jug, [ivóvíznek] carafe

üvegkefe n, bottle brush

üvegkereskedelem n, glass trade, trade in glass

üvegkereskedés n, 1. [foglalkozás] glass trade, trade in glass 2. [üzlet] glass (dealer's) shop, glaziery, glass-house

üvegkereskedő n, dealer in glass-ware, glass-man

üvegkészítés n, glass-work, vitrifacture

üvegkészítmények n. pl, glass-ware, glass-work

üvegkészlet n, set of glass-ware, [asztali] table-glass

üvegkorong n, glass disk/disc

üvegkorsó n, pitcher, (large) jug, [ivóvíznek] carafe

üvegkönny n, = üvegcsepp

üvegköszörülés n, glass grinding

üvegköszörűs n, glass grinder

üveglap n, plate/sheet of glass, glass-plate

üveglemez n, = üveglap

üveglencse n, lens, lenticular (glass)

üvegmaratás n, hyalography

üvegmáz n, glaze, glazing

üvegmetszés n, glass-cutting/engraving

üvegmetsző n, glass-cutter/engraver

üvegmosó a, ~ kefe bottle brush

üvegműves n, glassware maker

üvegnemű n, glass-ware

üvegnyak n, bottle-neck, neck of bottle

üvegnyi a|n, [mennyiség] bottleful

üvegolvasztó n, 1. [munkás] glass founder 2. [kemence] glass furnace

üvegpalack n, glass bottle, flask, [asztali vizes] water-bottle, carafe, [bornak csiszolt üvegből] decanter

üvegpálca n, glass-rod

üvegpapír n, glass/sand/emery-paper

üvegpohár n, glass, [öblös] tumbler

üvegpor n, glass-dust/meal, powdered glass

üvegragasztó n, glass-glue, [gitt] (glazier's) putty

üvegsalak n, sandiver, glass-gall

üvegsör n, bottled beer/ale

üvegszál n, fibreglass, fibrous glass

üvegszekrény n, [vitrin] glass cabinet/cupboard/case, vitrine (fr), (ker) shop-case, show-glass/case, exhibition case

üvegszem n, glass eye

üvegszerű a, glass-like, glassy, vitreous, vitriform, (tud) hyaline

üvegszerűség n, glassiness, vitrescence

üvegszigetelő n, glass insulator

üvegszilánk n, glass splinter

üvegszövet n, glass-cloth

üvegtábla n, (glass) pane, sheet-glass, pane of glass; [kicsi ólomkeretbe foglalt rombusz alakú] quarrel

üvegtál n, glass tray/dish

üvegtányér n, glass plate

üvegtartály n, savszállító ~ carboy

üvegtechnika n, glass-making/blowing/shaping

üvegtégely n, glass jar, [olvasztó] glass melting-pot

üvegtégla n, glass brick

üvegtest n, (orv) vitreous body

üvegtest-átvérzés n, (orv) haemophthalmos

üvegtest-gyulladás n, (orv) hyalitis

üvegtesti a, ~ folyadék [szemben] vitreous humour, eye-water

üvegtető n, glass-roof(ing)

üvegtoll n, glass pen

üvegtörmelék n, scrap glass, cullet

üvegvágás n, glass-cutting

üvegvágó a|n, ~ (gyémánt) quarrel, glazier's/cutting diamond, glass-cutter

üvegvászon n, glass-cloth

üvegzöld a, bottle-green

üvölt [-eni, -ött, -sön] vi/vt, howl, roar, yell, [dühösen] bawl, bellow, [fájdalmában] scream, [panaszosan] ululate, wail, [kutya] howl, yelp, kyoodle (US), ky-yi (US), [sziréna] hoot; ~ fájdalmában, ~ a fájdalomtól scream/roar with pain, shriek (out) with pain; együtt ~ a farkasokkal cry/howl with the pack

üvöltés n, howl(ing), scream(ing), yell(ing), [panaszos] ululation, wail(ing), [kutyáé] yelp(ing) üvöltő [-t] *a*, howling, roaring, screaming, wailing, yelling; ~ *dervis* howling dervish; ~ *negyvenesek* roaring forties

üvöltöz [-tem, -ött, -zön] *vi*, keep howling/roaring, howl/roar repeatedly

űz [-tem, -ött, -zön] *vt*, 1. *[hajt]* drive, chase, hunt, pursue, chevy, chivy, *[ellenséget]* chase, pursue, harry, *(vad)* run to ground, hunt 2. *[foglalkozást]* practise, carry on, follow, ply (a trade), pursue (a profession), *[vm sportot]* pursue (a sport), play (a game), go in for, cultivate; *foglalkozásszerűen* ~ *vmt* do sg for a living 3. *csúfot* ~ *vkből* make fun of sy; *ördögöt* ~ cast out the devil, exorcize; *tréfát* ~ play a joke, make fun of, poke fun at

űzbég [-et; *adv* -űl] *n/a*, Uzbek, Usbeg

űzekedés *n*, rut(ting), heat, *(tud)* oestruation, oestrus

űzeked|ik [-tem, -ett, -jen, -jék] *vi*, *[nőstény]* be in heat. rut, *(tud)* oestruate

űzekedő [-t] *a*, ruttish, in heat *(ut)*

űzelmek [-et, űzelmei] *n. pl*, doings, machinations, schemings, plots; *bűnös* ~ criminal/felonious/guilty machinations/doings/dealings; *erkölcstelen/tisztességtelen* ~ corrupt practices, immoral machinations

űzem [-et,-e] *n*, 1. *[ipari]* (work)shop, industrial unit, *[nagyobb]* plant, factory, works, mill, *(ker)* business; *mezőgazdasági* ~ *(kb)* (state) farm; ~ *egészére vonatkozó* plant-wide; ~*et létesit* set up a plant 2. *[működés]* functioning, working, running, operation, *[hasznosítás]* exploitation, exploiting; ~*be helyez [gépet]* set (a machine) (a) going, put (a machine) in working/running order, throw into action, *[gyárat, intézményt]* start, put in action/operation, open up, *[járművet, üzemet]* put into operation/service; ~*be helyezés [gépet]* putting into operation, putting in working/running order, *[gyárat, intézményt]* putting into service/action, starting, opening up; ~*ben tart* operate, work, run, exploit, keep running/going, *(bány)* work;~*ben tartás* running, operation, working, upkeep, *(bány)* working; *bánya ~ben tartása céljából* for the purpose of operating a mine; ~*ben tartási költségek* running expenses, expenses of upkeep; ~*ben van* be in action/operation, be working/running/operating/functioning, run, *[gép]* be under power, be in gear, run, *[kohó]* be in blast; *teljes* ~*ben* in full operation/swing, *[kemence]* in full blast; ~*ben levő* working, running, geared; ~*ben levő gyár* factory at work; ~*en kívül* out of action/order, *[főleg hajóról]* out of commission; ~*en kívül helyez [gyárat]* close (down), shut up, *[gépet]* put out of action/service, put/bring to a stand(still), *[kiselejtez]* scrap; *teljes* ~*mel dolgozik* work at full capacity

űzemág *n*, *[mezőgazdasági]* production line; *kiegészítő* ~ sideline

űzemanyag *n*, fuel, carburant, *[benzin]* petrol, gasoline, gas *(US)*; ~*gal ellát* fuel, *[utánpótol]* refuel

űzemanyag-adagolás *n*, input of fuel

űzemanyag-befecskendezés *n*, fuel injection

űzemanyag-ellátás *n*, fuel supply

űzemanyag-fogyasztás *n*, fuel consumption

űzemanyagszállító *a*, ~ *hajó* supply ship

űzembeszüntetés *n*, closing down

űzembiztonság *n*, working/operational/operative safety, safety of operation, smooth *(v. trouble-free)* running

üzembiztonsági *a*, *szabályozza az* ~ *feltételeket* regulate the safety conditions

üzembiztos *a*, *[gép]* reliable, running trouble-free *(ut)*, safe, foolproof *(fam)*

üzemegészségügy *η*, workshop/industrial hygiene

üzemegység *n*, industrial/production/plant unit, (industrial) plant, workshop

üzemel [-t, -jen] *vi*, work, run, operate, be operated

üzemelés *n*, working, run(ning), operation

üzemellenőrzés *n*, plant supervision

üzemeltet *vt*, operate, run, work, keep up/going, keep in operation

üzemeltetés *n*, operation, running, upkeep

üzemeltetési *a*, ~ *költség* expenses of upkeep *(pl)*, running expenses *(pl)*, operating cost

üzemgazdaság *n*, business management/economy, industrial administration

üzemgazdasági *a*, ~ *főiskola* school of business administration; ~ *osztály* department for business management/administration; ~ *osztályvezető* production study manager; ~ *szakember* efficiency expert *(US)*

üzemgazdaságtan *n*, business management/economics/ administration

üzemgazdász *n*, gradua te in business administration, *[vállalati]* business administrator

üzemi [-ek, -t; *adv* -leg] *a*, 1. operating, working, plant-, shop-; ~ *baleset* industrial accident, *[eredménye]* industrial injury; ~ *balesetbiztosítás* workers'/workmen's compensation insurance; ~ *bizottság* works/shop committee, factory (trade union) committee; ~ *dolgozó* worker in a factory, factory worker/hand; ~ *eredmény* production result(s); ~ *eredmény és veszteség* profits and losses *(pl)*; ~ *étkezde* (works) canteen; ~ *étkezés* canteen meal(s); ~ *étkeztetés* in-plant feeding, canteen meal(s); ~ *felszerelés* working plant; ~ *gyakorlat* workshop practice; ~ *háromszög* shop triangle; ~ *kiadások* operative expenditures; ~ *konyha* works kitchen, *[étkező]* workshop canteen; ~ *költségek* trade/overhead/working/operating/running expenses/charges; ~ *könyvelés* cost accounting; ~ *könyvtár* factory library, trade-union library; ~ *lakótelep* factory housing estate/district; ~ *lap* house paper/organ; ~ *megbízott* shop-steward; ~ *orvos* industrial doctor/physician, factory medical consultant; ~ *rendelő* factory dispensary; ~ *rezsi-(költség)* overhead expenses/costs *(pl)*; ~ *tanács* works council; ~ *tőke* rolling/working/floating capital 2. *[üzemeltetési]* operative, operating, working; ~ *adatok* service data; ~ *árutonnakilométer* operative freight-ton kilometre; ~ *feltételek* operating conditions; ~ *feszültség* operating voltage; ~ *nyomás* working pressure; ~ *próba* service test; ~ *sebesség* normal running speed; ~ *terhelés* working/service load

üzemigazgatási *a*, administrative

üzemigazgató *n*, shop-superintendent

üzemképes *a*, ready for working/service *(ut)*, fit/ready for work *(ut)*, in working order/condition/gear *(ut)*, fit for use *(ut)*; ~ *állapotba helyez* put (a machine) in working order; ~ *állapotban* in good working order, in running order/condition, all shipshape *(fam)*; *nem* ~ out of service/order *(ut)*, unserviceable

üzemképesség *n*, good working/running order

üzemképességi *a*, ~ *időtartam* endurance

üzemképtelen *a*, out of service/order *(ut)*, unfit for service *(ut)*, unserviceable, in a state of disrepair *(ut)*, *[gép]* out of gear *(ut)*, out of running order *(ut)*

üzemkész *a*, = üzemképes

üzemkezdet *n*, *[péld. villamosvasúté]* *[igével]* (trams/streetcars) run from ... o'clock

üzemkorlátozás *n*, reduction of output, cutaway *(US)*

üzemköltség *n*, working/operating/running/trade/overhead/factory expenses/costs *(pl)*, oncost, upkeep, costs of production *(pl)*

üzemmegszüntetés *n*, closing down

üzemméret *n*, plant size, *[mezőgazdaságban]* farm size

üzemmérnök *n*, production/works engineer

üzemnap *n*, working day

üzemorvos n, factory medical consultant, industrial doctor/physician

üzemorvosi a, ~ hálózat system of factory medical consultation centres/offices

üzemrendezés n, lay-out of works

üzemrész n, factory unit

üzemsorvasztás n, crippling (of a plant/factory)

üzemszervezés n, plant/business organization

üzemszervező a, ~ mérnök efficiency engineer

üzemszünet n, break-down, standstill, [kényszerű] shutdown, [rádióban] silence, [rádióban kényszerű] breakdown

üzemtan n, science of industrial administration, business administration/management

üzemterv n, working plan, plan of management

üzemű [-ek, -t; adv -leg] a, -driven, -operated; benzin ~ forrasztólámpa gasoline blow lamp; kézi ~ szövőszék hand-loom

üzemvezetés n, plant management, workshop operation, (mezőg) farm operation

üzemvezető a/n, (works) manager, managing director, shop-manager, operating engineer, industrial executive, work superintendent; ~ gárda operating staff

üzemvezetőség n, works management, operating staff

üzemvitel n, workshop/plant operation

üzemvitell a, operation, operational

üzemzárás n, [mint időpont] leaving/laying-off time, closing/finishing time

üzemzavar n, break-down, defect, operating trouble, disturbance, hold-up

üzemzavarmentes a, trouble-free

üzen [-t, -jen] vt/vi, 1. (vmt vknek) send a message, send word (to), let sy know (about sg); hadat ~ vknek declare war on sy 2. vkért ~ send for sy

üzenet n, message, [írott] note; szerkesztői ~ek answers to readers' letters, answers to correspondents; ~ átadása delivery of a message; ~et ad át bear/carry/ deliver a message; ~et átvesz receive a message; ~et hagy leave message/word;~et hagy hátra vk részére leave a message for sy;~et kap vktől receive a message from sy, hear from sy; ~et küld vk részére send word to sy, send a message for sy; ~et visz deliver a message, run a message; elküld vkt egy ~tel send sy on/ with a message

üzenetváltás n, exchange of messages

üzenget vi/vt, keep sending messages/word

üzér [-ek, -t, -e] n, profiteer, speculator, trafficker, unscrupulous tradesman, shark(er) (fam)

üzérkedés n, speculation, jobbing, profiteering, trafficking

üzérked|ik [-tem, -ett, -jen, -jék] vi, (vmvel) speculate/ traffic in, job, profiteer, shark (fam); jegyekkel ~ik shark tickets; kábítószerekkel ~ik traffic in drugs, be engaged in (the) drug traffic

üzérkedő n, = üzér

üzés n, 1. [üldözés] chase, chasing, pursuit, driving, [vadé] hunting 2. [foglalkozás] practice, pursuit (of a profession), cultivation, [ipart] practising, playing (of a trade)

üzlet n, (ált) 1. business, [ügylet] deal, bargain; az ~ ~ business is business; bizományi ~ commission business; jó ~ a paying proposition; nem valami jó ~ it is not a paying proposition, it is not a good bargain, it's no great catch (fam); jól menő ~ shop that does a thriving business, shop that is a going concern; pang az ~ business is slack; remekül ment az ~e he did a roaring trade; ért az ~hez be a good businessman, be a good market-man; ~et köt/csinál conclude a deal/business/contract, transact business, do a deal, settle/strike a bargain, (vkvel) do a deal with (sy), do business with (sy), transact business with (sy), strike/drive/make a bargain with (sy); jó ~et

csinál get/make a bargain, do a good stroke of business; rossz ~et csinál make a bad bargain, be doing badly; ~eket köt, ~eket bonyolít le transact/do business, effect transactions, deal, trade; jó ~eket csinál strike/conclude/make good bargains, drive a good/ roaring trade; rossz ~eket csinál make bad bargains, be doing badly; ~et fellendít advance business; ~et megalapoz lay the foundation of a business; visszavonul az ~től give up business, retire from business; ~tel foglalkozik be in business; ~ekkel kezd foglalkozni go into business, set up in business 2. [helyiség] shop, business, store (US); ~e van have a shop (of his own), own a shop, be a shopkeeper, keep (a) shop, keep store (US); a Dob utcában volt ~e he had a shop in Dob utca, he used to deal in Dob utca, his business was in Dob utca, he kept a shop in Dob utca, he had his shop in Dob utca; ~et nyit set up shop, open a shop, set up in business; ~et irányít/ vezet run a business

üzletág n, branch/line of business, branch, business

üzletasszony n, businesswoman

üzletbarát n, business friend

üzletbér n, shop rent

üzletberendező n, [cég] shopfitter

üzletel [-t, -jen] vi, = üzletezik

üzletelés n, = üzletezés

üzletember n, businessman

üzletév n, financial/trading/commercial year

üzletezés n, trading, (elit) middleman's business

üzletez|ik [-tem, -ett, -zen, -zék] vi, do business, trade, (elit) middle, monger

üzletfél n, (business) connection, [vásárló] customer, client

üzletház n, business/commercial house/establishment, firm, emporium (fam)

üzlethelyiség n, premises (of a shop) (pl), business premises (pl), shop, store (US)

üzleti [-ek, -t; adv -leg] a, business; ~ bevételek és kiadások the receipts and expenditures of a business; ~ dolgokról/ügyekről beszélget talk shop; ~ élet business life; ~ eljárás business transactions/proceedings (pl); ~ellenfél business partner; ~ elv business principle/rule; ~ érdek business interest(s); ~ erkölcs business morals (pl); ~ érzék business sense/ acumen, flair for business/bargains, turn for business; jó ~ érzéke van have a good head for business; nincs ~ érzéke have no head for business; ~ év = üzletév; ~ feltételek terms and conditions (of business); ~ fogás business/trade trick; ~ forgalom turnover, returns (pl); ~ gyakorlat business/commercial practice; ~ haszon business profit; ~ jártasság/ tapasztalat business experience; ~ kapcsolatok/ összeköttetések business connections/relations/relationships, commercial relations, business intercourse; ~ kapcsolatot létesít enter into business relations; ~ kilátások/lehetőségek business prospects; ~ kimutatás business accounts (pl), report; ~ költség trade/overhead/operating expenses (pl); ~ könyvek (account-)books, shop/business books; ~ körök business quarters, financial circles, the commercial world; ~ körút business tour/trip; ~ levél business letter; ~ levelezés business/commercial correspondence; ~ nap business day; ~ negyed business district/quarter/part, shopping centre, downtown section (US néha); ~ névkártya trade card; ~ nyelv commercialese; ~ órák business hours; ~ összeköttetések ld ~ kapcsolatok; ~ összeköttetésbe lép enter into business relations; ~ összeköttetésben áll/van vkvel have business relations with sy, trade with sy; ~ pálya business (career); ~ pályára lép go into business; ~ stílus business/commercial style; ~ szellem commercial/business spirit, commercialism, *(ellt)* mercenary spirit; ~ *szempontból* from the point of view of business, from a business viewpoint/standpoint, commercially; ~ *szokás* commercial practice, usage, usages of the trade *(pl)*; ~ *szokás ellenére* contrary to commercial practice, contrary to the usages of the trade; ~ *tapasztalat ld~ jártasság;* ~ *tárgyalás* business talk/transaction; ~ *tevékenységet folytat* carry on business, transact business, be engaged in doing business; ~ *titok* trade secret; ~ *tőke* working capital; ~ *út/utazás* business trip/tour; ~ *úton van* be away on business, be on a business trip; ~ *ügy* business affair/matter, piece of business; ~ *ügyben* on business; ~ *vállalkozás* business undertaking/concern/enterprise/establishment; *jól jövedelmező* ~ *vállalkozássá tesz vmt* turn sg into a very profitable venture; ~ *válság* commercial crisis; ~ *világ* business/commercial world; ~ *viszony* business/commercial relation(s); *ld még* ~ *kapcsolatok;* ~ *viszonyok* state of business, state/condition of the market

üzleties [-et; *adv* -en] *a,* businesslike, shoppy *(fam);* ~ *gondolkodásmód* commercialism

üzletigazgatóság *n, (vasút)* regional railway management

üzletileg *adv,* on business, from a business point of view

üzletkezelés *n,* management

üzletkör *n,* scope/sphere of business, (business) connection; *~t épít ki* establish oneself in business, build up a clientele, make business connections/relations, work up a connection

üzletkötés *n,* transaction, deal

üzletkötési [-t] *a,* ~ *napló* waste-book

üzletkötő *n,* sales clerk, transactor

üzletmenet *n,* trade, course of business; *rossz* ~ slump, depression, *[enyhébben, finomkodva]* recession; *az* ~ *vontatott volt* the business lagged

üzletnyitás *n, [első ízben]* setting up shop, opening a shop

üzletportál *n,* shop-front

üzletrész *n,* share (of capital), share in a business, business share, partnership interest, *[szövetkezeti]* share (in a co-operative society)

üzletrontás *n,* undercutting, unfair competition

üzletrontó *a/n,* spoil-trade *(fam)*

üzletszabályzat *n,* regulations *(pl)*

üzletszerű *a,* businesslike, professional; *nem* ~ uncommercial

üzletszerűen *adv,* done on a business(like)/professional basis, done in a businesslike way; ~ *foglalkozik vmnek eladásával* trade/deal in sg

üzletszerző *n/a,* salesman, commercial traveller, canvasser, solicitor *(US),* drummer *(US fam);* ~*k* salespeople; ~ *mérnök* sales-engineer

üzlettárs *n,* (co-)partner, associate, member of a partnership/firm, side-kick *(fam);* *vezető* ~ senior partner

üzlettelen *a,* slack, stagnant, at a standstill *(ut);* ~ *piac* slack/flat/dull/dead market

üzlettelenség *n,* stagnation/dullness/slackness of trade, slack time, depression

üzlettulajdonos *n,* owner (of a business/shop), proprietor, shopkeeper

üzletvezetés *n,* management/administration of a business, business-management

üzletvezető *n,* (business) manager, director, managing director/clerk, *[nő]* manageress, directress, *[vasútnál]* traffic manager

üzletvezetőség *n, (vasút)* regional railway management

üzletvitel *n,* management/administration of a business

üzletzárás *n,* closing (time)

üzletzárási *a,* ~ *idő* closing time

űző [-t] *a,* driving, chasing, pursuing; *~be vesz vkt* set/go off in pursuit of sy, pursue/chase sy, run after sy

űzött [-et; *adv* -en] *a,* driven, hunted, chased, pursued, pressed

V

v [v-t, v-je] *n*, **1.** *[betű]* v, the letter v/V; *kis v-vel ír* write with small v; *nagy V-vel ír* write with capital V **2.** *V alak* Victory/V sign, *[repülő vadludaké]* wedge; *V alakú* V-shaped

-vá, -vé *suff*, **1.** *[kezdődő, új állapot: eredményhatározó]* into, in (v. elöljáró nélkül, tárgyesettel:); *lesz/válik vmvé* become sg, turn into sg, be converted into sg; *fiává fogad* adopt sy (as son); *semmivé lesz* (= *megsemmisül*) come to nothing, dissolve/melt into thin air; *vmt vmvé változtat* transform/convert/turn/ change sg into sg; *ketté* in two/half/twain, in two halves, asunder; *ketté hasad* split/cleave in two; *ketté hasít* break/cut/split in two; *a házat üzletté alakították át* the house has been turned into a shop; *bolonddá tesz vkt* make a fool of sy, play a trick upon sy, take sy in, have sy on; *szabaddá tesz vkt* liberate/ free sy **2.** *(átv)* *lóvá tesz vkt* take sy in, make a fool of sy, play a trick upon sy **3.** *[határozószókban]* *máshová, örökké, többé, kevésbé, eléggé, kevéssé, kissé* stb. ld a szótár megfelelő helyén

vabankra megy stake one's all

vacak [-ot, -ja; *adv* -ul] **I.** *a*, worthless, of small value *(ut)*, of no account *(ut)*, *(vkről)* despicable; rotten, contemptible, *(vm)* poor, wretched, cheap and nasty, measly ◇, mangy ◇, *[silány]* shoddy, trashy, *[ügy]* petty (affair), lousy (business) ◇, twopenny-ha'penny (matter), picayune *(US)*, *[mennyiségileg]* paltry; ~ *10 forint* 10 forints? (It's) a mere nothing!, a paltry 10 forints; ~ *holmi* tripe, trash; ~ *időjárás* rotten weather **II.** *n*, rubbish, trash, tripe, trumpery, stuff, lumber; *mi is ez a* ~ *itt?* what do you call that gadget?

vacakol [-t, -jon] *vi*, fuss, *(vmvel)* tinker (at, with), potter (about), trifle (with), toy (with), monkey (with), fiddle about, muck about ◇, *[piszmog]* busy oneself with trifles, dawdle, piffle; *ne ~jon [nő mondja]* stop trying to paw me

vacakolás *n*, fussing, tinkering, pottering, dawdling

vacakság *n*, junk, paltriness

vacillál [-t, -jon] *vi*, vacillate, waver, hesitate

vacillálás *n*, vacillation, wavering, hesitation

vacilláló [-t] *a*, vacillating, wavering, hesitating

vackol [-t, -jon] *vi*, **1.** *[helyet készít]* make *(v.* go to) one's lair/couch, lair **2.** *[túr]* grub/root up the ground

vackolódás *n*, snuggling, making oneself snug, *[nyugtalanul]* tossing, stirring

vackolód|ik [-tam, -ott, -jon, -jék] *vi*, make oneself snug in one's bed, snuggle, *[nyugtalanul]* toss (v. stir about) in one's bed

vackor [-ok, -t, -a] *n*, *(növ)* field pear *(Pyrus piraster)*

vacog [-tam, -ott, -jon] *vi*, tremble/shake/shiver/ shudder with cold/fear, *[fog]* chatter; ~ *a foga [a hidegtől]* one's teeth are chattering, shake (with cold) till one's teeth chatter; ~ *tőle a fogam (biz)* it gives me the shudders

vacogás *n*, trembling, shaking, shiver(ing) shudder, *[fogé]* chattering (of teeth)

vacogó [-t; *adv* -an] *a*, trembling, shaking, shivering, *[fog]*chattering

vacok [vackot, vacka] *n*, **1.** *(vké)* den, mean bed, dog-hole *(fam)*, *[állaté]* bed, couch, den, hole, *[vadállaté]* lair, lie, *[borzé]* earth, *[mezei nyúlé]* form (of hare), *[üregi nyúlé]* burrow, rabbit-hole, *[rókáé]* earth, kennel; *visszahúzódik a vackába* retire into one's shell; *vackot fúr/ás* burrow a hole **2.** *(növ)* receptacle, receptaculum, torus

vacokcső *n*, *(növ)* hypanthium

vacsora [.. át] *n*, *(ált)* evening meal, *[a kontinensen, ha délben* dinner *volt]* supper, *[GB és US ha délben* lunch *volt]* dinner, *[vendégekkel]* dinner-party; *könnyű hideg* ~ snack; ~ *nélkül fekszik le* go to bed without any supper, go to bed supperless; ~ *után* after dinner/ supper; *az utolsó* ~ the Last Supper; *vacsorához ül* sit/settle down to dinner/supper; *vacsoránál ültek amikor* they were at dinner/supper when; *mi lesz vacsorára?* what have we got *(v.* are we going to have) for dinner/supper this evening?; *legyen a vendégünk vacsorára* come and have/partake/share dinner with us; *meghív vkt vacsorára* ask/invite sy to dinner/supper; *vacsorát ad vk tiszteletére* give a dinner(-party) in honour of sy; *könnyű vacsorát eszik* have a snack; *nem kap vacsorát* go without dinner, dine with Duke Humphrey *(ref.)*

vacsoraasztal *n*, supper-board

vacsoracsillag *n*, the Evening Star

vacsoraidő *n*, dinner-time, dinner/supper hour; ~ *van* it is time for dinner/supper

vacsorameghívás *n*, invitation to dinner

vacsoravendég *n*, dinner-guest, guest for dinner/ supper; ~*ei vannak* have company to dinner

vacsoravendégség *n*, dinner/supper-party

vacsorázás *n*, dining

vacsoráz|ik [-tam, -ott, -zon, -zék] *vi/vt*, *[ha délben* lunch *volt]* have/take dinner, dine *(amit on)*, *[ha délben* dinner *volt]* have/take supper, sup *(amit off/* on); ~*ott már?* have you had (your) dinner yet?; *házon kívül* ~*ik* dine out; *otthon* ~*ik* have supper at home

vacsorázó [-t, -ja; *adv* -an] **I.** *a*, dining, having dinner/ supper *(ut)*, **II.** *n*, diner, supper-eater

vad [-at, -ja; *adv* -ul] **I.** *a*, *[állat]* wild, untamed, undomesticated (beast), *(növ)* wild, feral *(tud)*, ferine *(tud)* ; ~ *állapotban élő* living in a wild state *(v.* in a state of nature) *(ut)* **2.** *[műveletlen]* savage, uncivilized, *[nép, élet]* rude, barbaric, *[néptörzs]* wild, barbarian, uncultivated, *[durva szokás]* brutal, barbarous **3.** *[kegyetlen]* ferocious, grim, *[erőszakos]* fierce, *[feldühített]* infuriated, ferocious, fierce, turbulent, truculent, *[zabolátlan szenvedély]* wild, raging, rabid, *[fiú]* unruly, unrestrained, ungoverned, *[állat, nép]* fierce, savage, turbulent, impetuous; ~ *futás* wild scamper, rush, *(kat)* rout, helter-skelter flight, *[emberi/állati tömegé]* stampede;

~ *játék* romp, rough stuff *(fam)*; ~ *hírek* wild rumours; ~ *szín* harsh/violent colour 4. *[erős támadás/fájdalom/szél]* violent, wild, fierce, raging 5. *[gondozatlan]* wild, *[hely]* uninhabited, rough, waste, *[erdő]* trackless, desolate, *[fantasztikus]* wild, crazy 6. *[élénk]* shy, timid, unsociable

II. *n* 1. *[állat]* game; *lőhető* ~ game that may be hunted; *prémes* ~ furred game; *szárnyas* ~ winged game; *sok* ~*at ejtettek* they made a good bag, they had good sport 2. *[ember]* savage; *az afrikai* ~*ak* the savages of Africa 3. ~*akat beszél* talk wild(ly)

vád [-at, -ja] *n*, charge, impeachment, accusation, *(jog)* arraignment, indictment (for crime), *[politikai]* impeachment; *alaptalan* ~ unfounded accusation; *cáfolható* ~ answerable charge; *hamis* ~ trumped-up charges *(pl)*, malicious prosecution, calumniation, calumny, frame-up *(US)*; *az ellene felhozott* ~ the charge brought against him; ~ *elleni védekezés* answer to a charge; ~ *alá helyez* commit sy for trial, arraign/charge/indict sy, find a (true) bill against sy; ~ *alá helyezés* arraignment, impeachment; ~ *alatt áll* lie under a charge; *a* ~ *alól felment* release sy from a charge *(v.* an accusation), clear sy of a charge, set free from an accusation; *a* ~ *tanúja* witness for the prosecution; *szörnyű* ~ *súlya nehezedik rá* lie under a terrible accusation; *a* ~*at ejti* withdraw a charge; *elutasít* ~*at* dismiss a charge, ignore the bill; ~*at emel vk ellen* bring/lay a(n) charge/accusation against sy, level an accusation against sy, charge sy with sg, lay/prefer *(v.* bring in) an indictment against sy, find a (true) bill against sy; ~*at felhoz* level a charge (against); *a* ~*at fenntartja* uphold the charge; *a* ~*at képviseli* act/officiate as public prosecutor; ~*akkal illet vkt* level accusations against sy

vádalany *n*, *[oltáshoz]* stock

vádállat *n*, 1. wild animal, (wild) beast 2. *(átv)* brute

vádállati *a*, bestial, brutish

vádállatias *a*, = vádállati

vádállomány *n*, stock of game

vadalma *n*, *(növ)* crab(-apple) *(Malus silvestris)*

vadalmafa *n*, crab(-apple) tree

vadárvácska *n*, *(növ)* field pansy, face-and-hood *(Viola arvensis)*

vadas [-ak, -t; *adv* -an] I. *a*, 1. of *(v.* pertaining to) game *(ut)*, abounding in game *(ut)*; *(jó)* ~ *terület* (good) game country 2. ~ *íz* taste/flavour of game; ~ *ízű* gamy; ~ *mártás (kb)* brown/Espagnole sauce; *ürühús* ~ *módra* mock-venison II. *n*, = vadaskert

vadasan *adv*, *nyúlhús* ~ hare in the Austrian style, lapin chasseur *(fr)*

vadaskert *n*, preserve, game (p)reserve, deer-forest, forest-range

vádaskodás *n*, (repeated) accusations *(pl)*, mud-slinging, *[hát mögötti]* backbiting

vádaskodik [-tam, -ott, -jon, -jék] *vi*, make repeated accusations, keep accusing/denouncing sy, inform against sy

vádaskodó [-t; *adv* -an] *a*, accusatory, mud-slinging, *[hát mögötti]* backbiting

vadász [-ok, -t, -a] *n*, 1. hunter, sportsman (with a gun), huntsman, jaeger, *[csapdával prémre]* trapper, *[apróvadra]* shooter, *[nő]* huntress, *(átv)* hunter *(for/after sg)* **D.** *(hat rep)* fighter (plane), interceptor/pursuit plane; *ejtőernyős* ~ parachutist; *tengeralattjáró* ~ submarine chaser 3. *[katona]* rifleman 4. *[egyenruhás inas]* chasseur

vadászat *n*, *[ténykedés]* hunt(ing), shoot(ing), pursuit/quest of game, *[csapdával]* trapping, *[szárnyasra]* fowling, *[nyúlra]* rabbiting, *[rókára]* fox-hunting, *[agárral]* coursing, *[sólyommal]* falconry, *[menyét-*

tel] ferreting, *[szakma]* venery, (art/science of) hunting; ~ *apróvadra* small game hunting; ~ *nagyvadra* big game hunting; *folyik a* ~ the hunt is up; ~*on van* be out hunting/shooting; ~*ot rendez* arrange/give a shooting party

vadászati [-ak, -t] *a*, of *(v.* pertaining to) hunting *(ut)*; ~ *engedély* shooting/game-licence/permit; ~ *idény* open season/time, shooting season; ~ *jog* sporting rights *(pl)*, *[törvény]* game laws *(pl)*; ~ *tilalom* close(d) season/time

vadászbérlő *n*, shooting-tenant

vadászcsizma *n*, shooting-boots *(pl)*

vadászdal *n*, hunting song/air

vadászeb *n*, hunting/sporting/gun dog, hunter, *[kopó]* fox-hound, *[szarvasra]* deer/stag hound, *[nyúlra]* harrier, *[borzra]* dachshund, *[szárnyasra, vadra]* bird dog, setter, retriever, pointer, beagle

vadászelhárítás *n*, *[repülőgéppel]* intercepting

vadászember *n*, sportsman (with a gun), huntsman, hunting man, hunter

vadászengedély *n*, shooting/game-licence/permit; *kiváltja a* ~*t* take out one's shooting-licence

vadászévad *n*, open season/time, shooting season

vadászezred *n*, regiment of rifles

vadászfegyver *n*, *[nehezebb]* sporting-gun, *[könnyebb]* fowling piece, shot-gun

vadászgat *vi*, go (-a)hunting/shooting (habitually/leisurely *v.* off and on)

vadászgép *n*, = vadászrepülőgép

vadászgepárd *n*, *(áll)* hunting leopard *(Cynailurus sp.)*; *ázsiai* ~ cheetah, guepard(e) *(C. jubatus)*

vadászgép-kötelék *n*, pursuit unit, fighter squadron

vadászgép-különítmény *n*, fighter-command

vadászgerely *n*, boar-spear

vadászgörény *n*, *(áll)* ferret *(Putorius furo)*

vadászház *n*, shooting/hunting box/lodge, *[előkelő]* hunting-seat, *[vadőré]* gamekeeper's lodge

vadászidény *n*, = vadászévad

vadászik [-tam, -ott, .. ásszon, .. ásszék] *vi*, 1. *[nagyvadra, rókára]* hunt (sg), *[cserkészve]* stalk (deer), *[apróvadra]* shoot, *[falkavadászaton]* hunt, ride to *(v.* follow the) hounds, *[vadászaton van]* be out hunting/shooting; *kopókkal* ~*ik* follow the hounds, ride to hounds; *menyéttel* ~*ik* hunt with ferrets, ferret; *sólyommal* ~*ik* hunt with falcons, falcon; *nagyvadra* ~*ik* hunt big game; *oroszlánra* ~*ik* hunt lions; ~*ni megy* go out hunting, *[rókára]* go (fox-)hunting, *[fogolyra]* go (partridge) shooting 2. *(átv)* hunt for/after sg, search for; *férjre* ~*ik* angle for a husband

vadászizgalom *n*, *[vad közeledtén]* buck fever *(US)*

vadászjegy *n*, = vadászengedély

vadászkabát *n*, shooting-jacket, hunting coat

vadászkaland *n*, hunting adventure/story

vadászkalap *n*, sportsman's/Tyrolese hat

vadászkastély *n*, hunting-seat

vadászkép *n*, hunting picture/scene, sporting print

vadászkés *n*, hunting-knife, bowie/bolo-knife *(US)*

vadászkifejezés *n*, hunting term

vadászkirándulás *n*, hunting-party, *[egzotikus nagyvadra]* safari

vadászkolbász *n*, ⟨ a kind of sausage⟩

vadászkopó *n*, = kopó, vadászeb

vadászkutya *n*, = vadászeb

vadászkürt *n*, 1. hunting-horn 2. *(zene)* French horn, waldhorn

vadásziak *n*, = vadászház

vadászláz *n*, *[a vad közeledésekor]* buck fever *(US)*

vadászlegény *n*, huntsman('s assistant/boy), game-keeper's assistant/boy, *[falkavadászaton]* whip(per-in)

vadászles *n*, *[hely]* shooter's post, shooter's hidden station, *[lesés]* lying in wait (for)

vadászmenyét n, (áll) ferret (Putorius putorius var. furo)
vadászmester n, master of hounds, master of the hunt
vadászmesterség n, huntsmanship
vadásznapló n, game-book
vadásznő n, huntresss
vadásznyelv n, hunting terms/expressions (pl), sportsman's slang, sporting language
vadászó [-t; adv -an] a, hunting, in pursuit/search of (ut)
vadászos [-at; adv -an] a, sportsmanlike, sporting, huntsmanlike
vadászosan adv, in hunter's style
vadászöv n, hunting belt
vadászpecsenye n, (kb) meat larded and braised
vadászpuska n, sporting gun, shotgun, [szárnyas vadra] fowling-piece
vadászrepülőgép n, fighter (plane), fighting machine; kísérő ~ accompanying fighter; üldöző ~ pursuit/fighter/plane/machine; védő ~ interceptor (fighter)
vadászrepülőraj n, fighting squadron
vadászruha n, hunting-shooting-dress/suit
vadászsapka n, deer-stalker
vadászsólyom n, (áll) (gyr)falcon (Falco sp.); hím ~ sakeret, lanneret; nőstény ~ saker, lanner
vadászszék n, folding/camp chair/stool, [bot alakú] shooting stick
vadászszenvedély n, passion for hunting
vadásztanya n, hunter's camp
vadásztarisznya n, (game-)bag, game-pouch
vadásztársaság n, 1. hunt, the hunters (pl), the field, chase, shooting party, shoot; háromtagú ~ a party of three guns 2. [egylet] rifle club, association of huntsmen/sportsmen
vadásztáska n, = vadásztarisznya
vadászterület n, hunting-ground/field, chase, shooting, shooting/forest-range
vadásztilalom n, = vadászati tilalom
vadásztöltény n, shotgun cartridge
vadásztőr n, 1. [csapda] trap 2. = vadászkés
vadásztörténet n, hunting story, (iron) fish story
vadászzsákmány n, (game-)bag, killed game, hunting spoils (pl)
vádbeli a, containing/constituting the charge (ut)
vádbeszéd n, (Public Prosecutor's) charge, indictment, speech for the prosecution
vadborostyán n, (növ) ivy (Hedera helix)
vadbőr n, hide/pelt/fell of wild animal
vadcsalogató n, decoy(-bird), [galamb] stool-pigeon, lure, [hang] bird-call
vadcsapás n, = vadjárás
vadcseresznye n, (növ) wild cherry, gean (Prunus avium var. silvéstris)
vaddisznó n, 1. (áll) wild-hog/boar, (Sus scrofa), [afrikai] wart hog, [amerikai] peccary, razorback, tusker (ref.) 2. (átv □) brute
vaddisznóagyar n, tusk(er) (of wild-boar)
vaddisznómalac n, young wild-boar
vaddisznótúrás n, rooting place (of a wild-boar)
vaddisznóvadászat n, boar-hunt(ing), [lándzsával] pig sticking
vádelejtés n, retraction (of charge), retractation (of accusation)
vádeljárás n, prosecution, act/process of prosecuting, [közjogi] impeachment
vadember n, 1. savage 2. (csak átv) a Tartar
vádemelés n, accusation, act of accusing
vademse n, wild sow
vádesküdtszék n, grand jury (GB)
vadevezős n, non-club rower, free-rower
vadgalamb n, wild pigeon, wood-pigeon, turtle/mourning-dove (Columba palumbus)
vadgesztenye n, (növ) horse-chestnut, conker (fam)

(Aesculus hippocastaneum), [piros virágú] pavia, buckeye (US)
vadgesztenyefa n, horse chestnut (tree)
vadhajtás n, [kertészet] sucker, wilding
vadhajtó n, [vad] beater
vádhatározat n, indictment, presentment; ~ot hoz [esküdtszék] find an indictment
vádhatóság n, the (Department of the) Public Prosecutor, the prosecuting magistrate
vadházasok n. pl, concubinaries, concubinarians
vadházasság n, concubinage, cohabitation, left-handed marriage; ~ban élnek live together, be married over the broom◈; ~ban él egy asszonnyal live (in concubinage) with a woman; ~ban élő concubinary
vadhús[1] n, [étel] game, [őzé, szarvasé] venison
vadhús[2] n, (orv) proud flesh, granulations (pl)
vadidegen I. a, perfectly strange, completely unknown II. n, perfect/total/utter stranger
vádindítvány n, indictment, charging of the jury; elutasít ~t dismiss a charge
vádirat n, [bünügyben] (bill of) indictment; ~ot ad ki vk ellen vm miatt indict sy for sg
vadít [-ani, -ott, -son] vt/vi, make (sy) wild, infuriate, madden
vadíz n, gamy flavour/taste, venison-like taste, tart/pungent taste
vadízű a, having the flavour/taste of game (ut)
vadjárás n, track (of game), trail, foil, [őzé] deer-path
vadjuh n, [kanadai] big-horn sheep (Ovis canadensis)
vadkacsa n, (áll) wild-duck, mallard (Anas platyrhynchos)
vadkacsázás n, mallard-shooting
vadkan n, (áll) (wild-)boar (Sus scrofa)
vadkár n, damage done by game (v. by wild animals)
vadkecske n, (áll) wild goat, ibex (Capra ibex)
vadkereskedés n, game (dealer's) shop
vadkereskedő n, game merchant/dealer
vadkert n, = vadaskert
vadkörte n, wild pear
vadkörtefa n, wild pear(-tree)
vadkutya n, ausztráliai ~ (áll) dingo (Canis dingo)
vádli [-t, -ja] n, (biz) calf (of leg) (pl calves) (stand.)
vadliba n, = vadlúd
vadlibavadászat n, goose-hunting
vadló n, wild horse
vádló [-t, -ja] I. a, accusatory, incriminating, indictive II. n, [büncselekménnyel jog] appellor, accuser, accusant, indicter, charger, impeacher, arraigner, denunciator
vádlott [-at, -ja; adv -an] I. a, accused, defendant II. n, [bíróságon] prisoner (at the bar), culprit, defendant, (the) accused; ~ak padja dock, prisoner's box; ~ként kihallgat vkt take sy's evidence; ~at felment dismiss the accused
vadlúd n, (áll) wild-goose (pl wild-geese), greylag (goose) (Anser anser)
vadmacska n, (áll) (European) wild cat (Felvis sylvestris)
vadmadár n, wild-fowl
vadmák n, (növ) (corn, field) poppy (Papaver rhoeas)
vadmarha n, (áll) wild cattle (Bibos sp.)
vadméh n, wild bee
vadméz n, wild honey, honey of wild bees
vadnárcisz n, (növ) cowslip (Narciosus poeticus)
vadnyom n, trail/track/scent of game, [vadállaté] spoor
vadnyugat n, the Wild West
vadnyugati a, (of the) Wild West; ~ történet [filmen, regényben] westerner
vadnyúl n, (áll) brown/grey hare (Lepus europaeus)
vadóc [-ot, -a] n, 1. [fű] darnel, rye-grass, cockle (Lolium temulentum) 2. [hajtás] = vadhajtás; 3. [sze, mély] unsociable person, person averse to society,

[félénk gyerek] shy/retiring child, *[szilaj lány]* tomboy, hoyden, romp

vádol [-t, -jon] *vt/vi, (vkt vmvel)* accuse (sy of sg), (in)criminate (sy), inculpate (sy), arraign (sy for sg), indict (sy for sg), charge (sy with sg), tax (sy with sg), *[hivatali mulasztásért]* impeach (sy for sg), *[másért]* blame (sy for sg); *azzal ~ják hogy* be accused of. . . , be charged with. . . ; *vkt bűntettel ~* charge sy with a crime, charge a crime upon sy; *a bűn mellyel ~ják* the crime laid to his charge; *~ja magát vmvel* accuse oneself of sg; *egymást ~ják* each casts the blame on the other, they accuse one another

vádolás *n,* accusation, charging, charge, (in)crimination

vádolható *a,* accusable (of), chargeable (with), indictable, *[hivatali mulasztásért]* impeachable

vádoló [-t] I. *a, [szavak stb.]* accusatory II. *n,* accuser, arraigner

vadon[1] [-ok, -t, -ja] *n,* wilderness, wild, desert

vadon[2] *adv,* in a state of nature; *~ élő* living in a state of nature *(ut),* living in a rude/primitive state *(ut),* savage; *~élő állat* non-domesticated animal; *~ tenyészik* grow/run wild; *~ termő (növény)* feral (plant), growing wild *(ut)*; *~ termő gyümölcsfa* wilding

vadonatúj *a,* brand/shop-new, spick-and-span, *[könyv, érem]* in mint condition/state *(ut)*; *csak nem ~* practically new, very little the worse for wear *(ut); ~ ruhák* brand-new clothes

vadonc [-ot, -a] *n, [kertészet]* wilding

vadorzás *n,* poaching

vadorzó [-t, -ja] *n,* poacher

vadőr *n,* (game-)keeper, game warden, ranger

vadpaprika *n, (növ)* (white) swallowwort, cynanchum *(Cynanchum vincetoxicum)*

vadpástétom *n,* game-pie

vadpecsenye *n,* game, *[őz, szarvas]* (a course of) venison

vádpont *n,* count (of indictment); *~ok* counts of an indictment, heads of the charge; gist; *a következő ~okkal vádolják* he is charged on the following counts

vadréce *n, (áll)* wild-duck, mallard *(Anas platyrhynchos)*

vadregényes *a,* romantic

vadregényesség *n,* wildly romantic character/aspect/ nature (of sg)

vadrepce *n, (növ)* wild rape/charlock *(Sinapis arvensis)*

vadrózsa *n, (növ)* hedge/wild rose, dog/briar/bramble- -rose *(Rosa canina)*

vadrózsabokor *n,* wild rose, dog-rose (bush)

vadság *n,* **1.** *[tulajdonság]* wildness, fierceness, ferocity, ferity, savageness, savagery, *[modorbeli]* lack of civility, ruffianism rowdyism, barbarity, *[brutalitás]* brutality, *[tartózkodás]* unsociability, shyness **2.** *[állapot]* wildness, (state of) savegery

vadspenót *n, (növ)* English/false mercury, good King Henry *(Chenopodium bonus Henricus)*

vadsugárzás *n, (műsz)* spurious radiation

vadszag *n,* game smell, smell of game

vadszamár *n,* **1.** *(áll)* wild ass *(Equus asinus africanus), [ázsiai]* onager *(E. onager),* **2.** *[emberről; iron]* egregious ass, dolt

vadszőlő *n, (növ)* wild vine, woodbine, Virginia creeper, ampelopsis *(Ampelopsis sp.)*

vadsztrájk *n,* wildcat strike

vádtanács *n,* grand jury

vadul[1] [-t, -jon] *vi,* **1.** become wild/savage, *[futballista stb.]* lose one's temper, run amok, get rough/dirty, *see red* **2.** *[félénkké válik]* become shy, become averse to company

vadul[2] *adv,* wildly, savagely, fiercely, *[durván]* coarsely, furiously, madly; *~ csahol [kutyafalka]* be in full cry; *~ lovagol* ride for a fall

vadulás *n,* getting wild, becoming savage, *[futballistáé stb.]* losing one's temper

vadvédelem *n,* game-preserving

vadvirág *n,* wild flower

vadvizek *n. pl,* ⟨underground water rising and spreading over low grounds⟩, *(kb)* marshy tracts

vadzab *n, (növ)* wild oat(s), sand-oat *(Avena fatua)*

vág [-tam, -ott, -jon] I. *vt/vi,* **1.** cut, *[bajuszt]* trim, *[eret]* draw/let blood (from sy), *[farkat]* dock, *[fát erdőn]* cut/hew down (wood, timber), *[egy fát]* fell (a tree), *[fát hasogat]* chop, *[fület]* crop, *[hajat]* cut, *[hajat rövidebbre]* bob, *[húst apróra]* mince, *[húst asztalnál]* carve, *[kenyeret]* cut, slice, *[körmöt]* pare, cut, trim, *(orv)* incise, *[szakállt]* trim, *[szárnyat]* clip; *apróra ~* cut up, cut in small pieces, chop fine; *~ni lehetett a füstöt* you could have cut the smoke with a knife; *fát ~hatnak a hátán* be as patient as a pack-horse **2.** *[öl]* slaughter, *[borjút]* stab, butcher, *[csirkét]* kill, *[disznót]* stick, kill **3.** *[üt]* akkorát *~ott a fejére(,) hogy* he struck him on the head so that; *az asztalra ~* slam one's hand on the table **4.** *[dob]* throw, *[labdát teniszben]* cut; *az ágyra ~ta magát* he threw himself down on the bed; *díszbe ~ja magát* dress up, put on one's best clothes; *falhoz ~ vkt* flatten sy against a wall; *fejéhez ~ vmt* throw sg at the head of; *fejéhez ~ (sértést vknek)* cast (an insult) in sy's teeth/face; *földhöz ~ vkt [birkózó]* knock down, floor sy, *[ló lovasát]* throw; *szemébe ~ta az igazságot* he told him the truth to his face **5.** *[tör] utat ~ (az erdőn)* make an opening (in a wood), cut a passage (through a wood), *[a sziklába]* hew a road (out of the rock), *[magának tömegen át]* hack one's way through, force/fight/push one's way *(v.* get) through a crowd; *új utat ~ott a tudományban* he opened up new paths in (the field of) science; *ajtót ~ a falba* make a door in a wall **6.** *jó képet ~ vmhez* put a good face on it, grin and bear it *(fam)*; *az alkalomhoz illő arcot ~* put on a face to suit the occasion; *maga alatt ~ja a fát* cut one's own throat; *nagy fába ~ta a fejszét* attempt a difficult/formidable task, cut off more than one can chew, pitch one's aspirations too high

II. *vi,* **1.** *[eszköz]* cut, *[fűrész]* saw; *kezébe ~ cut one's hand*; *a kés jól ~* the knife cuts well; *jól ~ a nyelve* have a sharp/stinging tongue, have a cutting way of saying things; *úgy ~ az esze mint a borotva* he is as sharp as a needle, he has a hair-trigger mind *(US fam)* **2.** *hetenként kétszer ~ [hentes]* kills twice a week **3.** *~j a lovak közé* whip up, drive on **4.** *[ruha]* pinch, pull, drag, bind, cut; *[hónaljban ~* is too tight under the arms **5.** *[szél]* cut; *az eső az arcába ~* the rain beats in one's face **6.** *[illik] ez nem ~ ide [= nem illeszthető]* that will not/hardly do, *[nem tartozik ide]* that is out of place here; *nem ~ az ő szakmájába* that does not fall within his province, that does not fall in his way, that is not in his line *(fam)* **7.** *[érint] becsületébe ~* cast a slur *(v.* reflect) on sy's honour; *elevenébe ~* cut to the quick **8.** *elébe ~ (vmnek)* forestall, anticipate, prejudge, go on ahead; *az események elébe ~* anticipate events; *szavába ~ vknek* interrupt sy, cut sy short

vagáns [-ok, -t, -a] *a, ~ költészet* goliardic poetry, poetry composed by the vagantes

vagány I. *a, (biz) (kb)* wide, sharp, *[üzletileg]* crooked, racketeering II. *n, (kb)* tough, rowdy, hooligan, rough, wide boy, plug-ugly *(US),* rough-neck *(US),* hoodlum *(US)*

vágány *n,* **1.** *(vasút)* (railway) track, rail-track, trackway *(US), [peron] (station)* platform, csatlakozó *~* connecting line; *rakodási ~* loading siding; *melyik ~on érkezik a vonat?* at which platform does the train come in?; *a harmadik ~on* at platform 3. on track 3 *(US); ~t rak le* lay down tracks **2.** *jó ~on van* be coming along nicely; *más ~ra tereli a társalgást* turn/change the subject **3.** *(műsz)* groove

vágányaláverés n, track tamping
vágánybak n, buffer-stop, stop-block
vágánycsatlakozás n, (rail) joint, rail connection
vágányemelő n, rail jack/lifter
vágányfék n, track-brake
vágányfonódás n, gantlet
vágánykeresztezés n, crossing, cross-over
vágánykereszteződés n, = vágánykeresztezés
vágányköz n, space between tracks, track distance, six/seven-foot way
vágánymérleg n, wag(g)on weighing machine, weigh-(ing) bridge
vágányrendszer n, trackage (US)
vágányság n, (biz) bravado, [egy] piece of bravado
vágányseprő n, track-cleaner/clearer
vágánytávolság n, = vágányköz
vágányú [-ak, -t] a, -gauge; keskeny ~ narrow gauge; kettős ~ double-track; széles ~ broad gauge
vágányzár n, spragger, stop-piece
vágányzat n, trackage
vágás n, 1. [cselekmény] cutting (of sg), [apróra] chop-ping, [erdőé] cutting (down of the trees of a forest), [kutya/ló farkáé] docking (of the tail), [fáé erdőn] fell(ing of wood), fall, [fáé apróra] chopping, cut-ting/sawing up, [hajé] hair-cut(ting), [húsé] carving, (orv) incision 2. [nyoma testrészen] cut, slash, gash, [sebhely] scar, [fadarabon] notch, cut (in piece of wood), [kocsinyom] rut, track, trail 3. [ölés] slaughtering, killing, [ököré] pole-axing 4. [ütés] stroke, blow, [vívásnál] cut, hit, pass, lunge 5.[erdő-ben] forest section, [tisztás] clearing, glade, [erdei út] ride, riding cut, vista 6. [mint sör-egység] split
vágásfelújítás n, renewal of cutting area
vágási [-t] a, ~ engedély permission to slaughter (pig, etc.);~ felület kerf; ~ hulladék clipping; ~ szög cut-ting-angle
vágásos [-at; adv -an] a, [arc] scarred, showing the scar of a cut (ut)
vágásterület n, cutting area
vágásterv n, [fa] plan of cuttings
vágású [-ak, -t; adv -an] a, jó ~ well-shaped; régi ~ ember a man of the old stamp/school; egészen más ~ ember a man of quite another make
vágat[1] vt/vi, 1. (vmt vkvel) have/get sg cut/chopped, have sy cut/chop sg; fát ~ [az erdőn] have trees felled (v. cut down); hajat ~ have/get one's hair cut, have a haircut; hajat rövidre ~ have/get one's hair bobbed 2. ajtót ~ a falba have a door made (v. let in) in a wall 3. marhát ~ have cattle slaughtered
vágat[2] n, (bány) gangway, gallery, level, road, drift, tunnel, workings (pl), [reszelőn] cut; legfinomabb ~ [reszelőn] superfine cut; párhuzamos ~ (bány) counter-gangway; keskeny/szűk ~ (bány) narrow working, bord, stret(t); ~ fala wall; két ~ szintkülönb-sége lift between two levels; ~ot kihajt drift
vágatás n, 1. [ölés] slaughtering, killing 2. [erdőben] felling (of trees), cutting down (of trees)
vágathajtás n, (bány) drift/tunnel driving
vagatoldal n, wall, [erdőben] lumbering fall
vagdal [-t, -jon] vt/vi, 1. [húst] cut/chop up, mince, hash, [fát] chop, hew, hack 2. (vmivel vk felé) slash (with sg at sy), [csőrrel] peck; gorombaságokat ~ a fejéhez say rude things to sy, abuse sy; szemrehányáso-kat ~ a fejéhez hurl reproaches at sy
vagdalás n, cutting, chopping, hashing, mincing
vagdalék [-ot, -a] n, anything cut up fine, [hús] minced meat, hash, [szecska] chaff
vagdalkozás n, [fegyverrel] brandish(ing), flourish(ing) (of a weapon), laying about one; szavakkal való ~ verbal quart and tierce (fam)
vagdalkoz|ik [-tam, -ott, -zon, -zék] vi, (vmvel) brandish (sg), flourish (sg), lay about one, hit out (on

all sides), strike here and there; kardjával ~ik brandish a/one's sword; vaktában ~ik beat/saw the air with the hands, throw the arms about
vagdalódz|ik [-tam, -ott, vagdalóddzék, vagdalóddzon] vi, = vagdalkozik
vagdalt [-at; adv -an] a, chopped (up), minced, cut into (small) pieces (ut); ~ hal shredded fish; ~ hús minced meat, mince, force-meat, hash
vagdos [-tam, -ott, -son] vt/vi, 1. = vagdalkozik, vag-dal 2. [csapkod] slam, bang (about)
vagina [.. át] n, (bonct) vagina
vaginizmus n, (orv) vaginismus
vágó [-t, -ja; adv -an] I. a, [él] cutting, [fát] felling, chopping; jól ~ [penge] keen-edged II. n, 1. [állatot] slaughterer, [fát, szenet] feller, hewer, cutter, [filmet] cutter, [követ] stone-cutter, quarrier 2. [szerszám] chisel
vágóállat n, [marha] beef-cattle
vágóasztal n, (film) cutting machine, sound film editing machine
vágóbárd n, pole-axe
vágócsík n, (áll) spined/spiny loach (Cobitis taenia)
vágódeszka n, chopping/carving-board, trencher
vágód|ik [-tam, -ott, -jon, -jék]vi, 1. cut; a sajt köny-nyen ~ik cheese cuts easily 2. [veti magát] throw one-self; földre ~ik throw/fling oneself down on the ground 3. [vmnek nekiütődik] knock/strike against sg; a szilánk a fejébe ~ott the splinter struck him on the head
vágódurbincs n, [hal] pope, ruffe (Acerina cernua)
vágóél n, cutting edge/lip, (wall) bit
vágóeszköz n, cutting-tool, cutter
vágófegyver n, side-arms (pl)
vágófogó n, cutting-nippers (pl)
vágógép n, cutter, cutting machine, [húsnak] chop-ping/mincing machine, [papírnak, sínnek] cutting machine, [fények] print-trimmer/cutter, mechanical trimmer, [könyvkötőé] guillotine, cutting-machine, paper-cutter, [szecskának, zöldségnek] cutter
vágóhíd n, 1. slaughter-house, shambles (pl), butch-ery, abattoir (fr); ~ra szánt marha cattle marked for slaughter 2. ~ra visz [sereget] lead (an army) to destruction (v. to be butchered)
vágókés n, [hentesé] chopping-knife, chopper, [papír-nak] paper-knife, (fények) guillotine trimmer
vágólap n, shear plate, [matricán] burnishing die
vágólegény n, butcher's assistant, slaughterman, slaughterer
vágómarha n, beef-cattle, cattle for slaughter, slaughter cattle, cattle to be slaughtered for market
vagon [-ok, -t, -ja] n, [utasoknak] carriage, coach, car, [tehernek] wag(g)on, truck, freightcar (US); nyitott ~ open goods/railway wag(g)on, gondola car (US); oldalfal nélküli ~ flat wag(g)on; rakoncás ~ truck with stanchions/studs/staves/stakes; zárt ~ covered goods wag(g)on, box (goods) wag(g)on; ~ba rak load in a wag(g)on/truck, [csapatokat] entrain; ~ba rakva free on rail (röv. f.o.r.); ~ban lakik live in a railway wag(g)on; ~ból kirak unload a wag(g)on
vagonálláspénz n, demurrage (charges), demurrage of truck
vagonállítás n, truck supply
vagongyár n, carriage and wag(g)on works
vagonhiány n, shortage of wag(g)ons
vagoníroz [-tam, -ott, -zon] vt, load into freightcar, load into goods-wag(g)on/train
vagonkiállítás n, truck supply
vagonlakó n, one who lives in a railway truck/wag(g)on
vagonpark n, wag(g)on-park
vagonrakomány n, carload, wag(g)onload, truckload; teljes ~ complete truckload, fully laden truck

vagonrendelés n, truck order
vagonszállítás n, truckage
vagonszám n, truck number
vagontétel n, truckload lot, full load
vágópisztoly n, (műsz) cutting torch/burner/blow-pipe
vágóprés n, (nyomd) cutting-press
vágósarkantyú n, (hajó) cutwater, knee
vágósertés n, pig for slaughter
vágószerszám n, cutting/edge-tool, cutter
vágótárcsa n, cutter disc
vágótöke n, butcher's block
vágott [-at; adv -an] a, cut, [apróra] chopped; ~ baromfi slaughtered poultry; ~borsó split peas; ~dohány cut tobacco; kevés a ~ dohánya (átv) he is short of ready-money, he has not got the wherewithal; ~ marha cattle slaughtered; ~ seb wound made by cutting, cut; ~ végű toll broad-nibbed pen; ~ virág cut flowers (pl)
vágta [. . át] n, 1. gallop; könnyű ~ easy gallop, canter; rövid ~ hand-gallop; teljes ~ full gallop; vágtába kezd set (off) a horse at a gallop; vágtában at a gallop; vágtában nyargal ride (full) gallop 2. [rövidtávfutás] sprint, dash
vágtat vi, 1. gallop, ride at full speed, ride full tilt 2. [autó] go at top speed, scorch (fam), [más] career; utána ~ gallop after sy
vágtatás n, gallop(ing), [könnyű] canter
vágtázás n, 1. [lóval] galloping 2. [rövidtávfutás] sprinting
vágtáz|ik [-tam, -ott, -zon, -zék] vi, 1. gallop; ~ni kezd set (off) a horse at a gallop, break into a gallop 2. [futó] sprint
vágtázó [-t, -ja] n, [futó] sprinter
vagy¹ I. conj, or; ~ pedig or else; ~ . . . ~ . . . either . . . or . . ., or . . . or . . . (ref.) ; ~ ~ ! take it or leave it, neck or nothing; (~) az egyik ~ a másik one or the other; ~ ma ~ holnap either to-day or to-morrow; ~ megszokik ~ megszökik (kb) submit or quit, do or die, he can like it or lump it, he will have to get used to it or clear out; ~ ki ~ be either come in or go out; ~ így ~ úgy one way or another, by some means or other; ~ talán nincs így? am I right or not?; ~ úgy! I see!, is that sol; most ~ soha now or never, now if ever is the time, no time like the present
II. adv, [számnév előtt = körülbelül] about; ~ száz juh a hundred and odd sheep; lehettek ~ százan there were some hundred people there; ~ százat akarok I want a hundred or so; ~ egy mérföld (nyire) a mile or so; ~ egy perc mulva in a minute or so('s time); ~ húsz ember a score of people
vagy² vi, [egyes szám 2. személy] ld van
vágy [-at, -a] n, [vm iránt/után] desire, wish, longing, eagerness, [szomj] thirst, [heves] hankering, craving (mind: for sg), keenness (on doing sg), impatience (to do sg), [birtoklási] cupidity; alkotó ~ creative urge; buja/érzéki ~ sensual/carnal lust; erős ~ craving (for sg); leghőbb ~ a one's most ardent wish, [igével] his heart is set on sg; szíve ~a one's heart's desire; ~a támad/kel (vmre) be seized with a desire for doing/ having sg, feel the desire for doing sg, feel the desire to do sg; ~aim netovábbja the sum of all my wishes; elérte ~ainak netovábbját he has reached the summit of his ambition; ~at gerjeszt vkben raise desire in sy; ég a ~tól hogy . . . be consumed (v. all afire) with the desire to do sg
vágyakozás n, [vm iránt/után] longing, craving, desire (mind: for), yearning (for/after sg v. towards/to sy), [heves] hankering (after, for)
vágyakoz|ik [-tam, -ott, -zon, -zék] vi, long, yearn, crave (for sg), aspire (to), set one's heart (on sg), hanker (after, for) (fam), [erősen] pine (for/after v. to

do sg), [érzékileg] lust (after, for), (vhova) long (to be swhere)
vágyakozó [-t; adv -an] a, [vk/vm után] longing, yearning (mind: for sy/sg), hankering (after, for), desirous (for), eager (for); ~ pillantás hungry look, [egyben lemondó] wistful look; ~ pillantásokat vet vmre cast covetous eyes on sg
vágyálom n, wish/pipe-dream
vágyás n, desire, desiring, wish(ing), longing, yearning, craving
vágy|ik [-tam, -ott, -jon, -jék] vi, (vmre) desire (sg), wish (for sg), be desirous (of sg), hunger (for sg), be keen (on sg) (fam), (vhova) long to (be swhere), [vm/vk után] long, yearn, crave (mind: for sg/sy), [máséra] covet sg; magasabbra ~ik have a higher ambition, aspire higher, want to get on in the world, have big ideas for oneself; nyugalomra/pihenésre ~ik seek repose; friss/szabad levegőre ~ik long for fresh air; mennyire ~om hogy how I wish to; amire a leginkább/legjobban ~om what I desire most
vagyis conj, namely, that is (to say), I mean, [írva így is] viz., i.e.; ~ inkább or rather
vagylagos [-at; adv -an] a, alternative, facultative; ~ díjügylet (ker) put and call
vagylagosság n, alternativity, [logikai] disjunction
vágyó [-ak, -t; adv -an] a, (vmre) desirous (of), longing (for), [máséra] covetous (of); pénzre ~ greedy (for money); tetszeni ~ nő a woman wishing to please; tanulni ~ fiatalság youth eager (v. with a thirst) for knowledge
vágyódás n, (vmre) longing, craving, hunger, aspiration, itching (mind: for), hankering for/after
vágyód|ik [-tam, -ott, -jon, -jék] vi, [vmre v. vm után] yearn, long, crave (mind: for), hanker (after) (fam), [erősen] pine, pant, itch, sigh (mind: for), languish (after/for sg); szülei után ~ik be longing for one's parents
vágyódó [-t; adv -an] a, yearning, longing, craving, hankering, pining, sighing (for sg); ~ szemek longing eyes
vagyogat vi, be getting/scraping along; hogy vagy? csak úgy ~ok how are you getting on/along? middling (v. so-so)
vagyok vi, [egyes szám 1. személy] ld van; itt ~ here I am; úgy ~ mint . . . I am like the . . .
vagyon¹ [-ok, -t, -a] n, [nagy] fortune, wealth, riches (pl), means (pl), property, estate, possession(s), having, (bány) resources (pl), (ker) asset(s); ~ és teher assets and liabilities (pl); cselekvő ~ assets (pl); elidegeníthetetlen ~ inalienable property; ingó ~ movable/personal property; nemzeti ~ national wealth; szenvedő ~ liabilities (pl); társasági ~ partnership funds (pl), capital of company; tényleges ~ assets (pl); tiszta ~ net capital; ~a gonddal jár much coin much care; ~a van be well off, be a man of means/property; ~om my all; egész ~om all I have; egy ~ba került nekem it has cost me a fortune, (biz) it has cost me a king's ransom (fam); kiforgatták ~ából he was done out of his money; ~áról lemond divest oneself of one's wealth; egy ~t ér be worth a mint of money; ~t keresett rajta he made his pile with it; ~t örököl come into a fortune; ~t örökölt apjától he inherited an estate from his father; ~t szerez make a fortune, make one's pile (fam); ~át fitogtatja parade one's wealth
vagyon² vi, † = van; meg ~ írva it is written (that)
vagyonadó n, property tax, capital levy
vagyonátruházás n, transfer (of property)
vagyonátruházási a, ~ illeték transfer/conveyance duty
vagyonbecslés n, assessment of/on property
vagyonbevallás n, declaration/return of property

vagyonbiztonság *n*, security of property, material security

vagyonbukás *n*, bankruptcy, insolvency

vagyonbukott *a*, bankrupt, insolvent

vagyondézsma *n*, capital/fiscal levy, tax on capital

vagyonelkobzás *n*, confiscation of property

vagyonellenőrzés *n*, inventorying and stocktaking

vagyonelosztás *n*, distribution of wealth

vagyoneltitkolás *n*, concealment of assets/capital, property concealment against taxation

vagyonérték *n*, value of property

vagyoni [-ak, -t; *adv* -lag] *a*, relating to property *(ut)*,financial, pecuniary; ~ *állapot* (property) status; *milyen a* ~ *állapota?* what is his financial standing?; ~ *előny* pecuniary advantage; ~ *felelősség* civil liability, financial responsibility; ~ *hátrány* pecuniary loss/prejudice; ~ *helyzet* financial condition/situation; ~ *körülményeim* my worldly circumstances; ~ *viszonyok* financial standing, pecuniary circumstances

vagyonilag *adv*, from the pecuniary point of view, financially, in money matters

vagyonjog *n*, right/law of property

vagyonjogi *a*, pertaining/referring to the rights of property *(ut)*

vagyonka *n*, savings *(pl)*, a small fortune, a modest competency; *kis vagyonkáját elveszti* lose one's little

vagyonkezelés *n*, management of property, administration of an estate

vagyonkezelő I. *a*, managing a(n) estate/property as a trustee *(ut)* II. *n*, trustee, syndic, *[bíróság által kirendelt]* receiver, *[hagyatéki]* administrator

vagyonközösség *n*, community of goods; *házastársi* ~ communal/joint estate, conjugal community

vagyonleltár *n*, inventory of property

vagyonmérleg *n*, balance sheet

vagyonnövekedési *a*, ~ *adó* tax on the increment value of property

vagyonos [-ak, -t; *adv* -an] I. *a*, wealthy, well-to-do, well-off, moneyed, propertied, of substantial means *(ut)*, in easy circumstances *(ut)*; ~ *ember* man of property/substance/fortune; *a* ~ *osztályok* the moneyed/propertied/proprietary/monied classes, the rich; *nagyon* ~ be rolling in wealth II. *n*, *a* ~*ak* men of property, the propertied/proprietary classes; *a* ~*ok és a nincstelenek* the classes and the masses

vagyonosodás *n*, enrichment

vagyonosod|ik [-tam, -ott, -jon, -jék] *vi*, grow rich/wealthy, make money, make one's pile *(fam)*; *mások kárára* ~*ik* fatten on others

vagyonosság *n*, richness, wealth, wealthiness

vagyonösszeírás *n*, conscription of property

vagyonszerzés *n*, money-making, making of one's fortune/pile

vagyontalan *a*, propertiless, *[pénztelen]* impecunious, penniless, resourceless, without (independent) means *(ut)*; ~ *ember* man without means

vagyontalanság *n*, lack of property, want/lack of means/resources

vagyontalansági *a*, ~ *bizonyítvány* certificate proving sy's lack of all property

vagyontárgy *n*, property, asset; *átruházott* ~ the property transferred; *személyi* ~*ak* chattels personal, personal chattels/effects

vagyonú [-ak, -t] *a*, of property/fortune *(ut)*; *nagy* ~*ak* propertied people, the rich, the great fortunes, proprietary classes

vagyonváltság *n*, capital levy

vágyteljesítő *n*, wish-fulfilling

vaj [-at, -a] *n*, 1. butter; *egy darab* ~ a pat of butter, butter-pat; *kisütött* ~ clarified/run butter; *hordós (sózott)* ~ pot-butter; *pirított* ~ brown butter; *puha*

mint a ~ soft as wax; ~*at köpül* churn; ~*jal megken* (spread with) butter, spread butter on sg 2. ~ *van a fején* have a skeleton in the cupboard; *akinek* ~ *van a fején ne menjen a napra* who lives in a glass house should not throw stones

váj [-t, -jon] *vt/vi*, hollow (out), scoop, *[barázdát]* plough, *[fát, fémet]* groove, *[földet]* dig, scoop out (the ground), *[hornyol]* gouge (out), *[mélyít]* deepen; *üreget* ~ *a sziklába* hollow out a recess in a rock; *körmével a húsába* ~*t* dug his nails in his palm

vajákos [-ok, -t, -a] I. *n*, *(kb)* sorcerer, medicine-man, quack II. *a*, *(kb)* ~ *asszony* sorceress, medicine woman

vájár [-ok, -t, -ja] *n*, miner, hewer, breaker, cutter, heading man, coalgetter, pitman, faceman; *általános* ~ cutter (in mine); *fejtő* ~ lodesman

vájárcsapat *n*, cutter/hewer gang

vájáriskola *n*, miners' school

vájárpadka *n*, footwall

vájártanuló *n*, miner's apprentice

vajas [-at; *adv* -an] *a*, 1.*[vajszerű]* buttery 2.*[vajjal készült]* buttered, baked with butter *(ut)*, butter-3. *[vajazott]* buttered; ~ *kenyér [vékony]* bread and butter, *[vastagabb]* buttered bread; ~ *kifli (kb)* buttered crescent(-roll); ~ *zsemle (kb)* buttered roll

vájás *n*, 1. hollowing (out), excavation, *[fában stb.]* grooving, *(bány)* working 2. *[fogé]* picking (of teeth)

vajasasszony *n*, butter-woman

vajaskifli *n*, ⟨horseshoe-shaped milk roll⟩

vajassütemény *n*, 1. *[péktől]* rolls baked with butter *(pl)* 2.*[tészta]* butter cake/pastry, puff-pastry/paste

vajastészta *n*, short pastry, cake baked with butter, *[néha]* pie crust

vájat [-ot, -a] *n*, 1.*[ált]* groove, channel, slot, hollow, recess, *[tolóablaké]* runway, guideway, *[oszlopon]* flute, fluting, striga 2. *(bány)* stall, working face, drift

vajaz [-tam, -ott, -zon] *vt/vi*, butter

vajazás *n*, buttering, spreading butter (on sg)

vajbab *n*, butter/wax-bean

vajda [.. át] *n*, voivod(e), vaivode

vajdaság *n*, *[terület]* voivod(e)ship, district governed by a voivod(e), *[tisztség]* voivod(e)ship, office of voivod(e)

vájdling [-ot, -ja] *n*, basin

vajfa *n*, *(növ)* butter-tree *(Bassia* v. *Illipe butyracea)*

vajformázó *n*, butter-shaper/stamp

vajha *int*, if only, would to God; ~ *így maradhatna* if only it would continue *(v.* go on) (like this)

vajhal *n*, *(áll)* butter-fish, gunnel *(Centronotus* v. *Blennius gunnellus)*

vajhűtő *n*, butter-cooler

vajipar *n*, butter industry

vájkál [-t, -jon] *vi/vt*, 1. *(konkr)* grub, keep grubbing, rummage, dig, burrow; ~ *az orrában* pick one's nose; *zsebében* ~ *[= keres]* grope/search in one's pocket (for sg) 2. ~ *a fájdalomban* rub salt *(v.* turn the knife) in one's wounds; *vk sebeiben* ~ *(átv)* open up old wounds, rub salt *(v.* turn the knife) in sy's wounds, rub it in *(fam)*

vájkálás *n*, grubbing, groping; *más érzelmeiben való* ~ *(kb)* (wounding sy's feelings by) conscious and tactless indiscretion

vájkáló [-t] *a*, grubbing, groping, *[sebben]* opening up old wounds *(mind: ut)*

vajkereskedő *n*, butter-man

vajkészítés *n*, butter-making

vajköpülő *n*, churn; ~ *gép* churner

vadkörte *n*, butter-pear, beurré *(fr)*

vajmérő I. *a*, ~ *lapicka* butter-pat/spade II. *n*, butyrometer vajmi [-t] *adv*, ~ *kevés* precious/very little; ~ *kevés a remény* there is very little/slight hope

vajminta *n*, butter-shape/stamp/form

vájó [-t, -ja] *n*, *[szerszám]* gouge, scoop

vájófúró *n*, gimlet

vájolat *n*, grove, channel, slot, *[oszlopon]* fluting, flute

vajon *int*, *[kérdés előtt]* if, whether; ~ *él-e még?* I wonder if he is still alive; ~ *igaz-e?* I wonder whether it is true; *attól függ* ~ *megkapta-e* it depends on whether he has obtained it; ~ *mi bántja?* what can be troubling him?; *de* ~ *nem utazik-el?* and what if he should be leaving?

vajonc [-ot, -a] *n*, = vajkörte

vájóvéső *n*, gouge

vajpapír *n*, butter-paper, grease-proof paper

vajrénye *n*, buttered egg(s)

vajréteg *n*, layer of butter, *[igen vékony]* scrape

vajsav *n*, butyric acid

vajszerű *a*, buttery

vajszín *n*, butter-colour, cream

vajszínű *a*, butter/cream-coloured, cream

vajszívű *a*, soft/tender-hearted

vájt [-at; *adv* -an] *a*, hollow(ed), *[oszlop]* fluted; ~ *fülű* having a quick ear *(ut)*, (capable of) appreciating niceties of style *(ut)*

vajtartó *n*, butter-dish, *[hűtő]* butter-cooler

vajtömb *n*, butter-pat, block

vajúdás *n*, 1. *(orv)* labour, parturition, pains *(pl)*, throes (of childbirth) 2. *(átv)* parturition, protraction, (long) period of gestation, indecision

vajúd|ik [-tam, -ott, -jon, -jék] *vi*, 1. *(orv)* be in labour/travail, labour (with child), be in parturiency 2. *sokáig* ~*ott a kérdés* it took an inordinately long time to reach a decision, the case dragged on for a long time; ~*tak a hegyek és szültek egy egeret* mountains are in labour (,) the product a poor mouse *(v.* and a ridiculous mouse will be born), much cry and little wool *(fam)*

vajúdó [-t, -ja; *adv* -an] I. *a*, 1. *(orv)* in labour *(ut)*, labouring, parturient; ~ *asszony/nő* woman in labour, parturient 2. *régen* ~ *ügy* long drawn-out matter II. *n*, *[szülő nő]* woman in labour

vajüzem *n*, creamery

vájvég *n*, *(bány)* head

vajvirág *n*, *(növ)* broomrape, beech-drops *(Orobanche)*

vajzsír *n*, butyrin(e)

vak [-ot, -ja; *adv* -on] I. *a*, 1. *[ember]* blind, sightless, eyeless, visionless, unseeing, *(orv)* amaurotic; *fél szemére* ~ blind in one eye; *teljesen* ~ stock/stone blind; ~ *vagy?* *(átv)* where are your eyes?; ~ *tyúk is talál szemet* the blind man may (perchance) hit the mark 2. *[vmvel szemben]* blind (to sg); ~ *bizalom (vkben, vmben)* unquestioning/implicit confidence/ faith; ~ *engedelmesség* unquestioning/blind obedience; ~ *eszköz (vk kezében)* a mere tool (of sy); ~ *véletlen* blind chance; *a szerelem* ~*ká tette* he has been blinded by love, love has made him blind 3. ~ *meleg* close

II. *n*, blind man/woman; *a* ~ *is látja* a man may see it with half an eye, it is more than obvious; ~ *vezet világtalant (közm)* it's a case of the blind leading the blind; ~*ok intézete* asylum/home/institution for the blind; ~*ot vezető kutya* blind man's dog, seeing eye dog *(US)*

vakablak *n*, blind/dummy/false/blank window, deadlight; *világos mint a* ~ as clear as mud, I can't make it out, I can't make head or tail of it

vakáció [-t, -ja] *n*, holidays *(pl)*, vacation, vac *(fam)* *[parlamenté, bíróságé]* recess; *nagy* ~ long vacation; *egy napi* ~ a (day's) holiday; *nyári* ~ summer holidays *(pl)*

vakációzás *n*, holidaying, holiday-making, vacationing

vakációz|ik [-tam, -ott, -zon, -zék] *vi*, be on holiday, spend one's holiday/vacation

vakációzó [-t] I. *a*, holiday(making) II. *n*, vacationist, holidaymaker

vakajtó *n*, blind door

vakakna *n*, *(bány)* staple/blind shaft/pit, jackhead, jackshaft

vakar [-t, -jon] *vt/vi*, 1. *[fejét]* scratch; ~*ja a fejét* scratch one's head 2. *[bőrt, répát]* scrape 3. *[lovat]* curry(-comb), dress, groom 4. *[írást]* rub out, *[retusál]* abrade

vakár *n*, neap tide

vakarás *n*, 1. *[fejé]* scratching, *[bőré, répáé]* scraping (off), *[lóé]* curry(-comb)ing, grooming, *[írásé]* erasure, scratching out 2. *[rossz írás]* scribble

vakarcs [ot, -a] *n*, 1. *[dagasztásnál]* remains of dough *(pl)*, *[kisütve kb.]* small loaf 2. *[utolsó gyerek]* youngest child *(v.* baby) of the family, pin basket *(GB)* 3. *[kis termetű ember]* titman, runt, shrimp, dwarf, pigmy, midget

vakarék [-ot, -ja] *n*, *(műsz)* scrapings *(pl)*, scraps *(pl)*, shavings *(pl)*, scummings *(pl)*, *[kohászatban]* wastrel; *ld még* vakarcs

vakargat *vt/vi*, scratch, keep scratching

vakargatás *n*, scratching

vakárkád *n*, *(épít)* wall arcade, blind arcade

vakaró [-t, -ja] I. *n*, 1. *[szerszám]* scraper, *[csőszerelőé]* shave-hook, *[festőé]* paint-scrubber, *[kés, irodai]* scraper-eraser, *[lóé]* curry(-comb), *(orv)* raspatory 2. *[személy]* scratcher, scraper, *[lovat]* currier II. *a*, scratching, scraping

vakaródzás *n*, scratching (oneself)

vakaródz|ik [-tam, -ott, -zon, -zék] *vi*, scratch (oneself)

vakarókefe *n*, scratch-brush, *[lóé]* curry-comb

vakarókés *n*, erasing knife, scratcher, scraper-eraser, *(orv)* xyster

vákát [-ot, -ja] *n*, *(nyomd)* blank back

vakbél *n*, *(bonct)* 1. blind gut, c(a)ecum 2. *[féregnyúlvány]* (vermiform) appendix; ~*lel operáltak* I was operated on for an appendicites

vakbélgörcs *n*, spasm of the c(a)ecum, appendicitis spasm

vakbélgyulladás *n*, appendicitis, typhlitis; *gennyes* ~ appendicular abscess; ~*a van*, ~*t kapott* he/she developed appendicitis

vakbélirritáció *n*, irritation of the c(a)ecum/appendix

vakbéllob *n*, appendicitis

vakbélműtét *n*, removal of the vermiform appendix, appendectomy; ~*et hajt végre* operate on an appendix

vakbélnyúlvány *n*, (vermiform) appendix

vakbuzgó I. *a*, fanatic(al), zealotic, rabid, *(vall)* (over-)devout, bigot(ed), churchy *(fam)*; ~ *lesz* get *(v.* take to) religion *(fam)* II. *n*, bigot, zealot, fanatic

vakbuzgóan *adv*, fanatically

vakbuzgóság *n*, zealotry, fanaticism, misguided zeal, *(vall)* bigotry, churchiness *(fam)*; ~*gat tölt el* fanaticize

vakcina [.. át] *n*, vaccine, animal lymp

vakeset *n*, hazard, random, fortuity

vakfal *n*, blind/blank wall

vakfegyelem *n*, iron discipline, blind obedience

vakfenék *n*, blind bottom

vakfolt *n*, blind spot, punctum caecum *(lat)*

vakfödém *n*, inserted ceiling

vakfurat *n*, blind/dead hole

vakfurnir *n*, underplate

vakgőte *n*, *(áll)* proteus *(Proteus anguinus)*

vakhir *n*, false report/alarm, unfounded rumour

vakhit *n*, unquestioning faith/confidence

vakírás n, 1. [vakoké] braille, (system of) writing for the blind 2. [írógépen] blind/touch typewriting, touch-typing

vakít [-ani, -ott, -son] vt/vi, 1. [megvakít] blind, put (sy's) eyes out 2. [látást/ítéletet zavar] dazzle, blind, glare; ~ja a szemünket it blinds us

vakításmentes a, anti-dazzle

vakító [-t; adv -an] a, 1. blinding, [nap] glaring, [szépség], dazzling; ~ fényesség glare, dazzling/glaring light 2. (átv) deceptive

vakkant [-ani, -ott, -son] vi/vt, utter a low bark, yap, yelp (once)

vakkantás n, yap(ping), yelp(ing), a low snappish bark

vakkeret n, stretcher of (a picture) canvas, canvas stretchers (pl)

vaklárma n, false alarm; vaklármát csap raise false alarms, cry wolf

vakleszállás n, blind/instrument-landing

vakleszálló a, ~ rendszer Instrument Landing System (röv. I.L.S.)

vaklőszer n, dummy ammunition

vakmennyezet n, inserted ceiling

vakmerő [-t; adv -en] a, daring, reckless, fearless, audacious, bold, temerarious, hardy, (ellt) rash, foolhardy, adventurous, venturesome; ~ ember dare-devil, rash person; ~ kocsivezetés reckless driving; ~lépés bold step; ~vállalkozás venturesome/desperate undertaking

vakmerőség n, daring, audacity, recklessness, boldness, nerve, temerity, hardihood, (ellt) daredevil(t)ry, foolhardiness, (ad)venturesomeness

vakmerősköd|ik [-tem, -ött, -jön, -jék] vi, behave/act in a daring manner, (ellt) play the dare-devil

vaknyomás n, blind stamping/tooling, (nyomd) figuring, blind blocking, embossing; ~t alkalmaz stamp in blind

vaknyomásos [-at; adv -an] a, blind-stamped

vakog [-tam, -ott, -jon] vi/vt, [kutya] yelp, yap, bark, [ember vmt] stammer, mumble (out sg)

vakogás n, [kutyáé] yelping, yapping, [emberé] mumbling

vakol [-t, -jon] vt/vi, [durván] rough-cast/render/coat, parget, mortar, [finoman] plaster, [repedést] plaster up, [simára] float; falat cementtel ~ render a wall with cement

vakolás n, [durván] rough-casting, pargeting, pebble--dashing, [finoman] plastering, rendering

vakolat n, coat of plaster, plaster-work, mortar, skim; kavicsos ~ pebble dash; szemcsés ~ rough-cast; hullatja a ~ot [mennyezet] shed its plaster; lesimít ~ot float, smooth; lever ~ot [falról] strip/knock the plaster off (a wall); ~tal borít falat plaster (over) a wall

vakolatfestés n, distemper

vakolatgipsz n, gypsum plaster

vakolatlan a, bare, unplastered

vakolatmerő n, [kanál] mortar trowel

vakolatréteg n, layer of mortar, coat of plaster

vakoló [-t, -ja] I. a, plastering II. n, = vakolómunkás

vakolódeszka n, [simító] smoothing board, floa:

vakolóhabarcs n, mortar

vakolókanál n, (smoothing) trowel

vakolókőműves n, = vakolómunkás

vakolóláda n, mortar-trough/box

vakolóléc n, [felszegezett] lath

vakolómunka n, plasterer's work, plastering

vakolómunkás n, rough-caster, plasterer

vakolt [-at; adv -an] a, rough-cast, plastered

vakon adv, 1. ~ született blind from birth (ut), [igével] he was born blind 2. ~ ír [írógépen] touch-type 3. (átv) blindly, [találomra] at random, at a venture; ~ bízik vkben trust sy implicitly; ~ engedelmeskedik

obey implicitly/blindly; ~ hisz (vkben) trust sy implicitly/unreservedly, take everything on trust from sy; ~ rohan a vesztébe rush headlong to one's ruin

vakond [-ot, -ja] n, = vakondok

vakondlyuk n, burrow

vakondok [-ot, -ja] n, (áll) (European) mole (Talpa europaea); erszényes ~ marsupial mole (Notoryctes typhlops)

vakondprém n, moleskin

vakondszínű a, mole(gray), taupe (fr)

vakondtúrás n, mole-hill/cast

vakondvadász n, mole-catcher

vakoskodás n, staying/groping in the dark (v. by bad light), doing one's business in the dark (v. by bad light)

vakoskod|ik [-tam, -ott, -jon, -jék] vi, stay/grope in the dark (v. by bad light), do one's business in the dark (v. by bad light)

vakpadló n, subfloor, underflooring, counterfloor, rough floor

vakparádé n, 1. (kat) guard-mounting parade 2. (átv biz) hullabaloo, row, fuss, shindy

vakpéldány n, [könyvből] dummy, mock-up

vakpróba n, (orv) blind test

vakráma n, = vakkeret

vakrandevú n, blind date

vakrémület n, panic, scare

vakrepülés n, blind flying/flight, instrument flying; ~t végez fly blind

vakrepülési a, ~ magasság instrument altitude; ~ ~ műszerek blind flying instruments

vakrész n, (bonct) pars coeca

vakság n, 1. blindness, sightlessness, (orv) c(a)ecity, amaurosis; éjjeli ~ night blindness, nyctalopia; részleges ~ partial blindness, c(a)ecutiency; ~gal van megverve be struck with blindness, (átv) be deprived of sound judg(e)ment 2. [tüköré] tarnish 3. (átv) infatuation

vaksi [-t; adv -an] a, weak/blear-eyed, purblind, star-blind, dim/short-sighted, (kif) blind as a bat (ut)

vaksötét I. a, pitch-dark II. n, = vaksötétség

vaksötétség n, pitch-darkness, Egyptian darkness

vakszem n, temple

vakszerencse n, mere/blind chance, pure accident, stroke of luck, a toss up, fluke

vaktában adv, blindly, at a venture, at random/haphazard, at whatever risk, at all risks, blindfold, [meggondolatlanul] without consideration; ~ belerohant a csapdába he has run his head into a noose; ~ cselekszik act blindly, take a leap in the dark; ~ lő fire blind, fire at random; ~ megy tovább go on blindly; ~ tapogatódzik feel/grope one's way (to sg); ~ történő bombázás haphazard bombing; ~ üt/vagdalkozik hit out at random, hit out blindly; ~ válaszol make a shot at an answer; ~ választ choose sg at haphazard

vaktérkép n, blank map

vaktöltény n, blank/dummy cartridge/ammunition, blank/dummy charge, blank shell

vaktöltés n, = vaktöltény

vaktükör n, tarnished mirror

vaku [-t, -ja] n, (fényk) flash(gun); ~ elsütése/villantása firing the flash; ~ felvillanásának ideje duration of the flash; bekapcsolja a ~t switch on the flash unit; ~t a gépre szerel mount the flash on the camera

vakucsatlakozó n, (fényk) flash contact

vakul [-t, -jon] vi, go blind, [tükör] tarnish, cloud; ~j magyar (kb) this is just eye-wash

vakulás n, going blind, [tüköré] tarnish, clouding; látástól ~ig from daybreak till nightfall

vakuolizáció [-t] *n*, *(növ)* vacuolation, becoming vacuolated

vakuolum-rendszer *n*, *(biol)* vacuome

vakus *a*, ~ *felvétel (fényk)* flash exposure

vákuum [-ot, -a] *n*, vacuum

vakuumfék *n*, vacuum brake

vakuumfűtés *n*, vacuum heating

vakuumkapcsoló *n*, vacuum switch

vákuummérő *n*, vacuum gauge

vakuumos [-at] *a*, ~ *jéggép* vacuum ice machine

vákuumpalack *n*, vacuum-bottle

vákuumszivattyú *n*, vacuum air-pumps *(pl)*

vákuumtartály *n*, vacuum-feed tank

vákuumtechnika *n*, vacuum engineering

vákuumtechnikai *a*, ~ *termékek* vacuum technical products

vakvágány *n*, dead-end, tail-track

vakvágat *n*, *(bány)* stub entry, dumb-drift

vakvarjú *n*, *(áll)* night-heron/hawk, quawk *(US) (Nycticorax nycticorax)*

vakvezető *a*, ~ *kutya* blind man's dog, seeing eye dog *(US)*

vakvölgy *n*, *(földr)* blind valley

val-, -vel *suff*, **1.** *[eszközhatározó]* **a)** with; *tollal irunk* we write with a pen; *ellát vmvel* supply/provide/furnish/stock/store/equip with sg, fit out with sg; *beéri/megelégszik vmvel* be/rest content/satisfied with sg, content oneself with sg; *a három (óra) negyvennessel utazott el* he went with the 3.40 train **b)** by; *busszal megy* go by bus; *vonattal megy/utazik* go by train; *fegyveres erővel* by force of arms; *segítségével* by means of; *kézzel* by/with hand **c)** in; *tintával ír* write in ink; *vmvel kereskedik* deal in sg **d)** *(különféle elöljáróval v. elöljáró nélkül:)* *visszaél vmvel* misuse/abuse sg, make ill use of sg, take (an unfair) advantage of sg; *megajándékoz vkt vmvel* present sy with sg, present sg to sy, give sg to sy as a present, make sy a present of sg; *tartozik vknek vmvel* owe sy sg; *visszaél vmvel* misuse/abuse sg **e)** *(akiről, amiről beszél vk:)* of; *gyanúsít vkt vmvel* suspect sy of sg; *vádol vkt vmvel* accuse sy of sg **2.** *[állapot- és eszközhatározó]* with, of; *tele van vmvel* be filled with sg, be full of sg **3.** *[társhatározó]* **a)** with; *barátkozik vkvel* make friends with sy; *együttérez vkvel* feel with sy, feel/sympathize with sy; *együttműködik vkvel* collaborate with sy, co-operate with sy, act in concert with sy; *harcol vkvel* fight/struggle with sy; *megegyezik vkvel vmben* agree with sy on sg, be in agreement with sy concerning sg; *összevész vkvel* fall out with sy, pick a quarrel with sy, quarrel with sy; *szövetkezik vkvel* make/form an alliance with sy, ally/unite with sy; *szövetséget köt vkvel* conclude an alliance with sy; *tanácskozik vkvel vmről* confer with sy on sg, discuss sg with sy; *vetélkedik vkvel vmben* compete/vie with sy in (doing) sg; *vitatkozik vkvel vmről* argue with sy about sg **b)** *beszél vkvel* talk/speak to sy **c)** *(elöljáró nélkül:)* *találkozik vkvel* meet sy, come across sy **4.** *[állapot- és társhatározó]* with; *vkvel együtt* with sy, in the company of, in company with; *anyjával és bátyjával (együtt) lakik* she lives with her mother and brother **5.** *[irányulás]* **a)** *(cselekvése, különféle elöljáróval:)* *nem bírok vele* he is too much for me, he is one too many for me; *jót tesz vkvel* do well by sy, do good to sy, be a benefactor to sy, do a kindness to sy, *rosszat tesz vkvel* do sy an ill turn; *bír vmvel [birtokol]* have/possess/own sg **b)** *(elöljáró nélkül:)* *jót tesz vkvel* do sy a good turn, do sy a kindness, benefit sy; *dacol a közvéleménnyel* he defies public opinion **c)** *(magatartásé, különféle elöljáróval:)* *szigorú vkvel (szemben)* be hard on sy, be strict with sy; *udvarias mindenkivel (szemben) (be)* polite towards/to everybody **d)**

(tartós irányulás, különféle elöljáróval:) *bánik vkvel* treat/handle/use sy, deal with sy; *foglalkozik vmvel* be employed/occupied/engaged in (doing) sg; *sok időt tölt vmvel* spend much time on, take a long time over sg; *törődik vkvel* care about/for sy; *vesződik vmvel* struggle with, bother about, take trouble/pains over/with sg, work hard at sg **6.** *[módhatározó]* *(különféle elöljáróval:)* *kész/ezer örömmel* with pleasure, with the greatest delight/joy; *tekintettel a következményekre* in view of the consequences; *(egy) szóval* in a word; *tudtommal* to my knowledge **7.** *[tekintethatározó]* *mi van vele?*, *hogyan állsz vele?* *hogyan állunk vele?* how about it?; *vm történik vkvel*, *sg happens to sy* **8.** *[hasonlítás]* *egyenlő vmvel* (be) equal to sg; *felér vmvel [értékben]* be worth of, come up to, compare well with, equal, be up to **9.** *[mértékhatározó]* *(különféle elöljáróval v. elöljáró nélkül:)* *három hosszal nyer* win by three lengths; *százával* by hundreds, by the hundred; *két kilóval nehezebb* two kilograms heavier; *két évvel idősebb nálam* he is two years older than I, he is my senior by two years; *harminc évvel vagyok idősebb nála* I am thirty years older than he; *egy árnyalattal jobb* a shade better **10.** *[időhatározó]* *(főleg elöljáró nélkül:)* *öt perccel hat (óra) után* at five (minutes) past six (o'clock); *egy órával indulása után* one hour after his/her departure; *három nappal érkezése előtt* three days before his/her arrival; *néhány évvel ezelőtt* some years ago/back; *a múlt éjjel* last night **11. a)** *(alanyos szerkezet helyett:)* *mi lett/történt azzal a könyvvel?* what has become of that book? **b)** *(tárgyas szerkezet helyett;)* *felhagy vmvel* give up/over sg, leave/lay off sg **12.** *[határozószókban]* *éjjel, nappal, reggel, idővel, ősszel, tavasszal, éjjel-nappal, nagy dérrel-durral, módjával* stb. ld a szótár megfelelő helyén

váladék [-ot, -a] *n*, secretion, discharge, mucus *(lat)* ; *gennyes* ~ matter, pus; *híg* ~ thin discharge; *sűrű* ~ thick discharge,

váladékképző *a*, secretory

váladékképződés *n*, secretion, act/process of secreting, *[kifolyás]* discharge

váladékos [-at; *adv* -an] *a*, *[fül]* discharging, *[kötés]* stained with secretion *(ut)*, showing traces of secretion *(ut)*

váladékozás *n*, = **váladékképződés**

valag [-ot, -a] *n*, *(durv)* arse

valaha *adv. indef*, **1.** *[múltban]* once, formely, of old / yore, in times past, in olden days; ~ *régen* in (the) olden times, in the days of yore/old, time was when; *itt* ~ *egy ház állt* there used to be a house here; ~ *híres festő* once famous painter; *hallott* ~ *ilyet?* did you ever hear such a thing?; *nem emlékszem hogy* ~ *is láttam volna* I do not remember ever having seen/met him/her **2.** *[jövőben]* ever; *inkább mint* ~ more than ever; *ha* ~ *viszontlátom* if ever I meet him again; *szebb mint* ~ she is nicer/prettier than ever

valahány **I.** *a/n. indef/rel*, all, any, every; *valahánnyal csak találkoztam* every single one (that) I have met **II.** *a. indef*. = *néhány*; ~ *napig* a few days

valahányad|ik *a/n. rel*, umpteenth *(fam)*

valahányan *adv. indef/rel*, all of us/you/them, all together, the whole lot *(fam)*

valahányszor *adv. indef/rel*, whenever, every time, as often as ...; ~ *csak akarja* as many times as you wish, ~ *látom egyre jobban megkedvelem* each time I see him I like him more and more

valahára *adv. indef*, at (long) last; *meglátom-e* ~? I wonder if I shall ever see it; *végre* ~ at (long) last, finally

valahogy *adv. indef*, = **valahogyan**

valahogyan *adv. indef*, somehow (or other), in some form/way or other, someway(s), anyway, anyhow;

~ *csak* by some means or other, by hook or by crook; ~ *majd csak megleszünk* we shall manage somehow (or other); ~ *nem így képzeltem (a dolgot)* that is not exactly what I fancied/imagined, I should have expected it to take a somewhat different form, *úgy még sohasem volt hogy* ~ *ne lett volna* there has always been a way out, we have always found some way out, we always muddle/get/pull through somehow, it will sort itself out sooner or later; *majd csak lesz* ~ it will turn out all right, we shall try and manage somehow; ~ *úgy van az (hogy)* you see it is like this *(v.* a case of . . .); *majd csak megcsinálom* ~ I shall get it done somehow; *hogy vagy? hát csak úgy* ~ how are you? so-so

valahol I. *adv. indef, [ha biztos]* somewhere, *[kétely esetén]* anywhere, in some place or other; ~ *már láttam* I have seen him somewhere already; ~ *itt kell lennie* he must be somewhere about; ~ *határt kell szabni* one must draw the line somewhere; ~ *a közelben* (somewhere) about here; ~ *a városban* somewhere in town **II.** *adv. indef/rel,* ~ *csak megfordultam(,)* mindenütt szívesen láttak wherever I went I was welcomed

valahonnan *adv. indef,* from somewhere/anywhere, from some place or other; *szerzett* ~ *100 Ft-ot* he raised *(v.* got hold of) 100 forints from swhere

valahonnét *adv. indef,* = **valahonnan**

valahova I. *adv. indef,* somewhere, anywhere, to some place or other; ~ *való [emberről]* native of . . .; *el akart menni* ~ he wanted to go somewhere **II.** *adv. indef/rel,* ~ *csak nézett(,)* mindenütt fenyegető öklöket *látott* wherever he looked he saw *(v.* was confronted with) clenched fists

valaki *[-t, -je]* **I.** *n. indef, [állításokban]* somebody, someone, one, *[kérdés/tagadás esetén]* anybody, anyone, a person, *[nem tudom ki]* somebody or other; *egy* ~ a certain person; *anélkül hogy* ~ *vmt is látott volna* without anybody ever seeing anything; *idősebb* ~ someone elderly; ~ *más* somebody else; ~ *említette* some person said . . .; ~ *meglépett az :sernyőmmel* someone has walked off with my umbrella; *van* ~*je* she has (got) someone; ~*ért in/on* ـehalf of somebody, for the sake of somebody; *anélkül hogy megkérdezett volna* ~*t* without asking anyone

    II. *n. indef/rel, [= aki csak]* who(so)ever; ~*vel találkozott(,).mindenkit faggatni kezdett* whomsoever he met(,) he began plying him with questions

valameddig I. *adv. indef,* **1.** *[idő]* for a/some time, for a certain length/period of time, till a certain time **2.** *[távolság]* (for) a certain distance, some distance **II.** *adv. indef/rel, [= ameddig csak]* as long as

valamely *a. indef, [állítva]* some, *[tagadva, kérdezve]* any; *ld még* **valamelyik**

valamelyes *[-et; adv -t] a. indef,* some, a little, a certain; *volt neki* ~ *pénze* he had some *(v.* a little) money, he had a certain amount of money

valamelyest *adv. indef,* somewhat, to a certain extent/degree, more or less, in some degree/measure, a little; ~ *jobban* a thought/bit better

valamelyik I. *a/n. indef,* one (of them), one or (the) other; *gyere fel* ~ *nap* come round to our house/place one of these days, drop in on us one of these days; *anélkül hogy* ~*et látták volna* without having seen either *(v.* one of them); ~ *a kettő közül* either one or the other; *közülünk* ~, ~*ünk* one of us; *közületek* ~, ~*tek* one of you; *közülük* ~, ~*ük* one of them **II.** *n. indef/rel,* = **amelyik**; ~*ük [= amelyikük csak]* whichever of them

valamennyi I. *a/n. indef,* **1.** *[mind]* all, every (one), all (of them), all together; ~ *vendég* all the guests; *kivétel nélkül* ~ all without exception, one and all, every

single one (of them); ~*ünk* all of us, every one of us; ~*tek* all of you, every one of you; ~*ük* all of them, every one of them **2.** *[valami kevés/kis]* a little, some, *[akármennyi]* however much/many; ~ *ideig [= bármennyi]* for any length of time, *[egy kevés]* for a (little) while, for a time

    II. *a/n. indef/rel, [amennyi csak]* however much/ many, no matter how much/many

valamennyien *adv. indef,* = **mindnyájan**; ~ *barátaim* they are my friends(,) every one of them; ~ *ott leszünk* we shall all be there, every one of us will be there

valamennyire I. *adv. indef,* **1.** *[bizonyos mértékig]* to a certain extent/degree, in/to some degree, in some measure **2.** *[úgy-ahogy]* somehow or other, in some way or other, after/in a fashion, after a manner

    II. *adv. indef/rel,* = **amennyire** *csak*

valamennyiszer *adv. indef/rel,* = **valahányszor**

valamerre I. *adv. indef,* somewhere, in some direction or other, in one place or another **II.** *adv. indef/rel,* = = **amerre** *csak*

valamerről I. *adv. indef,* from somewhere, from some direction **II.** *adv. indef/rel,* = **amerről** *csak*

valami *[-t, -je]* **I.** *n. indef, [állításokban]* something, *[kérdésben, tagadáskor]* anything; *más* ~ something else; *ez egészen más* ~ that is something entirely different; *ugyan(,) az is* ~? come now! that is nothing; *lesz belőle* ~ he will get on (in the world); *ez már* ~*!* that is better/something; *és ez is* ~*!* and that is no mean achievement; *van* ~ *köztük* there is something between them; ~ *majd csak lesz*sg will turn up; *fáj* ~*d ?* is anything wrong *(v.* the matter) with you?; *viszi* ~*re* go far, achieve a position, rise in the world, get on; *anélkül hogy* ~*t tenne* without doing anything; *nem mintha* ~*t is tudna róla* not that he knows anything about it; ~*vel* somewhat, a little, a (little) bit *(fam)* ; ~*vel jobb* slightly better; ~*vel jobban van* he is/feels rather *(v.* a bit) better, be a shade better

    II. *n. indef/rel, [= ami csak]* what(so)ever; ~*t (csak) kért(,)* mindent megadtam neki whatever he asked for I gave it to him

    III. *a. indef, [= valamiféle], [állításokban]* some, some sort/kind of, *[kérdésben, tagadáskor]* any, a(n), a certain; ~ *állat lehetett* it must have been some animal; ~ *Szabó őrmester* some Sergeant Szabó or other; ~ *Szűcs elvtárs* a certain *(v.* one) Comrade Szűcs; ~ *baj érhette* sg must/might have happened to him; ~ *borzasztó dolog történt* sg dreadful has happened; *a városban volt* ~ *dolgom* I had sg *(v.* some business) to do in town; *mint* ~ *hatalmas , . .* like some gigantic. . .; *van* ~ *arrogancia a modorában* there is a savour of insolence in his manner; *van* ~ *a jellemében* there is something in his character, his character has something in it; *van* ~ *kívánsága?* is there anything you want?, *[hivatalban, üzletben]* can I do anything for you?; *van még* ~ *mondanivalója?* have you any more to say?; ~*muzsikusféle* a musician of a sort, a musician or sg

    IV. *adv,* **1.** *[tagadószó után, melléknév előtt]* nem ~ *nagy szakértő* he is not much of an expert, he is not a great expert; *nem* ~ *nagyon* not very much, not particularly; *nem* ~ *szép dolog* not a nice thing (to do); *hogy vagy? nem* ~ *fényesen* how are you getting on? so-so *(v.* middling); *nem* ~ *jól sikerült az előadás* the performance was rather a failure **2.** *[számnév előtt: körülbelül, mintegy]* ~ *húszan lehettek* there may have been about/some twenty of them, there may have been twenty (of them) or thereabouts; ~ *tíz forint* about/some roughly ten forints, ten forints or thereabouts

valamicske *a/n. indef,* somewhat (of), a little, a (little, wee) bit (of); ~ *pénzt kapott* he got a modest sum;

valamicskét slightly, to some slight extent; *valamicské-vel jobb* a thought better

valamiféle *a. indef*, a/some sort/kind of, *[kissé ellt biz]* of sorts *(ut)* ; ~ *Brown ezredes* some Colonel Brown or other

valamíg *adv. rel/conj*, *[= amíg csak]* as long as; ~ *élek(,) gondom lesz rád* as long as I live(,) I shall take care of *(v.* provide for) you

valamiként *adv. indef/conj*, = **valamiképpen**

valamiképpen I. *adv. indef*, somehow (or other), in one way or another, in a kind of a way, by some means, in some wise, someway(s) II. *conj*, = **valamint** I.

valamikor I. *adv. indef*, 1. *[múlt]* once (upon a time), in the past, in olden times, in the days of old/yore/long, formerly; *még* ~ *1907-ben* (way) back in 1907; ~ *ismertem őt* I knew him once, I used to know him/her; *itt laktam* ~ that is where I used to live; *ebben az utcában* ~ *egy mozi volt* there used to be a *(v.* there was once) a cinema in this street 2. *[jövő]* some day, sometime (or other), at some time in the future, *[bizonytalan]* ever; ~ *éjfélkor* about/round midnight, in the proximity of midnight
II. *adv. indef/rel,* '*[= amikor csak]* whenever

valamilyen *a. indef*, some kind/sort of, some (or other), *[kérdésben, tagadásban]* any kind/sort of; ~ *formában* in one form or another, in some form or other

valamint I. *adv. indef*, *[amint]* (just) as; ~ . . . *úgy* as . . . so II. *conj*, ~ . . . *úgy* . . . *is* both. . . and . . .; ~ *a fizika(,) úgy a kémia is* both physics and chemistry, chemistry(,) like physics(, is . . .) 2. *[úgy-szintén, továbbá]* as well as, . . . as well; *Jancsi(,)* ~ *Bálint és Sanyi* Johnny as well as Val and Aleck

valamirevaló *a*, decent, good enough, fairly good, reasonably satisfactory, worth-while; *minden* ~ . . . every respectable. . .; *minden* ~ *kirakatban* in every decent shopwindow; *nem volt köztük egy* ~ *ember* not one of them was worth anything

válás *n*, 1. *[elválás]* separation (from sy), parting (with sy), *(jog)* divorce; ~ *ágytól és asztaltól* separation from bed and board; *kimondja a* ~*t* grant a divorce; *a bíróság kimondta a* ~*t* a sentence for divorce was pronounced (by the court); *a* ~*t a férj hibájából mondták ki* the sentence for divorce was pronounced *(v.* a divorce was granted) against the husband 2. *vmvé* ~ becoming sg, turning into sg

válasz [-ok, -t, -a] *n*, 1. *[felelet]* answer, reply, response *(ref.)*, *[visszavágás]* rejoinder, repartee, replication; *igenlő* ~ affirmative answer, answer in the affirmative; *kitérő* ~ evasive reply; *tagadó* ~ negative answer, answer in the negative; *talpraesett* ~ smart repartee, alert answer; ~ *nélkül hagy* leave unanswered, fail to reply to; *kérése* ~ *nélkül maradt* there was no response to his appeal; ~ *fizetve* reply paid; *minden-re van* ~*a* be ready with an answer; *mi a* ~*a erre?* what have you to say in reply; ~*ukban szíveskedjenek hivatkozni* in reply please quote; ~*ra sem méltatott* he did not deign an answer; ~*t ad vknek* reply to sy, make a reply to sy; *kérdésre* ~*t ad* reply to a question, answer a question; *a kérésre azt a* ~*t adták hogy. . .* the request was met by the reply that. . .; *nem adott* ~*t* she offered no answer; ~*t kérünk* an answer is requested; *nem tudott* ~*t kapni* he could not elicit/get an answer; *mindenre talál* ~*t* never to be at a loss for an answer; ~*át várva* awaiting *(v.* looking forward to) your reply, hoping to hear from you; *mi-előbbi szíves* ~*át várjuk* we request the favour of a reply at your early/earliest convenience; ~*ul vmre* in answer/reply to sg 2. = **válaszfal**

válaszadás *n*, reply, (act of) replying, answer, response

válaszbélyeg *n*, reply stamp; ~ *csatolva* reply stamp attached

válaszbélyeges *a*, ~ *levél* pre-paid letter

válaszboríték *n*, (self-)addressed envelope

válaszdíj *n*, ~ *fizetve* reply paid

válaszdíjszelvény *n*, (international) reply coupon

válaszének *n*, antiphone

válaszfal *n*, 1. *(épít)* dividing/separation wall, partition(-wall), wall of partition, party wall 2. *[hajóban]* bulkhead 3. *(növ)* diaphragm, *[mákfejben]* septum *(lat)* 4. *[bonct]* septum; *szívkamra* ~*a* ventricular septum; *szívpitvar* ~*a* auricular septum 5. *(átv)* dividing line, line of demarcation; ~*at emel* raise a barrier (between)

válaszfüggöny *n*, canvas screen

válaszirat *n*, (written) answer, (written) replv. *[uralko-dói]* rescript

válaszjegyzék *n*, *[diplomáciai]* reply note, note sent in reply

válaszképpen *adv*, ~ *vmre* in answer/reply to sg, by way of an answer (to sg), as an answer to sg

válaszkupon *n*, *[nemzetközi]* reply-coupon

válaszlap *n*, reply card

válaszlevél *n*, reply/responsive letter

válasz-levelezőlap *n*, reply card

válaszlicit *n*, *(kárty)* shift bid

válaszol [-t, -jon] *vt/vi*, *(vknek)* answer sy, reply to (sy, sg), make a reply to (sy), give an answer to (sy), respond to (sy), return an answer to (sy); ~ *vknek vmt* answer sy sg; *levelére* ~*va* in reply/response to your letter, reference is made to your letter *(US)* ; *f. hó 20-i becses levelére* ~*va közlöm* in answer to your favour of the 20th inst. I beg to inform you; *írásban/levélben* ~ send a written answer; *kérdésre* ~ reply to a question, answer a question; *levélre* ~ answer/acknowledge a letter; *nincs mit* ~*nom* I have nothing to say in reply; *erre mit tudsz* ~*ni?* what have you to say in reply?; *erre nem tud mit* ~*ni* he has *(v.* can find) no answer to this; *mindenre tud* ~*ni* have/find *(v.* be ready with) an answer for everything, never be at a loss for an answer; *kérem szíveskedjék* ~*ni* an answer is requested; *nem* ~*t* he did not answer/reply, he made no reply, there was no reply, he left the question unanswered, he failed to answer, he offered no answer; *vk helyett* ~ answer for sy

válaszolás *n*, answering, replying, response

válaszos [-at] *a*, ~ *levelezőlap* reply (post) card

válaszportó *n*, stamp for the reply

válaszsürgöny *n*, telegraphic answer, telegram (sent) in reply; ~ *fizetve* reply prepaid

választ [-ani, -ott, . . asszon] *vt/vi*, 1. *[több közül]* make a choice, choose, select, pick (out); *válassz!* make/take have your choice!; *háromból* ~*hat* have the choice of three possibilities; *tessék* ~*ani* take your choice, choose for yourself; *a legjobbat* ~*otta* he made the best choice, he chose the best; *végül Jánost* ~*otta* she fixed on John in the end; *nem én* ~*ottam* it was none of my choosing; *lakhelyet* ~ *(jog)* elect domicile; *mesterséget* ~ choose a profession/trade; *több dolog közül* ~ choose from (among) several things; *két rossz közül* ~ choose between two evils; *inkább a nagyobbi-kat* ~*om* I prefer the bigger one; *én ezt* ~*om* this is my preference; *ezt a könyvet* ~*om* I shall take this book; *melyiket* ~*od?* which (one) will you take?; ~*hat az elfogadás és visszautasítás között* you are free to accept or refuse, accept or refuse as you like 2. *[képviselőt]* elect, return; *elnökke* ~ *vki* elect sy (as) president, *[egy ülésre]* vote sy into the chair; *Anglia* ~ Britain goes to the polls; *holnap* ~*ják a tanácstagokat* council-members will be elected tomorrow 3. *[széjjel]* divide, separate, *[hajat]* part, *[házasokat]* divorce

választás *n*, 1. *[több közül]* choice, choosing, selection; *a* ~ *rá esett* the choice/lot fell on him; ~*a X-re esett* she fixed her choice on X; *nincs* ~*a* you have no choice in the matter; *nem volt más ~om mint gyalog menni* there was nothing for me but to go on foot; *nem volt más ~a mint*... he had no choice/option but to..., it was Hobson's choice; *~t enged vknek* let sy take his choice **2.** *(pol)* election, voting, *[szavazás, képviselő- ~álasztásnál]* polling; *általános* ~ general election; ~ *előtti* pre-election; *időközi* ~ *[képviselő elhalálozása esetén]* by-election; *a* ~ *napja* polling/election day; *nyílt* ~ open vote; *titkos* ~ secret vote/voting, ballot; ~ *útján* by election, electively; *országos ~ok* general election; *vezet a ~on [jelölt]* head the poll; *~ra jogosult* enfranchised (voter), having the right to vote *(ut);* *kiírja az általános ~okat* appeal/go to the country, hold general elections **3.** *[széjjel]* dividing, division, separation

választási [-ak, -t] *a,* **1.** *(pol)* elective, election-, polling, electoral; ~ *agitáció* electoral propaganda, electioneering, canvassing; ~ *beszéd* pre-election- -speech, stump-speech *(fam);* ~ *bizottság* election committee; ~ *feltételek [királyéi]* conditions of election; ~ *fülke* polling-booth; ~ *hadjárat* electoral campaign, electioneering; ~ *hadjáratot indít* electioneer; ~ *helyiség* polling-station; ~ *iroda* (parliamentary candidate's) committee rooms *(pl);* ~ *jog [vmt elfogadni v. visszautasítani]* (right of) refusal; ~ *kerület* election district, constituency, congressional district *(US);* ~ *körzet* electoral ward; ~ *kudarc* defeat at the polls; ~ *névjegyzék* register (of voters), electoral register, poll; ~ *plakát* election poster; ~ *törvény* electoral law; ~ *trükk* electioneering trick(s), gerrymandering *(US);* ~ *urna* ballot-box; ~ *vesztegetés* electoral corruption and bribery; ~ *visszaélés* corrupt (electoral) practices *(pl),* cooking of election results, gerrymandering *(US)* **2.** ~ *malac (nép)* weaned pig(let), weanling

választat *vi, (vmt, vkt)* have (sg/sy) chosen/selected/ elected, *(vkvel vmt)* have sy choose sg, *[kormány]* hold an election, appeal/go to the country

választávirat *n,* reply wire

választék [-ot, -a] *n,* **1.** *[több közül]* assortment, variety, diversified collection (of goods of the same type), range, selection, choice; *dús* ~ rich assortment; *nagy ~a van vmből* have a large assortment *(y.* wide range) of sg **2.** *[hajban]* parting, part *(US);* *~ot csinál* part one's hair

választékcsere *n,*; exchnge of assortments

választékos [-at] *adv* aan] *a,* choice, select, tasteful; ~ *ízlés* exquisite/fast-dious taste; ~ *modor* refined manners *(pl);* ~ *öltözék* stylish/elegant/smart clothes *(pl);* *~stoius* polished/ornate/elaborate style; ~ *szavak* well-ch*i*sen words; ~ *szavakat használ* pick one's words carefully

választékosság *n,* choiceness, elegance, exquisiteness, tastefulness, selectness

választhatás *n,* the right to choose

választhatatlan *n,* ineligible

választható *a, [személy]* eligible, *[tantárgy]* facultative; *szabadon* ~ optional

választhatóság *n,* eligibility; *választás és* ~ *joga* right to vote and to be elected

választmány *n,* (steering) committee, board; *benne van a ~ban* be on the committee

választmányi [-ak, -t; *adv* -an] *a,* of *(v.* pertaining to) the committee, *(összet.)* committee; ~ *tag* member of the committee, committee member, committee- ~wo)man; ~ *ülés* committee meeting

választó [-t, -ja; *adv* -an] **I.** *n,* chooser, *(pol)* constituent, elector, voter, *[nő]* electress; *~im* my constituents; *~k* electorate, constituency; *~k névjegyzéke* register (of voters); *~k névjegyzékébe felvesz* enter on the register of electors; *~k összeírása* conscription of voters **II.** *a,* choosing, electing, *[több közül]*

selecting; ~ *kötőszó* disjunctive conjunction; ~ *mondatok* disjunctive sentences/clauses

választófal *n,* = **válaszfal**

választófejedelem *n,* elector, prince-elector

választófejedelemség *n, (tört)* electorate

választógyűlés *n,* electoral meeting, meeting to elect (sy/persons)

választóhegység *n,* watershed, water parting, (continental) divide

választóhelyiség *n,* polling station

választói [-ak, -t; *adv* -lag] *a,* electoral, voting, of *(v.* pertaining to) a voter *(ut),* election-; ~ *cenzus* property/residential qualification; ~ *névjegyzék* register of voters, electoral register, poll

választójel *n,* hyphen

választójog *n,* suffrage, (elective) franchise, right of voting, vote; *általános* ~ universal suffrage; *plurális* ~ multiple voting, plural vote; *titkos* ~ secret ballot; ~ *megvonása* disfranchisement; *~ot ad* enfranchise (sy), give (sy) the vote; *~ot megvon* disfranch*i*se; *~gal rendelkező* elector, qualified voter; *~gal való felruházás* enfranchisement

választójogosultság *n,* (elective) franchise

választókapcsoló *n, (vill)* selector/selected switch

választóképes *a,* entitled to vote *(ut)*

választóképesség *n,* **1.** *[aktív]* franchise, the right to vote, *[passzív]* eligibility **2.** *(távk)* selectivity, selection

választókerület *n,* constituency, election district, electoral ward, electorate, parliamentary division *(GB),* congressional district *(US),* precinct *(US);* *~et képvisel* sit for a constituency

választólap *n, [könyvtártan]* guide-card

választópárkány *n, (épít)* string cornice

választópolgár *n,* elector, voter, constituent

választópont *n,* point of divergence; *~ok [betűn]* diaeresis

választórúd *n, [istállóban]* bail (in stable)

választótábla *n, [könyvespolcon]* topic guide, shelf/ subject guide

választótestület *n,* elective body, body of electors

választott [-at, -ja; *adv* -an] **I.** *a,* chosen, choice, selected, picked, *(pol)* elected; ~ *bíró* arbiter, arbitrator; ~ *bíróság* arbitral tribunal, court of arbitration, arbitration court; ~ *vegyes bíróság* mixed arbitral tribunal; *a* ~ *bíróság ellenük döntött* the arbitration is against them; ~ *bíróság útján intéztet el* settle by arbitration; ~ *bírósági arbitral;* ~ *bírósági díj* arbitration fee; ~ *bírósági ítélet* (arbitration) award; ~ *bíráskodás* arbitration; ~ *döntőbíró megnevezése* assignment/ appointment of an arbitrator; ~ *hazám* the country of my choice; ~ *királyság (tört)* elective monarchy; ~ *nép* chosen people; ~ *tárgy (isk)* voluntary

II. *n,* choosen, choice; *ő a ~am* he is my choice; *egy pár ~hoz szól* address a chosen few; *szíve ~ja* intended, true love, (his) beloved, sweetheart

választóvíz *n,* nitric acid, aqua fortis *(lat)*

választóvonal *n, (átv is)* dividing/parting line, line of demarcation, boundary (line)

választút *n,* **1.** *(konkr)* parting of the ways, crossroads *(pl)* **2.** *(átv)* choice of alternatives, dilemma; *~on* on the horns of a dilemma; *Herkules a ~on (műv)* Hercules at the Crossroads

valcer [-ek, -t, -e] *n,* waltz

valcerez [-tem, -ett, -zen] *vi,* waltz

valdens [-et] *n, (egyh)* Waldensian; *~ek* Waldenses

valencia [.. át] *n,* valence, valency

valentinit [-et, -je] *n, (ásv)* glass of antimony

Valér [-t, -ja] *prop,* Valerius, Valerian

Valéria [.. át] *prop,* Valeria

valerián [-ok, -t, -ja] *n, (növ)* valerian, ali-hea*i (Vale- riana officinalis)*

válfaj *n*, variety, species, kind, sort, type

Vali [-t, -ja] *prop*, Val ⟨diminutive of Valeria⟩

vál|ik [-t, -jon, -jék] *vi*, 1. *(vktől)* separate (from), part (with), *(jog)* divorce (sy), obtain a divorce (from) ; *~ik a feleségétől* he is divorcing his wife; *~nak* they are getting a divorce, they have decided to separate 2. *(vk/vm vmvé)* become (sg), turn (into sg), change (into sg), *(vm vmvé)* be converted (into sg); *jó orvos ~ik majd belőle* he will make a good doctor; *aktuálissá~ik* become timely; *áruvá ~ik* become marketed commodities; *hasznavehetetlenné ~ik* become useless, be not good for anything anymore; *keménnyé ~ik* grow hard; *rendszerré ~ik* become ·the rule; *vér nem ~ik vízzé* true blood will show itself, blood is thicker than water; *a víz gőzzé ~t* water passed into steam; *közmondássá ~t* it became proverbial, it passed into a proverb; *szállóigévé ~t* it has become a household word; *szép szál legény ~t belőle* he had grown into a strapping young man 3. *becsületére~ik* reflect esteem on sy, redound to one's honour, do sy credit, you've got to hand it to him *(fam)* ; *egészségére ~jék [ivásnál]* your good health, here's to you, here's mud in your eye ◈, *(iron)* much good may it do to you/him

valin [-ok, -t, -ja] *n*, valine

valkür [-ök, -t, -je] *n*, valkyr(ie)

vall [-ani, -ott, -jon] **I.** *vt*, 1. *[beismer]* confess, avow, admit, own, acknowledge; *bíróság előtt ~ (vmről vk mellett)* give evidence (of sg in sy's favour); *vk ellen ~* bear witness against sy, testify against sy; *bűnösnek ~ja magát (jog)* plead guilty, acknowledge/admit one's guilt; *nem akar ~ani* refuse to give evidence, refuse to depose/testify 2. *[kijelent, hirdet]* profess, declare, proclaim, announce; *szerelmet ~* declare one's love; *színt ~* declare oneself, come out *(v.* show oneself) in one's true colours, speak one's mind, declare one's opinion; *nem ~ színt* hedge, sit on the hedge, beat about the bush, hem and haw, play fast and loose 3. *[vmlyen hitet]* profess (a faith), confess/avow oneself (a...); *ateistának ~ja magát* set up for an atheist; *kommunistának ~ja magát* declare oneself a communist; *húszévesnek ~ja magát* give one's age as twenty (years old), *[valótlanul]* pretend to be twenty years old, try to pass off as twenty 4. *[elismer]* gyereket magáénak ~ own/acknowledge a child; *testvérének ~ vkt* acknowledge/own sy as one's brother 5. *kárt ~* sustain a loss, come to grief, come off a loser (over a business); *kudarcot ~* fail; *szégyent ~* bring shame on oneself, disgrace oneself

II. *vi*, *[mutat]* denote, indicate, show; *arra ~ hogy ...* shows/proves that...; *vmre ~* show/evince/prove sg; *jelek melyek vmre ~anak* signs that denote/indicate *(v.* are indicative/denotative of) sg; *nagy művész ecsetjére ~* the painting shows the hand of a master; *ez jó szívre ~* this bespeaks a kindly heart; *arca erélyre ~ott* his face expressed energy; *rád ~ that is just like you; *ilyen kérdés ostoba emberre ~* such a question marks the fool; *semmi sem látszott bűnösségére ~ani* nothing seemed to show that he was guilty, nothing seems to point him out (as guilty)

váll [-at, -a] *n*, 1. shoulder; *fél ~* one shoulder; *~on ragad vkt* seize/take sy by the shoulders; *~on vereget vkt* pat/clap sy on the back; *~ra! (kat)* slope/shoulder arms!; *két ~ra fektet* pin one's opponent's shoulders to the ground, get sy down (on his back) with both shoulders to/on/touching the ground/floor, *(átv)* get sy where you want him, get sy completely at your mercy; *két ~ra kényszerít* force sy on two shoulders; *vknek a ~ára csap, rácsap vknek a ~ára* slap sy on the shoulder/back; *~ára emel vkt (a tömeg)* chair sy; *bámulói ~ukra emelték X-et* X was chaired by his admirers; *~ára vesz vmt* shoulder sg; *~ára vet vmt* sling sg over one's shoulder; *levesz a ~áról [gon-*

dot] release sy from (an obligation); *~at von, vonogatja a ~át* shrug one's shoulders; *~át az ajtónak feszítette* he put his shoulders against the door 2. *[ruháé]* shoulder

vállal [-t, -jon] *vt*, 1. *[feladatot]* shoulder, tackle, take upon oneself, *[hivatalt]* accept; *~ja a felelősséget* assume/accept responsibility for, take the responsibility of, take the blame; *ezért ~nunk kell a felelősséget* we shall have to foot the bill; *kezességet ~ vkért* answer/vouch *(v.* go bail) for sy; *kockázatot ~ take/bear the/a risk; *~ja a következményeket* face/take *(v.* put up with) the consequences, pay the piper *(fam)*, foot the bill *(fam)* 2. *magára ~ (vmt)* take over/on, shoulder, *[adósságot]* incur, contract (a debt), *[vm elvégzését]* undertake (sg), take it upon oneself (to do sg); *mosást ~* take in washing; *munkát ~* engage oneself to work, sign on, undertake (a piece of work), contract to do sg; *magára ~ta a munka oroszlánrészét* he took the brunt of the work upon himself; *tanítványokat ~* take pupils; *ki ~ja a költségeket?* who meets the expenses?, who will foot the bill?; *ő ~ja az összes költségeket* he stands all of the costs; *túlságosan sokat ~tál* you have bitten off more than you can chew; *ne ~j magadra túl sokat* do not take too much on your shoulder; *senki sem ~ta magára [cselekedetet]* no one would admit having done it 3. *[munkaversenyben]* make a pledge; *~ta hogy teljesítményét 25°/₀-kal emeli* he has made a pledge to increase his output by 25 per cent

vállalás *n*, 1. *[hivatalt]* acceptance 2. *[magára]* (under-)taking 3. *[munkaversenyben]* pledge

vállalat *n*, 1. undertaking, enterprise, *(ker)* business undertaking/concern/establishment, company, firm, house, partnership; *állami ~ [kapitalista államban]* public company; *külkereskedelmi ~* foreign trade company; *~ot alapít* float/promote a company 2. *~ba ad* put out to contract

vállalati [-ak, -t] *adv* -lag] *a*, of *(v.* pertaining to) an undertaking *(ut)* ; *~ alap* business asset; *~ érdek* factory/enterprise interest; *~ eredmény* result of the enterprise; *~ gazdálkodás* enterprisal/company management; *~ igazgató* company director, factory/general manager; *~ irodalom* company/firm/business house publications *(pl)* ; *~ kiutalás [költségvetési]* factory/industrial estimate/provision; *~ szinten* on enterprise level; *~ teljes termelés* gross production; *~ tőke/vagyon* company's assets *(pl)* ; *~ ügyész [jogtanácsos]* corporation lawyer *(US)*

vállalatvezetés *n*, factory management

vállalatvezető *n*, manager, director, executive

vállalatvezetői *a*, *~ tanfolyam* managerial course

vállalatvezetőség *n*, management, directorate, body/board of directors, administrative board

vállalkozás *n*, 1. undertaking, venture, enterprise; *kifizetődő ~* paying proposition; *reménytelen ~* it's an endless task; *a ~ sikere* the prosperity of the undertaking; *~a virágzik* his business is booming; *merész ~ba fog* begin/undertake *(v.* venture/embark upon) a bold/daring enterprise, adventure oneself on an undertaking; *kockázatos ~ba kezdtünk* we were bound upon a risky undertaking 2. = vállalat

vállalkozási *a*, *~ kedv* (spirit of) enterprise, enterprising spirit; *~ szerződés* contract for work, labour and materials

vállalkoz|ik [-tam, -ott, -zon, -zék] *vi*, *(vmre)* undertake sg, take sg in hand *[üzletre]* embark (on a business), *[kikötött munkára]* contract (for a piece of work), enter into contracts/obligations

vállalkozó [-t, -ja; *adv* -an] **I.** *a*, enterprising, venturesome, go-ahead; *~ szellem* enterprise, venturesomeness; *~ szelleméről tesz tanúságot* show enterprise; *~ szellemű* enterprising, venturesome, pushing

II. *n*, contractor, enterpreneur *(fr)*; *építkezési* ~ building contractor; *temetkezési* ~ undertaker *(GB)*, mortician *(US)*; *erre nem akadt* ~ nobody could be found to do it

vállalkozói [-ak, -t] *a*, ~ *képesség* enterpreneurial ability; ~ *készség* enterpreneurial skill; ~ *nyereség* enterpreneurial profit; ~ *nyereségelmélet* theory on enterpreneurial profit

vállalt [-at] *a*, ~ *kötelezettségének eleget tesz* meet one's obligations, keep *(v.* carry out) one's engagement

vallás *n*, **1.** *[hit]* religion, faith, *(ritk)* persuasion; ~ *nélküli* religionless; *vmlyen* ~*ra tér* turn, become...; be converted to a faith, embrace a religion; *mohamedán* ~*ra tért* turned Mohammedan **2.** *[vallomástétel]* confession

vállas [-ok, -t; *adv* -an] *a*, broad/square-shouldered, broad in the shoulder *(ut)*, hefty *(US)*, husky *(US)*

vallásalapító *n*, founder of a religion

vallásbeli *a*, religious, of religion *(ut)*

vallásbölcselet *n*, philosophy of religion

vallásellenes *a*, antireligious; ~ *propaganda* antireligious propaganda

valláserkölcsi *a*, ethicoreligious

vallásfelekezet *n*, denomination, (religious) sect, confession

vallásgyakorlat *n*, (private) worship, public worship *(US)*; *szabad* ~ freedom/liberty of worship/religion, free exercise of one's religion

valláshábórú *n*, war of religion

vallási [-ok, -t; *adv* -lag] *a*, religious, of religion/faith *(ut)*; ~ *megújulás/megújhodás* revival (of religion), religious revival; ~ *téboly* religious mania; ~ *türelem* tolerance; ~ *türelmetlenség* religious intolerance; ~ *vita* religious dispute/controversy/argument

valláskülönbség *n*, difference of religion

vallásoktatás *n*, instruction in religion, religious instruction/education, *[isk óra]* class in Scripture/ religion/divinity, Bible class, *[vasárnapi]* Sunday school

vallásos [-ak, -t; *adv* -an] *a*, religious, pious, godly; ~ *ember* religious man; ~ *érzelmek* religious feelings; ~ *költészet* religious poetry; ~ *meggyőződés* (religious) persuasion; ~ *nevelés* religious education; ~ *rajongás* religious mania, fanaticism

vallásosság *n*, religiousness, religiosity, piety, godliness; *a* ~ *köntösében* under the guise of religion

vallásszabadság *n*, freedom of religion

vallásszakadás *n*, schism

vallástalan *a*, irreligious, ungodly, impious, indevout, without religion *(ut)*, professing no faith *(ut)*, *[isten-tagadó]* atheist

vallástalanság *n*, irreligion, irreligiosity, irreligiousness, indevotion, *[istentagadás]* atheism

vallástan *n*, religion, religious instruction, instruction in religion, catechism

vallástanár *n*, teacher of religion/divinity

vallástanítás *n*, = vallásoktatás

vallástörténet *n*, history of religion

vallású [-ak, -t; *adv* -an] *a*, of *(v.* belonging to) a religion/faith *(ut)*, professing (a) faith *(ut)*

vallásüldözés *n*, religious persecution

vallásváltoztatás *n*, change of faith/religion

vallat *vt*, *[vádlottat]* interrogate, (cross-)examine, *[rendőrségen szigorúan]* grill, try to get the truth out of sy, question; *veréssel* ~ use severe measures in examining sy, try to extort a confession by beating, (give sy the) third degree *(US)*

vallatás *n*, *[vádlotté]* examination, interrogation, *[rendőrségen szigorúan]* questioning; *majd kiderül a* ~*nál* it will all come out in the wash

vallató [-t; *adv* -an] **I.** *a*, examining **II.** *n*, **1.** (cross-)

examiner, interrogator, questioner **2.** ~*ra fog [bíró]* subject to examination, *(átv)* subject to inquiry

vállbojt *n*, shoulder piece, loop, epaulet(te), swab ◆

vállcsont *n*, shoulder bone

vállcsúcs *n*, acromion

válldobás *n*, *(sp)* flying mare

vállfa *n*, **1.** clothes/coat-hanger **2.** *(műsz)* stay-plate, gusset

vállfájás *n*, pain in the shoulder(s)

vállficam *n*, = vállficamodás

vállficamodás *n*, dislocation/luxation of the shoulder, *[állatnál]* shoulder-strain

vállhám *n*, collar-harness

vállheveder *n*, shoulder belt/strap

vállizom *n*, humeral/deltoid muscle

vállízület *n*, shoulder-joint

válljelzés *n*, shoulder flash

vállkendő *n*, **1.** shawl, neckerchief, throw-on **2.** *(egyh)* *[miséző papé]* amice

vállkő *n*, *[oszlopé]* capital, chamfer, *[bolthajtásé]* springer, impost, abutment

vállkörzés *n*, shoulder circle

vállkötés *n*, *[karnak]* arm-sling, scapular

váll-lap *n*, *(kat)* epaulet(te), shoulder strap/mark *(US)*

vállmagasság *n*, height of shoulders; ~*ban* shoulder-high

valló [-t] **I.** *a*, **1.** *[bűnös]* confessing, *[hirdető]* professing **2.** *vmre* ~ showing/evincing/betraying/exhibiting sg *(ut)*, evincive of sg *(ut)* **II.** *n*, confessor, professor

vallomás *n*, **1.** evidence, statement, *[beismerő]* confession, avowal, *(jog)* admission, acknowledgement by record, *[tanúé]* testimony; *eskü alatti* ~ deposition, affidavit; *a* ~ *alapján* on the strength of the witness's assertion/statement, on the strength of the accused's/ defendant's confession; ~*ra kényszerít (vkt)* force (sy) to make a confession; *kicsikar* ~*t vktől* draw a confession from sy; *beismerő* ~*t csikartak ki tőle* they forced a confession from him; ~*t tesz* make a (full) confession, give evidence, testify; ~*át visszavonja* withdraw *(v.* take back) one's confession **2.** *szerelmi* ~ declaration/confession of love **3.** *[irodalmi műfaj]* confessions *(pl)*

vallomástétel *n*, *[beismerés]* confession, act of giving evidence, *[vm mellett]* declaration

vallon [-ok, -t; *adv* -ul] *a/n*, Walloon

vállöv *n*, *(bonct)* shoulder girdle, scapular arch

vállpáncél *n*, épaulière *(fr)*

vállpánt *n*, **1.** *(kat)* = váll-lap; **2.** *[ruhán]* shoulder-strap; ~ *nélküli* strapless, bare shouldered

vállpárkány *n*, transom, shoulder ridge, impost

vállperec *n*, shoulder, collar-bone

vállpólya *n*, scapular

vállrándítás *n*, shrug of the shoulders, shrug *(fam)*

vállrándítva *adv*, = vállvonogatva

vállrész *n*, **1.** *[női fehérneműn]* shoulder-strap **2.** *[nagyolvasztónál]* boshes *(pl)*

vállrojt *n*, shoulder knot, epaulet(te) fringe

vállszalag *n*, sash, scarf, bandoleer

vállszélesség *n*, breadth/width of (the back at) the shoulders, broad of the back

vállszíj *n*, sling, *(kat)* shoulder belt/strap, cross-belt, *[antantszíj]* Sam Browne belt

válltömés *n*, shoulder-pad

vállú [-ak, -t] *a*, -shouldered, with... shoulders *(ut)*; *csapott* ~ round-shouldered/backed, sloping shouldered; *ferde* ~ crump-shouldered; *keskeny* ~ narrow shouldered

vállveregetés *n*, **1.** pat(ting sy) on the back, slaps on the shoulders *(pl)* **2.** *(átv)* condescension, patronizing

vállveregető *a*, patting sy on the back *(ut)* **2.** *(átv)* patronizing, condescending, treating sy with condescension *(ut)*

vállvért *n,* épaulière *(fr)*

vállvetve *adv,* shoulder to shoulder, in co-operation

vállvonal *n, boltozat ~a (épit)* springing line of a vault

vállvonogatás *n,* shrug(ging) of the shoulders shrug *(fam)*

vállvonogatva *adv,* with a shrug (of the shoulders), shrugging one's shoulders

való [-t, -ja; *adv* -an] I. *a,* 1. *[igaz]* true, real; *a ~ életben* in real life; *a történetet a ~ életből vették* the story is taken from real life; *~ helyzet* actualities *(pl)* ; *~ igaz* it is really/quite true, it's a (positive) fact, honest Injun *(fam)* ; *a ~ igazság* the honest truth; *~ tény* it is a positive fact; *a ~ világ* the natural world 2. *[alkalmas vmre]* fitted, suited (to sg), *(vm)* suitable (for, to), adapted to, calculated to *(do sg)*; *mire ~?* what is it good/used for?, *(elit)* what is the good of it?; *arra ~* fit/suited for that *(ut), [igével]* be made for the purpose, serve the purpose of; *a ház arra ~ hogy benne lakjunk* a house is for living in it; *ez arra ~ hogy megegyék* this is for eating, this is meant to be eaten; *arra ~ hogy megmutassa* it serves to show; *semmire sem ~* good/fit for nothing, *[csak vk]* ne'er--do-well, good-for-nothing, a rotter *(fam)* ; *nem ~ férjnek [igével]* will not make a good husband; *egy kosárra ~ alma* a basketful of apples; *zsírnak ~ szalonna* raw bacon for lard; *gyermekeknek ~ könyv* a book for children 3. *[származó] hova ~ vagy?* which country *(v.* where) are you from?; which country *(v.* where) do you come from; *tőle ~ fiú* son-by him; *munkáscsaládból ~* coming of a working-class family *(ut)* ; *a kézirat a X. századból ~* the MS dates from the 10th century 4. *[illő]* befitting, fit(ting), suitable (for, to), proper, becoming; *ez nem ~* it is not done; *kék nem ~ a zöldhöz* blue does not go with green; *ez a munka nem neki ~* he is ill-fitted to do that work, that work is not in his line, it does not suit him; *ez a szerep nem neki ~* he is miscast in this role, *(átv)* he is a square peg in a round hole (there); *nem ~ neki ez a ruha* this suit fits him badly, this dress does not become her; *ez nem nekem ~ hely* it is no place for me; *van magához ~ esze* he knows how to take care of himself, he knows on which side his bread is buttered 5. *[készült vmből] fából ~* (be) made of wood 6. *tömegtermelésre ~ áttérés* change-over *(v.* transition) to mass-production; *Hollandiának szomszédaihoz ~ viszonya* the relations of Holland with her neighbours *(pl)* ; *munkához ~ viszony* sy's attitude/ relation to work

II. *n, [valóság]* reality, truth; *a ~ uz (hogy)* the truth (of the matter) is (that); *egész ~jában megremegett* his whole being trembled, he trembled all over, he was all of a tremble; *vmt igazi ~jában lát* see sg in its reality *(v.* true aspect); *igaz ~jában mutatkozik (meg)* come out *(v.* show oneself) in one's true colours; *igaz ~jában mutat meg vmt vknek* open the eyes of sy to sg; *~nak bizonyul* prove true; *ha ~nak bizonyul* should it prove correct; *~ra válik [álom, jóslat]* come true, *[terv, remény]* realize, materialize; *~ra vált* fulfil, realize, carry into effect; *reményei nem váltak ~ra* his hopes failed to materialize

valóban *adv,* indeed, truly, really, actually, positively, verily, as a matter of fact, in point of fact, in fact, in truth, in reality,sure; *~? is* that so?, so?, indeed?; *sokat olvasnak — ~? they* read a great deal — do they?; *~ elment [nyomatékként]* he did go; *ez ~ megtörtént* it really happened, it/this is a true story; *ez ~ remek/ ragyogó* it is just splendid; *~ vannak kivételek* there are indeed exceptions

valódi [-ak, -t; *adv* -an] *a, [érték, barát]* real, true, *[gyöngy, selyem]* real, *[könny]* genuine, *[okmány]* authentic; *~ angol* a true-born *(v.* real) Englishman, an Englishman born and bred, *(kif)* have the stamp and bearing of an Englishman; *~ borda* sternal/ true rib; *megmutatja ~ énjét* come out *(v.* show oneself) in one's true colours; *az a könyv ~ érték* it is a book of true/sterling merit; *ez a ~ helye* that is where it belongs, that is its proper place; *~ idő (földr)* apparent time; *~ kép (fiz)* real image; *~ kettőshangzó (nyelvt)* proper diphthong; *~ magasság (égitesté)* true altitude; *~ tört* proper fraction; *nem ~ irreal, unreal, [ékszer]* imitation, sham, *[fog, haj, név]* false, *[pénz]* counterfeit, *[aláírás, szívélyesség]* bogus, *[érme, szerelem]* spurious, *[könny]* ungenuine, *[okmány]* unauthentic(al)

valódiság *n, [állításé]* truth, verity, *[okmányé, aláírásé]* authenticity, *[könnyé]* genuineness

válófélben vannak they are divorcing, they are being/ getting divorced

válogat *vt/vi,* 1. *[kiválaszt]* choose, cull, pick out, *[tárgyak/dolgok közül gyűjtemény számára]* make a selection; *labdarúgókat ~* select players for a football team; *nem ~ja a szavait* he does not pick/mince his words; *~hatsz* you may have your choice 2. *[osztályoz]* sort (out), sample, *[babot]* pick 3. *[finnyás]* be dainty/fastidious, be difficult to please, pick and choose; *embere ~ja* it all depends on the man

válogatás *n,* 1. *[kiválasztás]* choosing, choice, picking (out), culling, selecting; *~ nélkül* indiscriminately 2. *[osztályozás]* (act of) sorting, picking 3. *[finnyásság]* fastidiousness, picking and choosing

válogató [-t, -ja; *adv* -an] I. *a,* picking, selecting, choosing, sorting, selective; *~ bibliográfia* select/ partial bibliography, select list of references; *~ bizottság [képkiállításra]* hanging/selection committee, *(sp)* selection committee II. *n,* selector, picker, sorter, sampler, try-out

válogatóasztal *n,* sorting/picking table

válogatógép *n,* sorting machine, sorter, picker

válogatómérkőzés *n,* trial game, selection match

válogatós [-at; *adv* -an] *a,* particular (about sg), fastidious, picksome, faddy (about his food), finicky, choosy *(jam)*, hard to please/satisfy *(ut) (fam)* ; *nem ~ az eszközökben* be not over-scrupulous *(v.* squeamish) when it comes to find the ways and means, resort to any expedient in order to attain one's ends; *~ vevő (ker)* hard to please customer

válogatószalag *n, (sp)* sorting/picking belt

válogatott [-at; *adv-*an] I. *a,* chosen, picked, selected, *[áru]* sorted, *[étel]* choice, *[hallgatóság]* select, exclusive *(US)* ; *~ csapat (sp)* representative/ selected team, the all-American team *(US)* ; *a bolgár ~ csapat* the selected/chosen Bulgarian (national) team; *~ csapatok (kat)* the pick of the army, troops of picked men, picked troops; *~játékos* representative/ international player; *~ költemények* selected poems/ poetry; *~ mérkőzés [országoké]* international match; *Shelley ~ művei* selections from Shelley; *~ részletek/ szemelvények* selected passages

II. *n,* 1. = *~ csapat; a magyar labdarúgó ~* the Hungarian eleven 2. *[játékos]* = *~ játékos*

válogatóverseny *n,* selecting competition, trial

valójában *adv,* really, in reality/truth, actually, practically, in point of fact, as a matter of fact, for all intents and purposes, for all practical purposes; *olasznak látszott ami ~ volt is* he looked like an Italian which indeed he was; *ld még* **való** II.

válókereset *n,* divorce suit, petition/action for divorce; *~et bead* sue for a divorce, take/start divorce proceedings; *a ~et elutasították* the action for divorce was dismissed

válóok *n,* ground/reason for a divorce, ground of divorce

válóper *n,* divorce suit/case; *~t indít* sue for a divorce, take/start divorce proceedings (against sy)

válóperes *a*, divorce, of divorce *(ut)*; ~ *bíróság* divorce court; ~ *ügyvéd* divorce lawyer, solicitor specializing in divorce cases
valorizáció [-t, -ja] *n*, (re)valorization
valorizációs [-at] *a*, ~ *záradék* escalator clause
valorizál [-t, -jon] *vt/vi*, (re)valorize
valorizálás *n*, (re)valorization
valós [-at; *adv* -an] *a*, real, positive, concrete; ~ *kép (fiz)* real image; ~ *rész/összetevő (menny)* real component; ~ *szám* real number; *nem* ~ *[szám]* irrational
valóság *n*, reality, *[igazság]* truth, verity, *[tény]* fact; ~ *és képzelet* fact and fiction; *a kendőzetlen/könyörtelen/nyers/rideg* ~ the blunt fact, the real/naked/brutal/unvarnished truth; *a* ~ *esete (nyelvt)* real condition; *a* ~*ban* in reality/effect/practice, indeed, effectively; *a maga* ~*ában* as it really is; *a* ~*hoz híven* in accordance with the (true/real) facts, with the greatest reality; *nem felel meg a* ~*nak* this is not (quite) true, it does not tally with the facts
valóságábrázolás *n*, realism, verisimilitude, description/portrayal/presentation of reality *(v.* of things as they are); *szocialista* ~ socialist realism
valóságábrázoló *a*, ~ *irányzat* representationalism; ~ *művészet* representational art
valósággal *adv*, practically, veritably; ~ *elárasztották megrendelésekkel* was practically flooded with orders
valóságismeret *n*, knowledge of the world/facts, awareness
valóságos [-at; *adv* -an] *a*, real, veritable, *[igaz]* true, *[igazi]* genuine, very, actual, practical; ~ *ajtó (szính)* practicable door; ~ *csoda* a perfect wonder, quite a miracle, positive miracle; ~ *érték* real/true value (of things); ~ *istenverése [dolog]* a veritable disaster, *[személy]* (he is) a pest, a perfect nuisance; ~ *kép (fiz)* real image; *ez az ember* ~ *Néró* he is a very Nero; ~ *ördög* he is the devil incarnate; *ez a kép* ~ *remekmű* this picture is no less than a masterpiece
valóságtartalom *n* coverage of reality
valósi [-ak, -t] *a/n*, *hova* ~ *vagy?* where are you from?, where do you come from?, where do you hail from?
valósság *n*, reality, realness, truth
valószerű *a*, verisimilar, having the appearance of truth *(ut)*, likely, probable, *[írás]* realistic; ~ *ábrázolás* realistic portraiture/portrayal
valószerűség *n*, verisimilitude, realism, reality
valószerűtlen *a*, unreal
valószínű *a*, probable, likely, verisimilar, *[feltételezhető]* presumable, feasible, *[érthető]* plausible; ~ *hogy* it is probable that, it is to be expected that; *igen* ~ most likely, like enough; *kevéssé* ~ *(hogy...)* it is highly improbable that...; *nagyon* ~ very likely; *nem* ~ *(hogy) [hihető]* it is hardly credible (that), *[várható]* it is hardly to be expected (that), it is not likely (that), it is unlikely (that); *nem* ~ *hogy eljöjjön* he is unlikely to come; *nem tartom* ~*nek* I do not think it likely, I do not think/expect so; ~ *élettartam* expectation of life; ~ *hiba (menny)* probable error; ~ *nyerő [versenyben]* favourite; ~ *örökös* heir presumptive; ~ *vevő* prospective buyer; *mi a leg*~*bb idő arra(,) hogy otthon találjam* what is the likeliest time te find him at home
valószínűleg *adv*, probably, very/most likely, in all probability/likelihood, as likely as not, to all intents and purposes, presumedly, presumably; ~ *esni fog* it is likely to rain; *hat órára* ~ *szabad leszek* I shall *(v.* ought to) be free by six; ~ *megfeledkezett a dologról* he must *(v.* seems to) have forgotten (all) about it/sg
valószínűség *n*, probability, likelihood, *[irodalmi műben]* verisimilitude, plausibility *(fam)*; *a* ~ *mellette*

szól the odds are in his/its favour; *minden* ~ *szerint* in all likelihood/probability; *nagy a* ~*e annak (hogy)* it is most likely, to all probability; *vm halvány* ~*e még van* there is a sporting/fighting chance; *kevés a* ~*e* there is little likelihood (of), it is hardly to be expected (that)
valószínűségelmélet *n*, probability theory
valószínűségi *a*, of probability *(ut)*; ~ *görbe (menny)* probability curve; ~ *szint* probability level
valószínűségszámítás *n*, calculus of probabilities, theory of probability
valószínűsít [-eni, -ett, -sen] *vt*, render/make sg probable/likely/verisimilar
valószínűsítés *n*, rendering sg probable
valószínűtlen *a*, improbable, unlikely, implausible, beyond all probability *(ut)*, hard to believe *(ut)*, lacking in verisimilitude *(ut)*; ~ *történet* an improbable story, *(kif)* the story doesn't hold together *(fam)*, tall/impossible/shaky story *(fam)*, a story that is hard to swallow *(fam)*
valószínűtlenség *n*, improbability, unlikelihood, unlikeliness, lack of verisimilitude, implausibility
valótlan *a*, untruthful, untrue, false, *[hazug]* lying, mendacious; ~ *hír* false report; *vmnek* ~ *volta* untruth of sg; ~*t mond* tell a lie, tell an untruth
valótlanság *n*, untruth, falsehood, falsity, false assertion, untrue statement, *(iron)* terminological inexactitude; ~*ot mond* tell an untruth
valótlanul *adv*, untruthfully
valőr [-ök, -t, -je] *n*, value, worth
válság *n*, crisis, critical stage/period, *[beteg állapotában]* crisis, turning point; *gazdasági* ~ economic crisis; *slump* (in business); *közbeeső* ~ mid-cycle crisis; *részleges* ~ partial crisis; *súlyos* ~ acute crisis; *beáll a* ~ a crisis sets in; *a kapitalizmus általános* ~*a* general/overall crisis of capitalism; ~*ba jut* come to a crisis, face/undergo a crisis; ~*ba sodor/dönt* precipitate into crisis; ~*on megy át* pass through a crisis, go through a crisis, go through a critical time
válságmentes *a*, crisis-free, free of crises *(ut)*
válságos [-ak, -t; *adv* -an] *a*, critical, *[döntő]* crucial, *[veszélyes]* dangerous; *a helyzet* ~ the situation is critical, this is an emergency; *a jelenlegi/mostani* ~ *helyzet* the present acute crisis; *ebben a* ~ *helyzetben* in this emergency; *a beteg állapota* ~ the patient is in a dangerous state/condition, the patient is on the danger list; *ebben a* ~ *pillanatban* at this critical moment; *a* ~ *pillanat közeledik* things are coming/ drawing to a crisis
válságosság *n*, criticalness, crucial character of sg, danger(ous state)
vált¹ [-ani, -ott, -son] I. *vt*, 1. *[megváltoztat, másra cserél]* change; *ágyneműt* ~ change the bedclothes; *fehérneműt* ~ change one's linen; *lépést* ~ change step; *lovakat* ~ change horses; *ruhát* ~ change one's clothes; *gyorsan ruhát* ~ make a quick change; *sebességet* ~ shift gears; *mindennap új inget* ~ he wears a new shirt every day 2. *[pénzt apróra]* change; *tud* ~*ani egy száz forintost?* can you change a 100 forint note for me? 3. *jegyet* ~ *vhová [színházba]* buy/book/get a seat for (the theatre), *[vasúton]* buy/book a ticket/seat to...; *hova* ~*ott (vasúti, autóbusz stb.) jegyet?* where have you booked to? 4. *jegyet* ~ *vkvel* become engaged to sy; *levelet* ~ exchange letters with sy; *pillantásokat* ~ exchange/ interchange glances/looks with sy; *néhány szót* ~ *vele* exchange a few words with sy; *egy pár levelet* ~*ottunk* there has been some correspondence between us 5. *őrséget* ~ relieve the guard; *nyolc óránként* ~*ják őket* they work an eight-hour shift
  II. *vi*, 1. *[stafétában]* relay 2. *jól* ~ *az esze* he is quick in the uptake

vált² *a, eggyé* ~ united, become united/one with *(ut)*; *semmivé* ~ *ábránd* dream that came to nothing, empty dream, vain hope

váltakozás *n,* alternation, alternate change/succession/ occurrence, rotation, interchange, *[mozgásé]* reciprocation; *az évszakok* ~*a* the changing/alternation of seasons

váltakoz|ik *[-tam, -ott, -zon, -zék] vi, (vmvel)* alternate (with sg *v.* each other), happen/succeed/act by turns *(v.* in alternation), vary by turns, interchange, *[lázas és lázmentes állapot]* intermit; *ár és apály* ~*ik* egymással flood/flow and ebb alternate with each other *(v.* one another); *domb és síkság* ~*nak a tájon* the land alternates between hills and plains; *az évszakok* ~*nak* the seasons alternate/revolve

váltakozó *[-t] adv -an] a,* alternate, alternating, intermittent, periodic, fitful, occurring/succeeding *(v.* changing back and forth) by turns *(ut);* ~ *áram* alternating/periodical current; ~ *áramú* alternating- -current *(röv* A.C.); ~ *áramú hálózat* alternating- -current mains, A.C. mains; ~ *fény* alternating light; ~ *irányú mozgás* reciprocating motion; ~ *levelű* alternate-leaved; ~ *rímek* alternate rhymes; ~ *sikerrel* with varying success; ~ *terhelés* pulsating load

váltakozva *adv,* alternately, by turn(s), one after the other, by alternation, intermittently

váltás *n,* **1.** change, *[pénzé, ruháé]* changing (money, clothes), *[szavaké]* exchange, exchanging (of words); *egy* ~*ruha* a change (of clothing), a fresh set of clothes **2.** *[őrségé]* changing (the guard), *[őré]* relief, *[új őrség]* relief, *[jutóké]* relay, passing the baton, *[lóé]* relay, *[munkásoké]* shift; *háromórás* ~*sal* csinálnak *vmt* do sg in turns of three hours

váltási *[-t] a,* ~ *nyereség* agio, premium on exchange; ~ *veszteség* disagio, loss on exchange

váltig *adv,* incessantly, without stopping/ceasing, times without number; *állítja/erősítgeti (hogy)* he keeps on asserting (that), he insists on ...; ~ *mondtam* I kept on saying

váltó *[-t, -ja] n,* **1.** *(ker)* bill (of exchange), letter of exchange, draft; *bankképes* ~ bankable bill (of exchange); *belföldi* ~ inland bill; *bemutatóra szóló* ~ bill payable to bearer; *beváltatlan* ~ unpaid/dishonoured/unprotected bill; *biankó* ~ blank bill; *elfogadott* ~ acceptance (bill); *első* ~ first of exchange; *eredeti/saját* ~ note of hand, promissory note; *értékesíthető* ~ negotiable bill; *esedékes* ~ due/ matured bill, bill to mature *(v.* falling due); *forgatott* ~ endorsed bill; *helyi* ~ local bill (of exchange); *hosszú lejáratú* ~ long *(v.* long-sighted/dated) bill; *kifizetetlen* ~ dishonoured bill, bill in abeyance/sufferance/default; *külföldi* ~ foreign bill; *látra szóló* ~ bill (payable) at sight, sight-bill/draft; *lejárt* ~ overdue/expired bill; *leszámítolhatatlan* ~ ineligible bill; *leszámítolható* ~ eligible bill; *leszámítolt* ~ discounted bill; *meghosszabbított* ~ renewed bill (of exchange); *megóvatolt* ~ protested bill; *határozott napra szóló* ~ bill payable at a fixed date, fixed bill; *okmányos* ~ documentary draft; *prolongációs* ~ renewal bill; *rövid lejáratú* ~ short *(v.* short-sighted/dated) bill; *saját* ~ promissory note, note of hand; *színleges* ~ fictitious bill, kite; *szívességi* ~ accommodation bill/note; *telepített* ~ domiciled bill; *fedezetlen* ~ *kibocsátása* kit(efly)ing; ~*t bemutat [elfogadás/ kifizetés végett]* present a bill (for acceptance); ~*t bevált* meet *(v.* take up) a bill; ~*t elfogad* accept/ nonour a bill/draft; ~*t forgat* negotiate/endorse a bill; ~*t kibocsát/intézvényez vkre* draw a bill on sy; ~*t kifizet* pay/meet/retire a bill; ~*t nem fizet ki* dishonour a bill; ~*t leszámítol* discount a bill; ~*t óvatoltat* have a bill protested; ~*t prolongál* enlarge the payment of a bill; ~*t telepít* domicile

a bill; ~*t visszavon* retire a bill; ~*t visszleszámítol* rediscount a bill **2.** *[pénzt]* money-changer **3.** *(vasút)* points *(pl),* (point) switch *(US);* *zárt* ~ locked switch; *átállítja a* ~*t* shift *(v.* throw over) the points; *áthalad a* ~*n* pass/take the points; ~*t elzár* lock a switch; ~*t kezel* attend a switch *(v.* switches) **4.** *[írógépen]* shift lever/key **5.** *(sp)* relay (race); *4 × 100 m-es* ~ 400 metre(s) relay

váltóadós *n, [idegen váltóé]* drawee

váltóadósság *n,* debt founded on bills *(v.* promissory notes), bill debt

váltóalkusz *n,* bill broker, note broker *(US)*

váltóállás *n,* **1.** *(sp)* telemark position **2.** *(műsz)* interchanging position

váltóállítás *n, (vasút)* switching, shifting of points, pointing, switching *(US),* working the switches *US);* *hibás* ~ *következtében* as a result of incorrect setting of the points, as a result of wrong/faulty switching

váltóállító *a, (vasút)* ~ *bódé* signal tower; ~ *készülék [kar]* switch-lever, *[gép]* switch machine; ~ *rúd* reversing/switch rod; ~ *torony* interlocking tower

váltóállomány *n,* bills in/on hand *(pl),* stock of bills

váltóáram *n,* alternating current *(röv* A.C.)

váltóarbitrázs *n,* bill of exchange calculation

váltóárfolyam *n,* bill/discount rate

váltóbank *n,* exchange-bank

váltóbélyeg *n,* bill stamp

váltóbíróság *n,* ⟨commercial court which deals with matters relating to bills of exchange⟩, County Court *(GB)*

váltóbirtokos *n,* holder (of a bill), bearer (of a bill)

váltóbot *n, (sp)* (relay) baton

váltóeke *n,* reversible/disk plough

váltóelévülés *n,* prescription of a bill

váltóelfogadás *n,* acceptance (of bill)

váltóelfogadó *n,* acceptor

váltóesedékesség *n,* term, falling due (of a bill), (date of) maturity

váltófedezet *n,* protection, consideration for a bill of exchange, bill of exchange cover

váltófiók *n, (tex)* drop box

váltóforgalom *n,* circulation of *(v.* transactions in) bills of exchange

váltóforgatás *n,* negotiation of a bill (of exchange), endorsing

váltóforgatmányos *n,* endorsee (of a bill of exchange)

váltóforgató *n,* endorser (of a bill of exchange)

váltófutás *n,* relay race

váltogat *vt,* keep (ex)changing/interchanging/alternating, *[változtat]* vary, *[mezőg vetést]* rotate; ~*ja egymást* alternate (with) each other; ~*va* in rotation

váltogatás *n,* alternation, constant changes *(pl),* *(mezőg)* rotation

váltógazdálkodás *n,* = **váltógazdaság**

váltógazdaság *n,* crop rotation, rotation (of crops), rotating crops *(pl),* shift system

váltóhamisítás *n,* forging of bills, bill forgery

váltóhamisító *n,* bill forger

váltóhang *n, (zene)* changing-note

váltóház *n,* central signal box, main switch tower *(US)*

váltóhitel *n,* credit against *(v.* secured by) a bill of exchange, acceptance credit

váltóintézvényezés *n,* (act of) drawing a bill (on sy)

váltóintézvényezett *n,* drawee

váltóintézvényező *n,* drawer (of a bill of exchange)

váltójelző *n, (vasút)* switch signal/lamp, position/ shape target

váltójog *n,* law (relating to bills) of exchange, (bill of) exchange law, negotiable instruments law *(US)*

váltókar *n,* **1.** *[írógépen]* shift key **2.** *[vasúti]* switch bar/lever

váltókar-fogantyú *n,* shifting handle, switch weight

váltókémlés *n*, arbitration of exchange

váltókereset *n*, ⟨suit relating to a bill of exchange⟩, action for non-payment of bill

váltókeret *n*, *[képeknek]* passe-partout *(fr)*, mount

váltókészülék *n*, switch(ing device)

váltókezelő *n*, *(vasút)* pointsman, switchman *(US)*

váltókezes *n*, guarantor, endorser, backer (of bill)

váltókezesség *n*, endorsement (on bill), surety/guarantee for the payment of a bill

váltókibocsátás *n*, drawing of a bill

váltókibocsátó *n*, drawer (of a bill of exchange)

váltókölcsön *n*, loan secured by an acceptance, acceptance credit

váltókörte *n*, *(vasút)* switch weight

váltókövetelés *n*, claim based on a bill of exchange

váltóláz *n*, intermittent/mosquito fever, ague, malaria; *mindennapos* ~ quotidian

váltólejárat *n*, = váltóesedékesség

váltóleszámítolás *n*, discounting of bill(s)

váltóleszámítolási *a*, ~ *hitel* discount credit

váltóleszámítolhatóság *n*, eligibility (of a bill)

váltólombardhitel *n*, advance on a bill (of exchange)

váltóműszak *n*, ~*ban dolgozik* he is working a different shift every week

váltónyelv *n*, *(vasút)* switch/tongue rail

váltóóvatolás *n*, protest (in case of non-payment of a bill), notice of dishonour

váltóőr *n*, *[vasúti]* point(s)man, flag man, leverman, point turner, switchman *(US)*, switcher *(US)*

váltópénz *n*, (small) coin, (small) change

váltóper *n*, bill-suit, action for non-payment of bill

váltórendelvényes *n*, payee of a bill (of exchange)

váltósín *n*, slide-rail, switch-rail *(US)*

váltósúly *n*, *(sp)* welter-weight

váltósúlyú *a*, welter-weight (boxer)

váltószámla *n*, bill account

váltószivattyú *n*, relay pump

váltószög *n*, *(menny)* alternate angle

váltótárca *n*, *(ker)* holdings *(pl)*, bills in hand *(pl)*, bills receivable *(pl)*

váltótoldat *n*, rider (of a bill)

váltótörvény *n*, Bills of Exchange Act, law of exchange

váltott [-at; *adv* -an] *a*, **1.** *[pénz, ruha]* changed *(ut)*, *[ló]* fresh, relay; ~ *fürdő* contrast bath; ~ *lovak* relay horses; ~ *műszak ld* váltóműszak; ~ *tanítási rend* shift system for schoolchildren (attendance alternating weekly between morning and afternoon) **2.** *[jegy]* taken, booked *(ut)*; *Budapestre* ~ *jegyek* tickets (booked) for Budapest

váltóúszás *n*, relay swimming race

váltóuzsora *n*, exorbitant/illegal profit by discounting bills

váltóügylet *n*, bill transaction

váltóügynök *n*, bill/exchange-broker

váltóűrlap *n*, blank bill

váltóüzlet *n*, **1.** *[hely]* exchange office, money-changer's office **2.** *[ügylet]* bill transaction, *[pénzváltó]* exchange business

váltóverseny *n*, *(sp)* relay (race)

váltóvisszkereset *n*, recourse

változandó [-t; *adv* -an] *a*, changing, alterable, inconstant, variable, mutable, *(elit)* fickle, flighty, fitful; *a szerencse* ~ fortune is fickle

változandóság *n*, changeableness, inconstancy, variability, mutability, *(elit)* fickleness

változár *n*, *(vasút)* point lock, switch-lock *(US)*

változás *n*, **1.** change, (process of) changing, alteration (of course), *[hangé]* mutation, *[hőmérsékleté]* fluctuation, *[nőknél orv]* change of life, climacteric; *kedvező* ~ *állt be* a favourable change occurred *(v.* was brought about); *időbeli* ~ time change; *minőségi* ~ qualitative change; *népességi* ~*ok* changes in population; *nyíltszíni* ~ transformation scene; *személyi* ~*ok [intézménynél]* changes in (the) personnel, reshuffle *(fam)*, shake-up *(fam)*; *színpadi* ~ change of scene; *a helyzet gyökeres* ~*a* a complete change in the situation; *az idők* ~*a* the march of time; ~*on megy át (nyelvt)* suffer change; ~*ra van szükséged* you need a change; ~*t okoz* bring about a change; ~*t szenved* undergo (a) change **2.** *a hold* ~*a (csill)* change of the moon

változási [-t] *a*, ~ *időszak (orv)* climacteric

változásos [-at; *adv* -an] *a*, changeable, full of *(v.* characterized by) changes *(ut)*

változat *n*, **1.** *(csill)* phase, *[fordítás]* version, *[helyesírásban, kiejtésben]* variant, *[történeté]* version, account **2.** *(zene)* variation, variant, (musical) setting; ~*ok egy témára* theme with variations **3.** *(növ, áll)* variety, varietas; ~*hoz mint rendszertani kategóriához tartozó* varietal

változatlan *a*, unchanged, unchangeable, unchanging, unaltered, unvaried, unvarying, invariable, constant, *[alak]* untransformed, *[barométer]* steady, *[betegség]* stationary, *[időjárás]* settled, *(menny)* invariant, *[romlatlan]* uncorrupted; *a beteg állapota* ~ the patient's condition is unchanged, there has been no change in the patient's condition; *nyugaton a helyzet* ~ all quiet on the Western front; ~ *ár [statisztikában]* unchanged/constant price; *az árak* ~*ok* prices are unaltered/firm/steady; ~ *bérek* static wages; ~ *ritmus (zene)* invariable rhythm; ~ *tő (nyelvt)* unchanged root; ~ *(új) kiadás* unchanged/unaltered/unrevised/reprint edition; ~ *utánnyomás (nyomd)* (anastatic) reprint, new impression

változatlanság *n*, constancy, immutability, steadiness, stationary/unchanged character/quality of sg

változatlanul *adv*, invariably; ~ *kitart vm mellett* stick (firmly) to sg, stick to one's purpose/opinion, persist in one's opinion, stick to one's guns *(fam)*

változatos [-at; *adv* -an] *a*, varied, diversified, *[hír]* various, miscellaneous, *[mozgalmas, színes]* variegated, multifarious, protean, manifold, *[típus]* varying; ~ *műsor* mixed programme; ~ *pályafutás* chequered career; ~ *vidék* varied/diversified scenery; ~*sá tesz vmt* give/lend variety to sg, diversify sg, impart interest to sg by means of variety, vary sg

változatosság *n*, variety, diversity, variousness, *[tájé]* variedness, diversification (of landscape); *a* ~ *kedvéért* for a change, for variety's sake; *a* ~ *az élet sója (közm)* variety is the spice of life, anything for a change; *szereti a* ~*ot* he likes change(s)/variety

változékony [-ak, -t; *adv* -an] *a*, changing, altering, alterable, changeable, liable to change *(ut)*, variable, mutable, varying, *(elit)* unstable, unsteady, inconstant, fickle, shifting, shifty, mercurial, volatile, *[szél]* shifting, variable, choppy, *[barométerjelírás]* "change"; ~ *hangulatú* fitful; ~ *idő* unsettled/changeable/variable weather; ~ *vérmérséklet* instability of temper

változékonyság *n*, changeability, variability, mutability, *(elit)* unsteadiness, inconstancy, instability, fickleness, fitfulness

változhatatlan *a/n*, unchangeable, unalterable, invariable, immutable; *beletörődik a* ~*ba* he resigns himself to his fate

változhatatlanság *n*, unchangeability, unalterableness, immutability, invariability

változhatatlanul *adv*, unalterably

változ|ik [-tam, -ott, -zon, -zék] *vi*, **1.** alter, (undergo a) change, *[hang]* break, *[minőség]* vary (in quality), *[szélirány]* change, shift, *[piac]* fluctuate; ~*ik a színe* change colour; *előnyére* ~*ott* he has greatly improved; *hátrányára* ~*ott* he has changed for the worse; *napról napra* ~*ik* change from day to day;

nem ~ott semmi nothing has changed; *nem ~ott semmit* he is still the same; *~nak az idők és ~nak az emberek* other days other ways 2. *(vmivé)* turn/ change *(v.* be converted) into, become (sg); *ecetté ~ik* turn into vinegar; *savanyúvá ~ott* it has turned sour; *szerelme gyűlöletté ~ott* his love has turned to hatred

változó [-t; *adv* -an] I. *a,* changing, varying, altering, variable, mutable, *[érzelem]* inconstant, fickle, *[hangulat]* changeable, *[időjárás]* variable, *[mennyiségű]* floating, fluctuating; ~ *anyag [számadásban]* floating equipment, floating accessories *(pl)* ; ~ *kor [nőknél]* critical age; ~ *szerencsével* with varying success; ~ *szóhangsúly* shifting accent/stress; ~ *tőke* variable capital; ~ *ünnep (vall)* moveable feast; *nem ~* unchanging, unchangeable, invariable II. *n, (menny)* variable (quantity); *független ~* independent variable, argument; *függő ~* dependent variable

változóság *n, [anyagé]* changeability

változtat *vt/vi,* change, alter, *[részben]* modify, *(vmn)* make a change/alteration (in sg), *[javítólag]* amend; *vmt vmivé ~* transform/convert/turn/change sg into sg; *irányt ~* change/alter one's course/route/direction, *[hajó]* jibe, tack, *[szél]* veer; *lakást ~* change/shift one's lodgings/quarters, (re)move (from… to); *nevet ~* change one's name, assume another name; *nevét X-ről Y-ra ~ta* he changed his name from X to Y; *taktikát ~* resort to new tactics; *ez mit sem ~ a dolgon* that does not alter the case in the least; *ez ~ a helyzeten* that alters the case; *ezen nem lehet ~ni* it cannot be helped, there is no getting away from it; *ezen ~ni kell* that must be *(v.* has to be) changed/ altered

változtatás *n,* changing, change (over/in), shift, alteration, *[részben]* modification, *[javítólag]* amendment; *~t hajt végre* make an alteration/change

változtatható [-t] *a,* ~ *ellenállás* variable resistor/ resistance, varistor; ~ *gyújtótávolságú lencse* zoom lens

változsák *n, (fényk)* changing bag

váltság *n,* = **váltságdíj**

váltságdíj *n,* ransom; *~at fizet vkért* ransom sy, pay ransom for sy, pay sy's ransom

valuta [..át] *n, (ker)* currency, monetary standard; *effektív ~* effective currency; *ezüst ~* silver currency; *gyenge ~* soft currency; *hazai ~* national currency; *idegen/külföldi ~* foreign currency/bills/exchange; *nemes ~* hard currency; *nem nemes ~* soft currency; *idegen valutában* in foreign currency

valutaárfolyam *n,* (rate of) exchange

valutabeszolgáltatás *n,* delivery of currency

valuta-bűncselekmény *n,* foreign currency offence

valutacsempész *n,* currency smuggler, smuggler/contrabandist in (foreign) currency

valutacsempészés *n,* smuggling in foreign exchange stock, (foreign) currency smuggling

valutaellenőrzés *n,* exchange control

valutafelár *n,* premium, premium on exchange, agio

valutaforgalom *n,* circulation of *(v.* trade in) foreign currency

valutahiány *n,* shortage of foreign exchange

valutájú [-ak, -t] *a, jó ~* hard-currency

valutakorlátozás *n,* currency restriction

valutakülönbözet *n,* exchange difference

valutaosztály *n,* foreign exchange department

valutapiac *n,* exchange market

valutareform *n,* currency/monetary reform

valutarendszer *n,* monetary/currency system (of a country)

valutáris [-at] *a, ~ nehézség* currency difficulty

valutaromlás *n,* depreciation of currency

valutatartalékok *n. pl,* foreign exchange reserves

valutaterület *n,* currency area

valutatőzsde *n,* foreign currency exchange

valutaüzér *n,* currency smuggler/profiteer/jobber

valutaüzérkedés *n,* = **valutázás**

valutaüzlet *n,* 1. *[helyiség]* foreign exchange office 2. *[ügylet]* foreign exchange transaction/deal/operation

valutázás *n,* traffic in foreign currency, stock-jobbing, jobbery

valutáz|ik [-tam, -ott, -zon, -zék] *vi,* traffic/deal illegally in foreign currencies, engage in illicit foreign currency dealings, engage in illicit exchange transactions

valutázó [-t, -ja] I. *a,* trafficking in foreign currencies *(ut)* II. *n,* speculator in foreign currencies, foreign currency speculator, currency smuggler

vályog [-ot, -ja] *n/a, [tégla]* sun-dried unburnt brick, adobe; *~ot vet* make sun-dried unburnt bricks, make adobes

vályogépület *n,* adobe (building/house)

vályogfal *n, [döngölt]* mud wall, *[téglából]* wall built of adobes *(v.* sun-dried bricks), cob wall

vályogföld *n,* adobe

vályogház *n,* adobe (house)

vályogkészítés *n,* = **vályogvetés**

vályogkunyhó *n,* adobe (hut)

vályogtégla *n,* adobe, sun/air-dried brick

vályogvetés *n,* making adobe, making unburnt sun-dried bricks

vályogvető *n,* maker of adobes, maker of unburnt sun-dried bricks

vályú [-t, -ja] *n,* trough, tray, *[etető]* manger, feeding-trough

vályús [-at] *a, ~ szalag* troughed belt

vályúzat *n, (épít)* fluting

vám [-ot, -ja] *n,* customs *(pl),* customs duty, customs duties *(pl),* duty tax, impost, *[városi]* octroi, town toll, *[híd, kövezet]* toll, charge, *[őrlési természetben]* multure; *árunemenkénti ~* specific duty; *átviteli ~* transit duty; *behozatali ~* import/customs duty, duty of entry, customs inward *(pl)* ; *egységes ~* uniform duty; *kedvezményes~* preference/preferential duty; *kiegyenlítő ~* compensative/countervailing duty; *kiviteli ~* export duty, customs outward *(pl)* ; *országúti ~* toll thorough; *preferenciális ~* preferential customs duty; *súly szerinti ~* poundage; *szerződéses ~* conventional duty; *tiltó ~* prohibitory/ prohibitive duty; *~ból kivált* clear; *kiváltás ~ból* customs clearance; *~ot eltöröl* remove/repeal/abolish/ abrogate duty; *~ot emel* raise/augment the duty; *~ot szed vktől* take/exact toll from sy; *~ot vet ki vmre* impose/lay/levy duty on sg

vámalakiság *n,* customhouse formality; *~okat elintéz* comply with the customhouse formalities

vámállomás *n,* custom station, station of entry

vámáru *n,* article subject to duty, dutiable goods *(pl),* dutied goods *(pl) (US ritk)*

vámárunyilatkozat *n,* customs declaration, entry

vámbárca *n,* transire, excise-bond, bond-note

vámbehozatali *a, ~ engedély* customs visa

vámbevallás *n,* customs declaration, bill of entry customhouse entry; *beviteli ~* entry inward; *ideiglenes ~* prime/sight entry; *kiviteli ~* entry outward

vámbírság *n,* customhouse fine

vámbizonylat *n,* customhouse certificate

vámbiztosíték *n,* bond surety

vámbódé *n,* customhouse, tollhouse

vámcédula *n,* customs certificate

vámcsalás *n,* defraudation of (the) customs/revenue; *~t követ el* cheat the customs

vámcsaló *n,* defrauder (of customs)

vámdíj *n,* (customs) duty, customs dues/fees *(pl)*

vámdíjszabás *n*, customs tariff; *kedvezményes* ~ ' preference/preferential tariff

vámdíjtétel *n*, item of customs tariff, rate of duty, tariff rate

vámdíjvisszatérítés *n*, drawback

vámegyezmény *n*, customs/tariff agreement

vámegység *n*, customs union

vámeljárás *n*, customs formalities (*pl)*

vámellenőr *n*, customs inspector, scrutineer

vámelőírások *n. pl*, customhouse regulations

vámelőjegyzés *n*, temporary admission, customs permit for temporary importation

vámelőjegyzési *a*, ~ *eljárás* procedure for temporary importation

vámengedmény *n*, customs reduction

vámérték *n*, dutiable value/price

vámfelár *n*, additional/extra duty, customs surtax

vámfelügyelő *n*, customs inspector, inspector/surveyor of the customs

vámfizetés *n*, payment of duty

vámgabona *n*, multure

vámháború *n*, tariff war

vámhatár *n*, customs frontier

vámhatóság *n*, customhouse/customs authorities *(pl)*

vámház *n*, customhouse, tollhouse; ~*ban levő áru* bonded merchandise, bonded goods *(pl)*

vámhitel *n*, customs credit

vámhivatal *n*, customs *(pl)* customhouse, custom-office, board of customs

vámhivatali *a*, ~ *kísérőlevél* customhouse bond/pass, transire

vámhivatalnok *n*, customhouse/customs officer

vámilletékek *n. pl*, customs dues/fees

vámjegy *n*, customhouse bond/pass, cocket, docket

vámjegyzék *n*, customs' nomenclature

vámjövedék *n*, customs revenue

vámkedvezmény *n*, duty concession, reduction of duties, *[visszatérítés]* drawback

vámkérdés *n*, customs question/problem

vámkezel *vt*, pass through the customs, carry out (the) customs formalities/ clearance (in connection with sg)

vámkezelés *n*, clearance, *[vizsgálat]* customs examination/formalities

vámkezelési *a*, ~ *díj* clearance costs *(pl) ;* ~ *költség* customs clearance charges *(pl) ;* ~ *szabályok* customhouse regulations

vámkezeltet *vt*, have/get sg cleared/passed through the customs, see/get/pass sg through the customs, submit sg for examination by the customs officials; ~*i a poggyászát* clear one's luggage through the customs

vámkezeltetés *n*, customs clearance

vámkikötő *n*, customs/bonded port

vámkirendeltség *n*, *[határon]* frontier customs post, customs office/commission

vámkísérőjegy *n*, transire, customhouse bond, bond-note, cocket, docket

vámkódex *n*, customs codex

vámkontingens *n*, customs contingent

vámköltség *n*, duty, customhouse charges *(pl)*

vámköteles *a*, liable/subject to duty *(ut)*, dutiable, customable, *[elvámolt]* dutied

vámközösség *n*, customs union

vámkülföld *n*, customs abroad

vámleszállítás *n*, reduction of duties

vámletét *n*, customs duty deposit

vámmentes *a*, free of duty *(ut)*, duty-free, custom free, exempt from duty *(ut) ;* ~ *áruk listája* free list; ~ *importáru* free imports *(pl) ;* ~ *kikötő* free port; ~ *raktár* duty-free store

vámmentesen *adv*, free of duty/custom, duty-free; ~ *behozható áruk jegyzéke* free list

vámmentesít *vt*, make/declare duty-free

vámmentesség *n*, exemption from duty, free-trade

vámnyilatkozat *n*, customs declaration, bill of entry, customhouse entry; ~*ot tesz* make a customs declaration

vámnyugta *n*, clearance paper, customs/clearance receipt

vámokmányok *n. pl*, customs documents/papers

vámol [-t, -jon] *vt*, levy duty (on)

vámolás *n*, customs clearance

vámolási [-t] *a*, ~ *egység* dutiable unit

vámolatlan *a*, not cleared yet (by the customs authorities) *(ut)*, duty-unpaid, undeclared

vámolomzár *n*, customs lead/seal

vámos [-ok, -t, -a] *n*, = vámszedő

vámőr *n*, customhouse/revenue officer, exciseman, toll-keeper, *(hajó)* tide-waiter, tidesman

vámőrhajó *n*, revenue cutter

vámőrizet *n*, bond; ~*ben* in bond

vámőrlés *n*, custom milling, multuring, grinding in return for multure; ~ *díja* multure

vámőrség *n*, customs guard

vámpír [-ok, -t, -ja] *n*, 1. *(áll)* vampire(-bat) *(Vampyrus spectrum)* 2. *(átv)* vampire, blood-sucker, ghoul 3. *[végzetes nő]* vamp

vámpolitika *n*, customs policy

vámrakpart *n*, legal quay, sufferance wharf

vámraktár *n*, customhouse store, bond-store, bonded warehouse; ~*ban van* be in bond; *kirakás* ~*ból* unhousing

vámraktározási *a*, ~ *eljárás* warehousing system

vámrendelkezések *n. pl*, customs regulations

vámrendszer *n*, tariff/customs system

vámrepülőtér *n*, customs airport

vámsorompó *n*, customs-boundary, *[úton]* toll-bar, toll gate, turnpike, *(átv)* customs barrier, tariff walls *(pl)*

vámsúly *n*, customs weight

vámszabadkikötő *n*, free port

vámszabadraktár *n*, free warehouse, bonded warehouse, bond-store, duty-free store; ~*ban elhelyez* bond; ~*ban van* be in bond

vámszabálysértés *n*, break of the customs act

vámszabályzat *n*, customhouse regulations *(pl) ; egészségügyi* ~ sanitary customhouse regulations *(pl)*

vámszámla *n*, custom(house) invoice

vámszedő *n*, 1. customhouse officer, toll-collector/keeper/gatherer, turnpike man *(obs)*, *(bibl, tört)* publican 2. *(átv)* exploiter

vámszemle *n*, customs inspection

vámszerződés *n*, customs treaty/agreement

vámszövetség *n*, customs union

vámtarifa *n*, customs regime/tariff, customs and excise tariff; *kedvezményes* ~ preference tariff; *tételes* ~ differential tariff

vámtechnikai *a*, ~ *okokból* for reasons of customs technicalities

vámtérítés *n*, refund of duty, drawback

vámterület *n*, customs area/ground/district; *közös* ~ union of customs areas

vámtétel *n*, rate (of duty), tariff, customs tariff rate

vámtiszt *n*, customhouse officer, toll-collector/keeper/gatherer, tollman; *kikötői* ~ naval officer *(US)*

vámtörvény *n*, customs/excise act, customs/revenue bill

vámunió *n*, customs union

vámút *n*, customs way

vámügyi *a*, ~ *hivatal* customs office, Board of Customs and Excise *(GB)*

vámügynök *n*, customhouse agent/broker

vámvisszaélés *n*, defraudation of customs

vámvisszatérítés *n*, drawback

vámvisszatérítési *a*, ~ *jegy* debenture

vámvizsgálat *n*, customs examination/check, customs formalities *(pl)*; *átmegy a ~on* pass/get through the customs

vámvizsgáló *n*, *[nyomozó]* searcher, *[tisztviselő]* customs inspector

vámvonal *n*, customhouse line, customs frontier, *[városi]* octroi

vámzár *n*, customhouse seal, *[őrizet]* bond; *~ alatt* in bond, bonded; *~ alá helyez* bond

van [lenni, voltam, volt, legyen, vagyok, vagy, vagyunk, vagytok, vannak] *vi*, **1.** *[létezik]* be (in existence), *(vhol)* exist, be there; *miért ~ az (hogy)* how is it (that); *hol ~ ?* where is it?; *itt ~* here it is, it is here; *~ itt valaki ?* is there anybody there?; *~ még ?* is there any more?; *a pénz nála ~* he has got the money, *[kezeli]* it is he who takes care of the money, he takes care of the money; *~ benne vm a nagybátyjából* there is sg of his uncle in him, there is sg in him that reminds one of his uncle; *~ benne egy kis ír vér* there is in him a streak of Irish blood; *Bécsben ~ férjnél* she is married in Vienna, she is living in Vienna with her husband; *hogy ~ ?* how are you?, how do you feel?, how are you getting on?; *hideg ~* it is cold; *meleg ~* it is warm; *jól ~* he is well, he is all right; *jobban ~* he is better; *rosszul ~* he is unwell/ill, he is not up to the mark; *jóban ~ vele* he is on good terms with him; *na mi ~ ?* well?, what is up?; *mi ~ magával ?* what is the matter with you?, is there anything wrong with you, what's got you *(fam)*; *mi ~ vele?* what is the matter with him?, what's up with him? *(fam)*; *mi ~ a reggelimmel?* what about my breakfast?; *nem úgy ~* that is not so, nothing of the kind; *ha ez így ~* if things are like this, if this be/is true, at this/that rate; *a különbség abban ~* the difference lies in ...; *a franciában ~ erre egy szó* the French have a word for it; *gondolkodom tehát vagyok* I think(,) therefore I am; *Szabó vagyok* my name is Szabó; *benne vagyok!* agreed, I'm in on it, I'm game for it/sg; *~nak emberek(,) akik* ... there are men/some who ...; *~nak akik azt mondják* ... there are some/those who say ...; *~nak nála* he is seeing sy, he is occupied/busy; *úgy volt hogy (eljövök)* I was to (have) come; *volt itt valaki ?* has anyone called?; *már voltam ott* I have been there before; *volt egyszer egy tündér* once upon a time there was a fairy; *volt idő amikor* ... there was *(v.* used to be) a time when ..., time was when; *tegnap nem voltak órák (isk)* there was no school yesterday **2.** *[birtoklás]* *~ vknek vmje* sy has/possesses/owns sg, sy is in possession of sg, sy has got sg *(fam)*; *amim csak ~* all I have; *~ miből [= telik]* I can (well) afford it; *~ miből megélnie* he has enough to live on; *~ pénzed ?* have you (got) any money?; *~ egy ötlete* have an idea; *volna egy gondolatom* it flashed on me *(v.* through my mind) that ...; *volt 2 pohár sör* I had 2 glasses of beer **3.** *[nyomatékként]* *~ már 5 éve* it is fully *(v.* at least) 5 years since ...; *~ már 40 éves* he is on the wrong/shady side of 40, he won't see 40 again; *~ benne vm (igaz)* there is sg to/in it; *~ vm a háttérben* there is something at the back of it; *vm ~ a levegőben* there is something brewing; *e mögött okvetlenül ~ vm* there must be sg behind (it); *~ mit tenni* there is plenty to do; ld *még* lesz

Van Allen-övezet Van Allen belt/zone, radiation belt/zone

vandál [-ok, -t, -ja] **I.** *a*, **1.** *[nép]* Vandal **2.** *(átv, elít)* vandal(ic), vandalistic, barbarous; *~ pusztítás* piece of vandalism **II.** *n*, **1.** *(tört)* *a ~ok* the Vandals **2.** *[romboló]* vandal

vandalizmus *n*, vandalism, barbarity, *[egyes cselekedet]* piece of vandalism, vandal(ist)ic act

vándor [-ok, -t, -a] **I.** *a*, wandering, roving, roaming,

rambling, migrant, wayfaring *(ref.)*, *[kereskedő, munkáscsoport]* itinerant, *[csorda, törzs, szellő]* vagrant; *~ színtársulat* touring company **II.** *n*, wanderer, wayfarer *(ref.)*, floater *(ref.)*, (wandering) traveller *(ref.)*, *[csavargó]* vagrant, tramp, hobo *(US)*, *[kóborló]* rover, rambler, roamer, *[zarándok]* pilgrim

vándorantilop *n*, *(áll)* springbuck *(Antidorcas sp.)*

vándorárus *n*, chapman, hawker, itinerant vendor

vándorautó *n*, *[orvosi]* mobile/travelling surgery/dispensary, health service van

vándorbot *n*, (walking-)staff; *~ot vesz a kezébe* take to the road, set out on one's travels

vándorcigány *n*, wandering gipsy, caravan-dweller

vándorcirkusz *n*, travelling circus

vándordalos *n*, = **vándorénekes**

vándordiák *n*, itinerant/travelling student

vándordíj *n*, challenge cup/trophy

vándorélet *n*, wandering/roving/roaming/nomadic/itinerary/migratory/vagrant/vagabond life

vándorének *n*, wanderer's song

vándorénekes *n*, wandering minstrel/singer, roaming/wayfaring singer, jongleur

vándorévek *n. pl*, *[iparosé stb.]* (journeyman's) years of travel(ling)

vándorgalamb *n*, passenger-pigeon

vándorgyűlés *n*, (itinerary) congress

vándorhegedűs *n*, strolling fiddler

vándorhullám *n*, *(műsz)* travelling wave

vándoripar *n*, itinerant industry

vándoriparos *n*, itinerant artisan

vándorkaptár *n*, portable beehive

vándorkereskedelem *n*, hawking, peddling (of goods)

vándorkereskedő *n*, itinerant vendor

vándorkiállítás *n*, travelling exhibition/show

vándorkomédiás *n*, strolling player

vándorkő *n*, erratic block/boulder, drift-boulder

vándorkönyvtár *n*, travelling/mobile/itinerant library

vándorköszörűs *n*, itinerant grinder (of knives etc.)

vándorkupa *n*, *(sp)* challenge cup

vándorlás *n*, wandering(s), travels *(pl)*, peregrination, vagabondage, *[állaté, törzsé]* migration, *[kereskedőé]* itineration, *[kóborlás]* tramping, rambling, roaming, roving, *[halé folyón]* run; *belső ~* domestic migration

vándorlási [-ak, -t] *a*, wandering, migratory; *~ hajlam* wanderlust; *~ ösztön (term)* migratory instinct, *[emberé]* roving instinct/spirit

vándorlegény *n*, *[iparos]* travelling/itinerant journeyman

vándorlép *n*, *(orv)* wandering spleen

vándorló [-t] **I.** *a*, wandering, rambling, roving, migrant, migratory, itinerant, errant, wayfaring *(ref.)* **II.** *n*, wanderer, rambler, wayfarer *(ref.)*

vándormadár *n*, bird of passage, migratory/migrating bird, *(átv is)* migrant

vándormozgalom *n*, migratory movement, migration

vándormozi *n*, travelling projector

vándormunkás *n*, itinerant workman, *[munkahelyét folyton változtató]* floater

vándornép *n*, migrant/migratory/wandering/nomadic people, nomads *(pl)*, wanderers *(pl)*, wandering tribe(s)

vándorol [..rlok, -t, -jon] *vi*, *[rendeltetés nélkül]* wander, travel (on foot), peregrinate, itinerate, *[céllal]* migrate, *[kóborol]* roam, rove, stroll; *a pénz mind az ő zsebébe ~* all the money passes into his pocket

vándorpatkány *n*, *(áll)* wharf-rat, brown rat *(Rattus norvegicus)*

vándorröntgen *n*, *~ szűrővizsgálat* examination by travelling X-ray apparatus

vándorsáska *n*, *(áll)* winged migratory locust *(Locusta migratoria)*

vándorsejt *n*, vagrant cells *(pl)*

vándorserleg *n*, *(sp)* challenge cup

vándorsólyom *n*, *(áll)* peregrine falcon *(Falco peregrinus)*

vándorszínész *n*, strolling player, stroller, barn-stormer *(fam)*

vándorszínész-társulat *n*, strolling/touring company

vándorszó *n*, *(nyelvt)* *(kb)* international loanword

vándortanító *n*, itinerant teacher

vándortarisznya *n*, haversack

vándorút *n*, wanderings *(pl)*; ~*ra kel* set out on one's travels, go on a long journey

vándorvese *n*, floating/movable/wandering kidney, nephroptosis; ~ *felvarrása* nephrorrhaphy

vándorvese-műtét *n*, nephrorrhaphy

vándorzászló *n*, challenge pennon, production campaign/ drive challenge flag/pennon; *a SZOT és a Miniszter-tanács közös vörös vándorzászlaja* the joint production drive red challenge flag of the HTUC and the Council of Ministers

vándorzsaluzat *n*, sliding form-work

vanília [.. át] *n/a*, *(növ)* vanilla(-bean) *(Vanilia planifolia)*

vaníliafagylalt *n*, vanilla ice

vaníliaízű *a*, vanilla-flavoured

vaníliakrém *n*, vanilla cream/custard

vaníliás *a*, (flavoured with) vanilla, vanillic; ~ *cukor* sugar flavoured with vanilla

vaníliaturmix *n*, *(kb)* milk-shake

vaníliaültetvény *n*, vanilla-plantation

vánkos [-ok, -t, -a] *n*, *[ágyban]* pillow, *[keskeny alá-tét]* bolster, *[dísz]* cushion

vánkosfa *n*, board/bridging/bearer-joist

vánkoshuzat *n*, pillow/bolster-slip/case, cushion cover

vánkostánc *n*, cushion dance

vánszorgás *n*, trudge, crawling (along)

vánszorog [-tam, .. rgott, -jon] *vi*, trudge drag one-self along, crawl along, move with difficulty, shuffle/ hobble/limp/barge along, lumber

ványad [-t, -jon] *vi*, wilt, droop, wither

ványadt [-at; *adv* -an] *a*, *[ember]* sick(ly), weakly, *[testrész]* flabby, flaccid, withered, wasted, shrivelled and shrunken

ványadtság *n*, *[emberé]* sickliness, weakliness, *[testrészé]* flabbiness, flaccidity

ványol [-t, -jon] *vt*, *(tex)* full, mill, scour, felt

ványolás *n*, *(tex)* fulling, milling, felting

ványoló [-t, -ja] *(tex)* I. *n*, 1. *[személy]* fuller, dresser 2. = ványolómalom; II. *a*, fulling

ványolómalom *n*, *(tex)* fulling/scouring-mill, fullery

ványolt [-at] *a*, ~ *szövet* milled/fulled cloth

vápa [.. át] *n*, 1. *(orv)* socket (of bone), acetabulum *(tud)*; *ízületi* ~ cotyle 2. *[völgy]* hollow, trough, valley 3. *[csigán stb.]* furrow, throating

vápacserép *n*, valley/hip tile

vapiti [-t, -je] *n*, *(áll)* American elk/wapiti *(Cervus canadensis)*

var [-ok, -t, -ja] *n*, scab, crust, scur.

vár¹ [-at, -a] *n*, (fortified) castle, fortress, stronghold, *[városban]* citadel, tower; *királyi* ~ royal palace; *külsőtornyos* ~ castle with projecting towers; *az én házam az én* ~*am (közm)* my house is my castle; ~*at bevesz [rohammal]* take a fortress (by assault/ storm), ~*at felad* surrender/yield *(v.* render/give up) a fortress; *tartja a* ~*at* hold the fortress

vár² [-t, -jon] I. *vi*, 1. *[várakozik]* wait, be waiting, *[járművel]* stand, park, *[áru]* be hung up in transit, await delivery; *izgatottan* ~ be waiting breathlessly (for), be upon the tiptoe of expectation, be on tenter-hooks, be all agog; ~*j (egy kicsit)* (just) wait a mo-ment/bit/little/sec, hold on; *ne* ~*j vele* do not wait with it, do not put it off, do not delay it; ~*junk csak l*

stay!, stop!; *nem érdemes* ~*ni* it is no use waiting; *tovább nem* ~*hatok* I cannot wait any longer 2. *(vkre vmre)* wait for (sy, sg), await (sy, sg), look out for, *[későn hazajövőre]* wait up for (sy), *[vm kellemet-lenség vkre]* sg is in (store) for sy, sg lies ahead of sy; *ki tudja mi* ~ *ránk* who knows what the future will hold *(v.* has in store) for us; *mire* ~*?* what are you waiting for?; *alkalomra* ~ wait for one's chance; *csomagja elszállításra* ~ *(az állomáson)* your parcel is waiting to be called for (at the station); *a sors ami rá* ~ the fate that is in store for him; *már egy órája* ~*ok* I have been waiting for an hour; *már kilenc óra óta* ~*ok* I have been waiting since nine o'clock; ~*ok érkezésére* I am awaiting his coming; ~*j rám az állomáson* meet me at the station; ~*j a sorodra* (you must) (a)wait your turn, wait till your turn comes; *ne* ~*j rám az ebéddel* do not wait dinner for me; *arra ugyan* ~*hat* catch me doing it, you may whistle for it, you may wait for it till the cows come home *(v.* till doomsday), a fat chance you have; *(már)* ~*tak rád* you were waited for *(v.* expected); *a cipői foltozásra/javítása* ~*nak* his boots want mending II. *vt*, 1. *(vmt, vkt)* wait for (sg, sy), expect (sg, sy), await (sg, sy), *[örömmel]* look forward to (sg), *[vmre biztosan]* take (sg) for granted; *sikert* ~ *[=szá-mít rá]* reckon upon *(v.* anticipate/expect) success, bank on success *(fam)*; ~*ja a halált* await death; *alig* ~*ja (hogy)* be impatient/longing/anxious to, be itching/raring to *(fam)*; *jövő hétre* ~*juk* he is expected to arrive next week; *minden pillanatban* ~*juk* he is expected *(v.* we expect him) any moment; *tudtam mit* ~*hatok* I knew what to expect; ~*hatják amíg még egyszer szóba állok velük* catch me talking to them *(fam)*; ~*hatják amíg még egyszer odamegyek* catch me there again *(fam)*; *ezt nem* ~*tam volna* I should not have expected that; ~*va vár* expect *(v.* wait for) eagerly/keenly, look forward to sg with impatience; ~*va várt* long/eagerly expected/desired; *szíves válaszát* ~*va* awaiting *(v.* looking forward to) your reply 2. *[elvár vktől vmt]* expect, await, look to (sy for sg); *túl sokat* ~ *vktől* be exacting with sy, ask more than he can answer/give; *sokat* ~*ok tőle* I expect a good deal of him, I pin great hopes on him; *többet* ~ *tőle mint amire képes* demand/expect from sy more than he can do/give; *tőled* ~*ok segítséget és védelmet* I look to you for assistance and protection; *semmi jót nem* ~*ok tőle* I do not expect any good of him, I do not expect he/it will do/be any good; *ezt nem* ~*tam tőle* I little expected that of him

váracska *n*, castlet, small fort

varacskos [-ok, -t; *adv* -an] *a*, warty; ~ *disznó* wart-hog

varádics [-ot, -a] *n*, *(növ)* tansy *(Tanacetum)*

várakozás *n*, 1. *[várás]* wait(ing), *[járműé]* stopping, standing, parking; *tilos a* ~ no parking (here); *meg-unta a* ~*t* he grew tired of waiting 2. *(átv)* expecta-tion, expectancy, expectance, *[sejtés]* anticipation, *[feszültség]* suspense; *minden* ~ *ellenére* contrary to all expectation; *a* ~ *a tetőpontjára hágott* expectation was fever-high; *ha* ~*omban nem csalódom* if my ex-pectations are fulfilled; ~*ának megfelel* come/live up to one's expectations, answer/meet/fulfil one's expectations; ~*nak megfelelő* up to one's expecta-tions *(ut)*; ~*nak megfelelően* according to expecta-tion(s), expectedly; *nem felel meg a* ~*nak* fall short of *(v.* not come up to) expectations, be under/below the mark; ~*on felül* beyond/surpassing expectation, unexpectedly, more than (had been) expected; *az eredmény felülmúlta minden* ~*át* the outcome exceed-ed all his expectations; ~*sal néz/tekint vm elé* looking forward to sg

várakozási [-t] *a*, ~ *idő* waiting time, *(ker)* waiting period, lay days *(pl)*, days of demurrage *(pl)* várakozásteljes *a*, expectant, full of great hopes *(ut)*

várakoz|ik [-tam, -ott, -zon, -zék] *vi*, *(vkre, vmre)* wait (for sy/sg), be waiting, *[autó]* stand, park; *türelmesen ~ik* wait patiently; *türelmetlenül ~ik* kick/cool one's heels; *~ni tilos !* *[autónak]* no parking

~árakozó [-t, -ja; *adv* -an] I. *a*, waiting (for), awaiting (sg), expectant, *[csak jármű]* parked, drawn up at the curb/kerb *(ut)*; *~ álláspontra helyezkedik* assume/ adopt an expectant attitude, adopt a wait-and-see attitude, suspend judg(e)ment; *~ politika* wait-and--see policy II. *n*, 1. *[megállónál]* shelter, *[állomáson]* waiting-room 2. *[személy] ~k* those waiting

várakozóhely *n*, *[járműé]* parking place, car park, stall, *[,,stand"]* cab/taxi rank

várakoztat *vt*, keep (sy) waiting, *[sokáig]* let sy cool his heels, *[gépkocsit]* park

váralja *n*, *(kb)* precincts outside a walled castle/fortress *(pl)*, outlying grounds of a walled castle/fortress *(pl)*

várandós [-at; *adv* -an] *a*, *(vál)* pregnant, expectant, *(kif)* be in the family way *(fam)*, *(tud)* gravid; *~ anya* expectant mother

várandósság *n*, pregnancy, *(tud)* gravidity

varangy [-ot, -a] *n*, *(áll)* toad *(Bufo sp.)*; *zöld ~* green toad *(B. viridis)*

varangyos [-at] *a*, *~ béka* = **varangy**

varánusz [-ok, -t, -a] *n*, *(áll)* monitor *(Varanus sp.)*

várárok *n*, moat, foss(e) (castle) ditch

varas [-ak, -t; *adv* -an] *a*, scabby, covered with scabs *(ut)*, scurfy, crusty, crusted (over)

várás *n*, waiting (for), *[várakozás]* expectation, expectancy, expectance

varasbéka *n*, = **varangy**

várási [-ak, -t] *a*, waiting

varasodás *n*, scabbing

varasod|ik [-tam, -ott, -jon, -jék] *vi*, scab (over), (become) incrusted

varasság *n*, scabbiness, incrustation

várat *vt/vi*, keep sy waiting; *~ magára* he is keeping us waiting, we are (still) waiting for him; *mindig ~ magára* he always has to be waited for

váratlan *a*, unexpected, unlooked/unhoped for, unforeseen, surprising, fortuitous; *~ fordulatot vesz* take an unexpected turn; *~ szerencse* an unexpected piece/stroke of luck, windfall, fluke, godsend; *~ támadás* surprise attack; *~ vendég/látogató* chance visitor

váratlanság *n*, unexpectedness, suddenness

váratlanul *adv*, unexpectedly, out of the blue, all of a sudden, all at once, unawares, without a moment's warning; *~ ért bennünket* this took us by surprise; *~ megjön* come unlooked for; *~ találkozik vkvel* come across sy, meet sy unexpectedly, fall in with sy, run into sy

varázs [-ok, -t, -a] *n*, 1. *[varázslat]* magic (power/spell), wizardry, enchantment; *megtöri a ~t* break the spell 2. *[vonzás]* fascination, spell, charm, attraction, lure, allurement, appeal, seductiveness, seduction; *asszonyi ~* a woman's allurement; *egyéni/személyes ~* personal magnetism; *a dicsőség ~a* the glamour of glory; *ékesszólásának ~a* the magic of his eloquence; *a fiatalság ~a* the charm of youth; *mosolyának ~a* the witchery of her smile; *a tenger ~a* the appeal of the sea; *az újdonság ~a* the charm of novelty; *csodálatos varázzsal hat ez a zene* this music wields a mysterious spell

varázsbot *n*, = **varázspálca**

varázsének *n*, charm, incantation, magic song

varázserő *n*, magic power, spell, charm, witchcraft, glamour

varázsfuvola *n*, magic flute

varázsfű *n*, *(növ)* enchanter's nightshade, *(Circaea lutetiana)*, *[mesében]* magic herb

varázsgyűrű *n*, magic ring

varázshatás *n*, magic effect/power

varázshatású *a*, magic; *~ név* a name with a magic effect, a name to conjure with

varázsige *n*, magic word, spell, charm, incantation

varázsital *n*, magic potion/brew, *[bájital]* (love) philtre

varázsjel *n*, magic sign/symbol/character

varázskép *n*, magic image, talisman

varázskönyv *n*, conjuring/magic book, wizard's/ witches' book of spells(,) charms and potions

varázsköpeny *n*, magic/enchanted cloak, cloak of invisibility

varázskör *n*, magic circle

varázslás *n*, magic (art), sorcery, black art, wizardry, charm(ing), witchery, enchantment, necromancy, thaumaturgy, *[néger]* voodoo *(US)*, *[bűvészé]* conjuring

varázslat *n*, witchcraft, black art, (piece of) sorcery, magic, *[hatás]* (magic) spell, charm, enchantment, bewitchment, fascination; *~ (hatása) alatt áll* be under the charm; *~ot űz* practise/do/perform magic, work/use charms

varázslatos [-ak, -t; *adv* -an] *a*, 1. *(konkr)* magic(al) 2. *(átv)* enchanting, charming, fascinating, bewitching, spell-binding, spell-bound

varázslatosság *n*, magicalness, fascination, bewitching character/quality, charm

varázsló [-t,-ja] *n*, magician, wizard, sorcerer, enchanter, thaumaturge, charmer *(fam)*, *[indiánoknál]* witch-doctor, medicine-man, *[bűvész]* conjurer, juggler

varázslófű *n*, *(növ)* circaea *(Circaea lutetiana)*

varázslónő *n*, sorceress, enchantress, witch

varázsol [-t, -jon] *vt/vi*, 1. practise magic, work/use charm, *[bűvész]* conjure, do things by magic 2. *vmt vmvé* change sg into sg by magic (art); *széppé ~* turn into a beauty, turn it/him into something/ somebody beautiful, make sy beautiful as if by magic

varázsolás *n*, = **varázslás**

varázsos [-at; *adv* -an] *a*, magic, with a magic effect/ power *(ut)*, casting a spell (over sg) *(ut)*

varázspálca *n*, magic wand

varázssapka *n*, wishing cap, *[ködsüveg]* cap of invisibility

varázsszem *n*, *[rádión]* magic/tuning eye, (cathode-ray) tuning indicator

varázsszer *n*, charm, spell, magic agency/device, *[varázserejű tárgy]* amulet

varázsszó *n*, = **varázsige**

varázsszőnyeg *n*, magic carpet

varázstükör *n*, magic mirror

varázsütés *n*, magic touch; *mintegy ~re* as if by magic

varázsvessző *n*, 1. *[varázslóé]* magic wand, wishing-rod 2. *(bány)* wand, *[forráskutató]* dowsing-rod, dowser's divining/forked rod, water-finder's wand/rod/ fork; *~vel keres/kutat* dowse, divine

varázsvesszős *a*, *~ kutatás* dowsing, rhabdomancy, radiaesthesia; *~ vízkutató* water-finder/diviner

várbástya *n*, bastion

várbeli I. *a*, castle-, belonging to a castle/fortress *(ut)* II. *n*, *~ek* the inhabitants/garrison of the castle, the garrison/soldiers of the fortress

várbörtön *n*, dungeon, oubliette *(fr)*

várerődítés *n*, fortification

várfal *n*, (castle) wall, wall of a fortress

várfogság *n*, confinement/imprisonment/detention in a fortress/castle

várfok *n*, rampart, bulwark

varga [.. át] *n*, shoemaker, bootmaker, *[foltozó]* cobbler; *~ maradj a kaptafánál* let the shoemaker stick to his last

vargabéles *n*, ⟨a soft sweet sponge cake made with curd and flavoured with vanilla and raisins⟩

vargabetű *n*, roundabout/circuitous way, detour; ~*t ír le* go a roundabout way, take a by-way

vargánya [.. át] *n*, *(növ)* bolete *(Boletus)*

vargaszurok *n*, cobbler's wax

várgróf *n*, *(tört)* burgrave, governor of a castle

várható *a*, probable, prospective, likely, expectable, to be expected *(ut)*; ~ *élettartam* expectation of life; ~ *hatás* the result to be expected; *a* ~ *időjárás* the (kind/sort of) weather to be expected, *[mint újságcím/rádióbemondás]* weather forecast; ~ *látogatás* prospective visit; *amint az* ~ *volt* as was to be expected

várhatóan *adv*, probably, prospectively, in all likelihood, as is to be expected

várhegy *n*, castle hill

variabilitás *n*, *rejtett* ~ *(biol)* potential/cryptic/concealed variability

variáció [-t, -ja] *n*, variation; *téma* ~*kkal* theme with variations

variációs [-at] *a*, variational

variál [-t, -jon] *vt/vi*, vary, *[kifejezéseket]* diversify, *[színeket]* variegate

variálás *n*, (act of) variation, varying, diversification

variáns [-ok, -t, -a] *n*, variant, alternative version

varieté [-t, -je] *n*, variety (theatre), music hall

varietéműsor *n*, variety (show), vaudeville

varietészám *n*, variety turn, music-hall turn

varietészínház *n*, variety/vaudeville theatre, music hall

várispán *n*, governor of a castle

variszkuszi [-ak, -t] *a*, *(geol)* Variscan

várjobbágy *n*, castle-serf, serf/bondman subject to the jurisdiction of a feudal castle

várjobbágyság *n*, *[személyek]* castle-serfs *(pl)*, *[intézmény]* castle-serfdom

varjú [.. jak, -t, -ja] *n*, *(áll)* crow *(Corvus sp.. Pyrrhocorax sp.);* hamvas/kálomista ~ hooded/Royston/greyback crow *(C. cornix); vetési/pápista* ~ rook *(C. frugileus);* ~ *a* ~*nak nem vájja ki a szemét* dog doesn't eat dog, there is honour among thieves

varjúháj *n*, *(növ)* stonecrop *(Sedum); borsos* ~ wall-pepper *(S. acre)*

varjúköröm *n*, *(növ)* rampion *(Phyteuma)*

varjútanya *n*, rookery

varjútövis *n*, *(növ)* commen buckthorn *(Rhamnus catharticus)*

várkapitány *n*, commander/constable/warden of (a) castle, castellan

várkapitányság *n*, *[tisztség]* castellanship, *[terület]* castellany, administrative area under a castellan

várkápolna *n*, castle chapel

várkapu *n*, castle gate, gate(way) of fortress

várkastély *n*, fortified castle

várkatonaság *n*, castle-guard/garrison, garrison

várkert *n*, castle garden

várkerület *n*, 1. *[terület]* castellany 2. *[bástyasétány]* *(kb)* terraced walk along the ramparts

varkocs [-ot, -a] *n*, plait, braid, tail of hair, pigtail, queue; ~*ba fonja a haját* plait/braid one's hair, wear one's hair in plaits, wear a pigtail

varkocsos [-ok, -t; *adv* -an] *a*, pigtailed, wearing one's hair in plaits *(ut)*

vármegye *n*, *(kb)* county, *[magyar]* comitat, county, *[francia]* department

vármegyeháza *n*, county hall

vármegyei *a*, = megyei

vármező *n*, glacis

Vármúzeum *n*, Castle Museum (of Budapest)

várnagy *n*, = várkapitány

várnégyszög *n*, quadrilateral

várnép *n*, inhabitants of (a) castle *(pl)*

váró [-t, -ja] I. *a*, waiting, expectant; *megoldásra* ~

kérdések questions pending II. *n*, 1. *[személy]* one who waits, waiter 2. *[helység]* = várószoba

várócsarnok *n* waiting-hall

váróhelyiség *n*, waiting-room

várólista *n* waiting-list

váromány *n*, expectancy (of inheritance), reversion

várományi [-t] *a*, *(jog)* expectative; ~ *birtok/föld* estate in expectancy; ~ *javak* possession in expectation; ~ *jog* expectancy

várományos [-ok, -t, -a] I. *n*, *(jog)* the next of kin, heir apparent/presumptive, *[birtoké]* reversioner; *az angol trón* ~*a* heir apparent to the English trone; *hagyaték* ~*a* heir in expectancy II. *a*, presumptive, expectant

város [ok, -t, -a] *n*, town, *[nagyobb]* city, *[mint hatóság]* municipality, *[rendezett tanácsú]* borough; *nőtt* ~ naturally grown city; *szabad* ~ free city; *telepített* ~ geometrically arranged city; *vidéki* ~ country/market town; *az egész* ~ *beszéli* it is the talk of the town; *az egész* ~ *talpon van* the whole town is astir; ~ *és falu ellentéte* contradictions of rural and urban life *(pl)*, contradiction of town and village; ~*ok közötti* interurban; *a* ~*ba megy* go to town; ~*ba vezető út* road that leads to the town; ~*ban lakik* live in town; *a* ~*ban van* be in town; ~*ról városra megy* itinerate; *a* ~*t fallal veszi/keríti körül* fence a town (about/round) with walls

városállam *n*, city-state

városatya *n*, town-councillor, alderman, *(tréf)* cityfather

városatyai *a*, aldermanic

városatyaság *n*, aldermanity, aldermanship

városbeli I. *a*, of a town *(ut)*, urban, town-bred II. *n*, *egy* ~ townsman, *[városi lakó]* inhabitant of a town, town-dweller; ~*ek* townsfolk, townspeople

városbíró *n*, mayor, town/city/borough magistrate

városépítés *n*, *(kb)* town/city-planning, civic design

város- *és községgazdálkodás* town and communal administration

város- *és* ·*községgazdálkodási* municipal; ~ *statisztika* municipal statistics

városfal *n*, town/city wall

városfejlesztés *n*, town/city-planning/development/improvement

városfejlesztési *a*, ~ *terv* plan of town-development, town-development scheme, town-planning program(me)

városgazdálkodás *n*, town management

városgazdaság *n*, urban economy

városhatár *n*, confines of a town *(pl)*, city limits *(pl)* *(US)*, *[külváros]* suburbs *(pl)*

városháza *n*, town/guild-hall, city hall *(US)*, municipal buildings *(pl)*, *[Londonban]* Mansion-House, Guildhall

városi [-ak, -t, -ja; *adv* -an] I. *a*, town, city, *(jog)* municipal, civic, *[lakosság]* urban; ~ *adó* local rates *(pl);* ~ *bérház [község tulajdona]* council/town house, *(vké)* tenement house; ~ *élet* town life; ~ *előljáróság [épület]* municipal offices *(pl)*, *[testület]* municipal council; ~ *ember* townsman, city man, citizen, *[nő]* townswoman; ~ *gyerek* town(-bred)child; ~ *iskola* municipal school; ~ *képviselő* town-councillor; ~ *könyvtár* city library, municipal/borough library; ~ *közlekedés* urban traffic; ~ *lakosság* townspeople *(pl)*, city dwellers *(pl);* ~ *oklevelek* municipal records; ~ *polgár* burgess, citizen, burgher; ~ *polgárság* citizens *(pl)*, burgesses *(pl)*, freemen (of a city) *(pl);* ~ *pótadó* rates *(pl);* ~ *ruha* town clothes *(pl);* ~ *tanács* town/city-council; ~ *tisztviselő* municipal officer; ~ *üzem* municipal enterprise; ~ *vonal [telefon]* outside line

II. *n*, townsman, citizen; *a* ~*ak* townspeople, townsfolk

városias [-at; *adv* -an] *a*, urban, townish, characteristic of *(v.* like) a town *(ut)*

városiasság *n*, urbanity, urbanized look/character, townishness

városka *n*, townlet, small town

városkapu *n*, towngate

városkép *n*, look/aspect/appearance/view of a/the town, townscape, cityscape, *[távolból]* skyline of a/the town/city

városközi [-ek, -t; *adv* -en] *a*, inter-city, *[vasút, villamos]* interurban; ~ *autóbusz* (motor) coach, long-distance coach; ~ *távbeszélővonal* trunk line

városlakó *n*, town-dweller, townsman

városliget *n*, town park

városnegyed *n*, quarter (of town), section of a town *(US)*

városnézés *n*, sightseeing

városnéző *n*, sightseer

városonként *adv*, town by town, in each town

városparancsnok *n*, military governor/commandant of a city/town, commanding officer of a town

városrendezés *n*, town/city-planning, replanning of a town

városrendezési *a*, concerning/of town-planning *(ut);* ~ *munkálatok* work of town/city-planning, town-planning works/operations; ~ *terv* town-planning program(me), (town/city) development plan, city plan

városrész *n*, quarter, division/district of a town, *[közigazgatási]* ward

városszéli *a*, on the outskirts of the/a town/city *(ut)*

városszépítés *n*, town/city embellishment, landscape architecture in town-planning

városszépítő *a*, ~ *bizottság* Town Embellishment Committee, City Beautiful Committee *(US fam)*

városszerte *adv*, all over the town, in the whole town; ~ *beszélik* it is the talk of the town

városterület *n*, territory of a town, township

várostervezés *n*, town/city-planning

várostípus *n*, type of town

várostorony *n*, belfry, tower (of a town)

várostörténet *n*, town/local history, history of (a) town

várostrom *n*, siege of a castle/fortress, *[létrákkal]* escalade

várószoba *n*, waiting-room, anteroom, antechamber

váróterem *n*, waiting-hall/room

várőrség *n*, garrison, castle-guard/garrison

várparancsnok *n*, commander of a castle/fortress

várpiac *n*, castle-yard

varr [-t, -jon] *vt/vi*, **1.** sew, do needlework/sewing, needle, *[ölt]* stitch; *fehérneműt* ~ do plain needlework; *egész nap* ~ she plies her needle all day; *ruhára gombot* ~ sew/stitch a button on (to) a dress; *ruhát* ~ *[szabó]* make clothes; ~*ni jár* go out sewing **2.** *vknek a nyakába* ~ *vmt* force sg on sy, fob/palm sg off on sy **3.** *(orv)* suture; *sebet* ~ sew/stitch up *(v.* put stitches in) a wound

varrás *n*, **1.** sewing, needlework, *[öltés]* stitch(ing); ~*ból él* she makes her living by (taking in) sewing, she does needle-work; ~*sal foglalkozik* take in sewing, go in for dressmaking; ~*sal tölti idejét* put in one's time sewing; ~*t felfejt* unstitch, unpick **2.** *(orv)* suture, stitching *(v.* putting stitches in) a wound **3.** *[varrat]* seam; ~ *nélküli* seamless, seamfree

varrat¹ *vt*, have sg sewn/stitched; *ruhát* ~ *(vknek)* have a dress made (for sy)

varrat² *n*, **1.** *[varrás]* seam, stitching; ~ *nélküli* seamless, *(műsz)* weldless; ~ *nélküli harisnya* seamless stocking(s) **2.** *(orv)* suture

várrendszer *n*, system of fortifications

varró [-t] *a*, sewing, stitching

varróasztal *n*, sewing table

varrócérna *n*, sewing thread/cotton/twine

varroda [.. át] *n*, **1.** dressmaker's shop/room/salon **2.** = varróiskola

varródoboz *n*, sewing kit/box, *(kat)* housewife, ditty-box/bag

varróeszköz *n*, sewing things/accessories *(pl)*

varrófonal *n*, sewing-thread/cotton

varrogat *vt/vi*, ply one's needle

varrógép *n*, sewing-machine

varróiskola *n*, sewing school

varrókészlet *n*, sewing outfit, *(kat)* housewife, ditty-box

varró(e)ány *n*, sewing-maid/girl, dressmaker's assistant/apprentice/hand

varrom *n*, ruins/remains of a castle/fortress *(pl)*

varrómadár *n*, *(áll)* tailor-bird *(Orthotomus)*

varrónő *n*, *[fehérnemű]* seamstress, needlewoman, *[ruha]* dressmaker

varróolló *n*, embroidery scissors *(pl)*

varróselyem *n*, sewing silk

varrószál *n*, sewing thread/cotton

varrószij *n*, split belt

varrott [-at; *adv* -an] *a*, sewn, *[öltött]* stitched, *(orv,* sutured, *[cipő]* welted; *géppel* ~ machine stitched/welted, *[csipke]* machine-made (lace); *kézzel* ~ hand sewn/sewed/stitched/welted; ~ *csipke* hand-made lace, point/needle-lace; ~ *talp* welted sole

varrottas [-ok, -t, -a] *n*, *(kb)* (Hungarian) peasant embroidery

varrótű *n*, (sewing) needle; *egy csomag* ~ a book/pack of needles

varsa [.. át] *n*, *[nádból]* fish-basket/weir/pot/trap (of wicker), *[ráknak]* (crab/lobster-)pot

vársík *n*, glacis

Varsó [-t, -ban] *prop*, Warsaw

varsói [-ak, -t] *a*, Varsovian; *V~ Szerződés* Warsaw Treaty

várt [-at; *adv* -an] *a*, waited (for) *(ut)*, awaited, expected; *nem* ~ unlooked for, unexpected

várta [.. át] *n*, *[szolgálat]* guard, sentry-duty, *[hely]* sentry-box, barbican *(obs);* *vártán áll* stand sentry, be on sentry, be on guard

vártemplom *n*, (castle) chapel, (castle) church

várterem *n*, castle hall

vártorony *n*, *[nagy]* donjon, keep, *[kisebb]* castle tower, *[saroktorony]* turret, angle tower

vártüzér *n*, gunner of garrison artillery

vártüzérség *n*, garrison/standing-artillery

vartyog [-ott, -jon] *vi*, croak

vartyogás *n*, croak(ing) (of frog)

várudvar *n*, castle-yard, courtyard (of castle), *[külső]* bailey

várúr *n*, lord of the manor, lord of the/a castle

várúrnő *n*, mistress/lady of the/a manor/castle

várvédelem *n*, defence of (a) castle

várvívás *n*, = várostrom

vas [-at, -a] **I.** *a*, iron, (made) of iron *(ut)*, *(összetegy)* ferro-, ferri-, ferric
II. *n*, **1.** *[fém, orvosság]* iron; *olyan mint a* ~ *[egészségileg]* have an iron constitution, *[jellemileg]* be as hard as nails; ~*ban szegény* iron-deficient; ~*ból van* it is (made) of iron; ~*ból vannak az idegei* have nerves/thews of steel; ~*ból való* made of iron *(ut),* irony; *addig üsd a* ~*at amíg meleg* strike the iron while it is hot, make hay while the sun shines; ~*at szed* take iron; *a* ~*at is megemésztené (kb)* have a cast-iron digestion; ~*sal bélelt/burkolt* iron-cased **2.** *[bilincs]* irons, chains, fetters, shackles *(mind: pl),* gyve *(ref.);* ~*ra ver vkt* put sy in irons, shackle sy with irons, fetter/handcuff sy **3.** *[kard]* sword, blade (of sword); *állig* ~*ban* encased in armour; *talpig* ~*ban*

armed to the teeth; *tűzzel ~sal pusztít egy országot* put a country to fire and sword 4. *[állatbélyegző]* branding iron, *[hajsütő]* curling/crimping-tongs *(pl)* 5. *[sarkantyú]* spur, *[lópatkó]* horseshoe, *[cipősarkon]* heel iron, heel-plate/protector (of boot), *[cipő orrán]* toe plate, steel tip; *~at ad a lovának* spur *(v.* clap spurs to) one's horse 6. *[vasaló]* (flat/laundry) iron 7. *(pénz) egy ~a sincs (biz)* be hard up, be (stony)broke, be out of funds, have not got a penny to bless oneself with, have not got a feather to fly with, have not got a red cent *(US)*; *egy ~at nem ér* (be) not worth a straw/pin, (be) not worth a brass farthing

vasabroncs *n,* iron hoop, ferrule

vaságy *n,* iron bed(stead)

vasajtó *n,* iron door

vasakarat *n,* will of iron, iron/tough/unbending/indomitable will; *~a van* have an iron will, have a will of iron

vasakaratú *a,* iron-willed, of iron will *(ut)*; *~ férfi/ ember* man of iron

vasal [-t, -jon] *vt,* 1. *[vasalással ellát]* fit/furnish/ cover sg with iron, bind sg with a ring/ferrule, *[ajtót stb.]* iron, *[hordót]* hoop, *[kerékagyat]* fit a wheel with a nave-ring, *[kocsikereket]* tyre, tire *(US)*, shoe *(US)* 2. *[lovat]* shoe 3. *[fehérneműt]* iron, *[felsőruhát]* press, *[inget]* iron, get up

vasalás *n,* 1. *[pánt stb.]* ironwork, iron fittings/mountings/fastenings *(pl)*, *[abroncs]* (binding) hoop, *[ajtón]* door fittings *(pl)*, hinge, *[cipő orrán]* toe plate, steel tip, *[cipő sarkán]* heel iron, (iron) heel-protector/plate, boot-protector, *[patkó alakú]* horseshoe, *[hajón]* sheating, armour, *[kerékagyon]* nave-ring (of wheel), *[sétaboton]* ferrule 2. *[művelet]* covering/fitting (of sg) with iron, providing (of sg) with iron fittings 3. *[lovat]* shoeing; *téli ~* rough shoeing 4. *[fehérneműé]* ironing, *[ruháé]* pressing, *[nadrágon]* crease; *~t vállal* take in ironing

vasalásállóság *n,* suitability for ironing

vasalatlan *a,* 1. *[pántok nélküli]* not covered/fitted with iron *(ut)*, not provided with iron fittings *(ut)*, *[ló, kerék]* unshod 2. *[fehérnemű]* unironed, *[ruha]* unpressed, *[gyűrött]* crumpled, full of creases *(ut)*, *(kif)* it needs ironing/pressing

vasállvány *n,* *[gépé]* iron support, *[lámpáé]* iron stand (for lamp)

vasaló [-t, -ja; *adv* -an] **I.** *n,* 1. *[szerszám]* flat/laundry/ smoothing-iron, *[szabóé]* goose 2. *[személy]* ironer, presser **II.** *a,* ironing, pressing

vasalódeszka *n,* ironing/pressing board, *[ujjaknak]* sleeve-board

vasalófogantyú *n,* iron-holder

vasalógép *n,* ironing machine

vasalónő *n,* (female) ironer

vasalótartó *n,* iron-stand

vasalt [-at; *adv* -an] *a,* 1. *[megerősített]* fitted/mounted with iron *(ut)*, provided with iron fittings *(ut)*, iron-bound, *[autókerékköpeny]* studded, *[bot]* iron--shod, ferruled, *[cipő]* hobnailed, *[láda pánttal]* iron-strapped/bound, *[ló]* shod 2. *[fehérnemű]* ironed, smoothed, *[ruha]* pressed; *jól ~ nadrág* well-creased trousers *(pl)*

vásár [-ok, -t, -a] *n,* 1. *[kisebb]* market, *[országos, nemzetközi]* fair; *nemzetközi ~* international fair; *tavaszi/őszi ~* spring/autumn fair; *Hiúság ~a* Vanity Fair; *~on elad* sell at a fair; *~ra visz* carry to market; *~ra viszi a bőrét* risk/venture one's life/neck/skin, risk life and limb 2. *[üzlet]* bargain, *[eladás]* sale, *[vétel]* purchase; *áll a ~!* agreed!, here is my hand on it !, shake!, done! *(fam)*, it's a bargain! *(fam)* ; *kettőn áll a ~* it takes two to make a bargain!; *szabad a ~!* free for all; *jó ~t csinál* make a good

bargain, strike a bargain, do a good (stroke of) business; *rossz ~t csinál* make a losing bargain

vásárbíró *n,* market inspector, commissary of the market-hall

vásárcsarnok *n,* market-hall, covered market

vásárfia *n,* fairing, present brought from the market/fair

vásárhely *n,* market place, fair-ground

vásári [-ak, -t; *adv* -an] *a,* 1. *~ ár* market price; *~ áru* market wares/goods *(pl)*, marketing; *~ árus* stall/booth-keeper (at a fair), seller at/in a market, marketer; *~ bódé* market booth/stall/stand; *~ jelentés* market report; *~ komédia* farce; *~ komédiás* clown, juggler; *~ mutatványos.* showman; *~ reklámozás* puffery; *~ zene* music of fairs 2. *(elit)* cheap, shoddy, trashy, Brummagem (goods, ware)

vásárigazolvány *n,* identity card for visitors of the fair

vásáriroda *n,* fair office

vásárjáró *n,* marketer

vásárjelvény *n,* fair badge

vásárjog *n,* right of holding markets/fairs, *[bódé felállítására]* stallage

vásárlás *n,* purchasing, buying, *[üzletjárás]* shopping, *[vett tárgy]* purchase; *részletre ~* hire-purchasing

vásárlási [-ak, -t; *adv* -lag] *a,* purchasing, buying, shopping; *~ igazolvány* purchase/buying warrant/ permit; *~ könyv* purchase book, pass-book *(US)*, *[jegyrendszerben]* ration-book; *~ pánik* panic buying, buying scare *(US)* ; *~ utalványok* tickets of purchase

vásárlátogató *n,* market-man/goer, marketer, visitor

vásárló [-t, -ja] **I.** *a,* purchasing, buying, shopping **II.** *n,* buyer, *[üzletjáró]* shopper, *[állandó vevő]* (regular) customer

vásárlóerő *n,* purchasing/buying power, *[közönségé így is]* spending power/capacity

vásárlóerő-paritás *n,* purchasing power parity, spending capacity parity; *~ elmélet* theory on spending capacity parity

vásárlóérték *n,* buying/purchasing value, spending capacity/power

vásárlókedv *n,* buying mood, readiness to buy, purchasing eagerness; *nincs ~* there is a sales/buyer resistance

vásárlóképes *a,* able to buy *(ut)*

vásárlókönyv *n,* purchase book, pass-book *(US)*

vásárlóközönség *n,* customers *(pl)*, custom

vasárnap I. *n,* Sunday, the Lord's day, the Sabbath (day) *(obs)* ; *~ra* by Sunday; *megüli a ~ot* keep the Sabbath **II.** *adv, jöjj el ~* come and see me on Sunday; *minden ~ jön* he comes every Sunday; *~ este* Sunday evening/night

vásárnap *n,* market-day

vasárnap-héttő vonal *(földr)* International Date Line

vasárnapi *a,* (of) Sunday, dominical; *egy ~ napon* on a Sunday; *a múlt ~ hangverseny* the concert of last Sunday, last Sunday's concert; *~ iskola* Sunday school; *~ nyugalom* Sunday calm/rest; *~ ruha* (one's) Sunday best, (one's) go-to-meeting clothes *(pl)* ; *~ ruhába öltözik* put on one's Sunday best; *~ újság* Sunday paper

vasárnapias [-at; *adv* -an] *a,* reminding of *(v.* appropriate to) Sunday *(ut)*, *[jelleg, megjelenés]* Sunday

vasárnaponként *adv,* on Sundays, every Sunday

vásárol [-t, -jon] **I.** *vt,* purchase, buy; *~ vmt vktől* buy sg from/of sy; *alacsony áron ~* buy at a low price; *bizományban ~* buy on commission; *határidőre ~* buy forward, buy for future delivery; *hitelben ~* buy on credit, buy on tick *(fam)* ; *készpénzért ~* buy for cash *(v.* ready money); *másodkézből ~* buy second-hand; *nyílt számlára ~* buy on open account; *olcsón ~* buy sg cheap; *~unk magyar árut* buy Hungarian (goods)

II. *vi,* *[üzleteket jár]* shop, go *(v.* do one's) shopping, *[vevő vhol]* be a customer, deal at (sy/sg); *tíz éve ~unk ennél a kereskedőnél* this tradesman has been serving us for ten years

vásáros [-ok, -t, -a; *adv* -an] **I.** *n,* marketer, stall keeper **II.** *a,* = **vásári**

vásároz [-tam, -ott, -zon] *vi,* go to market (regularly) to sell, market

vásározás *n,* marketing

vásározó [-t, -ja; *adv* -an] *n,* marketer, market-man

vásárpénztár *n,* toll-room/house

vásártartási *a,* ~ *jog* right of holding markets/fairs

vásártelep *n,* market (ground)

vásártér *n,* market(-place)

vásáru *n,* iron-wares *(pl),* hardware, ironmongery, dry goods *(pl) (US)*

vásárváros *n,* market town

vasas [-ok, -t, -a; *adv* -an] **I.** *a,* **1.** *[vassal borított stb.]* fitted/covered/mounted/bound with iron *(ut)* **2.** *[vastartalmú]* containing iron *(ut),* ferriferous, iron(y), *(vegyt)* ferrous, ferric, *[víz, orvosság]* chalybeate; ~ *forrás* chalybeate/ferruginous spring; ~ *fürdő* chalybeate bath, *[fürdőhely]* chalybeate springs *(pl);* ~ *víz* ferruginous/chalybeate water **II.** *n;* **1.** *[munkás]* ironworker, ironman **2.** *[kereskedő]* hardware merchant, ironmonger **3.** *[katona]* cuirassier

vásás *n, [anyagé]* wear (and tear)

vasaz [-tam, -ott, -zon] *vt,* = **vasal 1.**

vasbádog *n/a,* sheet/plate-iron, iron-plate, *[ónozott]* tin(-plate)

vasbánya *n,* iron mine/pit

vasbányászat *n,* iron mining

vasbértörvény *n,* (Lassalle's) iron law of wages

vasbetét *n,* reinforcement (of concrete work)

vasbeton *n/a,* ferro-concrete, iron-banded cement, reinforced/armoured/steel concrete

vasbetonállvány *n,* reinforced framing

vasbetonépítés *n,* construction with reinforced concrete

vasbetonfal *n,* reinforced concrete wall

vasbetongerenda *n,* girder/beam of reinforced concrete

vasbetonhíd *n,* ferro-concrete bridge

vasbetonszerelő *n,* ferro-concrete fitter, steelworker

vasbetonszerkezet *n, [házé]* ferro-concrete shell/skeleton, structure of reinforced concrete

vasbor *n,* vinum ferri

Vasbordájú Edmund *prop, (tört)* Edmund Ironside

vasborítás *n,* iron covering

vasbot *n,* iron stick

vasbútor *n,* iron furniture

vascseppek *n. pl, (orv)* tincture of iron, ferruginous tincture

vascsillám *n, (ásv)* iron-mica

vasdarab *n,* piece of iron

vasderes *n,* iron-grey

vasdorong *n,* iron bar, bar of iron, crow(bar), *[rúd]* bar iron

vasedény *n,* iron vessel/pan

vasegészség *n,* iron constitution, iron/robust health

vaseke *n,* steel plough

vasember *n,* man (with a will) of iron, ironsides *(obs)*

vasérc *n,* iron ore; *vörös* ~ ferric oxide

vas- és fémáru hardware, iron and metalware

vas- és fémipari *a,* ~ *dolgozó* metal worker, metallurgist; *Magyar Vas- és Fémipari Dolgozók Szakszervezete* Hungarian Steel and Metal Workers' Union

vaseszterga *n,* metal turning lathe

vasesztergályos *n,* iron turner

vasfa *n, (növ)* sideroxylon, ironwood *(Sideroxylon sp.)*

vasfazék *n,* iron pot

vasfegyelem *n,* iron discipline

vasfejű *a,* headstrong, wrong-headed, heady, self-willed, *(kif)* he is as hard as a flint

vasfinomító *n, [telep]* iron (re)finery, bloomery, *[munkás]* iron refiner

vasfog *n,* iron tooth; *az idő ~a* the ravages of time *(pl)*

vasforgács *n,* steel wool, iron shavings *(pl), [kalapáláskor]* hammer-scale(s)

vasfű *n, (növ)* vervain, verbena *(Verbena)* ; *közönséges* ~ common vervain *(V. officinalis)*

vasfüggöny *n,* **1.** *[színházi]* safety-curtain, fireproof curtain **2.** *(pol)* iron curtain

vasfürdő *n,* **1.** chalybeate bath, *[fürdőhely]* chalybeate springs *(pl)* **2.** *(koh)* iron toner

vasgálic *n,* sulphate of iron, ferrous sulphate, green vitriol

vasgerenda *n,* iron girder/beam

vasgyár *n,* ironworks *(sing és pl)*

vasgyári *a, (összet.)* ironworks-; ~ *munkás* ironworker, ironman

vasgyáros *n,* ironmaster, owner of ironworks

vasgyártás *n,* ironworking, iron manufacture, manufacture of iron

vasgyúró *n,* man of/with great/prodigious (bodily) strength *(ut), (kif)* he is hard as nails; *kis* ~ sturdy little fellow

vasgyűrű *n,* iron ring, *[alagútban]* tubbing, iron lining, *[bot végén]* ferrule

vashámor *n,* forge, bloomery

vashengermű *n,* iron rolling-mill

vashiány *n, (orv)* iron deficiency

vashíd *n,* iron bridge

vashorog *n,* grapple-iron

vashulladék *n,* scrap/broken-iron, (wrought-)iron scrap

vásllk [-ott, -son, -sék] *vi,* **1.** *[kopik]* wear away, *[szerszám]* lose edge/point/keenness, *[borotva]* get dull/blunt **2.** *[fog kb]* become sensitive (to acid), be set on edge; ~*ik a foga vmre* covet sg, be keen on; long inordinately for (sg that is another's)

vasipar *n,* iron industry/manufacture, siderurgy

vasipari *a,* iron industrial, of the iron industry *(ut),* siderurgical; ~ *szakmunkás* ironmaster

vasiparos *n,* **1.** ironmaster **2.** = **vasgyári** *munkás*

vásít [-ani, -ott, -son] *vt,* **1.** *[koptat]* wear away, *[vm élét]* dull, blunt **2.** *[fogat]* render sensitive (to acid substances)

vasizom *n,* muscles like whipcord/steel *(pl)*

vasízű *a,* tasting like iron *(ut),* with an iron taste *(ut)*

vaskalap *n,* **1.** *(tört)* heaume, sallet **2.** *(geol)* gossan, iron hat

vaskalapos *a,* strait-laced, red-tapish, pedantic, meticulous, extremely formal, punctilious, hidebound, scholastic

vaskalaposság *n,* strait-lacedness, pedantry, *[hivatali]* red tape

vaskályha *n,* iron stove

vaskampó *n,* iron-cramp

vaskancellár *n,* Iron Chancellor

vaskapocs *n, (épít)* clamp(-iron), cramp, staple, brace, *[hentesé]* gambrel

vaskaptafa *n,* three-way last

vaskapu *n,* iron door

Vaskapu *prop, [a Dunán]* Iron Gate, the Iron Gates *(pl)*

vaskarika *n,* iron ring/hoop, *[boton]* ferrule; *fából* ~ nonsense, absurdity, squaring the circle

vaskemény *a,* = **vaskeménységű**

vaskeménységű *a,* iron-hard, hard as iron/nails/steel *(ut)*

vaskereskedés *n,* **1.** *[bolt]* hardware shop/store **2.** *[foglalkozás]* hardware business, ironmongery, iron trade

vaskereskedő *n,* hardware merchant, ironmonger

vaskereszt *n,* Iron Cross

vaskerítés *n,* iron railings *(pl),* iron fence *(US)*

vaskesztyű *n*, gauntlet, armoured glove
vaskéz *n*, iron hand; ~*zel kormányoz* govern with an iron hand, rule with a rod of iron *(v.* a firm hand)
vaskezű *a*, heavy/hard-handed, with an iron fist *(ut)*
vaskohász *n*, foundryman
vaskohászat *n*, metallurgy (of iron), iron metallurgy, iron-smelting, siderurgy
vaskohászati *a*, siderurgical; ~ *alapanyagok* basic materials of the ferrous metallurgy
vaskohó *n*, iron furnace, *[telep]* iron-smelting works, ironworks
vaskor *n*, the Iron Age; *kora(i)* ~ Early Iron Age
vaskoronarend *n*, Order of the Iron Crown
vaskorszak *n*, = vaskor
vaskos [-at; *adv* -an] I. *a*, 1. *[fóliáns]* massive, bulky, *[szelet]* thick; két ~ *kötet* two bulky volumes 2. *[személy]* stocky, stout, fat, robust, *[izmosan]* brawny, thick-set, *[gyerek]* sturdy, chubby, *[nő]* buxom 3. ~ *tévedés* gross error/mistake, (glaring) blunder, howler *(fam)* ; ~ *történetek* smoking-room stories; ~ *tréfa* coarse/ribald joke, *[beugratás]* practical joke; ~ *tudatlanság* dense/abysmal ignorance
 II. *n*, ~*akat mond* say coarse things
vaskovand *n*, pyrite
vaskő *n*, ironstone
vaslánc *n*, iron chain, chain of iron
vaslap *n*, iron plate/sheet, *[hengerelt]* (black) sheet-iron
vaslemez *n*, = vaslap
vasmacska *n*, *(hajó)* anchor; ~ *csörlője* capstan
vasmag *n*, *(vill)* iron core
vasmarkú *a*, iron-handed
vasmarok *n*, mailed fist, *[fogás]* iron grip/hold, *(átv)* severity; ~*kal (fog)* (hold) in a steel grip
vasmedve *n*, pig of iron, puddle-ball
vasmunka *n*, (piece of) ironwork, work in iron
vasmunkás *n*, ironworker, worker in iron, metallurgist
vasmű *n*, ironworks *(sing és pl)*, iron mill
vasműves *n*, iron-smith, (black)smith
vasnyaláb *n*, *[kohászatban]* bundle iron
vasolvasztó *n*, blast/iron furnace, iron-smelting works
vasorrú bába ⟨iron-nosed witch⟩
vásott [-at; *adv* -an] *a*, 1. *[kopott]* worn, *[él]* dull, blunt, *[kötél]* frayed, *[ruha]* worn out, shabby, threadbare 2.~ *gyerek* a pest of a child, (a) naughty/mischievous child
vásottság *n*, 1. *(konkr)* dullness, bluntness, wear 2. *[gyereké]* naughtiness, mischievousness, wickedness
vasoxid *n*, ferric oxide
vasököl *n*, mailed fist, brass knuckles *(pl)*
vasöntés *n*, *(átt)* founding of iron, iron casting, *[művelet]* pouring of molten iron (into a mould)
vasöntő *n*, 1. *[munkás]* iron-founder 2. *[műhely]* iron-foundry, ironworks
vasöntöde *n*, = vasöntő 2.
vasöntvény *n*, iron-casting, cast iron, *(vegyt)* ferro-alloy; *olvasztott nyers* ~ pig-iron
vasötvözet *n*, ferro-alloy
vaspálca *n*, pontil
vaspálya *n*, † railway *(stand.)*, railroad *(US) (stand.)*
vaspáncél *n*, *[lovagé]* coat of mail, *[hadihajóé]* armour
vaspánt *n*, band/strip/strap of iron, band/hoop-iron
vaspántos *a*, ~ *láda* iron-hooped case
vasparipa *n*, † iron horse
vaspát *n*, sparry iron, iron spar, siderite
vaspléh *n*, sheet-iron
vaspor *n*, iron dust, *[reszelék]* iron-filings *(pl)*, *[kályhatisztítóé]* stove-polish, black-lead
vasrács *n*, *[ablaké díszes]* grill, (iron) bars *(pl)*, *[szobor körül]* railings *(pl)*, *[rostély]* iron grate
vasredőny *n*, (iron roll-)shutters *(pl)*
vasreszelék *n*, iron-filings *(pl)*

vasrostély *n*, iron grate
vasrozsda *n*, rust
vasrúd *n*, iron bar/rod, bar iron
vassalak *n*, (iron) dross, slag, cinder
vassodrony *n*, iron wire
vasszeg *n*, iron nail
vasszerelék *n*, iron fitting/mounting
vasszerkezet *n*, ironwork, *[házé]* iron/steel framework/shell/construction
vasszerkezeti *a*, ~ *lakatos* steel structures fitter
vasszerszám *n*, iron tool
vasszervezet *n*, iron constitution, a constitution of iron; ~*e van* have an iron constitution
vasszigor *n*, unbending rigour/severity, strictness; ~*ral kormányoz* rule with a rod of iron
vasszorgalom *n*, unwearied/unwearying/indefatigable/unflinching/untiring industry
vasszulfát *n*, iron-sulphate, ferrosulphate
vasszulfid *n*, ferric/ferrous sulphide
vasszűz *n*, *(tört)* iron maiden of Nuremberg
vastag [-ot; *adv* -on] I. *a*, 1. *(vm)* thick, bulky; ~ *ajkak* thick/blubber lips; ~ *betűs* in bold(-faced) type*(ut)*, fat/bold-faced; ~ *bőre van* be thick-skinned, *(átv)* be insensitive (to insults), be thick-skinned; ~ *bőrű* thick-skinned, having a thick skin *(ut)*, pachydermatous *(tud)* ; ~ *falú* thick-walled; ~ *könyv* thick/bulky book; ~ *kötél* thick/stout rope; ~ *kötet* bulky/fat volume; ~ *lábú* thick-legged, *[lábfejről]* thick-footed; ~ *nyakú* thick-necked; ~ *szálú haj* coarse hair; ~ *szivar* fat cigar; ~ *vonal* heavy line 2. *[személy]* stout, corpulent, fat; *[rövid és* ~ stubby, stocky, dumpy, squat 3. *két láb* ~ *fal* a wall two feet thick; *a könyv két hüvelyk* ~ the book bulks two inches, the book is two inches thick; *a jég húsz centiméter* ~ the ice is twenty centimetres thick 4. *[köd]* heavy, dense 5. ~ *hang* thick/gruff voice 5. ~ *tréfa* coarse/ribald (practical) joke
 II. *n*, *a bot* ~*ja* the thick end of a/the stick
vastagbél *n*, large intestine/bowel, colon
vastagbélhurut *n*, colitis
vastagbélmetszés *n*, colotomy
vastagbélműtét *n*, colectomy
vastagbőrű I. *a*, *(átv)* insensitive to insult *(ut)*, thick-skinned II. *n*, *(term)* pachyderm; *ld még* vastag 1.
vastaghús *n*, calf
vastagít [-ani, -ott, -son]*vt*, thicken, render/make thick(-er)
vastagítás *n*, (act of) thickening
vastagnyakú [-ak, -t; *adv* -an] *a*, stiff-necked, pigheaded, obstinate; ~ *kálomista/kálvinista* stiff-necked Calvinist; *ld még* vastag 1.
vastagodás *n*, (process of) thickening, becoming thick/fat
vastagod|ik [-tam, -ott, -jon, -jék] *vi*, thicken, become thick, *[személy]* grow stout/fat
vastagon *adv*, thickly, heavily; ~ *aláhúzva* heavily underlined; ~ *ken kenyérre vajat* spread a thick layer of butter on bread; ~ *ömlik* flow/run in a copious stream, gush; ~ *rakja fel a színeket* paint with a full brush
vastagság *n*, thickness, *[könyvé]* bulk
vastagságmérő *n*, micrometer caliper, feeler (gauge)
vastagságú [-ak, -t; *adv* -an] *a*, wide, of ... width *(ut)*, of a thickness of ... *(ut)* ; *5 centiméter* ~ *(kb)* two inches thick
vastalpfa *n*, metal sleeper
vastaps *n*, frenetic applause, *[csak szính]* applause after lowering the safety-curtain
vastartalék *n*, iron reserve/ration
vastartalmú *a*, *[érc]* iron(-bearing) (ore), containing iron *(ut)*, irony, ferriferous, *[forrás, víz]* ferruginous, chalybeate, *[vegyület]* ferrous, ferric
vastartalom *n*, iron content

vastelep *n*, *(bány)* iron-lode, deposit of iron ore
vasterápia *n*, ferrotherapy
vastermelés *n*, getting/winning/output of iron
vastimsó *n*, iron/feather alum, alum feather
vastörvény *n*, iron law
vastraverz-oszlop *n*, trellis-work post
vastüdő *n*, iron lung, respirator, Drinker apparatus; ~ben kezelt beteg respirator patient
vasút *n*, 1. railway, railroad *(US)*, *[társaság]* railway company; *keskeny vágányú* ~ narrow-gauge railway; *közforgalmú* ~ public railway; ~on megy vhova go swhere by train, take a train to...; ~on szállít transport/convey by rail, ship by rail *(US)*, railroad *(US)*; ~ra száll get into/on a train, board a train *(US)* 2. *[állomás]* (railway) station; *kimegy a ~hoz* go to the station, *[vk elé]* meet sy at the station
vaútállomás *n*, railway station, railroad station *(US)*, depot *(US)*; *frankó* ~ free station
vasutas [-ok, -t, -a] *n*, railway employee, railwayman, railway official, railroader *(US)*, railroadman *(US)*; *Magyar Vasutasok Szakszervezete* Hungarian Railway Workers'Union
vasutasnap *n*, Railwaymen's Day
vasutaz|ik [-tam, -ott, -zon, -zék] *vi*, travel by rail(way); *B-be ~ik* train to B.
vasútbiztosító *a*, ~ berendezés railway safety equipment
vasútépítés *n*, railway building/construction, railroading *(US)*
vasútfenntartás *n*, railway maintenance
vasúthálózat *n*, = vasúti *hálózat*
vasúti [-ak, -t; *adv* -an] *a*, of *(v.* pertaining to *v.* concerned with) a railway *(út)*, railway-, railroad- *(US)*; ~ *alépítmény* earthworks/roadbed of a railway, substructure; ~ *alkalmazott* railway employee, railroad employee *(US)*; ~ *állomás* (railway) station, railroad station *(US)*, depot *(US)*, *[személyforgalomra]* passenger-station, *[teherforgalomra]* goods-station, *[végállomás]* terminus; ~ *aluljáró* subway (under a railway), rail underbridge; ~ *áruraktár* goods/freight shed; ~ *átjáró [egy szintben]* railway-crossing, level/grade crossing; ~ *baleset* railway-accident; ~ *csatlakozás* connection (between trains); *lekési a ~ csatlakozást* miss the connection train; ~ *csomópont* railway junction; ~ *díjszabás* railway tariff, railway rates/fares *(pl)*; ~ *elágazás [hely]* branching off (of a railway); ~ *felüljáró* passenger bridge (over a station), railway bridge crossing; ~ *forgalom* railway traffic, *[személy]* passenger traffic, *[teher]* goods traffic; *a ~ forgalom szünetel* railway service (has been) suspended; ~ *fővonal* main/trunk line; ~ *fuvardíj* freightage, charge for transportation, wag(g)onage; ~ *fuvarlevél* way bill, railway bill of lading; ~ *gördülő anyag/állomány* rolling stock; ~ *gyűjtőszállítás* groupage transport/service; ~ *hálózat* system/network of railway(-lines), railway system; ~ *híd* railway-bridge, *[áteresz]* culvert; ~ *jegy* (railway) ticket, *[bérlet]* season ticket, *[odautazásra]* single ticket, one way ticket *(US)*, *[menettérti]* return ticket, round trip ticket *(US)*, *[pótjegy]* excess ticket, *[számozott helyre]* reserved-seat ticket; ~ *keresztezés* railway-crossing; ~ *kocsi [személy]* railway carriage, (rail-)car, railroad coach *(US)*, *[teher]* goods wag(g)on, freight car *(US)*, *[csukott]* covered/box goods wag(g)on, goods van/truck, box freight-car *(US)*, *[marhának]* cattle truck, *[lapos]* flat goods-truck, flat car *(US)* *[poggyásznak]* luggage van, baggage-car *(US)*; ~ *kocsiba rakva* free on rail *(röv* f. o. r.); ~komp railway/train ferry; ~ *közlekedés* rail transport; ~ *megálló* halt, wayside station; ~ *menetrend* (railway) time-table, schedule of trains *(US)*, *[könyv]* (railway) guide, ABC *(GB fam)*, Bradshaw *(GB fam)*; ~ *mérnök* railway/railroad engineer; ~ *munkás* railway labourer/man, *[földmunkás]* navvy; ~ *nyomtáv* railway gauge; ~ *őr [pályán]* track-watchman, *[keresztezésnél]* gatekeeper; ~ *őrház* watch-box, watchman's hut/house; ~ *összeköttetés* railway connection; ~ *pénztáros* booking clerk, ticket agent *(US)*; ~ *ruhatár* left-luggage office; ~ *szállít(way)* transportation/consignment, transport by rail, shipping of goods by rail *(US)*, *[díja]* railage; ~ *szállítmány biztosítdsa* insurance of landtransport; ~ *személyzet* railway staff/personnel; ~ *szerelvény* railway train, train/set of carriages/trucks, made-up train; ~ *tarifa* railway tariff; ~ *teherforgalom* railway freight/goods traffic; ~ *szerencsétlenség* railway accident/disaster; ~ *térkép* railway map; ~ *tisztviselő* railway official; ~ *tolvaj* duster *(US* ◈); ~ *töltés* railway-embankment; ~ *útmutató* train indicator; ~ *üzem* railway service, working of a railway; ~ *üzletszabályzat* (manual of) railway-regulations; ~ *vágány* railway track/line, line of rails, railroad *(US)*, railway *(US)*; ~ *végállomás* railway terminus; ~ *vonal* ⇒ vasútvonal; ~ *vonalszakasz* section of a line
vasútigazgatóság *n*, directorate of railways, railway board
vasútpolitikai *a*, ~ osztály ⟨political department of the Hungarian State Railways⟩
vasúttársaság *n*, railway company
vasútvonal *n*, railway line, *[fővonal]* main/trunk line, *[egyvágányú]* single track line, *[kétvágányú]* double track line
vasvágó *n*, chisel, hot/cold cutter
vasváz *n*, iron frame(work), framing, *[betonozásnál]* reinforcement, *[házé]* iron shell/skeleton
vasvegyület *n*, ferric/ferrous compound
vasveret *n*, ironwork, *[ajtón]* iron mounting
vasvilla *n*, 1. pitchfork, *[trágyához]* dung/manure-fork 2. ~ *szemeket vet vkre* look daggers at sy
vasvirág *n*, 1. *(ásv)* aragonite 2. *(növ)* xeranthemum *(Xeranthemum)*
vászon [vásznat, vászna] I. *n*, 1. *[anyag]* linen (cloth), *[festőé]* canvas, *[ingre]* shirting, *[lepedőre]* sheeting; *házi* ~ homespun linen, *kátrányos* ~ tarpaulin; ~ra húz *(térképet stb.)* mount/paste (map etc.) on linen/canvas; ~ra húzás lining, transferring onto canvas; *ő sem jobb a Deákné vásznánál* she is no better than she ought to be *(v.* should be) 2. *[vetítőfelület]* screen; *megjelenik a vásznon* appear on the screen
II. *a*, linen
vászonáru *n*, linens *(pl)*, linen/white goods *(pl)*, linen/white ware
vászonárus *r*, linen-draper
vászoncipő *n*, canvas shoes *(pl)*, shoes with canvas tops *(pl)*
vászoncseléd *n*, † woman *(stand.)*, female *(fam)*
vászoning *n*, linen shirt
vászonipar *n*, linen industry
vászonkabát *n*, linen jacket
vászonkendő *n*, piece of linen, *[fejre]* linen kerchief
vászonkereskedés *n*, linen-draper's
vászonkötés *n*, 1. *[könyvé]* cloth binding, cloth boards *(pl)* 2. *[tex]* plain weave
vászonkötésű *a*, 1. *[könyv]* bound in cloth *(ut)* 2. ~ *szövet* cloth with plain surface
vászonnadrág *n*, duck trousers *(pl)*
vászonnemű I. *a*, linen, *[otthoni]* house linen II. *n*, ~ek linen goods
vászonpapír *n*, *[levélpapír]* laid paper, *[mérnöké]* tracing cloth/liner

vászonponyva n, [kocsira, boglyára] tarpaulin, canvas cover, [tető] awning

vászonredőny n, roller blind, linen shutters (pl)

vászonruha n, [férfi] linen/duck suit, jeans (pl) (fam), [női] linen dress

vászonsapka n, canvas cap

vászonszalag n, band of cotton/linen, tape

vászontető n, canvas hood, canopy

vászonvödör n, collapsible bucket

vatelin [-ek, -t, -ja] n, (cotton) wadding

vatelinoz [-tam, -ott, -zon] vt, [ruhát] wad, line with (cotton) wadding

vátesz [-ek, -t, -e] n, prophet, seer

Vatikán [-t, -ban] prop, the Vatican

vatikáni [-ak, -t] a, of the Vatican (ut)

Vatikánváros prop, Vatican City

vatta [..át] n/a, [ruhába] wadding, (orv) cotton--wool, absorbent cotton (US), [tampon] wad; gyermeket ~ közt nevel (biz) bring up a child in cotton-wool; vattával bélel [kabátot] line/quilt (a coat) with wadding

vattabélés n, padding (of cotton-wool), [ruháé] wadding

vattacukor n, spun candy/sugar

vattacsomó n, wadding, plug (of cotton-wool)

vattakabát n, quilted jacket

vattapaplan n, quilt

vattaruha n, quilted clothes (pl)

vattás a, [vattázott] wadded, padded, [házikabát] quilted, [vattaszerű] (soft) as cottonwool, fluffy

vattatekercs n, cotton roll

vattáz [-tam, -ott, -zon] vt/vi, wad, pad, line with wadding, quilt; ~ za a nézőteret (szính biz) paper the house

vattázott [-at] a, 1. wadded, quilted; ~ télikabát quilted coat 2. ~ ház (szính biz) paper (v. well-papered) house, a house full of paper

váz [-at, -a] n, 1. [betonozásnól] reinforcement, [esernyőé, léghajóé] frame(work), [hajóé, villanymotoré] carcass, [házé, hajóé] shell, skeleton 2. [regényé] framework, outline, skeleton; ez csak a ~a az elgondolásnak these are only the bare bones of the scheme

váza [..át] n, (flower) vase

vazallus n, vassal, liegeman, liege; ~ állam satellite (state)

vazallusi [-ak, -t] a, vassal('s)

vázas [-at] a, ~ épület skeleton building

vázcsontok n. pl, (rég) skeletal bones

vazelin [-ek, -t, -je] n, vaseline, liquid paraffine, mineral/petroleum jelly, petrolatum (US)

vazelinez [-tem, -ett, -zen] vt/vi, smear sg with vaseline

vazelinolaj n, liquid petrolatum, white oil

vazelinoz [-tam, -ott, -zon] vt, = vazelinez

vázkioldó n, [fényképezőgépen] body release

vázlat n, 1. (ált) sketch, outline, design, skeleton, [rajzos] line diagram, (épít) draught, draft, rough plan, [festőé] (rough) draft, outline, [séma] diagram, (sketch-)plan; kapcsolási ~ (vill) connection/wiring diagram; ~ot készít vmről make a rough sketch of sg, sketch sg; vmnek a ~át papírra veti commit to paper a rough sketch of sg, draw the outlines of sg 2. [írásműé] (general) sketch, outline

vázlatfüzet n, sketch-book, book for/of sketches

vázlatkészítés n, sketching

vázlatkönyv n, sketch/drawing-book

vázlatos [-at; adv -an] a, sketchy, roughly outlined, in outline (ut), in the rough (ut), [rövid] brief, [rajz] rough, [sematikus] schematic, diagrammatic; ~ ismertetés brief account, summary; ~ rajz rough sketch; ~ terv main/broad outlines of a scheme (pl), general outline of a scheme

vázlatosan adv, sketchily, drawn in outline; ~ ismertet/leír sketch out, outline

vázlatosság n, sketchiness

vázlatpapír n, sketching-paper

vázlatrajz n, sketch (plan), adumbration

vázlattömb n, sketching-pad/block

vázol [-t, -jon] vt/vi, sketch, outline, draft, plan, delineate, draw a preliminary sketch, [képet, tervet] sketch out, [szóban] (describe in) outline, adumbrate, [tervet] project; nagy vonalakban ~ja az eseményeket give the broad outlines of the events

vázolás n, sketching, outlining, [jellemé] delineation, [szóbeli] description in outline, [tervé] projection

vazomotorikus a, ~ ideg (bonct) vaso-motor

vázrajz n, diagrammatical plan, block diagram

Vazul [-t, -ja] prop, Basil

-vé suff, ld -vá

vécé [-t, -je] n, water closet, toilet, lavatory (röv W.C.); angol ~ flush toilet

vécékagyló n, closet/toilet bowl, lavatory pan/pedesta,

vécépapír n, toilet paper

vecsernye [..ét] n, vespers (pl), litany, evensong, evening prayer

véd [-eni, -tem, -ett, -jen] vt/vi, 1. [vk/vm ellen, vktől, vmtől] defend, protect, guard, vindicate, shield from/against sy/sg, [eső ellen] shelter, [várat] defend, hold; vk érdekeit ~i safeguard (v. stand/stick up for) sy's interests; ~i a barátját vk ellen stand/stick up for one's friend against sy; ezek a fák ~ik a házat a széltől these trees shelter/screen the house from the wind 2. [támogat] patronize, support, [ipart] protect, safeguard 3. [véleményt, jogot] maintain, uphold, [vádlottat] defend; bíróság előtt ~ vádlottat defend an accused at the bar; egy ügyet ~ [bíróság előtt] plead a case 4. [futballban] keep goal, save

védangyal n, guardian/presidential/tutelary angel

védbástya n, bastion, (átv) bulwark, stronghold

védbeszéd n, (jog) speech for the defence, (átv) apology

védegylet n, society for (the) protection/promotion (of sg)

védekezés n, 1. (ált) defence, defense (US), protection, [önvédelem] self-defence, [betegség megelőzése] prevention, preventive measures (pl), prophylaxis; tüdővész elleni ~ protection against tuberculosis; legjobb ~ a támadás the most effective defence is offence 2. [mentegetődzés] excuses (pl) 3. [vádlotté] plea(ding); vád elleni ~ answer to a charge; ~t elmulaszt [vádlott] stand mute, refuse to plead

védekezési [-ek, -t; adv -leg] a, defensive, protective; ~ mód mode of defence

védekezésül adv, ~ felhoz vmt set up sg as a defence, plead sg, [mentegetődzve] make sg one's excuse

védekez|ik [-tem, -ett, -zen, -zék] vi, 1. [vm ellen] defend/protect/shield/guard oneself (from/against sg), be/stand on the defensive, stand/stick up for oneself; ~ik a hideg ellen protect oneself from the cold; ~ik a veszély ellen insure against a danger; nem lehet ellene ~ni it cannot be fought against, there is no help/protection against it; elszántan ~ik defend oneself desperately (v. tooth and nail) 2. [mentegetődzik] excuse oneself, apologize, make excuses 3. [vádlott] set up a defence; ~ik vmvel base the defence on sg, set up sg as a defence, put forth sg in one's defence; fiatalságával és tapasztalatlanságával ~ik plead the inexperience of youth

védekező [-t; adv -en] a, defensive, protective, of defence (ut), apologetic, [megelőző orv] prophylactic; ~ állás defensive position, (sp) guard; ~ állást foglal el take up a defensive position, (átv) stand on one's guard; ~ gesztus defensive gesture;

járványok ellen ~ intézkedés measures for the prevention of epidemics *(pl)*; *~ játék* defensive play; *~ mód* manner of defence

védekezőszer *n, (ált)* preventive, *[gombák ellen]* fungicide, *[rovarok ellen]* insecticide, pesticide

vedel [-t, -jen] *vt/vi, (nép)* drink (to excess) *(stand.)*, swill, swig, guzzle, quaff, tun

védelem [.. lmet, .. lme] *n,* **1.** defence, defense *(US)*, defensive, protection, shelter, guard, ward *(obs)*, *[széttől, naptól]* shade, shelter, cover, *[támogatás]* patronage, support; *~ nélküli* undefended, unprotected; *vk védelme alatt* under sy's protection/patronage; *vkt védelmébe fogad/vesz* take sy under one's protection/shelter/wing, take charge of sy; *védelmébe veszi vk ügyét vkvel szemben* plead sy's cause with sy; *vk védelmében* in sy's defence; *vk védelmére kel* stand/stick up for sy, take the side of sy, take up the cudgels for sy *(v.* on sy's behalf) *(fam)* ; *védelmet kér* supplicate protection; *védelmet keres egy fa alatt [az eső ellen]* take/seek shelter under a tree; *védelmet nyújt vm ellen* provide *(v.* serve as) shelter from sg; *védelmet nyújtó* sheltery; *védelméül szolgált az üldözés ellen* it was his safeguard against persecution **2.** *(jog)* defence; *a ~ súlypontja* point of defence; *a ~ tanúja* witness for the defence; *a ~hez való jog* the right to defence; *védelmére/védelmül felhoz vmt* plead sg, put forth sg in *(v.* by way of) one's defence, make sg one's excuse; *védelmet előkészít/ előterjeszt* set up a defence; *vállalja a vádlott védelmét* undertake to put the case for the accused/defendant at the bar, undertake the defence of the accused **3.** *(kat)* defensive; *erős ~* energetic defence; *hevenyészett ~* hasty defence; *~ megszervezése* preparation for defence **4.** *(sp)* defence

védelmez [-tem, -ett, -zen] *vt, [vkt vmtől, vm ellen]* protect, defend, shield, vindicate, shelter, guard (from/against), *[védencet]* take under one's protection, patronize, *[ügyet]* advocate; *hazáját ~i* fight in defence of one's country; *vkt ~* defend sy, champion sy's cause, undertake sy's defence, take up the cudgels for sy *(fam)*, stand/stick up for sy *(fam)*

védelmezés *n,* (act of) defending, protection, defence, vindication; *ld még* **védelem**

védelmező [-t, -je; *adv* -en] I. *a,* protecting, protective, vindicatory, vindicative II. *n,* protector, vindicator, *[nő]* protectress, *[művészeteké]* patron, *[nő]* patroness

védelmi [-ek, -t; *adv* -leg] *a,* defensive, of defence *(ut)*, protective; *~ aknamező* protective minefield; *~ állásban van* be in a defensive position; *~ berendezések* defensive works/structures, defences; *~ eszközök* means of defence; *~ háború* defensive war; *~ harc* defensive fight, *[hadviselés]* defensive warfare/ campaign; *~ intézkedés* defensive measure; *~ mű* defences *(pl)*, fortification(s), bulwark; *~ szövetség* defensive alliance; *~ vonal* defence line, line of defence

védenc [-et, -e] *n,* protégé, charge, *[kedvenc]* favourite, *[ügyvédé]* client, *[nő]* protégée

veder [vedret, vedre] I. *n, [fém]* pail, *[fém, fa]* bucket, *[kotrón]* bucket II. *a, hozz egy ~ vizet* bring a pail(ful)/ bucket(ful) of water

véaerdő *n,* = **védőerdő**

/éderdőővezet *n,* protective forest belt

véderdősáv *n,* = **védőerdősáv**

vederlánc *n, [tűzoltáskor kb]* chain of fire-fighting bucket-forwarders, *[kútban]* well-chain

véderő *n,* armed forces *(pl)*, the army, the military

véderőjavaslat *n,* Army Bill

véderőtörvény *n,* Army Act

véderővita *n,* (parliamentary) debate over/on an Army Bill

vederszámra *adv,* by/in bucket(ful)s

védés *n,* **1.** defence, protection **2.** *[futballban]* save, *[vívásban]* parry

véd- és dacszövetség defensive and offensive alliance

védetlen *a,* unprotected, undefended, unsheltered, unscreened

védett [-et, -je; *adv* -en] I. *a,* protected, defended, sheltered, screened; *törvényesen ~* protected by law *(ut)*, patent; *~ (áru)cikk* proprietary article; *~ erdő* forest reserves *(pl)*; *~ halászterület* fish(ing) preserve; *~ helyen van* be sheltered/safe, be under cover; *~ ipar* sheltered industry; *~ kikötő* sheltered/safe harbour; *~ király (kárty)* protected/guarded king; *~ műemlék* national/scheduled monument (under protection of the Ancient Monuments Act); *~ műtárgy* work of art under protection; *~ név* proprietary name/term; *~ terület* reserve, nature reserve/sanctuary, preserve, conservation area, reservation *(US)* ; *~nek nyilvánít* preserve II. *n,* = **védenc**

védettség *n,* protection, immunity

védgát *n,* = **védőgát**

védhetetlen *a,* **1.** indefensible, *[ügy]* unjustifiable, unwarrantable **2.** *~ lövés [futballban]* unstoppable shot; *a lövés ~ volt* the goalkeeper was unable to parry the shot

védhető *a, [állás]* defensible, *[ügy]* justifiable, vindicable, maintainable, tenable, *[bíróság előtt]* pleadable; *ez még ~* that may stand

védintézkedések *n. pl,* safeguards, safety measures

védjegy *n,* trade-mark, brand; *bejegyzett ~* registered trade-mark; *hamisított ~* forged trade-mark; *~et lajstromoz(tat)* register a trade-mark

védjegybitorlás *n,* fraudulent imitation of trade-mark

védjegytörvény *n,* Merchandise Marks Act

védjegyvédelem *n,* trade-mark protection

védjegyzett *a, ~ cikk* proprietary article; *~ név* registered/trade name

védköteles *a, (kat)* liable to military service *(ut)*, liable to conscription *(ut)*

védkötelezettség *n,* obligation to perform military service, conscription

vedlés *n,* shedding/casting of the coat/skin/antlers, *[hüllő]* sloughing, *[madár]* moult(ing), deplumation *(tud)*

vedlési [-t] *a, ~ idő* season of moulting/sloughing, moulting time

vedlett [-et; *adv* -en] *a,* **1.** *(konkr)* moulted **2.** *(átv)* shabby, worn

védlevél *n, (jog)* letter of protection, safe-conduct, pass, safeguard *(obs)*

vedl|ik [-eni, -ett] *vi,* shed/cast its coat/antlers, mew, *[hüllő]* (cast its) slough, cast/throw its skin, *[madár]* moult, exuviate *(tud)*

védnök [-öt, -e] *n,* patron, protector, *[nő]* patroness, protectress

védnökség *n,* **1.** *(vké)* patronage, sponsorship; *vknek a ~e alatt* under the auspices of sy, sponsored by sy **2.** *(pol)* protectorate

védő [-t, -je; *adv* -en] I. *a, (ált)* defensive, of defence *(ut)*, *[egyesület]* protecting, *[műsz, vám]* protective, *[irat, stb.]* apologetic II. *n,* **1.** *[állásponté, ügyé]* supporter, upholder, apologist, *[gyermeké, városé]* protector, guardian, defender; *a vár ~i* defenders of the fortress/castle, garrison **2.** *(jog)* counsel for the defence/defense, defence counsel/attorne

védőajtó *n,* safety gate

védőálarc *n,* protective/breathing mask, *[ivhegesztőé]* face-shield

védőállás *n,* **1.** *(kat)* defensive position **2.** *[vívásban]* ward

védőangyal *n,* = **védangyal**

védőanyag n, preventive (material), preservative, protective, *(orv)* prophylactic

védőárok n, fosse, ditch, *(kat)* shelter-trench/pit, *[légónál]* slit trench

védőbástya n, 1. *[váré]* bastion, sconce *(obs)* 2. *[szabadságé]* bulwark, stronghold, fastness, palladium *(ref.)*

védőberendezés n, *[ipari, üzemi]* safety device

védőbeszéd n, 1. plea(ding), *(jog)* speech for the defence 2. *[nem bíróságon]* apology, apologia *(lat)*

védőboríték n, *[könyvé]* jacket, fold

védőbőr n, *[ló lábán]* foot-guards *(pl)*

védőburkolat n, protective covering/casing, *[csomagé]* wrapping, *[kábelé]* sheathing, cable-armour, *[kötélé]* serving, *[szerszámgépé]* guard

védőburok n, *[szervé]* investing membrane, tunic; ld még **védőburkolat**

védőcölöp n, fender-pile

védődeszkázás n, weather-boarding

védőerdő n, shelter/protective forest

védőerdősáv n, shelter-belt

védőerő n, 1. *[egység]* defensive strength, protective power 2. = **véderő**

védőétel n, protective/welfare food, anti-waste food, *[ipari]* (supplementary) food for industrial workers

védőfal n, *[városé]* the ramparts/walls/battlements of a (walled) town *(pl)*, bulwark, defensive/protecting wall, *[házat támasztó]* retaining-wall, *[széltől]* screen

védőfedél n, protecting cap/cover, *(épít)* penthouse

védőfegyver n, defensive weapon; ∼ek defensive arms

védőfolyosó n, *(épít)* defence gallery, hoard

védőgát n, dike, dyke, dam, embankment, levee *(US)*, *[móló]* breakwater, pier, mole, *[tenger ellen]* sea-wall

védőgumi n, contraceptive

védőhad n, army of defence, *[helyőrség]* garrison

védőháló n, *(vill)* guard/catch-net

védőhatás n, protective effect

védőhuzat n, cover, *[bútoré]* loose cover, slip-cover

védőirat n, apology (for), (written) defence, (written) justification

védőisten n, tutelary god

védőital n, protective drink/beverage

védőkenőcs n, barrier cream

védőkesztyű n, protective glove, gauntlet, *[cipészé]* hand-leather

védőkészülék n, protective/safety device, guard

védőkíséret n, escort

védőkorlát n, *[hidon/erkélyen tömör]* parapet, *[oszlopos]* balustrade, *[vasból]* railing, guard-rail, *[gép körül]* fencing

védőkörzet n, *(kat)* defensive zone/sector

védőleg adv, protectingly, in *(v.* by way of) protection

védőlemez n, *(műsz)* sheet guard, protecting apron, guard-plate, foundation plate, *(koh)* dam-plate

védőmű n, defensive works *(pl)*, defences *(pl)*, outworks *(pl)*, bulwark, redoubt, entrenchment; előretolt ∼ advanced work; ∼vet ás/épít entrench

védőnő n, district nurse, welfare officer/worker

védőnőképző n, nurses' training school

védőoltás n, vaccination, protecting/protective inoculation, immunization; ∼ anyaga serum, vaccine; ∼sal ellát vaccinate, immunize

védőőrizet n, protective arrest/custody

védőőrség n, *[váré]* garrison, *(vké)* escort, body-guard

védőöv n, safety belt

védőövezet n, shelter belt, protective zone

védőpajzs n, buckler, shield, *(műsz)* (face-)shield, *(átv)* shield, safeguard, aegis

védőpapír n, *[6×7 cm-es filmeknél]* backing paper

védőpászta n, *[tűz ellen]* firebreak

védőrács n, *[gép]* guard, *[tűzhelyé]* fender, fire-guard

védőréteg n, protective layer

védőruha n, protective garment/wear, industrial protective clothing

védősereg n, army of defence, *[váré]* garrison

védősín n, *[bokszoló szájában]* defensor splint

védősisak n, protective mask, helmet shield

védőszárny n, protection, aegis *(ref.)*; vknek a ∼at alatt under the wing(s)/protection/care of sy

védőszellem n, guardian spirit, tutelary genius

védőszemüveg n, eye-guard/protector, goggles *(pl)*, *[hó ellen]* snow-goggles *(pl)*, *[nap ellen]* sunglasses *(pl)*

védőszent n, patron saint

védőszer n, 1. preservative, preservatory 2. protective agent, protector, *[korrózió ellen]* inhibitor

védőszerv n, *(növ)* armature; ∼vel ellátott növény armed plant

védőszövetség n, defensive alliance

védőszúrás n, *[vívás]* parrying thrust

védőtető n, hood, awning, canopy

védőtöltés n, = **védőgát**

védőügyvéd n, counsel for the defence/defendant, defence counsel/attorney; ∼et fogad hire/brief counsel, engage a counsel

védőüveg n, *(ált)* glass shield, *[autón]* wind-screen

védővám n, protective tariff, protective/protection duty

védővámrendszer n, protection(ism), protective system

védővámtarifa n, protective tariff

védővonal n, *(kat)* defence line

vedres a, ∼ felvonó bucket elevator; ∼ kotró bucket excavator; ∼ szivattyú bucket pump

védszent n, = **védőszent**

védtelen a, 1. unprotected, defenceless, shelterless, undefended, unsheltered, unfortified, destitute of *(v.* without) protection *(ut)*, unguarded; ∼ nő unprotected female 2. *[fegyvertelen]* unarmed, unable to defend oneself *(ut)*

védtelenség n, defencelessness, unprotectedness, unprotected/unguarded/unarmed state

védtelenül adv, ∼ áll vmvel szemben be unprotected from sg

védúr n, *(tört)* protector

védvám n, = **védővám**

vég¹ [-et, -e] n, 1. *[befejezés, kimenetel, beszedé]* end, close, conclusion, *[évé, gyűlésé]* close, *[hónapé]* end, *[orv kezelés]* conclusion, *[történeté]* end(ing), wind-up *(fam)*, *[drámáé, regényé]* denouement *(fr)*, *[következmény]* issue, outcome, result, upshot, consummation, *[halál]* end; ez a ∼ this is the end, this is the last of it; a ∼ kezdete the beginning of the end; ∼ nélkül tudott erről a tárgyról beszélni he could talk for ever on this subject; ∼ nélküli endless, never-ending, unending, incessant, interminable, without end *(ut)*; vége *[írásmű/film stb. végén]* the end, *[folytatásos cikk stb. befejező része alatt]* concluded; ∼e! it is all over!, all done with!, *[telefonbeszélgetés befejezésekor]* over!; borzasztó ∼e lett he came to a terrible end; élete ∼e felé towards the end of his life, in his declining years; az év ∼e close of the year; evvel még nem volt ∼e a dolognak the matter did not stop there; ezzel az esteének ∼e volt that concluded the evening, that brought the evening to an end; ∼e az előadásnak the performance (has) ended, the performance is at an end; ∼e az iskolának school is over/out; ∼e a játéknak the game is up; ∼e a komédiának the play is out, that is the end of it, the comedy has come to an end, gig is up; minden jó ha a ∼e jó all's well that ends well; még a hét ∼e előtt before the week is out; legyen már ∼e let us put an end to it, enough!, stop!; *még nincs ~e* we have not done yet; *mindennek ~e* it is all over, it is done with, everything is up, it's all U. P. *(fam)*; *mi lesz mind ennek a ~e?* what will be the result of it all?; *a nap ~e* the close of the day; *a negyvenes évek ~e felé* in the late forties; *nem lesz jó ~e* it will come to no good, he will come to a bad end; *se ~e se hossza* there is no end to it; *sosem lesz ~e ennek* that will never come to an end, there is no prospect of an end; *~e felé jár* it is nearing its end, it is drawing to its end, it is drawing to a close; *~e a következő számban* (to be) concluded in our next (issue); *~e legyen a tréfának* stop joking; *~e a napnak* the day is over/done; *a viharnak ~e* the storm is over; *a világ ~e* end of the world; *~e szakad (hirtelen)* come to an (abrupt) end; *~e van [befejeződik]* (come to an) end, finish, be over, be up, *(vknek)* he is done for, he is finished, his number is up, it's all up with him; *~em van* I am done for, it's all up with me; *beszédem végéhez értem* I have come to the end of my speech; *az iskolaév ~éhez közeledik* the school-year is drawing to its end/close; *elejétől a végéig* from end/beginning to end, from one end to the other, *[könyvnél]* from cover to cover; *a világ ~éig [időben]* till the end of the world, *[térben]* to the farthest corner of the world; *a leg~éig* to the very end/last; *a végén* in the end; *e hó ~én* at the end of this *(v.* the current) month; *a nap ~én* at the end of the day, at close of day; *a világ ~én* at the end(s) of the earth; *a világ ~én lakik* live at the back of beyond; *vmnek a ~én jár* be at the end of sg; *~én csattan az ostor* he who laughs last laughs longest, the sting is in the tail, the end tries all; *vmnek a végére ér* reach *(v.* be at) the end of sg, *[kifogy]* run short of sg; *sosem érnénk a ~ére ha . . .* we should never get to the end if . . .; *~ére jár vmnek* get to the bottom of sg, sift sg to the bottom; *hát sohasem jut a ~ére?* will he never have done?; *utazásának ~ére ér* reach the end of one's journey; *~ére tartogat* keep sg for the end; *véget ér* come to an end, draw to a close, end, stop, cease, terminate, finish, expire, surcease *(obs)*, peg/peter out *(fam)*; *rossz ~et ér* come to a bad end; *türelmem ~et ért* I am at the end of my patience/tether, my patience is worn out entirely; *~et nem érő* endless, neverending, unending, incessant, interminable; *~et vet vmnek* end sg, stop sg, put an end to sg, put a stop/period to sg, make an end of sg, bring sg to an end, bring sg to a close, break with sg, cut sg short, *[ügynek]* set at rest; *saját kezével vet véget életének* die by one's own hand, take one's own life; *hogy ~et vessen a dolognak . . .* in order to end the matter; *~ét járja [beteg]* be dying, be near one's end, be at death's door *(ref.)*, be at the very point of death *(ref.)*, be in the last extremity *(ref.)*, be on one's last legs/pins *(fam)*, *[más]* be coming to an end; *~ét érzi közeledni* be nearing one's end, be at death's door; *a könnyebb ~ét fogja a dolognak* take/follow the line of least resistance; *meg kell várni a ~ét* we must abide the end **2.** *[tárgyé]* tip, end, extremity, point, *[asztalé]* foot, bottom, *[cigarettáé]* fag-end, *[felvonulásé, meneté]* (tail-)end, *[kerté]* back, far end, *[kötélé]* end, extremity, *[levélé]* close, *[szigeté]* extremity, *[szivaré]* stub, fag-end, butt, *[szóé]* termination, ending, *[tóé]* foot, *[utcáé]* bottom; *a boldogabb ~e [boté]* the butt-end, the business end of the stick *(fam)*; *~ére áll [sornak]* stand at the tail-end of a queue; *az ország egyik ~étől a másikig* from one end of the country to the other, from Dan to Beersheba; *~ével illeszt össze (két deszkát)* join (two planks) end to end **3.** *[cél]* end, object, aim; *mi ~ből* for what purpose, to what end, why

vég² [-et, -e] *n, (tex)* piece, roll, bolt, length; *egy ~ posztó* a bolt/roll of broadcloth

végakarat *n,* last will, *[végrendelet]* testament, will

végállomás *n,* terminus, terminal point, railhead, *[mint felkiáltás]* all change!

végáru *n,* piece goods *(pl)*

végbél *n,* rectum; *~ melletti* ad-rectal

végbélfekély *n,* rectal ulcer

végbélgiliszta *n, (áll)* pinworm *(Enterobius vermicularis)*

végbélgyulladás *n,* inflammation of the rectum, proctitis

végbélhurut *n,* rectal catarrh

végbéli [-t] *a,* rectal

végbélkitüremlés *n,* proctocele

végbélkúp *n,* suppository

végbélműtét *n,* rectal operation, rectotomy

végbélnyílás *n,* anus, lower opening of the bowel

végbélnyílás-gyulladás *n,* proctitis

végbélrák *n,* rectal cancer, cancer of the rectum

végbélsérv *n,* rectocele, protocele

végbélsipoly *n,* anal fistula, fistula in ano *(lat)*

végbéltükör *n,* rectoscope, proctoscope, rectal speculum

végbemegy *vi, [történik]* take place, happen, *[megtörténik]* be carried out *(v.* into effect), be accomplished, go off, *[lefolyik]* proceed, go on; *mialatt ezek az események végbementek* while these things were being enacted

végbemenetel *n, [történés]* happening, process, *[megtörténés]* carrying out

végbenfestés *n,* piece-dyeing

végbenfestett *a,* piece-dyed, dyed after fulling *(ut)*

végbevihető *a,* practicable, feasible, achievable

végbevisz *vt,* carry out, carry into effect, *[szándékot]* accomplish, consummate, complete, work out, *[tervez]* realize, effect, execute

végbevitel *n,* carrying into effect, *[szándéké]* accomplishment, completion, *[tervé]* execution, realization, fruition

végbizonyítvány *n,* ⟨certificate testifying to the completion of a school course⟩ *(kb)* leaving certificate, terminal report

végcél *n,* ultimate object/aim, final end/goal, *[igazi]* real purpose

végcsapás *n,* decisive/finishing stroke, final blow

végeérhetetlen *a, [beszéd, út]* interminable, *[feladat]* endless, *[panasz, feladat]* never-ending

vége-hossza *n, ~ sincs* there is no end to it

végek *n. pl,* † *[kat határ]* marches, borderland

végeladás *n,* clearance/remnant sale, (close-down) sale, sell(ing)-out, selling off, *[felesleges árué]* rummage sale; *~t rendez* sell out

végeláthatatlan *a,* (extending) farther than the eye can reach *(ut)*, immense, vast

végelbánás *n,* (act of) being placed on the retired list, (compulsory) retirement; *~ alá von* place/put sy on the retired list, pension off, *[kat fegyelmi úton]* cashier

végelemzés *n,* last analysis; *~ben* in the last analysis, to sum up, when all is said and done, all things considered

végéles *a, [szó]* oxytone

végelgyengülés *n,* senile decay/weakness, infirm old age, marasmus; *~ben meghal* die of old age

végelszámolás *n,* definitive/final/last settlement/adjustment, *~t csinál* get one's accounts square

végenyészet *n,* total decay, decomposition

végeredmény *n,* final result/outcome/issue/score, conclusion; *~ben* after all, when all is said and done, in the long run

végerősítő *(távk)* **I.** *a, ~ cső* power/output tube/valve **II.** *n,* final/terminal amplifier végérvényes *a*, definitive, *[kimenetel]* final, ultimate, conclusive

végérvényesen *adv*, definit(iv)ely, *[örökre]* for good (and all)

véges [-ek, -t; *adv* -en]I. *a, [elme]* limited, restricted, *[szám, tér]* finite, *(átv)* transient; ~ *lény* mortal ,Being) II. *n, a* ~ *és a végtelen* the finite and the infinite

végesség *n*, finitude, finiteness, limited/finite/restricted character/nature of sg

végestelen-végig *adv*, = véges-végig

véges-végig *adv*, from one end to the other, throughout, right through, over the whole length/reach (of sg), all along, all the way up the line; ~ *a Dunán* all along the Danube

véges-végtelen *adv*, interminably, endlessly

végeszakadatlan *a*, = végeérhetetlen

vegetáció [-t, -ja] *n*, vegetation; *dús* ~ luxuriant vegetation

vegetációs [-at] *a*, ~ *időszak (földr)* growing/growth season

vegetál [-t, -jon] *vi*, vegetate, eke out a miserable existence, live from hand to mouth

vegetálás *n*, vegetating, vegetation, *[stagnálás]* stagnation

vegetariánus *a/n*, vegetarian

vegetatív [-ot; *adv* -an] *a*, vegetative, *[vegetációhoz hasonló]* vegetational; ~ *életműködés* vegetative functions *(pl)*; ~ *életet él* vegetate; ~ *idegrendszer* sympathetic (nervous) system; *a növényzet zöld* ~ *része* herbage; ~ *sejt (növ)* somatic cell

végeérés *n*, end, close, stop, termination

végett *post*, with the object of, with a view to, for, (in order) to, so as to (do sg); *a* ~ *hogy* so that, in order that (. . . may); *mi* ~ for what purpose, to what end, why; *e* ~ *jött* that is why he came

végette [végettem, végetted, végettünk, végettetek, végettük] *adv. pron*, for his sake; ~*m* for my sake

végevárhatatlan *a*, = végeérhetetlen

végez [-tem, végzett, -zen]I. *vt*, 1. *[munkát]* do, perform, carry out, accomplish, effect; *mozgást* ~ move, work; *tegnap sokat* ~*tem* I accomplished/did quite a lot yesterday, I got through a lot of work yesterday; *mit* ~*tél*? what have you done/accomplished?, what is the result?; *kötelességét végzi* do one's duty; *dolgát végzi* do one's work, *[átv illemhelyen]* be in the lavatory/toilet, *[kis dolgot]* do number one, *[nagy dolgot]* do number two; *semmit sem* ~*ve* without accomplishing one's purpose 2. *[iskolát]* finish (school), pass; *milyen iskolát végzett*? where have you been educated?, what school have you been to?; *orvosi tanulmányait végzi* he is studying/doing medicine; *jogi tanulmányokat* ~ he is reading for the bar 3. *[határoz]* decide, resolve

II. *vi*, 1. *[vmt befejez]* end/finish/complete sg, put an end to sg, bring sg to an end, *[vkt leráz]* get rid of, dispose of; *könnyen* ~ *vmvel* have an easy task with; *röviden* ~ be short with sy, deal curtly with sy, make short work of (sg); *elsőnek* ~ come out on top, come in first; *utolsónak* ~ come in last; *negyedik helyen* ~ *[versenyben]* finish fourth; ~*tem* I have done; ~*tünk? [taxisofőr kérdezi] (kb)* is this where you want to be?; ~*tem veled!* I have finished *(v.* I am through) with you, it is all over between us 2. *[vkt megöl]* do away with, do for sy, *[hóhér vkvel]* dispatch; ~ *magával* end one's life, commit suicide; *végzett önmagával* he did away with himself 3. *(isk)* finish one's schooling/studies, *[egyetemen]* graduate, take one's degree; *Oxfordban végzett* he is an Oxford graduate, he took his degree at O., he graduated from O.

végezés *n*, 1. *[befejezés]* finishing, completion, conclusion, closing 2. *[tevékenység]* = végzés 2.

végezet *n, az idők* ~*éig* till doomsday, world without end, till the end of time

végezetlen *adv*, unfinished, unaccomplished

végezetül *adv*, finally, in conclusion, at last, in the end, ultimately

végeztet *vt, (vmt vkvel)* have sg done by sy, have/ make sy do sg, get sy to do sg

végeztével *adv, munkája* ~ having done his work, his work done (he. . .)

végfelhasználási *a*, ~ *bizonyítvány (ker)* end use certificate

végfelhasználó [-t] *n, (ker)* ultimate user

véggyártmány *n*, final manufacture

véghang *n, (nyelvt)* final sound

véghangsúly *n*, final accent/stress, accent/stress on the last syllable

véghangsúlyos *a*, end-stressed, oxytone *(tud)*, oxytonical *(tud)*

véghangzó *n*, = véghang

véghatározat *n*, final decision, definitive resolution

véghatározó *n, (nyelvt)* adverb of purpose (as a part of sentence), terminative adverb

véghetetlen [-t] *a*, endless

véghezvihető *a*, practicable, feasible, achievable, realizable, *[terv]* workable

véghezvisz *vt*, carry out, perform, carry into effect, accomplish, effect, effectuate, execute, put/carry into execution, bring about/off, push through; ~*i szándékát* accomplish/effect/execute one's purpose

véghezvitel *n*, performance, carrying out, carrying into effect, effectuation, *[szándéké]* accomplishment, *[tervé, munkáé]* execution

véghossz *n, (tex, ker)* piece-length

végig *adv*, to the (very) end, from one end to the other, right through, from beginning to end, throughout, to the last, all along; ~ *kitartott* he held out to the last

végigbélelt *a*, fully lined

végigborzong *vi*, ~*ott a háta* a shiver went down his back

végigcsinál *vt*, carry/go through, see sg through, follow through/up

végigcsörtet *vi*, pass along/by noisily, clatter by

végigcsúszik *vi*, slide along

végigdől *vi*, = végigfekszik, végigvágódik

végigég *vi*, burn the whole length

végigél *vt*, live through, survive, experience

végigénekel *vt*, sing (an opera) right through

végiges|ik *vi*, fall down at full length, be floored, fall flat; ~*ik a szőnyegen* fall flat on the carpet

végigfeksz|ik *vi, (vmn)* lie down *(v.* stretch oneself out) at full length on sg

végigfoly|ik *vi*, run/trickle along/down sg; *a könnyek* ~*tak az arcán* tears coursed/ran down her cheeks

végigfut *vi/vt*, 1. *[utcán]* run along 2. *[pályát, távolságot]* do (a course/distance); *versenyt* ~ run out a race 3. *[átnéz]* go over, run through, scan, run one's eyes over sg, examine (cursorily), survey, look down (a list), glance at, glance/skim through (book); *gondolatban* ~ *vmn* go over sg in thought; *szeme* ~*ott a láthatáron* his eyes swept *(v.* ranged over) the horizon; ~ *a névsoron* run over the roll/list, look down a/the list 4. ~*ott az agyán [emlék]* (a memory) flitted across his mind, *[gondolat]* (the idea) flashed through his mind; *borzongás futott végig rajtam* a shiver went through me; *halk moraj futott végig a tömegen* a whisper ran through the crowd; ~*ott a hátán a hideg* a cold shiver ran down his spine

végigfuttat *vt*, ~*ja szemét vmn* run/cast one's ey over sg

végiggondol vt, (vmt) think/ponder sg over, reflect well upon sg, deliberate on sg, examine sg thoroughly/ carefully

végiggördül vi, run/roll along

végiggurul vi, (vmn) run/roll along

végighajt vi, [járművel] drive along

végighalad vi, go/walk/march along/past, march through

végighallgat vt, (vmt) hear sg through/out

végigharcol vt, ~ja a harcot fight (it out) to a finish; ~ta az egész háborút he saw the war through

végighasít I. vt, slash/slit open, rip, rend II. vi, [fájdalom] shoot, twinge

végighevered|ik vi, = végigfekszik

végighúz vt/vi, 1. [úton stb.] pull/drag along; ~za kezét vmn run/pass one's hand over sg 2. ~ vkn (vmvel) strike sy (with sg), deal sy a blow (with sg) 3. ~ az égen [madár] sail (through) the sky

végighúzód|ik vi, ~ik vörös fonálként run like a red thread through (the pattern of) sg

végigjár vt/vi, 1. walk/go through/over, pass/wander through, [ellenőrizve] go the round of, survey, inspect, [határt, várost] perambulate, [országot] travel through, [országrészt, utat] traverse, [távolságot] cover, [utcákat] wander/ramble through; lélekben ~ja his mind wanders over it, he goes over it in thought, he goes over it mentally v. in his mind; ~ja a községeket go from village to village, visit every village in turn, make a tour of all the villages; ~ja a múzeumokat go round the museums; ~ja az üzleteket call at every shop, make a round of the shops, (ellt) shop-crawl; ~ja a vidéket scour/tour the countryside 2. [iskolát] pass

végigjátsz|ik vt, 1. [éjszakát] play/gamble through 2. [játszmát] play to the end, play out; végigjátssza a darabot act out the play

végigkísér vt, 1. (vkt vhol) accompany sy along/through, [kiállításon] show sy over (the exhibition), [személyvel] follow sy/sg with one's eyes along, [rabot utcán] escort a prisoner along the street 2. (átv) [vm kellemetlen] be dogged by sg, [egyéb] be a constant source of inspiration to sy

végigkóstol vt, taste (each in turn)

végigkutat vt, ~ja a terepet go over the ground, (kat) reconnoitre the ground

végigküzd vt, fight (it out) to a finish; ~ötte az egész háborút he went through the whole war

végiglapoz vt, [könyvet] turn over (the leaves of), look/run/glance/skim through, skim, flick over the leaves/pages

végigmegy vi, 1. [pontokon, leckén] go over/through; ~ a Hamleten [tanulmány stb. által] work through Hamlet 2. [utcán] walk/pass/go down, [vm mentén] go along

végigmér vt, 1. [szobát] measure (up) 2. (vkt) measure sy with one's eye, give sy the once-over (US), [szemtelenül] stare (sy) out of countenance, [megvetőn] look (sy) up and down (contemptuously); vkt tetőtől talpig ~ scan sy from head to foot

végigmond vt, tell (sg) to the end

végigmustrál vt, = végigmér

végignéz I. vt, 1. [eseményt] look on, watch to the finish, [színdarabot] see to the end, see out 2. [vizsgál] examine, [ellenőrzően] give it the once-over (US) II. vi, ~ az egybegyűlteken look at the assembled (people)

végignyúl|ik vi, = végigfekszik; ~ik a szőnyegen fall flat on the carpet

végigolvas vt, read through, peruse (ref.); egyfolytában ~ta he read it straight through (v. at a stretch)

végigoson vi, slink/scurry/run along

végigömlik vi, spread over, overspread

végigönt vt, throw (sg) over (sy)

végigpásztáz vt, (kat) enfilade

végigpillant vi, (vmn) run/cast one's eye (over sg), look/glance over, overglance; ~ a névsoron look down a list; gondolatban ~ott a múlton his thoughts ranged over the past

végigpusztít vt, [portyázó betöréssel] raid

végigreped vi, burst/tear open (from end to end v. all along)

végigrobog vi, 1. [dübörög] rumble/rattle along 2. [rohan] rush/dash along, spin along at full speed

végigrohan vi, = végigszalad

végigsétál vi, walk along, walk to the end

végigsiet vi, hurry along; ~ az utcán hurry down the street

végigsikl|ik vi, slide/slip along/through; tekintete ~ott a hallgatóságon his eyes ranged over the audience

végigsimít vt/vi, [kézzel] pass one's hand over sg, smooth (down); ~ja homlokát draw one's hand across the forehead

végigsimogat vt, pass one's hand repeatedly over (sg), keep smoothing down, [érzelmesen] caress, fondle

végigsöpör vt, sweep (along/over)

végigsuhan vi, dart/flit along

végigszalad vi, run through, [utcán] run along

végigszámlál vt, count/reckon over/through

végigszánt vt, 1. [területet] plough (completely) 2. [szemével] run one's eye over; ujjaival ~ja a haját run his fingers through his hair

végigszenved vt, suffer, undergo

végigtekint vi, (vmn) glance over (sg), run one's eye over (sg)

végigül vt, sit through/out

végigvág vi, (vkn vmvel) strike sy (with sg), deal sy a blow (with sg)

végigvágód|ik vi, (vmn) tumble/fall down (at) full length; ~ik a padlón measure one's length (on the floor)

végigvár vt, stay/wait (up) to the end, sit out

végigver vt, beat one by one

végigvezet vt, lead/march along, [kiállításon] show sy over/round

végigvisz vt, 1. carry through/along 2. (átv) carry out, perform, push through

végigvizsgál vt, examine (thoroughly)

végigvonul vi, 1. [menetben] walk along in procession, [kat vk előtt] march past (sy) 2. (vmn) march through sg 3. [vk egész életén vm] run through (sy's life); a pesszimizmus ~ Vajda költészetén a streak of pessimism runs through V's poetry

véginség n, extreme poverty/destitution, dire/utter want/misery

végintézkedés n, last will and testament, testamentary disposition; ~en alapuló öröklés succession upon testamentary disposition

végítélet n, 1. (jog) final judg(e)ment/order 2. (vall) the Last Judg(e)ment, doomsday; a ~ harsonája the trump of doom, the last trump

végjáték n, (kárty) end play, [sakkban] end game

végképp adv, = végképpen

végképpen adv, 1. [végleg] finally, for good (and all) 2. [teljesen] fully, totally; ~ tönkrement he is utterly ruined; ~ nem értem I really (v. I must say I) don't understand it all, this beats me (fam)

végkészülék n, (biol) end organ

végkiárusítás n, close-down sale, sell(ing)-out

végkielégítés n, severance pay, indemnification (v. pecuniary compensation) for dismissal; ~sel elbocsát discharge sy with pecuniary compensation

végkielégítési a, ~ összeg sum paid as compensation for dismissal

végkielégítésül adv, ~ elfogad (kb) accept a sum in full for all demands

végkimerülés n, complete exhaustion *(v.* loss of strength) *~ig harcol* fight to the last ditch

végkövetkeztetés n, (final) conclusion, (final) inference

végküzdelem n, last fight, final battle

véglapol vt/vi, *(műsz)* butt

végleg adv, finally, once for all, definit(iv)ely, for keeps *(fam)*, *[örökre]* for good (and all), for ever; *~ elintéz* finish off, settle finally/definitely; *~ elment* he has gone away for good (and all)

végleges [-et; adv -en] a, *[állás]* permanent, *[elhatározás, ítélet]* definit(iv)e, final, *[rendeltetési hely]* ultimate; *~ szöveg [szerződésé]* definitive/final text; *még semmi sem ~* there is nothing fixed yet; *~nek tekintsem?* am I to consider that as final?

véglegesen adv, = végleg

véglegesít [-eni, -ett, -sen] vt, *[vkt állásában]* confirm (sy in his post/appointment), *(vmt)* make sg final

véglegesítés n, *(vké)* sy's confirmation in his post, *(vmé)* making (sg) definitive/absolute

véglegesített [-et] a, *~ alkalmazott* established employee

véglegesség n, definitiveness, conclusiveness, *[döntésé]* finality

véglény n, protozoon. protozoan, amoeba; *csillós ~ek* ciliates *(Ciliata)* ; *szívókás ~ek* suctorians *(Suctoria)*

véglet n, extreme, utmost point/verge; *a ~ek találkoznak* extremes meet, too far east is west; *~ek embere* man of extremes; *mindig ~ekbe esik* he always runs into extremes; *~ekbe visz vmt* carry matters to extremes, push things to an extreme, carry sg to excess; *egyik ~ből a másikba esik* go from one extreme to the other; *a ~ekig elmegy* go to all lengths, go to any length, go to the whole length, go the whole hog *(fam)*, go the limit *(fam)* ; *a ~ekig kihasznál* make the fullest use of

végletes [-et; adv -en] a, *[gondolkodás]* extreme, extremist, *[más]* excessive, intense

végnap n, last day, *[halál]* dying day, *(vall)* doomsday; *~jait éli* be dying, be at death's door, be nearing one's end

végok n, final cause

végóra n, last hour

végösszeg n, (sum) total, grand total

végperc n, last minute/moment

végpont n, 1. *(konkr)* extremity, end, extreme/ outermost point, *(vasút)* terminus, railhead 2. *(átv)* end, goal; *az utazás ~ja* the journey's end, destination

végpusztulás n, perdition, utter destruction/ruin

végre adv, 1. finally, at last/length, in the end, ultimately; *~ is* after all (is said), all things considered 2. *mi ~* to what end, for what purpose, why

végrehajt vt, 1. *[megvalósít]* execute, effect, effectuate, fulfil, accomplish, realize, put through, *[parancsot]* carry/follow out, *[határozatot]* give effect to, carry/ put into effect/execution, implement; *halálos ítéletet ~ vkn* carry out the death sentence on sy, execute sy; *házasságot ~* consummate a marriage/matrimony; *körforgást ~* perform a revolution; *műtétet ~* perform an operation; *tervet ~* put a plan into action;*törvényt ~* enforce a law; *végrendeletet ~* execute a will 2. *[adóst]* distrain upon sy, levy a distress upon sy, sell sy up *(fam)*

végrehajtás n, 1. *[megvalósítás, teljesítés]* execution, effectuation, fulfilment, accomplishment, realization, performance, putting through, *[határozaté]* giving effect to, carrying into effect/execution. implementation, implementing. *[parancsé]* carrying out, *[törvényé]* enforcement; *végre nem hajtás* inexecution, non-performance, non-execution, non-accomplishment; *halálos ítélet ~a* carrying out of the death sentence; *~áról a Minisztertanács gondoskodik* the Council of Ministers shall attend to its enforcement

2. *[adósé]* distraint; *biztosítási ~* attachment, distress; *~ alá vonható* distrainable; *~ alá nem vonható* not distrainable, no execution may be levied on it; *~ alól kivett tárgyak* property exempt from levy; *~ elrendelése [írat]* execution warrant, writ for/of execution, fieri facias *(lat)* ; *~ felfüggesztése* suspension/stay of execution; *~ felfüggesztésére irányuló beadvány* supersedeas bond *(lat)* ; *~ foganatosítása* levying execution; *~ terhe alatt* under penalty/pain of distraint; *~ útján* by way of execution; *~t elrendel [a költségek erejéig]* issue execution (for the amount of the costs); *~t elrendelő végzés* writ of execution; *~t foganatosít* levy (compulsory) execution, make a levy of execution, present a writ of execution; *~t szenvedő* distrainee, person distrained; *folytatólagos ~t vezet* re-seize goods

végrehajtási [-ak, -t; adv -an] a, executive, *[bírói]* of distress/distraint *(-ut)* ; *~ eljárás* act/proceeding of distraining; *~ költségek* costs of a distraint; *a törvény ~ utasítása* enacting clause(s) of an act; *~ végzés* enforcement order, warrant; *~ (jel)zálogjog* (estate by) elegit, judicial mortgage; *~ záradék [ítéleten]* execution warrant, writ of execution

végrehajtat vt, 1. *(vkvel vmt)* order sy to carry out sg, execute sg, have sg executed/carried out by sy 2. *(jog vkt)* have a distress levied upon sy, sell sy up *(fam)* ; *~ja vknek a vagyonát* levy execution on sy's goods

végrehajthatatlan a, inexecutable, unrealizable

végrehajtható a, practicable, feasible, executable, realizable, *[szerződés, törvény]* enforceable, executory, *(jog)* distrainable, attachable, subject to seizure/ attachment *(ut)* ; *nem ~ [határozat]* unenforceable; *ideiglenesen ~* provisionally executory; *~ ítélet* enforceable judg(e)ment; *az ítélet nem volt ~* the sentence/judg(e)ment could not be enforced; *~ jogcím* enforceable/executory title, judgment order; *~ okirat* executory deed

végrehajthatóság n, *(jog)* enforceability, *[módszeré]* practicability, *[tervé]* feasibility; *ítélet ~ára irányuló kérvény* application for exequatur *(lat)*

végrehajtó [-t, -ja; adv -an] I. a, executive; *~ bizottság* executive committee; *~ hatalom* executive power/ authority; *~ közeg* executive organ/body; *kivégzést ~ osztag (kat)* firing party/squad; *~ szerv* enforcement branch, executive II. n, *(jog)* bailiff, *[végrendeleté]* executor, *[nő]* executrix, *[vállalkozásé]* executor, executer, performer

végrehajtói [-t] a, *~ díj* pounding

végrendelet n, (last) will, testament; *kiegészítő ~* codicil; *köteles részt sértő ~* inofficious will; *közös ~* joint will, mutual testament; *saját kezűleg írott ~* holographic will; *tanúk előtt tett szóbeli ~* nuncupative will; *~ alapján* under a will; *~ alkotása/készítése* execution of a will; *~ bírói érvényesítése* probate; *~ hiányában/híján* on intestacy; *~ nélkül hal meg* die intestate; *~ nélküli* intestate; *~ útján* by will; *ajándékozás ~ útján* gift by will; *~ útján való átruházás* conveyance by devise; *~ végrehajtása* execution of a will; *~ visszavonása* revocation/cancellation of a will; *~ben történt kinevezés alapján* upon testamentary appointment; *~ben rendelt gyám* testamentary guardian; *~ében megemlékezik vkről* mention sy in one's will; *~et érvénytelenít* set aside a/the will; *~et bíróilag megerősít* probate a will; *~et készít* make one's will; *~et megtámad* contest a/the will

végrendeleti a, testamentary; *~ függelék/pótlás* codicil (made subsequently to a will), clause of a will; *~ gyám* testamentary guardian; *~ intézkedés/rendelkezés* testamentary disposition; *~ jog* testamentary law; *~ juttatásban részesít vkt* remember sy in one's will; *~ örökös* testamentary heir, devisee, legatee;

~ **tanú** testamentary witness; ~ **úton** testamentarily; ~ **végrehajtó** executor

végrendeletileg adv, by will, testamentally; ~ hagyományozható ingatlan devisable realty; ~ rendelkezik vmről dispose of sg by will; ~ a testvérére hagyta a házát he left/bequeathed his house to his brother by will

végrendelkezés n, provision by will, testamentary disposition, devise, (act of) disposing by will

végrendelkezési a, ~ képesség hiánya lack of testamentary capacity, testamentary incapacity

végrendelkez|ik [-tem, -ett, -zen, -zék] vi, (make one's) will; vk javára ~ik make a will in sy's favour; ~ik a vagyonáról dispose of one's property by will

végrendelkező [-t, -je] n, testator, legator, [nő] testatrix, (jog) devisor

végrész n, [csonté] epiphysis

végre-valahára adv, at long last

végrím n, end/final rhyme/rime

végromlás n, utter ruin/decay/destruction, perdition, rack and ruin; a ~ szélén on the edge of destruction; ~ba dönt bring about the downfall/ruin of sy; ~ra jut go to ruin

végső [-t; adv -en] I. a, last, final, [határ, pont] farthest, utmost, extreme; ez a harc lesz a ~ Comrades(,) come(,) rally and the last fight let us face; ...~ akarata the last will and testament of...; ~ ár the very lowest (v. rock-bottom) price; ~ cél final aim, ultimate purpose; ~ címzett ultimate/final consignee; ~ elemzésben in the last analysis; ~ elkeseredésében in a fit/paroxysm of exasperation; ~ erőfeszítés(t tesz) (make a) final/desperate effort; ~ esetben if the worst comes to the worst, if/when the worst happens, at the very worst, failing all else; ~ eszközökhöz nyúl resort (v. have recourse) to desperate means (v. extreme measures); ~ fázis final/last stage/phase; ~ felhasználás end use; ~ fokon (átv) in the last analysis, when all is said and done, all things considered, last of all, lastly, in the last resort; ~ fokon dönt judge in the last resort; ~ fokon ítél give/pronounce (the) final judg(e)ment, pass judg(e)ment without possibility of appeal, pass judg(e)ment in the last instance/resort; kivívja a ~ győzelmet (vk felett) gain a/the complete/decisive victory (over sy); ~ határidő final date, deadline (fam); ~ kétségbeesésében in a fit of despair; ~ megoldásként in the last resort; ~ menedéke/mentsvára his last refuge; ~ nyomor utter/extreme poverty; ~ ok final cause; a ~ óra the/extreme inevitable hour; ~ pont terminal point; ~ remény last hope; ~ rendeltetési hely ultimate destination; ~ rendszabály drastic/severe measures (pl); ~ romlás eventual ruin; ~ siker ultimate success; még nem mondta ki a ~ szót he has not spoken the final/last word yet; ~ szükség extreme necessity; ~ tömeg [rakétában] final mass
    II. n, ~t lehel breathe one's last; elkészül a ~re prepare for the worst

végsőkig adv, to the utmost, to the very last, to the bitter end; a ~ ellenáll resist desperately, hold out to the very last, die in the last ditch; ~ felingerel drive sy to exasperation; a ~ kihasznál vmt exploit sg to the utmost/highest degree; ~ küzd fight (it out) to a finish; a ~ próbára teszi vk türelmét try sy's patience to the breaking-point

végszámadás n, (pénz) final account

végszámla n, (ker) final/definitive account

végszó n, 1. [utolsó szó] last/final word, concluding words (pl); ~ra megjelent he arrived at the last moment 2. [könyvé] epilogue, postscript, postface, [szónoklaté] peroration 3. [szính] cue, catchword

végszótag n, end/final syllable

végszükség n, extreme necessity/need, emergency; ~ben in case of emergency, at a pinch (fam)

végtag n, limb, extremity; az alsó ~ok the lower limbs

végtagbénulás n, kétoldali ~ paraplegia

végtagelőreesés n, [szülészet] compound presentation

végtagpótlás n, prosthesis

végtagvizenyő n, anasarca

végtárgyalás n, (ker) final (stage of) negotiations (pl), (jog) final trial/session

végtelen I. a, 1. endless, infinite, unending, never-ending, illimitable, limitless, boundless, immeasurable, [időtlen] timeless; ~ beszéd interminable speech; ~ boldogság eternal bliss; ~ csavar endless/Archimedean/perpetual screw; ~ gonddal with infinite care; ~ hála infinite gratitude; ~ kedvesség extreme kindness; a ~ tenger (immense and) boundless ocean, the ocean sea; ~ tér boundless/infinite/immeasurable space; ~ türelem infinite patience 2. ~ mennyiség/nagyság (menny) infinity; ~ sor infinite series; ~ tört non-terminating decimal
    II. adv, infinitely, endlessly, boundlessly, extremely, immeasurably, immensely, without end, beyond measure, no end of (fam); ~ boldog overjoyed; ~ bölcs wise in the highest degree; ~ hálás vagyok I am very much obliged to you, thanks awfully (fam); ~ kicsi infinitesimal(ly small); ~ sajnálom I am awfully/frightfully sorry; ~ sok innumerable, an infinity of, lots/heaps of (fam); ~ sokat fárad give oneself no end of trouble
    III. n, the infinite, infinity; ~re állít (fényk) focus for infinity; ~re állítja be a gépet set the camera to infinity; ~re állítás infinity adjustment; párhuzamosak a ~ben találkoznak parallel lines meet in infinity

végtelenség n, infinity, [téré] infinitude, boundlessness, [kiterjedés] immense extent, immenseness, vastness, vastitude, endlessness; a ~be nyúlik be endlessly protracted, last for ever, become interminable; beszélt a ~ig he talked and talked and talked, he talked interminably

végtelenül adv, = végtelen II.

végtére adv, ultimately, in the long run, over the long pull (US); ~ is after all

végtermék n, 1. final product 2. (orv) end-product

végtestecske n, (bonct) end-bulb

végtisztesség n, obsequies (pl), funeral rites (pl); megadja vknek a ~et pay the last (funeral) honours to sy, pay a last tribute of respect to sy

végü [-ek, -t; adv -en] a, having an end (of a special kind) (ut), -ending, -ended, -tipped; halálos ~ (baleset) fatal (accident); parafa ~ cigaretta cork-tipped cigarette

végül adv, finally, lastly, in the end, ultimately, eventually, at last/length; ~ is after all, in the event (however), in the long run, in the last resort, eventually, when all comes to all; ~ is beleegyezett at length he gave his consent; ~ mégis csak beadta a derekát he has surrendered eventually; ~ aztán sikerült neki in the end he succeeded

végvár n, border castle/fortress

végvári vitézek (tört) the gallant/valiant warriors of the border/marches

végvelő n, (bonct) endbrain, telencephalon

végveszély n, extreme peril; ~ben forog be in extreme (v. the greatest) danger/peril, be in danger of one's life

végvidék n, march, border country, borderland, frontier/border lands (pl), the Border

végvonaglás n, last convulsions (pl), death struggle/agony

vegzál [-t, -jon] vt, vex, bother, plague, harass, nag, pester

vegzatúra [..át] *n*, vexation, bother(ation), harassing, vexatious measure, nagging

végzés *n*, **1.** *(jog)* order, decree, writ, direction, *[idézés]* summons; *bírói* ~ judge's order/decision/ruling, injunction; *elutasító* ~ refutal, refusal order; *jóváhagyó* ~ confirmation order; *lefoglalási* ~ order of attachment; *megsemmisítő/hatálytalanító* ~ decree of annulment; *~ek végrehajtása* the enforcement of orders; *~t hoz* deliver/give/pass judg(e)ment **2.** *[munkáé]* doing, carrying out, completion, performance, accomplishment, effecting

végzet *n*, **1.** fate, destiny, lot, doom, nemesis, predestination; *eléri a* ~ retribution overtakes him; *a* ~ *úgy akarta hogy* . . . fate *(v.* it was) ordered that . . .; *az volt a* ~*e hogy*. . . he was destined to. . .; *megadja magát* ~*ének* submit to one's fate/lot; *senki sem kerülheti el* ~*ét* no one can avoid his destiny, no one can escape his fate **2.** *(nyelvt)* ending, termination

végzetes [-et; *adv* -en] *a*, fatal, fateful, baleful, disastrous, ominous, calamitous, ruinous, catastrophic, tragic, *[halálos]* deadly, mortal; ~ *betegség/kór* fell disease; ~ *nap* fateful/direful day, an evil day; *a* ~ *óra* the inevitable hour; ~ *tévedés* fatal/tragic/vital error; ~*sé válik vkre nézve* become fatal/disastrous to/for sy

végzetesség *n*, fatality, quality of being fatal

végzethit *n*, fatalism

végzethivő I. *a*, fatalist(ic) II. *n*, fatalist

végzetlen *a*, unfinished, uncompleted, incomplete

végzetszerű *a*, fatal, fateful, fatalistic, inevitable, *[bosszúálló]* nemesic

végzett [-et; *adv* -en] *a*, **1.** *[dolog]* finished, completed, performed, ~ *munka* work done/accomplished/performed, *[gépé]* performance, *[erőé]* total work/expenditure; *lelkiismeretesen* ~ *kötelesség* conscientiously performed duty **2.** *[vizsgázott]* qualified, who has passed his (final) examination *(ut)*, who has taken his degree *(ut)* ; ~ *diák* graduate (student), *[régen]* old boy, alumnus *(US)* ; *az 1931-ben* ~ *évfolyam* the class of 1931; ~ *orvostanhallgató* graduate in medicine **3.** ~ *jövő (nyelvt)* future perfect (tense); ~ *múlt* past perfect (tense)

végzettragédia *n*, = **sorstragédia**

végzettség *n*, *[egyetemi]* (academic) qualifications *(pl)*, *[kérdőíven]* school attendance; *iskolai* ~ educational level; *megvan a szükséges* ~*e egy állás betöltésére* have the necessary qualifications for a post

végzettségű [-t] *a*, *egyetemi* ~ *(ember)* graduate (of a university), (wo)man of university education, (wo)man with/having a university education, a university man

végzetül *adv*, = **végezetül**

végződés *n*, **1.** *[befejezés]* ending, end, close **2.** *[szóé]* ending, termination, desinence **3.** *[kimenetel]* outcome, issue, result

végződ|ik [-tem, -ött, -jön, -jék] *vi*, **1.** finish, (come to an) end, (come to a) close, stop, cease, be over, conclude; *akárhogy* ~*ik is a dolog* however things may work out; *jól* ~*ik* have a favourable result; *kudarccal* ~*ik* end in a failure; *szerencsésen* ~*ik* turn out well; *ez a kor Ovidiusszal* ~*ik* that age ends with Ovid; *azzal* ~*ött hogy* . . . It ended in/by . .*ing; nem tudjuk hogy miképpen fog* ~*ni* we don't know what the outcome will be **2.** ~*ik vmben* end at/in/with, terminate in, issue in; *csúcsban* ~*ik* end/terminate in a point **3.** *ez a szó t-re* ~*ik* this word ends/terminates in a t

végzős [-ek, -t] I. *a*, graduating; ~ *hallgatók* graduating class; ~ *növendékek/osztály [középiskoláé]* school-leavers II. *n*, undergraduate before his finals, senior

vegybontás *n*, = **vegyelemzés**

vegyelemez *vt/vi*, analyse

vegyelemzés *n*, chemical analysis

vegyelemzési *a*, ~ *bizonylat* certificate of analysis, analysis certificate

vegyelemző I. *a*, analytical, analysing II. *n*, (chemical) analyst, analytical chemist

vegyérték *n*, valence, valency; ~ *nélküli* zero-valent

vegyértékű [-ek, -t] *a*, -valent; *egy* ~ univalent, monovalent; *két* ~ bivalent, divalent; *hét* ~ heptavalent

vegyes [-et; *adv* -en] I. *a*, mixed, composite, sundry, unclassified, mingled, diverse, varied, *[rovat]* miscellaneous, heterogeneous *(tud)* ; ~ *áruk* sundries, miscellaneous goods; ~ *bíróság* mixed court/tribunal; ~ *bizottság* mixed/joint commission; ~ *csapat* mixed team; ~ *dandár* brigade of all arms; ~ *döntőbíróság* mixed tribunal, (mixed) arbitration court; ~ *érzelmekkel* with mingled/mixed feelings, with mixed emotions; ~ *felvágott (kb)* slices of ham(,) galantine and cold sausages (sold/served together) *(pl)*, cold plate/collation, *(átv)* pot-pourri *(fr)*, medley; ~ *fürdőzés* promiscuous bathing; ~ *házasság* mixed marriage; ~ *hírek* news items, news from everywhere; ~ *ipar* miscellaneous industry; ~ *írások* miscellany, miscellanea *(lat)* ; ~ *iskola* mixed/coeducational school; ~ *ízeltítő* hors-d'oeuvre; ~ *kar* mixed chorus, mixed voices *(pl)* ; ~ *kiadások/költségek* sundry expenses, sundries; ~ *közönség* promiscuous audience; ~ *nyelvű* multilingual, having/using several languages *(ut)* ; ~ *páros (sp)* mixed doubles *(pl)* ; ~ *rakomány* mixed cargo; ~ *saláta* mixed salad; ~ *szám* compound number, improper fraction; ~ *takarmány* mixed fodder; ~ *társaság* mixed society; ~ *tört* mixed number, complex/compound fraction; ~ *virágú* heterogamous; ~ *zöldség ecetben* mixed pickles *(pl)* ; *borzongással* ~ *csodálkozás* a mixture of fear and wonder; *fájdalommal* ~ *öröm* joy mingled with pain II. *n*, **1.** *[rovatcím]* miscellany **2.** *[keverék]* mixture, blend

vegyesalakúság *n*, *(nyelvt)* hybridity

vegyesen *adv*, *férfiak nők* ~ men ·as well as women, men and women(,) together/promiscuously

vegyeshangú *a*, mixed

vegyesházbell *a*, ~ *királyok (kb)* kings of Hungary from different dynasties (after 1301)

vegyeskereskedés *n*, general store/shop, grocer's shop, grocery *(US)*

vegyeskereskedő *n*, grocer

vegyest *adv*, mixed up, pell-mell, promiscuously

vegyesvagon *n*, composite coach

vegyesvonat *n*, composite/mixed train, mixed freight and passenger train

vegyész [-ek, -t, -e] *n*, chemist, chemical research worker

vegyészet *n*, chemistry

vegyészeti [-ek, -t; *adv* -en] *a*, chemical; ~ *áruk* chemicals *(pl)* ; ~ *gyár* chemical works; ~ *ipar* chemical industry

vegyészi [-ek, -t; *adv* -en] *a*, of a chemist *(ut)*

vegyészmérnök *n*, chemical engineer

vegyfolyamat *n*, chemical process

vegyhatás *n*, reaction; *lúgos* ~ alkaline reaction; *savanyú* ~ acid reaction

vegyi [-ek, -t; *adv* -leg] *a*, chemical; ~ *anyag* chemical substance/agent; ~ *arány* chemical proportion; ~ *bomlás* chemical decomposition/dissolution, breaking up/down; ~ *folyamat* chemical process/activity, reaction; ~ *háború/harc* chemical warfare; ~ *hatás* chemical effect; ~ *ipar* chemical industry/engineering; ~ *kötés/kapcsolat* chemical linkage; ~ *reagens* reagent; ~ *rokonság* (elective) affinity; ~ *szerkezet* chemical structure/constitution; ~ *úton előállít vmt* obtain sg by a chemical process, produce by synthesis

vegyileg *adv*, chemically, by chemical process; ~ *kötött* chemically bound

vegyipar *n*, = **vegyi** *ipar*

vegyipari *a*, Magyar V~ Dolgozók Szakszervezete Hungarian Chemical Workers' Union

vegyít [-eni, -ett, -sen] *vt*, *(vmt vmvel)* mix (sg with sg), (com)mingle, combine, *[borokat, dohányt, teát]* blend, *[alapanyagból összeállít]* compound, *[fémeket]* alloy; *vízzel ~i a bort* add water to wine, dilute wine

vegyítés *n*, *(vmé vmvel)* (act of) mixing, mingling, *[boroké, dohányé, teáé]* blending, *[alapanyagból összeállítás]* compounding, *[fémeké]* alloying

vegyítetlen *a*, unmixed, unmingled, uncombined, unblended, *[folyadék]* free from all admixture *(ut)*, *[szeszes ital]* neat

vegyített [-et; *adv* -en] *a*, mixed, mingled, *[bor, dohány, tea]* blended, *[alapanyagból összeállított]* compound-(ed), *[fém]* alloyed

vegyíthető *a*, *[fém, folyadék]* miscible, that can/may be mixed/combined (with) *(ut)*

vegyjel *n*, (chemical) symbol

vegykísérleti *a*, ~ *állomás* chemical research laboratory/station

vegykonyha *n*, † laboratory *(stand.)*

vegypapír *n*, chemical paper

vegyszer *n*, chemical (agent)

vegyszeres *a*, ~ *gyomírtás* chemical weed-killers *(pl)*; ~ *gyomírtószer* weedicide

vegytan *n*, *[tudomány]* chemistry; *szerves* ~ organic chemistry; *szervetlen* ~ inorganic chemistry

vegytani [-ak, -t; *adv* -lag] *a*, chemical, of chemistry *(ut)*; ~ *intézet* chemical institute

vegytankönyv *n*, text-book *(v.* manual) of chemistry

vegytanóra *n*, chemistry class, stinks ◈

vegytantanár *n*, master/teacher of chemistry, chemistry master/teacher

vegytinta *n*, *[láthatatlan]* invisible/sympathetic ink, *[törölhetetlen]* indelible ink, *[fehérneműnek]* marking ink

vegytiszta *a*, chemically pure

vegytisztaság *n*, state of being chemically pure, chemical purity

vegytisztít *vt*, dry-clean

vegytisztítás *n*, chemical/dry/French cleaning

vegytisztító I. *a*, dry cleaning **II.** *n*, *[vállalat]* cleaning establishment, cleaners *(pl)*, *[személy]* dyer and cleaner, chemical/dry cleaner

vegyül [-t, -jön] *vi*, *(vmvel)* mix, mingle, blend (with), *[fam]* alloy, *[szín]* harmonize, blend, *(vegyt)* combine; *haja őszbe* ~ he is turning/going grey, he is touched with grey, his hair is flecked with grey; *a tömegbe* ~ mingle with *(v.* lose oneself in) the crowd

vegyülék [-et, -e] *n*, mishmash, hodgepodge, hotchpotch, mix, medley, *[szavaké]* jumble, *(vegyt)* compound, combination

vegyülékszó *n*, *[,,ucsora" típusú]* blend, portmanteau word

vegyülés *n*, (process of) mixing, (inter)mingling, *(vegyt)* combination

vegyület *n*, compound, combination

vegyvizsgálat *n*, chemical analysis

vegyvizsgáló [-t, -ja; *adv* -an] **I.** *a*, (of) chemical analysis **II.** *n*, *(vk)* analyst, *[hely]* chemical analysis laboratory

vehemencia [..át] *n*, vehemence

vehemens [-et; *adv* -en] *a*, vehement, violent

vehető *a*, 1. obtainable, to be got/had/obtained *(ut)*, available 2. *biztosra* ~ it may be taken for granted

vejdling [-et, -je] *n*, *[mosogató]* dishpan, *[ételt elő-készítő]* mixing bowl

veje *n*, *ld* **vő**

vejsze [..ét] *n*, fishweir, fishgarth

véka *n/a*, bushel; *egy* ~ bushelful; ~ *alá rejt* hide/put under a bushel, *[tehetséget]* hide one's light/candle under a bushel

vekker [-ek, -t, -e] *n*, alarm-clock

vekni [-t, -je] *n*, *(biz)* small loaf (of bread) *(stand.)*

véknya *n*, = **vékonya**

véknyít [-ani, -ott, -son] *vt/vi*, = **vékonyít**

véknyul [-t, -jon] *vi*, = **vékonyodik**

vékony [-at; *adv* -an] *a*, thin, *[fonal]* slender, fine, tenuous, *[ember]* slender, lank, slight, slim, lean, skinny, thin; ~ *bőrű* thin-skinned; ~ *dereka van* have a slender/slim waist; ~ *ebéd* frugal meal; ~ *erecske* trickle; ~ *falemez* scale-board; ~ *hang* thin/piping *(v.* high-pitched) voice; ~ *héjú [dió]* thin-shelled, *[kenyér]* thin-crusted, *[narancs]* thin--peeled, *[sajt]* thin-rinded; ~ *húsú* thin, slight, slender, lean, skinny; ~ *jégréteg* thin ice; ~ *jövedelem* slender/small/scanty income; ~ *kötet* slender volume; ~ *lábak* slender/thin legs, pipe-stems *(fam)* ; ~ *orr* thin nose; ~ *réteg* thin/attenuated layer; ~ *telér* thread; ~ *vonal (nyomd)* thin rule; ~ *vonás [írásnál]* thin stroke; ~*ra vág* cut (into) thin (pieces)

vékonya [..át] *n*, loin, flank, side, small of the back

vékonybél *n*, small intestine(s)/bowel, ilium

vékonybél-gyulladás *n*, enteritis

vékonybélű [-ek, -t, -je; *adv* -en] *a*, *[fönévvel]* poor/small eater

vékonycsiszolat *n*, *(ásv)* thin section, (thin) slide

vékonycsőrű *a*, *(áll)* tenuirostrate; ~ *madár* tenuiroster

vékonydongájú [-ak, -t; *adv* -an] *a*, of slight build *(ut)*, spare, *[fönévvel]* weakling

vékonyít [-ani, -ott, -son] **I.** *vt*, make thin(ner), thin (down), attenuate, emaciate, *[fémet]* machine down, *[oszlopot]* diminish, taper **II.** *vi/vt*, *[ruha]* make look slender, slenderize *(US)*

vékonyítás *n*, thinning, attenuation, tapering

vékonyka *a*, rather thin, *(vk)* skinny, thinnish

vékonyod|ik *vi*, grow thin(ner), grow more slender, thin, attenuate, *(építt)* diminish, taper (off), emaciate

vékonypénzű [-ek, -t; *adv* -en] *a*, = **vékonydongájú**

vékonyság *n*, 1. thinness, tenuity, *(vké)* leanness, slenderness, slimness 2. *(vk)* rattlebones *(pl)*

vékonyul [-t, -jon] *vi*, = **vékonyodik**

vektor [-ok, -t, -a] *n*, vector

vektoranalízis *n*, vector analysis

vektorfelbontás *n*, resolution of a vector

vektorháromszög *n*, triangle of forces

vektoriális [-at] *a*, vectorial

vektorsokszög *n*, polygon of forces

vektortér *n*, vector field

-vel *suff*, *ld* **-val**

vél [-t, -jen] *vt*, think (sg of sy/sg), believe, consider, fancy, imagine, figure, hold, deem, surmise, presume, opine, ween, trow, reckon *(US)*, calculate *(US)*, guess *(US)* ; *úgy ~em (hogy)* in my opinion, I am inclined to think (that), I am of (the) opinion (that), I take it (that); *azt ~i (hogy)* he thinks (that), he holds (that); *tudni ~i (hogy)* he thinks he knows …; *a lapok azt is tudni ~ik* there are press reports to the effect that …; *nem tudom mire ~ni a dolgot* I do not know what to think/make of it; *jónak ~* consider good/right, think fit; *jobbnak ~te vissza-vonulni* he thought it better to retreat; *szükségesnek ~tem* … I deemed it necessary to…; *úgy ~tem helyesen cselekszem* I believed/thought *(v.* was convinced) I was doing right

veláris [-ak, -t; *adv* -an] *a/n*, velar, postpalatal; ~ *hang* velar (sound); ~ *orrhang* velar nasal

vele [velem, veled, velünk, veletek, velük] *adv. pron*, with him/her; ~ *együtt* (together) with him/her, in company with him/her, including him/her, taking him/her along; *veszekszik* ~ he quarrels with her; *nem boldogulok* ~ I cannot manage him/it, it beats me *(fam)* ; *le* ~*!* down with him!; ~ *dolgozik (vkvel)* co-operate (with), collaborate with; ~ *érez (vkvel)* feel with sy, sympathize with sy; *szenvedésében/bánatában* ~ *érez* feel for/with sy in his sorrow/suffering, share sy's sorrow/affliction; ~ *járó* accompanying, attendant, *[körülmény]* concomitant, *[tényező]* collateral, *(vmvel)* associated (with), incident (to), pertaining (to), inseparable (from), inherent (in); ~ *megy (vkvel)* go (along) with, accompany; ~ *született* innate, inborn, native, connate, born with/in one *(ut)*, from his/one's birth *(ut)*, *(átv)* inherent, indigenous, inbred, *(orv)* congenital; ~ *született hajlam* natural bent, hereditary predisposition; ~ *született nyomorékság* hereditary deformity; ~ *született tehetség* inborn/native talent; *mindig* ~ *vagyok* I am always with him; ~ *van be/* speak for sy/sg, *[pártját fogja]* second sy, *[bajban]* help/assist/succour sy; *mi van* ~ *?* [= *mi baja ?*] what is the matter with him?, what's wrong with him? *(fam)*, *[mi ütött belé ?]* what's up with him? *(fam)* ; *mi lett* ~*?* what has become of him?; *mit akar* ~ *kezdeni ?* what does he want to do with it?; *tudsz* ~ *vágni ?* can you cut with it?; *nem tud* ~ *bánni* he does not know how to treat him, *[tárggyal]* he does not know how to handle/use it; *nem érek* ~ *semmit* it will be of no use to me; ~*m* with me; ~*d*, ~*tek* with you; *velünk* with us; *velük* with them
veleérzés *n*, sympathy, compassion
velehangzás *n*, consonance, resonance
velehangz|ik *vi*, sound together, resonate, consonate
velehangzó I. *a*, resonant, resonatory **II.** *n*, resonator
velejár *vi*, *(vmvel)* go (together) with, accompany, belong to, be associated with, be a result/consequence of, be (a) concomitant to, be incident upon, pertain (to), *[vmt magával hoz]* entail; *ezzel a pályával ez* ~ it is inseparable from that profession
velejáró *n*, **1.** *[körülmény]* concomitant (of sg); *ez a pálya* ~*ja* it is inseparable from that occupation/ profession **2.** *(menny)* coefficient, *(fil)* attribute
vélekedés *n*, opinion, view(s), belief, judg(e)ment, conjecture, surmise, supposition, notion, idea
véleked|ik [-tem, -ett, -jen, -jék] *vi*, *(vmről)* have/ express/form/hold an opinion (of), judge, think, suppose, deem, opine, guess *(US)*, reckon *(US)* ; *másképp* ~*ik a dologról* be of *(v.* hold) a different opinion; *miként* ~*ik erről a kérdésről?* what are your views on the matter?; *úgy* ~*ik (hogy)* opine (that), think (that); *akármint* ~*ik is róla* whatever opinion he may hold, no matter what he thinks about it
vélelem [.. lmet, .. lme] *n*, *[vélemény]* opinion, view (put forward), surmise, judg(e)ment, decision, *[feltételezés]* presumption, supposition, hypothesis; *jogi* ~ *fiction (of law)*, rebuttable presumption; *ténybeli* ~ presumption of fact; *a* ~*re hivatkozó fél* the party relying on the presumption; *vélelmet megdönt* overcome the presumption; *a törvényi* ~*mel szemben nincs helye bizonyításnak* no evidence is admissible to controvert a/the conclusive presumption
vélelmez [-tem, -ett, -zen] *vt*, express an opinion, hand an opinion *(US)*, *(jog)* presume, hypothesize
vélelmezés *n*, (act of) expressing an opinion, judg(e)ment, *(jog)* presumption, *[döntőbíróé]* award; *halál* ~*e (jog)* presumptive proof of death
vélelmezett [-et; *adv* -en] *a*, *(jog)* presumptive, hypothetic(al), *[tettes]* supposed (culprit), *[gyilkos, tolvaj]* alleged; ~ *apa* putative/reputed father; ~ *házasság*

putative marriage; ~ *trónörökös* heir presumptive
vélelmezhető [-t] *a*, constructive
vélemény *n*, opinion, view, belief, notion, judg(e)ment, estimation, estimate, *[hivatalos]* report, account, statement, dictum; *szakértői* ~ expert's report, expert opinion/evidence, expertise; *az az általános* ~ *hogy* it is generally believed that, it is thought that...; *a* ~*ek megoszlanak/eltérnek* opinions are divided, opinions vary/differ; *mi a* ~*e róla ?* what is your opinion (of it)?, what do you think of him/her/ it?, what about it? *(fam)*, how does it/she strike you? *(fam)* ; *mi a* ~*ed erről a javaslatról?* what do you think of this suggestion?, what is your opinion in this matter?, what is your reaction to this proposal?; *sokak* ~*e szerint* in the opinion/judg(e)ment of many *(v.* of a number of people); *(szerény)* ~*em szerint* in my (humble) opinion, as it appears to me, I am inclined to think (that), I am of opinion (that), I should say, I daresay, I take it (that), to my thinking/ mind, in my judg(e)ment/mind/estimate/view, according to my judg(e)ment, to the best of my judgment, from what *(v.* as far as) I can see, *[nem szerény]* what I say is...; *megvan róla a* ~*em* I hold an opinion of my own about that, *[néha]* I have my doubts; *erről nagyon határozott* ~*em van* this is a point on which I feel strongly; *csatlakozik vk* ~*éhez* come over *(v.* subscribe) to sy's opinion, agree with sy's opinion; *azon a* ~*en van (hogy)* be of (the) opinion (that), have the opinion, take the view; *más* ~*en van* differ (in opinion) from sy, disagree with sy's opinion, dissent; *ellenkező* ~*en van* hold opposite views, be of the contrary opinion, think just the opposite; *ugyanazon a* ~*en van vkvel* be of the same mind/opinion as sy, be of a mind (with sy), hold with sy; *szakértői* ~*t ad* give (an) expert opinion; ~*t alkot vkről* form an opinion of sy, size/sum sy up; *majd később mondok* ~*t* I reserve judg(e)ment; *kikéri vknek a* ~*ét* ask the opinion of sy, consult sy; *magáévá teszi más* ~*ét* adopt the opinion of another; *megmondja a* ~*ét* speak one's mind, give one's opinion; *(jól) megmondja vknek a* ~*ét* give sy a piece of one's mind, tell sy a few home truths, tell sy exactly what one thinks of him; ~*ét nyilvánítja* give one's opinion/judg(e)ment, express one's opinion; *osztja vknek a* ~*ét* share sy's opinion; *jó véleménnyel van vkről* have/hold a high opinion of sy, judge/think well of sy; *nem jó véleménnyel van vkről* have/hold a low/poor opinion of sy; *nagy véleménnyel van saját magáról* have a high sense of one's own importance
véleményadás *n*, giving/expressing an/one's opinion, *[szakvéleményé]* giving an expert opinion
véleményeltérés *n*, divergence of opinion/views, differences of opinion/views *(pl)*, dissent, divarication
véleményes *a*, ~ *jelentés (kb)* report (giving an opinion about sg)
véleményez [-tem, -ett, -zen] *vt*, express an opinion (on sg), give an (expert) opinion (on sg), report (on sg)
véleményezés *n*, report (on sg), opinion; ~ *végett kiad (vmt vknek)* refer (sg to sy) to report on
véleménykülönbség *n*, difference of opinion, divergence of views; *ebben nincs* ~ on this point we agree
véleménynyilvánítás *n*, expression of an opinion, expression of (one's) views/ideas; *a* ~ *szabadsága* freedom of speech
véleményszabadság *n*, liberty of opinion
véleményváltoztatás *n*, change of opinion
Velence [.. ét] *prop*, **1.** [.. ében] *[olaszországi]* Venice **2.** [.. én, .. ére] *[magyarországi]* Velence (small health-resort in Hungary on Lake Velence)
velencei [-ek, -t, -je] **I.** *a*, Venetian, of Venice *(ut)* ; ~ *csipke* point/Venetian lace; *A* ~ *kalmár* The Merchant of Venice; ~ *üveg* Venetian glass **II.** *n*, Venetian

Velencei-tó *prop*, Lake Velence

veleszületettség *n, (fil)* innateness, *(orv)* congenitalness

véletlen I. *a*, chance, accidental, fortuitous, casual, adventitious, undesigned, occasional, random, incidental, inadvertent, *(fil)* contingent; *nem ~* it is no accident, it is not accidental, it is not by chance, it is no mere chance, it was not for nothing (that); *~ baleset* accident; *~ esemény* incidence, incident; *~ ismeretség* a chance acquaintance, pick-up; *a ~ játéka* freak of fortune/chance; *~ szerencse* stroke of luck; *~ találat* fluky shot, *[biliárd]* fluke, lucky stroke; *~ találkozás* accidental/chance/casual meeting/encounter, *[eseményeké]* coincidence
II. *n*, chance, luck, accident, (hap-)hazard, chance event; *a ~ úgy hozta magával (hogy)* chance so ordained (that), as luck would have it; *milyen/micsoda ~!* *[találkozásnál való felkiáltás]* what a coincidence*!*; *tiszta ~* a mere chance; *nagy/tiszta ~ ha* it is only by the merest chance if; *szerencsés ~* happy event, lucky accident, *[„talált pénz"]* windfall, *(kárty)* fluke; *szerencsés ~ folytán* by a fortunate accident; *a ~en múlt hogy* it was a matter of (mere) chance if/whether; *a ~re* bizza leave it to chance; *bízzuk a ~re* let us leave it to chance, let chance decide; *semmit sem bíztak a ~re* nothing was left to chance/accident; *~től függ* it depends on chance; *~től való eltérés [ökológiában]* pattern
III. *adv*, = **véletlenül**; *~ találkoztak* they ran across each other

véletlenség *n*, chance, fortuity, *(fil)* contingency; *~ből* by accident/chance; *~ből elkövetett emberölés* excusable homicide, homicide by misadventure, homicide by misfortune

véletlenül *adv*, by chance/accident/luck, accidentally, casually, occasionally, haply, *[tévedésből]* by mistake, *[szerencsétlen véletlen folytán]* by misadventure; *~ arra jött egy taxi* a cab chanced by; *~ találkoztam vele* I ran across him, I chanced upon him, I happened to meet him; *~ tesz vmt* happen to do sg; *~ (úgy adódott hogy)* tegnap ráértem it so happened that I was free yesterday; *ha ~ látnád* if you (should) happen to see him; *én ~ tudom* I happen to know it; *tudod ~ a címét?* do you by chance know his address?

vélhető *a*, presumable, supposable, conjecturable, thinkable

velin [-ek, -t, -je] **I.** *a, ~ papír* fine woven (rag) paper, woven paper, vellum (paper) **II.** *n*, = **velin papír**

velleitás *n*, velleity, tendency, inclination

velocipéd [-et, -je] *n*, velocipede, ordinary penny--farthing machine *(fam)*

velő [-t, veleje] *n*, **1.** *[csonté]* marrow, *(orv)* medulla, *[agyvelő]* brain(s), *[áll étel]* marrow, marrowfat *(US)*, *[borjúé]* calves' brains *(pl)*, *[gerincvelő]* spinal marrow/cord, *[gyümölcsé]* pulp; *csontja velejéig* to the marrow of one's bones; *vmnek a velejéig hatol* get to the core of sg; *velejéig romlott* rotten to the core; *~kig ható sikoltás* spine-chilling shriek, unearthly scream **2.** *[átv vmnek a veleje]* pith, (quint)essence, kernel, gist, substance, core; *a dolog veleje* the gist/essence of the matter; *velejében* essentially, in (its) essence

velőállomány *n, (orv)* medullary substance, marrow

velőborsó *n*, marrowfat pea

velőcső *n, (bonct)* neural tube

velőgombóc *n*, calves' brains dumpling fried in fat

velőhüvely *n, (bonct)* myelin sheath

velőhüvelyes *a, (bonct)* myelinated

velőlágyulás *n, (orv)* myelomalacia

velős [-et; *adv* -en] *a*, **1.** *[csont]* marrowy, containing marrow *(ut)*, *(bonct)* medullary, medullated; *~ csont* marrow-bone **2.** *(átv)* pithy, marrowy, meaty, compendious, concise, succinct, epigrammatic, terse,

sententious, laconic; *~ mondás* pithy saying, apophthegm, maxim, laconism

velősejt *n*, marrow/medullary cell

velősen *adv*, pithily, concisely, succinctly; *röviden és ~* tersely, short and to the point

velősség *n*, pithiness, terseness, conciseness, succinctness, expressiveness

velőtlen *a*, **1.** *[csont]* marrowless **2.** *(átv)* insipid, pithless, vapid, flat, wanting in spirit *(ut)*

velőtrázó *a*, piercing/thrilling to the very marrow *(ut)*, agonizing; *~ sikoly* unearthly scream, spine-chilling shriek

velőüreg *n*, medullary cavity/canal

velszi [-ek, -t, -je; *adv* -ül] *a/n*, = **walesi**

vélt [-et; *adv* -en] *a*, supposed, alleged, presumed, *[képzelt]* imaginary; *~ apa* putative father; *~ bűnös* supposed culprit; *~ házasság* putative marriage; *~ jogcím* presumptive title

velúr [-ok, -t, -ja] *n*, velour(s), velvet, plush

velúrkalap *n*, velours hat

vemh [-et, -e] *n*, f(o)etus, *[lóé]* foal

vemhes [-et; *adv* -en] *a*, big (with young), pregnant, with young *(ut)*; *~ juh* ewe with lamb; *~ kanca* mare in/with foal; *~ koca* sow in farrow; *~ macska* cat with kittens; *~ szuka* bitch in pup; *~ tehén* cow in/ with calf; *ha akarom ~ ha akarom nem ~ (kb)* it is disputable, it is open to conjecture, it can be either way, it depends on how you look at it

vemhesség *n*, (period of) pregnancy, gestation

vén [-ek, -t; *adv* -en] **I.** *a*, old, aged, senile; *~ boszorkány* old witch/hag, harridan; *~ kecske/kujon* old rake; *~ róka* an old fox, *(kif)* as cute as a fox, he is a cute one; *~ szamár* old fool; *~ mint az országút* as old as the hills **II.** *n*, *a nép ~ei* the ancients/elders of the people

véna [.. át] *n*, **1.** *(bonct)* vein; *pangó ~* engorged vein; *páratlan ~* azygous vein **2.** *költői* *~* poetic vein/inspiration

vénagyulladás *n*, phlebitis

vénás *adv*, venous; *~ vér* venous blood; *elfolyó ~ vér* venous effluent

vénasszony *n*, old woman; *~ok nyara* St. Martin's/ Luke's summer, Indian summer, all-hallown summer

vénasszonyos *a*, old-womanish, anile; *~ locsogás* old wives' tale, gossip(ing)

vénasszonyposz [-t, -a] *n*, *(növ)* puff-ball *(Lycoperdon)*

Vencel [-t, -je] *prop*, Wencesla(u)s

vend [-et, -je; *adv* -ül] **I.** *a*, Wendish, Wendic, Sorbian **II.** *n*, Wend, Sorb

vendég [-et, -e] *n*, **1.** *[hívott]* guest, *[látogató]* visitor; *gyakori ~* frequent visitor; *ritka ~* infrequent visitor, *rara avis (lat)*; *külföldi ~* visitor from abroad, overseas visitor; *~eink vannak (vacsorára)* we are having company/guests (to dinner); *legyen a ~em (vacsorára)* come and have dinner with me; *~et fogad* receive guests/company; *~et hív (vacsorára)* invite guests (to dine at one's place), ask sy (to dinner), *[tartózkodásra]* invite sy (to stay with one) **2.** *[fodrász- és borbélyüzletben stb.]* customer, patron, *[szállodában]* guest, visitor, *[vendéglőben]* guest; *állandó ~* frequenter, habitual visitor, habitué *(fr)*, regular customer, patron; *N. N. mint ~* N. N. as a guest

vendégág *n, [szarvasagancson]* bay, bay-antler

vendégágy *n*, bed for (a) visitor, spare bed

vendégbarát *n*, **1.** *[vendégszerető]* hospitable person, host **2.** ⟨one connected with another by (hereditary) hospitality⟩

vendégbarátság *n*, hospitality

vendégcsapat *n, (sp)* visiting team/side

vendégeskedés *n*, entertainment of guests (at one's board/table), feast(ing), open house

vendégesked|ik [-tem, -ett, -jen, -jék] *vi*, **1.** *[vendégeket* *fogad]* receive and entertain guests, keep an open house **2.** *(vknél)* stay as a guest at sy's house

vendégfal *n, [kiállító teremben]* partition-wall, *[nem egészen mennyezetig érő]* (draught/folding-)screen

vendégfogadó *n,* inn, hostelry, auberge, lodging house, house of entertainment

vendégfogadós *n,* innkeeper, landlord, host, *[nő]* landlady, hostess

vendéghaj *n,* false hair, wig, peruke

vendéghallgató *n,* auditor *(US)*

vendéghúr *n, (zene)* guest/sympathetic string (on the zither)

vendégjárás *n, nagy ~ volt nálunk a hét végén* we had many visitors during the week-end

vendégjáték *n,(kb)* performance by a guest actor/player, guest (performance)

vendégjog *n,* guest right, right of hospitality

vendégkarmester *n,* guest conductor

vendégként *adv,* as a guest

vendégkoszorú *n,* circle/galaxy of guests *(v.* of those invited/present)

vendégkönyv *n,* visitors' book, album

vendéglakosztály *n,* guest-chamber

vendéglátás *n,* hospitality, entertainment of a guest (in one's house), entertaining; *köszönöm a szíves ~t* thank you for the kind hospitality *(v.* hearty reception), thank you very much for having me; *~t köszönő levél* roofer, bread-and-butter letter

vendéglátó I. *a,* hospitable, receiving and entertaining guests *(ut) ; ~ ház* hospitable house; *~ gazda* host **II.** *n,* host, *[nő]* hostess

vendéglátóipar *n,* catering trade, public catering

vendéglátóipari *a, ~ kiszolgáló személyzet* attendant(s)

vendéglő *[-t, -je] n,* restaurant, *[egyszerűbb]* eating-house, *[fogadó]* inn; *országúti ~* roadside inn, road-house, pull-up *(fam) ; ~ben étkezik* take one's meals at a restaurant, *[egyszer]* eat out

vendéglői *[-ek, -t] adv -en] a,* of *(v.* pertaining to) a restaurant *(ut),* of *(v.* pertaining to) an eating-house *(ut); ~ koszt* food from/in a restaurant

vendéglős *[-ök, -t, -e] n,* keeper of a restaurant, landlord, *(hiv)* licensed victualler, host *(fam)*

vendéglősköd|ik *[-tem, -ött, -jön, -jék] vi,* keep/run a restaurant

vendéglősné *n,* proprietress of a restaurant, landlady, hostess *(fam)*

vendégmarasztaló *[-t; adv -an] a,* hospitable, pressing a guest to stay *(ut) ; ~ sár* thick mud

vendégművész *n,* guest artist; *külföldi ~* guest artist from abroad, visiting foreign musician

vendégoldal *n,* cart-ladder

vendégség *n,* feast, *[ünnepélyes]* banquet, *[társaság]* party, company; *~be megy vkhez [hosszabban]* go to stay with sy, *[egy alkalomra]* go to a party; *~et csap* throw a party

vendégsereg *n,* swarm/host of guests/visitors, company, the guests/invited *(pl)*

vendégszerepel *vi,* appear as a guest-artist

vendégszereplés *n,* guest performance

vendégszereplő I. *a,* guest, invited, *[turnézó]* on tour *(ut)* **II.** *n, [színész]* guest actor, *(sp)* guest player

vendégszeretet *n,* hospitality; *élvezi vk vendégszeretetét* eat sy's salt *(fam)*

vendégszerető *a,* hospitable; *nem ~* inhospitable; *~ ház* good house for entertainment

vendégszó *n,* loan/foreign/borrowed word

vendégszoba *n, [magánházban]* spare (bed-)room, *[szállodában]* guest room/chamber, *[vendéglői közös helyiség]* common room, (inn-)parlour, barsaloon

vendégül *adv, ~ lát* receive/entertain sy at one's table *(v.* in one's house); *~ lát ebédre/vacsorára* entertain sy to dinner

Vendel *[-t, -je] prop,* Wendelin

véndely *[-t, -e] n, = vindely*

vendetta *[.. át] n,* vendetta, family blood feud

vénecske I. *a,* oldish, fairly/rather old **II.** *n,* (little) old man

vénember *n,* old man

venereás I. *a, (orv)* venereal, suffering from/with venereal disease *(ut) ; ~ betegség* venereal disease *(röv* V.D.) **II.** *n, [beteg]* venereal patient

Venezuela *[.. át, .. ában] prop,* Venezuela

venezuelai *[-ak, -t] a/n,* Venezuelan

vénhedt *[-et; adv -en] a,* aged, very old, decrepit, *(vm)* decayed, antiquated

vénít *[-eni, -ett, -sen] vt/vi,* age sy, make sy look older, make sy out older than he is; *ugyan ne ~s* do not make me out older than I am

vénkisasszony *n,* old maid, spinster

vénkisasszonyos *a,* old-maidish, old-maidenly, spinsterish, spinsterly

vénkor *n,* (old) age, dotage *(pej)*

vénlány *n,* old maid, spinster

vénlányos *a, = vénkisasszonyos*

venni *ld vesz¹*

vénség *n,* **1.** *[öregkor]* (old) age, *[roskatag]* senility, dotage; *késő ~ében* in his old age, late in life **2.** *[vk főleg öreg nő]* old frump, *[öreg férfi]* old chap/codger

ventil *[-ek, -t, -je] n,* valve

ventilharsona *n, (zene)* valve trombone

ventilkornet *n, (zene)* cornet

ventillátor *[-ok, -t, -a] n,* ventilator, (suction-)fan, fanner, air-propeller, blowing-engine, blower *(fam), [egy szárnya]* fin; *villamos ~* electric fan

ventillátormotor *n,* blower motor

Venus-rakéta *n,* Venus-rocket

vénuszdomb *n, (bonct)* Mount of Venus

vénuszi *[-ak, -t; adv -an] a,* of/resembling/like Venus *(ut)*

Vénusz-légycsapója *n, (növ)* fly-catcher/trap, dionaea *(Dionaea sp.)*

vénuszöv *n, (áll)* Venus's girdle *(Cestus reneris)*

vénül *[-t, -jön] vi,* get/grow/look old(er), age, be getting on in years, olden

vénülés *n,* ageing, growing old, decline

vénülő *[-t; adv -en] a,* growing old *(ut),* ageing, getting on in years *(ut)*

vény *n,* prescription, recipe; *~t elkészít* fill a prescription

vénygyűjtemény *n,* collection of prescriptions

venyige *[.. ét] n,* vine(-shoot)

venyigeolló *n,* pruning shears/scissors *(pl)*

venyigés *a,* sarmentous, sarmentose

vénykönyv *n,* book of prescriptions, formulary

vénytömb *n,* (booklet/block of) recipe-blanks

ver *[-t, -jen] I. vt,* **1.** beat, *[csépel]* flog, thrash, *[dönget]* bang, pound, *[döngölővel]* ram, *[fütykössel]* drub, cudgel, *[kézzel]* buffet, slap, spank, *[megrak]* thwack, *[megüt]* strike, hit, *[vesszővel]* cane, *[tompa vmvel]* pommel; *vkt véresre ~* beat sy till one draws blood, beat sy hollow, beat sy to a jelly, beat sy until he bleeds, thrash sy within an inch of his life; *fenekére ~t a gyereknek* he spanked the child, he gave the child a licking/thrashing **2.** *az eső ~i az ablakot* the rain beats/lashes against the panes; *~i az ajtót* hammer at the door, pound away at the door; *~i az asztalt* bang the table; *köntöse ~i a bokáját* his gown flaps round his heels/ankles; *cimbalmot ~* hammer the cymbalo; *csapra ~ [hordót]* broach; *csipkét ~* make lace; *dobot ~* beat a drum; *vmt dobra ~ (átv)* proclaim sg from the house-tops; *gyökeret ~* take/strike root; *gyökeret ~ a lába* remain rooted to the spot; *habot ~* whip cream; *hidat ~* throw a bridge over/across a river, build/make a bridge on sg, bridge (a river); *kötelet ~* make/strand/twist rope; *~i a mellét* beat one's breast; *pénzt* ~ mint/coin money; *sátrat* ~ pitch a tent; *szőnyeget* ~ beat a carpet; *vkt vasra* ~ put sy in irons/gyves; ~*i a zongorát* thump/strum/pound the piano 3. *(vmbe)* drive sg into sg; *adósságokba* ~*i magát* run into debt; *költségekbe* ~*i magát* put oneself to charges; *nem tudom fejébe* ~*ni* I cannot get/drive/beat that into his head; *szöget ver a falba* drive a nail into the wall 4. *[ellenfelet]* beat, defeat, lick *(fam)* ; *teniszben* ~ *vkt* beat sy at tennis; *négy kettőre* ~*ték a csapatot* the team was beaten (with a score of) 4—2

II. *vi, [szív]* beat, throb, pulse, pulsate, *[rendetlenül]* flutter; *hevesen* ~ go pit-a-pat

vér [-t, -e] *n*, 1. blood, gore *(ref.)*, *[faj]* blood, race, lineage, *[rokonság]* blood, kinship, relationship; *alvadt* ~ coagulated blood, gore, cruor *(lat)* ; *citrátos* ~ citrated blood; *kék* ~ blue blood; *kompatibilis* ~ compatible blood; ~ *nélküli* destitute of blood *(ut)*, *(átv is)* bloodless, an(a)emic; ~ *nem válik vízzé* blood is thicker than water, blood/breed will tell, what's bred in the bone will come out in the flesh; ~ *tapad a kezéhez* he has stained his hands with blood; *fejébe futott a* ~ the blood rushed to his head; *megfagyott bennem a* ~ my blood ran cold *(v. froze)*; *sok* ~ *folyt* much blood was shed; ~*be borul a szeme* his eyes become bloodshot, *(átv vmtől)* (it makes him) see red; ~*be borult szem* bloodshot eye, *[iszákosoké]* cranberry eye *(US ◈)* ; ~*be fagyva* in a pool of blood; ~*be fojt* quell, crush, put down (with ruthless violence); *felkelést* ~*be fojt* suppress a revolt bloodily; ~*ben* bloodshot; ~*ben forog a szeme* be raging, rage, see red; ~*ben gázol* wade/wallow in blood; *ez a* ~*ünkben van* it runs in the blood/family; ~*ben van a szeme* have bloodshot eyes; *az utolsó csepp* ~*ig (átv)* to the last ditch; ~*ig sért* offend sy mortally, hurt to the quick, outrage; *első* ~*re* until blood is drawn; ~*re megy a dolog* it is a matter of life and death; ~*t izzad* toil and moil, drudge, work like a slave/nigger; ~*t köp* spit blood; ~*t szomjaz* thirst for blood; *rossz* ~*t szül* breed/beget ill blood, make bad blood; ~*t vesz vktől (v. vesz)* take/draw blood from sy; ~*t vesz vizsgálatra* take a specimen of sy's blood; ~*t veszít* lose blood; ~*ét ontja* shed one's blood; ~*ét ontja a hazájáért* bleed for one's country; *vknek a* ~*ét szívja* suck sy's blood, *[anyagilag]* suck sy dry, *[szekál]* be always nagging (at) sy; ~*től csöpögő* reeking/dripping with blood; ~*rel mossa le a gyalázatot* wash out an insult in blood 2. *a* ~ *szava* the call of blood/kinship; ~ *szerinti* (related) by blood *(ut)*, blood-, consanguineous; ~ *szerinti rokon* blood-relation, *(kif)* one's own flesh and blood 3. ~*eim* my own flesh and blood, *[megszólítás]* brethren 4. ~*(összet.)* blood-, h(a)emato-*(tud)*, sangui- *(tud)*

Vera [.. át] *prop*, Vera, Veronica

véradás *n*, giving blood, being a blood-donor, blood--transfusion service

véradó *n*, blood-giver/donor, donor (of blood); *általános* ~ universal donor

véradóközpont *n*, blood bank

véraláfutás *n*, black-and-blue spot, suffusion (of blood), ecchymosis *(tud)*, sugillation *(tud)*

véraláfutásos [-at; *adv* -an] *a*, bloodshot, suffused with blood *(ut)*, ecchymosed, *(tud)*, ecchymotic *(tud)* ; ~ *szem* red(-rimmed) eyes

véráldozat *n*, *(vall)* blood sacrifice, *[veszteség emberekben]* sacrifice in men, casualties *(pl)*

véralkat *n*, temper(ament), disposition

véralkatú *a*, of (a certain) temper(ament) *(ut)*, -tempered, -blooded

vérállító I. *a*, blood-sta(u)nching, stopping bleeding *(ut)*, *(orv)* h(a)emostatic, styptic II. *n*, h(a)emostat, styptic

véralvadás *n*, blood coagulation/clotting

véralvadásgátló *a*, ~ *szer* anti-coagulant

véralvadék *n*, blood clot

véralvasztó I. *a*, coagulative II. *n*, *[szer]* coagulant

veranda [.. át] *n*, veranda(h), porch, sun-parlour *(US)*, piazza *(US)*, stoop *(US)*

véráram *n*, (af)flux (of blood), blood-stream

vérátömlesztés *n*, blood-transfusion, transfusion of blood, perfusion; ~*t alkalmaz (vkn)* transfuse

véráztatta [.. át] *a*, blood-drenched/soaked/sodden, soaked/steeped in blood *(ut)*

vérbaj *n*, *(orv)* syphilis, lues, French disease, *(nép)* pox; *kóros félelem* ~*től* syphilophobia

vérbajos I. *a*, syphilitic, pertaining to *(v.* affected with) syphilis *(ut)*, luetic; ~ *bőrkiütés* syphilide; ~ *fertőzés* syphilosis II. *n*, syphilitic, a person suffering from syphilis

verbális [-ok, -t; *adv* -an] *a*, verbal

verbalizmus *n*, verbalism

vérbeli I. *a*, 1. *[vérségi]* blood-, of blood *(ut)* 2. *[igazi]* genuine, real; ~ *francia* a thorough Frenchman; ~ *művész* born/true/real artist II. *n*, blood--relation

vérbélű *a*, ~ *narancs* blood-orange

verbéna [.. át] *n*, *(növ)* verbena, vervain *(Verbena)*

vérbíróság *n*, ⟨ court of law with full power over life and death⟩, *(német tört)* Blood Council, Vehmgericht

vérbírósági *a*, of *(v.* pertaining to) a law court with full power over life and death *(ut)*, *(német tört)* Vehmic

vérbosszú *n*, blood feud, vendetta

vérbő *a*, *(vm)* hyper(a)emic, *(vk)* plethoric, full-blooded

vérbőség *n*, *(vmé)* hyper(a)emia, congestion, *(vké)* plethora, full-bloodedness, fullness of blood; *pangásos* ~ passive hyper(a)emia; ~*et idéz elő (vmben)* congest

verbunk [-ot, -ja] *n*, 1. *[toborzás]* recruiting, enlistment, levying 2. = verbunkos 2.

verbunkos [-ok, -t, -a] *n*, 1. *(vk)* recruiting sergeant/officer, recruiter 2. *[tánc]* recruiting dance, dance performed at recruiting *(v.* to attract recruits), *(zene)* recruiting music, verbunkoche, verbunko

verbuvál [-t, -jon] *vt/vi*, 1. *(kat)* recruit, *[erőszakkal]* press, crimp 2. *[híveket]* enlist, canvass (supporters)

verbuválás *n*, recruiting, enlisting, canvassing, soliciting

verbuválód|ik [-ott, -jon, -jék] *vi*, *(vmből)* be recruited (from)

vérbükk *n*, *(növ)* copper/purple beech *(Fagus silvatica var. purpurea)*

vércukor *n*, blood sugar, *(orv)* glycaemia; *éhezési* ~ fasting blood sugar

vércukor-csökkenés *n*, hypoglycaemia

vércukor-emelkedés *n*, hyperglycaemia; ~*t okoz* produce/induce hyperglycaemia

vércukorszint *n*, blood-sugar level; *alacsony* ~ hypoglycaemia; *magas* ~ hyperglycaemia

vércsatorna *n*, *[kardon]* fuller

vércse [.. ét] *n*, *(áll)* falcon *(Falco sp.)* ; *kék* ~ red--footed falcon *(F. vespertinus)* ; *vörös* ~ kestrel, windhover *(F. tinnunculus)* ; *lecsap rá mint a* ~ (make a) pounce (up)on (sy/sg)

vércsepp *n*, drop of blood

vércsomó *n*, clot of blood, blood clot, grume, buff of clotted blood

vércsoport *n*, blood-group/type; ~*ot megállapít vknél* bloodgroup sy; *type a patient's blood*

vércsoport-meghatározás *n*, blood-typing

verdedíj *n*, mintage

verdefény *n*, mint condition

verdefényes *a*, in mint condition *(ut)*

verdejog *n*, brassage, seigniorage

verdes [-tem, -ett, -sen] *vt/vi*, beat repeatedly, *[eső]* beat upon/against, pelt against, patter on, whip, *[hullám* *partot]* lap, *[csapkod szárny]* flutter, *[vitorla]* flap; *köntöse a bokáját* ~*i* his gown flaps rounds his heels/ ankles

vérdíj *n*, blood money, *(tört)* blood-wit(e)/fine, wergild

verdikt [-et, -je] *n*, verdict, finding of the jury; ~*et hoz [esküdtszék]* return/pronounce a verdict/find

verdolgép *n*, *(tex)* verdol jacquard

veréb [verebet, verebe] *n*, sparrow *(Passer sp.)* ; *házi* ~ house-sparrow *(P. domesticus)* ; *mezei* ~ tree- -sparrow *(P. montanus)* ; *jobb ma egy* ~ *mint holnap egy túzok* a bird in hand is worth two in the bush; *már a verebek is csiripelik* it is an open secret, it is all over the town; *ágyúval lő* ~*re (kb)* break a butterfly on the wheel, crack nuts with a steam hammer

véreb *n*, bloodhound, sleuth(-hound); *angol sima szőrű* ~ greyhound

verébcsiripelés *n*, chirp(ing) of sparrows

verébfióka *n*, young sparrow

verébtojás *n*, sparrow's egg

véredény *n*, (blood-)vessel; ~*ek kitágulása* vasodilatation; ~*ek összehúzódása* vasoconstriction; ~*be adott [injekció]* intravascular; ~*en belüli* intravascular

véredényelmeszesedés *n*, arteriosclerosis

véredényrendszer *n*, blood-vascular system

véredénytágulás *n*, vasodilatation

vereget *vt*, pat, beat (gently), clap; *vk vállát* ~*i* pat/ clap sy on the back

veregetés *n*, pat(ting), (gentle) beat(ing)

vérehulló fecskefű *(növ)* (great) celandine, tetterwort, swallowwort, milkweed, silkweed *(US) (Chelidonium maius)*

verejték [-et, -e] *n*, sweat, perspiration, *(orv)* sudor; *csupa* ~ be all of a sweat; *hideg* ~ cold sweat; *véres* ~ bloody sweat; *csurog róla a* ~ be dripping with sweat, be in a muck of a sweat *(fam)* ; *kiverte a* ~ perspire, sweat, be in perspiration; *homlokát kiverte a* ~ beads of perspiration appeared on his forehead/brow, perspiration sprang from his brow; *arca* ~*ével* by the sweat of his brow

verejtékcsepp *n*, drop of sweat, bead of perspiration

verejtékes [-et; *adv* -en] *a*, *(vk)* sweating, perspiring, *(vm átv is)* sweaty, *(átv)* laborious; ~ *munka* toilsome work

verejtékez|ik [-tem, -ett, -zen, -zék] *vi*, sweat, be in a sweat, perspire *(ref.)*

verejtékkiválasztó *a*, sudoriparous, sudoriferous

verejtékmirigy *n*, sweet-gland, perspiratory gland

verejtékszagú *a*, smelling of sweat/perspiration *(ut)*, *[irodalmi mű]* smelling of the lamp *(ut)* ; ~ *munka (biz)* work that smells of lamp-oil

verekedés *n*, fight, scuffle, affray, fray, rough-and- -tumble, tussle, *[zajos]* brawl, row, rowdiness; *kocs- mai* ~ drunken brawl; *véres* ~ a bloody fight; *általá- nos* ~ *támadt* a free-for-all fight started/began; ~*re került a dolog* they proceeded to blows, blows were exchanged, the fur began to fly

vereked|ik [-tem, -ett, -jen, -jék] *vi*, *(vkvel)* fight (with sy), scuffle, tussle (with sy), exchange blows, *[zajo- san]* brawl; *vitézül* ~*ett minden fronton* he fought bravely on all fronts

verekedő [-t, -je; *adv* -en] **I.** *a*, fighting, *[harcias]* pugnacious; ~ *gyerekek* fighting/brawling children; ~ *kedvében van* be in a fighting mood/disposition **II.** *n*, fighter, brawler, *[bokszolásnál]* battler, *(elit)* blusterer, rowdy, ruffian

verekedős [-ek, -t; *adv* -en] *a*, pugnacious, disposed to fight *(ut)*, inclined to fighting *(ut)*, given to brawls *(ut)*, quarrelsome

vereksz|ik *vi*, = verekedik

vérellátó *a*, ~ *szolgálat* blood bank

vérelváltozás *n*, blood change

verem [vermet, verme] *n*, pit(fall), hole, *[állaté]* den, cave, *[burgonyának]* clamp; *a saját vermébe esett* he was caught in his own trap; *vermet ás vknek* dig a pit for sy; *aki másnak vermet ás maga esik bele* harm watch(,) harm catch, hoist with his own petard, the biter bit

vérengzés *n*, carnage, butchery, massacre, slaughter, bloodshed

vérengz|ik [-eni, -ett, .. gezzen, .. gezzék] *vi*, shed (the) blood (of others indiscriminately), butcher, slaughter, massacre

vérengző [-t; *adv* -en] **I.** *a*, sanguinary, bloodthirsty, bloody, murderous, ferocious **II.** *n*, slaughterer, massacrer

vérér *n*, blood vessel

vérér-mozgató *a*, ~ *idegek* vasomotor nerves

vérérszűkülés *n*, vasoconstriction

vérértágulás *n*, vasodilatation

veres [-ek, -t; *adv* -en] *a*, = vörös

verés *n*, **1.** *(vké)* beating, thrashing, drubbing, dress- ing(-down), licking *(fam)*, lathering *(fam)*, hiding *(fam)*, *[gyereké]* spanking, walloping; *szemmel* ~ witch's glance; ~*t kap* be thrashed/spanked **2.** *[bil- lenytyűké]* striking, strumming **3.** *[ütemes]* beat(ing), pulsation, throbbing; *a szívem* ~*e elállott* my heart stopped beating **4.** *[pénzé]* striking, minting, coinage, coining, *[csipkéé]* making, *[pamuté]* scutching

véres [-et; *adv* -en] *a*, *[vérrel beszennyezett/kevert]* containing blood *(ut)*, tinged/covered with blood *(ut)*, bloody, *[foltos]* blood-stained, *[színű]* blood- -red, sanguine, *[hús]* bleeding, raw, *[vérző]* bleeding, bloody, *[vérontással járó]* sanguinary, bloody; ~ *arc* face covered with blood; ~ *csata* bloody/sanguinary battle; ~ *csatatér* stricken field; ~ *folyás* bloody dis- charge; ~ *hányás* bloody vomit, vomitus cruentus; ~ *hurka* black/blood-pudding; ~ *kard* bloody sword; ~ *kezű (konkr)* red-handed, with bloodstained hands *(ut)*, *(átv)* sanguinary, murderous, cruel, blood- thirsty; ~ *köpet (orv)* sanguinolent sputa *(pl)*, bloody sputum; ~ *szatíra* mordant/scathing satire; ~ *széklet* blood in the stools, melaena; ~ *szemek* blood- shot eyes, *[alkoholistáé]* cranberry eyes; ~ *történetek* sanguineous histories; ~ *verítéket izzad (átv)* be very hard put to it, be forced to do one's utmost, toil and moil, work like a slave/nigger; ~ *zsebkendő* blood- stained handkerchief; ~*re harap* bite till (the) blood comes; ~*re harap(dál)ja az ajkait* bite one's lips till the blood comes; ~*re korbácsol vkt* flog sy till one draws blood; ~*re ver ld véresre* ver; ~*et vizel* pass blood with the urine

vereség *n*, defeat, *(pol)* overthrow, defeat, licking *(fam)*, whipping *(fam)* ; *teljes* ~ (complete) rout, crushing defeat; ~*et mér* inflict defeat; ~*et szenved* be defeated, suffer/sustain a defeat, *(sp)* be beaten/ licked, be the loser; *elismeri a* ~*ét* acknowledge defeat *(v.* oneself beaten); *a meccs a Lokomotiv csapat* ~*ével végződött* the Locomotive team lost the match

véresen *adv*, bloodily, covered/stained/smeared with blood; *ez* ~ *komoly* it is dead earnest

véreső *n*, rain of blood

véresszájú *a*, ranting; ~ *demagóg* ranting demagogue

veret[1] *vt*, have (sy/sg) beaten; *huszonötöt* ~ *vkre* have sy punished with twenty-five lashes/strokes

veret[2] *n*, **1.** (metal) fitting, mount, studding, *[kardon, puskán]* mounting, *[szekrényen]* furnishing, *[ajtón]* iron mounting **2.** *[pénzen]* stamp, impression

veretlen *a*, **1.** unbeaten, unconquered, undefeated, un- vanquished; ~ *marad* remain master of the field, *(sp)* lose no points **2.** *[érc]* uncoined

veretű [-ek, -t; *adv* -en] *a*, having a ... mounting/ fitting/studding; *ezüst* ~ silver-mounted; *nemes* ~ noble, exquisite, of noble stamp *(ut)*

vérez [-tem, -ett, vérzett, -zen] I. *vt*, cover/stain with blood II. *vi*, = vérz|ik

vérfagyasztó *a*, blood-curdling, *[látvány]* horrible, ghastly; ~ *sikoltások* blood-curdling yells/screams

vérfehérje *n*, globulin

vérfelfrissítés *n*, introduction of new/fresh blood (in breeding/association)

vérfertőzés *n*, incest

vérfertőző I. *a*, incestuous II. *n*, incestuous person

vérfesték *n*, h(a)emoglobin, cruorin

vérfesteny *n*, † = vérfesték

vérfolt *n*, bloodstain, bloodmark

vérfoltos *a*, blood-stained, bloody, stained/smeared with blood *(ut)*

vérfolyás *n*, flow of blood, bleeding, h(a)emorrhage *(tud)*, *[ontás]* bloodshed

vérforraló *a*, that makes one's blood boil *(ut)*, *[látvány]* revolting, sickening, shocking, *[viselkedés]* outrageous

vérfű *n*, *(növ)* sanguisorba *(pl)* *(Sanguisorba)*; *nagy* ~ great burnet *(S. officinalis)*

vérfürdő *n*, bloodbath, *[öldöklés]* carnage, massacre, butchery; ~*t rendez* massacre

Vergilius *prop*, Virgil, Vergil

vergiliusi [-t] *a*, Virgilian, Vergilian

vergődés *n*, writhing, writhe, contortion, wriggle, *[haláltusa]* agony; *egy* ~ *volt az élete* all his life he had to struggle hard to make both ends meet, he had a strugglesome life

vergőd|ik [-tem, -ött, -jön, -jék] *vi*, *[kínlódik]* struggle (on), endeavour under difficulties, *[küzd]* fight/push one's way (through), fight against poverty, *[vonaglik]* writhe, wriggle, *[madár]* beat/flutter with the wings, beat its wings

vérgőzös *a*, sanguinary

vérgyülem [-et, -e] *n*, haematocele

vérhajtó *a/n*, h(a)emagogue

vérhályog *n*, sanguineous cataract

vérhányás *n*, black vomit, vomiting of blood, h(a)ematemesis *(tud)*

vérhas *n*, dysentery, flux

verhetetlen *a*, *[versenyló]* unbeatable, *[hős]* invincible, unconquerable, *[igével]* cannot be defeated

verhető *a*, 1. beatable, that can be beaten/defeated *(ut)* 2. *[fém]* malleable, *[pénz]* coinable

vérhiány *n*, an(a)emia

vérhólyag *n*, blood-blister, blood vesicle, h(a)ematocystis

vérhullám *n*, rush of blood; ~ *öntötte el az arcát* a flush/ blush rose to his cheeks, his face turned crimson

verista [.. át] *a/n*, *(műv)* verist(ic)

veríték [-et, -e] *n*, = verejték

verizmus *n*, *(műv)* verism

vérizzadás *n*, sweating of blood, h(a)emidrosis, h(a)ematidrosis

vérjód *n*, blood iodine

vérkalcium *n*, blood calcium

vérkenet *n*, blood film/smear

vérkép *n*, blood picture; *qualitatív* ~ differential count; *quantitatív* ~ blood-count; *teljes* ~ complete blood-count; *csináltasson* ~*et !* have a blood-count taken !

vérképzés *n*, formation/production of blood, h(a)ematopoiesis, h(a)ematogenesis

vérképző I. *a*, blood-forming, h(a)ematopoietic, h(a)ematogenous ; ~ *szervek* h(a)ematopoietic organs II. *n*, *[szer, anyag]* h(a)ematogen

vérkeresztség *n*, baptism of blood, blood baptism

vérkeringés *n*, (blood) circulation, circulatory system

vérkeringési *a*, pertaining to blood circulation *(ut)*, circulatory, sanguimotor; ~ *szerv* circulatory organ; ~ *zavar* disturbance of circulation, circulation ailment/disorder, circulatory trouble/disturbance

vérkeveredés *n*, (inter)mixture of races/blood

verkli [-t, -je] *n*, hand/barrel/street organ, hurdy-gurdy

verklis [-ek, -t, -e] *n*, organ-grinder, hurdy-gurdy grinder

verkliz [-tem, -ett, -zen] *vi*, grind/crank a barrel organ *(v*. hurdy-gurdy); *ugyanazt a nótát* ~*i (átv)* keep harping on the same string

vérkő *n*, *(ásv)* heliotrope

vérkönny *n*, tear of blood; ~*eket sír* weep tears of blood

vérköpés *n*, spitting of blood, *[tüdőből]* h(a)emoptysis

vérkör *n*, circulation; *kis* ~ pulmonary/lesser circulation; *nagy* ~ systemic/greater circulation

vérkutató I. *a*, h(a)ematologic II. *n*, h(a)ematologist

vérlázító *a*, revolting, sickening, *(kif)* more than flesh and blood can bear; ~ *sértés* outrage; *ld még* vérforraló

vérlemezke *n*, blood plaque/platelet/disk, platelet

vérlepény *n*, blood-clot, clotted (mass of) blood

vérlúgsó *n*, *[vörös, sárga]* (red/yellow) prussiate of potash

vermel [-t, -jen] *vt/vi*, *(mezőg)* store in pits, pit, *[burgonyát]* clamp

vermelés *n*, *(mezőg)* pit-storage, *[burgonyáé]* clamping

vérmennyiség *n*, blood volume; *vesén átáramló* ~ renal blood flow

vérmérgezés *n*, blood poisoning, sepsis, septic(a)emia, septic intoxication/infection

vérmérgezéses [-ek, -t; *adv* -en] *a*, of blood poisoning *(ut)*, septic(a)emic, septic; ~ *tünetek* symptoms of blood poisoning

vérmérséklet *n*, temper(ament); ~ *dolga* it is a matter/ question of temperament

vérmes [-et; *adv* -en] *a*, 1. *(konkr)* full-blooded, sanguineous, plethoric, apoplectic 2. *(átv)* hot-blooded, sanguine, *[heves]* ardent, warm, *[bízakodó]* hopeful, confident; ~ *reményeket táplál (vmről)* entertain great/ardent hopes (of sg); ~ *vérmérséklet* sanguine temperament

vérmesség *n*, full-bloodedness, sanguineness, plethora, *[vérmérsékleti]* sanguine temperament

Vérmező *prop*, Vérmező (ancient parade ground, now a park in Budapest)

vérminta *n*, blood-sample; *vérmintát vesz vktől vizsgálatra* take a specimen of sy's blood

vérmogyoró *n*, filbert, copper hazel (bush)

vermut [-ot, -ja] *n*, vermouth

vérnarancs *n*, blood-orange

vérnedv *n*, serosity, blood serum

verniszázs [-ok, -t, -a] *n*, varnishing day

vérnyom *n*, bloodstain, bloodmark, *[csapás]* track of blood

vérnyomás *n*, blood-pressure; *alacsony* ~ low blood-pressure, hypotension; *diasztolés* ~ diastolic pressure; *magas* ~ high blood-pressure, hypertension; *paroxysmális magas* ~ paroxysmal hypertension; ~ *emelkedése* increase in blood-pressure; ~*t emel* increase/ heighten/elevate blood-pressure; ~*t mér* take the blood-pressure; *alacsony* ~*t okoz* induce lowered blood-pressure

vérnyomásbetegség *n*, hypertensive vascular disease

vérnyomáscsökkenés *n*, decrease/fall in blood-pressure, hypotension

vérnyomásemelő *a*, ~ *hatás* vasopressor effect

vérnyomásmérő *n*, sphygmomanometer, h(a)emo-(dynamo)meter, tensiometer, tonometer, blood--pressure apparatus

vérnyomásos *a*, *alacsony* ~ *beteg* hypotensive patient; *magas* ~ *beteg* hypertensive patient; *magas* ~ *betegség* hypertensive disease

veronál [-t, -ja] *n*, veronal

Veronika [.. át] *prop*, Veronica; ~ *kendője* sudarium

veronika [.. át] n, (növ) speedwell, veronica, bird's--eye (Veronica sp.)

vérontás n, bloodshed, shedding of blood, [öldöklés] carnage, massacre, butchery; ~ nélkül without bloodshed, bloodlessly, without shedding blood; ~ban vétkes be guilty of effusion of blood; sok ~sal járó with much bloodshed (ut)

verő [-t, -je; adv -en] I. a, beating, flogging, thrashing, pounding, banging, drubbing, caning, buffeting, slapping, spanking, pomelling II. n, 1. [köpülőgép] plunger, [krikett] bat, [mosónőé] washerwoman's beater, dolly 2. = verőfény; 3. (vk) beater, spanker, flogger

verőceér n, (bonct) portal vein

verődlik [-tem, -ött, -jön, -jék] vi, 1. (vmhez) beat/knock/strike against sg; a habok a sziklához ~nek the seas break (white) on the rocks, the waves are lapping (up)on the shore; ide-oda ~ik be knocked about 2. [étel] beat 3. csoportba ~nek form a group 4. [fény] be reflected, be thrown back

verőér n, artery; alkari ~ radial artery

verőeres a, arterial

verőérrendszer n, arterial system

verőfa n, (sp) (wooden) bat, beater, (mezőg) swingle

verőfej n, (műsz) driving-block

verőfény n, bright sunshine; kiül a ~re (go and) sit in the bright sunshine, (go and) bask in the sun

verőfényes a, sunny, sunshiny, sunlit, bathed in sunshine (ut), [táj] sun-kissed; ~ ég bright sky; ~ nap sunny/sunshiny/glorious day

verőgép n, (tex) scutcher

verőkar n, (tex) picking-stick

verőkos n, (műsz) rammer, punner, tup

verőlabda n, [bokszolóé] punch-ball

vérömleny [-ek, -t, -e] n, h(a)ematoma, [szomszédos szövetekben] extravasation, extravasate; szubdurális ~ subdural haematoma

vérömlés n, free/copious bleeding, flow of blood, extravasation, h(a)ematorrh(o)ea, h(a)emorrhage

verőrúd n, (tex) stick

verőtő n, (rég) die (in minting)

vérözön n, sea of blood, streams/torrents of blood (pl)

vérpad n, scaffold; ~on hal meg die/perish on the block; ~ra juttat vkt bring sy to the scaffold; ~ra lép go to the scaffold, mount the scaffold

vérpálya n, blood path, course of circulation

vérpangás n, blood stagnation, stagnation of blood

vérpatak n, torrent/stream of blood

vérpipacs n, (növ) blood-root, sanguinaria (Sanguinaria Canadensis)

vérpiros a, blood-red

vérplazma n, blood plasma

vérpróba n, blood test

vérrekedés n, h(a)emostasis

vérrokon I. a, related by blood (ut), [apa után] consanguineous II. n, blood relation/relative, kinsman, (kif) one's own flesh and blood

vérrokonság n, blood-relationship, kindred, (lineal) consanguinity; oldalági ~ collateral consanguinity

vérrög n, blood clot, clot of blood, grume, thrombus (tud)

vérrögképződéses a, ~ éreltömődés thrombosis

vers [-et, -e] n, 1. verse, poem, piece of poetry, rhyme, (ritk) numbers (pl), [rossz] doggerel; szabad ~ free verse; ~be szed put in rhymes, versify, put into verse; történetet ~be szed throw a tale into verse; ~ben in rhyme; ~et farag perpetrate a verse, make/write a bad verse; ~et ír [egyet] write a poem, [verset] write poetry, versify 2. [strófa] stanza 3. [bibliai] verse 4. sírt egy ~et she had a little cry

versalak n, metrical structure/form, versification: ~ban ír meg vmt write sg in verse

versalkat n, = versalak

versantológia n, treasury of verse

vérsavó n, (blood) serum, serosity, blood-plasma

versciklus n, cycle, cyclic poem

verscsinálás n, verse-making, versification, making (of) verses, writing of poetry, (iron) dabbling in poetry

verscsináló I. a, versifying II. n, verse-maker, versifier poet, (elit) poetaster, would-be-poet, rhymester

vérség n, blood, race, lineage

vérségi [-ek, -t; adv -en] a, of blood (ut) ; ~ kapocs the tie of kindred, ties of blood (pl)

vérsejt n, blood cell/corpuscle/globule; fehér ~ leucocyte; vörös ~ erythrocyte, red blood cell

vérsejtsüllyedés n, (erythrocyte) sedimentation, [vizsgálati eredmény] erythrocyte sedimentation rate (röv. ESR), (blood-)sedimentation rate, sed rate (fam)

vérsejtsüllyedés-vizsgálat n, sedimentation test

vérsejtszámlálás n, blood-count

versel [-t, -jen] vi/vt, write poetry/verse, versify, rhyme, (iron) dabble in verse-making

verselés n, 1. [cselekedet] versification 2. [verstan] metrics, prosody; hangsúlyos ~ accentual versification, metre based on stress; időmértékes ~ metrical versification, metre based on quantity

verselget vi, write (some) verses/poetry (now and then)

verselmény n, (biz) inferior piece of poetry (stand.)

verselő n, poet, (kissé elit) verse-maker, versifier, (elit) poetaster, rhymester, rhymer

verseng [-(e)ni, -tem, -ett, -jen] vi, (vkvel vmért) compete, contend, contest, strive (with sy for sg), (vkvel) rival, emulate (sy), (vkvel vmben) vie (with sy in sg); vk kegyelért ~ be anxious to get into favour with, curry favour with

versengés n, competition, contention (for), contest, rivalry (between), emulation, concurrence; békés ~ peaceful competition

versengő [-t, -je; adv -en] I. a, rival, competing, contesting, in competition/emulation (ut), vying II. n, competitor (for), [jelölt vmre] candidate (for sg), rival

verseny [-ek, -t, -e] n, 1. (ált) competition, contest, [versengés] contention, rivalry, emulation; fegyverkezési ~ armaments race; öldöklő ~ cut-throat (v. breakneck) competition; szabad ~ free competition; szocialista ~ socialist emulation; tökéletlen ~ imperfect competition; ~ben áll vkvel compete, rival, vie (with), (pol) be in socialist emulation with sy; ~en kívül (vm) beyond competition (ut), hors concours (fr), (vk) not competing; ~re kel vkvel enter into competition with sy; felveszi/kiállja vkvel vmben a ~t be a match for sy at sg, rival sy in sg; ~t tanulnak they outvie each other in studying 2. [atlétikai] athletic meet(ing), match, [gyorsasági] race, [ló] racing, [sakk, tenisz] tournament; kieséses ~ elimination tournament; válogató ~ eliminating/preliminary heat , (kárty) trial (game); első díjat nyer atlétikai ~en get/win (v. carry off) the first prize at an athletic meeting; ~eken szerepel play in tournaments, take part in tournaments; ~t fut vkvel (run a) race with sy, compete with sy; fussunk ~t! I'll race you 3. [üzleti] competition; éles ~ keen competition; tisztességtelen ~ unfair competition; minden ~t kibír defy all competition

versenyár n, cut-rate price

versenyautó n, racing car, racer

versenybíró n, (sp) umpire, judge, [boksz] referee, [zsűritag] member of the jury

versenybíróság n, (sp) tournament/games committee, [evezésben] racing committee, [tornában] judges (pl)

versenybizottság n, 1. (ált) jury, (pol) ⟨committee for the administration and evaluation of socialist emulation⟩, (kb) emulation committee 2. (sp) = = versenybíróság versenybridzs n, tournament bridge, duplicate tournament

versenycirkáló n, (hajó) racing yacht, race-about

versenycsapat n, (kárty) competitive team

versenycsónak n, race boat, racer

versenydíj n, (sp) prize, [kupa] cup, [plakett] plate

versenyegér n, (áll) gerbille (Gerbillus)

versenyellenes a, anti-competitive

versenyeredmény n, (sp) score, (pol) achievement in socialist emulation; ~ek sports results, (pol) emulation results

versenyértekezlet n, (socialist) emulation conference/meeting

versenyez [-tem, .. nyzett, -zen] vi, 1. (vkvel vmért) compete, contend (with sy for sg), (sp) participate (v. take part) in a contest/match/tournament, run, race, oppose; futásban ~ vkvel run a race with sy; egymással ~ve in contest (v. vying) with each other (for sg), outdoing each other (in sg) 2. [vkvel munkában] emulate, vie (with), rival, (vm vmvel átv) compare (with); ~het vele be a match for, compare favourably with; nem ~het vele be no match for, be not fit to hold a candle to, be not a patch on, cannot be compared with

versenyfejes n, racing dive/plunge

versenyfelhívás n, announcement of social emulation

versenyfeltétel n, competition/emulation conditions/terms (pl)

versenyfutam n, heat (of a race)

versenyfutás n, 1. foot/spring-race, racing; 400 m-es ~ 400 metres race 2. (átv) race; ~ az idővel race against time

versenyfutó n, (sp) runner, racer, [rövid távon] sprinter

versenygép n, racer, [kerékpár] racing cycle, [autó] racing car

versenyhajó n, race boat, racer

versenyintézőség n, organizing committee (of a sports event)

versenyiroda n, 1. [lóverseny] betting office 2. (kb) local administration office for socialist emulation

versenyistálló n, racing-stable/stud; ~t tart keep a racing-stable

versenyistálló-tulajdonos n, owner of racing-horses, horse-owner/racer

versenyjacht n, racing yacht, racer

versenyjáték n, (sp) (racing) tournament

versenyjátékos n, match-player, tournament player, [bajnok] champion

versenyjelentés n, (periodical) report on the progress of social emulation

versenyképes a, [ár] competitive, [áru] marketable

versenyképesség n, competitiveness, competitive superiority

versenyképtelen a, non-competitive, out of the running (ut)

versenykerékpár n, (road-)racer

versenykihívás n, challenge to socialist emulation

versenykiírás n, 1. (ker) invitation of tenders for . . . 2. (sp) announcement of competition/tournament

versenykocsi n, [autó] racing car, racer, [római] chariot (for racing)

versenykormány n, [kerékpáré] racing handlebar

versenylázban n, eagerness to compete

versenylicit n, (kárty) competitive bidding

versenyló n, race-horse, racer, runner

versenylovaglás n, 1. [esemény] horse-race, riding contest 2. [részvétel] riding in horse races

versenylovas n, rider of horses in races, jockey

versenylövészet n, rifle/shooting-match, shooting contest, prize shooting

versenymotor n, racing engine, engine for racing contests, engine of a racer (v. racing car)

versenymotorcsónak n speed-boat

versenymozgalom n, (socialist) emulation/competition movement

versenymű n, (zene) concerto

versenynaptár n, sports/sporting calendar, calendar of sports events, [lóverseny] racing calendar

versenyóra n, stop watch, chronometer

versenypálya n, [atlétikai] field, race ground, racing track, [lóverseny] race-course, [motorosoknak] speed track, speedway, [terepen] race track

versenypályázat n, competition

versenypályázó n, competitor, entrant, [nő] competitress

versenyparipa n, = versenyló

versenypont n, 1. item 2. [szabály] ~ok rules 3. [versenyen elért] point

versenyrendezőség n, organizing committee of race/competition

versenyrepülés n, air-race

versenyszabályok n. pl, rules and regulations (at/of a competition/tournament)

versenyszakosztály n, competitive section

versenyszám n, event

versenyszellem n, competitive spirit, the spirit of emulation

versenyszerűen adv, ~ foglalkozik egy sporttal take (regularly) part in sporting contests, engage in sporting events (v. matches), pursue some sport competitively

versenyszerződés n, emulation contract, socialist competition agreement

versenytábla n, (socialist) emulation/competition board

versenytárgyalás n, (ker) competitive bidding; nyilvános ~ útján ad ki give out in (v. put up for) public tender; ~ra ajánlatot tesz make (v. put/send in) a tender; ~t hirdet publish an invitation of tenders, invite tenders for a piece of work

versenytárgyalási a, ~ ajánlat zárt borítékban tender in sealed envelope; ~ felhívás call for tenders

versenytárgyalás-kihirdetés n, calling for tenders, invitation of tenders

versenytárs n, (fellow) competitor, rival, emulator, [nő] competitress; Péter Pálnak komoly ~a Peter runs Paul close/hard; neki nincs ~a he has no rival/match, he is unrivalled, you will not easily find his peer; ~at utolér catch up with a competitor

versenytér n, = versenypálya

versenyterv n, emulation/competition plan

versenytilalom n, (sp) prohibition from participation in races (v. sporting contests)

versenyugrás n, [atlétika] jump(ing) (at an athletic meeting), [műugrás] fancy diving

versenyúszás n, 1. [esemény] swimming-race/contest 2. [stílus] racing stroke

versenyúszó n, (race) swimmer

versenyuszoda n, swimming-pool

versenyvitorla n, spinnaker

versenyvitorlás n, yacht racer, racing yacht

versenyvizsga n, competitive examination

versenyzés n, engagement/participation in races/competitions/contests/tournaments, racing, competition

versenyző [-t, -je; adv - en] I. a, competing, contesting, (sp) racing, running (in a race), rival II. n, contestant, competitor, emulator, [nő] competitress, [futó] racer, runner, sprinter, [autós] racing driver, racer

vérsérv n, haematocele

verses [-et; adv -en] a, (written) in verse (ut), verse-, rhyming, [krónika] rhymed, versified; ~ alakban in verse; ~ dráma [ötös jambusban] blank verse drama;

~ *elbeszélés* story (written) in verse, narrative poem; ~ *regény* = versregény; ~ *vigjáték* comedy in verse

verse skönyv *n*, book of verses, volume of poetry, collection of poems, *[régibb]* song-book, *[gyűjteményes]* anthology

versezet *n*, = versforma

versfaragás *n*, = verscsinálás

versfaragó *n*, rhymester, rhymer, would-be-poet, poetaster, weaver of rhymes

versforma *n*, metrical form/structure, versification

versfő *n*, initial (letter) of a verse; *nevét a ~kbe rejtette* his name may be read in the initial letters of the lines of his poem

versgyűjtemény *n*, collection of poems, *[régibb]* song-book, *[több írótól]* anthology (of poems/poetry/verses)

versidom *n*, = versalak

versike *n*, little verse

versírás *n*, versification, composition/writing of verses, poetry

versíró *n*, writer of verses, versifier, poet

verskötet *n*, = verseskönyv

versláb *n*, (metrical) foot *(pl* feet)

versmérték *n*, metre, (poetic) measure, scansion, rhythm, meter *(US) ; ~ben* metrically

versmondás *n*, poetry recitation, recitation of poetry

versmondat *n*, verse paragraph

versnem *n*, kind of verse, metre

verspár *n*, couplet, *[klasszikus]* distich

vérspecialista *n*, h(a)ematologist

versregény *n*, novel in verse, *[középkori]* metrical romance

verssor *n*, verse, line (of poetry,)

versszak *n*, *[költeményé]* stanza *[éneké* [verse, *[görög kardalé]* strophe

versszakos *a*, stanzaed, stanzaic, strophic(al), consisting of stanzas/strophes *(ut)*

versszerző *n*, = versíró

verstan *n*, prosody, metrics

verstanilag *adv*, prosodically, metrically

verstechnika *n*, versification, treatment/technique of the verse, metrical skill

verstöltelék *n*, padding (in line of verse), make-rhyme, expletive (word)

vérsüllyedés *n* = vérsejtsüllyedés

vérszegény *a/n*, **1.** bloodless, an(a)emic (person), exsanguine **2.** *[stílus]* enervate, flat, dull, tenuous

vérszegénység *n*, an(a)emia, lack/deficiency of blood, *[klorotiszes]* chlorosis, green-sickness; *ólommérgezéses* ~ lead an(a)emia; *sugárzásos* ~ radiation an(a)emia, roentgen-ray an(a)emia; *terhességi* ~ an(a)emia of pregnancy; *vashiányos* ~ iron-deficiency abscess; *vészes* ~ pernicious/Addison's an(a)emia, leukaemia

vérszemet kap become/grow bold, make so bold as to . . .

vérszérum *n*, blood-serum/plasma

vérszerződés *n*, compact sealed with blood

vérszín I. *a*, = vérszínű; II. *n*, colour of blood, blood red

vérszínű *a*, blood-coloured/red, of the colour of blood *(ut)*, red as blood *(ut)*, sanguineous

vérszivárgás *n*, oozing of blood

vérszívó *a*, = vérszopó

vérszomj *n*, bloodthirst, bloodlust, desire for shedding blood

vérszomjas *a*, bloodthirsty, bloodlusting, eager to shed blood *(ut)* sanguinary, cruel, murderous, tigerish, fell *(ref.)*

vérszomjasság *n*, = vérszomj

vérszopó I. *a*, *(átv is)* blood-sucking, *(átv)* hard and exacting II. *n*, *(term, átv)* blood-sucker, *[uzsorás]* extortioner

verszt [-et, -je] *a/n*, verst

vert [-et; *adv* -en] *a*, **1.** *[arany]* beaten, *[érem]* truck, *[pénz]* coined, *[vas]* wrought, hammered; ~ *csipke* pillow/bobbin lace; ~ *fal* mud/cob wall, pisé *(fr)*, ~ *föld* beaten earth **2.** *[legyőzött]* defeated, vanquished; ~ *sereg* beaten army

vért [-et, -je] *n*, armour, harness, *[mell]* cuirasse, breast-plate, *[teljes]* suit of armour, *[állaté]* mail, *[hajóé]* armour(-plating)

vértagadó *n*, disowning/disclaiming relationship *(ut)* *(átv)* disloyal

vértan *n*, h(a)ematology

vértanú *n*, martyr; ~*t csinál vkből* martyrize

vértanúhalál *n*, martyr's death, martyrdom; ~*t hal* *[egy ügyért]* die a martyr (in/to a cause)

vértanúi *a*, like a martyr *(ut)*, a martyr's

vértanúság *n*, martyrdom; ~*ot szenved egy ügyért* die a martyr in/to a cause

vértelen *a*, **1.** bloodless, exsanguine, *(orv)* isch(a)emic; ~ *arc* pale/wan face; ~ *forradalom* bloodless revolution, revolution without bloodshed **2.** = vérszegény **2.**

vértelenség *n*, bloodlessness; *helyi* ~ *(orv)* isch(a)emia

vértenger *n*, sea of blood, streams of blood *(pl)*

vértes [-ek, -t; *adv* -en] I. *a*, armoured, cuirassed *[hajó]* armour-plated; ~ *katona* cuirassier II. *(kat)* cuirassier

Vértes [-t, -ben] *prop*, Vértes (mountain range in Western Hungary)

vértesezred *n*, regiment of cuirassiers

vértestecske *n*, *(orv)* blood corpuscle/cell/globule/disk

vértestvér *n*, blood-brother/sister, full brother/sister

vértett *n*, † bloody deed/act *(stand.)*, (crime of) murder *(stand.)*

vértetű *n*, *(áll)* schizoneura lanigera, woolly aphid *(Eriosoma lanigerum)*

vértez [-tem, -ett, -zen] *vt*, **1.** *[harcost]* supply (sy) with a cuirasse, put armour on, arm with mail, *[hajót]* armour(-plate) **2.** *(átv)* arm; ~*i magát vm ellen* steel/arm oneself against sg

vértezet *n*, armour, mail, *[hajóé]* armour(-plating)

vértezett [-et; *adv* -en] *a*, **1.** = vértes I.; **2.** *(átv)* steeled (against), hardened (against), immune (to)

vértfedélzet *n*, protection-deck

vertikális [-ok, -t, -a; *adv* -an] I. *a*, vertical, perpendicular, upright, plumb II. *n*, vertical

vértisztítás *n*, cleansing of blood, depuration of blood

vértisztító I. *a*, blood-purifying/cleansing II. *n* blood-cleanser, depurant

vértócsa *n*, pool of blood

vértolulás *n*, hot flush, congestion, engorgement, *(orv)* active hyper(a)emia; ~*t megszüntet* relieve congestion; ~*t okoz* congest

vértolulásos [-at] *a*, congestive, engorged with blood

vértörvényszék *n*, † *(kb)* martial law court, *(tört)* vehmic/hanging court, Bloody Assizes *(pl) (GB)*

vérű [-ek, -t; *adv* -en] *a*, (of) blood, -blooded, having . . . blood/temperament *(ut)*

vérvád *n*, charge of using (children's) blood in religious rites, charge of (religious/ritual) murder

vérvesztes *n*, = vérveszteség

vérveszteség *n*, **1.** loss of blood **2.** *[háborúban]* losses in human life *(pl)*, (war-)losses *(pl)*, casualties *(pl)*

vérvétel *n*, taking/drawing of blood (from sy for a test), bleeding

vérvizelés *n*, h(a)ematuria, *(áll)* redwater murrain, *[igével]* pass blood with the urine

vérvizsgálat *n*, blood-test, examination of blood

vérvizsgálati *a*, of a blood-test *(ut)*, blood test

vérvörös *a*, blood-red, (as) red as blood, incarnadine, sanguineous, sanguinaceous

verzál [-ok, -t, -ja] *n*, = verzális

verzális [-ok, -t, -a] *n*, capital letter, upper case

verzátus *a*, † *(vmben)* well versed/experienced/practised, well up (in sg), versed in sg)*(mind: stand.)*

vérzékeny [-ek, -t; *adv* -en] *a*, h(a)emophilic, *[igével]* bleed easily; ~ *ember* bleeder *(fam)*

vérzékenység *n*, h(a)emophilia, h(a)emophily, h(a)emorrhagic diathesis, bleeder's disease, Christmas disease

vérzés *n*, 1. bleeding, *(tud)* h(a)emorrhage; *belső* ~ internal h(a)emorrhage; *funkcionális* ~ endocrinopathic bleeding; *megállítja a* ~*t* arrest bleeding 2. *[havi]* menstruation, menses *(pl)*, monthlies *(pl)* *(fam)*

vérzéscsillapítás *n*, checking bleeding, control/arrest of a h(a)emorrhage, h(a)emostasis

vérzéscsillapító I. *a*, blood-stanching/clotting, h(a)emostatic, (haemo)styptic II. *n*, blood-clotting agent, coagulant, astringent, styptic, h(a)emostatic

vérzéselállító I. *a*, blood-clotting II. *n*, blood-clotting agent, coagulant, astringent, *[borbélyé]* styptic pencil

vérzéses [-et] *a*, *erős* ~ menorrhagic

vérzési [-t] *a*, ~ *idő* bleeding time; ~ *idő meghatározása* bleeding time test

vérz|ik [-eni, véreztem, -ett, vérezzen, vérezzék] *vi*, bleed, shed blood; *erősen* ~*ik* bleed freely; ~*ik az orra* his nose is bleeding, he is bleeding at/from the nose; ~*ik a szívem ha ...* it makes my heart bleed when ...

verzió [-t, -ja] *n*, version, reading

verző [-t, -ja] *n*, verso, back of the page

vérző [-t; *adv*-n] *a*, bleeding; ~ *seb* bleeding/raw wound; ~ *szívvel* with a bleeding heart

vés [-tem, -ett, -sen] *vt/vi*, 1. chisel, cut, (en)grave, *[fát]* carve, *[fémet]* chase, *[szobrot]* sculpture; *fogat* ~ resect a tooth; *márványba betűket* ~ engrave letters on marble 2. *szívébe/emlékezetébe* ~ impress sg on sy's/one's mind; ~*d (jól) az agyadba/lelkedbe* put it deep *(v.* get it thoroughly) in(to) your mind, burn this into your memory

vese [.. ét] *n*, 1. kidney, the reins *(pl) (obs) ;* ~ *alakú* kidney-shaped, *(term)* reniform; *az egyik* ~ *eltávolítása* nephrectomy; ~ *rögzítése [műtéttel]* nephropexis; *vesén átáramló vérmennyiség* renal blood flow 2. ~ *velővel* kidney and brains 3. *belelát vk veséjébe* have a clear insight into sy's character, guess sy's secret intentions; *vesékig hat* pierce to the marrow

vesebaj *n*, renal/kidney disease, disease of the kidneys, kidney trouble/involvement, nephrosis, nephropathy

vesebajos I. *a*, suffering from a renal disease *(ut)*, *[eredet, szimptóma]* nephropathic, nephritic II. *n*, nephropathic/nephritic patient

vesebántalom *n*, = **vesebaj**

vesecsatorna *n*, uriniferous tubule

vesedaganat *n*, renal tumor, tumor of the kidney, nephroma

veseelégtelenség *n*, renal insufficiency

veseérc *n*, *(ásv)* kidney-ore

vesefájás *n*, kidney pain, pain in the kidneys, nephralgia

vesefőveny *n*, = **vesehomok**

vesefunkció *n*, renal function

vesefunkciós *a*, ~ *próba* test for renal function

vesegörcs *n*, renal colic

vesegyulladás *n*, inflammation of the kidney, nephritis; *heveny* ~ acute nephritis

vesegyulladásos *a*, nephritic

vesehártya-gyulladás endonephritis

vesehomok *n*, gravel, urinal/urinary sand, microlith

vesekehely *n*, calix

vesekéreg *n*, renal cortex

veseklrtás *n*, excision/removal of the/a kidney, nephrectomy

vesekő *n*, (kidney) stone, stone in the kidney, renal

stone, calculus, nephrolith, *[betegség]* nephrolithiasis; ~*vel operál vkt* operate sy for (kidney) stone *(fam)*, remove a calculus from the kidney

vesekőműtét *n*, = **vesekő-operáció**; ~*et végez* perform an operation for nephrolithiasis, perform nephrolithotomy

vesekő-operáció *n*, nephrolithotomy, lithonephrotomy, *[igével]* operate for stone *(fam)*

veseköves *a*, calculous

veseküszöb *n*, renal threshold

veselob *n*, nephritis

vesemedence *n*, pelvis of the kidney, renal pelvis, pyelum, bassinet

vesemedence-gyulladás *n*, inflammation of the pelvis of the kidney, pyelitis, nephropyelitis, pyelonephritis

veseműködés *n*, renal function; *rendellenes* ~ renal inadequacy

vesepecsenye *n*, *[marhából]* (sir)loin, rumpsteak, inside steak, tenderloin *(US)*

vesepecsenye-szelet *n*, loin-chop

veserák *n*, carcinoma/cancer of (the) kidney(s)

vésés *n*, 1. *[folyamata]* chiselling, carving, cutting, (stone/wood-)engraving, *(orv)* resection 2. *[eredménye]* carving, engraving

vesesérv *n*, nephrocele

véset *n*, engraving, carving

vesetágulás *n*, nephrectasia

vesetáj *n*, region of the kidneys, renal region, small of the back *(fam)*

vesetáji *a*, ~ *fájdalom* nephralgia

vesetisztító *a*/*n*, diuretic

vésett [-et; *adv* -en] *a*, chisel(l)ed, carved, cut, chased, tooled, *[kő]* engraved; ~ *kép* graven image

vesetuberkulózis *n*, tuberculosis of the kidney(s), nephrotuberculosis, nephrophthisis

vesetubulus *n*, renal tubule

vesevelő *n*, kidney and brains *(pl)*

veseverőér *n*, renal artery

vesevérzés *n*, nephremorrhagia, nephrorrhagia, renal h(a)emorrhage/apoplexy, bleeding from a kidney

vesevezető *n*, ureter

veséz [-tem, -ett, -zen] *vt*, *(vkt)* discuss sy's shortcomings maliciously (in his absence)

vesezsugor *n*, = **vesezsugorodás**

vesezsugorodás *n*, cirrhosis of the kidney, granular/ contracted kidney, Bright's disease, nephrocirrhosis, nephrosclerosis

vésnök [-öt, -e] *n*, (en)graver, carver (on sg), etcher, burinist

vésnökszerszám (en)graving-tool

véső [-t, -je] I. *n*, 1. *(ált)* chisel, *[vésnöké]* burin, graver; *hegyes* ~ centre/hand punch; *lapos* ~ flat chisel; *völgyelő* ~ turning-chisel 2. = **vésnök**; II. *a*, chisel(l)ing

vésőd|ik [-tem, -ött, -jön, -jék] *vi*, 1. *(vmbe)* become engraved (on sg) 2. *(átv)* become fixed (in sg), be-(come) impressed (on sg); *vk emlékezetébe* ~*ik* be impressed/imprinted on sy's/the memory, sink into sy's mind/memory

vésőgép *n*, slotter, mortising/slotting machine, *[dombormúmunkához]* embossing punch

vésőtű *n*, burin, style, graver, etching/engraving needle

vesz¹ [venni, -ek, vettem, vegyek, végy, vegyen, vegyed, veddl *vt*, 1. *[megfog]* take; *kezébe* ~ *vmt* take sg in one's hand; ~*i a kalapját* he takes his hat; *vette a kalapját és kabátját és kiment* he collected his hat and coat and went out; *végy két tojást ...* take 2 eggs...; ~ *a tálból* take a helping, *[másodszor]* take a second helping; *végy belőle!* take/have some!, *[udvariasabban]* help yourself; *végy amit akarsz* take what you like; *vettem a burgonyából*

I helped myself to potatoes 2. *[vmt, vmből, vhonnan merít]* take sg out of sg, take sg from sg, *[erőt, vizet]* draw from, *[gondolatot]* take, derive, borrow, crib (from) *(fam)*, *[vigaszt]* derive (from); *edénybe vizet* ~ catch water in a vessel; *honnan vetted?* where did you get it from?, where do you take it from?, what is your authority for that?; *honnan vetted ezt? [gondolatot]* where did you get that idea? 3.*[vásárol]* buy, purchase, take, get; ~ *vmt vknek* buy sg for sy; *jegyet* ~ buy/take a ticket, *[előre]* book a ticket; *könyvet* ~ *[drágán]* buy a book (dear); *ezt* ~*em* I'll have this; *az esti lapokat nagyon sokan* ~*ik* the circulation of the evening papers is very great; *(úgy)* ~*ik mint a cukrot* be snapped up like hot cakes, it sells like hot cakes; *nem igen* ~*ik [= nem kelendő]* it does not sell; *száz forintból sokat lehet venni* one/you can buy much *(v.* a lot) with a hundred forints, a hundred forints go a long way 4. *[rádión]* receive, pick up, tune in, *[másnak szánt adást]* intercept 5. *[levelet]* receive, get; *vettem f. hó 5-én kelt becses levelét* we are in receipt of your favour of the 5th (inst.), your favour of the 5th inst. to hand 6. *[vkt/vmt tekint vmnek]* consider, deem (sy/sg sg), regard (sy/sg as sg), (ac)count (sy sg); *jó jelnek* ~ take sg as a good omen; *bizonyosra* ~*i* look on it as a certainty, take (it) for granted, take it for a dead cert ◆ 7. *[valahogyan fogad/kezel]* accept as; *komolyan* ~ *vmt* take sy/sg seriously; *szigorúan* ~ *vmt* observe sg scrupulously *(v.* to the letter); *semmibe/kutyába se* ~ *vmt* ignore sg, set sg at naught, slight sg, not to care tuppence *(v.* a fig/rap for sg; *zokon/rossz néven* ~ *vmt* take amiss, take offence at, be nettled by; *könnyen* ~*i* he takes things easy, he makes very light of the matter; *úgy* ~*i az életet ahogy van* take things as they are, take things as one finds them *(v.* as they fall out), take the rough with the smooth; *úgy kell venni a dolgokat amilyenek* we must take things as we find them; *sikerült a dolog?* — *ahogy vesszük!* was it a success?—it all depends! 8. *[más kifejezések]* *bérbe* ~ *vmt* hire, *[földet]* take a lease of, *[házat]* rent; *birtokba* ~ *vmt* take possession of sg; *búcsút* ~ *vktől* take leave of sy; *egészben véve* (up)on the whole, as a whole, taken all in all; *erőt* ~ *vmn* overcome sg; *erőt* ~ *magán* restrain/check/curb oneself; *fejébe* ~ *vmt* take sg into one's head; *fejét* ~*i vknek* behead sy; *fontolóra* ~ *vmt* consider sg, think sg over, weigh sg, ponder sg; *fürdőt* ~ take a bath; ~*i a gátat (sp)* take the hurdle; *gyanúba* ~ *vkt* throw suspicion on sy, suspect sy (of sg); *hasznát* ~*i vmnek* make use of sg, *(átv)* reap/derive benefit/advantage from sg; *jó néven* ~ be pleased by; *a kocsi jól* ~*i az emelkedést* this car is a good climber; ~*i a kanyart* make/take/ negotiate the bend/curve, take a corner; *(vagy)* *vegyük a nyelvtanulás kérdését* (or let us) consider (the problem of) language-learning; *köszönettel* ~ receive with thanks, be grateful for; *lélegzetet vesz* take breath; *magában véve* by/in itself, in and for itself; *magához* ~ *(vmt)* take possession of, take over, pocket, *(vkt)* take sy to live with one, take sy in, *[gyereket]* put up (child); *magára* ~ *vmt [feladatot]* engage/undertake to do sg, *[felelősséget]* assume responsibility (for), *[célzást]* take the hint, *[ruhát]* put on, *[szoknyát]* slip on/over; ~*i magának a fáradságot (hogy . .)* take trouble (to do sg), go to the trouble (of . . .); *munkába* ~ *vmt* take (a piece of work) in hand; *neszét* ~*i vmnek* get wind of sg; *nőül* ~ marry, wed, take sy as one's wife; *oltalmába* ~ *vkt* take sy under one's protection/shelter/wing; *(orosz)órákat* ~ take lessons (in Russian); *példát* ~ *róla* take sy as an example, follow sy's example, take a leaf out of sy's book; *szemügyre* ~ *vmt* examine, scrutinize,

take/have a look at; *szívére* ~ *vmt* take sg to heart; *szorosan véve* strictly speaking, to be exact; *tudomásul* ~ take note of sg, *(jog)* take cognizance of sg; *nem* ~*i tudomásul hibáját* he takes no notice of her fault; *vegye tudomásul hogy . . .* I would have you know that . . .; *üldözőbe* ~ start out *(v.* go off) in pursuit of; *vért* ~ *vktől* bleed sy, take/draw blood from

vesz² *[-tem, -ett, vesszen]* *vi,* be/get lost, perish, be destroyed, *[hang, szín]* fade away, *[hajó]* be wrecked/ lost; *a messzeségbe* ~ *tekintete* let one's eye roam in the distance, his eyes sweep the horizon; *éhen* ~ die of hunger/famine/want, starve to death; *felhőkbe* ~ be lost in clouds, be lost/hidden in the mist, disappear in the mist, *[hegy]* loom through the mist; *tengerbe* ~ *(vk)* be drowned at sea; *több is* ~*ett Mohácsnál! (kb)* it could/might have been worse; *minden pénze ott* ~*ett (azon az üzleten)* he lost all his money (on that business); ~*ni hagy* leave to (one's) fate; ~*ve van* he is done for *(fam)*

vész¹ [veszni, vesztem, veszett, vesszen] † *vi,* = **vesz²**

vész² [-ek, -t, -e] *n.* 1. *[járvány]* plague, pestilence, disease 2. *[vihar]* tempest, (thunder-)storm 3. *[baj]* disaster, catastrophe, calamity; ~*t sejt* have evil forebodings, scent disaster; *szembeszáll a vésszel* face/oppose a storm, take the bull by the horns; *a mohácsi* ~ the Mohács Disaster, the Rout at Mohács (in 1526 marking the beginning of the 160 year long Turkish rule in Hungary)

vészbíró *n, (kb)* martial law-court judge

vészbíróság *n, (kb)* martial law court, *(tört)* vehmic court, Bloody Assizes *(pl) (GB)*

vészcsap *n,* fire hydrant, safety-tap

vészcsengő *n,* alarm bell, tocsin, *[hajón]* rattler, *[betörő-ellen]* burglar-alarm

veszedelem [. . lmet, . . lme] *n,* danger, peril, jeopardy *(ref.),* *[rizikó]* risk, hazard; ~*be sodor/dönt/ejt vkt/ vmt* endanger/jeopardize/imperil sy/sg; ~*ben forog* be in danger; *halálos* ~*ben van* be in danger/peril of death *(v.* of one's life); *tele van veszedelmekkel* be fraught with peril

veszedelmes [-et; *adv* -en] *a,* dangerous, danger--fraught, perilous, *[kockázatos]* risky, hazardous, *[életmód]* precarious, *[hely]* unsafe, *[helyzet]* critical; ~ *ember* dangerous man; ~ *vállalkozás* dangerous enterprise, risky business *(fam);* *nem olyan* ~ *a dolog* that is not so bad after all, *[vkvel kapcsolatban]* his bark is worse than his bite

veszedelmesen *adv,* dangerously

veszedelmesség *n,* danger, dangerous nature/character (of)

vészedzett *a,* strengthened in *(v.* inured to) danger

veszejt [-eni, -ett, -sen] *vt, (vkt vmbe)* let sy perish in sg; *vízbe* ~ *vkt* drown sy

veszekedés *n,* quarel(ling), fray, altercation, dispute, disagreement, row, wrangle, jangle, bickering *(fam),* squabble, *(fam),* tiff *(fam)*

veszekedett [-et; *adv* -en] *a,* 1. wild 2. fantastic 3. *nincs egy* ~ *garasa sem* has not got a penny to bless oneself with

veszekedetten *adv,* [= *erősen]* viciously

veszeked|ik [-tem, -ett, -jen, -jék] *vi, [vkvel vm miatt]* squabble/quarrel/wrangle with sy over/about sg, fall out with sy, have words with sy, bicker, come to *(v.* be) at loggerheads with sy, be at odds with sy, row with sy *(fam);* *folyton* ~*nek* they are forever quarrelling

veszekedő [-t; *adv* -en] I. *a,* 1. *[éppen veszekedik]* quarrelling 2. = **veszekedős**; II. *n,* quarreller, wrangler, *[nő]* scold, shrew, nagger, termagant

veszekedős [-ek, -t; *adv* -en] *a,* quarrelsome, petulant, pugnacious, disputatious, cantankerous, contentious, contrary, shrewish, nagging; ~ *természet* cantankerousness, quarrelsomeness, shrewishness

veszeksz|ik *vi,* = veszekedik

veszély [-ek, -t, -e] *n,* danger, peril, jeopardy *(ref.),* *[kockázat]* risk, hazard; *ezer* ~ a hundred and one dangers; *háborús* ~ danger of war; *tengeri* ~ *(ker)* perils of the sea *(pl);* ~ *esetén* if in danger, in case of emergency; *minden* ~ *esetére biztositva* insured against all risks; ~ *fenyeget* there is danger ahead; *az a* ~ *fenyegeti (hogy)* he is in (the) danger (of ... -ing); ~ *idején* in the hour of peril; *vkt* ~*be sodor* plunge/involve sy in danger, drag/rush sy into danger; ~*ben van/forog* be in danger/jeopardy; *élete* ~*ben van/forog* one's life is in danger, be in terror of one's life; *túl van a* ~*en* be out of danger, be beyond/past danger; *még nincs túl a* ~*en* be not out of danger yet, be still on the danger list, be not out of the wood yet; ~*nek teszi ki magát* expose oneself to danger, ride for a fall, put oneself in a risk; *kockázatára és* ~*ére* at risk and peril; *a tulajdonos* ~*ére és költségére (ker)* at owner's risk and expense/cost; *saját* ~*ére* at one's own risk; *elhárítja a* ~*t* avert/ divert danger, ward/stave off danger; *kihívja a* ~*t* court danger; *kikerüli a* ~*t* avoid danger; *veszéllyel jár* be risky, be fraught with peril/dangers; *azzal a veszéllyel jár (hogy)* it involves the risk/danger (of); *ezzel a veszéllyel számolni kell* this danger is to be reckoned with

veszélyes [-et; *adv* -en] *a,* dangerous, perilous, precarious, fraught with danger *(ut),* parlous *(ref.),* *[kockázatos]* risky, hazardous, venturesome, *[bizonytalan]* unsafe, insecure, *[válságos]* critical; ~ *áru* dangerous/hazardous goods; ~ *ellenfél* dangerous opponent; ~ *gázmennyiség* intolerable concentration; ~ *időszak (orv)* danger period; ~ *műtét* capital/major operation; ~ *pont [vasúti keresztezés]* fouling point; ~ *tengerpart* foul coast; ~ *területen mozog (átv)* skate over thin ice; ~ *utazás* dangerous journey; *kihajolni* ~ *(vasút)* do not lean out of the window

veszélyesség *n,* = veszedelmesség

veszélyességi *a,* ~ *pótlék* danger money/bonus, bonus for dangerous work, bonus for work harmful to health

veszélyeztet *vt,* endanger, (im)peril, *[eredményt]* jeopardize, *[fenyeget]* threaten (to destroy), menace, *[kockázat]* risk, hazard, *[utat]* make unsafe; *élete* ~*ve van* his life is in danger, *[most fenyegetik]* he is in terror of his life; *egészségét* ~*i* expose one's health to danger; *érdekeit* ~*i* endanger/jeopardize sy's interests; ~*i a közbiztonságot* be a threat to public security

veszélyeztetés *n,* endangering, endangerment, imperilling, imperilment, *[eredményé]* jeopardizing, *[kockáztatás]* hazard, risk; *élet vagy testi épség* ~*e* endangering of life or body; *élete* ~*ével* at the risk of his life

veszélyeztetett [-et; *adv* -en] *a,* endangered, imperilled, *[fenyegetett]* threatened, *[bizonytalan]* unsafe, insecure; ~ *terület* danger zone

veszélyosztály *n,* class of risk

veszélytelen *a,* safe, secure, not dangerous, harmless; *nem teljesen* ~ it is not without its dangers; ~ *műtét* harmless operation

veszélytelenül *adv,* safe(ly), securely

veszélyteljes *a,* dangerous, hazardous, risky, fraught with danger *(ut)*

veszélyzóna *n,* danger zone

veszendő [-ek, -t; *adv* -en] I. *a,* perishable, liable to decay *(ut),* *[pusztuló]* decaying, perishing, *[pusztulásra szánt]* doomed to destruction *(ut);* ~ *lélek* lost soul, soul in distress II. *n,* ~*be megy* be/get lost, be wasted, go to pot ⬧, go down the drain ⬧

vészes [-et; *adv* -en] *a,* 1. *[veszedelmes]* dangerous, *[végzetes]* baleful, fateful, disastrous (to sy), calamitous, *[káros]* pernicious, injurious, hurtful, *[ominózus]* baleful, ominous, of evil omen *(ut),* portending evil *(ut),* *[tekintet]* sinister, threatening, forbidding, *[viharos]* stormy, boisterous; ~ *hatása van vmre* have a baleful influence on sg 2. *(mezőg)* infected with a plague *(ut),* plague-ridden; ~ *vérszegénység* pernicious/Addison's an(a)emia

veszett [-et; *adv* -ül] *a,* 1. *(áll)* mad, rabid, *[dühöngő]* raging, furious; ~ *hírét költi vknek* represent sy as a vicious/depraved character; ~ *kutya* mad/rabid dog; *leütöm mint egy* ~ *kutyát (kb)* I shall knock him down without hesitation/compunction 2. *[féktelen]* ~ *jókedve van* be in high feather/jinks; ~ *vágtatás* wild/mad gallop 3. *[elveszett]* lost; ~ *fejsze nyele (kb)* helve of the lost hatchet, useless object salvaged from a great catastrophe, a crumb of comfort, lost labour, it's no use/good *(fam)*

veszettség *n,* *[állaté]* (canine) madness, *[orv, emberé is]* rabies, hydrophobia, lyssa; ~ *elleni* antihydrophobic, antirabi(eti)c

veszettségi [-ek, -t] *a,* rabi(eti)c, hydrophobic, of *(v.* pertaining to) hydrophobia/rabies/madness *(ut)*

veszettül *adv,* madly, wildly, freely, hell-bent (for sg) *(US);* ~ *ordít* shout like a madman

vészfék *n,* communication cord, emergency brake; *meghúzza a* ~*et* pull the communication cord

vészfény *n,* danger/red light

vészharang *n,* alarm/storm-bell, tocsin

vészhír *n,* alarming (piece of) news, Job's news

vészhozó *a,* baleful, fatal, disastrous

vesz|ik [-tem, -ett, .. esszen] *vi,* = vesz²

veszít [-eni, -ett, -sen] I. *vt,* lose, *[hírnevet]* forfeit, *[külső erő által]* be deprived of, *[végtagot]* suffer the loss of; *fogát* ~*i [ember]* lose one's tooth, *[állat]* cast its tooth; *szeme világát* ~*i* lose one's (eye)sight; *szem elől* ~ lose sight of; *nem* ~ *szem elől* not lose sight of, keep track of, bear in mind; *vért* ~ lose blood; *nem* ~*hetünk semmit* we stand to lose nothing; *csak* ~*eni lehet* there is no winning chance II. *vi,* lose, be a loser; ~ *a cserén* lose *(v.* be out of pocket)* by/on an exchange; *értékben/értékéből* ~ lose in value; *érzékenységéből* ~ *(fényk)* decrease of sensitivity; *kártyán* ~ lose at cards; *egyre jobban* ~ *népszerűségéből* his popularity is on the ebb; *sokat* ~ *[kártyán]* lose heavily; *sebességéből* ~ lose velocity; *súlyból* ~ lose (in) weight; ~ *szépségéből* she is losing her charms; ~ *a színéből* lose colour, fade, *[mosásban]* run in the wash; *ld még* veszt

vészjel *n,* distress/danger/alarm signal, signal at danger, SOS; ~*et ad* sound the alarm

vészjelző I. *a,* signalling distress/alarm *(ut),* *(összet.)* alarm, distress; ~ *csengő* signal alarm bell; ~ *készülék* alarm; ~ *lövés* warning shot, alarm-shot; ~ *rakéta* distress-rocket; ~ *zászló* flag of distress II. *n,* *(vk)* warner, *[készülék]* alarm

vészjósló *a,* ill-boding/omened, threatening, ominous, portentous, sinister, of evil omen *(ut),* baleful; ~ *tekintet* sinister look, *[igével]* look daggers, have a sinister air (about one); ~ *tünetek* ominous symptoms

vészkiáltás *n,* cry of distress/alarm

vészkijárat *n,* emergency exit/door, fire-escape, *(bány)* escape-way, second outlet

vészköd|ik *vi,* = vesződik

vészkürt *n,* siren, rattler, danger horn, *[ködben]* fog-horn

vészmadár *n,* 1. *(term)* stormy/storm-petrel, *[Ausztrália]* alarm bird, *[tengeri]* shearwater *(Puffinus sp.)* 2. *(átv)* harbinger of troubles, bird of ill omen, alarmist, *[pesszimista]* croaker, pessimist

vésznap *n*, ill-fated day, fatal day; day of disaster

vesződés *n*, trouble, pains *(pl)*, labour, struggle, plodding

vesződik [-tem, -ött, -jön, -jék] *vi*, 1. *(vmvel)* struggle (with), bother (about), take trouble/pains (over *v*. to do), *[kérdéssel]* wrestle with (question/problem); *hiába ~ik* have all one's troubles for nothing *(v.* for one's pains); *sokat ~ik (vele) hogy* he takes great pains to, he is sweating away at; *nem érdemes vele ~ni* it is not worth the trouble/candle; *most nem érek ra ezzel ~ni* I can't be bothered with it right now; *ne ~j azzal (hogy)* do not trouble (to) 2. *[nehéz munkát végez]* plod, drudge, toil (and moil)

vesződség *n*, bother, pains *(pl)*, trouble, fatigue, worry botheration *(fam)*; *köszönöm a velem való sok ~ét* thank you for all your troubles on my behalf; *sok ~gel dolgozik* sweat away at one's job; *sok ~gel jár, sok ~et okoz vknek* it gives (one) a lot of trouble, it is an awful nuisance *(fam)*, one has to sweat away at it for very long *(fam)*

vesződséges [-et] *a*, troublesome, irksome, bothersome, vexatious, incommodious, *[feladat]* laborious, hard, toilsome, arduous, painful, difficult, *[munka]* uphill (task)

Veszprém [-et, -ben] *prop*, Veszprém (town in Western Hungary)

vészsip *n*, danger/alarm whistle

vessző [-t, vesszeje] *n*, 1. *[vékony ág]* twig, rod, wand, switch, *(táj)* wattle, *[kosárfonó]* wicker, withe, withy, osier, *[szőlő]* vine-stock/plant, *(növ)* cane, *[puskatisztító]* cleaning rod, *[vízkutató]* divining rod/stick, *[varázslóé]* magician's wand; *~ből font* wicker-woven, woven of wicker *(ut)*; *~ből font bútor* wicker/basket furniture 2. *[megvesszőzéshez]* cane, birch; *~t fut* run the gauntlet.3. *[ékezet]* (grammatical) accent mark, diacritic, *[írásjel]* comma

vesszőcsapás *n*, *[ütés]* cut/stroke with a switch/cane, lash

vesszőfonadék *n*, wickerwork, texture of osiers

vesszőfonás *n*, basket/wicker-work, osiery, *[ipar]* basket-making/trade

vesszőfonat *n*, wicker-work, plait of twigs, withe, *(táj)* wattle, *[sárral betapasztva]* wattle and daub

vesszőfutás *n*, 1. running the gauntlet 2. *(átv)* ordeal

vesszőhüvely *n*, *[lóé, bikáé]* sheath

vesszőkerítés *n*, wattle fence

vesszőkosár *n*, wicker basket

vesszőnyaláb *n*, faggot, bundle of sticks, *[római tört]* fasces *(pl)*

vesszőparipa *n*, 1. *[gyereké]* hobby-horse, gee-gee *(baby talk)*, cock-horse *(baby talk)* 2. *(átv)* hobby, pet subject/hobby, fad; *kedvenc vesszőparipáján lovagol/nyargal* ride one's pet hobby

vesszős [-ök, -t] *a*, *(növ)* virgate

vesszőseprő *n*, brushwood besom

vesszőszerű *a*, *(növ)* virgate

vesszőtermelés *n*, *[fűzfa]* osier culture

vesszőz [-tem, -ött, -zön] *vt*, beat, flog, swish, cane, *[gyermeket]* birch

vesszőzés *n*, beating, flogging, swishing, caning, *[gyermeket]* birching

veszt [-eni, -ett, veszítsen] *vt/vi*, lose; *ld még* **veszít**; *csatát ~* lose a battle; *pört ~* lose a lawsuit; *területet ~* lose ground; *kártyán 5 forintot ~* lose 5 forints at play/cards, be 5 forints to the bad *(fam)*; *nincs ~eni való időnk* we have no time to lose; *sokat ~ettél hogy nem voltál ott* you have missed a lot *(v.* great deal) by your absence; *fejét ~i ijedtében* lose one's head (in the alarm of fear); *türelmét ~i* lose one's patience; *színét ~i* lose colour, fade, *[mosásban]* run in the wash

vesztaszűz *n*, Vestal (Virgin)

veszte [-m, -d, .. tünk, -tek, .. tük] *n*, undoing, ruin(ation), destruction, loss, *[bukás]* downfall; *ez lesz a ~* it will be the ruin(ation)/death of him; *vesztemre* unfortunately for me...; *vesztébe rohan* be heading for ruin/disaster, rush headlong into disaster, be rushing to one's destruction, be on the high road to ruin, court one's ruin, tempt Providence, ride for a fall *(fam)*; *vknek a vesztét akarja* want (to bring about) the ruin/downfall of sy, attempt to ruin sy; *vesztét érzi* have a presentiment of downfall, *[igen jókedvű]* be in high/fine feather; *vesztét okozza vknek* be/prove the ruin of sy

veszteg *adv*, quiet, still, without moving/stirring/budging; *~ marad* remain/stand quite still; *maradj ~!* keep quiet/still(,) will you?

vesztegel [-t, -jen] *vi*, 1. *[áll]* stop, *(hajó)* lie up, *[késlekedik]* tarry, linger behind, idle 2. *[visszatartják]* be held up, be cooling one's heels, *[hajó vesztegzár alatt]* rest under quarantine

vesztegelés *n*, 1. *[állás]* stopping, rest, *[jármüé]* standing, parking, *[úton]* stoppage (of travel), *[késlekedés]* tarrying, *[gépeké]* idling, standstill, *[kiesett idő]* idle hours *(pl)*; *~ költsége (ker)* demurrage (charges) 2. = **vesztegzár**

vesztegelési [-t] *a*, *~ idő (hajó)* days on demurrage

veszteget *vt*, *[fecsérel]* squander, trifle away, *[időt]* waste, fritter away; *semmiségekre ~i a pénzét* spend one's money on trifles; *nem érdemes szót ~ni rá* it is not worth talking/speaking of/about, save your breath!; *nem volt ~ni való időnk* we had no time to waste/spare 2. *[elad]* sell (at a low price); *hogy ~i a búzát?* what do you charge for the wheat? 3. *[megveszteget]* bribe, buy over, oil/grease sy's palm *(fam)*

vesztegetés *n*, bribery, bribing, corrupt practices, graft *(US)*

vesztegetési [-ek, -t] *a*, of *(v.* pertaining to) bribery; *~ összeg* bribe, palm-oil *(fam)*

vesztegető [-t, -je; *adv* -en] I. *a*, 1. *[vk pénzzel]* bribing, corruptive, *(vm)* given as a bribe *(ut)* 2. *[fecsérlő]* squandering II. *n*, briber

veszteglés *n*, = **vesztegelés** 1.

veszteglő [-ek, -t; *adv* -en] *a*, stopping, *[jármű utcán]* standing, parking, *[késlekedő]* tarrying; *~ hajó [vesztegzár alatt]* vessel held in quarantine, *[szélcsend miatt]* becalmed *(v.* weather-bound) ship

vesztegzár *n*, quarantine; *~ alá helyez [hajót, utast]* quarantine; *~ alatt van* be in quarantine

vesztegzár-állomás *n*, quarantine(-station)

vesztegzár-igazolvány *n*, quarantine certificate

vésztelen *a*, not dangerous, safe, secure, harmless; *ld még* **veszélytelen**

vészteljes *a*, = **vészes**

vészterhes *a*, danger-fraught, baleful, disastrous, ominous, calamitous

vesztes [-ek, -t; *adv* -en] I. *a*, losing, *[megvert]* beaten, defeated, *[legyőzött]* conquered, vanquished; *~ fél* losing party, *(sp)* loser, losing side II. *n*, loser; *én vagyok a ~* I am the loser

vesztés *n*, losing, loss, *(jog)* forfeiture, forfeit(ing), *(kat)* defeat; *~re álló játszma* losing game; *nehezen tudja a ~t elviselni* be a bad loser; *sportszerűen viseli el a ~t* be a good loser

veszteség *n*, 1. *(ált)* loss, *[hőé, energiáé]* loss, *[időé]* waste, *(kat)* (war) losses *(pl)*, casualties *(pl)*, *[kár]* damage, detriment, injury, *[csőből stb.]* leakage, escape, *[hordóból szállításkor]* ullage, *(vm üzletben)* deficit, loss, deficiency, *[kártyán stb.]* losings *(pl)*; *nyereség és ~* profit and loss; *részleges ~* partial loss; *teljes ~* total loss; *~nek tekintendő kiadások* loss expenses; *~et leír* write down a loss; *~et szenved* suffer losses, incur/sustain/bear a loss;

súlyos ~eket okoz *(ellenségnek)* inflict heavy losses on (the enemy); ~gel *ad el* sell at a loss, undersell; ~gel dolgozik trade at a disadvantage; ~gel jár entail/involve a loss; ~gel járó üzlet losing bargain/business; ~gel zárul close with a loss/deficit **2.** *[vk halála]* bereavement; *halála fájdalmas* ~ *számunkra* his death is a grievous loss

veszteséges [-et; *adv* -en] *a,* losing, associated with a loss *(ut),* showing a deficit *(ut);* ~ *ár* losing price; ~ *kereskedelmi mérleg* passive trade balance, passive balance of trade; ~ *vállalkozás volt* the enterprise ended with a deficit, it was a losing bargain/proposition *(fam)*

veszteségjelentés *n, (kat)* report of sick and wounded

veszteségkimutatás *n,* **1.** *(ker)* loss-and-gain *(v.* profit--and-loss) account **2.** *[kat személyekről]* casualty list

veszteséglista *n, [kat személyekről]* casualty list, list of casualties, *[anyagból]* list of (war) losses

veszteségszámla *n,* profit-and-loss *(v.* loss-and-gain) account

veszteség *n,* state of being a loser

vesztett [-et; *adv* -en] *a,* lost; ~ *csata* lost battle; ~ *ügye van* his is a hopeless case

vesztfáliai [-t] *a,* ~ *béke (tört)* the Peace Treaty of Westphalen **(1648)**

vesztő [-t, -je] **I.** *a,* losing **II.** *n,* loser

vesztőhely *n,* place of execution, scaffold; *a* ~re *lép* mount the scaffold

vesztörvényszék *n,* = **vészbíróság**

vesztőütés *n, (kárty)* losing/under trick

vet [-ett, vessen] **I.** *vt,* **1.** *[dob/juttat vhova]* throw, cast, fling, toss, shoot, send, *[zúdít]* hurl; *árnyékot* ~ *(vmre)* cast a shadow on sg; *az asztalra* ~ *vmt* throw/fling sg on the table; *ágyat* ~ make a bed; *ki mint* ~*i ágyát úgy alussza álmát* as you make your bed so you must lie on it; *betűt* ~ write (letters), letter; *bombát* ~ throw/drop bombs; *bukfencet* ~ turn a somersault; *fényt* ~ *vmre* throw (a beam of) light on sg, *(átv)* shed light on sg; *gáncsot* ~ *vknek* trip sy up, *(átv)* put/throw obstacles in sy's way; *gondolatait papírra* ~*i* commit one's thoughts to paper; *hálót* ~ cast a net; *horgonyt* ~ cast/drop anchor; *kártyát* ~ tell fortune by cards; *keresztet* ~ cross oneself, *(vmre)* make the sign of the cross on sg; *kockát* ~ throw/cast the dice/bones; *egy lapát szenet* ~ *a tűzre* throw a shovelful of coal on the fire; *lángot* ~ go up in flames, catch fire; *partra* ~ cast ashore, *[hajót]* strand; *vkre pillantást* ~ dart/cast a glance at sy, give sy a look; *sorsot* ~ *vmre* cast lots for sg *(v.* to determine sg); *szemére* ~ *vknek vmt* reproach/upbraid sy with sg; *szikrát* ~ shoot out *(v.* emit) sparks; *vállára* ~ *vmt* throw sg over one's shoulder; *véget* ~ *vmnek* put an end to sg; *minden bizalmát vkbe* ~*i* place all one's confidence in sy; *a ló a földre vetette a lovasát* the horse tossed its rider; *az vesse rá az első követ aki (közületek) bűn nélkül való (bibl)* he that is without sin among you let first cast a stone at her, let the innocent among you throw the first stone at her **2.** *[magot]* sow, *[géppel]* drill; *búzát* ~ *a földbe* sow a field with wheat, put a field under wheat; *ki mint* ~ *úgy arat* we reap as we sow, reap what we have sown, as a man sows so he shall reap **3.** *[magát]* throw/fling oneself, rush/dash/shoot forward, plunge, jump, *[vm foglalatosságra]* take up, devote oneself to, go in for, launch out into; *vmre* ~*i magát* fling oneself on sg, fall upon sg, attack sg; *az ágyra* ~*i magát* throw oneself on the bed; *az ellenségre* ~*i magát* fall on the enemy; *a karosszékbe* ~*i magát* fling oneself into the arm--chair; *vk lábai elé* ~*i magát* cast oneself at sy's feet

II. *vi,* **1.** *[gabonát]* sow, *[csak géppel]* drill **2.**

magára ~ accuse oneself; *magára vessen ha* you have only yourself to blame if

vét [-eni, -ett, -sen] **I.** *vi,* **1.** *[vk/vm ellen]* fail in one's duty (to sy), do wrong (to sy), wrong (sy), offend (against sy/sg), sin (against sy/sg), hurt sy('s interests), *[törvény ellen]* infringe (law), transgress, trespass; ~ *a szabály ellen* violate/contravene the rule; *a légynek sem* ~ he would not hurt (even) a fly **2.** *[hibázik, téved]* err, make a mistake, commit a fault, commit an offence

II. *vt, mit* ~*ett (ellened)?* what harm has he done (to you)?

vétbizonyítvány *n,* (certificate of) receipt

vétek [vétket, vétke] *n,* sin, fault, transgression, wrong, vice, offence, crime, trespass; *halálos* ~ *volna ilyen fát kivágni* it would be a thousand pities to cut down a tree like that; ~ *ilyesmit tenni* it is a crime to do such a thing; *az a vétke (hogy)* his fault is (that)

vetekedés *n,* = **vetélkedés**

vetekedik [-tem, -ett, -jen, -jék] *vi,* **1.** *(vkvel/vmvel vmben)* rival (sy/sg in sg), be equal to (sy/sg in sg), be a match for (sy), vie with (sy in sg); ~*ik a legjobbakkal* he can compare with the best, he is among the best; *ékesszólása* ~*ik X-ével* his eloquence rivals that of X **2.** *[verseng vkvel]* = **vetélkedik**

vetekszik *vi,* = **vetekedik**

vétel [-ek, -t, -e] *n,* **1.** *[vásárlás]* purchase, buying; *alkalmi* ~ bargain, chance purchase; *határidőre való* ~ purchase for future delivery, forward purchase; ~ *lehívásra* purchase on call; ~ *részletfizetésre* hire purchase; ~ *útján* by means of purchase; ~ *visszaadási joggal* memorandum buying; ~*től visszalép* recall/revoke/cancel a purchase **2.** *[vm vásárolt]* thing bought, acquisition, purchase **3.** *[levélé]* receipt; *vmnek* ~*ekor* on receipt of; *levelének* ~*e után* having received *(v.* on receipt of) your letter **4.** *[rádió]* reception; *jó* ~ good reception/pickup

vételár *n,* purchase price

vétélés *n,* abortion, miscarriage; *művi* ~ induced abortion; *spontán* ~ spontaneous abortion; *szokványos* ~ habitual abortion

vételez [-tem, -ett, -zen] *vt/vi, (kat)* draw (rations)

vételezés *n, (kat)* drawing (of rations)

vételi [-ek, -t] *a,* **1.** *(ker)* of *(v.* pertaining to) purchase *(ut),* purchase, purchasing; ~ *érték* purchase value; ~ *jegyzék* bought note; ~ *megbízás* order to buy, *[külföldi]* indent; ~ *szerződés* contract of sale, sale of goods **2.** *[rádió]* of *(v.* pertaining to) reception *(ut),* receiving; ~ *zavar* interference, atmospherics *(pl)*

vételív *n,* (acknowledgment of) receipt, receipt-sheet

vételjog *n,* right of emption

vetélkedés *n,* rivalry, competition, emulation; *békés* ~ peaceful rivalry

vetélkedik [-tem, -ett, -jen, -jék] *vi, [verseng vkvel vmben]* emulate (sy), compete (with sy in doing sg), vie with (sy in doing sg), rival (sy in sg); ~*nek egymással a tanulásban* they outvie each other in study

vetélkedő [-t, -je] **I.** *a,* rival, rivalrous, competing, in competition/emulation *(ut),* vying **II.** *n,* **1.** *[személy]* competitor, rival **2.** *[verseny]* contest, *[tv]* quiz program/show

vételkedv *n,* inclination/disposition/desire to buy/purchase, consumer demand

vételkényszer *n,* obligation to buy; ~ *nélkül* no obligation to buy

vetélő [-t, -je] *n, (tex)* shuttle

vetélőcséve *n,* bobbin, spool, reel

vetélőfékezés *n, (tex)* shuttle braking, checking cf shuttle

vetélőorsó n, = **vetélőcséve**
vetélőpálya n, *(tex)* shuttle-race, passage of the shuttle
vételösszeg n, purchase-money/sum, (total of) purchase price
vetélőtár n, *(tex)* shuttle magazine
vételszándék n, intention to buy
vételzavar n, *[rádión]* disturbance of broadcast reception, interference, atmospherics *(pl)*
vetélytárs n, rival, competitor, emulator, emulant
vetélytársnő n, (woman) rival, competitress
vetemedés n, 1. *[fáé]* warping, *[festésé]* crawling, *[papíré]* cockling, *[vaslemezé]* buckling 2. *[vmre való]* descending/sinking to (sg)
vetemedett [-et; adv -en] a, *(műsz) [fa]* warped, *[papír]* cockled, *[vaslemez]* buckled
vetemed|ik [-tem, -ett, -jen, -jék] vi, 1. *[vmre lealacsonyodik]* descend/sink to, be not above (doing sg), lapse/fall into; csalásra ~ik descend to fraud; lopásra ~ik take to thieving; arra ~ik hogy descend to doing sg, lower oneself to do sg 2. *[vmre merészkedik]* have the presumption/impudence to do sg, presume to do sg 3. *[fa]* warp, shrink, swell, *[papír]* cockle, *[vaslemez]* buckle
vetemény n, vegetable sown
veteménybab n, *(növ)* kidney/French/string bean *[Phaseolus vulgaris]*
veteményes [-ek, -t, -e] a, vegetable; ~ ágy vegetable--bed, seed-plot, strip/bed of vegetables
veteményeskert n, kitchen/pot-garden
veteményez [-tem, -ett, -zen] vt/vi, sow, plant, set (vegetable seeds)
veteményezés n, planting/sowing of vegetable seeds
veterán [-ok, -t, -ja] n, *(kat, stb.)* veteran, old campaigner, *(hajó)* old hand
vetés n, 1. *[mezőg cselekmény]* sowing; őszi ~ sowing of the winter-corn; tavaszi ~ spring crop; ~ ideje sowing-time; még nincs itt a ~ ideje it is not yet time to sow 2. *[ami kinőtt]* green/standing corn, green crops *(pl)*, *[magok a földben]* sowings *(pl)*, seeds *(pl)*, (sown) seed (of corn), *[föld]* land sown with corn; a ~ek állása state of the crops; ~ mélysége depth of planting seed; a ~ kikelt the seeds are spearing, the crops have come/shot up; a ~ek jól teleltek the crops have wintered well 3. *[dobás]* throw(ing), cast(ing), fling(ing), hurling 4. *(tex)* pick, shuttle throw, travel of shuttle
vetésforgó n, *(mezőg)* rotation/course/shift of crops, crop rotation, convertible husbandry; füves ~ ley farming; háromnyomású ~ three-course rotation
vetésforgóterv n, order of crop rotation
vetési [-ek, -t; adv -leg] a, 1. sowing, seed-; ~ idő sowing/seed-time; ~ terv crop system, sowing/rotation plan 2. ~ varjú rook *(Corvus frugilegus)*
vetésjelentés n, report on the crops
vetéspermetezés n, aerial crop-spraying
vetésszámláló n, *(tex)* pick counter/indicator
vetésterület n, sowing/sown area
vetésterv n, sowing/rotation-plan, crop system
vetet [-tem, -ett, vetessen] vt, fejét ~i vknek have sy beheaded; mély lélegzetet ~ vkvel make sy draw a deep breath; őrizetbe ~ vkthave sy taken into custody; kivel ~tél jegyet whom did you ask to get a ticket for you?
vetetlen a, 1. *(mezőg)* unsown 2. ~ ágy unmade bed
vetett [-et; adv -en] a, 1. *(mezőg)* sown 2. ~ ágy made bed 3. *[dobott]* cast, thrown
vetít [-eni, -ett, -sen] vt/vi, *(mért stb.)* project, *[fényt]* throw; filmet/képet ~ show a picture on the screen
vetítés n, *(film, mért)* projection, *[fényé]* throwing, *[csak képé]* showing on the screen
vetítési [-t] a, ~ ábrázolhatóság *[mértanban]* projective properties *(pl)*; ~ idő projection time; ~ tengely *(film)* axis of projection
vetített [-et; adv -en] a, projected; ~ kép projection, still; előadás ~ képekkel lantern(-slide) lecture
vetítettképes a, ~ előadás lantern(-slide) lecture
vetítő [-t, -je; adv -en] I. a, projecting, projective II. n, 1. *(vk)* projector, projectionist 2. *[gép]* **vetítőgép** 3. *[helyiség]* projection room/booth
vetítőernyő n, screen
vetítőfülke n, projection booth/room
vetítőgép n, projection machine/apparatus, projector, vitascope
vetítőkészülék n, = **vetítőgép**
vetítőlámpa n, projector (lantern), projector/projection lamp, *[állóképeknél]* (magic) lantern
vetítőlámpa-kezelő n, lanternist
vetítőlencse n, projector lens
vetítősík n, 1. *[képnél]* screen 2. *(mért)* plane of projection, projective plane
vetítővászon n, screen
vétív n, = **vételív**
vétjegy n, receipt
vétkes [-ek, -t -e; adv -en] I. a, 1. *(vk)* guilty; ~ vmben guilty of sg; a ~ fél the party at fault (in an accident); a ~ házasfél the guilty spouse, the guilty party to the marriage; ~nek mond ki find guilty, convict 2. *(vm)* culpable, sinful, reprehensible, transgressive; ~ bukás fraudulent bankruptcy; ~ cselekmény misfeasance, injurious/wrongful act, actionable wrong; magánjogi ~ cselekmény tort; magánjogi ~ cselekmény elkövetője tort-feasor, infringer; ~ gondatlanság/könnyelműség culpable/gross negligence, reprehensible/criminal carelessness
II. n, sinner, transgressor, trespasser, delinquent, offender, culprit *(ref.)*
vétkesség n, culpability, culpableness, guilt(iness), sinfulness, delinquency
vétkezés n, (act of) sinning, trespassing, transgression, (act of) offending, offence
vétkez|ik [-tem, -ett, -zen, -zék] vi, = **vetkőzik**
vétkez|ik [-tem, -ett, -zen, -zék] vi/vt, err, offend (against the law); vk/vm ellen ~ sin/trespass/offend against sy/sg, commit an offence against sy, wrong sy; ~ik önmaga ellen act against one's own interests
vétkező [-t] n, = **vétkes** II.
vetkőzés n, (act of) undressing, taking off one's clothes, stripping
vetkőz|ik [-tem, -ött, -zön, -zék] vi, undress, take off one's clothes, *[hivatali ruhából]* disrobe, unrobe; meztelenre ~ik strip to the buff/skin, undress
vetkőzőfülke n, cabinet *(US)*
vetkőzőhelyiség n, dressing room
vetkőzőszekrény n, locker
vetkőztet vt, undress, take off the clothes (of sy), *[erőszakkal]* strip (sy of his clothes), *[hivatali ruhából]* disrobe, unrobe
vekőztetés n, (act of) undressing, taking off sy's clothes, *[erőszakkal]* stripping, *[hivatali ruhából]* disrobement
vetkőztető [-t, -je] n, stripper
vétlen a, guiltless, innocent
vétlenség n, innocence, guiltlessness
vétlevél n, receipt
vetnivaló n, seed/grain (used) for sowing
vétó [-t, -ja] n, veto; ~t mond vm ellen veto sg; ~t emel vm ellen place/put/set a veto on sg; az Elnök ~t emelt a javaslat ellen the bill was vetoed by the President
vétójog n, right of veto; ~ot gyakorol *(vm tekintetében)* interpose one's veto
vető [-t, -je] I. a, 1. *(mezőg)* sowing 2. *[dobó]* throwing, casting, flinging, hurling II. n, 1. *(mezőg)* sower 2. *[dobó]* thrower, caster, flinger, hurler

vétő [-t, -je] I. a, offending, sinning, trespassing, *[törvény ellen]* contravening, infringing II. n, trespasser, contravener, *[rendőrségi intézkedések ellen]* infringer, offender, delinquent; *az átjárási tilalom ellen ~k* trespassers

vetőágy n, seed-bed

vetőanyag n, seed stock

vetőbarázda n, drill

vetőborsó n, sowing-peas *(pl)*

vetőburgonya n, seed-potato, seed tuber

vetődés n, 1. *(geol)* (normal) fault, up/down-throw, dislocation fault(ing), faultage 2. *(act of)* throwing/flinging oneself, *[tornában]* screw/rear vault, rear dismount, *[futballkapusé]* dive

vetődési [-t] a, ~ slk *(geol)* fault-plane

vetőd|ik [-tem, -ött, -jön, -jék] vi, 1. *[veti magát]* throw/fling oneself, jump, plunge, *[futballkapus]* dive 2. *[kerül vhova]* turn up, find oneself swhere, *[hajó]* be driven/stranded/cast (somewhere), *[árnyék]* be cast/thrown, *[kép]* be projected; *vhova ~ik* (come to) find oneself swhere

vetőeke n, seeding-plough

vetőgabona n, seed-corn

vetőgép n, *(mezőg)* sowing/seeding-machine, seed/grain-drill, drill-sower, seeder

vetőgumó n, seed tuber

vetőháló n, cast(ing)-net

vetőkártya n, fortune-telling card(s)

vetőkészülék n, *(rep)* catapult

vetőmag n, seed-corn/grain, seed/grain (used) for sowing, sowing-seed

vetőmagbolt n, seed-shop

vetőmagcsávázás n, seed-dressing

vetőmagkezelés n, seed treatment

vetőmagkiutalás n, *[ténye]* allocation of seeds, *[adag]* seed-ration, allotted seed

vetőmagnemesítés n, seed improvement

vetőmagtermelés n, minőségi ~ quality production of seed-grain

vetőszántás n, őszi ~ autumn ploughing

vetőtarisznya n, seed-bag/lip

vetőtávolság n, *[magé]* seed-placing

vetőtükör n, *(geol)* slickenside

vétség n, delict, milder crime, offence, misdemeanour; *közlekedési ~* traffic violation; *lopás ~e* petty theft; *gondatlanságból elkövetett emberölés ~e* involuntary manslaughter

vetül [-t, -jön] vi, be projected, *[árnyék]* be cast/thrown

vetülék [-et, -e] n, weft, woof, filling

vetülékbeállítás n, weft-setting

vetülékcséve n, weft bobbin, cop, pin/weft/mule cop

vetülékcsévélés n, weft-winding

vetülékcsévélő I. a, ~ gép weft pirn winder, pirn of weft-winding machine, spool winder II. n, weft-winder

vetülékfonal n, weft (yarn), woof (yarn), filling(-thread); ~ átdobás pick

vetülékfonalszám n, weft count

vetülékhüvely n, (weaving) spool, weft bobbin; *~re csével* wind on to weft pirns

vetülékváltó-berendezés n, weft replenishing motion

vetülékvilla n, weft-fork

vetület n, projection; *derékszögű ~* orthographic projection, orthography

vetületrajz n, projection drawing/sketch

vetületszerkesztő n, projectionist

vetülettan n, projective geometry, perspective

vevény n, receipt; *~ ellenében* against a receipt

vevés n, 1. *(ker)* purchase, purchasing, buying 2. *(távk)* (act of) receiving, reception

vevő [-t, -je] I. a, 1. *(ker)* buying, purchasing, *(összet.)* purchase; *~ fél* purchasing party 2. *(távk)* receiving II. n, 1. *(ker)* purchaser, buyer, *(jog)* vendee, emptor, *[árverésen]* bidder; alkalmi ~ chance customer; állandó ~ regular/standing customer; kellemetlen ~ tough customer; közvetett ~ sub-purchaser; *~ veszélyére* at buyer's risk; *~nek jelentkezik vmre* be in the market for sg; *már ~re talált* has already been sold; *~t kiszolgál* attend to a customer; *~t talál vmre* find a market for sg 2. *(távk)* receiver

vevőállomás n, *(távk)* receiving station

vevőantenna n, *(távk)* receiving aerial

vevőberendezés n, *(távk)* receiving apparatus/machine

vevőcső n, *(távk)* receiving valve/tube

vevőkedv n, inclination/disposition/desire to buy/purchase, consumer demand

vevőkészülék n, *(távk)* receiving set/apparatus, receiver

vevőkör n, custom, customers *(pl)*, clientele; *üzletet ~rel együtt elad* sell stock and goodwill

vevőközönség n, (body of) buyers, purchasers (collectively) *(pl)*, *[állandó]* custom(ers), clientele

vevőplac n, buyers' market

vevőszolgálat n, shopping service, service of customers

vezekel [-t, -jen] vi/vt, 1. *(vmért)* expiate sg, pay the penalty (of sin), atone (for), make amends (for) 2. *(vall)* do penance (for sg)

vezeklés n, (act of doing) penance, penitence, atonement, expiation; *~ből* in expiation

vezeklő [-t, -je; adv -en] I. a, repentant, doing penance *(ut)*, penitent, expiatory; ~ élet life of penance II. n, penitent

vezeklőöv n, cilice

vezeklőruha n, hair shirt, sack-cloth

vezényel [.. nylek, -t, -jen] vt/vi, 1. *[vezényszót ad]* command, give (the word of) command; állít ~ give the order to halt; tüzet ~ order fire, give the order to fire 2. *(kat)* vkt vhova ~ *(vmre)* command/detail sy swhere (for a particular service), order sy to a post for (temporary) duty, detach sy to 3. *[vezet kat]* command, be in command of, be the commander of, lead, officer, marshal 4. *[karmester]* conduct, direct, lead (an orchestra); ~ Toscanini *[színlapon, hirdetésben]* conducted by Toscanini, Toscanini will conduct ...

vezénylés n, 1. *[vezényszóadás]* giving (the word of) command, commanding 2. *[katonát vhová]* appointment for a (particular) service, detail(ing) 3. *[zenekart]* conducting

vezénylet n, *(kat)* command

vezényleti [-et, -t; adv -leg] a, of *(v.* pertaining to) command *(ut)*, commanding; ~ nyelv language of command, official language (in the army)

vezénylő [-t, -je; adv -en] I. a, commanding, in command *(ut)*, *[zenekart]* conducting; ~ tábornok commanding general II. n, commander, commanding officer, *(zene)* conductor

vezényszó n, (word of) command; *~ra lép* march at command

vezér [-ek, -t, -e] n, 1. *[vezető]* leader, chief(tain), head, captain *(fam)*, *(kat)* governor *(fam)*, boss *(fam)*, *[összeesküvésé]* ringleader; *(tört)* a hét ~ the seven leaders (of the tribes) 2. *[sakkban]* queen 3. *[állatok csoportjában]* leader, *[birkáé]* bell-wether 4. *(zene)* *[fúgatéma, dux]* subject, theme, leader

vezérág n, leading shoot, leader (of pinetree)

vezéralak n, leading figure, leading/dominant personality, man at the helm

vezércikk n, editorial, leading article, leader; *rövid ~* leaderette; *~ben* editorially

vezércikkez|ik vi, write editorials/leaders

vezércikkíró n, leader/editorial-writer

vezércsel n, queen's gambit

vezércsillag *n*, guiding/leading star, lodestar, loadstar

vezérdallam *n*, theme-song

vezéregyenes *n*, *[parabolàé]* directrix

vezérel [.. rlek, -t, -jen] *vt/vi*, 1. *[vezet]* guide, conduct, direct, lead, command; *Isten ~jen!* may God prosper you, God speed you 2. *(műsz)* steer, control, govern

vezérelv *n*, guiding/leading/fundamental principle, maxim, *[viselkedésé]* rule of conduct

vezéreszme *n*, leading/central idea, ideal

vezérevezős *n*, (row) stroke

vezérezredes *n*, colonel-general

vezérfény *n*, pilot light

vezérférfiú *n*, leader,man at the helm, man at the head of affairs, ruler

vezérfonal *n*, 1. *[cselekvésé]* a living guide (to action), *[elv]* guiding principle/thread, *[pàrté]* party line; *a marxista—leninista elmélet nem dogma hanem a cselekvés ~a* the Marxist-Leninist theory is not a dogma but a guide to action 2. *[könyv]* guide, manual, compass, abstract, summary, epitome, enchiridion, *[bevezetés]* introduction, *[történelmi]* short history (of) 3. *[labirintusban és átv]* clew, clue

vezérgondolat *n*, *[műé]* leading idea

vezérgyalog *n*, queen's pawn

vezérhajó *n*, flagship, leading ship, admiral

vezérhang *n*, *(zene)* leading note

vezéri [-ek, -t; *adv* -en] *a*, of a chief/commander *(ut)*, commanding, commander's

vezérigazgató *n*, managing director, general manager, director/manager-general, head manager, *[vasúté]* general superintendent

vezérige *n*, 1. maxim 2. *(vall)* text

vezérkar *n*, (general) staff, headquarters staff; *legfelső ~* chiefs of staff *(pl)*; *egyesített ~* joint chiefs of staff *(pl)*

vezérkari *a*, of *(v.* pertaining to) the general staff *(ut)*, staff-; *~ főnök* chief of (general) staff; *a haditengerészet ~ főnöke* First Lord of the Admiralty *(GB)*, chief of naval operations *(US)*; *~ százados* staff captain; *~ térkép* ordnance survey map; *~ tiszt* staff-officer, officer on the general staff

vezérképviselet *n*, general agency

vezérképviselő *n*, general agent/representative, agent general

vezérkos *n*, bell-wether

vezérkönyv *n*, 1. text-book, manual 2. *(zene)* score

vezérkötél *n*, *(hajó)* stay

vezérkövület *n*, index fossil

vezérlapát *n*, guide-blade

vezérlés *n*, *(műsz)* control, steering, governing; *közvetlen ~* positive governing; *kulisszás ~* link-motion; *repülés közbeni ~* midcourse guidance

vezérlet *n*, guidance, lead(ership), command, direction

vezérlő [-t, -je; *adv* -en] *a*, 1. directing, managing, guiding, leading, *(kat)* commanding, in command *(ut)*; *~ elv* guiding principle; *~ fejedelem* ⟨(Ferenc Rákóczi) ruling prince of Transylvania and commander(-in-chief) of the Hungarian insurgent-forces); *~ hadbiztos* quartermaster general; *~ tengernagy* Admiral of the Fleet 2. *(műsz)* steering, controlling

vezérlőcsap *n*, *(műsz)* pilot (pin)

vezérlőegység *n*, *[kibernetikában]* operation (unit)

vezérlőgomb *n*, *(rep)* control knob

vezérlőkapcsoló *n*, *(vill)* control switch, controller

vezérlőkar *n*, control/gear lever

vezérlőlánc *n*, *(műsz)* control chain

vezérlőmű *n*, = vezérmű

vezérlőrúd *n*, *(műsz)* steering/operating lever, *[autón]* steering column, *[mozdonyon]* operating rod, distributing-lever, starting-bar, *[repgépen]* control column, joy-stick *(fam)*

vezérlőszerkezet *n*, *[bombáé]* homing device

vezérlőtengely *n*, = vezértengely

vezérmotívum *n*, 1. *(zene)* leitmotiv, leitmotif, leading motif 2. *(átv)* dominant motive (of action)

vezérmű *a*, governor/valve/driving-gear, controls *(pl)*, steering gear, governing apparatus/device, link-work

vezérmű-fogaskerék *n*, distribution gear

vezérműkar *n*, steering-gear arm

vezérműszekrény *n*, steering-box

vezéróra *n*, primary clock

vezérőrnagy *n*, brigadier general

vezérpálca *n*, *(kat)* field marshal's baton

vezérség *n*, leadership, (position of) command, (faculty/ power of) commanding

vezérsugár *n*, guiding ray/beam (of light), *(mért)* radius vector

vezérszabály *n*, guiding/directing rule, norm, standard

vezérszerep *n*, leading part/role, headship

vezérszó *n*, 1. *(nyomd)* catchword 2. *(nyelvt)* key-word

vezérszólam *n*, *(zene)* principal/leading part/voice

vezérszónok *n*, chief orator/speaker, leading spokesman, keynote speaker *(US)*, keynoter *(US)*

vezértengely *n*, camshaft, eccentric/timing shaft

vezértitkár *n*, secretary general

vezérügynök *n*, general/chief agent

vezérügynökség *n*, general agency

vezérürü *n*, bell-wether

vezérvonal *n*, *(mért)* directrix *(lat)*

vezet I. *vt*, 1. *(vkt)* lead *(ahová* to), guide (to), conduct (to), *[csoportot]* head, *[be, ki]* show, usher (in, out); *szobába ~* take/show sy into the room; *helyére ~ vkt* show sy to her seat; *kezénél fogva ~* lead sy by the hand; *orránál fogva ~* lead by the nose, lead sy up the garden path; *oltárhoz ~* lead to the altar, take in marriage; *vezesse be!* show him/her in! 2. *[autót]* drive, *[hajót, repgépet]* steer, pilot; *a kocsit Szücs József ~i* with Joe Szücs at the wheel 3. *[vezeték vmt]* carry, *[csatorna a vizet]* conduct, *[kúszónővényt]* train; *csatornát ~ a tengerig* carry/dig a canal as far as the sea; *csövekben vizet ~* convey water by pipes; *huzalt ~ a falba* run a wire to the wall; *jégkorongot ~* propel the puck 4. *[irányít]* direct, control, head, superintend, administer, govern, attend to, *[üzemet]* run, *[vitát]* conduct, *[sereget]* command, conduct, *[népet]* rule; *rosszul ~ [vállalkozást]* misdirect, mismanage; *munkálatokat ~* superintend works; *ki ~i a munkálatokat?* who is directing the work?; *énekkart ~* lead a/the choir; *háztartását ~i* run/manage one's house; *küldöttséget ~* lead a/the delegation, be at the head of the delegation; *~i a pártot* be at the head of a party; *a szállodát Tokaji elvtárs ~i* the hotel is run by Comrade T.; *tanfolyamot ~* be in charge of a course; *az ügyeket ~i* manage a business *(v.* the affairs), boss the show *(fam)*; *állam ügyeit ~i* manage the affairs of State; *vm nyomára ~ vkt* put sy on the track of sg; *tisztességtelen szándék ~i* be moved/actuated by dishonest motives 5. *[írásban]* *vmről* keep a list/register; *jegyzőkönyvet ~ az ülésről* keep/take the minutes of the meeting; *könyvet/számadást ~* keep book/accounts; *ő ~i a sportrovatot* he writes the sports column 6. *[mérkőzést]* referee

II. *vi*, 1. *[visz]* út amely a városba *~* road that leads to the town; *hova ~ ez az út* where does this way lead to? 2. *[vmre eredményképp]* conduce to, be conducive to, result (in); *célra ~* serve the purpose; *hová ~ ez?* where will it end?, where will it fetch you? *(US)*; *mihez ~ mindez?* what will be the result of it all?; *mire fog ez ~ni?*

where will this lead to?, what will come of it?, what next?, what will be the upshot of it?; *nem tudjuk hogy hova fog ~ni* we do not know what the outcome will be; *ez nem ~ semmire* this laeds to nothing; *ide ~ a gondatlanság* this comes of carelessness 3. *[elől van]* lead, go/be ahead of; *egy góllal ~* be one goal up; *egy játszmával ~* be one game up; *10 méterrel ~* be out at front with ten meters *(US)* ; *8 ponttal ~ 3 ellen* leads by 8 points against 3; *a Honvéd ~ a Vasas ellen 2:1-re* H. leads V. 2 to 1, H. has a 2 to 1 lead over V. 4. *(ker)* excel; *a magyar bor ~* Hungarian wines take the lead 5. *[sofőr]* drive; *nem tud ~ni* he cannot drive; *rosszul ~* he is a bad driver

vezeték [-et, -e] 1. *[huzal]* wires *(pl)*, line, *[szigetelt]* lead, cable, *[hálózati csatlakozó]* mains *(pl)* ; *csupaszított ~* bare wire; *felső ~* aerial contact line, air-wire; *nagyfeszültségű ~* (high) power line; *~et áram alá helyez* carry current on the line 2. *[cső gáznak víznek stb.]* pipe, tube, *[vízé]* conduit, lead, *[fővezeték]* main, *[olajé]* pipeline; *~en továbbít* pipe 3. *(bonct)* duct, canal 4. *[póráz]* lead, leash, *[lóé]* leading-rein

vezetékcsatorna *n, (vill)* duct, wire-chase, conduit

vezetékcső *n,* = vezeték 2., *[föld alatti vezetékek óvására]* conduit

vezetékellenállás *n, (vill)* resistance of the conductor *(v.* of an electric line)

vezetéképítés *n, [föld felett]* wiring, *[föld alatt]* cable/pipe-laying

vezetékes [-et] *a, ~ rádió* wired wireless/radio/speaker, carrier transmission of wireless program(me), wire broadcasting, line radio, wire *(v.* land-line) relay system, wire wave communication, radio connected to redistribution system; *~ hírközlő berendezés* wire communication set

vezetékfeszítő *n, (vill)* wire-strainer/stretcher

vezetékhálózat *n, (vill)* network/system of (electric) lines, wiring, *[vízé, gázé]* (system of) pipes *(pl)*, mains *(pl)*, distribution system

vezetékhuzal *n,* (electric) wire

vezetéki [-ek, -t] *a, (vill)* of *(v.* pertaining to) a conductor *(ut)*, conduction-

vezetékkapocs *n, (vill)* binding-post/screw

vezetékló *n,* led horse, (unridden) off-horse (of a pair)

vezetéknév *n,* surname, family name, last name *(US)* ; *kettős ~* double-barrelled name *(fam)* ; *vezetéknevet ad (vknek)* surname

vezetékoszlop *n, [távvezetéké]* pylon, mast, post, line pole/post, telegraphic pole

vezetéksín *n, (vasút)* side/safety/edge-rail, *[helyenként]* guard/check-rail

vezetékszár *n, [lóé]* leading-rein

vezetékszerelés *n, [csöveké]* laying of pipes, *(vill)* wiring, cable-laying

vezetés *n,* 1. *[cselekmény]* leading, guiding, conducting, escorting, *[háborúé]* conduct, *(kat)* command 2. *[járműé]* driving, *[hajóé, repgépé]* steering, piloting 3. *(fiz, vill)* conduction 4. *[ügyeké]* direction, management, control(ling), *[szállóé, gazdaságé]* running, *[tény, szerep]* lead(ership); *rossz ~* mismanagement; *új ~* (under) new management/ownership; *a háztartás ~e* house-keeping, management of the house, ménage *(fr)* ; *vknek a ~e alatt* under sy's leadership/guidance/direction; *megbíz vkt az ügyek ~ével* put sy in charge of (the) affairs, entrust sy with the direction of affairs; *megszerzi a ~t* take the lead, *[futballban]* put one's team ahead

vezetésképtelen *a,* unable to lead *(ut)*

vezethető *a,* conductible, capable of being conducted *(ut)*, *[nevelhető]* manageable, docile, tractable, governable

vezető [-t, -je] I. *a,* 1. leading, *[irányító]* directing,

managing, controlling, guiding, chief, principal; *szobába ~ ajtó* door that gives access to a room; *a városba ~ út* road that leads *(v.* leading) to the town, road to (the) town; *a Bécsen át ~ út* road leading/passing through Vienna; *sok félreértésre ~ viszály* controversy prolific of misunderstanding; *~ állásban van* hold a leading post, *[üzemben]* be in a managerial position; *~ bíró (sp)* referee; *~ elme* master spirit, mastermind; *~ elv* guiding principle; *~ férfiak* the leaders, men of light and leading *(ref.)*, top people *(US)*, top dogs *(fam)* ; *~ funkcionáriusok* leading functionaries; *alapszervi ~ funkcionárius* branch executive; *~ hatalom* controlling power; *~ helyen foglalkozik vmvel* give prominence to sg, feature sg *(US)* ; *~ káder* leading cadre; *~ körök* leading circles; *~ mag (átv)* leading core; *~ pártok* dominant parties; *~ szerep* leadership, leading role, hegemony; *~ szerepe van vmben* play/take a prominent part in sg; *a munkásosztály ~ szerepe* the leading role of the working class; *átveszi a ~ szerepet* take the lead; *~ szerv* managing body, leading organization; *~ színésznő [színtársulaté]* leading lady, première; *~ szólam* leading part; *~ tanár [gyakorló tanárjelölté]* school-teacher supervising teacher-trainees, sponsor; *~ tisztviselő* top level official *(US)* 2. *(fiz)* conducting; *nem ~* non-conductive

II. *n,* 1. leader, *[alpesi]* (alpine) guide, *[autóé]* driver, chauffeur; *[fogházé]* warden, *[idegené]* guide, cicerone, *[iskoláé]* principal, headmaster, *[javítóintézeté]* governor, *[mozdonyé]* (engine) driver, engineer, *[összeesküvésé]* leader, head (of conspiration), *(elit)* ringleader, bellwether *(fam)*, *[turistáé]* guide, conductor, *[üzletben]* manager, keeper, *[üzleti vállalkozásé]* manager, (managing) director, chief, head, leader, boss *(fam)* ; *[villamos vonaté]* driver, motor-man *(US)* ; *az ország ~i* the first men in the country 2. *(fiz, vill)* conductor; *nem/rossz ~* non-conductor; *a legjobb ~k a fémek* metals are the best conductors 3. *[könyv]* guide

vezetőcső *n,* pipe, duct, *[borító]* conduit

vezetőfülke *n,* control compartment, cockpit, *(vasút)* driver's cab(in), *[tehergépkocsin]* driving compartment

vezetőhang *n,* leading note

vezetőhenger *n, [írógépen]* paper-guide roller

vezetőképes *a,* conductive, conductible

vezetőképesség *n, (fiz)* conductance, conducting power, conductivity; *fajlagos ~* conductivity

vezetőképességű *a, jó ~* of high conductivity

vezetőkerék *n, (rep)* pilot wheel

vezetőkötél *n, (bány)* ground-rope

vezetőlapát *n, [turbinán]* guide-vane

vezetőléc *n,* fence, screed

vezetőpálya *n, (műsz)* guide-path/way

vezetőpersely *n, (műsz)* bracket, pilot bush

vezetőrúd *n,* draw-bar/link

vezetősaru *n,* accessory-shoe

vezetőség *n,* board (of directors), management, directorate, administrative staff/board

vezetőségi [-t,] *a, ~ tag* member of the governing body, leading member; *~ ülés* meeting of the governing body

vezetőségválasztás *n,* election of the board

vezetősín *n,* edge/guard/guide/counter-rail, *[kanyarban]* side-rail, *[váltónál]* wing rail, *[szerszámgépen]* ways *(pl)*

vezetőtárcsa *n,* idle/guide-pulley

vezetőülés *n, [mozdonyon]* cab, *[autóban]* driver's seat

vezetővizsga *n,* driving-test

vezettet *vt,* have sy led/conducted by sy; *~i magát vm által* (allow oneself to) be guided by sg

vezír [-ek, -t, -e] *n,* vizi(e)r

vézna [.. át] a, puny, sickly, peaky, scrawny, weak, skinny, with/of a slight body (ut), [végtag] thin, emaciated, scraggy

véznaság n, puniness, sickliness, weakness, skinniness, [végtagé] thinness, scragginess

Vezúv [-ot, -on] prop, (földr) Vesuvius

vezúvi [-ak, -t] a, Vesuvian

ví [-ni, -tt, -jon] vi/vt, = vív

via adv, via, by way of

viadal [-ok, -t, -a] n, 1. fight, encounter, combat, engagement, action, struggle, strife, fray (ref.) 2. (sp) competition, contest, tournament, tourney

viador [-ok, -t, -a] n, † fighter, gladiator

viadukt [-ot, -ja] n, viaduct

viaskodás n, fight(ing), struggle, strife, combat, contest, action, conflict, wrestling, tussle, fray (ref.)

viaskod|ik [-tam, -ott, -jon, -jék] vi, (vkvel, vmvel) wrestle/grapple with, struggle/contend/fight/compete with/against sy/sg, tussle with sy, [széllel, tűzzel] battle (with); önmagával ~ik struggle (with oneself)

viaskodó [-t, -ja] I. a, fighting, struggling, combatant, combative II. n, fighter, wrestler

viasz [-ok, -t, -a] n/a, wax, (összet) waxen, wax-, of wax (ut); ásványi/földi ~ fossil/mineral wax; növényi ~ vegetable wax; sárga ~ unbleached wax; viasszal beken wax; viasszal átitatott levél leaf impregnated with wax

viaszbábú n, wax doll/model, waxwork(s), [kirakatban] dummy

viaszbokor n, (növ) wax-berry/myrtle, candleberry-tree, myrica (Myrica gale v. cerifera)

viaszel'járás n, kiolvasztott ~ (műv) cire perdue method, lost wax method

viaszérés n, waxen ripeness (of corn to be cut)

viaszfelvétel n, wax recording

viaszfény n, [gyertya] candle-light, light of a candle

viaszfestés n, wax painting, [égető] encaustic painting

viaszfigura n, waxwork

viaszgyertya n, wax-candle/light, (wax-)taper

viaszgyufa n, wax-vesta/match

viaszhártya n, film (v. thin coating) of wax, (term) cere

viaszk [-ot, -ja] n, = viasz

viaszkenőcs n, (orv) cerate

viaszkép n, waxen image

viaszkosvászon n, = viaszosvászon

viaszlazac n, (áll) smelt (Osmerus eperlanus)

viaszlemez n, wax record, the wax; ~ről való adás recorded transmission/talk

viaszlenyomat n, wax impression, squeeze

viaszmintázás n, ceroplastics (pl), ceroplasty

viaszmoly n, (áll) wax moth (Galleria mellonella)

viaszol [-t, -jon] vt/vi, wax

viaszolás n, [fényezés] polishing, waxing

viaszos [-ak, -t; adv -an] a, waxed, waxen, covered with wax (ut), [fényes] polished

viaszospapír n, wax(ed) paper

viaszosvászon n, oilcloth, oilskin, American cloth, wax-cloth

viaszöntés n, pouring of (molten) wax, wax casting

viaszöntő n, wax-taper maker, wax chandler

viaszpálma n, (növ) wax-palm (Ceroxylon andicola)

viaszpapír n, wax-paper

viaszréteg n, coat(ing)/layer of wax

viaszsárga a, wax-yellow, yellow as wax (ut)

viasszerű a, wax-like, waxy, waxen, careceous (tud)

viaszszobrász n, moulder in wax

viaszszobrászat n, ceroplastics (pl), ceroplasty

viasztábla n, wax(en) tablet

viaszveszejtési a, ~ eljárás [éremöntésben] lost wax process

viaszvirág n, (növ) waxflower, hoya (Hoya)

vibráció [-t, -ja] n, vibration

vibrálós [-ak, -t; adv -an] a, vibrational, of vibration (ut), pertaining to (v. characterized by) vibration (ut), [vibráló] vibratory, vibrating; ~ érzés (orv) vibratory sense

vibrafon [-ok, -t, -ja] n, (zene) vibraphone, vibra-harp (US)

vibrál [-t, -jon] vi, vibrate

vibrálás n, (act of) vibrating, vibration, (rep) fluttering

vibráló [-t; adv -an] a, vibrating, vibrant, vibratory

vibrátor [-ok, -t, -a] n, vibrator

Vica [.. át] prop, Eva, Eve

vicc [-et, -e] n, [anekdota] anecdote, (funny) story, [tréfa] joke, jest, jape (ref.), [viccelődés] fun, banter, (sportive) trick, prank, [nyers] practical joke; jó ~ that is a good one; ez (nagyon) rossz ~ volt that was in very bad taste; ez nem ~ (hanem komoly) that is no joke, it is not laughing/jesting matter, [nem nehéz] (kb) this is not difficult at all, there is no wizardry in it; ~ nélkül ! joking apart !, no kid(ding) !; ~ nélkül honour bright !; az a ~ hogy the joke is that ...; a ~ benne az (hogy) the trick/point is (that); éppen az a ~ a dologban that is where the joke/fun comes in; nem értem hogy mi ebben a ~ I cannot see the humour of it; pikáns ~ off-colour (v. spicy) joke; régi/szakállas ~ stale joke, Joe Miller (fam), chestnut (fam); ~ből in joke, by way of a joke; ennek a ~nek már szakálla van ! (biz) this is a fine old crusted joke; ~en kívül joking apart !; ~et csinál vmből make fun of sg; ~et ellő take the point out of a joke; nem értette meg a ~et the joke was lost on him, he missed (v. did not get) the point; ~eket farag coin jokes; ~eket mond crack jokes; ne csinálj rossz ~eket don't be silly !

viccel [-t, -jen] vi, lark, (vkvel) joke, jest (with sy), chaff/banter/kid sy, say/do sg in sport (v. not seriously); csak ~ek just kidding !, it was only for cod; nem ~ek I am quite serious; ugyan ne ~jen don't joke !, no joking/kidding !

viccelés n, joking, jesting, banter, kidding, playing of tricks/jokes, pleasantry, fun

viccelőd|ik [-tem, -ött, -jön, -jék] vi, (vkvel) play jokes/tricks (on sy), crack jokes, kid sy, [húzva] pull sy's leg

viccelődő [-ek, -t, -je; adv -en] I. a, facetious, waggish, joking, jesting II. n, wag, (practical) joker, humorist

vicces [-ek, -t; adv -en] a, funny, comic(al), droll, humorous; ~ ember funny/rum chap (fam)

viccgyűjtemény n, jest-book

vicclap n, comic journal/paper

viccrovat n, [újságban] funny column, wit and humour

vice [.. ét] n, = viceházmester

viceházmester n, (kb) assistant caretaker/concierge, underjanitor; ld még segédházfelügyelő

vicinális [-ok, -t, -a] I. n, (vasút) branch/subsidiary line, light/local railway, jerkwater (US fam), [keskeny vágányú] narrow-gauge railway II. a, local, vicinal, jerkwater (US)

vicispán n, † = alispán

vicsorgat vt/vi, fogát ~ja show/bare one's teeth (in anger), snarl

vicsorgatás n, showing/baring one's teeth, snarling

vicsori [-ak, -t; adv -an] a, [vicsorgató] showing/baring one's teeth (ut), [vigyorgó] grinning

vicsorit [-ani, -ott, .. son] vt/vi, fogát ~ja show/bare/ flash one's teeth

vicsorítás n, (act of) showing/baring/flashing the teeth, snarling

vicsorog [-tam, .. rgott, -jon] vi, 1. [vigyorog] grin, laugh unpleasantly/derisively 2. = vicsorit, vicsorgat

Vid [-et, -je] prop, Guy

vidám [-at; adv -an] a, gay, merry, bright, jolly, playful, joyful, mirthful, joyous, cheerful, gleeful, in high/good spirits *(ut)*, jocund *(ref.)*, frolicsome *(ref.)*, blithe *(ref.)*, hilarious *(ref.)*; ~ *arc* bright/merry/cheerful face; ~ *dallam* lively tune, gay/merry melody; ~ *ember* merry/lively man; ~ *félóra [rádión]* variety half-hour; ~ *jickó* jolly blade, wag; ~ *hang* cherry voice; ~ *lelkület* cheerful/sunny disposition; *V~ Park* amusement/gaiety park, fun fair; ~ *poharazás közben* over a jovial glass (of wine) or two; *vmt* ~ *színben tüntet jel* paint sg in bright colours; ~ *társaság* jolly/uproarious company, *[gyerekeké]* joyful band; ~ *társaságban* in merry company; *az élet ~abb lett* life has become more cheerful

vidáman *adv*, gaily, merrily, joyfully, brightly, cheerfully

vidámít [-ani, -ott, -son] *vt/vi*, cheer up, exhilarate, gladden

vidámod|ik [-tam, -ott, -jon, -jék] *vi*, become gay/merry, cheer up

vidámság *n*, gaiety, mirth, cheerfulness, joy, jollity, merriment, merriness, playfulness, high spirits *(pl)*, jocularity *(ref.)*, jocosity *(ref.)*, blitheness *(ref.)*, hilarity *(ref.)*, joviality *(ref.)*, exhilaration *(ref.)*, frolic *(ref.)*, glee *(ref.)*

vidék [-et, -e] *n*, country, *(jöldr)* region, tract, part, *[körzet]* district, area, land, territory, *[jőváros ellentéte]* the provinces *(pl)*, *[város ellentéte]* country(-side), fields *(pl)*, *[város környéke]* surroundings *(pl)*, vicinity, neighbourhood, environs *(pl)*, *(vmé)* purlieus; *Budapest ~e* the environs of Budapest *(pl)*; *a Mátra ~e* the Mátra country/district; ~*en* in the country/provinces; ~*en lakik* live in the country; *London ~én* in the neighbourhood of London; *a világnak ezen a ~én* in that part of the world; ~*re megy* go (in)to the country, go up country, *[autón, kocsin]* drive down; ~*re költözik* take up one's abode in the country; ~*ről* from the country; *ön nem erről a ~ről való?* you do not belong to these parts?; *az ország minden ~éről* from every part/corner *(v.* all quarters) of the country; *a ~et járja* tour the country; *megnézi a ~et* visit the neighbourhood

vidékenként *adv*, according to *(v.* depending upon) the (geographical) region, regionally; ~ *változik* changes with the (geographical) region

vidéki [-ek, -t; *adv* -en] **I.** *a*, provincial, country, rural, from the country(-side) *(ut)*, regional, regionary, *(összet.)* of ... region *(ut)*; ~ *asszony* country woman; ~ *bajnok* regional/local champion; ~ *bank* local/country bank; ~ *élet* country life; ~ *ember* country man, provincial; ~ *kastély* mansion, manorhouse, country house/seat; ~ *körútra indul* set out on a tour of the provinces; ~ *lap* provincial (news)paper; ~ *levegő* country air; ~ *rendőrség* the country constabulary, county police *(US)*; ~ *szokás* rural custom; ~ *táj* country landscape; ~ *tanár* teacher in a country school; ~ *város* provincial/country town
II. *n*, (wo)man from the country, provincial, country (wo)man, rustic; ~*ek* country folk

vidékies [-ek, -t; *adv* -en] *a*, countrified, provincial, *[megjelenés]* rustic; ~ *jelleg* provincialism, provincial stamp

vidékiesség *n*, provincialism, provinciality, quality/state of being provincial, provincial character, provincial ways/manners *(pl)*, countrified manners *(pl)*

vidla [.. at] *n*, widila

vidit [-ani, -ott, -son] *vt/vi*, cheer up, gladden, exhilarate, *[életet]* brighten (up), *[társaságot]* amuse, *[vendéget]* entertain, enliven, make merry/jolly, jollify

vidító [-ak, -t; *adv* -an] *a*, cheering, gladdening, mirth-provoking, exhilarating

vidor [-at; *adv* -an] *a*, † = **vidám**

Vidor [-t, -ja] *prop*, Hilary

vidra [.. át] *n*, 1. *(áll)* otter *(Lutra lutra)*; *tengeri* ~ sea otter *(Latax lutris)* 2. *[bőr]* otter-skin

vidrabőr *n*, otter-skin

vidrafogás *n*, otter-hunt(ing)

vidrafű *n*, *(növ)* buck-bean, bog/marsh/water trefoil *(Menyanthes trifoliata)*

vidranyest *n*, 1. *(áll)* vison, American mink *(Putorius lutreola)* 2. *[prém]* mink

vidraprém *n*, otter-fur

vidul [-t, -jon] *vi*, cheer/brighten up, make merry

Vietnam [-ot, -ban] *prop*, Viet-Nam

vietnami [-ak, -t] *a*, Viet-Namese

víg [-at; *adv* -an] *a*, gay, cheerful, lively, merry, joyous, jolly, in high/good spirits *(ut)*, blithe *(ref.)*, jocular *(ref.)*, mirthful *(ref.)*, lightsome *(ref.)*, genial *(ref.)*, convivial *(ref.)*; ~ *kedély* cheerful/jolly disposition; ~ *kedélyű* gay, merry, bright; ~ *mulatozás* merry-making, whoopee *(US)*, carousal *(ref.)*; ~ *özvegy* merry widow

vigad [-tam, -ott, -jon] *vi*, make merry, amuse/enjoy oneself, rejoice, have a good/merry time, feast, jollify, *[erős italozással]* carouse, make whoopee *(US)*; *sirva* ~ *a magyar* Hungarians take their pleasures sadly/mournfully

vigadás *n*, merry-making, rejoicing, gaiety, feast(ing), jollity, *[erős italozással]* carousal

vigadó [-t, -ja] *a*, merry(-making), rejoicing, feasting, *[erős italozással]* carousing

Vigadó *prop*, *[Budapesten]* Municipal Concert Hall

vigadozás *n*, = **vigadás**

vigadoz|ik [-tem, -ott, -zon, -zék] *vi*, = **vigad**

vigalmi [-ak, -t] *a*, of *(v.* pertaining to) entertainment *(ut)*; ~ *adó* entertainment/amusement tax/duty; ~ *bizottság* entertainments committee

vigalom [.. lmat, .. lma] *n*, merry-making, entertainment, gaiety, jollity, jollification, feast, amusement, recreation, rejoicing

vigan *adv*, gaily, cheerfully, cheerily, merrily, joyfully, gladly, brightly, blithely *(ref.)*, *[könnyen]* easily, *[akadálytalanul]* without restraint; ~ *garázdálkodik* do mischief without restraint; ~ *vannak* they are a merry party, they are in high feather/spirits/jinks

viganó [-t, -ja *n*, † *(kb)* (woman's) skirt *(stand.)*, petticoat *(stand.)*

vigasság *n*, = **vigadás**, **vigalom**

vigasz [-ok, -t, -a] *n*, comfort, solace, consolation, *[enyhülés]* relief; *gyönge/sovány* ~ *számára* that is cold comfort to him, that is poor consolation for him; *némi* ~ crumb/scrap of comfort; ~*t merít* draw/derive consolation; ~*t keres* seek solace; ~*t talál vmben* find solace in sg

vigaszdíj *n*, consolation prize, *[kártyában]* booby prize

vigasztal [-t, -jon] *vt/vi*, *(vmért)* console (sy for sg), solace, comfort; *csak az ~ta hogy* his only consolation was ...

vigasztalan *a*, comfortless, unconsoled, uncomforted, disconsolate, *[szomorú]* sore at heart *(ut)*, grieved, very sorry *(ut)*, *[örömtelen]* cheerless; ~ *helyzet* hopeless state

vigasztalanság *n*, comfortlessness, disconsolateness, comfortless/disconsolate state/condition of things

vigasztalás *n*, (act of) comforting, comfort, consolation, solace; *munkában talál* ~*t* find comfort/consolation in work; *vmben keresi* ~*át* seek comfort in sg

vigasztalásul *atu*, ~ *szolgál vkinek* it gives comfort to sy

vigasztalhatatlan *a*, inconsolable, unconsolable, disconsolate, grieved beyond comfort *(ut)*; *vesztesége miatt* ~ cannot get over his loss

vigasztalhatatlanság *n*, inconsolableness, inconsolability, disconsolateness, state of being grieved beyond comfort

vigasztaló [-ak, -t, -ja; adv -an] I. a, consoling, comforting, consolatory, [vidító] cheering; ~ gondolat (vknek) hogy... it is a comfort (to sy) to think (that)...; ~ szavak words of comfort/consolation/cheer; ~tudat hogy... it is a comfort to know/think that... II. n, comforter, consoler, (vall) Paraclete

vigasztalód|ik [-tam, -ott, -jon, -jék] vi, (vmvel) solace oneself (with), find comfort/consolation (in sg), be comforted/consoled (by sg); ~j! be comforted!, cheer/buck up! (fam), don't hang your nose! (fam)

vigaszul adv, ~ szolgál neki (hogy) it is a comfort to him (that)

vigaszverseny n, consolation race

vigéc [-et, -e] n, bagman (GB), drummer (US)

vigécked|ik [-tem, -ett, -jen, -jék] vi, be on the road, be a commercial traveller, travel about soliciting custom (for a dealer)

vigília [.. át] n, vigil, eve (of a church festival)

vigjáték n, comedy, [énekes] light-comedy, vaudeville; társadalmi ~ social comedy, comedy of manners

vigjátéki [-ak, -t] a, comic(al), Gilbertian

vigjátékíró n, comedy-writer, comedian, comedist

vigopera n, comic opera, opera bouffe/buffa

vigság n, gaiety, gayness, jollity, liveliness, sprightliness merriment, mirth

vigyáz [-tam, -ott, -zon] I. vi, (ált) take care, [figyelmet szentel] pay attention/heed to, attend/listen to sy/sg, mark/notice sy/sg, [bajtól óv] look after, mind, guard, tend (sy/sg), protect (sy from danger/harm), keep watch over, take care (of sy/sg), be careful of, [őrizkedik] be/stand on one's guard, beware (of sy/sg); nagyon ~ vmre take pains over sg; ~ni kell rá he needs looking after;~a(z) egészségére/ruhájára take care of one's health/clothes; ~ a saját érdekeire see after one's own interests; ~ a jó hírére care for one's reputation; ~ a nyelvére keep (a) watch over one's tongue; ~ arra hogy... be careful that (v. not to); ~z! take care!, have a care!, be careful!, mind!, look out!, (kat) attention!; ~z magadra take care of yourself, mind yourself, mind your eye!; ~z a lépcsőre! mind the step!; ~z ha jön a vonat beware of the trains, stop(,) look and listen! (US); ~z szavamra mark my words; ~z hogy hova lépsz watch your step; ~zatok arra amit mondok (now) mind what I say; ~zon figyelik be careful you are being watched; ~zon rá! [= ne bízzon benne] beware of him!; ~zon hogy mit csinál! mind what you are about!; ~zon meg ne lássák take care that nobody should see you; úgy ~ rá mint a szeme világára cherish sy/sg like the apple of one's eye II. vt, mind, watch, be on the look-out for

vigyázás n, [figyelem] attention, heeding, [bajtól óvás] guarding, tending, watching, taking care of, looking after, keeping, watch over, [őrizkedés] being on one's guard

vigyázat n, [óvatosság] caution, care, watchfulness, attention, heed, vigilance, [elővigyázat] precaution, guard; ~! beware!, take care!, have a care!, be careful!, caution!; ~! (frissen) mázolva mind the paint!, wet/fresh paint!; ~! lépcső! mind the step; ~! törékeny! fragile(,) handle with care

vigyázatlan a, careless, heedless (of), [óvatlan] incautious, unwary, unguarded, [hanyag] negligent, improvident

vigyázatlanság n, incautiousness, carelessness, heedlessness, unwariness, negligence, inattention (to), improvidence; ~ból through/by an oversight

vigyázatos [-at; adv -an] a, cautious, watchful, careful, on one's guard (ut), wary, circumspect, vigilant

vigyázó [-t, -ja] I. a, = vigyázatos; II. n, inspector, watcher, (isk) monitor

vigyázz [-t] I. int, look out!, (kat) attention!, (')shun!

(fam) II. n, (kat) (position/command of) attention; ~ba vágja magát spring/jump to attention; ~ban áll stand at attention; ~t vezényel command attention (v. stand-to); ld még vigyáz

vigyázzállás n, (position of)attention, stand-to, standfast

vigyor [-ok, -t, -a] n, = vigyorgás

vigyorgás n, grin, smirk, snigger, unpleasant/sneering/derisive smile

vigyorgó [-t; adv -an] a, grinning, smirking

vigyorog [.. rgok, -tam, .. rgott, -jon] vi, grin, smirk, smile unpleasantly/derisively, [gonoszul] sneer; ~ mint a fakutya grin like a Cheshire cat, grin like a lunatic, grin like a street-door knocker

viháncol [-t, -jon] vi, [nevetgél] giggle, titter, chortle, [ugrál] skip/jump about, romp

viháncolás n, [nevetgélés] giggle, titter, chortle, boundless jollity, [ugrálás] skipping/jumping about

vihar [-ok, -t, -a] n, 1. storm, tempest (ref.), [orkán] tornado, high wind, hurricane, [zivatar] thunderstorm; ~ elől menekül vhova seek/take shelter from the storm swhere; ~ előtti csend the lull/hush before the storm, the calm that precedes the storm; ~ közeledik/készül a storm is approaching/brewing/gathering; kitör a ~ (átv is) the storm broke out/forth; tombol a ~ the storm is raging; ~ba kerül be caught by a storm; ~ban hányódó tempest/storm-tossed; ~t jósló storm-menacing; ~tól elsodort/elsöpört tempest-swept 2. (átv) a világháború ~a the tempest of the world war; a szív ~ai storms raging in one's bosom/breast; ~ egy pohár vízben storm in a tea-cup

viharágyú n, hailstorm disperser, gun discharged against hail/clouds, cloud-cannon

viharálló a, storm/weather-proof, storm-tight

viharcsengő n, storm bell

vihardagály n, (földr) bore

viharedzett a, weather-beaten, severely/sorely tried, hardy, seasoned, hard-boiled, [bevált] well-tried

viharfecske n, (áll) stormy petrel, storm-petrel (Hydrobates pelagicus)

viharfedélzet n, shelter/weather-deck

viharfelhő n, storm cloud, thunder-cloud/head, thundercap (US)

viharjelzés n, storm signal/warning

viharjelző I. a, signalling/announcing (the approach of) a storm (ut), warning of a coming storm (ut); ~ állomás (meteorological) station/post for giving storm signals; ~ kosár storm-drum II. n, [készülék vízparton] storm-cone/drum

viharkabát n, windbreaker, windcheater, wind/sports/trench jacket

viharkötés n, (épít) brace

viharlámpa n, hurricane lamp, tornado-lamp/lantern

viharléc n, (épít) weather-board

viharmadár n, (áll) storm-bird/petrel, stormy petrel (Hydrobates pelagicus)

viharmentes a, stormless, calm

viharos [-at; adv -an] a, 1. stormy, windy, thundery, gusty, blowy, squally, tempestuous, turbulent; ~ alkonyat stormy sunset; ~ átkelés [tengeren] rough crossing/passage; ~ idő stormy/rough weather; ~ az idő it is stormy, the weather is stormy; ~ szél storm-wind, (whole) gale; ~ tenger rough/heavy/strong/rolling sea; ~ a tenger a high sea is running 2. [felkavart] turbulent, boisterous, tumultuous, [háborgó] seething, agitated, [szenvedélyes] passionate, impetuous; ~ élet stormy life/career; ~ éljenzés storm of cheers; ~ jelenet volt it was a stormy scene, feeling ran high; ~ légkör/atmoszféra/hangulat electric atmosphere; ~ múltja van he has a stormy past; ~ pályafutás chequered career; ~ siker frantic success; ~ tetszés frantic/uproarious applause, a burst/storm of applause viharosan *adv*, stormily, tempestuously

viharosság *n*, storminess, tempestuousness, turbulence, tumultuousness, agitation

viharöngyújtó *n*, hurricane lighter

viharsarok *n*, *(kb)* stormy corner, place of discontent

viharsirály *n*, *(áll)* (common) gull, sea-mew, mew-gull *(Larus canus)*

viharszíj *n*, *(kat)* chin/check-strap, hat-guard

viharvert(e) *a*, storm/weather/tempest-beaten, weather -worn, *[dobált]* storm-tossed, tempest-tossed *(ref.)*; ~ *kalap* battered hat

viharvitorla *n*, storm-jib

viharzás *n*, 1. storming, raging (of a storm) 2. *[rohangálás]* rushing/dashing about

viharz|ik [-ani, -ott, .. rozzon, ..rozzék] *vi*, 1. storm, be stormy/tempestuous 2. *(vk)* rush/dash about

viharzó [-ak, -t; *adv* -an] *a*, stormy, agitated, boisterous; ~ *tenger* seething/turbulent sea, high seas *(pl)*, a heavy sea

viharzóna *n*, storm-area/zone

viharzúgás *n*, roar of (the) storm

vihatatlan *a*, inexpugnable, impregnable, storm-proof

viheder [-ek, -t, -e] *n*, 1. sudden storm, gust of strong wind 2. *(bány)* fire damp

vihog [-tam, -ott, -jon] *vi*, giggle, titter, snigger, snicker, cackle, laugh unpleasantly, *[ló]* neigh, whinny

vihogás *n*, giggle, giggling, titter(ing), snigger(ing), snicker, cackle, cackling, unpleasent laugh, tehee, *[lóé]* neigh(ing), whinny(ing)

vijjog [-tam, -ott, -jon] *vi*, *[sas]* scream, *[más madár]* screech

vijjogás *n*, *[sasé]* scream(ing),*[más madáré]* screech(ing)

vikariáns [-at] *a*, *[faj]* *(növ)* vicarious species

vikárius *n*, vicar

víkend [-et, -je] *n*, week-end

víkendez|ik [-tem, -ett, -zen, -zék] *vi*, week-end, spend the week-end swhere

víkendező [-t, -je] *n*, week-ender

víkendház *n*, cabin, (week-end) cottage

víkendvonat *n*, week-end excursion train

Viki [-t, -je] *prop*, Vic, Vicky

viking [-et, -je] *n/a*, Viking, Northman, sea-wolf *(ref.)*

vikszel [-t, -jen] *vt/vi*, wax (the floor), wax-polish

vikszol [-t, -jon] *vt/vi*, = vikszel

Viktor [-t, -ja] *prop*, Victor

Viktória [..át] *prop*, Victoria; ~ *korabeli* Victorian

viktoriánus *a/n*, Victorian; ~ *erkölcsök* Victorian morals, Victorianism

vikunya [..át] *a*, *(áll)* vicugna *(Lama vicugna)*

világ [-ot, -a] *n*, 1. world, *[föld]* earth, globe, *[mindenség]* universe, *[társadalom]* society, people, everybody, *[működési terület]* field, province, domain, *(összet)* world-, universal, international, global; *az antik* ~ antiquity; *az egész* ~ the whole world; *(nyitva áll) előtte az egész* ~ have the world before one; *milyen/de kicsi a* ~! how small the world is!; *nagy* ~ the wide/whole world; *ld még nagyvilág; a régi* ~ the old times *(pl)*, *(tört)* the ancien régime *(fr)*; ~ *körüli* round the world *(ut)*; ~ *körüli út* round-the-world voyage, trip round the world; *a* ~ *közepe* the hub of the universe; *azt hiszi ő a* ~ *közepe* he thinks no small beer of himself, he is grown too big for his boots; *a* ~ *minden kincséért sem not for worlds*, not for the (wide) world, *a* ~ *minden kincséért sem tenném meg* I would not do it for (all) the world *(v. for worlds)*, I would not do it to gain the whole world; *a* ~ *minden táján/részén* in all parts/corners of the globe; ~ *proletárjai egyesüljetek!* workers of al lands unite!, proletarians of the world unite!; *a* ~ *szeme előtt* exposed to the public gaze; *a* ~ *vége [térbeli]* the ends of the earth *(pl)*,

[időben] world's end, end of the world, *[utolsó ítélet]* judgment day, doomsday, crack of doom *(fam)*; *a* ~ *végéig* to the world's end, to the ends of the earth; *a* ~ *végén lakik* live behind the beyond, live in an out-of-the-way place; *a* ~ *végén van* it is away at the back of beyond; *akkor más* ~ *volt* times were different then, that was a different world; *mióta a* ~ ~ from time immemorial, since the beginning of things; *mit szól/mond majd hozzá a* ~? what will the world say?, what will Mrs. Grundy say?; *ha olvas meghalt számára a* ~ when he is reading he is lost to the world; *ez a* ~ *sorja* such is life, such is the way of the world, so was the world, so wags the world, thus rolls the world along; *ilyent még nem látott a* ~ never before has anything like that been seen; *100 ft nem a* ~ 100 forints are not so very much (after all); *2 év nem a* ~ 2 years will not last for ever; *az állatok* ~*a* the animal kingdom; *a film* ~*a* the world of the screen, filmdom; *a természet* ~*a* the realm of Nature; *beszél a* világba talk through one's hat, talk drivel/bosh; *a mai* világban nowadays; *külön* ~*ban él* live in a different world, live in a world apart; *sokat látott a* világból he has seen the world; *a* világért *sem* not on any account, not for (all) the world, not for the life/soul of me, I could not do it to save my soul, by no (manner of) means, not by any means; *az egész* világon all over the world, all the world 'ver, everywhere; *az egész* ~*on ismerik a nevét* he is well-known the world over, (he is) famous all over the world; *a* ~*on van* be, live, exist, be alive; *egyedül áll a* ~*on* be alone in the world; *sehol a* ~*on* nowhere under the sun, nowhere in the wide world; *a* ~*on senkije sincs* be alone in the world; *más is van a* ~*on(,) nemcsak te* you're not the only pebble on the beach *(fam)*, you are not the only scoundrel in the world *(fam)*; *a* ~*on mindent megadnék érte csak tudhatnám* I would give the world to know...; világra *hoz* bring into the world, bring forth, give birth to; ~*ra jön* come into the world; *a* világot *jelentő deszkák* the boards *(pl)*, the stage; *ő jelenti számomra az egész* ~*ot* she is all the world to me; *más* ~*ot élünk* times have changed now, these are different times; *elmegy* ~*ot látni* go to see the world; ~*ot járt* = világlátott; *éli* ~*át [jól él]* live in plenty/clover, *[könnyen]* live a life of ease; *a* világtól *elvonulva él* live out of the world; *elmegy* világgá go out into the world, wander from home, leave home, run away; ~*gá bocsát* send out into the world, *[hírt]* spread, start, set going; ~*gá kürtöl vmt* proclaim sg from the housetops, blazon abroad 2. *[fény]* † light; *egy szál gyertya* ~*a mellett* by the light of a (single) candle; ~*ot gyújt* light the lamp(s), *(vill)* switch on the light 3. *[szeme világa]* (eye)sight, vision

világbajnok *n*, world champion

világbajnoki *a*, world-champion(ship); ~ *cim* world title

világbajnokjelölt *n*, world champion candidate

világbajnokság *n*, world championship

világbank *n*, world bank

világbéke *n*, universal peace

világbibliográfia *n*, world/universal bibliography

világbíró *a*, ~ *Nagy Sándor* Alexander the Great (.) (the) master of the world

világbirodalom *n*, empire (extending over the world), vast empire, far-flung empire

világboldogítás *n*, world-perfecting, utopianism

világboldogító *a*, world-perfecting, utopistic

világcég *n*, firm of world-wide reputation, international concern

világcsalás *n*, world-deceiving, swindling
világcsaló I. *n*, imposer on mankind, charlatan, cheat, swindler II. *a*, world-deceiving, swindling
világcsoda *n*, wonder of the world; *a hét ~* the Seven Wonders of the World
világcsúcs *n*, world record
világcsúcstartó *n*, world record holder
világégés *n*, world-wide catastrophe, universal conflagration, cataclysm
világegyetem *n*, universe, cosmos, macrocosm
világegyház *n*, oecumenical/universal Church
világéletemben *adv*, (all) my life long, in all my born days; *ilyet még ~ nem láttam* well (,) I never...
világesemény *n*, world event
világfájdalmas *a*, affected with *(v.* full of) Weltschmerz *(ut), (irodalomtört)* Wertherian
világfájdalom *n*, Weltschmerz, *(irodalomtört)* Wertherism
világfelfogás *n*, (general) view of life, view (of the world), world concept
világfelfordulás *n*, universal disorder/confusion, world commotion, cataclysm
világfelforgató I. *a*, subversive, overthrowing the present order of things *(ut)*, subversionary II. *n*, subverter
világfi *n*, man of the world, worldling, man about town
világfias [-ak, -t] *a*, *(vm)* of a man of the world, fashionable, *(vk)* worldly-minded, well-bred, like a man of the world *(ut)*
világforgalom *n*, international traffic
világforradalom *n*, world revolution
világgazdaság *n*, world economy, economy of the world
világgazdasági *a*, *~ helyzet* world economic situation; *~ válság* universal slump (in the whole capitalist world)
világgyűlölet *n*, hatred of the world, disgust with the world
világgyűlölő I. *a*, hating *(v.* disgusted with) the world *(ut)*, world-hating II. *n*, hater of the world, world hater
világháború *n*, world-war, *[GB néha]* Great War; *az első ~* (the) Great War (1914—1918); *a második ~* World War II, the 2nd World War; *a két ~ közti idő* interwar phase/period
világháborús *a*, of *(v.* relating/pertaining to) the World War *(ut)*, *(összet)* World War
világhatalmi *a*, of *(v.* pertaining to) a world/great power *(ut)*, great power; *~ törekvés* striving/aspiration for world power, plans of world conquest *(pl)*, world hegemonic(al) aspirations *(pl)*
világhatalom *n*, world power; *a világhatalmak* the Big/Great Powers
világhelyzet *n*, world situation
világhír *n*, world-wide *(v.* universal) fame/renown, *(ker)* world-wide reputation
világhíradó *n*, newsreel
világhíres *a*, = világhírű
világhíresség *n*, person known/celebrated all over the world, great celebrity
világhírű *a*, world-famed/famous, known/famous all over *(v.* throughout) the world *(ut)*
világhódító I. *a*, world-conquering, conquering the world *(ut)* II. *n*, world conqueror, conqueror of the world
világi [-ak, -t, -ja] I. *a*, 1. *[nem egyházi]* lay, secular, undenominational, mundane, temporal, *[nem lelki]* worldly(-minded), earthly, mundane, *[nem szerzetes]* secular, *[profán]* profane, unhallowed; *~ élet* life on earth; *~ ének* secular song; *~ hatalom* secular power, *[pápáé]* temporal power; *~ iskola* undenominational school; *~ javak* earthly goods; *~ jelleg*

wordly/secular/lay character/quality (of), *[írásé]* profanity, *[oktatásé]* secularity; *~ nevelés* secular education; *~ örömök* wordly pleasures; *~ pap* priest, minister; *~ személy* layman; *~ tartalmú képek* pictures of secular content; *~ ügy (tört)* secular cause/matter (not pertaining to spiritual jurisdiction) 2. □ terrific
II. *n*, *(vall)* layman; *a ~ak* the laity
világias [-at; *adv* -an] *a*, worldly(-minded), mundane, frivolous, profane
világiasság *n*, worldliness, mundaneness, worldly/secular/lay character/quality (of), frivolity, profanity, profaneness
világifjúság *n*, world-youth, the youth of the world
világifjúsági *a*, *V~ Találkozó* World Youth Festival
világimperializmus *n*, global/world imperialism
világirodalmi *a*, of *(v.* pertaining to) world literature *(ut)*, world literature
világirodalom *n*, world literature
világismeret *n*, knowledge of the world; *van ~e* he knows (the ways of) the world
világít [-ani, -ott, -son] *vi*, light, illuminate, give light (to sg/sy), shine; *~ vknek lefelé a lépcsőn* light sy downstairs; *a macska szeme ~ a sötétben* the cat's eyes shine/gleam in the dark; *~s kicsit közelebbre a lámpával* shine the torch a bit closer
világítás *n*, 1. light(ing), illumination, lighting up; *felső ~* light from above, sky light; *kisegítő ~* booster light; *közvetett ~* indirect lighting; *nappali ~* daylight; *süllyesztett ~* recess lighting 2. *vmt kellő ~ba helyez* put sg in its true *(v.* the right) light
világítási [-ak, -t; *adv* -lag] *a*, pertaining to *(v.* of) lighting *(ut)*, lighting; *~ célokra* for lighting purposes; *~ feltételek* lighting conditions; *~ hatások* lighting effects; *~ költségek* lighting expenses
világítástechnika *n*, illuminating engineering
világítatlan *a*, unlit
világító [-t] *a*, lighting, illuminating, giving light *(ut)*, *[foszforeszkáló]* phosphorescent, luminous; *~ bogár* glow-worm, lighting beetle/bug, firefly, flashing fire beetle, lampyrine *(tud)* ; *~ bomba* flare bomb, reconnaissance flare; *éjszakai ~ felhők* noctilucent clouds; *~ lövedék* star shell, *[pisztolyból kilőtt]* Very light, *[nyomjelző]* tracer bullet; *~ pisztoly* Very pistol, flare-pistol; *~ rakéta* light rocket, rocket lightball, flare; *~ reklám [háztetőn]* sky-sign; *~ rovarok* phosphorescent insects; *~ számlap* luminous dial; *~ számlapú óra* luminous clock/watch; *~ szökőkút* luminous fountain
világítóakna *n*, *(bány)* day/light-shaft, light-well
világítóanyag *n*, material used for lighting, *[gáz, olaj, villany]* illuminant, *[foszforeszkáló]* phosphorescent lighting material
világítóáram *n*, lighting current, electric current for lighting
világítóberendezés *n*, lighting apparatus
világítóbója *n*, beacon/light buoy
világítócső *n*, tubular/fluorescent lamp
világítógáz *n*, lighting/coal-gas, gas (used for illuminating), illuminative gas
világítóhajó *n*, light boat/vessel
világítóolaj *n*, illuminating/burning/lamp oil, kerosene
világítótest *n*, luminous body, illuminater
világítótorony *n*, lighthouse, pharos, *(rep)* beacon, *[hajóra rögzített]* lightship; *~ forgó fénye* revolving/intermittent/occulting light, flashlight
világítótorony-őr *n*, lighthouse-keeper, lighthouseman
világítóudvar *n*, air-shaft, (light) well (of a house)
világjáró I. *a*, globe-trotting, *(vm)* travelling in all parts of *(v.* all over) the world *(ut)* II. *n*, globe-trotter
világkapitalizmus *n*, world capitalism

világkép n, *(fil)* world concept, conception of the universe; *erkölcsi* ~ ethos

világkereskedelem n, international trade, the world's commerce

világkereskedelmi a, of international trade *(ut)*, international trade

világkiállítás n, world/international exhibition, World Fair *(US)*

világkongresszus n, world congress

világlap n, newspaper read all over the world, newspaper of/with world-wide circulation

világlátott a, much/widely travelled, who has seen (a great deal of) the world *(ut)*, world travelled; ~ *ember* a (much-)travelled man

világleírás n, description of the world, cosmography *(tud)*

világmárka n, *(átv)* internationally known article, article known all the world over; *a tokaji aszú* ~ Tokay Aszu is known all the world over

világmegváltó a, world-saving/redeeming, bringing salvation to men *(ut)*

világméretekben adv, in global/universal dimensions/proportions, on a global scale

világméretű a, of global/universal dimensions/proportions, of global magnitude, on a global scale, extending all over the globe *(mind: ut)*

világmindenség n, universe

világmozgalom n, world movement; *kommunista* ~ world communist movement

világnap n, world-day

világnézet n, world view/outlook, Weltanschauung; *marxista* ~ marxist ideology

világnézeti [-ek, -t; *adv*-leg] a, ideological, regarding/of a general view of life *(ut)*; ~ *vita* ideological debate; *ez* ~ *kérdés hogy...* it is a matter of doctrine that...

világnyelv n, 1. *[segédnyelv]* international/world/universal language 2. *[elterjedt]* language spoken all over *(v. in most parts of)* the world, world-wide language

világol [-t, -jon] vi, shine, gleam, (give) light

világos [-at, -a; *adv*-an] I. a, *[tiszta, ragyogó]* clear, bright, *[átlátszó]* transparent, limpid, *[nem sötét]* bright, light(-coloured); ~ *betűtípus* light-faced type; ~ *futó [sakk]* white bishop; ~ *nappal* in broad daylight; *már* ~ *nappal van* it is high day; ~ *reggelig* till broad daylight; ~ *sör* light/pale ale; ~ *szemű* clear-eyed; ~ *színű* light-coloured, bright-hued, *[haj]* fair; ~ *szoba* bright/light room; ~ *tónusú* high in key, high keyed; ~ *tónusú kép* high key picture; ~ *van [= reggel]* it is day(light), *[elég a fény]* there is plenty of light 2. *[egyszerű]* plain, simple, *[könnyen érthető* v. *nyilvánvaló]* obvious, manifest, self-evident, explicit, express, distinct, definite, unambiguous, clear-cut, palpable, lucid; *ez* ~ *beszéd* it is quite plain, it is plain speech; ~ *fejű* clear-headed; ~ *figyelmeztetés* broad hint; ~ *hogy...* it is obvious/clear that...; ~ *koponya* clear head, lucid mind, acute/keen intellect; ~ *mint a nap* clear as crystal/day(light); ~ *pillanat* lucid interval, lucidity; ~ *stílus* clear/pellucid style; *ez* ~ that is clear (enough), that is plain as a pikestaff; *ez* ~ *abból hogy...* this is shown clearly by..., this is clear from...; *nem* ~ *előttem hogy...* I am unclear as to...; *a napnál* ~*abb (a dolog)* plain as day, the matter is clear as noonday

II. n, 1. *[sakk]* white 2. *[sör]* light/pale ale

világosan adv, clearly, plainly, explicitly, distinctly, in (set) terms; ~ *bebizonyít vmt* make sg perfectly clear; ~ *beszél* speak clearly/plainly, speak (straight) to the point; ~ *beszél vkvel* make oneself clear, talk cold turkey with sy *(US)*; ~ *ért* understand clearly;

~ *hall* hear distinctly; ~ *lát a dologban* see clearly in the matter; ~ *megmondja (hogy)* tell sy plainly (that); ~ *megmondtam/megmagyaráztam/megírtam* I made it sufficiently clear; ~ *megmondtam neked (hogy)* I have told you in as many words (that)

világosbarna a/n, light brown

világosít [-ani, -ott, -son] vt, light, illuminate, give light (to), make light, light up

világosítás n, (act of) lighting, giving light, illumination

világosító [-t, -ja] n, illuminator, *(szính)* light-effects man, theatre/stage electrician, spotlight operator

világoskék a/n, light blue, *(sp)* Cambridge blue

világosod|ik [-ott, -jon, -jék] vi, become/grow light, lighten; ~*ik [reggel]* day is breaking, it is growing light; *végre* ~*ni kezdett az agyamban (hogy)* at length it dawned on me (that)

világosság n, 1. *[fény]* (day)light, *[fényesség]* brightness; *nappali* ~ broad/full daylight; *legyen* ~ let there be light; *az örök* ~ *fényeskedjék neki* let perpetual light shine unto him; *háttal a* ~*nak* with one's back to the light, in one's own light; ~*ot gyújt* light a lamp, put on the light, switch on the lamp; *a* ~*ot kívülről kapja* (sg) gets its light from outside 2. *[érthetőség]* clearness, clarity, explicitness, luminousness, *[stílusé]* lucidity, *[hangé, vonalé]* distinctness; ~ *támadt a fejemben* I was beginning to understand, I was beginning to see light *(fam)*; ~*ot derít vmre* bring sg to light, throw/shed light on sg, elucidate

világossárga a/n, light yellow

világosszőke a/n, very fair, *[haj]* flaxen

világosszürke a/n, light grey

világpénz n, universal money

világpénz-funkció n, universal money function

világpiac n, world/international market; *egységes* ~ the single world market; *szocialista* ~ socialist world market

világpiaci a, ~ *ár* world market price, price in the international market

világpolgár n, citizen of the world, cosmopolite, cosmopolitan

világpolgári a, cosmopolitan, cosmopolite; ~ *életszemlélet/életforma* cosmopolitanism

világpolgáriasság n, cosmopolit(an)ism

világpolitika n, world/international politics

világpolitikai a, of *(v. relating/pertaining to)* world politics *(ut)*, of international politics *(ut)*

világpostaegyesület n, (Universal) Postal Union

világproletariátus n, world proletariat(e), proletarians of the world *(v. of all countries) (pl)*

világpusztulás n, end/destruction of the world, cataclysm

világranglista n, *(sp)* world ranking list

világraszóló [-ak, -t; *adv*-an] a, of *(v. apt to excite)* world-wide interest *(ut)*, sensational, of world-wide importance *(ut)*; ~ *felfedezés* sensational discovery, discovery of universal significance; ~ *siker* enormous success

világravaló [-ak, -t] a, practical(-minded), clever, resourceful, smart *(fam)*; ld még **életrevaló**

világrekord n, world record, an all-time high *(fam)*

világrekorder n, world record holder

világrend n, universal order

világrendítő [-ek, -t] a, world-shaking

világrendszer n, cosmic/world system; *kapitalista* ~ world capitalist system, capitalist world system

világrengető a, world-shaking

világrész n, *[terület]* part of the world, *[földrész]* continent; *az öt* ~ the five parts of the world *(pl)*

világsajtó n, world press

világsiker n, world-wide success

világszabadság n, world/universal freedom

világszellem n, world/universal spirit, anima mundi

világszemlélet *n*, world view/outlook/conception, Weltanschauung

világszenzáció *n*, sensational event

világszép *a*, extraordinarily beautiful

világszerte *adv*, throughout *(v.* all over) the world, (all!) the world over; ~ *ismerik a nevét* famous all over the world; *ez a beszéd ~ nagy érdeklődést keltett* this speech has excited world-wide interest

világszervezet *n*, world organization

világszövetség *n*, world/international federation; *Szakszervezetek V~e* World Federation of Trade Unions

világtáj *n, [terület]* region/quarter of the world, *[égtáj]* cardinal point, point of the compass; *a négy ~* the (four) cardinal points, the four quarters of the globe

világtalan *a*, sightless, without sight *(ut)*, blind, visionless, unseeing, eyeless *(ref.); vak vezet ~t* it is a case of the blind leading the blind

világtengely *n*, axis of the earth, axis of the solar system, axis of the galaxy/universe

világtenger *n*, ocean

világtérkép *n*, world map/chart

világtörténelem *n*, history of the world, world-history, universal history

világtörténelmi *a*, relating to *(v.* of) the history of the world *(ut), [fontos]* highly important/momentous

világuralmi [-ak, -t] *a*, world-dominating/hegemony; ~ *törekvés* striving/aspiration for world-domination/hegemony

világuralom *n*, domination of the world, world-domination/hegemony

világutazó I. *a*, globe-trotting II. *n*, globe-trotter

világűr *n*, Space, space, interplanetary/outer/cosmic/intermundane space, the void

világűrhajó *n*, interplanetary vessel/rocket

világválság *n*, world(-wide) crisis

világváros *n*, metropolis

világvárosi *a*, metropolitan

világvevő *n, [rádió]* all-wave/world receiver, long--range *(v.* universal) receiver, superhet(erodyne)

világviszonylatban *adv*, internationally, on a world scale; ~ *is számottevő játékos* world ranking player

vilajet *n, (tört)* vilayet ⟨Turkish administrative unit⟩

Vili [-t, -je] *prop*, Will(ie), Bill(y), Bille

villa¹ [..át] *n*, 1. *[evőeszköz]* (table/dinner) fork; ~ *alakú* fork-shaped, *[elágazó]* forked, crutched, *(növ)* furcate; *egy villányi* forkful 2. *(mezőg)* pitchfork, (hay-)fork; *kétágú ~* two-pronged/tined fork; *háromágú ~* three-pronged fork 3. *[kétágú kocsirúd]* thill, *[csónakon]* rowlock, *[telefonkészüléken]* rest 4. *célt villába fog (kat)* straddle a target 5. *(kárty)* tenace, *[sakkban]* fork

villa² [..át] *n, [ház]* villa, *[kisebb]* cottage, bungalow

villaág *n*, prong, *[szekérrúdnál]* thill

villacsont *n, [csirkéé]* wish-bone, fourchette, merry-thought *(fam)*

villafa *n, (hajó)* cant-frame

villafarkú *a*, fork-tailed

villaház *n*, villa

villahegy *n*, point/prong of a fork

villalakás *n*, flat/apartment in a villa

villám [-ot, -a] *n*, (flash of) lightning, *[ami beüt]* thunderbolt; *száraz ~* summer/heat/corn lightning; *derült égből lecsapó ~* bolt from the blue; *gyorsan mint a ~* quick as lightning/thought, with lightning speed, lightning-fast, like a shot; *~okat szór* send forth flashes of lightning, *[Zeus]* hurl/throw thunderbolts, *[szem]* blaze with anger, flash like lightning; *~ot szór a szeme* look daggers (at sy)

villámcsapás *n*, stroke of lightning, thunderbolt, thunderstroke; *mint ~ a derült égből* like a bolt from the blue; *~ként hatott rám* it came upon me like a thunderbolt

villámcsapda *n*, lightning-arrester

villámellenőrzés *n*, spot check/test

villámgyors *a*, quick as lightning/thought, lightning--fast

villámgyorsan *adv*, with lightning speed, like a shot, like a streak of lightning

villámgyorsaság *n*, rapidity/quickness of lightning

villámháború *n*, lightning war, blitzkrieg

villámhárító *n*, lightning-conductor/rod, *[csúcsa]* terminal

villámkő *n, (ásv)* fulgurite

villámlás *n*, lightning, *[felhőben]* sheet lightning

villáml|ik [-ani, -ott] I. *v. imp*, it is lightning, it lightens II. *vi, ~ik a szeme (a haragtól)* his eyes flash (with anger)

villámló [-ak, -t; *adv* -an] *a*, 1. lightning 2. *(átv)* flashing; ~ *szemek* eyes flashing/blazing with anger

villamos I.. *a*, [-ak, -t] 1. electric(al); ~ *áram* electric current; *a ~ áram megölte* he was (accidentally) electrocuted; ~ *berendezés* electrical equipment; ~ *csengő* electric (door-)bell; ~ *elem* electric battery; ~ *energia/erő* electric power; ~ *erőmű* electric power--generating plant, power station/plant, generating plant; ~ *fék* electric brake/braking; ~ *feszültség* voltage; ~ *főzőlap* warming/boiling/hot-plate, electric food-warmer; ~ *gépipar* electrical engineering; ~ *hegesztés* electric welding; ~ *hegesztőív* flaming arc; ~ *hősugárzó* electric heater; ~ *kisülés* electric discharge; ~ *potenciál* potential; ~ *távvezeték* transmission line; ~ *ütés* electric shock, electrocution 2. ~ *angolna [hal]* electric eel *(Gymnotus electricus)* II. *n*, [-ok, -t, -a] (electric) tramway, *[a kocsi]* tram(-car), car, streetcar *(US); a hatos ~ [a viszonylat]* the tram-line number six, *[a kocsi]* a number six tram; *felszáll a hatos ~ra* take tram/car number six, take a number six tram/car; *~ra ül* take a tram; *~sal megy* go by tram, tram (it) *(fam); ~sal mentem* I took a tram, I came by a tram, I trammed it *(fam)*

villamosbaleset *n*, tramway/streetcar accident

villamosbérlet *n*, tramway/streetcar weekly/monthly (season) ticket

villamoscsengő *n, [villamoskocsié]* streetcar bell

villamosenergia-ellátás *n*, electric power supply, public electricity supply, distribution of electricity

villamosenergia-fejlesztés *n*, electric energy generation

villamosenergia-ipar *n*, electric energy industry

villamosenergia-termelés *n*, production of electrical energy

villamoshálózat *n*, tramway/streetcar network, network of tram-lines

villamosít [-ani, -ott, -son] *vt/vi*, electrify

villamosítás *n*, electrification

villamosjárat *n*, tram-line, streetcar line *(US)*

villamosjegy *n*, tramway ticket, transportation *(US)*

villamoskalauz *n*, tram/streetcar conductor, (street)-carman *(US)*

villamoskocsi *n*, tram(-car), car, streetcar *(US)*, trolley car *(US)*

villamoskocsi-vezető *n*, tram/streetcar driver, driver, motorman *(US)*, trolleyman *(US)*, (street)carman *(US)*

villamosközlekedés *n*, tramway traffic, tramcar transport, streetcar traffic *(US)*

villamos-megálló *n*, tram(way)stop, streetcar stop *(US)*, *[sziget]* tramway island

villamosmérnök *n*, electrical engineer

villamosmozdony *n*, electric locomotive

villamosművek *n. pl*, electricity works, power/electric/central station, power-house

villamosremíz *n*, tramway depot

villamosság *n*, electricity; *pozitív ~* positive electricity;

negatív ~ negative electricity; *légköri* ~ atmospheric electricity

villamossággyűjtő *n*, **1.** *[akkumulátor]* .accumulator, storage battery/cell **2.** *[antenna]* aerial **3.** *[kefe]* collector(-ring) **4.** *[sűrítő]* condenser

villamossági [-ak, -t] *a*, electric(al), of electricity *(ut)*; ~ *szaküzlet* electrical appliances shop; ~ *társaság* electricity/power supply company

villamosságmutató *n*, *(fiz)* electroscope

villamosságtan *n*, electrical engineering, electrotechnics

villamosságtani *a*, electrotechnical

villamosságvezető I. *n*, (electric) conductor, conductor of electricity **II.** *a*, conducting

villamossín *n*, tram-rail/line/track

villamosszék *n*, electric chair; ~*ben kivégez vkt* electrocute sy; ~*ben való kivégzés* electrocution

villamosvasút *n*, electric railway, *[városi]* tramway, electric street railway *(US)*, streetcar line *(US)*

villamosvezeték *n*, wiring

villamosvezető *n*, = **villamoskocsi-vezető**

villamosvonal *n*, tram-line, tramway, streetcar line *(US)*, street railway *(US)*

villamosvonat *n*, electric train

villámpor *n*, *(növ)* lycopodium powder *(Semen lycopodii)*

villámsebes *a*, = **villámgyors**

villámsújtotta [..át] *a*, struck by lightning *(ut)*, *[fa]* blasted

villámszerű *a*, ~ *összehúzódás* lightning-like contraction

villámszóró *a*, hurling thunderbolts *(ut)*, thundering, fulminating *(fam)*, fulminant *(fam)*, thunder--throwing *(fam)*, *[szem]* flashing (with anger); ~ *Zeus* Zeus the Lightning Hurler

villámtorna *n*, *[sakkban]* lightning tournament

villámtréfa *n*, short/brief skit

villámújság *n*, ⟨wall-newspaper published daily and dealing with only one event/aspect of the life of the workshop⟩

villámütés *n*, thunderstroke, stroke by lightning

villámverseny *n*, *(kárty)* lightning tournament

villámvonat *n*, express-train, special

villámzár *n*, zip fastener, zipper

villan [-t, -jon] *vi*, flash, blink, twinkle, glint, emit/ reflect light suddenly, *[kés]* gleam, sparkle

villanás *n*, flash(ing), blink of light, glint, sudden gleam, blaze, spark

villanegyed *n*, garden suburb, suburb of villas, residential section/quarter

villanó [-ak, -t; *adv* -an] *a*, flashing, sparkling, gleaming, blazing

villanófény *n*, *(fényk)* flashlight, *[közlekedési]* blinker; ~ *égője (fényk)* flashbulb

villanólámpa *n*, flashlamp

villanópor *n*, flashlight powder

villant [-ani, -ott, -son] *vt/vi*, flash, glint

villantó [-t, -ja] *n*, *[horgászatban]* blinker; ~*val horgászik* spin for fish

villantókanál *n*, *[horgon]* spinner

villantós [-at] *a*, ~ *horgászbot* trolling-rod

villany [-ok, -t, -a] *n*, electricity, *[lámpa, fény]* (electric) light; *bevezették a* ~*t* electricity was installed; *gyújtsd fel a* ~*t* switch on the light; *oltsd el a* ~*t* switch off the light

villanyáram *n*, electric current, electricity; *a* ~ *halálra sújtotta* he was electrocuted

villanyautó *n*, electric automobile, *[vurstliban]* dodg'em

villanyberendezés *n*, *[felszerelés]* electric light installation, *[beépített]* set of electric lights

villanyborotva *n*, electric (dry) razor/shaver

villanycsengő *n*, electric (door-)bell

villanydrót *n*, electric wire, *[szigetelt hajlékony]* flex (wire), (flexible) cord

villanydugó *n*, plug; *csatlakozó* ~ power-point

villanyégő *n*, electric (light-)bulb, incandescent lamp/bulb

villanyégős *a*, ~ *csillár* electrolier

villanyél *n*, fork-handle

villanyelem *n*, battery, *[száraz]* dry cell, *[zseblámpához]* flashlight/torch battery

villanyerejű [-ek, -t] *a*, electrically driven, power--driven

villanyerő *n*, electric power; ~*re berendez* electrify; ~*re berendezett* electrically driven, operated by electricity *(ut)*

villanyfejlesztés *n*, generation of electricity

villanyfény *n*, electric light

villanyfogyasztás *n*, consumption of (electric) current, consumption of electricity

villanyfogyasztó *n*, consumer of electric current

villanyforraló *n*, = **villanyfőző**

villanyfőző *n*, electric cooker, electric cooking apparatus, *[teának]* electric kettle

villanyfőzőlap *n*, electric burner, hot plate

villanygép *n*, electric(al) machine, electromotor

villanygramofon *n*, electrically operated gramophone, electric phonograph *(US)*

villanygyár *n*, electric plant

villanyhuzal *n*, = **villanydrót**

villanykábel *n*, electric (land) cable(s)

villanykályha *n*, electric fire, electric heater/stove, heat lamp, *[félgömb alakú]* (electric) bowl fire

villanykapcsoló *n*, *(ut)* switch

villanykés *n*, *(orv)* radio-knife

villanykezelés *n*, electrotherapy

villanykörte *n*, electric bulb, incandescent bulb/lamp, (light-)bulb

villanykörte-foglalat *n*, bulb-holder

villanykürt *n*, electric horn

villanylámpa *n*, electric lamp, *[zseblámpa]* (electric) torch, flashlight *(US)*, *[motor működését jelző]* pilot lamp

villanymelegítő *n*, electric heater, *[párna]* electric cushion, heating pad, electric warming pad

villanymérő *n*, (electric) meter

villanymotor *n*, electromotor, electric motor

villanymozdony *n*, electric locomotive, electromotive

villanyóra *n*, **1.** *[árammérő]* (electric) meter **2.** *[időmérő]* electric clock

villanyorgona *n*, *(zene)* electric/pipeless organ

villanyos [-at, -a; *adv* -an] *a/n*, = **villamos**

villanyosít [-ani, -ott, -son] *vt/vi*, = **villamosít**

villanyosítás *n*, = **villamosítás**

villanyoskalauz *n*, = **villamoskalauz**

villanyosság *n*, = **villamosság**

villanyosvezető *n*, = **villamosvezető**

villanyoszlop *n*, pole (supporting electric wires), *[távvezetéké]* pylon, lattice-mast

villanyoz [-tam, -ott, -zon] *vt/vi*, galvanize, *(átv is)* electrify, electrize

villanyozás *n*, galvanization, electrification, electrization, faradization, faradism

villanypárna *n*, electric cushion, heating pad

villanypásztor *n*, *(mezőg)* electrical fence

villanyrendőr *n*, traffic lights/signals *(pl)*, traffic set

villanysütő *n*, (cooking) oven

villanyszámla *n*, electricity bill/account

villanyszerelés *n*, setting up (v. reparation) of electric installations, electric light installation, *[huzalozás]* wiring, *[összekapcsolás]* connecting up

villanyszerelési *a*, pertaining to electric (light) installation *(ut)*, *[huzalozási]* wiring, of the reparation of electric machinery *(ut)*

villanyszerelő I. *a*, = **villanyszerelési; II.** *n*, electrician, electrical fitter

villanyszikra n, electric spark
villanyszolgáltatás n, power/electricity supply
villanytarifa n, (rate of) electricity charges (pl)
villanytelep n, electricity works, power station, electric(ity) and power plant
villanytűzhely n, e ectric (cooking) range/stove
villanyújság n, ⟨electrical running sign displaying news items and advertisements⟩, (kb) flashlight news(paper)
villanyvasaló n, electric iron
villanyvezeték n, lead (wire), electric cable, [hálózati] main
villanyvezető I. a, conducting (electricity) II. n, (vill) (electric) conductor, conductor of electricity
villanyvilágítás n, electric lighting
villanyvonat n, electric (railway) train
villanyzongora n, player piano, pianola, autopiano; ~ játékhengere music-roll
villanyzsinór n, flex (wire),(flexible) cord, lead (wire)
villás a, [alak] forked, crutched, furcate, bifurcated, [villával ellátott] having a fork (ut); ~ elágazás forking, [fán] crotch; ~ emelőkar yoke lever; ~ farkú fork-tailed; ~ hajtókar/tolórúd straddle; ~ kapa prong-hoe; ~ kulcs fork spanner, wrench; ~ rúd forked pole, crutch, [kocsin] thill(s), thill shaft; ~ rúdba fogott ló thill-horse; ~ targonca fork lift truck
villásan adv, ~ ágazik szét branch off, divide
villasor n, row of villas
villásreggeli n, lunch(eonette), brunch (fam), [ünnepélyes] luncheon
villásreggeliz|lk vi, (take) lunch(eon)
villaszerű a, 1. [ház] villa-like, having the appearance of a villa (ut) 2. [szerszám stb.] forklike
villatelep n, settlement/cluster of villas; ld még villanegyed
villatulajdonos n, owner of a villa
villáz [-tam, -ott, -zon] vt, fork, (mezőg) pitchfork
villódzás n, [az ég alján] sheet/summer/heat/corn lightning, fulguration; ld még villogás
villódz|ik [-ott, -zon, -zék] vi, glitter, gleam (in flashes), coruscate, scintillate, phosphoresce, be luminescent, blink, twinkle, flash, fulgurate
villófény n, glimmering, coruscation, [villanófény] flashlight
villog [-ott, -jon] vi, glitter, gleam (in flashes), glint, shine, sparkle, glisten, coruscate (ref.), scintillate (ref.), flash (ref.), [láthatár] be sheet-lightning; fogai fehéren ~nak his teeth are gleaming white; ~ a szeme his eyes are flashing/blazing; ~ott a szeme a haragtól his eyes flashed/kindled with anger, his eyes scintillated anger
villogás n, flash(ing) sparkling, sparkle, gleam(ing), glitter, glint, coruscation, [az ég alján] summer/ sheet/heat/corn lightning, fulguration
villogó [-ak, -t; adv -an] a, flashing, flashy, gleaming, sparkling, coruscating, scintillating; ~ szemű having sparkling eyes (ut), with eyes flashing (ut)
villogtat vt, flash, make glitter/sparkle/gleam, [kardot] brandish
villong [-ani, -tam, -ott, -jon] vi, quarrel, bicker, contend, be at strife/variance
villongás n, quarrel, bickering, contention, strife, dissension, difference, [családi] (family) feud
villongó [-t; adv -an] a, quarrelling, at strife (ut), (pol) factious; ~ pártok warring factions
Vilma [.. át] prop, Wilhelmina, Wilma, (bec) Mina, Minnie
Vilmos [-ok, -t, -a] prop, Will(iam); Hódító ~ William the Conqueror
vimperga [.. át] n, (épít) pierced gable, gablet
Vince [.. ét] prop, Vincent
vincellér [-ek, -t, -e] n, vine-dresser, vineyardist

vincellérbogár n, (áll) snout beetle (Otiorrhynchus sp.)
vincellérkés n, pruning-knife, bill(-hook)
vindely [-ek, -t, -e] n, [zsírosbödön] firkin
vindfix [-et, -je] n, = windfix
vindikál [-t, -jon] vt,[magának] claim, arrogate (to oneself); jogot ~ magának arrogate a right to oneself
vinilgyanta n, vinyl plastic/resin
vinilgyök n, vinyl
vinkli [-t, -je] n, [faiparosé] try(ing)-square, steel square, square rule, (nyomd) composing stick
vinkó [-t, -ja] n, sour wine, wine of poor quality, (unpretentious) local wine
vinkuláció [-t, -ja] n, [áruszállításnál] lien on goods
vinkulál [-tam, -t, -jon] vt, ~ árut submit goods to lien; ~ szállítmányt have a lien (up)on a cargo
vinni ld visz
vinyetta n, = címke
vinnyog [-tam, -ott, -jon] vi/vt, whimper, whine
vinnyogás n, whining, whimper(ing), whine, feeble groan
viola[1] [.. át] n, (növ) stock (Matthiola); kerti ~ common/queen stock, gillyflower (M. incana); sárga ~ wall-flower (Cheiranthus cheiri)
viola[2] [.. át], n, 1. [régi európai vonóshangszerek összefoglaló neve] viol; ~ da gamba viola da gamba, gamba/ bass/tenor viol 2. [brácsa] viola, tenor violin
Viola [.. át] prop, Viola
violakék a/n, violet blue
violaszín I. a, = violaszínű; II. n, violet(-colour)
violaszínű a, violet-coloured
violinkulcs n, treble/G/violin clef
vipera [.. át] n, 1. (áll) viper, adder (Vipera sp.); homoki ~ sand/longnosed viper (V. a. ammodytes); keresztes ~ common viper/adder (V. berus); pufogó ~ puff-adder (Bitis arietans); rákosi ~ Orsini's viper (V. ursinii rakosiensis) 2. (átv) viper
viperafajzat n, brood of vipers
viperaféle I. a, 1. viperine, viperiform, like a viper (ut) 2. (átv) viperous, viperish II. viperafélék viperidae, the viper family
viperafészek n, viper's nest, a nest of vipers
viperagyík n, (áll) beaded lizard (Heloderma sp.)
viperahal n, (áll) sting-fish (Trachinus vipera draco)
virág [-ot, -a] n, 1. flower, [szirmos rész] bloom, [fán] blossom; ~ alakú floriform; csésze nélküli ~ asepalous flower; kétoldalian részarányos ~ zygomorphic/mono-symmetrical flower; párta nélküli ~ apetalous flower; pártás ~ heterochlamydeous flower; sokszirmú ~ polypetalous flower; sugarasan részarányos ~ actino-morphic/radial flower, ray-shaped flower; teljes ~ monoclinous/hermaphrodite flower; vágott ~ cut flowers (pl); ~ középpontja eye; ~ba borul burst into bloom/flower; teljes ~jában in full bloom/flower; ~ról ~ra from flower to flower; ~ot szed pluck/pick flowers; ~ot tűz a ruhájára pin a flower on one's dress; ~okkal hint be vmt strew sg with flowers 2. [java vmnek] cream, [hadseregé] flower, pick, [életé] prime, hey-day, [ifjúságé] bloom, blush, spring-time (of youth); ~jában van be at its height/zenith, be in a flourishing state, flourish; élete ~jában in the prime flower/meridian of life, in one's prime; szépségének ~jában van be in the flower of one's beauty 3. [boron] fungoid growth, mildew specks (pl), mould
virágágy n, flower bed
virágajak n, (növ) label(lum)
virágalaprajz n, floral diagram
virágállat n, zoophyte, anthozoon, polyp(e)
virágállvány n, flower-stand, jardinière
virágárus n, [boltos] florist, dealer in flowers, [utcai] flower-seller/woman
virágáruslány n, flower-girl
virágbimbó n, flower-bud

virágbogár n, (áll) flower beetle (Cetonia sp., Potosia sp.); aranyos ~ goldsmith beetle (Cetonia aurata)
virágbokor n, flower-bush, [virágzó bokor] flowering shrub
virágbokréta n, = virágcsokor
virágbuga n, panicle
virágburok n, perianth, epicalyx
virágcsata n, flower battle
virágcsendélet n, flower-piece
virágcserép n, flower-pot
virágcseréptartó n, flower-pot case
virágcsésze n, calyx
virágcsokor n, bunch of flowers, nosegay, posy, bouquet, [női ruhára tűzhető] corsage
virágdísz n, [pompa] floral decoration/ornament, floration, [állapot] flowering (state), bloom, [épületen] flower-shaped ornament, flower-work, rosette, fleuron, finial, [szöveten] floral pattern/design
virágdíszes a, decorated/ornamented with flowers (ut), having/with floral ornaments (ut), flower-decked, florid, [épület] ornamented with flower-work, (tex) flowered, sprigged, adorned with floral pattern (ut)
virágedény n, flower-pot, [vágott virágnak] rose-bowl
virágének n, love/flower song, love-ditty/lyric
virágerdő n, wilderness of flowers; ~ borítja el a koporsót the coffin is hidden behind a mass of floral tributes
virágeső n, rain of flowers
virágfakadás n, flowering, efflorescence, blossoming
virágfakasztó a, flower-opening/blowing
virágféreg n, [tengeri] sea-anemone (Actinoloba dianthus)
virágfestő n, flower-painter, painter of flower-pieces
virágföld n, (black)mould
virágfüzér n, garland, festoon (of flowers)
virághagyma n, bulb(il)
virághímes a, in bloom/flower/blossom (ut), flower-decked/(be)spangled, adorned/studded with flowers (ut), flowery; ~ rét field gay with flowers (in bloom)
virághullás n, fall of flowers, fall of the blossom, shedding of the blooms
virágillat n, fragrance of flowers, flower-scent
virágkaró n, prop, support, stake (for flowers)
virágkedvelő n, lover of flowers, flower fancier
virágkehely n, flower-cup, calyx (tud)
virágkel n, (növ) cauliflower (Brassica oleracea botrytis)
virágképlet n, flower formula
virágkereskedés n, flower-shop, florist's (shop)
virágkereskedő n, florist, dealer in flowers
virágkertész n, floral gardener, florist, floriculturist
virágkertészet n, floriculture
virágkiállítás n, flower show, floral exhibition
virágkocsány n, peduncle, flower-stalk, [igen vékony] pedicel
virágkor n, flowering, golden age, brightest period, sg at its height, flourishing (time/state), height, bloom, palmy days (pl), [életé] prime, heyday, (ker) prosperousness, prosperity; ~át éli flourish
virágkosár n, flower-basket
virágláda n, [ablakban] window/flower-box
viráglevél n, = virágtakaró-levél
virágmag n, flower-seed(s)
virágméz n, honey, (növ) nectar
virágminta n, [anyagon] floral pattern/design/motif, flowered work, [nagyvirágú] bold floral pattern
virágmintás a, [anyag] flowered, sprigged, floreted, floral, with a floral pattern (ut), adorned with flowerlike patterns (ut)
virágnyelv n, the language of flowers, florigraphy (tud)
virágnyílás n, flowering, opening/blossoming of flowers, efflorescence
virágocska n, small/little flower, floweret
virágolaj n, attar, perfume/oil made from flowers

virágos [-at; adv -an] a, 1. [virággal borított] flowery, covered with (v. rich in) flowers (ut), [virágzó] flowering, in flower/bloom (ut), [gyümölcsfa] in blossom (ut), (összet) flower-, floral; ~ ág spray; ~ fa tree in blossom; ~mező flowery field 2. (növ) floriferous, bearing flowers (ut), phanerogamic, phanerogamous, [virág alakú] floriform; ~ növények flowering plants, phanerogamous plants 3. [virággal díszített] flowered, ornamented with flowers (ut), (tex) with a floral pattern/design (ut); ~ anyag [ruhára] flowered material; ~ asztal table decorated with flowers 4. ~ kedvében van be in high spirits; ~ stílus flowery/florid/ornate style 5. [bor] mouldy
virágoskert n, flower-garden
virágoz [-tam, -ott, -zon] vt, decorate/ornament (sg) with flowers, deck out (sy) with flowers, flower
virágpálha n, bractea
virágpiac n, flower-market
virágpompa n, splendour/abundance of flowers
virágpor n, pollen, anther dust
virágporos n, polliniferous
virágrege n, tale of flowers
virágrügy n, flower-bud, floral bud
virágszál n, a (single) flower; ~am darling
virágszár n, flower-stalk, peduncle (tud)
virágszedés n, picking/gathering/plucking (of) flowers
virágszirom n, petal
virágszőnyeg n, carpet of flowers, carpet-bed
virágtakaró n, 1. (növ) perianth 2. [mezőé] covering/blanket of flowers
virágtakaró-levél n, floral leaf, petal, sepal, tepal
virágtalan I. a, flowerless, blossomless, (növ) cryptogamous, cryptogamic; ~ növény sporing plant; ~ növények társulása cryptogamic society II. n, (növ) cryptogam, flowerless plant; edényes ~ok vascular cryptogams, pteridophytes
virágtartó n, flower-stand, jardinière, [autóban] flower-holder
virágtermelő I. a, flower-growing II. n, flowergrower, grower/cultivator of flowers, flori(culturi)st
virágtermő a, floriferous
virágüzlet n, flower-shop, florist's (shop)
virágvasárnap n, Palm/Fig Sunday
virágváza n, (flower)vase, (flower) bowl, boughpot, bowpot
virágzás n, 1. (term) flowering, bloom(ing), [gyümölcsfáé] blossom(ing), (in)florescence, efflorescence; ~ előtti időszak prebloom period; ~ telje anthezis 2. (átv) = virágkor; ~nak indul begin to flourish; ~ának kora the brightest period of
virágzat n, inflorescence; csomós ~ glomerate inflorescence, flowers in dense or compact clusters; fejecskébe tömörült ~ headed/capitate inflorescence, inflorescence aggregated into a very dense (v.compact)cluster
virágz|ik [-ani, -ott, .. gozzon, .. gozzék] vi, 1. (növ) flower, bloom, blow, burst into bloom, be in flower, [gyümölcsfa] blossom 2. (átv) flourish, prosper, thrive
virágzó [-ak, -t; adv -an] a, 1. (növ) flowering, blossoming, blooming, in flower/bloom/blossom (ut); korán ~ [növény] early flowerer; ~ fák trees in blossom 2. (átv) flourishing, thriving, prospering, prosperous; ~ egészségben in the pink/bloom of health, in roaring health (fam); ~ kereskedelem prospering trade; ~ vállalkozás prosperous/thriving business, (kif) the business is a paying concern
virány n, † flowering/flowery field/meadow (stand.)
vircsaft [-ot,-ja] n, micsoda ~ (van ott) I what a muddle!
vircács [-ot, -a] n, rod, birch(-rod); ~ot kap be birched/caned, be beaten
virginiadohány n, virginia

Virginia-szigetek *prop. pl*, the Virgin Islands

virgonc [-ot; *adv* -ul] *a*, agile, nimble, brisk, quick, active, lively, sprightly, buoyant, full of pep *(ut)*, spry *(US)*

virgoncság *n*, agility, nimbleness, sprightliness, briskness, buoyancy, spryness *(US)*

virgula [..át] *n*, virgule, oblique stroke, *[írógépen]* shilling-mark

virilista [..át] *n*, *(kb)* one of the greatest tax-payers (of a community)

virilizmus *n*, *(orv)* virilism

virit [-ani, -ott, -son] *vi*, 1. bloom, be in flower/bloom, *[gyümölcsfa]* blossom; *már ~anak a rózsák* the roses are blooming 2. *[rikít]* be loud/gaudy/garish

virító [-ak, -t; *adv* -an] *a*, 1. in flower/bloom *(ut)*, blooming, *[gyümölcsfa]* blossoming 2. *[szín]* loud, gaudy, garish

virológia [..át] *n*, virology

virológus *n*, virologist

virrad [-t, -jon] I. *v. imp*, *[hajnalodik]* dawn, *(kif)* the day is breaking; *nyáron már 3 órakor ~* in summer the day dawns as early as 3 o'clock II. *vi*, *[ébred vmre]* wake (to find sg); *szép reggelre ~tunk* we awoke to a fine morning; *mire ~unk?* what is there in store for us?, what can we expect?; *rossz napokra ~* fall on evil

virradás *n*, dawn(ing), breaking (of day), day-break

virradat *n*, dawn, break/peep of day, daybreak, grey of the morning; *~ előtt* before dawn/day, in the small hours (of the morning); *~kor* at dawn, at (break of) day, at cock-crow

virradó [-t; *adv* -an] I. *a*, dawning, breaking; *a vasárnapra ~ éjszaka* in the course of Saturday night, on the night from Saturday to Sunday II. *n*, = virradat; *keddre ~ra* by Tuesday morning

virraszt [-ani, -ott, .. asszon] *vi*, be/keep awake, sit/stay up (for sy), *[őrködve]* watch, keep vigil; *beteg mellett ~* sit up with a sick person, watch by a sick person

virrasztás *n*, *[ébren maradás]* sitting/staying up (at night), watching (by night), night-watch, *(hajó)* look-out, *(kat)* (night) watch, *(vall)* vigil; *~ betegek mellett* night-nursing of the sick; *~ holttest mellett* watching/vigil by dead body

virrasztó [-t] I. *a*, keeping awake *(ut)*, sitting/staying up (at night) *(ut)*, keeping watch (by night) *(ut)*, *(vall)* keeping vigil (beside the dead)*(ut)*; *~ ének* vigil, wake song II. *n*, watcher (by night), vigil-keeper

virsli [-t, -je] *n*, Vienna sausage, wienerwurst *(US)*, wiener *(fam)*, *[forrón, főleg zsemlében]* hot dog; *tormás ~* fresh sausage served with horse-radish *(pl)*

virsliárus *n*, sausage-vendor, hot-dog man *(fam)*

virtuális [-ak, -t; *adv* -an] *a*, virtual, potential

virtuálisan *adv*, virtually, potentially

virtuóz [-ok, -t, -a; *adv* -ul] I. *a*, virtuosic II. *n*, *(zene)* virtuoso

virtuozitás *n*, virtuosity

virtus *n*, 1. *[tulajdonság]* prowess, gallantry, bravery, bravado, valour; *~ból tette* he did it to show his mettle/ courage/strength, he wanted to show off 2. *[tett]* exploit, feat (of arms), clever/daring performance, doughty deed, bravura, piece of bravado

virtuskodás *n*, bravedo, (ostentatious) show of courage, showing off

virtuskodik [-tam, -ott, -jon, -jék] *vi*, perform feats of valour/strength; *~ik erejével* he shows off with his strength

virtuskodó [-t] *a*, *~ legények* lans showing off their courage/strength

virul [-t, -jon] *vi*, 1. *(növ)* flower, bloom, blow, *[gyümölcsfa]* blossom 2. *(átv)* *[egészség tekintetében]* be in good health, be in the pink of health, *[prosperál]*

flourish, prosper, thrive; *él és ~* enjoy the best of health, be alive and kicking *(fam)*

virulás *n*, 1. *(növ)* flowering, blooming, *[gyümölcsfa]* blossoming 2. *(átv)* *[egészség tekintetében]* (state of being in the) bloom/pink of health, *[prosperálás]* flourishing, prospering, thriving

virulencia [..át] *n*, virulence

virulens [-et] *a*, virulent

viruló [-ak, -t; *adv* -an] *a*, 1. *(növ)* flowering, blooming, in flower/bloom *(ut)*, *[gyümölcsfa]* blossoming; *~ rózsafa* rose-tree in blossom 2. *[egészség]* robust, vigorous, *[arcszín]* rosy, ruddy; *~ szépség* in the full flowering of her beauty

vírus *n*, virus

vírusbetegség *n*, *(növ)* virosis

vírusellenes *a*, anti-viral

vírusgazda *n*, host

víruskutatás *n*, virology

víruskutató *n*, virologist

vírusos [-at] *a*, viral; *~ tüdőgyulladás* virus pneumonia

vírustörzs *n*, virus strain

virzsinia [..át] *n*, † ⟨thin long cigar made of strong Virginia tobacco, kind of thin cheroot with haulm of straw running inside⟩

viscerális [-at] *a*, *~ mellhártya* visceral pleura

visceromotoros *a*, *(orv)* visceromotor

visel [-t, -jen] *vt*, 1. *(hord)* wear, have on; *ruhát ~* wear clothes; *negyvenes cipőt ~* take forties in boots; *szakállt ~* wear a beard; *kék felöltőt ~ve* wearing/in a blue overcoat 2. *[bajé]* bear, endure, suffer, *[terhet]* carry, hold up, support, prop, sustain; *az egész felelősséget ~i* bear all the responsibility; *gondját ~i vmnek* take care of sg; *türelemmel ~i a keresztjét* bear one's cross/affliction patiently; *~i a költségeket* bear the costs of sg, defray/meet the expenses; *a költségeket ... ~i* costs to be borne by ...; *~i a következményeket* face/take *(v.* put up with) the consequences; *~ned kell majd a következményeket* you will have to take the consequences; *neki kell ~nie vmnek a nehezét* bear the brunt of sg 3. *hadat ~ vk ellen* make/wage war on/against sy 4. *fegyvert ~* bear/ carry arms; *hivatalt ~* hold an office; *vm nevet ~* have/bear a name 5. *magán ~ vmnek a jegyeit/ bélyegét* bear marks of sg; *a következő feliratot ~i* it bears the following inscription 6. *~i magát* behave, conduct oneself; *jól ~i magát* behave well, *[hosszabb ideig]* be on one's good behaviour; *rosszul ~i magát* misbehave

viselés *n*, 1. *[ruháé]* wearing 2. *[fegyveré]* carrying; *hivatal ~e* holding an office 3. *[teheré]* bearing, *[költségeké]* paying, meeting, defraying, defrayal, defrayment; *a költségek ~ésére ítélték* he was ordered to pay the costs

viselet *n*, 1. *[ruháé]* wearing 2. *[ruházat]* costume, dress, attire, apparel, garb *(obs)*; *nemzeti ~* national wear/costume 3. *[viselkedés]* conduct, behaviour

viseletlen *a*, *[ruha]* unwearable

viselhető *a*, 1. *[ruha]* wearable, presentable 2. *[teher]* portable, endurable

viselkedés *n*, 1. *[vkvel szemben]* behaviour (towards sy), conduct, air, attitude, ways *(pl)*, demeanour, comportment *(obs)*, deportment *(obs)*, *[modor]* manners *(pl)*, bearing; *minősíthetetlen ~* atrocious manners/ behaviour; *rossz ~* misdemeanour, misconduct; *nem tetszik a ~e* I do not like the way she goes/carries on; *~éből arra kell következtetnem hogy részeg volt* from the way he behaved I should infer that the man was drunk 2. *(műsz)* behaviour

viselkedésbeli *a*, *~ rugalmasság (növ)* behaviour flexibility

viselkedési [-t] *a*, *~ forma* behaviour pattern

viselkedéstan *n*, behaviorism; *~ művelője* behaviorist

viselked|ik [-tem, -ett, -jen, -jék] *vi,* **1.** *[vkvel szemben]* behave (towards), conduct/deport/comport/demean oneself, act (like), treat/use sy (well/ill); *szépen ~ett velem szemben* he acted well/decently towards me; *barátilag ~ik* he acts like a friend; *bátran ~ik* act bravely/boldly, behave courageously/pluckily, put a bold face on the matter; *becsületesen ~ik* behave decently/properly (towards sy), do the right thing by sy, play a straight game; *jól ~ik* behave well, bear oneself well; *okosan~ik* deport oneself prudently, do the right thing; *rosszul ~ik* misbehave, carry oneself badly; *udvariasan ~ik* be courteous/polite, show courtesy; *a helyzetnek megfelelően ~ik* adapt oneself to the occasion; *hogyan ~ett?* how did he behave?; *jól ~ett a gyerek?* did the child behave?; *megmutatja vknek hogy kell ~ni* teach sy manners; *nem tudod hogy kell ~ni?* where are your manners?; *nem szabad így ~ned* you must not go on like this; *~j rendesen!* behave yourself, be your age! *(fam)* **2.** *(műsz)* behave

viselő [-t, -je; *adv* -en] **I.** *a, [ruhát]* wearing, *[nevet]* bearing, *[terhet]* carrying *(mind: ut); a háborút ~ hatalmak* the belligerent powers **II.** *n, [ruháé]* wearer, *[névé]* bearer, *[teheré]* carrier, porter

viselőruha *n,* everyday/workaday clothes *(pl),* suit for everyday use

viselős [-et; *adv* -en] *a, (nép, biz)* (big) with child *(ut),* enceinte *(fr) (ref.),* in the family way *(ut) (fam),* pregnant *(stand.),* gravid *(tud), (áll)* with young *(ut); ~ asszony* expectant mother

viselősség *n,* pregnancy, gravidity *(tud),* gestation *(tud)*

viselt [-et; *adv* -en] *a,* **1.** *[használt]* worn, old, *[kopott]* shabby, threadbare, *[már nem hordják]* left/cast off; *~ holmik* articles that have been used/worn, *[levetették]* cast-offs **2.** *vknek a ~ dolgai* sy's acts/deeds/past, *(ellt)* sy's doings/misdeeds; *hallottam ~ dolgairól* I heard of your goings-on **3.** *bíró~ ember* a former judge

viseltes [-et; *adv* -en] *a,* worn (out), well-worn, shabby, threadbare, the worse for wear *(ut),* seedy *(fam)*

viseltesség *n,* wornness, shabbiness, showing wear

viseltet|ik [-tem, -ett, .. essen, .. essék] *vi, [vmvel valahogyan vk/vm iránt]* feel/entertain/show/manifest sg for sy/sg; *gyűlölettel ~ik vk iránt* hate sy, show hatred for sy; *jóindulattal ~ik vk iránt* be well-disposed towards sy; *rosszindulattal ~ik vk iránt* bear/owe sy a grudge, bear malice to sy, have a grudge against sy; *szeretettel~ik vk iránt* bear/show sy love; *tisztelettel~ik vk iránt* show respect for, be respectful to

viser [-ek, -t, -e] *n, [rajz-eldörzsölő]* stump

visít [-ani, -ott, -son] *vi/vt,* shriek, scream, shrill, screech, squeal, squeak, squawk; *~ a malac* the little pig squeals; *~ mint akit nyúznak* squeal like a pig

visítás *n,* squeal(ing), squeak(ing), shriek(ing), scream(ing), yell(ing)

visító [-t] *a,* squealing, squeaking, screaming, *[hang]* shrill

visítozás *n,* sustained/repeated squealing/squeaking/screaming/yelling

visítoz|ik [-tam, -ott, -zon, -zék] *vi,* be squealing/squeaking/screaming, keep on squealing

viskó [-t, -ja] *n,* hovel, poor/tumbledown cottage, small mean house, hut, cot, shanty, shed, poky little house

vis major superior/irresistible force, force majeure, *(jog)* act of God

visong [-tam, -ott, -jon] *vi,* squeal, squeak, scream, utter shrill cries

visongás *n, [gyereké]* squalling, squeaking, squealing

visz [vinni, viszek, vittem, vitt, vigyen, vigyed, vidd] **I.** *vt,* **1.** *[szállít vkt/vmt vhova]* carry, take (sy/sg to a place), transport, *[gyorsan]* rush, *[hírt]* convey, bring, *[terhet]* bear; *autón az állomásra ~ vkt* take/drive sy to the station in one's car; *hátán ~ vkt* carry sy on one's back, carry sy pick-a-back *(fam); kórházba ~ vkt* carry/convey/take sy to the hospital, hospitalize sy; *magával ~ vkt* take sy with one, take sy along; *színházba ~ vkt* take sy to the theatre; *vizet ~ [csatorna stb.]* conduct/convey/bring water (to a place); *sírba vitte titkát* he carried his secret to the grave; *úgy ~ik mintha ingyen adnók* be snapped up like hot cakes, it sells like hot cakes; *az ördög vigye!* the devil take him/it!; *vigyétek!* off with him! **2.** *[vezet]* lead, conduct; *diadalra ~* lead to victory; *sikerre ~ vmt* bring sg to a successful issue, make a success of sg; *tökélyre ~vmt* bring sg to perfection; *a sírba fog vinni!* he will be the death of me; *odáig vitte a dolgot hogy...* he carried things *(v.* went) so far as to... **3.** *[rávesz vkt vmre]* induce /incline/ prompt/get/lead/tempt/urge sy to do sg; *vkt bűnre ~* induce sy to commit a crime, incite/tempt sy to evil; *jégre ~ vkt [fogós kérdést ad fel]* put a delicate question to sy, lead sy into a dilemma, bring sy on slippery ground, *[tőrbe csal]* lure sy into a trap; *könnyű Katót táncba vinni* it is easy to induce sy to do sg that he himself wants to do; *ne vígy minket a kísértésbe (bibl)* lead us not into temptation **4.** *[irányít]* direct, manage; *~i az ügyeit* manage sy's affairs; *ügyet törvényes útra ~* bring a case before a court, take legal action/proceedings; *pert ~* conduct the suit; *~i a labdát (sp)* lug the ball **5.** *~i a darabot (szính)* run away with the play; *~i az osztályt [tanár]* get a class on **II.** *vi,* **1.** *ez az út a városba ~* this road leads/goes to the town; *nem ~i semmire* fail to get on, make no progress (in life); *sohase ~i semmire* he will never amount to anything, he will never achieve/accomplish anything, he will not set the Thames on fire; *sokra ~i az életben* succeed in life, rise in the world; *már nem ~i sokáig* he cannot last much longer **2.** *[hord fegyver]* puska amely 1000 yardra ~ rifle that carries *(v.* has a range of) a thousand yards; *jól ~ ez a reszelő* this file has plenty of bite

viszály [-ok, -t, -a] *n,* discord, dissension, strife, conflict, contention, quarrel, dispute, disagreement, dissonance, *[családi]* feud; *a ~ magvát hinti el a családok között* sow discord between families; *~t kelt/szít* sow dissension, engender *(v.* stir up) strife

viszálykodás *n,* discord(ance), contention, disunion

viszálykod|ik [-tam, -ott, -jon, -jék] *vi,* contend, be at loggerheads, be disunited, wrangle, quarrel, squabble

viszálykodó [-t; *adv* -an] **I.** *a,* contentious, quarrelsome, cantankerous, squabbling **II.** *n,* contender

viszcerális [-at] *a, ~ eskór* visceral epilepsy

viszket *vi,* itch, be itching, tingle; *~ a talpa (átv)* wish to dance, feel like dancing; *~ a tenyerem* my fingers are tingling (to box sy's ears)

viszketegség *n,* itching, itchiness, *(orv)* prurigo, pruritus; *feltűnési ~* morbid desire to attract attention, desire to create a sensation, longing to make a stir, attitudinizing

viszketés *n,* itching, itchiness, *(orv)* prurigo, pruritus

viszketőpor *n,* itching powder

viszketős [-ök, -t; *adv* -en] *a,* itching, itchy, scratchy, crawly, *(orv)* pruritic, pruriginous

viszkezesseg *n,* countersecurity

viszki [-t, -je] *n,* = whisky

viszkóz [-ok, -t, -a] *n,* viscose;*~ (műselyem)* viscose rayon; *~ szál* viscose fibre

viszkoziméter *n,* viscosimeter

viszkozitás *n,* viscosity

viszkozitásmérő *n,* viscosimeter

viszkózus *a*, viscous, viscid

viszolygás *n*, aversion, reluctance

viszolyog [-tam, . . lygott, -jon] *vi*, *(vmtől)* shrink (from), have an aversion (to, for), shudder (at), have no taste (for), *[vmnek a megtételétől]* loathe to (do sg), be reluctant to, hate the idea (of doing sg), find (sg) repugnant, it is repugnant to him (to do sg)

viszonkereset *n*, *(jog)* cross action, counter/cross--claim, cross-cause, recourse, reconvention, set-off; ~*tel él* recover, bring a cross action (against sy), (set up a) counter-claim

viszonkereseti *a*, ~ *jog* counter-claim, cross-demand

viszonkövetelés *n*, counter/cross-claim, set-off

viszonos [-ok, -t; *adv* -an] *a*, reciprocal, mutual; ~ *el-bánásban részesít vkt* grant reciprocal rights to sy

viszonosság *n*, reciprocity, reciprocalness, mutuality; ~ *elve* reciprocity principle

viszonossági [-t] *a*, ~ *alapon* on the basis of mutuality, on a mutual basis

viszonoz [. . nzani, -tam, . . nzott, -zon] *vt*, 1. return, requite, recompense, compensate, repay, reciprocate, *[torol]* retaliate; *hasonlóval* ~ requite like for like, give (like) in return; *jót rosszal* ~ repay evil for good, repay good with/by evil; ~*va vk köszönését* return/ acknowledge sy's salutation/greeting; ~*za látogatását* return a/sy's call; ~*za vk szerelmét* return sy's love; *szerelmét nem* ~*ták* his love met with no response, his love was not returned; *szívességet* ~ return/repay a kindness 2. *[válaszol]* reply; *nem tudom(,)* ~*ta* I don't know(,) he replied

viszont I. *adv*, *[másfelől]* on the other hand, again, conversely, in turn, *[mégis]* nevertheless, however, still, (and) yet. . ., but, *[kölcsönösen]* mutually, reciprocally, *[viszonzásként]* by way of compensation, on exchange/return; *és* ~ and vice versa, and conversely II. *int*, *[köszönöm!]* the same to you!; ~ *kívánom* I wish you the same!, the same to you!

viszontagság *n*, vicissitude, adversity, hardship, trial; *élet* ~*ai* the adversities of this life, the ups and downs of life; *időjárás* ~*ai* rigours of weather; *sok* ~ *után* after many vicissitudes; *sok* ~*on ment keresztül* he went through a great deal, he met with innumerable vicissitudes/adventures

viszontagságos [-ak, -t; *adv* -an] *a*, vicissitudinous, vicissitudinary, full of vicissitudes/incidents *(ut)*, *[élet]* of ups and downs *(ut)*, eventful, restless; ~ *életpálya* chequered career; ~ *időket élt meg* he has gone through the fire(s of adversity); ~*utazás* eventful journey

viszontbiztosít *vt*, reinsure, counter-insure, reassure

viszontbiztosítás *n*, counter-insurance, reinsurance, reassurance

viszontbiztosítási *a*, ~ *szerződés* contract of reinsurance

viszontbiztosító *n*, counter-insurer, reinsurer, reassurer

viszontelad *vt*, resell

viszonteladás *n*, *(ker)* resale, retail (sale), sale by retail, sub-sale

viszonteladási *a*, ~ *ár* resale-price

viszonteladó *n*, *(ker)* retailer, retail-dealer, middleman, *[másodkézből]* second-hand dealer

viszonteladói *a*, ~ *engedmény* trade discount

viszonthallásra *int*, *(kb)* good-bye!, so long!

viszontlát *vt*, see (sy/sg) again, meet (sy) again

viszontlátás *n*, seeing (sy/sg) again, meeting (sy) again; *(a)* ~*ig* till/until we meet again, see you again soon!; *a ma esti* ~*ig* until to-night; *(a)* ~*ra* good-bye (for the present)!, bye-bye! *(fam)*, so long *(fam)*, see you later! *(fam)*, ta-ta *(baby-talk)*; ~*ra csütörtökön!* good-bye until/till Thursday!, see you again on Thursday

viszontleszámítol *vt*, = **visszleszámítol**

viszontleszámítolás *n*, = **visszleszámítolás**

viszontszerelem *n*, requited love

viszontszeret *vt*, return/requite sy's affection/love

viszontszívesség *n*, kindness/favour *(v. good turn)* done in return, return for kindness

viszontszolgálat *n*, service done in return, return (for) service; *maradok* ~*ra készen*. . . holding our services at your disposal in reciprocation

viszontváltó *n*, *(ker)* re-draft/exchange, renewed bill

viszonvád *n*, *(jog)* counter-charge/accusation/plea, recrimination; ~*at emel vk ellen* bring/raise a counter--accusation/charge against sy

viszonvádol *vt*, counter-charge, recriminate

viszonválasz *n*, (answer to a) reply, retort, *(jog)* rejoinder, rebutter

viszonzás *n*, reciprocation, requital, *[szívességé]* returning (of), return (for a kindness), return service, repayment, compensation, *[anyagi]* recompense, compensation, *[megtorlás]* retaliation, tit for tat *(fam)*; ~ *nélkül* without reciprocation/requital

viszonzásképpen *adv*, = **viszonzásul**

viszonzásul *adv*, in return (for sg), in requital (for/of sg), in exchange (for sg)

viszonzatlan *a*, unreciprocated, unrequited, unreturned, unanswered; ~ *szerelem* unrequited/unanswered love

viszonzott [-at; *adv* -an] *a*, returned, *[érzelem]* requited (affection), reciprocated (feeling); *nem* ~ unrequited, unacknowledged, unanswered

viszony [-ok, -t, -a] *n*, 1. *[kapcsolat]* *(vké)* relation, connection, intercourse (with, between), relation (of sy to sy), terms *(pl)*, footing, *(vmé)* relation(ship) (to), connection (with), bearing (upon); *baráti* ~ friendly intercourse, friendly terms *(pl)*, *[népek között]* friendly relations *(pl)*, amity; *bűnös* ~ criminal conversation; *munkához való* ~ attitude/relation (of the worker) to one's work; *szerelmi* ~ love-affair, romance, amour, intimacy liaison *(fr)*, *[titkolt]* intrigue, *(jog)* intimacy; *üzleti* ~ business-connection(s)/relation; ~*a van vkvel*, ~*t folytat vkvel* have a love-affair with sy, be on intimate terms with sy, have a connection with sy, carry on with sy *(fam)*; *milyen a* ~*a a nőkhöz?* how do you get along with girls?; *bizalmas* ~*ba kerül vkvel* enter into relations with sy; *bizalmas* ~*ban van vkvel* be on intimate terms with sy; *jó* ~*ban van vkvel* be on good terms with sy, be friendly with sy, keep in with sy; *feszült* ~*ban van vkvel* have strained relations with sy; *köszönő* ~*ban van vkvel* have a bowing/nodding acquaintance with sy; *rossz* ~*ban van vkvel* be on bad terms with sy, be at loggerheads with sy; *milyen* ~*ban vagy vele?* how do you stand with him 2. ~*ok* *[helyzet]* conditions, state, (combination of) circumstances, situation, *[szerveké]* relative position; *az adott* ~*ok között* in/under the circumstances; *kedvező/jó anyagi* ~*ok között él* be in good/easy circumstances, be well off; *a* ~*ok alakulása* the development of things; *a* ~*okhoz képest* considering the circumstances 3. *[arány]* ratio, proportion, comparative relation, rate; *születések és halálozások* ~*a* the ration between births and deaths 4. *az ok és okozat* ~*a* relation/ connection between cause and effect, causality 5. *(nyelvt)* relationship

viszonyít [-ani, -ott, -son] *vt*, *(vmhez)* compare (with, to), make/draw a comparison/parallel (between), bring into comparison, define sg in relation to sg

viszonyítás *n*, comparing (with, to), comparison (with), relation

viszonyítási [-t] *a*, ~ *alap* base of comparison

viszonyító [-t; *adv* -an] *a*, comparative, *[vonatkozó]* relative

viszonyítva *adv*, as compared to/with, in comparison with/to, in proportion/relation to; *jövedelméhez* ~

túl sokat költ he spends too much in proportion to his income

viszonylag *adv*, comparatively, relatively (to), by/in comparison

viszonylagos [-at; *adv* -an] *a*, relative, comparative; ~ *költség* relative cost; ~ *lencsenyílás* relative aperture of a lens; ~ *szilárdság/sürüség/tömörség* relative density

viszonylagosság *n*, relativity, relativeness

viszonylat *n*, 1. *[vonatkozás]* relation, respect; ... ~*ban* on a ... scale, *(ker)* in the ... relation; *országos* ~*ban* nationally; *nemzetközi* ~*ban* internationally, in international relations; *az olasz* ~*ban* in the Italian relation 2. *(vasút kb)* route, traffic; *a budapest—pécsi* ~ the Budapest-Pécs route *(v.* train service)

viszonyl|ik [-ani, -ott, .. nyoljon, .. nyoljék] *vi*, 1. *(vkhez, vmhez)* compare (with sg), relate (to sg), refer (to sg), bear a relation (to sg); *lakosságuk (száma) hogy* ~*ik egymáshoz?* how do the populations compare?; *ld még* **aránylik**; 2. *hogyan* ~*ik ehhez a javaslathoz* what is his reaction to this proposal?; *ld még* **viszonyul**

viszonyszám *n*, *(menny)* ratio, relative number

viszonyszó *n*, *(nyelvt)* preposition, postposition, prepositive word/particle, relational word

viszonyszócska *n*, = **viszonyszó**

viszonyul [-t, -jon] *vi*, have/maintain a (concrete) relation to; *jól/pozitíve* ~ *vmhez* have a positive attitude to sg, be actively disposed towards sg; *rosszul* ~ *a kritikához* resent criticism

viszonyulás *n*, relation(ship) (to), attitude (to sg)

vissza I. *adv*, back, backward(s), behind; ~ *a feladónak [levélen]* return to sender II. *int*, ~ *!* back! III. *n*, = = **visszája**; IV. *pref*, back, re-

visszaad I. *vt*, 1. *(vmt)* give/hand back, *[pénzt]* repay, refund, pay back, restore, replace, *[visszaküld]* return; ~*ja vknek a bátorságát* put fresh courage into sy; ~*ja vknek a becsületét* restore sy's honour, rehabilitate sy; ~*ja vk erejét* restore sy's strength; ~*ja vknek a kölcsönt* repay sy a loan, *(átv)* pay sy back (in his own coin), pay off old scores, quit scores, get square with sy, give/return like for like; ~*ja vknek a szabadságát* give sy back his liberty, set sy free again; ~*ja a megbízást [dezignált miniszterelnök]* withdraw, resign; *kéziratot* ~ *egy írónak* return a manuscript to an author; ~*ja a labdát* return the ball; ~ *ütést (sp)* return a stroke 2. *[megevett ételt]* bring/throw up, vomit 3. *[kifejezést]* reproduce, express, *[értelmez]* interpret, *[fordításnál]* render, translate; *rosszul adja vissza a szerző gondolatát* convey the author's meaning wrongly; *a festő hiven adta vissza vonásait* the painter has well reproduced/ rendered/portrayed his features; *hogy lehet ezt magyarul* ~*ni* how can it be rendered into Hungarian? 4. *[tükör alakot/arcot stb.]* reflect 5. *[viszonoz]* (give in) return, make return/restitution for sg, requite, recompense; ~*ja vknek a látogatását* return sy's call/ visit; ~*om még ezt neki* I'll be even with him yet; *egyszer még* ~*om neki a kölcsönt* I will be quits with him some day
II. *vi*, ~ *egy ötforintosból* give change for a 5 forint piece

visszaadás *n*, 1. *(vmt)* (act of) giving back, *[pénzé]* repaying, repayment, refunding, restoration, return-(ing), *(sp) [labdáé teniszben]* return; ~ *joga (ker)* right of return 2. *[kifejezésé]* reproduction, expression, *[értelmezésé]* interpretation, *[fordításnál]* rendering, translation 3. *[viszonzás]* giving in return, requital, paying off old scores

visszaakaszt *vt*, hook/hang up sg again, *[szegre]* put

back;~*ja a hallgatót* hang up *(v.* replace) the receiver, *[és lecsenget]* ring off

visszaáll *vi*, 1. *(vk)* resume *(v.* step/go back to) one's (former) standing place 2. *[helyreáll]* be re-established/restored

visszaállít *vt*, 1. *(vmt)* put/move back (again), replace; ~ *vmt a helyére* put/set sg in (its proper) place again, put sg back in its place 2. *(átv)* re-establish, restore, restitute, set up again, *[állásba]* reinstate, *[hadiüzemet békegazdálkodásra]* reconvert; ~ *szöveget* restore a text; ~*ja a rendet* restore (public) order

visszaállítás *n*, 1. *(vmé)* replacement, (act of) replacing, putting/setting (of sg) in place again, putting back (of sg) in its proper place 2. *(átv)* re-establishment, *[hivatalnoké]* reinstatement, restitution, *[királyságé]* restoration, *[háborús gazdálkodásról békegazdálkodásra]* reconversion

visszaárad *vi*, flow back

visszaáradás *n*, refluence, reflux, flowing back

visszaáramlás *n*, *(orv)* regurgitation

visszaáraml|ik *vi*, *(orv)* regurgitate

visszabeszél *vi*, make an insolent retort, talk back, be saucy

visszabeszélés *n*, back-chat; *elég a* ~*ből* no more of your back-chat

visszabillen *vi*, be tilted back, swing back, *[egyensúlyba kerül]* regain one's balance, come into equilibrium again

visszabillent *vt*, tilt/swing back, *[egyensúlyba hoz]* restore the equilibrium of sg

visszabocsát *vt*, let go back, let return

visszaborzad *vi*, shrink/draw back *(v.* recoil) in horror

visszabúj|ik *vi*, slip back

visszacipel *vt*, carry/drag/lug back

visszacsábít *vt*, lure/entice back, bring back with promises

visszacsal *vt*, = **visszacsábít**

visszacsalogat *vt*, = **visszacsábít**

visszacsap I. *vt*, throw/thrust/fling/push back II. *vi*, 1. backlash, *[ütést visszaad]* hit/strike/knock back, return a blow 2. *[füst]* be beaten down, blow back, *[láng gázosítóban]* spit/pop back, backfire, *[láng puskánál]* backflash

visszacsapód|ik *vi*, rebound, whip/spring back, be driven back, *[hullám]* recoil

visszacsatol *vt*, 1. *[övet]* rebuckle, refasten, retie, fasten (on) again, tie up again 2. *[területet]* reannex 3. *[rádió]* feed back

visszacsatolás *n*, 1. *[övé]* (act of) rebuckling, fastening on again 2. *[területé]* reannexation 3. *[rádióé]* feedback, back-coupling, *[pozitív]* regeneration; *negatív* ~ negative feedback

visszacsavar *vt*, 1. *[csavart lazít]* slacken, unscrew 2. *[előző helyére]* screw back, screw/fix in its former place 3. *[visszaforgat]* turn back

visszacsempész *vt*, steal sg back, put sg back by stealth

visszacseng *vt*, resound, re-echo, reverberate

visszacsenget *vt*, *[telefonon]* ring sy back

visszacserél *vt*, (return and) exchange

visszacsinál *vt*, undo, render undone/ineffective/null/ void, call off *(fam)*, go back on sg *(fam)*; *egyezséget* ~ cancel/withdraw a contract, annul a treaty; *eljegyzést* ~ break off an engagement; *üzletet* ~ cry off a bargain *(fam)*; *ezt nem lehet* ~*ni* there is no going back on it

visszacsókol *vt*, return sy's kiss(es)

visszacsúsz|ik *vi*, slip/slide back, *[régi rossz szokásba]* backslide

visszadob *vt*, 1. throw/cast/fling back, *[labdát]* return, retoss 2. *[elvet]* set aside, set at naught, *[ajánlatot]* reject, decline, turn down, *[fellebbezést]* dismiss, *[törvényjavaslatot]* throw out, *[kéziratot]* reject

visszadöbben *vi, (vmtől)* shrink/flinch/recoil from sg (in fear/horror)

visszadöbbent *vt,* make shrink back (in horror), repulse

visszadől *vi,* recline, lean/fall backwards, *[széken]* lean/sit back

visszadug *vt, [kardot]* put up, *[egyebet]* put back, put/ stuff into

visszaél *vi, (vmvel)* misuse sg, abuse sg, make ill use of sg, take (an unfair) advantage of sg; ~ *vk barátságával* presume on sy's friendship; ~ *a bizalommal* break/abuse confidence; ~ *vknek a gyengeségével* practise upon sy's weakness; *(hivatalos) hatalmával* ~ abuse/misuse one's authority, *[magasabb kat rangjával]* pull one's rank; ~ *a helyzettel* take an unfair advantage of a situation; ~ *vk hiszékenységével* play (up)on sy's credulity; ~ *vk jóindulatával* impose upon sy's kindness, trespass (up)on sy's kindness *(fam); vk türelmével* ~ overtax/abuse sy's patience, trench on sy's patience, trespass on sy's patience *(fam);* ~*sz a türelmemmel* you make too great demands upon my patience

visszaélés *n,* abuse, misuse, corrupt practice(s); *joggal való* ~ abuse/violation/infringement of rights, wrongful/injurious use of a (legal) right; *hivatalos hatalommal való* ~ misuse/abuse of authority; *elfojtja a* ~*eket* check the abuses

visszaemlékezés *n,* remembrance, recollection, memory, reminiscence (of sg)

visszaemlékez|ik *vi, (vmre)* remember/recall/recollect sg, call (back) sg to one's mind, bring sg back, recall sg (to one's mind), *(kif)* sg comes back to one('s mind);* ~*ik a múltra* cast one's thoughts back on the past; *amennyire (csak) vissza tudok emlékezni* as far as my memory will carry back, to the best of my remembrance

visszaenged *vt,* allow (sy/sg) to come/go back, *[helyiségbe]* re-admit

visszaengedményez *vt,* re-assign

visszaengedményezés *n,* re-assignment

visszajár *vi,* 1. be/come/go/get back, return (in time), find/make one's way back, reach a place again, get back to a place; ~ *a hajóra* regain one's ship; ~ *a partra* regain the shore

visszaereszt *vt,* = **visszaenged**

visszaérkezés *n,* return, going/coming back

visszaérkez|ik *vi,* return, arrive again, be/come back (again); *ld még* **visszaér**

visszaesés *n,* 1. *[magasból]* falling back 2. *[bűnözőé]* relapse (into crime/sin/vice), backsliding, recidivism 3. *[hanyatlás]* regress(ion), retrogression, recession, decline, fall, decay, *[üzleti]* set-back, slump, down-swing, slow-down, slackening, depression 4. *(orv)* relapse, recurrence (of a disease)

visszaes|ik *vi,* 1. *[helyre]* fall/drop back, fall (down) again 2. *[hanyatlik]* go back, be on the down-grade, recede, regress, decline, slow down, slacken; *a forgalom erősen* ~*ett* the turnover has diminished considerably 3. ~*ik a bűnbe* relapse into sin; ~*ik régi hibáiba* fall back into the old bad ways 4. *(orv)* relapse; *a beteg* ~*ett* the patient has had a relapse

visszaeső *a,* 1. *[helyre]* falling/dropping back *(ut)* 2. *[hanyatló]* declining, receding, on the down-grade *(ut)* 3. *[bűnöző]* recidivous; ~ *bűnös (jog)* recidivist, repeater, old lag *(fam),* *(vall)* backslider 4. *(orv)* relapsing

visszafajzás *n, (term)* throwback, reversion

visszafajz|ik *vi, (term)* throw back, exhibit atavism, revert (to an ancestral type/character)

visszafejel *vt, [labdát]* head back

visszafejleszt *vt,* reduce, diminish, cut down, bring down to a smaller scale, set back

visszafejlesztés *n,* reduction, bringing down to a smaller scale, setback

visszafejlődés *n,* 1. re(tro)gression, regress, retrogradation, setback, *[hanyatlás]* decline, lapse, deterioration, declension, decay 2. *(orv)* involution, regress(ion), retrogression, atrophy, *[tüneté]* subsidence

visszafejlőd|ik *vi,* 1. regress, go back, retrogade, *[csökken]* diminish, decline, lapse, *[romlik]* decay, deteriorate, be on the downgrade 2. *(term)* revert, *[tünet]* subside, *[végtag, értelem]* atrophy

visszafejlődő *a,* retrogressive, retrograde

visszafeksz|ik *vi, (vmre)* lie down (on sg) again, *[ágyba]* go/get back to bed, go to bed again

visszafektet *vt,* put/lay back, *[ágyba]* put/send back to bed

visszafelé *adv, [mozgás]* backwards, back(ward), *[ellenkező irányban]* in the opposite direction (to sg), *[hajón]* aback, *[széllel szemben]* against the grain/hair, the wrong way; ~ *evez* back water, sheave; ~ *halad* move/go backwards, move in the opposite direction, back, reverse, *(átv is)* retrograde; ~ *haladás* going/moving backwards, backing, movement backwards, *(átv is)* re(tro)gression; ~ *haladó mozgás* retrograde motion, retrogressive movement; ~ *hat/működik* retroact; ~ *járás/működés (műsz)* reverse motion/action; ~ *megy/hajt kocsijával* reverse one's car; ~ *sült el* it had the opposite effect, it misfired/backfired, *[vkre nézve]* he was caught in his own toils, he was hoist with his own petard; ~ *számol* count down; ~ *utaztában* on his return journey

visszafelel *vt/vi,* give a (clever/witty/ready) reply, answer back, retort

visszafelesel *vi,* make an insolent retort, talk back, be saucy

visszafényl|ik *vi,* be(come) reflected

visszafiatalod|ik *vi,* renew one's youth

visszafizet *vt/vi,* repay, refund, reimburse, pay back; *kölcsönt* ~ return a loan; *hálátlansággal fizet vissza* requite with ingratitude; *ld még* **visszaad** 1.

visszafizetendő *a,* to be repaid *(ut),* repayable, reimbursable, refundable

visszafizetés *n,* repayment, reimbursement, refund(ing), refundment

visszafog *vt,* keep back, hold in

visszafogad *vt,* take back, *[alkalmazottat]* re-engage, re-admit; ~ *vkt kegyeibe* restore sy to (one's) favour, take sy into one's graces again

visszafoglal *vt,* re-occupy, conquer/take/capture again, reconquer, *[várost]* retake, recapture, *[termőtalajt tengertől]* reclaim

visszafoglalás *n,* reoccupation, reoccupying, taking again, reconquest, *[várost]* retaking, recapture, *[termőtalajt tengertől]* reclamation

visszafojt *vt,* hold sg back, keep sg under, smother, restrain, *[érzelmet]* repress, suppress, contain, stifle, *[hangot]* damp, *[haragot]* restrain, curb, check, bottle up *(fam),* *[kiáltást, nevetést, szenvedélyt]* stifle, *[tüsszentést]* stifle, strangle, *[zokogást]* choke/gulp down; ~*ja dühét* bottle up one's wrath/anger, swallow one's anger; ~*ja könnyeit* keep/force/press back one's tears, control/repress one's tears; ~*ja lélegzetét* hold one's breath

visszafojtás *n,* holding back, suppression, repression, stifling

visszafojthatatlan *a, [nevetés stb.]* uncontainable

visszafojtott *a,* held back *(ut),* repressed, suppressed, restrained, curbed, checked; ~ *lélegzettel* with bated breath

visszafolyás *n,* flowing back, reflow(ing), regurgitation, ebb, reflux, refluence

visszafoly|ik *vi,* flow back, reflow, regurgitate, *[ár]* ebb

visszafordít *vt,* 1. *[irányban]* turn back/round, reverse, invert, *[fejet]* turn (one's head), look round, *[hajót]* bring about, *[kifordít]* turn inside out; lovát ~*ja* turn one's horse; *érvet* ~ *vk ellen* turn an argument round on sy, turn the tables on sy; ~*ja a fegyvert vk ellen* turn sy's own weapon against him, hoist sy with his own petard; ~*ja a vádat vk ellen* retort a charge on sy, retaliate an accusation upon sy **2.** *[szöveget]* retranslate (into the original)

visszafordítás *n,* **1.** *[irányban]* turning (round/back), reversal, *[kifordítás]* turning inside out **2.** *[szöveget]* retranslation

visszafordul *vi,* turn (round/back), double, *[visszanéz]* look round/back, *[visszamegy]* return, go back

visszafordulás *n, (menny) [görbéé]* regression, retrogression

visszaforgat *vt,* roll/wind back, rewind, *(ker)* re-draw, indorse/endorse/negotiate back; ~*ja az óramutatót* put the clock back

visszafut *vi,* run/double back, *[hátrasiklik kat]* recoil

visszafutás *n,* (act of) running back, *[hátrasiklás kat]* recoil·

visszafutó *a,* ~ *ideg (bonct)* recurrent nerve

visszafuvar *n, (hajó)* return-cargo

visszagondol *vi, (vmre, vkre)* think again (of/about sg/sy), recall/recollect/remember sg, call sg to mind, cast one's thoughts back, reflect upon sg, *[múltra]* look back to

visszagörbít *vt,* bend back, recurve, incurvate, incurve, *[kiegyenesít]* straighten (out)

visszagörbül *vi,* bend/roll back, curl, bend backwards, recurve

visszagurul *vi,* roll back

visszagyalogol *vi,* walk back, return on foot

visszagyújtás *n, [motorban]* back-fire, flashback

visszahagy *vt,* **1.** leave sg/sy behind, not take away, *[nyomot]* leave; ld *még* **hátrahagy**; **2.** *[fizetésből]* settle part of one's salary on sy, *[zsoldból]* settle part of one's pay (during front-line service) on sy

visszahagyás *n,* **1.** leaving behind **2.** *[fizetésből]* settling on sy

visszahajít *vt,* recast

visszahajl|ik *vi,* bend back(wards)

visszahajlít *vt,* bend back, recurve, *[kiegyenesít]* straighten (out)

visszahajlítás *n,* bending back

visszahajló *a, (növ)* reclinate; ~ *okklúzió [meteorológia]* bent back occlusion

visszahajol *vi,* **1.** bend down again **2.** = **visszahajlik**

visszahajt¹ **I.** *vt, [állatot]* drive back, *[ellenséget]* drive/force back **II.** *vi, [kocsin]* drive back

visszahajt² *vt, [nadrágot, inget]* turn/roll up, *[kötényt]* let down, *[papírt, takarót]* fold up (again), bend/double back, turn/tuck in; ~*ja az ing ujját* turn/roll up one's shirt sleeves

visszahajtás¹ *n, [állatoké]* driving back

visszahajtás² *n, [ruhán, papíroson]* fold, *[lepedőn]* turn-down

visszahajtható *a,* ~ *tető [autón]* convertible top

visszahajtós *a,* ~ *mandzsetta* turnback cuffs *(pl)*

visszahanyatl|ik *vi,* **1.** fall/sink/drop back **2.** *[visszaesést mutat]* decline, lapse, sink, deteriorate

visszaháramlás *n,* reversion

visszaháraml|ik *vi, (vkre)* revert (to sy), return, recoil, come back (upon sy), pass back (on sy)

visszahat *vi, (vmre)* react (upon sg), have (a certain) reaction (on sg), affect (sg), have repercussions, relate back, respond, *(jog)* retroact (against)

visszahatás *n,* reaction, back action, consequential effects *(pl),* repercussion, after-effects *(pl),* consequence, *[érzelmi]* response, *(jog)* retroaction; ~*t kelt/támaszt/szül* (v. vált ki) rouse reaction, have

repercussions; ~*sal van vmre* have a certain reaction on sg

visszaható *a,* **1.** reactive, reacting, *(jog)* retroactive. retrospective; ~ *áramkör* reacting circuit; ~ *erő [törvényé]* retrospective effect, retroactive force, retroaction; ~ *ereje van* be retroactive; ~ *erejű* retroactive, retrospective;*erejű törvények* ex post facto laws; ~ *gátlás* retroactive inhibition **2.** *(nyelvt)* reflexive, reflective; ~ *ige* reflexive verb; ~*névmás* reflexive pronoun

visszahátrál *vi,* move/step/draw back

visszahelyez *vt,* **1.** *[vmt a helyére]* put/place/lay/set back (in its place again), replace, reposit **2.** *állásába* ~ *vkt* restore sy to *(v.* reinstall sy in) his position/post/office; *alacsonyabb állásba helyez vissza vkt* demote sy; *birtokba* ~ *vkt* reinstate sy in his possessions; *jogaiba* ~ *vkt* rehabilitate sy, re-establish sy in his rights **3.** *(orv) [eltört/kificamodott tagot]* set, reduce; *csontot* ~ set a bone

visszahelyezés *n,* **1.** *[vmt a helyére]* putting/placing/laying/setting back (of sg into its place), replacement **2.** *[állásba]* restoration, reinstallment, *[birtokba]* reinstatement; *jogokba való* ~ rehabilitation, re--establishment, restitution **3.** *(orv) [eltört, kificamodott testrésze]* reposition, reduction

visszahív *vt,* **1.** call/summon (sy) back, recall (sy), *[vkt telefonon]* call/ring back; ~ *követet* recall an ambassador; *ügyei* ~*ták Párizsba* business called/summoned him back to Paris **2.** *(kárty)* ~*ja a színt* return a lead; *nem hívja vissza a kért színt* fail to follow suit

visszahívás *n,* calling back, recall, revocation; *(nagy)*-*követ* ~*a* recall of an ambassador

visszahívható *a,* recallable, displaceable

vissahívólevél *n, [diplomáciai]* letters of recall *(pl)*

visszahíz|ik *vi/vt,* regain one's former (heavier) weight, put on weight again

visszahódít *vt,* reconquer, win back (from sy), *[várost]* retake, recapture, *[termőtalajt]* reclaim, recover

visszahódítás *n, [tartományé]* reconquest, winning back, *[városé]* retaking, recapture, *[termőtalajé]* reclamation, recovery

visszahonosít *vi,* repatriate, *[hazaküld]* send (sy) home (from abroad)

visszahonosítás *n,* repatriation

visszahonosítási *a,* ~ *eljárás* repatriation procedure

visszahord *vt,* carry/take back

visszahoz *vt,* **1.** *(vkt, vmt)* bring/fetch back; *vissza nem hozott könyv* unreturned book **2.** *(átv)* retrieve

visszahozhatatlan *a,* irretrievable, irrecoverable

visszahozhatatlanul *adv,* irretrievably, irrecoverably

visszahökken *vi,* shrink/start/spring back, recoil, flinch, be taken aback, *[ló]* shy, jib

visszahököl *vi,* = **visszahökken**

visszahull *vi,* fall/drop back, *[fejre átok]* come home to roost, recoil (upon curser)

visszahurcol *vt,* drag/tug/lug back

visszahurcolkod|ik *vi,* move back

visszahúz *vt/vi,* draw/pull back/away, *[behúz]* retract, draw in, *[kihúz]* withdraw, *[biliárdban]* screw back; ~*za a kocsit [írógépen]* return the carriage; ~*za a szíve (vhová)* long/want to be back (in a place), desire/long to return, wish oneself back (to)

visszahúzás *n, [karomé]* retraction, *[biliárdban]* in-off, screw-back

visszahúzó *a* ~ *izom (bonct)* retractor

visszahúzódás *n,* **1.** *(vké)* drawing away/back, withdrawal, receding, retraction, retrocession, retrocedence **2.** *[gleccseré]* retreat, *[vízé]* retirement; *a tenger* ~*a* retreat/recession of the sea (from the coast) **3.** *(orv)* recession

visszahúzód|ik *vi,* **1.** *(vk)* draw back/away, hold back, retire, retreat, retract,retrocede, shrink, *[megállapodástól]* withdraw; *az ellenség* ~*ik* the enemy retreats; ~*ik az emberektől (kb)* retire into oneself, seclude oneself, renounce the world, retire from the world; ~*ik a szobájába* retire to one's room 2. *[víz]* recede, retire, ebb; ~*ik a medrébe [folyó]* retreat/recede to its bed, be back between its banks 3. *(orv)* recede, go/shrink back

visszahúzódó *a,* **1.** withdrawing, retiring, receding; ~ *természetű* disposed to retire (into oneself) *(ut),* disposed to seclude oneself *(ut),* withdrawing, unassertive, timid, shy, passive 2. *[behúzható]* retractible 3. *(orv)* recessive

visszaidéz *vt,* recall (sg to one's mind), call (sg) (back) to mind, remember (sg), retrace in one's memory; ~*i a múlt emlékeit* call to mind memories of the past; ~*i gyermekkora eseményeit* remember events of one's childhood

visszaigazit *vt,* readjust, put/set back (again); *órát* ~ set/put a/the clock back; *műszert nullára/zéróra* ~ reset an instrument

visszaigényel *vt,* claim/require (sg) again

visszaigér *vt,* promise to give back *(v.* to return)

visszaijed *vi, (vmtől, vktől)* shrink/draw back from sg/sy, recoil/flinch before sg, ba(u)lk at sg, back out of sg *(fam)*

visszaijeszt *vt,* deter, scare away, discourage through fear

visszailleszt *vt,* fit/place/set back (in its place), put sg home

visszaindul *vi,* start back, start *(v.* set out) on one's way back, wend one's way back/home *(ref.)*

visszaint *vt/vi,* **1.** *(vkt)* wave/beckon (sy) back **2.** *(vmt vknek)* make a sign in reply, *[búcsút]* wave sy good-bye in reply

visszaintézvényez *vt,* redraw

visszaír *vt/vi, (vmt, vknek)* write back, (write in) reply

visszairányit *vt,* send/direct back, return

visszaitél *vt,* reallot, readjudicate, order sg to be given back *(v.* to be returned) to sy

visszaizen *vt/vi, (vmt, vknek)* send word *(v.* a message) in reply, send an answer

visszája *[..át]* *n, [anyagé]* back/wrong side, *[éremé, pénzé]* reverse, *[lapé]* other side, verso; *visszájára fordít vmt* turn sg on its wrong side, *[kifordít]* turn sg inside out, invert sg; *visszájáról vesz fel vmt* put on sg inside out; *visszájáról [= rosszul]* (in) the wrong way; *visszájáról olvas* read backwards, read from right to left

visszajár *vi,* **1.** *(vk vhová)* keep (on) going/coming back *(v.* visiting), *[kísértet]* walk, haunt (a place); ~ *egy házba* haunt a house 2. *[pénz]* be due (back), be due as change; *nekem még* ~ *1 forint* I have (still) one forint to get

visszajáró *a,* **1.** *[pénz]* due (as change) *(ut);* ~ *összeg* amount to be paid back, amount due as change 2. *(vk)* coming/going back from time to time *(ut);* ~ *lélek* ghost (that walks), unlaid ghost

visszajátsz|**ik** *vt, [hangot, filmfelvételt] (sp)* play back

visszajelent *vt,* report back; *táviratot* ~ repeat back a telegram

visszajelentés *n,* **1.** report; ~*t kérek* please report back **2.** *[elektronikus számítógépen]* feed back

visszajön *vi,* come back/again/home, return; *levele visszajött* his letter was returned; *mindjárt visszajövök* I shall come back *(v.* be back) in a minute

visszajövet *adv,* on one's way back/home, on one's return (journey); ~ *majd beszólok érte* I shall call back for him/it

visszajövetel *n,* coming back, return

visszajut *vt,* get/come back/home

visszajuttat *vt,* return/send/give/get (sg) back (to sy)

visszakanyarod|**ik** *vi, (vmhez átv is)* find the way back to sg, return to sg

visszakap *vt,* get/receive back (again), recover, retrieve, regain, *[betegséget]* catch/contract again; ~ *[pénzből]* 2 *forintot* you get 2 forints back; ~*ja állását* be reinstalled in one's former position/job; ~*ja egészségét* recover one's health; ~*ja eredeti alakját* regain its original shape; ~*ja a jogait* be restored to one's right; ~*ja pénzét* recover one's money

visszakapcsol *vt/vi,* **1.** refasten, re-unite, retie, link up *(v.* connect) again, *[ruhát]* hook/clasp again **2.** *(vill)* make contact again, switch on again; *(most)* ~*unk a stúdióba* (now) we shall return you to the studio **3.** *[gépkocsinál]* shift to lower gear

visszakapcsolás *n,* **1.** re-uniting, refastening, connecting again, *[ruhát]* hooking/clasping again **2.** *(vill)* making contact again, switching on again **3.** *[gépkocsinál]* shift(ing) to lower gear

visszakeltez *vt/vi,* antedate, foredate

visszakeltezés *n,* antedating, antedate, foredate

visszaképzel *vt,* bring sg back in thought, go back in imagination; ~*i magát a múltba* project oneself into the past, relive the past

visszakér *vt,* ask (sg) back (again), ask for the return (of sg)

visszakérdez *vt/vi,* **1.** *[isk anyagot]* have sg recited over again, ask for a repetition of sg **2.** *(ker)* refer back

visszakérdezés *n, (ker)* querry

visszakeres *vt/vi, [könyvben vmt]* look/check up

visszakeresztezés *n, (növ) [a folyamat]* back-crossing, *[eredmény]* back-cross

visszakerget *vt,* drive back

visszakerít *vt,* regain, retrieve

visszakérőleg *adv,* requesting return of, kindly return

visszakerül *vi,* = **visszajut**

visszakészül *vi,* prepare to return, prepare to go back/home

visszakézből *adv,* backhandedly; ~ *nyakonvág* deal sy a backhanded slap in the face; *ld még* **visszakezes ütés**

visszakezes *a,* ~ *ütés* backhand stroke, back-hander

visszakiált *vi/vt,* shout back in reply, call back

visszakínál *vt, [cigarettával stb.]* offer sg in return, offer back

visszakísér *vt,* accompany/take/bring (sy) back (to a place), see/escort (sy) home

visszakíván *vt/vi,* **1.** wish sg back, wish to have back, desire the return of sy/sg, wish sy to come back **2.** *[visszakér]* ask for the return (of sg), ask back

visszakívánkoz|**ik** *vi, (vhová)* wish oneself back (to a place), desire/long to return, want to be back swhere, long to get back

visszakódol *vi, [kibernetikában]* decode

visszakozás *n,* **1.** going back to a former state, reversal **2.** *(átv)* backing/climbing down

visszakoz|**ik** *[-tam, -ott, -zon, -zék]* *vi,* **1.** go back to a former state, return to *(v.* re-establish) a former state; ~*z l (kat)* as you were! **2.** *(átv)* back/climb down, pipe down

visszaköltöz|**ik** *vi, [lakásba]* move back again, return to former abode, *[országba]* remigrate, migrate back, resettle

visszaköltöztet *vt,* make sy move back (again), *[országba]* repatriate

visszaköszön *vi, (vknek)* return (sy's) bow/salute/greeting

visszakövet *vt, [térben, időben]* trace back

visszakövetel *vt/vi,* reclaim, claim/demand/ask sg back, demand the return of sg

visszakövetelés *n,* reclaiming, reclamation, demanding back, *(jog)* claiming back

visszakövetelési *a*, ~ *kereset* action for recovery of property

visszakövetelhető *a*, claimable

visszakövetkeztet *vi/vt*, *(vmről vmre)* conclude/infer from sg to its antecedents, establish the sequence/chain of events/causes (in backward order), follow/trace back

visszaküld *vt*, *(vkt/vmt vkhez)* send sy/sg back to sy, *(vmt vknek)* return sg to sy, *[elküld]* send/turn away

visszaküldendő *a*, returnable, to be sent back *(ut)*, *(ker)* unsold; ~ *áruk* returns, remainders, *(könyv, újság]* unsold copies

visszaküldés *n*, sending back, return(ing)

visszalélegzett *a*, ~ *levegő* respired air

visszalép *vi*, 1. *[hátralép]* step/stand/draw/move back, stand off; *egy lépést* ~ step/fall back a step 2. *(átv)* draw back from, back out of, back/stand down, withdraw/retire/retract from, give up sg, resign sg, backtrack *(US)*; ~ *az alkutól* declare the bargain off, call off the bargain; ~ *megállapodástól* retract from an engagement; *szerződéstől* ~ recede/resile from *(v.* rescind) a contract; *vételtől* ~ retire from a purchase 3. *(sp)* stand down; ~ *a mérkőzéstől* retire from the field/match

visszalépés *n*, 1. *[hátralépés]* stepping/standing/drawing/moving back 2. *(átv)* retirement/retreat from, rescission, retrocession, *[tisztségtől]* resignation (of); ~ *a jelöltségtől* withdrawal from one's candidature; ~ *az üzlettől* drawing back from a bargain 3. *(sp)* scratch(ing); ~ *a versenytől* retirement from the field/match

visszalépési [-ek, -t] *a*, of withdrawal/resignation *(ut)*, *[szándék]* to resign *(ut)*; ~ *jog* right of rescission/withdrawal; ~ *nyilatkozat* declaration of resignation, calling/declaring off (sg) *(fam)*

visszaléptet *vt*, *(konkr)* make (sy) step/stand/move back, *(átv)* make/compel (sy) to withdraw/resign

visszalop *vt*, steal sg back, put sg back by stealth *(v.* furtively)

visszalopakodik *vi*, = **visszalopódzik**

visszalopódzik *vi*, steal back, move/slip in *(v.* return) unperceived/furtively

visszalovagol *vi*, ride back

visszalő *vi/vt*, 1. *[puskával]* return the shot/fire, shoot back, *[autó]* backfire 2. *(átv, biz)* retort *(stand.)*, fling back

visszalök I. *vt*, 1. push/thrust/shove back, *[taszít]* repel 2. *[ajánlatot]* reject, decline, *[megvetéssel]* spurn II. *vi*, *[löveg]* recoil, *[puska]* kick back, *[rugó]* resist

visszalökés *n*, 1. pushing back 2. *[ajánlaté]* rejection, *[megvetéssel]* spurning 3. *[lövegé]* recoil, *[puskáé]* kickback

visszamarad *vi*, 1. *(vk)* remain/stay *(v.* be left) behind, *(vm)* be left over, *[vk lemarad]* fall/lag behind, keep/hold back, *(sp)* drop away; *sok áru ~t* a large number of articles remained unsold 2. *[fejlődésben]* be backward, be below the standard, *[testileg]* be arrested in growth; ~ *a kora mögött* he is behind the times; *ez a falu nagyon ~t* this village is in a most backward state

visszamaradó *a*, *(vk)* remaining, left behind *(ut)*, *[összeg]* outstanding, still owing/due *(ut)*, *(vegyt)* residual

visszamaradott *a/n*, 1. = *árvák* children left behind at his/her death, the orphans; *a ~ak* the bereaved, the family of the deceased 2. = **visszamaradt**

visszamaradottság *n*, backwardness, stuntedness

visszamaradt [-at; *adv* -an] *a*, 1. left over *(ut)*, remaining, *(vegyt)* residual; ~ *anyag* residue, residuum, *[rostán]* retained material; ~ *áru* remainders *(pl)*, *[könyvek]* unsold copies *(pl)* 2. *[fejlődésben]* backward, stunted; *szellemileg* ~ *gyermek* mentally retarded child, defective child

visszamászik *vi*, creep/crawl back

visszamegy *vi*, 1. *(vhova)* go back (to a place), return (to), make/wend one's way back, *[gyalog]* walk back, *[hajón]* sail back, *[járművön, lovon]* ride back, *[repülőn]* fly back, *[visszafordul]* turn back, retrace one's steps; ~ *vkért vhova* go back swhere for sy, return for sy; ~ *az úton amerre jött* retrace one's steps; *menj vissza oda ahonnan elindultál* put back to where you started from 2. *[csökken]* diminsh, subside, *[ár]* go down, *(ker)* fall off, decline, deteriorate, *[tenger]* recede, *[tünet]* abate; ~ *a barométer* the mercury/glass is falling 3. *[semmivé lesz]* come to nothing, not succeed, come a cropper ◆, *[alku]* be off; *a parti visszament* the engagement was broken off, the marriage did not come off 4. *[visszanyúlik]* date/go back to; *több évre* ~ goes back several years

visszamenet *adv*, on the way back/home

visszamenő [-ek, -t; *adv* -en, -leg] *a*, 1. going back, returning 2. *[csökkenő]* diminishing 3. ~ *hatály* retroactive effect, retroactivity; ~ *hatályú* retroactive, with retroactive effect *(ut)*; ~ *hatállyal* with retroactive effect (as from …)

visszamenőleg *adv*, retroactively, retrospectively, with a retrospective effect; *1950-ig* ~ with retroactive effect as from 1950; ~ *megkapja fizetését* get arrears of one's salary/wages

visszamenőleges *a*, fizetésemelés *január 1-ig való* ~ *hatállyal* pay-increase back-dated to January 1

visszametsz *vt*, *(növ)* cut back, *[erősen]* stump, pollard

visszaminősít *vt*, put back in *(v.* reassign to) former category, *[lefelé]* downgrade, *[felfelé]* upgrade; *tagjelölté minősítették vissza* he was downgraded a candidate

visszaminősítés *n*, putting back in *(v.* reassignment to) former category, downgrading

visszamond *vt*, 1. *bizalmas közlést* ~ *vknek* repeat sy's confidential communication/remark to sy *(v.* to person concerned); *mindent* ~ he repeats everything (to) 2. *meghívást* ~ cancel an invitation, *[írásban]* write off an invitation; ~*ta az ebédmeghívást* he excused himself from lunch, he sent an excuse *(v.* excuses) for not coming to lunch 3. *[rendelést]* countermand, cancel, revoke

visszamutat *vi*, 1. *(vmre)* point back (to/at sg) 2. *(átv)* refer to

visszamutató *a*, pointing back (to/at sg/sy) *(ut)*, referring to *(ut)*

visszanevet *vi*, *(vkre)* laugh back (at)

visszanéz *vi*, 1. *(vmre)* look back (upon), cast a glance back at, *[megfordul]* turn round 2. ~ *a múltra* review the past, take a look back into the past

visszanyer *vt*, *[bizalmat]* regain, recover, win/get back, *[szabadságot, tulajdont]* retrieve, *[újból felvesz]* resume, take up again, find again; ~*i bátorságát* recover/resume one's courage; ~*i egészségét* regain/recover *(v.* re-establish) one's health; ~*i életkedvét* cheer up, take fresh interest in life, take a new lease of life; ~*i eredeti alakját* regain one's original shape; ~*i erejét* recover, recuperate (one's vigour), stage a come-back *(US fam)*; ~*i eszméletét* recover/regain consciousness, become conscious, come to; *anélkül hogy ~te volna eszméletét* without having recovered consciousness; ~*i hivatalát* bo rootored to ono'o office; ~*i lelki nyugalmát/egyensúlyát* recover one's equanimity/balance; ~*i önuralmát* regain control of oneself; ~*i a pénzét* win back one's money; ~*i szemevilágát* regain one's (eye)sight

visszanyerés *n*, recovery, recovering, winning/getting back, *[szabadságot, tulajdont]* retrieving, *[erőt]* recuperation visszanyerhető *a*, regainable, recoverable, retrievable

visszanyes *vt*, cut back, *[fát erősen]* pollard, stump

visszanyom *vt*, press/drive/force/push back; ~*ja az ellenséget* press/drive/force/push back the enemy

visszanyomás *n*, pressing/forcing/driving/pushing back; *az ellenség* ~*a* driving/forcing back of the enemy

visszanyúl *vi*, 1. *[vm után]* turn round to seize sg, reach back/behind, stretch back (after sg) 2. *(átv)* go back to sg; *messzire* ~ *a múltba* go *(v.* take/carry sy) far back (into the distant past)

v isszanyúl|ik *vi*, 1. *[térben]* reach back to 2. *(átv)* go back to, date from, date back; *több évre nyúlik vissza* dates back several years

visszaolvas *vt*, *[diktált szöveget]* repeat back; *táviratot* ~*tat* have a telegram repeated

visszaöltés *n*, backstitch

visszaönt *vt*, pour (sg) back

visszaözönl|ik *vi*, flow back, regurgitate, *[beözönlő had]* fall/surge/pour back

visszaparancsol *vt*, command/order (sy) to return (to a place), order (sy) back

visszapártol *vi*, *(vkhez)* come/go back to, return to, rejoin (party)

visszapattan *vi*, rebound, fly/spring back, recoil, resile, *[labda]* bounce, dap, *[lövedék]* ricochet

visszapattanás *n*, rebound, recoil, resilience, *[labdáé]* bounce, *[lövedéké]* ricochet

visszapattanási *a*, ~ *szög* angle of ricochet

visszapattanó *a*, rebounding, flying back *(ut)*, resilient, *[labda]* bouncing, *[lövedék]* ricocheting; ~ *lövés* ricochet shot

visszaperel I. *vt*, *(vmt vktől)* sue sy for the return of sg, claim (sg) back (from sy in court/law) II. *vi*, sue back

visszaperlés *n*, (act of) suing back, *[birtoké]* action for the recovery of property

visszapillant *vi*, 1. *[hátra]* look/glance back (upon), throw a backward glance 2. *[áttekint]* retrospect, review; ~ *a múltra* run back over the past; ~ *a múlt év eseményeire* review the events of last year

visszapillantás *n*, 1. *[hátra]* backward glance, glance back(ward) 2. *[regényben, filmben]* flashback, *[áttekintés]* retrospect, review; ~*t vet (átv)* (pass in) review, cast a retrospective glance at sg

visszapillantó *a*, ~ *tükör* rear-view/vision mirror, driving mirror

visszapofáz|ik *vi*, = visszabeszél

visszára *adv*, (in) the wrong way, *[szőr ellen]* against the hair/grain, *[kifordítva]* inside out

visszaragaszt *vt*, paste/stick on/to (sg) again

visszarak *vt*, put/set (sg) back (again), replace, put back in its place, return/restore to its place

visszáram *n*, back/reverse current, return (current)

visszaránt *vt*, *(vmt vktől, vkt vmtől)* snatch sg from sy, pull/draw back (suddenly); ~ *vkt a halál torkából* snatch sy from the jaws of death; ~ *vkt a szakadék széléről* pull sy (back) from the brink of a precipice

visszarendel *vt*, 1. *(vkt)* call/summon (sy) back, recall, order back, order to return; *vkt vhova* ~ order sy to return to a place 2. *(vmt)* countermand, *[sztrájkot]* call off, *[találkozót]* cancel; *árut* ~ countermand an order for goods

visszarendelés *n*, 1. *(vké)* recall, summons to return, (act of) calling back 2. *(vmé)* (act of) countermanding, countermand, *[találkozóé]* cancelling, cancellation

visszarepül *vi*, fly back, *[repülőn]* return by air

visszarepülés *n*, flying back, return flight, *[repülőn]* return by air

visszaretten *vi*, shrink/flinch/recoil in fear, shy off/at, blench, boggle

visszarettent *vt*, *(vkt vmtől)* deter (sy from sg), frighten/scare away, make snrink back (in horror)

visszariad *vi*, *(vmtől)* shrink back (from), recoil (from), boggle, blench; ~ *a felelősségtől* shrink from the responsibility; ~ *a nehézségektől* crane at the difficulty; *semmitől sem riad vissza* nothing will deter him, he sticks at nothing

visszariaszt *vt*, *(vkt vmtől)* deter (sy from sg), scare away

visszarogy *vi*, = visszaroskad

visszarohan *vi*, rush back, tear back *(fam)*

visszaroskad *vi*, sink/fall back, collapse, *[székre]* drop/flop back (on to a chair)

visszaröpít *vt*, throw/cast/hurl back

visszaröppen *vi*, flit back

visszáru *n*, return goods, returns *(pl)*

visszarúg I. *vt*, kick back II. *vi*, *[lőfegyver, rugó]* recoil, *[puska]* kick/blow back

visszarúgás *n*, kicking back, kickback, *[lőfegyveré, rugóé]* recoil(ing), *[puskáé]* kick, blow-back

visszarúgó erő force of recoil

visszaruház *vt*, *(ker)* reassign, retransfer

visszaruházás *n*, *(ker)* reassignment, retransfer, reconveyance

visszás *a*, 1. *[kellemetlen]* troublesome, tiresome, trying, *[lehetetlen]* absurd, nonsensical, preposterous, *[visszatetsző]* displeasing, *[furcsa]* awkward, *[kedvezőtlen]* unfavourable, adverse; ~ *helyzetben van* find oneself awkwardly placed, be in an awkward position 2. *[fordított]* inverted, opposite, reverse, wrong; ~ *lándzsás (növ)* oblanceolate; ~ *szíves (alakú) (növ)* obcordate; ~ *tojásdad (növ)* obovate

visszasegít *vt*, *(vkt vhova)* help (to get) back swhere; *vkt állásába* ~ help sy to get his (former) post/job again

visszasétál *vi*, walk back

visszasiet *vi*, hurry/hasten back

visszasír *vt/vi*, weep for the return of, long/yearn/sigh for sg/sy, wish sg back, wish sy to come back

visszásság *n*, awkwardness, preposterousness, absurdity, perverseness, perversity, awkward/preposterous nature/character of, *[rendellenesség]* irregularity, disorder(liness); ~*ot megszüntet* redress/remedy an abuse

visszasugároz *vt*, *[hőt, fényt]* reflect, throw back, *(távk)* reradiate, *(átv)* reflect

visszasugárzás *n*, reflection, reflecting, reverberation, *(távk)* reradiation

visszasugárz|ik *vi*, be reflected, be thrown back

visszasüllyed *vi*, 1. *(konkr)* sink/fall/drop back (again) 2. *(átv)* relapse (into); ~ *a szegénységbe* relapse into poverty

visszasüllyeszt *vt*, 1. sink/lower to former state 2. *(átv)* cause to relapse

visszaszalad *vi*, = visszafut

visszaszáll *vi*, 1. fly back, *[repülőn]* return by air; *gondolatban* ~ *a múltba* project oneself into the past; *gondolatai* ~*nak* his thoughts go back to . . .; ~*nak fejére bűnei* his sins come home to roost 2. *[vagyon vkre]* revert, lapse (to), fall back, *[örökség államra]* escheat; *a birtok* ~*t a koronára* the property reverted to the crown 3. *[hajóra]* re-embark

visszaszállás *n*, 1. flying back, *[repülőn]* return flight, return by air 2. *[vagyon vkre]* reversion, (act of) lapsing, reverting, falling back, *[államra]* escheat(ment) 3. *[hajóra]* re-embarkation

visszaszállingóz|ik *vi*, slip back (one by one)

visszaszállít *vt*, transport/carry back, retransport

visszaszállítás *n*, (act of) transporting/carrying back, return transport

visszaszármaz|ik *vi*, 1. *[visszatér]* return (to one's home), go back (to one's native land/place) 2. = = visszaszáll 2.

visszaszármaztat *vt*, return, give/send back (sg to sy), retransfer

visszaszerez *vt*, **1.** get/win back, regain possession of, repossess, retrieve, reacquire, acquire again, *[harcban]* reconquer, *[elvesztett vmt]* recover; ~ *lopott tárgyat* recover a stolen object; *visszaszerzi vagyonát* restore one's fortune **2.** *[egészséget, erőt]* regain, recover, recuperate; *visszaszerzi becsületét* retrieve one's honour; *visszaszerzi jó hírét* redeem one's good name, right oneself; *visszaszerzi szabadságát* regain one's liberty

visszaszerezhetetlen *a*, irrecoverable, irretrievable

visszaszerezhető *a*, recoverable, retrievable

visszaszerzés *n*, getting back, reacquisition, recovery, retrieval, reclaiming, reclamation, recuperation

visszaszerző *a*, ~ *erő (biol)* regenerating/regenerative power, regeneration

visszaszív *vt*, **1.** suck back, *[fecskendőbe]* withdraw (again) **2.** *(átv)* recall, call/take back, retract, cry off, unsay (what has been said), countermand, go back on sg *(fam)* ; ~*ja szavait* take back what one said, eat/swallow one's words

visszaszivárog *vi*, *(vk)* return stealthily/unobtrusively/clandestincly, sneak/steal home *(fam)*

visszaszívás *n*, *[kijelentésé]* retraction

visszaszok|ik *vi*, **1.** *(vmre)* become re-accustomed (to sg), fall into the way of doing sg again **2.** *(vhova)* settle down again, make oneself once more at home

visszaszól *vi/vt*, *[hátra]* call back

visszaszolgál *vt*, *(vmt vknek)* requite/repay sy, pay back, give/do in return

visszaszolgáltat *vt*, return/restore sg to sy; give/hand back sg to sy, *[pénzt]* refund, *[energiát/áramot hálózatba]* recuperate

visszaszolgáltatandó [-t; *adv* -an] *a*, to be returned, subject to restitution *(mind: ut)*

visszaszolgáltatás *n*, restitution, restoration, return-(ing), giving back

visszaszolgáltatási *a*, ~ *kötelezettséggel* with an obligation to return (sg)

visszaszólít *vt*, call/summon back

visszaszorít *vt*, **1.** force/press/drive back, *[helyéből kiszorít vkt]* supplant, oust sy; ~*ja az ellenséget* force the enemy back, fight off the enemy **2.** = visszafojt

visszaszorítás *n*, **1.** forcing/driving/pressing back, *[riválisé]* ousting, supplanting **2.** *[érzelmeké]* suppression, repression

visszaszorul *vi*, be forced/pressed/driven back, be repressed, *[ki-]* be supplanted/ousted, be losing out *(US)*, *[háttérbe]* be thrust/driven into the background

visszaszök|ik *vi*, **1.** *[titokban]* escape/flee back, *[elít]* go back stealthily, return clandestinely **2.** = visszapattan

visszaszúr *vt*, *(sp)* riposte

visszaszúrás *n*, *(sp)* riposte, return (thrust)

visszatakarod|ik *vi*, take oneself off, scram (back)

visszatalál *vi*, find/make one's way back/home; ~*ok én magam is* I shall find my way back by myself

visszatáncol *vi*, *[ígérettől, elhatározástól]* go back on, retreat/withdraw from, retract, recant, backtrack *(US)*, back out/down *(fam)*

visszatáncolás *n*, retraction, back-down

visszatántorod|ik *vi*, stagger/reel back

visszatáplálás *n*, *(vill)* recuperation, feedback

visszatart *vt*, **1.** *(vkt/vmt vmtől)* keep/hold back, retain sg, withhold sg, *[eséstől]* keep back from, *[lovat]* hold in, pull up; *mi tartja vissza?* what is stopping him?; *nem tehetett ~ant (vkt)* there was no holding him; *katonai szolgálattól* ~ *vkt* declare sy "not available" for military service **2.** *[megakadályoz vmben]* prevent/keep/stop/hinder sy from (doing sg), stop sy (doing sg), stay sy; *fejlődésben* ~ *vmt/vkt* arrest (the) development of sg/sy **3.** *[tartóztat]* detain, delay, *(isk)* keep (a pupil) in; *vizsgálati fogságban* ~

remand; ~*ja az alkalmazott bérét* retain/withhold/stop *(v.* hold back) an employee's wages/pay **4.** = visszafojt; ~*ja vizeletét* retain one's urine **5.** ~*ja magát* restrain/control/contain/moderate oneself, hold oneself in, pull oneself up; ~*ja magát vmtől* refrain/keep from doing sg

visszatartás *n*, **1.** *(vké/vmé vmtől)* holding/keeping back **2.** *[fizetésé]* withholding, stoppage, *(isk)* detention, keeping in, *(jog)* reservation, *[záloge]* retaining (of pledge), *[ügyé]* retention (of a case by a judge) **3.** *vizelet* ~*a (orv)* retention of urine

visszatartási *a*, of retention *(ut)* ; ~ *jog (ker)* right of retention, lien

visszatartó *a*, retaining, holding/keeping back *(ut)*, retentive; ~ *erő* retarding force; ~ *képesség* retentivity; ~ *szerkezet* retaining device

visszataszít *vt/vi*, **1.** *[visszalök]* push/thrust back **2.** *[külső]* repulse, disgust, revolt, *[vonz ellentéte]* repel, *(vk)* be repulsive

visszataszítás *n*, (act of) pushing/thrusting back, repulse

visszataszító *a*, repulsive, repellent, repugnant, forbidding, *[külső]* loathsome, disgusting, revolting; ~ *bűz* offensive smell; ~ *külsejű/arcú* evil-looking; ~ *szokas* a nasty habit

visszataszítóan *adv*, repulsively, repugnantly; ~ *hat vkre* be repellent to sy

visszategez *vt*, ⟨return sy's familiar address of *"te"* with the same address, thee back sy, return thee for thou, say "thou" back to sy, reciprocate the familiar form of address⟩

visszateker *vt*, wind/reel back, rewind

visszatekercsel *vt*, *[filmet a kazettába]* rewind (film into the casette)

visszatekint *vi*, look back (upon), look backwards, cast one's thoughts back (on), retrospect; ~*a múltba* go back to the past

visszatekintés *n*, looking backward, retrospection

visszatekintő *a*, retrospective, looking backward *(ut)* ; ~ *bibliográfia* retrospective bibliography

visszatelepít *vt*, resettle in former place (of habitation)

visszatelepül *vi*, return (to one's former place of abode and settle down there again)

visszatér *vi*, **1.** *(vhova)* return to, go/get back to (a place), *[hajó a kikötőbe]* put back, *[gondolat, láz]* recur; ~ *Budapestre* return to Budapest; *utazásomból* ~*ve* on my return; *nem tért vissza* he did not come back, he failed to return **2.** *(vkhez, vmhez)* come back to, return to (sy, sg), rejoin sy/sg; ~ *első tervéhez* come back to one's first plan; ~ *ezredéhez* rejoin one's regiment; ~ *a vita kiindulópontjához* work round to the point from which the discussion started; *erőm kezd* ~*ni* I am recovering my strength **3.** *(vmre)* revert to, come to, come back to; ~ *az eredeti beszédtémára* revert to the original topic of conversation; ~ *tárgyára* revert/return *(v.* come/hark back) to one's subject; *térjünk vissza a tárgyra* let us revert/return to the subject, let us go back to the point; ~*tem a tejes diétára* I have gone back to a milk diet; *erre még* ~*ünk* we'll come back to that later; *amire még* ~*ek* of which more later/anon; ~*ve az előbb mondottakra* to come back to what I was saying **4.** *[hitre]* reembrace the ... faith, be reconverted to ...

visszaterel *vt*, turn/drive/bring back

visszatérés *n*, **1.** *(vkhez/vmhez vmre)* return(ing) (to sy/sg), going/coming/getting back (to sy/sg), *[biol típushoz]* reversion (to), regression, throwback, *[évszakoké]* revolution, *[gondolaté, lázé]* recurrence, *[görbe vonalé]* retrogression, regression, *[zene)* repeat, recapitulation; *itt már nincs mód a* ~*re* there is no going back, he has burnt his boats **2.** *[űrhajózás]* reentry

visszatérít vt, **1.** (vmt) pay back, refund, repay, return, restitute; **~i** vk költségeit refund/reimburse sy's expenses **2.** (vkt vmre) bring sy back (to sg), (cause to) return, [lázadót] win back, [vallásra] reconvert (sy to a faith)

visszatérítés n, **1.** (vmé) paying back, reimbursement, repayment, return, refund(ing), restitution; teljes egészében való ~ refund in full **2.** (vké) bringing (sy) back (again), (vall) reconversion

visszatérő a, returning, coming/getting back (ut), [gondolat, vonal] recurring, [visszaérkezett vk] just back (from) (ut), [visszainduló vk] about to return (ut), [hajó] homeward bound, [évszakok] revolving; vissza nem térő non-recurring, soha vissza nem térő alkalom an opportunity of a lifetime, an opportunity not to be missed, an opportunity never to be recaptured; állandóan~ étel standing dish; ~ jegy check--out ticket, voucher; ~ láz recurrent/relapsing fever, ague; ~ rím double rhyme; ~ pálya [űrhajóé] reentry trajectory; ~ sor (menny) recurrent series

visszatérőben adv, on the/one's way back, on one's return, on the return journey; ~ lévő returning, coming back

visszatérte n, return, recurrence

visszatérül vi, be refunded/repaid; a kár ~ the damage will be made good, the losses will be made up

visszatesz vt, (vmt, vkt) put/set/lay/get (sg) back (again), replace (sg), reinstate (sy), (sp) put (a player) back; ~ vmt a helyére put sg back in (v. return sg to) its place; ~ vkt (előbbi) állásába restore sy to (v. reinstall sy in) his (former) position/post/office; ~ kardot (hüvelyébe) return/sheathe the sword; kificamolott kart ~ set a dislocated arm; ~i a telefonkagylót replace the receiver; tedd vissza a könyvet oda ahol találtad put back the book where you found it

visszatétel n, replacement, putting back

visszatetszés n, displeasure, dissatisfaction, annoyance, revulsion; ~t szül vkben cause sy dissatisfaction, displease sy (sy)

visszatetszik vi, (vknek) displease (sy), offend (sy), fail to please (sy), be displeasing (to sy), give (sy) a shock, shock (sy)

visszatetsző a, displeasing, unpleasant, unpleasing, disagreeable, unsightly, offensive, repulsive, shocking

visszatol vt, push/shove/thrust/force/press back, [fiókot] push in

visszatolat vi/vt, [vonat] back; a mozdony ~ a szerelvényhez the engine is backing

visszatoloncol vt, pass (tramps) to their domicile, compulsory conveyance of tramps

visszatorlás n, reprisal, retaliation

visszatorló a, retaliating, retaliatory

visszatorol vt, retaliate

visszatorpan vi, start back, wince, shrink, recoil

visszatölt vt, pour (sg) back

visszatromfol vt, ~ letromfol

visszatükröz vt/vi, reflect, throw/send back, mirror, image; levele ~i jóságát his kindness is reflected in hi s letter

visszatükrözés n, reflecting, reflection, reflected light/image, reflex

visszatükröző a, reflecting, reflective

visszatükröződés n, reflection, rebound

visszatükröződik vi, be reflected/mirrored, be thrown back, rebound; a hegyek ~nek a tó vizében the mountains are imaged in the lake

visszatűz vt, pin up (again)

visszaugrás n, **1.** leap(ing) back, rebound(ing), [labdáé] bounce. [rugóé stb.] recoil **2.** (épít) recess in frontage **3.** [filmben régibb eseményre] flashback

visszaugrik vi, **1.** leap/spring/jump/fly back, [ágyú, rugó] recoil, [labda] rebound, bounce, dap, [kötél csavarásakor] kink, [eredeti állapotába rugalmas test] resile **2.** (épít) form a recess (in frontage), recede

visszaút n, way back/home, return/homeward journey, journey home, [tengeren] voyage home; nincs ~ there is no turning back, you are (in) for it (fam)

visszautal vt/vi, **1.** [könyvben] refer back (to) **2.** = ~ visszaküld; **3.** [áttesz] refer/entrust/remit (to . . .) again

visszautalás n, **1.** [könyvben] reference (to preceding part) **2.** [vké hazájába] renvoy, repatriation **3.** = ~ visszaküldés; **4.** [ügyé] referring/reference/transfer (of sg to sy/sg) again

visszautasít vt, refuse, reject, turn down, [ajándékot] decline, return, [ajánlatot] decline, reject, turn down, refuse, spurn, [hírt, állítást] deny, disavow, [kezdeményezést, kérelmet] repel, [megtiszteltetést] disclaim, [vk közeledését] snub sy; (keményen, gorombán) ~ rebuff; kérőt ~ reject a suitor, give a suitor the mitten (fam); meghívást ~ refuse (to accept) an invitation; ~ örökséget/hagyatékot repudiate an estate; panaszot ~ nonsuit the plaintiff; ~ reklamációt reject a claim; ~ tanút bíróságon challenge/disallow a witness, object (v. take exception) to a witness; törvényjavaslatot ~ dismiss (v. trow out) a bill; vádat ~ deny/repudiate/disallow/repel a charge; ~ja fedezet hiányában refuse for want of funds; hívtam őt de ő ~ott I asked him to come but he refused; kereken ~ották it/he was flatly refused

visszautasítandó a, rejectable

visszautasítás n, refusal, (act of) declining, [udvariatlan] snub(bing), rebuff, smack in the face, [fellebbezésé] dismissal, [javaslaté] rejection, [kijelentésé] denial, disavowal, [panaszosé] nonsuit, [tanúé bíróságon] expection/objection to, challenge of, [vádé] denial, repudiation, disallowance; kerek ~ban részesült he was flatly refused; ~ra talál meet with a refusal

visszautasíthatatlan a, not refusable (ut), [bizonyíték] irrefutable, irrecusable, unexceptionable, foolproof, [tekintély] beyond exception (ut)

visszautasítható a, refusable, rejectable, repudiable

visszautasító [-t; adv -an] a, rejective, negative, of refusal (ut); ~ modor abruptness; ~ válasz refusal

visszautasított a, rejected

visszautazás n, return (journey), returning, journey home, [tengeren] voyage home

visszautazik vi, return, go/fly/ride/drive/journey back/home

visszautazó I. a, returning II. n, **1.** ~ban van be on one's/the way back/home, be on one's journey home **2.** (vk) one who returns

visszaül vi, sit down again, take one's seat again, return to one's seat

visszaültet vt, re-plant

visszaüt I. vt, **1.** (vkt) hit (sy) back, return (sy's) blow, give (sy) a return blow, (sp) riposte, counter, [sakkban] recapture **2.** ~i a labdát [teniszben] return the ball/service/stroke II. vi, **1.** (vkre) take after sy, (term) revert, throw back **2.** [vmnek kellemetlen következménye van] kick/hit back **3.** [lőfegyver] recoil

visszaütés n, **1.** return blow/thrust, [bokszban] counter (-stroke), [vívásban] riposte/return cut **2.** [labdáé] driving back (of), [tenisz] return **3.** (term) reversion, throwback, [ősre] atavism **4.** [lőfegyveré] recoil(ing)

visszaütődik vi, rebound, ricochet

visszaűz vi, drive back, repel

visszaüzen vt/vi, send word (v. a message) in reply, send an answer

visszavág I. *vi*, 1. *(vknek)* = **visszaüt I.** 1.; 2. *(átv)* answer sy pat, (fling back a) retort, (give a smart) reply, rejoin, give sy tit for tat; *gyorsan* ~ be ready with an answer; *ügyesen* ~ be prompt in repartee; *azzal vágott vissza* he retorted that ... **II.** *vt*, 1. *[labdát]* hit (ball) back, return (ball) 2. *[növényt]* cut back, *[fát]* pollard, poll, stump

visszavágás *n*, 1. = **visszaütés**; 2. *[szóban]* retort, pat answer, prompt reply, rejoinder, facer *(fam)*, *[szellemes]* repartee, sally (of wit) 3. *[kertészet]* cutting back, *[fát]* pollarding, stumping

visszavágó *a*, ~ *mérkőzés* return match

visszavágyód|ik *vi*, long/want to be back (in a place)

visszavált I. *vt*, redeem, *[pénzzel]* buy back, repurchase, *[zálogból]* take (sg) out of pawn **II.** *vi*, *[írógépen]* back-space; ~ *a második sebességre* shift (back) to second gear, change back to second gear

visszaváltás *n*, redemption, *[pénzzel]* buying back, repurchase, *[zálogból]* taking out of pawn, *[sebességé]* gear shift(ing)

visszaváltó *n*, *[írógépen]* back-spacer, back-space key

visszaváltoz|ik *vi*, *(vmvé)* change/turn back (into sg), resume the original shape/form, recover (one's) original shape/character, be reconverted

visszváltoztat *vt*, *(vkvé, vmvé)* change/turn/transform (sy/sg into sy/sg) again, give (sy, sg) its original form/shape/character, retransform, reconvert

visszavándorlás *n*, wandering back, *[idegenből]* remigration, repatriation

visszavándorló I. *a*, wandering back *(ut)*, *[idegenből]* remigrating, repatriating **II.** *n*, remigrant, emigrant who returns

visszavándorol *vi*, wander back, *[idegenből]* remigrate, migrate back, return (to one's country), repatriate; ~ *vk zsebébe* get back *(v. find its way back)* into sy's pocket

visszavánszorog *vi*, drag oneself back, crawl back, move back with difficulty

visszavár *vt*, expect (sy) back, expect sy's return, wait for the return of

visszavarázsol *vt*, bring back (as if) by magic, conjure back, conjure up again

visszavárólag *adv*, to be returned, *[visszakérőleg]* requesting return of

visszavásárlás *n*, buying back, repurchase, *[visszaváltás]* redemption; *fogoly* ~*a* ransom(ing) of a prisoner

visszavásárlási *a*, ~ *jog (ker)* right (of vendor to) repurchase, repurchase right, option/privilege of repurchase; ~ *érték [biztosításé]* surrender value

visszavásárló *n*, buyer back, repurchaser

visszavásárol *vt*, buy back, repurchase

visszavásárolható *a*, repurchasable, *[igévél]* can be bought back

visszaver *vt*, 1. *[támadást]* beat off, repulse, repel, force/press/drive/thrust back, rebut; ~*i az ellenséget* drive/hurl/beat/fling back the enemy 2. *(fiz)* throw/cast back; ~*i a fényt* reflect/return light; ~*i a hangot* reverberate/return sound, echo

visszaverés *n*, 1. *[támadásé]* beating off, driving/forcing back, repulse, repulsing 2. *(fiz)* throwing back, *[fényé]* reflecting, reflection, reflexion, *[hangé]* reverberation

visszavergőd|ik *vi*, struggle (back)

visszaverő *a*, *[fény]* reflecting, *[ritka]* reflective, reverberating; ~ *felület* reflecting surface; ~ *képesség* reflectivity, reflectiveness

visszaverődés *n*, *[fényé, hangé, hőé]* reflection, reflexion, reflecting, refraction, *[hangé]* reverberation, repercussion, rebound, *[vízhullámé]* breaking, *[robbanásnál]* back-flash

viszaverődési *a*, ~ *szög* angle of reflection

visszaverőd|ik *vi*, *[fény]* be(come) reflected, be thrown

back, *[hang]* reverberate, rebound, resound, *[vízhullám]* break (upon sg)

visszavert *a*, 1. *(fiz)* reflected, reflex(ed), thrown back *(ut)*, *[hang]* reverberated; ~ *áram* reflected current 2. ~ *támadás* a repulsed attack

visszavesz *vt*, 1. *[ajándékot, árut]* take back, *[alkalmazottat]* re-engage; ~ *a pártba* reinstate in the party 2. *(kat)* retake, recapture; ~ *várost vktől* recapture/retake a town from the enemy 3. = = **visszavásárol** ;4. *[ígéretet, szót]* retract, take back revoke, withdraw

visszavet *vt* 1. *[dob]* throw/cast/fling back; ~*i az ellenséget* drive/hurl/fling back *(v. repulse)* the enemy 2. *[ajánlatot]* reject, decline, turn down, *[fellebbezést]* dismiss, *[jelöltet]* refuse, *[kat sorozásnál]* put back, *[törvényjavaslatot]* reject, throw out, *[vizsgán]* fail, plough *(fam)*, pluck *(fam)* ; *vkt egy évre* ~ *(isk)* refer sy for a year 3. *[hátráltat]* set back, hinder; *hosszú időre* ~*ette fejlődését* retarded his development for a long time, *[vkt betegség]* pull down, exhaust; *hiányzása* ~*ette tanulmányaiban* his absence has put him back

visszavétel *n*, 1. withdrawal, *[ajándéké, árué, alkalmazotté]* taking back 2. = **visszafoglalás**; 3. = = **visszavásárlás**

visszavételi *a*, repurchasing, of repurchase *(ut)* ; ~ *jog* right (of vendor) to repurchase; ~ *jog fenntartásával* with privilege of repurchase, subject to right (of vendor) to repurchase

visszavetés *n*, 1. *[ellenségé]* repulse, flinging/hurling back 2. refusal, *[fellebezésé]* dismissal, *[igényé jog]* setting aside, *[javaslaté]* rejection, *[vizsgán]* ploughing 3. *[hátráliatás]* setback

visszavetít *vt*, flash back

visszavezényel *vt*, order (sy) to return (to a place)

visszavezet I. *vt*, 1. *(vkt/vmt vhova)* lead/bring/take/see/ accompany (sy, sg) back (to a place), *[vkt vm szervezetbe]* reintegrate into 2. *(vmt vmre)* trace (sg) back (to sg ascribe, attribute (sg to sg), *[származást]* trace one's descent from, deduce; *mindent egyetlen alapelvre vezet vissza* reduce everything to a single principle; *ezt a jelenséget politikai okokra vezetik vissza* this phenomenon is attributed to political causes; *ι távoli múltba vezeti vissza az ember eredetét* trace back the origin of man to a remote past; *Hódító Vilmosig vezeti vissza családfáját* trace one's descent back to William the Conqueror **II.** *vi*, *ez az út* ~ *a városba* this road will take you back to the city

visszavezethető *a*, 1. *(vhova)* that may be led back 2. *(vmre)* traceable (to), *[egyszerűsíthető]* reducible, *[tulajdonítható]* attributable, ascribable, due (to)

visszavezető *a*, leading/taking/going back *(ut)*, return; ~ *út* return road, the road back

visszavisz I. *vt*, carry/take back (to a place) **II.** *vi*, = = **visszavezet II.**

vissza-visszajár *vi*, he comes back time and again

vissza-visszanéz *vi*, keep looking back, cast a glance *(v. look)* back every now and then

visszavitel *n*, return, taking/conveying back

visszavív *vt*, regain *(v. win back)* by struggle

visszavon *vi*, 1. withdraw, annul, cancel, *[határozatot]* rescind, revoke, retract *[jelöltséget]* stand down, *[rendeletet]* withdraw, rescind, *[törvényt]* repeal, *[nyilatkozatot]* recant, *[véleményt]* go back on *(fam)*, *mindent* ~*ok* I take back everything; ~*ja esküjét* recant one's vows; *iparengedélyt* ~ cancel a licence; *ítéletet* ~ rescind/reverse a judgment; *keresetet* ~ withdraw an action; ~*ja követelését* recede from one's demand; *rendelést* ~ countermand an order; ~*ja szavát* withdraw/recall *(v. take back)* one's word, back out of sg, eat one's words, unsay, cry off, eat humble pie; ~ja tévtanait recant (publicly) 2. (kat) [csapatokat] withdraw, retire; a csapatokat ~ták troops have been withdrawn

visszavonás n, 1. recall, [állításé] revocation, [engedélyé] withdrawal, [határozaté] retractation, retraction, [jogé] defeasance, [kijelentésé] withdrawal, recantation, [rendelésé] countermanding, [szerződésé] cancellation, [törvényjavaslaté] withdrawal; ítélet ~a rescinding of sentence, rescission of judgment; rendelet~a repeal of edict;~ig unless countermanded; ~ig érvényes valid until recalled/countermanded (ut), valid until further order/notice (ut) 2. [csapatoké] withdrawal, withdrawing, retirement 3. = = viszálykodás

visszavonhatatlan a, irrevocable, irrepealable, indefeasible, irreversible, [elhatározás] firm, irrevocable, unalterable, past/beyond recall (ut); ~ akkreditív irrevocable Letter of Credit; ~ megállapodás binding agreement; ~ rendelet absolute decree

visszavonhatatlanság n, irrevocability, irrepealability, irreversibility

visszavonható a, revocable, reversible, subject to repeal (ut), [szerződés stb.] voidable, defeasable, that can be annulled/cancelled/quashed (ut), retractable

visszavonhatóság n, revocability, retractability, retractility, reversibility

visszavonó a, revocatory, revoking, recalling

visszavonul vi, 1. (vk, ált) withdraw, (beat a) retreat, seclude, [jelölt] stand down, [vm helyiségbe] betake oneself (to), withdraw (to), [ügyek intézésétől] step/stand aside, take a back-seat, [vállalkozástól] draw back from, back out of; ~ a színpadtól quit the stage, retire from the stage;~az üzleti tevékenységtől retire from business, be/go out of business, shut up shop (fam); ~ vidékre retire into the country; ~ a világtól renounce the world; minden délután ~ a dolgozószobájába he sequesters himself in his study every afternoon 2. (kat) retreat, retire, [előörs] fall back, [ütközetben] give ground, withdraw; az ellenség ~t the enemy retreated 3. [áradat] recede

visszavonulás n, 1. withdrawal, retirement retiring, [magányba] seclusion, sequestration 2. (kat) retreat, retirement, falling back; ~ útját elvágja [ellenségnek] cut off the retreat, head off; jelt ad a ~ra sound the retreat; fedezi a ~t cover the retreat

visszavonulási a, ~ parancs order to retreat

visszavonuló a, 1. withdrawing; ~ elnök retiring president 2. (kat) retreating, retiring, in retreat (ut); ~ban van be in retreat

visszavonult [-at; adv -an] a, retired, solitary, sequestered, secluded; ~ élet secluded/lonely life;~ életet él live in retirement/seclusion; ~ ember a retiring man

visszavonultan adv, retiredly; ~ él live retired, live detached from the world, live in privacy

visszavonultság n, retirement (from active life), (vall) retreat, reclusion, seclusion, sequestration, privacy

visszazár vt, [újra bezár] re-lock

visszazavar vt, send back

visszazeng vi/vt, (re)sound, ring, echo, reverberate

visszazökken vi, ~ a (régi) kerékvágásba get back to the (daily) routine

visszazuhan vi 1. plunge/fall/drop/sink back, fall down again 2. (átv) relapse (into)

visszér n, (varicose) vein; visszere van have varicose veins

visszércsomó n, varix, varicosity

visszeres a, varicose(d), affected with (v. characterized by) varicosity (ut)

visszérgyulladás n, phlebitis

visszérlob n, = visszérgyulladás

visszértágulás n, varicosis, varicosity, varicose veins (pl)

visszértágulásos a, varicose, varicated

visszfény n, reflected light, reflection, [vízen] gleam (on the waters), [holdé] shimmer

visszfuvar n, return cargo

visszfuvardíj n, back-freight

visszhang n, 1. (fiz) echo, resounding/echoing sound/ noise, reverberation; többszörös ~ tautological echo 2. [eseményé] reaction; nemzetközi ~ international reaction to, international reception of (sg); országszerte nagy ~ja támadt it created stir (v. it was hotly discussed) throughout the country; ~ra talál find response; csekély ~ot kelt create little stir, pass almost unnoticed; ezek a rádióelőadások igen élénk ~ot keltenek those radio talks command a wide following;~ot ver (make the air) re-echo (with sg)

visszhangmérő n, echometer

visszhangos a, echoing, resounding, resonant, ringing

visszhangoz vt, = visszhangzik

visszhangtan n, catacoustics

visszhangzás n, echo(ing), resonance, resounding, sonority, reverberation (of sound), [többszörös] re-echo(ing), resounding/echoing sound/noise

visszhangzlik vi, (re-)echo, (re)sound, resonate, ring reverberate; a folyosó ~ott (kiáltásaitól) the passage rang with his cries; a terem a tömeg éljenzéseitől ~ott the hall resounded with the vivas of the crowd; az erdő ~ott a madárdaltól the woods were vocal with the song of birds

visszhangzó a, (re-)echoing, (re)sounding, resonant, ringing, reverberating, vocal with (ut)

visszkereset n, (jog) counter-claim, [váltó] recourse; kártalanítási ~ recovery of damages; ~tel él have one's redress against, seek recover, have recourse; ~tel élő alperes counter-claiming defendant

visszkereseti a, ~ igény counter-claim; ~ jog right of recourse/recovery; ~ joga van vmre have recourse (to sg)

visszkeresetileg adv,~ kötelezett személy a person liable to recourse

visszleszámítol vt, rediscount

visszleszámítolás n, rediscount

visszrakomány n, backfreight

vissz-számla n, account of redraft

visszteher n, ~ nélküli szerződés gratuitous/naked/ nude contract

visszterhes a, subject to certain liabilities (ut), subject to consideration; ~ szerződés onerous contract

visszterhesen adv, for a valuable consideration, for good consideration

visszrtérítés n, abatement, rebate

visszváltó n, counter/re-draft, cross-bill, re-exchange, renewed bill

visszvám n, drawback

visszvezeték n, (műsz) return wire

viszt [-et, -je] n, whist

vita [..át] n, debate, discussion, dispute, disputation, quarrel, polemic, [heves, hangos] altercation, controversy, contention, [parlamenti] debate, [bíróságon] litigation, dispute at law; a ~ tárgya the subject of the debate, the question under discussion, subject of contestation, the question in/under debate, (kif) the debate centres on (sg), (elit) bone of contention; ~ tárgyává tesz vmt put sg in issue; a ~ még folyik it is still under discussion, it is still a moot point, the debate has not closed yet, the issue is still open; a ~ hevében in the heat of the debate; ~ nélkül elfogad javaslatot/indítványt accept a motion undebated; vitába beavatkozik intervene in a quarrel; vitába bocsátkozik/száll vkvel enter into

a controversy, join/take issue with sy (about sg), engage in discussion with sy; *vitába keveredik vkvel* come into conflict with sy; *vitában áll vkvel* be at issue with sy; *részt vesz a vitában* take part in the controversy/discussion/debate; *vitán felül* beyond dispute/controversy, by all odds, beyond (all) question, out of question, past question; *vitán felül álló* indisputable, indubitable, incontrovertible, uncontroverted, beyond dispute/controversy *(ut)*; *a kérdés vitájára holnap kerül sor* the question will come up for discussion to-morrow; *a vitát bezárja* wind up the debate; *vitát eldönt* settle a dispute; *vitát folytat vkvel vm felett* hold a controversy against/ with sy on sg; *a vitát megnyitja* open the discussion; *nyilvános vitát rendez* hold a public discussion; *a vitát mellékvágányra viszi* start a hare
vitaanyag *n*, topic of debate, moot point
vitaelőadás *n*, *(kb)* lecture with discussion
vitaest *n*, debating evening, debate
vitagyakorlat *n*, mock-debate
vitaindító *a/n*, ~ *(előadás)* (lecture, paper) introducing a discussion, opening speech of a debate
vitairás *n*, parliamentary stenography
vitairat *n*, polemical essay/treatise, controversial pamphlet
vitarodalom *n*, polemic literature
vitakérdés *n*, debated/controversial question, question under discussion/debate *(v.* in debate), moot question
vitális [-at; *adv* -an] *a*, vital; ~ *festés (orv)* (intra)vital stain
vitalista [..át] *n*, vitalist
vitalisztikus *a*, vitalistic
vitalitás *n*, vitality, vigor, vigour, viability
vitalizmus *n*, vitalism
vitamin [-ok, -t, -ja] *n*, vitamin; *A-*~ vitamin A, carotene; *B₁-*~ vitamin B_1, thiamine; *B₂-*~ vitamin B_2, riboflavin; *C-*~ vitamin C, ascorbic acid; *D-*~ vitamin D, ergosterol; *D₂-*~ vitamin D_2, calciferol; *E-*~ vitamin E, tocopherol; *P-*~ vitamin P, citrin
vitamindús *a*, rich in vitamins *(ut)*, vitamin-rich
vitaminfogyasztás *n*, intake of vitamins, vitamin ingestion
vitaminhiány *n*, vitamin deficiency, lack/deficiency of vitamins; *~ból eredő zavar/betegség* avitaminosis
vitaminos [-at; *adv* -an] *a*, containing vitamin(s) *(ut)*
vitamintartalmú *a*, containing vitamin(s) *(ut)*
vitamintartalom *n*, vitamin content
vitapont *n*, point of controversy, point at issue, debating point
vitás *a*, disputed, debated, contested, discussed, *[kérdéses]* questionable, *[kétes]* doubtful, uncertain, *[vitatható]* contestable, controversial, debatable, disputable, vexed; ~ *kérdés* unsettled question, matter in dispute, matter/case at issue, litigated issue, moot point; ~ *követelés* disputed/contested claim; ~ *pont* moot/contested point; ~ *tények* facts at issue; ~ *terület* debatable territory; *ez még ~* it is still under dispute, it is still a moot point, the debate/controversy has not closed yet, it has not been settled yet; *nem ~ (hogy)* there is no doubt/ question (about it that), it is beyond (a) doubt (that), there can be no doubt (that), it is not to be questioned (that); *~sá tesz vmt* call sg into question, contest sg
vitat *vt*, 1. *[kétségbe von]* dispute, challenge, *[kérdést]* discuss debate, argue, *[pontot]* contest, *[véleményt]* controvert; *nem ~ vmt* let sg go/pass unchallenged 2. *[állít]* maintain, cóntend, postulate, assert; *ártatlanságát ~ja* plead innocence
'tatárgy *n*, subject of contestation, question under dispute, question in litigation, matter in dispute

vitatás *n*, 1. *[kétségbevonás]* disputing, disputation, *[kérdésé]* discussing, debating, arguing, *[ponté]* contesting, contestation 2. *[állítás]* maintaining, postulating, maintenance, assertion
vitatétel *n*, thesis, proposition, argument
vitathatatlan *a*, indisputable, incontrovertible, incontestable, beyond, argument *(ut)*, beyond all question *(ut)*, unquestionable, questionless
vitathatatlanság *n*, indisputability, incontestability, indisputableness, incontrovertibility
vitathatatlanul *adv*, indisputably, incontestably, beyond (all) question, out of question, past question, unquestionably; ~ *a legjobb* far/out and away the best, the best by far
vitatható *a*, disputable, contestable, debatable, questionable, open to question, *[pont]* arguable, *[vélemény]* controvertible, controversial; ~ *hogy* it is a moot/debatable point (whether)
vitathatóság *n*, disputableness, questionableness
vitatkozás *n*, debating, arguing, discussing, debate, dispute, disputation, discussion, argumentation
vitatkoz|ik [-tam, -ott, -zon, -zék] *vi*, *(vmről)* discuss, debate, dispute, argue (sg), polemize; *~ik vkvel vmről* argue/reason with sy about sg, dispute against/ with sy about/on sg; *kár ezen ~ni* it is no use arguing about it; *nem lehet vele ~ni* there is no reasoning/ arguing with him
vitatkozó [-t; *adv* -an] *a*,I. debating, disputing, discussing, arguing, polemic; ~ *természetű* disputatious, argumentative, disputative II. *n*, disputant, controversialist, disputer, arguer, debater, discusser polemist, reasoner
vitatlan *a*, 1. *[meg nem vitatott]* undiscussed, undebated, undisputed 2. *[kétségbe nem vont]* uncontested, unchallenged, unquestioned, beyond doubt/dispute *(ut)*
vitatlanul *adv*, without argument, beyond dispute
vitatott [-at; *adv* -an] *a*, debatable, controversial; *sokat ~ kérdés* vexed question, much/hotly debated/ discussed question, question that has given rise to much controversy
vitaülés *n*, debate
vitavezető *n*, discussion-group leader, *(kif)* with Mr/Comrade X in the chair
vitázás *n*, = **vitatkozás**
vitáz|ik [-tam, -ott, -zon, -zék] *vi*, = **vitatkozik**
vitel [-ek, -t, -e] *n*, 1. *[szállítás]* carriage, carrying, conveyance, transport, shipment, port(er)age 2. *[vezetés]* management, administration, *[ügyeké]* direction, *[vállakozásé]* conduct, control; *megbíz vkt az ügyek~ével* entrust/charge sy with the direction of affairs, put sy in charge (of sg)
viteldíj *n*, 1. *[szállítási]* charge for carriage, cost of transport, *[csomagé]* postage, *[fuvardíj]* freight-(age), carriage, *[hordárnál]* porterage 2. *[közlekedési]* fare
viteldíjköltség *n*, freight/transport charges *(pl)*, freight-age
viteldíjmentes *a*, carriage free
viteldíjmérő *n*, taximeter
viteldíjszabás *n*, (railway) tariff, *[személyforgalmi]* passenger tariff
viteldíjtáblázat *n*, schedule/table of fares, tariff
vitet *vt*, *(vkvel)* have sg carried/taken/transported (by sy), have/make sy carry sg, get sy to carry sg, send by sy
vitéz [-ek, -t, -e; *adv* -en, -ül] I. *a*, valiant, brave, courageous, heroic, gallant, valorous *[rettenthetetlen]* fearless, dauntless; ~ *katonák* gallant soldiers II. *n*, 1. brave/courageous warrior, champion, (valiant) knight; *keresztes ~* crusader 2. ⟨title

awarded to some ex-servicemen during the reactionary Horthy regime>, 'vitéz'
vitézi [-ek, -t; adv -en] a, = **vitéz** I.; ~ **ének** song of heroes; ~ **tettek** deeds of valour, (martial) exploits, feats (of arms)
vitézkedés n, valour, valiancy, bravery, courage, gallantry, heroism, prowess, (elit) mock heroism, bravado
vitézked|ik [-tem, -ett, -jen, -jék] vi, behave/fight like a hero, display gallantry/valour, (elit) play the hero
vitézkötés n, (kb) lace/dress frog, Brandenburg(s), frogs and loops (pl), frogging
vitézkötéses a, ~ **gombolás** frog fastening
vitézlő [-t; adv -en] a, (kb) noble, gallant
vitézség n, valour, valiancy, valiance, bravery, prowess, courage, heroism, gallantry
vitézül adv, valiantly, bravely, courageously, gallantly; ~ **harcol** fight gallantly; ~ **ellenáll** make/offer a stout resistance, stand fast, hold one's own
vitiligó [-t] n, (orv) leucoderma
vitla [..át] n, winch, hoist, winding-drum, recoiler
vitorla [..át] n, 1. sail, (ritk) canvas, sheets (pl); ~ **nélküli** sailless; vitorlát bevon strike/lower/furl/brail sail, reef in, take in reef; vitorlát felszerel rig sail; vitorlát felvon set/hoist a sail, trice up a sail; vitorlát kifeszít set/hoist/unfurl/spread sail; kifogja a szelet vk vitorlájából take the wind out of sy's sails, steal sy's thunder; felvont vitorlákkal in full sail 2. [szélmalomé] sail of windmill, sail-arm 3. (növ) wing, ala, standard, vexillum, banner 4. [szívbillentyűé] cusp
vitorlafa n, spar
vitorlafelvonó a, ~ **kötél** tricing-line/rope, halyard
vitorlafeszítő a, ~ **kötél** sheet brace, guy (rope), bowline
vitorlahuzat n, sail-cover
vitorlakészítés n, sail-making
vitorlakészítő n, sail-maker
vitorlakötél n, clew line, cable, [rövid] sheet, [hosszú felvonó] halyard
vitorlaléc n, rigging batten
vitorlapadlás n, sail-loft
vitorlaponyva n, sail-cloth, canvas
vitorlarúd n, (sail-)yard
vitorlás [-ok, -t, -a] I. a, sail-, sailing II. n, 1. [csónak] sailing boat, [hajó] sailing ship/vessel/boat, sail-boat (US) 2. [ember] boatswain, bosun, bo's'n.
vitorláscsiga n, (áll) paper nautilus, argonaut (Argonauta argo)
vitorláshajó n, sailing ship/vessel/boat, sailboat (US)/, [egyárbocos] cutter, [kétárbocos] brig(antine), ketch, [gyors] clipper, [kisebb] yacht, yawl, [nagyobb] schooner, [spanyol tört.] car(a)vel, galleon, [hadi tört] frigate
vitorláshal n, (áll) sail-fish (Histiophorus)
vitorlássport n, yachting, sailing
vitorlásverseny n, (sailing) regatta, sailing/yachting race
vitorlaszélesség n, spread of the sails
vitorlavászon n, sail-cloth, canvas, duck
vitorlázás n, 1. sailing, (sp) yachting 2. = **vitorlázó-repülés**
vitorlázat n, rig(ging), suit of sails
vitorláz|ik [-tam, -ott, -zon, -zék] vi, 1. sail, (sp) yacht; vhova ~**ik** make/set sail for somewhere; szélnek ~**ik** sail on a bowline; szél ellen ~**ik** sail in the wind's eye, sail in the teeth of the wind; ~**ni megy** go for a sail, take a sail 2. [levegőben] soar, glide; ~**va leszáll** plane down
vitorlázó [-t, -ja] I. a, 1. [vízen] sailing, (sp) yachting 2. [levegőben] soaring, gliding; ~ **repülőgép** sail-plane, glider II. n, yachtsman

vitorlázórepülés n, gliding, soaring, sail-planing
vitorlázórepülő n, glider (pilot), soaring pilot
vitorlázósport n, = **vitorlássport**
vitőr n, = **vívőtőr**
vitrázs [-ok, -t, -a] n, vitrage-net/curtain, brise-bise, [nyilvános helyeken] cafe curtain
vitrin [-ek, -t, -je] n, glass-case, glass cabinet, vitrine, china cabinet (US), [kirakati szekrényke] show/display/shop-case; ~**ben** under glass
vitriol [-t, -ja] n, vitriol
vitriolos [-ak, -t; adv -an] a, vitriolic, vitrioline; ~ **merénylet** vitriol-throwing; ~ **merényletet követ el** vitriolize; ~ **merénylő** vitriol-thrower
vitustánc n, St. Vitus's dance, (orv) chorea
vitustáncos a, choreic
vityilló [-t, -ja] n, cabin, hut, hovel, shanty
vív [-tam, -ott, -jon] I. vi, 1. [sportszerűen] fence 2. [harcol] fight, struggle/contend with/against II. vt, [harcol] fight, [várost] besiege, beleaguer, lay siege to; harcot ~ **vmért** fight/strive/struggle for sg; haláltusáját ~**ja** he is agonizing
vívás n, 1. (sp) fencing, sword-play 2. [váré] siege, beleaguerment
vivát [-ot, -ja] I. n, hurrah, cheer(s), hail II. int, hurrah!, hail!, vivat!
vivátoz [-tam, -ott, -zon] vi, hurrah, cheer, hail
viviszekció [-t, -ja] n, vivisection
viviszektor [-ok, -t, -ja] n, vivisector, vivisectionist
vívmány n, achievement, attainment; a XX. század tudományos ~**ai** the scientific accomplishments of the 20th century; a technika ~**ai** feats of engineering
vívó [-t, -ja] I. a, fencing, [harcoló] fighting II. n, fencer, swordsman, [tőrrel] foilist, [párbajtőrrel] épéeist; jó ~ a good swordsman, a fine fencer
vívóálarc n, fencing mask, face-guard
vívóállás n, swordsman's/fencing posture/attitude, [védőállás] (position of) guard; ~**t felvesz** take one's guard/position
vívóbajnok n, fencing champion, master swordsman
vívóbajnoki a, ~ **verseny** fencing championship (contest)
vívóbajnokság n, fencing championship/tournament
vívócsapat n, fencing team
vívócsel n, feint
vívódás n, struggle, fight, [halállal] agony
vívód|ik [-tam, -ott, -jon, -jék] vi, (vmvel) be in the grip of sg, fight/struggle against/with sg; ~**ik a halállal** be in the throes of death, be in one's last agony
vívófelszerelés n, fencer's outfit
vívóiskola n, fencing school/academy
vívókard n, fencing sword
vívókesztyű n, fencing-gloves (pl)
vívóklub n, fencing-club
vívómaszk n, = **vívóálarc**
vívómellvédő n, plastron
vívómérkőzés n, fencing-match/bout, assault
vívómester n, fencing-master
vívóóra n, fencing lesson, lesson in fencing
vívósisak n, (fencing) mask, [tőrözőé] foil mask, [kardvívóé] sabre mask/helmet
vívósport n, fencing
vívótanár n, = **vívómester**
vívóterem n, fencing-school/room
vívótőr n, [tört, párbajtőr] rapier, (sp) foil
vívóverseny n, fencing contest
vívő [-t, -je] I. a, carrying, bearing, bringing II. n, carrier, bearer, bringer; levél ~**je** bearer of the present letter
vívőanyag n, [gyógyszerben] base, vehicle
vívőáram n, conduction current
vívőér n, vein; visszértágulásos ~ varicose vein
vívőeres a, veinous, veiny

vivőhullám *n, [távközlésben]* carrier-wave
víz [vizet, vize] *n,* water, *[szájmosó]* mouth-wash; *álló* ~ stagnant/still water; *desztillált* ~ distilled water; *folyó* ~ running water; *hideg-meleg* ~ *a szobákban* hot and cold water in the rooms; *kemény* ~ hard water; *vasas* ~ iron(y) water; ~ *alá merít* immerse, dip (in water); ~ *ala merül* submerge, dive, plunge under water; *menj a* ~ *aldl (biz)* go to hell; ~ *alatt van* be under water; ~ *alatt úszik* swim under water; ~ *alatti* underwater, sub-aqueous, subaquatic, *(épít)* submerged, *[tenger alatti]* submarine; ~ *alatti fényképezőgép* submarine camera, underwater camera; ~ *alatti sebesség* submerged speed; ~ *alatti sportfelszerelés* underwater sports equipment; ~ *alatti szirt/szikla/zátony* submerged reef; ~ *által sérült (ker)* water damaged; ~ *ellen* against the current/tide, upstream; ~ *mentében* downstraem; *vizek ökológiája* limnology; *a* ~ *színén* on the surface of the water; *csupa/egy* ~ dripping/soaking wet, drenched through, drenched to the skin; *elől tűz hátul* ~ between the devil and the deep sea; *lassú* ~ *partot mos (közm)* still waters run deep; *sok* ~ *lefolyik addig a Dunán* much water will flow under the bridges, that will be many a long day to come yet; *vízbe esik* fall/drop into water, *[hajóról]* fall *(v.* be thrown) overboard, *[átv meghiúsul]* fall through, fail, miscarry, misfire, be frustrated, peter out, come to nothing; *~be fojt* drown; *~be fojtás* drowing; *~be fúl* drown, be/get drowned; *~be fúló* drowning; *~be fúlt ember* drowned man; *~be merít* plunge into water, souse, douse, *[vkt víz alá buktat]* duck sy, give sy a ducking; *~be öli magát;* drown oneself, make a hole in the water *(fam); ~be ugrik (úszó, búvár)* dive, *[fürdőző]* plunge into water, *[öngyilkos]* throw oneself into the water; *~be vetett áru (hajó)* jetsam; *úgy él mint hal a vízben* live like a fighting cock, be in clover; *megfojtaná egy kanál ~ben* he would do him in without a moment's hesitation; *~ben gazdag* well-watered, abounding in water *(ut),* watery; *~ben szegény* badly watered, arid; *~ben oldódik* dissolve/melt in water; *kinn vagyok a vízből (biz)* a lot of good that has done to me!; *vízért megy* fetch water, go for water; *kenyéren és vizen* on bread and water; *szárazon és ~en* on/by land and water/seea; *~en járó* waterborne; *~en szállít* send by ship; *tűzön~en át* through fire and water, through thick and thin; *úszik a ~en* float, be afloat, drift; *víznek megy* throw oneself into the water, make a hole in the water *(fam); vízre bocsát* launch, set afloat, float (out off); *~re bocsátás* launching, setting afloat, floating; *~re száll* take to water, set sail, *[behajózik]* embark; *vizet húz* draw water; *vizet visz* carry water; *vizet vesz fel* (take in fresh) water; *vizet leereszt/levezet/lecsapol* drain water (away, off); *meghúzza a vizet [illemhelyen]* pull the chain, flush the W.C./pan; *vizet merít [kútból, folyóból]* draw water; *vizet hord a Dunába (kb)* carry coals to Newcastle; *vizet önt a korsóba* fill a carafe with water; *öntsünk tiszta vizet a pohárba* let us have it out, let us make a clean breast of it; *vizet prédikál és bort iszik* he does not practise what he preaches; *nem sok vizet zavar* count but little, be of no great importance, have not much to say; *az én malmomra hajtja a vizet* it brings grist to my mill, it serves my purpose; *vízzel eláraszt* flood, inundate, sluice; *~zel átitatott* water-logged; *~zel egyesít (vegyt)* combine with water, hydrate; *~zel hígít [italt]* (dilute with) water, *(elit)* adulterate, doctor; *~zel teli/telt* full of water *(ut)*
víza [. .át] *n, [hall]* (great) sturgeon, isinglass-fish, hausen *(Acipenser huso)*

vízadagolás *n,* watering, water feed/supply
vízágy *n, (orv)* water-bed
vízahólyag *n,* isinglass, fish-glue, ichthyocol(la)
vízakna *n, (bány)* inlet well
vízállás *n,* height/level/elevation of water, water-level; *alacsony* ~ low water; *magas* ~ high water
vízállásjelentés *n,* water-level report, *[áradáskor]* report on the flow of water, report on the flood/tide
vízállásjelző *n,* fluviometer, water-indicator, *[vonal]* water-level/line/mark
vízállásmutató *n,* water-gauge
vízállásszabályozó *n,* hydrostat
vízállászáradék *n,* high/low water clause
vízálló *a,* = vízhatlan
vízállóság *n* = vízhatlanság
vízár *n,* **1.** *[tengeren]* tide, *[folyón]* rising, swelling, fresh(et) **2.** *[áradat]* flood, inundation, deluge
vízárok *n, [út menti]* (water) ditch, *[mezőn]* water--trench, drain, *[vár körül]* moat, *(kat)* fosse
vízáteresztő *a,* pervious/permeable to water *(ut);* ~ *képesség* perviousness, (water) permeability; ~ *réteg (geol)* permeable layer/formation
vízáthatlan *a,* waterproof, water-resisting
vizaví [-t, -ja] *n,* vis-à-vis
vízbefúlás *n,* drowning
vízbevetés *n, (hajó)* jettison
vízbontás *n,* decomposition of water, hydrolysis *(tud)*
vízbő *a,* abounding in water *(ut),* well-watered, watery
vízbőség *n,* abundance of/in water
vízbuborék *n,* water bubble
vízcentiméter *n,* centimeter of water
vízcsap *n,* water-tap/cock, faucet *(US),* *[tűzcsap]* fire-plug, hydrant
vízcsatorna *n, [hajózható]* canal, water-way, *[esővíznek házon]* gutter, *[hajófedélzeten]* water-way, *[útszéli]* gutter, *[öntözési]* channel, water-gang, *[kisebb]* water-trench/furrow, *[kanális]* channel, gutter, *[levezető]* water-drain, *[vezeték]* aqueduct, conduit, *[fővezeték]* water-main
vízcsepp *n,* water-drop
vízcső *n,* water-pipe, *[kazánban]* water-tube, *[gumi]* water-hose
vízcsöves *a,* ~ *kazán* water-tube boiler
vízdaru *n,* water-crane
vízderítés *n,* water-purification/purifying/clarification/ clarifying, *(vegyt)* water precipitation
vízderítő *a,* water-purifying/clarifying; ~ *telep* water-clarifying plant
vízdíj *n,* water-rate, water-charges *(pl)*
vízdús *a,* = vízbő
vízedzés *n, (koh)* water hardening
vizel [-t, -jen] *vi/vt,* pass/discharge urine, urinate, micturate, make water *(fam),* do number one *(fam),* spend a penny *(fam),* relieve nature *(fam),* piss ◈, pump ship ◈; *véreset* ~ pass blood with the urine
vizelde [. . ét] *n,* urinal, urinary, (men's) lavatory
vizelés *n,* passing *(v.* discharge of) water/urine, uri-nation, micturition, making water *(fam),* doing number one *(fam),* pissing ◈; *éjszakai* ~nycturia, nocturia *(US); gyakori* ~ pollakiuria; *nehéz* ~ dysuria; ~ *gyakorisága* frequency of urination
vizeléshiány *n,* anuria
vizelési [-ek, -t; *adv* -leg] *a,* of urination *(ut); sűrű* ~ *inger* micturition; ~ *nehézség* retention of urine; ~ *zavar* dysuria
vizelet *n,* urine, water *(fam),* piss ◈; *véres* ~ red water; *zavaros* ~ cloudy urine; *érzem a ~emről (biz)* just a pricking in my toes
vizeletbőség *n,* polyuria
vizeletcukor *n,* diabetic/urinary sugar
vizeletcsurgás *n,* incontinence of the urine
vizeletelapadás *n,* anuria

vizeletelválasztás n, urinary output; ~t csökkentő hatás antidiuretic effect
vizeletfajsúlymérés n, ureometry
vizelet-fajsúlymérő n, urinometer
vizeletfesték n, urinary pigment, urochrome
vizelethajtó a/n, diuretic
vizeletkiválasztás n, diuresis
vizeletminta n, urinary specimen/sample
vizeletrekedés n, anuria, ischuria
vizeletrendszer n, urinary system
vizeletszerű n, uretic, urinous
vizeletürítés n, uresis, micturition, urination; (kórosan) csökkent ~ oliguria; (kórosan) fokozott ~ polyuria
vizeletvizsgálat n, urinanalysis, uranalysis, uroscopy
vízellátás n, water supply (műsz) water-feed, watering
vízelnyelő a, absorbent; ld még **víznyelő**
vizelő [-t, -je] n, [tál, hely] urinal
vízelvezetés n, draining, drainage; nyílt~ surface draining
vízelvezető a, ~ árok water channel; ~ cső drain(-pipe)
vízemelő I. a, ~ gép hydraulic/water engine, water--raising engine, water-wheel; ~ kerék scoop/Persian/ water wheel, [keleten] noria II. n, (vasút) water--crane/pillar
vízenergia n, water power, white coal (ref.)
vizenyő [-t, -je] n, (o)edema, dropsy
vizenyős [-et; adv -en] a, 1. (orv) (o)edematous, (o)edematic; ~ duzzanat dropsical swelling 2. [talaj] soggy, boggy, marshy, oozy, spongy, aqueous, watery, waterlogged, [nedves] humid, damp, dank 3. (átv) washy, insipid, vapid, flat, dull; ~ stílus milk-and-water style; ~ szeme van he has washy/ watery eyes
vizenyősség n, 1. [talajé] sogginess, bogginess, marshiness, ooziness, sponginess, aquosity, wateriness, [nedvesség] humidity, dampness, dankness 2. (átv) washiness, insipidity, vapidity, flatness, dul(l)ness, 3. (biol) serosity
vízépítés n, hydraulic construction/architecture, water constructional works, hydrotechny
vízépítéstan n, hydraulic architecture/engineering, water engineering, hydrotechny
vízépítészet n, = **vízépítéstan**
vízépítmény n, water-works, hydraulic structure
vízépítő a, ~ mérnök hydraulician, hydraulic/water engineer
vizér n, rill, streamlet, (bány) water vein
vízerő n, water/hydraulic power
vízerőmű n, water-power (v. hydroelectric) station, hydroelectric power plant
vízerőtan n, hydraulics
vizes [-et; adv -en] a, wet, watery, watered, [nedves] moist, damp, humid, [vízszínű] pale, washed-out, watery, aqueous; ~ bor [hamisított] diluted/adulterated wine, [vízzel kevert] watered/diluted wine, wine and water; ~ borogatás wet compress; ~ kivonat watery extract; ~ lepedő (orv) pack(ing-)sheet, cold pack; ráhúzzák a ~ lepedőt be hauled over the coals, be taxed with (all) one's sins, catch it (fam); ~ oldat diluted solution; ~ ruha wet/damp clothes (pl)
vizesárok n, [akadályversenyen] water-jump, open ditch, [vár körül] moat
vizesedény n, water-pan/vessel, [fazék] water-pot
vizesedik [-tem, -ett, -jen, -jék] vi, get wet, moisten
vizesés n, waterfall, [kisebb] cascade, [nagyobb] cataract, falls (pl)
vizeshordó n, water-butt/cask/tub
vizesít [-eni, -ett, -sen] vt, wet, [nedvesít] moisten, humidify, dampen
vizeskancsó n, (water-)jar, pitcher, [mosdóhoz] ewer
vizeskanna n, ewer, water-jug/can
vizeskorsó n, = **vizeskancsó**

vizesnyolcas n, (biz) counter-jumper
vizespohár n, tumbler, drinking glass
vizesség n, wetness, wateriness, aquosity, [nedvesség] humidity, dampness, moisture
vizesüveg n, water-bottle
vizesvödör n, water-pail/bucket
vizeszsemlye n, roll
vizez [-tem, -ett, -zen] vt, 1. = **vizesít**; 2. [vízzel hígít] (dilute with) water, add water to, [bort] adulterate, doctor; ~i a bort [= vízzel issza] dilute one's wine with water, put water in one's wine
vizezés n, watering, diluting, [nedvesítés] wetting, moistening, humidification; tej ~e addition of water to milk
vizezett [-et] a, ~ bor watered/diluted/adulterated wine; ~ tej adulterated milk
vízfecskendő n, squirt, syringe, hose, [nagyobb] water(ing)-engine, [tűzoltó] fire-engine
vízfej n, hydrocephalus, hydrocephaly, water on the brain
vízfejű a, hydrocephalic, hydrocephalous, (nép kif) have water on the brain
vízfejűség n, hydrocephalus, hydrocephaly
vízfék n, water brake, Bramah-press
vízfelhajtó a, ~ képesség buoyancy of water
vízfelszívó a, ~ képesség water absorbing capacity, hygroscopicity
vízfelület n, water table/surface
vízfelvétel n, (növ) absorbtion of water (by plants)
vízfenék n, bottom of the water
vízfesték n, water-colour
vízfestés n, painting in water-colours
vízfestmény n, painting in water-colours, water--colour (painting), aquarelle
vízfestő n, water-colour painter, water-colorist, painter in water-colours
vízfogó n, [gyűjtő] cistern, reservoir, catchment, [házi] water-butt, [gát] sluice, weir, flood-gate, (műsz) water-lodge, (bány) standage
vízfogyasztás n, water consumption
vízfolt n, water stain
vízfoltos a, water-stained
vízfolyás n, current, drift, stream, (water-)course; mint a ~ fluently, volubly, with volubility; ~ mentében down-stream, down the river; ~sal szemben up-stream/river, up the river
vízföldtan n, hydrogeology
vízfűtés n, hot-water heating
vízgáz n, water-gas; ~ generátor water-gas generator
vízgazdálkodás n, management/economy of water--supplies
vízgőz n, stream, aqueous/water vapour
vízgőzdesztilláció n, steam distillation
vízgőztartalom n, quantity/proportion/percentage of steam (contained)
vízgyógyász n, hydropathist
vízgyógyászat n, hydropathy, hydrotherapy, hydro-therapeutics, water-cure
vízgyógyászati a, hydropathic, hydrotherapeutic
vízgyógyintézet n, hydropathic establishment, hydro-(fam)
vízgyógykezelés n, hydropathic cure/treatment
vízgyógymód n, water-cure, hydropathic cure/treatment, [ivókúra] water-drinking
vízgyűjtés n, catchment
vízgyűjtő I. a, ~ csatorna catch-drain, catchwater drain; ~ gödör (water-collecting) sump; ~ medence (földr) catchment/drainage basin/area, river-basin, [tartály] reservoir, cistern; ~ terület watershed (area), drainage/catchment area/basin II. n, 1. [ciszterna] reservoir, cistern, catch basin 2. = **vízgyűjtő terület**
vízgyülemlés n, (bány) standage

vízhajtás n, (műsz) hydraulic drive
vízhálózat n, network of rivers (v. water-courses); Magyarország ~a the rivers of Hungary (pl)
vízhasználati a, ~ jog water-privilege
vízhatlan a, waterproof, watertight, water-repellent/ resistant, weather-proof, rainproof, impervious to water (ut), impermeable, mackintoshed, rubber-proofed; ~ szövet waterproof (cloth), mackintosh
vízhatlanít [-ani, -ott, -son] vt, waterproof, make waterproof (v. water-repellent), rubberize
vízhatlanító [-t] a, waterproofing; ~ szer waterproofer, water-repellent material, [zsír bakancsra] dubbing
vízhatlanság n, waterproof/watertight quality, waterproofness, watertightness, water-repellency, weather--proofness, impermeability, imperviousness to water
vízháztartás n, (biol) water balance; só- és ~ salt and water metabolism
vízhiány n, scarcity/need of water, water famine, [szárazság] drought
vízhólyag n, (water-)blister, vesicle; ~ot okoz raise a blister
vízhólyagocska n, (növ) [levélben] papula
vízhólyagos a, blistered
vízhordás n, carrying (of) water
vízhordó I. a, ~ kocsi water-cart II. n, water-carrier/ bearer
vízhozam n, water output, output of water rate of flow
vízhozamgörbe n, discharge curve
vízhullám n, [fodrászé] cold/water/finger-wave
vízhűtés n, water-cooling, [kohászatban] quenching
vízhűtéses [-ek, -t; adv -en] a, water-cooled
vízhűtő n, water-cooler, [gőzgépen] refrigeratory, [dugattyúköpeny] water-jacket
vízi [-ek, -t] a, water-, of the water (ut), aquatic; ~ erő water/hydraulic power; ~ erőmű water--pover(v. hydroelectric) station, hydroelectric power plant; ~ isten water-god, Neptune; ~ jármű boat, vessel, (water) craft; ~ jártasság watermanship, watercraft, oarsmanship; ~ jártassági igazolvány watermanship/oarsmanship certificate; ~ jártassági próba watermanship/oarsmanship test; ~ jőring surf-riding, aquaplane; ~ rendőr river policeman; ~ rendőrség river police; ~ repülőgép sea-plane, (aero)hydroplane, flying-boat; ~ repülőtér water-drome; ~ sport aquatic sport, aquatics (pl); ~ szervezetek életmódtana (biol) limnology; lebegő ~ szervezetek összessége (biol) plankton; ~ tündér water--nymph/sprite, naiad, nix(ie), undine, elf; ~ út water way, [utazás] voyage, sail, [csónakon] row; nemzetközi ~ út international waterway; nemzetközi fontosságú ~ út waterway of international concern; ~ úton by water; ~ úton szállít convey by water; ~ úton való szállítás water-carriage, conveyance by water; ~ úton szállított áru waterborn goods
víziállat n, aquatic animal
víziatka n, (áll) water-mite/tick (Hydrachna)
vízibetegség n, (hy)dropsy
vízibogár n, water/aquatic insect
vízibolha n, (áll) water flea (Daphnia sp.)
víziborjú n, [húrféreg] (water-)newt, eft, horsehair worm (Gordius sp)
vízibors n, (növ) water-pepper (Polygonum hydropiper)
vízibusz n, water bus
vízicickány n, (áll) water-rat (Arvicola amphibius)
vízicserkész n, river/sea scout
vízicsibe n, (áll) crake (Porzana sp.)
vízicsúszda n, [vurstliban] water chute
vízidisznó n, (áll) capybara, water-pig (Hydrochoerus capybara)
víziauda n, (zene) home made wooden horn

vízigót I. a, Visigothic II. n, Visigoth
vízigyík n, (áll) water-lizard (Varanus)
vízikerék n, water-wheel, paddle(-wheel)
vízilabda n, water-polo
vízilabda-csapat n, water-polo team
vízilabda-játék n, water-polo play
vízilabda-játékos n, water-polo player
vízilabda-mérkőzés n, water-polo match
vízilabdázás n, water-polo (play)
vízilabdázik vi, play water-polo
vízilabdázó n, water-polo player
vízililiom n, (növ) sword-flag (Iris pseudacorus)
víziló n, (áll) river-horse, hippopotamus, hippo (fam) (Hippopotamus sp.); törpe ~ pigmy hippopotamus (Choeropsis sp.)
vízimadár n, water-fowl/bird, aquatic bird
vízimalom n, water-mill
vízimenta n, (növ) water mint (Mentha aquatica)
vízimérnök n, water/hydraulic engineer, hydraulician
vízimolnár n, miller in a water-mill
vízinövény n, water-weed/plant, aquatic plant, hydrophyte; ~ speciális jegyei hydromorphic features of a hydrophyte; ~ úszólevele pad
vízinövényzet n, aquatic vegetation
vízió [-t, -ja] n, vision, hallucination
vízionárius n, visionary
vízióra n, clepsydra, water-clock
víziorgona n, hydraulicon, water-organ
víziós [-at] a, visionary
vízipipa n, hookah, hubble-bubble, narghile(h)
vízipisztoly n, squirt-gun
vízipocok n, (áll) water vole (Aroicola sp.)
vízipóló n, = vízilabda
vízipoloska n, (áll) water-bug (Hydrocordiae osztag)
vízipuska n, squirt-gun
vízirány n, horizontal(ity)
vízirózsa n, (növ) nenuphar, water-lily (Nuphar sp., Nymphaea sp.); sárga ~ candock
vízisajtó n, hydraulic/hydrostatic/Bramah's press
vízisí n, surf-board, water ski, [vontatott] aquaplane
vízisikló n, (áll) common/grass/ringed snake (Tropidonotus natrix)
vízisízés n, surf-riding
vízisíző n, surf-rider
víziskorpió n, [skorpiópoloska-faj] water scorpion (Nepa rubra)
víziszony n, 1. dread of water 2. [veszettség] hydrophobia; ~ban szenvedő hydrophobic
vizit [-et, -je] n, 1. visit, call; ~be megy vkhez pay sy a visit, (make a) call on sy, drop in on sy (fam); visszaadja vknek a ~et return sy's visit/call 2. [kórházban] visit, round, (kat) inspection; kórházi ~en van make/do a ward/hospital round
vizitáció n, 1. = vizit 2.; 2. (vall) visitation
vizitál [-t, -jon] vt/vi, visit, supervise, inspect
vizitel [-t, -jen] vi, 1. (vknél) visit sy, pay sy a visit, (make a) call on sy, wait on sy, drop in on sy (fam) 2. [orvos kórházbn] make a ward round
vizitelés n, visit(ing), call
vizitkártya n, visiting-card
vizityúk n, (áll) moor/water-hen, (bald-)coot (Gallinula c. chloropus)
vízivad n, water-game, aquatic game
vízivás n, water-drinking
vízivó n, water-drinker, [antialkoholista] teetotaller, total abstainer
vízízű a, watery, having a watery taste (ut), insipid, tasteless
vízjáték n, [árapályé] range of tide
vízjel n, 1. [papíré] watermark, [a 2. féliven] counter--mark, [papírpénzé] thread-mark 2. [merítési jel hajó oldalán] water/Plimsoll-line, Plimsoll's mark

vízjeles *n, [papír]* watermarked

vízjog *n,* water laws/rules *(pl)*

vízkalapács *n,* water-hammer

vízkapu *n,* water-gate

vízkár *n,* damage caused by water/flood, *(hajó)* average

vízkárosult *n,* victim of a flood

vízkedvelő *a, (növ)* hydrophilic

vízkerék *n,* water-wheel, *[hajón]* paddle-wheel

vízkereszt *n, [január 6]* Twelfth-night/day, Epiphany

vízkeresztség *n,* baptism

vízkerülő *a, (növ)* hydrophobic

vízkészlet *n,* stock/supply of water

vízkiszorítás *n,* displacement, cavity; ~ *tonnákban* displacement tonnage; *mennyi/mekkora a hajó ~a?* what water does the ship draw?

vízkór *n,* (hy)dropsy

vízkóros *a,* dropsical, *[igével]* suffer from dropsy

vízkórság *n,* = **vízkór**

vízkő *n,* scale, incrustation, encrustment, fur; ~*vel bevont/borított* scale-coated

vízkő-eltávolítás *n,* scaling

vízkőfeloldó *n,* incrustation unsolver, scaler

vízkőképződés *n,* scaling, furring

vízköpeny *n,* water jacket

vízköpő *n,* (water-)spout, water-shoot. *[szobor formájú]* gargoyle

vízkőréteg *n,* scale crust

vízkővakaró *n,* scaler

vízköves *a,* scaly, furry, scale-coated·

vízkúra *n,* = **vízgyógymód**

vízlágyító *n,[szer]* water-softener, deincrustant

vízlecsapolás *n,* drainage, draining

vízleeresztő *a/n, [gépen]* run-off, *[szennyvíznek]* waste-pipe; ~ *nyílás* flood-gate

víz-légszivattyú *n, (koh)* blast pump

vízleírás *n,* hydrography

vízlépcső *n,* (river) barrage

vízlevezetés *n,* water drainage, dewatering

vízlevezető *a,* **1.** free from water *(út)*, *~ árok* leat; ~ *csatorna* water conduit, gutter, gully, runnel; ~ *cső* drain-pipe, *[szennyvíznek]* waste-pipe

vízmagasság *n,* height/level of water, water-level

vízmedence *n,* **1.** *[gyűjtő]* basin, reservoir, water-tank **2.** *[úszásra]* swimming-pool

vízmeder *n,* bed of sea/lake/river

vízmelegítő *n,* water heater, boiler, geyser

vízmellék *n, [folyóé]* river-side, *[tengeré]* sea-side

vízmelléki *a,* river/water-side, riparian

vízmentes *a,* **1.** free from water *(út)*, anhydrous *(tud)*, *[száraz]* dry **2.** = **vízhatlan**

vízmentesít *vt,* **1.** *[földet]* drain, reclaim, *[anyagot]* dewater, desiccate, dehydrate, *[alkoholt]* rectify **2.** = **vízhatlanít**

vízmennyiség *n,* quantity of water

vízméréstan *n,* hydrometry

vízméréstani *a,* hydrometrical

vízmerő *n,* dipper, bail-out kit, bail-scoop, bailer

vízmérő *n, [vízállásmérő]* water-gauge, *[mérőón]* plummet, sounding lead, *[fajsúlymérő]* hydrometer, *[fogyasztásmérő]* water-meter, *[vízállásjelző]* fluviometer; *rajzoló ~* fluviograph

vízmérték *n,* water/bubble-level, bubble glass

vízmosás *n,* gully, (water-worn) ravine, groove, rainwash, *[hegyoldalban]* couloir

vízmosásos *a,* full of ravines, gullied

vízmosta *a, [part]* water-lashed/lapped, *[vízmosás]* water-worn, *[talaj] (geol)* alluvial

vízmozgástan *n,* hydrodynamics, hydrokinetics

vízmozgástani *a,* hydrodynamic(al), hydrokinetic

vízműtan *n,* hydrotechnics, hydrotechny, hydraulics

vízműtani *a,* hydrotechnical, hydraulic

vízművek *n. pl,* waterworks, the Water Company

víznemű *a,* aqueous, waterlike, watery, *[folyékony]* liquid

víznyelő *n, [utcán]* gully-hole, drain-trap, *(bány)* sump, *[konyhai kiöntőben]* sink-hole, *[padlón]* soak-away, sump, *[hídpályában, hajón]* scupper

víznyílás *n, (növ)* hydathode

víznyomás *n,* **1.** *[csőben]* hydraulic/hydrostatic pressure, water-pressure **2.** = **vízjel**

víznyomásmérő *n,* water-gauge, piezometer

víznyomásos *a,* hydraulic

vízóra *n, [fogyasztásmérő]* water-meter, *[időmérő]* water-clock, clepsydra

vízorr *n, (épít)* drip, larmier, lacrimer

vízoszlop *n,* **1.** *[közlekedőedényben]* water-column/head **2.** *[tengeren]* waterspout

vízöblítés *n,* water flushing

vízöblítéses *a,* ~ *illemhely* water-closet, flushing closet, flush toilet

Vízöntő *prop, (csill)* Water-bearer/carrier, Aquarius

vízözön *n,* deluge, flood; ~ *előtti* antediluvian, *(átv)* old-fashioned, antiquated; ~ *utáni* postdiluvian; *utánam a ~* after me the flood/deluge, everybody for himself and the devil take the hindmost

vízpára *n,* (watery/aqueous) vapour, steam

vízpart *n, [folyóvízé]* bank, riverside, *[tengeré]* shore, coast, seaside, beach, *[sétány]* water-side/front

vízparti *a,* water-side

vízpróba *n, (tört)* water-ordeal

vízrajz *n,* hydrography

vízrajzi *a,* hydrographic(al); ~ *térkép* hydrographic chart/map

vízrendészet *n,* water police

vízrendszer *n,* river-system

vízréteg *n,* layer of water, water-layer

vízsajtó *n,* = **vízisajtó**

vízsérv *n, (orv)* hydrocele

vízsugár *n,* (water-)spout, jet of water, water-jet, water gusher *(US)*

vízszabályozás *n,* regulation of water-ways

vízszám *n, [kaloriméteré]* water equivalent

vízszegény *a,* badly watered, waterless, arid, unwatered

vízszigetelő *a,* damp-proof; ~ *réteg* damp-course

vízszint **I.** *n,* (water) level, surface of water, *[talajvízé]* watertable; *felső ~* affluent level **II.** *adv,* horizontally

vízszintes **I.** *a,* horizontal, level, *[keresztrejtvényben]* across; ~ *felmérés* horizontal/plane survey; ~ *helyzet/tartás* level attitude, horizontal position; ~ *repülés* level flight; ~ *repülésben bombázó repülőgép* horizontal bomber; ~ *vonal* horizontal (line); ~*sé tesz* level down **II.** *n,* horizontal (line)

vízszintesen *adv,* horizontally

vízszintesség *n,* horizontality

vízszintez *vt,* level

vízszintezés *n,* levelling

vízszintező *n, [siklap]* planometer, *[libella]* (water-)level, spirit-level, bubble glass

vízszintmagasság *n,* height of water, water-mark

vízszintmérő *n,* water-gauge

vízszínű *a,* water-coloured

vízszivattyú *n,* water-pump

vízszolgáltatás *n,* water supply, supply of water

vízszűke *n,* scarcity/shortage of water

vízszükséglet *n,* water requirement

vízszűrés *n,* filtration of water

vízszűrő **I.** *a,* ~ *készülék* = **vízszűrő**; ~ *medence* **II.** filter-bed *a,* (water-)filter

víztan *n,* hydrology

víztani *a,* hydrological

víztaposó *n, [madár]* phalarope (*Phalaropus sp.*)

víztároló *n,* water-basin, cistern, catchment. *[tó]* storage-lake víztartalékok *n. pl*, water resources/supplies

víztartalom *n*, amount/percentage of water contained, water-content

víztartály *n*, water-tank, reservoir, cistern, *[vízöblítéses illemhelyen]* flush-box

víztartó *a*, ~ *képesség* water holding capacity; ~ *sejt (növ)* water vesicle

víztaszító *a, (tex)* non-wetted, water-repellent; ~ *kikészítés* water-repellent finish

víztelen *a*, waterless, *[terület]* arid, dry

víztelenít [-eni, -ett, -sen] *vt*, = vízmentesít

víztelenítés *n, [földé]* drainage, reclamation, *[anyagé]* dewatering, dehydration, desiccation, *[alkoholé]* rectification

víztelenítő [-t; *adv* -en, -leg] *a*, dehumidifier; ~ *anyag* dehydrator; ~ *árok* drainage ditch; ~ *bélés* soaker, *[épít]* damp-course; ~ *cserép* drain-tile; ~ *cső* drainpipe; ~ *nyílás* drain-hole; ~ *szelep* drip valve

víztiszta *a*, clear as water *(ut)*, pellucid, limpid, crystalline

víztisztítás *n*, purification of water, water purification/clarification

víztisztító *a*, = vízderítő

víztorony *n*, water tower

víztölcsér *n*, 1. *[töltésre]* water funnel 2. *[örvény]* whirlpool, *[tengerszint feletti]* waterspout

víztömeg *n*, mass of water

víztömlő *n, [cső]* (water) hose, *[tartó]* water bag/skin

víztükör *n*, surface of the water, sheet/stretch of water

vizuális [-ak, -t; *adv* -an] *a*, visual; ~ *emlékezet* visual/eye memory; ~ *oktatás* object-system; ~ *típusú* of the visual type *(ut)*, eye-minded

vízum [-ot, -a] *n*, visa, visé; *beutazási* ~ entry visa; ~ *átvehető* the visa is available; ~ *megadása* grant of a visa; ~*ot ad* visé (sy's passport), grant a visa; ~*ot felvesz* collect the visa; ~*ot kap* be granted a visa; ~*ot kér* apply for a visa; *nem kapta meg az angol* ~*ot* he was refused the British entry permit *(v.* visa)

vízumkényszer *n, (kb)* obligatory visa system

vízumkérelem *n*, visa application

vízügy *n, (kb)* water conservancy

vízüveg *n*, water-glass, soluble glass, potassium silicate *(tud)*

vízvájás *n*, wash-out, underwashing, erosion

vízválasztó I. *a*, ~ *hegyhát/gerinc* dividing ridge II. *n*, watershed, water-parting, (continental) divide *(US)*

vízveszteség *n*, loss of water

vízvezeték *n*, 1. *(ált)* (water-)conduit, aqueduct, *[városi]* watermains *(pi)*, *[házban]* water-supply/system; *beszerelteti a* ~*et* have the water laid on 2. *[csap]* (water) tap; *kinyitja a* ~*et* turn on the tap 3. *[lefolyó]* sink; *kiönti a* ~*be* pour it down the sink

vízvezetéki *a*, ~ *berendezés* plumbing installation; ~ *cső* water/conduit-pipe; ~ *főcső* watermain; ~ *hálózat [házi]* plumbing, *[városi]* water-system; ~ *víz* water from the tap, running/tap water

vízvezetékrendszer *n*, water-system

vízvezetékszerelés *n*, plumbing, plumbery

vízvezetékszerelő *n*, plumber

vízvezető *a*, ~ *léc [ablak külsején]* water-bar; ~ *réteg (geol)* aquefer, aquifer

vízvirágzás *n, (növ)* algal bloom

vízvonal *n*, water-line, high-water mark, *[teherhajón]* load-line, Plimsoll's mark, Plimsoll line/mark

vízzáró *a*, ~ *kőzet* impermeable/impervious rock; ~ *réteg* impermeable layer/formation

vízzsák *n*, water-pocket/bag

vizsga [.. át] I. *n, [tanulmányi]* examination, test, exam *(fam)*, quiz(zing) *(US ◈)*; *írásbeli* ~ written exam(ination); *szóbeli* ~ oral examination, viva (voce) *(lat)*, oral *(fam)*; *autóvezetői* ~ driving test;

képességi ~ intelligence test; *átmegy a vizsgán* pass the exam(ination), *[kitüntetéssel]* pass with honours; *vizsgán megbukik* fail, be plucked/ploughed/floored *(fam)*, be knocked out in an exam *(fam)*, *[autóvezetői vizsgán]* fail to pass the driving test; *vizsgára bocsát vkt* admit sy for exam(ination); *vizsgára jelentkezik* present oneself at/for an exam(ination), go up for an exam(ination); *vizsgára készül* prepare/read/study for an exam(ination); *vizsgára megy* go in for an examination; *vizsgát tesz* sit/enter *(v.* go in) for an exam(ination)

II. *a, [fürkésző]* searching, scrutinizing, prying, inquisitive; ~ *pillantás* scrutinizing look

vizsgabizottság *n*, examining board/body, board of examiners/examination, examination panel

vizsgabiztos *n*, commissioned/presiding examiner

vizsgadíj *n*, examination fee

vizsgadolgozat *n*, examination-paper

vizsgaelnök *n, [írásbeli vizsgán]* presiding examiner

vizsgaelőadás *n*, ⟨public preformance at the end of the course staged by members of a class of dramatic art⟩

vizsgaengedély *n*, admission to examination

vizsgai [-ak, -t; *adv* -lag] *a*, (of the) examination; ~ *felelet* examination answer; ~ *jutalom* examination prize

vizsgaidő *n*, time of examination(s)

vizsgál [-t, -jon] *vt*, examine, *[alaposan]* scrutinize, scan, sift, sound, probe, search, go thoroughly into, *[beteget]* examine, *[szondával]* probe, *[lehetőséget]* study, consider, *[elszámolást]* check, audit, *[állítási]* verify, check up on, *[fémfinomságot]* assay, *(vegyt)* analyse, *[kipróbál]* (put to) test, *[megtekint]* inspect, look into; *érzést* ~ test for sensation; *mozgásra* ~ test for mobility

vizsgálás *n*, examining, examination, *[alaposan]* scrutiny, sifting, sounding, probing, *[betegé]* examination, *[szondával]* probing, *[lehetőségé]* study, consideration, *[elszámolásé]* ckecking, auditing, *[állításé]* verification, *[fémfinomságé]* assay, *(vegyt)* analysis, *[kipróbálás]* test(ing), *[megtekintés]* inspection

vizsgálat *n*, 1. = vizsga I.; 2. *(hiv)* inquiry, inquest, *[nyomozás]* investigation, *[megvizsgálás]* examination, *[megtekintés]* inspection, survey, *[számadásé]* audit, *(vegyt)* analysis; *bírói* ~ judicial inquiry; *ellenőrző* ~ counter-inquiry, inspection; *előzetes* ~ preliminary investigation, prejudicial inquiry; *fegyelmi* ~ disciplinary proceedings *(pl)*; *fizikális* ~ physical examination, physical check-up; *minőségi* ~ quality control; *orvosi* ~ medical examination; *szakértői* ~ expert examination; ~ *alá vesz* examine, subject to scrutiny, scrutinize, take under close examination; ~ *alatt* under examination; *a* ~ *megindult* an inquiry has been instituted, legal proceedings began; *a kérdés* ~ *tárgyát képezi* the question is under examination; *alapos(abb)* ~ *után* on close/closer inspection; *jogcím* ~*a* investigation of title; ~*ot foganatosít* prosecute an inquiry; ~*ot folytat vk ellen* examine sy's case, get up the case against sy; ~*ot folytat egy (bün)ügyben* try a case; ~*ot indít/kezd* institute investigations, initiate/institute an inquiry, begin legal proceedings, set up an inquiry; *a* ~*ot megejti* proceed, take proceedings; *a* ~*ot megszünteti* discontinue the investigation; ~*ot rendel el* order an inquiry; ~*ot tart* hold an inquiry, make investigations; ~*ot vezet* conduct an inquiry 3. *[megfontolás]* study, consideration; *a karmány* ~ *tárgyává teszi a kérdést* the government is carefully studying the question 4. *[tudcmányos kutatás* research, scientific investigaticn

vizsgálati [-ak, -t; *adv* -lag] *a*, 1.= *eljárás (jog)* proceed.

ings (of inquiry); ~ *fogoly* prisoner on trial; ~ *fogság* detention/imprisonment on/under remand; ~ *iratok* brief, documents relating to a case under trial; ~ *jegyzőkönyv* statement on *(v.* record of) inquiry; ~ *jelentés* report of investigation 2. *[tanulmányi]* (of) examination; ~ *díj* examination fee; ~ *jegyzőkönyv* record of examination, minutes of examination *(pl)* 3. *(vegyt)* analytical, of analysis *(ut)*; ~ *díj* analysis fee

vizsgálatlan *a,* 1. unexamined, not examined, *[számadás]* unaudited 2. *[kipróbálatlan]* untested, untried
vizsgaláz *n,* examination fever, jitters *(pl) (fam)*
vizsgáló *[-t, -ja; adv -an]* I. *a,* examining, investigating, investigative, investigatory, scrutinizing, searching, inquisitive, testing, visiting; ~ *bizottság [tanulmányi]* board of examiners, examining board, *[kivizsgáló]* commission/committee of investigation/inquiry, investigating committee, fact-finding committee/board, *(jog)* board of inquiry; ~ *készülék (vill)* testing set; ~ *tanár* examiner; ~ *tekintet* scrutinizing/searching/inquisitive look/glance
II. *n,* 1. *(ált)* examiner, in vestigator, tester, prober 2. *[cenzor]* censor, examiner 3. *[ker könyvé]* auditor 4. *[gyárban hely]* testing floor, *[pad]* test bench
vizsgálóbíró *n,* examining/investigating judge/magistrate, inquisitor
vizsgálódás *n,* 1. *[körülnézés]* looking about, examining one's surroundings 2. *[kutatás]* investigation, inquiry, inquisition, research, *[elméleti]* speculation 3. *[irodalmi műfaj]* disquisiton, essay; ~ *az emberi értelemről* Essay on Human Understanding
vizsgálódik *[-tam, -ott, -jon, -jék] vi,* 1. *[körülnéz]* look about (oneself), examine one's surroundings, *[kiváncsiskodva]* pry about 2. *[kutat]* investigate, inquire into, make investigations, scrutinize, *[elméletileg]* speculate
vizsgálódó *[-t; adv -an] a,* inquiring, scrutinizing, scanning, *[elméletileg]* speculative, .contemplative; ~ *szem* observing eye
vizsgált *[-at] a,* ~ *időszak [statisztikában]* period under survey
vizsgarajz *n,* competitive design
vizsgarend *n,* regulations for the conduct of examinations *(pl),* schedule/order of examinations
vizsgatárgy *n,* examination subject
vizsgatematika *n,* (examination) topic
vizsgatétel *n,* question, problem (set at an examination)
vizsgázik *[-tam, -ott, -zon, -zék] vi,* sit/enter *(v.* go in) for an examination, take an examination, *[autóvezető]* pass the driving test, *(átv)* give proof of; *jól* ~*ik* pass the examination with credit, *(átv)* acquit oneself well
vizsgázó *[-t, -ja]* I. *a,* taking/passing *(v.* sitting for) an examination *(ut)* II. *n,* (examination-)candidate, examinee
vizsgázott *[-at; adv -an] a,* qualified, certificated; ~ *fogász* licentiate in dental surgery; ~ *pilóta* licensed pilot
vizsgáztat *vt/vi, (vkt vmből)* examine (sy in/on sg), quiz (sy) *(US), [autót]* test; *fizikából* ~ question (a candidate) on physics; *N. tanár ma nem* ~ Professor N. does not examine candidates today
vizsgáztató *[-t]* I. *a,* ~ *bizottság* board of examiners II. *n,* examiner, questioner
vizsla *[.. át]* I. *a,* ~ *szem* searching/scrutinizing/ferrety eyes *(pl)* II. *n,* retriever, beagle, harrier, hound, *[rövid szőrű]* pointer, *[hosszú szőrű]* setter
vizslat I. *vt, [vadat]* track II. *vi, (átv) [keres]* rummage (about), hunt in every hole/nook and corner, *[kiváncsiskodik]* pry into, spy out, smell out, nose (out), poke/thrust one's nose into (sg)

V-motor *n,* V-type engine
voálfonal *n* voile yarn
voálszövet *n,* voile fabric
vodka *[.. át] n,* vodka
vogul *[-ok, -t, -ja] a/n,* Vogoul, Vogul(e)
vokális *[-ok, -t, -a]* I. *a,* vocal II. *n, (nyelvt)* vowel
vokalizáció *[-t] n,* vocalization
vokalizál *[-t, -jon] vt,* vocalize, vowelize
vokalizálás *n,* vocalization
vokalizmus *n,* vocalism
voks *[-ot, -a] n,* vote
voksol *[-t, -jon] vi,* (give/cast one's) vote, *[választáson]* go to the polls
volán *[-ok, -t, -ja] n,* (control hand, steering) wheel
volapük *[-öt, -je] a/n,* Volapük, Volapuk
volát *[-ot, -ja] n, (kárty)* vole
volé *[-t, -ja] n, [teniszben]* volley
voléz|ik *[-tam, -ott, -zon, -zék] vi, [teniszben]* volley
volfram *[-ot, -ja] n,* wolfram
volframit *[-ot, -ja] n,* wolframite
Volga *[.. át] prop,* Volga
volgai *[-t] a,* ~ *hajósok dala* Volga boat song
Volhínia *[.. át, .. ában] n,* Volhynia
volhíniai *[-ak, -t] a,* Volhynian; ~ *láz* trench fever
volna *[van segédige feltételes módja]* would, should, there/it would be; *ha* ~ if there/it were; *pénz még csak* ~ money is not the difficulty/trouble; *játszott* ~ he would have played; *ha nem* ~ ... *(akkor ...)* were it not for ...; *ha nem jött* ~ *közbe a háború* had it not been for the war; *ha nem lett* ~ *ott* in case he should not be there; *ha játszott* ~ if he had played, had he played; *ha a* ~ *nem* ~ if ifs and ans were pots and pans, if wishes were horses beggars would ride
volontőr *[-ök, -t, -je] a,* voluntary (worker)
volt¹ *[segédige]* was, were; *ld még* **van**
volt² *a,* ex-, former, late, past, quondam, sometime, whilom *(obs) ;* ~ *miniszter* ex-minister; *X a budapesti egyetem* ~ *professzora* X the sometime professor at the University of Budapest; ~ *szeretője* his former/quondam mistress, his old flame *(fam) ;* ~ *tag* former member, one-time member *(US) ;* ~ *tanára (vmnek)* late/former professor of; ~ *tényleges tiszt* ex-regular officer
volt³ *[-ot, -ja] n/a, (vill)* volt
volta *[voltom, voltod, voltunk, voltotok, voltuk] n, vmnek a* ~ being/character/state/rank/condition/nature/quality/disposition of sg; *az ő magyar* ~ his being a Hungarian, his Hungarian nationality/origin; *szegény* ~ *miatt* because *(v.* in/by virtue) of his poverty, since he is a poor man, owing to his lack of means; *az idő előrehaladott voltára való tekintettel* in view of the advanced time/hour
voltaire-i *[-ek, -t] a,* Voltairian, Voltairean
voltaív *n, (vill)* electric/voltaic arc
voltaképp *adv,* in point of fact, as a matter of fact, actually, properly/strictly speaking, in reality, really, to say/tell the truth, virtually, practically; *mit akar* ~? what do you really want?
voltaképpen *adv,* = **voltaképp**
voltaképpeni *[-ek, -t] a,* actual, virtual, real, proper; *ő a vállalkozás* ~ *feje* he is the virtual head of the undertaking; *ez a* ~ *szándékom* this was my original/real intention; *ez lenne a* ~ *teendőd* strictly speaking this is what you ought to do
voltamper *n, (vill)* volt-ampere
voltamper-mérő *n, (vill)* volt-ammeter
voltaoszlop *n, (vill)* voltaic pile
voltmennyiség *n, (vill)* voltage
voltmérő *n, (vill)* voltmeter
voltméter *n, (vill)* voltmeter
voltos *[-at] n, (vill)* of .. volts *(ut)*
volumen *[-ek, -t, -je] n,* volume

volumenváltozás *n*, change in volume

voluntarizmus *n*, voluntarism

voluta [.. át] *n, (épít)* volute, scroll, helix

vombat [-ot] *n, (áll)* wombat *(Phascolomys sp.)*

von [-t, -jon] *vt*, 1. *[húz]* draw, pull; *kardot ~* draw the sword; *magához ~ (vkt)* draw sy closer to oneself, embrace, put an arm around sy; *vállat ~* shrug (one's shoulders) 2. *falat ~* raise/construct/build a wall; *árkot ~* make a ditch, dig a trench 3. *bizalmába ~ vkt* take sy in one's confidence; *egyenleget ~* strike *(v.* make up) the balance; *felelősségre ~* call to account; *kétségbe ~* (call in) question, doubt, refuse to believe; *következtetést ~* draw a conclusion; *magára ~* attract, draw (upon oneself); *magára ~ja a figyelmet* draw/attract/command attention, call attention to oneself; *magára ~ja vk gyűlöletét* incur sy's hatred; *maga után ~* call forth, bring in its train, bring (sg) about, produce (sg) as a consequence, involve, entail, imply, implicate, lead to, result in; *párhuzamot ~* draw/make a comparison between 4. *négyzetgyököt ~* extract the square root

vonaglás *n*, convulsion, twitch(ing), convulsive/spasmodic movement, writhing, tremor, spasm, wriggle, *[ajaké]* trembling, quivering

vonagl|ik [-ani, -ott, .. goljon, .. goljék] I. *vi*, writhe, wriggle, move convulsively, *[arc, izom]* twitch, jerk, *[ajak]* tremble, quiver; *~ik a nevetéstől* be convulsed with laughter; *az arca szörnyen ~ott* his face was *(v.* features were) working horribly II. *vt, végsőt ~ik* breathe one's last, *[állat]* die with a last jerk

vonakodás *n*, reluctance, unwillingness, *[ellenkezés]* resistance, opposition, *[huzavona]* shilly-shallying, hesitation

vonakod|ik [-tam, -ott, -jon, -jék] *vi, ~ik megtenni vmt* refuse/decline *(v.* be unwilling) to do sg, rebel/kick against doing sg, be loath/reluctant to do sg, show (some) reluctance to do sg; *~va* reluctantly, against the grain, unwillingly, grudgingly; *~va csinál/tesz vmt* do sg with reluctance

vonakodó [-t; *adv* -an] *a*, reluctant, unwilling

vonal [-at, -a] *n*, 1. line, *[vésésnél]* hatch, *[írásnál]* stroke, *[párbeszédek előtt használt]* dash, *[hangjegypapíron]* staff; *egyenes ~* straight line; *egyenes ~ban megy* go in a straight line, go in a bee-line, go as the crow flies, *(átv)* follow a straight line; *egy ~ban* in line, *(vmvel)* in line with sg, (set) flush with sg; *nagy ~akban ismertet* give a sketch (of), give a broad/rough outline (of); *~at húz* draw/trace a line 2. *[sor]* row, rank, range, line; *~ban sorakozik* form into line 3. *[körvonal]* (out)line, contour, figure 4. *(kat)* line; *védelmi ~* line of defence 5. *[közlekedési]* line, route, *[sínpár]* track; *A és B közt járja a ~at [hajó, autóbusz stb.]* ply between A and B; *a ~at bejárja* inspect the line 6. *[távközlési]* line; *a ~ foglalt [telefon]* line engaged; *maradjon a ~ban!* hold on(,) please!; *~at kérek!* telephone exchange(,) please!; *tartsa (egy percig) a ~at!* hold on(,) please!, hold the wire! 7. *politikai ~* political line 8. *az egész ~on* all along, along the whole line, in every respect, throughout; *így megy ez az egész ~on* it is like this all along the line; *ezen a ~on* in this respect, along this line

vonaláram *n*, line-current

vonalas [-at; *adv* -an] *a*, 1. *(menny)* linear, lineal, *[vonalozott]* lined, liny, ruled, *~ fénykép [rajzból, írásról]* line photograph; *~ papír* ruled/lined paper; *~ rajz* (out)line drawing, line diagram; *~ színkép* line spectrum 2. *(növ)* lineate 3. *(pol)* in harmony *(v.* consonant) with the party line *(ut)*, following the party line *(ut)*; *~ irodalom* class-angled literature

vonalaz [-tam, -ott, -zon] *vt*, = **vonaloz**

vonalazógép *n, (nyomd)* ruling-machine

vonalbejárás *n*, perambulation/inspection of a (telephone, railway) line

vonalbíró *n, (sp)* linesman

vonalbiztosító *a, ~ berendezés (vasút)* block signal/system

vonaldísz *n, (nyomd)* fillet

vonaldíszes *a, ~ kerámia (rég)* linear (pattern) pottery

vonalelágazás *n*, 1. *[ténye]* branching off (of a line), bifurcation, branching 2. *[az elágazó vonal]* branch-line

vonalfelvigyázó *n*, line inspector, *(távk)* line man

vonalhajózás *n*, line shipping

vonalháló *n, (műv)* cross hatching

vonalhálózat *n*, network/system of (railway, telegraph, telephone) lines

vonaljegy *n, (kb)* through ticket (for the whole length of a tramway/bus line/route)

vonalka *n*, short/thin/fine line, *[vésésnél]* hatch, *[írásnál]* fine/thin stroke, *[térképen]* hachures *(pl)*

vonalkás *a*, marked with thin/short/fine lines *(ut)*, lined, *[térkép]* hatched, hachured

vonalkáz [-tam, -ott, -zon] *vt*, mark with lines, line, *[metszetet, térképet]* hatch, shade, hachure, *[satíroz]* shade

vonalkázás *n*, 1. *[folyamat]* marking with lines 2. *[térképészet]* hatching, hachure, shade-lines *(pl)*

vonalköz *n*, space between two lines, line space, *(zene)* space (between staves)

vonaloz [-tam, -ott, -zon] *vt/vi*, draw lines (with a ruler), rule lines, *[papír]* rule

vonalozás *n*, 1. *[művelet]* (act of) drawing lines, lining, ruling 2. *[vonalak]* ruling (on sg), *[hangjegypapíron]* staves *(pl)*

vonalrajz *n*, line/linear drawing

vonalrendszer *n*, system of lines, *(zene)* staves *(pl)*

vonalsebesség *n, [televíziónál]* linear-speed

vonalszakasz *n, [autóbusz, villamos]* stage (on a bus/tramway route), *[távbeszélő, távíró, vasút]* section (of a telephone/telegraph/railway line)

vonalszemélyzet *n*, line personnel, linemen *(pl)*

vonaltávlat *n, (műv)* linear perspective

-vonalú [-ak, -t; *adv* -an] *a*, -lined, -line

vonalválasztás *n, [távbeszélőközpontban]* selection

vonalválasztó *n, [híradástechnikában]* line/final selector

vonalvezeték *n*, line-wire

vonalvezetés *n*, 1. *[rajz]* tracing, sketching 2. *(átv)* policy

vonalvizsgálat *n*, inspection/testing of a (railway etc.) line, line inspection

vonalvizsgáló *n*, line tester, lineman

vonalzavar *n, [telefoné]* trouble with the telephone-line

vonalzó [-t, -ja] *n*, rule(r), *[hajlékony]* spline, *[háromszögű]* set-square, *[fejes]* T-square; *görbe ~* (French) curve

vonás *n*, 1. *[húzás]* drawing, (act of) pulling, traction 2. *[ceruzáé, tollé]* line, stroke, *[jel]* mark, tick, *[morse, gondolatjel]* dash, *[vessző]* comma; *~ról ~ra* stroke for stroke, line for line; *nagy ~okban vázol vmt* give a general/bold outline of sg, outline sg, sketch sg out 3. *[arcé]* feature, lineament (of face), *[jellegzetesség]* trait, feature, characteristic, streak; *családi ~* family trait/characteristic, *(kif)* it runs in the blood; *durva ~ok* coarse features; *jó ~ai vannak he has good lines in his face* 4. *(zene) [vonóval]* stroke of the bow

vonat *n*, 1. *(vasút)* (railway-)train, *[szerelvény]* (made-up) train; *közvetlen ~* through-train; *a Debrecenbe menő ~* the train to Debrecen; *ez a ~ megy Debrecenbe?* is this the Debrecen train?, is this the train to D.?, am I right for D.?; *a ~ késik* the train is late; *a ~ beérkezik* the train pulls in; *a ~*

10.20-kor érkezik the train is due at 10.20; *a ~ minden állomásnál megáll* the train calls at every station; *beszáll a ~ba* get in(to) the train, entrain; *rossz ~ba száll* get in (v. take) the wrong train; *~ba rak (kat)* entrain; *kiszáll a ~ból* get out of *(v.* get off) the train, detrain; *~on utazik* go by train; *lemarad a ~ról* miss the train; *~ot vezet* run/drive a train; *~tal megy* go by train; *a 8 órai ~tal* by the 8 o'clock train **2.** *(kat)* train

vonatcsapat *n,* the Army Service Corps, (wagon-)train

vonatcsatlakozás *n,* connection (between trains)

vonatérkezés *n,* arrival of a train

vonatindító *n, [tárcsa]* signal disk

vonatindulás *n,* departure of (a) train

vonatjelzés *n,* line signal

vonatkeresztezés *n,* railway crossing, *[szintben]* level crossing, grade crossing *(US), [aluljáró]* subway, *[felüljáró]* overbridge, overhead crossing, *[vezetékeké]* cross-over

vonatkésés *n, (kb)* lateness of a train, delayed/late arrival of a train

vonatkísérő *n,* (railway, train) guard, trainman *(US)*

vonatkisiklás *n,* derailment, getting off the rails, leaving the metals/rails

vonatkozás *n,* **1.** relation, bearing, connection, concern; *~ba hoz [személyeket, dolgokat]* bring into connection/relation, relate; *ebben a ~ban* in this respect/connection/regard; *~ban van vmvel* bear a relation to sg; *hazai/nemzetközi ~ai* vmnek domestic/ international aspects of sg **2.** *[utalás]* reference; *~sal* referring to, with reference to; *~sal van vmre* refer to

vonatkozási [-t] *a, ~ pont* reference point, point of reference; *repülőtér ~ pontja* aerodrome reference point; *~ rendszer (fiz)* frame of reference

vonatkozású [-ak, -t; *adv* **-an]** *a,* relating to *(ut),* connected with (sg) *(ut)*

vonatkoz|ik [-ott, -zon, -zék] *vi, (vkre vmre)* concern/ regard sy/sg, refer/relate/apply/pertain to sg, have reference/relation to sg, bear relation to sg, bear on sg, affect sg, touch (upon) sg, go for sy; *nem ~ik rá* it does not concern/affect him, this does not refer to him; *ez ~ik a fiára is* that goes for his son too; *ez rád is~ik* this goes for you too; *minden(t) ami Andrásra ~ik* all about Andrew

vonatkozó [-t; *adv* **-an]** *a,* **1.** *(vmre)* concerning/ touching/respecting/regarding/dealing sg, relative/ relating/referring to sg, pertinent to sg *(mind: ut);* *(vmely) tárgyra ~ kérdések/problémák* problems relating to a subject; *a kérdésre ~ irodalom* the literature on the subject; *a kérdésre egyáltalán nem ~ tények/adatok* facts that are not material to the question **2.** *~ névmás* relative pronoun; *~ mellékmondat* relative clause

vonatkozóan *adv,* relating to, in respect of, with respect to, respecting, regarding, with regard to; *a lakbérre ~ relative* to the rent; *a levelére ~* in/with reference to your letter

vonatkozólag *adv, (vmre)* concerning/regarding/respecting sg, as regards sg, relating/referring to sg, in relation to sg, in respect of/to sg; *erre ~* with reference/regard to this, regarding this matter; *az árra ~ nem tudtunk megegyezni* we could not agree respecting the price; *útitervedre ~ meg kell jegyeznem (hogy)* as to the plan of your journey I must observe/remark *(v.* point out) (that)

vonatkoztat *vt, (vmt vmre)* refer sg to sg, *[egymásra]* correlate with

vonatkoztatás *n,* reference

vonatköltség *n,* railway expenses *(pl)*

vonatosztály *n,* **1.** *(vasút)* class (of railway carriages) **2.** *(kat)* battalion of the Army Service Corps, train

vonatoz|ik [-tam, -ott, -zon, -zék] *vi,* **1.** *[vonaton utazik]* travel by rail, go by train, train it **2.** *(gyerm)* play with a puff-puff

vonatösszeköttetés *n,* railway connection

vonatösszeütközés *n,* collision (of trains), railway smash

vonatrakomány *n,* train-load

vonatsebesség *n,* speed of a train, driving speed

vonatszállító *a, ~ hajó* ferry-bridge, railway ferry-(boat), train-ferry

vonatszemélyzet *n,* train crew/staff, personnel/staff of a train

vonatszerelvény *n, (vasút)* lift of carriages/trucks, made-up train, train (of waggons)

vonatszertár *n, (kat)* depot of the Army Service Corps, train depot

vonatszolgálat *n, (kat)* train service

vonattelep *n, (kat)* train park

vonatterhelés *n,* traction load

vonatvezető *n, (vasút) (kb)* chief guard

vongálás *n, (orv)* tugging, traction

vonít [-ani, -ott, -son] *vi/vt,* howl, *[egyet]* give a howl

vonítás *n,* howl(ing)

vonó [-t, -ja] **I.** *a,* tractive, of traction *(ut),* drawing, pulling, dragging **II.** *n,* **1.** *[hegedűé]* bow, fiddlestick **2.** *(műsz)* rabble, fire-rake, *[kés]* draw(ing)-knife **3.** *[ló szügyén]* breast-band/strap

vonócsiga *n, (műsz)* pulley

vonóerő *n,* tractive/hauling/pulling power

vonogat *vt, vállát ~ja* shrug one's shoulders, shrug *(fam)*

vonogó [-t, -ja] *n,* grabber-dredger, *[dróthúzásnál]* draw(ing)-plate, *(mezőg)* rack

vonóháló *a,* drag(-net), towing/trawl-net, spiller, seine, flue

vonóhorog *n, [jármûé]* trace-hook, towing-hook (for trailer), *(vasút)* draw-hook/bar/link, drag-hook, *[vitorlázó repgépé]* tow-hook

vonóhúzás *n, (zene)* bow(stroke); *~ felfelé!* up bow!; *~ lefelé!* down bow!; *bejelöli a ~t [kottába]* indicate the bowing

vonókés *n,* draw(ing)-knife

vonókötél *n,* towrope, tow(line), hauling/pulling rope, *(hajó)* hawser

vonólánc *n,* drawing/haulage/pull(ing) chain, draw/ trace-chain

vonólégcsavar *n, (rep)* puller propeller

vonómérő *n,* marking-gauge

vonórúd *n, (műsz)* drawrod, drawbar, motion-rod, pull/tension bar/rod, *[hídépítésnél]* stay, tie, coupling-rod

vonós [-ok, -t, -a; *adv* **-an]** **I.** *a,* stringed; *~ hangszer* stringed instrument **II.** *n, (zene)* player on a stringed instrument; *a ~ok* the strings

vonóshármas *n,* string-trio

vonóshatos *n,* string-sextet(te)

vonósnégyes *n,* string-quartet(te)

vonósötös *n,* string-quintet(te)

vonószenekar *n,* string orchestra

vonószék *n,* shaving/shingle draw-horse

vonószőr *n,* (violin) bow-hair

vonótechnika *n, (zene)* bowing

vonóteljesítmény *n, [repgépé, űrrakétáé]* thrust/propulsion power

vonóvas *n, (épít)* reaction tie

vonóvezetés *n, (zene)* bowing

vonszalék [-ot, -a] *n, (vad)* drag

vonszol [-t, -jon] *vt,* drag, lug, pull, trail, haul (along), have sg in tow; *~ja magát* drag oneself along; *alig ~ja magát* he can hardly crawl

vonszolás *n,* dragging, draught, haul(ing)

vont [-at] *a,* **1.** *~ cső* rifle-bore; *~ jármű* trailed vehicle;

a partra ~ csónak the boat pulled ashore 2. *~ arany* shot with gold

vontat *vt/vi*, 1. drag, *[állat]* draw, *[autót, hajót]* tow, have/take in tow, *[mozdony]* pull, haul, *[hajtót]* tug, tow, warp, *[horgonnyal]* kedge, *[fenékhálót]* trawl, *[pótkocsit]* trail 2.~*va beszél* drawl (one's words)

vontatás *n*, traction, pulling, haul(ing), tugging, *[emberi erővel]* man-haulage, *[gépkocsival]* motor--traction, *[hajó]* towage, haulage, towing, warpage

vontatási [-t] *a*, ~ *költség/díj* haulage, towage (dues), warpage (dues); ~ *távolság* length of haul

vontató [-t, -ja; *adv* -an] I. *a*, hauling, pulling, *[állat]* draft, *[erő]* tractive, *[gép, kerék]* traction-, *[gépkocsi, hajó]* towing; ~ *repülőgép* towing/tractor (air)plane II. *n*, 1. *(vk)* hauler, *[hajót]* warper, boat-tower, *[partról]* tracker 2. *[hajó]* tug(boat), tow-boat, *[gépjármű]* tractor, traction-engine

vontatóerő *n*, hauling/tractive power, towing capacity

vontatógép *n*, traction-engine, tractor, *[vitorlázó repgépé]* towing airplane

vontatógőzös *n*, steam tug

vontatógyerek *n*, *[szénbányában]* pit-boy/lad

vontatóhajó *n*, tow-boat, tug (boat), *[gőzös]* steam-tug, *[motoros]* motor tug(boat)

vontatókábel *n* tow-cable

vontatókötél *n*, *(hajó)* tow-line/rope, tow, overrope, (guess-)warp, drag/guest-rope, hawser, *(bány)* load cable

vontatólánc *n*, drawing/haulage/pulling chain, draw/trace-chain

vontatómozdony *n*, locomotive for freight service relief engine

vontatórepülés *n*, towed flight

vontatott [-at; *adv* -an] *a*, 1. *[hajó stb.]* towed, in tow *(ut)*, being towed *(ut)* 2. *[elhúzódó]* long drawn--out, protracted, slow, languid, sluggish, *[járás, lépés]* shambling 3. *[hang]* drawling, lazy; ~ *hangon beszél* drawl

vontatottan *adv*, ~ *halad* make little progress

vontatottság *n*, 1. sluggishness, slowness 2. *[beszédben]* drawl(ing)

vontatóút *n*, tow(ing)-path/line

vontcsövű *a*, rifled

vonul [-t, -jon] *vi*, 1. *(ált)* proceed (to a place), go, pass, move, *[felhő égen]* float, *[halak]* shoal; *a madarak délre ~nak* the birds are migrating to the south; *szobájába ~* retire *(v.* betake oneself) to one's room; *vidékre ~* retire (in)to the country 2. *[menetel]* march; *az ellenség ellen ~* advance/move against the enemy 3. *vm mentén ~* *[= húzódik]* run/pass along, *[szélén]* edge, skirt, hem

vonulás *n*, 1. *(ált)* proceeding (to a place), moving, walk(ing), *[autóké]* procession, *[felhőé]* drifting, *[madaraké]* migration 2. *(kat)* march(ing)

vonulat *n*, *(föld)* range, trend

vonz [-ani, -ott, -zon] *vt*, 1. *(ált)* attract, draw, *[érdekel]* interest, appeal (to sy), *[csábít]* entice, (al)lure, tempt; *a mágnes ~za a vasat* a magnet attracts iron; ~*zák egymást* they attract each other; *az ellentétek ~zák egymást* opposites *(v.* characters of an opposite kind) attract each other 2. *(nyelvt)* govern; *vmlyen (nyelvtani) esetet ~* it is construed with (the dative/etc.); *elöljárót ~* take a preposition; *tárgyas ige tárgyesetet ~* a transitive verb governs the objective case; *többes számot ~* *[főnév]* it is construed as a plural

vonzalom [.. lmat, .. lma] *n*, *[vm iránt]* attraction/attachment to, liking/sympathy/affection for, *[hajlam]* bent/propensity for, inclination, leaning to; *vonzalmat érez vk iránt* have an inclination towards sy; ~*mal viseltetik vk iránt* feel drawn towards sy; *ld még* vonzódik

vonzás *n*, 1. *(vmé)* attraction, drawing, pull; *elektro mos ~* electrical attraction; *kémiai ~* chemical affinity; *mágneses ~* magnetic attraction; *a ~ törvénye* the law of gravitation, *(átv)* the law of attraction 2. *(vké)* attractiveness, charm 3. *(nyelv)* *[eseté]* government

vonzási [-t] *a*, ~ *központ* centre of gravitation

vonzat *n*, *(nyelvt)* government, required postposition, required case-inflection, case; *a „think" ~a „of"* "think" takes *(v.* goes with) "of"

vonzerő *n*, = vonzóerő

vonzó [-t; *adv* -an] *a*, 1. *[erő]* attractive, drawing, magnetic 2. *[modor, jelenség]* engaging, alluring, enticing, winning, seductive, *[mosoly]* fetching, charming; ~ *külseje van* have attractive looks, be of prepossessing appearance; ~ *olvasmány* interesting reading; *nincs benne semmi ~* is entirely unattractive; ~*nak találom (vmt)* it appeals to me

vonzódás *n*, attraction (towards), affection (for), attachment (to), liking (for), drawing (towards), gravitation (towards), leaning (to)

vonzód|ik [-tam, -ott, -jon, -jék] *vi*, ~*ik vkhez* feel/be drawn towards sy, feel attracted by sy, feel a sympathy/liking for sy, be attached to sy, have an affection for sy, have a soft spot for sy, have a leaning towards sy, be prepossessed in favour of sy

vonzóerő *n*, 1. *(ált)* attractive force, (force of) attraction, *[tengeré]* appeal, *(fiz)* magnetism, pull 2. *(átv)* attractiveness, allurement, enticement, lure, draw, *[flatalságé]* charm, *[nőé]* charms *(pl)*; ~*t gyakorol (vkre)* attract (sy), exercise attraction

votják [-ot, -ja] *n*, Votyak

votka *n*, = vodka

vő [-t, vcje] *n*, son-in-law

vöcsök [-öt, -je] *n*, *[madár]* grebe *(Podiceps sp.)*; *búbos ~* freat crested grebe *(P. cristatus)*; *füles ~* eared grebe *(P. auritus)*; *mint a ~ (biz)* like a shot, like anything, like billy-o(h)

vödör [vödröt, vödre] I. *n*, *[fém]* pail, *[fém, fa]* bucket, *[kotrón]* bucket II. *a*, *egy ~ vizet hoz* bring/fetch a pail(ful)/bucket(ful) of water

vödörlánc *n*, = vederlánc

vödörszámra *adv*, pailfuls/bucketfuls of, by the bucket--load

vőfély [-ek, -t, -e] *n*, bridesman, best man, groomsman

vőfélykönyv *n*, bridesman-book

vőlegény *n*, fiancé, betrothed *(ref.)*, *[esküvön]* bridegroom, groom *(US)*; *a ~em* my fiancé, my intended *(fam)*

vőlegénység *n*, 1. *[állapot]* state of being engaged to be married 2. *[ideje]* engagement, betrothal

völgy [-et, -e] *n*, 1. *[nyitott]* valley, vale, hollow, dale *(ref.)*, *[kisebb]* slade, *[keskeny]* glen, *[kis erdős]* dell, dingle, *[mély]* combe; *lesüllyedt ~* drowned/submerged valley; *a Duna ~e* *[Duna-medence]* the Danube basin 2. *[vájolat]* groove 3. *e siralom ~e (átv)* this vale of tears

völgyáthidalás *n*, *[út, vasút]* viaduct, *[építése]* (process of) crossing over a valley

völgybeli *a*, of/from the (same) valley *(ut)*, situated in the valley *(ut)*

völgyel [-t, -jen] *vt*, *(műsz)* flute, channel, *[deszkát]* groove, rabbet

völgyelés *n*, *(műsz)* groove, channel, furrow, slot, rabbet, *[művelet]* grooving

völgyelőgyalu *n*, (tonguing and) grooving-plane, routing/rabbet-plane

völgyelővéső *n*, gouge, hollow chisel

völgyes [-ek, -t; *adv* -en] *a*, *[hullámos]* undulating, downy, *[völgyekben bővelkedő]* abounding in valleys *(ut)*

völgyfenék n, (geol) thalweg, bottom of a valley, valley-bottom
völgygát n, dam across a valley
völgyhid n, viaduct
völgyi [-ek, -t; adv -en] a, (situated in a) valley; ~ szél valley breeze
völgykapu n, valley entrance, entrance into a valley, [széles, tölcséres] dale
völgykatlan n, (circular) deep valley, basin, combe, coomb
völgylakó n, dalesman
völgymeander n, entrenched/incised meander
völgymenet n, down-passage, descent, downhill, (hajó) down-stream course
völgyoldal n, slope/hillside of a valley
völgység n, the dales/vales (of a region) (pl), undulating country, the Downs (pl) (GB)
völgyszoros n, gorge, defile (between hills/mountains/rocks)
völgyszorulat n, = völgyszoros
völgyteknő n, narrow valley, combe, coomb, syncline
völgytorkolat n, = völgykapu
völgytorok n, mouth of a valley, gorge, defile
völgyzár n, [gát] barrage, damming of a valley, dam, catchment wall
völgyzáró a, ~ gát barrage
vörheny [-ek, -t, -e] n, scarlet fever, scarlatina, purples (pl) (fam)
vörhenyes [-et; adv -en] I. a, 1. [szín] scarlet(y), reddish, rufous 2. [beteg] suffering from scarlet fever (ut) II. n, scarlet-fever patient
vörhenyjárvány n, epidemic of scarlet fever
vörhenyszerű a, (orv) scarlatiniform, scarlatinoid
vörös [-ek, -t, -e; adv -en] I. a, red, [arc] ruddy, flushed, [címerben] gules, [égő] scarlet, crimson, [jóléttől] rubicund, florid; ~ bor red wine, [francia] claret, burgundy (wine),[portugál] port;~ bőrű red-skinned; ~ ceruza red pencil; ~ ég ruddy/glowing sky; V~ Félhold Red Crescent; ~ fény/lámpa red light; V~ Hadsereg Red Army; ~ haj red/sandy hair; ~ hajú red-haired, carroty/sandy/ginger-haired (fam); ~ himlő rose-rash; ~ kakas szállt a házra the house caught (v. was set on) fire; ~ képű red-faced/cheeked, ruddy(-faced/cheeked); ~ kréta red chalk, (ásv) bole, ruddle, [pasztell] red crayon; ~ lesz (vk) go/turn red/crimson, blush;~nyakkendős red-tied; ~ orr red/crimson/tippler's/copper(y) nose; ~ orrú red-nosed; mint bikának a ~ posztó it's like a red rag to a bull; ez ~ posztó nekem it makes me see red; ~ ruha red clothes/dress; ~ szakállú = rőt szakállú; ~ szalag red tape; ~ szín red (colour); ~ színű red/ruddy-coloured; ~ tinta red ink;~ vasérc red iron(-ore), h(a)ematite; ~ vasfa (növ) quebracho (Aspidosperma sp.); ~ vasoxid red peroxide of iron; ~ vérlúgsó potassium ferricyanide; ~ vérsejt red (blood) corpuscle/cell, erythrocyte; nagy ~ vérsejt megalocyte; ~ vértestecskék red (blood) corpuscles, erythrocytes; ~ zászló red flag; V~ Zászló Érdemrend Order of the Red Banner
  II. n, 1. [szín] red (colour, hue, tint), crimson, ruby, [címeren] gules; ~be játszó barna brown approaching to red; ~ön inneni sugarak infra-red rays; ~re érzékeny red-sensitive;~re fest paint red, redden, raddle, reddle, ruddle, incarnadine (ref.) 2. (pol biz) Red
vörösalakos a, ~ váza (rég) red-figured vase
vörösbarna I. a, red-brown, russet, maroon, puce, [madár] rufous, fulvous, [ló] chestnut II. n, (the colour) russet, red-brown (colour), russet brown
vörösbegy n, (áll) robin (redbreast), redbreast (Erithacus rubecula)
vörösbőrű n, redskin, red/copper Indian

vöröseltolódás n, (fíz) red shift
vörösen adv, ~ izzó red-hot
vöröses [-et; adv -én] a, reddish, ruddy, rufescent, rubescent; ~ haja van she has reddish/sandy(ish) hair, her hair is inclined to be red
vörösesszőke a, reddish-blond, sandy, ginger(-haired)
vörösfa n, (növ) senna (Caesalpinia sp.)
vörösfenyő n, (növ) larch(-tree), (Larix decidua), [anyag] larch(-wood); amerikai ~ hackmatack, tamarack (L. americana)
vörösgárdista a/n, Red Guardsman
vöröshagyma n, (növ) (common) onion (Allium cepa)
vöröshangya n, (erdei) ~ wood ant, common red ant, horse ant (Formica rufa)
vörösít [-ett, -sen] vt, redden
vörösizzás n, (műsz) red heat
vöröskáposzta n, red cabbage
vöröskatona n, soldier of the Red Army, [Magyarországon] soldier of the Hungarian Red Army of 1919
vöröske n, redhead
vöröskereszt n, [az intézmény] Red Cross, [a jelvény] Geneva cross; V~ Társaságok Ligája League of Red Cross Societies
vöröskeresztes a, red-cross, Red Cross; ~ nővér Red Cross nurse
vörösl|ik [-eni, -ött, .. söljön, .. söljék] vi, be/appear/look/show red/ruddy, emit a lurid glow
vöröslő [-t; adv -en] a, ruddy, (láng) lurid
vörösmárna n, (hal) red mullet (Mullus sp.)
vörösnyakkendős n, red-tied pioneer
vörösödés n, reddening, rubefaction, [pirulás] blushing, flushing
vörösöd|ik [-tem, -ött, -jön, -jék] vi, redden, rubefy, (vk) turn/go red, colour, blush, .flush; fülig ~ik flush up to the ears
vöröspecsenye n, [kézfejverő játék] 〈children's play in which they try to slap the back of each other's hand〉, (kb) hot cockles
vörösrépa n, beet(root)
vörösréz n, (red) copper
vörösség n, redness, ruddiness, [hely] red/ruddy spot/patch/blotch, [pirulás] blush, flush
vörössipkások n. pl, redcaps (Hungarian honvéds in 1849)
Vörös-tenger prop, Red Sea
vöröstörékeny a, (koh) red-short
vöröstörékenység n, (koh) red-shortness
vörösvérsejt-ellenállási a, ~ próba erythrocyte fragility test
vörösvérsejt-süllyedés n, = vérsejtsüllyedés
vörösvérsejt-süllyedési a, ~ sebesség erythrocyte sedimentation rate
vörösvérsejt-szám n, erythro-count
vörösvérsejt-túltengés n, polycythaemia
vukli [-t, -ja] n, † (thick) curl/ringlet/lock of hair
vulgáris [-ok, -t; adv -an] a, vulgar, unrefined, low, coarse; ~ latinság vulgar/dog Latin; ~ materializmus vulgar materialism
vulgarizál [-t, -jon] vt, vulgarize, coarsen, make vulgar
Vulgata [.. át] n, a ~ the Vulgate
vulkán [-ok, -t, -ja] n, volcano; időszakosan kialudt ~ dormant volcano; kialudt ~ extinct volcano; működő ~ active volcano
vulkánfiber n, vulcanized fibre; ~ bőrönd fibre trunk
vulkáni [-ak, -t; adv -an] a, volcanic, vulcanian, igneous, anogene; ~ hamu volcanic ash; ~ kúp volcanic cone; ~ kitörés eruption; ~ salak volcanic scoriae; ~ tufa volcanic tuff, pozz(u)olana
vulkanikus a, = vulkáni
vulkanizáció [-t, -ja] n, vulcanization
vulkanizál [-t, -jon] vt, vulcanize, metallize, cure, burn

vulkanizálás *n*, vulcanization, curing; *hideg* ~ cold-
-cure
vulkanizáló [-t, -ja] *n*, *[személy, készülék]* vulcanizer
vulkanizált [-at; *adv* -an] *a*, vulcanized; ~ *kaucsuk*
vulcanite
vulkánkoffer *n*, fibre trunk

vulkanológia *n*, volcanology
vulkánosság *n*, volcanism
vurst [-ot, -ja] *n*, *(biz) nekem* ~ I don't care either way,
it's all one *(v.* the same) to me, I don't care a bean/
button/fig/hang/hoot/rap/rush/straw
vurstli [-t, -ja] *n*, fun-fair, amusement park

W

w [w-t, w-je] *n*, w, the letter w/W
wagneri [-ek, -t; *adv* -en] *a*, Wagnerian
Wagner-rajongó *n*, Wagnerite
wagon [-ok, -t, -ja] *n*, = vagon
Wales [-t, -ben] *prop*, Wales
walesi [-ek, -t, -je; *adv* -ül] I. *a*, of Wales, *[ember]*
Welsh; *A* ~ *bárdok* The Welsh Bards; ~ *herceg*
Prince of Wales; ~ *dalosverseny* eisteddfod; ~ *nyelv*
Welsh II. *n*, *[ember]* Welshman, *[nő]* Welshwoman,
Taffy *(fam)*
walkür [-ök, -t, -je] *n*, Valkyrie
wallon [-ok, -t, -ja; *adv* -ul] *a/n*, = vallon
Walter [-t, -je] *prop*, Walter, Walt
Wassermann-reakció *n*, Wassermann reaction/test
watt [-ot, -ja] *n*, *(vill)* watt; ~ *nélküli áram* inactive/
wattless current
wattáram *n*, watt current
wattérték *n*, wattage
wattfogyasztás *n*, wattage
wattmérő *n*, watt meter
wattóra *n*, *[egység]* watt-hour, *[műszer]* watt meter
W.C. = vécé
werk [-et] *n*, *(tex)* lump; ~*ben szállít* deliver in lumps,
deliver in the warehouse way
Wertheim-kassza *n*, = Wertheim-szekrény
Wertheim-szekrény *n*, strong-box, safe

Wertheim-zár *n*, burglar-proof lock, Yale/safety *(v.*
cash-box) lock
wertheri [-ek, -t] *a*, Wertherian
Westinghouse-fék *n*, Westinghouse brake
whisky [-t, -je] *n*, whisky, usquebaugh, *[írországi]*
whiskey,pot(h)een,bourbon *(US)*; ~ *(jeges)* szódával
whisky and soda,highball *(US fam)*; ~ *tisztán [szó-
daviz nélkül]* whisk(e)y straight
whist [-et, -je] *n*, *(kárty)* whist
whistez|ik [-tem, -ett, -zen, -zék] *vi*, play whist
wigwam [-ot, -ja] *n*, wigwam, tepee
Wilson-kamra *n*, Wilson-chamber
Wilson-kór *n*, Wilson's disease
windfix [-et,-je]*n*, draught-preventer/excluder,weather-
-strip, wind-filling
windsori [-ak, -t] *a*, *A* ~ *víg nők [Shakespeare víg-
játéka]* The Merry Wives of Windsor
wolfram [-ot, -ja] *n*, wolfram(ite), tungsten
wolframacél *n*, tungsten iron/steel
wolframát [-ot, -ja] *n*, tungstate
wolframit [-ot, -ja] *n*, wolframite, tungstite
wolframsav *n*, tungstic acid
wolframsavas *a*, ~ *só* tungstate
wolframszálas *a*, ~ *izzólámpa* tungsten lamp
wurlitzer [-ek, -t, -je] *n*, juke-box, nickelodeon, wur-
litzer; ~ *zongora* Wurlitzer electronic piano

X

x [-et, -e] *n*, x, the letter x/X; ~ *alakban elhelyez*
decussate; *x-edik hatvány* The nth power; *x-szer
mondtam már* I told you a hundred times; *X. Y.
véleménye szerint* according to Mr. So-and-so
xantofil [-ek, -t, -je] *n*, *(vegyt)* xanthophyl
Xavér [-t, -je] *prop*, Xaver
xeroradiográfia *n*, xeroradiography

xilofon [-ok, -t, -ja] *n*, xylophone, *[mexikói]* marimba
xilofonjátékos *n*, xylophonist
xilotómia [.. át] *n*, xylotomy
x-lábú *a*, *[ember]* knock-kneed, baker-legged (person),
[ló] open (as to leg), pigeon-toed; ~*asztal* trestle table
x-sugarak *n*. *pl*, X-rays
xylol [-ok, -t, -ja] *n*, *(vegyi)* xylene

Y

y [-ok, -t, -ja] *n*, y, the letter y/Y, wye; *Y alakú* Y-shaped
yacht [-ot, -ja] *n*, = jacht
yankee [-t, -je] *n*, Yankee, Yank *(fam)*

yard [-ot, -ja] *n*, yard (= 0,91 meter)
yoghurt [-ot, -ja] *n*, yogurt
Yorkshire-sertés *n*, Middle White (pig)

Z

z [z-t, z-je] *n, [betű]* z, the letter z/Z; *kis z-vel ír* write with small z; *nagy Z-vel ír* write with capital Z; *í-tól z-ig* from a to z

zab [-ot, -ja] *n,* 1. *(növ)* oat, *(ír, skót)* corn *(Avena sativa)*; *csupasz/kopasz* ~ hill/naked oat, pilcorn *(A. nuda)*; *réti* ~ false oat *(A. pratensis)*; *~ot vet* sow oat; *elmehetsz (Kukutyinba) ~ot hegyezni* ld Kukutyin 2. *[gabona]* oats *(pl)*

zabál [-t, -jon] *vi/vt, [állat]* eat, feed, devour, *[ember] (durv)* gobble (up), stuff (oneself *v.* one's face), wolf down (food), stodge, guzzle, eat/devour/swallow greedily, bolt, gorge (oneself), gormandize, gluttonize, feed, tuck, scoff, *(kif)* eat like a horse, make a pig of oneself, be a gross feeder, ply one's jaw

zabálás *n, [állat]* feeding, *[ember] (durv)* gobbling, wolfing one's food down, guzzling, tuck-in, gormandizing, gorging, gluttony, voraciousness

zabáló [-t, -ja] *(durv)* I. *a,* gobbling, guzzling, gormandizing, gluttonous, hoggish, gorging, ravenous, voracious II. *n,* gobbler, guzzler, gormandizer, glutton, gross feeder

zabasztag *n,* stack/rick of oats

zabdara *n,* groats *(pl)*, oatmeal, haver meal, (oat-)grits *(pl)*, hulled and coarsely ground/crushed oats *(pl)*, *(ker)* Quaker oats *(pl)*

zabföld *n,* field of oats

zabfű *n, (növ)* oat-grass *(Avena astrum)*

zabhegyezés *n,* 1. *[semmittevés]* idling, loafing 2. *[aprólékoskodás]* hair-splitting, fussing, being too particular (about details)

zabigyerek *n, (nép)* bastard *(stand.)*, child born out of wedlock *(stand.)*, chance-child *(fam)*

zabkalács *n,* oat/haver cake

zabkása *n,* (oatmeal) porridge, flummery *(obs)*, burgoo *(táj)*, (water-)brose *(skót)*, sowens *(pl) (skót)*

zabkenyér *n,* oaten/oat(meal)-bread, haver-bread, oatcake, bannock *(skót)*

zabla [..át] *n,* 1. *(áit)* bit, curb/bridle-bit, *[kétrészes]* snaffle, *[egyrészes]* bar bit; *feszítő* ~ gag bit; *feszesen tartja a zablát* rein in a horse; *nekiereszti a zablát* give a horse the bridle/reins *(v.* its head) 2. *(átv)* curb, bridle, check, restraint; *zablán tart* curb, bridle, keep in check (passions), put a bridle on, *(vkt)* restrain

zablakarika *n,* bit-ring

zablalánc *n,* curb(-chain)

zablarúd *n,* mouthpiece (of bit), bar

zablaszár *n,* curb rein(s), rein (of bridle), cheek

zabláz [-tam, -ott, -zon] *vt, [lovat]* bit, bridle (horse), put the bit in the mouth of (a horse)

zablepény *n,* = **zabkalács**

zableves *n,* oatmeal-soup, gruel, stir-about

zabliszt *n,* oatmeal, haver meal; *~ből való* oaten

zablisztpép *n,* stir-about, hasty-pudding, oatmeal porridge

zabnyák *n,* oat-groats *(pl)*

zabola [..át] *n,* = **zabla**

zabolátlan *a,* unbridled, unrestrained, uncurbed, incontrollable, *[féktelen]* unmanageable, ungovernable, unruly, incontinent, immoderate, *[szabados]* licentious, rampageous

zabolátlanság *n,* lack of restraint, wildness, forwardness, *[szabadosság]* licentiousness

zabolátlanul *adv,* unbridled, unrestrained, uncurbed, immoderately

zaboláz [-tam, -ott, -zon] *vt,* 1. = **zabláz**; 2. *(átv)* bridle, curb, (keep in) check, restrain, chasten

zabolázás *n, (átv)* checking, bridling, curbing

zabolázhatatlan *a,* = **zabolátlan**

zabolázhatatlanság *n,* = **zabolátlanság**

zabolázható *a,* restrainable

zabos [-ak, -t; *adv* -an] *a,* 1. oat-, oaten 2. □ mortal/ mighty angry, riled, waxy, narky, rilly; *nagyon* ~ *volt* he was in a fine old temper; *~sá tesz vkt* get sy's shirt out/off

zabosbükköny *n,* mixture of oat and vetch(es)

zabosláda *n,* corn-bin

zabostarisznya *n,* nose-bag, *(kat)* haversack, bag for oats

zaboszsák *n,* oatsack, sack for oats

zabpehely *n,* oat-flake

zabpelyva *n,* oat-chaff

zabrál [-t, -jon] *vi/vt, (biz)* loot, maraud, plunder, freeboot

zabrálás *n, (biz)* looting, marauding, plunder(age)

zabszalma *n,* oat-straw, oaten straw, haverstraw *(skót)*

zabszem *n,* oat-grain, grain of oats; *az a bizonyos* ~ be in a blue funk; *a* ~ *bántja* have the fidgets, be in a flap, be always on the go

zabtoklász *n,* beard (of oat)

zabvetés *n,* 1. *[művelet]* oat-sowing 2. *[terület]* a field of oats; *már kikelt a* ~ the oats are spearing, the oats have come/shot up

zacc [-ot, -a] *n, (biz)* (coffee) grounds *(pl) (stand.)*, lees *(pl) (stand.)*

zaci [-t, -ja] *n, (biz)* spout, pop-shop, my uncle's, hock; *vmt ~ba csap/tesz* put sg up the spout, put sg in soak, soak/spout/hock sg; *becsapja az óráját a ~ba* put/pop one's watch up the spout; *a ~ban van* be up the spout; *az órám a ~ban van* my watch is up-the spout *(v.* at (my) uncle's)

zacskó [-t, -ja] *n,* 1. (small) bag, pouch, pocket, sachet, *[papírosból]* paper-bag, *[alul hegyes]* cornet (bag), screw of paper; ~ *alakú* bag-shaped, *(tud)* saccular, sacciform, *(növ)* saccate; *habkinyomó* ~ icing pipe 2. *[erszényes állatoké]* pouch, marsupium, *(bonct)* bursa, *[heréé]* scrotum 3. *[szem alatt]* pouches *(pl)*, pockets *(pl)*

zacskós [-at; *adv* -an] *a,* bag/sack-like, *[arc, szem, kitérdelt nadrág]* baggy, *(növ)* scrotiform

zacskóz [-tam, -ott, -zon] *vt,* put into (paper) bags, bag (up)

zacskózás *n*, putting into sacks/bags, bagging

zafír [-ok, -t, -ja] *n*, sapphire

zafirkvarc *n*, sapphire quartz

zafirtű *n*, sapphire needle/stylus

zaft [-ot, -ja] *n*, = **szaft**

zaftos [-at; *adv* -an] *a*, = **szaftos**

Zágráb [-ot, -ban] *prop*, Zagreb, Agram

zagy [-ot, -a] *n*, slime(s), wet slick, sump of the stampers, slurry

zagyva [.. át] *a*, confused, muddled, jumbled, mixed, chaotic, pell-mell, jabbering, macaronic, *i összefüggéstelen]* incoherent, nonsensical, devoid of sense *(ut)* ; ~ *beszámoló* a confused account; ~ *beszéd* wish-wash, idiolalia, tub; ~ *stílus* diffuse/entangled/ muddy style

zagyvál [-t, -jon] **I.** *vt*, jumble, confuse, mix/mess up, mingle together, make a medley of, medley **II.** *vi*, talk balderdash/hooey *(fam)*, drivel

zagyvalék [-ot, -a] *n*, *[étel]* hodge-podge, hotchpotch, mishmash, concoction, *(átv)* concoction, jumble, mess, muddle, farrago

zagyván *adv*, confusedly

zagyvaság *n*, concoction, jumble, hotchpotch, farrago, chaos, mishmash, mess, hash, tar(r)adiddle, flum- (ma)diddle, *[hangzavar]* hubbub, hullabaloo, uproar; *mindenféle ~ot összehord* drivel, speak at random, speak foolishly, talk nonsense, talk through one's hat *(fam)*, talk hooey *(fam)*

zaj [-ok, -t, -a] *n*, noise, din, sound, obstreperousness, *[fegyvereké]* clash, *[edénycsörgésé]* clatter, *[kiabálás, lárma]* clamour, hullabaloo, *[járműé]* rumble, *[puskalövésé]* report, *[társalgásé]* sound, murmur, *[tömegé]* uproar, *[fémé vmn]* clang, *[utcai]* racket, row, *[veszekedésé]* row, rumpus, bobbery, shindy, kick-up, *[viharé, tengeré, ágyúé]* roar(ing); *rettenetes/óriási ~ van* the racket is simply terrific; *borzalmas/fülsiketítő ~ van* there is an ear-splitting noise, there is a noise fit to wake the dead, the noise is perfectly/simply maddening/deafening, there's a hell of a row; *mekkora ~ van !* what a din/row/racket/ hubbub!; *miért ez a ~?* what is all this/the noise about?; *a ~ felingerelte* the sound exasperated her; *vmnek a ~ára* at the noise of sg; *~t csap/üt/csinál* make a noise/row, kick up a row/rumpus/shindy/ dust; *nagy ~t csap/üt vm miatt* make a hullabaloo about sg, make great stir about sg, make a great fuss about sg, make an awful fuss about sg, make a great to-do about sg, kick up the dickens/devil of a row about sg, make an awful shindy about sg, make *(v.* kick up) no end of (a) fuss about sg; *távol él a világ ~ától* live out of the world, live far from the madding crowd; *a tető nagy ~jal beomlott* the roof fell in *(v.* collapsed) with a great crash

zajdul [-t, -jon] *vi*, = **felzajdul**

zajérzékenység *n*, *nagyfokú* ~ intolerance of noise

zajfogó *n*, silencer, noise-abater

zajgás *n*, uproar, din, racket, hubbub, (loud) noise, disturbance, welter

zajgó [-ak, -t; *adv* -an] *a*, noisy, riotous; ~ *hullámok* turbulent waves

zajhatár *n*, noise-limit

zajlás *n*, **1.** *[jég]* breaking up (of ice), drifting of ice **2.** *(átv)* moving on turbulently

zajl|ik [-ani, -ott, zajoljon, zajoljék] *vi*, **1.** *[jég]* break up, drift; *a Duna ~ik* the ice on the Danube is breaking up, the Danube is full of drift-ice *(v.* drifting ice-floes) **2.** *(átv)* move on turbulently, welter; *úgy szép az élet ha ~ik* the thicker (they come) the better, variety is the spice of life; *ott ~ott a tömeg az ablaka alatt* the crowd was moving on turbulently under his window

zajló [-t; *adv* -an] *a*, **1.** *[jég]* drifting, breaking up

(ut) ; ~ *jég(táblák)* drift-ice, (drifting) ice-floes *(pl)* ; ~ *folyó* river full of drift-ice, river carrying drifting ice-floes **2.** *(átv)* noisy, moving (along) turbulently *(ut)*, clamorous, turbulent, boisterous, *[esemény]* humming *(fam)* ; ~ *indulatok* turbulent passions; ~ *tömeg* milling crowd

zajmentes *a*, sound-proof, free of sound/noise *(ui)*, *[zajtalan]* noiseless, silent; ~ *járás [gépé]* silent running

zajmérő *n*, acoustimeter

zajong [-ani, -tam, -ott, -jon] *vi*, clamo(u)r, be noisy/ turbulent, make a noise, jangle, (make a) din, create an uproar/disturbance, *[vm miatt]* kick up a row/shindy, make a row/hullabaloo

zajongás *n*, noise, din, uproar, tumult, clamo(u)r, hubbub, disturbance, riot, hullabaloo, racket

zajongó [-t] *a*, uproarious, clamorous, rackety, riotous, boisterous, rowdy, turbulent, tumultuous; ~ *tömeg* clamorous/noisy/turbulent mob/crowd

zajos [-ak, -t; *adv* -an] *a*, noisy, loud, clamorous, vociferous, rackety, *(átv)* boisterous, rowdy, tumultuous, riotous, uproarious, *[jókedv]* wild; ~ *életet él* lead a fast/rollicking life, sow one's wild oats, go it *(fam)* ; ~ *éljenzés/tetszésnyilvánítás* loud cheers *(pl)*, loud/clamorous applause; ~ *ellentmondások* violent protests; ~ *erjedés* violent/primary fermentation, fretting; ~ *siker* resounding/riotous/roaring success; ~ *társaság* noisy company; ~ *utca* noisy street

zajosan *adv*, noisily, loud, clamorously, *(átv)* boisterously, tumultuously, rowdily

zajosság *n*, noisiness, loudness, vociferousness, clamor- (ousness), *(átv)* boisterousness, uproariousness

zajtalan *a*, noiseless, soundless, silent, quiet; ~ *írógép* noiseless typewriter; ~ *kamera (film)* silenced camera; ~ *járás/működés* silent/noiseless running

zajtalanít [-ani, -ott, -son] *vt*, silence

zajtalanítás *n*, attenuation/silencing of noise

zajtalanító [-t, -ja] *n*, silencer, noise-abater

zajtalanság *n*, noiselessness, silence

zajtalanul *adv*, noiselessly, silently; ~ *dolgozik* work silently/smoothly/noiselessly

zajtompítás *n*, damping, reduction of noise, noise- -reduction/abatement

zajtompító I. *a*, damping **II.** *n*, noise-limiter/abater/ softener

zákányos [-ak, -t; *adv* -an] *a*, **1.** *[bor]* turbid, ropy (wine) **2.** *[macskajajos]* seedy, crapulent, chippy ◆, *[igével]* have hot coppers, have a bad head (after a spree), (feel/have) the morning after the night before *(fam)*, have a hangover ◆, feel chippy ◆

zákányosság *n*, **1.** *[boré]* turbidity, turbidness, ropiness **2.** *(átv)* crapulence, seediness, hangover

Zakariás *prop*, Zachariah, Zechariah, Zachary

zakatol [-t, -jon] *vi*, **1.** *[gép stb.]* clatter, clack, rattle, rumble, make a noise; *a vonat ~* the train in rattling/ clattering; *az írógépek ~tak* the typewriters were clacking **2.** ~ *a szívem* my heart is thumping, my heart is beating like mad, my heart is throbbing violently

zakatolás *n*, **1.** *[gépé stb.]* clatter(ing), rattle, rattling **2.** *[szívé]* throbbing, thumping, pit-a-pat

zakatoló [-ak, -t; *adv* -an] *a*, clattering, clacking, rattling, rumbling

zaklat *vt*, **1.** molest, worry, importune, trouble, annoy, *(vkt vmvel)* bother, incommode, inconvenience, pester, badger, ply, plague, harry, harass, dun, vex; *ne zaklass !* leave me alone!, don't bother me !; *állandóan* ~ *vkt* keep on at sy; *kérdésekkel* ~ badger/ply/bombard/pester/plague sy with questions; *örökös kérdésekkel* ~ *vkt* worry sy with perpetual questions; *kérésekkel* ~ badger sy for sg, importune sy with requests, beset sy with solicitations; vkt ~ hogy fizessen push sy for payment; ~nak a hitelezők I am dunned/harried by my creditors 2. [vkt gond stb.] trouble, worry, be obsessed (by), be haunted

zaklatás n, molestation, worrying, importuning, troubling, incommoding, inconvenience, pestering, badgering, bother(ation), harassing, harassment, dunning, vexation, [rosszindulatú] vexatious (v. ill-natured) interference, persecution

zaklató [-ak, -t, -ja; adv -an] I. a, molesting, worrying, importunate, troublesome, incommoding, pestering, badgering, bothering, harassing, pressing, vexatious II. n, troubler, harrier, plague, disturber

zaklatott [-at; adv -an] a, worried, vexed, tormented, pestered, plagued, [elme, kedély] distracted; ~ élet tiring/hectic life, life full of strain and worries

zakó [-t, -ja] n, [kabát] coat, jacket

zakókabát n, lounge-jacket

zálog [-ot, -a] n, 1. pawn, pledge, security, gage, [játékban] forfeit; ~ba ad/tesz vmt pawn/pledge sg, put sg in pledge/pawn, give sg in gage, lay sg to gage; ~ba csap/(be)vág vmt (fam) put sg up the spout, soak/spout sg; ~ban van be in/at pawn, lie to gage, be at gage; ~ban van az órám my watch is in pawn; ~ból kivált vmt redeem sg (from pawn), (jog) replevy sg; ~ból kivesz take sg out of pledge/pawn, take back (v. retrieve) one's pledge/forfeit; ~ot ad put sg in pledge/pawn, give a pledge/forfeit; ~ot vissza-vált redeem a pledge, redeem sg (from pawn); ~ul elfogad vmt accept sg as (a) pledge, take sg as security; ~gal biztosít secure with pledge/cover 2. (átv) pledge, token, sign; a szerelem ~a pledge/seal of love, love-token; barátsága ~ául as a pledge of one's friendship; szándéka ~ául as an earnest of his intentions

zálogadós n, pledger, pawner

zálogadósság n, [ingón] secured debt, [ingatlanon] mortgage, debenture

zálogbirtokos n, pledgee, pledge holder, holder of a pledge, lienor

zálogcédula n, pawn-ticket

zálogház n, [közületi] pawn-office, [magán] pawnshop, the pawnbroker's, pop-shop (fam), my uncle's (fam), spout (fam)

zálogházi a, of the pawn-office (ut), of the pawnshop (ut); ~ becsüs appraiser (of pawned articles)

záloghitel n, credit against pawn, loan against security, loan on pawn/object, [ingatlanra] mortgage loan, loan on mortgage

záloghitelező n, pledgee, mortgagee, holder of a pledge, lienor

zálogjegy n, [zálogházi] pawn-ticket, [raktári] warrant

zálogjog n, lien, right of pledge, [elmélet] hypothecary law; ~ bekebelezése registry/registration of mortgage; ~ érvényesítése (mortgage) foreclosure, foreclosing of mortgages; ~ot érvényesít foreclose a/the mortgage; ~ törlése entry of satisfaction of mortgage (GB), cancellation of a mortgage

zálogjogi a, hypothecary

zálogkölcsön n, [ingóra] loan against/on security, [ingatlanra] mortgage loan, loan on mortgage; ~t vesz fel mortgage sg, get/raise a loan on sg

zálogkölcsönzés n, pawnbroking

zálogkölcsönző n, [ingóra] pawnbroker, [ingatlanra] mortgagee

záloglevél n, mortgage-bond/deed, (mortgage) debenture, letter of hypothecation

záloglevél-tulajdonos n, holder/owner of debentures (v. of mortgage-deeds), debenture-holder

zálogol [-t, -jon] vt, distrain upon sy's belongings, seize sg as a pledge/security (for debt), [állatot] impound

zálogolás n, distraint, distrainment, writ of execution (on sy's furniture and chattels), attachment, seizure, [ingatlané] levy

zálogolási [-t] a, ~ eljárást vezet vk vagyonára levy execution on sy's goods

zálogoló [-t, -ja] n, distrainer

zálogosdi [-t, -ja] n, (game of) forfeits; ~t játszik play at forfeits

zálogtárgy n, pledged chattel/property, pawned article, pawn

zálogtartó n, pledgee, pawnee, pledge holder, holder of (a) pledge

zálogügylet n, = zálogüzlet

zálogüzlet n, loan against security

zálogvisszaváltás n, redemption, replevin

zamat n, 1. flavour, savour, aroma, [boré] bouquet, aroma, nose (of wine), [ételé stb.] relish; vmlyen ~a van have a (certain) flavour (of), smack of sg; annak a bornak egészen különleges ~(j)a van that wine has a bouquet of its own 2. (átv) spice, piquancy, zest; helyi ~ local colour; elveszti ~(j)át lose its zest, pall

zamatos [-at; adv -an] a, 1. (ált) aromatic, flavoured, tasty, succulent, [bor] racy, mellow(-tasted), fruity; ~sá tesz flavour, aromatize 2. (átv) spicy, fruity, racy, pungent; ~ angolsággal beszél speak idiomatic English; ~ beszéd fruity talk; ~ nyelv pure/original language, racy idiom

zamatosan adv, (átv) spicily; ~ beszél, ~ fejezi ki magát speak idiomatically, express oneself idiomatically

zamatosság n, 1. (ált) aroma, flavour, savouriness, [gyümölcsé] juiciness, [boré] raciness, mellowness 2. (átv) spiciness, pungency, raciness

zambó [-t, -ja] n, zambo

zanót [-ot, -ja] n, (növ) broom, cytisus (Cytisus); fehér ~ white-flowered broom (C. albus); fürtös ~ yellow-flowered broom (C. nigricans)

záp [-ot; adv -on] a, addle(d), rotten, bad

zápfog n, molar (tooth), grinder (fam); kis ~ premolar

zápor [-ok, -t, -a] n, 1. [eső] (sudden) shower, downpour, rain-shower, splash, summer plump, gust of rain, pelting rain, pelter (fam), soaker (fam), drencher (fam); légtömegen belüli ~ air-mass shower 2. (fiz) [kozmikus sugárzásban] shower 3. (átv) shower, volley (of blows/stones), flood, flow, stream (of felicitations); könnyek ~a flood/flow of tears; puskagolyók ~a volley/hail of bullets; szitkok ~a a volley of oaths, shower of insults; ütések/ütlegek ~a volley/shower of blows; ~ként hull fall in a shower, pour down in a shower; ~ként hulltak az ökölcsapások the blows fell thick and fast

záporeső n, shower (of rain); nagy ~ heavy shower; ~ esik shower, be pouring; ~ esett the rain came down in showers; sírt mint a ~ she shed a flood/flow of tears, tears ran down her cheeks, she blubbered (fam), she cried like a baby (fam)

záporesős a, [nap, időjárás stb.] showery

záporfelhő n, squall-cloud

záporfront n, black squall

záporoz [-tam, -ott, -zon] vi/vt. 1. [eső] shower, be pouring, rain in a shower, rain in showers/torrents, pelt (down) 2. (átv) fall in a shower, pour down in a shower; ~tak rá az ütések the blows fell thick and fast, blows rained upon him, blows pelted on his head

záporpróba n, (szính) testing of the water-curtain

záptojás n, addled/bad/rotten egg; ~sal megdobál aim/throw/fling addle(d) eggs at sy, pelt sy with rotten eggs

zápul [-t, -jon] vi, addle

zár¹ [-t, -jon] I. vt, 1. (vmt) close, shut; kulcsra/

kulccsal ~ vmt lock sg (up), lock sg away, turn the key in (a lock); kulcsra/kulccsal ~ja az ajtót lock the door; melyik kulcs ~ja ezt a fiókot ? which is the key to this drawer?; lakattal ~ vmt padlock sg, fasten sg with a padlock; légmentesen ~ vmt seal up sg; retesszel ~ vmt bolt sg, fasten sg with a bolt; zárral ~ vmt lock sg, fasten sg with a lock; ~ja az áramkört close/make the circuit; formát ~, ~ja a formát (nyomd) lock (up) the form(e) 2. üzletét hétkor ~ja shut up (v. close) shop at seven 3. börtönbe ~ imprison, put/throw (sy) in prison, shut up in prison, lock up; kalitkába ~ confine in a cage, cage, shut up in a cage; kolostorba ~ cloister, put in a cloister; levélbe ~ vmt mellékletként enclose sg; borítékba ~ levelet put a letter in an envelope 4. [átv bevégez] end, close, terminate, put an end to, [beszédet] end, finish, conclude, bring to (an) end, [ker könyvet] close (the books), [kat sort] close (up), [ülésszakot] conclude, [vitát] end, finish, wind up; beszédét azzal ~ja hogy close one's speech with; levelét azzal a megjegyzéssel ~ja finish one's letter by remarking; ~om soraimat [levél végén] I close for now 5. karjába ~ clasp (sy) in one's arms, hug, press/clasp (sy) to one's breast/heart/bosom; szívébe ~ set one's affections on sy, become very fond of sy, take sy into one's heart

II. vi, 1. [záródik] close, fit; az ajtó jól ~ the door shuts/fits/well (v. fits close); az ablak nem ~ (jól) the window will not close 2. a könyvtár nyolc órakor ~ the library shuts at eight o'clock; az üzletek 6-kor ~nak shops close at six o'clock; ~unk! we are closing, time is up, closing time!, time(,) gentlemen!; ld még zárva

zár² [-ak, -(a)t, -(j)a] n, 1. (ált) fastening, [ajtón stb.] lock, latch, [ablakon] fastener, [könyvé, táskáé stb.] clasp, snap, catch, [retesz] bolt, bar, [lakat] padlock; biztonsági ~ safety lock, [ékszeren, táskán] safety--catch; ~ alá tesz vmt lock sg up; ~ alatt under lock and key; ~ alatt tart keep sg under lock and key; ~at feltör pick a lock 2. [fényk] shutter; középponti ~ [péld. Compur] between-lens-shutter, diaphragm shutter; lencsébe épített ~ lens-shutter; felhúzza a ~at cock the shutter 3. [fegyveren] lock 4. (jog) sequestration, attachment, [hajón] embargo; ~ alá vesz/helyez sequester, sequestrate, affix the seals (to), seize, put under arrest, levy (a) distress (on), distrain, impound, levy attachment (on); ~ alá vesz hajót lay an embargo on a ship, embargo a ship, detain a ship; ~ alá vétel sequestration, arrest, distraint, seizing, seizure, distress, [ingatlané] attachment, [hajóé] embargo; ~ alá vehető sequestrable, attachable; ~ alatt van [áru, hajó] be under an embargo; ~ alól felold vacate/relieve attachment 5. [tengeri, szárazföldi] blockade, [egészségügyi] quarantine 6. [völgyé, folyóé] damming, barrage 7. [nyelvt, hangtani] closure, stop

záradék [-ot, -a] n, 1. (jog) (additional) clause, [feltételt tartalmazó] proviso, [végrendeleten] codicil, [levél befejezése] formal ending (used in correspondence), complimentary close; bontó ~ [szerződésben] defeasance clause; érvénytelenítő ~ cancellation clause; hitelesítési ~ authentication/attestation/certification clause; korlátozó ~ limiting clause; végrehajtási ~ execution warrant; a ~ célja the intention of a clause; legnagyobb kedvezmény ~a most favoured nation clause; ~kal ellát vmt add a clause to sg, insert a clause in(to) sg 2. (épít) crown (of arch), crowning

záradékol [-t, -jon] vt, add a clause (to), insert a clause (in, into)

záradékvonal n, boltozat ~a (épít) crown line of a vault

záralkotás n, (nyelvt) implosion

záralkotó a, (nyelvt) [hang] implosive

zárándok [-ot, -a] n, pilgrim

zarándokbot n, pilgrim's staff

zarándokcsapat n, party/host of pilgrims

zarándokhely n, place of pilgrimage

zarándokjárás n, pilgrimage

zarándoklás n, = zarándoklat

zarándoklat n, pilgrimage, (átv) peregrination

zarándokol [-t, -jon] vi, go on a pilgrimage, pilgrimize; a Szentföldre ~ go on a pilgrimage to the Holy Land

zarándoksereg n, host of pilgrims

zarándokút n, pilgrimage; ~ra megy go on (a) pilgrimage, pilgrimage

zárás n, 1. [ajtót, ablakot stb.] closing (down), closure, locking (up), fastening, shutting 2. [üzletet] closing (of the shop), [záróra] closing-time; ~! we are closing, time (is) up; ~ után after closing hours 3. [ker könyveket] making/balancing up, [számlát] closing, winding up, [tőzsdei] closing; év végi ~ year's end clearing/settlement of accounts, annual settlement of accounts, balancing (v. making up) the books at the end of financial year . . . 4. (műsz) closing, sealing, (nyomd) locking of the form(e), [áramkört] closing, making 5. [pol vitát] closure 6. (isk) break-up

zárási [-t; adv -lag] a, closing, ending, finishing, coming to an end (ut), terminating; ~ idő closing time

záratlan a, unclosed, unlocked, unfastened, unshut

záratlanul adv, az ajtót ~ hagyta left the door unlocked/unbolted

zárbeállítás n, [fényképezőgépen] speed/shutter-setting

zárbiztosító n, key-pin

zárda [. . át] n, 1. [kolostor] cloister, convent, religious house, nunnery; zárdába lép/vonul enter a convent, go into a (v. retire to) a convent, take the veil; zárdában lakik live in a convent, be cloistered, 2. (isk †) convent (school)

zárdafőnöknő n, abbess, prioress, mother superior

zárdai [-ak, -t; adv -an] a, claustral, conventual, cloistral, of (v. belonging to) a convent/cloister/nunnery (ut); ~ élet claustral life; ~ fegyelem claustral discipline; ~ nevelésben részesült she was educated in a convent

zárdanövendék n, (young) girl educated in a convent

zárdaszűz n, (biz) bread-and-butter miss

zárfedő lemez [ajtón] escutcheon, [ajtózáré], keeper, [reteszkapocsvassal] staple-plate, [lakaté] bolt-nab, (e)scutcheon/lock-plate

zárfék n, block-brake, [felvonóé] automatic stop device

zárfelhúzó n, egybeépített ~ és filmtovábbító (fényk) shutter wind

zárfeloldás n, (jog) vacation/relief of attachment

zárfelpattanás n, (nyelvt) plosion

zargat vt, [piszkál] worry, vex, bother, harass, [munkára hajt] goad, drive (on), [nem hagy nyugodni] doesn't give a moment's rest/peace

zárgondnok n, sequestrator, official receiver, trustee/administrator of sequestered property, assignee, arrestee

zárgondnokság n, administration by a sequestrator (v. official receiver); ~ alá helyez/vesz sequester, sequestrate

zárhang n, (nyelvt) plosive (consonant), explosive (consonant), stop (consonant)

zárnatározat n, final clause, closing decision

zárható a, ~ fiók drawer that may be closed by a lock, locker

zárjel n, = zárójel

zárjelző n/a, (vasút) block-signal; ~ lámpa tail-lamp, rear-light; ~ rendszer block system

zárka n, cell, [rendőrörszobán] station-house

zárkapcsolás n, (műsz) block-connection/joint

zárkapcsoló n, (vasút) unit switch
zárkioldó n, (fényk) shutter-release, time releaser
zárkózás n, (kat) closing up, closing the ranks
zárkóz|ik [-tam, -zon, -ott, -zék] vi, 1. (vhová) shut/
lock oneself up; szobájába ~ik shut/lock oneself up
in one's room; magába ~ik withdraw into oneself
2. (kat, sp) close up the ranks; zárkózz! close up!
zárkózott [-at; adv -an] a, close, uncommunicative,
withdrawn, reticent, unsociable, retiring, reserved,
buttoned-up, secretive, self-contained, stand-offish
(fam), (kif) keep one's own company, say little,
(élet) secluded, (arc) irresponsive; évi ~ annual seclusion,
reclusion, cloistered life; ~ természet close/reticent
person/nature/disposition, reserved/uncommunica-
tive/taciturn character
zárkózottság n, reserve(dness), reticence, guardedness,
uncommunicativeness, close/reticent disposition, dis-
tance of manner, exclusiveness, withdrawnness, re-
tirement, (orv) seclusiveness, (életmódé) seclusion,
stand-offishness (fam); kilép ~ából break through
one's reserve, give up (v. leave off) being reticent
(v. one's habitual reservedness)
zárlakatos n, locksmith
zárlat n, 1. (ker) balancing (v. making up) of books,
closing (of accounts), (felszámolási) winding up of
accounts, (tőzsdei) close, closing; évi ~ annual settle-
ment of accounts; év végi ~ year's end clearing/settle-
ment of accounts, balancing (v. making up) the
books on/at the financial year's end; ~kor szilárd
(tőzsde) closing firm 2. (hadi) blockade 3. (jog)
sequestration, attachment, arrestation, arrestment
interdiction, (hajó) embargo; bírói ~ sequestration
dologi ~ real arrestment; hajózási ~ embargo; kikö
tői ~ blockade of port;~otfelold vacate/relieve attach-
ment, (hajó) raise the embargo, remove embargo;
~ot foganatosító személy/közeg sequestrator, a person
entrusted with the duty of sequestration 4. (műsz)
closure, (távk) fault, (vill) closing of the circuit
(rövid) short circuit 5. (zene) close, cadence
cadenza; egész ~ authentic/complete cadence, full
close; kóda előtti ~ suspended cadence; tökéletes ~
perfect cadence
zárlati [-ak, -t; adv -lag] a, 1. (ker) closing, of closing
(ut), of winding up (ut), of balancing (ut), of making
up (ut); ~ árak (tőzsde) closing prices; ~ mérleg
balance-sheet, find balance 2. (jog) of sequestration/
attachment/arrestation (ut)
zárlatmentes [-et] a, (vill) shortproof
zárlatos [-at; adv -an] a, short-circuit(ed)
zárlemez n, bolt-nab, lock plate
zárnyelv n, bolt of a lock, lock bolt/blade, latch,
check-lock
záró [-t; adv -an] a, 1. closing, locking, shutting 2.
dallamsor ~ hangjai (zene) cadence notes; ~ rész
(zene) cadence, cadenza; ~ lépcsőfok head of the
stairs; ~ licit (kárty) closing bid; ~ rendelkezések
final clauses, closing provisions
záróanya n, (műsz) lock(ing)-nut, end-nut
záróáram n, (vill) locking circuit
záróárfolyam n, closing price/quotation
záróberendezés n, lock, apparatus for locking, shutter,
locking apparatus
zárobeszéd n, closing speech/address, (bíróé esküdt-
székhez) summing-up
zaróborda n, (épít) ridge-rib
záróburkolat n, closing cover
zárócsap n, (folyadéké) stopcock, (szerkezetben stb.)
letent, (fogaskerék összekapcsolásánál) bull-gearclamp
zárócsapó n, (puskán) cocking piece
zárócsapszeg n, stopbolt, pin, lock bolt
zárócsavar n, (screw) plug, check-nut, locking/cap-
-screw, screw stopper

zárócső n, (műsz) stop/block-tube/pipe
zárócsukló n, ending joint-link
záródarab n, plug, blocking piece
záródás n, 1. closing, shutting 2. (épít) egyenes ~
square termination, rectangular apse; félkörös ~
semicircular/apsidal termination; sokszögű ~ poly-
gonal termination
záródású [-t] a, egyenes ~ (épít) square ended; félkörös
~ circular ended
záród|ik [-tam, -ott, -jon, -jék] vi, 1. (ablak, ajtó)
close, shut (of itself); az ablak jól ~ik the window
shuts well; az ajtó magától ~ik the door shuts auto-
matically; a lakat nem ~ik the padlock does not work,
the lock is out of order 2. (végződik) end, conclude,
finish, be concluded, (gyűlés) come to an end,
(program) conclude, (vita) finish, come to an end
3. (ker) close, conclude; nyereséggel ~ik show a prof-
it, close with a profit; a számla ennyi veszteséggel
~ik account that leaves a debit balance of so much,
the balance shows (v. closes with) a deficit
záródísz n, 1. (nyomd) vignette, tail-piece, cul-de-
-lampe (fr) 2. (épít) pendant, terminal ornament
záródó [-t] a, closing; légmentesen ~ hermetic; szorosan
~ tight fitting
záródott [-at] a, ~ front (meteorológiában) occlusion,
occluded front
záródugattyú n, (kat) breech plug
záródugó n, (vill) plug, (kifolyócsapé) spigot, (gépen)
button
záróelem n, (műsz) lock
záróemelő n, (fegyveren) check lever
záróerőd n, (kat) outer fort
zárófal n, (épít) outer wall
zárófej n, (szegecsé) closing head
zárófejezet n, concluding/final chapter
zárógát n, dike, dyke, (völgyzáró) barrage
záróhang n, (zene) final
záróizom n, 1. (bonct) constrictor(-muscle), compres-
sor, sphincter, obturator, (szemhéjé) winking/orbicu-
lar muscle, winker 2. (kagylóé) hinge
zárójel n, 1. (kerek) parenthesis, parentheses (pl);
csúcsos/hegyes ~ angle brackets (pl); kapcsos ~
brackets (pl); kerek ~ (round) parentheses (pl),
round brackets (pl); szögletes ~ square brackets/
parentheses (pl); ~be tesz put in(to) brackets/
parentheses/parenthesis/bracket, parenthesize; ~be
tett,~ben levő parenthetic(al);~ben between brackets,
in parentheses/parenthesis; ~et kezd open/begin a
parenthesis; ~et bezár close a parenthesis 2. (zene)
brace, accolade
zárójelenet a, closing/last scene, (zenés darabé) (grand)
finale
zárójelentés n, final report
zárójeles [-ek, -t; adv -en] a, parenthetic(al)
zárókampó n, click, pawl, stop
zárókapocs n, locking-catch/pawl/clamp
zárókészülék n, closing apparatus/device, catcher,
(váltó) stopcock
zárókilincs n, (műsz) detent pawl, release catch, lock-
ing-catch, arrester
zárókimutatás n, final/closing account/statement/
return(s)
zárókórus n, final/closing chorus
zárókő n, keystone, apex, arch-stone, (boltozaton)
pendentive, headstone, coping-stone, central/crown/
centre voussoir, top-stone, (gótikus bordás boltozaté)
boss
záróközlemény n, final communiqué
zárol [-t, -jon] vt, (jog, ker) carry out a sequestration/
arrest, put under arrest, seize personal property (by
lawful authority), stop, sequester, attach, (bank-
követelést) block (a balance), freeze (assets), (árut,

hajót] embargo, lay an embargo on, *[részvényt]* make non-negotiable; *bankszámlát* ~ block an account

zárólap *n,* cover (plate)

zárolás *n, (jog, ker)*stopping, sequestration, attachment, *[követelést]* blocking, *(pénz)* freezing, lock-up

zárólée *n, (nyomd)* bottom/foot rule, tail-piece, cul-de--lampe *(jr)*

záróléggömb *n, (kat)* barrage balloon

zárólemez *n, (műsz)* lock-plate, *[zárban]* striking--plate, *(épít)* tie-plate, *[filmellenőrző ablaké]* cover plate (for the red window)

zárolt [-at; *adv* -an] *a,* sequestered, blocked; ~ *áru* restricted/rationed goods *(pl) ;* ~ *betét/letét* blocked deposit; ~ *követelés* frozen assets/debts *(pl),* blocked balance; ~ *számla* blocked/barred account

zároltat *vt, bankbetétet* ~ *[bíróilag]* block/impound a bank account

zárómérleg *n, (ker)* final/annual balance, account of settlement

záró mű *n, (műsz)* arrester

zárópecek *n, (műsz)* stop-bolt, pawl, ratchet

záróra *n,* closing time; ~*I* closing time*!,* time is up!, time's up! *(jam) ;* *mikor van a* ~*?* when *(v.* what time) do you close?

záróréteg *n, (növ) [szövetben]* closing layer

záróretesz *n,* locking-bar, lock bolt, detent

záró rúd *n,* locking-bar, lock bolt

záros [-at, -t; *adv* -an] *a,* 1. *[zárral ellátott]* provided with a lock/bolt *(ut) ;* ~ *ajtó* door with a lock 2. *[idő]* fixed, limited; ~ *határidő* fixed date, limited term; ~ *határidőn belül* within a definite time, for/by a fixed date, within an/the appointed date

záró szeg *n,* split pin, pintle, cutter, cotter (pin), forelock, catch-pin

záró szelep *n, (műsz)* cut-off valve, stop-valve, *[csatornáé]* tide-flap, *[orgonáé]* pallet

záró szerkezet *n,* closing device/apparatus, catcher

záró szó *n,* 1. final/closing speech, concluding word 2. *[könyv végén]* postscript (to book), epilogue, after-word, *[egy szó]* explicit

zárótétel *n,* 1. *[logikában]* conclusion 2. *(zene)* finale, last/final movement

zárótűz *n, (kat)* barrage (fire); ~ *alá vesz* barrage

záróülés *n,* closing session

záróünnepély *n,* closing ceremony, *(isk)* breaking-up ceremony, speech-day, commencement *(US)*

záróvignetta *n, (nyomd)* tail-piece

záróvizsga *n,* (general) final examination, passing-out examination, terminal, finals *(pl),* great go *(jam)*

záróvonal *n,* 1. *(nyomd)* swell-rule 2. *[rendőri]* cordon

zárrugó *n,* lock/catch spring

zársebesség *n, (fényk)* shutter speed, speed of shutter

zárszámadás *n, [állami]* Appropriation Accounts *(pl), (ker)* account of liabilities and assets, final accounts *(pl),* profit-and-loss account, balance, *[végelszámolás]* settlement

zárszó *n,* = zárószó

zárt [-at; *adv* -an] *a,* 1. *[lezárt]* closed, locked, shut (up), fast; ~ *ajtók mögött* behind closed/padded, doors, *[bíróságon]* in camera *(lat),* in chambers, *(átv)* secretly; ~ *ajtót/ajtóra talál* find the door shut, be denied the door; ~ *anyag [könyvtárban]* reserved book; ~ *áramkör* close(d) circuit; ~ *edényben* in (a) retort, in closed/stoppered/sealed vessel; ~ *intézet (kb)* asylum; ~ *letét (pénz)* safe custody; ~ *levelezőlap* letter-card; ~ *oklevél* letter close; ~ *palackban* in a sealed bottle, in a bottle sealed up; ~ *szád (tex)* closed shed; ~ *vagon* covered goods wagon 2. *[minden oldalról körülvett]* enclosed, closed; ~ *erkély* bay/bow-window; ~ *helyiség* confined place, closed room, closed premises *(pl) ;* ~ *helyiségben* indoors; *kóros félelem* ~ *helytől* claustrophobia; ~ *kikötő*

close(d) harbour; ~ *udvar* enclosed court, courtyard 3. ~ *blúz* high(-necked) blouse 4. *[tömött, sűrű]* close; ~ *alakzat* close(d) formation; ~ *levegő* close/ stuffy air/atmosphere; ~ *rend (kat)* close order, close(d)/compact formation; ~ *rendben* in close order; ~ *sorokban* close-ranked, *(kat)* in close order/array, in serried ranks 5. *[magánjellegű, szűkkörű]* private, exclusive, *[családi]* at home *(ut),* family~; ~ *körben* in a private party, privately, in private; ~ *szám* limited number, numerus clausus *(lat),* cuota; ~ *tárgyalás [bíróságon]* hearing in camera/chambers/private, *[testületben]* private sitting; ~ *tárgyaláson tárgyal ügyet [bíró]* hear a case in camera/chambers; ~ *tárgyalást rendel el* clear the court; ~ *ülés [parlamenté]* secret session; ~ *ülésen jönnek össze,* ~ *ülést tartanak* sit in private 6. *(nyelvt)* ~ *e hang* close e sound; ~ *hang* close sound; ~ *(szótagbeli) magánhangzó* close/checked vowel; ~ *szótag* closed syllable; ~*abbá válás (nyelvt)* becoming (more) close

zártan *adv,* ~ *ejt [hangot]* pronounce a close sound

zárterkélyablak *n, (épít)* oriel window

zárthelyi *a/n,* ~ *(dolgozat)* ⟨examination paper done under supervision (in closed room)⟩

zárthelyiszony *n, (orv)* claustrophobia

zártkörű [-ek, -t; *adv* -en] *a, [társaság]* private, exclusive, select; ~ *előadás [színházban, moziban]* private performance; ~ *estebéd* formal dinner; *nagyon* ~ *klub* very exclusive club; ~ *mulatság/ táncestély* private party/dance; ~ *pályázat* limited competition; ~ *társaság* exclusive society, private company

zártkörűség *n,* exclusiveness

zártkutatmány *n,* (mining) claim

zártörés *n,* 1. *[lakaté]* breaking/picking of a lock, *[pecsété]* breaking/removing of seal(s), breach of close 2. *[tengerzáré]* blockade-running

zártsorú *a,* ~ *beépítés (épít)* development in unbroken rows

zártszék *n, (szính)* pit-stall

zárul [-t, -jon] *vi,* 1. = záródik 1.; 2. *[vm eredménnyel]* result in, close with; *nyereséggel* ~ *(ker)* show a profit, close with a profit; *veszteséggel* ~ *(ker)* show a deficit, close with a deficit

zárva *adv,* closed, locked, shut, bolted; *(szính)* ,,~'' closed; *vmt* ~ *tart [=elzárva]* keep sg under lock and key; *az üzletek vasárnap* ~ *tartanak* (the) shops are closed on sundays; *az üzletek* ~ *vannak* (the) shops are closed/shut

zárvány *n,* 1. *(geol)* inclusion (of foreign element in rocks), xenolith, enclosure 2. *(növ)* inclusion 3. *[öntvényben]* inclusion, bubble

zárványtest *n, (orv)* inclusion body

zárvatartás *n, [üzleté]* shut-down

zárvatermő I. *a, (növ)* angiospermal, angiospermous; ~ *növény* angiosperm II. *n,* angiosperm; ~*k* Angiospermae; ~*k fája* hardwood

zászló [-t, -ja, *(vál)* ..laja] *n,* 1. *(ált)* flag, *[intézményé]* banner, standard, *[tengerészeti]* ensign, *[gyalogsági, tüzérségi]* colours *(pl), [lovassági]* standard, *[hosszú szalagszerű]* banderole, streamer, *[hajó orrán]* jack, *[lándzsán]* pennon, *[keresztrúdról függő]* gonfalon, *[templomi]* banner, *[jachton]* burge; *angol* ~ Union Jack/flag; *amerikai* ~ the Stars and Stripes *(pl) ; fehér* ~ white flag; *háromszögletű* ~ triangular flag, pennon, pennant; *lovassági* ~ standard; *nemzeti színű* ~ the national colours; *vmlyen* ~ *alatt hajózik* fly a flag; *tiszteleg a* ~ *előtt* salute the colo(u)rs; ~*ra feleskszik* swear to one's colours; ~*t bevon* strike *(v.* haul down) the flag/ colours; ~*t (ki)bont* unfurl the flag/colo(u)rs, (let) fly a flag, *(átv)* show/display one's colours, take the field, *[vmlyen ügy mellett]* nail one's colo(u)rs to the mast (of); *~t felvon* hoist/erect/raise *(v.* run/set up) the/a flag; *a ~t félárbocra bocsátja* half-mast the flag; *~t kitűz* display *(v.* put out) a flag; *a ~kat kitűzi a házakra* deck the houses with flags; *magasra emeli a ~t* hold aloft the banner; *~val tiszteleg* drop/dip the colours/flag; *kibontott/lobogó ~val/~kkal* with flying/unfurled/ streaming colo(u)rs, with flags flying 2. *(átv)* banner, standard; *meghajtja vk előtt az elismerés zászlaját* bow one's head in admiration before sy; *kibontja/ kitűzi a felkelés zászlaját* raise the standard of revolt; *a szabadság zászlaja* the banner of freedom 3. *[taxin]* flag 4. *(zene) [kotta szárán]* flag, hook 5. *(növ) [pillangós virágban]* banner

zászlóalj *n,* battalion

zászlóaljparancsnok *n,* commanding officer of a battalion

zászlóaljparancsnokság *n,* battalion head-quarters *(pl)*

zászlóanya *n,* sponsor of flag (at dedication ceremony)

zászlóavatás *n, (kb)* dedication of the flag/colours

zászlóbontás *n,* unfurling (the flag), *(átv)* opening *(v.* coming-out) meeting of a new organization, announcement of a new party's program(me)/ platform

zászlócsere *n,* exchange of flags

zászlócska *n,* bannerette, pennon, banderol(e), streamer

zászlódísz *n,* decking with flags; *a város ~be öltözött (v. ~t öltött)* the whole city/town was decked with flags, the streets were gay with bunting; *~be öltöztet* deck wit flags, put out bunting/flags, flag; *teljes ~ben (hajó)* with flags flying, with flags fore and aft

zászlóerdő *n,* forest/host of flags

zászlójel *n,* flag-signal; *~(eke)t ad* flag, give flag-signals

zászlójelzés *n,* flag-waving, flag-signals *(pl)*

zászlólengetés *n,* flag-waving

zászlólobogtatás *n,* = zászlólengetés

zászlónyél *n,* = zászlórúd

zászlóőrség *n, (kat)* colour party, colour guard *(US),* *[lovassági]* guard of the standard

zászlórúd *n,* flagstaff, staff/pole of flag, flag-pole *(US), [hajó orrán]* jack-staff *(fam)*

zászlós *[-at; adv -an]* I. *a,* 1. (be)flagged, bannered furnished with flags *(ut)* 2. *~ hangjegy (zene)* hooked note II. *n,* 1. *(kat)* ensign, *[lovasságnál]* cornet *(obs)* 2. = zászlóvivő I.

zászlóshajó *n,* flagship

zászlósúr *n, (kb)* (knight-)banneret, baron

zászlószeg *n,* ⟨nail driven in the flagstaff at dedication ceremony⟩

zászlószentelés *n,* consecration of the flag/colours

zászlószövet *n,* bunting

zászlótartó *n,* = zászlóvivő 1.

zászlótok *n,* case for holding flag, colour/standard--case/holder, case/sheath for/of the flag

zászlóvivő *n,* 1. flag/colour/standard-bearer 2. *(átv)* champion, standard-bearer

zászpa *[..át] n, (növ)* hellebore *(Veratrum sp.); fehér ~* white hellebore *(V. album)*

zátony *[-ok, -t, -a] n,* shelf, *[homok]* sandbank, shoal, *[folyóban]* shallow, *[szikla]* reef, (bottom-)rock, *[kikötőben, folyótorkolatban]* (harbour-)bar; *~on* aground, *(átv is)* on the rocks, *[apály miatt]* neaped; *~ra fut/jut [hajó]* strand, ground, run aground, be stranded, take the ground, strike *(v.* run upon) the rocks, *(átv)* prove abortive, fall through, break down, slip up; *~ra jutott* stranded, on the rocks *(ut); ~ra jutott vállalkozás* an abortive enterprise/undertaking, failure; *~ra futtat/juttat [hajót]* run (ship) aground, *(átv)* wreck, frustrate; *~ról elszabadul/ kiszabadít* float off

zátonyos *[-at; adv -an] a,* shoaly, full of reefs/shoals *(ut),* full of sand-banks *(ut); ~ part* shoaly/shallow coast

zavar[1] *[-t, -jon] vt,* 1. *(vk vkt)* disturb, trouble, molest, inconvenience, importune, incommode, bother, intrude upon, badger *(fam), [tolakodóan]* pester, *(vm vkt)* disturb, trouble, worry, annoy, perturb, discommode, put about/out, *[nyugtalanít]* trouble, disturb; *bocsánat hogy ~om* I am so sorry to trouble you, excuse my disturbing you; *remélem nem ~ok* I hope I am not intruding (up)on you; *nem ~lak?* I hope I am not disturbing *(v.* intruding upon) you; *nem szabad (őt) ~ni* he can't be bothered; *~ vkt munkájában* disturb sy in his work; *nem ~ta hogy* he wasn't incommoded by; *a harangszó ~* the noise of bells worries me; *a zaj mindig ~ja* noise always puts him out 2. *(vm/vk vmi)* disturb, trouble, upset, derange, throw into confusion/disorder, *[gátol]* hinder (in), embarrass, *[előhaladást]* hamper, check, *[emésztést]* spoil (digestion); *~ja vknek az álmát* disturb sy's sleep; *~ja vk boldogságát* spoil/mar sy's happiness; *~ja a kilátást* obstruct the view; *~ja vk köreit* spoil sy's game, ba(u)lk sy; *~ja a köznyugalmat* create/raise/make a disturbance; *~ja vk nyugalmát* disturb sy's rest; *~ja vk terveit* interfere with sy's plans, derange/upset sy's plans, spoil sy's game *(fam)* 3. *[kerget, hajszol] (sp)* harass, *[állatot]* drive, urge forward, *[madarat]* drive/scare away, *[vadat]* pursue, follow hot on the track/scent of 4. *[vizet]* muddy, make muddy/ cloudy/thick; *nem sok vizet ~* be a harmless/inoffensive person, be of no great importance, count but little, have not much to say (in the matter) 5. *[rádióadást]* jam, disturb (broadcasting, radio transmission), interfere with, *[rádióüzenetet]* jam (a message)

zavar[2] *[-ok, -t, -a] n,* 1. *[zűr]* confusion, disorder, *[nagyfokú]* chaos, *[dolgok összezavarása]* mistake, mix-up, error, *[amiben vk van]* confusion, perplexity, embarrassment, fluster, discomposure, bewilderment, quandary, abashment, lack/loss of self-assurance, *[amit vk társaságában érez]* self-consciousness, uneasiness, *[amit vk csinál]* muddle, mess, mix(-up), jumble, *[amit vk vknek okoz]* trouble, inconvenience; *zavarba hoz/ejt* confuse, perplex, embarrass, confound, nonplus, puzzle, stump, mystify, rattle, discompose, bewilder, baffle, abash, put/throw (sy) into confusion, put out, put (sy) out of countenance, put sy to the blush, put sy to shame, flummox (sy) ◈; *ön egészen ~ba hoz* I am overwhelmed by your kindness; *rettentő ~ba hoz* drive sy to distraction; *~ba hozol* I blush for you; *vm ~ba hozza* be abashed at sg; *semmi sem hozza ~ba* he never gets put out, nothing ever puts him out, he is not easily abashed/disconcerted *(v.* put out of countenance), he is a cool hand *(fam),* he isn't easily flummoxed ◈; *komor tekintete ~ba hozott/ejtett* his stern look put me off; *~ba ejtő/ hozó* perplexing, embarrassing, awkward; *~ba hozó kérdés* a poser; *~ba hozó helyzet* awkward situation, a fix; *~ba jön* get confused/flurried/flustered, become embarrassed/confused, find oneself in deep water, be nonplussed, get into a muddle, be put out, get rattled/mixed, lose one's bearings, get in(to) a tangle, get tangled (up); *nem jön ~ba* he does not lose his self-control/possession, he is never at a loss; *zavarban van* feel/be embarrassed, be discomposed, be ill at ease, be uneasy, be off one's hinges *(fam), [társaságban]* feel/be ill at ease, *[kínos helyzetben]* be in a difficulty/quandary, be in a mix/stew *(fam), [problémával]* be perplexed/puzzled, be in a puzzle, be at a nonplus, *[összezavarodva]* be confused/ puzzled, be at a loss, be (all) at sea, be all abroad, [nem tud válaszlani] be in a dilemma, [és nem tud megszólalni] be tongue-tied; rettentő ~ban van be in utter confusion, feel utterly embarrassed; ~ban levő [ember] confused, perplexed; zavart kelt/okoz make trouble/mischief, spread confusion, (vkben) embarrass sy, throw (sy) into confusion, (pol) make/create/raise a disturbance; ~t keltő disturbing, upsetting, perturbative 2. [anyagi] difficulty, trouble, embarrassment, embarrassed/ straitened circumstances (pl), scrape (fam); pénzügyi ~ok financial/money troubles 3. [szervek működésében] disorder, [elmebeli] derangement (of mind), [gép/vm működésében] disturbance, breakdown, trouble, disorder, [kibernetikai gépben] noise, [tud jelenségekben] perturbation, disturbance; fénytörés ~a (orv) error of refraction; emésztési ~ok digestive troubles, disorder of the digestive organs; forgalmi ~ok traffic block/congestion, (traffic-) jam; látási ~ok eye trouble, trouble with the eyesight; légköri/vételi ~ok (távk) atmospherics (pl), stray(s), disturbance of broadcast reception, destructive interference; működési ~ok [szervé] troubles, disorder(s), [szerkezeté] faults/troubles in working/ functioning; a szív működési ~ai functional disorders of the heart, heart trouble; televíziós ~ok kiküszöbölése eliminating the bugs in television; vérkeringési ~ circulatory trouble(s), disturbance of circulation, circulation disorder

závár [-ok, -t, -a] n, 1. [zár] bolt, bar, fastener, fastening 2. [fegyveren] lock

zavarás n, 1. (ált) disturbing, intrusion, disturbance, troubling, trouble, molestation, worrying, interruption, [munka közben] distraction; bocsánat a ~ért! excuse my disturbing you! 2. [rádióadást] jamming

zavarcsináló I. a, disturbing, upsetting II. n, disturber, trouble-maker/monger, troubler, upsetter, perturber, [békebontó] peace-breaker, disturber of the peace, brawler

zavarelhárítás n, (távk) static prevention/suppression, noise suppression

zavargás n, public disturbance, riot(ing), disorder, outbreak of violence, turbulence, turmoil, (civil) commotion, [rendetlenség] disorder, stir-up, [utcai verekedés] affray, brawl; ~ ok törtek ki disturbances broke out, there were riots

zavargó [-t, -ja; adv -an] I. a, tumultuous, riotous, turbulent, unruly, disorderly II. n, rioter, trouble-maker, malcontent, [úszító] instigator, agitator, upsetter, [békebontó] peace-breaker, disturber of the peace, brawler

zavarkeltés n, trouble-making/mongering, causing disorder, embroilment, perturbation

zavarkeltő a/n, = zavarcsináló

zavarkeresés n, (vill) trouble hunting

zavarkiküszöbölés n, (távk) anti-jamming

zavarmentes a, undisturbed, smooth, trouble-free, (távk) staticless

zavaró [-t, -ja; adv -an, -lag] a, 1. disturbing, perturbing, ruffling, embarrassing, disconcerting, inconvenient, troublesome, annoying, [gondolat] perplexing, [személy] troublesome, annoying, vexing; ~ hatás interfering effect; ~ körülmény disturbing circumstance/element, hitch; ~ mozzanat disturbing moment, rift in the lute (fam); ~ tényező disturbing factor 2. (távk) ~ berendezés/rádióadó communication jammer; ~ állomás jamming/disturbing (broadcasting) station; ~ adás jamming 3. (kat) ~ repülés nuisance/disturbing flight; ~ repülőgép intruder aircraft

zavarodott [-at; adv -an] a, 1. (konkr) troubled, muddy, turbid 2. (átv) disturbed, embarrassed, confused,

bewildered, perplexed, nonplussed, puzzled, put out (ut), disconcerted, flummoxed ◈, [beszéd] confused, [elme] deranged, unbalanced, unhinged (mind), [lélek] distracted, turbid; ~ arckifejezés puzzled air

zavarodottan adv, confusedly, disconcertedly

zavarodottság n, 1. (konkr) troubledness, muddiness, turbidity, turbidness 2. (átv) disturbance, embarrassment, confusion, bewilderment, perturbation, perplexity, disconcertment, puzzle(ment), puzzledness, discomposure, maze, puzzle, [elmebeli] distraction, (mental) derangement, [szellemé] turbidity

zavarófény n, cross-light

zavarog [..rgott, -jon] vi, [tömeg] riot, ferment, make/ raise a disturbance, [hűhót csap] make a fuss, kick up a row

zavarólag adv, ~ hat have a disturbing (v. an embarrassing) effect (on), be rather disturbing/confusing

zavaros [-ak, -t; adv -an] I. a, 1. [folyadék] troubled, turbid, cloudy, muddy, [üledékes] feculent, dreggy, [drágakő] cloudy; ~ bor thick/cloudy wine; ~ víz muddy/troubled water; ~ vizelet cloudy/turbid/ nepheloid/loaded urine; ~sá teszi a vizet muddy/ disturb the water 2. [szem, tekintet] dim 3. (átv) confused, muddled, perplexed, mixed (up), chaotic, obscure, [bonyolult] tangled, involved, [beszéd] confused, involved, incoherent, (speech, talk), [elme] confused, deranged, blear, unhinged (mind), [fénykép, hangok] blurred, indistinct, [gondolkodás] muddy, shaggy, asystematic, [helyzet] confused, far from clear (ut), [kép] dim, blurred (vision) [lárma] indistinct (noise), [stílus] involved, cloudy, muddy, diffusive, entangled (style); ~ beszámoló a confused account; ~ elképzelései vannak he has cloudy ideas; ~ fejű/agyú/elméjű muddle/puzzle-headed, scatter/addle-brained, benighted; ~ fejű ember muddler, puzzle-head, scatter-brain; ~ fogalmak/gondolatok confused/obscure/cloudy/hazy ideas/ notions; ~ helyzet perplexing/perplexed situation, troubled waters (pl); ~ história obscure/jumbled/ muddled/fishy yarn/story/narrative, entangled/ obscure business, a story far from being clear, (kif) the story does not hang together somehow; ~ idők/kor(szak) troublous times (pl); ~ ügy confused/obscure/chaotic/muddled/tangled affair II. n, troubled waters (pl); a ~ban halászik fish in troubled waters

zavarosan adv, confusedly, in a confused manner; ~ beszél speak/talk confusedly/incoherently/indistinctly/wanderingly, jabber, gabble

zavarosfejűség n, muddle-headedness

zavarosod|ik [-tam, -ott, -jon, -jék] vi, 1. [folyadék] thicken, grow muddy/thick, become turbid, [bor] get cloudy/ropy 2. (átv) get confused/perplexed, [elme] become deranged/unhinged

zavarosság n, 1. [folyadéké] muddiness, turbidity, turbidness, cloudiness, cloud 2. [szemé, tekinteté] dimness 3. (átv) confusion, distraction, [bonyolultság] entanglement, ravelling, [beszédé] incoherence, [stílusé] cloudiness, obscurity, [szellemi] derangement, haze

zavarótűz n, (kat) harassing fire

zavarszűrő n, (távk) noise trap/suppressor, static eliminator, anti-hum

zavart [-at; adv -an] a, troubled, confused, embarrassed, self-conscious, perplexed, disconcerted, puzzled; ~ arckifejezés puzzled air; ~ tekintet troubled/ hunted/confused/perturbed look/expression

zavartalan a, undisturbed, untroubled, unperturbed, unmolested, uninterrupted, unbroken, clear, tranquil, peaceful; az árusítás ~ business as usual; ~ béke urbroken peace; ~ békességben in undisturbed peace;

~ *boldogság* unalloyed happiness; ~ *öröm* unadulterated joy

zavartalanság *n*, tranquillity, peace, quiet, *[magatartás]* imperturbability; *teljes ~gal* in perfect tranquillity

zavartalanul *adv*, ~ *dolgozik* work undisturbedly; *az árusítás* (v. *a munka*) ~ *folyik* business as usual

zavartan *adv*, confusedly; ~ *felel* answer incoherently/confusedly; ~ *nézett rám* he looked at me dazedly, he looked at me with an expression of embarrassment (v. in confusion)

zavartat *vt, nem ~ja magát* he is not to be disconcerted, he is a cool customer/fish *(fam)*, he is as cool as a cucumber *(fam)*; *ne zavartassa magát!* please do not disturb yourself!, do not let me disturb/keep/interrupt you!, do not mind me!, do not take any notice (of me/it), go ahead!; *ha alkalmatlan eljönni ne zavartassa magát!* if it is inconvenient to come don't trouble! *(fam)*

zavartság *n*, embarrassment, confusion; ld még **zavarodottság**

závárzat *n, [ágyúé]* breech block, gun-breech mechanism, *[lőfegyveré]* lock (tile), breech bolt, safety-bolt

zebra [..át] *n*, 1. *(áll)* zebra *(Equus quagga, E. zebra)* 2. *[átkelőhely]* zebra (crossing)

zebra-dánió [-t, -ja] *n, [hal]* striped danio *(Brachydanio rerio)*

zebraszerű *a*, zebraic, zebralike, streaked, streaky

zebu [-t, -ja] *n, (áll)* zebu *(Bibos indicus)*

zecchino [-t, -ja] *n*, † sequin, zecchino

zefír[1] [-ek, -t, -je] *n, [szellő]* zephyr, balmy breeze

zefír[2] [-ek, -t, -je] *n*, zephyr(-fabric), Berlin wool; *tarkánszőtt kockás* ~ gingham

zegzug [zeget-zugot, zege-zuga] *n*, 1. *[rejtett hely]* nooks and corners *(pl)*, ins and outs *(pl)*; *ismeri a ház minden zegét-zugát* know the ins and outs of a house; *minden zeget-zugot átkutat vmért* hunt in every nook and corner for sg 2. *[cikcakk]* zigzag; ~ *disz (épit)* zigzag moulding

zegzugos [-at; *adv* -an] *a, [cikcakkos]* in zigzags *(ut)*, zigzag(ged), *[kanyargós]* tortuous, winding, full of corners *(ut)*, full of windings and turnings *(ut)*; ~ *ház* rambling house; ~ *út* road running zigzag

zegzugosan *adv*, zigzag, in zigzags; ~ *halad* zigzag, meander

zeke [..ét] *n*, (short) jacket, jerkin, monkey-jacket, spencer

zeller [-ek, -t, -je] *n, (növ)* celery *(Apium graveolens)*

zellergyökér *n*, head of celery

zellerkrémleves *n*, celery soup

zellerleves *n*, = **zellerkrémleves**

zelóta [..át] *n, (vall)* zealot

zend [-et; *adv* -ül] *a/n*, Zend

zendít [-eni, -ett, -sen] *vi/vt*, sound; *dalra* ~ strike up, break into a song, begin to sing, break forth into singing, intone

zendül [-t, -jön] *vi*, 1. *(zene)* (re)sound, ring, reverberate, *[az ég]* thunder; *nagyot ~t az ég* there was a sudden thunder-clap *(v.* peal of thunder) 2. *[lázad]* revolt, rise (in rebellion), riot, rebel, *(kat)* mutiny

zendülés *n*, riot(ry), rising, disturbance, insurrection, sedition, rebellion, disorder, revolt, *(kat)* mutiny; ~*t szít* incite *(v.* stir up) rebellion, foment sedition, set the heather on fire *(fam)*

zendülő [-t] I. *a*, riotous, rebellious, revolting, insurgent, insurrectionary, seditious, *(kat)* mutinous II. *n*, rioter, rebel, revolter, insurrectionist, *(kat)* mutineer

zene [..ét] *n*, music; *hangszeres* ~ instrumental music; *komoly* ~ serious music; *nehéz* ~ *[játszani]* difficult music, *[érteni]* music which makes demands on the listener; *vokális* ~ vocal music; *a jövő zenéje* dreams of the future *(pl)*; *Liszt zenéje* the music of Liszt; *a szférák zenéje* the music of the spheres; *ért a zenéhez*, be musical, understand music, be a connoisseur of music, be well up in music *(fam)*; *tehetsége van a zenéhez* have a talent/gift for music, be gifted/talented in music; *zenét hallgat* listen to music; *zenét tanul* learn/study music, go in for music *(fam)*; *szereti a zenét* be musical, be fond of music, love music; *zenét szerez* compose music ◈; *zenét ír vmre* set (words/libretto etc.) to music; *szövegét írta X(,) zenéjét szerezte Y* words/lyrics by X(,) music by Y

zeneakadémia *n*, academy/college of music, musical academy, conservatoire *(fr)*, conservatory *(US)*

zeneakadémiai *a*, of (the) academy/college of music *(ut)*, of the conservatory *(ut) (US)*; ~ *hallgató/növendék* musical student, student of/at the academy/college of music; ~ *tanár* professor at the academy/college of music, professor at a conservatory

zenebarát *n*, music-lover; ~*ok* music-lovers, patrons of music

zenebohóc *n*, (musical) clown

zenebolond *a/n*, music-mad, melomaniac

zenebona [..át] *n*, row, racket, shindy, din, hullabaloo, rumpus, uproar, noise, riot, rag, romp, hurly--burly, ruckus *(US)*; *zenebonát csap* kick up a dust/shindy, make no end of a din/racket, make a devil/hell of a row, raise Cain, kick up an infernal row, kick up a riot

zenebonázás *n*, racketing; ld még **zenebona**

zenebonáz|ik [-tam, -ott, -zon, -zék] *vi*, (indulge in a) rag, kick up a dust/shindy, kick up an infernal row, make no end of a din/racket, make a devil of a row, raise Cain

zenedarab *n*, piece (of music), musical composition

zenede [..ét] *n*, college/academy/school of music, conservatoire *(fr)*, conservatory *(US)*

zenedei [-ek, -t; *adv* -leg] *a*, of (the) academy/school of music *(ut)*; ~ *növendék* pupil of/at a school of music, pupil of/at a conservatory *(v.* music-school), student of music

zenedélután *n*, musical matinée/afternoon/evening, musicale *(US)*

zenedíj *n, [adó]* entertainment tax, music-tax, *[felár]* extra charge for music (in a restaurant)

zenedoboz *n*, music(al) box

zenedráma *n*, music drama, musical drama, opera, melodrama *(obs)*

zeneegyesület *n*, musical/philharmonic society

zeneegylet *n*, = **zeneegyesület**

zeneelmélet *n*, musical theory

zeneelőadás *n*, musical recital/performance, concert, musicale *(US)*

zeneértő I. *a*, musical, able to enjoy and understand, music *(ut)*, appreciative of music *(ut)*; *nem* ~ unmusical II. *n*, musician, musical expert, connoisseur of/in music

zeneest *n*, = **zeneestély**

zeneestély *n*, musical evening, musicale *(US)*

zenegép *n*, radio-gramophone/phonograph, radiogram, console (radio)

zenegyűlölő *n*, music hater

zenei [-ek, -t; *adv* -leg] *a*, musical, of music *(ut)*; ~ *aláfestés* background music, music in the background; ~ *alkotás* musical composition/work, piece of music; ~ *átirat* musical setting; ~ *betét* interlude; ~ *élet* musical life; ~ *érzék* musicality, feeling/sense for music, musical feeling; ~ *érzéke van* have a feeling/sense *(v.* an ear) for music, have a soul for music; ~ *est* musical evening, musicale *(US)*; ~ *feldolgozás* musical setting; ~ *hallás* musical ear, an ear for music; ~ *hang* musical sound, note; ~ *írásbeliség* musical literacy; ~ _ismeret_ knowledge of music; ~ _készség_ = ~ _tehetség;_ ~ _műszó_ musical term; ~ _műveltség_ musical culture; ~ _pulzus_ beat; ~ _tehetség_ talent/gift for music, musical gift/talent, musicality; ~ _tudósítás_ musical news; ~ _változat_ musical setting; ~ _verseny_ musical competition

zenehétlen a, unmusical

zeneigazgató n, director of music, musical director, chief conductor

zeneileg adv, musically; ~ _képzett_ well-trained in music; ~ _művelt_ musically cultured

zeneirodalom n, [zene] music, musical compositions (pl), [irodalom róla] literature of music

zeneiskola n, school/college of music, conservatoire (fr), conservatory (US)

zenekar n, orchestra, band, (kat) military band; _szimfonikus_ ~ symphony orchestra; _teljes_ ~ full orchestra

zenekari [-ak, -t; adv -lag] a, orchestral, band-; ~ _darab_ orchestral piece; ~ _előadás_ orchestral performance; ~ _előadásban_ performed instrumentally; ~ _emelvény [köztéren]_ band-stand; ~ _feldolgozás_ orchestration, arrangement (of sg) for an orchestra, instrumentation; ~ _hangverseny_ orchestral/instrumental concert; ~ _harang_ chime; ~ _kíséret_ orchestral accompaniment; ~ _muzsika_ orchestral music; ~ _mű_ orchestral piece/composition, (piece of) orchestral music symphony; ~ _pulpitus_ conductor's desk; ~ _szólamok_ orchestral parts; ~ _tag_ member of an orchestra, (orchestral) player, player in an orchestra, (főleg kat) bandsman; ~ _ülés_ orchestra stall, orchestra seat/chair (US)

zenekedvelő I. a, fond of music (ut), music-loving, musical, philharmonic; nem ~ unmusical II. n, music-lover, friend/lover of music, music enthusiast, [túlzó] melomaniac; ~k _egyesülete_ philharmonic society

zenekíséret n, accompaniment

zeneköltő n, (musical) composer

zenekritika n, criticism/critique of music, musical criticism

zenekritikus n, musical critic

zenekultúra n, [egyéné] musicality, [a zene népszerűsége] love/popularity of music, [zenei élet] musical life, music

zenél [-t, -jen] vi, play, make music

zenélés n, playing music, music making

zenélődoboz n, serinette, orgue de Barbarie, musical snuff-box

zenélőóra n, chiming/musical/chime clock

zenemű n, piece of music, (musical) composition

zenemű-kereskedés n, music(-seller's) shop, music-house

zeneműkiadó n, music-publisher, music publishing house, music-house

zeneművész n, musician, (musical) artist, player, virtuoso

zeneművészet n, musical art, art of music

zeneművészeti a, musical, of musical art (ut); Z~ _Főiskola_ Musical Academy, Academy of Music

zenenövendék n, pupil of/at a school of music, pupil of/at a conservatory, student of music

zeneoktatás n, instruction in music, teaching of music

zeneóra n, lesson in music, music lesson

zeneőrület n, melomania, musicomania

zenepavilon n, bandstand

zenepedagógia n, music pedagogy; ld még **zeneoktatás**

zenepedagógus n, music-master, teacher of music

zenerajongás n, melomania

zenerajongó I. n, music fan, melomaniac, music-lover II. a, music-mad, [igével] be crazy about music

zenés a, 1. musical, music, of/with music (ut), [megzenésített] set to music (ut); ~ _bohózat_ musical comedy;

~ _ébresztő (kb)_ aubade; ~ _mise_ mass with music; ~ _színjáték_ melodrama; ~ _takarodó_ tattoo; ~ _vígjáték_ musical comedy 2. ~ _kabaré_ music hall; ~ _kávéház_ café chantant (fr), café providing evening entertainment by artists, coffee-house with an orchestra

zenésít [-ett, -sen] vt, = **megzenésít**

zenész [-ek, -t, -e] n, musician, (musical) artist, [szemben az énekessel] instrumentalist, instrumental performer, [zenekari tag] member of an orchestra, (orchestral) player, (főleg kat) bandsman; _született_ ~ a born musician

zeneszám n, musical piece/composition/item, piece of music

zeneszekrény n, = **zenegép**

zeneszerszám n, musical instrument

zeneszerzés n, (musical) composition, composing

zeneszerzéstan n, the rules of composition, art of (musical) composition

zeneszerző n, composer

zenészet n, music

zenészeti a, = **zeneművészeti**

zeneszó n, music; ~val _búcsúztat/kikísér_ play out; ~val _vonul_ a band heading the procession, march with drums beating, march to the accompaniment of music

zeneszoba n, music room

zenésztársaság n, group/society/company/party/band of musicians

zenetanár n, teacher of music, music-master, professor of music, [nő] music-mistress

zenetanárnő n, music-mistress, teacher of music

zenetanítás n, instruction in music, teaching of music

zeneterem n, concert-hall

zenetörténész n, historian of music, musicologist, musicographer

zenetörténet n, history of music

zenetörténeti a, musicologic(al), relating to the history of music (ut), musico-historical

zenetudomány n, musical science, musicology, musicography, science/theory of music; _összehasonlító_ ~ comparative method of musicology; a ~ _kandidátusa_ candidate in musicology

zenetudományi a, musicological

zenetudós n, musicologist, musicographer

zeneünnepély n, musical festival

zenevilág n, world of music

zenevizsga n, music exam(ination), exhibition (of musical skill) (US)

zeng [-eni, -tem, -ett, -jen] I. vt, (vmt) intone, sing, vocalize; vk _dicséretét_ ~i sing/chant sy's praises; a _maga dicséretét_ ~i blow one's own trumpet II. vi, (ált) (re)sound, (re-)echo, reverberate, resonate, [érc] ring, clang, clank, [harang] ring, toll, [húr] twang; ~ az _ének_ the song resounds; az _orgona_ ~ the organ sounds; vmtől ~ ring/resound/echo with sg; madarak _dalától/énekétől_ ~ az _erdő_ the woods are full of bird-song, the woods are vocal with the song of birds (ref.), the woods echo with the songs of the birds; ~ az _ég_ it is thundering; ~ett _belé_ a _folyosó_ the corridor rang with it

zengedez [-tem, -ett, -zen] vt, sing, chant

zengemény n, † 1. [rossz vers] trashy verse, poetastry, rhymster's creation 2. [dal] music, song, singing

zengés n, (ált) sounding, reverberation, ring(ing), [ég] thundering, [érc] ring(ing), clang(ing), clangour, clank, clink, [harang] ring(ing), toll(ing), [húr] twang(ing), [orgona] peal

zengő [-t; adv -n] n, resounding, ringing, resonant, sonorous, clangorous, metallic, high-sounding, [dallamos] melodious, tuneful; ~ _érc és pengő cimbalom_ (as) sounding brass(,) or a tinkling cymbal; ~ *hang* sonorous/ringing/silver/rich voice, deep-toned voice; ~ *liget* melodious grove; *madárdaltól* ~ *liget* grove full of bird-song, grove echoing with the songs of the birds

zengzet *n*, † music, harmony, melody *(mind: stand.)*

zengzetes [-et; *adv* -en] *a*, musical sonorous, sounding, melodious, harmonious, high-sounding, euphonious, euphonic; ~ *nyelv* melodious language/tongue

zengzetesség *n*, harmony, melodiousness, sonorousness, sonority, resonance, euphony

zenit [-et, -je] *n*, 1. *(csill)* zenith 2. *dicsőségének* ~*jére ért el* he reached the zenith/acme/peak/apogee of his fame

zeniti [-ek, -t] *a*, zenithal

zenittávolság *n*, zenit-distance

Zénó [-t, -ja] *prop*, Zeno

zeolit [-ot, -ja] *n*, *(ásv)* zeolite

zeppelin [-ek, -t, -je] *n*, zeppelin, zep(p) *(fam)*

zerge [..ét] *n*, *(áll)* chamois *(Rupicapra rupicapra)*

zergebak *n*, buck-chamois, chamois-buck, male (of the) chamois

zergeboglár *n*, *(növ)* globe-flower *(Trollius)*

zergebőr *n*, chamois/wash-leather, shammy (leather)

zergekampó *n*, horn of the chamois

zergeszakáll *n*, goatee (beard), chamois-beard

zergeszín *n/a*, chamois

zergeszinű *a*, chamois

zergeszőr *n*, chamois-hair

zergetoll *n*, *(tréf)* chamois-hair *(stand.)*

zergetollas kalap ⟨sportsman's/Tyrolese hat with a tuft of (imitation) chamois-hair (at the back)⟩

zergevadász *n*, chamois-hunter

zergevadászat *n*, chamois-hunting

zergevirág *n*, *(növ)* leopard's-bane, doronicum *(Doronicum)*

zéró [-t, -ja] *n*, = *zérus*; ~ *fok (nyelvt)* zero grade

zérus *n*, 1. *[számjegy]* cipher, nought, naught, 0 *[kiejtve* ou], zero, *[skálán]* zero; *a hőmérő (higanyszála) a* ~ *alá süllyedt* the thermometer fell below zero; ~ *fok [hőmérőn]* zero; ~*hoz konvergál/tart [mennyiség]* vanish; *kifejezést* ~*ra redukál* equate an expression to/with zero 2. *[semmi]* nil, nothing, naught, nought 3. *[átv senki]* a mere cipher, a nonentity, a nobody

zérusérték *n*, zero (value), the value 0

zéruskitérés *n*, *[készüléké]* zero error

zéruskörző *n*, bow-compasses *(pl)*

zéruspont *n*, zero (point)

Zeusz [-t, -a] *prop*, Zeus

ziccer [-ek, -t, -(j)e] *n*, 1. *[biliárdban]* anchor-stroke 2. □ sitter; *kihagy egy* ~*t* miss a chance *(v.* an opportunity), miss one's cue *(mind: stand.)*

ziccersorozat *n*, *[biliárdban]* nursery(-cannons)

zigomatikus *a*, *(bonct)* zygomatic

zigospóra *n*, *(biol)* zygospore

zigóta [..át] *n*, *(biol)* zygote

zihál [-t, -jon] *vi*, pant, gasp for breath, be blown/winded/breathless, be short-winded, be short *(v.* out of) breath, breathe heavily, breathe with difficulty, wheeze, heave, puff (and blow) *(fam)*, *[beteg ló]* roar, heave; ~ *a melle* his chest/breast is heaving; ~*va* wheezingly, pantingly; ~*va lélegzik* gasp for breath; ~*va mond* pant out

zihálás *n*, pant(ing), gasp(ing), breathlessness, shortness of breath, wheezing, wheeze, puffing *(fam)*, *(orv)* anhelation, *[beteg lóé]* roar(ing)

zihálo [-t; *adv* -n] *a*, panting, gasping, breathless, wheezing, wheezy, breathing hard *(ut)*, puffing, *[beteg ló]* roaring; ~ *lélegzés/légzés* heavy breathing; ~ *ló* roaring horse, roarer; ~ *mellkas* heaving bosom ; ~ *test [állaté]* heaving flanks *(pl)*

zilál [-t, -jon] *vt*, = szétzilál

zilált [-at; *adv* -an] *a*, *(ált)* in disorder/confusion *(ut)*, disorderly, disordered, *[erősen]* chaotic, *[állapot]* wild, disorderly, confused, deranged (state), *[arcvonások]* discomposed (features), distorted (lines), *[egészség]* impaired, broken (health), *[élet]* disordered, irregular (life), *[életmód]* ill-regulated, disorderly, dissolute, Bohemian (life), *[elmeállapot]* unhinged (mind), (mentally) deranged (condition), *[haj]* dishevelled, tousled, tangled, disarranged, disordered, ruffled, rumpled, blowzy, frouzy, frowsy (hair), *[ruházat]* disorderly, disarranged, untidy, blowzy (clothes), *[sorok]* disordered (ranks); ~ *anyagi helyzet* embarrassed financial situation; ~*anyagi viszonyok között él* be in Queer Street *(fam)*, live from hand to mouth *(fam)*; *ország* ~ *pénzügyi állapota* disordered/troubled financial situation/conditions of a country

ziláltság *n*, *(ált)* disorder, confusion, chaos, disorderliness, *[anyagi helyzeté]* embarrassment, *[arcvonásoké]* discomposure, *[egészségé]* impairment, *[életmódé]* dissoluteness, *[elmeállapoté]* derangement, *[hajé]* dishevelment, disarrangement, *[ruházaté]* disorderliness, dishevelment

ziliz [-ek, -t, -e] *n*, *(növ)* marshmallow, althaea *(Authaea)*

zimankó [-t, -ja] *n*, raw/rough/bitter/tempestuous weather, *[havas, esős idő]* drifting snow with rain, sleet

zimankós [-ak, -t; *adv* -an] *a*, sleety, keen, with driving snow *(ut)*; ~ *idő* frosty weather

zimáz [-ok, -t, -a] *n*, *(vegyt)* zymase

zipzár *n*, zip/slide fastener, zipper; ~*húzója* tab; ~*at kinyit* unzip

zipzáras [-at] *a*, ~ *nadrágslicc* zipper fly; ~ *nadrág* quickies *(pl)*

zivatar [-ok, -t, -a] *n*, thunder-storm, rainstorm, storm of rain, thunder-rain, shower, squall; ~ *készül* storm is brewing/gathering *(v.* coming on/up); ~ *közeledik* a storm is approaching/nearing/threatening *(v.* is drawing near); *helyenként* ~ storm in (several) places, regional storms; ~ *jégesővel* hail-storm; *kóros félelem* ~*tól* astraphobia

zivatarél *n*, storm-front

zivatarfelhő *n*, thunder-cloud, cumulo-nimbus

zivatarmentes *a*, stormless

zivataros [-at; *adv* -an] *a*, 1. stormy, showery, *[légkör]* sultry, oppressive; ~ *eső* thunder-rain; ~ *időjárás* stormy/thundery/threatening weather 2. *(átv)* stormy, impetuous, boisterous, turbulent

zizeg [-ett, -jen] *vi*, *[falevél, szalma, selyem]* rustle, *[rovar]* buzz; *a falevelek* ~*nek* the leaves are rustling; *a szúnyogok* ~*tek* the gnats/mosquitoes were buzzing

zizegés *n*, rustle, rustling

zizegő [-t; *adv* -en] *a*, rustling

zizzen [-t, -jen] *vi*, give a (sudden) rustling, sound, rustle

zizzenés *n*, rustle

zokni [-t, -ja] *n*, sock(s), *[bokáig érő]* anklet(s), ankle--sock(s)

zoknitartó *n*, (sock) suspenders *(pl)*, garter *(US)*

zokog [-tam, -ott, -jon] *vi/vt*, sob, blubber, sy's eyes are running; *keservesen* ~ sob one's heart out; ~*va mond el vmt* sob/blubber out sg

zokogás *n*, sob(s), sobbing; ~*ba tör ki* burst out sobbing, break (out) into sobs, burst into a flood of tears; *hangja* ~*ba fúlt* his voice was choked with sobs

zokognivaló *n*, sg fit for tears, sob-stuff *(US)*

zokogó [-t] *a*, sobbing, blubbering *(fam)*

zokon *adv*, *vknek* ~ *esik vm* pain/grieve/hurt sy, give sy pain, hurt sy's feelings, offend sy, disagree with sy; ~ *vesz vmt* take sg amiss, resent sg, take offence,

umbrage at sg, be/feel huffed/hurt; ~ ne essék!
do not take it amiss!, be not offended!; ne vegye/vedd
~! no offence! (fam); ne vegye ~ megjegyzésemet
do not take these remarks amiss, I hope you will
excuse my remarking (v. pointing out) (that), no
offence meant (fam)

zokszó n, [feddés] reproach, hard word, reproof, repri-
mand, blame, [panasz] complaint, lamentation; ~
nélkül without (a word of) complaint; vmt ~ nélkül
elvisel/eltűr/lenyel take sg lying down; egy ~t nem
lehetett hallani tőle he did not utter a word of com-
plaint

Zoli [-t, -ja] prop, ⟨diminutive of Zoltán⟩, Zoli

Zoltán [-t, -ja] prop, ⟨masculine name⟩, Zoltán

Zolti [-t, -ja] prop, = Zoli

Zólyom [-ot, -ban] prop, Zvolen (town in Czechoslo-
vakia)

zománc [-ot, -a] n, 1. [tárgyakon] enamel, [türkizkék]
smalt, [agyagárué] glaze 2. [fogé] enamel (of the
teeth)

zománcáru n, enamel-ware

zománcedény n, enamel(l)ed pots and pans (pl),
enamel-ware

zománcfény n, glitter/lustre of enamel

zománcfesték n, enamel/vitrified colour/paint

zománcfestés n, enamel painting, enamelling

zománcfestmény n, = zománckép

zománcfestő n, enamel-painter

zománckép n, enamel painting, enamel-work

zománclábas n, enamelled saucepan

zománclakk n, enamel (varnish)

zománcmáz n, enamel

zománcmunka n, enamelling, enamel-work

zománcos [-at; adv -an] a, enamelled, [agyagáru]
glazed; ~ csillogás/fény glitter/lustre of enamel,
enamel-like glitter/lustre

zománcoz [-tam, -ott, -zon] vt, enamel, [agyagárut]
glaze

zománcozás n, enamelling, enamel-work, [agyagárué]
glazing

zománcozó [-t, -ja] n, enameller, enamellist

zománcozott [-at] a, enamelled

zománcszerű a, enamel-like, enamel-like

zománctábla n, enamel sign-board, enamel sign/
plaque(tte)

zománctál n, (fényk) enamelled bucket

Zombor [-t, -ban] prop, Sombor (town in Jugoslavia)

zóna [.. át] n, 1. (ált) zone, belt, sphere, [közigazga-
tásban] area, (vasút, posta) zone; hideg ~ Frigid
Zone; mérsékelt ~ Temperate Zone; parti ~ littoral
zone; sivatagi ~ desert belt; trópusi ~ Torrid Zone
2. (bonct) zone; androgén ~ androgenic zone; belépési
~ entry zone; erogén ~ erotogenic/erogenous zone;
kiváltási ~ trigger zone; porcképző ~ chondrogenic
zone 3. (biz) = zónapörkölt, zónareggeli

zónadíjszabás n, zone/zonal/diminishing tariff

zónaétkezés n, (kb) luncheon

zónahatár n, zonal frontier

zónaidő n, zone/standard time

zónaközi [-ek, -t] a, interzonal

zonális [-at] a, zonal, zonary; ~ áramlás zonal drift;
~ szelek planetary winds

zónapörkölt n, (kb) a quick-lunch (of "pörkölt")

zónareggeli n, † (kb) snack, quick breakfast, breakfast
"all in", breakfast at reduced price

zónarendszer n, † zone-system, diminishing tariff
system (on railways)

zónáz|ik [-tam, -ott, -zon, -zék] vi, 1. take a cheap
ride 2. steal a ride 3. [zónareggelit fogyaszt] (kb)
have a quick breakfast

zongora [.. át] n, (ált) piano(forte), [hosszú] grand
(piano), concert grand; rövid ~ baby grand, boudoir

piano, semi-grand; zongorán gyakorol practise (at)
the piano; zongorán játszik play (on) the piano,
tickle the ivories/keys (joc), [kalimpál] strum/
thump on (v. sound) the piano; zongorán kísér vkt
accompany sy on the piano; zongorán kísér X. Y.
accompained (on the piano) by X. Y., with X. Y. at
the piano; zongorát hangol tune the piano; zongorát
tanul learn the piano; veri a zongorát strum on the
piano, pound the piano

zongoraátirat n, piano transcription, transcription/
setting for the piano, music/piece arranged for the
piano

zongorabillentyű n, (finger-)key (of piano), piano-
-key

zongorabillentyűzet n, keyboard (of piano)

zongoradarab n, piano piece, piece of music (arranged)
for the piano, piece of piano-music

zongoraest n, piano recital

zongoragyakorlás n, piano practice, piano exercises (pl)

zongoragyár n, piano-works/factory

zongorahangolás n, piano-tuning

zongorahangoló n, piano-tuner

zongorahangverseny n, 1. [előadás] piano recital 2.
[zenemű] piano concerto

zongorahármas n, pianoforte-trio

zongorahúr n, piano wire/string/cord

zongorairodalom n, piano music/literature

zongoraiskola n, 1. [kézikönyv] instruction-book for
the piano, exercises for the piano (pl), manual for the
piano, piano method 2. [intézet] piano-school, school
of music/piano, piano-classes (pl)

zongorajáték n, piano(forte)-playing

zongorajátékos n, piano-player, pianist

zongorakészítő n, piano-maker

zongorakíséret n, piano-accompaniment

zongoraklvonat n, arrangement for piano, pianoforte-
-arrangement, piano score

zongorakulcs n, [hangoló] tuning-key/hammer

zongorál [-t, -jon] vt/vi, = zongorázik

zongoraláb n, 1. leg of piano 2. valóságos ~ai vannak
have stumpy legs, have thick ankles

zongoraletét n, = zongoraátirat

zongoramester n, piano-master/teacher, teacher of piano

zongoramű n, composition/piece (of music) for the
piano, piece of piano-music

zongoraművész n, pianist, virtuoso on the piano, piano-
-virtuoso, piano artist

zongoraművésznő n, pianist(e)

zongoranégyes n, pianoforte-quartet

zongoraoktatás n, piano(-play) teaching/instruction

zongoraóra n, piano-lesson; zongoraórára jár take piano-
lessons, take lessons in piano-playing; zongoraórát ad
give piano-lessons

zongoraötös n, pianoforte-quintet

zongorás I. a, piano-; két~ hangverseny recital on two
pianos, concert piece for two pianos II. n, (biz)
pianist (stand.)

zongoraszám n, = zongoradarab

zongoraszék n, music-stool, piano stool

zongoraszerkezet n, piano-action/mechanism

zongoraszonáta n, sonata for pianoforte

zongoratanár n, piano-master/teacher, teacher of the
piano, [főiskolai] professor of piano

zongoratanítás n, piano lessons (pl), lessons on the
piano, piano(-play) teaching/instruction

zongoratanszék n, piano-class/department, faculty of
pianoforte (at an academy or college of music)

zongoratechnika n, piano method

zongoraverkli n, (street) piano-organ, barrel-organ

zongoraverseny n, 1. [mű] piano concerto 2. [verseny]
piano competition

zongorázás n, playing (on, of) the piano, piano-playing

zongorázgat *vi/vt, [néha]* play the piano in a while, *[műkedvelő módon]* strum/thump on the piano

zongoráz|ik *[-tam, -ott, -zon, -zék] vi/vt,* play (on) the piano, tickle the ivories/keys *(joc), [kalimpál]* strum/thump on the piano; *~ni tanul* learn (to play) the piano, take lessons in piano-playing, take piano--lessons; *(jól) tud ~ni* he plays the piano (well); *szépen ~ik* she plays the piano beautifully; *mit ~ol?* what are you playing?; *Chopint ~ik* play Chopin (on the piano)

zongorista *[.. át] n,* pianist, piano-player, *[nő]* pianiste

zoofita *[.. át] n, (áll)* zoophyte, phytozoon, animal plant

zoográfia *[.. át] n,* zoography

zoográfiai *[-ak, -t; adv -lag] a,* zoographic

zoográfus *n,* zoographer

zookémia *n,* animal chemistry, zoochemistry

zookémiai *a,* zoochemical

zoológia *[.. át] n,* zoology

zoológiai *[ak, -t; adv -lag] a,* zoological

zoológus *n,* zoologist

zoosperma *[.. át] n,* zoosperm

zoospóra *[.. át] n,* zoospore, swarmcell

zootechnika *n,* zootechny

zootechnikai *a,* zootechnic

zootechnikus *n,* zootechnician

zord *[-at; adv -an, -ul] a, (ált)* grim, severe, morose, rigorous, unpropitious, sullen, *[arc]* stern, forbidding, hard-set, grave, *[éghajlat]* severe, rigorous, inclement, *[élet]* austere, mirthless, rugged, *[hideg]* bitter, *[időjárás]* raw, inclement, severe, rough, *[mosoly]* grim, heavy, *[tájék]* inhospitable, rugged, bleak, dismal, dreary, *[viselkedés]* gruff, ungracious; *~ idők* hard times; *~ külseje alatt csupa jóság* he is a rough diamond; *~ tekintet* severe look; *~ tél* hard/ severe/inclement winter

zordon *[-ak, -t; adv -ul] a, =* zord

zordság *n, (ált)* grimness, severity, moroseness, sullenness, *[arcé]* sternness, forbiddingness, *[éghajlaté]* severity, rigour, *[életé]* austereness, austerity, *[hidegé]* bitterness, *[időjárásé]* rawness, asperity, inclemency, severity (of weather), *[időké]* hardness, *[tájéké]* inhospitableness, bleakness, dismalness, dreariness, *[viselkedésé]* gruffness, ungraciousness

zordul *adv,* severely, grimly, rigorously

zöcsköl *[-t, -jön] vt/vi, [kocsi]* shake/jolt/bump along, *[más]* toss/shake about

zöcskölődés *n, =* zötykölődés

zöcskölőd|ik *[-tem, -ött, -jön, -jék] vi, =* zötykölődik

zökken *[-t, -jen] vi,* jerk, jolt, bump; *nagyokat ~* jerk terribly, jerk in a big way *(fam) ; a régi kerékvágásba ~* get back into the rut *(v.* into the old groove), take up the daily round again, return to the old track/ routine *(v.* order of things)

zökkenés *n,* 1. jolt(ing), bump(ing), jerk(ing), jog, jar, road shock; *~ekkel* by jerks, jerki(ng)ly 2. *(átv)* difficulty, obstacle, hitch; *~ nélkül* without a hitch

zökkenésmentes *a,* smooth, even, free from bumps *(ut) ; ~ működés [gépé]* smooth working

zökkenésmentesen *adv,* 1. smoothly, steadily 2. *(átv)* without a hitch, smoothly; *~ zajlott le* went off without a hitch

zökkenő *[-t, -je] n,* 1. jolt, jar, shock, bump, jerk, joggle, start, road shock; *~kkel* by jerks 2. *(átv) =* = zökkenés 2.; *minden ~ nélkül* smoothly; *nem megy ~ nélkül* it doesn't go smoothly *(v.* without a hitch)

zökkenős *[-ek, -t; atv -en] a,* rugged, uneven, bumpy, jolting; *~ talaj* uneven ground; *~ út* rough/bumpy road, jumble-gut lane ◈

zökkent *[-eni, -ett, -sen] vt, helyére ~ vmt* replace sy with a jerk, jolt/push/jerk/shove sg into its place *(v.* back)

zöld *[-et, -je; adv -en]* I. *a,* 1. *[szín]* green, *[címerben]* wert, sinople; *élénk ~* vivid/bright/grass green; *haragos ~* fierce green; *~ ágra jut/vergődik* get on, succeed, attain/compass one's ends, become a made man, be fixed up, reach one's goal; *~ árnyalatú* with/of a green tint *(ut) ; ~ asztal (kárty)* card/gaming table; *ld még* zöldasztal; *~ föld (műv)* terre verte, Cologne earth; *~ hályog (orv)* glaucoma; *füttyszóval ~ jelzést kér [mozdonyvezető]* whistle for the road; *~ pázsit* green grass, lawn, greensward *(ref.); ~ penész [bőrön]* green mould; *~ sugár (földr)* green flash; *~ szem* (sea-)green eyes *(pl), a ~ szemű szörny* the green-eyed monster; *~ szín* green colour, the colour green; *~ színű* green(-coloured), (of) green colour *(ut) ; ~re fest* paint (sg) green, green (sg); *~re festett* painted green *(ut)* 2. *[gyümölcs]* green, sour; *~ gyümölcs* green fruit; *~ kávé* green/unroasted coffee 3. *[tapasztalatlan ifjú]* green, callow, raw, inexperienced, naive, simple

II. *n,* 1. *[szín]* green(ness), *[friss]* verdure, verdancy, viridity; *schweinfurti ~* Paris green; *a fű ~je* the greenness of the grass; *a mező ~je* the fresh green of the meadows, green grass, verdure *(ref.); ~be öltözött* dressed in green *(ut)* 2. *[a természet]* the open air, nature, the country; *kirándul a ~be* make an excursion to the country *(v.* the green place), go (a)picnicking, hike 3. *~eket beszél* talk nonsense/rot/boloney 4. *(kárty)* green, *[néha]* spade

zöldár *n,* spring-flood

zöldasztal *n, [tanácskozó]* round/conference table, council-board; *ld még* zöld I. 1.

zöldbab *n,* French/string/snap beans *(pl),* haricot (bean); *~ot (meg)tisztít* top and tail the green beans, string beans

zöldbéka *n,* water-frog; *olyan mint a ~ (biz)* go/turn green/livid *(v.* deadly pale), be green about the gills

zöldbeli *a,* open-air-, country-; *~ vendéglő* open-air restaurant, garden restaurant

zöldborsó *n,* green/sugar peas *(pl),* marrowfat

zöldbőr *n,* fresh/green hide

zöldcsütörtök *n,* Maundy Thursday

zöldell *[-t, -jen] vi,* (be) green, become/grow/turn green; *újra ~ a határ* spring makes the fields/country green again

zöldellés *n,* greenness, greenery, verdure, viridity

zöldellő *[-t; adv -en] a,* (growing) green, (growing) verdant, verdurous, virescent

zöldes *[-et; adv -en] a,* greenish, greenery

zöldesbarna *a,* olive-drab

zöldeskék *a,* greenish-blue, glaucous, of green-blue hue *(ut)*

zöldessárga *a,* greenish-yellow, citrine

zöldesség *n,* greenness

zöldfőzelék *n,* greens *(pl),* green vegetables *(pl)*

zöldfőzelékfélék *n. pl,* greens, vegetables

zöldfülű *(biz)* I. *a,* green, callow, inexperienced, naive, raw, fresh-new, coltish, sappy, pin-feathered; *~ koromban* in my salad days II. *n,* greenhorn, tenderfoot, callow youth, calf, youngling, colt, Johnny come lately, Johnny newcome/Raw, unlicked cub

zöldgálic *n,* green vitriol, ferrous sulphate, copperas

zöldgally-törés *n, (orv) [nem teljes törés]* green-stick (fracture)

zöldgyík *n, (áll)* green lizard *(Lacerta viridis)*

zöldhagyma *n,* chives *(pl)*

zöldharkály *n, (áll)* green woodpecker/peak, rain-bird *(Picus viridis)*

zöldhitel *n,* crop loan

zöldike *n, [madár]* greenfinch, green linnet *(Chloris chloris)*

zöldít *[-eni, -ett, -sen] vt,* make/paint green, green

zöldkeresztes a, ~ nővér (kb) district nurse, health visitor, welfare worker

zöldmoszatok n. pl, (növ) green algae (Chlorophyceae)

zöldövezet n, [város körül] green belt

zöldpaprika n, capsicum, green paprika/pepper

zöldség n, 1. greens (pl), vegetables (pl), pot-herb, kitchen-stuff, green stuff, [csomagban levesnek] packet of mixed vegetables (for soup); ~et leszűr [levesből] strain (off) the vegetables 2. [szín] greenness, green colour 3. [ostobaság] nonsense, foolishness, silliness, rubbish, trash, balderdash, foolish/silly talk, boloney (US ◈); ~eket beszél talk nonsense/rot/boloney

zöldségárus n, greengrocer, [piaci] vegetable man (US), [utcai mozgó] costermonger

zöldséges [-ek, -t; adv -en] I. a, of vegetables (ut), (összet.) vegetable-; ~ bolt greengrocer's (shop); ~ kert vegetable/kitchen garden, [piacra termelő] truck garden; ~ kofa greengrocer, vegetable woman; ~ piac vegetable-market II. n, = zöldségárus

zöldség- és gyümölcsáru greengrocery, green goods (pl), garden-produce, garden-stuff (US)

zöldségfélék n. pl, greens, vegetables, culinary plants

zöldséggyalu n, vegetable shredder/slicer

zöldségleves n, vegetable soup/stock, julienne (soup), kale (skót)

zöldségpiac n, (vegetable-)market

zöldségtermesztés n, growing of vegetables, market-gardening, [bolgár rendszerű] truck-gardening, (tud) olericulture

zöldségtermesztő n, vegetable grower, market-gardener, [bolgár rendszerű] truck-gardener

zöldségüzlet n, greengrocer's shop, greengrocery

zöldségvásár n, vegetable market

zöldsúly n, green weight

zöldszilváni [t, -ja] n, [borfajta] Zöldszilváni (wine)

zöldtakarmány n, green food/meat/forage, fresh fodder, grass(-fodder); a növényi ~ herbage; ~on tartott [birka] grass-fed; ~ra fog lovat put/send/turn a horse out to grass

zöldtrágya n, vegetable/green manure/fertilizer

zöldül [-t, -jön] vi, become/grow/turn green, green; ~ a mező the meadow takes on a green colour/coat; ld még zöldell

zöldülő n, green, growing green

zöldvendéglő n, garden (v. open-air) restaurant

zöldvendéglős n, keeper of an open-air (v. garden) restaurant

zöm [-öt, -e] n, bulk, gross, mass, chief/biggest/greater part, main body; az emberek ~e the great masses of the people; a hadsereg ~e the bulk of the army; a nép ~e the mass/bulk of the people, the majority of the nation; én végzem a munka ~ét I do the bulk of the work; ~mel by far the greatest number, by far the greater part

zömít [-eni, -ett, -sen] vt, (műsz) jump, upset

zömítés n, (műsz) jumping, upsetting

zömítő hegesztés (műsz) jump-welding

zömök [-öt; adv -en] a, squat, stubby, stumpy, stocky, podgy, thick-set, square-built, [ló] cobby

zömökség n, squatness, stubbiness, stumpiness, podginess, being thick-set

zöng [-tem, -ött, -jön] vi, † = zeng

zönge [.. ét] n, (nyelvt) ⟨tone produced by the vibration of the vocal cords⟩, voice, (zene) vocal tone, sound

zöngemény n, = zengemény 1.

zönges¹ a, (nyelvt) voiced; ~ hang sonant/voiced sound; ~ mássalhangzó sonant/voiced consonant

zönges² n, = zengés

zöngesedés n, (nyelvt) voicing, becoming voiced

zöngesed|ik [-tem, -ett, -jen, -jék] vi, (nyelvt) become voiced

zöngésen adv, ~ ejt [mássalhangzót] voice

zöngésít [-eni, -ett, -sen] vt, (nyelvt) voice, vocalize

zöngésítés n, (nyelvt) voicing, vocalization

zöngésség n, (nyelvt) voiced quality

zöngétlen a, (nyelvt) unvoiced, voiceless, breathed, mute, surd, aphonic, atonic; ~ mássalhangzó mute/voiceless/breathed consonant, surd, sharp(consonant)

zöngétlenedés n, (nyelvt) unvoicing

zöngétlened|ik [-tem, -ett, -jen, -jék] vi, (nyelvt) unvoice, become voiceless/unvoiced/mute

zöngétlenít [-eni, -ett, -sen] vt, (nyelvt) unvoice

zöngétlenítés n, (nyelvt) unvoicing, devocalization

zöngétlenség n, (nyelvt) voicelessness

zöngicsél [-t, -jen] vi, [dongóféle] buzz, hum

zördül [-t, -jön] vt, rattle, clatter, [lánc, fémtárgy] jingle, clink, clank, [száraz levél] rustle, crackle

zörej [-ek, -t, -e] n, 1. (ált) noise, [falevélé] rustle, sough, [láncé] rattle, rattling, clatter(ing), clank(ing), [gramofonlemezé] scratch, [gépé halk] hum, [fegyveré] clink(ing), clash, [tompa] thud, [rádióban] atmospherics (pl), crackling noise, strays (pl), interference, (zene) unmusical sound 2. (orv) murmur, [tüdőé] thrill; diasztolés ~ diastolic murmur; fúvó ~ sighing murmur, blowing sound; funkcionális ~ functional/innocent murmur; gyenge ~ faint murmur; szisztolés ~ systolic murmur

zörejelhárító n, (távk) noise killer/extinguisher

zörejmentes a, sound-proof, hum-free, noiseless; ~ kamera (film) silenced camera

zörgés n, 1. clatter(ing), rattle, rattling, [csörgés] jingle, clash, clang, clank(ing), [recsegés] crackle, crack(l)ing, [csikorgás] grating, rumbling, [dübörgés] rolling, rumble, rumbling; kocsik ~e rolling of wheels, the rumble of vehicles; láncok ~e clank(ing)/rattle/rattling of chains 2. [ajtón] rapping, rattling, tapping, knock(ing) (at the door)

zörget I. vt, rattle, make (sg) rattle, clank; ~i a kulcsokat clink/jingle/jangle the/one's keys; láncát ~i rattle/clank one's chains; ~i a pénzt chink/rattle/jingle (the) money; a szél ~i az ablakot the wind rattles the window

II. vi, 1. [zörgő zajt okoz] rattle, make a noise (by rattling sg), make a clatter, clatter 2. ~ az ablakon rattle/rap at the window; ~ az ajtón rattle/rap at the door; erősen ~ az ajtón pound at the door

zörgetés n, 1. rattling, clanking, making a rattling/rapping/clanking noise, [kulcsoké] jingling, clinking 2. [ablakon, ajtón] rattling, rapping, tapping

zörgettyű [-t, -je] n, [csörgő kereplő] (hand-)rattle, clapper, [kasztanyetta] castanet, [ajtón] (kb) door-knocker

zörgő [-t; adv -n] a, rattling, clattering, clanking, rapping, jingling, rustling, chinking; ~ lemezek [dzsesszben] rustling tin sheet

zörgőfű n, (növ) hawk's-beard, crepis (Crepis)

zörgölőd|ik [-tem, -öt, -jön, -jék] vi, make (a) noise, rattle, rustle, clatter

zörög [-tem, zörgött, -jön] vi, 1. rattle, clatter, make/give a rattling/clattering/rustling/clanking sound, [kulcs] jingle, jangle, [lánc] rattle, clank, [bokor, haraszt] rustle; (a) pénz ~ a zsebében (the) money jingles/chinks in one's pocket; nem ~ a haraszt ha a szél nem fújja (there is) no smoke without fire, where there is smoke there must also be a fire; ~nek a csontjai he is (nothing but) a bag of bones 2. ~ az ablakon rattle/rap/tap at the window; ~ az ajtón rattle/rap/tap at the door 3. [zsémbel] gabble, patter, prate, prattle, chatter; csak az asszony ne ~ne mindig! if only the old woman didn't grumble so much

zörömböl [-t, -jön] vi, 1. [csörömpölve zörög] clatter 2. = dörömböl

zörömbölés n, rumbling, clattering

zörren [-t, -jen] *vi*, give a sudden small clinking/ clanking/clattering/jingling/chinking/rustling/crackling sound, rattle, clatter, jingle, clink, clank, clash, chink, *[falevél]* rustle, *[száraz]* crackle; ~ *a bokor* the bush rustles (in the wind)

zörrenés *n*, a sudden small clinking/clanking/clattering/ jingling/chinking/rustling/crackling sound, a sudden clank(ing)/clinking/clatter(ing)/jingling/chink(ing) rustle/rustling, *[ágaké, falevélé]* rustle

zötykölődés *n*, being shaken/tossed (about), jolt, jog

zötykölőd|ik [-tem, -ött, -jön, -jék] *vi*, be shaken/ jolted/tossed, *[nyeregben]* pound (in the saddle), jounce

zötyög [-tem, -ött, -jön] *vi*, wobble, shake/toss about, *[zötyögve halad]* jolt/jog/shake/joggle/bump/jounce along, go bumpity, lurch

zötyögés *n*, wobble, wobbling, shaking/tossing about, jolt(ing), bump(ing), joggling

zötyögős [-et; adv -en] *a*, jolty, bumpy, rough (road)

zötyögtet *vt*, (make) wobble, shake/toss about, jolt/ shake/bump along, make jolt (along), jolt, jounce

zöttyen [-t, -jen] *vi*, plump, thud

zrí [-t, -je] *n*, □ hullabaloo, row, noise, rumpus, din, uproar, shindy, fuss; *csuda* ~ hell of a row; *nagy~t csap* kick up *(v.* make) a rumpus

zuáv [-ot, -ja] *a/n*, Zouave

zubbony [-ok, -t, -a] *n*, (short) blouse, jacket, *[felső-ruhaként használt]* smock, *[hajósoké]* frock, pea jacket, *(kat)* tunic, fatigue-coat/jacket, shell-jacket, *[munkásé]* smock(-coat)

zubbonyos [-at; adv -an] *a*, wearing a jaquet/blouse/ tunic *(ut)*

zubog [-tam, -ott, -jon] *vi*, bubble, boil, seethe, froth up

zubogás *n*, bubbling, boiling, seethe, seething, gurgitation

zubogó [-t; adv -an] *a*, bubbling, seething, scalding-hot

zuboly [ok, -t, -a] *n*, *(tex)* (yarn-)beam, warping loom, beam/roller (of loom)

zúdít [-ani, -ott, -son] *vt*, 1. dash, shower, let loose (on), *[folyadékot]* pour, pour out/forth, shower, *[vhonnan kiengedve]* discharge, *[hulladékot/anyagot stb.]* dump, *[követ]* throw, fling, cast, hurl, hail; *kőzáport* ~ *vkre* pelt sy with stones; *vizet* ~ *vmre* dash/pour/play water on sg 2. *(átv) vmt* ~ *vkre* overwhelm sy with sg, heap/shower sg upon sy, snow sy under with sg; *bajt* ~ *vk fejére* bring trouble/misfortune on sy, bring misfortune on sy's head, bring about sy's ruin; *szitkok özönét* ~*ja vkre* utter a volley of abuses/ invectives/vituperation/curses against sy; *szemrehányást* ~ *vkre* shower reproaches on sy

zúdul [-t, -jon] *vi*, rush, gush, dash/rush headlong, make a rush at/upon, swoop/sweep down upon, pounce upon, *[zuhanva]* fall/crash/come down, *[folyó vhvá]* pour, empty; *a huszárság az ellenségre* ~*t* the hussars swooped down on the enemy; *rengeteg munka* ~*t a nyakába* he was snowed under with work

zug [-ot, -a] *n*, 1. nook, recess, angle, corner, *[szobácska]* closet, *(tréf)* den, *[félreeső vidék]* hole, *[a természetben]* cranny, nook, hollow, cavity, dent, crevasse, *[épít fedélé]* valley, *[beugró sarok]* corner, nook; *szív legrejtettebb* ~*ai* the secret chambers of the heart; *behúzódik egy kis* ~*ba* take cover in *(v.* retire into) an obscure corner; *az ország legtávolabbi* ~*ában* in the remotest corner of the country; *az ország legtávolabbi* ~*aiban* in the deepest recesses of the country; *útkutatja a szoba minden* ~*át* search/ransack the whole room, hunt in every nook and corner; *minden* ~*át ismerem ennek a városnak* I know this town inside out 2. *(átv)* black market; ~*ban vásárol* buy in the black market

zúg [-tam, -ott, -jon] *vi*, 1. make a (rumbling/humming) noise, rumble, *[bogár]* buzz, hum, boom, *[fül]* tingle, buzz, ring, sing, *[gép]* hum, buzz, whir(r), *[harang]* sound, peal, ring, *[hullám]* roar, *[motor, légcsavar]* zoom, drone, hum, *[patak]* babble, bicker, wimple, purl, murmur, brawl, laugh, sing, *[rádió]* buzz, *[repgépmotor]* drone, *[sürgönydrót]* sing, *[szél]* boom, sigh, sough, sing, bluster, susurrate, *[telefon]* buzz, ring, sound, *[tenger]* boom, crash, roar, sound, murmur, *[vihar]* boom, roar, *[elsuhanó autó]* zoom; ~ *a fejem* my head hums; ~ *a fejem a sok lármától* you are making my head split (with your noise); ~ *a füle* have a singing/ringing in one's ears, one's ears are tingling/buzzing; ~ *az erdő* the leaves rustle in the wind, the wind sighs/soughs (in the trees of the forest); *szél* ~ *a fák között* the wind sings through the trees; ~ *az orgona* the organ peals/swells; ~*nak a harangok* the bells are ringing; *a tömeg fenyegetően* ~*ott* the crowd/throng murmured menacingly/threateningly, a menacing/threatening murmur arose 2.= zúgolódik

zugárfolyam *n*, black-market price

zugáru *n*, black-market goods *(pl)*

zugárus *n*, black marketeer

zúgás *n*, 1. humming noise, rumbling, rumble, *[beszélgetésé]* murmur, *[bogáré]* buzz(ing), hum(ming), boom(ing), *[fülé]* tingle, tingling, singing, ringing (in the ears), *[gépé]* hum, buzzing, whirr(ing), *[harangé]* sound, peal, boom (of bells), *[motoré]* droning, hum(ming), purring, *[pataké]* babbling, purl, brawl(ing), murmur(ing), *[szélé]* boom(ing), sighing, soughing, *[repgépmotoré]* drone, *[tengeré]* boom(ing), roar(ing), murmur(ing), *[viharé]* boom, roar, *[vízesésé]* thunder(ing); *erdő* ~*a* forest murmurs *(pl)*; *a fül* ~*a* buzzing/singing/ringing in the ears; *a gép* ~*a (rep)* drone of the engine; *méhkas* ~*a* hum(ming) of the (bee-)hive; *motor* ~*a* hum/drone of the engine; *rádió* ~*a* buzz, *[sistergés]* mush; *a szél* ~*a* sighing/roar(ing)/booming/whistling of the wind; *a tenger* ~*a* (the) roaring/booming/roll of the sea 2. *[rosszallásul]* murmur; *a tömeg* ~*a* murmur of the multitude/masses

zúgattyú [-t, -ja] *n*, bull-roarer, thunderstick, whizzer

zugbankár *n*, shady financier, unlicensed banker

zúg-búg [zúgott-búgott, zúgjon-búgjon] *vi*, rustle, rumble, mutter, *[búgócsiga]* hum, *[szél]* sigh, sough

zugfirkász *n*, newspaper hack, hedge-writer

zugforgalom *n*, *[tőzsdei]* curb/kerb market, *[fekete piac]* black market

zuggerenda *n*, eaves board

zughallgató *n*, radio/wireless pirate

zugirász *n*, *(jog)* hedge-lawyer, pettifogger

zugirászat *n*, unlawful legal practice, pettifoggery

zugíró *n*, hack/hedge-writer, (literary) hack, penny-a-liner, quill-driver

zugiskola *n*, unlicensed school, hedge-school *(obs)*, *[női vezetés alatt]* dame-school

zugkávéház *n*, obscure/unlicensed/low *(v.* third-rate) coffee-house

zugkereskedelem *n*, black market, illicit/unlawful commerce/trade

zugkocsma *n*, hedge-tavern, low pot-house, unlicensed alehouse, blind pig/tiger *(US)*, *[trül]* shebeen

zugnyomda *n*, obscure-press

zúgó [-t, -ja; adv -an] I. *a*, *(ált)* rumbling, *[bogár]* buzzing, humming, booming, *[fül]* tingling, singing, *[gép]* humming, buzzing, whirring, *[harang]* sounding, ringing, *[hullám]* roaring, murmuring, *[motor, gépcsavar]* zooming, droning, *[patak]* brawling, babbling, purling, *[szél]* sighing, soughing, booming, roaring; ~*taps* round of applause, loud/clamorous applause; ~ *tömeg [haragos]* uproarious/noisy crowd, *[éljenző]* cheering crowd, cheering masses *(pl)*

II. *n, [folyóé]* rapid(s), *[gáton]* race, outlet *(-flow), [malmon]* water-channel, mill/tail-race, *(vízép)* water-gate; *átkel a fólyó ~ján, átevez a ~n [kajakkal]* shoot the rapids; *átjut a ~kon [hajó]* run the rapids

zúgócsiga *n,* humming top

zúgolódás *n,* grumbling, grumbles *(pl),* growling, (murmur of) discontent, (loud) complaint, murmuring, murmurs *(pl),* repining, grouse ◈, griping *(US ◈) ; ~ nélkül* without a murmur, unrepiningly, uncomplainingly

zúgolód|ik *[-tam, -ott, -jon, -jék] vi, ~ik vm ellen/miatt* complain that..., express discontent at/with sg, expostulate (with sy) about sg, murmur at/against sg, grumble about/over sg, repine at/against sg, growl at sg, kick at *(fam),* grouse ◈, gripe *(US ◈)*

zúgolódó *[-t; adv -an]* **I.** *a,* complaining, grumbling, repining **II.** *n,* malcontent, grumbler

zugoly *[-ok, -t, -a] n,* **1.** *[zúg]* nook, recess, *[vidéki]* retired corner, *[isten háta mögötti]* dead-and-alive little hole **2.** *(műsz)* = **zuboly**

zugpiac *n,* black market

zugpók *n, (áll) házi ~* house spider *(Tegenaria derhami)*

zugprókátor *n,* = **zugügyvéd**

zugsajtó *n,* gutter/hedge-press, yellow press

zugszálló *n,* disreputable/shady hotel/hostelry

zugtőzsde *n,* black market exchange, curb *(US)*

zugutca *n,* back-street/alley

zugügylet *n,* shady transaction/deal

zugügynök *n,* unlicensed broker, *[tőzsdei]* stag ◈, share-pusher ◈, gutter-snipe *(US)*

zugügyvéd *n,* pettifogger, pettifogging lawyer/attorney, hedge-lawyer, lawyer of shady reputation, shyster *(US),* jack-leg lawyer

zugügyvédeskedés *n,* pettifoggery

zugügyvédesked|ik *vi,* pettifog, be a hedge-lawyer

zuhan *[-t, -jon] vi,* **1.** plunge, tumble, come (clattering) down, fall swiftly/suddenly/heavily down, *[zajjal]* fall with a crash/thud, thump, hurtle, *[magasságot veszítve]* drop, lose height, sink, *[bombázó]* dive; *fejjel előre ~* fall headlong, fall head first/foremost; *földre ~* fall to the ground, come a cropper *(fam), [és összetörik]* crash to the floor; *a repülőgép a földre ~t* the plane crashed; *a karosszékbe ~* drop/sink/subside/flop/slump into an armchair; *a mélységbe ~* fall down a precipice **2.** *[ár]* slump, fall suddenly; *~nak az árak* prices are slumping

zuhanás *n,* **1.** fall, tumble, crash, *[lóról, kerékpárról stb.]* fall, spill, tumble, *[bombázóé]* dive; *~t felfog/feltartóztat* break a fall **2.** *(átv)* come-down, *[áraké]* fall, slump, drop (in prices)

zuhanásszerűen *adv, az árak ~ estek* prices have come down with a run

zuhanó *[-t; adv -an] a,* falling, tumbling, slumping, crashing

zuhanóbombázás *n,* dive-bombing; *~t hajt végre* dive-bomb

zuhanóbombázó *n,* dive-bomber

zuhanófék *n, (rep)* air-brake, dive brake

zuhanórepülés *n,* dive, nose-dive/dip, dive-flight, diving, steep/stall dive; *~t végez* (nose-)dive; *~sel bombáz* dive-bomb

zuhany *[-ok, -t, -a] n,* shower(-bath), douche; *hideg ~ [lelkesedésre stb.]* dampener, cooler; *hideg ~ként hat vkre* have the effect of cold water, damp sy's enthusiasm; *skót ~ (orv)* Scotch douche

zuhanyfürdő *n,* shower-bath

zuhanyoz *[-tam, -ott, -zon] vi/vt,* take/give a shower-bath, douche

zuhanyozás *n,* (taking a) shower-bath, douche

zuhanyozó *[-t, -ja] n,* shower-bath/room, *[fülke]* shower stall

zuhanyrózsa *n,* rose

zuhatag *[-ot, -a] n,* **1.** *[vízesés]* waterfall, falls *(pl),* cascade, cataract, *[patak]* torrent **2.** *[drapériáé]* tumble, fall, *[fényé]* flood, *[könnyeké]* flood, flow, *[szitkoké]* stream, torrent

zuhé *[-t, -ja] n, [eső]* soaking downpour, soak(er) *(fam)*

zuhint *[-ani, -ott, -son] vt,* throw sg on sy/sg; *vizet ~ a fedélzetre* flush water on the deck

zuhintóakna *n, (bány)* mill hole, glory-hole

zuhog *[-ott, -jon] vi,* **1.** *[eső]* shower, gush forth, fall *(v.* be raining) in torrents, pour, come pouring down, pelt (down), stream; *~ az eső, (csak úgy) ~* it is raining fast, it is pouring with rain, it is pouring/raining in torrents, it is raining cats and dogs *(fam) ; (az eső) úgy ~ mintha dézsából öntenék* it is raining cats and dogs, it is raining like sin **2.** *~tak az ütések* the blows fell thick and fast, the blows rained down

zuhogás *n, [esőé]* pouring, pelting, streaming, plash

zuhogó *[-t, -ja; adv -an]* **I.** *a,* **1.** *[eső]* pouring, pelting, streaming; *~ eső* pouring/torrential/heavy rain, tremendous downpour; *~ esőben áll* stand in *(v.* be exposed to) the pelting rain **2.** *~ szóáradat* a torrent of words **II.** *n, [folyóé]* rapid, shoot, *[malomnál]* mill-race

zulu *[-t, -ja] a/n,* Zulu; *a ~k földje* the Land of the Zulus. Zululand

zulukaffer *[-ek, -t, -ja] a/n,* Zulu, Kaf(f)ir, Caffre

zupa *[.. át] n, (biz)* skilly, pig-swill

zupás *a, ~ őrmester* regular sergeant

zuppan *[-t, -jon] vi,* fall heavily, plump, plop, thud, thump

zurbol *[-t, -jon] vt, [folyadékot]* shake, stir up, *[tojást]* beat up, whisk, *[vizet]* trumble, *[agyagot]* blunge

zúz *[-tam, -ott, -zon] vt,* pound, pulverize, crush, stamp, break, powder, comminute, grind, pestle, mill, bruise, *[apróra]* pound, *[burgonyát]* mash, *[ércet]* granulate, comminute, mill, *[követ]* pound, *(orv)* bruise, contuse; *darabokra ~ vmt* shatter sg, break sg (in)to pieces, smash/dash sg to pieces; *izzé-porrá ~ vmt* smash/crush/break/shatter/knock sg to pieces/smithereens, smash sg to atoms; *halálra ~ vkt* crush sy to death; *péppé ~ vmt* pulp sg; *porrá ~ vmt* powder sg, reduce sg to powder, pulverize/triturate sg, grind sg (down) to dust, smash sg to atoms, smash/knock sg (in)to smithereens; *pöröllyel ~ vmt* hammer sg

zúza *[.. át] n,* **1.** *(áll)* gizzard, muscular stomach, *(tud)* gigerium **2.** *eszem a zúzádat* you darling !; *hamis a zúzája* know a thing or two, be a knowing/deep one, *[nőről]* she is a sly minx

zúzalék *[-ot,-(j)a] n,* breakstone, broken stone, crushing, *[útépítéshez]* rubble(-stone), *(geol)* gompholite, nagelfluh, *[homoke]* crushed sand, *[tégláé]* crushed brick, *[murva]* crushed gravel, chad

zúzaléktörő *n,* crusher, crushing engine

zúzás *n,* pounding, pulverizing, crushing, stamping, breaking, braying, powdering, grinding, milling, pulverization, trituration, comminution, granulation, milling

zúzda *[.. át] n, [papírgyárban]* paper/pulping-mill, *[a gép]* pulp engine, pulping machine; *zúzdába küld könyveket* pulp books; *ld meg* **zúzó**

zúzmara *[.. át] n,* rime, hoar(-frost)

zúzmarás *a,* rimy, rimed, covered with hoar-frost, rime-frosted, frosty, frosted

zuzmó *[-t, -ja] n,* lichen, cladonia, reindeer-moss; *izlandi ~* Iceland moss

zuzmóféle *a,* lichenous

zuzmós *[-at] a,* lichenous

zuzmótan *n,* lichenology

zúzó *[-t, -ja]* **I.** *a,* pounding, crushing, pulverizing, grinding **II.** *n, (ált)* pounder, crusher, grinder, disintegrator, pulverizer, beater, crushing machine, grinding mill, pestle, *[ércé]* stamp(ing) mill, stamp, ore-crushing mill/plant/stamp, ore-crusher; *ld még* **zúzda**

zúzódás *n,* bruise, contusion, contused wound, crush injury, *[véraláfutásos]* ecchymosis; *~okat szenved* get/be bruised, bruise (one's arm etc), suffer bruises/ contusions, become injured

zúzódásos *[-ak, -t]* *a,* bruised, contused

zúzód|ik *[-tam, -ott, -jon, -jék]* *vi,* **1.** *(vm)* be crushed/ pounded/stamped/triturated/smashed/shattered/con-tused; *darabokra ~ik* be broken/knocked/dashed/ shattered (in)to pieces/smithereens, be smashed to bits *(fam)* **2.** *[zúzódást szenved]* get/be bruised, be contused, suffer bruises/contusions

zúzógép *n,* crusher, crushing/beating engine, pulverizer, *[passzírozó]* triturating machine, masher, *(bány)* stamp engine, stamping mill, *[élelmiszeriparban]* masticator, shredder, pulper

zúzóhenger *n,* crushing roll(er), cylinder crusher

zúzómalom *n,* stamping/percussion/pestle/stamp mill, ore-crusher, *[porító]* powder mill, *[papírgyártásban]* stamp(ing) mill

zúzómű *n,* stamp (mill), stamping mill

zúzott *[-at; adv -an]* *a,* **1.** pounded, pulverized, crushed, stamped, broken, brayed, powdered, ground, tritu-rated, bruised, smashed; *~ érc* crushed ore; *~ kavics* broken stones *(pl),* crushed gravel, road-metal, road ballast; *~ kő* broken stone(s), *[útépítéshez]* road-metal; *ld még* **zúzottkő; 2.** *(orv)* contused; *~ seb* crushed/contused wound

zúzottkő *n,* broken stones *(pl),* *[kavics]* ballast stone, *[törmelékes]* rubble (stone), chippings *(pl),* *[útépítés-hez]* road-metal, metal

züllés *n,* **1.** *[lecsúszás, romlás]* downcome, downfall, debasement, degradation, corruption, *[hanyatlás]* decay, decline, *[irodalomé]* decadence, decline, abasement; *erkölcsi ~* moral depravation; *~be visz vkt* drag sy down, corrupt sy, cause the ruin of sy **2.** *(biz)* *[lumpolás]* spree, debauch *(stand.),* revelry *(stand.),* carousal *(stand.),* razzle(-dazzle), binge ❖

zülleszt *[-eni, -ett, .. esszen]* *vt,* *[dolgot]* deprave, demoralize, degenerate, *[személyt]* corrupt, debauch, pervert, lead astray, *[társadalmilag]* bring down in the world, lower the social position (of sy), *[rendszert]* disorganize

züllesztő *[-t; adv -en, -leg]* **I.** *a,* depraving, demoraliz-ing, corrupting, corruptive, disorganizing; *~ hatás* depraving/disorganizing/ruinous effect **II.** *n,* depraver, corrupter, disorganizer

züll|ik *[-eni, -ött, -jön, -jék]* *vi,* **1.** *[romlik, hanyatlik]* fall into decay, decay, decline, go to (rack and) ruin, *[személy erkölcsileg]* become depraved, go down, debase/lower/demean oneself, go to the dogs *(fam),* *[művészet]* decline, fall into decadence, *[intézmény]* become disorganized, go to pieces *(fam);* *Ruritániában minden ~ik* there is a general disorganization in Ruritania, everything is going to the dogs *(v.* everything is in utter neglect/dis-repair) in Ruritania **2.** *[feslett életet él]* lead a loose/ fast/dissolute life, get into bad ways, have one's fling, *[lumpol]* be/go on the spree, have a high old time, be on the binge ❖, make whoopee ❖; *elmegy egyet ~eni* go on the spree/binge/randan/burst, go on the razzle-dazzle

züllött *[-et; adv -en]* *a,* *[személy]* depraved, profligate, debauched, dissolute, lewd, lost, corrupt, of damaged reputation *(ut),* *[külsőleg]* disreputable, raffish, seedy, dissipated-looking, *[életmód]* dissolute, *[tár-sadalom]* decaying, rotten, morally depraved, gone to the dogs *(ut)* *(fam),* *[viszonyok]* disorganized; *~ alak* depraved/corrupt/disreputable/low individual/ fellow, dissipated-looking person, debauchee, liber-tine, wreck; *~ életmódot/életet folytat* lead a loose/ fast/dissolute life; *~ erkölcsök* depraved morals; *~ társaságba jár* mix in disreputable society, mix with disreputables, mix with disreputable people, frequent a fast company, keep bad company

züllötten *adv,* dissolutely, immorally, loosely; *~ él* lead a loose/dissolute life

züllöttség *n,* *[személyé]* depravity, depravation, corrup-tion, corruptness, dissoluteness, debauchery, filthi-ness, *[külsőre]* raffishness, seediness, tawdriness, *[társadalomé]* depravity, rottenness *(fam);* *erkölcsi ~* moral depravity

zümmög *[-tem, -ött, -jön]* *vi/vt,* *[rovar]* buzz, hum, drone, boom, bombinate, *[ember]* hum, croom, *[ventillátor]* thrum; *szúnyogok ~nek az ember feje körül* the mosquitoes sing round one's head; *(vm) ~ve forr az üstben/teakannában* the kettle sings

zümmögés *n,* buzz(ing), hum(ming), booming, droning, drone; *(olyan csend volt hogy) a légy ~ét is hallani lehetett (volna)* you could hear a pin drop(ped)

zümmögő *[-t, -je]* **I.** *a,* buzzing, humming, droning; *~ hangot ad* make a humming/buzzing sound, buzz, hum **II.** *n,* *[telefoné]* buzzer, hummer, vibrator

züm-züm *int,* droning, buzz(ing)

zűr *[-ök, -t, -je]* *n,* *(biz)* *[zavar]* mess(-up), confusion *(stand.),* (sad/sorry) pickle, fix, muddle, huddle, puddle, to-do, mix-up, jumble, *[lárma]* hurly--burly, rumpus, shindy, ruckus *(US),* *[nehézség]* difficulty *(stand.),* trouble *(stand.);* *~t csinál* raise hob, kick up a rumpus/shindy

Zürich *[-et, -ben]* *prop,* Zurich

zürjén *[-ek, -t, -je]* *a/n,* Syryenian, Zyrian, Zyryan, Komi, Kami

zűrös *[-et; adv -en]* *a,* *(biz)* chaotic *(stand.),* confused *(stand.),* muddled, jumbled; *~ allapotok/viszonyok* chaotic/confused conditions *(v.* state of affairs) *(stand.)*

zűrzavar *n,* *[rendetlenség]* chaos, disorder, disarray, confusion, welter, clutter, muddle, huddle, to-do, jumble, anarchy, *[bonyodalom]* embroilment, *[utcai]* upheaval, tumult, uproar, turmoil, *[lárma]* hubbub, pandemonium, hurly-burly, clutter, pother, hulla-baloo *(fam),* *[rémület]* panic; *az általános ~ban* in the general confusion; *bábeli ~* a perfect Babel, pandemonium; *pokoli/szörnyű ~* a fearful mess, pandemonium, hullabaloo; *politikai ~* political chaos; *szörnyű ~ tört ki* hell broke loose

zűrzavaros *a,* chaotic, disorderly, confused, muddled, jumbled, mazy, anarchic, higgledy-piggledy, *[beszéd]* disconnected, unconnected, disjointed, incoherent, *[stílus]* involved, tortuous, tangled; *~ állapotok* chaotic/confused/entangled conditions *(v.* state of affairs)

zűrzavarosság *n,* *[rendetlenség]* disorder, confusion; *szavainak ~a* incoherence of his talk

Z-vas *n,* red-beam

zwinglianizmus *n,* *(vall)* Zwinglianism

zwingliánus *n,* *(vall)* Zwinglian

ZS

zs [zs-t, zs-je] *n*, *[betű]* zs, the letter zs/Zs; *kis zs-vel ír* write with small zs; *nagy Zs-vel ír* write with capital Zs

zsába [..át] *n*, neuralgia, *[ágyéké]* lumbago, *[ülő-ideg]* sciatica

zsabó [-t, -ja] *n*, frill, ruff(le), jabot

zsád [-ot, -ja] *n*, *(ásv)* jade

zsák [-ot, -ja] *n*, *[kisebb]* bag, *[nagyobb]* sack, *[gabona, gyapjú, liszt, szén]* sack, *[posta]* (mail) bag, *[horgászé]* landing net, *[halfogó hálón]* pound; *egy ~ vm* a sackful/bagful of sg; ~ *feneke* bottom of sack/bag; ~ *szája* opening of sack, mouth of bag; *kettős ~ (ker)* double bag; ~ *alakú (növ)* saccate, pouchy; *megtalálja ~ a foltját (kb)* every Jack will get his Jill; ~*ba önt* pour in bag/sack; ~*ba rak* bag, sack, put in bag/sack

zsákállat *n*, *(áll)* *[vízi]* tunicate (animal) *(Tunicata)*; *tengeri ~* ascidium *(Ascidia)*; ~*ok [vízi]* tunicata, *[tengeri]* ascidia

zsákanyag *n*, = zsákvászon

zsákbamacska *n*, 1. *(átv)* pig in a poke 2. *[vásárban]* bran-tub, lucky-bag, surprise packet

zsákdarab *n*, piece of sackcloth

zsakett [-et, -je] *n*, morning coat, cutaway *(US)*

zsákfonal *n*, sack twist/twine/thread

zsákfutás *n*, sack-race, jumping

zsákháló *n*, purse/trail net

zsákhordó I. *n*, sack heaver/bearer, *[kikötőben]* stevedore II. *a*, carrying sacks *(ut)*

zsákkötő *n*, sack rope/string, cord

zsákmadzag *n*, = zsákkötő

zsákmány *n*, *[rablott holmi]* plunder, loot, boodle, grab, takings *(pl)*, filch, pillage, *[állaté]* prey, *[hadi]* booty, spoil, *(hajó)* prize, *[halász]* catch, haul, take, *[vadász]* (game-)bag, quarry; ~ *után jár [állat]* go after prey, prowl about, go on the prowl, *[utcán]* prowl the streets; ~*t ejt* get/obtain spoil(s)/ booty; *nagy ~t ejt* capture a rich prize, make a rich capture, *[vadász]* obtain a good bag, *[halász]* make a good haul; ~*ul ejt vmt* carry off, seize, take as booty/spoil, *[állat]* take as prey; ~*ul ejt hajót* make (a) prize of a ship; ~*ul esik vknek* fall a prey to sy; *vk~ává lesz* fall a prey to sy, *(kat)* become (the) prize of sy; *a tűz ~ává lesz* perish in *(v.* be a prey to) the flames; *zsákmánnyal megrakodva (kat)* laden with booty

zsákmánybíróság *n*, prize-court

zsákmányjog *n*, right of plunder, *(jog)* prize law

zsákmányol [-t, -jon] *vt*, take, capture, seize, loot, maraud, *[hajót]* prize

zsákmányolás *n*, capture, seizing, seizure, plunder, prey, pillage

zsákmányoló [-t] *a*, ~ *hadjárat* plundering/pilfering raid/expedition; ~ *portyára megy/indul* go marauding

zsákmányolt [-at; *adv* -an] *a*, seized, captured, looted, carried off *(ut)*; ~ *hajó* captured vessel

zsáknyi [-t] *a/n*, sackful, bagful

zsákocska *n*, *(bonct)* saccule

zsákol [-t, -jon] *vt*, 1. *[zsákba tesz]* sack, put in sacks, bag 2. *[visz]* carry sacks, carry sackfuls of ...

zsákolás *n*, sacking, bagging

zsákoló [-t, -ja] *n*, 1. *(vk)* sacker 2. *[gép]* sacking machine

zsákolt [-at; *adv* -an] *a*, put in sacks *(ut)*; ~ *áru* goods/cargo in sacks/bags; ~ *burgonya* potatoes in sacks *(pl)*

zsákruha *n*, sheath gown

zsákszövet *n*, sacking, sackcloth, burlap, gunny (cloth), bagging

zsákutca *n*, 1. blind alley, dead-end (street), blind path, stand-off alley, turn-again alley, cul-de-sac *(fr)* 2. *(átv)* impasse, deadlock; *zsákutcába jut* come to an impasse/deadlock, be deadlocked, get stuck

zsákvarró *a*, ~ *gép* sack sewing-machine; ~ *tű* packing/ coarse needle, bale/baling-pin, blanket pin

zsákvászon *n*, sacking, sackcloth, burlap, bagging, gunny (cloth), hessian, coarse linen

zsákvese *n*, *(orv)* sacculated kidney

zsalu [-t, -ja] *n*, window/folding shutter, shutters *(pl)*, louvre/louver-boards *(pl)*, jalousie *(fr)*, lattice blind

zsalugáter [-ek, -t, -e] *n*, = zsalu

zsalugáteres *a*, shuttered, with shutters *(ut)*; *zöld ~ ház* house with green shutters

zsalugáterlap *n*, slat, lath

zsalus *a*, shuttered, with shutters *(ut)*, louvre-boarded, screened; ~ *ablak* screened window

zsaluz [-tam, -ott, -zon] *vt*, cradle, construct a framework, encase, mould, *[tárnát]* crib

zsaluzás *n*, shuttering, formwork, cradling, framework, moulding, boardings *(pl)*, sheeting, *[tárnáé]* cribbing

zsaluzóléc *n*, bridgings *(pl)*

zsálya [..át] *n*, *(növ)* sage *(Salvia sp.)*; *kerti/orvosi ~* garden sage *(S. officinalis)*; *mezei ~* meadow sage *(S. pratensis)*

zsályaolaj *n*, sage oil

zsámoly [-ok, -t, -a] *n*, *(foot)* stool, tabouret, *[térdeplő]* hassock, prie-dieu *(fr)*

zsandár [-ok, -t, -ja] *n*, gendarme

zsanér [-ok, -t, -ja] *n*, hinge

zsáner [-ek, -t, -e] *n*, genre, kind, style; *barna a ~em* I prefer brunettes; *nem ~em* she is not my type, she is not my cup of tea *(fam)*

zsánerfestmény *n*, narrative painting

zsánerfestő *n*, genre painter

zsánerkép *n*, genre picture/painting

zsánerszerep *n*, character part

zsarátnok [-ot, -a] *n*, embers *(pl)*, fire-brand, little coals *(pl)*

zsardinettó [-t, -ja] *n*, mixed fruit dish, dish with mixed fruit zsargon [-ok, -t, -ja] *n*, 1. jargon, *[szakmai]* cant, lingo 2. *[jiddis]* Yiddish

zsargon-kifejezés *n*, cant phrase

zsarnok [-ot, -a] *n*, tyrant, despot, autocrat, dictator, oppressor, *(isk)* bully

zsarnoki [-ak, -t; *adv* -an] *a*, tyrannical, tyrannous, despotic, autocratic, dictatorial, imperious, bossy *(fam)*, bossing *(fam)*, bullying *(fam)* ; ~ elnyomás oppression, tyranny; ~ hatalom tyranny, despotism, tyrannical/tyrannous rule; ~ módon tyrannically, tyrannously, with a high hand; ~ módon bánik vkvel treat sy tyrannically, tyrannize sy, play the tyrant over sy; ~ módon kormányoz rule as a despot/ tyrant/dictator, rule arbitrarily, rule with tyranny; ~ természet/jelleg tyrannousness; ~ tett tyrannical act

zsarnokian *adv*, tyrannically, tyrannously, with a high hand; ~ jár el act tyrannically, act with a high hand

zsarnokoskod|ik [-tam, -ott, -jon, -jék] *vi*, 1. *[zsarnokként uralkodik]* reign tyrannically, rule despotically/oppressively, tyrannize, despotize, domineer, terrorize 2. ~ik vk felett (v. vkn) play the tyrant over/ with sy, tyrannize over sy, tyrannize/domineer over sy, boss/bully sy *(fam)*, boss over sy *(fam)* ; ~ik hivatalában play the big boss at the office

zsarnokoskodó [-t; *adv* -an] *a*, tyrannizing, domineering, high-handed, bullying *(fam)*, bossing *(fam)*

zsarnokölés *n*, tyrannicide

zsarnokölő I. *a*, tyrannicidal II. *n*, tyrannicide

zsarnokság *n*, 1. tyranny, despotism, oppression, absolutism, autocracy; a ~ igája alatt nyög groan under the yoke of tyranny 2. *[egyéné]* domineering/overbearing/bossy/bullying attitude, tyrannousness

zsarol [-t, -jon] *vt*, blackmail, levy blackmail on (sy), *[vktől vmt]* extort, practice exaction upon (sy), exact (sg from sy); vktől pénzt ~ extort money from sy; mindig pénzért ~ja a szüleit he is always/constantly bleeding/stripping/tapping/fleecing his parents; 400 dollárért ~ta he tried to put the squeeze on her for four hundred dollars

zsarolás *n*, blackmail(ing), extortion, exaction; ~t követ el levy blackmail on sy

zsarolási [-t] *a*, ~ kísérlet attempted blackmail

zsaroló [-t, -ja; *-adv* -an] I. *a*, blackmailing, extortionary, extortive, exacting; ~ levél blackmailing/extorting letter; ~ módon jár el be extortionate II. *n*, blackmailer, extortioner, extortionist, extorter, exactor

zsaru [-t, -ja] *n*, □ cop, bobby, blue-bottle, flat-foot, copper, rosser

zsávoly [-ok, -t, -a] *n*, drill, twill

zsávolynadrág *n*, ducks *(pl)*

zsávolyruha *n*, duck suit, *(kat)* khaki drill, fatigue-dress

zsázsa [.. át] *n*, *(növ)* cress *(Lepidium)* ; kerti ~ garden/golden cress *(L. sativum)* ; mezei ~ pepperwort *(L. campestra)*

zseb [-et, -e] *n*, pocket, *[skótul]* pouch; bevágott ~ slit pocket; rávarrt ~ patch pocket; ~ alakú pocket-size(d); ~ nélküli pocketless, without a pocket *(ut)*, without pockets *(ut)*; nem bírja a ~em I can't afford it, it is beyond my means, my pocket doesn't allow it; lapos/üres a ~e have empty pockets, be penniless; zsebbe való pocketable, pocket-, pocket-size(d); ~be való bélés pocketings *(pl)* ; ~ébe dug vmt stick sg in one's pocket; ~ébe nyúl thrust/put one's hand in(to) one's pocket, dive/reach in one's pocket; ~ébe süllyeszti a kezeit plunge one's hands into one's pocket; ~ébe tesz vmt put/slip/stick sg in one's pocket, pocket sg; zsebében keresgél feel in one's pocket (for sg); ~ében van az egész társaság he has got them all in his pocket; saját zsebéből

fizeti pay sg from one's own pocket; zsebre dugja a kezét thrust one's hand into one's pocket; ~re dugott/ tett/vágott kézzel with one's hands in one's pockets, thrusting one's hands into one's pockets; ~re tesz/ vág (vmt) put (sg) in(to) one's pocket, slip (sg) into one's pocket, pocket (sg), pouch (sg); ~re vágja a kezét thrust one's hand(s) into one's pocket; ki vágta ~re a gyufámat? who has pocketed my matches?; ~re vág (átv) *[hasznot]* pocket (profit), *[sértést stb.]* swallow, stomach, pocket, take it lying down, put up with, lump it; ~re vág/tesz vkt put sy in one's pocket, be more than a match for sy; 100 forintot vágott ~re he has pocketed 100 forints, he is 100 forints in pocket; jókora nyereséget vág ~re pocket/ net a handsome profit; ~re vág egy sértést stomach (v. put up with) an affront, pocket/swallow an insult, lie down under an insult, take an insult lying down, sit down under an insult; nehéz ~re vágni hard to put up with; ezt nem vagyok hajlandó ~re vágni I will not swallow/pocket it, I shall not put up with it, I shall not take it lying down; ezt az alakot ~re vágom I can put him in my pocket; az ő ~ére megy he pays the piper; kiüríti a zsebeit empty one's pockets *(pl)*

zsebatlasz *n*, pocket atlas/map

zsebcirkáló *n*, pocket cruiser

zsebcsatahajó *n*, pocket battleship

zsebel [-t, -jen] *vt*, 1. *[fosztogat vkt]* fleece, bleed 2. *[jogtalan hasznot szerez]* line one's pockets *(amit* with); szeret ~ni he does not mind lining his pockets, he likes to rake in profits

zsebes [-et] I. *a*, pocketed II. *n*, □ = zsebtolvaj

zsebfedél *n*, = zsebfedő

zsebfedő *n*, (pocket-)flap

zsebfényképezőgép *n*, baby camera

zsebfésű *n*, pocket comb

zsebflaska *n*, pocket-flask

zsebfül *n*, = zsebfedő

zsebhajtóka *n*, = zsebfedő

zsebiránytű *n*, pocket compass

zsebkendő *n*, (pocket-)handkerchief, hanky *(fam)*

zsebkés *n*, pocket knife, penknife, jack/clasp-knife

zsebkiadás *n*, pocket edition

zsebkönyv *n*, 1. *[feljegyzésekhez]* pocket-book 2. *[ismertető]* pocket manual, handbook, vade-mecum 3. *[évi]* almanac(h)

zseblámpa *n*, (electric) torch, pocket torch/lamp, torchlight, flash-lamp/light *(US)*

zseblámpaégő *n*, flashlight bulb

zseblámpaelem *n*, flashlight/torch battery, dry cell

zseblátcső *n*, pocket field-glass, *[színházi]* opera glasses *(pl)*

zsebméretű *a*, pocket-size

zsebmetszés *n*, pickpocketing, pickpocketry, pocket picking, purse-snatching/cutting

zsebmetsző *n*, = zsebtolvaj

zsebnaptár *n*, (pocket) diary

zsebnyi [-t] *a/n*, egy ~ pocketful

zsebnyílás *n*, pocket-hole

zsebóra *n*, pocket watch, *[nagy, régimódi]* hunter; félfedeles ~ half-hunter

zseböngyújtó *n*, pocket lighter

zsebpartitúra *n*, miniature score

zsebpénz *n*, pocket-money, allowance, spending-money, *[nőé]* pin-money

zsebpisztoly *n*, revolver, pocket-pistol

zseb-rádióvevő *n*, pocket receiver, pocket ear *(fam)*

zsebsakk *n*, pocket chess

zsebszótár *n*, pocket dictionary

zsebtengeralattjáró *n*, midget submarine

zsebtolvaj *n*, pickpocket, purse-snatcher/cutter, snatcher, cutpurse, filer *(fam)*, *[aki órákat lop]* chainman *(fam); a ~ok* the light-fingered (gentry); *óvakodjunk a ~októl* beware of pickpockets

zsebtolvajlás *n,* = zsebmetszés

zsebtükör *n,* pocket-mirror

zselatin [-ok, -t, -ja] *n,* gelatin(e), isinglass

zselatinos [-at; *adv* -an] *a,* gelatinous

zselatinosít [-ani, -ott, -son] *vt,* gelatinize

zselé [-t, -je] *n,* jelly

zsellér [-ek, -t, -je] *n,* cottar, cotter, cottier

zsellérked|ik [-tem, -ett, -jen, -jék] *vi,* live a cotter's life

zsellérség *n, [rendszer]* cotter's system, serfdom, *[zsellérek]* cotters *(pl)*

zsellérsor *n,* serfdom

zsellértelek *n,* cotter's holding

zsémbel [-t, -jen] *vi,* grumble, nag, be grumpy, have a grouch *(fam),* grouch *(fam),* grizzle *(fam),* growl *(fam),* grouse ◇

zsémbelés *n,* grumbling, grumble, nagging, grumpiness, huffiness, growling *(fam),* grousing ◇, grouse ◇

zsémbelődés *n,* = zsémbelés

zsémbelőd|ik [-tem, -ött, -jön, -jék] *vi,* = zsémbel

zsémbelődő [-ek, -t] *a,* grumbling, nagging, naggy, disgruntled, fretful, crusty, huffy, snappish, snapping, growling, surly, criss-cross, cross-grained *(fam),* cross as a bear *(ut),* grouchy *(US),* rambunctious *(US), [nő]* shrewish, vixenish, waspish; *~ ember* grumbler, crosspatch, grouch(er), growler; *~ nő/asszony* shrew

zsémbes [-et; *adv* -en] *a,* = zsémbelődő

zsémbeskedés *n,* = zsémbelés

zsémbesked|ik [-tem, -ett, -jen, -jék] *vi,* = zsémbel

zsémbeskedő [-t; *adv* -en] *a,* = zsémbelődő

zsémbesség *n,* ill humour, crossness, grumbling, surliness, *[női]* shrewishness, shrewdness

zsemle [.. ét] *n, (kb)* roll (of bread), French roll, bun

zsemledara *n,* = zsemlemorzsa

zsemlefakó *a, ~ ló* red roan

zsemlegombóc *n, (kb)* dumpling(s) (made from rolls), bacon dumpling

zsemlekocka *n, (kb)* sippet, crouton *(fr)*

zsemleleves *n, (kb)* bread-soup

zsemleliszt *n,* whites *(pl),* top-grade white flour

zsemlemártás *n, (kb)* bread-sauce

zsemlemorzsa *n, (kb)* bread crumbs *(pl)*

zsemlesütés *n, (kb)* roll-baking

zsemleszelet *n, (kb)* slice of roll, *[szendvics]* canapé *(fr),* roll sandwich

zsemleszínű *a,* sandy

zsén [-t] *n,* embarrassment, discomfort; *(nagy) ~ben van* be/feel ill at ease

zsenáns [-at; *adv* -an] *a,* embarrassing, awkward

zsendice [.. ét] *n, (kb)* sweet whey (boiled)

zsendül [-t, -jön] *vi,* sprout, spring/come up, burgeon

zsenge [.. ét; *adv* .. én] **I.** *a, [kor]* immature, callow, young, delicate, tender; *~ hajtás* tender/young shoot; *~ ifjú* callow youth; *~ kor* tender/early age, tender years *(pl); ~ (gyermek)korától fogva* from the cradle, from one's earliest childhood, from a boy; *~ korú gyermek* child of tender age/years
II. *n,* **1.** *[korai termés]* firstling(s), first fruits *(pl)* **2.** *az író első zsengéi* the first literary efforts of an author; *ifjúkori zsengék* juvenile efforts, juvenilia, the first fruits (of one's invention)

zsengés [-et; *adv* -en] *a, [kenyér]* dough-baked, half baked

zseni [-t, -je] *n,* genius, man of genius; *nem valami ~* he is no genius; *matematikai ~* mathematical genius

zseniális [-ak, -t; *adv* -an] *a, (vk)* full of genius *(ut),* of remarkable talents *(ut),* endowed with genius *(ut),* with a touch of genius *(ut),* inspired, brilliant, highly gifted, *(vm)* brilliant, splendid; *~ ember*

man of genius, *[igével]* be a genius, be endowed with genius; *~ mű* work of genius; *~ művész* an artist of genius; *~ ötlet* flash/stroke of genius, brilliant idea; *~ találmány* ingenious invention/device

zseniálisan *adv,* in a brilliant manner, with genius, ingeniously

zsenialitás *n,* brilliancy, (creative) genius, inspired intelligence/talent, inspiration, inspired cleverness (of invention)

zsenília [.. át] *n, (tex)* chenille

zseníroz [-tam, -ott, -zon] *vt,* incommode, bother, be in sy's way; *~ ez a szük ujj* I feel so uncomfortable in these tight sleeves, these tight sleeves irritate me; *nem ~za magát* he does not scruple to, he makes no bones about sg; *ne ~za magát* please do not disturb yourself, do not let me disturb/interrupt you, don't mind me!, don't take any notice (of me/it)!

zséter [-ek, -t, -e] *n,* milkpail, piggin

zseton [-ok, -t, -ja] *n,* token (money), marker, counter

zsett [-et, -je] *n, (ásv)* jet

zsibáru *n,* odds and ends *(pl),* lumber, second-hand goods *(pl),* jumble goods *(pl),* huckster's wares *(pl),* huckstery

zsibáru-kereskedés *n,* rag-and-bone shop, second-hand shop, jumble/junk-shop

zsibárus *n,* rag-and-bone man, old clothes man, huckster, junk-dealer, junkman

zsibárusbódé *n,* second-hand dealer's stall

zsibbad [-t, -jon] *vi,* become stiff/numb/torpid, tingle go to sleep *(fam)*

zsibbadás *n,* numbness, torpidity, stiffening, pins and needles *(fam)*

zsibbadoz [-tam, -ott, -zon] *vi,* grow/become numb (often/repeatedly)

zsibbadt [-at; *adv* -an] *a,* stiff, (be)numbed, numb, being asleep *(ut),* torpid; *~ a lába* his feet are numb/stiff, his foot has gone to sleep, his foot is all pins and needles

zsibbadtság *n, [végtagé]* numbness, obdormition, being asleep, stiffness, torpidity, *(átv)* torpor, lethargy

zsibbaszt [-ani, -ott, ..asszon] *vt,* benumb, make tingle/numb/torpid, stiffen

zsibbasztó [-t; *adv* -an] *a,* (be)numbing, stiffening, tingling

zsibong [-tam, -ott, -jon] *vi, [hang]* buzz, hum, *[sürü tömeg]* swarm, throng, teem, mill; *~ a nép az utcákon* the streets are swarming with people, crowds are buzzing in the streets

zsibongás *n,* **1.** *[hangé]* buzzing, humming, *[tömegé]* swarming, teeming **2.** *[bizsergés]* tingling, (feeling of) pins and needles *(fam)*

zsibongó [-t; *adv* zsibongva] *a,* **1.** *[hang]* humming, buzzing, *[tömeg]* swarming, teeming **2.** *[bizsergő]* tingling

zsibvásár *n,* **1.** rag-fair, second-hand market **2.** *(átv)* hullabaloo, hubbub, noisy gathering; *~t csap* make a hullabaloo

zsidó [-t, -ja, zsidaja; *adv* -ul] **I.** *a,* Jewish, Hebrew, Israelite, Israelitic, Israelitish, Judaic; *~ állam* the Jewish State; *~ hitközség* Jewish community; *~ húsvét* passover; *a ~ nép* the Jews *(pl),* the Jewish/chosen people, Jewry; *~ nyelv* Hebrew, Jewish, *[zsargon]* Yiddish; *~ pap/rabbi* rabbi; *~ templom* synagogue, Jewish temple; *~ vallás* Judaic/Jewish/Mosaic faith, Judaism
II. *n,* **1.** *[ember]* Jew, Israelite, Hebrew, *[rosszindulatúan]* yid ◇, kike ◇, sheeny◇; *a ~k* the Jews, the Jewish/chosen people; *nem ~* Gentile **2.** *[nyelv]* Hebrew

zsidóasszony *n,* = zsidónő

zsidóbarát *a,* pro-Jewish

zsidócseresznye *n, (növ)* alkekengi, bladder-herb, husk/strawberry tomato *(Physalis alkekengi)*

zsidócsillag *n,* shield/star of David, magen David, Solomon's seal, *[sárga csillag]* yellow patch

zsidóellenes [-ek, -t; *adv* -en] I. *a,* anti-Semitic/Jewish II. *n,* anti-Semite

zsidógyűlölet *n,* anti-Semitism

zsidógyűlölő I. *a,* anti-Semitic/Jewish II. *n,* anti-Semite

zsidókérdés *n,* Jewish question

zsidónegyed *n,* ghetto, Jewish quarter

zsidónő *n,* Jewess

zsidós [-at; *adv* -an] *a,* Jew-like, Jewish, Jewy

zsidóság *n,* 1. *[nép]* = a zsidó nép; 2. *[állapot, jelleg]* Jewishness

zsidótörvény *n, [fasiszta]* anti-Jewish law

zsidótövis *n, (növ)* jujube(-tree), zizyphus, wait-a-bit *(Zizyphus)*

zsidóüldözés *n,* persecution of Jews, Jew-baiting, *[véres]* pogrom

zsidóüldöző I. *a,* anti-Semitic/Jewish, Jew-baiting II. *n,* Jew-baiter

zsidóverés *n,* pogrom, Jew-baiting

zsidózás *n,* abusing Jews, using abusive language about Jews, anti-Semitic utterances *(pl)*

zsidóz|ik [-tam, -ott, -zon, -zék] *vi,* abuse Jews, use abusive language about Jews

Zsiga [.. át] *prop,* Sig(gy)

zsiger [-ek, -t, -e] *n,* viscus, viscera *(pl),* entrails *(pl),* internal organ, intestines *(pl),* inwards *(pl),* guts *(pl), [állati]* lights *(pl), [őzé]* umbles *(pl), [sertésé]* ha(r)slet, hastelet

zsigerel [-tem, -t, -jen] *vt,* disembowel, gut, eviscerate

zsigeri [-t] *a,* splanchnic, visceral

zsigerizom *n,* visceral muscle

zsigersüllyedés *n,* visceroptosis

zsigertan *n,* splanchnology

Zsigmond [-ot, -ja] *prop,* Sigismund

zsigoló [-t] *n,* gigolo, lounge-lizard, *[kitartott]* pimp

zsilett [-et, -je] *n,* safety razor

zsilettpenge *n,* (safety) razor blade

zsilip [-et, -je] *n,* sluice, (dike) lock, flood/lock-gate; ~en átmegy/áthalad *[hajó]* lock; felhúzza a ~et open the lock; felnyitja/kinyitja vmnek a ~jeit, megnyitja a ~eket vm előtt throw wide open the doors to sg; ~pel elzár sluice, close the lock; ~ekkel elzár *[folyóágat]* lock off

zsilipdíj *n,* lockage, lock dues *(pl)*

zsilipelzáró *n,* sluice-valve

zsilipes [-ek, -t; *adv* -en] *a,* provided with locks/sluices *(v.* flood-gates) *(ut),* lock-; ~ csatorna lock canal

zsilipez [-tem, -ett, -zen] *vt,* lock, furnish with locks

zsilipezés *n,* lockage

zsilipfal *n,* lateral wall of a lock, wing-wall

zsilipfej *n,* headbay

zsilipfenék *n,* bottom of lock, lock floor, raft

zsilipfülke *n,* bay

zsilipgát *n,* food/lock/sluice-gate

zsilipilleték *n,* lockage, lock dues *(pl)*

zsilipkamra *n,* lock(-chamber), sluice chamber, chambers *(pl),* air-lock

zsilipkapu *n,* sluice/lock/water-gate; alsó ~ tail gate, aftgate; felső ~ head-gate, crown gate

zsilipkezelő *n,* lock tender, lock-keeper, locksman

zsilipmeder *n,* sluice-way

zsilipmester *n,* head lock-keeper

zsilipmű *n,* sluice-works *(pl),* lockage

zsilipnyílás *n,* sluice-valve, opening of sluice

zsilipőr *n,* sluice/lock-keeper, locksman

zsilipprendszer *n,* sluice system, sluicing

zsilipsorozat *n,* lockage

zsilipszakasz *n,* stretch between locks, pound, (canal) reach

zsinagóga [.. át] *n,* synagogue

zsinat *n,* 1. *(rk. egyh.)* council; egyetemes ~ (o)ecumenical/general council; egyházmegyei ~ diocesan council; nemzeti ~ national council; a tridenti ~ the Council of Trent; ~ot hív össze convoke a council; ~ot tart hold council, be in council 2. *[protestáns egyh.]* synod, convocation; ~ot tart hold a synod 3. = lárma, zaj, zsibongás

zsinati [-ak, -t] *a,* conciliar, synodic(al)

zsinatol [-t, -jon] *vi,* 1. *(egyh)* hold *(v.* be in) council, hold a synod 2. *(átv)* jabber, chirr, buzz

zsinatolás *n,* = zsinat 3.

zsindely [-ek, -t, -e] *n,* 1. shingle, tile, *[fa]* tile of wood 2. *(ctm)* billet

zsindelyes [-t; *adv* -en] *a,* shingled, tiled, covered with shingles/tiles *(ut)*

zsindelyez [-tem, -ett, -zen] *vt,* cover with shingles, shingle, tile

zsindelyezés *n,* shingling, tiling

zsindelyező *n,* shingler, tiler

zsindelyfedél *n,* = zsindelytető

zsindelykötés *n,* shingle-binding

zsindelypalánkolású *a,* clinker-built; ~ hajó/csónak clinker-work

zsindelyszeg *n,* shingle/batten-nail

zsindelytető *n,* shingled/tiled roof, shingle-roof

zsindelytetős [-et] *a,* = zsindelyes

zsineg [-et, -e] *n,* string, twine, pack(ing)/shop-cord/thread, *[vastag]* cord, *[horgászé]* fishing-line; ~gel átköt tie/do up with string/twine, *[vastaggal]* cord (up), fasten (sg) with cord

zsinegel [-t, -jen] *vt,* tie/do up *(v.* fasten) with string/twine, *[vastaggal]* cord (up), fasten (sg) with cord

zsineges [-et] *a,* ~ katalógus loose-leaf catalogue

zsinór [-ok, -t, -ja] *n,* string, twine, cord, band, *[díszes]* braid, *[arany]* galloon, gold braid/lace, *[ablakredőnyé]* blindcord, *[cipőé]* lace, string, *[csengőé]* rope, *(vill)* cord; a bábszínházban ~on rángatják a bábokat in a puppet-show (the) puppets are moved by strings; ~on rángat vkt have/keep sy on a string; ~ral beszeg trim with cord/braid/lace/gimp

zsinórdísz *n,* braiding, lacing, trimming, frogging, galloon, binding, *[cipőn]* cordine, *(épít)* torsel, rope-moulding, *(rég)* cord-ornament

zsinórdíszes *a,* ~ kerámia *(rég)* corded ware/pottery

zsinórdíszítés *n,* = zsinórdísz; benyomott ~ *(rég)* impressed corded ornament, maggot

zsinóregyenes *a,* laid out by the line *(ut),* laid out by rule and line *(ut)*

zsinórférgek *n. pl, (áll)* ribbon worms *(Nemertinea)*

zsinórírás *n, (kb)* fluent round hand, script writing

zsinórjáték *n,* cat's-cradle

zsinórmérték *n,* norm, standard, measure, rule, *[viselkedésé]* rule (of conduct); ~ül szolgál be the norm of (sg), serve as a directive/rule (to sy)

zsinóros [-at; *adv* -an] *a,* trimmed, laced, braided, gallooned

zsinóroz [-tam, -ott, -zon] *vt,* braid, lace, trim, galloon, pipe, frog

zsinórozás *n,* braiding, lacing, trimming, galloon, piping, binding, frog(ging)

zsinóröltés *n, (tex)* cord-stitch

zsinórpadlás *n,* rigging/stage-loft, gridiron, the (upper) flies *(pl)*

zsinórverő gép braiding-machine, braider, stranding machine

zsinórzat *n,* lacing, braiding, trimming, piping

zsír [-ok, -t, -ja] *n,* 1. *(ált)* fat, *[disznóé]* lard, *[főzéshez]* cooking fat, *[pecsenyéé]* dripping, *[bálnáé]* blubber, *(biol összet)* lipold; fogyasztói ~ fat for household consumption; olvasztott ~ rendered fat, grease; ~ban (ki)süt fry (in fat); ~ban sült fried; ~ban sült burgonyaszeletek fried potatoes, chips, potato crisps; úszik a ~ban be swimming in grease/fat; megfullad a saját ~jában choke/fry in one's own fat; más ~ján el, vknek a ~ján hízik thrive on sy's toil, batten/sponge on sy; ~t olvaszt melt fat (down); kisüti a ~t render (down) fat/lard; a ~t kiolvasztja a szalonnából render (down) lard/fat; kiszedi vknek a ~ját bleed sy white, work sy to death, sweat sy; ~ral főz cook with fat; ~ral megken [húst, tésztát stb.] lard; ~ral öntöz [sütés közben] baste 2. (vegyt) ~ok fats; ~ban oldható/oldódó liposoluble, lipotropic 3. [kenőanyag] grease; ~ral beken [gépet] grease, oil, lubricate, [bakancsot] oil, dub

zsiradék [-ot, -a] n, fats (pl), grease; növényi ~ vegetable fat(s)/tallow, [főzéshez] margarine

zsiráf [-ot, -ja] n, (áll) giraffe (Giraffa sp.)

zsiráfnyakú a, giraffe-necked

zsirál [-t, -jon] vt, (pénz) endorse; váltót ~ endorse a bill

zsirálás n, (pénz) endorsement

zsiralkohol n, fatty alcohol

zsiráló [-t, -ja] n, (pénz) endorser

zsiranyagcsere n, (biol) fat metabolism

zsirardi [-t, -ja] n, [kalap] boater; straw-hat

zsiratoár [-ok, -t, -ja] n, gyratory traffic-system, rotary traffic, roundabout (traffic system)

zsirbontó a, ~ enzim (biol) lipase

zsircsepp n, grease drop

zsírdaganat n, (orv) fatty tumor/growth/swelling, lipoma, steatoma, adipoma, [tarkón] wen, [herezacskón] steatocele; testszerte jelentkező ~ok lipomatosis

zsírdisznó n, = zsírsertés

zsirellátás n, fat-supply

zsíreres a, [hús] marbled

zsírfecskendő n, (műsz) grease-gun

zsirfelhalmozódás n, (biol) lipotrophy

zsírfény n, greasy/soapy/unctuous lustre

zsírfényű [-t; adv -en] a, oily, greasy

zsírfogó n, (műsz) grease-trap, drip cup

zsírfolt n, fat/grease stain/spot, grease mark; ~ot hagy (vm) vmn leave a grease-stain (on sg); ~ot kivesz remove (v. take out) a grease stain (from), get out grease marks

zsírfoltos a, fat/grease-stained/spotted, greasy

zsírhatlan a, grease-tight, greaseproof

zsírképző a, (biol) lipogenetic, lipogenic, adipogenic

zsírképződés n, (biol) lipogenesis, adipogenesis

zsírkiolvasztás n, = zsírolvasztás

zsírkő n, (ásv) steatite, talc(ite), soapstone, potstone, French chalk

zsírkőpor n, boot powder

zsírkőszerű a, talcous

zsírköves a, (ásv) steatitic

zsírnemű a, lipoid(ic), adipic, fatlike; ~ anyag lipoid, fatlike substance

zsiró [-t, -ja] n, (pénz) endorsement

zsiróbank n, (pénz) giro/clearing/transfer bank

zsiróforgalom n, (pénz) clearing transactions (pl)

zsírolvasztás n, rendering/melting of grease/fat/lard

zsírolvasztó a, ~ lábas/üst rendering-pan

zsíros [-at; adv -an] a, 1. [zsírt tartalmazó] fat, fatty, containing fat/lard (ut), lardy, greasy; ~ étel rich food; ~ falat fat(ty) bit; ~ főzés fat/rich cooking; ~ hús fat(ty) meat; ~ kréta fat-chalk 2. ~ kenyér bread and dripping(s); ~ tapintású unctuous, having an oily feel (ut) 3. (biol) fatty, adipose; ~ arcbőr oily skin/complexion; ~ beszűrődés (orv) fatty infiltration; ~ haj oily hair 4. ~ bőr [cipő stb.] oiled leather; ~ kalap greasy hat 5. (átv) rich, fat, lucrative; ~ állás lucrative post/job, fat job; ~ föld fat/rich/fertile/heavy soil; ~ hang slushy voice

zsírosan adv, ~ főz cook with too much fat, use too much fat in cooking

zsírosbödön n, firkin

zsírosodás n, 1. [állaté] fattening, thriving, [emberé] putting on (of) flesh, growing stout, running to fat 2. (átv) battening up, making one's pile 3. [bőré, hajé] becoming/turning oily/greasy

zsírosodik [-tam, -ott, -jon, -jék] vi, 1. [állat] be fattening, [ember] become/grow fat, be putting on flesh, be growing stout, be running to fat, fatten 2. (átv) batten, be making one's pile 3. [bőr, haj] become/turn oily/greasy

zsírosparaszt n, well-to-do farmer, kulak

zsírosság n, 1. fatness, greasiness, (orv) adiposity, [földé] fatness 2. [bőré, hajé] olliness 3. [hangé] schmalz (US ◈)

zsírószámla n, (pénz) transfer/clearing account

zsíroz [-tam, -ott, -zon] vt, 1. [gépet] grease, oil, lubricate, [bakancsot] oil, dub 2. [pecsenyét] baste

zsírozás n, 1. [gépé] greasing, oiling, lubrication, [bakancsé] dubbing 2. [pecsenyéé] basting

zsírozatlan a, 1. [zár stb.] ungreased 2. [pecsenye] unbasted, lacking fat (ut)

zsírozó [-t, -ja] I. a, greasing, lubricating; ~ grafit lubricating graphite II. n, [személy] greaser, [anyag] lubricant, [bőrnek] stuffing, [eszköz] grease/lubricating gun

zsírozófej n, = zsírzófej

zsírpapír n, grease-proof paper, butter-paper

zsírpárna n, (bonct) cushion of fat, fat-pad

zsírpecsét n, = zsírfolt

zsírprés n, = zsírzóprés

zsírpuska n, = zsírzóprés

zsírraktár n, (biol) fat deposit

zsírréteg n, fatty layer/tissue

zsírsav n, (vegyt) fatty/sebacic acid

zsírsejt n, (biol) fat-cell, lipocyte

zsírsertés n, lard pig, lard-type

zsírszag n, smell of grease

zsírszalonna n, (raw bacon for) lard

zsírszerű a, fat-like, fatty, (tud) lipoid(ic), steatomatous; ~ anyag fat-like substance, lipid, lipoid

zsírszövet n, (biol) fatty/adipose tissue

zsírtalan a, fatless; ~ hús lean meat

zsírtalanít [-ani, -ott, -son] vt, degrease, expel/eject fat from, delubricate, [gyapjút] degrease, scour

zsírtalanítás n, degreasing, delubrication, [gyapjúé] degreasing, scouring

zsírtartalmú a, fatty, lardy, containing fat/lard (ut), adipose

zsírtartalom n, fat content

zsírtermelés n, fat production

zsírtömeg n, = hájtömeg

zsírvizelés n, (orv) lipuria, chyluria

zsírzó [-t, -ja] n, = zsírzófej

zsírzófej n, grease-cup, greaser, lubricating plug' grease nipple

zsírzópisztoly n, = zsírzóprés

zsírzóprés n, grease/lubricating gun, (műsz) pressure-gun

zsírzószelence n, grease-box

zsivaj [-ok, -t, -a] n, noise, din, uproar, racket, clatter (fam), row (fam), rumpus (fam), hubbub (fam), hullabaloo (fam), tingle-tangle (fam)

zsivajgás n, noise, din, racket(ing); ld még zsivaj

zsivajgó a, making a(n) noise/uproar/racket/hullabaloo (ut), racketing, rackety, turbulent

zsivajog [-tam, . .jgott, -jon] vi, make a(n) noise/uproar/ racket/hullabaloo/hubbub

zsivány I. n, 1. [erdőkben] brigand, bandit, [betyár] outlaw, [útonálló] highwayman, footpad, gangster (US) 2. [csaló] rascal, rogue, swindler, villain

3. *(tréf)* rascal, rogue, scamp, villain; *nagy ~ ez a fiú* this boy is a regular little brigand **II.** *a,* rascally; *mit csinált ez a ~ kölyök?* what has this young rascal been up to?

zsiványbanda *n,* gang of bandits/brigands/highwaymen

zsiványbecsület *n,* gangsters' code, gangster-solidarity, dog-does-not-eat-dog mentality, honour among thieves

zsiványélet *n,* highwaymen's/gangsters'/bandits' life, life of outlawry, the life of outlaws

zsiványfészek *n,* robbers' den/retreat/nest, robbers' hiding-place, robbers' hide-out, thieves' kitchen

zsiványkodás *n,* = zsiványság 1.

zsiványkod|ik [-tam, -ott, -jon, -jék] *vi,* be a brigand/ gangster, live as an outlaw

zsiványpecsenye *n, (kb)* roasted meat

zsiványság *n,* **1.** *[foglalkozás]* brigandage, banditry, gangsterdom, gangsterism **2.** *(tréf) [tett]* piece of roguery, racket, *[tulajdonság]* roguishness, roguery

zsiványtanya *n,* = zsiványfészek

zsiványvilág *n,* underworld, gangsterdom

zsizsik [-et, -je] *n, (áll) ~ek* (seed)weevils, bean weevils *(Lariidae család)*

zsizsikes [-ek, -t; *adv* -en] *a,* weevil(l)ed, weevil(l)y

zsizsikfaló bogár *(áll)* sawtoothed grain beetle *(Orizaephilus surinamensis)*

zsizsiktelenítés *n,* de-weevilling

Zsófi [-t, -ja] *prop,* Sophy, Sophie

Zsófia [..át] *prop,* Sophia

zsoké [-t, -ja] *n,* jockey

zsokéklub *n,* jockey-club

zsokéság *n,* jockeyship

zsokésapka *n,* jockey/riding-cap

zsold [-ot, -ja] *n,* **1.** *(kat)* (soldier's) pay **2.** *(átv elit) ~jába fogad vkt* take sy into one's service, hire sy, put sy on one's pay-roll/list *(fam);* *vknek a ~jába áll/szegődik* take up employment with sy, become/ turn a hireling/henchman of sy *(pej);* *vknek ~jában áll* be in sy's service/pay; *~jában tart vkt* keep sy in one's service; *idegen ~ban álló* in foreign pay *(ut),* paid by foreign interests *(ut)*

zsoldfizetés *n,* pay parade, *[napja]* pay-day

zsoldfizetési *a, ~ jegyzék* pay-roll/sheet

zsoldhátralék *n,* back pay

zsoldkönyv *n,* (soldier's) pay-book *(v. small book)*

zsoldmegvonás *n,* stoppage of pay

zsoldnap *n,* pay-day

zsoldos [-ok, -t, -a] **I.** *a,* mercenary, venal; *~ csapatok* mercenary/hired troops; *~ hadsereg* mercenary army; *~ katona* mercenary **II.** *n,* **1.** *(kat)* mercenary **2.** *(átv elit)* hireling

zsoldosvezér *n,* ⟨leader of a band of mercenary professional soldiers⟩

zsoldpótlék *n,* extra

Zsolna [..át, ..án] *prop,* Žilina (town in Czechoslovakia)

zsolozsma [..át] *n, [ének]* chant, hymn, lauds *(pl),* *[imádság]* office, evening prayer

zsolozsmáskönyv *n,* breviary, book of hours

zsolozsmáz [-tam, -ott, -zon] *vi, [énekelve]* sing psalms, chant hymns, intonate, *[breviáriumozva]* say one's office(s)

zsolozsmázás *n, [énekelve]* chanting (hymns), singing psalms, psalm-singing, intonation, *[breviáriumozva]* saying (of) one's office(s)

Zsolt [-ot, -ja] *prop,* ⟨masculine name⟩, Zsolt

zsoltár [-ok, -t, -ja] *n,* **1.** psalm; *~ok könyve* Book of Psalms **2.** = zsoltároskönyv

zsoltárének *n,* psalm

zsoltárénekes *n,* psalm(od)ist

zsoltáréneklés *n,* psalmody, psalm-singing, singing psalms

zsoltáríró *n,* psalmist, psalmodist

zsoltárköltészet *n,* psalms *(pl)*

zsoltárköltő *n,* = zsoltáríró

zsoltárkönyv *n,* = zsoltároskönyv

zsoltáros [-ok, -t, -a] **I.** *a,* psalmodic **II.** *n,* psalmist

zsoltároskönyv *n,* psalm-book, psalter, psalmody

zsoltároz [-tam, -ott, -zon, -zék] *vi,* psalmodize

zsombék [-ot, -ja] *n,* clump (in a marsh/bog), tussock, rush-bed

zsombékos [-at; *adv* -an] *a,* boggy, swampy, marshy

zsombor¹ [-ok, -t, -a] *n, (növ)* **1.** sisymbrium *(Sisymbrium);* *angol~* London rocket *(S. irio);* *szapora~* hedge-mustard *(S. officinale)* **2.** *hagymaszagú ~* alliaria, hedge garlic, Jack-by-the-hedge *(Alliaria)*

zsombor² [-ok, -t, -a] ⟨round conical basket⟩

zsong [-ani, -ott, -jon] *vi,* hum, murmur, boom, buzz, drone; *még mindig ott ~ a fülemben [szó, zene]* it still rings in my ears

zsongás *n,* murmur(ing), hum(ming), boom(ing), drone, droning; *az erdő ~a* the gentle rustle/murmur of the forest; *a méhek ~a* buzzing/humming of the bees

zsongít [-ani, -ott, -son] *vt, [fájdalmat]* alleviate, soothe, relieve (pain), *[lelki fájdalmat]* soften (grief), *[idegeket]* soothe, act on sy as a sedative

zsongító [-t; *adv* -an] *a,* soothing, softening, making drowsy *(ut),* *(zene)* lulling, *(orv)* sedative; *~ hatás* soothing effect; *~ hatással van vkre* act on sy as a sedative

zsongítószer *n,* sedative, palliative

zsonglőr [-ök, -t, -je] *n,* juggler, conjurer; *~je a szavaknak [igével]* juggle with words

zsonglőrködés *n,* juggle, jugglery

zsonglőrköd|ik [-tem, -ött, -jön, -jék] *vi, [labdákkal stb. és átv]* juggle

zsonglőrmutatvány *n,* juggle

zsonglőrség *n,* jugglery

zsongó [-t] *a,* humming, buzzing, booming

zsorzsett [-et, -je] *n, (tex)* georgette (crêpe)

zsöllye [..-t] *n,* armchair, easy-chair, fauteuil *(fr),* *(szính)* stall

zsömle [..ét] *n,* = zsemle

zsörtölődés *n,* = zsémbelés

zsörtölőd|ik [-tem, -ött, -jön, -jék] *vi,* = zsémbel

zsörtölődő [-t; *adv* -en] *a,* = zsémbelődő

zsubrikál [-t, -jon] *vt,* † **1.** *[bottal]* cane, thrash **2.** *(tex)* pink (needlework)

zsufa [..át] *a,* fallow, dun-coloured, *[ló]* cream-coloured, drab

zsúfol [-t, -jon] *vt,* cram, stuff, jam, press, pack, squeeze (into); *minden holmiját egy táskába ~la* (s)he crammed/stuffed all his things into one bag; *a terem ~va van* the room is packed/crowded; *a vonat ~va van* the train is packed/crammed/crowded

zsúfolás *n,* cramming, stuffing; *~ig megtelt* (jam)-packed, full/filled to overflowing *(ut),* filled to capacity *(ut);* *~ig megtölt* fill to overflowing, crowd, jampack

zsúfolód|ik [-tam, -ott, -jon, -jék] *vi,* be crowded/ packed/thronged (into sg)

zsúfolt [-at; *adv* -an] *a,* **1.** (jam)packed, crammed, chock-full, (over)crowded, congested, thronged, *[erősen megrakott]* heavy-laden; *~ ház/nézőtér* capacity house/audience, house filled to capacity, packed/crowded house, packed audience; *~ házaknak játszik* play to packed houses; *a darab ~ házakat vonz* the play/piece is a box-office hit **2.** *~ nap* busy/heavy/hectic day; *~ program* jampacked programme

zsúfoltság *n,* crowdedness

zsuga [..át] *n,* □ (devil's) books, broads‡ flats, *(mind: pl),* deck

zsugás *n*, □ card-player *(stand.)*, gambler *(stand.)*

zsugáz|ik [-tam, -ott, -zon, -zék] *vi*, □ rumble the flats, hit the deck

zsugorgat *vt*, hoard, save up, scrape/scratch/rake money together

zsugori [-t, -ja; *adv* -an] I. *a*, miserly, parsimonious, niggardly, close-fisted, stingy, sordid, mean, pinching *(fam)*, pinchpenny *(fam)*, pinchfist *(fam)*, *[igével]* skin/flay a flint *(fam)* II. *n*, miser, niggard, close-fisted fellow, tightwad *(US)*, skinflint *(fam)*, scraper *(fam)*; *vén* ~ stingy old hunks

zsugoriság *n*, miserliness, niggardliness, meanness, parsimony, parsimoniousness, close-fistedness, cheeseparing, *[mocskos]* sordidness

zsugoriskod|ik [-tam, -ott, -jon, -jék] *vi*, be stingy/parsimonious/miserly/niggardly, be close-fisted, *[fizetésnél]* haggle (over the price)

zsugorít [-ani, -ott, -son] *vt*, shrink, shrivel, *[testrészeket]* contract, *(műsz)* nodulize, *(bány, koh)* sinter

zsugorítás *n*, shrinking, shrivelling, *(bány, koh)* sinter(ing)

zsugorított [-at; *adv* -an] *a*, shrivelled, shrunk, *[szövet]* preshrunk; ~ *csontváz (rég)* contracted skeleton; ~ *fej [indiánoknál]* tsantsa; ~ *temetkezés (rég)* contracted burial

zsugorodás *n*, 1. *(ált)* shrinking, shrinkage, *[bőré, falevélé]* shrivelling, cockling, curling/crumpling up, *(tex)* crimp, *[gyapjúé]* shrinking, shrinkage, *[növényé]* wilting, *(orv)* contraction, atrophy, *[izomé]* retraction, *[vese]* cirrhosis, *[végtagé reumától]* knotting; *a földkéreg* ~*a* shrinking of the earth's crust; *a szövet* ~*a* shrinkage of cloth 2. *[átv bevételé]* dwindling

zsugorodásmentes *a*, *(tex)* unshrinkable, shrinkproof, non-shrink

zsugorod|ik [-tam, -ott, -jon, -jék] *vi*, 1. *(ált)* shrink, *[bőr, falevél]* shrivel, cockle, curl/crumple up, crisp, *[növény]* wilt, *[szövet]* shrink, *[test]* contract, atrophy, *[izom]* retract, *[ujjak reumától]* knot; *semmivé* ~*ik* shrink to nothing 2. *[átv bevétel]* dwindle

zsugorvese *n*, contracted kidney, end-stage kidney

zsúp [-ot, -ja] *n*, thatch, reeds *(pl)*; ~*pal fed* thatch, reed, thatch with reeds

zsúpfedél *n*, thatched roof, thatch(ing), reeding

zsúpfedeles *a*, = zsúpfedelű

zsúpfedelű *a*, thatched, reeded; ~ *ház* thatched house, house roofed with thatch

zsúpol [-t, -jon] *vt*, 1. *[házat]* thatch 2. *[szalmát]* bind into (large/ample) wisps

zsúpolás *n*, 1. *[házat]* thatching 2. *[szalmát]* binding into wisps

zsúppol [-t, -jon] *vt*, *(vkt vhová)* deport/convey/transport sy under compulsion/duress

zsupsz *int*, oops!, flop!, crash!, bump!, plop!, plump!, smack!

zsúpszalma *n*, thatch

zsúptető *n*, = zsúpfedél

zsúr [-ok, -t, -ja] *n*, (tea-)party, *[csak asszonyoknak]* hen-party *(fam)*, *[csak férfiaknak]* stag-party *(fam)*, ~*t ad/rendez* throw/give a party

zsúrasztal *n*, occasional table, *[egymásba tolható]* nest of tables

zsúrfiú *n*, lounge-lizard

zsúrkenyér *n*, *(kb)* milk-loaf, French roll/bread

zsúrkocsi *n*, tea-trolley/waggon, dumb-waiter, dinner trolley, dinner-wagon, wagon table *(US)*

zsurló [-t, -ja] *n*, *(növ)* horsetail *(Equisetum)*; *erdei* ~ wood horsetail *(E. silvaticum)*; *mezei* ~ field/common horsetail, scouring rush, shave grass *(E. arvense)*

zsurnaliszta [..át] *n*, journalist, newspaperman

zsurnalisztika *n*, journalism, newspaper-writing, publicism

zsurnalisztikai [-t] *a*, journalistic; ~ *(mű)nyelv* journalese

zsúroz [-tam, -ott, -zon] *vi*, frequent tea-parties

zsúrozás *n*, party-going

zsúrszendvics *n*, open sandwich, canapé *(fr)*

zsúrterítő *n*, doily, tea-cloth

Zsuzsa [..át] *prop*, Susan, Susy

Zsuzsanna [..át] *prop*, Susan(na), Susannah

Zsuzsi [-t, -ja] *prop*, Susie, Sue, Suke, Suk(e)y

zsuzsok [-ot, -ja] *n*, 1. grain weevil *(Calandra granaria)* 2. = zsizsik

zsuzsu [-t, -ja] *n*, pendant, bijou, trinket, (k)nick--(k)nack, bauble, whimwham, juju, *[óraláncon]* watch-charm

zsüri [-t, -je] *n*, jury

zsüriemelvény *n*, jury-box

zsüritag *n*, jury-member, member of the jury, *[igével]* sit on the jury

KÖZHASZNÁLATÚ RÖVIDÍTÉSEK — COMMON ABBREVIATIONS

A, Á

a. 1. *ajtószám* door-number **2.** *alatt* under
á. *ábra* figure *(röv* fig.)
á. é. *átvitt értelemben* figuratively *(röv* fig.)
ág. h. ev. *ágostai hitvallású evangélikus* Lutheran (of the Augustan Confession)
agit. *agitáció(s)* propaganda
agit. prop. *agitációs propaganda* agitprop
akad. *akadémia(i)* academy, academic *(röv* acad.)
alez., alezr. *alezredes* lieutenant-colonel *(röv* Lt-Col.)
alhdgy. *alhadnagy* sub-lieutenant
áll. 1. *állami* State **2.** *állandó* permanent, constant **3.** *állítmány* predicate
aloszt. *alosztály* subdivision, subclass, (artillery) battery, (cavalry) company
alp. *alperes* defendant *(röv* def., deft.)
alt. *altiszt* non-commissioned officer *(röv* N.C.O., non--com.)
ált. *általános* general *(röv* gen.)
altbgy. *altábornagy* lieutenant-general *(röv* Lt-Gen.)
ált. isk. *általános iskola* public elementary school, general school
a. m. *annyi mint* that is (to say) *(röv* i.e.)
ápr. *április* April *(röv* Apr.)
átdolg. 1. *átdolgozta* revised by **2.** *átdolgozott* revised
áth. *áthozat* brought forward *(röv* B/F, b/f)
átv. *átvitel* carried/balance forward *(röv* C/F, c/f, cd fwd), carried down *(röv* C/D, c/d)
aug. *augusztus* August *(röv* Aug.)
ÁVH *Állanvédelmi Hatóság* State Security Authorities

B

b. 1. *bal* left **2.** *becses* esteemed
bef. 1. *befizetés(i)* paying-in **2.** *befizetett* paid-in/up **3.** *befizető* payer-in
bek. *bekezdés* paragraph *(röv* par.)
belker. *belkereskedelem, belkereskedelmi* (of) home trade
bérm. *bérmentve* post-paid, postage paid *(röv* P.P., p.p.), *[csomag]* carriage paid
BESZKÁRT *Budapest Székesfővárosi Közlekedési Rt.* Metropolitan Transport Company of Budapest
bev. 1. *bevétel* taking, proceeds **2.** *bevezetés* introduction, preamble *(röv* introd.)
BHÉV *Budapesti Helyiérdekű Vasút* Suburban Railways of Budapest, Budapest Suburban Railway
biol. *biológia(i)* biology, biological *(röv* biol.)
birt. *birtokos* possessive *(röv* poss.)
biz. 1. *[e szótárban]* bizalmas szóhasználat colloquial usage *(röv* coll., fam.) **2.** *bizottság(i)* (of) committee, commission
BLT *belföldi levéliávirat* home service night letter
BM *Belügyminisztérium, belügyminiszter(i)* Ministry/Minister of the Interior *(v.* of Home Affairs); *BM*

dolgozó member of the staff of the Ministry of the Interior
BNV *Budapesti Nemzetközi Vásár* International Fair of Budapest, Budapest International Fair
Bp. 1. *Budapest* Budapest **2.** *bűnvádi perrendtartás* code of criminal procedure
Bpest *Budapest* Budapest
bp.-i *budapesti.*Budapest, in/of Budapest
br. 1. *brutto* gross *(röv* gr., gro.) **2.** *báró* baron
BTK., Btk., btk. *Büntető Törvénykönyv* Penal Code
btto. *brutto* gross *(röv* gr., gro., gr, wt.)
B.ú.é.k. *boldog újévet kívánok* (A) Happy New Year (to you)
BVT *Béke Világtanács* World Peace Council *(röv* W.P.C.)

C

c. 1. *cikk(ely)* article, item, paragraph *(röv* art., par.) **2.** *cím(ű)* title, entitled *(röv* t., tit.) **3.** *címzetes* titular
C *Celsius* Celsius, centigrade *(röv* C, Cels.)
cégv. *cégvezető* head/managing/confidential clerk
cg *centigramm* centigram(me) *(röv* cg., cgm.)
cl *centiliter* centilitre *(röv* cl.)
cm *centiméter* centimetre *(röv* cm.)
cm² *négyzetcentiméter* square centimetre *(röv* sq. cm., cm²)
cm³ *köbcentiméter* cubic centimetre *(röv* c.c., c.cm., cm³)
conv. *convex* convex

Cs

cs. 1. *csapat* unit, squad, team **2.** *csütörtök* Thursday *(röv* Thur., Thurs.)
csat. *csatolva* enclosed, *csatolmány* enclosure(s) *(röv* encl.)
csatl. *csatlakozás* connection *(röv* con.)
cs. és kir. *császári és királyi* Imperial and Royal (referring to institutions of the Austro-Hungarian Monarchy)
csom. 1. *csomag* parcel, package **2.** *csomagolás* packing
csop. *csoport* group, section *(röv* gr., sec.)
csüt. *csütörtök* Thursday *(röv* Thur., Thurs.)

D

D *dél* south *(röv* S)
D. *Duna* Danube
db *darab* piece *(röv* pc.)
de. *délelőtt* morning *(röv* a.m.)
dec. *december* December *(röv* Dec.)
dem. *demokrácia, demokrata, demokratikus* democracy, democrat(ic) *(röv* dem.)
DETERT *Magyar Duna-Tengerhajózási Rt* DETERT Hungarian Danube-Sea Navigation Company

dev. *deviza* foreign exchange
dg *decigramm* decigram(me) *(röv dg.)*
dipl. *diploma, diplomás* diploma(ed) *(röv dipl.)*
DIVSZ *Demokratikus Ifjúsági Világszövetség* World Federation of Democratic Youth *(röv W.F.D.Y.)*
DK *délkelet* south-east *(röv SE)*
dkg *dekagramm* dekagram(me) *(röv dkg.)*
dl *deciliter* decilitre *(röv dl.)*
dm *deciméter* decimetre *(röv dm.)*
dm² *négyzetdeciméter* square decimetre *(röv sq. dm., dm²)*
dm³ *köbdeciméter* cubic decimetre *(röv c. dm., cu. dm., dm³)*
DNy *délnyugat* south-west *(röv SW)*
D. pu. *Déli pályaudvar* Déli Station (in Budapest), Budapest South
Dr., dr. *doktor* doctor *(röv D.)*
drb. *darab* piece *(röv pc.)*
du. *délután* afternoon *(röv p.m.)*

E, É

e. 1. *ezer* thousand 2. *ezred* thousandth
é. 1. *érték(ű)* (of) value *(röv val.)* 2. *érkezik* arrives *(röv arr.)*
É *észak* north *(röv N, Nor.)*
EAK *Egyesült Arab Köztársaság* United Arab Republic *(röv U.A.R.)*
egy. *egyetem(i)* university *(röv U., univ.)*
egyh. *egyház(i)* Church, ecclesiastic(al) *(röv eccl., eccles.)*
egy. hallg. *egyetemi hallgató* (university) student *(röv univ. stud.)*
egyl. *egylet(i)* society, association, club *(röv soc., ass., assoc., C.)*
egy. ny. rk. tanár *egyetemi nyilvános rendkívüli tanár* extraordinary professor
egy. ny. r. tanár *egyetemi nyilvános rendes tanár* (full) professor *(röv univ. prof.)*
egys. 1. *egység* unit(y) 2. *egységes* united, uniform
egysz. *egyes szám* singular *(röv s., sing.)*
egy. tanár *egyetemi tanár* (university) professor *(röv univ. prof.)*
ÉK *északkelet* north-east *(röv NE)*
EKG *elektrokardiogram* electrocardiogram
el. *elektromos* electric(al) *(röv elec., elect.)*
ell. 1. *ellátás* supply, provision *(röv sup.)* 2. *ellenőr* controller, inspector *(röv contr., ins., insp.)*
eln. *elnöki* presidential *(röv pres.)*
előf. *előfizető, előfizetés(i)* subscriber, subscription
elölj. *elöljáró, elöljáróság* magistrate, magistracy
ELTE *Eötvös Loránd Tudományegyetem* Roland Eötvös University (Budapest)
elv. *elvált* divorced *(röv div.)*
elvt. *elvtárs* comrade
em. *emelet* floor, story
E.N. *Egyesült Nemzetek* United Nations *(röv U.N.)*
é. n. *év nélkül* no year/date *(röv n.d.)*
eng. 1. *engedély, engedélyezett, engedélyezve* licence, permit, licensed 2. *engedmény* rebate, discount *(röv disc.)*
ENSZ *Egyesült Nemzetek Szervezete* United Nations Organization *(röv U.N., U.N.O.); a Magyar Népköztársaság állandó ENSZ-képviselője* Permanent Representative of the Hungarian People's Republic to the United Nations
ÉNy *Északnyugat* north-west *(röv NW)*
ép. *épület, építés(i), építésügyi* (of) building *(röv blg., bldg.)*
épit. *építészet* architecture *(röv arch., archit.)*
er. *eredeti* original *(röv orig.)*
érk. *érkezik, érkezett* arrives, arrived, arrival *(röv arr.)*

ért. 1. *értekezés* treatise 2. *értekezlet* meeting, conference *(röv conf.)* 3. *értelmében, értelemben in...* sense, according to 4. *értesítő, értesítés, értesítendő* (of) advice, notification, notify
esz. *egyes szám* singular *(röv s., sing.)*
eszla. sz. *egyszámlaszám* single-account number
et. *elvtárs, elvtársak* comrade(s)
ET *Elnöki Tanács* Presidential Council, Presidium
ethnog. *ethnográfia* ethnography *(röv ethnog.)*
etim. *etimológia* etymology *(röv etym. etymol.)*
ETO *egyetemes tizedes osztályozás* Universal Decimal Classification *(röv U.D.C.)*
Eu. *Európa* Europe *(röv Eur.)*
eü. *egészségügyi* hygienic, sanitary *(röv san.)*
EüM *Egészségügyi Minisztérium/miniszter(i)* Ministry/Minister of Health
ev. *evangélikus* evangelical *(röv Evang.)*
évf. *évfolyam* year, volume *(röv vol.)*
évk. *évkönyv* year-book
exp. 1. *expediálta* dispatched by 2. *expedíció* dispatch office/department 3. *export* export(ation) *(röv exp.)*
expr. *expressz* special delivery
ezds. *ezredes* *(röv Col.)*
ezr. 1. *ezred* regiment *(röv reg., regt.)* 2. *ezredes* colonel *(röv Col.)*

F

f *fillér* fillér
f. 1. *fent* above 2. *fok* degree *(röv d., deg.)* 3. *folyó* river *(röv r., riv.)*
f. é. *folyó évi* this years'
febr. *február* February *(röv Feb.)*
fej. *fejezet* chapter *(röv ch., chap.)*
felügy. 1. *felügyelet* supervision 2. *felügyelő(ség)* inspector(ate) *(röv ins., insp.)*
felv. 1. *felvétel(i)* registration 2. *felvonás* act 3. *felvonó* lift, elevator
félvk. *félvászon kötés* half-cloth (binding)
férj. *férjezett* married *(röv. m.)*
f. év *folyó év* this/current year
f. h. *folyó havi* current/this month's *(röv inst., cur., curr., curt.)*
fhg. *főherceg* archduke *(röv Archd.)*
f. hó *folyó hó* current/this month *(röv inst.)*
fill. *fillér* fillér
fiz. 1. *fizetve, fizetendő* paid, payable 2. *fizetés(i)* salary, wages, payment 3. *fizika(i)* physics, physical *(röv phys.)*
F. k. *felelős kiadó* published by, responsible for publication
FM 1. *Földművelésügyi Minisztérium/miniszter(i)* Ministry/Minister of Agriculture 2. *feltételes megállóhely* request stop
fmh. *feltételes megállóhely* request stop
fmsz. *földművesszövetkezet* farmers' co-operative
fn. *főnév* noun *(röv n.)*
fogl. *foglalkozás, foglalkozása* profession
fogy. *fogyasztás(i)* consumption, consumers'
Fogy. ár *fogyasztói ár* consumers' price
folyt. köv. *folytatása következik* to be continued
ford. 1. *fordítás, fordító* translation, translator *(röv tr., trans., transl.)* 2. *fordította* translated by 3. *fordíts* please turn over *(röv P.T.O.)*
forg. *forgalom, forgalmi* traffic
főhdgy. *főhadnagy* (first) lieutenant *(röv Lt., Lieut.)*
főig. *főigazgató* inspector of schools
fölsk. *főiskola(i)* college, academy, collegiate, academic *(röv coll., acad.)*
főoszt. *főosztály* (major) department *(röv dep., dpt., dept.)*

főv. *fővárosi* metropolitan *(röv* met.. metrop.), of Buḋapest

fr. 1. *francia* French *(röv* Fr.) 2. *frank* franc(s)

fs. *fajsúly* specific gravity/weight *(röv* sp. gr.)

fsz. *földszint* ground-floor

f.sz. *folyó szám* current number

fszla. *folyószámla* account current *(röv* A/C., a/c.)

fszt. *földszint* ground-floor

Ft *forint* forint

fuv. *fuvarozás(i)* transport(ation), cartage *(röv* trans., transp.)

függ. *függelék* appendix *(röv* app.)

füz. 1. *füzet* issue, number (of periodical). fascic(u)le *(röv* fasc.) 2. *fűzött, fűzve* paper-bound

fve *fűzve* paper-bound

F.V.V. *Fővárosi Villamosvasút* Municipal Streetcar Company

G

g *gramm* gram(me) *(röv* g., gm.)

gazd. *gazdaság(i)* economy, economic *(röv* ecun.)

geol. *geológia* geology *(röv* geol.)

geom. *geometria* geometry *(röv* geom.)

gimn. *gimnázium* secondary/grammar school, "gymnasium"

gk. *gépkocsi* motor car, automobile

g. kat. *görög katolikus* Uniat(e)

g. kel. *görög keleti* (Greek) Orthodox

gkv. *gépkocsivezető* driver, chauffeur

gör. *görög* Greek *(röv* Gr.)

gr 1. *gramm* gram(me) *(röv* g., gm.) 2. *gróf* count, earl

Gy

gy. 1. *gyalogos* foot-soldier, infantryman 2. *gyalogság* infantry *(röv* inf., Inf.)

gyógysz. 1. *gyógyszer* medicine *(röv* m., med.) 2. *gyógyszerész* chemist *(röv* chem.) 3. *gyógyszertár* chemist's (shop), pharmacy *(röv* pharm.)

GySEV *Győr—Sopron—Ebenfurti Vasút* Győr—Sopron—Ebenfurt Railroad

gyv. *gyorsvonat* fast/express train

H

h. 1. *helyett* for 2. *helyettes* deputy *(röv* dep.) 3. *hétfő* Monday *(röv* Mon., Mond.) 4. *hó(nap)* month *(röv* m.)

ha. *hektár* hectare *(röv* ha.)

hallg. *hallgató* 1. student *(röv* stud.) 2. listener

hat. *határozószó* adverb *(röv* ad., adv.)

hat. eng. *hatóságilag engedélyezett* licensed

házt. 1. *háztartás(i)* household 2. *háztartásbeli* homemaker

házt. alk. *háztartási alkalmazott* domestic (servant/aid)

hdgy *hadnagy* (second) lieutenant *(röv* Lt.)

HÉV = BHÉV

hg. 1. *herceg* prince, duke 2. *hegység* mount(ain) *(röv* Mt., mt.)

hitk. *hitközség* religious community *(röv* rel. com.)

hittud. *hittudomány(i)* theology, divinity *(röv* theol., Div.)

hiv. 1. *hivatal(i), hivatalos* office, official *(röv* off.) 2. *hivatásos* professional *(röv* p.)

hl *hektoliter* hectolitre *(röv* hl.)

HM *Honvédelmi Minisztérium/miniszter(i)* Ministry of Defence, *(GB)* War Office *(röv* W.O.), (or the) Secretary of *(v.* Minister for) National Defence

hn. *hímnemű* masculine *(röv* m., masc.)

honv. *honvéd* private *(röv* pte.)

hőm. *hőmérséklet* temperature *(röv* t., temp.)

hrsz. *helyrajzi szám* topographical lot number (of site)

hsz. *határozószó* adverb *(röv* ad., adv.)

htt 1. *helyett* for 2. *helyettes* deputy *(röv* dep.)

htts *helyettes* deputy *(röv* dep.)

I

i. *intézet* institute *(röv* Inst.)

IBUSZ *Idegenforgalmi(,) Beszerzési(,) Utazási és Szállítási R. T.* IBUSZ Touring(,) Travelling(,) Transport and Purchase Co. Ltd.

id. 1. *idegen* foreign *(röv* for.) 2. *ideiglenes* temporary, provisional, ad interim *(röv* temp., prov., a. i.) 3. *ideiglenesen* temporarily *(röv* pro. tem.) 4. *idézett* (the passage) quoted 5. *idézés* summons, writ 6. *idősb, idősebb* senior *(röv* Sr.)

Id. *idősb* senior *(röv* Sr.)

i. e. *időszámításunk előtt* before our era, before Christ *(röv* B.C., b.o.e.)

ifj. 1. *ifjabb* junior *(röv* Jun.) 2. *ifjúság(i)* youth, junior, juvenile *(röv* jun., juv.)

Ifj. *ifjabb* junior *(röv* Jun.)

ig. 1. *igazgató, igazgatóság(i)* manager, director, management, directorate *(röv* d., dir.) 2. *igazgatás(i)* administration, administrative *(röv* adm.)

igazg. = ig.

i. h. *idézett helyen* loco citato *(röv* l.c., loc. cit.)

IKV *Ingatlankezelő és Községgazdálkodási Vállalat* Communal Management Enterprise

ill. 1. *illeték* fee, duty 2. *illetőleg* respectively *(röv* resp.)

i. m. *idézett mű(ben)* opere citato *(röv* op. cit.)

ind. *indul(ás)* departs, departure *(röv* dep.)

int. *intézet(i)* (of) institute *(röv* Inst.)

ip. *ipar(i)* industry, industrial *(röv* ind.)

ir. *irány* direction

irod. *irodalom, irodalmi* literature, literary *(röv* lit.)

isk. *iskola(i)* school

ism. *ismeretlen* unknown

i. sz *időszámításunk szerint(i)* of our era *(röv* A.D, o.o.e.)

izr. *izraelita* Jew(ish) *(röv* J.)

J

j. 1. *járás* district *(röv* dist.) 2. *jobb* right *(röv* rt.)

jan. *január* January *(röv* Jan.)

jár. *járás* district *(röv* dist.)

jav. *javított* emended, revised, corrected *(röv* rev., cor.)

jb. 1. *járásbíró* judge of the district court 2. *járásbíróság(i)* (of the) district court

JB *járási bizottság* district committee

jegyz. *jegyzet* footnote

jel. *jelenet* scene *(röv* sc.)

jkv. *jegyzőkönyv(i)* (of the) minutes

jkvv. *jegyzőkönyvvezető* writer of minutes

jogsz. *jogszabály* provision of law

jöv. 1. *jövedelem, jövedelmi* (of) income 2. *jövedék(i)* regie

jt. *járási tanács* district council

júl. *július* July *(röv* Jul.)

jún. *június* June *(röv* Jun.)

jző. *jegyző* (town-)clerk, notary

K

k. 1. *kedd* Tuesday *(röv* Tu., Tues.) **2.** *kedves* dear **3.** *kötet* volume *(röv* v., vol.) **4.** *község* village, municipal(ity)

K *Kelet* east *(röv* E)

kal. *kalória* calorie *(röv* cal.)

kalk. *kalkuláció(s)* (pre-)costing

kam. 1. *kamara* Chamber **2.** *kamat* interest *(röv* int.)

kam. kötv. *kamatozó kötvény* interest-bearing bond

karb. *karbantartás(i)* (of) maintenance

kart. *kartárs* colleague *(röv* coll.)

kat. 1. *katalógus* catalogue *(röv* cat., catal.) **2.** *katolikus* Catholic *(röv* C.) **3.** *katonai* military *(röv* mil., milit.)

kath. *katolikus* Catholic *(röv* C., Cath.)

kb. *körülbelül* approximately, about *(röv* approx.)

KB. *Központi Bizottság* Central Committee

KEOKH *Külföldieket Ellenőrző Országos Központi Hivatal* Aliens Registration Office

képv. 1. *képviselő (országgyűlési)* Member of Parliament *(röv* M.P.) **2.** *képviselő, képviselet (ker)* agent, agency *(röv* agt., agcy.)

képzőm. *képzőművészet(i)* (of the) fine arts

ker. 1. *kereskedelem, kereskedelmi* trade, commerce, commercial *(röv* com.) **2.** *kerület(i)* district *(röv* dist.)

KERAVILL *Kerékpár(,) Rádió és Villamossági Kiskereskedelmi Vállalat* Retail Trade Enterprise for Bicycles(,) Radios and Electrical Appliances

kézb. *kézbesítve* (delivered) by hand

kf. 1. *középfok* comparative *(röv* comp.) **2.** *középfokú (iskola)* secondary (school)

kft. *korlátolt felelősségű társaság* limited liability company *(röv* Ltd.)

kg *kilogramm* kilogram(me) *(röv* kg.)

KGM *Kohó- és Gépipari Minisztérium* Ministry of Metallurgy and Machine Industry

KGST *Kölcsönös Gazdasági Segítség Tanácsa* Council of/ for Mutual Economic Aid/Assistance, COMECON, Comecon

kiad. 1. *kiadó* publishers *(röv* pub.) **2.** *kiadás* edition *(röv* ed., edit.)

kir. *királyi* Royal *(röv* R., Roy.)

KISZ *Magyar Kommunista Ifjúsági Szövetség* (Hungarian) Communist Youth Organization/Association, Young Communist League, Communist Youth Union of Hungary

kiv. 1. *kivitel* export export(ation) *(röv* exp.) **2.** *kivonat, kivonatos* extract, abridged *(röv* ext., abr.)

kk. *következők* (lapszám után), *és a következő lapok(on)* *(röv.* ff., seq(q)., sqq.)

KKI *Kulturális Kapcsolatok Intézete* Institute for Cultural Relations

KkM *Külkereskedelmi Minisztérium/miniszter(i)* Ministry/Minister of Foreign Trade

KLTE *Kossuth Lajos Tudományegyetem* L. Kossuth University (Debrecen)

km *kilométer* kilometre *(röv* km.)

km² *négyzetkilométer* square kilometre *(röv* sq. km., km²)

KMAC *Köztársasági Magyar Automobil Club* Automobile Club of the Hungarian Republic

K. m. f. *kelt mint fent* date as above/postmark

kor. *korona* crown

kórh. *kórház(i)* hospital *(röv.* hosp.)

korm. *kormány* Government *(röv* Govt., govt.)

korr. *korrektúra* correction, proof-sheet

költs. *költség* cost, expenses *(röv* c., exp.)

köt. *kötet* volume *(röv.* v., vol.)

kötv. *kötvény* bond

köv. 1. *követel, követelés* credit (balance) **2.** *következő, következik* following, follows *(röv* f., fol., foll.)

KÖZÉRT state food shop

közg. *közgazdaság(i)* economic(s) *(röv* econ.)

közig. *közigazgatás(i)* administration, administrative *(röv* adm.)

közj. *közjegyző(i)* (of) notary public

közl. *közlekedés(i)* traffic

közp. *központ(i)* centre, central *(röv* cent.)

közs. *község(i)* village, community, municipal *(röv.* v., vil., com., mun.)

közszolg. *közszolgálat(i)* civil service *(röv* c.s.)

közt. *köztársaság(i)* Republican *(röv* Repub.)

kp. *készpénz* cash

KP *Kommunista Párt* Communist Party

KPM *Közlekedés- és Postaügyi Minisztérium* Ministry of Transport and Communication

K. pu. *Keleti pályaudvar* Keleti Station (in Budapest), Budapest East

kr. 1. *krajcár* kreutzer **2.** *korona* crown *(röv* Cr., cr.)

Kr. e. *Krisztus előtt* before Christ *(röv* B.C.)

KRESZ *Közlekedésrendészeti Szabályzat* (Hungarian) Highway Code

krt. *körút* boulevard *(röv* blvd.)

Kr. u. *Krisztus után* anno Domini *(röv* A.D.)

ktsz *kisipari termelőszövetkezet* producers' co-operative

K.u.K. *Kaiserliche und Königliche* Imperial and Royal (referring to institutions of the Austro-Hungarian monarchy)

kult. *kultúra, kulturális* culture, cultural

KULTINT *Kulturális Kapcsolatok Intézete* Institute for Cultural Relations

KULTURA *Könyv és Hirlap Külkereskedelmi Vállalat* KULTURA Hungarian Trading Company for Books and Newspapers

kurz. *kurzív* italic(s) *(röv* ital.)

külf. *külföldi* foreign *(röv* for.)

külker. *külkereskedelem, külkereskedelmi* (of) foreign trade

KüM *Külügyminisztérium/miniszter(i)* Ministry/Minister of Foreign Affairs

kv. *könyv* book *(röv* b., bk.)

kV *kilovolt (röv* kV)

KV *Központi Vezetőség* Central Committee

kW *kilowatt* kilowatt *(röv* kW)

kWh, kWó *kilowattóra* kilowatt-hour *(röv* kw-h., kw-hr., kwhr, kWh)

L

l *liter* litre *(röv* l.)

l. 1. *lap* page *(röv* p.) **2.** *lakos* inhabitant *(röv* inh.) **3.** *lásd* see *(röv* s., vid., q.v., v.)

L *látta, láttamozta* seen and approved, O.K. *(US)*

l. a. *lásd alább* see below

lab. *laboratórium* laboratory *(röv* lab.)

lat. *latin* Latin *(röv* L., Lat.)

ld. *lásd* see *(röv* s., vid.,q.v., v.)

le. *lóerő* horsepower *(röv* HP., H.P., h.p.)

légv. *légvédelem, légvédelmi* air defence

lev. *levelezés(i), levelező* correspondence, correspondent *(röv* corr.)

l. o. *lásd ott* see there

log. *logaritmus* logarithm *(röv* log.)

lsz. *leltári szám* inventory number

lut. *lutheránus* Lutheran *(röv* Luth.)

M

m *méter* metre, meter *(röv* m.)

m. 1. *magas, magasság* high, height, altitude *(röv* h., ht., alt.) **2.** *magyar* Hungarian *(röv* Hung.) **3.** *megye(i)* county *(röv* cy.) **4.** *mint* as (per)

m² *négyzetméter* square metre *(röv* sq. m., m²)
m³ *köbméter* cubic metre *(röv* cu. m., m³)
magy. *magyar* Hungarian *(röv* Hung.)
MAHART *Magyar Hajózási Részvénytársaság* MAHART Hungarian Shipping Company
máj. *május* May
MALÉV *Magyar Légiközlekedési Vállalat* Hungarian Air Transport
márc. *március* March *(röv* Mar.)
más. *másolat(i), másolta* copy, copied by
MASPED *Magyar Általános Szállítmányozási Vállalat* Hungarian General Forwarding Enterprise
MÁV *Magyar Államvasutak* Hungarian State Railways
MÁVAUT *Magyar Államvasutak Autóbusz Üzeme* Coach Service of the Hungarian State Railways
mb. 1. *megbízott* delegate, representative *(röv* del. rep.) **2.** *mégbízás(ból)* per procuration, for *(röv* p. pro.)
m. b. *megyei bíróság* county court
MDP *Magyar Dolgozók Pártja* Hungarian Working People's Party
M. E. *miniszterelnökség, miniszterelnök(i)* Prime Minister('s office)
megh. 1. *meghalt* deceased, dead *(röv* d.) **2.** *meghatalmazott* procurator, proxy, plenipotentiary *(röv* plen.)
megh. min. *meghatalmazott miniszter* minister plenipotentiary *(röv* Min. Plen.)
megj. *megjegyzés* comment, footnote
mell. *melléklet, mellékelve* enclosure, enclosed *(röv* encl.)
menny. 1. *mennyiségtan* mathematics *(röv* math.) **2.** *mennyiség* quantity *(röv* qt.)
mérn. *mérnök(i)* engineer(ing) *(röv* eng., engin.)
mért. *mérték* measure, scale *(röv* m., sc.)
mf. *mérföld* mile *(röv* m.)
m.f. *mint fent* as above
mg *milligramm* milligram(me) *(röv* mgr., mgm.)
mgr *milligramm* milligram(me) *(röv* mgr., mgm.)
mh. *megállóhely* stop
min. 1. *minimum, minimális* minimum *(röv* min.) **2.** *minisztérium, miniszter(i)* ministry, minister, ministerial *(röv* min.) **3.** *minőség(i)* quality
mm 1. *milliméter* millimetre *(röv* mm.) **2.** *métermázsa* quintal *(röv* ql.)
MM 1. *Művelődésügyi Minisztérium* Ministry of Education **2.** *kettős megállóhely* stop(ping place)
mm² *négyzetmilliméter* square millimetre *(röv* sq. mm., mm²)
mm³ *köbmilliméter* cubic millimetre *(röv* cu. mm., mm³)
mn. *melléknév* adjective *(röv* a., adj.)
MNB *Magyar Nemzeti Bank* Hungarian National Bank
MNOSZ *Magyar Népköztársasági Országos Szabvány* Hungarian National Standard
mp *másodperc* second *(röv* s., sec.)
MSZBT *Magyar—Szovjet Baráti Társaság* Hungarian--Soviet Friendship Society
MSZMP *Magyar Szocialista Munkáspárt* Hungarian Socialist Workers' Party
MTA *Magyar Tudományos Akadémia* Hungarian Academy of Sciences
MTI *Magyar Távirati Iroda* Hungarian Telegraphic Agency
műsz. 1. *műszak* shift **2.** *műszaki* technical, technological *(röv.* tech.)
műv 1. *művelődési* educational *(röv* educ.) **2.** *művezető* works manager **3.** *művészeti* art(istic)
m. v. *mint vendég* as a guest, visiting artist

N

n. *nap(i), napon* (on the) day (of), daily *(röv* d.)
NATO *North Atlantic Treaty Organization* Észak-Atlanti Szövetség

nb. *nagybecsű* esteemed
NB *nemzeti bajnokság* National Championship, *[futball]* National League
NB. *nota bene!* megjegyzendő *(röv* N.B.)
NDK *Német Demokratikus Köztársaság* German Democratic Republic *(röv* G.D.R.)
neg. *negatív* negative *(röv* neg.)
néh. *néhai* late
ném. *német* German *(röv* G., Ger., Germ.)
nemz. *nemzet(i)* nation(al) *(röv* nat., natl.)
népm. *népművelési* of popular culture
névm. *névmás* pronoun *(röv* pron.)
nn. *nőnemű* feminine *(röv* fem.)
N. N. *ismeretlen nevű* anonymous *(röv* anon.)
NOB *Nemzetközi Olimpiai Bizottság* International Olympic Committee *(röv* IOC)
nov. *november* November *(röv* Nov.)
nőtl. *nőtlen* unmarried, single *(röv* um.)
növ. *növénytan(i)* botany, botanical *(röv* bot.)
NSZK *Német Szövetségi Köztársaság* German Federal Republic

Ny

ny. 1. *nyilvános* public *(röv* pub.) **2.** *nyugalmazott* retired *(röv* ret.)
Ny *nyugat* west *(röv* W)
nyilv. *nyilvános* public *(röv* pub.)
nyilv. rend. *nyilvános rendes (tanár)* full (professor)
ny. r. *nyilvános rendes (tanár)* full (professor)
ny. rk. *nyilvános rendkívüli (tanár)* extraordinary (professor)
Nyug. pu. *Nyugati pályaudvar* Nyugati Station (in Budapest), Budapest West

O, Ó

o. 1. *oldal* page *(röv* p.) **2.** *osztály* class, department *(röv* cl., dep., dpt., dept.)
ó *óra(i)* hour, o'clock *(röv* h., hr.)
OFFI *Országos Fordító és Fordításhitelesítő Iroda* Hungarian National Office of Translations and Attestations
OFOTÉRT photographic and optical supplies shop
okl. 1. *oklevél* certificate, diploma *(röv* cert., certif., dipl.)* **2.** *okleveles* certificated, diplomaed *(röv* certif., dipl.)
okt. *október* October *(röv* Oct.)
ol. *olasz* Italian *(röv* It., Ital.)
old. *oldal* page *(röv* p.)
olv. *olvasd* read, legit *(röv* leg.)
or. *orosz* Russian *(röv* Rus., Russ.)
orsz. *ország, országos* country, national *(röv* nat., natl.)
orszgy. *országgyűlés(i)* Parliament, parliamentary *(röv* Parl., parl.)
orth. *orthodox* Orthodox
OSZK *Országos Széchenyi Könyvtár* National Library (of Budapest)
oszt. *osztály* class, department *(röv* cl., dep., dept.)
osztr. *osztrák* Austrian *(röv* Aust.)
oszt. vez. *osztályvezető* head of section/department
OT *Országos Tervhivatal* National Planning Office/ Board
OTI *Országos Társadalombiztosító Intézet* National Institute for Social Insurance
OTP *Országos Takarékpénztár* National Savings Bank
o.v. *osztályvezető* head of section/department

Ö, Ő

őrgy. *őrnagy* major *(röv* Maj.)
őrm. *őrmester* sergeant *(röv* Sgt., Serg., Sergt.)
össz. *összesen* altogether, total(ling)
özv., özv. *özvegy(i)* widow('s)

P

p. 1. *péntek* Friday *(röv* Fri.) **2.** *perc* minute *(röv* m.'
min.) **3.** *pont* point *(röv* pt.)
P 1. *parkoló (hely)* parking (place) *(röv* P.) **2.** *pengő*
pengő
PB 1. *pártbizottság* Party Committee **2.** *Politikai Bizott-*
ság Political Committee
pént. *péntek* Friday *(röv* Fri.)
(P. H.) *pecsét helye* place of the seal *(röv* L.S.)
pl. *például* for instance/example *(röv* e.g.)
pld. *példány* copy *(röv* c.)
pol. *politika(i)* politics, political *(röv* pol., polit.)
polgaz. *politikai gazdaságtan* political economics *(röv*
pol. econ.)
polit. *politika(i)* politics, political *(röv* pol., polit.)
ppa. *per procura* per procurationem *(röv* p. pro., per
pro.)
prof. *professzor* professor *(röv* prof.)
prop. *propaganda* propaganda
prot. *protestáns* Protestant *(röv* Prot.)
pu. *pályaudvar* railway/railroad station *(röv* ry., st.)
pü *pénzügy(i)* finance, financial *(röv* fin.)
PVC *polyvinylchlorid* *(röv* PVC)

Q

q *métermázsa* quintal *(röv* ql.)

R

r. *rész* part *(röv* p., pt.)
rajz. *rajzolta* drawn by *(röv* del., delt.)
ref. *református* Reformed *(röv* Ref.)
rend. 1. *rendelet* order, decree *(röv* o., ord., d.) **2.**
rendőr(i) police(man) *(röv* P.C.) **3.** *rendőrség(i)*
police
rendsz. 1. *rendszám(ú)* (with) police registration
number **2.** *rendszerint* usually *(röv* usu.)
rk. 1. *római katolikus* Roman Catholic *(röv* R.C., Rom.
Cath.) **2.** *rendkívüli* extra(ordinary) *(röv* ext.)
rk. köv. *rendkívüli követ* envoy extraordinary
rom. *román* Rumanian *(röv* Rum.)
róm. kat. *római katolikus* Roman Catholic *(röv* R.C.,
Rom. Cath.)
röv. *rövidítés, rövidítve, röviden* abbreviation, abbrevi-
ated, short for *(röv* abbr., abbrev.)
RT., Rt., rt. *részvénytársaság* joint-stock company,
(stock) corporation *(röv* Corp.)
Rtg *röntgen* Roentgen, X-ray

S

s. *segéd* assistant *(röv* ass.)
s. a. *sajtó alatt* in/at press, now printing
sat. *és a többi* et cetera *(röv* etc.)
SEATO *South East Asia Treaty Organisation* Délkelet-
ázsiai Szövetség
s. i. t. *és így tovább* and so on *(röv* etc.)
s. k. *saját kezű(leg)*, *saját kezével* with one's own hand,
holograph, manu proprio *(röv* m.p.')

s. m. *segédmunkás* unskilled worker
sn. *semleges(neműí)* neuter *(röv* n., neut.)
sorsz. *sorszám* serial number *(röv* ser. n.)
SOS, S.O.S. we are in danger(,) help us, "save our
souls" *(röv* SOS, S.O.S.), May-day (=m'aidez, *fr*)
(fam)
sp. 1. *spanyol* Spanish *(röv* Sp.) **2.** *sport* sport
stat. *statisztika(i)* statistics, statistical
stb. *s a többi* et cetera *(röv* etc.)
svfr. *svájci frank* Swiss franc *(röv* Sfr.)

Sz

sz. 1. *szakasz* section, platoon *(röv* s., sec., sect., plat.)
2. *szám(ú)* number *(röv* n., no.) **3.** *század* century
(röv c., cen., cent.) **4.** *szent* Saint *(röv* St.) **5.** *széles-*
(ség) wide, width, latitude *(röv* w., l., lat.) **6.** *szövet-*
kezet(i) co-operative *(röv* co-op.) **7.** *született* born
(röv b.)
sz. a. *szám alatt* at number
szab. 1. *szabadalom, szabadalmi* (of) patent *(röv* pat.)
2. *szabadalmazott* patented *(röv* pat.)
szak. *szakasz* section, platoon *(röv* s., sec., sect., plat.)
száll. *szállítás(i)* forwarding
számv. *számvitel(i), számvevőség(i)* (of) accountancy
SZB *Szakszervezeti Bizottság* Trade Union Committee
szds. *százados* captain *(röv* Capt.)
sze. *szerda* Wednesday *(röv* W., We., Wed.)
szept. *szeptember* September *(röv* Sep., Sept.)
szerk. 1. *szerkeszti, szerkesztette* edited by **2.** *szerkesztő*
editor *(röv* ed., edit.)
szerv. 1. *szervezet(i)* (of) organization **2.** *szervezett*
organized *(röv* org.) **3.** *szerves* organic *(röv* org.)
szfőv. *székesfőváros(i)* Capital, Metropolitan *(röv* Cap.,
met., metrop.)
SZKP *a Szovjetunió Kommunista Pártja* Communist
Party of the Soviet Union *(röv* C.P.S.U.)
szkv. *szakaszvezető* N.C.O. ranking between corporal
and sergeant
szla. *számla* account, invoice *(röv* a/c., ac., inv.)
szo. *szombat* Saturday *(röv* S., Sat.)
szoc. *szociális, szocialista* social, socialist *(röv* soc.)
szocdem. *szociáldemokrata* social democrat *(röv* soc.
dem.)
szolg. *szolgálat(i)* service, official *(röv* off.)
szomb. *szombat* Saturday *(röv* S., Sat.)
SZOT *Szakszervezetek Országos Tanácsa* Central
Council of the Hungarian Trade Unions
szöv. *szövetkezet(i)* co-operative *(röv* co-op.)
SZSZKSZ *Szovjet Szocialista Köztársaságok Szövetsége*
Union of Soviet Socialist Republics *(röv* U.S.S.R.)
Szt. *Szent* Saint *(röv* St.)
SZT *Szakszervezeti Tanács* Trades Union Council *(röv*
T.U.C.)
SZTK *Szakszervezeti Társadalombiztosítási Központ*
Trade(s) Union Social Insurance Centre *(röv* TUIC);
ld még a szótárban
SZU *Szovjetunió* Soviet Union *(röv* U.S.S.R.)
szül. 1. *született* born *(röv* b.) **2.** *születési* (of) birth
szv. *személyvonat* slow/stopping train

T

t *tonna* ton *(röv* t.)
t. 1. *tag* member *(röv* m., mem.) **2.** *tanács* council **3.**
terület area *(röv* a.) **4.** *tisztelt* honoured
T. *tisztelt* honoured
tan. 1. *tanácsos, tanácsnok* councillor, counsellor **2.**
tanár(i), tanító(i) teacher('s) **3.** *tanuló* pupil

társ. *társaság(i)*, *társulat(i)* (of) society/association/ company *(röv* soc., socy., assoc., co.)
tart. 1. *tartalékos* reserve *(röv* r.) **2.** *tartozik (oldal)* debit/debtor (side) **3.** *tartozás* debt **4.** *tartalom* content(s) *(röv* cont.)
távb. *távbeszélő* telephone *(röv* tel.)
tbc. *tuberkulózis* tuberculosis *(röv* t.b.)
tbk. *tábornok* general *(röv* Gen.)
tbsz. *többes szám* plural *(röv* pl.)
tc. *törvénycikk* article (of an Act)
T. C. *Tisztelt Cím* Sir, Madam
tdm. *tandíjmentes* exempt from school-fee(s)
tds. *tizedes* corporal *(röv.* corp.)
techn. *technika* technology, technics *(röv* tech.)
tek. *tekintetes* honourable
tel. *telefon* telephone *(röv* tel.)
teng. *tengeri* naval, marine, maritime *(röv* nav., mar.)
TF *Testnevelési Főiskola* Training College for Physical Instructors, College for Physical Culture
ths. *tiszthelyettes* regimental sergeant major *(röv* R.S.M.)
ti. *tudniillik* namely, that is (to say) *(röv* viz., i.e.)
tisztv. *tisztviselő(i)* official *(röv* off.)
TIT *Tudományos Ismeretterjesztő Társulat* Society for the Dissemination of Knowledge
titk. *titkár(i)* secretary, secretarial *(röv* sec., secy.)
tkp. 1. *takarékpénztár(i)* savings bank('s) **2.** *tulajdonképpen* proper(ly so called)
tkv. *telekkönyv* cadastral/land register
tkvi. *telekkönyvi* cadastral, of the land-register
TMB *Tudományos Minősítő Bizottság* National Postgraduate Degree Granting Board
to *tonna* ton *(röv* t.)
T. O. *tizedes osztályozás* decimal classification (Dewey system) *(röv* D.C.)
tör. *török* Turkish *(röv* Turk.)
törm. *törzsőrmester* staff-sergeant *(röv* st., serg., st., sergt.)
törv. *törvény*, *törvényes(en)* law, legal(ly) *(röv* l., leg.)
tsa. *társa* company *(röv* co., Co.)
tsai *társai* company *(röv* co., Co.)
tsz *termelőszövetkezet* farmers' co-operative; *ld még* a szótárban
tsz. *többes szám* plural *(röv* pl.)
tszcs *termelőszövetkezeti csoport* farmers' co-operative group
tszv. *tanszékvezető* Head of (University) Department
tud. *tudomány(i)*, *tudományos* science, scientific *(röv* sc., sci.)
tud. egy. *tudományegyetem* university *(röv* univ.)
tul. *tulajdon(i)*, *tulajdonos* (of) property, proprietor *(röv* prop., propr.)
TV, tv *televízió* television *(röv* TV); *ld még* a szótárban
tvhat. *törvényhatóság(i)* municipal(ity) *(röv* mun.)
Tvr., tvr. *törvényerejű rendelet* decree law, law decree

U

u. *utca* street *(röv* St.)
ua. 1. *ugyanaz* the same, idem *(röv* id., i.q.) **2.** *ugyanakkor* at the same time, simultaneously
ui. *ugyanis* namely, that is (to say) *(röv* viz., i.e.)
Ui. *utóirat* postscript *(röv* P.S., p.s.)
úm. *úgymint* namely, that is (to say) *(röv* viz., i.e.)
ún. *úgynevezett* so-called
UNESCO United Nations Educational Scientific and Cultural Organization
unit. *unitárius* Unitarian *(röv* Unit.)
uo. *ugyanott* in the same place, ibidem *(röv* ibid., ib.)
u. p. *utolsó posta* post office *(röv* P.O., p.o.)

URH *ultra rövid hullám* Very High Frequency, ultra-high-frequency *(röv* V.H.F., U.H.F., UHF)
ut. 1. *utalvány* money/postal order *(röv* M.O., m.o., P.O., p.o.) **2.** *utazási* travel(ling) *(röv* trav.) **3.** *utód(a)* successor (of)

Ü

ÜB *üzemi bizottság* works/shop/factory committee
ügyn. *ügynök(i)*, *ügynökség* agent('s), agency *(röv* agcy.)
ügyv. 1. *ügyvéd* lawyer, solicitor *(röv* Sol.) **2.** *ügyvezető* manager, director *(röv* dir.) **3.** *ügyvitel(i)* (of) management **4.** *ügyvivő* chargé d'affaires
ü. o. *ügyosztály* department *(röv* dep., dept.)
üv. 1. *ügyvezető* manager, director *(röv* dir.) **2.** *ügyvezetőségi* of management

V

v. 1. *vagy* or **2.** *vasárnap* Sunday *(röv* Sun., Sund.) **3.** *vasút(i)* railway, railroad *(röv* r., rwy.) **4.** *város(i)* city, town, municipal *(röv* t., mun.) **5.** *vegyes* mixed
v. á. *vasútállomás* railway station *(röv* ry. st.)
váll. *vállalat(i)* (of) undertaking/enterprise
vas. *vasárnap* Sunday *(röv* Sun., Sund.)
VB *végrehajtó bizottság [tanácsé]* executive committee (of council)
v. e. *vezérezredes* colonel general *(röv* Col. Gen.)
vegy. 1. *vegyes* mixed **2.** *vegyület* compound *(röv* comp., cpd.)
vegyt. *vegytan(i)* chemistry, chemical *(röv* chem.)
vez. *vezető* leader, leading
vezérig. *vezérigazgató* general manager
vhol *valahol* somewhere *(röv* swhere)
Vhr. *végrehajtási rendelet (kb)* regulations (of the/a law)
v. ig. *vezérigazgató* general manager
vill. *villany-*, *villamos(sági)* electric(al) *(röv* elec., elect.)
VIT *Világifjúsági Találkozó* World Youth Festival *(röv* W.Y.F.)
vk *valaki* somebody, someone *(röv* sb., sy., so.)
vki *valaki* somebody, someone *(röv* sb., sy., so.)
vm *valami* something *(röv* sg)
vm. *vármegye* county
vmi *valami* something *(röv* sg)
vö. *vesd össze* compare, confer *(röv* comp., cf., conf., cp.)
vőrgy. *vezérőrnagy* major general *(röv* Maj.-Gen.)
vt. *valamint* as well as

W

W. C. *water closet (röv* w.c.)

X

X. Y. Mr. So-and-so

Z

zársz. *zárszámadás(i)* (of) final account

Zs

zs. *zsidó* Jew(ish) *(röv* I.)

II.

KIEGÉSZÍTÉSEK ÉS HELYESBÍTÉSEK — ADDENDA AND CORRIGENDA

Az alábbiakban olyan magyar címszavakat és szókapcsolatokat közlünk, amelyek a nagy szótár 2. kiadása (1963) óta jelentek meg vagy váltak szélesebb körökben ismertté nyelvünkben, s megadjuk azok angol egyenértékeseit is.

Találhatók a függelékben továbbá helyesbítések, módosítások is. A szótár törzsanyagában már korábbról meglevő angol nyelvi adatok mellett, illetve néha azok helyett, más, némelykor pontosabb vagy helyesebb angol nyelvű anyagot is közöl a függelék. Az itt következő lapok végül a szótár szövegében található néhány tucat súlyosabb értelemzavaró sajtóhibát is megigazítanak. Ilyen esetekben, vagyis amikor a szótár törzsanyagában is szereplő címszóhoz kapcsolódik kiegészítés, helyesbítés, vagy hibaigazítás, a függelék címszavai után kettőspont áll.

A szótár jelen harmadik kiadása a *kormánytalan* szótól a *korrektül* szóig terjedő, az előző kiadásban pótlapon megadott nyelvi anyagot a maga abécérendi helyén közli.

A függelékben új rövidítésként szerepel: *(atfiz)=atomfizika, (tv)=televízió.*

A szerkesztő köszönetet mond mindazoknak, akik a hiányosságokra figyelmeztettek, illetve találó angol ekvivalenseket gyűjtöttek a függelék számára.

adáshiba n, *(távk)* transmission defect, fault in transmission, faulty transmission
Addison-kór: "bronzed disease" törlendő
adjunktus: assistant professor *(US)*
adminisztrátor: 2. administrator *is*
ágaskod|ik: a címszó az **ágasodó** címszó előtt helyesen: **ágasod|ik**
agymosás n, brainwash(ing)
ajakmozgás: "lip" *és* "movement" között a vessző törlendő
ajzószer n, *[sportolónak]* dope
akadémikus: 1. (3. sor) *helyesen* discussion
akár: 1. (4. sor) ~ *itt is maradhatunk* első angol megfelelője helyesen: we had as good stay here
aknamentesítés n, *(kat)* mine clearing
aláás: 2. (7. sor) "autority" *helyesen* authority
alákérdez vt/vi, offer leading questions
alakhúzás n, *(műsz)* profile drawing
alapállapot n, ground state, basic level
alapév n, *[statisztikában]* base year
alapfeltevés n, *(menny)* fundamental assumption
alapfény n, *(film, tv)* base light
alapige: 1. *(nyelvt)* root verb 2. *(egyh)* ...
alapozás: (3. sor vége) *helyesen* ground(-coat/
alaptétel: *[algebrai]* fundamental theorem/proposition
alárendelt: 1. ~ *útvonal* non-priority road
algoritmus n, *(menny)* algorithm
alkalmazkodás: (2. sor) *helyesen* accommodation
alkoholpróba n, *[autósoknak]* breath test
alkoholszonda n, breathalyser
áll¹: II. 3. (2. sor vége) s pótlandó
államvizsgáz|ik vi, sit for one's state examination
állóbüfé n, snack bar (for standing customers only)

allofón [-ok, -t, -ja] n, *(nyelvt)* allophone
állóképes: 2. a magyarázó szöveg helyesen: *[nem romló]*
állórajt: "standing dab start" *a* "dab" *törlendő*
által: 1. (3. sor) "trough" *helyesen* through
alufólia n, = alumíniumfólia (a szótárban)
alul: 1. (2. sor végén) "under" után elválasztójel teendő
ambulancia: 1. ambulatory clinic *is*
ambuláns: ambulant; ~ *beteg* ambulant patient *is*
anasztatigmatikus: a címszó *helyesen* **anasztigmatikus**
angolos: 1. (4. sor) "anglicism" törlendő
antianyag: *(fiz)* anti-matter
anyagi: 1. 2. (alulról a 6. sor) *helyesen* comfortable; ~ *felelősség* financial responsibility
apajogú: *helyesen* patriarchal
áramvonalasít: a címszó végén a fölösleges **á** az alatta levő címszóhoz tartozik, amely tehát helyesen: **áramvonalasítás**
árhivatal: *helyesen* price control board
árkedvezmény: (1. sor) *helyesen* price reduction
arktikus a, Arctic
árnyékbokszolás n, shadow-boxing
árnyékkormány n, shadow cabinet
árulista n, list of goods/commodities
asztal: *nem az én* ~*om* it's not up my street, it's none of my business
asztalosfa: *angol megfelelője helyesen* cabinet-maker's wood
átalány: 2.—3. sorában levő ~*ért végez munkát* stb. átteendő a következő szócikk **(átalányár)** végére
átbocsátóképesség: *[úté]* road capacity
átkelőhely: *gyalogos* ~ crosswalk *(US) is*
atlétika: *így módosítandó:* athletics, track-and-field athletics/sports/events *(pl)*; stb.

atombiztos: nuclear-proof; ~ óvóhely atomic shelter is
atombomba: nuclear bomb
atomcsend: első helyre nuclear test ban
atomcsend-egyezmény n, A-bomb ban, test ban treaty
atomfegyvermentes a, ~ övezet non-nuclear zone
atomhajtású: ~ rakéta nuclear rocket
atomhajtómű n, nuclear engine
atomhulladék n, atomic/nuclear waste (material)
atommagburok n, (atfiz) nuclear shell
atommagkutatás n, nuclear research
atommeghajtású: atomic-powered is
atomrács n, (atfiz) atomic lattice
atomsorompó-egyezmény n, non-proliferation treaty/
pact/agreement
atomtechnika n, nuclear engineering
atomtengeralattjáró n, A-submarine
atomvédelem n, atomic defence
atomvédelmi a, antiatomic
áttér: 1. (3. sor) "... but now be has ..." helyesen
"but now he ..."
átvészel: tide over
átvitt: ~ jelentés/értelem transferred/figurative sense
audiovizuális a, (isk) audiovisual
autóantenna n, car aerial
autóbaba n, (car) mascot, car doll
automatizált: automized (US) is
autópálya n, motorway, expressway (US), freeway
(US); divided highway (US); [díjköteles] toll
motorway, turnpike (road) (US)
autóscsárda: drive-in restaurant
autótérkép: road-atlas is

baklövés: [iskolában] boner; [rádióban] blooper
bakteriofág n, (biol) bacteriophage
bányakemence: a címszó helyesen banyakemence
bányalég: (a szócikk végén) "formene, gas" törlendő
bányamester: "master miner" és "boss" közé vessző
teendő
barokkos [-at; adv -an] a, Baroque, in a somewhat
Baroque style (ut)
baromfi: (1. sor vége) "chiek" helyett chick-
basáskodjik: (2. sor) "king" és "(fam)" közé "it"
iktatandó be
basszus: (2. sor) "figuration" törlendő
bátorság: az oldal utolsó előtti sora végén vessző teendő;
az utolsó sor végén a szó: he
bauxitbányászat n, bauxite mining
bazedovos [-at; adv -an] a, [állapot] basedoid, [személy]
basedowian
baziroz [-tam, -ott, -zon] vt, base (upon sg)
be¹: [műszer, bekapcsolva] on
beállít: I. az 5. jelentés így módosítandó: (sp) [csúcsot]
equal, return; ~otta az olimpiai csúcsot equalled the
Olympic record, the Olympic record was equalled
by ...
beállítás: 3. helyesen equalling (the record)
beépített: ~ konyha(bútor)/(konyha)elem kitchen-
-unit; ~ szekrény cupboard, closet (US)
befutószalag n, [magnószalagé] leader tape
behavazott: "snow-bond" helyesen "snow-bound"
beiktat: (1. sor) helyesen install, inaugurate, establish
(in office)
bejár: II. (12. sor végén) "be came" egy szóba írandó
béka: 2. (2. sor) (sp) "go an all fours" helyesen go on ...
békemenet n, peace-march
bekerül: 6. ~ a döntőbe „finish" helyett "finals" a
helyes
be-ki a, ~ kapcsoló on-off switch/button
bél: 4. [töltőceruzába] lead, [golyóstollba] refill
bélyegragasztó n, stamp hinge
bélyegsorozat n, series (of stamps), stamp series
bélyegzőfesték n, (inking-pad) ink

bemetsz: 3. (kat) locate
bemosás n, [hajé] colour rinse
beoszt: 2. [időt, pénzt] budget (US) is
bérleti: ~ hangversenyek subscription concerts
beszabályoz: (2. sor) "appropriate" törlendő
beszédes: 3. (1. sor vége) helyesen így: striking/elo-
beszédtechnika n, speech technique
beszélő: I. (4. sor) ~ név telling name is
betáplál vt, feed (into); számítógépbe ~ feed into a
computer
betét: 8. [töltőceruzába] lead
betöm: 3. "muffe" helyesen muffle
betűszó: acronym is
bevetés: 4. (rep) operational flight
bevont: 1. ~ gomb self-covered button
biblikus a, biblical
bikini [-t, -je] n, bikini
billenőkapcsoló n, (vill) tumbler (switch)
bimetál [-ok, -t, -ja] n, (műsz) bimetal
bisztró [-t, -ja] n, snack-bar, bistro
bizonyításelmélet n, (fil) theory of confirmability
bogárvető n, (gk) bug-deflector
bokszolás: "pugilism" elé beszúrandó boxing
bolondos: 3. [idő] freak (weather)
bolygómű n, (műsz) planetary gear
bonyolító: (ker) assistant executive/clerk
bögöly: "horse-ffy" helyesen horse-fly
bőrdíszművesség n, [szakma] leathercraft, fancy-
-leather work
bőrszeg: [futballcipőn] (leather) stud
bronchoszkópia [..át] n, (orv) bronchoscopy
bronzos [-at; adv -an] a, bronze-coloured
bruttóregisztertonna n, gross register ton, gross ton
register
BT Biztonsági Tanács Security Council
bujaság: 1. (3. sor) "saliciousness" helyesen salacious-
ness
bunda: 3. □ (sp) [előre megbeszélt győzelem] stew,
cross
burundi [-ak, -t] a/n, Burundian
buszjegy n, bus fare/ticket
buszmegálló n, bus stop
bútoripar n, furniture industry
bűnbeesés: (műv) Temptation
büntetőintézet: "penitentiary" után "(house)" törlendő
büretta [..át] n, (vegyt) burette
bütyköl [-t, -jön] vi, □ 1. [kínlódik vmvel] drudge 2.
szeret ~ni he likes to tinker

camping: camping (site)
Casco biztosítás (kb) comprehensive motor policy
cégjelzéses: ~ levélpapír letterhead stationery/note-
paper is
célhatározói: ~ mellékmondat verbal clause expressing
purpose is
célkövetés n, (kat) target tracking
célkövető a, ~ rádiólokátor (kat) radar tracker, missile
tracking radar
cellux [-ot, -ja] n, Scotch tape
célnyelv n, (nyelvt) target language
cérnametélt n, = cérnatészta (a szótárban)
ceruzaelem n, (vill) pencil battery
címzett: I. [számláé] invoicee
cirillábécé n, Cyrillic alphabet
combi [-t, -ja] n, (gk) = kombi (a függelékben)
corvina [..át] n, = korvina (a szótárban)
cukorlok n, [boré] sugar content

családtervezés n, family-planning
csap¹: 3. (9. sor) "lighting" helyesen lightning
csapatszolgálat n, (kat) field service
csatornaválasztó n, (távk) channel selector

cserbenhagyó *a, áldozatát* ~ *autós/vezető* hit-and-run driver
csereösztöndíj *n,* exchange scholarship
csípte: a címszó *helyesen* csíptet
csókoltat *vt,* send one's love to (sy)
csóktábla *n, (vall, műv)* osculatory, pax-board
csontritkulás *n, (orv)* osteoporosis
csoportgyőztes *n, (sp)* group/division/pool winner/leader
csökkentlátó *n,* person of impaired vision
csőmeredekség *n, (távk)* transconductance
csőtápvonal *n, (távk)* wave guide
csővoltmérő *n, (távk)* vacuum-tube voltmeter
csúcs: I. 6. *megdönti a* ~*ot* így: break/beat the record
csúcsbeállítás *n, (sp)* record equalling
csúcserőmű *n, (vill)* peak-load power plant
csúcsidő *n, (sp)* record time, an all-time high

dahomeyi [-ek, -t] *a/n,* Dahomean
darab: l. 2. (8. sor) *helyesen:* ~*okra tör*
debreceni [-t, -je] *n,* short thick sausage
decis [-ek, -t] *a,* one-decilitre; *tizenkét* ~ twelve-decilitre
deeszkaláció *n, (pol)* de-escalation
dehidrálás *n, (vegyt)* dehydration
dekkol [-tam, -t, -jon] *vi, (biz)* lie low/flat/doggo, play possum *(US)*
dekódol *vi/vt,* decode
dekódolás *n,* decoding
dekompenzáció *n, (orv)* decompensation
dekontamináció *n,* (radioactive) decontamination
deltaszárny *n, (rep)* delta wing
demográfiai: ~ *hullám* population bulge; ~ *robbanás* population explosion
derítőfény *n, (fényk)* fill-in light
deszantbárka *n, (kat)* landing barge
deszantkiszállás *n, (kat)* troop landing
deszantvivő *a,* ~ *repülőgép* paradrop carrier
dévajkodás: (3. sor) "devirly" *helyesen* devilry
diagram: chart *is*
diakeret *n,* slide frame/mount
diakron [-t] *a,* diachronic, diachronistic, diachronous
diakrónia [.. át] *n,* diachrony
diasztolés: ~ *zörej* diastolic murmur
diaváltó *n,* slide changer
dieselesít [-eni, -ett, -sen] *vt,* dieselize
dieselesítés *n,* dieselization
digitális: ~ *számológép/számítógép* digital computer
díjlovaglás: *csak* dressage (test)
díjtáblázat *n,* schedule of fees/charges
diliház *n,* □ bedlam, mad-house
dionűszos: a címszó *helyesen* dionűszoszi
díszegység *n, (kat)* guard of honour
díszelgés: *helyesen* így parade (drill)
díszlépcső *n, (épít)* grand staircase
divatújdonság *n,* latest fashion, the last word in ...
dob¹: 4. *(sp)* hurl *is*
dobermann [-ok, -t, -ja] *n, [kutya]* Doberman (pinscher)
docens: "assistant professor" *helyett* "associate professor"
dodekafón [-t] *a, (zene)* dodecaphonic
doktor: (utolsó előtti sor) "at Budapest" *helyett* "in Bp"
dokumentumfilm: *helyesen* documentary
Dolomitok [-at, -ban] *prop. pl,* Dolomites
dongaboltozatos: "amnular" *helyett* "annular"
donor [-ok, -t, -ja] *n, (orv)* donor
doppingvizsgálat *n,* dope test
dózis: *megengedett* ~ *[sugárzásé]* permissible dose
dőgrovás: (2. sor) "don" *helyett* "done"
döntetlen: II. *3 : 3-as* ~ a 3—3 draw

dörzsállóság: abrasion resistance *is*
dörzstörülköző: terry towel *(US) is*
drága: 1. (5. sor) *helyesen* "life is expensive in L.;"
drog [-ot, -ja] *n,* drug
dublett [-et, -je] *n, (tud)* doublet
dugító: (1. sor) "bindig" *helyesen* "binding"; (2. sor) „petentive" *helyett* "retentive"
dumcsiz|lk [-tam, ott, -zon] *vi, (biz)* chat, be chatting
durvulás *n, (sp)* rough play
dzsámi [-t, -ja] *n, (épít)* jami (type of mosque)
dzsungelharc *n,* bush warfare

ecsetvonás: (4. sor) "ligh" *helyesen* light
edzőtábor: fitness camp *is*
egész: I. 2. (6. sor) "years'" *helyesen* year's
égháter: a címszó *helyesen* égháttér
égő: I. 1. ~ *cigaretta* helyesen: lighted cigarette; ~ *gyertya* lighted candle
égőpiros *a,* scarlet
egzisztenciális [-ak, -t; *adv* -an] *a,* of vital importance *(ut)*
egyenértékes [-ek, -t, -e] *a/n,* equivalent
egyéni: ~ *nyelvhasználat* idiolect
egyenletes: ~ *zaj (tv)* flat noise
egyenletrendszer: system of equations *is*
egyenlítő: I. ~ *gól* még: level(l)er, level(l)ing goal *is*
egyensúlyérzék *n,* static sense, sense of balance
egyensúlyzavar *n,* disturbance of equilibrium
egyetemleges: (8. sor első szava) *helyesen* parties
egyforma: (14. sor) "hononymous" *helyesen* homonymous
egyhengeres: a sor végén az "of" törlendő
egypárevezős *n, (sp)* single scull
egysávos *a, [magnó]* single track
egységgyök *n, (menny)* root of unity
egységsugarú *a,* ~ *kör (menny)* unit circle
egységtört *n, (menny)* unit fraction
egyszerű: 1. (10. sor) "it's simple affair/matter" *helyesen* it's a simple ...
ejtőernyős: II. ~ *deszant bevetés* paraoperation
ekkorára: ~ *megérkeztek a vendégek* helyesen: by that time the guests (had) arrived
eko- *ld* öko- összetételeket a szótárban és a függelékben
ekonometrika: a címszó *helyesen* ökonometria (*ld* a szótárban)
elad: ~ *egy mérkőzést* □ throw a game/fight *(US ⬦)*
elefántcsontparti *a,* Ivorean
elektrolumineszcencia *n,* electroluminescence
elektronszerkezet *n,* electron structure
élelmiszervegyészet *n,* food chemistry
élettartampróba *n,* life test
elfásít: 1. "lingify" *helyesen* lignify
elhárítótiszt *n, (kat)* security officer
elidegenítési: (2. sor) "alineation" *helyesen* alienation
elkerülhetetlenség: inescapability *is*
elkülönít: 3. "ghettotize" *helyesen* ghettoize
ellenfegyver: counter-weapon *is*
ellenőriz: a szócikk első sora így: check, verify, control, *[munkát]* ...stb.
ellenőrzés: a szócikk első sora így: checking, control(l)ing ... stb.
ellenőrző: ~ *pont [kat, útlevél]* checkpoint *is*
ellenrakéta *n,* antimissile
ellenvetés: (4. sor) *helyesen* I have no objection
elmebeli: ~ *fogyatékosság* mental deficiency
élmezőny *n, (sp)* leading group/bunch, leaders *(pl)*
eloszlásfüggvény *n, (menny)* distribution function
eloxálás *n, (fémip)* electrolytic oxidation (process), anodizing
élőerő *n, (kat)* manpower

előfelvétel *n, [egyetemre]* deferred admission (to the university etc.), pre-admission

előfizető: *(rádió, tv)* licence holder

előfokozat *n, (távk)* prestage

előirányzott: (4. sor) "schedule" *helyett* "scheduled work"

előjegyzési: (4—5. sor) "blockcalender" *helyesen* "block-calendar"

előljáró: II. 3. *az ~ban mondottak* what was said by way of introduction *(v.* in the opening paragraphs)

előrajzoló: a szófaj helyesen *a/n,*

elpatkol: (2. sor) *twing* helyett *twig*

elrajzolt: "out of, proportion" *a vessző törlendő*

elrejt: (7. sor) "keep, secret" *között a vessző törlendő*

elrekeszt: 1. (2. sor) "close in" *után* vessző teendő

elsiklik: a 478. oldalon az első címszó (helytelenül eliklik) *helyesen:* elsiklik

első: II. 1. (9. sor) "brest" *helyesen* breast

elsőbbség: 3. *[közlekedésben]* right-of-way, priority; *~e van, ~et élvez (-vel szemben)* have/take priority (over), be given/allowed priority *(v.* right-of-way), have the right-of-way (over); *~et megadja a gyalogosnak* yield right-of-way to the pedestrian; *~gel rendelkező út(vonal)* priority road

éltartóság *n, (tex)* crease-retention

elvon: 2. (5. sor) *[kábítószert okozatosan]* helyesen *[...fokozatosan]*

embertípus *n,* 1. *[antropológiailag]* race 2. *[jellemileg]* human type, type of man

emelőszivattyú: *helyesen* lift(ing-)pump

emelővilla: *helyesen* lifting fork

emelővillás: *~ targonca* helyesen: fork-lift truck

emigrációs [-at; *adv* -an] *a,* emigré, of/in emigration *(ut)*

emlék: 3. *írásos ~ [irodalmi]* written record

emprimé *n,* = imprimé (a szótárban)

endokrinológia *n,* endocrinology

énekszám *n,* song, number

energiahordozó *n,* energy source/agent

energiarendszer *n,* power system

enigma [.. át] *n,* enigma, puzzle

epedamatrac *n,* interior-sprung mattress

epigráfikus: a címszó *helyesen* epigráfus

episztázis: "epistatis" *helyesen* epistasis

építési: *~ terület* building site

éppilyen: "...*/sort*" és "similar" *közé* vessző helyezendő

épületgépészet *n,* building engineering

épületkár *n,* damage to buildings

érbetegség *n, (orv)* angiopathy

érintésvédelem *n, (vill)* electric shock protection

ernyőantenna *n, (távk)* umbrella aerial

ernyőméret *n, [tévé vevőkészüléké]* size of picture screen

erős: I. 2. *légy ~! * brace yourself!

erőszakszervezet: coercive machinery *is*

érrendszer *n,* vascular/blood system

értékű: (6. sor) kétszer "eigth" *helyett* eighth

érvény: (10. sor) "confirme" *helyesen* confirm

eskütárs: "conpurgator" *helyesen* compurgator

esőfront *n,* rain front

eszkaláció [-t, -ja] *n, (pol)* escalation

eszterhéj: "evaes" *helyesen* eaves

etetőszék *n, [gyermeké]* high chair

etiológia [.. át] *n,* (a)etiology

etiológiai [-ak, -t; *adv* -lag] *a,* (a)etiologic(al)

étkezőfülke *n,* dining recess, dinette

európai: *E~ Gazdasági Közösség* European Economic Community

Eurovízió [-t, -ja] *n,* Eurovision

export: *~ból visszamaradt* export rejected

exportrendelés *n,* export order

faállványzat: "scaffoldong" *helyesen* "scaffolding"

faji: 1. *~ egyenjogúsítás/egyenjogúsodás* racial integration; *~ egyenjogúsításért küzdő* integrationist

fajirtó *a,* genocidal

fajüldözés *n,* racial persecution

falradírozás *n,* soft scouring (treatment of walls), wall scrubbing

farmernadrág *n,* blue jeans *(pl),* Levis *(US)*

farostlemez *n,* fibre-board

faszén a címszóból a z betű 2 sorral feljebb csúszott

fátyolképződés *n,* haze

fáziskereső *n, (műsz)* phase-detector

fegyverzet: 1. weaponry *is*

fehér I. (13. sor) "elephantes" *helyesen* elephants

fehérszint *n, (távk)* white level; picture white

fejlődő: *~ ország* developing country

feketesugárzás *n, (fiz)* black-body radiation

fékezőraketa *n,* retrorocket

felállít: a szócikk utolsó sora új jelentést képez 6. *(sp)* set, achieve (a new record); *új olimpiai csúcsot állít fel* set a new Olympic record

felderítő: I. 1. *~ mesterséges hold (kat)* reconnaissance/surveillance satellite

felel: II. 1. (6. sor) *arról tudott* helyesen *arra...*

felemáskorlát *n, (sp) [torna]* asymmetrical bars *(pl),* uneven parallel bars *(pl)*

felfalazás *n, (épít)* 1. *[folyamat]* bricking up 2. *[attika]* parapet

felhatalmozó után következő címszó helyesen: felhatalmazott

felmérés: 2. *[megszövegezett eredménye]* position paper

felnőttoktatás *n,* adult education

felold: 4. *~ja az ellentmondást* resolve the contradiction

felsőfokú: *~ technikum (kb)* higher technical school

felszabadult: *~ országok* liberated countries; *[volt gyarmati országokról]* emerging countries

felszakít: (1. sor) "brust" *helyesen* burst

felvesz: 6. *magnóra ~* tape(-record)

felvételiz|ik [-tem, -ett, -zen] *vi, (isk)* sit for *(v.* take) an entrance examination

felvevőfej *n, [magnó]* recording head

felvilágosítás: (5. sor) *nem ~* helyett *nemi ~* olvasandó

felzárkóz|ik (3. sor) *helyesen* catch up (with sy)

fenékjáró hüllő: a címszó helyesen fenékjáró küllő

fenékmagasság *n, [járműé]* road clearance

fényálcázás *n, (kat)* blackout

fényállóság: "fastness, to light" *a vessző törlendő*

fényárvilágítás *n,* floodlight

fényerősség: 1. luminance, brilliance *is*

fényjelző: *(önműködő) ~* készülék traffic lights *(pl),* traffic signal/light *(US)*

fénysűrűség *n, (film, tv)* luminance

ferroötvözet *n, (fémip)* ferro-alloy

feszített: *~ szőnyeg* wall-to-wall carpet(ing)

feszítőív *n, (épít)* strainer arch

filctoll *n,* felt(-tip) pen

filter [-ek, -t, -e] *n,* filter

filteres [-ek, -t; *adv* -en] *a, ~ cigaretta* filter cigarette, filter-tip(ped cigarette)

fogamzásgátló: *~ (tabletta)* oral contraceptive; anti-baby pill *(fam)*

fogódzó: 2. "strating" *helyesen* "starting"

fogyasztói: *~ társadalom* consumer society

folyamatszabályozás *n,* process control

folyékony: 1. *~ üzemanyagú rakéta* liquid-fuel-rocket

fontövezet *n, (pol)* sterling area

forduló: II. 3. így: *(sp) (ált)* round, series (of games), *[versenypályán]* lap, round

forgalmi: 1. *~ sáv* traffic lane

forgalomirányító: 2. *~ jelzőlámpa* traffic lights *(pl),* traffic signal/light *(US)*

forgattyú: (2. sor) a hibás szó *helyesen* starting handle

forgótekercs n, (vill) rotating coil
formatartó n, [ruhadarab] shape-retaining
formatervezés n, ipari ~ industrial design
forráskiadvány n, source material/publication
forró: 2. ~ drót (átv) hot wire
fotocikk n, photographic materials/articles (pl)
fotoelektron n, (fiz) photoelectron
fotokellékek n.pl. photographic accessories/supplies
fotolámpa n, (fényk) photolamp
fotoszintézis n, (vegyt) photosynthesis
fotózik [-tam, -ott, -zon, -zék] vi, = fényképez (a szótárban)
földgázvezeték n, pipe-line (for natural gas)
földi: I. 1. ~ állomás (távk) earth station
főnévi: (2. sor) „ttributive a noun" helyesen attributive noun
főosztályvezető: (ker) departmental manager
főútvonal: [jelzőtábla neve] priority road
frizura: hair-style is
fújás n, blow(ing)
fúróberendezés: (2. sor) "drilling ring" helyesen drilling rig
futballcipő n, football boot(s)
futószőlő n, (növ) grapevine, creeper vine
fúvás n, blow(ing)
függvény: korlátlan ~ unbounded function
fül-orr-gégegyógyász: otolaryngologist is
fül-orr-gégészet n, otolaryngology
fürdőruha: swim suit is
fürdősapka: swim-cap is
füstmérgezés n, asphyxiation, carbon monoxide poisoning
füstszűrős: filter-tip(ped), filter

galaktika [..át] n, (csill) (Milky Way) galaxy
gammaglobulin n, (vegyt) gamma globulin
garbóing n, turtle-neck shirt
gázasít [-ani, -ott, -son] vt, [lakást] lay on (the) gas, supply with natural/coal gas
gázbojler n, gas water heater, geyser
gazda: 2. (9. sor) helyesen „take/shoulder"
gazdaállat n, (biol) host animal
gazdasági: új ~ mechanizmus new system of economic management, new economic system
gazdaságirányítás n, economic management
gázkonvektor n, gas convector (heater)
gáztörvény n, (fiz) gas law
gázturbinás: légcsavaros ~ hajtómű turbo-propeller engine, turboprop engine
gáztüzelésű a, gas-heating/heated/consuming
generációs: ~ különbség generation gap is
gépi: ~ hajtású power-operated is
gépírás: (1. sor) helyesen typewriting
gépkocsizó: ~ gyalogság armoured infantry
gépsor n, production line
gerelyhajítás n, (sp) throwing the javelin, javelin throw
globális: ~ módszer (isk) look-say method
gókart [-ot, -ja] n, (gk) go-cart
gombahatározó n, mushroom identification handbook
gravitációs: ~ törvény (fiz) law of gravitation
grill [-ek, -t, -je] n, 1. night-club 2. [rostonsült ételeket felszolgáló vendéglő] grill, bar-room 3. = grillsütő (a függelékben)
grillcsirke n, broiled/barbecue chicken
grillsütő n, grill(e), boiling grate, gridiron
gumikábel n, rubber(-insulated/coated) cable
gumilencse n, = gumiobjektiv (a szótárban)
guri-guri [-t, -ja] n, [karnison] double runners (pl)

gyakorisági: ~ szótár word frequency dictionary
gyalogátkelőhely n, pedestrian crossing

gyalogközlekedés n, pedestrian traffic
gyaloglás: 50 km-es ~ helyesebben: 50 km walk, 50,000 metres walk
gyapjúsál n, woollen scarf
gyártásmenet n, production process
gyártmányfejlesztés: 1. [művelet] developmental research 2. [üzemi osztály neve] (production) development department
gyengeáramú a, (távk) light-current; ~ technika light/low-current engineering
gyerekes: címszó utáni címszó helyesen gyerekesen
gyermekkocsi: így módosítandó: [nagyobb, csukott] perambulator, pram (fam), baby carriage/buggy (US); [könnyű, összecsukható] push-chair, stroller (US)
gyermekrajz n, children's drawings (pl)
gyermekszínész n, child actor
gyógyszerel [-t, -jen] vt, (orv) medicate, treat with medicine
gyorsfagyasztott a, quick-freeze
gyorsforgalmi: ~ autóút motorway (GB) is
gyorshír n, news flash
gyorsító: II. (atfiz) accelerator
gyorslift n, express lift/elevator
gyorstűz n, (kat) running fire
gyorstüzelő: ~ ágyú a meglevő megfelelő helyett high--velocity gun
gyökkitevő: így módosítandó: index (of a radical), radical index
győz: I. a magyar csapat 6 : 3 arányban ~ött az angolokkal szemben the Hungarian team beat the British 6 – 3
gyümölcsrekesz n, crate

habszivacs n, foam rubber
haditengerészeti: ~ akadémia (Royal) Naval College (GB), Naval Academy (US)
hajigazítás n, [borbélynál] trim(ming)
hajlakk n, hair-spray
haladvány: helyesen így: (menny) progression; számtani ~ arithmetic(al) progression; mértani/geometriai ~ geometric(al) progression
halmaz: 3. (menny) set; végtelen ~ infinite set
hangkeverő-asztal: helyesbítés audio/sound mixer
hanglemezbolt n, record shop
hanglemezborító n, sleeve (of gramophone record), cover
hanglokátor n, (kat) sonar
hangosbemondó n, loud-speaker, microphone
hangosító: ~ berendezés public address system is
hangrendező n, sound director
hangversenybérlet n, subscription concerts (pl)
harangszoknya n, flared skirt
harcanyag n, (kat) warfare agent
harcparancs n, (kat) combat order
harisnyanadrág: (módosítás) tights (pl), panty hose
harmadik: a "~ világ" (pol) the third world
harmonikus: (zene) ~ moll (skála) harmonic minor
háromágú: ~ (villás)dugasz three-pin plug
háromeres a, ~ kábel three-core cable
hasadási: ~ sebesség fission rate, rate of fission
hasis: utolsó angol megfelelője helyett: pot◈
haszonkutya n, = munkakutya (a függelékben)
hatalmi: ~ törekvés bid for power, struggle to gain ascendancy; (6. sor) "supremacy" helyesen supremacy
határ: 5. kiegészítés (menny) bound; alsó ~ lower bound
határozó: I. (term) (plant/animal) identification handbook
hatosikrek n, sextuplets

hatványsor: *helyesen (menny)* power series
házgyár *n,* prefab factory
házi: I. ~ *szemét* home rubbish
háztartási: módosítás: ~ *gépek* household appliances
hely: ~*ére tesz (átv)* put sy/sg in his/its place
helyjegy: *módosítás:* reserved seat ticket; ~*et vesz/vált*
book a (reserved) seat
hematológia [..át] *n, (biol)* hematology
hematológus *n, (biol)* hematologist
hermetikusság: a bal hasáb utolsó négy címszava
helyesen a következő: hermetizál, hernyó, hernyó-
báb, hernyócsavar
hetedik: I. (3. sor) "subtonium" *helyesen* subtonic és
(4. sor) "subsemitonium" *helyesen* subsemitonic
hibalehetőség *n,* possibility of error
hibanagyság *n,* magnitude of error
hibaszázalék *n,* frequency/margin of error
hibernál [-t, -jon] *vi,* hibernate
hibernálás *n,* hibernation
hibridáció: *a címszó helyesen* hibridizáció *n,* és így a
hibriditás után teendő
hidrobiológia *n,* hydrobiology
hidrogénkötés *n, (vegyt)* hydrogen bond
hidrosztatikai [-ak, -t; *adv* -lag] *a, (fiz)* hydrostatic
hipaciditás: *a címszó helyesen* hipoaciditás és így hipnózis
után áll
hiperaciditás *n, (orv)* hyperacidity
hippi [-t, -je] *n,* hippie
híradástechnika: communication engineering *is*
híreszközök *n.pl, (kat)* communication facilities
hitelrendszer *n,* credit system
hobby [-t, -ja] *n,* hobby
holdfelvétel *n,* moon picture
holdkráter *n,* lunar crater
holdszonda *n,* lunar probe
holdutazás *n,* (manned) flight to the moon, moon
flight
hollandi: II. 3. *repülő* ~ Flying Dutchman
homlokvetület *n, (épít)* elevation
hormonzavar *n, (orv)* hormone disturbance
hőhullám: hot flash/flush *is*
hőkancsó *n,* vacuum jug
hőpárna *n,* electric pad
hőrpintés: "svig" *helyesen* swig
hucul [-ok, -t, -ja] *a/n,* Hutzul
hullámkarton *n,* corrugated cardboard
hullámváltó-kapcsoló *n, (távk)* wave-band switch
húsbolt *n,* butcher's (shop)
huzalozási [-ak, -t; *adv* -lag] *a,* ~ *rajz (táv)* wiring
diagram
hüvelykúp *n,* = hüvelylabdacs
hüvelylabdacs: suppository *is*

időigényes *a,* time consuming
igényesség: *[nem ellt. értelemben]* exactingness, fas-
tidiousness, striving for perfection
illetménykötet: *helyesen* dividend volume
indiszkréció: (2. sor) "indiscret" *helyesen* "indiscreet"
indít: I. *[versenyzőt versenyen]* start, enter
induló: II. 1. "competition" *helyett* "competitor"
olvasandó
infiltráció [-t, -ja] *n,* infiltration
inflációs: (utolsó sorában) "policy on inflation" *helye-
sen* "...of inflation"
információmennyiség *n,* amount of information
infúzió [-t, -ja] *n, (orv)* infusion
ingatlanátruházás: (utolsó sor) *helyesen* "alienation"
ingázás *n,* commutation *(US)*
ingázik [-tam, -ott, -zon] *vi,* commute *(US)*
ingázó [-t, -ja] *n,* commuter *(US)*
ingruha *n,* jumper-dress
ingvászon: "shirt" és "linen" között felesleges a vessző

instrumentális [-ak, -t; *adv* -an] *a,* instrumental
integráció [-t, -ja] *n, (pol, közg)* integration
intervízió [-t] *n,* Intervision
ipari: ~ *televízió* industrial television *is*
iparigazgatóság *n,* industrial authorities *(pl)*
ír¹: 1. *(vmről)* write about (sg)
irányhatás *n, [antennáé]* directivity
irányvesztettség *n, (átv)* loss of direction
írógép: *irodai* ~ upright typewriter
írógépasztal *n,* typing table, typist's desk
írószerbolt *n,* stationer's (shop)
iskolaköpeny *n,* school smock
iskolarádió *n,* school broadcasts *(pl)*
iskolatelevízió *n,* school/educational television
ívelt: (1. sor végén) *helyesen* vaulted
izoglossza *n, (nyelvt)* isogloss
izraeli: (2. sor) *helyesen* Israeli

japánkert *n,* Japanese garden, tsuki-yama, *[törpe
fával]* bonsai, *[miniatűr, növényzet nélkül]* bonseki
járható: 3. ~ *szekrény* = gardróbszekrény (a szótár-
ban)
járógipsz *n,* walking plaster
járóka: az utolsó megfelelő törlendő
játszik: (utolsó sor) *helyesen* pose/masquerade...
játszóutca *n,* play-street
javít: I. 4. *így módosítandó: (sp) [csúcsot]* improve,
better, supersede, *[megdönt]* break
jegytulajdonos: *helyesen* ticket-holder
jegyzett: (4. sor) "shared quoted..." *helyesen*
shares...
jel: 1. *levelünk* ~*e* our reference; *a többes szám* ~*e*
the mark of the plural; (új jelentés:) 4. *(távk)* signal;
bejövő ~ incoming signal
jelátalakító *n, (távk)* signal converter
jelentésátvitel: transfer of meaning *is*
jelentkezés: ~*t elfogad* accept an application
jelentkezési: ~ *díj* registration/application fee
jellemgyengeség: debility of character *is*
jelváltás: variation of signs *is*
jelzőtábla: *így módosítandó:* 1. *[közúti]* road/traffic
sign, (international) sign, *[útirányt jelző]* sign-
post, guide-post 2. *(távk)* indicator board, signal/
annunciator disk/board
jersey *n,* [-t, -je] *(tex)* jersey
jogdíjköteles *a,* subject to royalties *(ut),* copyright(ed)
jósági [-ak, -t; *adv* -lag] *a,* ~ *tényező* Q-factor
jövőidejűség *n,* futurity
jugó [-t, -ja] *a/n,* Yugo
junta [..át] *n,* junta

kábítószerhasználat *n,* drug-taking, drug-addiction
kajak: "canoe" *törlendő; kiegészítés:* ~ *egyes* kayak
single(s); ~ *kettes* kayak pair(s)
kajak-kenu *n, (sp)* canoeing
kalap: 1. (2. sor) így: *női* ~ woman's hat, *[összefoglaló
megnevezés]* millinery
kalászfű címszó törlendő; *helyesen* kalánfű *ld* a szótár-
ban
kalauz: 1. ~ *nélküli* conductorless
kalligrafikus: ~ *írás* calligraphic writing *is*
kamasz: adolescent *is*
kamaszkor: adolescence *is*
kanalas: ~ *orvosság* spoon/liquid medicine
kandidatúra [..át] *n,* = kandidátusság (a szótárban)
kapcsolóóra *n, (műsz)* switch-clock
kapható: *jegyek* ~*k [kiírás plakáton stb.]* all seats
bookable
káptalanterem *n, (egyh épít)* chapter house
kapuzat: doorway *is*
kardvívás: *helyesen (sp)* sabre (fencing), fencing
with (the) sabre

kardvívó: *helyesen* sabre fencer
Kárpátmedence *prop*, Carpathian basin
katódsugár: cathode ray, a többi törlendő
katódsugárcső: *helyesen* cathode-ray tube
kedves: 1. ~ *neje/felesége* your wife
kefir [-ek, -t, -je] *n*, kefir, kephir
keletkezéstörténet *n*, *[műalkotásé]* genesis
kell: 4. (3. sor) "*[múltban]* ought (to do sg)" *helyett* is to (do sg); (bal hasáb felülről 18. sor) "he does not need to go" *elé:* he need not go
kemizál [-t, -jon] *vt*, chemicalize
kemizálás: *n*, *helyesen* chemicalization, chemicalizing
kemping [-et, -je] *n*, = camping
kempingező [-t, -je] *n*, camper-out
kény: (sor végén) "distastful" *helyesen* "distasteful"
Kenya: végén a (Colony) szó elhagyandó
képalkotás *n*, *[költői, művészi]* imagery
képátvitel: *helyesen: (távk)* picture transmission
képcső: television tube *is*
képelem *n*, *(tv)* picture element
képfelbontás: *helyesen így: (távk)* 1. *[letapogatás]* (picture) scanning 2. *[feloldás]* resolution, definition
képfelvétel *n*, *(távk)* (television) recording, telerecording, *ld még* képrögzítés (a függelékben)
képfelvevő: 2. *helyett utalás így: (távk)* = képfelvevőcső (a függelékben)
képfelvevőcső *n*, *(távk)* (television) camera tube, pick-up tube
képfrekvencia: *(távk) helyesen* picture/frame frequency
képhiba *n*, *(tv)* picture/image distortion, image defect
képjel: *(távk)* picture/video signal
képjóság *n*, *(tv)* picture quality
képletapogatás: *helyesen így: (távk)* (picture) scanning
képmagnó *n*, video tape recorder
képmező: *(tv)* frame, field
képregény *n*, picture sequence, comic book
képrögzítés *n*, *(távk)* (television) recording, telerecording; *mágnesszalagos/mágneses* ~ video tape recording
képrögzítő *a/n*, *(tv)* recorder; *mágneses* ~ *(berendezés)* video tape recorder, television recording unit
képsebesség *n*, *[mozifilmé]* frequency of frame
képsor: *így (film, tv)* picture sequence
képszalag: *(tv) (mágneses)* ~ video tape
képtorzítás *n*, *(tv)* image/picture distortion
képvándorlás *n*, *(tv)* image drift
kéregvasút *n*, subsurface railway
kerekplasztika *n*, *(műv)* statue in the round
Keresztvitel *n*, *(műv)* Road to Calvary
kertelés: (5. sor) "a point op it" *helyesen* "... point on it"
keskenyfilm: 8mm film *is*
kétpetéjű *a*, ~ *ikrek* biovular twins
kettes: II. (új jelentés) 4. *(sp) kormányos* ~ coxed pair(s); *kormányos nélküli* ~ coxless pair(s)
keveretlen: 2. (2. sor) *helyesen* unmingled
kéz: *nem tudja a jobb* ~ *mit csinál a bal* the left hand does not know what the right one is doing
kibernetikai [-ak, -t; *adv* -lag] *a*, cybernetic
kibogarász *vt*, *(átv)* dig/ferret out, unearth
kifejezett: 2. *(orv)* marked
kijózanító: ~ *szoba* sobering-up station
kinnlevőség: receivable *is*
kinyom: 1. (6. sor) ~*ja a kuplungot helyesen:* disengage the clutch
kisautó: mini-car
kiscsomag *n*, small parcel
kisebb: ~ *jelentőségű* of minor importance *(ut)*
kisipari: ~ *minőség(ű)* handcrafted
kisvasút: light railway *is*
kisvendéglő *n*, eating house
klinikai: ~ *kép* clinical picture

kolumbárium [-ot, -a] *n*, columbarium
kombi [-t, -ja] *n*, *(gk)* estate (car/model), station wagon *(US)*; *Trabant* ~ Trabant estate (car)
komforttalan *a*, *[lakásról]* lacking *(v.* not provided with) modern conveniences *(ut)*, lacking comfort *(ut)*, discomfortable
kommunális [-ak, -t; *adv* -an] *a*, communal
kommunista: I. (2. sor) *K~ Ifjúsági Szövetség* újabb angol elnevezése: Communist Youth Union of Hungary
komparatisztika [.. át] *n*, *(tud)* (studies in) comparative literature
komplex: *[kutatás, téma]* interdisciplinary
kompúter [-ek, -t, -e] *n*, computer
konformista [.. át] *n*, conformist
konformizmus *n*, conformism
kontaktlencse *n*, contact lens/glass
kontinentális: *sor vége így* terrestrial
kontrasztanyag *n*, *(orv)* contrast medium, radiopaque material
konvektor [-t, -a] *n*, convector
konzisztencia [.. át] *n*, consistency
konzulens [-ek, -t, -e] *n*, consultant, *(isk kb)* tutor
konzultatív [-ot; *adv* -an] *a*, ~ *találkozó* consultative meeting
koordinátatengely: co-ordinate axle *helyesen* ... axis
kopogásmentesség *n*, *(gk)* antiknock properties *(pl)*
koprodukció *n*, *(film)* joint production
kórélettan *n*, *(orv)* pathophysiology
koronglövés *n*, *(sp)* = agyaggalamb-lövészet (a szótárban)
korrózió [-t, -ja] *n*, corrosion
kozmikus: ~ *fegyver* space weapon
kőcsipke *n*, *(épít)* tracery
kőműveskalapács *n*, bricklayer's hammer
könyvművészet *n*, typographic art
kőolajipar *n*, petroleum industry
köpúder *n*, powder compact
körforgalom: *(módosítás)* roundabout, traffic circle *(US)*, rotary *(US)*
körkilátás *n*, panorama
környék: 1. (3. sor) "surrounding" *és* "country" között a vessző *törlendő*
kötényruha: jumper(-dress) *is*
követőfelvétel *n*, *(film, tv)* track/dolly shot
közelkép *n*, *(film, tv)* close-up
közepes: I. *(menny)* many
középjátékos: midfield-player *is*
középsúly: *(sp)* middleweight (a többi törlendő)
közlekedési: ~ *dugó* traffic jam; ~ *szabálysértés* így: infringement of traffic regulations, offence against traffic laws/regulations
közlekedésrendészet *n*, 1. *[szabályrendszer]* traffic regulations *(pl)* 2. *[a rendőrség ,egy részlege]* traffic police/department
köztudott *a*, = köztudomású (a szótárban)
közúti: a *K~ Közlekedés Szabályai* (KRESZ) Highway Code
krimi [-t, -je] *n*, *(biz)* detective story, thriller
kulcsfény *n*, *(fényk)* key light
kulcsfontosságú *a*, of crucial/cardinal importance *(ut)*
kuplungoz [-tam, -ott, -zon] *vi*, use the clutch
kutatási: ~ *terület* field of research
kutatócsoport *n*, research group/team
Kuvait [-ot, -ban] *prop*, Kuwait
kuvaiti [-ak, -t] *a/n*, Kuwaiti
különféle: *a legkülönfélébb* the most varied/diverse, multifarious
különjárat: *[felirat buszon]* private
különül [-t, -jön] *vi*, be divided (into); *négy részre* ~ be divided into four parts

ládázó [-t, -ja] n, packer, crater
lakáskultúra n, (kb) interior decoration
lakásművészet n, (kb) interior design
lakott: ~ területen kívül outside built-up areas, in open country
laktanyafogság: restriction to quarters/limits is
laminált [-at; adv, -an] a, [szövet] foam-backed, laminated
lap: (új jelentések) 6. [hírlap] (news-)paper, journal; a külföldi ~ok the foreign papers/press; vajon mit mondanak a ~ok? I wonder what the papers say 7. [levelező] (post)card; ~ot ír/küld vknek write/send sy a card 8. [egy kártya] card, [egy játékos összes kártyái] hand; jó ~ja van have a good hand; rossz ~ja van have a bad hand; mindent egy ~ra tesz fel stake everything on one card, have/put all one's eggs in one basket 9. [űrlap] form 10. [grafika] plate
laser, lázer [-ek, -t, -e] n, (fiz) laser
lastexnadrág n, stretch pants/slacks (pl)
látótávolság: (2. sor) "visual/seeing, distance" a vessző törlendő
lázadó: I. "revolting" törlendő
leállít: 2. ~ja a motort kill/stop the engine
legendakör n, cycle of legends, legendary cycle
légfrissítő n, air-spray
légideszant a/n, (kat) vertical assault, airdrop; ~ csapatok airborne troops
légikisasszony n, air hostess, stewardess
légsúly: (módosítás) (sp) [ökölvívás] flyweight, [birkózás, súlyemelés] bantamweight
lehető: ~vé válik become possible/feasible, materialize
leltárhiány n, missing items/goods (pl)
lemezjátszó: helyesen record player
lesgól n, (sp) off-side goal
leshelyzet n, (sp) off side
lesiklópálya n, (sp) downhill course
létfenntartási: (módosítás) ~ költségek living expenses, cost of living
létszámfelesleg n, redundant numbers (pl), redundant personnel, supernumeraries (pl)
levegő—föld a, [rakéta] air-to-ground
levegő— levegő a, [rakéta] air-to-air
levelező: II. ~ oktatás postal tuition/course is
lézer [-ek, -t, -e] n, = laser (a függelékben)
limuzin [-ok, -t, -ja] n, Wartburg ~ W. saloon
liofilizál [-tam, -t, -jon] vt, (vegyt) lyophilize, freeze-dry
lokátor [-ok, -t, -ja] n, radar
lovassport n, equestrian sport(s)
lovasverseny: (módosítás) horse-show, riding competition, [olimpiai] equestrian events (pl)
lök: [súlyemelésben] (clean and) jerk
lőrés: [páncélosban] vision slit
lőréses: battlemented is; a címszó után beírandó: (épít)
lukratív [-at; adv, -an] a, lucrative
lumbágó [-t, -ja] n, (orv) lumbago
lyukszalag n, punched tape

macskaköves a, (flag-)paved, flagged, cobbled, metalled
madagaszkári [-ak, -t] a, Madagascan
magasház n, high-rise building
magkutatás n, (atfiz) nuclear research
mágneses: ~ hangszalag magnetic tape
magnós [-ok, -t, -a] n, tape fan
magyarlakta a, inhabited by Hungarians (ut)
májbab: kidney bean is
májkrém n, liver paste
mákdaráló n, poppy-seed mill/grinder
manifesztálód|ik [-ott, -jon, -jék] vi, manifest itself
marhapörkölt n, beef stew with paprika

márványsajt n, (kb) Stilton cheese, blue cheese (US)
maszekol [-tam, -t, -jon] vi, (biz) be self-employed
mászóka n, [játszótéri] jungle gym
mechanizmus: ld gazdasági (a függelékben)
megkerül: II. 1. ~i a holdat [űrhajó] fly round the moon
megnyitó: I. ~ ünnepély (formal) opening, opening ceremony
megőriz: 2. (1. sor) "retaing" helyesen "retain"
megpihenés: helyesen relaxation
megpirítás: (2. sor) helyesen caramelization
megsaccol vt, size up
megszakít: 1. terhességet ~ end/terminate pregnancy
megszállási: ~ statutum "occupation stature" helyesen ". . .statute"
megszüntet: 2. (5. sor) "(controles)" helyesen "(controls)"
méhhurok n, [fogamzásgátló eszköz] intra-uterine loop
mellbevágó a, startling, shocking
mellékútvonal n, [városban] by-way/road, secondary road
meo: a címszó helyesen meő. Az angol értelmezés helyett ld minőségi ellenőrzés(i osztály) (a szótárban)
meőz [-tam, -ott, -zon] vt, check for quality
mérettartóság n, dimensional stability, (tex) non--shrinking/stretching quality
merevség: 4. [ízületé] stiffness
merkantil [-t] a, mercantile, (elít) mercenary
mérkőzésvezető n, (sp) referee
merülőforraló n, immersion heater
mészkőhegység n, limestone range
mezőgazdasági: ~ mérnök agricultural engineer
mikori [-ak, -t] a, of what date
milliomodrész n, millionth (part)
mindegy: (neki már) minden ~ it's all over with him
mindkétfelől adv, from both sides/directions, from either side/direction
mini [-t] a, mini(-)
miniatürizál [-t, -jon] vt, miniaturize
miniszoknya n, miniskirt
minisztertanács: a ~ elnöke [szocialista országokban] chairman of the council of ministers, (ritk) prime minister
mixel [-t, -jen] vt, mix, [rázva] shake
mixer [-ek, -t, -e] n, 1. [italé, személy] mixer, shaker, [edény] shaker 2. (távk) mixer
mokkacukor n, = mokkakocka (a szótárban)
mokkáscsésze n, small coffee-cup
mól: a meglevő angol szöveg helyett mol(e)
moll: a szócikk így módosítandó: minor; ~ (hangnem) minor (key, mode); ~ hangsor minor (scale); ~ hangnemben, ~ban in the minor mode/key, in minor: h-~ szonáta sonata in B minor
móltérfogat n, (vegyt) molecular volume
mondatfoszlány n, snatches (pl)
mondati [-t] a, [nyelvt] sentential
morbid [-ot; adv -an] a, morbid
morze [. .ét] n, Morse (code)
mosogatószer n, dish-washing (v. washing-up) liquid/powder
motorosszemüveg n, goggles (pl)
mozaikkép n, [rendőrségi] identity kit picture
mozgóbüfé n, (light) refreshment car/vendor, butcher (US)
mozgójárda: travelator (US) is
mozifilm: helyesen így: motion/moving picture stb.
multilaterális a, multilateral
munkaebéd n, working lunch(eon)
munkaerőcsábítás n, labour piracy
munkakesztyű n, industrial gloves (pl)
munkakutya n, working dog

musical [-ek, -t, -je] *n, (szính)* musical
műszempilla *n,* false eyelashes *(pl)*
műszerfal *n, (gk)* dashboard, instrument board/panel
műszív *n,* artificial/mechanical heart
műtermék *n, (orv)* artefact
műtéti: ~ *előkészítés* preoperative treatment
műveletkutatás: *így módosítandó:* operational research, operations research *(US)*
művese *n,* artificial kidney, kidney machine

nagy: I. 1. ~ *képernyőjű tv-készülék* large-screen tv-set
nagyöbű: "full-hore" *helyesen* "full-bore"
nagypénzű *a,* of substantial means *(ut),* moneyed, well-heeled ◇
napelem = napfényelem (a függelékben)
napenergia *n,* solar energy
napfénycső *n, (vill)* sunlight-tube
napfényelem *n, (vill)* solar battery
napraforgómag *n,* sunflower seed
nedvkeringés *n,* 1. *(biol)* lymph circulation 2. *(növ)* sap circulation
negyeddöntő *n, (sp)* quarterfinals *(pl)*
négyezet [-et, -je] *n, (épit)* crossing (of nave and transept)
nehézvegyipar *n,* heavy chemical industry
neorealista a/*n, (műv, ir)* neorealist(ic)
neorealizmus *n, (műv, ir)* neorealism
népgazdasági: ~ *ág* sector of national economy
névadó: II. *[telex]* answerback
nívódíj *n, [irodalmi, művészeti]* (quality) prize, literary/ artistic award
nonfiguratív *a, (műv)* nonfigurative, nonrepresentational, abstract
nonstop *a,* nonstop
növényirtó I. *a,* herbicidal II. *n,* ~ *(szer)* herbicide
nullpontbeállítás *n,* zero adjustment
nullszéria *n,* pilot lot, trial series
nylonzacskó *n,* nylon/polyethylene bag

nyelvi: 2. ~ *laboratórium* language laboratory
nyelvszokás: speech habit *is*
nyeregpont *n, (menny)* saddle point, minimax
nyerges: I. ~ *vontató* semi-trailer, saddle tractor
nyilik: 1. *itt ~ik [dobozon felirat]* open here
nyitvatartási *a,* ~ *idő* opening hours *(pl),* hours of business *(pl)*
nyomás: I. 1. *[súlyemelésben]* (első helyre:) press. További kiegészítés: *~ban ... kg-ot ért el* he pressed ... pounds
nyomjelző: I. ~ *izotóp* radioactive tracer
nyomószövet *n, (tex)* printing fabric
nyugatbarát *a,* Western-oriented, pro-Western

oktánszám *n, (gk)* octane number/rating
olimpia: *téli* ~ Winter Olympic Games
oltárhátfal *n,* reredos
omló: "crumble" *helyesen* "crumbling"
opálégő *n,* opaque/frosted bulb
óra: 2. *a busz ~kor indul* the bus starts on the hour
orkánkabát *n, (kb)* pakamack
orr-, fül-, (és) gége- *a, (orv)* otolaryngological
orr-fül-gégész *n,* otolaryngologist, specialist in otolaryngology
orr-fül-gégészet *n,* oto(rhino)laryngology
orvosi: ~ *tanácsot kér* így egészítendő ki: take/seek medical advice, stb.
osztályvezető: a szócikk 2. és 3. sora törlendő
osztáspont *n, (menny)* point of division
osztottpályás *a,* ~ *úttest* dual carriage-way, divided highway *(US)*
óvóhely: *nyilvános* ~ public shelter

ökológia: *humán* ~ human oecology
önnyugdíjas *n,* pensioner in his/her own right
öntet: *[salátára]* dressing
öntörvényű *a, (kb)* autotelic, self-determining
őriz: 1. *a ... i múzeumban őrzik* be preserved in the museum of ...
öröklődés: heredity *is*
összefüggés: a szócikk utolsó előtti sorában az "apart" után még beszúrandó: from
összegezési *a,* ~ *jel (menny)* summation sign [Σ]
összetett: (új jelentés) 5. *(sp)* combined; *(női) egyéni* ~ *verseny [torna]* (women's) individual combined (gymnastics) exercises *(pl)*
ötfokúság *n, (zene)* pentatonicism
ötletroham *n, [intézményes]* brainstorming
ötnapos: ~ *munkahét* five-day week, 5-day week
övezethatár *n,* zonal frontier
őzbőrkabát *n,* suède (coat)

palacktej *n,* bottled milk
pálya: 2. *pályára juttat [űrhajót]* put into orbit
pályakép *n, (kb)* professional biography, sketch of (a scholar's *v.* an author's) achievements
pályamódosítás *n, [űrhajóé]* course correction, adjustment in course
paneles [-ek, -t; *adv* -en] *a,* ~ *épitkezés* precast panel construction/technique
panírozott [-at; *adv* -an] *a, [hús]* breaded
papírruha *n,* paper dress
papírsúly *n, (sp) [ökölvívás]* light flyweight
párbajtőr: a szócikk így módosítandó: 1. *[a fegyver]* épée, epee 2. *[a vívás]* épée/epee fencing
pártázatos [-at; *adv* -an] *a, (épit) [oromzat]* battlemented
partbiztosítás *n, (mélyép)* revetment
patron: 4. sparklet *is*
pedigré: *angol megfelelője helyesen* pedigree
pedigrés: *angol megfelelője helyesen* pedigreed
perbeli: (1. sor) ~ *ellátás* helyesen ~ *elállás*
peremkerület *n,* suburban district
pihenő: II. 2. "lay-by-out" *helyesen* "lay-by"
pilóta: ~ *nélküli repülőgép* pilotless/unmanned aircraft *is*
pisztolylövészet *n, (kat, sp)* pistol shooting, pistolry
poggyászmegőrző: *automata* ~ left-luggage locker
polgári: I. ~ *védelem* civil defence; *ld még* légó (a szótárban)
politikai: ~ *tiszt* orientation officer *is*
pond [-ot, -ja] *n, [a súly egysége]* pond
pórusos [-at; *adv* -an] *a,* porous
postaláda: *[a posta helyiségében]* posting box
presszó: *helyesen* coffee-bar, espresso
próbafelvétel *n, (film)* test shot
probléma: *problémát ad/jelent* present/raise a problem
problematika *n,* problems *(pl),* the aspects of a question *(pl)*
programozott [-at; *adv* -an] *a,* programmed; ~ *oktatás* programmed instruction
programvezérlés *n,* time schedule/pattern control, program(me) control, *(kat)* precomputed/preset guidance
prominens [-ek, -t; *adv* -en] *a,* prominent
propagandagépezet *n,* propaganda machine
pszichoterápia: mental healing *is*
pulcsi [-t, -ja] *n, (biz)* pullover, jumper
pv. *polgári védelem/védelmi* (of) civil defence

radioaktív: ~ *besugárzás* radioactive irradiation; ~ *bomlás* radioactive decay *is;* ~ *fertőzés* radioactive contamination/infection, radiocontamination; ~

hulladék radioactive/atomic waste; ~ *szennyeződés* radioactive contamination, radiocontamination; ~ *szennyező anyagok* radioactive contaminants

radiobiológia *n*, radiobiology

rádióirányadó *n*, radio (homing) beacon

radiológus *n*, radiologist

rádiólokációs [-at; *adv* -an] *a*, ~ *célkövetés* radar tracking; ~ *felderítés (kat)* radar ranging; ~ *önirányítás* electronic homing

rádióteleszkóp *n*, radio telescope

rádiumbesugárzás *n*, *(orv)* *[kezelés]* radium treatment

rajtszám *n*, starting/entry number

rakétacsapás *n*, *(kat)* missile attack

rakétafegyverek *n.pl*, ballistic weapons, rocketry

rakétafegyver-kezelő *n*, *(kat)* rocketeer

rakétás *n*, *(kat)* rocketeer

randevúz|ik [-tam, -ott, -zon] *vi*, make an appointment (with), *[férfival, nővel]* make/have a date with (sy), go on a date with (sy), date sy

realizálód|ik [-ott, -jon] *vi*, come about, take place, be realized, materialize, be carried out

redundancia [..át] *n*, redundancy, redundance

reference-szolgálat *n*, 1. *[munkakör]* reference service/ work 2. *[osztály]* reference department

rehabilitáció: *helyesen* rehabilitation

rehabilitációs [-ak, -t] *a*, *(orv)* ~ *kezelés* rehabilitative treatment

reklámfüzet *n*, prospectus, booklet, folder, throwaway

rekord: ~*ot beállít* return/set a record *helyesen* return/ equal a record

reményfutam *n*, *(sp)* repechage, second-chance trial heat

rendezőasztal *n*, *[központi]* master control board

rendezőfülke *n*, master control room

rendszerellenes *a*, *[igével]* be against the (prevailing political) system

rendszeresít: 2. *(kat)* bring into service, accept for use

rentabilitás: "rentability" *törlendő*

repeszbomba *n*, *(kat)* personnel/fragmentation bomb

repeszgránát *n*, *(kat)* fragmentation shell

repülőverseny: *[kerékpár]* scratch (sprint)

rész: ~*t vesz a kongresszuson* attend the congress/ conference

RH-faktor *n*, *(orv)* RH factor

ritkán: *nem* ~ *as often as not is*

robbanótöltet: *[bombáé]* payload

robotgép *n*, robot

rokfort [-ot, -ja] *n*, *(kb)* Stilton cheese, blue cheese *(US)*

rosttoll *n*, fibre pen

röpdolgozat *n*, *(kb)* quiz, test *(US)*

röplabdázó *n*, volley-ball player

ruhapróba *n*, trying on, fit-on, fitting (of clothes)

rutalánc *n*, *(műv)* lozenge chains *(pl)*

sakkparti *n*, game of chess

sárga: ~ *angyal (biz)* *[gk segélyszolgálat]* patrol service

sáv: *(forgalmi)* ~ *(traffic) lane*

sebességkorlátozás *n*, *[jelzőtábla neve]* speed limit

sebváltó *n*, *(biz, gk)* = **sebességváltó** (a szótárban)

segélynyújtási: *a címszó helyesen* **segélynyújtási**

segélyprogram *n*, aid program(me)

segélyszolgálat: *országúti* ~ *(gk)* patrol service

selejtáru: sub-standard goods *(pl)*, defective goods *(pl) is*

selejtező: I. 1. preliminaries *(pl) is*

sertéspörkölt *n*, pork stew with paprika

sétálóutca *n*, mall, foot street

sífutás: *(férfi)* 15 *km-es* ~ (men's) 15 km cross-country ski-ing

sima: 1. ~ *leszállás [űrhajóé]* soft landing

skótmintás *a*, tartan, with a tartan design *(ut)*

sorállományú *a*, enlisted

sorköteles: ~ *kor* military age

söntöl: "shung" *helyett* "shunt" *olvasandó*

söröskupak *n*, (beer-bottle) cap

sötét: II. 1. *az éjszaka ~jében* angol megfelelője elé beírandó még: in the dead of night

spelunka: "disreputable, drinking-den" között levő vessző *törlendő*

spirálfüzet *n*, "siral" *helyesen* "spiral ..."

sportruha: "sport-swear" *helyett* "sports-wear"

sporttáska: sports-holdall *is*

sportújságíró *n*, sports reporter

stencilez [-tem, -ett, -zen] *vt*, 1. *[stencillapot készít írógéphez]* cut a stencil 2. *[stencillel sokszorosít]* stencil

stílszerűtlen *a*, not in style *(ut)*, inappropriate, unsuitable

stíluselemzés *n*, stylistic analysis

stílusirányzat *n*, trend of style, school (of style)

storníroz: *utolsó sorában* "contra-entry" *helyesen* "counter-entry"

stornírozás: (2. sor) "contra-entry" *helyesen* "counter-entry"

stornótétel: "contra-entry" *helyesen* "counter-entry"

strukturalista [..át] *a/n*, *(nyelvt)* structuralist; ~ *nyelvtudomány* structural linguistics

stucni: "galss" *helyett* „glass" *olvasandó*

sugárdózis: radiation dosage

sugárfertőtlenítés *n*, decontamination, deactivation

sugárfizika *n*, radiation physics

sugárhajtású: ~ *(utasszállító) repülőgép* jet (air-)liner

sugárkezelés: radiation treatment/therapy *is*

sugármentesít *vt*, *[területet]* decontaminate, deactivate

sugársérült *n*, person injured by radiation, person suffering from radiation sickness

sugárterápia: *(módosítás)* radiation/ray therapy, radiotherapy, radiation treatment

sugárvédett *a*, radiation proof

sugárzásbiológia *n*, radiobiology

sugárzásmérés *n*, radiometry

súlyfürdő: *(helyesebben:)* (medicinal) weight bath

súlylökő *n*, shot-putter

szabadelőadás *n*, talk

szabadpolcos *a*, *[könyvtár]* free shelf-access

szabadságos: ~ *levél* leave-pass *is*

szabadszombat *n*, Saturday off

szabálysértő: "*a*," elé I. helyezendő. Kiegészítés: II. *n*, misdemeanor, trespasser, *[közlekedésben]* traffic violator *(US)*

szabotázscselekmény *n*, act of sabotage

szaggat: II. (3. sor) "slitting" *helyesen* "splitting"

szakfordító *n*, specialized/technical translator

szakképzettség: ~*et igénylő munka* skilled job

szaklektor: specialist contributor, outside consultan *is*

szaklexikon *n*, subject dictionary

szakmunka: 2. skilled job *is*

szakozás *n*, *[könyvtárban]* subject catalog ing

szakrendelő *n*, polyclinic, out-patient clynic

szakszöveg *n*, specialized text

szalag: 2. ~*ra (fel)vesz [magnó]* tape(-record)

szalagsebesség *n*, *[magnó]* tape velocity/speed

számítástechnika *n*, computer technique, computational technology

szavatossági: ~ *idő [romlandó árucikké]* shelf-life

századelő n, the first few years (v. first half-decade) of the century

százszor: ~ jobb vastly better

szél¹: 3. (2. és 3. sor) helyesen apoplectic

személyzet: [buszé, repülőé] crew

szemlefutás: helyesen ladder, run (US)

szemtengely: visual axis is

szénabálázás n, [géppel] hay-baling

szennyesláda: linen-bin is

szerkentyű [-t, -je] n, (biz) gadget

szervátültetés n, (orv) transplant (operation), transplantation, organ transplant; ~t végez perform a transplant

szervokormányzás n, (gk) power steering

szia: hello!, hi! (US) is

szignál² [-ok, -t, -ja] n, [zenekaré] signature tune; a meglevő címszó szignál¹ lesz

szimmetriatengely n, (menny) axis of symmetry

színes: 1. ~ dia(pozitív) colour transparency/slide

színhűség n, colour fidelity

szintagma: syntactic group/unit is

szívátültetés n, (orv) heart transplant (operation), heart transplantation

szívátültetéses a, ~ beteg heart transplant (patient)

szívnagyobbodás n, hypertrophy of the heart, hypercardia, cardiac hypertrophy, cardiomegaly, megalocardia

szívófej n, suction head, nozzle

szívstimulátor n, (orv) (elektromos) ~ pacemaker

szkiff: első helyre: scull

szolgálati: ~ szabályzat Army Regulations (pl) is

szolgáltató: ~ iparok helyesen: service industries

szólóz|ik [-tam, -ott, -zon] vi, solo

szórakoz|ik: a ~ni vágyók (v. vágyó emberek) pleasure-seekers

szótári: ~ adat dictionary/lexicographical item

szóvégmutató szótár reverse-alphabetized dictionary

szőlőtelepítés n, vine-stock planting

szőnyegpadló n, wall-to-wall carpet(ing)

szőttes: folkweave, handwoven fabric is

sztereo [-t] a/n, stereo

sztriptíz [-t] n, striptease

szuahéli [-ck, -t] a/n, Swahili

szuperbenzin n, premium grade petrol, super (petrol)

T tanuló vezető learner driver, L

tagország n, member state

tanácsvezető bíró = tanácselnök 1. (a szótárban)

táncdalénekes n, pop singer

tapintás: 3. ,,percussion" törlendő s helyette "palpation" olvasandó

tárgyal: 1. [kérdést, dolgozatban] discuss

tárol: I. [információt] store

távirányítású a, remotely controlled; pilotless, unmanned

távközlési: ~ mesterséges hold (v. műhold) communication satellite

tejútrendszer n, (csill) (Milky Way) galaxy, Milky Way system

telefonébresztés n, ld ébresztés 1. (a szótárban)

telefonügyeletes n, person on telephone duty

televízió: (módosítás) nézi a ~t, ~t néz watch the television (v. the TV), look at the TV, sit in front of the TV; megnéz (egy műsort) a ~ban, ~n néz/figyel (vmt) watch (the/a programme) on the TV

televízióadás n, television broadcast(ing)/transmission, telecast

televíziócsatorna n, television channel

televíziós: ~ felvevőkocsi television reporting van; ~ klub teleclub

televíziószerelő n, TV-mechanic

televíziótechnika n, television engineering

télesít [-eni, -ett, -sen] vt, [lakóépületet] adapt for winter use

témakör n, range of subjects, subject-matter

tengelykapcsoló: (módosítás) kioldja/kinyomja a ~t disengage/withdraw the clutch, declutch; visszaengedi a ~t let in the clutch

teniszező n, = teniszjátékos (a szótárban)

térdfix n, = térdzokni (a függelékben)

térdzokni n, over-the-calf socks (pl)

terelőoszlop n, [közlekedési] (traffic) bollard

terelősziget n, [úttesten] road island

terelővonal n, [közlekedési] broken white line

térelválasztó I. a, partitioning II. n, [szobában] room-divider, partition(ing screen)

teremsport n, indoor sports (pl)

terhelési: ~ próba loading test is

térítésmentes a, free of charge (ut)

természetvédelmi: ~ terület nature reserve is

termoszkancsó n, vacuum jug

tervmatematika n, mathematical planning

tervmatematikus n, mathematical planner

tervmechanizmus n, planning machinery

tervpályázat n, [mérnöki] (design) competition

testnevelés: physical education is

testnevelési: ~ tanár helyesebben testnevelő tanár (ld a függelékben és a szótárban)

testnevelő: ~ (tanár) physical education teacher is

testvérváros n, sister town

tévéadás n, = televízióadás (a függelékben)

tévébemondó n, TV announcer

tévéhíradó n, television newsreel

tévéjáték n, teleplay, TV-play

tévékészülék n, TV set

tévéműsor n, = TV programme

tévénéző n, = tv-néző (a szótárban)

tévészerelő n, = televíziószerelő (a függelékben)

tévéz|ik [-tem, -ett, -zen] vi, watch the TV, look at the TV, sit in front of the TV

textília [. . át] n, = textiláru (a szótárban); műszaki textíliák [péld. szűrőszövet] industrial textiles

textológia [. . át] n, (ir) textology

titkosít [-ani, -ott, -son] vt classify, render/declare confidential

tizenkétfokú a, (zene) dodecaphonic; ~ hangrendszer dodecaphony

TMK Tervszerű Megelőző Karbantartás Preventive Maintenance, P.M.

tojáshozam n, egg yield

tól címszó elé kötőjel kell: -tól

tolóhajó: pusher-barge is

tompít [-ani, -ott, -son] vt, 1. (konkr.) (make) blunt, take the edge off 2. [hangot] damp, deaden, muffle, [fényt] soften, subdue, tone down, dim, [fájdalmat] dull, palliate, [színt] flatten, soften, subdue 3. [rázkódást] absorb, deaden, [ütést] cushion

tompított: ~ fényszórót használ use dipped headlights, dip the headlights

topis [-ak, -t; adv -an] a, □ down at heel, out at the elbows, down on one's uppers (ut)

torlósugárhajtású a, ramjet

torok: 1. megfájdult a torka (s)he has got a sore throat

toronyház: high-rise building is

tortaszelet n, piece of (layer-)cake

totál [-ok, -t, -ja] n, (film, tv) long shot

toxikus a, (orv) toxic

többes: 2. ~ szám jele mark of the plural; ~ számú használatban plural in construction, construed as plural

többesjel n, (nyelvt) mark of the plural

töltött: 2. ~ paprika stuffed paprika

tömegszórakoztató *a*, ~ *eszközök* mass-entertainment media

tömegtájékoztatási *a*, ~ *eszközök* mass media of communication

tömegverekedés *n*, free-for-all (fight)

törlés: 2. *[magnó]* erasion

töröl: 2. *[magnószalagot]* erase

töröző [-t, -je] *n*, = **tőrvívó** (a szótárban)

törpe: I. 1. ~ *atomerőmű* packed nuclear power station

tört: I. 1. *(épít)* ~ *oromzat* broken pediment

történelmi: ~ *nevezetességű hely* historic site/landmark

törzsanyag *n*, *[kézikönyvé]* corpus, (main) body

transzkontinentális *a*, transcontinental

tranzisztoros: *8* ~ *rádió* an 8-transistor set

trükkfilm: special effects film *is*

tudományos: ~ *fokozat* academic degree

túljelentkezés *n*, over-application, excess of applications

tupíroz [-tam, -ott, -zon] *vt/vi*, fluff (one's hair), style a beehive hairdo

turbolégcsavaros *a*, ~ *repülőgép* turboprop

turbosugárhajtómű *n*, *(rep)* turbojet engine

túrógombóc *n*, *(kb)* cottage-cheese dumplings *(pl)*

tübing: "tubing" *helyesen* "tubbing"

tükörfordítás: loan translation *is*

tükörszó: "translation loan" *helyesen* "loan translation"

tűzálló: ~ *edény* ovenware *is*

tűzfal: "bulkhead" *helyett* "fire wall"

tv-bemondó *n*, = **tévébemondó** (a függelékben)

tv-előfizető *n*, TV licence holder

tv-játék: teleplay *is*

tv-stúdió *n*, television studio

Uganda [..át, ..ában] *prop*, Uganda

ugandai [-ak, -t] *a/n*, Ugandan

ultrarövid: ~ *hullám* ultrashort wave *is*

urbanizáció [-t, -ja] *n*, urbanization

urbanizálód|ik [-ott, -jék] *vi*, be(come) urbanized

URH-kocsi *n*, patrol/squad car, (police) radio car

utánvétcsomag: collect package *is*

utasfülke *n*, passenger cabin/compartment

utcanév *n*, street name

útlevél-hosszabbítás *n*, extension of passport

útlevélkérelem *n*, passport application

utóvizsgáz|ik *vi*, take *(v.* sit for) a repeat examination (at University)

útpadka *n*, shoulder (of the road)

úttisztító *n*, street cleaner/orderly

úvé [-t, -ja] *n*, *(biz)* = **utóvizsga** (a szótárban)

uvéz|ik [-ott, -zon] *vi*, *(biz)* = **utóvizsgázik** (a függelékben)

üdvözlőlap *n*, greeting card

ülőfülke *n*, *(épít)* sedilia *(pl) is;* a címszó **ülőforgás** után helyezendő

űrhajósöltözet *n*, space suit

úrkabin *n*, space capsule

űrruha *n*, space suit

ütemadó, ütemszabályozó *n*, *(orv)* pacemaker

üvegmosó *n*, bottle washer

üvegveranda *n*, glass(ed-in) porch

üzemforma *n*, *(közg)* form of management

üzemmód *n*, working method, mode of operation

üzletkötő: *(ker)* import/export executive

vadászbombázó *n*, fighter-bomber

vadászható *a*, *[vad]* (game) in season *(ut)*

vadkacsáz|ik *vi*, go mallard-shooting

vágányfektetés *n*, laying of track, tracklaying

vájolt [-at; *adv* -an] *a*, *(épít)* ~ *oszlop* fluted column

vákuumcső *n*, *(távk)* vacuum tube

választékos: (4. sor) helyesen: ~ *stílus* és alatta: ~ *szavak* well-chosen words

váll: ~*ra emel (és úgy visz)* *vkt* carry sy shoulder-high

válogatott: II. *a magyar labdarúgó válogatott* the Hungarian national/selected team *is;* II. 2. *(sp) a tizenhétszeres* ~ X the 17-times capped X

valósághű *a*, true to nature/facts *(ut)*

valószínűségeloszlás *n*, *[menny, statisztika]* probability distribution; ~ *függvénye* probability distribution function

valószínűségi: ~ *változó (menny)* random/stochastic variable

váltóáramú *a*, alternating-current

váltóműszak: rotating shift

várható: ~ *érték* mathematical expectation, expected value

variabútor *n*, unit furniture

városi: ~ *iroda [repülőtársaságé]* air terminal

vásárváros: fair city; ~*ok kupája* Inter-Cities Fairs Cup

vazomotorikus: *a*, vaso-motor

vegetatív: ~ *idegrendszer* autonomic nervous system *is*

végfokozat *n*, *(távk)* output/final stage

vegyesúszás *n*, *(sp)* medley swimming

vegyesváltó *n*, *(sp)* *[úszás]* medley relay

vegyi: ~ *harcanyag* chemical agent; (7. sor) ~ *kötés/ kapcsolat* helyesen: chemical bond/link(age)

vegyivédelem *n*, *(kat)* antigas defence

vegyivédelmi *a*, ~ *szolgálat (kat)* chemical corps

vektorábra *n*, *(menny)* vector diagram

vendéghallgató: ~*ként jár* audit a course

vendéglátó: ~ *üzem* catering establishment

vendégtanár *n*, guest/visiting professor

véralkohol *n*, blood alcohol

véralkoholszint *n*, blood alcohol level

vérellátás *n*, blood supply

vérnyomás-ingadozás *n*, variation of blood pressure

vérpezsdítő *a*, blood-stirring

verselemzés *n*, prosodic/textual analysis

vesetükrözés *n*, *(orv)* cystoscopy

vezérlőasztal *n*, *(távk)* control desk

vezérnyelv *n*, *(nyelvt)* *[szótárban]* source language

vezet: I. 6. *a mérkőzést* X ~*i* the match will be refereed by X

vezetői *a*, [-ek, -t] ~ *engedély (gk)* driving licence

Vietnam: Vietnam *is*

vietnami: Vietnamese *is*

világcsúcs-beállítás *n*, *(sp)* world record equalling

világítóeszköz *n*, means of lighting

világjelenség *n*, universal phenomenon/fact

világszabadalom *n*, world patent

világszínvonal *n*, world standard

világtanács *n*, world council

villanybojler *n*, electric water heater

villanytakaró *n*, electric blanket

villog: *[tv-kép]* flicker

vinil [-t, -je] *n*, *[műanyag]* vinyl

vírus: *(orv)* ~*ok által okozott* of viral origin *(ut)*

visszahelyez: 2. *[vkt állásba stb.]* repost

visszaigazol *vt*, *(ker)* acknowledge (receipt of)

visszajátszás *n*, *[film, magnó]* play-back

visszaszámolás *n*, *[rakéta indításakor]* countdown

vívás: *így módosítandó* 1. *(sp)* fencing, *[kardforgatás]* sword-play 2....

vizeletvizsgálat: *helyesen* urinalysis

vízlepergető *a*, *(tex)* ~ *kikészítés* water-repellent finish

vízmelegítő *a*, *(gázüzemű)* ~ *(gas)* water heater, geyser

vízszintjelző *n*, water-gauge

víztároló: *elektromos* ~ electric water heater
volna: (6. sor) *ha nem lett* ~ *ott* a magyar szöveg helyesen: *ha nem* ~ *ott*
vonalas: 1. *(nyomd)* ~ *klisé* line block
vonalzavar: garbled line *is*
vonótartás *n, (zene)* bow-hold
vontatmány *n,* tow
vonz: 2. *többes számot* ~ így is: be plural in construction

xerográfia [.. át] *n,* xerography
xerox [-ot, -a] *a/n,* Xerox, Xerox-processed

Yemen [-t, -ben] *prop, (földr)* Yemen
yemeni [-ek, -t, -je] *a/n,* Yemeni(te)

zacskós: ~ *tej (kb)* cartoned milk
zajszint *n,* noise level
Zambia [.. át, .. ában] *prop, (földr)* Zambia
zambiai [-ak, -t, -ja] *a/n,* Zambian
záróakkord *n, (zene)* closing chord
záróvonal: 3. *[közlekedési]* unbroken line, double line *(US)*
zártláncú *a,* ~ *televízió* closed-chain/circuit television, industrial television
zászlófelvonás *n,* flag-hoisting
zeneesztétika *n,* music(al) aesthetics
zenés: 1. ~ *játék* musical (comedy)
zéruspontbeállítás *n,* zero adjustment
zongoralecke *n.* piano-lesson